AF513276

आर० गुप्ता® कृत

नेशनल टेस्टिंग एजेंसी (NTA)

UGC-NET/JRF

Junior Research Fellowship & Assistant Professor Eligibility Exam

इतिहास

पिछले प्रश्न-पत्र

PAPER II

2027
EDITION

रमेश पब्लिशिंग हाउस, नई दिल्ली

प्रकाशक

ओ.पी. गुप्ता, रमेश पब्लिशिंग हाउस

प्रशासनिक कार्यालय

12-H, न्यू दरियागंज रोड, आफिसर्स मेस के सामने,
नई दिल्ली-110002 ✆ 23275224, 23245124

E-mail: info@rameshpublishinghouse.com
For Online Shopping: www.rameshpublishinghouse.com

विक्रय केन्द्र

• बालाजी मार्किट, नई सड़क, दिल्ली-110006 ✆ 23282525 📱 9354373464
• 4457, नई सड़क, दिल्ली-110006

Book Code: R-2708

ISBN: 978-93-5477-854-4

मूल्यः ₹ 640

मुद्रकः दीपक ऑफसेट, दिल्ली

अनुक्रमणिका

UGC-NET/JRF—(PAPER-II) इतिहास

UGC-NET इतिहास, जनवरी 2026 1-28

UGC-NET इतिहास, जून 2025 1-32

UGC-NET इतिहास, जनवरी 2025 1-32

UGC-NET इतिहास, अगस्त 2024 1-32

UGC-NET इतिहास, दिसम्बर 2023 1-34

UGC-NET इतिहास, जून 2023 35-68

UGC-NET इतिहास, फरवरी 2023 1-28

UGC-NET इतिहास, जून 2022 1-32

UGC-NET इतिहास, जून 2021 33-64

UGC-NET इतिहास, जून 2020 65-96

UGC-NET इतिहास, दिसम्बर 2019 97-132

UGC-NET इतिहास, जून 2019 133-160

UGC-NET इतिहास, दिसम्बर 2018 161-184

UGC-NET इतिहास, जुलाई 2018 185-232

UGC-NET इतिहास, नवम्बर 2017 233-260

UGC-NET इतिहास, जनवरी 2017 1-32

UGC-NET इतिहास, जुलाई 2016 33-56

UGC-NET इतिहास, दिसम्बर 2015 57-84

UGC-NET इतिहास, जून 2015 85-108

UGC-NET इतिहास, दिसम्बर 2014 109-128

UGC-NET इतिहास, जून 2014 129-152

UGC-NET इतिहास, दिसम्बर 2013 153-172

UGC-NET इतिहास, जून 2013 173-199

UGC-NET इतिहास, दिसम्बर 2012 200-223

UGC-NET इतिहास, जून 2012 224-248

पिछले प्रश्न-पत्र

National Testing Agency (NTA)

UGC-NET जूनियर रिसर्च फैलोशिप तथा सहायक प्राध्यापक पात्रता परीक्षा

इतिहास, जनवरी-2026

(Exam held on 05-01-2026)

प्रश्न-पत्र-II

1. भारतीय प्रेस के इतिहास के बारे में निम्नलिखित में से कौन-से कथन सही हैं?

A. लॉर्ड वेलेजली ने 1799 में सेंसरशिप लागू की

B. 1799 के अधिनियम को 'द सेंसरशिप ऑफ द प्रेस एक्ट-1799' के नाम से जाना जाता है

C. लॉर्ड विलियम बेंटिक 'द लिबरेशन ऑफ द इंडियन प्रेस एक्ट, 1835' लेकर आया

D. प्रेस प्रतिबंध अधिनियम 1857 में पारित किया गया

E. वर्नाकुलर प्रेस एक्ट 1700 में पारित किया गया

नीचे दिए गए विकल्पों में से **सही** उत्तर चुनें:

1. केवल C, D, E
2. केवल A, B, C
3. केवल B, C, D
4. केवल A, D, E

2. सूची-I को सूची-II से सुमेलित करें:

सूची-I	सूची-II
A. महिला समिति	I. 1917
B. वूमेन इंडिया एसोसिएशन	II. 1926
C. नेशनल काउंसिल ऑफ वूमेन इन इंडिया	III. 1925
D. ऑल इंडिया वूमेन कॉन्फ्रेंस	IV. 1913

नीचे दिए गए विकल्पों में से **सही** उत्तर चुनें:

1. A-IV, B-II, C-III, D-I
2. A-III, B-II, C-I, D-IV
3. A-IV, B-I, C-III, D-II
4. A-III, B-IV, C-I, D-II

3. नीचे दो कथन दिए गए हैं: एक **अभिकथन** (A) के रूप में है तो दूसरा उसके **कारण** (R) के रूप में:

अभिकथन (A): भारत की संविधान सभा की अध्यक्षता कांग्रेस नेता डॉ. राजेन्द्र प्रसाद ने की थी।

कारण (R): डॉ. बी.आर. अंबेडकर संविधान सभा की प्रारूप समिति के अध्यक्ष थे।

उपरोक्त कथन के आलोक में, नीचे दिए गए विकल्पों में से **सबसे उपयुक्त उत्तर** का चयन कीजिए।

1. (A) और (R) दोनों सही हैं और (R), (A) की सही व्याख्या है।
2. (A) और (R) दोनों सही हैं और (R), (A) की सही व्याख्या नहीं है।
3. (A) सही है, लेकिन (R) सही नहीं है।
4. (A) सही नहीं है, लेकिन (R) सही है।

4. 'द आइडिया ऑफ हिस्ट्री' नामक पुस्तक की रचना किसने की?

1. ए. फ्रॉउडे
2. ई.एच. कार
3. आर.जी. कालिंगवुड
4. आर. बार्टलेट

5. नीचे दो कथन दिए गए हैं: एक **अभिकथन** (A) के रूप में है तो दूसरा उसके **कारण** (R) के रूप में:

अभिकथन (A): ईश्वर चन्द्र विद्यासागर द्वारा रचित 'वर्णपरिचय' का मिशनरी स्कूलों में प्रवेशिका के रूप में उपयोग किया गया था।

कारण (R): यह भारतीय वर्ण व्यवस्था के बारे में पाठ था।

उपरोक्त कथन के आलोक में, नीचे दिए गए विकल्पों में से **सबसे उपयुक्त उत्तर** का चयन कीजिए।

1. (A) और (R) दोनों सही हैं और (R), (A) की सही व्याख्या है।
2. (A) और (R) दोनों सही हैं और (R), (A) की सही व्याख्या नहीं है।
3. (A) सही है, लेकिन (R) सही नहीं है।
4. (A) सही नहीं है, लेकिन (R) सही है।

6. राजा रघुनाथ राय को औरंगजेब ने महानतम प्रशासक बताया था। किस मध्यकालीन पुस्तक में इसका उल्लेख है?

1. रूक्कत-ए-आलमगीरी
2. मकलत-ए-शिल्बी
3. गुलशन-ए-इब्राहिमी
4. मिरात अल-मामलिक

7. 1861 में भारत के राज्य सचिव ने कहा था कि "सभी अनुभव हमें यह बताते है कि जहाँ एक प्रभावी नस्ल दूसरी नस्ल पर शासन करती है, वहाँ शासन का सबसे उदार स्वरूप निरंकुश शासन होता है।" जिसने यह कथन कहा, उन भारत के राज्य सचिव का नाम बताइए?

1. लॉर्ड स्टेनली
2. चार्ल्स वुड
3. लॉर्ड केनिंग
4. सर जॉन लारेंस

8. भक्ति और सूफी संतों को शताब्दी-वार सही कालानुक्रम में रखें:

A. कश्मीर की लाल देद और महाराष्ट्र की चोख मेला
B. महाराष्ट्र के ज्ञानदेव और दिल्ली के कुतुबुद्दीन बख्तियार काकी
C. पंजाब के गुरू नानक और गुजरात के वल्लभाचार्य
D. राजस्थान की मीराबाई और उत्तर प्रदेश के तुलसीदास
E. तमिलनाडु के अपार और सुंदरमूर्ति

नीचे दिए गए विकल्पों में से **सही** उत्तर चुनें:

1. E, B, A, C, D
2. E, A, B, C, D
3. B, A, C, D, E
4. D, B, A, C, E

9. किस जनजातीय नेता ने महात्मा गांधी के आदर्शों का पालन किया?

1. बिरसा मुण्डा
2. तांत्या भील
3. अल्लूरू सीताराम राजू
4. माला पंडाराम

10. मध्यकालीन शताब्दियों के बारे में 'रिसाला-ए-जिरात' पुस्तक किससे संबंधित है?

1. पोत-निर्माण
2. कपड़ा बुनाई
3. कृषि
4. व्यापार और वाणिज्य

11. सूची-I को सूची-II से सुमेलित करें:

सूची-I	सूची-II
A. 1568 ई.	I. अकबर ने सिख गुरू अर्जुन देव से भेंट की।
B. 1572 ई.	II. अकबर ने सिख गुरू अमर दास से भेंट की।
C. 1565 ई.	III. अकबर ने गोकुल के श्रीनाथजी मंदिर के रख-रखाव के लिए लगान-मुक्त भूमि के अनुदान के लिए फरमान जारी किया।
D. 1598 ई.	IV. अकबर ने जीव गोसाई को मदन मोहन और गोविन्द देव मंदिर का प्रबंधन अधिकार देने का फरमान जारी किया।

नीचे दिए गए विकल्पों में से **सही** उत्तर चुनें:

1. A-I, B-II, C-III, D-IV
2. A-III, B-II, C-IV, D-I
3. A-IV, B-III, C-II, D-I
4. A-I, B-II, C-IV, D-III

12. भारत के निम्नलिखित राजवंशों को सही कालानुक्रम में रखें:

A. उड़ीसा का गजपति साम्राज्य
B. दिल्ली सल्तनत
C. अहमदनगर, बीजापुर और बरार की सल्तनतें
D. जौनपुर, कश्मीर और मदुरा की सल्तनतें
E. गोलकुंडा की सल्तनत

नीचे दिए गए विकल्पों में से **सही** उत्तर चुनें:

1. A, B, C, D, E 2. B, D, A, C, E
3. B, D, C, A, E 4. E, D, C, B, A

13. निम्नलिखित पल्लव वंश के शासकों को सही कालानुक्रम में रखें:

A. स्कंदवर्मन द्वितीय B. सिंहवर्मन द्वितीय
C. स्कंदवर्मन तृतीय D. कुमार विष्णु प्रथम
E. वीरवर्मन

नीचे दिए गए विकल्पों में से **सही** उत्तर चुनें:

1. B, C, D, A, E 2. D, E, A, C, B
3. A, B, C, D, E 4. C, D, A, E, B

. प्रारम्भिक मध्यकाल में 'हुंडिका' किससे संबंधित थी?

1. उत्कीर्ण लेख 2. विनिमय पत्र
3. शासकों की उपाधि 4. कला और स्थापत्य कला

5. किसके शासनकाल में पहली बार 'आतिशबाजी' के लिए बारूद का उपयोग किया गया था?

1. अलाउद्दीन खिलजी
2. मुहम्मद बिन तुगलक
3. फिरोज शाह तुगलक
4. बहलोल लोदी

. उस पुस्तक का नाम बताइए जिसमें दादू दयाल का पिंजरा और धुनिया के रूप में उल्लेख है।

1. ग्रंथावली 2. दबिस्तान-ए-मजाहिब
3. शाहजहाँनामा 4. रिसाला-ए-जिरात

. गुप्त साम्राज्य के प्रांतों को क्या कहा जाता था?

1. ग्राम 2. मंडल
3. भुक्ती 4. विषय

18. औपनिवेशिक काल के निम्नलिखित अकालों को सही कालानुक्रम में रखें:

A. उत्तर-पश्चिमी प्रांतों और अवध का अकाल
B. बंगाल का भयंकर अकाल
C. मद्रास का अकाल
D. उड़ीसा का अकाल
E. दिल्ली और आगरा का अकाल

नीचे दिए गए विकल्पों में से **सही** उत्तर चुनें:

1. D, E, C, A, B 2. B, C, A, E, D
3. B, C, A, D, E 4. A, B, C, D, E

19. औपनिवेशिक भारत में सिविल सेवाओं के बारे में निम्नलिखित में से कौन-से कथन सही हैं?

A. लॉर्ड वेलेजली ने 1800 ई. में फोर्ड विलियम कॉलेज की स्थापना की
B. इंग्लैण्ड के हेलीबरी में 1806 ई. में ईस्ट इंडियन कॉलेज की स्थापना की गई
C. लॉर्ड कार्नवालिस ने 1793 ई. में भारतीय सिविल सेवा की नींव रखी
D. भारतीय सिविल सेवा को प्राय 'कॉपर फ्रेम' कहा गया
E. लॉर्ड कार्नवालिस ने कंपनी के नौकरों का वेतन बढ़ा दिया था

नीचे दिए गए विकल्पों में से **सही** उत्तर चुनें:

1. केवल A, B, C 2. केवल A, B, D
3. केवल B, C, D 4. केवल A, B, E

20. सूची-I को सूची-II से सुमेलित करें:

सूची-I	सूची-II
A, गंगा प्रसाद सेन	I. आयुर्वेदिक मेडिसिन
B. महेन्द्रलाल सरकार	II. होम्योपैथी
C. लियोनार्ड रोजर्स	III. कलकत्ता स्कूल ऑफ ट्रॉपिकल मेडीसिन
D. फ्लोरेंस नाइटिंगल	IV. लेड विद द लैम्प

नीचे दिए गए विकल्पों में से **सही** उत्तर चुनें:

1. A-I, B-II, C-III, D-IV
2. A-II, B-III, C-I, D-IV
3. A-IV, B-I, C-II, D-III
4. A-III, B-I, C-IV, D-II

21. नीचे दो कथन दिए गए हैं: एक **अभिकथन** (A) के रूप में है तो दूसरा उसके **कारण** (R) के रूप में:

अभिकथन (A): बौद्ध धर्म तीसरी शताब्दी ई.पू. तक अच्छी तरह स्थापित हो गया था और संपूर्ण सातवाहन काल तक फलता-फूलता रहा।

कारण (R): ईसा युग की पहली दो शताब्दियों में दक्कन में बौद्ध धर्म का सबसे गौरवशाली युग था।

उपरोक्त कथन के आलोक में, नीचे दिए गए विकल्पों में से **सबसे उपयुक्त उत्तर** का चयन कीजिए।

1. (A) और (R) दोनों सही हैं और (R), (A) की सही व्याख्या है।
2. (A) और (R) दोनों सही हैं और (R), (A) की सही व्याख्या नहीं है।
3. (A) सही है, लेकिन (R) सही नहीं है।
4. (A) सही नहीं है, लेकिन (R) सही है।

22. स्थानीय स्वशासन के लिए प्रांतीय बिल की शुरुआत किसके अधीन की गई थी?

1. लॉर्ड रिपन 2. लॉर्ड चेम्सफोर्ड
3. लॉर्ड मॉर्ले 4. लॉर्ड मेयो

23. 'जखीरात अल-खावानिन' का लेखक कौन है?

1. सुजन राय भंडारी
2. मुआतमिद खान
3. गुलबदन बेगम
4. शेख फरीद भाक्करी

24. पंचवर्षीय योजनाओं के उद्देश्य थे:

A. राष्ट्रीय और प्रति व्यक्ति आय का उच्च स्तर प्राप्त करना
B. पूर्ण रोजगार का लक्ष्य प्राप्त करना
C. साम्यवादी आदर्शों को लागू करना
D. धन-संपत्ति की असमानताओं को कम करना
E. मिश्रित अर्थव्यवस्था को समाप्त करना

नीचे दिए गए विकल्पों में से **सही** उत्तर चुनें:

1. केवल C, D, E 2. केवल B, C, D
3. केवल A, B, C 4. केवल A, B, D

25. औपनिवेशिक काल के निम्नलिखित किसान और जनजातीय विद्रोहों को सही कालानुक्रम में रखें:

A. बंगाल का नील किसान विद्रोह
B. भील विद्रोह
C. संथाल विद्रोह
D. दक्कन दंगे
E. मोपला विद्रोह

नीचे दिए गए विकल्पों में से **सही** उत्तर चुनें:

1. D, E, C, A, B 2. B, C, E, A, D
3. A, D, E, C, B 4. B, C, A, D, E

26. निम्नलिखित में से कौन से **सही** हैं?

A. ब्राहमण ग्रंथों में बलि संबंधी कर्मकांड का वर्णन है
B. उपनिषदों में दार्शनिक विचार सम्मिलित है
C. आरण्यक वनों से संबंधित ग्रंथ है
D. यजुर्वेद गीतों से संबंधित है
E. अर्थववेद में तंत्र-मंत्र शामिल हैं

नीचे दिए गए विकल्पों में से **सही** उत्तर चुनें:

1. केवल A, C, D, B
2. केवल A, E, B, C
3. केवल A, B, C, E
4. केवल C, D, B, E

27. युवा सैनिक 'मंगल पाण्डे' को अपने वरिष्ठ अधिकारि पर हमला करने के लिए 29 मार्च 1857 को फाँ दी गई। मंगल पाण्डे कहाँ शहीद हुए थे?

1. मेरठ 2. दानापुर
3. बैरकपुर 4. इलाहाबाद

28. दक्कन के वाकाटक का संस्थापक कौन था?

1. पृथ्वीसेन प्रथम 2. प्रवरसेन प्रथम
3. रुद्रसेन प्रथम 4. विंध्यशक्ति प्रथम

29. 'मरकज' शब्द का तात्पर्य है:

1. सांस्कृतिक केन्द्र
2. लोहे के हथियारों का निर्माण
3. कढ़ाई
4. पशुओं के लिए अस्पताल

30. इकबालनामा-ए-जहाँगीरी के लेखक का नाम बताइए।

1. मुतम्मद खाँ
2. असद बेग
3. मुंशी काजिम
4. जहाँगीर

31. नीचे दो कथन दिए गए हैं: एक **अभिकथन** (A) के रूप में है तो दूसरा उसके **कारण** (R) के रूप में:

अभिकथन (A): 1861 के भारतीय परिषद अधिनियम ने कानून के प्रयोजन के लिए गवर्नर जनरल की परिषद् की सदस्य संख्या में वृद्धि कर दी, इस प्रकार इसे इम्पीरियल लेजिस्लेटिव काउंसिल कहा गया।

कारण (R): इम्पीरियल लेजिस्लेटिव काउंसिल एक सलाहकारी निकाय मात्र था।

उपरोक्त कथन के आलोक में, नीचे दिए गए विकल्पों में से **सबसे उपयुक्त उत्तर** का चयन कीजिए।

1. (A) और (R) दोनों सही हैं और (R), (A) की सही व्याख्या है।
2. (A) और (R) दोनों सही हैं और (R), (A) की सही व्याख्या नहीं है।
3. (A) सही है, लेकिन (R) सही नहीं है।
4. (A) सही नहीं है, लेकिन (R) सही है।

32. सूची-I को सूची-II से सुमेलित करें:

सूची-I	**सूची-II**
A. बैत-उल-माल	I. शाही अस्तबल के जानवरों के लिए पशु आहार
B. मुल्क-ए-मारुसी	II. घुठनों पर बैठकर बादशाह को सजदा करने का दरबारी शिष्टाचार
C. कुर्निश	III. सरकारी खजाना
D. खुराक-ए-दव्वाब	IV. पूर्वजों का प्रभाव-क्षेत्र

नीचे दिए गए विकल्पों में से **सही** उत्तर चुनें:

1. A-I, B-II, C-III, D-IV
2. A-IV, B-III, C-II, D-I
3. A-III, B-II, C-I, D-IV
4. A-III, B-IV, C-II, D-I

33. भारतीय उपमहाद्वीप की प्राचीनतम लिपि, जो पढ़ी जा सकी है, कौन-सी है?

1. हड़प्पा
2. खरोष्ठी
3. ब्राह्मी
4. आरमेइक

34. सही युग्म चुनें:

A. गर्भगृह – पवित्रतम पूजा स्थल

B. मण्डप – गर्भगृह के ऊपर का शिखर

C. गोपुर – अलंकृत प्रवेश द्वार

D. नागर – उत्तर भारतीय मंदिर शैली

E. द्रविड़ शैली – मामल्लपुरम मंदिर

नीचे दिए गए विकल्पों में से **सही** उत्तर चुनें:

1. केवल A, B, C, D
2. केवल A, C, D, E
3. केवल B, C, D, E
4. केवल A, D, B, E

35. विवाह के संबंध में निम्नलिखित में से कौन-से विकल्प **सही** हैं?

A. प्रजापत्य – पिता दहेज के बिना, स्त्री धन के बिना कन्या देता है

B. अर्ष – दहेज के स्थान पर गाय और बैल के रूप में कन्या का सांकेतिक धन देना होता है

C. राक्षस – कन्या का मोल देकर कर विवाह करना

D. असुर – कन्या खरीद कर विवाह करना

E. पैशाच – सुप्त या अर्द्धचेतन कन्या के साथ एकांत में संबंध बनाना

नीचे दिए गए विकल्पों में से **सही** उत्तर चुनें:

1. केवल A, B, C, D
2. केवल A, B, D, E
3. केवल B, C, D, E
4. केवल A, C, D, E

36. सूची-I को सूची-II से सुमेलित करें:

सूची-I	**सूची-II**
A. पेप्सू का विलय	I. नवम्बर 1956
B. महाराष्ट्र और गुजरात राज्यों का निर्माण	II. 1966
C. राज्य पुनर्गठन अधिनियम	III. 1956
D. पंजाब और हरियाणा राज्यों का निर्माण	IV. 1960

नीचे दिए गए विकल्पों में से **सही** उत्तर चुनें:
1. A-III, B-IV, C-I, D-II
2. A-II, B-I, C-III, D-IV
3. A-IV, B-III, C-I, D-II
4. A-II, B-I, C-IV, D-III

37. सूची-I को सूची-II से सुमेलित करें:

सूची-I (राजा)	**सूची-II (वंश)**
A. मयूरसर्मन	I. चेर
B. सेनगुट्टुवन	II. कदम्ब
C. करिकल	III. चोल
D. हस्तिवर्मन	IV. वेंगी

नीचे दिए गए विकल्पों में से **सही** उत्तर चुनें:
1. A-I, B-II, C-III, D-IV
2. A-III, B-IV, C-II, D-I
3. A-II, B-I, C-III, D-IV
4. A-II, B-III, C-I, D-IV

38. नीचे दो कथन दिए गए हैं: एक **अभिकथन** (A) के रूप में है तो दूसरा उसके **कारण** (R) के रूप में:

अभिकथन (A): हड़प्पा की मुहरों में सामान्यतः लेखन की एक पंक्ति होती है, जिसमें उसके स्वामी का नाम और उपाधि लिखी होती है।

कारण (R): लम्बी दूरी के पत्राचार के लिए मुहरों और मुहरबंदी का उपयोग किया जाता था।

उपरोक्त कथन के आलोक में, नीचे दिए गए विकल्पों में से **सबसे उपयुक्त उत्तर** का चयन कीजिए।
1. (A) और (R) दोनों सही हैं और (R), (A) की सही व्याख्या है।
2. (A) और (R) दोनों सही हैं और (R), (A) की सही व्याख्या नहीं है।
3. (A) सही है, लेकिन (R) सही नहीं है।
4. (A) सही नहीं है, लेकिन (R) सही है।

39. सूची-I को सूची-II से सुमेलित करें:

सूची-I	**सूची-II**
A. 1600-1601 ई. में गेहूँ की दर	I. 125 दाम प्रति मन
B. 1600-1601 ई. में बाजरा की दर	II. 8 दाम प्रति मन
C. 1600-1601 ई. में चीनी की दर	III. 12 दाम प्रति मन
D. 1600-1601 ई. में चना की दर	IV. 16½ दाम प्रति मन

नीचे दिए गए विकल्पों में से **सही** उत्तर चुनें:
1. A-III, B-II, C-IV, D-I
2. A-II, B-III, C-I, D-IV
3. A-III, B-II, C-I, D-IV
4. A-II, B-IV, C-I, D-III

40. नीचे दो कथन दिए गए हैं: एक **अभिकथन** (A) के रूप में है तो दूसरा उसके **कारण** (R) के रूप में:

अभिकथन (A): नवम्बर 1931 में लंदन में हुए द्वितीय गोलमेज सम्मेलन में महात्मा गांधी ने 'निम्न जातियों के लिए पृथक निर्वाचक मंडल की मांग का विरोध किया।

कारण (R): गांधी का मानना था कि इससे मुख्य धार के समाज में उनके एकीकरण में रुकावट आएगी और वे अन्य जातियों के हिन्दुओं से स्थायी रूप से पृथक हो जाएंगे।

उपरोक्त कथन के आलोक में, नीचे दिए गए विकल्पों में से **सबसे उपयुक्त उत्तर** का चयन कीजिए।
1. (A) और (R) दोनों सही हैं और (R), (A) की सही व्याख्या है।
2. (A) और (R) दोनों सही हैं और (R), (A) की सही व्याख्या नहीं है।
3. (A) सही है, लेकिन (R) सही नहीं है।
4. (A) सही नहीं है, लेकिन (R) सही है।

41. किसने लॉर्ड डलहॉजी को यह कहकर सचेत किया था "अवध का प्रत्येक किसान परिवार शायद अपवाद के बिना, ... ब्रिटिश सेना में अपना एक सदस्य भेजता है", अवध अंग्रेजों के विरूद्ध विद्रोह कर सकता है
1. सर नाथन रोज
2. सर जेंम्स आउटराम
3. सर क्लीमेंट जोसेफ
4. सर अलेक्जेंडर राम

42. सूची-I को सूची-II से सुमेलित करें:

सूची-I	सूची-II
A. शिक्षा	I. छन्दशास्त्र
B. कल्प	II. स्वरविज्ञान
C. छन्द	III. सामाजिक विचार
D. ज्योतिष	IV. खगोलशास्त्र

नीचे दिए गए विकल्पों में से **सही** उत्तर चुनें:

1. A-I, B-II, C-III, D-IV
2. A-III, B-IV, C-I, D-II
3. A-III, B-II, C-IV, D-I
4. A-II, B-III, C-I, D-IV

43. शालीमार बाग, साहिबाबाद बाग और कुदसिया बाग का निर्माण मुगल काल में हुआ था? ये किस शहर में स्थित हैं?

1. आगरा
2. दिल्ली
3. औरंगाबाद
4. श्रीनगर

44. निम्नलिखित चालुक्य शासकों को सही कालानुक्रम में रखें:

A. पुलकेसिन द्वितीय B. विक्रमादित्य
C. विक्रमादित्य द्वितीय D. विनयादित्य
E. विजयादित्य

नीचे दिए गए विकल्पों में से **सही** उत्तर चुनें:

1. A, C, B, E, D
2. A, B, C, D, E
3. C, A, B, E, D
4. A, B, D, E, C

45. सिंधु घाटी सभ्यता का नगरीय चरण किस अवधि से संबंधित है?

1. 4000-3000 ई.पू.
2. 3000-2000 ई.पू.
3. 2600-1900 ई.पू.
4. 1900-1300 ई.पू.

46. निम्नलिखित में भारत की एकता और अखंडता के बारे में से कौन-से कथन सही हैं?

A. न्यायमूर्ति एस.के. दास की अध्यक्षता में भाषायी प्रांत आयोग
B. जेवीपी समिति में जवाहरलाल नेहरू, वल्लभभाई पटेल और पट्टाभि सीतारमैया शामिल थे
C. जेवीपी ने आंध्र राज्य का समर्थन नहीं किया
D. पट्टिट श्रीरामालू ने जेवीपी के निर्णय का समर्थन किया
E. अक्टूबर 1953 में तमिल भाषी राज्य के रूप में तमिलनाडु का निर्माण किया गया

नीचे दिए गए विकल्पों में से **सही** उत्तर चुनें:

1. केवल A, B, C
2. केवल A, B, E
3. केवल A, B, D
4. केवल C, D, E

47. ऋग्वेद के किस मंडल में दस राजाओं के युद्ध का वर्णन है?

1. मंडल 6
2. मंडल 7
3. मंडल 8
4. मंडल 10

48. निम्नलिखित में से कौन-सी औद्योगिक गतिविधियां सही थी?

A. विदेशी विनिमय खुदरा अधिनियम (1935)
B. टाटा आयरन एंड स्टील कंपनी ने 1913 में इस्पात का उत्पादन किया
C. दिसम्बर 1919 में सरकार ने भंडार क्रय समिति का गठन किया
D. 1923 में इब्राहीम रहीमतुल्लाह के नेतृत्व में गठित आयोग ने उद्योग संरक्षण नीति की सिफारिश की
E. राजकोषीय आयोग (1923) ने उद्योगों के राजकोषीय संरक्षण के लिए दोहरा सूत्र निर्धारित किया

नीचे दिए गए विकल्पों में से **सही** उत्तर चुनें:

1. केवल A, C, D
2. केवल B, C, D
3. केवल C, D, E
4. केवल A, D, E

49. कश्मीर के इतिहास पर पुस्तक 'बहारिस्तान-ए-शाही' किसके शासन काल में लिखी गई थी?

1. जैनुल आबादीन
2. शाह मीर
3. अकबर
4. जहाँगीर

50. 'हिस्ट्री ऑफ द पेलोपोनेसियन वार' की रचना किसने की है?

1. हेरोडोटस
2. टेसिटस
3. थुसीडाइडेस
4. पोलीबियस

51. ऋग्वेद के शब्दों के व्युत्पत्ति विज्ञान (निरुक्ति) पर छठी शताब्दी ई.पू. के ग्रंथ 'निरुक्त' का लेखक कौन है?

1. यास्क
2. मेक्स सूलर
3. कल्हण
4. बाण

52. संस्कारों की क्रिया के क्रम और विवरण का उल्लेख किसमें है?

1. गृह सूत्र
2. सुल्व सूत्र
3. पुराण
4. जातक

53. सूची-I को सूची-II से सुमेलित करें:

सूची-I	सूची-II
A. अल्लाह बक्स	I. यूनियनिस्ट पार्टी
B. बलदेव सिंह	II. मुस्लिम लीग (यू.पी.)
C. सिंकदर हयात खाँ	III. सिंध यूनाइटेड पार्टी
D. चौधरी खलीकुज्जमन	IV. अकाली पार्टी

नीचे दिए गए विकल्पों में से **सही** उत्तर चुनें:

1. A-IV, B-III, C-II, D-I
2. A-III, B-IV, C-I, D-II
3. A-II, B-III, C-IV, D-I
4. A-I, B-II, C-III, D-IV

54. यह किसने कहा था कि 'निर्वचन का तत्व इतिहास के प्रत्येक तथ्य में प्रवेश करता है।'

1. किचसन क्लार्क
2. जी.एम. ट्रेवेलियन
3. मार्क ब्लॉक
4. ई.एच. कार

55. सूची-I को सूची-II से सुमेलित करें:

सूची-I	सूची-II
A. रागदर्पण (1666 ई.)	I. सरहिन्दी
B. शाम्स-अल-अस्वत (1698 ई.)	II. इब्न-ए खल्दून
C. मुकद्दिमाह और रौजत-अल-अइमा (चौदहवीं शताब्दी ई.)	III. रास बरस खाँ
D. इस्बत-उन-नुबुव्वाह और रिसाला रेद्द-ए-रवाफिज	IV. फकीरुल्लाह

नीचे दिए गए विकल्पों में से **सही** उत्तर चुनें:

1. A-II, B-I, C-III, D-IV
2. A-IV, B-III, C-II, D-I
3. A-I, B-II, C-III, D-IV
4. A-III, B-IV, C-I, D-II

56. निम्नलिखित में से कौन मध्यकालीन शताब्दियों के वारकरी सम्प्रदाय (आंदोलन) से संबंधित नहीं है?

1. एकनाथ
2. जनाबाई
3. मुक्ताबाई
4. रूप भवानी

57. अठारहवीं और उन्नीसवीं शताब्दियों में यूरोपीय विद्वानों के लेखन का वर्चस्व था, जिन्हें सामान्यतः क्या कहा जाता है:

1. राष्ट्रवादी
2. मार्क्सवादी
3. प्राच्यवादी
4. साम्यवादी

58. निम्न में से किसके सुधार के लिए 'किचेनर टेस्ट' का प्रयोग किया गया था?

1. औपनिवेशिक भारत में स्वास्थ्य प्रणाली
2. औपनिवेशिक भारत में विदेश मामले
3. औपनिवेशिक भारत में नगरपालिका प्रशासन
4. औपनिवेशिक भारत में सैन्य प्रशासन

59. भारत के निम्नलिखित जातिगत सुधारों को सही कालानुक्रम में रखें:

A. वायकोम सत्याग्रह
B. महाद सत्याग्रह
C. आत्म सम्मान आंदोलन (सेल्फ रेस्पेक्ट मूवमेंट)
D. बहिष्कृत हितकारणी सभा
E. ऑल इंडिया डिप्रेस्ड क्लासेज लीडर्स कॉन्फ्रेंस

नीचे दिए गए विकल्पों में से **सही** उत्तर चुनें:

1. B, E, D, A, C
2. C, A, D, B, E
3. A, B, C, D, E
4. E, D, C, B, A

60. अलाउद्दीन खिलजी की आर्थिक नीति और बाजार केन्द्र के संबंध में निम्न में से कौन-से कथन सही हैं?

A. वर्तमान राशन कार्डों के समान एक प्रणाली शुरु करना
B. व्यापारियों पर नियंत्रण लगाने और निर्धारित दरों पर नियमित आपूर्ति सुनिश्चित करने के लिए बाजार निरीक्षकों और अन्य कर्मचारियों की नियुक्ति करना

C. संपूर्ण प्रणाली के कार्यकरण को विनियमित करने के लिए दीवान-ए-रियासत की नियुक्ति करना
D. व्यापारियों का पंजीकरण
E. अनाज भंडारण के लिए गोदामों का निर्माण करना और केवल कमी होने पर उनसे अनाज जारी करना

नीचे दिए गए विकल्पों में से **सही** उत्तर चुनें:

1. केवल B, C, D, E 2. केवल A, C, D, E
3. A, B, C, D, E 4. केवल A और B

61. अमीर खुसरो की 'किरान-उस-सादिन' किससे संबंधित है?

1. कैकूबाद और बुगरा खाँ की मुलाकात
2. देवल रानी और खिज्र खाँ की प्रेम कथा
3. मुबारक शाह खिलजी की विजयगाथाएं
4. गियासुद्दीन तुगलक की विजयगाथाएं

62. नीचे दो कथन दिए गए हैं: एक **अभिकथन** (A) के रूप में है तो दूसरा उसके **कारण** (R) के रूप में:

अभिकथन (A): महावस्तु में बुद्ध का संतचरित लेखन (पवित्र जीवनी) है तथा संस्कृत-प्राकृत मिश्रित भाषा में मठ व्यवस्था के उदय का वर्णन है।

कारण (R): महायान संप्रदाय में संस्कृत के प्रयोग की प्रवृत्ति तीव्र हो गई थी।

उपरोक्त कथन के आलोक में, नीचे दिए गए विकल्पों में से **सबसे उपयुक्त उत्तर** का चयन कीजिए।

1. (A) और (R) दोनों सही हैं और (R), (A) की सही व्याख्या है।
2. (A) और (R) दोनों सही हैं और (R), (A) की सही व्याख्या नहीं है।
3. (A) सही है, लेकिन (R) सही नहीं है।
4. (A) सही नहीं है, लेकिन (R) सही है।

63. 'अनहैप्पी इंडिया' पुस्तक किससे संबंधित थी?

1. एम.के. गांधी 2. मदन मोहन मालवीय
3. एम.जी. रानाडे 4. लाला लाजपत राय

64. प्रशासन में सुधार करने की दृष्टि से 1882 के संकल्प द्वारा स्थानीय स्वशासन को सुदृढ़ किया था और यह किससे संबंधित था?

1. लॉर्ड केनिंग 2. लॉर्ड रिपन
3. लॉर्ड कर्जन 4. लॉर्ड डफरिन

65. जनवरी 1929 में कौन-सा प्रसिद्ध जर्नल मार्क ब्लॉक और लूसियन फेब्रे द्वारा संयुक्त रूप से शुरू किया गया था?

1. एनल्स द हिस्टोइरे इकॉनोमिके इत सोसाइले
2. एनल्स द हिस्टोइरे सोसियाके इत सोसाइले
3. एनल्स द हिस्टोइरे इत सोसाइले इत इकॉनोमिके
4. एनल्स द हिस्टोइरे इत सोसाइले इत सोसाइटे

66. संस्कृत साहित्य के उच्च शिक्षा केन्द्र क्या कहलाते थे?

1. चतुर्वर्ण 2. चतुष्पथी
3. चतुरंगन 4. चतुर्वेदी

67. दिल्ली सल्तनत के स्रोतों के बारे में निम्नलिखित में से कौन-से सही हैं?

A. मिफताह-उल-फतूह के जलालुद्दीन खिलजी के युद्ध के बारे में उल्लेख है
B. खजाइल-उल-फतूह के मुबारक शाह खिलजी के आक्रमण के बारे में उल्लेख है
C. नूह सिफिर में मुबारक शाह खिलजी के आक्रमण के बारे में उल्लेख है
D. तुगलकनामा में गियासुद्दीन तुगलक के युद्ध का उल्लेख है
E. अफीफ कृत तारीख-ए-फिरोजशाही में फिरोजशाह तुगलक के शासनकाल का उल्लेख है

नीचे दिए गए विकल्पों में से **सही** उत्तर चुनें:

1. केवल A, C, D, E
2. केवल A, B, C, D
3. केवल C, D, B, E
4. केवल B, C, D, E

68. मलखेड़ (दक्कन) के राष्ट्रकूट शासकों को सही कालानुक्रम (725 ई. से 1000 ई.) में रखें:

A. दंतिदुर्ग B. कृष्ण प्रथम
C. गोविन्द तृतीय D. अमोघ प्रथम
E. कृष्ण तृतीय

नीचे दिए गए विकल्पों में से **सही** उत्तर चुनें:

1. A, B, C, D, E
2. A, C, D, E, B
3. A, D, E, C, B
4. A, B, D, C, E

69. नीचे दो कथन दिए गए हैं: एक **अभिकथन** (A) के रूप में है तो दूसरा उसके **कारण** (R) के रूप में:

अभिकथन (A): जब्त के लिए खेतों की निरंतरता के आधार पर भूमि का वर्गीकरण किया जाता था।

(*i*) पोलज – ऐसी भूमि जिस पर प्रति वर्ष खेती की जाती है।

(*ii*) परती/पारूती – ऐसी भूमि जो कुछ समय के लिए खाली छोड़ दी जाती है।

(*iii*) चाचर – ऐसी भूमि जो तीन या चार वर्ष तक खाली रहती है।

(*iv*) बंजर या ऐसी भूमि जिस पर दो वर्ष से खेती नहीं हुई है।

कारण (R): खेती का विस्तार और सुधार करने लिए अकबर ने (*ii*), (*iii*) और (*iv*) श्रेणियों के तहत आने वाली भूमि पर राजस्व की निम्न दर लगाने का आदेश दिया और उस भूमि को केवल श्रेणी (*i*) में पहुँचने पर उस पर पूर्ण संस्वीकृत दर लगाने का आदेश दिया।

उपरोक्त कथन के आलोक में, नीचे दिए गए विकल्पों में से **सबसे उपयुक्त उत्तर** का चयन कीजिए।

1. (A) और (R) दोनों सही हैं और (R), (A) की सही व्याख्या है।
2. (A) और (R) दोनों सही हैं और (R), (A) की सही व्याख्या नहीं है।
3. (A) सही है, लेकिन (R) सही नहीं है।
4. (A) सही नहीं है, लेकिन (R) सही है।

70. 'पिंडारी' शब्द का अर्थ है:

1. वह व्यक्ति जो 'पिण्ड' का अनुष्ठान करता है
2. वह व्यक्ति जो 'पिण्ड' का निर्माण करता हो
3. वह व्यक्ति जो 'पिण्ड' का दान करता हो
4. वह व्यक्ति जो 'पिण्ड' का उपयोग करता हो

71. नीचे दो कथन दिए गए हैं: एक **अभिकथन** (A) के रूप में है तो दूसरा उसके **कारण** (R) के रूप में:

अभिकथन (A): प्रोसोपोग्राफी (सामूहिक जीवन अध्ययन) व्यक्तियों के विस्तृत जीवनीपरक अध्ययनों द्वारा अतीत को समझना है।

कारण (R): प्रोसोपोग्राफी का इतिहास से कोई संबंध नहीं है।

उपरोक्त कथन के आलोक में, नीचे दिए गए विकल्पों में से **सबसे उपयुक्त उत्तर** का चयन कीजिए।

1. (A) और (R) दोनों सही हैं और (R), (A) की सही व्याख्या है।
2. (A) और (R) दोनों सही हैं और (R), (A) की सही व्याख्या नहीं है।
3. (A) सही है, लेकिन (R) सही नहीं है।
4. (A) सही नहीं है, लेकिन (R) सही है।

72. भारतीय विदेशी नीति के बारे में निम्नलिखित में से कौन-से कथन सही हैं?

A. समूह शक्ति की राजनीति से दूर रहना

B. किसी एक स्थान पर स्वतंत्रता का इनकार दूसरे स्थान पर स्वतंत्रता को खतरे में अवश्य डालता है

C. औपनिवेशिक और पराधीन देशों की स्वाधीनता

D. नाटो की स्वीकृति और कार्यान्वयन

E. अंशांतिपूर्ण सह-अस्तित्व

नीचे दिए गए विकल्पों में से **सही** उत्तर चुनें:

1. केवल D, E
2. केवल A, D, E
3. केवल A, B, C
4. केवल C, D, E

73. 1 अप्रैल, 1921 को प्रांतों में द्वैध शासन लागू किया गया था, हालांकि यह कुछ समय के लिए दो प्रांतों में लागू नहीं रहा। ये दो प्रांत कौन से थे?

1. बिहार और संयुक्त प्रांत
2. मद्रास और आंध्र
3. बंगाल और मध्य प्रांत
4. अवध और पटना

74. उस शासक का नाम बताइए जिसने सत्रहवीं शताब्दी में नहर-ए-बिहिश्त और शाह नहर का निर्माण करवाया?

1. अकबर
2. जहाँगीर
3. शाहजहाँ
4. औरंगजेब

75. ऋग्वेद में कितने मंडल हैं?

1. 8 (आठ)
2. 9 (नौ)
3. 10 (दस)
4. 11 (ग्यारह)

76. विजयनगर की खोज और संरक्षण की महत्वपूर्ण घटनाओं को सही क्रम में रखें:

A. हम्पी को यूनेस्को द्वारा विश्व धरोहर स्थल घोषित किया गया

B. कोलिन मेकेंजी ने विजयनगर की यात्रा की

C. जे.एफ. फ्लीट ने स्थल पर मंदिर की दीवारों पर उत्कीर्णलेखों का प्रलेखन शुरू किया

D. अलेक्जेंडर ग्रीनलेस ने हम्पी के पुरातत्व अवशेषों के सर्वप्रथम बारीकी से फोटोग्राफ लिए

E. जॉन मार्शल के नेतृत्व में संरक्षण शुरू हुआ

नीचे दिए गए विकल्पों में से **सही** उत्तर चुनें:

1. B, D, C, E, A
2. B, D, C, A, E
3. A, B, C, D, E
4. E, C, D, B, A

77. सूची-I को सूची-II से सुमेलित करें:

सूची-I	**सूची-II**
A. कालाजार	I. यू.एन. ब्रह्मचारी
B. हैजा	II. रॉबर्ट कॉच
C. मलेरिया	III. रोनाल्ड रॉस
D. प्लेग	IV. हैफकिन

नीचे दिए गए विकल्पों में से **सही** उत्तर चुनें:

1. A-I, B-II, C-III, D-IV
2. A-IV, B-III, C-II, D-I
3. A-IV, B-II, C-III, D-I
4. A-I, B-III, C-IV, D-II

78. सूची-I को सूची-II से सुमेलित करें:

सूची-I	**सूची-II**
A. गुप्त शासन का आरंभ	I. 606-647 ई.
B. दक्कन में वाकाटक	II. 375-415 ई.
C. कन्नौज का हर्षवर्धन	III. 335-375 ई.
D. समुद्रगुप्त	IV. 320 ई.

नीचे दिए गए विकल्पों में से **सही** उत्तर चुनें:

1. A-II, B-I, C-III, D-IV
2. A-IV, B-I, C-III, D-II
3. A-IV, B-II, C-I, D-III
4. A-III, B-IV, C-I, D-II

79. क्विलोन के शासक वीर रविवर्मन कुलशेखर ने मुस्लिम रक्षकसेना को कब खदेड़ा और काँची में उसका सिंहासनारोहण कब किया गया?

1. 1311 ई.
2. 1312 ई.
3. 1340 ई.
4. 1346 ई.

80. प्रारंभिक भारतीय इतिहास में लैंगिक भेदभाव संबंधों के अध्ययन में शामिल हैं:

1. पुरातत्व सामग्री और स्रोत
2. उपमहाद्वीप का इतिहास
3. महिलाओं और पदानुक्रमों पर फोकस
4. अभिजात्य समूहों का अध्ययन

81. निम्नलिखित विधिक सुधारों को सही कालानुक्रम में रखें:

A. मॉर्ले–मिंटो सुधार

B. भारत शासन अधिनियम

C. मोंटेग्यू-चेम्सफोर्ड सुधार

D. भारत को 'संप्रभु जनतांत्रिक गणराज्य' घोषित किया गया।

E. भारत की संविधान सभा

नीचे दिए गए विकल्पों में से **सही** उत्तर चुनें:

1. A, B, C, D, E
2. B, C, D, E, A
3. A, C, B, E, D
4. E, C, D, B, A

82. अर्थशास्त्र के बारे में निम्नलिखित में से कौन-से कथन **सही** हैं?

A. अर्थशास्त्र राजा के लिए राजनीति संबंधी ग्रंथ है और इसमें वास्तविक राज्य का नहीं बल्कि संभाव्य राज्य का वर्णन है

B. इसमें पन्द्रह अधिकरण हैं

C. इसमें अठारह अधिकरण हैं

D. इसमें मनुष्य के निर्वाह या आजीविका के रूप में 'अर्थ' की व्याख्या की गई है

E. यह एक महत्वपूर्ण पाठ्य स्रोत नहीं है

नीचे दिए गए विकल्पों में से **सही** उत्तर चुनें:

1. केवल B, C, D
2. केवल A, B, C
3. केवल A, B, D
4. केवल B, D, E

83. सूची-I को सूची-II से सुमेलित करें:

सूची-I	सूची-II
A. विलियम विलकॉक्स (1930)	I. बंगाल की प्राचीन सिंचाई प्रणाली पर व्याख्यान
B. मार्क विल्क्स (1810)	II. भारत के उत्तर-पश्चिमी प्रातों के इतिहास, लोकवार्ता और नस्लों के वितरण के संस्मरण
C. बी.एच. बेडेन-पॉवेल (1872)	III. पंजाब के निर्माणकर्ता और कला का निर्देशिका
D. हेनरी इलियट (1869)	IV. भारत के दक्षिणी भाग के ऐतिहासिक रेखा चित्र

नीचे दिए गए विकल्पों में से **सही** उत्तर चुनें:

1. A-I, B-II, C-III, D-IV
2. A-II, B-I, C-IV, D-III
3. A-I, B-IV, C-III, D-II
4. A-III, B-IV, C-I, D-II

84. भारत के पश्चिमी तट के बंदरगाह नगरों को पहचानिए:

A. तंजौर
B. कालीकट
C. क्विलोन
D. भटकल
E. दाहेज

नीचे दिए गए विकल्पों में से **सही** उत्तर चुनें:

1. केवल A, B, C, D
2. केवल A, C, D, E
3. केवल B, C, D, E
4. केवल A, E, B, C

85. सूची-I को सूची-II से सुमेलित करें:

सूची-I	सूची-II
A. पाणिनि की अष्टाध्यायी	I. 100 ई.
B. चरक और सुश्रुत संहिता	II. 500 ई.
C. त्रिपिटक सहित प्रारंभिक बौद्ध ग्रंथ	III. 500-100 ई.
D. पुराणों का संकलन	IV. 200 ई. से आगे

नीचे दिए गए विकल्पों में से **सही** उत्तर चुनें:

1. A-I, B-II, C-III, D-IV
2. A-II, B-I, C-III, D-IV
3. A-III, B-II, C-IV, D-I
4. A-IV, B-III, C-II, D-I

86. प्राचीन काल के दौरान ऋग्वेद के बारे में निम्नलिखित में से कौन-से कथन सही हैं?

A. 'सप्त सैंधव', सात नदियों का उल्लेख है
B. नदी सूत्र, दसवें मंडल (सूक्त संख्या 60) में नदी सूक्त का उल्लेख है
C. नदी सूत्र, दसवें मंडल (सूक्त संख्या 75) में नदी सूक्त का उल्लेख है
D. समुद्र का उल्लेख है और संभवतः इसका अर्थ अरब सागर से है
E. सहायक नदियों के नाम में अस्कनी और परुष्णी शामिल है

नीचे दिए गए विकल्पों में से **सही** उत्तर चुनें:

1. केवल A, B, C और D
2. केवल A, C, D और E
3. केवल B, C, D और E
4. केवल A, B, D और E

87. सूची-I को सूची-II से सुमेलित करें:

सूची-I	सूची-II
A. मेगस्थनीज	I. ज्योग्राफी
B. डियोडोरस	II. नेचुरलिस हिस्टोरिया
C. स्ट्रैबो	III. इंडिका
D. प्लिनी द एल्डर	IV. बिब्लियोथेका हिस्टोरिका

नीचे दिए गए विकल्पों में से **सही** उत्तर चुनें:

1. A-II, B-III, C-IV, D-I
2. A-I, B-II, C-III, D-IV
3. A-III, B-I, C-IV, D-II
4. A-III, B-IV, C-I, D-II

88. मौर्य साम्राज्य कितने प्रांतों में विभाजित था?

1. तीन प्रांतों में
2. चार प्रांतों में
3. पांच प्रांतों में
4. छह प्रांतों में

89. नीचे दो कथन दिए गए हैं: एक **अभिकथन** (A) के रूप में है तो दूसरा उसके **कारण** (R) के रूप में:

अभिकथन (A): मालगुजर या प्राथमिक जमींदार स्वामित्व धारक थे, जिनके कृषि और वास भूमि पर वंशानुगत अपवर्तित अधिकार थे। उन्होंने ये अधिकार मुगल राज्य को यह आश्वासन प्रदान करके प्राप्त किए कि वे वनों और बंजर भूमि को खेती के अंतर्गत लाएंगे, खेती को बनाए रखेंगे और उसका विस्तार करेंगे तथा नियमित रूप से खराज या माल का भुगतान करेंगे।

कारण (R): मालगूजर उस भूमि पर स्वयं खेती अर्थात खुद-काश्त कर सकते थे या पारिवारिक श्रम, या खेतिहर मजदूरों और आवश्यकतानुसार अन्य गाँवों के मालिकों की मदद से भी खेती करा सकते थे।

उपरोक्त कथन के आलोक में, नीचे दिए गए विकल्पों में से **सबसे उपयुक्त उत्तर** का चयन कीजिए।

1. (A) और (R) दोनों सही हैं और (R), (A) की सही व्याख्या है।
2. (A) और (R) दोनों सही हैं और (R), (A) की सही व्याख्या नहीं है।
3. (A) सही है, लेकिन (R) सही नहीं है।
4. (A) सही नहीं है, लेकिन (R) सही है।

90. नीचे दो कथन दिए गए हैं: एक **अभिकथन** (A) के रूप में है तो दूसरा उसके **कारण** (R) के रूप में:

अभिकथन (A): 1739-40 में भारत में लिखे गये फारसी शब्दकोश ''बहार-ए-आजाम'' में जागीर या 'तुयुल' को एक भूखण्ड के रूप में परिभाषित किया गया है। 'जागीर' या 'तुयुल', उमरा और मनसबदारों को मासिक वेतन के बदले प्रदान की जाती थी।

कारण (R): यह इसलिए किया जाता था ताकि वे (उमरा और मनसबदार) उस भूमि पर खेती करके पैदा की गई उपज पर लिए गये 'महसूल' का उपयोग कर सके।

उपरोक्त कथन के आलोक में, नीचे दिए गए विकल्पों में से **सबसे उपयुक्त उत्तर** का चयन कीजिए।

1. (A) और (R) दोनों सही हैं और (R), (A) की सही व्याख्या है।
2. (A) और (R) दोनों सही हैं और (R), (A) की सही व्याख्या नहीं है।
3. (A) सही है, लेकिन (R) सही नहीं है।
4. (A) सही नहीं है, लेकिन (R) सही है।

निर्देशः (प्र.सं. 91 से 95 तक): *निम्नलिखित अनुच्छेद पढ़ें और प्रश्नों के उत्तर दीजिए:*

युद्ध में भारत के शामिल होने के बाद के सप्ताह आवेशपूर्ण गतिविधियों से परिपूर्ण थे। लॉर्ड लिंलिथगो ने देश के विभिन्न राजनीतिक दलों के नेताओं के साथ साक्षात्कार किए। 18 अक्टूबर, 1939 को एक वक्तव्य जारी कर उसने सम्राट की सरकार की 'स्पष्ट और सकारात्मक' नीति को दोहराया कि अधिराज्य का दर्जा भारत की प्रगति का स्वाभाविक मुद्दा है। उसने घोषणा की कि युद्ध की समाप्ति के बाद भारत के अनेक समुदायों, दलों और हितों के प्रतिनिधियों तथा भारतीय शासकों के साथ परामर्श किया जाएगा ताकि 1935 के भारत शासन अधिनियम में सम्मिलत योजना के विवरण में वांछनीय संशोधन करने में उनकी सहायता और सहयोग सुनिश्चित किया जा सके। उसने युद्ध के आगे बढ़ने के साथ-साथ भारत को अधिक सहयोग प्राप्त करने के लिए परामर्शदाता समूह गठित करने के अपने इरादे की घोषणा की, और यह कहा कि इस समूह में ब्रिटिश भारत के सभी प्रमुख राजनीतिक दलों और शासकों के प्रतिनिधि शामिल होंगे। इस घोषणा से कोई समाधान नहीं हुआ क्योंकि कांग्रेस और मुस्लिम लोग दोनों ने वायसराय के इस प्रस्ताव को अस्वीकार कर दिया। सात प्रांतों में कांग्रेस मंत्रिपरिषदों ने पहले त्यागपत्र दे दिया था और प्रशासन गर्वनरों के अधीन हो गया था। असम में भी कांग्रेस के मंत्रियों ने त्यागपत्र दे दिया था लेकिन एक वैकल्पिक मंत्रिपरिषद का गठन कर लिया गया था।

91. असम कांग्रेस मंत्रिमंडल के त्यागपत्र के उपरान्तः

1. युद्ध की समाप्ति तक गवर्नर का शासन रहा
2. मंत्रिपरिषद् का गठन नहीं किया गया और गवर्नर से 10 वर्ष तक शासन करने के लिए कहा गया

3. लेफ्टिनेंट गवर्नर ने 5 वर्ष तक शासन करने के लिए दावा किया
4. एक वैकल्पिक मंत्रिपरिषद का गठन किया गया

92. लिंलिथगो ने अधिराज्य का दर्जा प्रदान करने के संबंध में 'स्पष्ट और सकारात्मक' नीति कब जारी की थी?

1. 1934 2. 1936
3. 1939 4. 1947

93. कितने प्रांतों में कांग्रेस मंत्रिपरिषदों ने त्यागपत्र दे दिया था?

1. छह 2. आठ
3. एक 4. सात

94. वायसराय लिंलिथगो ने परामर्शदाता समूह का गठन क्यों किया?

1. उन्हें इम्परियल लेजिस्लेटिव काउंसिल में शामिल करने के लिए
2. गवर्नर पर महाभियोग चलाने के लिए
3. युद्ध में भारत का अधिक सहयोग प्राप्त करने के लिए
4. मुस्लिम लीग का विरोध करने के लिए

95. वायसराय ने अपने वक्तव्य में किसके साथ परामर्श करने का इरादा व्यक्त किया?

1. भारतीय शासकों के साथ
2. विभिन्न प्रेसीडेंसी के गवर्नरों के साथ
3. ब्रिटिश आर्मी के कमांडरों के साथ
4. परिषद के विधि सदस्यों के साथ

निर्देशः (प्र.सं. 96 से 100 तक): *निम्नलिखित अनुच्छेद पढ़ें और प्रश्नों के उत्तर दीजिए:*

भाषा का प्रयोग एक वैज्ञानिक की तरह इतिहासकार को भी सामान्यीकरण की ओर अग्रसर करता है। पेलोपोनेसियन युद्ध और द्वितीय विश्व युद्ध बहुत भिन्न थे और दोनों विशिष्ट थे। लेकिन इतिहासकार उन दोनों को युद्ध कहता है और केवल पांडित्य प्रदर्शन करने वाला व्यक्ति ही इसका विरोध करेगा। जब गिब्बॉन ने कांस्टेंटाइन द्वारा ईसाई धर्म की स्थापना और इस्लाम के उदय को क्रांतियों के रूप में लिखा, तब वह दो विशिष्ट घटनाओं का सामान्यीकरण कर रहा था। आधुनिक इतिहासकार भी इंग्लिश, फ्रेंच, रूसी और चीनी क्रांतियों के बारे में लिखते समय सामान्यीकरण करते हैं। इतिहासकार वास्तव में विशिष्ट में रुचि नहीं रखता है, बल्कि विशिष्ट में निहित सामान्य में रुचि रखता है। 1914 के युद्ध के कारण ों के बारे में 1920 के दशक में इतिहासकारों की चर्चाएं सामान्यतः इस धारणा पर आगे बढ़ी कि इसका कारण गुप्त या जनमत द्वारा अनियंत्रित तरीके से काम कर रहे राजनयिकों का कुप्रबंधन था या विश्व का प्रादेशिक संप्रभु राज्यों में दुर्भाग्यपूर्ण विभाजन था। 1930 के दशक में चर्चाएं इस धारणा पर आगे बढ़ीं कि इसका कारण साम्राज्यवादी शक्तियों के बीच प्रतिद्वन्द्वि थी जो पूँजीवाद के पतन के दबावों के कारण विश्व को अपने बीच बाँटना चाहती था। इस सभी चर्चाओं में युद्ध के कारणों, या बीसवीं शताब्दी की परिस्थितियों में युद्ध की किसी स्तर के बारे में सामान्यीकरण किया गया था। इतिहासकार अपने साक्ष्य की जाँच करने के लिए लगातार सामान्यीकरण का उपयोग करता है। यदि इस बारे में साक्ष्य स्पष्ट नहीं है कि क्या रिचर्ड ने टावर में राजकुमारों की हत्या की थी, तो इतिहासकार-शायद चेतन के बजाय अचेतन रूप से–स्वयं से यह पूछेगा कि क्या यह तत्कालीन शासकों की आदत थी कि अपने सिंहासन के संभावित प्रतिद्वन्द्वियों को समाप्त कर दिया जाए; और उसका निर्णय इस सामान्यीकरण द्वारा निश्चित रूप से प्रभावित होगा।

96. इतिहासकार अपने साक्ष्य की जाँच कैसे करता है?

1. साक्ष्य को अस्वीकार करके
2. साक्ष्य को नष्ट करके
3. साक्ष्य को दरकिनार करके
4. साक्ष्य का सामान्यीकरण करके

97. 1914 के युद्ध का क्या कारण था?

1. राजनयिकों का कुप्रबंधन
2. राजनीतिक संतुलन
3. शांतिपूर्ण जनमत
4. नियंत्रित जनमत

98. निम्नलिखित में से कौन-सी साम्यवादी क्रांतियां हैं?

1. इंग्लिश और फ्रेंच 2. फ्रेंच और रूसी
3. रूसी और इंग्लिश 4. रूसी और चीनी

99. इतिहास गिब्बॉन ने किसके पतन के बारे में चर्चा की है?

1. रोमन साम्राज्य
2. ऑटोमन साम्राज्य
3. ग्रीक (यूनानी) साम्राज्य
4. मौर्य साम्राज्य

100. इतिहासकार का सरोकार किससे होता है?

1. गैर-रणनीतिक तथ्यों से
2. कल्पना और मिथकों से
3. अफवाहों और मिथकों से
4. विशिष्ट में निहित सामान्य से

उत्तरमाला

1	**2**	**3**	**4**	**5**	**6**	**7**	**8**	**9**	**10**
2	3	2	3	3	1	2	1	3	3
11	**12**	**13**	**14**	**15**	**16**	**17**	**18**	**19**	**20**
3	2	2	2	3	2	3	*	4	1
21	**22**	**23**	**24**	**25**	**26**	**27**	**28**	**29**	**30**
1	1	4	4	4	3	3	4	1	1
31	**32**	**33**	**34**	**35**	**36**	**37**	**38**	**39**	**40**
2	4	3	2	2	1	3	1	3	1
41	**42**	**43**	**44**	**45**	**46**	**47**	**48**	**49**	**50**
2	4	2	4	3	*	2	*	4	3
51	**52**	**53**	**54**	**55**	**56**	**57**	**58**	**59**	**60**
1	1	2	4	2	4	3	4	*	3
61	**62**	**63**	**64**	**65**	**66**	**67**	**68**	**69**	**70**
1	2	4	2	1	2	1	1	4	4
71	**72**	**73**	**74**	**75**	**76**	**77**	**78**	**79**	**80**
3	3	3	3	3	1	1	3	2	3
81	**82**	**83**	**84**	**85**	**86**	**87**	**88**	**89**	**90**
3	3	3	3	2	2	4	3	1	1
91	**92**	**93**	**94**	**95**	**96**	**97**	**98**	**99**	**100**
4	3	4	3	1	4	1	4	1	4

व्याख्यात्मक उत्तर

1. A. लॉर्ड वेलेजली ने 1799 में प्रेस पर सेंसरशिप लागू की थी। उस समय ब्रिटिश शासन को फ्रांसीसी प्रभाव और राजनीतिक अस्थिरता का भय था, इसलिए प्रेस पर पूर्व-नियंत्रण लगाया गया ताकि सरकार विरोधी या विद्रोह भड़काने वाली सामग्री प्रकाशित न हो सके।

B. 1799 के इन प्रावधानों को सामान्यतः 'सेंसरशिप ऑफ प्रेस' के रूप में जाना जाता है। इसमें समाचार पत्रों को प्रकाशित करने से पहले सरकारी अनुमति लेना आवश्यक था, जिससे प्रेस की स्वतंत्रता सीमित हुई।

C. लॉर्ड विलियम बेंटिक के शासनकाल में प्रेस के प्रति उदार नीति अपनाई गई, जिसका परिणाम आगे चलकर 1835 में प्रेस की स्वतंत्रता देने वाले अधिनियम के रूप में सामने आया। यह उदारवादी नीति बेंटिक के सुधारों की निरंतरता में देखी जाती है, इसलिए यह कथन स्वीकार्य है।

D. 1857 में जो कानून आया वह मुख्यतः लाइसेंसिंग से संबंधित था, इसे ठीक इसी नाम से ''प्रेस प्रतिबंध

अधिनियम'' कहना सटीक नहीं है, इसलिए यह कथन सही नहीं माना जाता।

E. वर्नाकुलर प्रेस एक्ट 1700 में नहीं बल्कि 1878 में लॉर्ड लिटन द्वारा पारित किया गया था, इसलिए यह कथन स्पष्टतः गलत है।

2. • **A-IV:** ''महिला समिति'' का गठन 1913 के आसपास प्रारम्भिक महिला-संगठनों की शृंखला में आता है, इसलिए इसे IV से जोड़ा गया है। यह उस चरण को दर्शाता है जब भारत में संगठित महिला-गतिविधियाँ संस्थागत रूप लेने लगी थीं।

• **B-I:** ''वूमेन इंडिया एसोसिएशन'' का आरम्भ 1917 से जोड़ा जाता है, इसलिए B का मिलान I से सही बैठता है। यह संगठन महिला शिक्षा, सामाजिक सुधार और सार्वजनिक जीवन में भागीदारी जैसे मुद्दों पर सक्रिय रहा।

• **C-III:** ''नेशनल काउंसिल ऑफ वूमेन इन इंडिया'' की स्थापना/विकास-काल 1925 के आसपास माना जाता है, इसलिए C का मिलान III से उपयुक्त है। यह राष्ट्रीय स्तर पर महिलाओं के हितों के लिए समन्वित मंच के रूप में उभरा।

• **D-II:** ''ऑल इंडिया वूमेन कॉन्फ्रेंस'' का गठन/स्थापना-काल 1926 के आसपास माना गया है, इसलिए D का मिलान II से सही है। यह संस्था आगे चलकर महिला शिक्षा, कानूनी सुधार और सामाजिक अधिकारों पर प्रभावशाली रूप से कार्य करती रही।

3. **अभिकथन (A) सहीः** संविधान सभा के अध्यक्ष (PRESIDENT) के रूप में डॉ. राजेन्द्र प्रसाद का निर्वाचन हुआ था और उन्होंने सभा की अध्यक्षता की। यह पद ''सभा का संचालन/अध्यक्षता'' से सीधे संबंधित है। **कारण (R) भी सहीः** डॉ. बी.आर. अम्बेडकर प्रारूप (DRAFTING) समिति के अध्यक्ष थे और संविधान के प्रारूप-निर्माण में उनकी केंद्रीय भूमिका रही। पर यह तथ्य अध्यक्ष (PRESIDENT) चुने जाने का कारण/व्याख्या नहीं बनता, क्योंकि दोनों अलग पद, अलग भूमिकाएँ और अलग प्रक्रिया से जुड़े हैं।

4. 'द आइडिया ऑफ हिस्ट्री' आर.जी. कॉलिंगवुड की रचना मानी जाती है। यह कृति इतिहास-दर्शन (PHILOSOPHY OF HISTORY) पर केन्द्रित है, जिसमें इतिहास-लेखन के अर्थ, ऐतिहासिक ज्ञान की प्रकृति, और ''इतिहास को समझने'' की पद्धति पर विचार किया गया है। कॉलिंगवुड के अनुसार इतिहास केवल घटनाओं की सूची नहीं, बल्कि अतीत के मानवीय विचारों/उद्देश्यों को समझने की बौद्धिक प्रक्रिया है।

5. **अभिकथन (A) सहीः** ईश्वरचन्द्र विद्यासागर की 'वर्णपरिचय' का उपयोग विद्यालयी स्तर पर प्रवेशिका/प्राइमर की तरह व्यापक रूप से हुआ, और इसे विभिन्न प्रकार के स्कूलों में आरम्भिक पाठ्यपुस्तक के रूप में अपनाया गया। इसका उद्देश्य बच्चों को भाषा-सीखने की बुनियादी क्षमता देना था, इसलिए इसका शैक्षिक उपयोग स्वाभाविक था।

कारण (R) गलतः 'वर्णपरिचय' भारतीय वर्ण-व्यवस्था पर पाठ नहीं हैय यह मुख्यतः भाषा-शिक्षण/वर्ण-ज्ञान (ALPHABET/READING PRIMER) से संबंधित रचना है।

अतः (A) का कारण (R) नहीं हो सकता, क्योंकि (R) का कथ्य ही विषयवस्तु के स्तर पर असंगत है।

6. यह ग्रंथ औरंगजेब के पत्रों (LETTERS) का संकलन है, जिसमें प्रशासन, राज्य-व्यवस्था और विभिन्न अधिकारियों के कार्यो का उल्लेख मिलता है। ''रूक्कत-ए-आलमगीरी'' में औरंगजेब के प्रशासनिक विचारों के साथ-साथ कुछ प्रशासकों के प्रति उसकी प्रशंसा भी वर्णित है। इसी संदर्भ में राजा रघुनाथ राय को महान प्रशासक बताया गया है, इसलिए यह स्रोत सही माना जाता है।

7. 1861 के आसपास भारत के राज्य सचिव के रूप में चार्ल्स वुड ने ब्रिटिश शासन की प्रकृति पर टिप्पणी करते हुए कहा था कि एक जाति द्वारा दूसरी जाति पर शासन की स्थिति में शासन का सबसे उदार रूप भी अंततः निरंकुश ही होता है। यह कथन औपनिवेशिक शासन की मानसिकता को दर्शाता है, जिसमें भारतीयों को स्वशासन के योग्य नहीं माना जाता था और केंद्रीकृत नियंत्रण को उचित ठहराया जाता था।

8. **E.** अपार (तिरुनावुक्करसर) और सुंदरमूर्ति 7वीं-8वीं शताब्दी के भक्ति संत थे, जो दक्षिण भारत में भक्ति आंदोलन के प्रारंभिक चरण का प्रतिनिधित्व करते हैं। ये तमिल शैव संत थे और कालक्रम में सबसे पहले आते हैं।

B. ज्ञानदेव (13वीं शताब्दी) और कुतुबुद्दीन बख्तियार काकी (13वीं शताब्दी) मध्यकालीन भक्ति और सूफी परंपरा के अगले चरण का प्रतिनिधित्व करते हैं। दोनों लगभग समान काल के संत हैं और E के बाद आते हैं।

A. लाल देद (14वीं शताब्दी) और चोखामेला (14वीं शताब्दी) का समय B के बाद आता है। ये भक्ति परंपरा के विस्तार को दर्शाते हैं।

C. गुरु नानक (15वीं-16वीं शताब्दी) और वल्लभाचार्य (15वीं-16वीं शताब्दी) बाद के काल में आते हैं। यह भक्ति आंदोलन के व्यापक प्रसार का चरण है।

D. मीराबाई और तुलसीदास (16वीं शताब्दी) सबसे बाद के संत हैं। अतः इनका स्थान क्रम में सबसे अंत में है।

9. अल्लूरी सीताराम राजू ने आंध्र प्रदेश में रामपा विद्रोह (1922-24) का नेतृत्व किया। वे महात्मा गांधी से प्रभावित थे और प्रारंभ में अहिंसात्मक विचारों को अपनाया, हालांकि बाद में परिस्थितियों के कारण उन्होंने सशस्त्र संघर्ष भी किया। फिर भी वे गांधीजी के आदर्शों और स्वदेशी भावना से प्रेरित माने जाते हैं, इसलिए यह विकल्प सही है।

10. 'रिसाला-ए-जिरात' मध्यकालीन भारत का एक ग्रंथ है जो कृषि विषय से संबंधित है। इसमें खेती की विधियाँ, फसलों की देखभाल, भूमि उपयोग और कृषि तकनीकों का वर्णन मिलता है। यह उस समय की कृषि प्रणाली और ग्रामीण अर्थव्यवस्था को समझने के लिए महत्वपूर्ण स्रोत माना जाता है।

11.
- **A-IV (1568 ई.):** इस समय अकबर ने वृंदावन क्षेत्र में वैष्णव संप्रदाय को संरक्षण देते हुए जीव गोसाईं को मंदिरों के प्रबंधन अधिकार प्रदान किए। यह अकबर की धार्मिक सहिष्णुता की नीति का प्रारम्भिक उदाहरण है, जिसमें विभिन्न सम्प्रदायों को शाही संरक्षण दिया गया।
- **B-III (1572 ई.):** अकबर ने गोकुल के श्रीनाथजी मंदिर के लिए लगान-मुक्त भूमि प्रदान की। इससे मंदिरों के आर्थिक आधार को मजबूत किया गया और धार्मिक संस्थाओं को राज्य का सहयोग मिला।
- **C-II (1565 ई.):** अकबर ने सिख गुरु अमर दास से भेंट की। यह उस समय का उदाहरण है जब अकबर विभिन्न धर्मों के संतों से संवाद स्थापित कर रहा था, जिससे उसकी 'सुलह-ए-कुल' नीति विकसित हुई।
- **D-I (1598 ई.):** अकबर ने सिख गुरु अर्जुन देव से भेंट की, जो सिख परंपरा के विकास के एक महत्वपूर्ण चरण को दर्शाता है और मुगल-सिख संबंधों में प्रारंभिक सौहार्द का संकेत देता है।

12. B. दिल्ली सल्तनतः 1206 ई. में स्थापना हुई और यह मध्यकालीन भारत का सबसे प्रारम्भिक प्रमुख इस्लामी राज्य था, जिसने आगे के राजनीतिक विकास की आधारशिला रखी।

D. जौनपुर, कश्मीर, मदुराः 14वीं शताब्दी में दिल्ली सल्तनत के विघटन के बाद क्षेत्रीय सल्तनतें उभरीं। ये राज्यों के विकेंद्रीकरण का परिणाम थीं।

A. गजपति साम्राज्यः 15वीं शताब्दी में उड़ीसा में कपिलेंद्र देव द्वारा स्थापित, यह एक शक्तिशाली हिन्दू राज्य के रूप में विकसित हुआ।

C. अहमदनगर, बीजापुर, बरारः 15वीं शताब्दी के उत्तरार्ध में बहमनी सल्तनत के टूटने पर ये दक्कनी सल्तनतें अस्तित्व में आईं।

E. गोलकुंडाः 16वीं शताब्दी में कुतुबशाही वंश के तहत उभरा, इसलिए यह क्रम में सबसे बाद में आता है।

13. D. कुमार विष्णु प्रथमः पल्लव वंश के प्रारंभिक शासक थे, जिनसे वंश का सुदृढ़ीकरण प्रारम्भ हुआ।

E. वीरवर्मनः इनके बाद सत्ता का विस्तार हुआ और प्रशासनिक संरचना विकसित हुई।

A. स्कंदवर्मन द्वितीयः इनके शासनकाल में पल्लव शक्ति और अधिक संगठित हुई तथा क्षेत्रीय प्रभाव बढ़ा।

C. स्कंदवर्मन तृतीयः पूर्ववर्ती शासकों के बाद सत्ता को स्थिरता प्रदान की और वंश की निरंतरता बनाए रखी।

B. सिंहवर्मन द्वितीयः अपेक्षाकृत बाद के शासक थे, इसलिए कालक्रम में अंत में आते हैं।

14. प्रारम्भिक मध्यकाल में 'हुंडिका' या 'हुंडी' व्यापारिक लेन-देन का एक महत्वपूर्ण साधन थी। व्यापारी एक स्थान पर धन जमा कर दूसरे स्थान पर उसे प्राप्त कर सकते थे, जिससे लंबी दूरी के व्यापार में नकदी ले जाने का जोखिम कम होता था। यह व्यवस्था उस समय की उन्नत व्यापारिक और वित्तीय प्रणाली का संकेत देती है।

15. दिल्ली सल्तनत काल में बारूद का प्रयोग धीरे-धीरे प्रारम्भ हुआ। फिरोज शाह तुगलक के शासनकाल में आतिशबाजी (विशेषकर शब-ए-बरात जैसे अवसरों पर) के लिए बारूद के उपयोग के प्रमाण मिलते हैं। यह भारत में बारूद के मनोरंजनात्मक उपयोग के प्रारंभिक उदाहरणों में से एक है, जबकि युद्ध में इसका व्यापक प्रयोग बाद में मुगलों के समय विकसित हुआ।

16. यह फारसी ग्रंथ विभिन्न धर्मों और संप्रदायों का वर्णन करता है। इसमें दादू दयाल के जीवन और उनके पेशे का उल्लेख मिलता है, जहाँ उन्हें पिंजरा (रुई साफ करने वाला) और धुनिया (कपास धुनने वाला) के रूप में वर्णित किया गया है। यह स्रोत समकालीन धार्मिक धाराओं को समझने में महत्वपूर्ण माना जाता है।

17. गुप्त प्रशासन में साम्राज्य को विभिन्न प्रांतों में विभाजित किया गया था जिन्हें 'भुक्ति' कहा जाता था। प्रत्येक भुक्ति के अधीन छोटे प्रशासनिक भाग होते थे जिन्हें 'विषय' कहा जाता था। इस प्रकार 'भुक्ति' प्रांतीय स्तर की प्रशासनिक इकाई थी।

18. दिए गए विकल्पों में से कोई भी 100% सही कालानुक्रम नहीं देता

B. बंगाल का भयंकर अकालः 1769-1770 (प्रमुख रूप से 1770) का अकाल सबसे पहले आता है। यह औपनिवेशिक काल के शुरुआती और सर्वाधिक चर्चित अकालों में से एक है।

E. दिल्ली और आगरा का अकालः 1837-1838 का अकाल बंगाल (1770) के बाद और 1860 के दशक से पहले आता है। इसलिए इसका स्थान B के बाद होना अनिवार्य है।

A. उत्तर-पश्चिमी प्रांतों और अवध का अकालः 1860-1861 का अकाल 1837-38 के बाद आता है। यह 1866 के उड़ीसा अकाल से पहले होना चाहिए।

D. उड़ीसा का अकालः 1866 (व्यापक संकट 1866-68) का अकाल 1860-61 के बाद आता है। अतः D का स्थान A के बाद निश्चित है।

C. मद्रास का अकालः 1876-1878 का ''ग्रेट फेमिन/मद्रास फेमिन'' 1866 के बाद आता है। इसलिए सही क्रम में C सबसे अंत में होगा।

सही कालानुक्रम (वर्षों के अनुसार): B, E, A, D, C (और यह क्रम किसी भी विकल्प 1-4 से मेल नहीं खाता, इसलिए उत्तर NONE है)।

19. A. सहीः लॉर्ड वेलेजली ने 1800 में फोर्ट विलियम कॉलेज की स्थापना की, जिसका उद्देश्य कंपनी के अधिकारियों को भारतीय भाषाओं और प्रशासन की शिक्षा देना था।

B. सहीः इंग्लैंड के हेलीबरी में 1806 में ईस्ट इंडिया कॉलेज की स्थापना की गई, जहाँ भारतीय सिविल सेवा के लिए प्रशिक्षण दिया जाता था।

C. गलतः भारतीय सिविल सेवा की नींव 1798 में नहीं बल्कि कार्नवालिस के सुधारों (1786-93) के दौरान रखी गई थी, इसलिए वर्ष गलत है।

D. गलतः भारतीय सिविल सेवा को ''स्टील फ्रेम'' कहा गया था, न कि ''कॉपर फ्रेम''।

E. सहीः लॉर्ड कार्नवालिस ने कंपनी के अधिकारियों के वेतन बढ़ाए ताकि भ्रष्टाचार को कम किया जा सके और प्रशासनिक ईमानदारी बढ़े।

20.
- **A-I:** गंगा प्रसाद सेन आयुर्वेदिक चिकित्सा से संबंधित थे और उन्होंने आयुर्वेद के क्षेत्र में महत्वपूर्ण योगदान दिया।
- **B-II:** महेन्द्रलाल सरकार होम्योपैथी के प्रमुख समर्थक थे और उन्होंने भारतीय विज्ञान कांग्रेस तथा वैज्ञानिक संस्थाओं के विकास में योगदान दिया।
- **C-III:** लियोनार्ड रोजर्स का संबंध कलकत्ता स्कूल ऑफ ट्रॉपिकल मेडिसिन से था, जहाँ उन्होंने उष्णकटिबंधीय रोगों पर कार्य किया।
- **D-IV:** फ्लोरेंस नाइटिंगेल ''लेडी विद द लैम्प'' के नाम से प्रसिद्ध थीं, जिन्होंने आधुनिक नर्सिंग की नींव रखी।

21. बौद्ध धर्म तीसरी शताब्दी ई.पू. में अशोक के समय व्यापक रूप से स्थापित हो गया था और आगे चलकर सातवाहन काल (लगभग 1वीं शताब्दी ई.पू.-2वीं शताब्दी ई.) में विशेष रूप से दक्कन क्षेत्र में इसका विस्तार हुआ। इसी अवधि में अमरावती, नागार्जुनकोंडा जैसे केन्द्र विकसित हुए, जिससे स्पष्ट होता है कि पहली-दूसरी शताब्दी ई. में बौद्ध धर्म का उत्कर्ष काल था। इसलिए कारण, अभिकथन को सही रूप में स्पष्ट करता है।

22. लॉर्ड रिपन (1880-84) को भारतीय स्थानीय स्वशासन का जनक कहा जाता है। 1882 में उन्होंने स्थानीय स्वशासन के विकास हेतु महत्वपूर्ण प्रस्ताव/बिल प्रस्तुत किया, जिसके अंतर्गत नगरपालिका और जिला बोर्डों को अधिक अधिकार दिए गए और भारतीयों की भागीदारी बढ़ाई गई।

23. 'जखीरात अल-खावानिन' मुगल प्रशासन और अभिजात वर्ग के बारे में जानकारी देने वाला ग्रंथ है, जिसका लेखक शेख फरीद भाक्करी था। इसमें मुगल दरबार के उच्च पदाधिकारियों और शासन व्यवस्था का विवरण मिलता है।

24. A. पंचवर्षीय योजनाओं का प्रमुख उद्देश्य राष्ट्रीय आय और प्रति व्यक्ति आय में वृद्धि करना था ताकि आर्थिक विकास सुनिश्चित हो सके।

B. पूर्ण रोजगार प्राप्त करना भी एक प्रमुख लक्ष्य था, जिससे गरीबी और बेरोजगारी कम हो सके।

D. सामाजिक न्याय हेतु धन और संपत्ति की असमानताओं को कम करना योजनाओं का महत्वपूर्ण उद्देश्य था।

C. साम्यवाद लागू करना लक्ष्य नहीं था, बल्कि मिश्रित अर्थव्यवस्था अपनाई गई थी।

E. मिश्रित अर्थव्यवस्था समाप्त करने के बजाय उसे विकसित किया गया।

25. B. भील विद्रोहः 1817-19 के आसपास प्रारम्भ हुआ, जो औपनिवेशिक शासन के विरुद्ध प्रारंभिक जनजातीय विद्रोहों में से एक था।

C. संथाल विद्रोहः 1855-56 में हुआ, जो जमींदारी और ब्रिटिश शोषण के विरुद्ध था।

A. नील किसान विद्रोहः 1859-60 में बंगाल में हुआ, जिसमें किसानों ने नील की खेती के खिलाफ आंदोलन किया।

D. दक्कन दंगेः 1875 में महाराष्ट्र क्षेत्र में किसानों ने साहूकारों के विरुद्ध विद्रोह किया।

E. मोपला विद्रोहः 1921 में मालाबार क्षेत्र में हुआ, जो खिलाफत आंदोलन से भी जुड़ा था, इसलिए यह सबसे बाद में आता है।

26. ब्राह्मण ग्रंथों में यज्ञ, हवन और बलि जैसे वैदिक कर्मकांडों का विस्तार से वर्णन मिलता है, इसलिए A सही है। उपनिषदों में आत्मा, ब्रह्म, मोक्ष और ज्ञान से संबंधित गहन दार्शनिक विचार प्रस्तुत किए गए हैं, इसलिए B सही है। आरण्यक ग्रंथ वन में रहने वाले ऋषियों द्वारा रचित थे और उनका संबंध वन-जीवन तथा ध्यान से है, इसलिए C सही है। यजुर्वेद यज्ञों में प्रयुक्त मंत्रों और गद्य सूत्रों का संग्रह है, जबकि गीतों का संबंध सामवेद से है, इसलिए D गलत है। अथर्ववेद में जादू-टोना, तंत्र-मंत्र, रोग-निवारण तथा लोक-विश्वासों से संबंधित सूक्त मिलते हैं, इसलिए E सही है।

27. मंगल पाण्डे 34वीं बंगाल नेटिव इन्फैंट्री के सैनिक थे, जिन्होंने 29 मार्च 1857 को बैरकपुर छावनी में अंग्रेज अधिकारियों के विरुद्ध विद्रोह किया। यह घटना 1857 के प्रथम स्वतंत्रता संग्राम की प्रारंभिक चिंगारी मानी जाती है। उन्हें गिरफ्तार किया गया और सैन्य न्यायालय द्वारा मृत्युदंड दिया गया। 8 अप्रैल 1857 को बैरकपुर में ही उन्हें फाँसी दी गई, जिससे वे भारतीय स्वतंत्रता संग्राम के पहले शहीदों में गिने जाते हैं।

28. वाकाटक वंश का संस्थापक विंध्यशक्ति था, जिसने तीसरी शताब्दी ईस्वी के आसपास दक्कन क्षेत्र में इस वंश की नींव रखी। उसके बाद प्रवरसेन प्रथम ने इस वंश का विस्तार किया और इसे एक शक्तिशाली साम्राज्य के रूप में स्थापित किया। वाकाटक गुप्त साम्राज्य के समकालीन थे और उनके साथ वैवाहिक संबंध भी स्थापित किए गए थे, जिससे दोनों वंशों के बीच राजनीतिक सहयोग बढ़ा।

29. 'मरकज' एक अरबी-फारसी शब्द है जिसका अर्थ 'केंद्र' या 'मुख्य स्थान' होता है। मध्यकालीन प्रशासनिक और सामाजिक संदर्भों में इसका उपयोग ऐसे स्थान के लिए किया जाता था जहाँ सांस्कृतिक, शैक्षिक या धार्मिक गतिविधियाँ केंद्रित होती थीं। यह किसी नगर या संस्थान का प्रमुख केन्द्र भी हो सकता था, जहाँ से विभिन्न गतिविधियों का संचालन होता था। इसलिए इसका सबसे उपयुक्त अर्थ सांस्कृतिक केन्द्र माना जाता है।

30. 'इकबालनामा-ए-जहाँगीरी' मुगल सम्राट जहाँगीर के शासनकाल का महत्वपूर्ण ऐतिहासिक ग्रंथ है, जिसे मुतम्मद खाँ ने लिखा था। इसमें जहाँगीर के शासनकाल की प्रमुख राजनीतिक घटनाओं, प्रशासनिक नीतियों और दरबारी जीवन का वर्णन मिलता है। यह ग्रंथ मुगल इतिहास के अध्ययन के लिए एक महत्वपूर्ण स्रोत माना जाता है, क्योंकि यह समकालीन दृष्टिकोण से घटनाओं को प्रस्तुत करता है।

31. 1861 के भारतीय परिषद अधिनियम द्वारा गवर्नर जनरल की कार्यकारी परिषद में विधायी प्रयोजनों के लिए अतिरिक्त सदस्यों को शामिल किया गया, जिससे इसकी सदस्य संख्या बढ़ी और इसे एक विस्तारित विधायी निकाय का स्वरूप मिला, जिसे आगे चलकर इम्पीरियल लेजिस्लेटिव काउंसिल कहा गया। यह परिवर्तन ब्रिटिश शासन द्वारा भारतीयों को सीमित विधायी प्रक्रिया में सम्मिलित करने का प्रयास था। दूसरी ओर, यह परिषद वास्तव में केवल एक सलाहकारी निकाय ही थी, क्योंकि अंतिम निर्णय का अधिकार गवर्नर जनरल के पास ही रहता था और भारतीय सदस्यों की भूमिका सीमित थी। अतः दोनों कथन सही हैं, परन्तु कारण, अभिकथन की सीधी व्याख्या नहीं करता।

32. • **A-III:** बैत-उल-माल का अर्थ सरकारी खजाना होता था, जहाँ राज्य की आय-व्यय का प्रबंधन किया जाता था। यह इस्लामी प्रशासनिक व्यवस्था का महत्वपूर्ण वित्तीय संस्थान था।
   • **B-IV:** मुल्क-ए-मारुसी का अर्थ पूर्वजों से प्राप्त क्षेत्र या प्रभाव-क्षेत्र होता था, जो वंशानुगत अधिकार को दर्शाता है। यह भूमि या अधिकारों के पैतृक हस्तांतरण से संबंधित था।
   • **C-II:** कुर्निश दरबार में बादशाह को सम्मान देने की एक शिष्टाचार विधि थी, जिसमें घुटनों के बल बैठकर अभिवादन किया जाता था। यह मुगल दरबार की औपचारिकता का हिस्सा था।
   • **D-I:** खुराक-ए-दव्वाब शाही अस्तबल के पशुओं के लिए भोजन की व्यवस्था को दर्शाता है। यह प्रशासनिक खर्चों का एक विशेष भाग था।

33. भारतीय उपमहाद्वीप की प्राचीनतम पढ़ी जा सकने वाली लिपि ब्राह्मी है, जिसका प्रयोग मौर्यकाल में विशेष रूप से अशोक के अभिलेखों में मिलता है। इस लिपि को पढ़ लिया गया है और इससे प्राचीन भारतीय इतिहास के कई महत्वपूर्ण तथ्य ज्ञात हुए हैं। हड़प्पा लिपि अभी तक अपठित है, जबकि खरोष्ठी और आरमेइक बाद की लिपियाँ हैं।

34. **A.** गर्भगृह मंदिर का सबसे पवित्र भाग होता है जहाँ मुख्य देवता की प्रतिमा स्थापित होती है।
   C. गोपुर दक्षिण भारतीय मंदिरों का अलंकृत प्रवेश द्वार होता है, जो विशाल और सजावटी होता है।
   D. नागर शैली उत्तर भारत की प्रमुख मंदिर वास्तु शैली है, जिसमें शिखर ऊर्ध्वमुखी होता है।
   E. द्रविड़ शैली दक्षिण भारत में विकसित हुई और मामल्लपुरम जैसे मंदिर इसके उदाहरण हैं।

   (B) गलतः मण्डप सभा या प्रार्थना का हॉल होता है, जबकि गर्भगृह के ऊपर का भाग 'शिखर' या 'विमान' कहलाता है।

35. **A.** प्रजापत्य विवाह में पिता बिना किसी लेन-देन के कन्या का दान करता है और यह कर्तव्य-आधारित विवाह माना जाता है।
   B. अर्ष विवाह में प्रतीकात्मक रूप से गाय और बैल दिए जाते हैं, जो दहेज नहीं बल्कि धार्मिक प्रतीक माने जाते हैं।
   D. असुर विवाह में कन्या को मूल्य देकर विवाह किया जाता है, जो खरीद-फरोख्त जैसा स्वरूप रखता है।
   E. पैशाच विवाह में स्त्री की इच्छा के बिना, उसे अचेत अवस्था में संबंध बनाना शामिल है, जिसे सबसे अधम माना गया है।

   (C) गलतः राक्षस विवाह में बलपूर्वक अपहरण कर विवाह किया जाता है, न कि मूल्य देकर।

36. • **A-III:** पेप्सू (PATIALA AND EAST PUNJAB STATES UNION) का विलय 1956 में हुआ जब राज्य पुनर्गठन अधिनियम लागू किया गया। यह विलय पंजाब राज्य के पुनर्गठन का महत्वपूर्ण भाग था और इससे प्रशासनिक एकीकरण हुआ।
   • **B-IV:** महाराष्ट्र और गुजरात का निर्माण 1960 में बंबई राज्य के विभाजन से हुआ। यह भाषाई आधार पर राज्यों के निर्माण का प्रमुख उदाहरण था।
   • **C-I:** राज्य पुनर्गठन अधिनियम 1956 नवम्बर 1956 से प्रभावी हुआ। इस अधिनियम ने भारत के राज्यों की सीमाओं को भाषाई आधार पर पुनर्गठित किया।
   • **D-II:** पंजाब और हरियाणा का गठन 1966 में किया गया। इससे हरियाणा अलग राज्य बना और चंडीगढ़ केंद्र शासित प्रदेश बना।

37. • **A-II:** मयूरसर्मन कदम्ब वंश के संस्थापक थे और दक्षिण भारत में स्वतंत्र राज्य की स्थापना की।
   • **B-I:** सेनगुट्टुवन चेर वंश के प्रसिद्ध शासक थे, जिनका उल्लेख संगम साहित्य में मिलता है।
   • **C-III:** करिकल चोल वंश के महान शासक थे और कावेरी डेल्टा के विकास के लिए प्रसिद्ध हैं।
   • **D-IV:** हस्तिवर्मन वेंगी क्षेत्र से संबंधित शासक थे, जो पूर्वी चालुक्यों से जुड़े थे।

38. हड़प्पा सभ्यता की मुहरों पर सामान्यतः छोटे-छोटे चिह्नों की एक पंक्ति अंकित मिलती है, जिन्हें विद्वान स्वामी का नाम या उपाधि मानते हैं, यद्यपि लिपि पूरी तरह पढ़ी नहीं जा सकी है। इन मुहरों का उपयोग व्यापारिक वस्तुओं की मुहरबंदी (SEALING) के लिए किया जाता था, जिससे माल की पहचान और सुरक्षा सुनिश्चित होती थी। लंबी दूरी के व्यापार में इनका प्रयोग वस्तुओं के स्रोत और स्वामित्व को प्रमाणित करने के लिए किया जाता था। इसलिए (R), (A) की उचित व्याख्या करता है कि मुहरों पर पहचान संबंधी चिह्न क्यों अंकित किए जाते थे।

39. • **A-III:** गेहूँ की दर लगभग 12 दाम प्रति मन थी, जो सामान्य खाद्यान्न के रूप में प्रयुक्त होता था।

• **B-II:** बाजरा सस्ता अनाज था, जिसकी दर लगभग 8 दाम प्रति मन थी।

• **C-I:** चीनी अपेक्षाकृत महंगी थी और इसकी दर लगभग 125 दाम प्रति मन थी।

• **D-IV:** चना मध्यम श्रेणी का अनाज था, जिसकी दर लगभग 16 दाम प्रति मन थी।

40. द्वितीय गोलमेज सम्मेलन (1931) में महात्मा गांधी ने 'निम्न जातियों' के लिए पृथक निर्वाचक मंडल का विरोध किया था क्योंकि वे इसे हिन्दू समाज के विखंडन के रूप में देखते थे। उनका मानना था कि इससे दलित समुदाय मुख्यधारा से अलग हो जाएगा और सामाजिक एकता कमजोर होगी। इसलिए उन्होंने पृथक निर्वाचन के बजाय सामाजिक सुधार और समावेशन पर बल दिया। इस प्रकार कारण, अभिकथन की सही व्याख्या करता है।

41. सर जेम्स आउटराम अवध के ब्रिटिश रेजिडेंट थे और उन्होंने लॉर्ड डलहौजी को चेतावनी दी थी कि अवध के ग्रामीण समाज का ब्रिटिश सेना से गहरा संबंध है, क्योंकि लगभग प्रत्येक किसान परिवार से कोई न कोई सैनिक सेना में था। उन्होंने यह भी संकेत दिया कि यदि अवध का विलय किया गया तो इससे व्यापक असंतोष उत्पन्न होगा और वही सैनिक ब्रिटिश शासन के विरुद्ध विद्रोह कर सकते हैं। 1856 में अवध के विलय के बाद यह आशंका सही सिद्ध हुई और 1857 के विद्रोह में अवध प्रमुख केंद्र बन गया।

42. • **A-II:** शिक्षा वेदांग का संबंध स्वरविज्ञान (PHONETICS) से है, जिसमें उच्चारण और ध्वनि का अध्ययन किया जाता है।

• **B-III:** कल्प वेदांग सामाजिक आचार, संस्कार और अनुष्ठानों से संबंधित है, इसलिए इसे सामाजिक विचार से जोड़ा जाता है।

• **C-I:** छन्द वेदांग छन्दशास्त्र से संबंधित है, जिसमें मंत्रों की लय और मात्राओं का अध्ययन किया जाता है।

• **D-IV:** ज्योतिष वेदांग खगोलशास्त्र और समय-गणना से संबंधित है, जिससे यज्ञों के समय का निर्धारण किया जाता था।

43. शालीमार बाग, साहिबाबाद बाग और कुदसिया बाग मुगल काल के प्रसिद्ध उद्यान हैं, जो दिल्ली में स्थित हैं। ये बाग मुगल स्थापत्य और बागवानी कला के उत्कृष्ट उदाहरण हैं। शालीमार बाग का निर्माण शाहजहाँ ने करवाया था, जबकि कुदसिया बाग का निर्माण कुदसिया बेगम ने करवाया था। ये बाग मुगल उद्यानों की चारबाग शैली को दर्शाते हैं।

44. **A. पुलकेसिन द्वितीयः** प्रारंभिक शक्तिशाली चालुक्य शासक (7वीं शताब्दी) थे, जिन्होंने हर्षवर्धन को पराजित किया।

B. विक्रमादित्यः पुलकेसिन के बाद सत्ता पुनः स्थापित करने वाले शासक थे।

D. विनयादित्यः विक्रमादित्य के बाद शासन किया और राज्य को स्थिरता दी।

E. विजयादित्यः इनके शासन में साम्राज्य का विस्तार और स्थिरता बनी रही।

C. विक्रमादित्य द्वितीयः ये सबसे बाद के शासकों में आते हैं, इसलिए क्रम में अंत में हैं।

45. सिंधु घाटी सभ्यता का नगरीय या परिपक्व चरण लगभग 2600 ई.पू. से 1900 ई.पू. के बीच माना जाता है। इसी काल में हड़प्पा और मोहनजोदड़ो जैसे सुव्यवस्थित नगर विकसित हुए, जिनमें योजनाबद्ध सड़कों, जल निकासी व्यवस्था और विकसित शहरी जीवन के प्रमाण मिलते हैं। यह चरण सभ्यता का उत्कर्ष काल था, जिसके बाद धीरे-धीरे इसका पतन हुआ।

46. दिए गए विकल्प 1-4 में से कोई भी 100% सही नहीं है:

A. गलतः भाषायी प्रांत आयोग की अध्यक्षता एस. के. धर (S.K. DHAR) ने की थी, न कि न्यायमूर्ति एस. के. दास ने। क्योंकि कथन में अध्यक्ष का नाम/पद ही गलत है, इसलिए इसे सही नहीं माना जा सकता।

B. सहीः जेवीपी समिति में जवाहरलाल नेहरू, वल्लभभाई पटेल और पट्टाभि सीतारमैया शामिल थे। यह समिति भाषायी आधार पर राज्यों के प्रश्न पर कांग्रेस का मूल्यांकन-निकाय थी।

C. सहीः जेवीपी समिति ने आंध्र राज्य के तत्काल गठन/समर्थन को स्वीकार नहीं किया और भाषायी पुनर्गठन को उस समय टालने का रुख रखा। इसलिए यह कथन समिति के निष्कर्षों के अनुरूप है।

D. गलतः पट्टी श्रीरामालू ने जेवीपी के निर्णय का समर्थन नहीं किया; वे अलग आंध्र के लिए आमरण अनशन पर गए। इसलिए D स्पष्ट रूप से गलत है।

E. गलतः अक्टूबर 1953 में तमिल भाषी तमिलनाडु नहीं बनाय उस समय प्रमुख रूप से आंध्र (तेलुगु भाषी) राज्य बना था, जबकि ''तमिलनाडु'' नाम बाद में अपनाया गया। इसलिए E भी गलत है।

47. ऋग्वेद में ''दशराज्ञ युद्ध'' का प्रमुख वर्णन सप्तम मंडल में मिलता है, विशेषकर वशिष्ठ-परंपरा से संबद्ध सूक्तों में। यह युद्ध भरत राजा सुदास और दस राजाओं/जनसमूह के संघ के बीच परुष्णी (रावी) नदी के तट पर होने की परंपरा से जुड़ा माना जाता है। इसी कारण दशराज्ञ युद्ध को मंडल 7 से जोड़ा जाता है और दिए गए विकल्पों में यही पूर्णतः सही बैठता है।

48. दिए गए विकल्प 1-4 में से कोई भी संयोजन 100% सही नहीं हैः

A. गलतः ''विदेशी विनिमय खुदरा अधिनियम, 1935'' इस नाम और वर्ष के साथ कोई मानक/स्वीकृत अधिनियम नहीं माना जाता। इसलिए इसे सही औद्योगिक गतिविधि/कानूनी तथ्य के रूप में स्वीकार नहीं किया जा सकता।

B. गलतः टिस्को का पिग आयरन 1911 से और स्टील उत्पादन 1912 से शुरू होना मानक रूप से स्वीकार किया जाता है; ''1913 में इस्पात का उत्पादन'' कहना 100% सटीक नहीं बैठता। वर्ष में यह असंगति होने से कथन पूर्णतः सही नहीं माना जाएगा।

C. सहीः दिसंबर 1919 में सरकार द्वारा भंडार क्रय समिति (STORES PURCHASE COMMITTEE) का गठन किया गया था। इसका उद्देश्य सरकारी खरीद/आपूर्ति की नीति और प्रक्रियाओं को व्यवस्थित करना तथा स्वदेशी आपूर्ति को बढ़ावा देना था।

D. गलतः उद्योग संरक्षण नीति की सिफारिश करने वाला इंडियन फिस्कल कमीशन सर इब्राहीम रहीमतुल्लाह से जुड़ा माना जाता है, पर इसे ''1923 में'' गठित/नेतृत्व वाला कहना 100% सटीक नहीं है। वर्ष/कमीशन-काल की यह अनिश्चितता इसे पूर्णतः सही होने से रोकती है।

E. गलतः 1923 के संदर्भ में ''दोहरा सूत्र'' वाला कथन मानक रूप से सही नहीं बैठता (यहाँ सूत्र/नीति-नामकरण में स्पष्ट असंगति आती है)। इसलिए E को सही नहीं माना जा सकता।

49. 'बहारिस्तान-ए-शाही' कश्मीर के इतिहास पर आधारित फारसी कृति है, जिसका लेखन मुगल काल के जहाँगीर के शासनकाल (लगभग 1614 के आसपास पूर्ण मानी जाती) में हुआ माना जाता है। प्रश्न ''किसके शासनकाल में लिखी गई'' पूछता है, इसलिए लेखक का नाम/अनाम होना यहाँ निर्णायक नहीं है। दिए गए विकल्पों में जहाँगीर का काल इस कृति के लेखन-समय से मेल खाता है, इसलिए यही विकल्प पूरी तरह सही है।

50. 'HISTORY OF THE PELOPONNESIAN WAR' प्राचीन यूनानी इतिहासकार थुसीडाइडेस की रचना है। यह एथेंस और स्पार्टा के बीच पेलोपोनेसियन युद्ध का क्रमबद्ध और विश्लेषणात्मक विवरण प्रस्तुत करता है। इस ग्रंथ में घटनाओं के पीछे राजनीतिक-मानवीय कारणों पर जोर दिया गया है, इसलिए इसे आलोचनात्मक/विश्लेषणात्मक इतिहास-लेखन की प्रमुख कृति माना जाता है। दिए गए विकल्पों में यह रचना केवल थुसीडाइडेस से ही सही रूप से जुड़ती है।

51. 'निरुक्त' वेदों के शब्दों की व्युत्पत्ति (ETYMOLOGY) और अर्थ की व्याख्या करने वाला प्राचीन ग्रंथ है, जिसकी रचना यास्क ने की थी। यह छठी शताब्दी ई.पू. के आसपास का माना जाता है और वेदांगों में 'निरुक्त' के रूप में महत्वपूर्ण स्थान रखता है। इसमें ऋग्वेद के कठिन शब्दों की व्याख्या और उनके मूल अर्थ का विश्लेषण किया गया है, जिससे वैदिक भाषा को समझने में सहायता मिलती है।

52. गृहसूत्रों में वैदिक समाज के घरेलू संस्कारों (संस्कारों) का क्रम, विधि और विवरण दिया गया है। इनमें जन्म, उपनयन, विवाह आदि जीवन के विभिन्न संस्कारों को कैसे सम्पन्न किया जाए, इसका विस्तृत वर्णन मिलता है। ये ग्रंथ वैदिक कालीन सामाजिक और धार्मिक जीवन को समझने के लिए अत्यंत महत्वपूर्ण स्रोत हैं और श्रौतसूत्रों से भिन्न, घरेलू अनुष्ठानों पर केंद्रित होते हैं।

53.
- **A-III:** अल्लाह बक्स सिंध यूनाइटेड पार्टी से जुड़े थे और उन्होंने सांप्रदायिक राजनीति का विरोध किया।
- **B-IV:** बलदेव सिंह अकाली पार्टी से संबंधित थे और पंजाब की राजनीति में महत्वपूर्ण भूमिका निभाई।
- **C-I:** सिकंदर हयात खाँ यूनियनिस्ट पार्टी के प्रमुख नेता थे, जो पंजाब में प्रभावशाली थी।
- **D-II:** चौधरी खलीकुज्जमन मुस्लिम लीग (यू.पी.) से संबंधित थे और मुस्लिम राजनीति में सक्रिय थे।

54. ई.एच. कार ने कहा था कि ''व्याख्या का तत्व इतिहास के प्रत्येक तथ्य में प्रवेश करता है।'' उनका मानना था कि इतिहास केवल तथ्यों का संग्रह नहीं है, बल्कि इतिहासकार द्वारा तथ्यों की व्याख्या के माध्यम से ही उसका अर्थ निर्धारित होता है। उन्होंने इतिहास लेखन में निष्पक्षता के साथ-साथ व्याख्यात्मक दृष्टिकोण के महत्व पर जोर दिया।

55.
- **A-IV:** 'रागदर्पण' (1666) के लेखक फकीरुल्लाह थे, जो संगीतशास्त्र से संबंधित ग्रंथ है।
- **B-III:** 'शाम्स-अल-अस्वत' (1698) का संबंध रास बरस खाँ से माना जाता है।
- **C-II:** 'मुकद्दिमाह' इब्न-ए खल्दून की प्रसिद्ध रचना है, जो इतिहास दर्शन से संबंधित है।
- **D-I:** 'इस्बत-उन-नुबुव्वाह' और 'रिसाला रद्द-ए-रवाफिज' सरहिन्दी (शेख अहमद सरहिन्दी) से संबंधित हैं, जिन्होंने इस्लामी विचारधारा पर महत्वपूर्ण लेखन किया।

56. वारकरी संप्रदाय महाराष्ट्र में भक्ति आंदोलन से जुड़ा था, जिसमें संत ज्ञानेश्वर, नामदेव, एकनाथ, तुकाराम, जनाबाई और मुक्ताबाई जैसे संत प्रमुख थे। ये संत विट्ठल भक्ति और भक्ति मार्ग के प्रचारक थे। रूप भवानी कश्मीर की एक संत थीं और उनका संबंध कश्मीरी शैव परंपरा से था, न कि वारकरी आंदोलन से। इसलिए यह विकल्प सही है कि वे इस संप्रदाय से संबंधित नहीं हैं।

57. अठारहवीं और उन्नीसवीं शताब्दियों में भारत के इतिहास और संस्कृति के अध्ययन पर यूरोपीय विद्वानों का प्रभुत्व था, जिन्हें प्रायः 'प्राच्यवादी' (ORIENTALISTS) कहा जाता है। ये विद्वान भारतीय भाषाओं, धर्मों और ग्रंथों के अध्ययन में रुचि रखते थे और उन्होंने संस्कृत साहित्य, इतिहास और परंपराओं को समझने का प्रयास किया। इसलिए इन्हें प्राच्यवादी कहा जाता है।

58. 'किचेनर टेस्ट' लॉर्ड किचेनर से संबंधित था, जो भारत के सेना प्रमुख थे। उन्होंने भारतीय सेना के संगठन और कार्यप्रणाली में सुधार करने के लिए विभिन्न परिवर्तन किए। उनके सुधारों का उद्देश्य सैन्य प्रशासन को अधिक प्रभावी और संगठित बनाना था, इसलिए यह परीक्षण सैन्य प्रशासन से संबंधित था।

59. दिए गए विकल्प 1-4 में कोई भी क्रम 100% सही नहीं बैठताः

A. वायकोम सत्याग्रह, 1924-25: यह आंदोलन 30 मार्च 1924 से शुरू माना जाता है और 1925 तक चला। इसलिए 1924 की घटनाओं में यह बहिष्कृत हितकारिणी सभा (जुलाई 1924) से पहले आरम्भ होता है।

D. बहिष्कृत हितकारिणी सभा, 20 जुलाई 1924: इसकी स्थापना की तारीख 20 जुलाई 1924 दी जाती है। अतः 1924 के भीतर क्रम में इसे वायकोम (मार्च 1924) के बाद रखना पड़ता है।

C. आत्मसम्मान आंदोलन, 1925: इसे 1925 में शुरू/स्थापित माना जाता है। इसलिए यह 1924 की दोनों घटनाओं (A, D) के बाद आता है।

B. महाड़ सत्याग्रह, 1927: 1927 होने के कारण यह 1925 के बाद आता है। इसलिए B को C के बाद रखना अनिवार्य है।

E. ALL INDIA DEPRESSED CLASSES LEADERS' CONFERENCE: "LEADERS' CONFERENCE" शीर्षक से वर्ष अलग-अलग संदर्भों में दिया मिलता है (कुछ में 1926, कुछ में 1930/अन्य रूप "CONGRESS" के रूप में)। इस असंगति के कारण विकल्पों में E का स्थान 100% निश्चित करके किसी एक विकल्प को पूर्णतः सही नहीं ठहराया जा सकता।

60. अलाउद्दीन खिलजी की बाजार नियंत्रण नीति अत्यंत सुव्यवस्थित और व्यापक थी, जिसका मुख्य उद्देश्य बड़ी स्थायी सेना को कम वेतन पर बनाए रखना और वस्तुओं की कीमतों को नियंत्रित करना था। इसके लिए उसने अनाज की उपलब्धता सुनिश्चित करने हेतु भंडारण व्यवस्था और नियंत्रित वितरण लागू किया, जो व्यवहारिक रूप से राशनिंग प्रणाली जैसा था, इसलिए A को स्वीकार किया जाता है। बाजारों की निगरानी के लिए शहना-ए-मंडी, बारिद और मुंहिया जैसे निरीक्षकों की नियुक्ति की गई, जिससे व्यापारियों को निर्धारित दरों पर वस्तुएं बेचने के लिए बाध्य किया गया, इसलिए B सही है। पूरी व्यवस्था को नियंत्रित करने के लिए दीवान-ए-रियासत नामक उच्च अधिकारी की नियुक्ति की गई, जो बाजार प्रशासन का प्रमुख था, इसलिए C सही है। व्यापारियों का पंजीकरण अनिवार्य किया गया और उन्हें नियंत्रण में रखा गया, जिससे जमाखोरी और कालाबाजारी रोकी जा सके, इसलिए D सही है। साथ ही राज्य ने अनाज के विशाल गोदाम बनवाए और आवश्यकता या कमी के समय नियंत्रित रूप से अनाज जारी किया, जिससे कीमतों में स्थिरता बनी रहे, इसलिए E भी सही है।

61. अमीर खुसरो की 'किरान-उस-सादैन' (QIRAN-US-SA'DAIN) का अर्थ "दो शुभ नक्षत्रों/दो सौभाग्यशाली व्यक्तियों का संगम" लिया जाता है और यह ऐतिहासिक रूप से सुल्तान कैकूबाद तथा उसके पिता/अभिभावक बुगरा खाँ की भेंट/मुलाकात के प्रसंग से संबंधित काव्य-रचना मानी जाती है। इसमें उस राजनीतिक मेल-मिलाप और दरबारी वातावरण का वर्णन मिलता है, जो दिल्ली सल्तनत के उस समय के सत्ता-संतुलन को समझने में सहायक है।

62. 'महावस्तु' में बुद्ध की पवित्र जीवनी/संतचरित का विस्तृत वर्णन मिलता है और इसमें भाषा का स्वरूप संस्कृत-प्राकृत मिश्रित दिखाई देता है, साथ ही बौद्ध संघ/मठ-परंपरा के विकास के संकेत भी मिलते हैं, इसलिए (A) सही है। यह भी सही है कि महायान परंपरा में संस्कृत के प्रयोग की प्रवृत्ति तेज हुई और अनेक ग्रंथ संस्कृत में रचे गए, इसलिए (R) भी सही है। परन्तु 'महावस्तु' की मिश्रित भाषा और उसमें मठ-व्यवस्था के वर्णन को सीधे-सीधे केवल इस कारण से नहीं समझाया जा सकता कि "महायान में संस्कृत का प्रयोग बढ़ा", क्योंकि 'महावस्तु' की भाषा-परंपरा और रचनाकाल/संप्रदायिक संदर्भ अधिक जटिल हैं। इसलिए (R), (A) की सही व्याख्या नहीं है।

63. 'UNHAPPY INDIA' ब्रिटिश शासन की आलोचना और भारतीय राष्ट्रवादी दृष्टिकोण को प्रस्तुत करने वाली पुस्तक है, जिसे लाला लाजपत राय से संबंधित माना जाता है। इसमें औपनिवेशिक नीतियों की आलोचना, भारतीयों की राजनीतिक आकांक्षाएँ और स्वराज की आवश्यकता पर विचार व्यक्त किए गए हैं। यह पुस्तक राष्ट्रीय आंदोलन के वैचारिक साहित्य में महत्वपूर्ण स्थान रखती है।

64. 1882 के संकल्प द्वारा स्थानीय स्वशासन को सुदृढ़ करने का कार्य लॉर्ड रिपन के समय हुआ। इस संकल्प में स्थानीय निकायों (नगरपालिकाओं और जिला बोर्डों) को अधिक अधिकार देने, निर्वाचित तत्व बढ़ाने और भारतीयों की भागीदारी को प्रोत्साहित करने पर जोर दिया गया। इसीलिए लॉर्ड रिपन को भारत में स्थानीय स्वशासन का जनक कहा जाता है।

65. जनवरी 1929 में मार्क ब्लॉक और लूसियन फेव्रे ने संयुक्त रूप से जो प्रसिद्ध जर्नल शुरू किया, वह 'ANNALES D'HISTOIRE ÉCONOMIQUE ET SOCIALE' था। यह जर्नल इतिहास लेखन में नई पद्धति का प्रतीक बना, जिसमें केवल राजवंशों और युद्धों के बजाय अर्थव्यवस्था, समाज, भूगोल और दीर्घकालिक संरचनाओं (LONG-TERM STRUCTURES) के अध्ययन पर जोर दिया गया। इसी से 'एनल्स स्कूल' का विकास हुआ, जिसने आधुनिक इतिहास-लेखन की दिशा बदल दी।

66. प्राचीन भारत में संस्कृत शिक्षा के उच्च केंद्रों को 'चतुष्पथी' कहा जाता था। ये ऐसे संस्थान थे जहाँ वेद, व्याकरण, मीमांसा, दर्शन आदि विषयों की उच्च शिक्षा दी जाती थी। इनका संचालन प्रायः विद्वान आचार्यों द्वारा किया जाता था और छात्र गुरुकुल प्रणाली के अंतर्गत रहकर अध्ययन करते थे। इस प्रकार चतुष्पथी संस्कृत अध्ययन के प्रमुख शैक्षिक केन्द्र थे।

67. **A.** 'मिफताह-उल-फतूह' में जलालुद्दीन खिलजी के अभियानों/युद्धों का उल्लेख मिलता है, इसलिए यह सही है।

C. 'नूह सिफिर' में अलाउद्दीन खिलजी और उसके उत्तराधिकारी काल की घटनाओं का वर्णन मिलता है, जिसमें मुबारक शाह के संदर्भ भी आते हैं, इसलिए यह कथन स्वीकार्य है।

D. 'तुगलकनामा' अमीर खुसरो की रचना है, जिसमें गियासुद्दीन तुगलक के उदय और अभियानों का वर्णन है, इसलिए यह सही है।

E. अफीफ की 'तारीख-ए-फिरोजशाही' में फिरोजशाह तुगलक के शासनकाल का विस्तृत वर्णन मिलता है, इसलिए यह सही है।

(B) गलतः 'खजाइल-उल-फतूह' अलाउद्दीन खिलजी के विजय अभियानों से संबंधित है, न कि मुबारक शाह खिलजी के आक्रमणों से।

68. **A. दंतिदुर्ग – 735-756 ई.:** राष्ट्रकूट वंश के संस्थापक माने जाते हैं, जिन्होंने चालुक्यों को पराजित कर दक्कन में स्वतंत्र सत्ता स्थापित की। इनके बाद राष्ट्रकूट साम्राज्य का विस्तार प्रारम्भ हुआ, इसलिए कालक्रम में सबसे पहले आते हैं।

B. कृष्ण प्रथम – 756-774 ई.: दंतिदुर्ग के उत्तराधिकारी थे और एलोरा के प्रसिद्ध कैलाश मंदिर का निर्माण कराया। इसलिए दंतिदुर्ग के बाद इनका स्थान आता है।

C. गोविन्द तृतीय – 793-814 ई.: राष्ट्रकूटों के शक्तिशाली विजेता शासक थे, जिन्होंने उत्तर भारत तक सफल अभियान चलाए। इनका शासन अमोघवर्ष से पहले आता है।

D. अमोघवर्ष प्रथम – 814-878 ई.: गोविन्द तृतीय के उत्तराधिकारी, सांस्कृतिक दृष्टि से अत्यंत महत्वपूर्ण शासक थे। कन्नड़ साहित्य (कविराजमार्ग) के संरक्षण के लिए प्रसिद्ध हैं।

E. कृष्ण तृतीय – 939-967 ई.: राष्ट्रकूट वंश के अंतिम प्रमुख शक्तिशाली शासक थे, जिनके समय में दक्षिण भारत में विजय अभियान हुए। अतः कालक्रम में सबसे अंत में आते हैं।

69. अकबर की राजस्व व्यवस्था में 'जब्त प्रणाली' के अंतर्गत भूमि का वर्गीकरण उसकी खेती की निरंतरता और उत्पादकता के आधार पर किया जाता था। पोलज भूमि पर नियमित खेती होती थी, जबकि परती, चाचर और बंजर भूमि कुछ समय के लिए खाली रहती थी। अकबर ने कृषि के विस्तार को प्रोत्साहित करने के लिए इन कम उत्पादक भूमि श्रेणियों पर कम राजस्व दर लगाने का प्रावधान किया, जिससे किसान भूमि को पुनः उपजाऊ बना सकें। जब भूमि पूरी तरह उत्पादक हो जाती थी, तब उस पर पूर्ण दर से कर लगाया जाता था। इस प्रकार कारण, अभिकथन की स्पष्ट व्याख्या करता है।

70. 'पिंडारी' शब्द मराठा काल से संबंधित है और यह उन लुटेरे घुड़सवार समूहों के लिए प्रयुक्त होता था, जो युद्ध के समय सेना के साथ चलते थे और लूटपाट करके जीवनयापन करते थे। 'पिंड' शब्द यहाँ लूट या प्राप्त वस्तुओं के अर्थ में प्रयुक्त होता था। अतः पिंडारी वह व्यक्ति था जो लूटे गए 'पिंड' का उपयोग करता था।

71. प्रोसोपोग्राफी (PROSOPOGRAPHY) ऐतिहासिक अनुसंधान की एक विधि है जिसमें व्यक्तियों के समूह के जीवन, सामाजिक पृष्ठभूमि, संबंधों और जीवनीपरक विवरणों का सामूहिक अध्ययन किया जाता है। इसके माध्यम से किसी काल की सामाजिक संरचना, प्रशासनिक वर्ग और शक्ति-संबंधों को समझा जाता है, इसलिए अभिकथन (A) सही है। लेकिन कारण (R) कि "प्रोसोपोग्राफी का इतिहास से कोई संबंध नहीं है" पूर्णतः गलत है, क्योंकि यह इतिहास अध्ययन की महत्वपूर्ण पद्धति है।

72. भारतीय विदेश नीति के प्रमुख सिद्धांतों में गुटनिरपेक्षता (समूह शक्ति की राजनीति से दूर रहना) शामिल था, इसलिए A सही है। "किसी एक स्थान पर स्वतंत्रता का दमन अन्य स्थानों की स्वतंत्रता के लिए खतरा है" यह विचार भी भारतीय विदेश नीति के नैतिक आधार का हिस्सा था, इसलिए B सही है। भारत ने उपनिवेशवाद के विरुद्ध संघर्ष कर रहे देशों की स्वतंत्रता का समर्थन किया, इसलिए C सही है। NATO की स्वीकृति भारतीय विदेश नीति का हिस्सा नहीं थी, इसलिए D गलत है। "अशांतिपूर्ण सह-अस्तित्व" गलत है, क्योंकि नीति "शांतिपूर्ण सह-अस्तित्व" थी, इसलिए E भी गलत है।

73. 1919 के भारत शासन अधिनियम के अंतर्गत 1 अप्रैल 1921 से प्रांतों में द्वैध शासन (DYARCHY) लागू किया गया था, लेकिन प्रारंभ में यह व्यवस्था कुछ प्रांतों में लागू नहीं हो सकी। बंगाल और मध्य प्रांत में प्रशासनिक परिस्थितियों के कारण इसे कुछ समय तक लागू नहीं किया गया, इसलिए यही सही उत्तर है।

74. मुगल काल में सिंचाई और शहरी जल व्यवस्था के विकास के लिए कई नहरों का निर्माण कराया गया। सत्रहवीं शताब्दी में शाहजहाँ ने 'नहर-ए-बिहिश्त' (स्वर्ग की नहर) और 'शाह नहर' का निर्माण करवाया, जो दिल्ली और उसके आसपास जल आपूर्ति के लिए महत्वपूर्ण थीं। यह उनके स्थापत्य और सार्वजनिक निर्माण कार्यों का हिस्सा था।

75. ऋग्वेद प्राचीनतम वैदिक संहिता है और इसमें कुल 10 मंडल (BOOKS) हैं। इन मंडलों में विभिन्न ऋषियों द्वारा रचित सूक्तों का संग्रह है। यह वैदिक साहित्य का सबसे प्राचीन और महत्वपूर्ण ग्रंथ है, जो वैदिक समाज, धर्म और संस्कृति की जानकारी प्रदान करता है।

76. B. कोलिन मेकेंजी ने 19वीं शताब्दी के प्रारंभ (लगभग 1800 के आसपास) विजयनगर/हम्पी का सर्वेक्षण किया, जिससे इस स्थल की पहचान और प्रारंभिक जानकारी मिली।

D. अलेक्जेंडर ग्रीनलेस ने 1850 के दशक में हम्पी के अवशेषों के विस्तृत फोटोग्राफ लिए, जो संरक्षण के प्रारंभिक दस्तावेज बने।

C. जे.एफ. फ्लीट ने 19वीं शताब्दी के उत्तरार्ध में अभिलेखों का प्रलेखन किया, जिससे ऐतिहासिक जानकारी व्यवस्थित हुई।

E. जॉन मार्शल के नेतृत्व में 20वीं शताब्दी के प्रारंभ में पुरातात्विक संरक्षण कार्य व्यवस्थित रूप से शुरू हुआ।

A. हम्पी को 1986 में यूनेस्को विश्व धरोहर स्थल घोषित किया गया, जो सबसे अंतिम घटना है।

77. • **A-I:** कालाजार के उपचार/अनुसंधान में यू.एन. ब्रह्मचारी का महत्वपूर्ण योगदान था।

• **B-II:** हैजा के जीवाणु की खोज रॉबर्ट कोच ने की थी।

• **C-III:** मलेरिया के कारण (मच्छर द्वारा संचरण) की खोज रोनाल्ड रॉस ने की।

• **D-IV:** प्लेग के टीके के विकास में हैफकिन का योगदान था।

78. • **A-IV:** गुप्त शासन का आरंभ लगभग 320 ई. में चंद्रगुप्त प्रथम के समय हुआ।

• **B-II:** दक्कन में वाकाटक साम्राज्य का उत्कर्ष 375-415 ई. के आसपास माना जाता है।

• **C-I:** हर्षवर्धन का शासनकाल 606-647 ई. के बीच रहा।

• **D-III:** समुद्रगुप्त का शासनकाल लगभग 335-375 ई. माना जाता है।

79. वीर रविवर्मन कुलशेखर ने लगभग 1312 ई. के आसपास मुस्लिम सेना को पराजित किया और कांची में अपना राज्य स्थापित किया। यह घटना दक्षिण भारत में राजनीतिक परिवर्तन के संदर्भ में महत्वपूर्ण मानी जाती है।

80. प्रारंभिक भारतीय इतिहास में लैंगिक संबंधों (GENDER RELATIONS) का अध्ययन मुख्य रूप से समाज में महिलाओं की स्थिति, उनकी भूमिकाओं और उनके अधिकारों के विश्लेषण पर केंद्रित होता है। यह अध्ययन यह समझने का प्रयास करता है कि पितृसत्तात्मक व्यवस्था, जाति व्यवस्था और सामाजिक वर्गों ने पुरुषों और महिलाओं के बीच संबंधों को कैसे प्रभावित किया। इसमें विवाह की प्रथाएँ, उत्तराधिकार, स्त्रीधन, धार्मिक भागीदारी तथा सामाजिक मर्यादाओं का अध्ययन शामिल होता है, जिससे यह स्पष्ट होता है कि समाज में महिलाओं की स्थिति किस प्रकार पदानुक्रमों के अनुसार निर्धारित होती थी।

81. **A. मॉर्ले-मिंटो सुधार, 1909:** यह पहला प्रमुख संवैधानिक सुधार था, जिसमें पृथक निर्वाचक मंडल की शुरुआत हुई।

C. मोंटेग्यू-चेम्सफोर्ड सुधार, 1919: इसके अंतर्गत प्रांतों में द्वैध शासन लागू किया गया।

B. भारत शासन अधिनियम, 1935: यह सबसे व्यापक अधिनियम था, जिसने प्रांतीय स्वायत्तता दी और संघीय ढाँचे की नींव रखी।

E. संविधान सभा, 1946: भारत के संविधान निर्माण के लिए सभा गठित की गई।

D. संप्रभु जनतांत्रिक गणराज्य, 1950: 26 जनवरी 1950 को भारत गणराज्य घोषित हुआ, इसलिए सबसे अंत में आता है।

82. **A.** अर्थशास्त्र राज्य संचालन और राजनीति पर आधारित ग्रंथ है, जो आदर्श/संभाव्य राज्य की संरचना और नीति पर चर्चा करता है।

B. इसमें कुल 15 अधिकरण (BOOKS) हैं, जो इसके संरचनात्मक स्वरूप को दर्शाते हैं।

D. 'अर्थ' को आजीविका/जीवन निर्वाह के रूप में परिभाषित किया गया है, जो राज्य की आर्थिक नींव है।

(C) गलतः अधिकरण 18 नहीं, 15 हैं।

(E) गलतः यह अत्यंत महत्वपूर्ण ऐतिहासिक स्रोत है, इसलिए इसे अस्वीकार नहीं किया जा सकता।

83. • **A-I:** विलियम विलकॉक्स ने बंगाल की प्राचीन सिंचाई प्रणाली पर व्याख्यान दिए।

• **B-IV:** मार्क विल्क्स ने दक्षिण भारत के इतिहास पर लेखन किया।

• **C-III:** बी.एच. बेडेन-पॉवेल ने पंजाब और भूमि व्यवस्था पर महत्वपूर्ण कार्य किया।

• **D-II:** हेनरी इलियट ने उत्तर-पश्चिमी प्रांतों के इतिहास और स्रोतों का संकलन किया।

84. **B. कालीकटः** केरल का प्रमुख पश्चिमी तट का बंदरगाह था, जहाँ अरब और यूरोपीय व्यापारी आते थे।

C. क्विलोनः यह भी केरल का महत्वपूर्ण समुद्री व्यापार केंद्र था।

D. भटकलः कर्नाटक के पश्चिमी तट पर स्थित बंदरगाह था।

E. दाहेजः गुजरात के पश्चिमी तट का बंदरगाह है।

A. तंजौरः यह आंतरिक क्षेत्र में स्थित है, समुद्री बंदरगाह नहीं है।

85. • **A-II पाणिनि की अष्टाध्यायी – लगभग 500 ई.:** पाणिनि का समय सामान्यतः 5वीं-4वीं शताब्दी ई.पू. माना जाता है, इसलिए इसे प्रारंभिक प्राचीन काल (लगभग 500 ई. के आसपास) में रखा जाता है। अष्टाध्यायी संस्कृत व्याकरण का अत्यंत महत्वपूर्ण ग्रंथ है और भारतीय भाषाविज्ञान की आधारशिला मानी जाती है।

• **B-I चरक और सुश्रुत संहिता – लगभग 100 ई.:** आयुर्वेद के ये प्रमुख ग्रंथ प्रारंभिक शताब्दियों ईस्वी में संहिताबद्ध हुए माने जाते हैं। चरक संहिता आंतरिक चिकित्सा और सुश्रुत संहिता शल्य चिकित्सा के लिए प्रसिद्ध है।

• **C-III त्रिपिटक सहित प्रारंभिक बौद्ध ग्रंथ – 500-100 ई.:** बुद्ध की शिक्षाओं को उनके निर्वाण के बाद संकलित किया गया और यह प्रक्रिया कई शताब्दियों तक चली। इसलिए इनका काल 500 ई.पू. से 100 ई.पू. के बीच माना जाता है।

• **D-IV पुराणों का संकलन – 200 ई. से आगे:** पुराणों का अंतिम संकलन गुप्त काल से प्रारंभ होकर बाद की शताब्दियों तक चलता रहा। इसलिए इन्हें 200 ई. के बाद का माना जाता है।

86. **A.** ऋग्वेद में 'सप्त सैंधव' (सात नदियों का प्रदेश) का उल्लेख मिलता है, जो वैदिक आर्यों का मुख्य निवास क्षेत्र था।

C. नदी सूक्त ऋग्वेद के दशम मंडल के सूक्त 75 में है, जिसमें अनेक नदियों का वर्णन मिलता है, इसलिए यह सही है।

D. ऋग्वेद में 'समुद्र' शब्द का उल्लेख मिलता है, जिसे कई इतिहासकार विशाल जलराशि मानते हैं और संभवतः इसका संकेत समुद्र (जैसे अरब सागर) से हो सकता है।

E. अस्कनी (चिनाब) और परुष्णी (रावी) जैसी नदियों का उल्लेख ऋग्वेद में सहायक नदियों के रूप में मिलता है।

(B) गलतः नदी सूक्त सूक्त संख्या 60 में नहीं, बल्कि 75 में है।

87. • **A-III:** मेगस्थनीज ने 'इंडिका' नामक ग्रंथ लिखा, जिसमें भारत का वर्णन है।

• **B-IV:** डियोडोरस ने 'बिब्लियोथेका हिस्टोरिका' की रचना की।

• **C-I:** स्ट्रैबो की प्रसिद्ध कृति 'ज्योग्राफी' है।

• **D-II:** प्लिनी द एल्डर ने 'नेचुरलिस हिस्टोरिया' लिखी।

88. मौर्य साम्राज्य को प्रशासनिक सुविधा के लिए विभिन्न प्रांतों (चक्रों) में विभाजित किया गया था और अशोक के अभिलेखों तथा ऐतिहासिक स्रोतों के आधार पर पाँच प्रमुख प्रांतों का उल्लेख मिलता है। इनमें प्राची (पाटलिपुत्र), उत्तरापथ (तक्षशिला), दक्षिणापथ (सुवर्णगिरि), अवंती राष्ट्र (उज्जयिनी) और कलिंग (तोसली) शामिल थे। इन प्रांतों का प्रशासन प्रायः कुमार या आर्यपुत्र द्वारा किया जाता था। कलिंग विजय के बाद इसे भी अलग प्रशासनिक इकाई के रूप में संगठित किया गया, जिससे पाँच प्रांतों की संरचना स्पष्ट होती है।

89. मालगूजर या प्राथमिक जमींदार भूमि के वंशानुगत अधिकार धारक थे और उन्होंने राज्य को यह आश्वासन देकर अधिकार प्राप्त किए कि वे भूमि को कृषि योग्य बनाएंगे, उसका विस्तार करेंगे और नियमित राजस्व देंगे, इसलिए (A) सही है। (R) में यह बताया गया है कि वे स्वयं खेती कर सकते थे या श्रमिकों के माध्यम से कराते थे, जिससे उत्पादन सुनिश्चित होता था और वे राज्य को राजस्व दे पाते थे। इस प्रकार उनकी खेती करने की क्षमता ही उस व्यवस्था का आधार थी जिसके कारण उन्हें भूमि अधिकार दिए गए थे, इसलिए (R), (A) की उचित व्याख्या करता है।

90. मुगल प्रशासन में 'जागीर' या 'तुयुल' भूमि का वह भाग था जो मनसबदारों और उमरा को वेतन के बदले दिया जाता था। वे उस क्षेत्र से राजस्व (महसूल) वसूल करते थे, जो उनके पारिश्रमिक का स्रोत होता था, इसलिए (A) सही है। (R) भी सही है कि उन्हें भूमि से प्राप्त उपज/राजस्व का उपयोग करने के लिए यह अधिकार दिया जाता था, जिससे उनके वेतन का भुगतान सुनिश्चित हो सके। अतः (R), (A) की उचित व्याख्या करता है।

91. अनुच्छेद में स्पष्ट उल्लेख है कि असम में कांग्रेस मंत्रियों ने त्यागपत्र दे दिया था, लेकिन वहाँ प्रशासन पूर्णतः गवर्नर के अधीन नहीं गया, बल्कि एक नई वैकल्पिक मंत्रिपरिषद का गठन कर लिया गया। इससे स्पष्ट होता है कि असम की स्थिति अन्य प्रांतों से भिन्न थी, जहाँ सीधे गवर्नर शासन लागू हो गया था।

92. अनुच्छेद में स्पष्ट रूप से बताया गया है कि 18 अक्टूबर 1939 को वायसराय लॉर्ड लिंलिथगो ने एक वक्तव्य जारी किया, जिसमें अधिराज्य (DOMINION STATUS) के संबंध में 'स्पष्ट और सकारात्मक' नीति को दोहराया गया। इसलिए सही वर्ष 1939 है।

93. अनुच्छेद में स्पष्ट उल्लेख है कि सात प्रांतों में कांग्रेस मंत्रिपरिषदों ने त्यागपत्र दे दिया था और प्रशासन गवर्नरों के अधीन चला गया था। इसलिए संख्या सात है।

94. अनुच्छेद में यह स्पष्ट कहा गया है कि लिंलिथगो ने युद्ध के आगे बढ़ने के साथ भारत का अधिक सहयोग प्राप्त करने के उद्देश्य से एक परामर्शदाता समूह गठित करने की घोषणा की। इसलिए इसका उद्देश्य युद्ध में सहयोग बढ़ाना था।

95. अनुच्छेद में यह उल्लेख है कि वायसराय ने भारत के विभिन्न सभुदायों, दलों, हितों के प्रतिनिधियों तथा भारतीय शासकों के साथ परामर्श करने का इरादा व्यक्त किया था। इसलिए भारतीय शासकों के साथ परामर्श करना इस वक्तव्य का महत्वपूर्ण भाग था।

96. अनुच्छेद में स्पष्ट कहा गया है कि इतिहासकार अपने साक्ष्यों की जाँच के लिए सामान्यीकरण (GENERALISATION) का उपयोग करता है। वह किसी विशेष घटना को व्यापक प्रवृत्तियों और सामान्य नियमों से जोड़कर समझता है, जिससे साक्ष्य की व्याख्या अधिक संगत बनती है।

97. अनुच्छेद में 1920 के दशक के इतिहासकारों के विचारों का उल्लेख करते हुए कहा गया है कि 1914 के युद्ध का कारण गुप्त या जनमत से अनियंत्रित राजनयिकों का कुप्रबंधन माना गया। इसलिए यह विकल्प सही है।

98. अनुच्छेद में आधुनिक इतिहासकारों द्वारा इंग्लिश, फ्रेंच, रूसी और चीनी क्रांतियों का उल्लेख किया गया है, परन्तु साम्यवादी क्रांतियों के रूप में रूसी (1917) और चीनी (1949) क्रांतियाँ जानी जाती हैं। इसलिए यह सही विकल्प है।

99. गिब्बन ने अपनी प्रसिद्ध कृति "THE DECLINE AND FALL OF THE ROMAN EMPIRE" में रोमन साम्राज्य के पतन का विश्लेषण किया। इसलिए यह विकल्प सही है।

100. अनुच्छेद में स्पष्ट कहा गया है कि इतिहासकार विशिष्ट घटनाओं में नहीं, बल्कि उनमें निहित सामान्य प्रवृत्तियों में रुचि रखता है। इसलिए उसका मुख्य सरोकार विशिष्ट में निहित सामान्य से होता है।

National Testing Agency (NTA)

UGC-NET जूनियर रिसर्च फैलोशिप तथा सहायक प्राध्यापक पात्रता परीक्षा

इतिहास, जून-2025

(Exam held on 28-06-2025)

प्रश्न-पत्र-II

1. 1780 में प्रथम आंग्ल-मराठा युद्ध के दौरान, जब ब्रिटिश ने मालवा पर आक्रमण का निर्णय लिया था, तब कौन-सा मराठा नेता बचाव के लिए आया था?
1. महादजी सिंधिया
2. दौलत राव सिंधिया
3. यशवंत राव होल्कर
4. मल्हार राव होल्कर

2. राघवंक का हरिश्चंद्रकाव्यम किस भाषा में लिखित है?
1. प्राकृत
2. पालि
3. बंगाली
4. कन्नड़

3. वेदांतसूत्र पर रामानुजाचार्य की टीका, जिसने विशिष्टाद्वैत दर्शन को प्रतिपादित किया, क्या कहलाती है?
1. वेदांतसार
2. श्रीभाष्य
3. ब्रह्मसूत्रभाष्य
4. अनुव्याख्या

4. सूची-I को सूची-II से सुमेलित करें :

सूची-I	सूची-II
A. सखाराम गणेश देवस्कर	I. स्वदेशी भंडार
B. रविन्द्रनाथ टैगोर	II. न्यू लैम्पस् फॉर ओल्ड
C. अरविन्द घोष	III. लक्ष्मीर भंडार
D. सरला देवी	IV. देशेर कथा

नीचे दिए गए विकल्पों में से **सही** उत्तर चुनें :
1. A-III, B-II, C-I, D-IV
2. A-IV, B-I, C-II, D-III
3. A-IV, B-I, C-III, D-II
4. A-I, B-II, C-III, D-IV

5. मुहम्मद बिन तुगलक द्वारा निम्नलिखित में से किस शहर का नाम बदलकर सुल्तानपुर किया गया था?
1. वारंगल
2. देवगिरि
3. मैसूर
4. मदुरै

6. सूची-I को सूची-II से सुमेलित करें :

सूची-I (संस्थापक)	सूची-II (संगठन)
A. जी.डब्ल्यू. लैटनर	I. प्रार्थना समाज
B. सत्यानंद अग्निहोत्री	II. अंजुमन-ए-पंजाब
C. तुलसी राम	III. देव समाज
D. आत्माराम पांडुरंग	IV. राधा स्वामी सत्संग

नीचे दिए गए विकल्पों में से **सही** उत्तर चुनें :
1. A-II, B-IV, C-III, D-I
2. A-III, B-II, C-IV, D-I
3. A-IV, B-III, C-II, D-I
4. A-II, B-III, C-IV, D-I

7. सूची-I को सूची-II से सुमेलित करें :

सूची-I	सूची-II
A. अपोह	I. शैव मत
B. शलाकापुरुष	II. वीर शैव
C. देवरदासिमाय्या	III. बौद्ध धर्म
D. अभिनवगुप्त	IV. जैन धर्म

नीचे दिए गए विकल्पों में से **सही** उत्तर चुनें :
1. A-II, B-IV, C-III, D-I
2. A-III, B-IV, C-II, D-I
3. A-I, B-III, C-IV, D-II
4. A-IV, B-III, C-I, D-II

8. सूची-I को सूची-II से सुमेलित करें :

सूची-I (विद्वान)	सूची-II (कथन)
A. पर्सिवल स्पीयर	I. मनसबदारी प्रणाली एक राजनीतिक समझौता थी।
B. डगलस स्ट्रेयूसेंड	II. मुगल साम्राज्य को ''पित्रात्मक नौकरशाही साम्राज्य'' के रूप में परिभाषित किया।
C. स्टीफन ब्लेक	III. मनसबदारों को ''कुलीनों में भी कुलीन'' के रूप में परिभाषित किया।
D. जॉन एफ. रिचर्डस	IV. मनसबदारी में इस्लामी कॉरपोरेट सैन्य प्रणाली की शब्दावली का अनुकरण किया।

नीचे दिए गए विकल्पों में से **सही** उत्तर चुनें :
1. A-IV, B-III, C-I, D-II
2. A-II, B-I, C-III, D-IV
3. A-I, B-II, C-IV, D-III
4. A-III, B-I, C-II, D-IV

9. सूची-I को सूची-II से सुमेलित करें :

सूची-I (बगीचा)	सूची-II (संरक्षक)
A. राम बाग	I. अकबराबादी बेगम
B. जहरा बाग	II. मुमताज महल
C. शालीमार	III. जहाँआरा बेगम
D. साहिबाबाद	IV. नूर जहाँ

नीचे दिए गए विकल्पों में से **सही** उत्तर चुनें :
1. A-I, B-II, C-III, D-IV
2. A-II, B-III, C-I, D-IV
3. A-IV, B-II, C-I, D-III
4. A-III, B-IV, C-II, D-I

10. वर्नाक्युलर प्रेस एक्ट, 1878 के बारे में सत्य कथनों की पहचान करें :

A. गवर्नर जनरल लॉर्ड लिटन और राज्य सचिव लॉर्ड सालिसबरी के बीच गोपनीय गठजोड़ का अन्य उदाहरण था।

B. लिटन ने स्वीकार किया कि यह उपाय ''नाममात्र का विधायी'' और वस्तुतः ''कार्यपालिका कृत्य'' था।

C. विधायी परिषद में बहस के दौरान, अधिकांश यूरोपीय अनाधिकारिक सदस्यों ने विधेयक का विरोध किया था।

D. विधायी परिषद् में विधेयक पारित होने के बाद, गवर्नर जनरल ने अपनी सहमति देने में लंबा समय लिया।

E. वर्नाक्युलर प्रेस को हाइड्रा बताते हुए, लिटन ने इसे ''एक अकस्मात् झटके'' द्वारा एक्ट के माध्यम से समाप्त करने का इरादा किया था।

नीचे दिए गए विकल्पों में से **सही** उत्तर चुनें :
1. केवल B, D और E
2. केवल B, C और E
3. केवल C, D और E
4. केवल A, B और E

11. निम्नलिखित परमार शासकों को उनके शासनकाल के अनुसार कालक्रमानुसार व्यवस्थित करें।

A. सियाक - हर्ष
B. सिंधुराज
C. कृष्णराज
D. वाकपति मुंज
E. भोज

नीचे दिए गए विकल्पों में से **सही** उत्तर चुनें :
1. A, B, D, C, E
2. B, A, D, C, E
3. C, A, D, B, E
4. B, D, C, A, E

12. सूची-I को सूची-II से सुमेलित करें :

सूची-I (पुस्तक)	सूची-II (लेखक)
A. ए हिस्ट्री ऑफ साउथ इंडिया फ्रॉम प्री-हिस्टोरिक टाइम्स टू दि फाल ऑफ विजयनगर	I. डब्ल्यू. डब्ल्यू. हंटर
B. दि इंडियन मुसलमान्स	II. संजीव सान्याल
C. रिवोल्यूशनरीज (दि अदर स्टोरी ऑफ हाउ इंडिया वोन इट्स फ्रीडम)	III. के.ए. नीलकंठ शास्त्री
D. दि एक्सट्रीमिस्ट चैलेंज (इंडिया बिटविन 1890 एंड 1910)	IV. अमलेश त्रिपाठी

नीचे दिए गए विकल्पों में से **सही** उत्तर चुनें :
1. A-III, B-I, C-IV, D-II
2. A-IV, B-I, C-III, D-II
3. A-III, B-I, C-II, D-IV
4. A-I, B-II, C-III, D-IV

13. फिरोज शाह तुगलक ने दिल्ली में दार-उस-शफा का विकास किस प्रयोजन से किया था?
1. कृषि ऋणों का वितरण
2. सभी के लिए निःशुल्क उपचार
3. स्थानीय प्रशासक के विरुद्ध शिकायत
4. आचरण और व्यवहार नियंत्रण के लिए

14. सूची-I को सूची-II से सुमेलित करें :

सूची-I	सूची-II
A. पुंसवन	I. गर्भ में बालक की सुरक्षा सुनिश्चित करने हेतु अनुष्ठान
B. स्नातक	II. वह, जिसने स्नान किया है
C. सीमंतोन्नयन	III. पुरुष बालक प्राप्त करने का अनुष्ठान
D. समवर्तन	IV. विशेष गृह आगमन अनुष्ठान

नीचे दिए गए विकल्पों में से **सही** उत्तर चुनें :
1. A-II, B-I, C-III, D-IV
2. A-III, B-II, C-I, D-IV
3. A-I, B-II, C-III, D-IV
4. A-IV, B-III, C-II, D-I

15. निम्नलिखित में से कौन-सा "यज्ञ" एक "महायज्ञ" नहीं माना जाता है?
1. वाजपेय
2. ब्रह्म
3. देव
4. पितृ

16. 1857 के विद्रोह के बारे में किस इतिहासकार ने यह लिखा था?

"1857-58 की दयनीयता और रक्तपात भारत में स्वतंत्रता आंदोलन के जन्मदाता नहीं थे, किन्तु अप्रासंगिक निरंकुशता और मध्ययुगीन केन्द्रीयभिसारी सामंतवाद के मरणासन्न आर्तनाद थे।"
1. आर.सी. मजूमदार
2. एस.बी. चौधरी
3. के.के. दत्ता
4. एस.एन. सेन

17. निम्नलिखित संगठनों को 1876 से 1885 के बीच गठित किए जाने के अनुसार कालक्रम से व्यवस्थित करें।

A. पूना सार्वजनिक सभा
B. इंडियन एसोसिएशन
C. महाजन सभा
D. बॉम्बे प्रेसीडेंसी एसोसिएशन
E. इंडियन लीग

नीचे दिए गए विकल्पों में से **सही** उत्तर चुनें :
1. A, E, B, C, D
2. A, E, C, B, D
3. E, A, B, C, D
4. A, E, B, D, C

18. इम्पीरियल बैंक ऑफ इंडिया किस वर्ष अस्तित्व में आया ?
1. 1920
2. 1921
3. 1922
4. 1923

19. निम्नलिखित में से कौन देव राय II के बारे में उल्लेख करता है कि "इस पश्चात्‌वर्ती राजकुमार के नियंत्रणाधीन तीन सौ पत्तन थे, जिनमें से प्रत्येक कालीकट के समतुल्य था...."?
1. नूनीज
2. डोमिनिगो पाएस
3. निकोलो कोन्टी
4. अब्दुर रज्जाक

20. आजीवकों के संबंध में निम्नलिखित में से कौन-से कथन सत्य हैं?

A. आजीवक संप्रदाय का उद्‌भव उसी समय हुआ था, जब बौद्ध और जैन धर्म का उदय हुआ था।

B. आजीवक तपस्वी थे जिन्होंने कठोर अनुशासन का पालन किया।

C. आजीवकों का विश्वास था कि संपूर्ण ब्रह्माण्ड नियति अथवा भाग्य द्वारा अनुबंधित अथवा निर्धारित है।

D. आजीवकों का कोई ग्रंथ हमारे पास उपलब्ध नहीं है और हम उनके बारे में जो थोड़ा बहुत जानते हैं, वह बौद्ध और जैन साहित्य से पुनर्सृजित किया गया है।

E. दक्षिण भारत में आजीवकों ने पुराणिक ब्रह्मांड-विज्ञान के समनुरूपी सिद्धांतों का विकास किया।

नीचे दिए गए विकल्पों में से **सही** उत्तर चुनें :

1. केवल A, B, C और D
2. केवल B, C, D और E
3. केवल A, B, D और E
4. केवल A, C, D और E

21. निम्नलिखित में से कौन विष्णुकुन्डिन सम्राट नहीं था?

1. गोपावर्मन
2. माधववर्मन
3. गोविन्दवर्मा
4. देववर्मन

22. निम्नलिखित परिवर्तनों के सूत्रपात को कालक्रमानुसार व्यवस्थित करें।

A. गवर्नर जनरल की परिषद में अतिरिक्त सदस्यों की संख्या 10 से कम नहीं होगी, और 16 से अधिक नहीं होगी।

B. इंग्लिश संसद ने ईस्ट इंडिया कंपनी को उपनिवेश में संप्रभु राजनीतिक प्राधिकारी की मान्यता प्रदान की।

C. उच्चतम न्यायालय के मुख्य न्यायाधीश को भारतीय विधायी परिषद् में सदस्य के रूप शामिल किया गया था।

D. महारानी को भारत की साम्राज्ञी की उपाधि प्रदान की गई थी।

E. संसद ने ईस्ट इंडिया कंपनी के क्रियाकलापों पर प्राधिकार को विनिर्दिष्ट किया था।

नीचे दिए गए विकल्पों में से **सही** उत्तर चुनें :

1. E, A, B, C, D
2. B, E, C, D, A
3. E, B, D, C, A
4. E, B, C, D, A

23. निम्नलिखित में से किसने 1882 में आर्य समाज का प्रथम समाचार पत्र "आर्य" आरंभ किया था?

1. लाल रतन चंद बेरी
2. लाला लाजपत राय
3. लाला हंसराज
4. लाला मुंशीराम

24. भक्ति उपासनावाद के बारे में निम्नलिखित में से कौन-से कथन सत्य हैं?

A. रामानुज ने लिंगायत आंदोलन को पुष्पित-पल्लवित करने के लिए तांत्रिक प्रथाओं की वकालत की थी।

B. बल्लभाचार्य ने कृष्ण भक्ति की महत्ता के बारे में जागरुकता सृजित की थी।

C. रामदास ने राम पूजा को प्रचलित किया।

D. शैवमत 7वीं और 9वीं शताब्दियों के बीच तमिलनाडु में सशक्त था।

E. वरकरी संप्रदाय में जाति भेदभाव नहीं किया जाता था, किन्तु संप्रदाय में प्रवेश केवल पुरुषों तक सीमित था।

नीचे दिए गए विकल्पों में से **सही** उत्तर चुनें :

1. केवल B, C, D
2. केवल A, B, C
3. केवल C, D, E
4. केवल A, C, E

25. समुद्रगुप्त की प्रयाग प्रशस्ति के बारे में निम्नलिखित में से कौन-से कथन सत्य हैं?

A. यह गद्य और पद्य, दोनों में लिखित है।

B. संपूर्ण प्रशस्ति एकल विशाल वाक्य से बनी है।

C. प्रशस्ति में समुद्रगुप्त का वर्णन महान संगीतकार के रूप में किया गया है।

D. यहाँ दर्शाई गई सैन्य विजयों ने कालिदास के रघुवंश के लिए मॉडल का काम किया।

E. अभिलेख में समुद्रगुप्त के सिंहासन प्राप्ति के संघर्ष को वर्णित किया गया है।

नीचे दिए गए विकल्पों में से **सही** उत्तर चुनें :

1. केवल A, B, C
2. केवल B, C, D
3. केवल A, B, D
4. केवल A, C, E

26. ''भारत सरकार सुशासन अधिनियम 1858'' के पुरः स्थापन और ''साम्राज्ञी की घोषणा'' के बारे में किसने टिप्पणी की थी ''संकल्पनात्मक स्तर पर, 'बाहरी' के रूप में शासन आरंभ करने वाले ब्रिटिश अपने राजा में भारत की संप्रभुता निहित करके 'आंतरिक' बन गए थे''।

1. बर्नाड कोहन
2. थॉमस मेटकॉफ
3. इरीक स्टोक्स
4. विन्सेंट स्मिथ

27. हैदराबाद में शांति और अमन बहाली के लिए सितंबर 1948 में भारतीय सेना द्वारा संचालित किए गए ऑपरेशन का क्या नाम था?

1. ऑपरेशन मेघदूत
2. ऑपरेशन कैक्टस लिलि
3. ऑपरेशन पोलो
4. ऑपरेशन विजय

28. निम्नलिखित संगठनों को कालक्रमानुसार व्यवस्थित करें।

A. परमहंस मंडली

B. कुम्बकोणम की अद्वैत सभा

C. आर्य समाज

D. प्रार्थना समाज

E. रहनुमाई मजदायसन सभा

नीचे दिए गए विकल्पों में से **सही** उत्तर चुनें :

1. A, B, C, D, E
2. B, E, C, D, A
3. A, B, C, E, D
4. A, E, D, C, B

29. शब्द ''सोनधार'' का क्या अर्थ है?

1. बैंक
2. व्यापारिक समुदाय
3. कृषि ऋण
4. रैंक/पदवी

30. ''सज्जन व्यक्ति की मित्रता किसी श्रेष्ठ पुस्तक की सुंदरता के समान है। यह अपनी ताजगी नहीं खोती है, बल्कि प्रत्येक गुजरते दिन के साथ बढ़ता आनंद प्रदान करती है, जिस प्रकार गहन अध्ययन से हम किसी पुस्तक से अभिवर्धित आनंद प्राप्त करते हैं।''

इस कहावत के लेखक हैं?

1. अर्थशास्त्र में कौटिल्य
2. पंचतंत्र में विष्णु शर्मा
3. महाभारत में व्यास वैशपायन
4. तिरूक्कुराल में तिरूवल्लुवर

31. बुद्ध के समकालीन, उदयन निम्नलिखित में से किस राजवंश से संबंधित थे?

1. भरत
2. वत्स
3. जंत्रिक
4. कुरू

32. पाल शासनकाल में हुई निम्नलिखित घटनाओं को कालक्रमानुसार व्यवस्थित करें।

A. पालों ने कलिंग और कामरूप के विरुद्ध अभियान चलाए।

B. पालों द्वारा प्रसिद्ध गदाधर मंदिर का निर्माण।

C. पालों द्वारा विक्रमशिला विश्वविद्यालय की स्थापना।

D. सुवर्णद्वीप के राजा द्वारा निर्मित विहार के लिए पालों द्वारा पाँच गांवों का दान।

E. पालों ने कैवर्तों के विरुद्ध सैन्य अभियान का नेतृत्व किया।

नीचे दिए गए विकल्पों में से **सही** उत्तर चुनें :

1. A, B, C, D, E
2. B, C, D, E, A
3. C, D, B, E, A
4. D, B, E, A, C

33. मुस्लिम लीग के किस अधिवेशन में ''उलेमा'' को आमंत्रित किया गया और उन्हें सार्वजनिक महत्त्व प्रदान की गई?

1. कलकत्ता सत्र, 1912
2. कराची सत्र, 1907
3. दिल्ली सत्र, 1918
4. लाहौर सत्र, 1940

34. नवपाषाण स्थल टी. नरसीपुर निम्नलिखित में से किस राज्य में स्थित है?

1. आंध्र प्रदेश
2. मध्य प्रदेश
3. कर्नाटक
4. तमिलनाडु

35. अपनी आत्मकथा में महात्मा गांधी अपने ऊपर इस पुस्तक का जादुई प्रभाव इस प्रकार वर्णित करते हैं : "मैं भोर में उठा, और इन सिद्धांतों को व्यवहार में लागू करने के लिए तैयार था।"

1. लियो टॉल्सटाय की *दि किंगडम ऑफ गॉड इज विदिन यू*
2. जॉन रस्किन की *अनटू दिस लास्ट*
3. हॉवर्ड विलियम की *दि इथिक्स ऑफ डाइट*
4. हेनरी समनर की *विलेज कम्युनिटिज इन दि ईस्ट एंड वेस्ट*

36. निम्नलिखित में से कौन-से कथन सत्य हैं?

A. विष्णुगोप एक पल्लव राजा था।
B. कीर्तिवर्मन एक चालुक्य शासक था।
C. यशोविग्रह एक कलचुरी राजा था।
D. इंद्र एक राष्ट्रकूट राजा था।
E. सिम्हाविष्णु एक पल्लव राजा था।

नीचे दिए गए विकल्पों में से **सही** उत्तर चुनें :

1. केवल A, B, C, D
2. केवल B, C, D, E
3. केवल A, B, D, E
4. केवल A, C, D, E

37. निम्नलिखित में से किस अधिनियम में मुक्त व्यापारियों, बेंथेमी सुधारवादियों और इवांजोलिकल की मांगों को समाविष्ट किया था?

1. पिट् का इंडिया एक्ट
2. चार्टर एक्ट 1813
3. चार्टर एक्ट 1853
4. भारतीय परिषद् अधिनियम 1892

38. निम्नलिखित में से किस लेखक ने "फॉरेन नोटिसेज ऑफ साउथ इंडिया" नाम से पुस्तक लिखी थी?

1. टी.वी. महालिंगम
2. के.ए.एन. शास्त्री
3. आर. काल्डवेल
4. के.के. पिल्लेई

39. जापान में रासबिहारी बोस और सन यात-सेन के बीच बैठक की व्यवस्था करने में महत्वपूर्ण भूमिका किसने निभाई थी?

1. भगवान सिंह
2. विन्सेंट क्राफ्ट
3. ज्योतिंद्र नाथ मुखर्जी
4. प्रमथ नाथ गुप्त

40. महाभाष्य का लेखक कौन था?

1. गौतम
2. वज्रपायन
3. पातंजलि
4. कात्यायन

41. निम्नलिखित घटनाओं को कालक्रमानुसार व्यवस्थित करें।

A. सिंध विजय
B. द्वितीय आंग्ल-बर्मा युद्ध
C. अवध का अधिग्रहण
D. द्वितीय आंग्ल-सिक्ख युद्ध
E. कूर्ग का अधिग्रहण

नीचे दिए गए विकल्पों में से **सही** उत्तर चुनें :

1. E, A, D, B, C
2. A, E, D, B, C
3. A, E, B, C, D
4. E, A, B, C, D

42. भारतीय परिषद् अधिनियम 1861 के बारे में निम्नलिखित में से कौन-से कथन सत्य हैं?

A. गवर्नर-जनरल परिषद् के साधारण सदस्यों की संख्या बढ़ाकर पाँच की गई।
B. विधायन के लिए गवर्नर जनरल की परिषद् में छह से कम किन्तु बारह से अधिक सदस्य जोड़े गए।
C. कोई भी विधेयक विधायी परिषद् में प्रस्तुत की जा सकती थी।

D. गवर्नर जनरल को आपातकाल में अपनी परिषद् की सहमति के बिना अध्यादेश जारी करने की शक्ति थी, जिनकी वैधता अधिकतम छह माह तक थी।

E. गवर्नर जनरल की अनुमति प्राप्त किए बिना विधायी परिषद् द्वारा पारित कोई भी एक्ट वैध नहीं होगा।

नीचे दिए गए विकल्पों में से **सही** उत्तर चुनें :

1. केवल A, B, C, D
2. केवल A, B, D, E
3. केवल A, C, B, D
4. केवल A, B, C, E

43. 1921 में देशद्रोह के आरोप पर न्यायालय विचारण के दौरान निम्नलिखित में से किस राष्ट्रवादी नेता ने निम्नलिखित बयान दिया था? "भारत, भारतीयों का है। अतः, हम स्वतंत्रता की मांग करते हैं.... कि ब्रिटिश हमारे प्यारे देश पर अपना निरंकुश शासन चला रहे हैं, यह बात सभी जानते हैं। कौन-सा ऐसा कानून है जो किसी एक देश को अन्य देश पर शासन करने का अधिकार देता है? हम पूर्ण स्वतंत्रता से कम कुछ नहीं चाहते हैं। जब तक हम इसे प्राप्त नहीं कर लेते हैं, हम शांति से नहीं बैठेंगे।"

1. एम.के. गांधी
2. लाला लाजपत राय
3. केशव बलिराम हेडगेवार
4. चित्तरंजन दास

44. सूची-I को सूची-II से सुमेलित करें :

सूची-I (यात्री)	सूची-II (राष्ट्रीयता)
A. थॉमस कोरयाट	I. पुर्तगाली
B. जीन कार्डिन	II. अंग्रेज
C. फ्रांसिस्को पेलसायर्ट	III. डच
D. नूनीज	IV. फ्रेंच

नीचे दिए गए विकल्पों में से **सही** उत्तर चुनें :

1. A-I, B-II, C-IV, D-III
2. A-II, B-IV, C-III, D-I
3. A-III, B-I, C-II, D-IV
4. A-IV, B-III, C-I, D-II

45. यादवाभ्युदय (अथवा भगवान कृष्ण का जीवन) की रचना किसके द्वारा की गई थी ?

1. वेदान्तदेशिक
2. रामानुजाचार्य
3. अप्पाय्या दीक्षित
4. विद्या माधव

46. सूची-I को सूची-II से सुमेलित करें :

सूची-I (मराठा अधिकारी)	सूची-II (उत्तरदायित्व)
A. चिटनिस	I. घरेलू कार्य
B. दाबिर	II. दानार्थ अनुदान
C. पंडितराव	III. पत्राचार
D. वाक़्या नवीस	IV. विदेशी मामलों से संबंधित

नीचे दिए गए विकल्पों में से **सही** उत्तर चुनें :

1. A-I, B-III, C-IV, D-II
2. A-III, B-IV, C-II, D-I
3. A-IV, B-II, C-I, D-III
4. A-II, B-I, C-III, D-IV

47. सूची-I को सूची-II से सुमेलित करें :

सूची-I (पुस्तक)	सूची-II (लेखक)
A. खुलासात-उत-तवारिख	I. खाफी खान
B. रियाज-उस-सलातिन	II. गुलाम हुसैन सलीम
C. मुंतखाब-उल-लुबाब	III. सुजान राय
D. सियार-उल-मुतखेरिन	IV. गुलाम हुसैन

नीचे दिए गए विकल्पों में से **सही** उत्तर चुनें :

1. A-III, B-II, C-I, D-IV
2. A-IV, B-III, C-II, D-I
3. A-II, B-I, C-III, D-IV
4. A-I, B-IV, C-III, D-II

48. भारतीय संगीत के विषय में निम्नलिखित में से कौन-से **कथन** सत्य हैं?

A. पंचम, यूरोपीय मेजर स्केल के सबसे निकट सदृश राग है।

B. मेघ राग आनंद और हास्य से संबद्ध है।

C. कौशिका राग की प्रस्तुति का सबसे उचित समय रात्रि है।

D. पंचम छह मूल रागों में से नहीं है।

E. दीपक राग प्रेम से संबद्ध है।

नीचे दिए गए विकल्पों में से **सही** उत्तर चुनें :
1. केवल A, B, C, D
2. केवल B, C, D, E
3. केवल A, C, D, E
4. A, B, C, D, E

49. सूची-I को सूची-II से सुमेलित करें :

सूची-I	**सूची-II**
A. कृष्णा	I. वैसारवन
B. कुबेर	II. मयोन
C. पार्वती	III. मारियाम्माई
D. शीतला	IV. अन्नपूर्णा

नीचे दिए गए विकल्पों में से **सही** उत्तर चुनें :
1. A-I, B-II, C-III, D-IV
2. A-II, B-I, C-III, D-IV
3. A-I, B-II, C-IV, D-III
4. A-II, B-I, C-IV, D-III

50. निम्नलिखित समाचारपत्रों की शुरूआत को कालक्रम से व्यवस्थित करें :
A. इंडियन ओपीनियन
B. अभ्युदय
C. लीडर
D. यंग इंडिया
E. इंडियन सोशियोलॉजिस्ट

नीचे दिए गए विकल्पों में से **सही** उत्तर चुनें :
1. A, E, C, B, D
2. A, E, B, C, D
3. A, B, E, C, D
4. E, A, B, C, D

51. निम्नलिखित को कालक्रमानुसार व्यवस्थित करें।
A. कलकत्ता में हिन्दू बालिका विद्यालय की स्थापना।
B. लाहौर विश्वविद्यालय कॉलेज की स्थापना।
C. भारतीय विश्वविद्यालय अधिनियम।
D. हंटर आयोग की स्थापना।
E. इलाहाबाद विश्वविद्यालय की स्थापना।

नीचे दिए गए विकल्पों में से **सही** उत्तर चुनें :
1. B, A, D, E, C
2. B, A, E, D, C
3. A, B, E, D, C
4. A, B, D, E, C

52. गंज-ए-सवाई क्या था?
1. एक विशाल युद्ध टैंक
2. किला
3. जहाज/पोत
4. सवाई राजा जय सिंह द्वारा स्थापित बाजार

53. निम्नलिखित में से कौन-से कथन पुराण नीतिशास्त्र में सही हैं?
A. पौराणिक देवता अग्नि में आहुति द्वारा पूजे जाते हैं।
B. पूर्वजों को तर्पण द्वारा प्रसादित किया जाता है।
C. संन्यास वह चरण है, जिसमें ज्ञान अर्जित होता है।
D. वानप्रस्थ, त्याग की अंतिम अवस्था से पूर्व का चरण है।
E. ब्रह्मचर्य चरण के लिए कोई विशेष नियम नहीं थे।

नीचे दिए गए विकल्पों में से **सही** उत्तर चुनें :
1. केवल A, B, D
2. केवल A, B, C
3. केवल A, B, E
4. केवल B, C, D

54. नायकों के बारे में निम्नलिखित में से कौन-से कथन सत्य हैं?
A. नूनीज के अनुसार विजयनगर साम्राज्य में लगभग 300 नायक थे।
B. नूनीज के अनुसार वे भूमि के स्वामी नहीं थे।
C. स्टेन के अनुसार नायक अपने स्वयं के अधिकार में क्षेत्रीय शक्ति थे।
D. तमिलनाडु में नायक शासन आरंभिक 16वीं शताब्दी से 19वीं शताब्दी तक कायम रहा।
E. सेन्जी, तंजावुर और मदुरै तीन प्रमुख नायक थे।

नीचे दिए गए विकल्पों में से **सही** उत्तर चुनें :
1. केवल B, C, D
2. केवल A, B, C
3. केवल A, C, E
4. केवल B, D, E

55. रैयतवाड़ी बंदोबस्त से संबंधित निम्नलिखित घटनाओं को कालक्रमानुसार व्यवस्थित करें।

A. मद्रास में 30 वर्षीय बंदोबस्त के साथ सुधरी हुई प्रणाली का सूत्रपात

B. बड़ामहल में रैयतवाड़ी प्रयोग

C. बॉम्बे प्रेसीडेंसी में रैयतवाड़ी प्रयोग की शुरूआत

D. मद्रास उत्पीड़न आयोग प्रतिवेदन

E. आर.के. प्रिंग्ले द्वारा किया गया भूमि सर्वेक्षण

नीचे दिए गए विकल्पों में से **सही** उत्तर चुनें :

1. B, C, D, A, E
2. B, C, E, D, A
3. B, C, E, A, D
4. B, C, D, E, A

56. सूची-I को सूची-II से सुमेलित करें :

सूची-I	**सूची-II**
A. दीनबंधु मित्र	I. महायात्रा
B. राधा नाथ राय	II. वसंत गाथा
C. मधुसूदन रॉय	III. नील दर्पण
D. लक्षमण मोरेश्वर	IV. मुक्तामाला

नीचे दिए गए विकल्पों में से **सही** उत्तर चुनें :

1. A-III, B-I, C-II, D-IV
2. A-III, B-II, C-IV, D-I
3. A-III, B-I, C-IV, D-II
4. A-III, B-II, C-I, D-IV

57. निम्नलिखित में से कौन-सी अभिधम्म पिटक की सात पुस्तकों (सत्तपरकरण) में शामिल नहीं है?

1. धम्मासंगानी
2. कथावत्थु
3. पुग्गलापन्नात्ति
4. महानिद्देश

58. वेवेल योजना और शिमला सम्मेलन के बारे में निम्नलिखित में से कौन-से कथन सत्य हैं?

A. वेवेल योजना ने लेबर पार्टी सहित ब्रिटिश राजनीतिक दलों का एकमत समर्थन प्राप्त किया।

B. सम्मेलन में सिक्खों का प्रतिनिधित्व मास्टर तारा सिंह ने किया।

C. मुस्लिम लीग ने प्रस्तावित कार्यकारी परिषद के लिए नामों की सूची प्रस्तुत करने से मना कर दिया।

D. वेवेल ने कांग्रेस और यूनियनिस्ट पार्टी से एक-एक सदस्य तथा अन्य सदस्य मुस्लिम लीग से चयनित करने का प्रस्ताव दिया।

E. सम्मेलन असफल हो गया क्योंकि कांग्रेस और मुस्लिम लीग दोनों प्रस्तावित कार्यकारी परिषद में बराबर संख्या में मुस्लिम सदस्य चाहते थे।

नीचे दिए गए विकल्पों में से **सही** उत्तर चुनें :

1. केवल A, C और D
2. केवल A, B और D
3. केवल A, B और C
4. केवल B, D और E

59. अशोक के निम्नलिखित में से किस शिलालेख में कलिंग विजय का उल्लेख है?

1. शिला लेख VII
2. शिला लेख VIII
3. शिला लेख XIII
4. शिला लेख XII

60. शब्द कमीन, महीन, किरपास और खाना छाप निम्नलिखित में से किससे संबंधित है?

1. आभूषण
2. नील
3. वस्त्र
4. जूट/पटसन

61. निम्नलिखित में से किस स्थान पर शिवाजी की टकसाल स्थित थी?

1. रत्नागिरी
2. रायगढ़
3. पूना
4. कोंकण

62. निम्नलिखित में से कौन-से कथन सत्य हैं?

A. दीदारगंज यक्षी मौर्य कला शैली से संबंधित है।

B. साँची धड़-प्रतिमा प्रख्यात गुप्त मूर्ति है।

C. सुल्तानगंज बुद्ध, गुप्तकालीन हैं।

D. धर्मचक्र मुद्रा में सारनाथ बुद्ध गुप्त मूर्तिकला का नमूना हैं।

E. एलीफैंटा में त्रिमूर्ति शिव गुप्त शैली से संबंधित हैं।

नीचे दिए गए विकल्पों में से **सही** उत्तर चुनें :

1. केवल A, B, C, D
2. केवल B, C, D, E
3. केवल A, B, D, E
4. केवल A, B, C, E

63. गुरुमुखी लिपि में एक पंजाबी साप्ताहिक "स्वदेश सेवक" किसके द्वारा प्रकाशित किया गया था?

1. अजीत सिंह
2. लाला लाजपत राय
3. हरनाम सिंह
4. बेला सिंह

64. चोलों से संबंधित निम्नलिखित घटनाओं को कालक्रमानुसार व्यवस्थित करें।

A. राजराजेश्वर मंदिर तंजावुर में बनाया गया।
B. राजेन्द्र को युवराज उद्घोषित किया गया।
C. राजेन्द्र ने अपनी सेना को पश्चिमी चालुक्यों पर आक्रमण करने का आदेश दिया।
D. मदुरै नवीन चोल उपशाही (वाइसरॉयल्टी) का मुख्यालय बन गया।
E. राजेन्द्र ने श्रीविजय के विरुद्ध युद्ध का नेतृत्व किया।

नीचे दिए गए विकल्पों में से **सही** उत्तर चुनें :

1. A, B, C, D, E
2. B, C, A, D, E
3. C, A, B, D, E
4. B, A, D, C, E

65. अकबर के शासनकाल की निम्नलिखित घटनाओं को कालक्रमानुसार व्यवस्थित करें।

A. खानदेश का आक्रमण
B. आगरा में प्रथम जेसुइट मिशन
C. फतेहपुर सीकरी की स्थापना
D. आगरा में फिच का आगमन
E. कश्मीर का अधिग्रहण

नीचे दिए गए विकल्पों में से **सही** उत्तर चुनें :

1. A, B, C, D, E
2. B, C, D, A, E
3. A, E, C, D, B
4. C, B, D, E, A

66. सूची-I को सूची-II से सुमेलित करें :

सूची-I	सूची-II
A. भागवतगीता	I. बौद्ध धर्म
B. हर्षचरित	II. जैन धर्म
C. मिलिन्दपण्हो	III. महाभारत
D. पउमचरियम	IV. बाणभट्ट

नीचे दिए गए विकल्पों में से **सही** उत्तर चुनें :

1. A-I, B-III, C-IV, D-II
2. A-II, B-IV, C-III, D-I
3. A-III, B-IV, C-I, D-II
4. A-IV, B-II, C-I, D-III

67. निम्नलिखित में से किसने साप्ताहिक सद्धर्म प्रचारक शुरू किया था?

1. लाला लाजपत्र राय
2. लाला हंसराज
3. लाला मुंशीराम
4. पंडित गुरु दत्ता

68. संस्कृत नाटक स्वप्नवासवदत्ता के लेखक कौन थे?

1. कालिदास
2. भवभूति
3. भास
4. भारवि

69. अर्थशास्त्र के अनुसार, कुप्याध्यक्ष निम्नलिखित में से किसका प्रभारी था?

1. सिंचाई कार्य
2. कुएं और नहरी प्रणाली
3. वन उत्पाद
4. तटबंध

70. भारत में निम्नलिखित यूरोपीय यात्रियों की यात्राओं को कालक्रम से व्यवस्थित करें।

A. जॉन मिल्डेनहाल
B. विलियम फिंच
C. राल्फ फिच
D. थॉमस कोरयाट
E. जीन बैपटिस्ट ट्रैवर्नियर

नीचे दिए गए विकल्पों में से **सही** उत्तर चुनें :

1. C, A, B, E, D
2. C, A, B, D, E
3. A, E, C, D, B
4. A, E, B, D, C

71. निम्नलिखित में से किस शासक के शासनकाल में संगीत विषयक प्रसिद्ध कृति "तुहफात-उल-हिंद" की रचना की गई थी?

1. औरंगजेब
2. अकबर
3. जहांगीर
4. बाजीराव-I

72. स्वतंत्रता-पूर्व अवधि में हिन्दू महासभा और इसके नेताओं द्वारा उपदेशित किए गए पुनरूत्थान के विचारों के संबंध में निम्नलिखित में से कौन-सा सत्य है?

A. संगठन और इसके नेताओं ने हिन्दुओं के "भौतिक विनाश" और "संख्यात्मक कमी" की ओर ध्यान आकर्षित किया।

B. एम.आर. जयकर ने मोपला दंगों को भारतीय राष्ट्रवाद का "काला अध्याय" कहा, हालांकि उन्होंने हिन्दुओं को "संगठित करना" सिखाया।

C. 1929 में हिन्दू महासभा के सूरत अधिवेशन ने हिन्दुओं से अहिंसा अपनाने और स्वराज प्राप्ति के लिए गांधीवादी रीतियों का अनुसरण करने का आहवान किया।

D. बी.एस. मून्जे ने सेंट्रल हिन्दू मिलिट्री एजुकेशन सोसायटी की स्थापना की थी।

E. बी.एस. मून्जे के सैनिक विद्यालय शुरू करने के प्रयास निधियों की कमी के कारण असफल हो गए।

नीचे दिए गए विकल्पों में से **सही** उत्तर चुनें :

1. केवल A, B और C
2. केवल A, B और D
3. केवल B, C और D
4. केवल A, B और E

73. निम्नलिखित में से कौन-से कथन 1859 में नादिया, मुर्शिदाबाद और पाबना में हुए नील विद्रोह के संबंध में सत्य हैं?

A. इसमें शिक्षित मध्य वर्ग और कुछ यूरोपीय मिशनरियों का हस्तक्षेप देखने को मिला था।

B. दीनबंधु मित्र का प्रख्यात उपन्यास नील दर्पण, नील किसानों की दुर्दशा से प्रेरित था।

C. माइकल मधुसूदन दत्ता द्वारा नील दर्पण का अंग्रेजी में अनुवाद किया गया था।

D. रेव. जेम्स लौंग ने माइकल मधुसूदन दत्ता के नील दर्पण के अंग्रेजी अनुवाद का प्रकाशन किया।

E. सोम प्रकाश और हिन्दू पैट्रिएट जैसे समाचारपत्रों ने नील किसानों से जुड़े मुद्दे को कभी भी नहीं छुआ।

नीचे दिए गए विकल्पों में से **सही** उत्तर चुनें :

1. केवल A, B, C, D
2. केवल A, B, C, E
3. केवल A, C, D, E
4. केवल B, C, D, E

74. किनके अनुसार वासुदेव बलवंत फड़के को "भारत में क्रांतिकारी राष्ट्रवाद का जनक" माना जाता है?

1. संजीव सान्याल
2. आर.सी. मजूमदार
3. विन्सेन्ट चिरोल
4. मन्मथ नाथ गुप्ता

75. निम्नलिखित में से कौन-से कथन प्राचीन काल में भारतीय उपमहाद्वीप में जल संभरण और प्रबंधन के बारे में सत्य हैं?

A. सनौली में नहर सिंचाई के साक्ष्य मिले हैं।

B. मोहनजोदड़ो के महान स्नानागार में जलापूर्ति और वितरिकाओं का प्रावधान था।

C. मेहरगढ़ में रोक बाँध के साक्ष्य मिले हैं।

D. शोर्तुघ्रई में पुरातत्त्वीय साक्ष्य नहरी प्रणाली का अस्तित्व दर्शाते हैं।

E. धौलावीरा में उत्खनन से जलाशय के साक्ष्य प्रकाश में आये हैं।

नीचे दिए गए विकल्पों में से **सही** उत्तर चुनें :

1. केवल A, B, C एवं D
2. केवल B, C, D एवं E
3. केवल A, C, D एवं E
4. केवल A, B, D एवं E

76. शिवाजी की प्रशासनिक शाखा प्रान्त पन्हाल में कितने गिरी-दुर्ग थे, जो कोल्हापुर के पश्चिमी भाग में स्थित थे?

1. पन्द्रह
2. चौदह
3. तेरह
4. बारह

77. पुराणों में सातवाहनों को क्या कहा गया है?

1. सतकर्णी
2. आंध्र
3. परशुराम
4. शालिवाहन

78. कितने कारोबारियों ने "बॉम्बे घोषणापत्र" (1936) पर हस्ताक्षर किये थे, जो नेहरू के समाजवादी विचारों के उपदेशों का खुला अभियोग-पत्र था?

1. 18
2. 19
3. 20
4. 21

79. भारत में यूरोपीय वाणिज्यिक उद्यमों की निम्नलिखित गतिविधियों को कालक्रमानुसार व्यवस्थित करें।

A. मसूलीपटनम में अंग्रेजों द्वारा कारखाने की स्थापना
B. सूरत में प्रथम अंग्रेज कारखाना आरंभ
C. हुगली में अंग्रेज कारखाना आरंभ
D. पुलीकट में डच कारखाना खोला जाना
E. सूरत में डचों द्वारा कारखाना स्थापित करना

नीचे दिए गए विकल्पों में से **सही** उत्तर चुनें :

1. A, D, E, C, B
2. D, A, B, E, C
3. B, A, C, D, E
4. C, A, D, E, B

80. प्राचीन भारत में गिल्ड और कॉरपोरेट निकायों के बारे में निम्नलिखित में से कौन-से कथन सत्य हैं ?

A. श्रेणी, दस्तकारी गिल्ड थी।
B. जेठ्ठक, गिल्ड अथवा कॉरपोरेट निकायों के प्रमुख थे।
C. मुख्य व्यापारी सेट्ठी कहलाता था।
D. कार्यचिंतक, व्यापारियों का समूह थे।
E. पूगा, व्यापारियों की परिषद्‌ थी।

नीचे दिए गए विकल्पों में से **सही** उत्तर चुनें :

1. केवल A, B, C
2. केवल B, C, D
3. केवल A, B, D, E
4. केवल A, C, D

81. निम्नलिखित को कालक्रमानुसार व्यवस्थित करें।

A. मित्र मेला
B. अभिनव भारत
C. मिदनापुर सोसायटी
D. सतीश चंद्र बसु द्वारा अनुशीलन समिति
E. ढाका अनुशीलन समिति

नीचे दिए गए विकल्पों में से **सही** उत्तर चुनें :

1. A, C, D, B, E
2. A, B, C, D, E
3. A, D, C, B, E
4. A, E, B, C, D

82. चाहमान अथवा चौहानों के बारे में निम्नलिखित में से कौन-से कथन सत्य हैं?

A. चौहान शासक विग्रहराज ने चित्तौड़ पर कब्जा किया।
B. विग्रहराज ने तोमर शासकों से दिल्ली का अधिग्रहण किया।
C. पृथ्वीराज-III ने चंदेलों के विरुद्ध अभियान का नेतृत्व किया।
D. पृथ्वीराज-III ने मुइज्जुद्दीन के विरुद्ध युद्ध में भाग लिया।
E. विग्रहराज, गुजरात के चालुक्य शासक भीम-II से पराजित हुआ।

नीचे दिए गए विकल्पों में से **सही** उत्तर चुनें :

1. केवल A, B, C, D
2. केवल B, C, D, E
3. केवल A, B, D, E
4. केवल A, C, D, E

83. निम्नलिखित में से किसने लंदन में 'इंडियन होम रूल सोसायटी' की स्थापना की थी?

1. भीकाजी कामा
2. एस.एस. राणा
3. श्यामजी कृष्णवर्मा
4. वी.डी. सावरकर

84. शिवाजी के प्रशासन के बारे में निम्नलिखित में से कौन-से कथन सत्य हैं?

A. शिवाजी राजस्व मुक्त अनुदानों की बजाए नकद वेतन देने को प्राथमिकता देते थे।
B. उन्होंने मिरासदारों की अवैध लूट-खसोट को बंद किया।

C. शिवाजी नवीन प्रणाली बनाने की बजाए वर्तमान प्रणाली को सुधारना चाहते थे।

D. चौथ, भूमि राजस्व का दसवां भाग था।

E. सरदेशमुखी एक चौथाई भाग था, जो मराठा सरदारों पर लगाया जाता था।

नीचे दिए गए विकल्पों में से **सही** उत्तर चुनें :

1. केवल A, B, C
2. केवल B, C, D
3. केवल A, C, E
4. केवल C, D, E

85. जैन धर्म के संबंध में निम्नलिखित में से कौन-से कथन सत्य हैं?

A. महावीर ने ब्रह्मचर्य के नियम पर बल दिया।

B. महावीर द्वारा सिखाए गए सिद्धांत पूर्व नामक चौदह पुराने ग्रंथों में समाहित थे।

C. पाटलिपुत्र में आयोजित संगीति/सभा में बारह अंग संकलित किए गए थे।

D. भद्रबाहु के अनुयायी दिगम्बर कहलाये थे।

E. धर्मग्रंथों का अंतिम संकलन वल्लभी में हुई संगीति/परिषद् में किया गया था।

नीचे दिए गए विकल्पों में से **सही** उत्तर चुनें :

1. केवल A, B, C, D
2. केवल B, C, D, E
3. केवल A, B, D, E
4. केवल A, B, C, E

86. सूची-I को सूची-II से सुमेलित करें :

सूची-I (दल)	**सूची-II (संस्थापक)**
A. आल इंडिया फॉरवर्ड ब्लॉक	I. सुरेन्द्रनाथ बनर्जी
B. इंडियन एसोसिएशन	II. सुभाष चन्द्र बोस
C. कांग्रेस नेशनलिस्ट पार्टी	III. बी.आर. अंबेडकर
D. इंडिपेन्डेन्ट लेबर पार्टी	IV. मदन मोहन मालवीय

नीचे दिए गए विकल्पों में से **सही** उत्तर चुनें :

1. A-II, B-I, C-III, D-IV
2. A-II, B-I, C-IV, D-III
3. A-I, B-IV, C-II, D-III
4. A-II, B-IV, C-I, D-III

87. निम्नलिखित में से कौन-से सत्य हैं?

A. मेधातिथी ने विधि पर लिखा।

B. सारंगधर ने व्याकरण पर लिखा।

C. भोज ने खगोलविद्या और राजनीति पर लिखा।

D. भट्टोटपाल ने खगोलविज्ञान पर लिखा।

E. श्रीधर ने गणित पर लिखा।

नीचे दिए गए विकल्पों में से **सही** उत्तर चुनें :

1. केवल A, B, C, D
2. केवल A, B, D, E
3. केवल A, C, D, E
4. केवल B, C, D, E

88. संपूर्णानन्द ने अखिल भारतीय समाजवादी पार्टी का निर्माण प्रस्तावित करने वाला एक परचा अप्रैल 1934 में प्रकाशित किया था। इसके बारे में निम्नलिखित में से कौन-से कथन सत्य हैं?

A. अस्थायी समाजवादी कार्यक्रम निर्मित करते समय, उन्होंने भारत की सांस्कृतिक, ऐतिहासिक, राजनीतिक और आर्थिक पृष्ठभूमि निरंतर अपने समक्ष रखीं।

B. उन्होंने लेनिनवाद का अनुसरण करने का प्रयास नहीं किया।

C. प्रस्तावित पार्टी का तत्काल लक्ष्य डोमिनियन दरजा प्राप्त करना था, जबकि एक दशक बाद पूर्ण स्वतंत्रता प्राप्त करने का लक्ष्य था।

D. इसने बिना किसी मुआवजे के जमींदारी समाप्त करने का प्रस्ताव किया था।

E. इसने धार्मिक स्वतंत्रता की मांग की थी।

नीचे दिए गए विकल्पों में से **सही** उत्तर चुनें :

1. केवल A, B और E
2. केवल A, C और D
3. केवल C, D और E
4. केवल A, B और C

89. सूची-I को सूची-II से सुमेलित करें :

सूची-I (लेखक)	**सूची-II** (पुस्तक/पम्फलेट)
A. दयानंद सरस्वती	I. हिन्दू धर्मोपदेश
B. कन्हैया लाल अलखधारी	II. गौकरूणानिधि
C. श्रद्धा राम	III. चिराग-ए-हकीकत
D. मदन मोहन मालवीय	IV. धर्म रक्षा

नीचे दिए गए विकल्पों में से **सही** उत्तर चुनें :
1. A-II, B-III, C-IV, D-I
2. A-IV, B-II, C-III, D-I
3. A-I, B-III, C-IV, D-II
4. A-II, B-III, C-I, D-IV

90. 15 वीं शताब्दी की निम्नलिखित घटनाओं को कालक्रमानुसार व्यवस्थित करें।

A. अब्दुर रज्जाक का भारत आगमन

B. बहमनी राजधानी का गुलबर्गा से बीदर हस्तांतरण

C. गुरु नानक का जन्म

D. जोधपुर की स्थापना

E. निकोलो कोन्टी की विजयनगर यात्रा

नीचे दिए गए विकल्पों में से **सही** उत्तर चुनें :
1. A, B, C, D, E
2. B, E, A, C, D
3. E, A, B, C, D
4. E, B, A, D, C

निर्देशः (प्र.सं. 91 से 95 तक): निम्नलिखित अनुच्छेद पढ़ें और प्रश्नों के उत्तर दीजिए :

ब्राउन कहते हैं कि इस आधार तल पर ऊँचे खड़े इस मंदिर की पश्चिमी दिशा में सीढ़ियों द्वारा एक पोर्च तक पहुँचा जाता है, और इसी जगह डिजाइनर महानतम ऊँचाइयों तक पहुँचा। मंडप और विमान के परंपरागत संयोजन से स्पष्टतापूर्वक मुँह नहीं मोड़ा गया है किन्तु जिस रीति से सभी निश्चित और तीक्ष्ण बाह्योन्मुखी स्थापत्य तत्व, जैसे कॉर्निस, प्लास्टर, निशे और पॉर्टिको क्रमबद्ध और कलात्मक रीति से व्यवस्थित किए गए हैं, वह दक्षता/निपुणता का संकेत है। इसके पश्चात् त्रिस्तरीय सीधा स्तंभ ऊपर की ओर उभरता है, जो प्रमुखता से अपने गैंबल-अग्र को दर्शाता है, और रूपायित कूपोला से सुशोभित है, तथा 95 फीट की कुल ऊँचाई तक पहुँचता है। किन्तु यह पूर्ण विवरण नहीं है। विमान के आधार पर प्लेटफॉर्म के व्यापक स्थल के आसपास पाँच अनुषंगी श्रेणिकाएं शिला से तराशी गई हैं, जिनमें से प्रत्येक मुख्य विषय का घटे हुए पैमाने पर सौम्य पुनर्उत्पादन है, जिसे वे सीमा के रूप में परिलक्षित करती हैं। आंतरिक भाग में एक स्तंभ हॉल है, जहाँ से प्रकोष्ठ कक्षों की ओर ले जाते हैं। यह हॉल प्रत्येक चतुर्थक में चार के समूह में 16 वर्ग कोष्ठ वाला 70 फीट × 62 फीट माप का सु-अनुपाती कक्ष है, एक ऐसी व्यवस्था, जो महान गरिमा के साथ एक विकर्णी केन्द्रीय दीर्घा का प्रभाव प्रस्तुत करती है। योजना के शेष भाग में 51 फीट ऊंचे दो ध्वजस्तंभ हैं, जो नंदी के दोनों तरफ स्थित हैं, कलात्मक कृति का चमत्कार प्रस्तुत करते हैं, जो दक्षिण स्तंभ शैली के विकास में महत्वपूर्ण चरण चिह्नांकित करते हैं। अंतिम रूप से संपूर्ण मंदिर की स्थापत्य सजावट इसके अवयवों को सौम्यता से प्रस्तुत करती है तथा स्मारक के ताज की भांति गौरव प्रदान करती है। कैलास पर्वत हिलाने की रावण की हठधर्मिता का सश्रम निरूपण विशेष रूप से उल्लेखनीय है।

91. निम्नलिखित में से कौन-सा कथन मंदिर के बारे में सत्य है?
1. मंदिर, गुफा मंदिर की एक श्रेणी है।
2. मंदिर एक विशाल रथ शैली संरचना है।
3. मंदिर एक संपूर्ण एकाश्म संरचना है।
4. मंदिर द्रविड़ शैली के चरमोत्कर्ष बिन्दु को परिलक्षित करता है।

92. अनुच्छेद में निम्नलिखित में से किस मंदिर को संदर्भित किया जा रहा है?
1. एलोरा का कैलाशनाथ मंदिर
2. पट्टडाकल का विरूपाक्ष मंदिर
3. काँचीपुरम का कैलाशनाथ मंदिर
4. तंजावुर का बृहदेश्वर मंदिर

93. निम्नलिखित में से कौन-सा कथन सत्य है?
1. यहाँ उल्लिखित मंदिर के अलावा, बौद्ध और जैन संरचनाएं भी इस ऐतिहासिक स्थल पर स्थित थी।

2. मंदिर के गर्भगृह में कैलाश पर विराजमान शिव की विशाल एकाश्म छवि स्थित है।
3. सागरतट के पास मंदिर की अवस्थिति ने प्राचीन काल में सामुद्रिक कारोबारियों को आकर्षित किया।
4. मंदिर के प्रांगण में स्थित जलाशय अनुष्ठानिक प्रयोजनों के लिए था।

94. इस मंदिर के संबंध में निम्नलिखित में से कौन-से कथन सत्य हैं?
1. भारत के द्रविड़ शैली के मंदिरों में सबसे बड़ा गोपुरम इस मंदिर में स्थित है।
2. सभी द्रविड़ शैली मंदिरों में सबसे बड़ा मंडप इस मंदिर में स्थित है।
3. इस स्थल के स्मारक, जहाँ मंदिर स्थित है, यूनेस्को विश्व विरासत स्थलों की सूची में शामिल हैं।
4. इस मंदिर का निर्माण संरचना के तल में चौड़ी नींव निर्मित करने के साथ शुरू हुआ था।

95. निम्नलिखित में से किसने यहाँ वर्णित मंदिर का निर्माण किया था ?
1. कृष्णा-I
2. विक्रमादित्य-II
3. महेन्द्रवर्मन-II
4. नरसिंहवर्मन-II

निर्देशः (प्र.सं. 96 से 100 तक): निम्नलिखित अनुच्छेद पढ़ें और प्रश्नों के उत्तर दीजिए :

धर्म संघर्ष की समस्या का हिन्दू समाधान भविष्य में स्वीकारे जाने की संभावना है, यह मुझे निश्चित प्रतीत होता है। इसकी प्राप्ति के लिए अपने उद्देश्य एवं मार्ग निर्धारण की स्वतंत्रता आधारित भावना महत्वपूर्ण है। जो आत्म-निर्धारणीय नहीं हो वह निर्धारण मूल्यवान नहीं है। विभिन्न धर्म विश्व के प्रत्येक भाग में एक-दूसरे का हाथ मित्रतापूर्वक पकड़ना धीरे-धीरे सीख रहे हैं। इस संध्या में मेरी यहाँ उपस्थिति इसका संकेत है। धर्म संसद और सभी पंथों के उदारवादी चिंतकों के सम्मेलन परस्पर समझ और सौहार्द्र को बढ़ावा देते हैं। तुलनात्मक धर्म का अध्ययन अन्य धर्मों के प्रति निष्पक्ष अभिवृत्ति विकसित कर रहा है। यह हमारे लिए अनुवांछित है कि हम लोगों की मेधा, युग की भावना और समय की जरूरत को इंगित करते हुए प्रत्येक धर्म पर बल देते हुए सभी धर्मों की मौलिक एकता को परिलक्षित करें। हम धर्म के परस्पर अन्तर्सम्बन्ध के बारे में स्पष्टतापूर्वक सोचना सीख रहे हैं।

96. निम्नलिखित में से कौन-सी सर्वपल्ली राधाकृष्णन द्वारा लिखित पुस्तक नहीं है?
1. दि हिन्दू व्यू ऑफ लाइफ
2. दि प्रिंसिपल उपनिषद्स
3. लीविंग विथ ए परपज
4. थॉट- फॉर्म्स

97. इस अनुछेद का श्रेय निम्नलिखित चिंतक को दिया जाता है :
1. स्वामी विवेकानंद
2. सर्वपल्ली राधाकृष्णन
3. श्री अरविन्द
4. एनी बेसेंट

98. पुस्तक एनशिएंट विजडम का लेखक कौन है?
1. एनी बेसेन्ट
2. भगवान दास
3. सर्वपल्ली राधाकृष्णन
4. लाजपत राय

99. अनुच्छेद का लेखक धर्मों के संघर्ष के "हिन्दू समाधान" के बारे में आशावादी क्यों हैं?
1. हिन्दू धर्म सबसे प्राचीन है।
2. हिन्दू धर्म ने विश्व की विभिन्न धार्मिक व्यवस्थाओं को समान धरातल पर लाने का प्रयास किया है।
3. हिन्दू धर्म में लोकतंत्र की भावना विद्यमान है।
4. हिन्दू धर्म आत्मा की अमरता में विश्वास करता है।

100. किसने कहा था, "मैं ऐसे राष्ट्र से संबंधित होने में गौरवान्वित महसूस करता हूँ, जिसने पृथ्वी के सभी धर्मों के उत्पीड़ितों एवं सभी राष्ट्रों के शरणार्थियों को आश्रय दिया है"?
1. महात्मा गांधी
2. रविन्द्रनाथ टैगोर
3. स्वामी विवेकानंद
4. स्वामी श्रद्धानंद

उत्तरमाला

1	2	3	4	5	6	7	8	9	10
1	4	2	2	1	4	2	4	3	4
11	**12**	**13**	**14**	**15**	**16**	**17**	**18**	**19**	**20**
3	3	2	2	1	1	1	2	4	1
21	**22**	**23**	**24**	**25**	**26**	**27**	**28**	**29**	**30**
1	4	1	1	1	1	3	4	3	4
31	**32**	**33**	**34**	**35**	**36**	**37**	**38**	**39**	**40**
2	3	3	3	2	3	2	2	1	3
41	**42**	**43**	**44**	**45**	**46**	**47**	**48**	**49**	**50**
1	2	3	2	1	2	1	3	4	2
51	**52**	**53**	**54**	**55**	**56**	**57**	**58**	**59**	**60**
4	3	1	3	2	1	4	3	3	3
61	**62**	**63**	**64**	**65**	**66**	**67**	**68**	**69**	**70**
2	1	3	4	4	3	3	3	3	2
71	**72**	**73**	**74**	**75**	**76**	**77**	**78**	**79**	**80**
1	2	1	2	2	3	2	4	2	1
81	**82**	**83**	**84**	**85**	**86**	**87**	**88**	**89**	**90**
1	*	3	1	2	2	3	1	4	4
91	**92**	**93**	**94**	**95**	**96**	**97**	**98**	**99**	**100**
3	1	1	3	1	4	2	1	2	3

व्याख्यात्मक उत्तर

1. 1780 में प्रथम आंग्ल-मराठा युद्ध के दौरान जब ब्रिटिशों ने मालवा पर आक्रमण का निर्णय लिया, तब मराठों की ओर से रक्षा की अगुवाई महादजी सिंधिया ने की।

- महादजी सिंधिया (1730–1794) उस समय उत्तर भारत व मालवा-ग्वालियर क्षेत्र के सबसे प्रभावशाली मराठा सरदार थे।
- 1780 में जब ब्रिटिश सेनाएँ (जैसे कर्नल गॉडर्ड और मेजर पॉपहम) मध्य भारत की ओर बढ़ीं, तब महादजी सिंधिया ने ग्वालियर व मालवा की रक्षा हेतु अपनी सैन्य टुकड़ियाँ भेजीं।
- उन्होंने ब्रिटिशों को मालवा क्षेत्र में रोकने के लिए रणनीतिक गठबंधनों, घेराबंदी और गुरिल्ला रणनीति का उपयोग किया।
- उनके संघर्ष और कूटनीति के परिणामस्वरूप 1782 में सालाबाई की संधि हुई, जिससे मराठों की प्रभुता को मान्यता मिली और ब्रिटिश आगे बढ़ने से रुक गए।

2. राघवंक द्वारा रचित हरिश्चंद्रकाव्यम कन्नड़ भाषा में लिखा गया था।

- राघवंक 12वीं–13वीं शताब्दी के कन्नड़ कवि थे और उन्होंने इस काव्य को षट्पदी छंद में लिखा।
- इसमें सत्यव्रती राजा हरिश्चंद्र की कथा को नाटकीय संवादों और भावपूर्ण काव्यशैली में प्रस्तुत किया गया।
- यह कन्नड़ साहित्य के इतिहास में एक मील का पत्थर माना जाता है क्योंकि इसने कथा-काव्य परंपरा को सशक्त आधार दिया।
- इस कृति की लोकप्रियता ने आगे चलकर भक्ति और नाट्य साहित्य परंपरा को भी प्रेरित किया।

3. वेदांतसूत्र (ब्रह्मसूत्र) पर रामानुजाचार्य की टीका श्रीभाष्य कहलाती है, जिसमें उन्होंने विशिष्टाद्वैत वेदांत का प्रतिपादन किया।

- रामानुजाचार्य (1017–1137 ई.) ने ब्रह्म को एक व्यक्तिगत, सगुण, सर्वव्यापक सत्ता के रूप में निरूपित किया।
- उन्होंने कहा कि जीव (चित) और जगत (अचित) ब्रह्म से अलग नहीं हैं, बल्कि उसमें समाहित और अविभाज्य रूप से जुड़े हैं।
- उन्होंने मोक्ष का साधन भक्ति और प्रपत्ति (पूर्ण समर्पण) को बताया, जबकि केवल ज्ञान को पर्याप्त नहीं माना।
- श्रीभाष्य में उन्होंने शंकराचार्य की अद्वैतवादी व्याख्या का खंडन करते हुए, श्रुति, स्मृति और पुराणों से तर्क प्रस्तुत किए।

4. सूची-I और सूची-II का सही संयोजन इस प्रकार है :

- **A. सखाराम गणेश देवस्कर — IV. देशेर कथा :** यह 1904 में प्रकाशित बांग्ला पुस्तक थी, जिसमें ब्रिटिश शासन के आर्थिक शोषण का विवरण था। इसे बाद में ब्रिटिशों ने प्रतिबंधित कर दिया।
- **B. रविन्द्रनाथ टैगोर — I. स्वदेशी भंडार :** बंग-विभाजन आंदोलन के समय टैगोर ने स्वदेशी उत्पादों के प्रचार हेतु स्वदेशी भंडार जैसी संस्थाओं को प्रोत्साहित किया।
- **C. अरविन्द घोष — II. न्यू लैम्प्स फॉर ओल्ड :** 1893–94 में 'इंदु-प्रकाश' पत्र में प्रकाशित लेखमाला थी, जिसमें उन्होंने कांग्रेस की नरम नीति की आलोचना की और क्रांतिकारी विचार रखे।
- **D. सरला देवी — III. लक्ष्मीर भंडार :** इस संस्था के माध्यम से उन्होंने महिलाओं को स्वदेशी वस्त्र व हस्तशिल्प के निर्माण व बिक्री हेतु प्रेरित किया।

5. मुहम्मद बिन तुगलक ने वारंगल का नाम बदलकर सुल्तानपुर कर दिया था।

- 1323 ई. में उसने काकतीय वंश की राजधानी वारंगल पर आक्रमण कर उसे अपने अधीन कर लिया।
- विजयी होकर उसने इसका नाम बदलकर सुल्तानपुर रखा और वहाँ अपना राज्यपाल नियुक्त किया।
- वारंगल का अधिग्रहण दिल्ली सल्तनत के दक्षिण की ओर विस्तार का महत्त्वपूर्ण चरण था।
- हालांकि कुछ वर्षों बाद स्थानीय विद्रोहों के कारण तुगलक शासन वहाँ से डगमगा गया, फिर भी नाम परिवर्तन का उल्लेख ऐतिहासिक स्रोतों में मिलता है।

6. सूची-I और सूची-II का सही संयोजन इस प्रकार है :

- **A. जी. डब्ल्यू. लैटनर — II. अंजुमन-ए-पंजाब :** जी. डब्ल्यू. लैटनर ने 1865 में लाहौर में अंजुमन-ए-पंजाब की स्थापना की थी, जिसका उद्देश्य पश्चिमी शिक्षा, विज्ञान और साहित्य का प्रचार करना था।
- **B. सत्यानंद अग्निहोत्री — III. देव समाज :** 1887 में सत्यानंद अग्निहोत्री ने देव समाज की स्थापना की, जो एक सामाजिक-धार्मिक सुधार संस्था थी। यह नैतिक जीवन, शिक्षा और स्त्रियों की उन्नति पर बल देती थी।
- **C. तुलसी राम — IV. राधा स्वामी सत्संग :** राधा स्वामी सत्संग की स्थापना 1861 में तुलसी साहब की परंपरा से प्रेरित शिव दयाल साहब ने की, और इसके प्रचार में तुलसी राम जैसे अनुयायियों ने योगदान दिया। तुलसी राम प्रारंभिक प्रचारकों में रहे।
- **D. आत्माराम पांडुरंग — I. प्रार्थना समाज :** आत्माराम पांडुरंग ने 1867 में बंबई में प्रार्थना समाज की स्थापना की, जिसका उद्देश्य ब्रह्म समाज की तर्ज पर एकेश्वरवाद और सामाजिक सुधार को बढ़ावा देना था।

7. सूची-I और सूची-II का सही संयोजन इस प्रकार है :

- **A. अपोह — III. बौद्ध धर्म :** अपोह सिद्धांत बौद्ध धर्म के योगाचार संप्रदाय का सिद्धांत है, जिसके अनुसार शब्दों का अर्थ वस्तु नहीं बल्कि अन्य वस्तुओं के निषेध (अपोह) से जाना जाता है।
- **B. शलाकापुरुष — IV. जैन धर्म :** जैन परंपरा में 63 शलाकापुरुषों का उल्लेख होता है, जिनमें तीर्थंकर, चक्रवर्ती, बलदेव आदि आते हैं।
- **C. देवरदासिमाय्या — II. वीर शैव :** देवरदासिमाय्या 12वीं शताब्दी के वीरशैव संत कवि थे, जिन्होंने लिंगायत भक्ति आंदोलन में भाग लिया।
- **D. अभिनवगुप्त — I. शैव मत :** अभिनवगुप्त 10-11वीं शताब्दी के कश्मीर शैव दर्शन के प्रमुख आचार्य थे, जिन्होंने तंत्र, सौन्दर्यशास्त्र और काव्यशास्त्र पर ग्रंथ लिखे।

8. सूची-I और सूची-II का सही संयोजन इस प्रकार है :

- **पर्सिवल स्पीयर (Percival Spear)** — इन्होंने मनसबदारों को "कुलीनों में भी कुलीन" (nobles among nobles) कहा। यह बताता है कि मुगल दरबार में मनसबदार बहुत उच्च रैंक और प्रतिष्ठा वाले होते थे।

- **डगलस स्ट्रेयूसेंड (Douglas Streusand)** — इन्होंने कहा कि मनसबदारी प्रणाली एक राजनीतिक समझौता (political compact) थी। अपनी पुस्तक *The Formation of the Mughal Empire* में उन्होंने समझाया कि यह व्यवस्था शासक और कुलीनों के बीच सत्ता और संसाधनों को बाँटने का साधन थी।
- **स्टीफन ब्लेक (Stephen Blake)** — उन्होंने मुगल शासन को "पित्रात्मक नौकरशाही साम्राज्य" (Patrimonial-Bureaucratic Empire) कहा, जिसमें सम्राट को एक पिता तुल्य और शासन को परिवार-सदृश ढांचा माना गया।
- **जॉन एफ. रिचर्डस (John F- Richards)** — उनके अनुसार, मनसबदारी प्रणाली ने इस्लामी कॉरपोरेट सैन्य प्रणाली की शब्दावली का अनुकरण किया था, यानी मुगलों ने इस्लामी दुनिया की सैन्य-प्रशासनिक परंपराओं को अपनाया।

अतः सही मिलान A-III, B-I, C-II, D-IV है।

9. सूची-I और सूची-II का सही संयोजन इस प्रकार है :

- **A. राम बाग — IV. नूर जहाँ :** आगरा स्थित इस बाग़ को प्रारंभ में नूरजहाँ ने बनवाया था, इसे अरम बाग भी कहा जाता है।
- **B. जहरा बाग — II. मुमताज महल :** बुरहानपुर में स्थित यह बाग मुमताज महल से संबंधित माना जाता है, जहाँ उनका प्रारंभिक अस्थायी मकबरा था।
- **C. शालीमार — I. अकबराबादी बेगम :** दिल्ली में यमुना किनारे स्थित शालीमार बाग का निर्माण अकबराबादी बेगम ने कराया था।
- **D. साहिबाबाद — III. जहाँआरा बेगम :** जहाँआरा बेगम ने दिल्ली के समीप साहिबाबाद बाग़ का निर्माण कराया था, जो मुगलकालीन स्थापत्य का उदाहरण है।

10. कथनों की जांच :

A. **सही :** वर्नाक्युलर प्रेस एक्ट 1878 को अत्यंत गोपनीयता से लॉर्ड लिटन और राज्य सचिव लॉर्ड सालिसबरी के बीच गुप्त योजना के तहत तैयार किया गया और लागू किया गया।

B. **सही :** लिटन ने स्वयं कहा था कि यह उपाय "नाममात्र का विधायी" और वस्तुतः "कार्यपालिका कृत्य" था, यानी इसे कार्यपालिका की शक्ति से तुरंत लागू किया गया।

C. **गलत :** विधायी परिषद में इस पर कोई बहस नहीं हुई और किसी यूरोपीय अनाधिकारिक सदस्य ने इसका विरोध नहीं किया।

D. **गलत :** विधेयक पारित होते ही गवर्नर जनरल ने बिना देरी के तुरंत अपनी सहमति दे दी थी।

E. **सही :** लिटन ने वर्नाक्युलर प्रेस को "हाइड्रा" कहा और इसे एक "अकस्मात् झटके" से खत्म करने का इरादा जताया।

अतः केवल A, B और E सही हैं।

11. परमार वंश के शासकों का सही कालानुक्रम :

- **कृष्णराज :** परमार वंश के प्रारंभिक शासकों में थे, 9वीं शताब्दी के उत्तरार्द्ध में शासन किया।
- **सियाक हर्ष :** कृष्णराज के उत्तराधिकारी, 10वीं शताब्दी के आरंभिक शासक माने जाते हैं।
- **वाकपति मुंज :** 10वीं शताब्दी के उत्तरार्ध में परमार साम्राज्य का विस्तार किया, दक्खिन में चालुक्यों से युद्ध किए।
- **सिंधुराज :** वाकपति मुंज के उत्तराधिकारी, लगभग 997–1010 ई. तक शासन किया।
- **भोज :** सिंधुराज के पुत्र, लगभग 1010–1055 ई. तक शासन किया और परमार वंश का सर्वाधिक प्रसिद्ध शासक माना जाता है।

अतः सही क्रम C, A, D, B, E है।

12. सूची-I और सूची-II का सही संयोजन इस प्रकार है :

- **A. ए हिस्ट्री ऑफ साउथ इंडिया — III. के.ए. नीलकंठ शास्त्री :** यह दक्षिण भारतीय इतिहास की प्रामाणिक कृति है।
- **B. दि इंडियन मुसलमान्स — I. डब्ल्यू. डब्ल्यू. हंटर :** 1871 में प्रकाशित, भारतीय मुसलमानों की निष्ठा पर ब्रिटिश दृष्टिकोण प्रस्तुत करती है।
- **C. रिवोल्यूशनरीज (दि अदर स्टोरी ऑफ हाउ इंडिया वोन इट्स फ्रीडम) — II. संजीव सान्याल :** क्रांतिकारियों की भूमिका पर आधुनिक विश्लेषणात्मक पुस्तक।
- **D. दि एक्सट्रीमिस्ट चैलेंज (इंडिया बिटविन 1890 एंड 1910) — IV. अमलेश त्रिपाठी :** उग्र राष्ट्रवाद की राजनीति पर आधारित आधुनिक शोधग्रंथ।

अतः सही मिलान A-III, B-I, C-II, D-IV है।

13. फिरोज शाह तुगलक ने दिल्ली में दार-उस-शफा नामक संस्था की स्थापना की थी।

- इसका उद्देश्य गरीबों और जरूरतमंदों को निःशुल्क चिकित्सा सुविधा उपलब्ध कराना था।
- यहाँ रोगियों के इलाज के लिए चिकित्सक (हकीम), औषधियाँ और दवाइयों का भंडार रखा जाता था।
- यह व्यवस्था उस समय के लिए एक सार्वजनिक स्वास्थ्य संस्थान की तरह कार्य करती थी और इसे राज्य द्वारा वित्तपोषित किया जाता था।

14. सूची-I और सूची-II का सही संयोजन इस प्रकार है :

- **A. पुंसवन — III. पुरुष बालक प्राप्त करने का अनुष्ठान :** गर्भधारण के बाद पुत्र प्राप्ति हेतु किया जाता था।
- **B. स्नातक — II. वह जिसने स्नान किया है :** उपनयन व वेद अध्ययन पूर्ण कर स्नान करने पर यह पदवी दी जाती थी।
- **C. सीमंतोन्नयन — I. गर्भ में बालक की सुरक्षा हेतु अनुष्ठान :** गर्भवती स्त्री के लिए पाँचवाँ संस्कार।
- **D. समवर्तन — IV. विशेष गृह आगमन अनुष्ठान :** गुरुकुल से लौटने पर गृहस्थ जीवन प्रारंभ करने हेतु।

अतः सही मिलान A-III, B-II, C-I, D-IV है।

15. हिंदू धर्म में प्रतिदिन किए जाने वाले पाँच महायज्ञ होते हैं :

- देव यज्ञ (हवन/अग्निहोत्र)
- पितृ यज्ञ (श्राद्ध, तर्पण)
- भूत यज्ञ (पशु-पक्षियों को आहार देना)
- मनुष्य यज्ञ/अतिथि यज्ञ (अतिथि सत्कार)
- ब्रह्म यज्ञ (वेद अध्ययन और शिक्षण)

वाजपेय यज्ञ इन महायज्ञों में नहीं आता; यह एक विशेष श्रौत यज्ञ (राजसूय श्रेणी) है जो केवल योग्य क्षत्रिय राजा द्वारा राज्याभिषेक या विजय के अवसर पर किया जाता था।

इस कारण वाजपेय यज्ञ को महायज्ञों की श्रेणी में नहीं गिना जाता है।।

16. यह कथन — "1857-58 की दयनीयता और रक्तपात भारत में स्वतंत्रता आंदोलन के जन्मदाता नहीं थे, किन्तु अप्रासंगिक निरंकुशता और मध्ययुगीन केन्द्रीयभिसारी सामंतवाद के मरणासन्न आर्तनाद थे" — आर.सी. मजूमदार ने कहा था। उन्होंने 1857 के विद्रोह को राष्ट्रीय स्वतंत्रता आंदोलन का प्रारंभ नहीं, बल्कि पुराने सामंती व्यवस्था के पतन की अंतिम कड़ी माना। उनके अनुसार इसमें कोई राष्ट्रीय एकता नहीं थी, न ही इसके स्पष्ट स्वतंत्रता प्राप्ति के उद्देश्य थे।

17. दिए गए संगठनों के गठन का सही कालक्रम इस प्रकार है :

A. **पूना सार्वजनिक सभा** (1870) : यह सबसे पहले स्थापित हुई थी, जिसका उद्देश्य सरकार और जनता के बीच संवाद मंच तैयार करना था।

E. **इंडियन लीग (1875)** : कलकत्ता में शिशिर कुमार घोष द्वारा स्थापित, जिसका उद्देश्य राजनीतिक चेतना जगाना था।

B. **इंडियन एसोसिएशन (1876)** : सुरेन्द्रनाथ बनर्जी और आनंद मोहन बोस द्वारा, भारतीयों को राजनीतिक अधिकार दिलाने हेतु।

C. **महाजन सभा (मद्रास महाजन सभा)** (1884) : दक्षिण भारत में राजनीतिक प्रतिनिधित्व और सुधार हेतु।

D. **बॉम्बे प्रेसीडेंसी एसोसिएशन** (1885) : फिरोजशाह मेहता, बदरुद्दीन तैयबजी और के.टी. तेलंग द्वारा स्थापित।

अतः सही क्रम A, E, B, C, D है।

18. इम्पीरियल बैंक ऑफ इंडिया का गठन 1921 में हुआ। यह बैंक ऑफ बंबई, बैंक ऑफ बंगाल और बैंक ऑफ मद्रास के विलय से बना था। इसने पूरे ब्रिटिश भारत में वाणिज्यिक और सरकारी बैंकिंग का कार्य संभाला। बाद में 1955 में इसका राष्ट्रीयकरण कर इसे भारतीय स्टेट बैंक (SBI) नाम दिया गया।

19. विजयनगर शासक देव राय द्वितीय (1422-1446 ई.) के शासन का उल्लेख अब्दुर रज्जाक ने किया। वह 1443 ई. में समरकंद से विजयनगर आया और दरबार व राज्य की समृद्धि का विस्तृत वर्णन किया। उसने लिखा — "इस पश्चात्वर्ती राजकुमार के नियंत्रण में तीन सौ पत्तन थे, जिनमें से प्रत्येक कालीकट के समान था।"

इससे पता चलता है कि उस समय विजयनगर साम्राज्य का व्यापारिक व सामुद्रिक प्रभुत्व बहुत व्यापक था।

20. विकल्पों की जांच :

A. **सही :** आजीवक संप्रदाय 6वीं शताब्दी ई.पू. में बौद्ध व जैन धर्म के समकालीन उत्पन्न हुआ।

B. **सही :** वे कठोर तपस्वी थे, नग्न रहते थे और अत्यधिक अनुशासन का पालन करते थे।

C. **सही :** वे मानते थे कि समस्त ब्रह्मांड नियति (नियम/भाग्य) द्वारा नियंत्रित है और मनुष्य के कर्म का उसमें कोई प्रभाव नहीं।

D. **सही :** उनका कोई मूल ग्रंथ आज उपलब्ध नहीं, उनके विचारों का ज्ञान केवल बौद्ध व जैन ग्रंथों से मिलता है।

E. **गलत :** उन्होंने दक्षिण भारत में प्रसार तो पाया, पर पुराणिक ब्रह्मांड-विज्ञान के सिद्धांत विकसित नहीं किए।

अतः केवल A, B, C और D सही हैं।

21. विष्णुकुन्डिन वंश दक्षिण भारत (विशेषकर आंध्र प्रदेश) में 5वीं–7वीं शताब्दी के दौरान शासक रहा। इस वंश के प्रमुख शासक थे — गोविन्दवर्मा, माधववर्मन, देववर्मन, इंद्रभटारक आदि। गोपावर्मन का नाम इस वंश की शासकीय वंशावली में कहीं नहीं आता, अतः वह विष्णुकुन्डिन सम्राट नहीं था। इसीलिए यह स्पष्ट है कि दिए गए विकल्पों में गोपावर्मन ही इस वंश का शासक नहीं था।

22. इन संवैधानिक-प्रशासनिक परिवर्तनों का सही कालक्रम इस प्रकार है :

B. **1765 :** इस वर्ष कंपनी को बंगाल, बिहार, उड़ीसा की दीवानी मिलने के बाद इंग्लिश संसद ने उसे भारत में संप्रभु राजनीतिक सत्ता के रूप में मान्यता दी।

E. **1773 :** रेगुलेटिंग एक्ट 1773 द्वारा संसद ने कंपनी के क्रियाकलापों पर नियंत्रण का अधिकार स्पष्ट किया और बंगाल के गवर्नर को गवर्नर जनरल बनाया।

C. **1833 :** चार्टर एक्ट 1833 द्वारा कलकत्ता के गवर्नर जनरल की परिषद में मुख्य न्यायाधीश व विधि सदस्य को जोड़ा गया जिससे वह विधायी परिषद भी बन गई।

D. **1876 :** रॉयल टाइटल्स एक्ट 1876 द्वारा महारानी विक्टोरिया को भारत की साम्राज्ञी (Empress of India) की उपाधि दी गई।

A. **1892 :** भारतीय परिषद अधिनियम 1892 द्वारा गवर्नर जनरल की विधायी परिषद में 10 से 16 अतिरिक्त सदस्य रखने की व्यवस्था की गई।

अतः सही क्रम E, B, C, D, A है।

23. आर्य समाज के विचारों के प्रचार-प्रसार के लिए 1882 में "आर्य" नामक प्रथम समाचार पत्र प्रकाशित किया गया था। इसे लाल रतन चंद बेरी ने आरंभ किया था। इस पत्र का उद्देश्य आर्य समाज के सिद्धांतों का प्रसार और समाज सुधार से जुड़ी गतिविधियों का प्रचार करना था।

24. विकल्पों की जांच :

A. **गलत :** रामानुज ने विशिष्टाद्वैत दर्शन और भक्ति पर बल दिया, पर उन्होंने लिंगायत आंदोलन या तांत्रिक प्रथाओं का समर्थन नहीं किया।

B. **सही :** बल्लभाचार्य (1479–1531) ने कृष्ण भक्ति (पुष्टिमार्ग) और शुद्धाद्वैत वेदांत का प्रचार किया, जिससे उत्तर भारत में भक्ति आंदोलन को गति मिली।

C. **सही : रामदास** (1608–1681) महाराष्ट्र के संत थे जिन्होंने राम भक्ति को लोकप्रिय बनाया और शिवाजी के गुरु रहे।

D. **सही :** शैव मत 7वीं 9वीं शताब्दी में तमिलनाडु में नयनार संतों के कारण अत्यंत सशक्त हुआ, इस काल को तमिल शैव भक्ति का स्वर्णयुग कहा जाता है।

E. **गलत :** वरकरी संप्रदाय जातिभेद नहीं मानता था और इसमें स्त्री-पुरुष दोनों को समान रूप से प्रवेश मिलता था।

अतः केवल B, C, D सही है।

25. प्रयाग प्रशस्ति को हर्षवर्धन के समकालीन कवि हरिषेण ने रचा था और यह समुद्रगुप्त की उपलब्धियों का आधिकारिक विवरण है।

A. **सही :** यह गद्य और पद्य दोनों रूपों में लिखी गई है, जिससे इसका साहित्यिक सौंदर्य बढ़ता है।

B. **सही :** संपूर्ण प्रशस्ति एक लंबा वाक्य है, जिससे इसकी शैली विशिष्ट और अलंकारिक बन जाती है।

C. **सही :** इसमें समुद्रगुप्त को महान संगीतकार और कला-प्रेमी बताया गया है, जिससे उनकी बहुआयामी प्रतिभा का पता चलता है।

D. **गलत :** कालिदास का रघुवंश महाकाव्य रघुवंशीय राजाओं की गाथा पर आधारित है, इसका आधार समुद्रगुप्त की विजयों को नहीं माना जाता।

E. **गलत :** प्रशस्ति में सिंहासन प्राप्ति के संघर्ष का वर्णन नहीं है, केवल उनकी विजयों, गुणों और दानशीलता का वर्णन है।

अतः केवल A, B, C सही हैं।

26. 1858 के भारत शासन अधिनियम और 1876/77 की साम्राज्ञी घोषणा/दिल्ली दरबार की प्रतीकात्मक राजनीति पर यह टिप्पणी बर्नाड (बर्नार्ड) कोहन ने की थी। उनकी दलील थी कि कंपनी-राज से क्राउन-राज में रूपांतरण केवल

प्रशासनिक नहीं, बल्कि वैधता-निर्माण का अनुष्ठानिक/विचारधारात्मक बदलाव था—जब ब्रिटिशों ने भारत की संप्रभुता को अपने सम्राट (रानी विक्टोरिया) के व्यक्ति में निहित दिखाया, तो वे ''बाहरी विजेता'' से ''आंतरिक'' शासक के रूप में प्रस्तुत हुए। यह औपनिवेशिक शासन को भारतीय राजनीतिक प्रतीकों/रूढ़ियों से जोड़कर स्थानीय वैधता दिलाने की कोशिश थी।

27. हैदराबाद रियासत स्वतंत्रता के बाद भी भारत संघ में विलय के लिए तैयार नहीं थी और निजाम वहां का शासक बना रहना चाहता था। वहाँ 'रजाकार' नामक अर्धसैनिक बल ने हिंसा फैलानी शुरू कर दी थी जिससे जनता में असंतोष और अव्यवस्था पैदा हो गई। इस स्थिति को नियंत्रित करने और हैदराबाद को भारतीय संघ में मिलाने के लिए भारत सरकार ने 13 सितंबर 1948 को 'ऑपरेशन पोलो' नामक सैन्य अभियान चलाया। भारतीय सेना ने मात्र 5 दिनों (13–17 सितंबर) में निर्णायक जीत हासिल की और निजाम ने आत्मसमर्पण कर दिया। इसके बाद हैदराबाद का भारत में विलय हुआ और वहाँ स्थायी शांति व प्रशासन की बहाली की गई।

28. इन संगठनों की स्थापना का सही कालक्रम :

A. **परमहंस मंडली (1849) :** यह पश्चिमी भारत में स्थापित एक गुप्त संगठन था जिसका उद्देश्य जातिगत भेदभाव और सामाजिक कुरीतियों का विरोध करना था।

E. **रहनुमाई मजदायसन सभा (1851) :** दादाभाई नौरोजी और नौरोजी फुरदूनजी आदि पारसी नेताओं द्वारा स्थापित, इस सभा का उद्देश्य पारसी समाज में सुधार लाना था।

D. **प्रार्थना समाज (1867) :** मुंबई में स्थापित इस संगठन ने धार्मिक सुधार और सामाजिक सुधार को बढ़ावा दिया।

C. **आर्य समाज (1875) :** स्वामी दयानंद सरस्वती द्वारा स्थापित, इस संगठन का उद्देश्य वेदों पर आधारित समाज की स्थापना करना था।

B. **कुम्बकोणम की अद्वैत सभा (1895) :** दक्षिण भारत में अद्वैत वेदांत विचारधारा को बढ़ावा देने हेतु स्थापित हुई थी।

अतः सही कालक्रम A, E, D, C, B है।

29. 'सोनधार' शब्द का अर्थ कृषि ऋण होता है। यह शब्द विशेष रूप से मोहम्मद बिन तुगलक के शासनकाल में प्रयुक्त हुआ, जब उसने किसानों की सहायता हेतु एक योजना चलाई थी। इस योजना के तहत किसानों को बीज, बैल, हल, कृषि उपकरण खरीदने और कुएँ-तालाब खुदवाने के लिए नकद ऋण दिए जाते थे। इन ऋणों को फसल के बाद किश्तों में वसूला जाता था, ताकि किसान अपनी खेती का विस्तार कर सकें और कर अदा कर सकें। इस प्रकार 'सोनधार' को उस समय कृषि उत्पादन को प्रोत्साहित करने हेतु दिए गए कृषि ऋणों के रूप में जाना गया।

30. यह कथन प्रसिद्ध तमिल संत कवि तिरूवल्लुवर द्वारा रचित 'तिरूक्कुरल' नामक ग्रंथ से लिया गया है। तिरूवल्लुवर ने इसमें जीवन के तीन मुख्य उद्देश्यों — धर्म (नीति), अर्थ (धन), और काम (सुख) — पर 1330 दोहों में शिक्षा दी है।

उन्होंने कहा कि—''सज्जन व्यक्ति की मित्रता एक श्रेष्ठ पुस्तक की भाँति होती है, जो समय के साथ पुरानी नहीं होती बल्कि हर दिन और अधिक आनंद व ज्ञान देती है। जिस प्रकार किसी उत्तम पुस्तक को बार-बार पढ़ने से नई गहराई और संतोष मिलता है, उसी प्रकार अच्छे मित्र से भी समय के साथ संबंध और अधिक मधुर होते जाते हैं।

यह विचार नैतिकता, सच्चे मित्र और सत्संग की महत्ता को दर्शाता है।

31. उदयन प्राचीन भारत के वत्स महाजनपद के प्रसिद्ध शासक थे और वे बुद्ध के समकालीन माने जाते हैं। उनकी राजधानी कौशाम्बी थी, जो उस समय उत्तर भारत का एक समृद्ध नगर और व्यापारिक केंद्र था। बौद्ध ग्रंथों, जैसे अंगुत्तर निकाय तथा जैन साहित्य में भी उनका उल्लेख मिलता है। उन्हें कला-प्रेमी और शौर्यवान शासक कहा गया है तथा कहा जाता है कि उन्होंने बुद्ध से भी भेंट की थी और प्रारंभ में विरोध करने के बाद बौद्ध धर्म के प्रति सम्मान दिखाया था। उदयन की पत्नी वासवदत्ता की कथा संस्कृत नाटक 'स्वप्नवासवदत्ता' (भास रचित) में प्रसिद्ध है।

32. पाल वंश (8वीं–12वीं शताब्दी) के शासनकाल में हुई प्रमुख घटनाओं का सही कालक्रम इस प्रकार है :

C. **विक्रमशिला विश्वविद्यालय की स्थापना :** धर्मपाल (c. 770–810 CE) ने बौद्ध शिक्षा के प्रचार हेतु नालंदा की तर्ज पर विक्रमशिला विश्वविद्यालय की स्थापना की। यह बौद्ध धर्म का प्रमुख शिक्षण केंद्र बना।

D. **सुवर्णद्वीप (श्रीविजय) के राजा द्वारा निर्मित विहार के लिए पाँच गाँवों का दान :** देवपाल (c. 810–850 CE) ने बलपुत्रदेव (श्रीविजय के राजा) के अनुरोध पर नालंदा विहार हेतु पाँच गाँव दान दिए।

B. **गदाधर मंदिर का निर्माण :** नयपाल (c. 1030–1055 CE) के शासनकाल में गया के गवर्नर विश्वरूप ने विष्णु को समर्पित गदाधर मंदिर का निर्माण कराया।

E. **कैवर्तों के विरुद्ध सैन्य अभियान :** रामपाल (c. 1077–1133 CE) ने बंगाल के वरेंद्र क्षेत्र में कैवर्त जनजाति के विद्रोह को कुचलकर शासन पुनः स्थापित किया।

A. **कलिंग और कामरूप के विरुद्ध अभियान :** रामपाल ने आगे चलकर कलिंग (उड़ीसा) और कामरूप (असम) के विरुद्ध सैन्य अभियान चलाए और साम्राज्य का विस्तार किया।

अतः सही क्रम C, D, B, E, A है।

33. मुस्लिम लीग ने दिल्ली सत्र (30–31 दिसम्बर 1918) में प्रमुख उलेमा को आमंत्रित कर मंच पर सार्वजनिक महत्त्व दिया—यह वही दौर था जब तुर्की/खिलाफत के प्रश्न पर मुस्लिम जनमत संगठित हो रहा था और लीग धार्मिक नेतृत्व के साथ निकटता बढ़ा रही थी। इसी सत्र में अब्दुल कासिम फजलुल हक ने अध्यक्षीय भाषण दिया; समकालीन स्रोत इस दिल्ली सत्र की पुष्टि करते हैं, और विद्वत् साहित्य स्पष्ट करता है कि 1918 के लीग सत्र में उलेमा को शामिल करने का औपचारिक प्रयास हुआ।

34. टी. नरसीपुर (Talakad Narasipur) एक नवपाषाणकालीन पुरास्थल है जो कर्नाटक राज्य में स्थित है। यहाँ की खुदाइयों में चमकाए हुए पत्थर के औजार, हड्डी के औजार, मिट्टी के बर्तन, और अनाज के अवशेष मिले हैं। ये अवशेष दर्शाते हैं कि यहाँ के लोग कृषि, पशुपालन और स्थायी बस्तियों में रहने लगे थे। यह स्थल दक्षिण भारत में प्रारंभिक कृषि सभ्यता के प्रमाण प्रस्तुत करता है।

35. महात्मा गांधी ने अपनी आत्मकथा में कहा कि जॉन रस्किन की पुस्तक 'अनटू दिस लास्ट' का उन पर जादुई प्रभाव पड़ा। वे लिखते हैं — "मैं भोर में उठा, और इन सिद्धांतों को व्यवहार में लागू करने के लिए तैयार था।"

इस पुस्तक से गांधी को तीन मूल विचार मिले

1. सभी का जीवन समान रूप से मूल्यवान है।
2. शारीरिक श्रम करने वाला जीवन सर्वोत्तम है।
3. उत्पादन उपभोग के लिए होना चाहिए, लाभ कमाने के लिए नहीं।

इन सिद्धांतों को अपनाकर गांधी ने फीनिक्स आश्रम (दक्षिण अफ्रीका) की स्थापना की और बाद में भारत में भी इन्हें अपने आंदोलनों में लागू किया।

36. विकल्पों की जांच :

A. **विष्णुगोप :** वह पल्लव वंश का शासक था। सम्राट समुद्रगुप्त की प्रयाग प्रशस्ति में उल्लेख है कि उसने कांची (पल्लव राजधानी) के राजा विष्णुगोप को पराजित किया था, जिससे यह स्पष्ट होता है कि वह पल्लव वंश का राजा था।

B. **कीर्तिवर्मन :** वह चालुक्य वंश का शासक था। कीर्तिवर्मन-I (c. 566–592 CE) वातापी (बदामी) चालुक्यों का प्रारंभिक शक्तिशाली राजा था जिसने दक्कन में चालुक्य प्रभुत्व स्थापित किया।

C. **यशोविग्रह :** यह कलचुरी वंश का नहीं बल्कि गाहड़वाल वंश का प्रारंभिक शासक माना जाता है, इसलिए इसे कलचुरी कहना गलत है।

D. **इन्द्र :** यह राष्ट्रकूट वंश का शासक था। इन्द्र III (c. 914–929 CE) राष्ट्रकूट वंश का प्रमुख सम्राट था जिसने उत्तर भारत तक सैन्य अभियान चलाए।

E. **सिम्हाविष्णु :** वह पल्लव वंश का शक्तिशाली शासक था, जिसने दक्षिण भारत में पल्लव साम्राज्य को पुनः सुदृढ़ किया और उत्तर की ओर भी विस्तार किया।

अतः केवल A, B, D, E सत्य हैं।

37. चार्टर एक्ट 1813 में ही पहली बार ईस्ट इंडिया कंपनी के व्यापारिक एकाधिकार को समाप्त कर मुक्त व्यापारियों को भारत में आने की अनुमति दी गई, बेंथेमी सुधारवादियों की माँग पर भारतीयों के लिए शिक्षा पर ₹ 1 लाख वार्षिक अनुदान की व्यवस्था की गई, और इवांजेलिकल (धर्मप्रचारक ईसाई) को भारत में प्रचार की अनुमति दी गई।

इस प्रकार यह अधिनियम तीनों माँगों को समाविष्ट करता था।

38. "फॉरेन नोटिसेज ऑफ साउथ इंडिया" नामक पुस्तक के लेखक के.ए.एन. शास्त्री थे। यह ग्रंथ वर्ष 1939 में यूनिवर्सिटी ऑफ मद्रास से प्रकाशित हुआ था। इसमें प्राचीन से मध्यकाल तक दक्षिण भारत आने वाले विदेशी यात्रियों — मेगस्थनीज, फाह्यान, ह्वेनसांग, इब्न बतूता, मा-हुआन आदि — के वर्णनों का संकलन किया गया है। यह ग्रंथ दक्षिण भारत के इतिहास, समाज, संस्कृति, वाणिज्य और राजनीति से संबंधित बाह्य दृष्टिकोण प्रदान करता है और दक्षिण भारत के इतिहास लेखन के लिए एक महत्त्वपूर्ण प्राथमिक स्रोत-संग्रह माना जाता है।

39. जापान में रासबिहारी बोस और चीनी क्रांतिकारी नेता सन यात-सेन की मुलाकात की व्यवस्था कराने में भगवान सिंह ने महत्त्वपूर्ण भूमिका निभाई थी। भगवान सिंह एक गदर पार्टी कार्यकर्ता और भारत की स्वतंत्रता संग्राम के सक्रिय नेता थे। उन्होंने दोनों नेताओं को मिलवाकर भारत-चीन सहयोग की क्रांतिकारी योजना को बल दिया।

40. 'महाभाष्य' प्राचीन भारत का एक महान व्याकरण ग्रंथ है। इसके लेखक पतंजलि (Patanjali) थे, जो 2वीं शताब्दी ई.पू. के आसपास माने जाते हैं। यह ग्रंथ पाणिनि के 'अष्टाध्यायी' और कात्यायन के 'वार्तिक' पर एक व्यापक टीका (भाष्य) है।

महाभाष्य की विशेषताएँ

- इसमें व्याकरण, ध्वनिविज्ञान, शब्दरचना, अर्थविज्ञान और भाषाशास्त्र पर गहन विवेचन है।
- पतंजलि ने व्याकरण को केवल भाषा का नियम न मानकर बुद्धि के शुद्धि साधन के रूप में देखा।
- इसमें अनेक ऐतिहासिक, सामाजिक व सांस्कृतिक संदर्भ भी मिलते हैं, जिससे यह केवल व्याकरण नहीं बल्कि समकालीन जीवन का भी दर्पण बन जाता है।

इसलिए महाभाष्य को भारतीय व्याकरण परंपरा का सबसे महत्वपूर्ण ग्रंथ माना जाता है।

41. घटनाओं का सही कालक्रम इस प्रकार है :

E. **कूर्ग का अधिग्रहण (1834 ई.)** : यह लॉर्ड विलियम बेंटिंक के कार्यकाल में हुआ। विद्रोह के बाद अंग्रेजों ने कूर्ग को अपने अधीन कर लिया।

A. **सिंध विजय (1843 ई.)** : लॉर्ड एलेनबरो के शासनकाल में चार्ल्स नेपियर ने सिंध को जीतकर ब्रिटिश साम्राज्य में मिला दिया।

D. **द्वितीय आंग्ल-सिक्ख युद्ध (1848–49 ई.)** : लॉर्ड डलहौजी के शासनकाल में हुआ और इसके परिणामस्वरूप पंजाब का विलय ब्रिटिश भारत में कर लिया गया।

B. **द्वितीय आंग्ल-बर्मा युद्ध (1852 ई.)** : लॉर्ड डलहौजी के शासनकाल में हुआ, जिसमें अंग्रेजों ने निचले बर्मा पर अधिकार कर लिया।

C. **अवध का अधिग्रहण (1856 ई.)** : लॉर्ड डलहौजी ने 'कुशासन' (misgovernment) के आरोप पर अवध को ब्रिटिश साम्राज्य में मिला लिया।

अतः सही कालक्रम E, A, D, B, C है।

42. कथनों की जांच :

A. **गवर्नर-जनरल परिषद् के साधारण सदस्यों की संख्या बढ़ाकर पाँच की गई : यह सत्य है।** भारतीय परिषद् अधिनियम 1861 ने गवर्नर-जनरल की कार्यकारिणी परिषद में एक पाँचवाँ सदस्य (कानून निर्माण हेतु) जोड़ने का प्रावधान किया।

B. **विधायन के लिए गवर्नर जनरल की परिषद् में छह से कम किन्तु बारह से अधिक सदस्य जोड़े गए : यह सत्य है।** इस अधिनियम ने गवर्नर-जनरल को विधायन हेतु 6 से 12 अतिरिक्त (नॉन-ऑफिशियल) सदस्यों को नामित करने की शक्ति दी।

C. **कोई भी विधेयक विधायी परिषद् में प्रस्तुत की जा सकती थी : यह असत्य है।** वित्त, धर्म, सेना, विदेश नीति आदि विषयों पर विधेयक केवल गवर्नर-जनरल की पूर्व अनुमति से ही प्रस्तुत किए जा सकते थे।

D. **गवर्नर-जनरल को आपातकाल में अपनी परिषद् की सहमति के बिना अध्यादेश जारी करने की शक्ति थी, जिनकी वैधता अधिकतम छह माह तक थी : यह सत्य है।** अधिनियम ने गवर्नर-जनरल को आपातकालीन अध्यादेश जारी करने की शक्ति दी, जो छह माह तक मान्य रहते।

E. **गवर्नर-जनरल की अनुमति प्राप्त किए बिना विधायी परिषद् द्वारा पारित कोई भी एक्ट वैध नहीं होगा : यह सत्य है।** गवर्नर-जनरल को सभी विधेयकों पर वीटो का अधिकार प्राप्त था, बिना उसकी अनुमति कोई अधिनियम लागू नहीं हो सकता था।

अतः केवल A, B, D, E सत्य हैं।

43. वर्ष 1921 में नागपुर में चले देशद्रोह मुकदमे (sedition trial) में केशव बलिराम हेडगेवार पर ब्रिटिश शासन के विरुद्ध भड़काऊ भाषण देने और स्वतंत्रता का प्रचार करने का आरोप लगाया गया था। इस मुकदमे के दौरान उन्होंने न्यायालय में एक साहसिक वक्तव्य (statement in court) दिया, जिसमें उन्होंने स्पष्ट कहा—"भारत, भारतीयों का है। हम स्वतंत्रता की मांग करते हैं... ब्रिटिश हमारे देश पर निरंकुश शासन चला रहे हैं, यह सब जानते हैं। कोई ऐसा कानून नहीं है जो किसी एक देश को दूसरे देश पर शासन करने का अधिकार देता हो। हम पूर्ण स्वतंत्रता से कम कुछ नहीं चाहते, और जब तक इसे प्राप्त नहीं कर लेते हम शांति से नहीं बैठेंगे।"

उनका यह कथन उस समय जब अधिकांश नेता भी डोमिनियन स्टेटस की बात करते थे, पूर्ण स्वतंत्रता (Purna Swaraj) की दृढ़ मांग था। हेडगेवार का यह भाषण भारतीय स्वतंत्रता संग्राम में उग्र राष्ट्रवाद और क्रांतिकारी भावना का प्रतीक माना गया।

44. यात्री और उनकी राष्ट्रीयता इस प्रकार थीः

- **थॉमस कोरयाट :** वह अंग्रेज यात्री था जो 17वीं शताब्दी के आरंभ (c. 1612) में भारत आया था। उसने अपनी यात्राओं का विस्तृत वर्णन *Coryat's Crudities* में किया।
- **जीन कार्डिन :** वह फ्रेंच यात्री था जिसने दक्षिण भारत की यात्राएँ कीं और अपने विवरणों में उस समय के सामाजिक-आर्थिक जीवन का वर्णन किया।
- **फ्रांसिस्को पेलसायर्ट :** वह डच व्यापारी और यात्री था, जिसने मुगल भारत (विशेषकर आगरा और सूरत) का विस्तृत वर्णन किया। उसका विवरण उस समय की अर्थव्यवस्था और प्रशासन की जानकारी देता है।
- **नूनीज :** वह पुर्तगाली यात्री था, जिसने विजयनगर साम्राज्य के वैभव का अत्यंत विस्तृत वर्णन किया।

अतः सही मिलान A-II, B-IV, C-III, D-I है।

45. यादवाभ्युदयम् एक संस्कृत महाकाव्य है जिसमें भगवान श्रीकृष्ण के जीवन, चरित्र, और पराक्रम का वर्णन किया गया है। इसके रचयिता वेदान्तदेशिक थे, जो 13वीं-14वीं शताब्दी के विशिष्टाद्वैत वेदांताचार्य, दार्शनिक और कवि थे। उन्होंने यह काव्य श्रीकृष्ण के यादव वंशीय जीवन, धर्म, नीति और भक्ति के आदर्श को प्रस्तुत करने हेतु लिखा। यह काव्य धार्मिक, दार्शनिक और साहित्यिक दृष्टि से विशिष्टाद्वैत परंपरा का महत्वपूर्ण ग्रंथ माना जाता है।

46. मराठा प्रशासन में विभिन्न अधिकारियों की भूमिकाएँ :

- **चिटनिस :** राजा के नाम से पत्राचार का कार्य संभालता था।
- **दाबिर :** विदेशी मामलों/कूटनीतिक कार्यों को देखता था।
- **पंडितराव :** धार्मिक कार्यों और दानार्थ अनुदान (धर्मादाय अनुदान) का कार्यभार देखता था।
- **वाकया नवीस :** दरबार की दैनिक घटनाओं का लेखा-जोखा/राजकीय कार्यों का रिकॉर्ड (घरेलू कार्य) तैयार करता था।

अतः सही मिलान A-III, B-IV, C-II, D-I है।

47. विभिन्न ऐतिहासिक पुस्तकों और उनके लेखकों का सही संबंध इस प्रकार है :

- **खुलासात-उत-तवारिख :** इसके लेखक सुजान राय भंडारी थे। यह पुस्तक 17वीं शताब्दी के उत्तरार्ध में लिखी गई और इसमें मुगलों, क्षेत्रीय राज्यों, भूगोल व समाज का वर्णन है।
- **रियाज-उस-सलातिन :** इसके लेखक गुलाम हुसैन सलीम थे। 1787 ई. में रचित यह ग्रंथ बंगाल के इतिहास का महत्वपूर्ण स्रोत है।
- **मुंतखाब-उल-लुबाब :** इसके लेखक खाफी खान थे। इसमें औरंगजेब तक का दिल्ली सल्तनत व मुगलकालीन इतिहास विस्तृत रूप में है।
- **सियार-उल-मुतखेरिन :** इसके लेखक गुलाम हुसैन थे। 18वीं शताब्दी के उत्तरार्ध में बंगाल, अवध और मराठों की राजनीति का वर्णन करता है।

अतः सही मिलान A-III, B-II, C-I, D-IV है।

48. भारतीय शास्त्रीय संगीत के संदर्भ में दिए गए कथनों की सत्यता :

A. **पंचम, यूरोपीय मेजर स्केल के सबसे निकट सदृश राग है : यह सत्य है।** पंचम राग 'पा' स्वर पर आधारित है, जो पश्चिमी मेजर स्केल के 'परफेक्ट फिफ्थ' के निकटतम माना जाता है।

B. **मेघ राग आनंद और हास्य से संबद्ध है : यह असत्य है।** मेघ राग मुख्यतः वर्षा ऋतु, शांति और गम्भीरता से जुड़ा होता है, हास्य से नहीं।

C. **कौशिका राग की प्रस्तुति का सबसे उचित समय रात्रि है : यह सत्य है।** कौशिका राग को परंपरागत रूप से रात्रि के दूसरे प्रहर में गाया जाता है।

D. **पंचम छह मूल रागों में से नहीं है : यह सत्य है।** छह मूल राग — भैरव, मालकौंस, हिंडोल, श्री, दीपक और मेघ हैं; पंचम इनमें नहीं आता।

E. **दीपक राग प्रेम से संबद्ध है : यह सत्य है।** दीपक राग पारंपरिक रूप से रति, प्रेम और अंतरंगता की भावनाओं से जोड़ा जाता है।

अतः केवल A, C, D, E सत्य हैं।

49. देवताओं का सही संबंध :

- **कृष्णा :** दक्षिण भारत में मयोन के रूप में पूजे जाते हैं।
- **कुबेर :** उत्तर भारत में वैसारवन के रूप में प्रसिद्ध।
- **पार्वती :** अन्नपूर्णा रूप में पूजी जाती हैं।

- **शीतला :** मारियाम्माई के रूप में दक्षिण भारत में पूजी जाती हैं।

अतः सही मिलान A-II, B-I, C-IV, D-III है।

50. समाचारपत्रों की शुरुआत का सही कालक्रम :

A. **इंडियन ओपीनियन :** 1903 ई. में महात्मा गांधी द्वारा दक्षिण अफ्रीका से प्रारंभ।

E. **इंडियन सोशियोलॉजिस्ट :** 1905 ई. में श्यामजी कृष्ण वर्मा द्वारा लंदन से प्रारंभ।

B. **अभ्युदय :** 1907 ई. में गोपालकृष्ण गोखले से संबद्ध।

C. **लीडर :** 1910 ई. में इलाहाबाद से पंडित मदन मोहन मालवीय द्वारा प्रारंभ।

D. **यंग इंडिया :** 1919 ई. में महात्मा गांधी द्वारा।

अतः सही कालक्रम A, E, B, C, D है।

51. सही कालक्रमानुसार क्रम :

A. **कलकत्ता में हिन्दू बालिका विद्यालय (1849) :** इसे जॉन इलियट ड्रिंकवाटर बेथ्यून ने स्थापित किया। यह भारत में महिला शिक्षा की दिशा में पहला आधुनिक प्रयास था और आगे चलकर बेथ्यून कॉलेज बना।

B. **लाहौर विश्वविद्यालय कॉलेज (1864) :** इसे प्रारंभ में ओरिएंटल कॉलेज कहा गया, और इसी ने आगे चलकर 1882 में पंजाब विश्वविद्यालय की नींव रखी।

D. **हंटर आयोग (1882) :** विलियम विल्सन हंटर की अध्यक्षता में गठित, जिसका उद्देश्य 1854 के वुड्स डिस्पैच के बाद शिक्षा क्षेत्र की प्रगति की समीक्षा करना था।

E. **इलाहाबाद विश्वविद्यालय (1887) :** भारत का चौथा विश्वविद्यालय, जिसकी स्थापना 1887 के अधिनियम से हुई।

C. **भारतीय विश्वविद्यालय अधिनियम (1904) :** लॉर्ड कर्जन द्वारा पारित यह अधिनियम विश्वविद्यालयों पर सरकारी नियंत्रण को मजबूत करने हेतु लाया गया।

अतः सही कालक्रम A, B, D, E, C है।

52. गंज-ए-सवाई मुगल सम्राट औरंगजेब का शाही पोत (जहाज) था, जो समुद्री व्यापार और हज यात्रियों को ढोने के लिए इस्तेमाल होता था। 1695 में अंग्रेज समुद्री डाकू हेनरी एव्री ने इसे लूट लिया। इस पर बड़ी मात्रा में सोना, चांदी, रत्न और हज यात्री सवार थे। इस घटना ने यूरोपीय-भारतीय संबंधों में भारी तनाव पैदा किया।

53. पुराण नीतिशास्त्र में धर्मानुष्ठानों की चार अवस्थाएँ बताई गई हैं :

A. **देवताओं को अग्नि में आहुति से पूजना–सत्य :** पौराणिक परंपरा में देवताओं की आराधना अग्नि में आहुति द्वारा की जाती थी।

B. **पूर्वजों को तर्पण से प्रसन्न करना–सत्य :** पितरों को जल और अन्न से तर्पण देने की परंपरा थी।

D. **वानप्रस्थ, संन्यास से पहले का चरण–सत्य :** यह गृहस्थ जीवन के बाद का त्यागमय जीवन है, इसके बाद संन्यास आता है।

C. **असत्य :** संन्यास त्याग की अंतिम अवस्था है, ज्ञान अर्जन मुख्यतः ब्रह्मचर्य अवस्था में होता है।

E. **असत्य :** ब्रह्मचर्य के लिए कठोर अनुशासन और नियम निर्धारित थे।

अतः केवल A, B, D सत्य हैं।

54. नायकों के बारे में कथनों का विश्लेषण :

A. **नूनीज के अनुसार विजयनगर साम्राज्य में लगभग 300 नायक थे–सत्य :** पुर्तगाली यात्री फर्नाओ नूनीज ने लिखा है कि विजयनगर में लगभग 200-300 नायक सैन्य सरदार थे।

B. **नूनीज के अनुसार वे भूमि के स्वामी नहीं थे–असत्य :** नायक भूमि के अनुदानधारी थे, लेकिन स्थानीय स्तर पर वे वास्तविक नियंत्रण रखते थे।

C. **स्टेन के अनुसार नायक अपने स्वयं के अधिकार में क्षेत्रीय शक्ति थे–सत्य :** बर्टन स्टेन ने विजयनगर को "खंडीय राज्य" कहा, जहाँ नायक अर्ध-स्वायत्त क्षेत्रीय शक्ति केंद्र थे।

D. **तमिलनाडु में नायक शासन 16वीं से 19वीं शताब्दी तक रहा–असत्य :** नायक शासन मुख्यतः 16वीं से 18वीं शताब्दी तक ही रहा, बाद में ब्रिटिश और नवाबों का नियंत्रण हो गया।

E. **सेन्जी, तंजावुर और मदुरै तीन प्रमुख नायक थे–सत्य :** ये तीनों क्षेत्र विजयनगर के पतन के बाद स्वतंत्र नायक राज्यों के रूप में उभरे।

अतः केवल A, C, E सत्य हैं।

55. रैयतवाड़ी बंदोबस्त की घटनाओं का सही क्रम :

B. **बड़ामहल में प्रयोग (1792) :** कैप्टन रीड ने इसे पहली बार यहाँ आजमाया।

C. **बॉम्बे प्रेसीडेंसी में शुरुआत (1814) :** माउंट स्टुअर्ट एल्फिन्स्टन ने इसे लागू किया।

E. **आर.के. प्रिंग्ले द्वारा भूमि सर्वेक्षण (1822) :** बंबई क्षेत्र में विस्तारपूर्वक भूमि सर्वे किया।

D. **मद्रास उत्पीड़न आयोग प्रतिवेदन (1832) :** किसानों पर अत्याचार की जांच की।

A. **मद्रास में 30 वर्षीय बंदोबस्त (1855) :** सुधरी हुई प्रणाली के रूप में लागू किया गया।

अतः सही क्रम B, C, E, D, A है।

56. सूची-I को सूची-II से सही सुमेल :

- **A. दीनबंधु मित्र — III. नील दर्पण :** दीनबंधु मित्र द्वारा रचित यह नाटक 1860 में प्रकाशित हुआ, जिसमें नील किसानों पर ब्रिटिश नीलहेयों के अत्याचार का चित्रण किया गया है।
- **B. राधा नाथ राय — I. महायात्रा :** वे उड़ीसा के प्रसिद्ध कवि थे, जिन्होंने महायात्रा नामक महाकाव्य लिखा।
- **C. मधुसूदन रॉय — II. वसंत गाथा :** बंगाली साहित्यकार मधुसूदन रॉय की प्रसिद्ध काव्य रचना।
- **D. लक्ष्मण मोरेश्वर — IV. मुक्तामाला :** मराठी साहित्यकार लक्ष्मण मोरेश्वर द्वारा रचित मुक्तामाला प्रसिद्ध काव्य संग्रह है।

अतः सही मिलान A-III, B-I, C-II, D-IV है।

57. महानिद्देश अभिधम्म पिटक की सात पुस्तकों (सत्तपरकरण) में शामिल नहीं है। अभिधम्म पिटक बौद्ध त्रिपिटक का तृतीय भाग है, जो बुद्ध के उपदेशों की दार्शनिक और मनोवैज्ञानिक व्याख्या करता है।

इसकी सात मान्य ग्रंथ हैं :

1. **धम्मसंगणी :** मानसिक और भौतिक धर्मों का वर्गीकरण।
2. **विभंग :** विभिन्न विषयों पर विश्लेषण।
3. **धातुकथा :** धर्म, चेतना और तत्वों के संबंध पर चर्चा।
4. **पुग्गलपन्नात्ति :** व्यक्तियों के प्रकारों का वर्गीकरण।
5. **कथावत्थु :** बौद्ध संप्रदायों के विवादों का निराकरण।
6. **यमक :** धर्मों का युग्मक रूप में विश्लेषण।
7. **पत्थान :** कारण-कार्य संबंधों का विवरण।

जबकि महानिद्देश सुत्त पिटक (खुद्धक निकाय) की पुस्तक है, न कि अभिधम्म पिटक की।

58. वेवेल योजना व शिमला सम्मेलन (1945) :

A. **वेवेल योजना को ब्रिटिश सभी दलों का समर्थन मिला —सत्य :** कंजर्वेटिव, लेबर, लिबरल तीनों दल सहमत थे।

B. **सिक्खों का प्रतिनिधित्व मास्टर तारा सिंह ने किया — सत्य** वे शिरोमणि अकाली दल के प्रमुख नेता थे।

C. **मुस्लिम लीग ने नामों की सूची देने से मना किया — सत्य :** क्योंकि वह सभी मुस्लिम सदस्यों पर एकाधिकार चाहती थी।

D. **असत्य :** वेवेल ने प्रस्तावित किया था कि कार्यकारी परिषद में कुल 14 सदस्य होंगे, जिनमें 6 हिंदू, 5 मुस्लिम, 1 सिख, 1 यूरोपीय व 1 अनुसूचित जाति, न कि कांग्रेस/यूनियनिस्ट/मुस्लिम लीग का अनुपात जैसा कथन में है।

E. **असत्य :** असफलता का मुख्य कारण था कि कांग्रेस सभी सदस्यों को अपने प्रतिनिधि मानना चाहती थी, जबकि मुस्लिम लीग सभी मुस्लिम सीटें अपने लिए चाहती थी, न कि बराबर संख्या में मुस्लिम सदस्य।

अतः केवल A, B और C सत्य हैं।

59. अशोक का XIIIवाँ शिलालेख (Major Rock Edict XIII) कलिंग विजय का उल्लेख करने वाला एकमात्र शिलालेख है। इसमें कहा गया है कि कलिंग युद्ध में लगभग 1 लाख लोग मारे गए, 1.5 लाख बंदी बनाए गए और 1.5 लाख निर्वासित हुए। इस रक्तपात ने अशोक को गहराई से व्यथित किया और उन्होंने धम्म नीति अपनाने तथा विजय के लिए दया और धर्म के मार्ग का अनुसरण करने का संकल्प लिया। यह शिलालेख अशोक के राजनीतिक से नैतिक शासन में परिवर्तन का प्रमुख प्रमाण है।

60. कमीन, महीन, किरपास और खाना छाप सभी शब्द मध्यकालीन भारत में प्रचलित वस्त्रों/कपड़ों के प्रकार को दर्शाते हैं।

- **कमीन :** मोटा और सस्ता सूती कपड़ा जो ग्रामीण इलाकों में उपयोग होता था।
- **महीन :** पतला, मुलायम और महीन सूती कपड़ा जो उच्च वर्ग द्वारा पहना जाता था।
- **किरपास (कर्पास) :** हल्का सूती कपड़ा, मलमल जैसा, जिसे विदेशी व्यापार में भी भेजा जाता था।
- **खाना छाप :** छपे हुए डिजाइन या पैटर्न वाला कपड़ा, जो सजावटी वस्त्रों और परिधानों के लिए प्रसिद्ध था।

ये सभी नाम भारतीय वस्त्र उद्योग की विविधता को दर्शाते हैं।

61. शिवाजी महाराज ने अपने स्वतंत्र मराठा राज्य की स्थापना के बाद अपनी राजधानी रायगढ़ में स्थापित की थी। रायगढ़ दुर्ग न केवल राजनीतिक बल्कि प्रशासनिक दृष्टि से भी उनका प्रमुख केंद्र था। यहीं पर उन्होंने अपनी स्वतंत्र मुद्रा चलाने के लिए एक टकसाल (मिंट) स्थापित की थी। इस टकसाल में स्वराज्य मुद्रा, होन, शहापूर रुपया आदि चलाए जाते थे। इससे मराठा साम्राज्य की आर्थिक स्वतंत्रता भी सुनिश्चित हुई।

62. विकल्पों की जांच :

- **दीदारगंज यक्षी :** यह मौर्यकालीन कला शैली से संबंधित है, जिसकी विशेषता है उच्च कोटि की पॉलिश तथा जीवंत आकृति।
- **सांची धड़ प्रतिमा :** यह गुप्तकालीन मूर्तिकला का प्रसिद्ध उदाहरण है, जिसमें संतुलन और शारीरिक सौंदर्य दिखता है।
- **सुल्तानगंज बुद्ध :** गुप्तकालीन कांस्य प्रतिमा है, जो 7.5 फीट ऊँची है और धातुकला की उत्कृष्टता को दर्शाती है।
- **सारनाथ बुद्ध धर्मचक्र मुद्रा :** गुप्तकालीन मूर्तिकला का सर्वोत्तम उदाहरण है, जो बुद्ध के धर्मचक्र प्रवर्तन को दर्शाती है।
- **एलीफैंटा त्रिमूर्ति :** यह 6वीं शताब्दी की चालुक्य कालीन रचना है, गुप्त शैली की नहीं है।

अतः केवल A, B, C, D सत्य हैं।

63. "स्वदेश सेवक" एक पंजाबी साप्ताहिक पत्र था जिसे गुरुमुखी लिपि में प्रकाशित किया जाता था। इसका प्रकाशन हरनाम सिंह ने किया था। यह पत्र क्रांतिकारी विचारों और राष्ट्रीय चेतना को प्रसारित करने में अग्रणी रहा तथा भारतीय स्वतंत्रता आंदोलन में जनजागरण का कार्य किया।

64. कालक्रमानुसार क्रम निम्नलिखित है :

B. **राजेन्द्र को युवराज घोषित (993 ई.) :** राजा राजराजा प्रथम ने अपने पुत्र राजेन्द्र को अपने जीवनकाल में ही युवराज नियुक्त कर दिया था ताकि सत्ता का हस्तांतरण सुचारू रूप से हो सके। इस कदम ने चोल वंश में उत्तराधिकार की स्थिरता को सुनिश्चित किया।

A. **राजराजेश्वर (बृहदेश्वर) मंदिर का निर्माण (1010 ई.) :** यह मंदिर तंजावुर में राजराजा प्रथम द्वारा बनवाया गया और इसे चोल स्थापत्यकला की सबसे भव्य कृति माना जाता है।

D. **मदुरै को नवीन चोल उपशाही (वाइसरॉयल्टी) का मुख्यालय बनाया गया (लगभग 1021 ई.) :** राजेन्द्र प्रथम ने पांड्य प्रदेश को स्थायी रूप से चोल साम्राज्य में सम्मिलित कर मदुरै को उसका प्रशासनिक मुख्यालय बनाया।

C. **पश्चिमी चालुक्यों पर आक्रमण (1018–1021 ई.) :** युवराज और फिर शासक बनने के बाद राजेन्द्र ने पश्चिमी चालुक्यों पर कई सैन्य अभियान चलाए और दक्कन क्षेत्र में चोल प्रभुत्व स्थापित किया।

E. **श्रीविजय पर नौसैनिक अभियान (1025 ई.) :** राजेन्द्र प्रथम ने श्रीविजय (दक्षिण-पूर्व एशिया) पर विशाल नौसैनिक हमला किया, जिससे चोल साम्राज्य की समुद्री शक्ति और व्यापारिक प्रतिष्ठा चरम पर पहुँची।

अतः सही क्रम B, A, D, C, E है।

65. कालक्रमानुसार क्रम :

C. **फतेहपुर सीकरी की स्थापना :** 1571–72 में अकबर ने यहाँ राजधानी स्थापित की।

B. **प्रथम जेसुइट मिशन :** 1580 में पहला जेसुइट मिशन अकबर के दरबार पहुँचा (स्थल फतेहपुर सीकरी, आगरा।

D. **राल्फ फिच का आगमन आगरा में :** फिच 1585 में आगरा/फतेहपुर सीकरी पहुँचा और दरबार/बाजारों का वर्णन किया।

E. **कश्मीर का अधिग्रहण :** 1586 में कश्मीर मुगल साम्राज्य में शामिल हुआ।

A. **खानदेश पर आक्रमण :** 1599–1601 के बीच अभियान; असिरगढ़ का पतन 1601 में।

अतः सही क्रम C, B, D, E, A है।

66. सूची-I और सूची-II का सही संयोजन इस प्रकार है :

- **A. भागवतगीता — III. महाभारत :** भागवतगीता महाभारत के भीष्मपर्व का एक हिस्सा है जिसमें अर्जुन और श्रीकृष्ण का संवाद है। इसमें धर्म, कर्म, और भक्ति के सिद्धांत दिए गए हैं।
- **B. हर्षचरित — IV. बाणभट्ट :** यह 7वीं शताब्दी में बाणभट्ट द्वारा लिखी गई हर्षवर्धन की जीवनी है जो उस समय के राजनीतिक-सांस्कृतिक जीवन का विवरण देती है।
- **C. मिलिन्दपण्हो — I. बौद्ध धर्म :** यह ग्रीक शासक मेनांडर (मिलिन्द) और बौद्ध भिक्षु नागसेन के बीच प्रश्नोत्तरी के रूप में रचित बौद्ध ग्रंथ है।

- D. **पउमचरियम — II. जैन धर्म :** आचार्य विमलसूरी द्वारा रचित यह जैन रामायण है जिसमें राम को जैन धर्म के सिद्धांतों के अनुसार चित्रित किया गया है।

अतः सही मिलान A-III, B-IV, C-I, D-II है।

67. सद्धर्म प्रचारक एक साप्ताहिक पत्र था जिसकी शुरुआत लाला मुंशीराम (जो बाद में स्वामी श्रद्धानंद बने) ने की थी। यह पत्र मुख्यतः आर्य समाज के सिद्धांतों का प्रचार, धार्मिक सुधार, महिला शिक्षा, विधवा पुनर्विवाह तथा सामाजिक कुरीतियों के उन्मूलन जैसे विषयों पर केंद्रित था। इस पत्र ने उत्तर भारत में सामाजिक-धार्मिक जागरूकता फैलाने में महत्वपूर्ण भूमिका निभाई।

68. स्वप्नवासवदत्ता एक प्रसिद्ध संस्कृत नाटक है जिसके लेखक भास थे। इसमें वत्सराज उदयन और वासवदत्ता की प्रेमकथा का वर्णन है। यह नाटक अपनी कथानक संरचना, नाटकीयता, और भावनात्मक प्रस्तुति के लिए प्रसिद्ध है। भास प्राचीन संस्कृत नाटककारों में अग्रणी माने जाते हैं और उनके नाटक गुप्तकाल से भी पहले के माने जाते हैं।

69. कौटिल्य के अर्थशास्त्र के अनुसार, कुप्याध्यक्ष राज्य में वन उत्पादों का प्रभारी अधिकारी होता था। वह लकड़ी, गोंद, मधु, लाख, शहद, हाथी, हाथीदांत, औषधीय जड़ी-बूटियों आदि का संग्रह, भंडारण और बिक्री देखता था। यह पद राज्य की आर्थिक आय का एक महत्वपूर्ण स्रोत माना जाता था क्योंकि वन-उत्पाद व्यापार और सैन्य सामग्री दोनों में उपयोगी होते थे।

70. यूरोपीय यात्रियों का आगमन क्रम :

C. **राल्फ फिच (1583) :** भारत आने वाले पहले अंग्रेज यात्रियों में से एक।

A. **जॉन मिल्डेनहाल (1599) :** ईस्ट इंडिया कंपनी के लिए भारत भेजा गया पहला अंग्रेज दूत।

B. **विलियम फिंच (1608) :** कैप्टन हॉकिंस के साथ भारत आए और दरबार व व्यापार का विवरण दिया।

D. **थॉमस कोरयाट (1612) :** 1612 में भारत पहुँचे और अपने यात्रा विवरण में भारतीय जीवन का वर्णन किया।

E. **जीन बैपटिस्ट ट्रैवर्नियर (1640–1660) :** फ्रांसीसी व्यापारी, जिन्होंने भारत में हीरे और रत्नों के व्यापार का विस्तृत वर्णन किया।

अतः सही क्रम C, A, B, D, E है।

71. तुहफात-उल-हिंद एक प्रसिद्ध संगीत संबंधी ग्रंथ है, जिसकी रचना औरंगजेब के शासनकाल में हुई थी। इसे मिर्जा खान (या मिर्जा खान-ए-खाना) ने लिखा था। इसमें भारतीय संगीत, वाद्ययंत्रों और रागों का विस्तृत विवरण है। औरंगजेब स्वयं संगीत से दूरी बनाए रखते थे, लेकिन उनके समय में दरबार में कई संगीतज्ञ थे और इसी काल में यह कृति तैयार हुई।

72. हिन्दू महासभा और इसके नेताओं के पुनरुत्थानवादी विचारों के बारे में :

A. उन्होंने हिन्दुओं के 'भौतिक विनाश' और 'संख्यात्मक कमी' की ओर ध्यान दिलाया — सत्य।

B. एम.आर. जयकर ने मोपला दंगों को राष्ट्रवाद का 'काला अध्याय' कहा, लेकिन इससे हिन्दुओं को संगठित होना सीखने की बात भी कही — सत्य।

C. 1929 के सूरत अधिवेशन में गांधीवादी अहिंसा अपनाने का आह्वान नहीं हुआ था, बल्कि वे गांधी की नीतियों के आलोचक थे — असत्य।

D. बी.एस. मून्जे ने सेंट्रल हिन्दू मिलिट्री एजुकेशन सोसायटी की स्थापना की थी — सत्य।

E. उनके सैनिक विद्यालय के प्रयास असफल नहीं हुए थे — असत्य।

अतः केवल A, B और D सत्य हैं।

73. विकल्पों की जांच :

A. **इसमें शिक्षित मध्य वर्ग और कुछ यूरोपीय मिशनरियों का हस्तक्षेप देखने को मिला था — सत्य :** नील विद्रोह को शिक्षित बंगाली मध्यम वर्ग और कुछ यूरोपीय मिशनरियों (जैसे रेव. जेम्स लौंग) का समर्थन मिला।

B. **दीनबंधु मित्र का प्रख्यात उपन्यास नील दर्पण, नील किसानों की दुर्दशा से प्रेरित था — सत्य :** यह नाटक नील किसानों पर हो रहे अत्याचारों को उजागर करने के लिए लिखा गया था।

C. **माइकल मधुसूदन दत्ता द्वारा नील दर्पण का अंग्रेजी में अनुवाद किया गया था — सत्य :** उन्होंने इसे अंग्रेजी में अनुवाद कर यूरोपीय जगत तक पहुँचाया।

D. **रेव. जेम्स लौंग ने माइकल मधुसूदन दत्ता के नील दर्पण के अंग्रेजी अनुवाद का प्रकाशन किया — सत्य :** उन्होंने इस अनुवाद को प्रकाशित करवाया और इसके लिए उन्हें ब्रिटिश सरकार द्वारा मुकदमे का सामना भी करना पड़ा।

E. **सोम प्रकाश और हिन्दू पैट्रिएट जैसे समाचारपत्रों ने नील किसानों से जुड़े मुद्दे को कभी भी नहीं छुआ — असत्य :** इन समाचारपत्रों ने नील किसानों के मुद्दों को प्रमुखता से उठाया।

अतः केवल A, B, C, D सत्य हैं।

74. वासुदेव बलवंत फड़के 19वीं सदी के उत्तरार्ध में ब्रिटिश शासन के विरुद्ध सशस्त्र क्रांतिकारी गतिविधियों की शुरुआत करने वाले अग्रणी व्यक्तियों में माने जाते हैं। उन्होंने किसानों और युवाओं को संगठित कर ब्रिटिशों के खिलाफ गुरिल्ला युद्ध छेड़ा। इतिहासकार आर.सी. मजूमदार ने उन्हें "भारत में क्रांतिकारी राष्ट्रवाद का जनक" (Father of Revolutionary Nationalism in India) कहा है, क्योंकि वे संगठित सशस्त्र संघर्ष की पहली प्रेरणा बने।

75. विकल्पों की जांच :

A. **सनौली में नहर सिंचाई के साक्ष्य मिले हैं — असत्य :** सनौली (उत्तर प्रदेश) में सिंधु-उत्तर हड़प्पा कालीन समाधियाँ मिली हैं, लेकिन नहर सिंचाई के स्पष्ट साक्ष्य नहीं मिले हैं।

B. **मोहनजोदड़ो के महान स्नानागार में जलापूर्ति और वितरिकाओं का प्रावधान था — सत्य :** वहाँ नालियों, जल निकासी और जलापूर्ति की सुव्यवस्थित व्यवस्था थी, जो उन्नत जल प्रबंधन को दर्शाती है।

C. **मेहरगढ़ में रोक बाँध के साक्ष्य मिले हैं–सत्य :** मेहरगढ़ (बलूचिस्तान) में प्रारंभिक कृषि सभ्यता के साथ जल संचयन हेतु रोक बाँध जैसी संरचनाओं के साक्ष्य मिले हैं।

D. **शोर्तुघई में पुरातत्त्वीय साक्ष्य नहरी प्रणाली का अस्तित्व दर्शाते हैं — सत्य :** अफगानिस्तान स्थित शोर्तुघई में सिंधु सभ्यता से जुड़े बस्तियों में नहरों के अवशेष मिले हैं।

E. **धौलावीरा में उत्खनन से जलाशय के साक्ष्य प्रकाश में आए हैं — सत्य :** धौलावीरा (गुजरात) में बड़े-बड़े जलाशय व जल संचयन तंत्र मिले हैं।

अतः केवल B, C, D एवं E सत्य हैं।

76. प्रांत पन्हाल, जो कोल्हापुर के पश्चिमी भाग में स्थित था, शिवाजी महाराज की प्रशासनिक व्यवस्था में एक महत्वपूर्ण प्रांत माना जाता था। इस प्रांत में तेरह (13) गिरी-दुर्ग (पर्वतीय किले) थे। ये किले मराठा साम्राज्य की सैन्य सुरक्षा और सीमाओं की रक्षा के लिए अत्यंत महत्वपूर्ण थे। पर्वतीय दुर्गों की सहायता से शिवाजी ने शत्रुओं पर छापामार युद्ध की नीति अपनाकर विजय पाई।

77. सातवाहन वंश को पुराणों में आंध्र कहा गया है। सातवाहन वंश दक्षिण भारत का एक प्राचीन और शक्तिशाली राजवंश था, जिसने लगभग 2 शताब्दियों तक दक्षिण और मध्य भारत पर शासन किया। इनके शासकों को प्राचीन ग्रंथों और पुराणों में 'आंध्र' कहा गया है, क्योंकि उनका मूल क्षेत्र आंध्र प्रदेश माना जाता है।

78. बॉम्बे घोषणापत्र (1936) एक राजनीतिक दस्तावेज था जिसमें भारतीय उद्योगपतियों ने पं. नेहरू के समाजवादी विचारों का विरोध करते हुए पूंजीवाद समर्थक विचार रखे थे। यह दस्तावेज इस बात का खुला अभियोग था कि नेहरू के समाजवादी दृष्टिकोण से औद्योगिक विकास बाधित होगा। इस घोषणापत्र पर कुल 21 भारतीय कारोबारियों ने हस्ताक्षर किए थे।

79. भारत में यूरोपीय वाणिज्यिक उद्यमों की प्रमुख गतिविधियों का सही कालक्रम इस प्रकार है :

D. **पुलीकट में डच कारखाना (1609 ई.) :** डच ईस्ट इंडिया कंपनी ने भारत में अपनी पहली फैक्ट्री पुलीकट में खोली।

A. **मसूलीपटनम में अंग्रेज कारखाना (1611 ई.) :** अंग्रेजों ने आंध्र तट पर पहली फैक्ट्री खोली।

B. **सूरत में अंग्रेज कारखाना (1612 ई.) :** अंग्रेजों ने गुजरात के सूरत में अपनी व्यापारिक गतिविधियाँ शुरू कीं।

E. **सूरत में डच कारखाना (1616 ई.) :** डचों ने भी सूरत में फैक्ट्री खोली।

C. **हुगली में अंग्रेज कारखाना (1651 ई.) :** बंगाल में अंग्रेजों की पहली स्थायी फैक्ट्री स्थापित की गई।

अतः सही क्रम D, A, B, E, C है।

80. प्राचीन भारत में गिल्ड और कॉरपोरेट निकायों के बारे में :

A. **श्रेणी, दस्तकारी गिल्ड थी — यह सही है। 'श्रेणी'** प्राचीन भारत में कारीगरों और व्यापारियों के संगठन को कहा जाता था, जो आधुनिक गिल्ड की तरह कार्य करते थे। ये अपने सदस्यों के हितों की रक्षा करते थे, नियम बनाते थे, और उत्पादन व कीमतों को नियंत्रित करते थे।

B. **जेठ्ठक, गिल्ड अथवा कॉरपोरेट निकायों के प्रमुख थे — यह भी सही है।** जेठ्ठक गिल्ड का मुखिया होता था जो संगठन की नीतियाँ तय करता था।

C. **मुख्य व्यापारी सेट्टी कहलाता था — यह भी सही है।** 'सेट्टी' या 'श्रेष्ठी' प्रभावशाली और धनी व्यापारी होते थे जो व्यापारिक समुदाय का नेतृत्व करते थे।

D. **कार्यचिंतक, व्यापारियों का समूह थे — यह असत्य है।** कार्यचिंतक गिल्ड के नियम लागू कराने और काम की देखरेख करने वाले होते थे, न कि सामान्य व्यापारियों का समूह।

E. **पूगा, व्यापारियों की परिषद् थी — यह भी असत्य है।** 'पूगा' समान जाति या निवास वाले व्यक्तियों का संगठन था, विशेष रूप से व्यापारिक परिषद नहीं।

अतः केवल A, B, C सही हैं।

81. क्रांतिकारी संगठनों का कालक्रम :

A. **मित्र मेला (1899) :** विनायक दामोदर सावरकर और गणेश सावरकर द्वारा युवाओं को देशभक्ति की शिक्षा देने के लिए स्थापित किया गया गुप्त संगठन।

C. **मिदनापुर सोसायटी (1902) :** बंगाल में क्रांतिकारी विचारों को फैलाने हेतु गुप्त संगठन।

D. **अनुशीलन समिति (1902) :** सतीश चंद्र बसु द्वारा कलकत्ता में स्थापित, जिसने बाद में बंगाल में हिंसक क्रांति को संगठित किया।

B. **अभिनव भारत (1904) :** मित्र मेला का विस्तार रूप, सावरकर भाइयों ने इसे स्थापित किया।

E. **ढाका अनुशीलन समिति (1906) :** पुष्प मित्र और पी.एम. बोस द्वारा स्थापित, जिसने बंगाल विभाजन के बाद क्रांतिकारी आंदोलन को बढ़ावा दिया।

अतः क्रम A, C, D, B, E है।

82. विकल्पों की जांच :

B. विग्रहराज चतुर्थ ने तोमर शासकों से दिल्ली का अधिग्रहण किया।

C. पृथ्वीराज III ने चंदेल (परमार्दि/परमाल) के विरुद्ध महोबा (1182 ई.) का अभियान चलाया।

D. पृथ्वीराज III ने मुइज़ुद्दीन मुहम्मद गोरी से तराइन (1191, 1192) के युद्ध लड़े।

A. **असत्य :** चित्तौड़ उस समय गुहिल/मेवाड़ के अधीन था; चौहानों द्वारा कब्जे का प्रमाण नहीं।

E. **असत्य :** भीम II (गुजरात चालुक्य) ने 1178 में मुहम्मद गोरी को हराया, विग्रहराज को नहीं।

अतः केवल B, C, D सत्य हैं; दिए गए विकल्पों में यह संयोजन उपलब्ध नहीं है।

83. 'इंडियन होम रूल सोसायटी (Indian Home Rule Society)' की स्थापना 1905 में लंदन में श्यामजी कृष्ण वर्मा ने की थी। इसका उद्देश्य ब्रिटिश शासन के विरुद्ध भारतीयों में राष्ट्रीयता की भावना जगाना और ब्रिटिश साम्राज्य से स्वतंत्रता प्राप्ति के लिए राजनीतिक चेतना फैलाना था। इसके लिए उन्होंने लंदन में इंडिया हाउस की भी स्थापना की, जो भारतीय क्रांतिकारियों का केंद्र बना। यहाँ विनायक दामोदर सावरकर, मदनलाल धींगरा जैसे कई क्रांतिकारी रहे और स्वतंत्रता संग्राम की योजनाएँ बनाई गईं।

84. शिवाजी प्रशासन के बारे में :

A. वे अपने सैनिकों और अधिकारियों को नकद वेतन देना पसंद करते थे। (सत्य)

B. उन्होंने मिरासदारों की अवैध वसूली बंद की। (सत्य)

C. शिवाजी ने नई व्यवस्था नहीं बनाई बल्कि पुरानी व्यवस्था में सुधार किया। (सत्य)

चौथ भूमि राजस्व का चौथा भाग था, न कि दसवां भाग, और सरदेशमुखी दसवां भाग था — D और E असत्य।

अतः केवल A, B, C सत्य हैं।

85. विकल्पों की जांच :

A. **महावीर ने ब्रह्मचर्य के नियम पर बल दिया — असत्य :** जैन धर्म में ब्रह्मचर्य का सिद्धांत पार्श्वनाथ से पहले भी चार व्रतों के रूप में विद्यमान था। महावीर ने इसे पाँचवें व्रत के रूप में जोड़ा, लेकिन यह पहले से पूरी तरह नया सिद्धांत नहीं था, इसलिए यह कथन गलत माना जाता है।

B. **महावीर द्वारा सिखाए गए सिद्धांत 'पूर्व' नामक चौदह पुराने ग्रंथों में समाहित थे — सत्य :** जैन परंपरा के अनुसार 14 पूर्व जैन धर्म के सबसे प्राचीन ग्रंथ थे, जिनमें महावीर के उपदेश और सिद्धांत संकलित माने जाते हैं।

C. **पाटलिपुत्र में आयोजित संगीति/सभा में बारह अंग संकलित किए गए थे — सत्य :** लगभग 300 ई.पू. पाटलिपुत्र में स्थूलभद्र की अध्यक्षता में पहली जैन संगीति हुई, जिसमें 12 अंगों को एकत्र और व्यवस्थित किया गया।

D. **भद्रबाहु के अनुयायी दिगंबर कहलाए थे — सत्य :** भद्रबाहु के नेतृत्व में दक्षिण भारत गए जैन साधु निर्वस्त्र रहते थे और आगे चलकर दिगंबर संप्रदाय कहलाए।

E. **धर्मग्रंथों का अंतिम संकलन वल्लभी में हुई संगीति/परिषद् में किया गया था — सत्य :** लगभग 512 ई. में गुजरात के वल्लभी में दूसरी जैन संगीति हुई, जिसकी अध्यक्षता देवर्धि क्षेमसर्मन ने की, और इसमें जैन ग्रंथों का अंतिम लिप्यांकन किया गया।

अतः केवल B, C, D, E सत्य है।

86. सूची-I (दल) और सूची-II (संस्थापक) का मिलान :

- **आल इंडिया फॉरवर्ड ब्लॉक — सुभाष चन्द्र बोस :** 1939 में कांग्रेस से अलग होने के बाद सुभाष चन्द्र बोस ने इस पार्टी की स्थापना की। इसका उद्देश्य तत्काल स्वतंत्रता प्राप्त करना था।
- **इंडियन एसोसिएशन — सुरेन्द्रनाथ बनर्जी :** 1876 में सुरेन्द्रनाथ बनर्जी और आनंद मोहन बोस ने इस संगठन की स्थापना की। यह बंगाल में राजनीतिक जागरण का अग्रदूत बना।
- **कांग्रेस नेशनलिस्ट पार्टी — मदन मोहन मालवीय :** 1934 में कांग्रेस से अलग होकर मालवीय और एम.एम. जोशी ने यह पार्टी बनाई। यह कांग्रेस की उदारपंथी शाखा मानी जाती थी।
- **इंडिपेन्डेन्ट लेबर पार्टी — बी.आर. अंबेडकर :** 1936 में अंबेडकर ने दलितों और मजदूरों के अधिकारों के लिए इस पार्टी की स्थापना की।

अतः सही मिलान A-II, B-I, C-IV, D-III है।

87. प्राचीन विद्वान और उनके विषय :

- **मेधातिथि — विधि :** इन्होंने मनुस्मृति पर टीका लिखी जो विधि-शास्त्र पर आधारित है।
- **सारंगधर — व्याकरण नहीं, आयुर्वेद :** इन्होंने चिकित्सा पर लिखा, इसलिए व्याकरण वाला कथन असत्य है।
- **भोज — खगोलविद्या और राजनीति :** धार के परमार राजा भोज ने 'राजमार्तंड' (राजनीति) और 'सिद्धांत संग्रह' (खगोल) जैसे ग्रंथ लिखे।
- **भट्टोटपाल — खगोलविज्ञान :** ग्रहों और नक्षत्रों की गणना पर कार्य किया।
- **श्रीधर — गणित :** इन्होंने बीजगणित, अंकगणित आदि विषयों पर कार्य किया।

अतः केवल A, C, D, E सत्य हैं।

88. संपूर्णानन्द का समाजवादी परचा (1934) :

इन्होंने अखिल भारतीय समाजवादी पार्टी का निर्माण प्रस्तावित किया।

A. अस्थायी समाजवादी कार्यक्रम बनाते समय भारत की सांस्कृतिक, ऐतिहासिक, आर्थिक पृष्ठभूमि को ध्यान में रखा — **सत्य।**

B. इन्होंने लेनिनवाद का अनुसरण नहीं किया — **सत्य।**

C. डोमिनियन स्टेटस लक्ष्य नहीं था, उनका लक्ष्य पूर्ण स्वतंत्रता था — **असत्य।**

D. बिना मुआवजे जमींदारी समाप्त करने का उल्लेख नहीं था — **असत्य।**

E. धार्मिक स्वतंत्रता की मांग की थी — **सत्य।**

अतः केवल A, B और E सत्य हैं।

89. सूची-I का सूची-II से मिलान :

- **A. दयानंद सरस्वती — II. गौकरूणानिधि :** स्वामी दयानंद सरस्वती ने 1881 में गायों की रक्षा हेतु गौकरूणानिधि नामक ग्रंथ लिखा, जिसमें उन्होंने गौहत्या निषेध का समर्थन किया।
- **B. कन्हैया लाल अलखधारी — III. चिराग-ए-हकीकत :** कन्हैया लाल अलखधारी ने चिराग-ए-हकीकत नामक पुस्तक लिखी, जो सामाजिक व धार्मिक सुधार से संबंधित थी।
- **C. श्रद्धा राम — I. हिन्दू धर्मोपदेश :** श्रद्धा राम फिल्लौरी ने हिन्दू धर्मोपदेश ग्रंथ लिखा, जिसमें हिंदू धर्म के मूल सिद्धांतों का उपदेश दिया गया।
- **D. मदन मोहन मालवीय — IV. धर्म रक्षा :** मालवीय जी ने हिंदू धर्म की रक्षा और प्रचार हेतु धर्म रक्षा नामक पत्र/पुस्तिका निकाली थी।

अतः सही मिलान A-II, B-III, C-I, D-IV है।

90. 15वीं शताब्दी की घटनाओं का कालक्रम :

E. **निकोलो कोन्टी की विजयनगर यात्रा (लगभग 1420) :** इटालियन यात्री।

B. **बहमनी राजधानी का गुलबर्गा से बीदर स्थानांतरण (1426) :** अहमद शाह बहमनी द्वारा।

A. **अब्दुर रज्जाक का भारत आगमन (1443) :** फारसी यात्री, विजयनगर दरबार में आए।

D. **जोधपुर की स्थापना (1459) :** राव जोधा ने की।

C. **गुरु नानक का जन्म (1469) :** सिख धर्म के प्रवर्तक।

अतः कालक्रम E, B, A, D, C है।

91. अनुच्छेद में कैलाशनाथ मंदिर के बारे में कहा गया है कि यह मंदिर ''इस आधार तल पर ऊँचे खड़ा'' है और ''शिला से तराशा गया है'' तथा ''एक संपूर्ण एकाश्म संरचना'' है। यह विशेषता केवल एकाश्म (monolithic) मंदिर की होती है।

92. **अनुच्छेद में उल्लेख है :**

- ''विमान के आधार पर प्लेटफॉर्म के व्यापक स्थल के आसपास पाँच अनुषंगी श्रेणिकाएं शिला से तराशी गई हैं''।
- ''कैलास पर्वत हिलाने की रावण की हठधर्मिता का सश्रम निरूपण''।
- ''51 फीट ऊँचे दो ध्वजस्तंभ नंदी के दोनों तरफ''।

ये सभी विशेषताएँ एलोरा का कैलाशनाथ मंदिर (कैलासनाथ या कैलासा मंदिर) की हैं, जो पूरी तरह एक ही चट्टान को काटकर बनाया गया है।

93. एलोरा एक ऐसा स्थल है जहाँ बौद्ध, जैन और हिंदू — तीनों धर्मों की गुफाएं और मंदिर स्थित हैं। अतः अनुच्छेद में वर्णित मंदिर (कैलाशनाथ) के अतिरिक्त भी वहाँ अन्य धार्मिक संरचनाएँ मौजूद हैं। अन्य विकल्प अनुच्छेद या स्थल से मेल नहीं खाते।

94. कैलाशनाथ मंदिर एलोरा में है, जो एक यूनेस्को विश्व धरोहर स्थल (Ajanta-Ellora Caves) का भाग है। अन्य विकल्प (बड़ा गोपुरम, सबसे बड़ा मंडप, चौड़ी नींव आदि) इस मंदिर से संबद्ध नहीं हैं क्योंकि यह एकाश्म है और इसे नींव खोदकर नहीं बल्कि ऊपर से चट्टान काटकर बनाया गया था।

95. एलोरा के कैलाशनाथ मंदिर का निर्माण राष्ट्रकूट वंश के राजा कृष्णा-I (लगभग 756–773 ई.) ने कराया था। उन्होंने इस मंदिर को शिव को समर्पित किया और यह उनके साम्राज्य की सबसे भव्य धार्मिक संरचनाओं में से एक मानी जाती है।

96. सर्वपल्ली राधाकृष्णन भारतीय दर्शन और तुलनात्मक धर्मों के महान विद्वान थे। उनकी प्रमुख रचनाएँ हैं — दि हिन्दू व्यू ऑफ लाइफ, दि प्रिंसिपल उपनिषद्स, लीविंग विथ ए परपज आदि।

लेकिन ''थॉट-फॉर्म्स पुस्तक एनी बेसेंट और सी.डब्ल्यू. लीडबीटर द्वारा लिखी गई थी, राधाकृष्णन द्वारा नहीं।

97. अनुच्छेद में धर्मों के बीच सौहार्द, तुलनात्मक धर्म अध्ययन, सभी धर्मों की मौलिक एकता, और आत्म-निर्धारण जैसी बातें कही गई हैं। यह विचारधारा सर्वपल्ली राधाकृष्णन की थी, जो सभी धर्मों की एकता और उनके बीच संवाद के पक्षधर थे। विवेकानंद भी धर्म-सौहार्द के समर्थक थे, लेकिन अनुच्छेद की भाषा और दृष्टिकोण राधाकृष्णन के दर्शन से मेल खाते हैं।

98. पुस्तक एनशिएंट विजडम एनी बेसेन्ट द्वारा लिखी गई थी। एनी बेसेन्ट थियोसोफिकल सोसायटी की प्रमुख नेता थीं और भारतीय धर्म, संस्कृति व दर्शन पर अनेक पुस्तकें लिखीं।

99. अनुच्छेद में कहा गया है कि ''सभी धर्मों की मौलिक एकता को परिलक्षित करें'', और ''विभिन्न धर्म एक-दूसरे का हाथ मित्रतापूर्वक पकड़ना सीख रहे हैं''। इसका आशय है कि हिन्दू धर्म विभिन्न धार्मिक व्यवस्थाओं को समान धरातल पर लाने का प्रयास करता है, इसलिए लेखक इसके ''हिन्दू समाधान'' के प्रति आशावादी हैं।

100. यह कथन प्रसिद्ध रूप से स्वामी विवेकानंद ने 1893 में शिकागो विश्व धर्म संसद में अपने भाषण में कहा था : ''मैं ऐसे राष्ट्र से संबंधित होने में गौरवान्वित महसूस करता हूँ, जिसने पृथ्वी के सभी धर्मों के उत्पीड़ितों एवं सभी राष्ट्रों के शरणार्थियों को आश्रय दिया है''।

इस कथन से भारत की सहिष्णु और समन्वयकारी संस्कृति को रेखांकित किया गया।

National Testing Agency (NTA)

UGC-NET जूनियर रिसर्च फैलोशिप तथा सहायक प्राध्यापक पात्रता परीक्षा

इतिहास, जनवरी-2025

(Exam held on 10-01-2025)

प्रश्न-पत्र-II

1. अशोक की 'धम्म' नीति के बारे में निम्नलिखित में से कौन-से कथन सही हैं:

(*a*) अशोक के अभिलेखों में 'धम्म' का उल्लेख है।

(*b*) अहिंसा का विषय अशोक के 'धम्म' का महत्वपूर्ण पहलू नहीं है।

(*c*) सदाचरण और सामाजिक उत्तरदायित्व 'धम्म' के भाग थे।

(*d*) अशोक के 'धम्म' का एक महत्वपूर्ण पहलू आपस में सम्मान और सौहार्द था।

(*e*) अशोक ने स्वयं को 'धम्म' के शिक्षक के रूप में घोषित किया।

नीचे दिए गए विकल्पों में से **सही** उत्तर का चयन कीजिए।

A. केवल (*a*), (*b*), (*c*) और (*d*)

B. केवल (*a*), (*c*) और (*e*)

C. केवल (*a*), (*d*) और (*e*)

D. केवल (*a*), (*c*), (*d*) और (*e*)

2. नीचे दी गई सूची में से किसका संबंध शाही घराने से नहीं था:

(*a*) अलनका और जेबुन्निसा

(*b*) गुलबदन बेगम और माहम अनगा

(*c*) लल्ला और अंदाल

(*d*) चांद बीबी

(*e*) जहांआरा और रौशन आरा

नीचे दिए गए विकल्पों में से **सही** उत्तर का चयन कीजिए।

A. (*a*), (*b*)

B. (*b*), (*c*)

C. (*d*), (*e*)

D. (*c*), (*d*)

3. कांची एक प्रमुख शहर था, जिसका अपना अंतर्देशीय पत्तन ______ था।

A. मुसिरीकुण्डम

B. तगदुर

C. नृपेयुरु

D. करुरु

4. निम्नलिखित में से कौन-सा शब्द/व्यवस्था मुगलों की मनसबदारी प्रथा से संबंधित नहीं है?

A. जब्त

B. एक अस्पाह दुह अस्पाह

C. संख्यात्मक पदवी

D. खुदकाश्त

5. सूची-I के साथ सूची-II का मिलान कीजिए।

सूची-I (लेखक)	**सूची-II (पुस्तक)**
(*a*) एच.एच. डाडवेल	I. रेबेलियन 1857: ए सिम्पोजियम
(*b*) बी.बी. मिश्र	II. दि एडमिनिस्ट्रेटिव हिस्ट्री ऑफ इंडिया
(*c*) बी.सी. जोशी	III. दि एपिक स्ट्रगल
(*d*) बिपिन चंद्र	IV. दि कैम्ब्रिज हिस्ट्री ऑफ इंडिया

नीचे दिए गए विकल्पों में से **सही** उत्तर का चयन कीजिए:

	(*a*)	(*b*)	(*c*)	(*d*)
A.	IV	II	I	III
B.	III	I	IV	II
C.	II	I	III	IV
D.	IV	I	II	III

6. 1857 का विद्रोह के बारे में निम्नलिखित कथनों पर विचार करें तथा सही उत्तर का चयन करें:

(*a*) मेरठ से सिपाहियों ने दिल्ली शहर में प्रवेश कर राजनीतिक एजेंट साइमन फ्रेजर को मार डाला।

(*b*) 19वीं नेटिव इन्फैन्ट्री, जिसने एनफिल्ड राइफल का उपयोग करने से मना कर दिया था, वह बहरामपुर में स्थित थी।

(*c*) खान बहादुर जिसने बरेली में कमान संभाला वह रोहिलखंड के पूर्व शासक का वंशज था।

(*d*) बिरजिस कादिर को लखनऊ का नवाब घोषित किया गया था।

नीचे दिए गए विकल्पों में से **सही** उत्तर का चयन कीजिए:

A. केवल (*b*), (*c*), (*d*), (*e*)

B. केवल (*a*), (*b*), (*c*), (*d*), (*e*)

C. केवल (*a*), (*b*), (*c*), (*d*)

D. केवल (*a*), (*b*), (*c*), (*e*)

7. बाबर ने निम्नलिखित में से किन कारणों से इब्राहिम लोदी को पानीपत के युद्ध में पराजित किया था?

(*a*) वह युद्ध में कभी पराजित नहीं हुआ था।

(*b*) उसने भारत में युद्ध के दौरान प्रथम बार बारुद का प्रयोग किया था।

(*c*) उसकी सेना बहुत बड़ी थी।

(*d*) लोदी की सेना बड़ी किन्तु युद्ध में प्रवीण नहीं थी।

(*e*) बाबर को दौलत खान लोदी का समर्थन प्राप्त था।

नीचे दिए गए विकल्पों में से **सही** उत्तर का चयन कीजिए।

A. (*a*), (*b*), (*c*) B. (*b*), (*d*), (*e*)

C. (*a*), (*d*), (*e*) D. (*c*), (*a*), (*b*)

8. इतिहास लेखन में किस परंपरा के माध्यम से मूल स्रोतों के आलोचनात्मक परीक्षण की शुरूआत हुई?

A. चर्च इतिहास लेखन

B. रिनांसां इतिहास लेखन (पुनर्जागरण)

C. इतिहास लेखन में बर्लिन क्रांति

D. रोमन इतिहास लेखन

9. निम्नलिखित मराठा नेताओं/सिपाहियों पर विचार करें तथा दी गई संबंधित घटनाओं को प्राचीनतम से प्रारम्भ कर क्रमवार सजाएँ:

(*a*) महादजी सिंधिया की मृत्यु

(*b*) पेशवा माधव राव की मृत्यु

(*c*) नाना फडनविस की मृत्यु

(*d*) सवाई माधव राव की मृत्यु

(*e*) पेशवा बालाजी बाजी राव (नाना साहब) की मृत्यु

नीचे दिए गए विकल्पों में से **सही** उत्तर का चयन कीजिए।

A. (*e*), (*b*), (*a*), (*d*), (*c*)

B. (*e*), (*d*), (*c*), (*b*), (*a*)

C. (*d*), (*e*), (*b*), (*a*), (*c*)

D. (*d*), (*e*), (*c*), (*a*), (*b*)

10. सूची-I के साथ सूची-II का मिलान कीजिए।

सूची-I	**सूची-II**
(*a*) पर्सी ब्राउन	I. एग्रेरियन सिस्टम ऑफ मुगल इण्डिया
(*b*) इरफान हबीब	II. द ग्रेट फर्म थियोरी ऑफ मुगल इम्पायर

(*c*) के.आई. लियोनार्ड	III. इण्डियन आर्किटेक्चर इस्लामिक पीरियड
(*d*) के.आर. कानूनगो	IV. हिस्ट्री ऑफ द जाट्स

नीचे दिए गए विकल्पों में से **सही** उत्तर का चयन कीजिए।

	(*a*)	(*b*)	(*c*)	(*d*)
A.	I	II	III	IV
B.	III	I	II	IV
C.	II	III	I	IV
D.	III	II	IV	I

11. सूची-I के साथ सूची-II का मिलान कीजिए।

सूची-I	सूची-II
(*a*) चोल सम्राट राज राज-I का पूर्ववर्ती नाम	I. दानारनवा
(*b*) वेंगी का राजा जो राष्ट्रकूट सम्राट कृष्ण-III के अधीन था	II. अरुमोली
(*c*) पश्चिमी चालुक्य जनरल जिसने ईस्वी 1006 में वेंगी पर आक्रमण किया	III. कस्सपा
(*d*) सिंहली राजकुमार जिन्होंने चोल सम्राट राजेन्द्र का विरोध किया	IV. बायलनंबी

नीचे दिए गए विकल्पों में से **सही** उत्तर का चयन कीजिए।

	(*a*)	(*b*)	(*c*)	(*d*)
A.	II	I	IV	III
B.	I	II	IV	III
C.	II	I	III	IV
D.	I	III	II	IV

12. सूची-I के साथ सूची-II का मिलान कीजिए।

सूची-I (शासक)	सूची-II (कार्य)
(*a*) अलाउद्दीन खिलजी	I. बाजार सुधार
(*b*) मुहम्मद बिन तुगलक	II. बंदगानी-ए-चहलगनी
(*c*) इल्तुतमिश	III. राजधानी को दौलताबाद ले जाना
(*d*) इब्राहीम लोदी	IV. पानीपत का युद्ध

नीचे दिए गए विकल्पों में से **सही** उत्तर का चयन कीजिए।

	(*a*)	(*b*)	(*c*)	(*d*)
A.	I	II	III	IV
B.	IV	III	II	I
C.	I	III	IV	II
D.	I	III	II	IV

13. निम्नलिखित में से कौन महापाषाण भूनिवेशनों के रूप और शैली को नहीं दर्शाता है?

A. महापाषाण तुंब   B. यज्ञ की वेदी
C. गर्त तुंब   D. प्राकार छिद्र

14. हम विजयनगर में नायक प्रणाली को सामंती प्रणाली के रूप में क्यों देख सकते हैं?

A. नायकों की नियुक्ति राज्य द्वारा नहीं की जाती थी।
B. नायकों का स्थानांतरण शासक द्वारा नहीं किया जाता था।
C. नायक विजयनगर राज्य से पहले से थे।
D. सभी नायक कला और मंदिरों के बड़े संरक्षक थे।

15. निम्नलिखित संगठनों पर विचार कीजिए और उन्हें सबसे पहले से बाद के क्रम में स्थापना वर्ष के अनुसार व्यवस्थित कीजिए:

(*a*) आत्मीय सभा
(*b*) हिन्दू कॉलेज, कलकत्ता
(*c*) सेरमपुर कॉलेज
(*d*) पूना संस्कृत कॉलेज (पश्चातवर्ती, डेक्कन कॉलेज)
(*e*) कलकत्ता मेडिकल कॉलेज

नीचे दिए गए विकल्पों में से **सही** उत्तर का चयन कीजिए।

A. (*b*), (*c*), (*a*), (*e*), (*d*)
B. (*a*), (*b*), (*d*), (*c*), (*e*)
C. (*a*), (*b*), (*c*), (*d*), (*e*)
D. (*e*), (*c*), (*d*), (*b*), (*a*)

16. किस आयोग ने भाषायी आधार पर राज्यों का निर्माण नहीं करने की सलाह दी थी क्योंकि इससे राष्ट्रीय एकता को खतरा हो सकता था और यह प्रशासनिक दृष्टि से भी असुविधाजनक था?

A. कोठारी आयोग B. जोहरी आयोग
C. धर आयोग D. दासगुप्ता आयोग

17. वायसराय की कार्यकारी परिषद् में विधि सदस्य के रूप में स्थान पाने वाले प्रथम भारतीय कौन थे?

A. डी.बी. नौरोजी B. आर.सी. दत्ता
C. जी.के. गोखले D. एस.पी. सिन्हा

18. 9वीं सदी में चन्देल तथा कालचुरी द्वारा जीते गए क्षेत्रों की पहचान कीजिए:

(*a*) कर्नाटा (*b*) गौड़
(*c*) राधा (*d*) अंग
(*e*) वंग

नीचे दिए गए विकल्पों में से **सही** उत्तर का चयन कीजिए।

A. केवल (*a*), (*b*), (*c*), (*d*)
B. केवल (*b*), (*c*), (*d*), (*e*)
C. केवल (*a*), (*c*), (*d*), (*e*)
D. केवल (*c*), (*d*), (*e*)

19. सूची-I के साथ सूची-II का मिलान कीजिए।

सूची-I (स्थल)	**सूची-II (पुरातात्विक साक्ष्य)**
(*a*) बागोर	I. बौद्ध अवशेष
(*b*) बैराट	II. परिपक्व हड़प्पा संबंधी
(*c*) अहार	III. ताम्र पाषाणीय
(*d*) कालिबंगा	IV. मध्य पाषाण कालीन

नीचे दिए गए विकल्पों में से **सही** उत्तर का चयन कीजिए।

	(*a*)	(*b*)	(*c*)	(*d*)
A.	III	II	IV	I
B.	II	III	IV	I
C.	I	IV	II	III
D.	IV	I	III	II

20. गैर-राजतंत्रीय से नव-राजतंत्रीय समूह में सनकानीका के संक्रमण/परिवर्तन की प्रक्रिया का आरंभ किसके दौरान हुआ था?

A. चंद्रगुप्त-I B. चंद्रगुप्त-II
C. कामर्नव D. शबरादित्य

21. सूची-I के साथ सूची-II का मिलान कीजिए।

सूची-I	**सूची-II**
(*a*) पुलिस में निचले दर्जे के कर्मचारी	I. साम्बा
(*b*) आपातकाल के दौरान कोषागार को भरने के लिए कठोर उपाय	II. अनुसमयान
(*c*) मौर्य के अंतर्गत अधिकारियों को दौरे पर भेजने की प्रथा	III. गेवाया
(*d*) मनेमेदिश से संबंधित कुमार	IV. प्राणक्रिया

नीचे दिए गए विकल्पों में से **सही** उत्तर का चयन कीजिए।

	(*a*)	(*b*)	(*c*)	(*d*)
A.	III	IV	I	II
B.	II	III	I	IV
C.	III	IV	II	I
D.	III	II	I	IV

22. ब्रिटिश संसद द्वारा एक अधिनियम के द्वारा भारत में किस वर्ष उच्च न्यायालयों की स्थापना का प्रयोजन किया गया?

A. 1858 B. 1861
C. 1862 D. 1860

23. इतिहास लेखन हेतु पाद टिप्पणियां के प्रयोग से निम्नलिखित में से किस उद्देश्य की पूर्ति नहीं होती?

A. पाठ में दिए गए वकतव्य के लिए सटीक संदर्भ को इंगित करना
B. पाठ में नहीं उल्लिखित अथवा विस्तार से नहीं बताए गए कतिपय विषयों की व्याख्या करना
C. पाठक को स्रोत के माध्यम से निश्चयात्मक कथन की वैधता के बारे में प्रश्न पूछने की शक्ति प्रदान करना
D. लेखक के दृष्टिकोण तथा इतिहास लेखन की परम्परा (स्कूल) के बारे में जागरुकता पैदा करना

24. सूची-I के साथ सूची-II का मिलान कीजिए।

सूची-I	**सूची-II**
(*a*) गुरू नानक	I. 1644 में मृत्यु
(*b*) गुरू हरगोविंद	II. 1574 में मृत्यु
(*c*) बंदा बहादुर	III. 1716 में मृत्यु
(*d*) गुरू अमरदास	IV. 1539 में मृत्यु

नीचे दिए गए विकल्पों में से **सही** उत्तर का चयन कीजिए।

	(*a*)	(*b*)	(*c*)	(*d*)
A.	IV	I	III	II
B.	I	II	III	IV
C.	II	III	IV	I
D.	III	II	I	IV

25. निम्नलिखित में से कौन-सा चित्रकार जहाँगीर से संबंधित नहीं है?

A. मनोहर B. विशनदास
C. दौलत D. अब्दुस्समद

26. निम्नलिखित शासकों में से किस शासक द्वारा दिल्ली में राजधानी नगरों में एक 'सीरी' को बनाया गया था?

A. अलाउद्दीन खिलजी B. बाबर
C. अकबर D. कैकुबाद

27. सूची-I के साथ सूची-II का मिलान कीजिए।

सूची-I (अधिनियम/विषय)	**सूची-II (वर्ष)**
(*a*) भारत में दसता उन्मूलन	I. 1820
(*b*) महिला भ्रूण हत्या अधिनियम	II. 1836
(*c*) ठगी अधिनियम (XXX)	III. 1843
(*d*) ब्रिटेन में दासता उन्मूलन	IV. 1870

नीचे दिए गए विकल्पों में से **सही** उत्तर का चयन कीजिए।

	(*a*)	(*b*)	(*c*)	(*d*)
A.	I	II	III	IV
B.	III	IV	II	I
C.	IV	III	I	II
D.	II	III	IV	I

28. सूची-I के साथ सूची-II का मिलान कीजिए।

सूची-I	**सूची-II**
(*a*) राम वर्मा	I. सिंधी
(*b*) वारिस शाह	II. गुजराती
(*c*) शाह अब्दुल लतीफ	III. मलयालम
(*d*) दयाराम	IV. पंजाबी

नीचे दिए गए विकल्पों में से **सही** उत्तर का चयन कीजिए।

	(*a*)	(*b*)	(*c*)	(*d*)
A.	III	I	II	IV
B.	IV	II	III	I
C.	III	IV	I	II
D.	I	III	IV	II

29. नीचे दिए निम्नलिखित विकल्पों में से गलत मेल का चयन कीजिए।

(*a*) हुंडी – विनिमय पत्र
(*b*) ज़जिया – इस्लामिक राज्य द्वारा गैर-मुस्लिमों पर लगाया गया कर
(*c*) तकावी – मुगलों का एक शक्तिदायक पेय
(*d*) तहसील – एक छावनी-पोस्ट
(*e*) ख्यात – राजस्थान में हस्तलिपि के रूप में इतिवृत्त

नीचे दिए गए विकल्पों में से **सही** उत्तर का चयन कीजिए।

A. केवल (*c*), (*d*) B. केवल (*a*), (*e*), (*c*)
C. केवल (*d*), (*e*) D. केवल (*a*), (*b*)

30. नीचे दिए गए विकल्पों में से गलत विकल्प का चयन कीजिए।

A. मिर्जा गालिब – मिर्जानामा
B. केशवदास – रसिकप्रिया
C. पादशाहनामा – शाहजहां
D. गुलबदन बेगम – हुमायूं

31. किस ब्रिटिश गवर्नर ने 1859 में एक कार्यवाही सारांश में यह लिखा था कि ''साम्राज्य को विभाजित करना प्राचीन रोमन ध्येय था और हमारा यही ध्येय होना चाहिए।''

A. लॉर्ड एल्फिंस्टन B. लॉर्ड एमहर्स्ट
C. लॉर्ड लारेंस D. लॉर्ड कर्जन

32. निम्नलिखित में से लेखक–क्रानिकल/पुस्तक का सही युग्म है:

(*a*) अबुल फजल – अकबरनामा
(*b*) जियाउद्दीन बरनी – फतवा-ए-जाहंदारी
(*c*) निजामुद्दीन अहमद – तारीख-ए-शेरशाही
(*d*) अमर खुसरो – तबकात-ए-अकबरी
(*e*) खाफी खान – तारीख-ए-दाउदी

नीचे दिए गए विकल्पों में से **सही** उत्तर का चयन कीजिए।

A. केवल (*a*), (*e*) B. केवल (*c*), (*d*)
C. केवल (*a*), (*b*) D. केवल (*d*), (*e*)

33. नीचे दी गई सूची में से सही लेखक–पुस्तक मिलान का चयन करें:

(*a*) हरबंस मुखिया, हिस्टोरियन्स एंड हिस्टोरियोग्राफी ड्यूरिंग द रेन ऑफ अकबर
(*b*) रिचार्ड एटन तथा पी. वैगोनर, पावर, मेमोरी, आर्किटेक्चर कन्टेस्टड साइट्स आन इण्डियाज डेकान प्लेटो
(*c*) फ्रंसुआ बर्नियर, अकबर एंड द जेसुट्स
(*d*) अब्दुल हमीद लाहोरी, निगरनामा-ए-मुंशी
(*e*) ए.बी.एम. हबीबुल्लाह, दि फाउंडेशन ऑफ मुस्लिम रूल इन इण्डिया

नीचे दिए गए विकल्पों में से **सही** उत्तर का चयन कीजिए।

A. (*c*), (*d*), (*e*) B. (*a*), (*b*), (*e*)
C. (*b*), (*d*), (*c*) D. (*a*), (*d*), (*e*)

34. कलकत्ता के हिन्दू कॉलेज के पहले विजिटर के रूप में किसे नियुक्त किया गया था?

A. एच.एच. विल्सन, 1823 में
B. डेविड हेयर, 1816 में
C. लुइस विवियन डेरोजियो, 1826 में
D. राजा राम मोहन राय, 1820 में

35. निम्नलिखित में से कौन-सा युग्म सुमेलित नहीं है?

A. मुइनुद्दीन चिश्ती – अजमेर
B. बाबा फरीद – पाक पट्टन
C. शेख बख्तियार काकी – गुजरात
D. सलीम चिश्ती – आगरा

36. भूमि और इसके उत्पाद पर अधिक दावों के क्रम में मुगल भारत में कौन भूमि का मालिक नहीं था?

A. खुद काश्त B. पाही काश्त
C. मुकर्ररी रिआया D. मुजारियन

37. किस वर्ष लंदन में धन भेजने के लिए निर्गत सिक्कों से कमाए गए लाभ से एक स्वर्ण मानक रिजर्व बनाया गया, जो कि आंशिक रूप से विनिमय में आने वाले उतार-चढ़ाव को रोकने, होने वाले व्यय को पूरा करने, और सिक्का ढ़लाई के लिए चांदी खरीदने हेतु किया गया था?

A. 1893 B. 1900
C. 1913 D. 1925

38. अपराजिता प्रछा में उल्लिखित निम्नलिखित आधिकारियों को उनके द्वारा नियंत्रित गांवों के सदस्यों की संख्या के आधार पर आरोही क्रम में व्यवस्थित कीजिए।

(*a*) लघु सामंत (*b*) सामंत
(*c*) चतुरामशिका (*d*) महासामंत
(*e*) महामंडलेश्वर

नीचे दिए गए विकल्पों में से **सही** उत्तर का चयन कीजिए।

A. (*a*), (*b*), (*c*), (*d*), (*e*)
B. (*b*), (*a*), (*c*), (*d*), (*e*)
C. (*c*), (*a*), (*b*), (*d*), (*e*)
D. (*d*), (*a*), (*b*), (*c*), (*e*)

39. निम्नलिखित में से किस इतिहास लेखन ने अपने इतिहास लेखन में काल्पनिक भाषणों के समावेश का प्रयोग किया?

A. क्रोचे B. प्लूटार्क
C. कोलिंगवुड D. थूसीडाइडीस

40. निम्नलिखित महाजनपदों को उत्तर से दक्षिण दिशा में व्यवस्थित कीजिए।

(*a*) गांधार (*b*) मत्स्य

(*c*) कम्बोज (*d*) अश्मक

(*e*) अवन्ति

नीचे दिए गए विकल्पों में से **सही** उत्तर का चयन कीजिए।

A. (*e*), (*d*), (*b*), (*a*), (*c*)
B. (*a*), (*c*), (*d*), (*b*), (*e*)
C. (*c*), (*a*), (*d*), (*b*), (*e*)
D. (*c*), (*a*), (*b*), (*e*), (*d*)

41. निम्नलिखित में से कौन-सी पुस्तकें डब्ल्यू.एच. मोरलैण्ड ने नहीं लिखी हैं:

(*a*) द एग्रेरियन सिस्टम ऑफ मोसलिम इंडिया
(*b*) इंडिया एट द डेथ ऑफ औरंगजेब
(*c*) फ्रॉम अकबर टू औरंगजेब
(*d*) सम एस्पेक्ट्स ऑफ मुस्लिम एडमिनिस्ट्रेशन
(*e*) द मुगल नोबिलिटी अंडर औरंगजेब

नीचे दिए गए विकल्पों में से **सही** उत्तर का चयन कीजिए।

A. केवल (*d*), (*e*) B. केवल (*a*), (*b*)
C. केवल (*c*), (*d*) D. केवल (*b*), (*e*)

42. निम्नलिखित राष्ट्रवादी गतिविधियों पर विचार कीजिए और सही कथन का चयन कीजिए:

(*a*) चापेकर बंधुओं ने पुणे में 1897 में दो अलोकप्रिय ब्रिटिश अधिकारियों की हत्या की।
(*b*) वी.डी. सावरकर ने 1905 में क्रांतिकारियों के गुप्त संगठन 'अभिनव भारत' का गठन किया था।
(*c*) तिलक को 1908 में गिरफ्तार किया गया और 6 वर्ष की कठोर केंद्र की सजा सुनाई गई।
(*d*) मौलाना अबुल कलाम आजाद ने 30 वर्ष की आयु में वर्ष 1915 में 'अल हिलाल' समाचार पत्र में अपने राष्ट्रवादी विचारों को प्रकाशित किया।
(*e*) वर्ष 1914 में सरकार ने मौलाना मुहम्मद अली के 'कामरेड' नाम प्रकाशन का दमन किया।

नीचे दिए गए विकल्पों में से **सही** उत्तर का चयन कीजिए।

A. केवल (*a*), (*b*), (*c*)
B. केवल (*b*), (*c*), (*d*)
C. केवल (*a*), (*d*), (*e*)
D. केवल (*a*), (*c*), (*e*)

43. कार्ल पॉपर ने निम्नलिखित में से किन पुस्तकों की रचना की है?

(*a*) मिस्टिसिज्म एंड लाजिक
(*b*) दि ओपन सोसइटी एंड इट्स इनमीज
(*c*) दि लिमिट्स ऑफ एक्जैक्ट साइंस
(*d*) दि पोवर्टी ऑफ हिस्टोरिसिज्म
(*e*) डेकलाइन एंड फाल ऑफ द रोमन इंपायर

नीचे दिए गए विकल्पों में से **सही** उत्तर का चयन कीजिए।

A. केवल (*a*) तथा (*e*) B. केवल (*b*) तथा (*c*)
C. केवल (*b*) तथा (*d*) D. केवल (*c*) तथा (*a*)

44. निम्नलिखित बोधिसत्वों में कौन-सा करूणा को निरूपति करता है?

A. अमिताभ B. मंजुश्री
C. वज्रपाणि D. अवलोकितेश्वर

45. आधुनिकोत्तर इतिहास लेखन के संबंध में निम्नलिखित में से कौन-सा कथन सही नहीं है?

A. अतीत को परिलक्षित करने वाले स्रोत हमेशा किसी अन्य के दृष्टिकोण से लिखित होते हैं।
B. इतिहास लेखन के लिए कार्य-कारण संबंध तथा कालानुक्रम आवश्यक है।
C. इतिहास लेखन में अनुक्रमिक काल के विचार को छोड़ा जा सकता है।
D. ऐतिहासिक स्रोतों के स्थायी तथा अपरिवर्तनीय अर्थ नहीं होते।

46. 'द बहमनीज ऑफ द दक्कन' पुस्तक के लेखक कौन थे?

A. ए.एस. अलतेकर B. लेस्ली ओर
C. एम. पांडु रंगा राव D. हारुन खान शेरवानी

47. सूची-I के साथ सूची-II का मिलान कीजिए।

सूची-I	सूची-II
(*a*) कलतिका	I. कवयित्री जिसने सम्राट आदिगैमन की प्रशंसा की थी
(*b*) कनटिकान	II. प्रमुख मुंशी
(*c*) पोलशेलई	III. अधिकारी जो मोती मत्स्य पालन का निरीक्षण करता था
(*d*) ओवेयर	IV. पांड्य शासक मुदुकुदुमी की पदवी

नीचे दिए गए विकल्पों में से **सही** उत्तर का चयन कीजिए।

	(*a*)	(*b*)	(*c*)	(*d*)
A.	III	II	IV	I
B.	II	III	I	IV
C.	I	II	III	IV
D.	II	I	III	IV

48. भारत में रेलवे के बारे में निम्नलिखित कथनों पर विचार कीजिए और सही कथनों का चयन कीजिए:

(*a*) भारत में रेलवे का अग्रणी रॉलैंड मैक्डोनाल्ड स्टीफेंसन था जिसने इंग्लैंड में कम्पनी बनायी थी।

(*b*) 1841 में अंग्रेज सिविल अभियंता जोसेफ लॉक ने कलकत्ता से दिल्ली तक रेलवे की संभावनाओं पर चर्चा की थी।

(*c*) स्टीफेंसन ने कलकत्ता से मिर्जापुर, बनारस, इलाहाबाद तथा उससे आगे रेलवे लाइन की बात सोची थी।

(*d*) 1853 में बम्बई से ठाणे तक आरम्भ हुई रेलवे लाइन एशिया में शुरू होने वाली पहली रेलवे थी।

(*e*) डलहौजी ने 20 अप्रैल, 1853 को अपना विस्तृत रेलवे सारांश जारी किया था जिसमें रेलवे के सैन्य और वाणिज्यिक लाभों का वर्णन किया गया था।

नीचे दिए गए विकल्पों में से **सही** उत्तर का चयन कीजिए।

A. केवल (*a*), (*c*), (*d*), (*e*)

B. केवल (*a*), (*b*), (*c*), (*e*)

C. केवल (*b*), (*d*), (*e*)

D. (*a*), (*b*), (*c*), (*d*), (*e*)

49. ईसा काल के आरंभ में स्वात घाटी में स्तूपों का निर्माण अधिकांशतः किस पत्थर से किया गया है?

A. लाल पत्थर B. बलुआ पत्थर

C. गचकारी D. स्तरित चट्टान (शिस्ट)

50. सूची-I के साथ सूची-II का मिलान कीजिए।

सूची-I	सूची-II
(*a*) वेलालर	I. मुखिया
(*b*) अरशर	II. व्यापारी
(*c*) वैशियार	III. कृषक
(*d*) वेलिर	IV. राजा

नीचे दिए गए विकल्पों में से **सही** उत्तर का चयन कीजिए।

	(*a*)	(*b*)	(*c*)	(*d*)
A.	III	I	II	IV
B.	III	IV	II	I
C.	I	II	III	IV
D.	I	IV	III	II

51. तत्वार्थ राजावर्तिका के लेखक ______ थे।

A. माधव B. विद्यानंद अकलंका

C. हरिभद्र D. महाबोधि विराधर

52. कौन-से जैन तीर्थकर जैन धर्म में कृष्ण से संबंधित हैं?

A. ऋषभ B. नेमिनाथ

C. पार्श्वनाथ D. महावीर

53. नीचे दिए गए विकल्पों में से दो सही मिलान चुनें:

(*a*) मुहता नैण्सी री ख्यात – राजस्थान

(*b*) अमीर खुसरो – नुह सीपीहर

(*c*) राजतरंगिणी – मालवा

(*d*) मलिक मुहम्मद जायसी – चन्दायन

(*e*) मुल्ला दाऊद – पद्मावत

नीचे दिए गए विकल्पों में से **सही** उत्तर का चयन कीजिए।

A. केवल (*d*), (*e*) B. केवल (*a*), (*b*)

C. केवल (*c*), (*d*) D. केवल (*b*), (*e*)

54. ब्रिटिश काल के दौरान भू-राजस्व बंदोबस्त के बारे में निम्नलिखित कथनों पर विचार कीजिए और सही कथनों का चुनाव करें:

(*a*) मुहम्मद रजा खान कंपनी के नायब दीवान की तरह काम कर रहे थे।

(*b*) 'फार्मिंग सिस्टम' प्रणाली के रूप में एक नई प्रणाली 1765 में आरम्भ की गई थी।

(*c*) स्थायी बंदोबस्त में भूमि के स्वामित्व के अधिकार जमींदारों में निहित हो गए।

(*d*) चार्ल्स मेटकाफ द्वारा 1792 में बड़ा महल में रैय्यतवारी प्रणाली आरम्भ की गई।

(*e*) आर.एम. बर्ड ने सम्पूर्ण महल या राजकोषीय यूनिट के राजस्व का आकलन करने के लिए विस्तृत सर्वेक्षण उपलब्ध कराया।

नीचे दिए गए विकल्पों में से **सही** उत्तर का चयन कीजिए।

A. (*a*), (*b*), (*c*), (*d*), (*e*)
B. केवल (*a*), (*c*), (*e*)
C. केवल (*a*), (*b*), (*c*)
D. केवल (*a*), (*b*), (*c*), (*d*)

55. किस वर्ष में बंकिम चन्द्र चटर्जी का प्रसिद्ध उपन्यास आनंद मठ प्रकाशित हुआ था?

A. 1880 B. 1881
C. 1882 D. 1883

56. वायसराय की कार्यकारी परिषद में किसी भारतीय को प्रथम बार विधि सदस्य बनाए जाने हेतु निम्नलिखित में से किस अधिनियम को माध्यम बनाया गया था?

A. मार्ले-मिंटो रिफॉर्म – 1909
B. मॉन्टेग्यु-चेम्सफोर्ड रिफॉर्म – 1919
C. भारत सरकार अधिनियम – 1935
D. 1872 का अधिनियम

57. निम्नलिखित घटनाओं को कालानुक्रमिक रूप से व्यवस्थित कीजिए:

(*a*) लोकोपकार
(*b*) उदियादित्य अलंकार
(*c*) मल्लिनाथ पुराण
(*d*) त्रिशास्ति लक्षण महापुराण
(*e*) मदन विजय

नीचे दिए गए विकल्पों में से **सही** उत्तर का चयन कीजिए।

A. (*a*), (*b*), (*c*), (*d*) (*e*)
B. (*d*), (*a*), (*c*), (*b*) (*e*)
C. (*d*), (*b*), (*c*), (*a*) (*e*)
D. (*a*), (*c*), (*b*), (*d*) (*e*)

58. निम्नलिखित में से कौन-से स्थान प्राचीन दक्कन से संबंधित है:

(*a*) पेडाबंकुर (*b*) कोटा लिंगला
(*c*) झूसी (*d*) पोलाकोंडा
(*e*) कदंबपुर

नीचे दिए गए विकल्पों में से **सही** उत्तर का चयन कीजिए।

A. केवल (*a*), (*b*), (*c*), (*d*)
B. केवल (*a*), (*c*), (*d*), (*e*)
C. केवल (*a*), (*b*), (*d*), (*e*)
D. केवल (*b*), (*c*), (*d*)

59. निम्नलिखित राजाओं को कालानुक्रमिक रूप में व्यवस्थित कीजिए:

(*a*) सेंगुत्तवन (*b*) उदियांजेराल
(*c*) नेंदुंसेलियन (*d*) करिकाल
(*e*) सेंगनन

नीचे दिए गए विकल्पों में से **सही** उत्तर का चयन कीजिए।

A. (*a*), (*b*), (*c*), (*d*), (*e*)
B. (*b*), (*a*), (*d*), (*c*), (*e*)
C. (*d*), (*c*), (*a*), (*b*), (*e*)
D. (*c*), (*a*), (*b*), (*d*), (*e*)

60. संविधान के उद्देश्य संकल्प का प्रारूप किसने तैयार किया था जिसमें संविधान के दर्शन और मूल विशेषताओं का उल्लेख था?

A. जवाहर लाल नहेरू B. सच्चिदानंद सिन्हा
C. बी.आर. अम्बेडकर D. के.एम. मुंशी

61. निम्नलिखित पर विचार कीजिए और उन्हें सबसे पहले से बाद के क्रम में कालक्रमानुसार व्यवस्थित कीजिए:

(*a*) बिहार साइंटिफिक सोसाइटी की स्थापना
(*b*) बनारस डिबेटिंग क्लब की स्थापना
(*c*) सोसाइटी फॉर ट्रांसलेटिंग यूरोपियन साइंसेस की स्थापना
(*d*) अलीगढ़ साइंटिफिक सोसाइटी की स्थापना
(*e*) सोसाइटी फॉर दि एक्विजिशन ऑफ जनरल नॉलेज की स्थापना

नीचे दिए गए विकल्पों में से **सही** उत्तर का चयन कीजिए।

A. (*a*), (*b*), (*c*), (*d*), (*e*)
B. (*c*), (*b*), (*e*), (*d*), (*a*)
C. (*c*), (*e*), (*b*), (*d*), (*a*)
D. (*e*), (*d*), (*c*), (*b*), (*a*)

62. सूची-I के साथ सूची-II का मिलान कीजिए।

सूची-I (विचारक)	**सूची-II (इतिहास लेखन की संकल्पना)**
(*a*) एंटोनियो ग्राम्शी	I. एनाल्स स्कूल
(*b*) डेरीडा	II. डायलेक्टिकल मैटेरियलिज्म
(*c*) मार्क ब्लॉक	III. कॉन्सेप्ट ऑफ हेजीमोनी
(*d*) कार्ल मार्क्स	IV. डिकंस्ट्रक्शन एंड डिफरेंस

नीचे दिए गए विकल्पों में से **सही** उत्तर का चयन कीजिए।

	(*a*)	(*b*)	(*c*)	(*d*)
A.	I	III	IV	II
B.	III	I	IV	II
C.	II	I	III	IV
D.	III	IV	I	II

63. सूची-I के साथ सूची-II का मिलान कीजिए।

सूची-I	**सूची-II**
(*a*) इब्नबतूता	I. तारीख-ए-फिरोजशाही
(*b*) अब्दुल मलिक इसामी	II. फुतुह-उस-सलातीन
(*c*) जियाउद्दिन बरनी	III. तजकिरा-अल-मुलूक
(*d*) रफीउद्दीन शिराजी	IV. रिहला

नीचे दिए गए विकल्पों में से **सही** उत्तर का चयन कीजिए।

	(*a*)	(*b*)	(*c*)	(*d*)
A.	I	II	III	IV
B.	IV	II	I	III
C.	II	I	III	IV
D.	II	III	IV	I

64. निम्नलिखित में किसको नालंदा और विक्रमशिला विश्वविद्यालयों को बेहताशा विनाश करने वाला कहा जाता है?

A. कबाचा
B. यल्दूज
C. बख्तियार खिलजी
D. इल्तुतमिश

65. सूची-I के साथ सूची-II का मिलान कीजिए।

सूची-I (संगठन की घटनाएं)	**सूची-II (वर्ष)**
(*a*) पंजाब हिन्दू महासभा की स्थापना	I. 1916
(*b*) अखिल भारतीय हिन्दू महासभा का प्रथम सत्र	II. 1919
(*c*) अहमदाबाद में साबरमती आश्रम की स्थापना	III. 1909
(*d*) सत्याग्रह सभा की स्थापना	IV. 1915

नीचे दिए गए विकल्पों में से **सही** उत्तर का चयन कीजिए।

	(*a*)	(*b*)	(*c*)	(*d*)
A.	I	II	III	IV
B.	III	IV	I	II
C.	III	I	IV	II
D.	II	III	I	IV

66. नीचे दी गई सूची से दो सही युग्मों का चयन करें:

(*a*) राठौड़ – जोधपुर
(*b*) सिसौदिया – उदयपुर
(*c*) कराना तुर्क – जौनपुर
(*d*) मलिक काफूर – अवध
(*e*) करणी माता मंदिर – जयपुर

नीचे दिए गए विकल्पों में से **सही** उत्तर का चयन कीजिए।

A. केवल (*a*), (*e*) B. केवल (*c*), (*d*)
C. केवल (*a*), (*b*) D. केवल (*d*), (*c*)

67. निम्नलिखित भारतीय इतिहास लेखन की परम्पराओं को प्राचीनतम से नवीनतम के क्रम में सजाएँ:

(*a*) मार्क्सवादी भारतीय इतिहास लेखन
(*b*) भारतीय राष्ट्रवादी इतिहास लेखन
(*c*) सबाल्टर्न (उपाश्रयी) अध्ययन
(*d*) प्राच्यवादी इतिहास लेखन
(*e*) ब्रिटिश साम्राज्यवादी इतिहास लेखन

नीचे दिए गए विकल्पों में से **सही** उत्तर का चयन कीजिए।

A. (*a*), (*b*), (*c*), (*d*), (*e*)
B. (*a*), (*c*), (*e*), (*b*), (*d*)
C. (*d*), (*e*), (*b*), (*a*), (*c*)
D. (*d*), (*c*), (*a*), (*e*), (*b*)

68. निम्नलिखित में से किसका निर्माण दिल्ली सल्तनत काल में नहीं हुआ था?

(*a*) जमातखाना मस्जिद
(*b*) दौलताबाद किला
(*c*) कुव्वत-उल-इस्लाम मस्जिद
(*d*) बीबी का मकबरा, औरंगाबाद
(*e*) सफदरजंग मकबरा, दिल्ली

नीचे दिए गए विकल्पों में से **सही** उत्तर का चयन कीजिए।

A. केवल (*a*), (*b*) B. केवल (*d*), (*e*)
C. केवल (*a*), (*c*) D. केवल (*b*), (*d*)

69. बाल गंगाधर तिलक के निम्नलिखित कार्यकलापों विचार कीजिए और उन्हें पुरातन से आरंभ कालक्रमानुसार व्यवस्थित कीजिए:

(*a*) पारंपरिक गणपति उत्सव शुरू किया।
(*b*) 'केशरी' का संपादन शुरू किया।
(*c*) सरकार से माफी मांगना से अस्वीकार किया तथा उन्हें 18 महीने का सश्रम कारावास दिया गया।
(*d*) "शिवाजी उत्सव" का आयोजन आरंभ किया।

नीचे दिए गए विकल्पों में से **सही** उत्तर का चयन कीजिए।

A. (*a*), (*b*), (*c*), (*d*) B. (*b*), (*a*), (*c*), (*d*)
C. (*b*), (*a*), (*d*), (*c*) D. (*d*), (*c*), (*b*), (*a*)

70. वर्ष 1857 के पूर्व ब्रिटिश काल के दौरान विद्रोहों पर विचार करें और उन्हें प्राचीनतम से प्रारम्भकर क्रमवार सजाएँ:

(*a*) बंगाल तथा बिहार के संथालों का विद्रोह
(*b*) बंगाल का संन्यासी विद्रोह
(*c*) कोल्हापुर विद्रोह
(*d*) वेल्लौर में सिपाही विद्रोह
(*e*) विशाखापत्तनम विद्रोह

नीचे दिए गए विकल्पों में से **सही** उत्तर का चयन कीजिए।

A. (*a*), (*b*), (*c*), (*d*), (*e*)
B. (*d*), (*e*), (*b*), (*c*), (*a*)
C. (*b*), (*d*), (*e*), (*c*), (*a*)
D. (*c*), (*b*), (*d*), (*e*), (*a*)

71. निम्नलिखित संस्कारों में से कौन-से संस्कार जन्म से पूर्व किए जाते थे?

(*a*) जातकर्म (*b*) सीमान्तोन्नयन
(*c*) चूड़ाकर्म (*d*) गर्भधारण
(*e*) पुंसवन

नीचे दिए गए विकल्पों में से **सही** उत्तर का चयन कीजिए।

A. केवल (*a*), (*b*) और (*d*)
B. केवल (*b*), (*d*) और (*e*)
C. केवल (*b*), (*c*) और (*e*)
D. केवल (*c*), (*d*) और (*e*)

72. निम्नलिखित में से कौन-से कथन प्राचीन भारत के 'गणों' या 'संघों' के बारे में सही हैं?

(*a*) उनका कोई वंशानुगत राजा नहीं था।
(*b*) वे तथ्यतः आधुनिक लोकतंत्रों के समान थे।
(*c*) एक स्थायी सेना उनकी सबसे बड़ी परिसम्पत्ति थी।

(*d*) बौद्ध मठ-विषयक संगठन की प्रक्रिया ने गणों की आत्मसात कर लिया था।

(*e*) लिच्छवी में 7,707 राजा थे।

नीचे दिए गए विकल्पों में से **सही** उत्तर का चयन कीजिए।

A. केवल (*a*), (*d*) और (*e*)
B. केवल (*a*), (*b*) और (*c*)
C. केवल (*b*), (*c*) और (*e*)
D. केवल (*c*) और (*e*)

73. कलिंग में चोल के आक्रमण का मुख्य कारण ——— था।

A. पश्चिमी चालुक्यों के साथ संघर्ष
B. मसूनी देश से चुनौती
C. तोंडाबूत्ती राजा से संघर्ष
D. मालदीव पर विजय प्राप्त करने की चोल की महत्वाकांक्षा

74. इंडियन ऑफीशियल सीक्रेट्स एक्ट कब पारित किया गया था जिसके द्वारा प्रेस की स्वतंत्रता को सीमित कर दिया गया था?

A. 1898 B. 1904
C. 1912 D. 1915

75. निम्नलिखित घटनाओं को कालानुक्रमिक रूप में व्यवस्थित कीजिए:

(*a*) प्रतिहार नागभट्ट II का शासन
(*b*) राष्ट्रकूट द्वारा बादामी चालुक्य की पराजय
(*c*) महिपाल I का शासन
(*d*) सुरपाल का शासन
(*e*) सेनों द्वारा पाल शासन का अंत

नीचे दिए गए विकल्पों में से **सही** उत्तर का चयन कीजिए।

A. (*a*), (*b*), (*c*), (*d*), (*e*)
B. (*a*), (*c*), (*b*), (*d*), (*e*)
C. (*b*), (*a*), (*c*), (*d*), (*e*)
D. (*b*), (*a*), (*d*), (*c*), (*e*)

76. पूरन चंद, एक हिंदू, निम्नलिखित में से किस शासक के अधीन दीवान था?

A. सादुतुल्लाह खान B. मुर्शिद कुली खान
C. निजाम-उल-मुल्क D. अलीवर्दी खान

77. निम्नलिखित में से कौन-सी इमारत/स्थान जहाँगीर से संबंधित नहीं है?

A. काला बुर्ज, लाहौर
B. एत्माउद्दौला का मकबरा
C. निशात बाग
D. हुमायूँ का मकबरा

78. निम्नलिखित में से कौन कलकत्ता विश्वविद्यालय के पहले दो स्नातकों में से एक थे?

A. बंकिम चन्द्र चटर्जी
B. देवेन्द्र नाथ टैगोर
C. सुरेन्द्र नाथ बनर्जी
D. कादम्बिनी गांगुली

79. सूची-I के साथ सूची-II का मिलान कीजिए।

सूची-I	**सूची-II**
(*a*) अरघटा	I. युद्धाभ्यास
(*b*) तमंचा	II. सिंचाई
(*c*) परगना	III. प्रशासन
(*d*) इक अस्पा दुह अस्पा	IV. मनसबदारी

नीचे दिए गए विकल्पों में से **सही** उत्तर का चयन कीजिए।

	(*a*)	(*b*)	(*c*)	(*d*)
A.	I	II	III	IV
B.	II	I	III	IV
C.	II	IV	III	I
D.	II	III	IV	I

80. भारत में अकाल के संबंध में निम्नलिखित कथनों पर विचार कीजिए और सही कथनों का चयन कीजिए:

(*a*) 1860-61 में उत्तर-पश्चिमी प्रांत में भयंकर अकाल पड़ा जिसमें दिल्ली और आगरा बुरी तरह प्रभावित हुए।

(*b*) 1866-67 में उड़ीसा में भयंकर अकाल पड़ा और मुख्य प्रभावित क्षेत्र को ''सी ऑफ कैलामिटी'' के रूप में वर्णित किया गया।

(*c*) 1868-69 में राजपूताना में भयंकर अकाल पड़ा जिससे मारवाड़, बीकानेर, अजमेर के क्षेत्र बुरी तरह से प्रभावित हुए।

(*d*) 1866-67 में मद्रास प्रेसीडेंसी में अकाल पड़ा जो बेलारी, सेलम, कोयम्बटूर और दक्षिण अर्कोट् तक फैला।

(*e*) 1868-69 में पंजाब, बम्बई और सेन्ट्रल प्रॉविन्स के क्षेत्रों में भी अकाल जैसी स्थिति उत्पन्न हुई।

नीचे दिए गए विकल्पों में से **सही** उत्तर का चयन कीजिए।

A. केवल (*a*), (*c*), (*d*), (*e*)
B. (*a*), (*b*), (*c*), (*d*), (*e*)
C. केवल (*b*), (*c*), (*e*)
D. केवल (*b*), (*c*), (*d*), (*e*)

81. निम्न विवरणों में से सही शासक-भवन युग्मों का चयन कीजिए:

(*a*) इल्तुतमिश – कुतुबमीनार
(*b*) अकबर – हुमायुँ का मकबरा
(*c*) अकबर – जामा मस्जिद, दिल्ली
(*d*) अलाउद्दीन खिलजी – अदीलाबाद का किला
(*e*) बलबन – दौलताबाद का किला

नीचे दिए गए विकल्पों में से **सही** उत्तर का चयन कीजिए।

A. (*c*), (*d*) B. (*e*), (*a*)
C. (*b*), (*d*) D. (*a*), (*b*)

82. अजंता कलाचित्र में बुद्ध की माता को किस रूप में चित्रित किया गया है:

A. एथेनियई मेट्रॉन B. अपोलो
C. यक्षी D. यमी

83. निम्नलिखित में से किस शासक ने दिल्ली सल्तनत में सन् 1296-1316 के बीच शासन किया था?

A. अलाउद्दीन खिलजी
B. बलबन
C. इल्तुतमिश
D. मुहम्मद बिन तुगलक

84. इतिहास तथा विज्ञान में मौलिक भेद को रेखांकित करने के लिए निम्नलिखित में से किन बिंदुओं को पारम्परिक रूप से प्रयोग किया गया?

(*a*) इतिहास अनन्य रूप से अनूठे, जबकि विज्ञान सामान्य परिघटनाओं का अध्ययन करता है।
(*b*) विज्ञान से इतर इतिहास में धर्म तथा नैतिकता शामिल होते हैं।
(*c*) इतिहास केवल दार्शनिक विषयों से संबंधित है।
(*d*) इतिहास भविष्यवाणी करने में अक्षम है।
(*e*) इतिहास सबकों की शृंखला है।

नीचे दिए गए विकल्पों में से **सही** उत्तर का चयन कीजिए।

A. केवल (*a*), (*c*), (*e*)
B. केवल (*b*), (*c*), (*e*)
C. केवल (*d*), (*c*), (*e*)
D. केवल (*a*), (*b*), (*d*)

85. निम्नलिखित में से किस पुराण में कुल 460 वर्षों के कालक्रमिक अवधि के साथ 30 सातवाहन शासकों की सूची दी गई है?

A. मत्स्य पुराण B. वायु पुराण
C. स्कंद पुराण D. विष्णु पुराण

86. कर्परुरमंजरी नामक ग्रंथ किसने लिखा था?

A. हेमचंद्र B. कृष्ण मिश्र
C. वाग्भट D. राजशेखर

87. निम्नलिखित में से कौन प्राचीन नवप्रस्तर स्थल है?

A. खोल्वी B. मसौलीपट्टनम
C. मेहरगढ़ D. कालिबंगा

88. भारतीय राष्ट्रीय कांग्रेस से संबंधित निम्नलिखित कथनों पर विचार कीजिए और सही उत्तर का चयन कीजिए:

(*a*) वर्ष 1884 में ए.ओ ह्यूम ने भारतीय राष्ट्रीय कांग्रेस की स्थापना की
(*b*) कांग्रेस के द्वितीय अधिवेशन में जनता में बढ़ती गरीबी की ओर ध्यानाकर्षण किया गया।
(*c*) कांग्रेस के तृतीय अधिवेशन में दृढ़ता से घोषित ध्येये था – सुधार, क्रांति नहीं।

(*d*) कांग्रेस ने 1888 में विलियम डिग्बी के अंतर्गत लंदन में एक भुगतान एजेंसी की स्थापना की।

(*e*) ह्यूम ने भारत में किसान क्रांति का पुर्वानुमान करते हुए कांग्रेस के नेताओं को एक गोपनीय परिपत्र जारी किया।

नीचे दिए गए विकल्पों में से **सही** उत्तर का चयन कीजिए।

A. केवल (*a*), (*b*), (*c*), (*d*)

B. केवल (*b*), (*c*), (*d*)

C. केवल (*c*), (*d*), (*e*)

D. केवल (*a*), (*b*), (*d*), (*e*)

89. चोल राजा राजेन्द्र-I ने निम्नलिखित में से किस क्षेत्र को जीता था?

(*a*) पन्नइ

(*b*) मलाइयुर

(*c*) गोपकापट्टनम

(*d*) वलाई पन्नडुरू

(*e*) मडामलिंगम

नीचे दिए गए विकल्पों में से **सही** उत्तर का चयन कीजिए।

A. केवल (*a*), (*b*), (*c*), (*d*)

B. केवल (*b*), (*c*), (*d*), (*e*)

C. केवल (*a*), (*b*), (*d*), (*e*)

D. केवल (*c*), (*d*), (*e*)

90. निम्नलिखित में से कौन दिल्ली सल्तनत के सुल्तान के विशेषाधिकार में सम्मलित नहीं था?

A. अपने नाम से सिक्कों का चलन

B. खुतबा पढ़ना

C. हाथी पर सवार होना

D. मस्जिद का निर्माण

निर्देशः (प्र. सं. 91 से 95 तक): निम्नलिखित अनुच्छेद को पढ़िए और प्रश्नों के उत्तर दीजिए:

हड़प्पा की संगठित छावनी सुमेर के पुरोहितों द्वारा नियंत्रित उद्योगों का संकेत देती है। यह मोहनजोदड़ों के लिए पुरोहित-राजा का प्रस्ताव करने के लिए भी उचित हो सकता है। लेकिन ये बिन्दु, वास्तविक या काल्पनिक, ज्यो की त्यों, स्थानीय अदला-बदली की अपेक्षा सामाजिक स्थिति के अन्तर्निहित संबंध के लिए अधिक उत्तरदायी हो सकते हैं। वे आम सामान्यीकरण हैं, जोकि समान ऐतिहासिक और भूगोलीय वातावरण में निषेचित आकस्मिक बीजों के उत्पाद हैं। दूसरी ओर ये विशेषताएं अत्यधिक प्रचुर और महत्वपूर्ण स्थानीय परिवर्तन को दर्शाती हैं। ऐसी मूर्तिकला, जैसी सिंधु सभ्यता ने प्रस्तुत की है, उसका सुमेर की मूर्तिकला के साथ वास्तव में घनिष्ठ संबंध नहीं है। कोई भी मोहनजोदड़ों की पत्थर की नक्काशी को टेल अस्मार या मारी की मूर्ति समझने की गलती नहीं करेगा। सिंधु सभ्यता के पक्की मिट्टी के बर्तन मेसोपोटेमिया के मिट्टी के बर्तनों से बिल्कुल अलग हैं। हड़प्पा की मोहरों की सम्पूर्ण उत्कीर्णन की कला का इतिहास में कोई प्रतिरूप नहीं है।

91. किस इतिहासकार ने तर्क दिया कि मेसोपोटेमिया के साथ लाजवर्द मणि के व्यापार में गिरावट हड़प्पा सभ्यता के पतन का एक कारण था?

A. एम.आर. साहनी

B. शीरीन रत्नागर

C. एच.टी. लैम्बरिक

D. एम.आर. मुगल

92. मोहनजोदड़ों की किस खोज की तुलना मेसोपोटेमिया के टेल अस्मार की खोजों से की जा सकती है?

A. खोखली चिड़िया के रूप में सीटियाँ

B. पर्णाकार छुरियाँ

C. बर्तनों की घुण्डियों के चारों तरफ अलंकरण वाले बर्तन

D. जैस्पर और गोमेद के अनगढ़ माइक्रोलिथ

93. निम्नलिखित हड़प्पा स्थलों में से किस स्थल में टेराकोटा मॉडल का हल मिला है?

A. सोरटुघई

B. कोट दिजी

C. बनावली

D. लोथल

94. किस विद्वान ने सबसे पहले यह सुझाव दिया कि हड़प्पा सभ्यता में निरंकुश पुरोहित राजा शासन करते थे?

A. स्टुअर्ट पिगट

B. एस.सी. मलिक

C. जिम शेफर

D. एल्मन आर सर्विस

95. हाल में की गई खोजों के आलोक में हड़प्पा सभ्यता से मेसोपोटेमिया के संबंधों के संदर्भ में क्या अनुमान लगाया जा सकता है?

A. लिपि कीलाकार लिपि के समान है।

B. मोहरें और उनके प्रतीक चिह्न सुमेरियाई हैं।

C. गुजरात और राजस्थान के छोटे स्थल मेसोपोटामियाई विशेषताएं दर्शाते हैं।

D. हड़प्पा सभ्यता को पूर्णतया मेसोपोटेमियाई दृष्टिकोण से नहीं देखा जा सकता है।

निर्देशः (प्र. सं. 96 से 100 तक): निम्नलिखित अनुच्छेद को पढ़िए और प्रश्नों के उत्तर दीजिए:

फाह्यान के विवरण/वृतांत में वैश्य परिवार के मुखियाओं/प्रमुखों द्वारा स्थापित दातव्य (चैरिटी) अस्पतालों में विभिन्न वर्ग के उन गरीब और अशक्त व्यक्ति-स्मूहों की सूची मिलती है जिनका इन अस्पतालों में इलाज के लिए परीक्षण किया गया और औषधियां प्रदान की गई थीं। अस्पताल में ही रोगियों के लिए निवास और औषधियां उपलब्ध थे। इस विवरण से आयुर्वेदिक अस्पतालों के भौतिक अस्तित्व की पुष्टि हो जाती है जिसके आदर्श स्वरूप का विवरण चरक ने अपने ग्रंथ में किया था। सम्राट अशोक के राजादेश में उन औषधीय जड़ी-बुटियों के रोपण के बारे में सूचनाएं मिलती हैं जो मानव और पशुओं के लिए उपयुक्त हैं और संस्कृत तथा पाली साहित्य में अनेक अनुच्छेद/गद्यांश मिलते हैं जो 'अरोग्यशाला' (स्वास्थ्यशाला/आयुर्विज्ञान संस्थानों) की स्थापना की विशेषताओं के बारे में चर्चा करते हैं।

अतः इस संदर्भ में अस्पताल के बारे में चरक का विवरण ऐतिहासिक रूप से अतर्कसंगत नहीं जान पड़ता है। वास्तव में, वे इस भारतीय दावे के प्रति दृढ़ विश्वसनीयता पैदा करते हैं। कि सर्वप्रथम दक्षिण एशिया में सांस्थानिक स्वास्थ्य देखभाल भारत में ही विकसित हुयी।

96. दिए गए गद्यांश में, फाह्यान ने जिस नगर के बारे में बताया है, उसकी पहचान कीजिए।

A. पैठन
B. पाटलिपुत्र
C. वैशाली
D. काशी

97. चरक और सुश्रुत के साथ आयुर्वेद के 'वृहतत्रयी' (बड़े तीन) में किसको माना जाता है?

A. ब्रह्मगुप्त
B. धनवंतरी
C. वाग्भट्
D. भाष्कर

98. निम्नलिखित में कौन-सा आयुष मंत्रालय में समाहित नहीं है?

A. आयुर्वेद
B. एलोपैथी
C. सिद्ध
D. होम्योपैथी

99. सम्राट अशोक के किस शिलालेख में चिकित्सीय उपचार, लाभकारी औषधीय जड़ी बूटियों और फलों के रोपण का राजा द्वारा प्रदत्त कराने के संदर्भ मिलता है?

A. प्रमुख शिलालेख-2
B. शिलालेख-3
C. शिलालेख-6
D. उपर्युक्त में कोई नहीं

100. भारतीय इतिहास में सिविल अस्पताल के आदर्श स्वरूप का प्राचीनतम संदर्भ किसमें मिलता है?

A. अष्टांगहृदयसंहिता
B. फाह्यान का वृतांत
C. सुश्रुत संहिता
D. चरक संहिता

व्याख्यात्मक उत्तर

1. (D):

(*a*) अशोक के अभिलेखों में 'धम्म' का उल्लेख है : अशोक के शिलालेखों और स्तंभ लेखों में 'धम्म' नीति का विस्तार से उल्लेख मिलता है। इनमें लोक कल्याणकारी नीतियों, धार्मिक सहिष्णुता, अहिंसा, जीवों के प्रति करुणा, प्रजा के कल्याण और नैतिक मूल्यों की बात कही गई है।

(*c*) सदाचरण और सामाजिक उत्तरदायित्व 'धम्म' के भाग थे : अशोक के धम्म में नैतिक आचरण और सामाजिक जिम्मेदारी पर जोर दिया गया। इसमें माता-पिता की सेवा, गुरुजनों का सम्मान, अधीनस्थों के प्रति दयालुता, गरीबों और निर्बलों की सहायता, तथा सभी के प्रति समान व्यवहार की बात की गई थी।

(*d*) अशोक के 'धम्म' का एक महत्वपूर्ण पहलू आपस में सम्मान और सौहार्द था : अशोक ने विभिन्न धार्मिक समुदायों के प्रति सहिष्णुता और आपसी सौहार्द को बढ़ावा देने की नीति अपनाई। उन्होंने यह सुनिश्चित करने के लिए धम्म महामात्रों की नियुक्ति की कि सभी धर्मो के लोग एक-दूसरे के प्रति सम्मानपूर्वक व्यवहार करें।

(*e*) अशोक ने स्वयं को 'धम्म' के शिक्षक के रूप में घोषित किया : अशोक ने अपने अभिलेखों में स्वयं को 'धम्म का प्रचारक' बताया और कहा कि वह केवल अपने परिवार और साम्राज्य तक सीमित नहीं हैं, बल्कि पूरे विश्व में धम्म के संदेश को फैलाना चाहते हैं।

2. (D): चांद बीबी (गलत) : चांद बीबी अहमदनगर और बीजापुर की संरक्षिका थीं, लेकिन वे मुगल शाही परिवार की सदस्य नहीं थीं।

लल्ला और अंदाल (गलत) : ये नाम किसी प्रसिद्ध मुगल शाही परिवार के सदस्यों से संबंधित नहीं हैं।

सही शाही परिवार के सदस्य :

(*a*) **अलनका और जेबुन्निसा** : जेबुन्निसा औरंगजेब की बेटी थीं। अलनका एक प्रसिद्ध मुगल कुलीन महिला थीं।

(*b*) **गुलबदन बेगम और माहम अनगा** : गुलबदन बेगम बाबर की बेटी और अकबर की बुआ थीं। माहम अनगा अकबर की पालक माता थीं।

(*e*) **जहांआरा और रोशनआरा** : जहांआरा बेगम और रोशनआरा बेगम शाहजहाँ की पुत्रियाँ थीं।

3. (C): कांची एक प्रमुख शहर था, जिसका अपना अंतर्देशीय पत्तन 'नृपेयुरु' था।

- कांची दक्षिण भारत का एक महत्वपूर्ण व्यापारिक और सांस्कृतिक केंद्र था, जो विशेष रूप से पल्लव, चोल और विजयनगर शासनों के दौरान प्रसिद्ध रहा।
- यह नगर व्यापार मार्गों से जुड़ा था और अंतर्देशीय जलमार्गों के माध्यम से विभिन्न व्यापारिक गतिविधियाँ यहाँ संचालित होती थीं।
- नृपेयुरु एक प्रमुख पत्तन था, जो व्यापारिक गतिविधियों के लिए जाना जाता था और जहाँ से समुद्री और नदी व्यापार संचालित होता था।

4. (D): खुदकाश्त मुगलों की मनसबदारी प्रथा से संबंधित नहीं था। मुगलों की मनसबदारी प्रथा में 'जब्त', 'एक अस्पाह दुह अस्पाह', और 'संख्यात्म पदवी' शामिल थे, लेकिन 'खुदकाश्त' नहीं था। खुदकाश्त एक कृषि व्यवस्था से संबंधित शब्द था, जिसका अर्थ था वह किसान जो अपनी भूमि पर स्वयं खेती करता था। मुगल प्रशासन में किसानों को मुख्य रूप से तीन श्रेणियों में बांटा गया था–खुदकाश्त (जो अपनी भूमि पर खेती करते थे), पाही (जो दूसरे गाँव से आकर खेती करते थे), और मोकासा (जो कर-मुक्त भूमि पर खेती करते थे)।

5. (A):

(*a*) एच.एच. डाडवेल - दि कैम्ब्रिज हिस्ट्री ऑफ इंडिया (IV) : एच.एच. डाडवेल एक प्रसिद्ध इतिहासकार थे जिन्होंने भारतीय इतिहास पर कार्य किया। उनकी पुस्तक 'The Cambridge History of India' ब्रिटिश शासनकाल में भारतीय इतिहास के विभिन्न पहलुओं को प्रस्तुत करती है। इसमें प्रशासन, सामाजिक-आर्थिक पहलू और ब्रिटिश भारत के विस्तार की विवेचना की गई है।

(*b*) बी.बी. मिश्र - दि एडमिनिस्ट्रेटिव हिस्ट्री ऑफ इंडिया (II) : बी.बी. मिश्र की पुस्तक 'The Administrative History of India' प्रशासनिक संरचना और शासन व्यवस्था का ऐतिहासिक अध्ययन प्रस्तुत करती है। इसमें भारत में विभिन्न शासनों द्वारा अपनाई गई प्रशासनिक नीतियों का विश्लेषण किया गया है।

(*c*) बी.सी. जोशी - रेबेलियन 1857 : ए सिम्पोजियम (I) : बी.सी. जोशी द्वारा लिखित 'Rebellion 1857: A Symposium' 1857 के विद्रोह पर केंद्रित पुस्तक है। इसमें विद्रोह के कारणों, इसके प्रभाव और इसमें भाग लेने वाले लोगों के योगदान पर चर्चा की गई है।

(*d*) बिपिन चंद्र - दि एपिक स्ट्रगल (III) : बिपिन चंद्र की पुस्तक 'The Epic Struggle' भारतीय स्वतंत्रता संग्राम के संघर्षों पर आधारित है। इसमें स्वतंत्रता संग्राम के महत्वपूर्ण घटनाक्रमों, नेताओं, विचारधाराओं और संघर्षों का ऐतिहासिक विश्लेषण किया गया है।

6. (*):

(*a*) मेरठ से सिपाहियों ने दिल्ली शहर में प्रवेश कर राजनीतिक एजेंट साइमन फ्रेजर को मार डाला। यह कथन गलत है। साइमन फ्रेजर नहीं, बल्कि ब्रिटिश रेजिडेंट साइमन मेटकाफ को मारने की घटनाएँ अन्य संदर्भों में मिलती हैं। मेरठ में 10 मई 1857 को विद्रोह शुरू हुआ, लेकिन दिल्ली में राजनीतिक एजेंट को मारने वाली घटना इस कथन में संदर्भित नाम के अनुसार नहीं मिलती।

(*b*) 19वीं नेटिव इन्फैंट्री, जिसने एनफील्ड राइफल का उपयोग करने से मना कर दिया था, वह बहरामपुर में स्थित थी। यह कथन सही है। 19वीं नेटिव इन्फैंट्री ने मार्च 1857 में बहरामपुर (बंगाल) में नए एनफील्ड राइफल कारतूसों के प्रयोग से इनकार कर दिया था। यह 1857 के विद्रोह की शुरुआती घटनाओं में से एक थी।

(*c*) खान बहादुर, जिसने बरेली में कमान संभाली, वह रोहिलखंड के पूर्व शासक का वंशज था। यह कथन सही है। खान बहादुर खान रोहिला, जो 1857 के विद्रोह के दौरान बरेली में नेतृत्व कर रहे थे, रोहिलखंड के शासक हाफिज रहमत खान के वंशज थे। उन्होंने विद्रोहियों का नेतृत्व किया और बाद में अंग्रेजों द्वारा पकड़कर फाँसी दे दी गई।

(*d*) बिरजिस कादिर को लखनऊ का नवाब घोषित किया गया था। यह कथन सही है। बिरजिस कादिर वाजिद अली शाह का पुत्र था और 1857 के विद्रोह के दौरान लखनऊ में विद्रोहियों ने उसे नवाब घोषित कर दिया था। लखनऊ के प्रमुख नेता बेगम हजरत महल ने बिरजिस कादिर की ओर से विद्रोह का नेतृत्व किया।

सही उत्तर (*b*), (*c*), (*d*) होना चाहिए, लेकिन यह किसी भी विकल्प में नहीं दिया गया है, इसलिए सही उत्तर 'NONE' होगा।

7. (B):

(*b*) उसने भारत में युद्ध के दौरान प्रथम बार बारूद का प्रयोग किया था। बाबर ने 1526 के पानीपत के प्रथम युद्ध में तोपखाने और बारूद का उपयोग किया था। यह भारत में पहली बार था जब युद्ध में तोपों और बंदूकों का संगठित रूप से इस्तेमाल हुआ, जिससे बाबर को निर्णायक जीत मिली।

(*d*) लोदी की सेना बड़ी किंतु युद्ध में प्रवीण नहीं थी। इब्राहिम लोदी की सेना संख्यात्मक रूप से बड़ी थी, लेकिन उसमें अनुशासन और सैन्य रणनीति की कमी थी। लोदी की सेना मुख्य रूप से पारंपरिक भारतीय युद्ध पद्धति का पालन कर रही थी, जबकि बाबर की सेना में घुड़सवार सेना, तोपखाने और तेजी से युद्ध करने की रणनीति थी।

(*e*) बाबर को दौलत खान लोदी का समर्थन प्राप्त था। दौलत खान लोदी, जो पंजाब के लोदी गवर्नर थे, बाबर को भारत बुलाने वालों में से एक थे। उन्होंने बाबर को लोदी साम्राज्य के विरुद्ध सहायता दी और इस समर्थन ने बाबर के अभियान को सफल बनाने में मदद की।

8. (C): बर्लिन क्रांति के माध्यम से इतिहास लेखन में मूल स्रोतों के आलोचनात्मक परीक्षण की विधि को बढ़ावा मिला। 19वीं सदी में जर्मन इतिहासकारों ने स्रोत-आधारित विश्लेषण (Source Criticism) की पद्धति विकसित की, जिससे इतिहास लेखन को वैज्ञानिक दृष्टिकोण मिला। इस पद्धति ने प्राथमिक स्रोतों (दस्तावेज, अभिलेख, प्रत्यक्ष प्रमाण) की ज़ाँच और उनकी विश्वसनीयता को परखने की प्रक्रिया को जन्म दिया। इसने इतिहास लेखन को साहित्यिक कल्पनाओं से अलग कर वास्तविक तथ्यों पर आधारित बनाया।

9. (A):

(*e*) पेशवा बालाजी बाजी राव (नाना साहब) की मृत्यु - 1761 : बालाजी बाजी राव, जिन्हें नाना साहब भी कहा जाता है, पानीपत की तीसरी लड़ाई (1761) के बाद मानसिक रूप से टूट गए और उसी वर्ष उनकी मृत्यु हो गई।

(*b*) पेशवा माधव राव की मृत्यु - 1772 : माधव राव प्रथम ने मराठा साम्राज्य को पुनः संगठित किया, लेकिन 1772 में उनकी मृत्यु हो गई।

(*a*) महादजी सिंधिया की मृत्यु - 1794 : महादजी सिंधिया, जो एक प्रभावशाली मराठा सेनापति थे, 1794 में निधन हो गया।

(*d*) सवाई माधव राव की मृत्यु - 1796 : माधव राव द्वितीय (सवाई माधव राव) को 1796 में आत्महत्या के लिए मजबूर किया गया था।

(*c*) नाना फड़नवीस की मृत्यु - 1800 : नाना फड़नवीस, मराठा प्रशासन के प्रमुख राजनीतिज्ञ थे, जिनकी मृत्यु 1800 में हुई।

10. (B):

(*a*) पर्सी ब्राउन - इण्डियन आर्किटेक्चर इस्लामिक पीरियड (III) पर्सी ब्राउन ने भारतीय इस्लामी वास्तुकला के विकास पर विस्तृत अध्ययन किया था। उनकी पुस्तक 'Indian Architecture: Islamic Period' इस्लामी वास्तुकला की उत्पत्ति और उसके विकास को दर्शाती है।

(*b*) इरफान हबीब - एग्रेरियन सिस्टम ऑफ मुगल इंडिया (I) इरफान हबीब एक प्रसिद्ध इतिहासकार हैं, जिन्होंने मुगलकालीन कृषि व्यवस्था पर व्यापक अध्ययन किया है। उनकी पुस्तक 'Agrarian System of Mughal India' 16वीं-17वीं सदी की कृषि अर्थव्यवस्था का विश्लेषण करती है।

(*c*) के.आई. लियोनार्ड - द ग्रेट फर्म थियोरी ऑफ मुगल इम्पायर (II)

के.आई. लियोनार्ड ने मुगल साम्राज्य की व्यावसायिक और प्रशासनिक व्यवस्था का अध्ययन किया। उनकी पुस्तक 'The Great Firm Theory of Mughal Empire' व्यापारिक कंपनियों और आर्थिक प्रशासन पर केंद्रित है।

(*d*) के.आर. कानूनगो - हिस्ट्री ऑफ द जाट्स (IV)

के.आर. कानूनगो की पुस्तक 'History of the Jats' जाट समुदाय के इतिहास, उनकी उत्पत्ति और उनके सामाजिक-राजनीतिक विकास को दर्शाती है।

11. (A):

(*a*) चोल सम्राट राजराज-I का पूर्ववर्ती नाम - अरुमोली (II)

चोल सम्राट राजराज-I को उनके शुरुआती जीवन में अरुमोली वर्मन के नाम से जाना जाता था। उन्होंने चोल साम्राज्य के विस्तार और प्रशासनिक सुधारों में महत्वपूर्ण भूमिका निभाई।

(*b*) वेंगी का राजा जो राष्ट्रकूट सम्राट कृष्णा के अधीन था - दानारनवा (I)

वेंगी का राजा दानारनवा राष्ट्रकूट सम्राट कृष्णा द्वितीय के अधीन था। वेंगी चालुक्य वंश के शासकों और राष्ट्रकूटों के बीच संघर्ष का क्षेत्र बना रहा।

(*c*) पश्चिमी चालुक्य जनरल जिसने ईस्वी 1006 में वेंगी पर आक्रमण किया - बायलनंबी (IV)

पश्चिमी चालुक्य सेनापति बायलनंबी ने 1006 ईस्वी में वेंगी पर आक्रमण किया था। यह पश्चिमी चालुक्यों और चोलों के बीच संघर्ष के समय हुआ था।

(*d*) सिंहली राजकुमार जिन्होंने चोल सम्राट राजेन्द्र का विरोध किया - कस्सपा (III)

सिंहली राजकुमार कस्सपा ने चोल सम्राट राजेन्द्र चोल-I के विरुद्ध विद्रोह किया। चोलों ने लंका पर कई हमले किए और सिंहली राजाओं को पराजित किया।

12. (D):

(*a*) अलाउद्दीन खिलजी - बाजार सुधार (I)

अलाउद्दीन खिलजी ने बाजार नियंत्रण नीति लागू की थी, जिसके तहत खाद्य पदार्थों और अन्य आवश्यक वस्तुओं की कीमतें नियंत्रित की गईं। उन्होंने निरीक्षण अधिकारी (मुहतसिब) नियुक्त किए ताकि व्यापारी अधिक कीमत न वसूल सकें।

(*b*) मुहम्मद बिन तुगलक - राजधानी को दौलताबाद ले जाना (III)

मुहम्मद बिन तुगलक ने 1327 में दिल्ली से दौलताबाद (देवगिरि) राजधानी स्थानांतरित करने का निर्णय लिया। यह निर्णय प्रशासनिक और रणनीतिक कारणों से लिया गया था, लेकिन इसकी योजना और क्रियान्वयन में त्रुटियाँ थीं।

(*c*) इल्तुतमिश - बंदगानी-ए-चहलगनी (II)

इल्तुतमिश ने तुर्की कुलीनों (बंदगानों) का एक समूह 'चहलगनी' (चालीस अमीरों की परिषद) स्थापित किया। इसने दिल्ली सल्तनत की प्रशासनिक संरचना को संगठित किया।

(*d*) इब्राहीम लोदी - पानीपत का युद्ध (IV)

इब्राहीम लोदी 1526 के पानीपत के पहले युद्ध में बाबर से पराजित हुआ था। इस युद्ध में बाबर की तोपखाने और सैन्य रणनीति ने लोदी साम्राज्य को समाप्त कर दिया।

13. (B): महापाषाण भूनिवेशन (Megalithic Burials) मुख्य रूप से दफन स्थलों के रूप में जाने जाते हैं। इनका उपयोग मृतकों को दफनाने और उनकी याद में संरचनाएँ बनाने के लिए किया जाता था। यज्ञ की वेदी (Sacrificial Altar) धार्मिक अनुष्ठानों के लिए होती थी और इसका महापाषाण दफन संरचनाओं से संबंध नहीं था। महापाषाण संस्कृति दक्षिण भारत में व्यापक रूप से देखी जाती है, जहाँ पत्थरों के बड़े कक्ष बनाए जाते थे।

14. (*): नायक प्रणाली विजयनगर साम्राज्य की एक सैन्य और प्रशासनिक व्यवस्था थी। नायक विजयनगर सम्राटों द्वारा नियुक्त किए जाते थे और उन्हें विभिन्न क्षेत्रों का प्रशासन सौंपा जाता था।

- (A) गलत है क्योंकि नायकों की नियुक्ति राज्य द्वारा ही की जाती थी।
- (B) गलत है क्योंकि विजयनगर के सम्राट के पास नायकों को हटाने और बदलने की शक्ति थी।
- (C) गलत है क्योंकि नायक विजयनगर साम्राज्य से पहले एक प्रमुख शक्ति नहीं थे, बल्कि इस साम्राज्य की स्थापना के बाद प्रभावी हुए।
- (D) गलत है क्योंकि सभी नायक कला और मंदिरों के संरक्षक नहीं थे, यह कुछ ही नायकों पर लागू होता था।

कोई भी विकल्प पूरी तरह सही नहीं है, इसलिए सही उत्तर 'NONE' होगा।

15. (C):

(*a*) आत्मीय सभा - 1815: आत्मीय सभा की स्थापना राजा राममोहन राय ने 1815 में सामाजिक और धार्मिक सुधारों को बढ़ावा देने के लिए की थी।

(*b*) हिन्दू कॉलेज, कलकत्ता - 1817: हिन्दू कॉलेज (1817) की स्थापना बंगाल पुनर्जागरण के दौरान हुई थी। यह आधुनिक शिक्षा के प्रसार का एक महत्वपूर्ण केंद्र बना।

(*c*) सेरमपुर कॉलेज - 1818: सेरमपुर कॉलेज की स्थापना 1818 में बैपटिस्ट मिशनरियों द्वारा की गई थी। इसका उद्देश्य उच्च शिक्षा का प्रसार करना था।

(*d*) पूना संस्कृत कॉलेज (डेक्कन कॉलेज) - 1821: यह 1821 में पुणे में स्थापित हुआ था और बाद में इसे डेक्कन कॉलेज के रूप में पुनर्गठित किया गया। इस कॉलेज ने भारतीय भाषाओं और संस्कृत अध्ययन को बढ़ावा दिया।

(*e*) कलकत्ता मेडिकल कॉलेज - 1835: यह 1835 में लॉर्ड विलियम बेंटिक के शासनकाल में स्थापित हुआ और यह भारत का पहला आधुनिक मेडिकल कॉलेज था।

इसलिए सही क्रम (*a*), (*b*), (*c*), (*d*), (*e*) होगा।

16. (C): धर आयोग (Dhar Commission) 1948 में गठित किया गया था। इस आयोग ने भाषायी आधार पर राज्यों के पुनर्गठन का विरोध किया था क्योंकि इसे राष्ट्रीय एकता के लिए खतरा और प्रशासनिक दृष्टि से असुविधाजनक माना गया था। आयोग की सिफारिश थी कि राज्यों का निर्माण प्रशासनिक, आर्थिक और सामाजिक कारकों के आधार पर किया जाए, न कि केवल भाषा के आधार पर। हालांकि, बाद में फजल अली आयोग (1953) की सिफारिशों के आधार पर 1956 में राज्यों का भाषायी आधार पर पुनर्गठन किया गया।

17. (D): सर सत्येंद्र प्रसन्न सिन्हा (S.P. Sinha) वायसराय की कार्यकारी परिषद में विधि सदस्य के रूप में स्थान पाने वाले प्रथम भारतीय थे। 1909 में लॉर्ड मिंटो के कार्यकाल में उन्हें कार्यकारी परिषद में विधि सदस्य के रूप में नियुक्त किया गया था। यह भारतीयों को प्रशासन में उच्च पद देने की दिशा में पहला महत्वपूर्ण कदम था। बाद में, 1915 में, वे हाउस ऑफ लॉर्ड्स में प्रवेश पाने वाले पहले भारतीय बने।

18. (B):

(*b*) **गौड़ :** चंदेल और कालचुरी शासकों ने गौड़ क्षेत्र (बंगाल का उत्तरी भाग) पर विजय प्राप्त की थी।

(*c*) **राधा :** राधा (बंगाल का पश्चिमी भाग) भी चंदेलों और कालचुरियों के विजय अभियान में शामिल था।

(*d*) **अंग :** अंग (बिहार का पूर्वी भाग) पर भी इन शासकों ने नियंत्रण स्थापित किया था।

(*e*) **वंग :** वंग (दक्षिणी बंगाल) पर भी कालचुरी और चंदेल शासकों नें अपनी विजय प्राप्त की थी।

(*a*) **कर्नाटा** का उल्लेख नहीं मिलता, इसलिए यह सही उत्तर में शामिल नहीं है।

19. (D):

(*a*) बागोर - मध्य पाषाण कालीन (IV): राजस्थान में स्थित बागोर पुरास्थल मध्य पाषाणकाल (Mesolithic) से संबंधित है। यहाँ शिकार और पशुपालन के प्रमाण मिले हैं।

(*b*) बैराट - बौद्ध अवशेष (I): बैराट (राजस्थान) में बौद्ध अवशेष, स्तूप और अशोक के शिलालेख मिले हैं।

(*c*) अहार - ताम्र पाषाणीय (III): अहार (राजस्थान) ताम्रपाषाण काल (Chalcolithic) से संबंधित है। यहाँ ताम्र उपकरण और मिट्टी के बर्तन पाए गए हैं।

(*d*) कालिबंगा - परिपक्व हड़प्पा संबंधी (II): कालिबंगा (राजस्थान) सिंधु घाटी सभ्यता से संबंधित एक प्रमुख पुरास्थल है। यहाँ सिंचित कृषि, हड़प्पाई नगर योजना और अग्निकुंड के प्रमाण मिले हैं।

20. (B): गैर-राजतंत्रीय से नव-राजतंत्रीय समूह में सनकानीका के संक्रमण/परिवर्तन की प्रक्रिया चंद्रगुप्त-II (गुप्त वंश) के दौरान शुरू हुई। चंद्रगुप्त-II (विक्रमादित्य) ने शासन प्रणाली में परिवर्तन कर सामंतवादी व्यवस्था को संगठित किया। गुप्त प्रशासन में स्थानीय अधिकारी और सामंत महत्वपूर्ण भूमिका निभाने लगे, जिससे नव-राजतंत्रीय (Neo-Monarchical) शासन प्रणाली का उदय हुआ। गुप्त युग में सामंतवादी व्यवस्था को औपचारिक रूप दिया गया और भूमि अनुदान की परंपरा शुरू हुई। यह परिवर्तन स्थानीय स्वायत्तता को कम करने और केंद्रीकृत शासन को मजबूत करने की दिशा में महत्वपूर्ण था।

21. (C):

(*a*) पुलिस में निचले दर्जे के कर्मचारी - गेवाया (III): प्राचीन भारतीय प्रशासनिक व्यवस्था में 'गेवाया' पुलिस में निचले स्तर के कर्मचारियों को संदर्भित करता था।

(*b*) आपातकाल के दौरान कोषागार को भरने के लिए कठोर उपाय - प्राणक्रिया (IV): 'प्राणक्रिया' वह प्रक्रिया थी, जिसके तहत राज्य आर्थिक संकट के समय नागरिकों पर भारी कर लगाकर राजकोष भरने का कार्य करता था।

(*c*) मौर्य के अंतर्गत अधिकारियों को दौरे पर भेजने की प्रथा - अनुसमयान (II): 'अनुसमयान' मौर्यकालीन व्यवस्था थी, जिसमें प्रशासनिक अधिकारी निरीक्षण के लिए क्षेत्रों का दौरा करते थे।

(*d*) मनेमेदिश से संबंधित कुमार - साम्बा (I): 'साम्बा' कुमारों से संबंधित था, जो प्रशासन में उच्च पदों पर कार्यरत होते थे।

22. (B): भारतीय उच्च न्यायालय अधिनियम, 1861 (Indian High Courts Act, 1861) ब्रिटिश संसद द्वारा पारित किया गया था। इस अधिनियम के तहत 1862 में कलकत्ता, मद्रास और बंबई में उच्च न्यायालयों की स्थापना की गई। यह अधिनियम ब्रिटिश भारत में न्यायपालिका के आधुनिकीकरण की दिशा में एक महत्वपूर्ण कदम था।

23. (D): पाद टिप्पणियाँ (Footnotes) का उद्देश्य स्रोतों की वैधता सुनिश्चित करना और संदर्भ प्रदान करना होता है। यह लेखक के दृष्टिकोण या इतिहास लेखन की परंपरा (स्कूल) को स्पष्ट करने के लिए नहीं होती।

पाद टिप्पणियों का मुख्य कार्य :

(A) पाठ में दिए गए वाक्य के लिए सटीक संदर्भ देना।

(B) पाठ में न उल्लिखित या संक्षिप्त रूप में प्रस्तुत विषयों की व्याख्या करना।

(C) पाठक को स्रोतों के माध्यम से कथन की वैधता पर प्रश्न करने की शक्ति देना।

परंतु, यह लेखक के इतिहास लेखन के दृष्टिकोण या ऐतिहासिक परंपरा (स्कूल) की जानकारी देने के लिए प्रयुक्त नहीं होती।

24. (A):

(*a*) गुरु नानक - 1539 में मृत्यु (IV): गुरु नानक देव (1469-1539) सिख धर्म के संस्थापक थे और उनकी मृत्यु 1539 में हुई।

(*b*) गुरु हरगोविंद - 1644 में मृत्यु (I): गुरु हरगोविंद (1595-1644) सिखों के छठे गुरु थे और उन्होंने सिख समुदाय को सैन्य रूप से संगठित किया।

(*c*) बंदा बहादुर - 1716 में मृत्यु (III): बंदा बहादुर (1670-1716) एक सिख योद्धा थे, जिन्हें मुगलों ने पकड़कर 1716 में फाँसी दे दी।

(*d*) गुरु अमरदास - 1574 में मृत्यु (II): गुरु अमरदास (1479-1574) सिख धर्म के तीसरे गुरु थे और उन्होंने सिख धर्म की संस्थागत संरचना को मजबूत किया।

25. (D): अब्दुस्समद अकबर के शासनकाल के प्रमुख चित्रकारों में से एक थे, न कि जहाँगीर के।

जहाँगीर के प्रमुख चित्रकार : • मनोहर • विशनदास • दौलत।

अब्दुस्समद ने अकबर के काल में चित्रकला में महत्वपूर्ण योगदान दिया और वे मुगल लघुचित्र शैली के विकास में सहायक रहे।

26. (A): अलाउद्दीन खिलजी (1296-1316) ने दिल्ली में 'सीरी' नगर की स्थापना की थी। यह दिल्ली सल्तनत के दौरान निर्मित एक नया नगर था और इसका निर्माण मंगोल आक्रमणों से बचाव और सैन्य रणनीतिक उद्देश्य से किया गया था। सीरी का निर्माण अलाउद्दीन खिलजी की सैन्य राजधानी के रूप में हुआ और यह खिलजी वंश के दौरान एक महत्वपूर्ण प्रशासनिक केंद्र बना।

27. (B):

(*a*) भारत में दासता उन्मूलन - 1843 (III): ब्रिटिश शासन के अंतर्गत 1843 में भारत में दासता (Slavery) को समाप्त करने के लिए अधिनियम पारित किया गया।

(*b*) महिला भ्रूण हत्या अधिनियम - 1870 (IV): 1870 का महिला भ्रूण हत्या अधिनियम ब्रिटिश सरकार द्वारा कन्या भ्रूण हत्या को रोकने के लिए लागू किया गया था।

(*c*) ठगी अधिनियम (XXX) - 1836 (II): 1836 में ठगी (Thuggee) उन्मूलन अधिनियम पारित किया गया, जिसका उद्देश्य ठगों के अपराध पर नियंत्रण करना था।

(*d*) ब्रिटेन में दासता उन्मूलन - 1820 (I): 1820 में ब्रिटेन में दासता के उन्मूलन की दिशा में महत्वपूर्ण कानून बनाए गए।

28. (C):

(*a*) राम वर्मा - मलयालम (III): राम वर्मा एक प्रमुख मलयालम साहित्यकार थे।

(*b*) वारिस शाह - पंजाबी (IV): वारिस शाह (1722-1798) पंजाबी साहित्य के प्रसिद्ध कवि थे। उनकी रचना 'हीर-रांझा' प्रसिद्ध है।

(*c*) शाह अब्दुल लतीफ - सिंधी (I): शाह अब्दुल लतीफ (1689-1752) सिंधी भाषा के महान कवि थे। उन्होंने 'शाह जो रिसालो' नामक ग्रंथ लिखा।

(*d*) दयाराम - गुजराती (II): दयाराम गुजराती भाषा के प्रसिद्ध साहित्यकार थे।

29. (A):

(*a*) हुंडी - विनिमय पत्र (सही मेल): हुंडी एक प्रकार का विनिमय पत्र था, जिसका उपयोग व्यापार में भुगतान के लिए किया जाता था।

(*b*) जजिया - गैर-मुस्लिमों पर कर (सही मेल): जजिया कर इस्लामी शासनों में गैर-मुस्लिमों से लिया जाने वाला कर था।

(*c*) तकावी - मुगलों का एक शक्तिदायक पेय (गलत मेल): तकावी एक आर्थिक सहायता या ऋण था, जिसे किसानों को कठिन समय में दिया जाता था, यह कोई पेय नहीं था।

(*d*) तहसील - एक छावनी-पोस्ट (गलत मेल): तहसील प्रशासनिक इकाई थी, न कि छावनी-पोस्ट। यह भूमि राजस्व संग्रहण से संबंधित थी।

(*e*) ख्यात - राजस्थान में हस्तलिपि के रूप में इतिवृत्त (सही मेल): 'ख्यात' राजस्थान के इतिहास का वर्णन करने वाली ऐतिहासिक हस्तलिपि होती थी।

30. (A):

(A) मिर्जा गालिब ने 'मिर्जानामा' नहीं लिखा था, यह गलत मेल है।

(B) केशवदास ने 'रसिकप्रिया' नामक ग्रंथ लिखा था, यह सही है।

(C) 'पादशाहनामा' शाहजहाँ के शासनकाल का वर्णन करता है, यह सही है।

(D) गुलबदन बेगम ने 'हुमायूंनामा' लिखा था, यह सही है।

31. (A): लॉर्ड एल्फिस्टन ने 1859 में एक कार्यवाही सारांश में लिखा था कि 'साम्राज्य को विभाजित करना प्राचीन रोमन ध्येय था और हमारा यही ध्येय होना चाहिए।' यह कथन ब्रिटिश 'Divide and Rule' नीति को दर्शाता है, जिसका उद्देश्य भारत में आपसी विभाजन को बढ़ावा देकर ब्रिटिश शासन को मजबूत करना था। ब्रिटिश सरकार ने इसी नीति का पालन कर विभिन्न समुदायों, जातियों और धर्मों के बीच फूट डालने का कार्य किया।

32. (C):

(*a*) अबुल फजल - अकबरनामा (सही मेल) : अबुल फजल अकबर के दरबारी इतिहासकार थे, जिन्होंने 'अकबरनामा' और 'आइन-ए-अकबरी' की रचना की।

(*b*) जियाउद्दीन बरनी - फतवा-ए-जहांदारी (सही मेल) : जियाउद्दीन बरनी दिल्ली सल्तनत के एक प्रमुख इतिहासकार थे और उन्होंने 'फतवा-ए-जहांदारी' लिखा, जिसमें शासन की नीतियों का उल्लेख किया गया है।

(*c*) निजामुद्दीन अहमद - तारीख-ए-शेरशाही (गलत मेल) : 'तारीख-ए-शेरशाही' अब्बास खान सरवानी द्वारा लिखी गई थी, न कि निजामुद्दीन अहमद द्वारा।

(*d*) अमीर खुसरो - तबकात-ए-अकबरी (गलत मेल) : 'तबकात-ए-अकबरी' का लेखक निजामुद्दीन अहमद था, न कि अमीर खुसरो।

(*e*) खाफी खान - तारीख-ए-दाउदी (गलत मेल) : 'तारीख-ए-दाउदी' अब्दुल कादिर बदायूनी द्वारा लिखी गई थी, न कि खाफी खान द्वारा।

33. (B):

(*a*) हरबंस मुखिया - हिस्टोरियन्स एंड हिस्टोरियोग्राफी डयूरिंग द रेन ऑफ अकबर (सही मेल) : हरबंस मुखिया एक प्रसिद्ध भारतीय इतिहासकार हैं, जिन्होंने मुगलकालीन इतिहास और अकबर की इतिहास-लेखन परंपरा का विश्लेषण किया।

(*b*) रिचार्ड एटन तथा पी. वैगोनर - पावर, मेमोरी, आर्किटेक्चर कन्टेस्टेड साइट्स ऑन इंडियाज डेक्कन प्लेटो (सही मेल) : इस पुस्तक में दक्कन क्षेत्र की ऐतिहासिक वास्तुकला, शक्ति संघर्ष और स्मृति पर केंद्रित अध्ययन किया गया है।

(*e*) ए.बी.एम. हबीबुल्लाह - दि फाउंडेशन ऑफ मुस्लिम रूल इन इंडिया (सही मेल) : इस पुस्तक में मुस्लिम शासन की स्थापना और भारत में उनके प्रशासनिक ढांचे पर चर्चा की गई है।

(*c*) फ्रंसुआ बर्नियर - अकबर एंड द जेसुट्स (गलत मेल) : 'अकबर एंड द जेसुट्स' पियरे डू जारिक द्वारा लिखी गई थी, न कि फ्रंसुआ बर्नियर द्वारा।

(*d*) अब्दुल हमीद लाहोरी - निगरनामा-ए-मुंशी (गलत मेल) : अब्दुल हमीद लाहोरी ने 'पादशाहनामा' लिखा था, 'निगरनामा-ए-मुंशी' नहीं।

34. (A): एच.एच. विल्सन (Horace Hayman Wilson) 1823 में कलकत्ता के हिंदू कॉलेज के पहले विजिटर (Visitor) नियुक्त किए गए थे। हिंदू कॉलेज की स्थापना 1817 में हुई थी और यह आधुनिक पश्चिमी शिक्षा को बढ़ावा देने वाला प्रमुख संस्थान था। एच.एच. विल्सन संस्कृत और भारतीय साहित्य के गहरे जानकार थे।

35. (C):

(A) मुइनुद्दीन चिश्ती - अजमेर (सही मेल) : ख्वाजा मुइनुद्दीन चिश्ती (गरीब नवाज) चिश्ती सिलसिले के संस्थापक थे और उनका प्रमुख केंद्र अजमेर था।

(B) बाबा फरीद - पाक पट्टन (सही मेल) : बाबा फरीद का प्रमुख केंद्र पाकपट्टन (अब पाकिस्तान में) था।

(C) शेख बख्तियार काकी - गुजरात (गलत मेल) : शेख बख्तियार काकी का संबंध दिल्ली से था, न कि गुजरात से। वे ख्वाजा मुइनुद्दीन चिश्ती के प्रमुख शिष्य थे।

(D) सलीम चिश्ती - आगरा (सही मेल) : सलीम चिश्ती का मकबरा फतेहपुर सीकरी (आगरा) में स्थित है और वे अकबर के आध्यात्मिक गुरु थे।

36. (D): मुगल भारत में भूमि स्वामित्व कई प्रकार के किसानों और भूमि धारकों में विभाजित था।

(A) **खुद काश्त :** वे किसान जो स्वयं अपनी भूमि पर खेती करते थे और इसके मालिक होते थे।

(B) **पाही काश्त :** वे किसान जो किसी अन्य स्थान से आकर किराए की भूमि पर खेती करते थे, लेकिन यह अस्थायी व्यवस्था होती थी।

(C) **मुकर्ररी रिआया :** वे लोग जो स्थायी रूप से राजस्व तय करके भूमि का स्वामित्व रखते थे।

(D) **मुजारियन :** ये किरायेदार किसान होते थे जो भूमि पर खेती करते थे लेकिन भूमि के स्वामी नहीं होते थे। इसलिए सही उत्तर मुजारियन है।

37. (B): 1900 में लंदन में 'स्वर्ण मानक रिजर्व' (Gold Standard Reserve) स्थापित किया गया था। इसका उद्देश्य ब्रिटिश भारत से अर्जित राजस्व को स्थिर रखना, मुद्रा विनिमय में उतार-चढ़ाव को नियंत्रित करना और चांदी की खरीद के लिए आवश्यक धन की व्यवस्था करना था। ब्रिटिश सरकार ने भारतीय मुद्रा नीति को नियंत्रित करने और पाउंड स्टर्लिंग के साथ स्थिर विनिमय दर बनाए रखने के लिए इस रिजर्व का उपयोग किया।

38. (C):

(*c*) **चतुरामशिका (सबसे कम) :** छोटे अधिकारियों के अंतर्गत आते थे और छोटे गांवों का प्रशासन देख सकते थे।

(*a*) **लघु सामंत :** ये चतुरामशिका से ऊपर थे और छोटे समूहों के अधिपति होते थे।

(*b*) **सामंत :** बड़े समूहों और अधिक गांवों के प्रशासक होते थे।

(*d*) **महासामंत :** सामंतों के ऊपर होते थे और बड़े क्षेत्रों को नियंत्रित करते थे।

(*e*) **महामंडलेश्वर (सबसे बड़ा अधिकारी) :** बड़े प्रदेशों के शासक होते थे और उनके अधीन महासामंत होते थे।

39. (D): थूसीडाइडीस (Thucydides) एक प्राचीन ग्रीक इतिहासकार थे, जिन्होंने ऐतिहासिक घटनाओं में काल्पनिक भाषणों को सम्मिलित किया। उन्होंने 'पेलोपोनेसियन वॉर' (Peloponnesian War) का वर्णन किया और इसमें नेताओं द्वारा दिए गए भाषणों को स्वयं लिखा, जो ऐतिहासिक तथ्यों पर आधारित नहीं थे, बल्कि तर्क को दर्शाने के लिए गढ़े गए थे। यह शैली उस समय के ऐतिहासिक लेखन में सामान्य थी।

40. (D):

(*c*) कम्बोज (सबसे उत्तर में, आधुनिक अफगानिस्तान और ताजिकिस्तान क्षेत्र)

(*a*) गांधार (उत्तर-पश्चिमी भारत, आधुनिक पाकिस्तान और अफगानिस्तान का हिस्सा)

(*b*) मत्स्य (राजस्थान और हरियाणा के कुछ हिस्से, गांधार से दक्षिण में)

(*e*) अवंति (मध्य प्रदेश, मत्स्य से दक्षिण में)

(*d*) अश्मक (दक्षिण भारत, महाराष्ट्र और तेलंगाना के क्षेत्र में, अवंति से दक्षिण में)

इसलिए सही क्रम कम्बोज → गांधार → मत्स्य → अवंति → अश्मक है।

41. (*):

(*a*) द एग्रेरियन सिस्टम ऑफ मुस्लिम इंडिया - डब्ल्यू.एच. मोरलैंड ने लिखी थी।

(*b*) इंडिया एट द डेथ ऑफ औरंगजेब - यह भी डब्ल्यू. एच. मोरलैंड की पुस्तक थी।

(*c*) फ्रॉम अकबर टू औरंगजेब - यह पुस्तक जे.एन. सरकार द्वारा लिखी गई थी, न कि डब्ल्यू.एच. मोरलैंड द्वारा।

(*d*) सम एस्पेक्ट्स ऑफ मुस्लिम एडमिनिस्ट्रेशन - यह पुस्तक भी मोरलैंड की नहीं थी।

(*e*) द मुगल नोबिलिटी अंडर औरंगजेब - यह पुस्तक मथारू द्वारा लिखी गई थी, न कि मोरलैंड द्वारा।

सही उत्तर (*c*), (*d*), और (*e*) होना चाहिए, लेकिन यह किसी भी विकल्प में नहीं दिया गया है, इसलिए सही उत्तर 'NONE' होगा।

42. (D):

(*a*) चापेकर बंधुओं ने पुणे में 1897 में दो अलोकप्रिय ब्रिटिश अधिकारियों की हत्या की। सही : दामोदर और बालकृष्ण चापेकर ने 1897 में रैंड और आयर्स्ट की हत्या की थी।

(*b*) वी.डी. सावरकर ने 1905 में क्रांतिकारियों के गुप्त संगठन 'अभिनव भारत' का गठन किया था। गलत : 'अभिनव भारत' की स्थापना 1904 में हुई थी, न कि 1905 में।

(*c*) तिलक को 1908 में गिरफ्तार किया गया और 6 वर्ष की कठोर कैद की सजा सुनाई गई। सही : बाल गंगाधर तिलक को ब्रिटिश सरकार ने देशद्रोह के आरोप में गिरफ्तार कर छह साल के लिए मांडले जेल (बर्मा) भेज दिया था।

(*d*) मौलाना अबुल कलाम आजाद ने 30 वर्ष की आयु में वर्ष 1915 में 'अल-हिलाल' समाचार पत्र में अपने राष्ट्रवादी विचारों को प्रकाशित किया। गलत : मौलाना आजाद ने 'अल-हिलाल' की शुरुआत 1912 में की थी, न कि 1915 में।

(*e*) वर्ष 1914 में सरकार ने मौलाना मुहम्मद अली के 'कामरेड' नामक प्रकाशन का दमन किया। सही : ब्रिटिश सरकार ने 1914 में मौलाना मुहम्मद अली के 'कामरेड' को बंद करवा दिया था।

43. (C):

(*a*) मिस्टिसिज्म एंड लॉजिक - यह कार्ल पॉपर की नहीं, बल्कि बर्ट्रेंड रसेल की पुस्तक थी।

(*b*) दि ओपन सोसाइटी एंड इट्स इनमीज - कार्ल पॉपर द्वारा लिखी गई थी। यह पुस्तक अधिनायकवादी विचारों के खिलाफ एक तर्कपूर्ण विश्लेषण है।

(*c*) दि लिमिट्स ऑफ एक्जैक्ट साइंस - यह कार्ल पॉपर की नहीं थी।

(*d*) दि पॉवर्टी ऑफ हिस्टोरिसिज्म - कार्ल पॉपर की एक प्रसिद्ध पुस्तक थी। इसमें ऐतिहासिक निर्णयों की अनिश्चितता को लेकर चर्चा की गई है।

(*e*) डेकलाइन एंड फॉल ऑफ द रोमन एम्पायर - यह एडवर्ड गिबन की पुस्तक थी, न कि कार्ल पॉपर की।

44. (D): अवलोकितेश्वर बोधिसत्व करुणा (Compassion) के प्रतीक हैं। बौद्ध धर्म में इन्हें 'सभी प्राणियों की सहायता करने वाले' के रूप में माना जाता है। महायान बौद्ध परंपरा में अवलोकितेश्वर को सबसे दयालु और सहायक बोधिसत्व के रूप में पूजा जाता है। अवलोकितेश्वर के कई रूप हैं, जिनमें से 'पद्मपाणि' (कमल-धारी) सबसे प्रसिद्ध है।

45. (B):

(A) सही। अतीत को प्रतिबिंबित करने वाले स्रोत हमेशा किसी अन्य के दृष्टिकोण से लिखे जाते हैं।

(C) सही। इतिहास लेखन में कालानुक्रमिक क्रम को छोड़ने की अनुमति होती है, क्योंकि इतिहास की व्याख्या बदल सकती है।

(D) सही। ऐतिहासिक स्रोतों के स्थायी या अपरिवर्तनीय अर्थ नहीं होते, वे संदर्भ और व्याख्या के अनुसार बदल सकते हैं।

(B) गलत। इतिहास लेखन में कार्य-कारण संबंध और कालानुक्रम आवश्यक नहीं माना जाता, क्योंकि आधुनिक दृष्टिकोण इसे सापेक्ष मानता है।

46. (D): 'द बहमनीज ऑफ द दक्कन' पुस्तक हारुन खान शेरवानी द्वारा लिखी गई थी। यह पुस्तक बहमनी सल्तनत (1347-1527) के इतिहास पर केंद्रित है, जिसमें उनके शासन, प्रशासन, सांस्कृतिक प्रभाव और दक्कन के अन्य शासकों के साथ संबंधों का विस्तृत विवरण दिया गया है। हारुन खान शेरवानी एक प्रसिद्ध इतिहासकार थे, जिन्होंने दक्कन के मुस्लिम राज्यों के इतिहास पर कई महत्वपूर्ण कार्य किए।

47. (A):

(*a*) कलतिका - मोती मत्स्य पालन का निरीक्षण करने वाला अधिकारी (III) : प्राचीन दक्षिण भारतीय प्रशासन में 'कलतिका' वह अधिकारी था, जो मोती मत्स्य पालन की निगरानी करता था।

(*b*) कनटिकान - प्रमुख मुंशी (II) : 'कनटिकान' प्रशासनिक कार्यों में एक उच्च पदस्थ मुंशी या सचिव था।

(*c*) पोलशेलई - पांड्य शासक मुदुकुदुमी की पदवी (IV) : 'पोलशेलई' पांड्य राजाओं द्वारा धारण की जाने वाली एक पदवी थी, जिसका अर्थ 'युद्ध में विजेता' होता था।

(*d*) ओवेयर - कवयित्री जिसने सम्राट आदिगैमन की प्रशंसा की थी (I) : 'ओवेयर' एक प्रसिद्ध तमिल कवयित्री थीं, जिन्होंने आदिगैमन शासक की स्तुति की थी।

48. (D):

(*a*) भारत में रेलवे का अग्रणी रोलैंड मैकडोनाल्ड स्टीफेंसन था, जिसने इंग्लैंड में कंपनी बनाई थी। सही : रोलैंड स्टीफेंसन को भारतीय रेलवे का अग्रणी माना जाता है, जिन्होंने भारतीय रेलवे प्रणाली के विकास में महत्वपूर्ण भूमिका निभाई।

(*b*) 1841 में अंग्रेज सिविल अभियंता जोसेफ लॉक ने कलकत्ता से दिल्ली तक रेलवे की संभावनाओं पर चर्चा की थी। सही : जोसेफ लॉक ने भारतीय रेलवे नेटवर्क के विस्तार को लेकर प्रारंभिक विचार रखे थे।

(*c*) स्टीफेंसन ने कलकत्ता से मिर्जापुर, बनारस, इलाहाबाद तथा उससे आगे रेलवे लाइन की बात सोची थी। सही : प्रारंभिक रेलवे योजनाओं में उत्तर भारत के प्रमुख शहरों को जोड़ने की कल्पना की गई थी।

(*d*) 1853 में बंबई से ठाणे तक आरंभ हुई रेलवे लाइन एशिया में शुरू होने वाली पहली रेलवे थी। सही : 16 अप्रैल 1853 को पहली यात्री ट्रेन मुंबई (बोरीबंदर) से ठाणे के बीच चलाई गई थी।

(*e*) डलहौजी ने 20 अप्रैल 1853 को अपना विस्तृत रेलवे सारांश जारी किया था, जिसमें रेलवे के सैन्य और वाणिज्यिक लाभों का वर्णन किया गया था। सही : लॉर्ड डलहौजी भारतीय रेलवे नीति के प्रमुख वास्तुकारों में से एक थे।

49. (D): ईसा काल के आरंभ में स्वात घाटी (मौजूदा पाकिस्तान) में स्तूपों का निर्माण मुख्य रूप से स्तरित चट्टान (Schist) से किया गया था। स्वात घाटी गंधार कला का एक प्रमुख केंद्र था, जहाँ बुद्ध की मूर्तियाँ और स्तूप बनाए गए। गंधार शैली के स्थापत्य में शिस्ट पत्थर का व्यापक उपयोग किया जाता था।

50. (B):

(*a*) वेलालर - कृषक (III) : वेलालर प्राचीन तमिल समाज में प्रमुख कृषि समुदाय था, जो भूमि की देखरेख और कृषि उत्पादन में लगा रहता था।

(*b*) अरशर - राजा (IV) : 'अरशर' तमिल समाज में एक शासक या राजा के लिए प्रयुक्त शब्द था।

(*c*) वैशियार - व्यापारी (II) : 'वैशियार' का संबंध व्यापारिक गतिविधियों से था और यह व्यापारी वर्ग का प्रतिनिधित्व करता था।

(*d*) वेलिर - मुखिया (I) : 'वेलिर' प्राचीन तमिल समाज में मुखिया या स्वतंत्र शासकों को संदर्भित करता था।

51. (B): 'तत्वार्थ राजावर्तिका' के लेखक विद्यानंद अकलंका थे। यह एक महत्वपूर्ण जैन ग्रंथ है, जिसमें जैन दर्शन, सिद्धांत और नैतिकता का विस्तृत विवरण मिलता है। अकलंका दिगंबर जैन परंपरा के प्रमुख दार्शनिकों में से एक थे और उन्होंने जैन न्याय और तर्कशास्त्र पर महत्वपूर्ण कार्य किए।

52. (B): नेमिनाथ जैन धर्म के 22वें तीर्थंकर थे और उन्हें श्रीकृष्ण से संबंधित माना जाता है। पौराणिक कथाओं के अनुसार, नेमिनाथ का जन्म यादव वंश में हुआ था और वे श्रीकृष्ण के चचेरे भाई थे। नेमिनाथ ने अपनी शादी के दिन अहिंसा का पालन करते हुए संन्यास ग्रहण किया और मोक्ष प्राप्त किया।

53. (B):

(*a*) 'मुहता नैण्सी री ख्यात' - राजस्थान (सही मेल) : यह राजस्थान के ऐतिहासिक घटनाक्रमों का एक महत्वपूर्ण ऐतिहासिक ग्रंथ है।

(*b*) अमीर खुसरो - नुह सिपिहर (सही मेल) : अमीर खुसरो ने 'नुह सिपिहर' (नौ ग्रह) नामक पुस्तक लिखी, जिसमें विभिन्न विषयों पर चर्चा की गई है।

(*c*) 'राजतरंगिणी' - मालवा (गलत मेल) : 'राजतरंगिणी' कश्मीर का ऐतिहासिक ग्रंथ है, न कि मालवा का।

(*d*) मलिक मुहम्मद जायसी - चंदायन (गलत मेल) : मलिक मुहम्मद जायसी की प्रसिद्ध रचना 'पद्मावत' थी, न कि 'चंदायन'।

(*e*) मुल्ला दाऊद - पद्मावत (गलत मेल) : 'पद्मावत' मलिक मुहम्मद जायसी द्वारा लिखी गई थी, न कि मुल्ला दाऊद द्वारा।

54. (B):

(*a*) मुहम्मद रजा खान कंपनी के नायब दीवान की तरह काम कर रहे थे। (सही) : मुहम्मद रजा खान बंगाल में ब्रिटिश ईस्ट इंडिया कंपनी के अधीन नायब दीवान थे और वे राजस्व प्रशासन में प्रमुख भूमिका निभाते थे।

(*b*) 'फार्मिंग सिस्टम' प्रणाली के रूप में एक नई प्रणाली 1765 में आरंभ की गई थी। (गलत) : 'फार्मिंग सिस्टम' 1772 में वॉरेन हेस्टिंग्स द्वारा शुरू किया गया था, न कि 1765 में।

(*c*) स्थायी बंदोबस्त में भूमि के स्वामित्व के अधिकार जमींदारों में निहित हो गए। (सही) : 1793 में लॉर्ड कॉर्नवालिस द्वारा लागू की गई इस प्रणाली में जमींदारों को भूमि का स्थायी स्वामित्व दिया गया और वे राज्य को निश्चित राजस्व देने के लिए उत्तरदायी बने।

(*d*) चार्ल्स मेटकाफ द्वारा 1792 में बड़ा महाल में रैय्यतवारी प्रणाली आरंभ की गई। (गलत) : रैय्यतवारी प्रणाली 1820 के दशक में थॉमस मुनरो और रीड द्वारा मद्रास और बॉम्बे में लागू की गई थी।

(*e*) आर.एम. बर्ड ने संपूर्ण महल या राजकोषीय यूनिट के राजस्व का आकलन करने के लिए विस्तृत सर्वेक्षण उपलब्ध कराया। (सही) : आर.एम. बर्ड ने उत्तर-पश्चिमी प्रांतों में महलवारी प्रणाली लागू करने के लिए विस्तृत राजस्व सर्वेक्षण किया।

55. (C): बंकिम चंद्र चटर्जी का प्रसिद्ध उपन्यास 'आनंद मठ' 1882 में प्रकाशित हुआ था। इस उपन्यास में संन्यासी विद्रोह (1770 के दशक) की पृष्ठभूमि में ब्रिटिश शासन के विरुद्ध संघर्ष का चित्रण किया गया है। 'वंदे मातरम्' गीत, जिसे भारत का राष्ट्रीय गीत बनाया गया, इसी उपन्यास में शामिल था। यह बंगाल में ब्रिटिश विरोधी आंदोलन को प्रेरित करने वाले प्रमुख साहित्यिक कार्यों में से एक था।

56. (A): मार्ले-मिंटो सुधार (Indian Councils Act, 1909) के तहत वायसराय की कार्यकारी परिषद में भारतीयों को स्थान देने की अनुमति दी गई थी। इस अधिनियम के तहत एस.पी. सिन्हा (सर सत्येंद्र प्रसन्न सिन्हा) पहले भारतीय बने जिन्हें 1909 में वायसराय की कार्यकारी परिषद में विधि सदस्य के रूप में नियुक्त किया गया। यह ब्रिटिश सरकार द्वारा भारतीयों को प्रशासन में शामिल करने की दिशा में पहला महत्वपूर्ण कदम था, हालांकि यह सुधार सीमित था।

57. (B):

(*d*) त्रिशास्ति लक्षण महापुराण (10वीं-11वीं शताब्दी) : यह एक जैन ग्रंथ है जिसमें 63 महापुरुषों का वर्णन किया गया है।

(*a*) लोकोपकार (12वीं शताब्दी) : यह एक सामाजिक और धार्मिक ग्रंथ था।

(*c*) मल्लिनाथ पुराण (14वीं शताब्दी) : यह 19वीं जैन तीर्थंकर मल्लिनाथ पर आधारित ग्रंथ है।

(*b*) उदियादित्य अलंकार (15वीं शताब्दी) : यह एक संस्कृत साहित्यिक ग्रंथ है।

(*e*) मदन विजय (17वीं शताब्दी) : यह भी एक ऐतिहासिक साहित्यिक ग्रंथ था।

58. (C):

(*a*) पेडाबंकुर - प्राचीन दक्कन से संबंधित स्थल।

(*b*) कोटा लिंगला - आंध्र प्रदेश में स्थित प्राचीन स्थल, दक्कन से संबंधित।

(*d*) पोलाकोंडा - दक्षिण भारत का एक ऐतिहासिक स्थल, दक्कन से संबंधित।

(*e*) कदंबपुर - प्राचीन कदंब वंश से संबंधित स्थल, जो दक्कन में स्थित था।

(*c*) झूसी - यह उत्तर भारत (इलाहाबाद के पास) में स्थित है और दक्कन से संबंधित नहीं है।

59. (B):

(*b*) उदियांजेराल (लगभग पहली शताब्दी ईसा पूर्व - पहली शताब्दी ईस्वी) : उदियांजेराल संगम काल के प्रारंभिक चेर शासकों में से एक थे। उन्हें संगम साहित्य में 'अय अंधिरा' के रूप में वर्णित किया गया है। वे चेर राजवंश के सबसे प्रारंभिक ज्ञात शासकों में से एक थे।

(*a*) सेंगुत्तवन (लगभग दूसरी शताब्दी ईस्वी) : सेंगुत्तवन, जिन्हें 'रेड चेर राजा' के रूप में भी जाना जाता है, चेर वंश के सबसे प्रसिद्ध शासकों में से एक थे। उनके शासनकाल को दूसरी शताब्दी ईस्वी के आसपास माना जाता है। उन्होंने उत्तर भारत तक सैन्य अभियान किए और कन्नगी पंथ (सिलप्पदिकारम में वर्णित) की स्थापना की।

(*d*) करिकाल (लगभग दूसरी शताब्दी ईस्वी) : करिकाल चोल साम्राज्य के सबसे महत्वपूर्ण और प्रसिद्ध शासकों में से एक थे। उनका शासनकाल दूसरी शताब्दी ईस्वी में हुआ था। उन्होंने कावेरी नदी के किनारे बंध बनाने के लिए प्रसिद्ध 'ग्रांड एनीकट' (कलानाई बांध) का निर्माण करवाया। उन्होंने दक्षिण भारत में अपने सैन्य अभियानों के माध्यम से चोल साम्राज्य को मजबूत किया।

(*c*) नेंदुंसेलियन (लगभग तीसरी शताब्दी ईस्वी) : नेंदुंसेलियन पांड्य वंश के एक प्रसिद्ध शासक थे। उनका शासनकाल लगभग तीसरी शताब्दी ईस्वी के दौरान था। उन्होंने कई युद्ध लड़े और संगम साहित्य में उनके शासनकाल को विस्तार से वर्णित किया गया है।

(*e*) सेंगनन (लगभग चौथी शताब्दी ईस्वी) : सेंगनन चोल वंश के एक अन्य महत्वपूर्ण शासक थे। उनका शासनकाल चौथी शताब्दी ईस्वी में माना जाता है। वे शैव धर्म के समर्थक थे और उनके शासनकाल में कई मंदिरों का निर्माण किया गया।

निष्कर्ष : पहले उदियांजेराल (1st शताब्दी BCE & 1st शताब्दी CE), फिर सेंगुत्तवन (2nd शताब्दी CE), फिर करिकाल (2nd शताब्दी CE), फिर नेंदुंसेलियन (3rd शताब्दी CE) और अंत में सेंगनन (4th शताब्दी CE)।

इसलिए सही कालानुक्रमिक क्रम (*b*) → (*a*) → (*d*) → (*c*) → (*e*) है।

60. (A): संविधान के उद्देश्य संकल्प (Objective Resolution) का प्रारूप पंडित जवाहरलाल नेहरू ने तैयार किया था। 13 दिसंबर 1946 को उन्होंने इसे संविधान सभा में प्रस्तुत किया, जिसमें भारत के संविधान के दर्शन और मूल विशेषताओं का उल्लेख किया गया। इसमें भारत को एक संप्रभु, समाजवादी, धर्मनिरपेक्ष, लोकतांत्रिक गणराज्य बनाने की घोषणा की गई थी। बाद में, यही उद्देश्य संकल्प भारत के संविधान की प्रस्तावना (Preamble) का आधार बना।

61. (C):

(*c*) सोसाइटी फॉर ट्रांसलेटिंग यूरोपियन साइंसेस की स्थापना (1804) : यह भारत में वैज्ञानिक शिक्षा को बढ़ावा देने के लिए प्रारंभिक संगठनों में से एक था।

(*e*) सोसाइटी फॉर दि एक्विजिशन ऑफ जनरल नॉलेज की स्थापना (1838) : यह बंगाल में स्थापित की गई थी और इसका उद्देश्य पश्चिमी विज्ञान और साहित्य का प्रसार करना था।

(*b*) बनारस डिबेटिंग क्लब की स्थापना (1863) : बनारस में बौद्धिक चर्चा को बढ़ावा देने के लिए स्थापित किया गया था।

(*d*) अलीगढ़ साइंटिफिक सोसाइटी की स्थापना (1864) : सर सैयद अहमद खान ने इसे स्थापित किया था, जिसका उद्देश्य भारतीय समाज में वैज्ञानिक जागरूकता फैलाना था।

(*a*) बिहार साइंटिफिक सोसाइटी की स्थापना (1876) : यह बिहार में वैज्ञानिक और तकनीकी शिक्षा के प्रचार के लिए स्थापित की गई थी।

सही कालानुक्रमिक क्रम : 1804 → 1838 → 1863 → 1864 → 1876।

62. (D):

(*a*) एंटोनियो ग्राम्शी - कॉन्सेप्ट ऑफ हेजीमोनी (III) : एंटोनियो ग्राम्शी ने 'हेजीमोनी' की अवधारणा दी, जिसमें उन्होंने बताया कि किस प्रकार बौद्धिक और सांस्कृतिक शक्ति के माध्यम से शासक वर्ग अपने वर्चस्व को बनाए रखता है।

(*b*) डेरीडा - डिकंस्ट्रक्शन एंड डिफ8रेंस (IV) : जैक्स डेरीडा ने 'डिकंस्ट्रक्शन' की विचारधारा प्रस्तुत की, जो भाषा और ग्रंथों की पुनर्व्याख्या पर केंद्रित थी।

(*c*) मार्क ब्लॉक - एनाल्स स्कूल (I) : मार्क ब्लॉक एनाल्स स्कूल के प्रमुख इतिहासकार थे, जिन्होंने संरचनात्मक और सामाजिक इतिहास पर ध्यान केंद्रित किया।

(*d*) कार्ल मार्क्स - डायलेक्टिकल मैटेरियलिज्म (II) : कार्ल मार्क्स ने द्वंद्वात्मक भौतिकवाद (Dialectical Materialism) का सिद्धांत दिया, जिसमें समाज और इतिहास की व्याख्या आर्थिक संरचनाओं के आधार पर की गई।

63. (B):

(*a*) इब्नबतूता - रिहला (IV) : इब्नबतूता का यात्रा वृत्तांत 'रिहला' था, जिसमें उन्होंने भारत और अन्य देशों की अपनी यात्रा का वर्णन किया।

(*b*) अब्दुल मलिक इसामी - फुतुह-उस-सलातीन (II) : अब्दुल मलिक इसामी ने 'फुतुह-उस-सलातीन' लिखा, जो दिल्ली सल्तनत के शुरुआती इतिहास पर आधारित था।

(*c*) जियाउद्दीन बरनी - तारीख-ए-फिरोजशाही (I) : जियाउद्दीन बरनी ने 'तारीख-ए-फिरोजशाही' लिखा, जो दिल्ली सल्तनत के सुल्तानों के शासन का एक प्रमुख ऐतिहासिक ग्रंथ है।

(*d*) रफीउद्दीन शिराजी - तजकिरा-अल-मुलूक (III) : रफीउद्दीन शिराजी ने 'तजकिरा-अल-मुलूक' लिखा, जिसमें राजनीतिक और प्रशासनिक विषयों पर चर्चा की गई है।

64. (C): बख्तियार खिलजी ने 1193-1194 में नालंदा और विक्रमशिला विश्वविद्यालयों को नष्ट कर दिया। खिलजी की सेना ने इन बौद्ध शिक्षा केंद्रों को जला दिया और हजारों पांडुलिपियों को नष्ट कर दिया। यह आक्रमण भारतीय उपमहाद्वीप में बौद्ध धर्म के पतन के प्रमुख कारणों में से एक माना जाता है।

65. (B):

(*a*) पंजाब हिंदू महासभा की स्थापना - 1909 (III) : यह हिंदू महासभा के प्रारंभिक संगठनों में से एक था।

(*b*) अखिल भारतीय हिंदू महासभा का प्रथम सत्र - 1915 (IV) : 1915 में इस महासभा का पहला अखिल भारतीय अधिवेशन आयोजित किया गया था।

(*c*) अहमदाबाद में साबरमती आश्रम की स्थापना - 1916 (I) : महात्मा गांधी ने 1916 में अहमदाबाद में साबरमती आश्रम की स्थापना की।

(*d*) सत्याग्रह सभा की स्थापना - 1919 (II) : 1919 में रॉलेट एक्ट के विरोध में सत्याग्रह सभा की स्थापना की गई थी।

सही कालानुक्रमिक क्रम : 1909 → 1915 → 1916 → 1919।

66. (C):

(*a*) राठौड़ - जोधपुर (सही मेल) : राठौड़ वंश राजस्थान के जोधपुर राज्य से संबंधित था। जोधपुर की स्थापना राव जोधा (1459 ईस्वी) द्वारा की गई थी।

(*b*) सिसौदिया - उदयपुर (सही मेल) : सिसौदिया वंश उदयपुर (मेवाड़) से संबंधित था। यह राजपूतों का एक प्रमुख वंश था, जिसके प्रसिद्ध शासक महाराणा प्रताप थे।

(*c*) कराना तुर्क - जौनपुर (गलत मेल) : जौनपुर शर्की वंश द्वारा शासित था, कराना तुर्क से इसका कोई संबंध नहीं था।

(*d*) मलिक काफूर - अवध (गलत मेल) : मलिक काफूर अलाउद्दीन खिलजी का एक प्रमुख सेनापति था, न कि अवध से संबंधित था।

(*e*) करनी माता मंदिर - जयपुर (गलत मेल) : करणी माता मंदिर बीकानेर में स्थित है, जयपुर में नहीं।

67. (C):

(*d*) प्राच्यवादी इतिहास लेखन (18वीं शताब्दी - 19वीं शताब्दी) : यह ब्रिटिश विद्वानों द्वारा भारत के इतिहास और संस्कृति के अध्ययन पर आधारित था।

(*e*) ब्रिटिश साम्राज्यवादी इतिहास लेखन (19वीं शताब्दी - प्रारंभिक 20वीं शताब्दी) : यह ब्रिटिश औपनिवेशिक शासन को सही ठहराने के लिए लिखी गई थी।

(*b*) भारतीय राष्ट्रवादी इतिहास लेखन (19वीं शताब्दी के अंत - 20वीं शताब्दी की शुरुआत) : इसमें भारतीय स्वतंत्रता संग्राम और स्वदेशी इतिहास को महत्व दिया गया।

(*a*) मार्क्सवादी भारतीय इतिहास लेखन (1950 के दशक से आगे) : इसमें आर्थिक और सामाजिक संरचनाओं पर ध्यान केंद्रित किया गया।

(*c*) सबाल्टर्न (उपाश्रयी) अध्ययन (1980 के दशक) : इसमें हाशिए पर पड़े समाज के इतिहास पर जोर दिया गया।

68. (B):

(*a*) जमातखाना मस्जिद (दिल्ली सल्तनत काल में निर्मित) : यह मस्जिद हजरत निजामुद्दीन औलिया के दरगाह परिसर में स्थित है और दिल्ली सल्तनत काल में बनी थी।

(*b*) दौलताबाद किला (दिल्ली सल्तनत काल में निर्मित) : इस किले को मूल रूप से यादव वंश (12वीं शताब्दी) ने बनाया था और बाद में मुहम्मद बिन तुगलक ने इसे अपनी राजधानी बनाया।

(*c*) कुव्वत-उल-इस्लाम मस्जिद (दिल्ली सल्तनत काल में निर्मित) : इसे कुतुबुद्दीन ऐबक ने 1193 में बनवाया था।

(*d*) बीबी का मकबरा, औरंगाबाद (मुगल काल में निर्मित, दिल्ली सल्तनत काल में नहीं) : वह मकबरा औरंगजेब के बेटे आजम शाह ने 17वीं शताब्दी में बनवाया था।

(*e*) सफदरजंग मकबरा, दिल्ली (मुगल काल में निर्मित, दिल्ली सल्तनत काल में नहीं) : इसे 1754 में नवाब सफदरजंग की याद में बनाया गया था, जो दिल्ली सल्तनत काल से बहुत बाद का समय है।

69. (C):

(*b*) 'केशरी' का संपादन शुरू किया (1881) : बाल गंगाधर तिलक ने मराठी समाचार पत्र 'केशरी' और अंग्रेजी समाचार पत्र 'मराठा' की शुरुआत की।

(*a*) पारंपरिक गणपति उत्सव शुरू किया (1893) : उन्होंने गणपति उत्सव को एक सार्वजनिक आयोजन बनाया ताकि लोगों को एकत्रित कर राष्ट्रवादी भावनाओं को बढ़ाया जा सके।

(*d*) "शिवाजी उत्सव" का आयोजन आरंभ किया (1895) : उन्होंने शिवाजी महोत्सव शुरू किया ताकि मराठा गौरव और राष्ट्रीय चेतना को बढ़ावा दिया जा सके।

(*c*) सरकार से माफी मांगने से अस्वीकार किया तथा उन्हें 18 महीने का सश्रम कारावास दिया गया (1908) : तिलक को 1908 में देशद्रोह के आरोप में गिरफ्तार किया गया और उन्हें मांडले (बर्मा) जेल में भेज दिया गया।

70. (C):

(*b*) बंगाल का संन्यासी विद्रोह (1763-1800) : यह विद्रोह ब्रिटिश सरकार द्वारा लगाए गए प्रतिबंधों और करों के खिलाफ था।

(*d*) वेल्लौर सिपाही विद्रोह (1806) : ब्रिटिश सेना में कार्यरत भारतीय सैनिकों ने धार्मिक और सांस्कृतिक अपमान के कारण विद्रोह किया।

(*e*) विशाखापत्तनम विद्रोह (1830 का दशक) : इस विद्रोह का नेतृत्व स्थानीय जमींदारों ने किया और यह ब्रिटिश प्रशासनिक नीतियों के खिलाफ था।

(*c*) कोल्हापुर विद्रोह (1844-45) : कोल्हापुर के मराठा सैनिकों और स्थानीय किसानों ने ब्रिटिश सत्ता के खिलाफ विद्रोह किया।

(*a*) बंगाल तथा बिहार के संथालों का विद्रोह (1855-56) : यह ब्रिटिश सरकार की जमींदारी व्यवस्था के खिलाफ एक बड़ा आदिवासी विद्रोह था।

इसलिए सही क्रम : 1763 → 1806 → 1830 → 1844 → 1855।

71. (B):

(*b*) सीमांतोन्नयन (गर्भधारण के बाद किया जाने वाला संस्कार) : यह गर्भधारण के बाद स्त्री और गर्भस्थ शिशु की रक्षा के लिए किया जाता था।

(*d*) गर्भधारण (गर्भाधान संस्कार) : यह गर्भधारण को सुनिश्चित करने के लिए वैदिक अनुष्ठान था।

(*e*) पुंसवन (जन्म से पूर्व किया जाने वाला संस्कार) : यह गर्भ के तीसरे महीने में किया जाता था ताकि संतान स्वस्थ और पुरुष संतान हो।

(*a*) जातकर्म जन्म के बाद किया जाता था, इसलिए इसे शामिल नहीं किया गया।

(*c*) चूड़ाकर्म भी जन्म के बाद किया जाने वाला संस्कार था।

72. (A):

(*a*) उनका कोई वंशानुगत राजा नहीं था (सही) : गणराज्य प्रणाली में राजा वंशानुगत नहीं होता था, बल्कि सामूहिक रूप से शासन किया जाता था।

(*d*) बौद्ध मठ-विषयक संगठन की प्रक्रिया ने गणों को आत्मसात कर लिया था (सही) : बौद्ध विहारों और संघों में गणराज्यों जैसी प्रणाली थी, जहाँ सामूहिक निर्णय लिए जाते थे।

(*e*) लिच्छवी में 7,707 राजा थे (सही) : लिच्छवी गणराज्य में बड़ी संख्या में प्रतिनिधि (राजा) होते थे, जो शासन में भाग लेते थे।

(*b*) वे आधुनिक लोकतंत्रों के समान थे (गलत) : आधुनिक लोकतंत्रों में निर्वाचित प्रतिनिधि होते हैं, जबकि गणराज्यों में एक सीमित समूह ही सत्ता में भाग लेता था।

(*c*) एक स्थायी सेना उनकी सबसे बड़ी परिसंपत्ति थी (गलत) : गणराज्यों की शक्ति स्थायी सेना के बजाय नागरिकों की भागीदारी पर निर्भर थी।

73. (B): चोलों ने कलिंग पर आक्रमण इसलिए किया क्योंकि उन्हें मसूनी (मशूनी) देश से चुनौती मिली थी। चोल शासकों का लक्ष्य अपनी शक्ति को पूर्वी भारत में भी स्थापित करना था। चोलों और कलिंग के बीच समुद्री शक्ति और व्यापार मार्गों को लेकर भी प्रतिस्पर्धा थी।

74. (B): इंडियन ऑफिशियल सीक्रेट्स एक्ट 1904 में पारित किया गया था। इस कानून का उद्देश्य प्रेस और सूचना के प्रसार पर नियंत्रण रखना था ताकि ब्रिटिश सरकार की आलोचना और क्रांतिकारी गतिविधियों को रोका जा सके। इस अधिनियम के तहत ब्रिटिश सरकार को प्रेस और सरकारी अधिकारियों से जुड़ी जानकारी को गोपनीय रखने का अधिकार मिला। बाद में 1912 और 1923 में इस अधिनियम में संशोधन किए गए।

75. (D):

(*b*) राष्ट्रकूट द्वारा बादामी चालुक्य की पराजय (8वीं शताब्दी, 753 ईस्वी) : दंतिदुर्ग ने चालुक्य शासकों को हराकर राष्ट्रकूट साम्राज्य की स्थापना की।

(*a*) प्रतिहार नागभट्ट II का शासन (9वीं शताब्दी, 805-833 ईस्वी) : नागभट्ट II ने प्रतिहार शक्ति को मजबूत किया और राष्ट्रकूटों से संघर्ष किया।

(*d*) सुरपाल का शासन (10वीं शताब्दी) : यह प्रतिहार वंश के अंतर्गत एक महत्वपूर्ण शासक था।

(*c*) महिपाल I का शासन (11वीं शताब्दी, 1030-1050 ईस्वी) : पाल वंश के इस शासक ने बंगाल और बिहार में अपना प्रभाव बढ़ाया।

(*e*) सेन वंश द्वारा पाल वंश का अंत (12वीं शताब्दी, 1170 के बाद) : सेन वंश ने पाल वंश को हराकर बंगाल में अपनी सत्ता स्थापित की।

सही कालक्रम : 753 ईस्वी → 805 ईस्वी → 10वीं शताब्दी → 1030 ईस्वी → 1170 ईस्वी।

76. (C): पूरन चंद, एक हिंदू दीवान, निजाम-उल-मुल्क के अधीन कार्यरत था। निजाम-उल-मुल्क (आसफ जाह I) 1724 में स्वतंत्र रूप से हैदराबाद के पहले निजाम बने और मुगल साम्राज्य की कमजोर होती स्थिति के बीच उन्होंने दक्कन में सत्ता स्थापित की। पूरन चंद उनके प्रशासन में वित्तीय मामलों की देखरेख करने वाले प्रमुख व्यक्तियों में से एक था।

77. (D): हुमायूँ का मकबरा जहाँगीर से संबंधित नहीं है, बल्कि इसे अकबर ने 1565-1572 ईस्वी के बीच बनवाया था। यह दिल्ली में स्थित है और फारसी स्थापत्य शैली का उत्कृष्ट उदाहरण माना जाता है।

अन्य इमारतें जहाँगीर से जुड़ी हैं :

(A) काला बुर्ज, लाहौर : जहाँगीर द्वारा निर्मित एक संरचना।

(B) एतमाद-उद-दौला का मकबरा : नूरजहाँ ने अपने पिता के लिए बनवाया, जहाँगीर काल से संबंधित।

(C) निशात बाग : कश्मीर में स्थित यह मुगल बाग जहाँगीर के शासनकाल में विकसित हुआ।

78. (A): बंकिम चंद्र चटर्जी कलकत्ता विश्वविद्यालय (1857 में स्थापित) के पहले दो स्नातकों में से एक थे। उन्होंने भारतीय साहित्य में महत्वपूर्ण योगदान दिया और 'आनंदमठ' (1882) लिखा, जिसमें प्रसिद्ध गीत 'वंदे मातरम्' शामिल था। अन्य विकल्प गलत हैं :

(B) देवेन्द्र नाथ टैगोर : वे शिक्षाविद् थे लेकिन कलकत्ता विश्वविद्यालय के पहले स्नातकों में नहीं थे।

(C) सुरेंद्र नाथ बनर्जी : वे बाद में भारतीय स्वतंत्रता संग्राम में सक्रिय हुए।

(D) कादम्बिनी गांगुली : वे पहली भारतीय महिला स्नातकों में से थीं, लेकिन बाद के समय में।

79. (B):

(*a*) अरघटा - सिंचाई (II) : अरघटा एक जल सिंचाई उपकरण था जिसका उपयोग पानी निकालने के लिए किया जाता था।

(*b*) तमंचा - युद्धाभ्यास (I) : तमंचा एक छोटा आग्नेयास्त्र था, जिसका उपयोग युद्धों में किया जाता था।

(*c*) परगना - प्रशासन (III) : परगना मुगलकालीन प्रशासनिक इकाई थी।

(*d*) इक अस्पा दुह अस्पा - मनसबदारी (IV) : मनसबदारी प्रणाली में 'इक अस्पा दुह अस्पा' का उपयोग घुड़सवार सेना की संख्या दर्शाने के लिए किया जाता था।

80. (B):

(*a*) 1860-61 में उत्तर-पश्चिमी प्रांत में भयंकर अकाल पड़ा, जिससे दिल्ली और आगरा प्रभावित हुए।

(*b*) 1866-67 में उड़ीसा में अकाल पड़ा, जिसे 'Sea of Calamity' कहा गया।

(*c*) 1868-69 में राजपूताना में अकाल पड़ा, जिसने मारवाड़, बीकानेर और अजमेर को प्रभावित किया।

(*d*) 1866-67 में मद्रास प्रेसीडेंसी में अकाल पड़ा, जो बेल्लारी, सेलम, कोयंबटूर और दक्षिण अर्कोट तक फैला।

(*e*) 1868-69 में पंजाब, बंबई और सेंट्रल प्रॉविंसेस में अकाल जैसी स्थिति उत्पन्न हुई।

इन सभी अकालों ने ब्रिटिश प्रशासन की अक्षमता को उजागर किया और बाद में अकाल राहत नीतियां लागू की गईं।

81. (D):

(*a*) इल्तुतमिश - कुतुब मीनार : इल्तुतमिश (1211-1236 ई.) ने कुतुब मीनार का निर्माण कार्य पूरा किया। इसे कुतुबुद्दीन ऐबक ने प्रारंभ किया था, लेकिन उनकी मृत्यु के बाद इल्तुतमिश ने इसे पूरा कराया।

(*b*) अकबर - हुमायूँ का मकबरा : हुमायूँ का मकबरा अकबर (1556-1605 ई.) के शासनकाल में 1565-1572 ई. के बीच बनवाया गया। इसकी निर्माण योजना हुमायूँ की पत्नी हाजी बेगम ने बनाई थी।

(*c*) अकबर - जामा मस्जिद, दिल्ली (गलत) : जामा मस्जिद दिल्ली का निर्माण शाहजहाँ (1650-1656 ई.) के शासनकाल में हुआ था, न कि अकबर के समय।

(*d*) अलाउद्दीन खिलजी - अदीलाबाद का किला (गलत) : अदीलाबाद का किला मुहम्मद बिन तुगलक (1325-1351 ई.) ने बनवाया था, न कि अलाउद्दीन खिलजी ने।

(*e*) बलबन - दौलताबाद का किला (गलत) : दौलताबाद का किला यादव वंश के राजा भीमदेव द्वारा बनवाया गया था और बाद में मुहम्मद बिन तुगलक द्वारा इसका उपयोग किया गया।

82. (A): अजंता गुफाओं में बुद्ध की माता महामाया को 'एथेनियई मेट्रॉन' के रूप में चित्रित किया गया है। यह चित्रण बौद्ध कला और प्रतीकवाद को दर्शाता है, जिसमें महामाया को एक दिव्य माता के रूप में दिखाया गया है।

अन्य विकल्प गलत हैं :

(B) अपोलो : यह ग्रीक देवता से संबंधित है।

(C) यक्षी : यक्षी आमतौर पर जैन और हिंदू मूर्तिकला में पाए जाते हैं।

(D) यमी : यमराज की बहन यमी हिंदू पौराणिक कथाओं से संबंधित हैं।

83. (A): अलाउद्दीन खिलजी (1296-1316 ई.) दिल्ली सल्तनत के खिलजी वंश के शासक थे। उन्होंने मंगोल आक्रमणों को रोका, बाजार नियंत्रण नीति लागू की और दक्षिण भारत में अपने सैन्य अभियानों का विस्तार किया।

अन्य विकल्प गलत हैं :

(B) बलबन : उन्होंने 1266-1287 ई. तक शासन किया।

(C) इल्तुतमिश : उन्होंने 1211-1236 ई. तक शासन किया।

(D) मुहम्मद बिन तुगलक : उन्होंने 1325-1351 ई. तक शासन किया।

84. (D)

(*a*) इतिहास अनन्य रूप से अनूठे घटनाओं का अध्ययन करता है, जबकि विज्ञान सामान्य परिघटनाओं का अध्ययन करता है। इतिहास विशिष्ट घटनाओं, व्यक्तित्वों और समाजों का अध्ययन करता है। विज्ञान सार्वभौमिक नियमों और दोहराए जाने वाले घटनाक्रमों पर आधारित होता है।

(*b*) विज्ञान से इतर इतिहास में धर्म और नैतिकता शामिल होते हैं। इतिहास में सामाजिक और सांस्कृतिक मूल्यों को ध्यान में रखा जाता है, जबकि विज्ञान नैतिकता से स्वतंत्र होता है।

(*d*) इतिहास भविष्यवाणी करने में अक्षम है। विज्ञान में प्रयोग और गणना के आधार पर भविष्यवाणियां की जा सकती हैं, लेकिन इतिहास अतीत की घटनाओं का विश्लेषण करता है और निश्चित भविष्यवाणियां नहीं कर सकता।

अन्य विकल्प गलत हैं :

(*c*) इतिहास केवल दार्शनिक विषयों से संबंधित नहीं है।

(*e*) 'इतिहास सबकों की शृंखला है' यह कथन ऐतिहासिक घटनाओं की प्रकृति को पूरी तरह नहीं दर्शाता।

85. (A): मत्स्य पुराण में कुल 460 वर्षों की कालानुक्रमिक अवधि के साथ 30 सातवाहन शासकों की सूची दी गई है। यह पुराण सातवाहन वंश के विस्तृत इतिहास का उल्लेख करता है, जो दक्षिण भारत में एक महत्वपूर्ण राजवंश था।

अन्य विकल्प गलत हैं :

(B) वायु पुराण : इसमें सातवाहन वंश का उल्लेख नहीं मिलता।

(C) स्कंद पुराण : यह पुराण धार्मिक कथाओं पर अधिक केंद्रित है।

(D) विष्णु पुराण : इसमें सातवाहन शासकों की सूची नहीं दी गई है।

86. (D): 'कर्पूरमंजरी' संस्कृत के महान नाटककार राजशेखर द्वारा रचित एक प्रमुख नाटक है। यह संस्कृत के बजाय प्राकृत भाषा में लिखा गया है और भारतीय नाट्यशास्त्र की परंपरा में एक महत्वपूर्ण स्थान रखता है। राजशेखर ने 9वीं-10वीं शताब्दी के दौरान यह नाटक लिखा और यह शृंगार रस पर आधारित है।

अन्य विकल्प गलत हैं :

(A) हेमचंद्र : एक जैन विद्वान थे और उन्होंने व्याकरण और साहित्य पर कार्य किया।

(B) कृष्ण मिश्र : 'प्रबोध चंद्रोदय' के लेखक थे।

(C) वाग्भट : आयुर्वेद के प्रसिद्ध विद्वान थे।

87. (C): मेहरगढ़ (7000-2500 ईसा पूर्व) भारतीय उपमहाद्वीप में नवपाषाण युग की सबसे पुरानी बस्तियों में से एक थी। यह आधुनिक पाकिस्तान के बलूचिस्तान प्रांत में स्थित है। यहाँ कृषि, पशुपालन, मिट्टी के बर्तन, और घर बनाने के प्रमाण मिले हैं।

अन्य विकल्प गलत हैं :

(A) खोल्वी : मध्यकालीन स्थल है।

(B) मसूलीपट्टनम : यह मध्यकाल में व्यापारिक केंद्र था, नवपाषाण स्थल नहीं था।

(D) कालीबंगा : यह सिंधु घाटी सभ्यता (2600-1900 ईसा पूर्व) का स्थल था, नवपाषाण स्थल नहीं था।

88. (*): (क्योंकि दिए गए सभी कथन ऐतिहासिक रूप से पूर्णतः सही नहीं हैं)

(*a*) गलत : भारतीय राष्ट्रीय कांग्रेस की स्थापना 1885 में हुई थी, न कि 1884 में। ए.ओ. ह्यूम इसके संस्थापक थे, लेकिन यह विचार एलन ऑक्टेवियन ह्यूम, दादाभाई नौरोजी और अन्य नेताओं द्वारा प्रस्तावित किया गया था।

(*b*) आंशिक रूप से सही : कांग्रेस के द्वितीय अधिवेशन (1886) में आर्थिक संकटों और ब्रिटिश शोषण पर चर्चा हुई थी।

(*c*) सही : 1887 में कांग्रेस के तृतीय अधिवेशन में सुधार पर जोर दिया गया, क्रांति पर नहीं।

(*d*) गलत : कांग्रेस ने 1888 में विलियम डिग्बी के अंतर्गत लंदन में कोई भुगतान एजेंसी स्थापित नहीं की थी।

(*e*) गलत : ए.ओ. ह्यूम ने 'किसान क्रांति' का पूर्वानुमान लगाने का कोई आधिकारिक दस्तावेज जारी नहीं किया था।

89. (C): चोल राजा राजेंद्र I (1014-1044 ईस्वी) ने दक्षिण भारत और दक्षिण पूर्व एशिया के कई क्षेत्रों पर विजय प्राप्त की थी।

उनके द्वारा जीते गए क्षेत्र :

(*a*) पन्नइ

(*b*) मलाइयुर

(*d*) वलाई पन्नडुरू

(*e*) मडामलिंगम

(*c*) गोपकापट्टनम : इस क्षेत्र पर राजेंद्र I की कोई प्रत्यक्ष विजय का प्रमाण नहीं मिलता।

90. (D): दिल्ली सल्तनत के सुल्तानों को कई विशेषाधिकार प्राप्त थे, लेकिन मस्जिद निर्माण उनका अनन्य विशेषाधिकार नहीं था। मस्जिदें स्थानीय शासकों, सूफी संतों, अमीरों और व्यापारियों द्वारा भी बनवाई जाती थीं।

अन्य विकल्प सही हैं :

(A) अपने नाम से सिक्कों का चलन : सुल्तानों का एक प्रमुख विशेषाधिकार था कि वे अपने नाम से सिक्के जारी करते थे।

(B) खुतबा पढ़ना : जुमे की नमाज में खलीफा या सुल्तान के नाम का खुतबा पढ़ा जाता था, जो सत्ता की वैधता को दर्शाता था।

(C) हाथी पर सवार होना : यह भी राजसी विशेषाधिकारों में से एक था, जिसे आम जनता को नहीं दिया जाता था।

91. (B): शीरीन रत्नागर ने तर्क दिया कि मेसोपोटामिया के साथ लाजवर्द मणि (Lapis Lazuli) के व्यापार में गिरावट हड़प्पा सभ्यता के पतन का एक कारण था। उनके शोध के अनुसार, मेसोपोटामिया और हड़प्पा के बीच व्यापारिक संबंध बहुत महत्वपूर्ण थे, और जब यह व्यापार कमजोर हुआ, तो हड़प्पा सभ्यता की अर्थव्यवस्था पर नकारात्मक प्रभाव पड़ा। अन्य विद्वानों ने भी हड़प्पा सभ्यता के पतन में व्यापारिक गिरावट को एक प्रमुख कारक माना है, लेकिन शीरीन रत्नागर ने इसे विशेष रूप से विश्लेषण किया।

92. (C): मोहनजोदड़ो में पाए गए कुछ बर्तन मेसोपोटामिया के टेल अस्मार (Tell Asmar) से मिली कलाकृतियों से मिलते-जुलते हैं। विशेष रूप से, हड़प्पाई बर्तनों पर अलंकरण और डिजाइन, जो उनकी घुंडियों के चारों ओर पाए जाते हैं, मेसोपोटामिया की पारंपरिक डिजाइनों से तुलना किए जाते हैं।

अन्य विकल्प गलत हैं :

(A) खोखली चिड़िया के रूप में सीटियाँ : यह मुख्य रूप से हड़प्पाई सभ्यता की विशेषता है।

(B) पर्णाकार छुरियाँ : यह अधिकतर स्थानीय शिल्पकारी का भाग थी।

(D) जैस्पर और गोमेद के अनगढ़ माइक्रोलिथ : यह भी विशिष्ट रूप से हड़प्पाई कारीगरी थी।

93. (C): बनावली (हरियाणा) हड़प्पा सभ्यता का एक प्रमुख स्थल है, जहाँ से टेराकोटा (पकी मिट्टी) का हल मिला है। यह खोज महत्वपूर्ण है क्योंकि यह सिंधु घाटी सभ्यता के कृषि उपकरणों और उनके उपयोग को दर्शाती है।

अन्य विकल्प गलत हैं :

(A) सोरटुघई : यह एक अफगानिस्तान में स्थित हड़प्पा स्थल है, लेकिन यहाँ हल नहीं मिला।

(B) कोट दिजी : यह पाकिस्तान में स्थित हड़प्पा स्थल है, लेकिन हल की खोज नहीं हुई।

(D) लोथल : यह एक प्रमुख हड़प्पा व्यापारिक बंदरगाह था, लेकिन हल की खोज नहीं हुई।

94. (A): स्टुअर्ट पिगट ने सबसे पहले यह सुझाव दिया कि हड़प्पा सभ्यता में निरंकुश पुरोहित राजा शासन करते थे। उन्होंने तर्क दिया कि हड़प्पा समाज में धर्म और प्रशासन का संयोजन था, और संभवतः पुरोहित वर्ग का शासन था।

अन्य विकल्प गलत हैं :

(B) एस.सी. मलिक : इन्होंने हड़प्पा संस्कृति की सामाजिक संरचना पर शोध किया लेकिन पुरोहित-राजा शासन का सुझाव नहीं दिया।

(C) जिम शेफर : उन्होंने हड़प्पा सभ्यता और इसके पतन से जुड़े पर्यावरणीय और व्यापारिक पहलुओं पर कार्य किया।

(D) एल्मन आर. सर्विस : उन्होंने हड़प्पा कालीन समाज के अन्य पहलुओं पर ध्यान केंद्रित किया, लेकिन पुरोहित-राजा शासन की अवधारणा को लेकर विशेष रूप से चर्चा नहीं की।

95. (D): हाल में की गई खोजों के अनुसार, हड़प्पा सभ्यता और मेसोपोटामिया के बीच व्यापारिक संबंध थे, लेकिन हड़प्पा सभ्यता को पूरी तरह से मेसोपोटामिया के संदर्भ में परिभाषित नहीं किया जा सकता। हालाँकि कुछ सांस्कृतिक समानताएँ (जैसे व्यापारिक मुहरें और बर्तन) देखी जाती हैं, लेकिन हड़प्पा की अपनी विशिष्ट पहचान थी।

अन्य विकल्प गलत हैं :

(A) लिपि कीलाकार लिपि के समान है : हड़प्पा लिपि और कीलाकार लिपि (Cuneiform) अलग-अलग स्क्रिप्ट थीं।

(B) मोहरें और उनके प्रतीक चिह्न सुमेरियाई हैं : हड़प्पाई मोहरों का डिजाइन अद्वितीय था और सुमेरियाई प्रतीकों से भिन्न था।

(C) गुजरात और राजस्थान के छोटे स्थल मेसोपोटामियाई विशेषताएँ दर्शाते हैं : यह कथन पूरी तरह सही नहीं है, क्योंकि गुजरात और राजस्थान में मिले हड़प्पाई स्थलों में स्थानीय तत्व अधिक थे।

96. (B): फाह्यान (चीनी बौद्ध यात्री) ने अपने यात्रा वृत्तांत में पाटलिपुत्र (आधुनिक पटना) का वर्णन किया था, जहाँ उन्होंने अस्पतालों और स्वास्थ्य सुविधाओं का उल्लेख किया। उन्होंने उल्लेख किया कि इन अस्पतालों में गरीब और बीमार व्यक्तियों का निःशुल्क उपचार किया जाता था। पाटलिपुत्र उस समय गुप्त साम्राज्य की राजधानी थी और यह चिकित्सा, शिक्षा, एवं बौद्ध धर्म का एक महत्वपूर्ण केंद्र था।

अन्य विकल्प गलत हैं :

(A) पैठन : यह दक्षिण भारत में स्थित एक महत्वपूर्ण नगर था, लेकिन फाह्यान ने इसका उल्लेख नहीं किया।

(C) वैशाली : यह एक प्राचीन गणराज्य था, लेकिन अस्पतालों के संदर्भ में इसका उल्लेख नहीं हुआ।

(D) काशी : यह एक प्रमुख धार्मिक और सांस्कृतिक केंद्र था, लेकिन फाह्यान ने इसे अस्पतालों के संदर्भ में उल्लेखित नहीं किया।

97. (C): आयुर्वेद के 'वृहतत्रयी' (बड़े तीन) में चरक, सुश्रुत और वाग्भट को शामिल किया जाता है। वाग्भट ने 'अष्टांगहृदयसंहिता' और 'अष्टांगसंग्रह' की रचना की, जो आयुर्वेद चिकित्सा का एक महत्वपूर्ण ग्रंथ है।

अन्य विकल्प गलत हैं :

(A) ब्रह्मगुप्त : वे एक प्रसिद्ध गणितज्ञ और खगोलशास्त्री थे, न कि आयुर्वेदाचार्य।

(B) धन्वंतरि : उन्हें आयुर्वेद का जनक माना जाता है, लेकिन वे 'वृहतत्रयी' में शामिल नहीं हैं।

(D) भास्कर : वे एक गणितज्ञ थे और आयुर्वेद से संबंधित नहीं थे।

98. (B): आयुष मंत्रालय में आयुर्वेद, योग, प्राकृतिक चिकित्सा, यूनानी, सिद्ध और होम्योपैथी शामिल हैं। एलोपैथी (Allopathy) इसमें शामिल नहीं है क्योंकि यह आधुनिक चिकित्सा पद्धति (Modern Medicine) के अंतर्गत आता है और इसे स्वास्थ्य एवं परिवार कल्याण मंत्रालय (Ministry of Health and Family Welfare) के तहत नियंत्रित किया जाता है।

अन्य विकल्प आयुष मंत्रालय में शामिल हैं :

(A) आयुर्वेद : पारंपरिक भारतीय चिकित्सा पद्धति।

(C) सिद्ध : दक्षिण भारत में प्रचलित पारंपरिक चिकित्सा प्रणाली।

(D) होम्योपैथी : एक वैकल्पिक चिकित्सा प्रणाली।

99. (A): अशोक के प्रमुख शिलालेख-2 में चिकित्सीय उपचार, लाभकारी औषधीय जड़ी-बूटियों और फलों के रोपण की जानकारी दी गई है। इस शिलालेख में उल्लेख किया गया है कि अशोक ने न केवल भारत में बल्कि अपने पड़ोसी देशों में भी चिकित्सा सुविधाओं और औषधीय पौधों की व्यवस्था करवाई। उन्होंने मनुष्यों और पशुओं के लिए स्वास्थ्य सुविधाओं की व्यवस्था की।

अन्य विकल्प गलत हैं :

(B) शिलालेख-3 : इसमें धार्मिक सहिष्णुता का उल्लेख है।

(C) शिलालेख-6 : इसमें अशोक की नीति और प्रजापालक दृष्टिकोण का वर्णन है।

(D) उपर्युक्त में कोई नहीं : यह गलत है क्योंकि प्रमुख शिलालेख-2 में स्पष्ट रूप से चिकित्सा से संबंधित जानकारी दी गई है।

100. (D): भारतीय इतिहास में सिविल अस्पताल के आदर्श स्वरूप का प्राचीनतम संदर्भ 'चरक संहिता' में मिलता है। चरक संहिता में चिकित्सा पद्धति, अस्पतालों की व्यवस्था, चिकित्सकों के कर्तव्य और औषधियों की उपलब्धता का विस्तृत वर्णन किया गया है। यह ग्रंथ आयुर्वेद के आठ अंगों (अष्टांग आयुर्वेद) को परिभाषित करता है और चिकित्सा क्षेत्र में अत्यधिक प्रभावशाली रहा है।

अन्य विकल्प गलत हैं :

(A) अष्टांगहृदयसंहिता : वाग्भट द्वारा रचित है, लेकिन यह चरक संहिता से बाद का ग्रंथ है।

(B) फाह्यान का वृत्तांत : इसमें अस्पतालों का वर्णन है, लेकिन यह चरक संहिता से बाद में लिखा गया।

(C) सुश्रुत संहिता : इसमें शल्य चिकित्सा (सर्जरी) पर अधिक जोर दिया गया है, लेकिन सिविल अस्पतालों की संकल्पना चरक संहिता में स्पष्ट रूप से मिलती है।

पिछले प्रश्न-पत्र

National Testing Agency (NTA)

UGC-NET जूनियर रिसर्च फैलोशिप तथा सहायक प्राध्यापक पात्रता परीक्षा

इतिहास, अगस्त-2024

(Exam held on 29-08-2024)

प्रश्न-पत्र-II

1. निम्नलिखित में से किस इतिहासकार ने गयासुद्दीन तुगलक की बिजली गिरने से हुई आकस्मिक मृत्यु का विवरण प्रस्तुत किया है?

A. बरनी B. इसामी
C. इब्नबतूता D. बदायूँनी

2. अंग्रेज ईस्ट इंडिया कंपनी ने वर्ष 1623 तक निम्नलिखित स्थानों पर फैक्ट्रियाँ (व्यापारिक चौकियाँ) स्थापित कीं:

A. बड़ौदा, कलकत्ता और हैदराबाद
B. भरुच, अहमदाबाद, आगरा और मसूलीपट्टम्
C. बीकानेर, पानीपत और मैसूर
D. बंबई, चंद्रनगर और पाण्डिचेरी

3. सूची-I के साथ सूची-II का मिलान कीजिए:

सूची-I (नाम)	सूची-II (संबद्ध क्षेत्र)
(*a*) इक्ष्वाकु	I. पश्चिमी दक्कन
(*b*) कदम्ब	II. कृष्णा-गोदावरी क्षेत्र
(*c*) वाकाटक	III. छत्तीसगढ़ क्षेत्र
(*d*) शरभपुरीय	IV. उत्तरी दक्कन

नीचे दिए गए विकल्पों में से **सही** उत्तर का चयन कीजिए:

	(*a*)	(*b*)	(*c*)	(*d*)
A.	I	II	III	IV
B.	II	I	IV	III
C.	III	IV	I	II
D.	IV	III	II	I

4. लार्ड कार्नवालिस ने वर्ष 1793 में किस स्थान पर स्थायी बंदोबस्त की शुरुआत की थी?

A. बंगाल और बिहार
B. बंगाल, बिहार और उड़ीसा
C. बंगाल और मद्रास
D. बंगाल और बंबई

5. चोल शासन काल के दौरान, 'इरिविरपत्तन' का तात्पर्य था:

A. नगरों से संचालित व्यापारियों का समूह
B. पथकर/उपकर का प्रकार
C. संरक्षित व्यापारिक नगर, जो व्यापार के प्रमुख केंद्र के रूप में उभरे
D. नगर निवासियों की आचार-संहिता

6. निम्नांकित कथनों में से कौन-से कथन सही हैं?

(*a*) मध्यकाल के आरंभ में दक्षिण भारतीय ग्राम जीवन की मूलभूत इकाई 'उर' थी।
(*b*) 'उर' ग्राम सभाओं के साथ-साथ ग्राम से भी संबंधित था।
(*c*) 'उर' गैर-ब्रह्मदेय ग्राम था।
(*d*) 'नाडु', 'सभा' और 'नगरम्' जैसे कार्पोरेट निकाय राजस्व के मूल्यांकन और संग्रह का कार्य नहीं करते थे।

नीचे दिए गए विकल्पों में से **सही** उत्तर का चयन कीजिए:

A. केवल (*a*) और (*b*)
B. केवल (*c*) और (*d*)
C. केवल (*a*), (*b*) और (*c*)
D. केवल (*a*), (*c*) और (*d*)

7. अकाल के संदर्भ में निम्नलिखित में से कौन-से तीन कथन सही हैं?

(*a*) वर्ष 1880 में लार्ड लिटन सरकार ने स्ट्रेची कमीशन गठित किया।
(*b*) सर एंथोनी मैकडोनेल की अध्यक्षता में लार्ड कर्जन ने एक आयोग (कमीशन) गठित किया। इसने वर्ष 1901 में अपनी रिपोर्ट सौंपी।
(*c*) वर्ष 1876-78 के अकाल ने मद्रास, बंबई, उत्तर प्रदेश और पंजाब को प्रभावित किया।
(*d*) वर्ष 1866 के अकाल ने राजपूताना, पंजाब, मध्यप्रांत और बरार तथा मराठवाड़ा को प्रभावित किया।

नीचे दिए गए विकल्पों में से **सही** उत्तर का चयन कीजिए:

A. केवल (*a*), (*c*) और (*d*)
B. केवल (*a*), (*d*) और (*b*)
C. केवल (*a*), (*b*) और (*c*)
D. केवल (*b*), (*c*) और (*d*)

8. वर्ष 1302 के अंत में या अगले वर्ष के प्रारंभ में अलाउद्दीन खिलजी ने वारंगल पर आक्रमण के लिए जो सैन्य टुकड़ी भेजी थी, जिसकी बुरी तरह पराजय हुई, उसके सेनापति कौन थे?

A. नुसरत खान और मलिक नायब
B. उमर खान और मंगू खान
C. फखरुद्दीन जौना और छज्जू
D. कमालुद्दीन गुर्ग

9. निम्नांकित फारसी ग्रंथों को उनकी पूर्णता के कालानुक्रम में व्यवस्थित कीजिए (पहले से बाद):

(*a*) तारीख-ए-दाउदी
(*b*) मसनवी-ए-आलमगीरी
(*c*) तारीख-ए-अल्फी
(*d*) पादशाह-नामा

नीचे दिए गए विकल्पों में से **सही** उत्तर का चयन कीजिए:

A. (*b*), (*d*), (*a*), (*c*)
B. (*a*), (*c*), (*d*), (*b*)
C. (*a*), (*b*), (*c*), (*d*)
D. (*c*), (*a*), (*d*), (*b*)

10. विशिष्टाद्वैत संप्रदाय के दर्शन का विस्तृत प्रतिपादन करने वाली पुस्तक 'न्याय-तत्व' के लेखक हैं:

A. नाथमुनि
B. लगधमुनि
C. भरतमुनि
D. रामानुजाचार्य

11. निम्नलिखित में से किस सूफी संत ने हिंदुओं को 'अहले किताब' और वेदों को 'ईश्वरादिष्ट (अवतरित) पुस्तक' कहा था?

A. मिर्जा मजहर जान-ए-जाना
B. शेख अब्दुल कद्दुस
C. बयाजिद अंसारी
D. शाह अब्दुल लतीफ

12. सन् 1855-56 में बिहार और बंगाल की _______ जनजाति ने कुल्हाड़ी और तीर-धनुष से युक्त होकर अपने क्षेत्र से ब्रिटिश शासन को अस्थायी तौर पर उखाड़ फेंका।

A. हो और मुंडा
B. संथाल
C. पाईका
D. भील

13. कृष्ण की समर्पित प्रेयसी (प्रियतमा) के रूप में 'राधा' के प्राचीनतम साक्ष्य से संबंधित ग्रंथ निम्न में से कौन हैं?

(*a*) अष्टांगहृदयसंग्रह
(*b*) गीत गोविन्द
(*c*) हर्षचरित
(*d*) ब्रह्मवैवर्तपुराण

नीचे दिए गए विकल्पों में से **सही** उत्तर का चयन कीजिए:

A. केवल (*a*), (*b*) और (*c*)
B. केवल (*b*) और (*d*)
C. केवल (*b*) और (*c*)
D. केवल (*b*), (*c*) और (*d*)

14. सन् 1800 तक मराठा पांच बड़े प्रमुखों (चीफ) का परिसंघ बन चुका था। ये पांच बड़े प्रमुख कौन-से थे?

A. पुणे में पेशवा, बड़ौदा में गायकवाड़, ग्वालियर में सिंधिया, इंदौर में होल्कर और नागपुर में भोंसले
B. पुणे में गायकवाड़, बड़ौदा में पेशवा, नागपुर में होल्कर, इंदौर में भोंसले और ग्वालियर में सिंधिया
C. ग्वालियर में सिंधिया, पुणे में भोंसले, इंदौर में गायकवाड़, बड़ौदा में होल्कर और नागपुर में पेशवा
D. पुणे में सिंधिया, ग्वालियर में पेशवा, बड़ौदा में होल्कर, इंदौर में गायकवाड़ और नागपुर में भोंसले

15. 'स्पेनिश फ्लू' वर्ष 1918 में सर्वप्रथम भारत के किस शहर में पहुँचा?

A. कलकत्ता B. बंबई
C. लाहौर D. पूना

16. 19वीं और 20वीं सदी में चित्रकारी की संवृद्धि और विकास के बारे में निम्नांकित कथनों पर विचार कीजिए:

(*a*) कलकत्ता स्कूल ऑफ आर्ट की स्थापना 1854 में हुई।
(*b*) कालीघाट चित्रकारी 19वीं सदी के प्रथम चतुर्थांश (फर्स्ट क्वार्टर) में विकसित हुई।
(*c*) सन् 1905 में अबनींद्रनाथ टैगोर ने सर्वप्रथम भारत माता का चित्र बनाया।
(*d*) सन् 1903 में आयोजित कांग्रेस के मद्रास अधिवेशन में रवि वर्मा की चित्रकारी की प्रदर्शनी लगी थी और लगभग उसी काल में अंग्रेजों ने उन्हें कैसर-ए-हिन्द (1904) की उपाधि दी।

नीचे दिए गए विकल्पों में से **सही** उत्तर का चयन कीजिए:

A. केवल (*a*), (*c*) और (*d*)
B. केवल (*a*), (*b*) और (*c*)
C. केवल (*a*), (*b*) और (*d*)
D. केवल (*b*), (*c*) और (*d*)

17. गयासुद्दीन तुगलक द्वारा भेजी गयी सेना को पराजित करने वाला उड़ीसा का पूर्वी गंग राजा निम्न में से कौन था?

A. नरसिंह II B. भानुदेव II
C. नरसिंह III D. कपिलेन्द्र

18. सूची-I के साथ सूची-II का मिलान कीजिए:

सूची-I (ग्रंथ)	**सूची-II (विवरण)**
(*a*) ऋत	I. इसमें बलि की व्याख्या की गई है।
(*b*) सामवेद	II. इसमें पुजारियों को अनुष्ठानों (कर्मकाण्ड) के संदर्भ में मार्गदर्शन है।
(*c*) यजुर्वेद	III. इसमें जप के निमित्त मंत्रों का संकलन है।
(*d*) ब्राह्मण	IV. इसमें ब्रह्मांड और मनुष्य को संचालित करने वाले विधि-सिद्धांत हैं।

नीचे दिए गए विकल्पों में से **सही** उत्तर का चयन कीजिए:

	(*a*)	(*b*)	(*c*)	(*d*)
A.	IV	III	I	II
B.	III	II	IV	I
C.	IV	III	II	I
D.	III	IV	I	II

19. निम्नलिखित में से किसने कहा कि इतिहास केवल विज्ञान है, न इससे कुछ कम तथा न इससे अधिक?

A. कालिंगवुड B. जे.बी. बरी
C. टॉयनबी D. लार्ड एक्टन

20. 'समग्र इतिहास' (टोटल हिस्ट्री) की संकल्पना किसने प्रचारित की?

A. आगस्ट कॉम्ट B. जार्ज एम. ट्रेवेलियन
C. सी.वी. लैंगलॉयस D. मार्क ब्लॉक

21. चोल राज्य के संदर्भ में अनुष्ठानिक संप्रभुता और वास्तविक राजनैतिक नियंत्रण के मध्य विभेद, निम्नलिखित का द्योतक है:

A. सामंती मॉडल के प्रतिपादक
B. केन्द्रीकृत राज्य प्रतिपादक
C. निरंकुश राज्य प्रतिपादक
D. खंडीय राज्य प्रतिपादक

22. निम्नलिखित में से किसने कलकत्ता अभियान के दौरान कासिम बाजार में अंग्रेजों की फैक्ट्री पर कब्जा किया तथा 20 जून, 1756 को फोर्ट विलियम पर अधिकार जमाया?

A. टीपू सुल्तान B. मीर जफर
C. सिराजुद्दौला D. मीर कासिम

23. निम्नांकित में से कौन मगध से संबंधित नहीं है?

A. हर्यंक B. कैवर्त
C. शिशुनाग D. नंद

24. नीचे दिए गये पुरातत्व विज्ञान/पुरातत्वीय परिपेक्ष्यों के परिवर्तनकारी स्वरूप को प्रारंभिक से नवीनतम के अनुक्रम में व्यवस्थित कीजिए:

(*a*) नवीन एवं प्रक्रम धर्मी पुरातत्व
(*b*) उद्विकास का अनुजात मॉडल
(*c*) विसरणकारी परिप्रेक्ष्य
(*d*) सांस्कृतिक विरासत का देशी पुरातत्व विज्ञान

नीचे दिए गए विकल्पों में से **सही** उत्तर का चयन कीजिए:

A. (*c*), (*d*), (*b*), (*a*)
B. (*c*), (*a*), (*b*), (*d*)
C. (*b*), (*c*), (*a*), (*d*)
D. (*d*), (*c*), (*b*), (*a*)

25. बंगाल में अंग्रेजी शासन के उदय के बारे में निम्नांकित कथनों पर विचार कीजिए:

(*a*) सुल्तान शुजा की अनुमति से सन् 1651 में बंगाल के हुगली में अंग्रेजों की पहली फैक्ट्री स्थापित हुई।
(*b*) 'ब्लैक होल ट्रैजडी' के उत्तरजीवी और इस कथा के प्रधान लेखक जे. जेड हॉलवेल ने पीड़ितों के नाम का उल्लेख नहीं किया।
(*c*) प्लासी के युद्ध के बाद बंगाल के नवाब ने 'मुर्शिदाबाद संधि' के माध्यम से रॉबर्ट क्लाइव के साथ शांति स्थापित किया।
(*d*) मीर कासिम ने 'कर्नल क्लाइव के सियार' की अहम भूमिका निभाई।
(*e*) बक्सर का युद्ध तीन संयुक्त सैन्य शक्तियों (बंगाल, अवध और दिल्ली) तथा मेजर मुनरो के सेनापतित्व में अंग्रेजों की सेना के मध्य लड़ा गया।

नीचे दिए गए विकल्पों में से **सही** उत्तर का चयन कीजिए:

A. केवल (*a*), (*b*) और (*e*)
B. केवल (*a*), (*b*) और (*c*)
C. केवल (*a*), (*b*) और (*d*)
D. केवल (*b*), (*c*) और (*d*)

26. ऑल इंडिया स्टेट्स पीपुल्स कांग्रेस की स्थापना किस माह और वर्ष में हुई थी?

A. दिसम्बर, 1925 B. दिसम्बर, 1926
C. दिसम्बर, 1927 D. नवम्बर, 1928

27. सूची-I के साथ सूची-II का मिलान कीजिए:

सूची-I (राजा/राजवंश)	सूची-II (से संबद्ध)
(*a*) हर्ष	I. तोण्डमण्डलम् क्षेत्र
(*b*) ललितादित्य मुक्तापीड	II. पुष्यभूति शासक
(*c*) पल्लव	III. 'मत्स्यन्याय' का अंत
(*d*) पाल	IV. कारकोट वंश

नीचे दिए गए विकल्पों में से **सही** उत्तर का चयन कीजिए:

	(*a*)	(*b*)	(*c*)	(*d*)
A.	IV	II	I	III
B.	IV	II	III	I
C.	II	IV	I	III
D.	II	IV	III	I

28. मेवाड़ के निम्नलिखित में से किस शासक (राजा) ने संगीतराग, संगीत मीमांसा और सुरप्रबंध नामक संगीत विज्ञान से संबंधित तीन पुस्तकों का लेखन किया था?

A. लक्षसिंह
B. मोकल
C. कुम्भकर्ण (कुम्भा)
D. रायमल्ल

29. निम्नांकित को कालानुक्रम में व्यवस्थित कीजिए (पहले से बाद):

(*a*) पंजाब का विभाजन और पुनर्वास
(*b*) नई शिक्षा नीति, 2020
(*c*) प्रथम राज्य पुनर्गठन अधिनियम
(*d*) भारतीय अर्थव्यवस्था का वैश्वीकरण

नीचे दिए गए विकल्पों में से **सही** उत्तर का चयन कीजिए:

A. (*a*), (*c*), (*d*) और (*b*)
B. (*c*), (*d*), (*b*) और (*a*)
C. (*d*), (*c*), (*a*) और (*b*)
D. (*b*), (*d*), (*c*) और (*a*)

30. मुगल शासन कालीन शिक्षा के बारे में निम्नांकित में से कौन-से कथन सही हैं?

(*a*) पीटर मुंडी ने आगरा में येसु समाजी (जेसुइट) के महाविद्यालय का उल्लेख किया है।
(*b*) माहम अनगा का मदरसा जो खैरुल मंजिल के नाम से प्रसिद्ध था, बदायूँनी ने इसे 'मदरसा-ए-बेगम' की संज्ञा दी थी।
(*c*) शाहजहाँ ने दिल्ली में मदरसा-ए-रहीमिया का निर्माण किया।
(*d*) औरंगजेब ने दिल्ली में दारुल बका का निर्माण किया।

नीचे दिए गए विकल्पों में से **सही** उत्तर का चयन कीजिए:

A. केवल (*a*), (*b*) और (*c*)
B. केवल (*b*), (*c*) और (*d*)
C. केवल (*a*) और (*b*)
D. केवल (*b*) और (*c*)

31. सूची-I के साथ सूची-II का मिलान कीजिए:

सूची-I (शैक्षणिक संस्थान)	**सूची-II (संस्थापक)**
(*a*) संस्कृत कॉलेज, बनारस	I. राजा राममोहन राय, डेविड हेयर और अलेक्जेंडर डफ
(*b*) कलकत्ता मदरसा (मुहम्मडन कॉलेज)	II. रिचर्ड वेलेजली (Richard Wellesley)
(*c*) हिन्दू कॉलेज, कलकत्ता	III. जोनाथन डंकन
(*d*) फोर्ट विलियम कॉलेज, कलकत्ता	IV. वारेन हेस्टिंग्स

नीचे दिए गए विकल्पों में से **सही** उत्तर का चयन कीजिए:

	(*a*)	(*b*)	(*c*)	(*d*)
A.	III	IV	I	II
B.	III	IV	II	I
C.	I	II	III	IV
D.	I	II	IV	III

32. दिल्ली सल्तनल में कारखानों के संदर्भ में निम्नलिखित में से कौन-से कथन सही हैं?

(*a*) मसालिक-उल-अबसार के अनुसार, मुहम्मद तुगलक की कसीदाकारी की कार्यशाला में 4000 सिल्क कारीगर और अनेकों सोने की जरी के कारीगर थे।
(*b*) अफीफ ने इन्हें शाही कारखाने का नाम दिया, फिरोजशाह तुगलक के शासन काल में इनकी संख्या 100 थी।
(*c*) बहुत से कारखाने रातिबी (राज्य सहायता प्राप्त) थे, तथा अन्य कारखाने स्वक्तिपोषित थे (गैर रातिबी)।
(*d*) गैर रातिबी में राजसी पोशाक, बैनर बनाने तथा कालीन बनाने वाले कारखाने शामिल थे।

नीचे दिए गए विकल्पों में से **सही** उत्तर का चयन कीजिए:

A. केवल (*a*), (*b*) और (*c*)
B. केवल (*a*), (*c*) और (*d*)
C. केवल (*c*) और (*d*)
D. केवल (*a*) और (*c*)

33. वराहमिहिर की 'बृहत् संहिता' में निम्नांकित का वर्णन है:

(*a*) वर्षा की मात्रा के मापन की विधि
(*b*) खगोलशास्त्रीय (खगोलीय प्रेक्षण)

(*c*) घरों और मंदिरों का निर्माण

(*d*) पादपों का रोपण और फल उत्पादन में वृद्धि के तरीके

नीचे दिए गए विकल्पों में से **सही** उत्तर का चयन कीजिए:

A. केवल (*b*), (*c*) और (*d*)

B. केवल (*a*), (*b*) और (*d*)

C. केवल (*a*), (*b*) और (*c*)

D. (*a*), (*b*), (*c*) और (*d*)

34. सूची-I के साथ सूची-II का मिलान कीजिए:

सूची-I (विजयनगर काल में ग्रामीण वर्ग)	**सूची-II (उनकी भूमिका (अर्थ))**
(*a*) मणियम	I. प्रहरी
(*b*) कर्णम्	II. मुखिया
(*c*) तलैयरी	III. लेखाकार
(*d*) निरनिक्कर	IV. भिश्ती

नीचे दिए गए विकल्पों में से **सही** उत्तर का चयन कीजिए:

	(*a*)	(*b*)	(*c*)	(*d*)
A.	I	IV	III	II
B.	II	III	IV	I
C.	II	III	I	IV
D.	IV	III	II	I

35. मौर्योत्तर स्रोतों में उल्लिखित निम्नलिखित समुद्री-पत्तनों को भारतीय उपमहाद्वीप में उत्तर से दक्षिण के क्रम में व्यवस्थित कीजिए:

(*a*) बारबेरिकम

(*b*) बेरीगज (भृगुकच्छ)

(*c*) मुजिरिस (मुसिरीपट्टनम)

(*d*) सौप्परा (सोपारा)

नीचे दिए गए विकल्पों में से **सही** उत्तर का चयन कीजिए:

A. (*b*), (*a*), (*d*), (*c*)

B. (*b*), (*a*), (*c*), (*d*)

C. (*a*), (*b*), (*d*), (*c*)

D. (*a*), (*b*), (*c*), (*d*)

36. निम्नलिखित में से किस सूफी संत ने 'अमृत कुण्ड' का 'बहरुल हयात' नाम से अनुवाद किया था?

A. अब्दुल कादिर

B. कलीमुल्ला जहानाबादी

C. शेख मुहम्मद अल-हुसैनी

D. शेख मुहम्मद गौस

37. इंडियन नेशनल आर्मी के नेता निम्नांकित में से कौन नहीं हैं?

A. रास बिहारी बोस और कैप्टन मोहन सिंह

B. कैप्टन मोहन सिंह और सुभाष चंद्र बोस

C. प्रीतम सिंह और कैप्टन मोहन सिंह

D. पृथ्वी सिंह आजाद और फणीन्द्रनाथ घोष

38. कैंची और पेस्ट इतिहास, इतिहास को इस प्रकार प्रस्तुत करता है:

A. विचारधारा का वाहक

B. तथ्यों का मात्र संकलन

C. रूमानियत की एक शाखा

D. एक लिंग इतिहास

39. सिकंदर-जिन्ना समझौता किसके मध्य और कब हुआ था?

A. सिकंदर लोदी और मुहम्मद अली जिन्ना, 1930

B. मुहम्मद अली जिन्ना और सिकंदर हक, 1935

C. सिकंदर हयात खान और मुहम्मद अली जिन्ना, 1937

D. सिकंदर हयात खान और मुहम्मद अली जिन्ना, 1939

40. परंपरागत रूप से 'पंचजनः' में शामिल पाँच प्रमुख आर्य कबीले हैं:

A. भरत, पुरु, त्रित्सु, द्रुह्यु, यदु

B. भरत, त्रित्सु, यदु, तुर्वस, अनु

C. पुरु, त्रित्सु, तुर्वस, द्रुह्यु, यदु

D. पुरु, यदु, तुर्वस, अनु, द्रुह्यु

41. सूची-I के साथ सूची-II का मिलान कीजिए:

सूची-I (**मध्यकाल का वैष्णव संप्रदाय**)	**सूची-II** (**संस्थापक**)
(*a*) महापुरुषिया सम्प्रदाय	I. वल्लभाचार्य
(*b*) पुष्टिमार्ग	II. दामोदरदेव
(*c*) ब्रह्म संहति या बमुनिया	III. पुरुषोत्तम ठाकुर
(*d*) ठाकुरिया संप्रदाय	IV. शंकरदेव

नीचे दिए गए विकल्पों में से **सही** उत्तर का चयन कीजिए:

	(*a*)	(*b*)	(*c*)	(*d*)
A.	IV	III	I	II
B.	IV	I	II	III
C.	IV	I	III	II
D.	I	II	III	IV

42. इतिहास-लेखन में इतिहास का 'रांके का उपागम' निम्नलिखित पर बल देता है:

A. तथ्यों की पवित्रता B. विचारधारा
C. भाव (संवेग) D. संवेदनशीलता

43. विजयनगर और बहमनी राज्य के बीच कोविलकोण्डा का युद्ध किसके शासन काल में हुआ था?

A. कृष्णदेव राय B. सालुव नरसिंह
C. देवराय II D. विजयराय II

44. निम्नलिखित को सही कालानुक्रम में व्यवस्थित कीजिए (पहले से बाद):

(*a*) कोरोमंडल तट पर आंग्ल-फ्रांसीसी युद्ध
(*b*) कलकत्ता में इम्पीरियल अभिलेख विभाग (भारतीय राष्ट्रीय अभिलेखागार) की स्थापना
(*c*) लार्ड रिपन द्वारा प्रसिद्ध संकल्प, जिसे स्थानीय स्वशासन का मैग्नाकार्टा भी कहा जाता है।
(*d*) पंजाब और पश्चिमोत्तर सीमांत प्रांत का ब्रिटिश साम्राज्य द्वारा विलय।

नीचे दिए गए विकल्पों में से **सही** उत्तर का चयन कीजिए:

A. (*a*), (*d*), (*c*) और (*b*)
B. (*b*), (*c*), (*d*) और (*a*)
C. (*d*), (*c*), (*b*) और (*a*)
D. (*c*), (*d*), (*a*) और (*b*)

45. सूची-I के साथ सूची-II का मिलान कीजिए:

सूची-I (**पद**)	**सूची-II** (**विवरण**)
(*a*) प्रादेशिक	I. विभागीय अधिकारी
(*b*) अध्यक्ष	II. ग्राम-अधिकारी
(*c*) नागरक	III. प्रांतीय गवर्नर
(*d*) ग्रामणी	IV. नगर-अधिकारी

नीचे दिए गए विकल्पों में से **सही** उत्तर का चयन कीजिए:

	(*a*)	(*b*)	(*c*)	(*d*)
A.	I	III	II	IV
B.	I	III	IV	II
C.	III	I	II	IV
D.	III	I	IV	II

46. ब्रिटिश काल के दौरान भारतीय प्रेस के संदर्भ में निम्नलिखित कथनों पर विचार कीजिए:

(*a*) लाइसेंसिंग विनियमन, 1823 के लिए आवश्यक था: (*a*) प्रत्येक मुद्रक या प्रकाशक को प्रेस आरंभ करने या इसके उपयोग के लिए लाइसेंस प्राप्त करना (*b*) गवर्नर जनरल को लाइसेंस को रद्द करने या नये प्रार्थना पत्र मंगाने का अधिकार था।

(*b*) 1857 के महासमर से उत्पन्न आपात स्थिति ने ब्रिटिश सत्ता को प्रेस पर पुनः प्रतिबंध लगाने के लिए बाध्य किया। मेटकॉफ अधिनियम में उल्लिखित एवं उस समय प्रभावी पंजीकरण प्रक्रिया के अतिरिक्त 1857 के नियम पंद्रह ने लाइसेंसिंग-प्रतिबंधों को पुनर्परिभाषित किया।

(*c*) मार्च, 1941 में भारत सरकार ने एक 'प्रेस जाँच समिति' गठित कर उसे प्रेस संबंधी कानूनों की समीक्षा का दायित्व सौंपा।

(*d*) समाचार पत्र अधिनियम, 1908 ने मजिस्ट्रेट को ऐसे समाचारपत्रों के प्रिंटिंग प्रेस व अन्य सम्पत्तियाँ जब्त करने का अधिकार दे दिया, जिनमें प्रकाशित आपत्तिजनक लेख हिंसा या हत्या की उत्प्रेरणा देते थे।

नीचे दिए गए विकल्पों में से **सही** उत्तर का चयन कीजिए:

A. केवल (*a*), (*b*) और (*c*)

B. केवल (*b*), (*c*) और (*d*)

C. केवल (*a*), (*c*) और (*d*)

D. केवल (*a*), (*b*) और (*d*)

47. सन् 1857 के महासमर के बारे में निम्नांकित में से कौन-से कथन सही हैं?

(*a*) वी.डी. सावरकर ने इसे 'राष्ट्रीय स्वतंत्रता का नियोजित युद्ध' कहा है।

(*b*) सावरकर ने यह सिद्ध करने का प्रयास किया कि 1826-27, 1831-32, 1840, 1854 के विद्रोह, 1857 के महासमर के पूर्वाभ्यास थे।

(*c*) टी.आर. होम्स ने इस मत का प्रचार किया कि 1857 का विद्रोह 'ईसाईयों के विरुद्ध कट्टरपंथी धर्मावलंबियों का युद्ध' था।

(*d*) जेम्स आउट्रम और डब्ल्यू. टेलर ने इस महासमर को 'हिन्दू-मुस्लिम षड्यंत्र' का परिणाम माना।

(*e*) एल.ई.आर. रीस ने 1857 के महासमर की व्याख्या 'सभ्यता और बर्बरता के मध्य संघर्ष' के रूप में की।

नीचे दिए गए विकल्पों में से **सही** उत्तर का चयन कीजिए:

A. केवल (*a*), (*b*) और (*c*)

B. केवल (*b*), (*c*) और (*d*)

C. केवल (*a*), (*b*) और (*d*)

D. केवल (*c*), (*d*) और (*e*)

48. महिलाओं की स्थिति के बारे में निम्नांकित में से कौन-से कथन सही हैं?

(*a*) राष्ट्रकूट राजा अमोघवर्ष गणिकाओं को नियमित तौर पर अपना दूत नियुक्त करते थे।

(*b*) चालुक्य वंश की राजकुमारी अक्कादेवी ने प्रांत के शासन का कार्यभार संभाला।

(*c*) इब्न बतूता ने हनौर (दक्षिण भारत) में बालिकाओं की शिक्षा के लिए तेरह (13) स्कूल और बालकों के लिए तेईस स्कूल देखा था।

(*d*) विजयनगर के बारे में वर्थेमा (1505) ने लिखा कि महिलाएं अपने चेहरे को पूरी तरह ढ़क कर बाहर जाती थी।

नीचे दिए गए विकल्पों में से **सही** उत्तर का चयन कीजिए:

A. केवल (*a*), (*b*) और (*c*)

B. केवल (*b*), (*c*) और (*d*)

C. केवल (*a*), (*c*) और (*d*)

D. केवल (*a*) और (*b*)

49. प्राचीन भारत में 'तक्षण' शब्द निम्नलिखित में से किसका द्योतक है?

A. कुलीन (अभिजात)

B. सारथी

C. मुखिया या ग्राम प्रमुख

D. बढ़ई

50. निम्नलिखित आंदोलनों को कालानुक्रम में व्यवस्थित कीजिए (पहले से बाद):

(*a*) ई.वी. रामास्वामी और ए. बलीजा नायडू द्वारा आत्म-सम्मान आंदोलन प्रारंभ किया गया।

(*b*) ज्योतिबा फुले द्वारा सत्यशोधक समाज की स्थापना।

(*c*) श्री नारायण गुरु धर्म परिपालन योगम द्वारा अरुविप्पुरम आंदोलन प्रारंभ किया गया।

(*d*) सी.एन. मुदलियार, टी.एम. नायर और पी. त्यागराज द्वारा न्याय आंदोलन प्रारंभ किया गया।

नीचे दिए गए विकल्पों में से **सही** उत्तर का चयन कीजिए:

A. (*a*), (*b*), (*c*) और (*d*)

B. (*b*), (*c*), (*d*) और (*a*)

C. (*c*), (*a*), (*b*) और (*d*)

D. (*d*), (*c*), (*a*) और (*b*)

51. सूची-I के साथ सूची-II का मिलान कीजिए:

सूची-I (नाम)	सूची-II (रचना)
(*a*) सोमदेव	I. बृहत्-कथामंजरी
(*b*) क्षेमेन्द्र	II. कथासरित्सागर
(*c*) कालिदास	III. कुट्टनीमतम्
(*d*) दामोदर गुप्त	IV. ऋतुसंहार

नीचे दिए गए विकल्पों में से **सही** उत्तर का चयन कीजिए:

	(*a*)	(*b*)	(*c*)	(*d*)
A.	I	II	IV	III
B.	II	I	IV	III
C.	IV	III	II	I
D.	IV	II	III	I

52. निम्नलिखित में से बेमेल शब्द को चिह्नांकित कीजिए:

A. अरघट्ट B. वापी
C. चूर्णी D. नौरिया

53. दिल्ली के सुल्तानों द्वारा निर्मित निम्नलिखित मस्जिदों को उनके निर्माण के आरोही कालानुक्रम में व्यवस्थित कीजिए (पहले से बाद):

(*a*) मोठ की मस्जिद
(*b*) जमात खाना मस्जिद
(*c*) बेगमपुरी मस्जिद
(*d*) खिर्की मस्जिद

नीचे दिए गए विकल्पों में से **सही** उत्तर का चयन कीजिए:

A. (*b*), (*c*), (*d*), (*a*)
B. (*b*), (*c*), (*a*), (*d*)
C. (*a*), (*b*), (*c*), (*d*)
D. (*a*), (*c*), (*d*), (*b*)

54. अकबर की धार्मिक नीति के संदर्भ में निम्नलिखित में से कौन-से कथन सही हैं?

(*a*) उसने तीर्थयात्री कर समाप्त किया।
(*b*) उसने वर्ष 1580 में सीकरी में इबादतखाने का निर्माण करवाया।
(*c*) उसने 1579 में 'मजहर' की घोषणा की।
(*d*) उसने दीन-ए-इलाही चलाया।

नीचे दिए गए विकल्पों में से **सही** उत्तर का चयन कीजिए:

A. केवल (*a*), (*b*) और (*c*)
B. केवल (*a*) और (*b*)
C. केवल (*a*), (*c*) और (*d*)
D. (*a*), (*b*), (*c*) और (*d*)

55. निम्नलिखित में से किस देशी रियासत के विरुद्ध स्वतंत्र भारत गणराज्य ने 'आपरेशन पोलो' चलाया था?

A. कश्मीर B. जोधपुर
C. जूनागढ़ D. हैदराबाद

56. कात्यायन के अनुसार, विद्याधन (अधिगम द्वारा अर्जित संपत्ति) में शामिल है:

(*a*) किसी विद्वान द्वारा अपने शिष्यों से प्राप्त संपत्ति
(*b*) पुस्तकों की बिक्री से प्राप्त संपत्ति।
(*c*) किसी कठिन प्रश्न के समाधान या शास्त्रार्थ में सफलता द्वारा पुरस्कार (पारितोषिक) के रूप में प्राप्त संपत्ति।
(*d*) यज्ञीय शुल्क के रूप में प्राप्त संपत्ति।

नीचे दिए गए विकल्पों में से **सही** उत्तर का चयन कीजिए:

A. केवल (*a*), (*b*) और (*c*)
B. केवल (*b*), (*c*) और (*d*)
C. (*a*), (*b*), (*c*) और (*d*)
D. केवल (*a*), (*c*) और (*d*)

57. मध्यकाल में व्यापारियों और कारीगरों की 'हड़ताल' की घटना के संदर्भ में निम्नलिखित में से कौन-से कथन सही हैं?

(*a*) वर्ष 1668-69 में इस्लाम में बलात् धर्म-परिवर्तन के विरुद्ध सूरत के बनियों ने हड़ताल की थी।
(*b*) यूरोपीय यात्री थेवेनॉट के अनुसार, बागनगर के हिन्दू बैंकरों ने अमीर की वसूली के विरोध में अपने कार्यालय बंद कर दिये।
(*c*) वर्ष 1686 में मद्रास की समस्त भारतीय जनता अंग्रेजों द्वारा अधिरोपित कर के विरोध में जाति प्रधानों के आदेश पर हड़ताल पर चली गई।

(*d*) सत्रहवीं सदी में अब्बे कैरे ने लिखा कि कम्मलन (कारीगर) जाति में से यदि कोई अपमानित महसूस करता था या उसके साथ कुछ गलत किया जाता था तो सभी लोग अपनी दुकानें बंद कर देते थे।

नीचे दिए गए विकल्पों में से **सही** उत्तर का चयन कीजिए:

A. केवल (*a*), (*b*) और (*c*)
B. केवल (*b*), (*c*) और (*d*)
C. केवल (*c*) और (*d*)
D. (*a*), (*b*), (*c*) और (*d*)

58. सूची-I के साथ सूची-II का मिलान कीजिए:

सूची-I (किसान आंदोलन)	**सूची-II (नेता)**
(*a*) बिजौलिया किसान आंदोलन	I. वल्लभ भाई पटेल
(*b*) बारदोली सत्याग्रह	II. विजय सिंह पथिक और माणिक्यलाल वर्मा
(*c*) तेभागा आंदोलन	III. बाबा रामचन्द्र
(*d*) अवध किसान आंदोलन	IV. कंप्रम सिंह और भवन सिंह

नीचे दिए गए विकल्पों में से **सही** उत्तर का चयन कीजिए:

	(*a*)	(*b*)	(*c*)	(*d*)
A.	II	I	III	IV
B.	II	I	IV	III
C.	III	IV	I	II
D.	III	IV	II	I

59. सूची-I के साथ सूची-II का मिलान कीजिए:

सूची-I (वास्तविक नाम)	**सूची-II (लोकप्रिय नाम)**
(*a*) मूलशंकर	I. रामकृष्ण परमहंस
(*b*) नरेन्द्र नाथ दत्त	II. भगिनी निवेदिता
(*c*) गदाधर चट्टोपाध्याय	III. स्वामी दयानन्द सरस्वती
(*d*) मार्ग्रेट एलिजाबेथ नोबल	IV. स्वामी विवेकानन्द

नीचे दिए गए विकल्पों में से **सही** उत्तर का चयन कीजिए:

	(*a*)	(*b*)	(*c*)	(*d*)
A.	I	II	III	IV
B.	I	II	IV	III
C.	III	IV	I	II
D.	III	IV	II	I

60. सूची-I के साथ सूची-II का मिलान कीजिए:

सूची-I (पुस्तक)	**सूची-II (लेखक)**
(*a*) एट्टीन फिफ्टी सेवेन	I. एस.बी. चौधरी
(*b*) द सिपॉय म्यूटिनी एंड द रेबेलियन ऑफ 1857	II. एस.एन. सेन
(*c*) सिविल रेबेलियन इन इंडियन म्यूटिनीज, 1857-1859	III. एस. अहमद
(*d*) एन एस्से ऑन द कॉजेज ऑफ द इंडियन रिवोल्ट	IV. आर.सी. मजूमदार

नीचे दिए गए विकल्पों में से **सही** उत्तर का चयन कीजिए:

	(*a*)	(*b*)	(*c*)	(*d*)
A.	II	IV	III	I
B.	II	IV	I	III
C.	I	III	II	IV
D.	I	III	IV	II

61. निम्नलिखित को आरोही (पहले से बाद के) कालानुक्रम में व्यवस्थित कीजिए:

(*a*) आर्यभट्ट
(*b*) सुश्रुत
(*c*) वराहमिहिर
(*d*) ह्वेनत्सांग

नीचे दिए गए विकल्पों में से **सही** उत्तर का चयन कीजिए:

A. (*b*), (*a*), (*c*), (*d*)
B. (*b*), (*c*), (*a*), (*d*)
C. (*a*), (*b*), (*c*), (*d*)
D. (*a*), (*b*), (*d*), (*c*)

62. राज्याभिषेक के समय शिवाजी ने कौन-सी उपाधि धारण नहीं की थी?

A. क्षत्रिय-कुलवतांश (क्षत्रिय कुल प्रमुख)
B. सिंहासनाधीश्वर (सिंहासन-अधिपति)
C. महाराज
D. वेदमार्ग-प्रतिष्ठापक

63. निम्नलिखित संतों को कालानुक्रम में व्यवस्थित कीजिए (पहले से बाद):

(*a*) रामानुज
(*b*) आण्डाल
(*c*) रामानंद
(*d*) कुंभनदास

नीचे दिए गए विकल्पों में से **सही** उत्तर का चयन कीजिए:

A. (*a*), (*b*), (*c*), (*d*)
B. (*c*), (*a*), (*b*), (*d*)
C. (*b*), (*a*), (*c*), (*d*)
D. (*b*), (*c*), (*d*), (*a*)

64. वह तमिल अभिलेख, जिसमें वर्ष 1281 में एक व्यापारी सबन्दपेरुमल उर्फ तवसचक्रवर्ती द्वारा भगवान शिव के मंदिर का निर्माण अभिलिखित है, कहाँ अवस्थित हैं?

A. मिस्त्र के अलेक्जेंन्ड्रिया में
B. अरब प्रायद्वीप के एडेन में
C. दक्षिण चीन के क्वान्झू में
D. गुजरात के भरुच में

65. सूची-I के साथ सूची-II का मिलान कीजिए:

सूची-I (नाम)	**सूची-II (संबद्ध क्षेत्र)**
(*a*) कुरु	I. कोसल और अयोध्या
(*b*) इक्ष्वाकु	II. दक्षिणी क्षेत्र
(*c*) विदर्भ	III. पांचाल
(*d*) हैहय	IV. मध्य भारत, मालवा और गुजरात

नीचे दिए गए विकल्पों में से **सही** उत्तर का चयन कीजिए:

	(*a*)	(*b*)	(*c*)	(*d*)
A.	III	I	II	IV
B.	III	II	IV	I
C.	IV	III	II	I
D.	I	III	IV	II

66. साहित्यिक चोरी (प्लैजरिज्म) को निम्नलिखित के द्वारा नहीं पता लगाया जा सकता है:

A. स्कोपस
B. टर्निटिन
C. आइथेन्टिकेट
D. उरकुन्ड

67. पेशवा बाजीराव I के शासनकाल की निम्नलिखित घटनाओं को आरोही कालानुक्रम में व्यवस्थित कीजिए (पहले से बाद):

(*a*) भोपाल-युद्ध
(*b*) छत्रसाल के साथ संधि
(*c*) अमझेरा का युद्ध
(*d*) बेसिन के दुर्ग पर कब्जा

नीचे दिए गए विकल्पों में से **सही** उत्तर का चयन कीजिए:

A. (*a*), (*b*), (*c*), (*d*)
B. (*b*), (*c*), (*d*), (*a*)
C. (*c*), (*a*), (*d*), (*b*)
D. (*c*), (*b*), (*a*), (*d*)

68. यहूदी व्यापारी अब्राहम बेन यिजू (1133-49) भारत के निम्नलिखित में से किस शहर में कांस्य की फैक्ट्री चलाता था?

A. मंगलोर
B. कोचीन
C. कालीकट
D. कोल्हापुर

69. मुगल काल में 'दीवान-ए-बयूतात' मंत्रालय निम्नलिखित में से किससे संबंधित था?

A. सैन्य लेखा
B. अश्वारोही सेना
C. दरबारी शिष्टाचार
D. कारखाने (राज्य शासित कारखाने)

70. पुनर्जागरण की भावना ने इतिहास-लेखन पर व्यापक प्रभाव डाला। निम्नलिखित में से कौन उन प्रभावों से संबंधित नहीं है?

A. इतिहास के मानवीय दृष्टिकोण की ओर लौटना
B. अविशेषज्ञ इतिहासकारों का प्रादुर्भाव
C. मानवीय इतिहासकारों के नये संप्रदाय की वृद्धि
D. सार्वभौमिक इतिहास और कालानुक्रम का प्रादुर्भाव

71. मुगल बादशाह शाहजहाँ द्वारा निम्नलिखित में से किस गायक को 'गुणसमुन्दर' की उपाधि मिली थी?

A. विलास खाँ B. लाल खाँ
C. कुशहाल खाँ D. हयात खाँ

72. मौर्योत्तर काल में भारत से रोम को निर्यात की जाने वाली वस्तुओं को चिह्नित कीजिए:

(*a*) वस्त्र
(*b*) कांच के मनके
(*c*) हाथी दाँत (गजदंत)
(*d*) जैतून का तेल
(*e*) काली मिर्च

नीचे दिए गए विकल्पों में से **सही** उत्तर का चयन कीजिए:

A. केवल (*a*), (*c*), (*e*)
B. केवल (*a*), (*b*), (*c*), (*d*)
C. केवल (*a*), (*c*), (*d*)
D. केवल (*a*), (*b*), (*d*), (*e*)

73. मनसबदारी व्यवस्था के संदर्भ में निम्नांकित में से कौन-से कथन सही हैं?

(*a*) सिद्धांततः सभी मनसबदार सीधे शासक द्वारा नियुक्त किये जाते थे।
(*b*) शाही परिवार के राजकुमार और साम्राज्य के प्रमुख अमीर नियुक्ति के लिए व्यक्तियों की अनुशंसा करते थे।
(*c*) 7000/7000 से ऊपर के सभी मनसब शाही परिवार के राजकुमारों के लिए आरक्षित थे।
(*d*) एकमात्र अमीर, मीर जुमला को 9000/9000 की रैंक प्रदान की गई थी।

नीचे दिए गए विकल्पों में से **सही** उत्तर का चयन कीजिए:

A. केवल (*a*) और (*b*)
B. केवल (*b*) और (*d*)
C. केवल (*a*), (*b*) और (*c*)
D. केवल (*a*), (*c*) और (*d*)

74. मुगलकाल में निम्नलिखित विदेशी यात्रियों के आगमन को आरोही कालानुक्रम में व्यवस्थित कीजिए (पहले से बाद):

(*a*) पित्रा डेला वेले
(*b*) पीटर मुंडी
(*c*) विलियम हॉकिन्स
(*d*) ज्याँ बैपटिस्ट ट्रेवर्नियर

नीचे दिए गए विकल्पों में से **सही** उत्तर का चयन कीजिए:

A. (*a*), (*b*), (*c*), (*d*)
B. (*b*), (*a*), (*d*), (*c*)
C. (*c*), (*a*), (*b*), (*d*)
D. (*c*), (*b*), (*a*), (*d*)

75. सूची-I के साथ सूची-II का मिलान कीजिए:

सूची-I (प्रसिद्ध मुगल पेंटिंग)	**सूची-II (चित्रकार)**
(*a*) दुर्बल अश्व के साथ निर्जन क्षेत्र में मजनूँ	I. बसावन
(*b*) साइबेरियाई सारस	II. उस्ताद मंसूर
(*c*) चिनार वृक्ष पर ढेर सारी गिलहरियाँ	III. अब्दुल हसन
(*d*) बिशनदास का चित्र	IV. दौलत

नीचे दिए गए विकल्पों में से **सही** उत्तर का चयन कीजिए:

	(*a*)	(*b*)	(*c*)	(*d*)
A.	I	II	III	IV
B.	II	III	I	IV
C.	III	II	IV	I
D.	IV	III	I	II

76. निम्नलिखित को सही कालानुक्रम में व्यवस्थित कीजिए (पहले से बाद):

(*a*) रंगपुर धिंग किसान विद्रोह
(*b*) मद्रास में वेद समाज की स्थापना
(*c*) ईश्वर चंद्र विद्यासागर ने साप्ताहिक 'सोम प्रकाश' प्रारंभ किया
(*d*) थामस मैकाले द्वारा भारतीय शिक्षा संबंधी स्मरण-पत्र (मिनट)

नीचे दिए गए विकल्पों में से **सही** उत्तर का चयन कीजिए:

A. (*a*), (*d*), (*c*) और (*b*)
B. (*d*), (*c*), (*b*) और (*a*)
C. (*c*), (*d*), (*a*) और (*b*)
D. (*b*), (*d*), (*c*) और (*a*)

77. प्राचीन भारत में विवाह के प्रकारों से निम्नांकित में से कौन संबंधित हैं?

(*a*) अश्वमेध (*b*) अनुलोम
(*c*) वाजपेय (*d*) प्रतिलोम

नीचे दिए गए विकल्पों में से **सही** उत्तर का चयन कीजिए:

A. केवल (*a*), (*b*), (*c*), (*d*)
B. केवल (*b*) और (*d*)
C. केवल (*a*) और (*c*)
D. केवल (*a*), (*b*) और (*c*)

78. परंपरानुसार आलवारों और नायनारों की संख्या क्रमशः हैं:

A. 12 और 63 B. 63 और 12
C. 11 और 51 D. 51 और 11

79. सूची-I से सूची-II का मिलान कीजिए:

सूची-I	सूची-II
(*a*) अगस्त प्रस्ताव	I. 1945
(*b*) क्रिप्स मिशन	II. 1942
(*c*) वेवल प्लान	III. 1946
(*d*) कैबिनेट मिशन प्लान	IV. 1940

नीचे दिए गए विकल्पों में से **सही** उत्तर का चयन कीजिए:

	(*a*)	(*b*)	(*c*)	(*d*)
A.	I	II	III	IV
B.	I	II	IV	III
C.	IV	II	III	I
D.	IV	II	I	III

80. आरंभिक पालि ग्रंथ 'सुत्तनिपात' के अनुसार, मवेशियों का संरक्षण करना चाहिए; क्योंकि वे हमें प्रदान करते हैं:

(*a*) भोजन (*b*) शक्ति
(*c*) खाद (*d*) सौन्दर्य
(*e*) प्रसन्नता

नीचे दिए गए विकल्पों में से **सही** उत्तर का चयन कीजिए:

A. केवल (*a*), (*b*), (*c*), (*d*)
B. केवल (*b*), (*c*), (*d*), (*e*)
C. केवल (*a*), (*b*), (*d*), (*e*)
D. केवल (*a*), (*c*), (*d*), (*e*)

81. गोलकुण्डा के कुतुब-शाही राजवंश के निम्नलिखित सुल्तानों को आरोही कालानुक्रम में व्यवस्थित कीजिए (पहले से बाद):

(*a*) इब्राहिम कुतुब शाह
(*b*) मुहम्मद कुली कुतुब शाह
(*c*) अब्दुल्ला कुतुब शाह
(*d*) अबुल-हसन कुतुब शाह

नीचे दिए गए विकल्पों में से **सही** उत्तर का चयन कीजिए:

A. (*a*), (*b*), (*c*), (*d*)
B. (*b*), (*c*), (*a*), (*d*)
C. (*c*), (*b*), (*d*), (*a*)
D. (*b*), (*a*), (*c*), (*d*)

82. मध्यकाल में व्यापार और वाणिज्य के संदर्भ में निम्न में से कौन-से कथन सही हैं?

(*a*) गुजरात सिल्क उद्योग सत्रहवीं सदी में चीन से कच्चे रेशम के आयात पर पूर्णतः निर्भर था।

(*b*) बंगाल को अफीम की प्राप्ति बिहार से होती थी।

(*c*) लाख के वस्तुओं के निर्माण के लिए गुजरात को लाख (लाक्षा) बंगाल से प्राप्त होती थी।

(*d*) शंख के आभूषण बनाने वाले बंगाल के विनिर्माता तूतोकोरिन से शंख के आयात पर निर्भर थे।

नीचे दिए गए विकल्पों में से **सही** उत्तर का चयन कीजिए:

A. केवल (*a*) और (*b*)
B. केवल (*a*), (*b*) और (*c*)
C. केवल (*a*), (*c*) और (*d*)
D. केवल (*b*), (*c*) और (*d*)

83. 'इंडियन वार ऑफ इंडिपेन्डेन्स, 1857' पुस्तक के लेखक हैं:

A. स्वामी विवेकानन्द B. अरबिन्द घोष
C. भगत सिंह D. वी.डी. सावरकर

84. असैन्य और सैन्य राजपत्र का प्रकाशन निम्नलिखित में से किस शहर से होता था?

A. मद्रास B. इलाहाबाद
C. कलकत्ता D. लाहौर

85. सूची-I के साथ सूची-II का मिलान कीजिए:

सूची-I (अष्टप्रधान अधिकारी)	**सूची-II (मंत्री (शिवाजी के शासन काल में))**
(*a*) पेशवा	I. अन्नाजी दत्तो
(*b*) मजूमदार (आमात्य)	II. दत्ताजी त्र्यम्बक
(*c*) सरनीस (सचिव)	III. मोरो त्र्यम्बक पिंगले
(*d*) वाक्नवीस	IV. रामचंद्र नीलकंण्ठ

नीचे दिए गए विकल्पों में से **सही** उत्तर का चयन कीजिए:

	(*a*)	(*b*)	(*c*)	(*d*)
A.	I	II	III	IV
B.	IV	III	I	II
C.	I	III	II	IV
D.	III	IV	I	II

86. इतिहास में क्लियोपेट्रा की नाक सिद्धांत (Nose theory) का क्या अर्थ है?

A. इतिहास व्यक्ति प्रधान है
B. इतिहास वैज्ञानिक ज्ञान है
C. इतिहास में कारण
D. सारा इतिहास समसामयिक इतिहास है

87. 19वीं सदी में भारत में शिक्षा के विकास के बारे में निम्नांकित कथनों पर विचार कीजिए:

(*a*) चार्टर अधिनियम, 1813 में भारत में शिक्षा के मद में एक लाख रुपए के वार्षिक व्यय का प्रावधान किया गया।

(*b*) चार्ल्स वुड के डिस्पैच ऑन एजुकेशन, 1854 में घोषणा की गई कि शैक्षणिक नीति का उद्देश्य पूर्वी शिक्षा का अध्यापन (शिक्षण) है।

(*c*) भारत के विश्वविद्यालयों के सामान्य क्रियाकलापों की जांच करने के लिए 1882-83 में हंटर शिक्षा आयोग का गठन किया गया।

(*d*) प्राच्य-आंग्ल विवाद के दौरान, प्राच्यवादियों के समूह का नेतृत्व एच.टी. प्रिंसेप ने किया था। वे प्राच्य साहित्य के प्रगामी प्रयोग को बढ़ावा देने के पक्षधर थे।

नीचे दिए गए विकल्पों में से **सही** उत्तर का चयन कीजिए:

A. केवल (*a*) और (*b*)
B. केवल (*a*) और (*d*)
C. केवल (*b*) और (*c*)
D. केवल (*a*) और (*d*)

88. निम्नलिखित कथनों में से कौन-से कथन सही हैं?

(*a*) शैव सिद्धांत तीन शाश्वत सिद्धांतों—ईश्वर (शिव), ब्रह्मांड और आत्मा-को स्वीकृति प्रदान करता है।

(*b*) शैव सिद्धांत, कश्मीर का शैववाद और वीरशैव परंपरा के अनुयायियों द्वारा 'आगम' प्रामाणिक ग्रंथ माने जाते हैं।

(*c*) 'कापालिक' और 'कालामुखी' दो प्रमुख वैष्णव संप्रदाय थे।

(*d*) 'नायनार' संतों के विचारों और कार्यकलापों के कारण दक्षिण भारत में वैष्णव भक्ति लोकप्रिय हुई।

नीचे दिए गए विकल्पों में से **सही** उत्तर का चयन कीजिए:

A. केवल (*c*) और (*d*)
B. केवल (*b*) और (*c*)
C. केवल (*a*) और (*d*)
D. केवल (*a*) और (*b*)

89. बुक्का I के पुत्र कुमार कंपन के अभियान का वर्णन करने वाले ग्रंथ मदुराविजयम (मदुरा-विजय) की रचना किस भाषा में की गई?

A. तेलुगु B. संस्कृत
C. कन्नड़ D. तमिल

90. निम्नांकित को अनुक्रम में व्यवस्थित कीजिए (पहले से बाद):

(*a*) मांटेग्यू चेम्सफोर्ड संवैधानिक सुधार जिसके फलस्वरूप प्रांतों में सार्वजनिक स्वास्थ्य, स्वच्छता और जीवन-मरण संबंधी आंकड़ों का अंतरण हुआ।
(*b*) चालीसा का दुर्भिक्ष जो पंजाब, कश्मीर, दिल्ली और राजपूताना में फैला था।
(*c*) सामाजिक-धार्मिक सुधार आंदोलनों के लिए महाराष्ट्र में परमहंस मंडली की स्थापना।
(*d*) फिरोजशाह मेहता द्वारा बाम्बे क्रॉनिकल (समाचार पत्र) का शुभारंभ।

नीचे दिए गए विकल्पों में से **सही** उत्तर का चयन कीजिए:

A. (*b*), (*c*), (*d*) और (*a*)
B. (*c*), (*b*), (*a*) और (*d*)
C. (*a*), (*b*), (*d*) और (*c*)
D. (*d*), (*b*), (*c*) और (*a*)

निर्देशः (प्र.सं. 91 से 95 तक): निम्नांकित गद्यांश को ध्यान से पढ़िए और दिए गए प्रश्न के उत्तर दीजिए:

"राजा के बारे में अगली महत्वपूर्ण धारणा यह थी कि वह जनता का सेवक है। एक प्रारंभिक धर्मसूत्र लेखक ने टिप्पणी की है कि राजा वस्तुतः सेवक होता है और 16% कर उसका पारिश्रमिक है। एक जगह कौटिल्य ने इस बात का उल्लेख किया है कि राजा किस प्रकार से अपने सैनिकों के समतुल्य था, दोनों को अलग-अलग पारिश्रमिक मिलता था और दोनों राष्ट्र की परिसम्पत्ति साझा करने के हकदार थे। नारद भी जनता की रक्षा के लिए कराधान को राजा का वेतन मानते हैं। अपरार्क का कथन है कि कोई भी व्यक्ति प्रतिफल की उम्मीद के बिना कर अदा नहीं करता है, अतएव, करों की अदायगी-राजा से संरक्षण प्राप्त करने के बदले ही-की जाती है। चूंकि जनता राजा को उचित पारिश्रमिक अदा करती है, राजा को अनिवार्यतः एक सेवक के रूप में, यहाँ तक कि गुलाम के रूप में उनकी सेवा करनी चाहिए। निश्चित रूप से यह अतिशयोक्तिपूर्ण कथन हैः यथार्थ स्थिति की झलक शुक्र के लेखन में मिलती है जहाँ उन्होंने राजा की व्याख्या जनता का स्वामी और सेवक दोनों के रूप में किया है।"

91. प्राचीन ग्रंथों में निम्नांकित में से किसे 'राजाओं का ताड़क' माना गया है?

A. इन्द्र B. मित्र
C. वरुण D. नासत्य

92. निम्नांकित में से किसमें राजा का वर्णन जनता के स्वामी और सेवक दोनों के रूप में किया गया है?

A. याज्ञवल्क्य स्मृति B. तैत्तिरीय संहिता
C. शुक्रनीतिसार D. नारद स्मृति

93. निम्नांकित में से किस पुस्तक में उल्लेख है कि "राजा की स्थिति सिपाहियों के समान थी, दोनों को अलग-अलग पारिश्रमिक मिलता था और दोनों राष्ट्र की परिसंपत्ति साझा करने के हकदार थे"।

A. ऐतरेय ब्राह्मण B. अर्थशास्त्र
C. मनुस्मृति D. विष्णु पुराण

94. उपर्युक्त गद्यांश निम्नांकित में से किसके संबंध में है?

A. राजा की दिव्यता
B. नैतिक व्यवस्था को अक्षुण्ण रखने वाले के रूप में राजा
C. न्यासी के रूप में राजा
D. जनसेवक के रूप में राजा

95. प्रारंभिक धर्मसूत्र में टिप्पणी की गई है कि 'राजा वस्तुतः सेवक है और 16% कर उसका पारिश्रमिक है'। संदर्भित धर्मसूत्र है:

A. बौधायन धर्मसूत्र B. गौतम धर्मसूत्र
C. वशिष्ट धर्मसूत्र D. उपर्युक्त में से कोई नहीं

निर्देशः (प्र.सं. 96 से 100 तक): निम्नलिखित अवतरण को ध्यानपूर्वक पढ़िए और संबंधित प्रश्नों के उत्तर दीजिए:

"महाराष्ट्र में क्रांतिकारी गतिविधियों का अगला चरण विनायक दामोदर सावरकर के इर्द-गिर्द केन्द्रित है, जिन्हें जन्मजात क्रांतिकारी कहा जा सकता है। ऐसा कहा जाता है कि जब उन्होंने चापेकर बंधुओं के बारे में सुना, उस समय वे पंद्रह वर्ष के बालक थे; उन्होंने भारत से अंग्रेजों को बाहर खदेड़ने के शहीद चापेकर बंधुओं के मिशन को पूरा करने के लिए भगवती दुर्गा के समक्ष शपथ ली। वर्ष 1900 में उन्होंने नासिक में 'मित्र मेला' नामक संगठन की नींव रखी। इसका उद्देश्य भारत को राजनैतिक स्वतंत्रता दिलाना था तथा दृढ़तापूर्वक यह कहा गया कि यदि आवश्यकता पड़ी तो सशस्त्र विद्रोह द्वारा ऐसी स्वतंत्रता हासिल की जा सकती है। वर्ष 1904 में मैजिनी के 'यंग इटली' के नाम पर इस संगठन का नाम 'अभिनव भारत' अंगीकार किया गया।"

96. 'अभिनव भारत' के निम्नलिखित में से किस सदस्य को रूसी क्रांतिकारियों से बम बनाने की कला सीखने के लिए पेरिस भेजा गया था?

A. अजीत सिंह B. वी.सी. पाल
C. पी.एन. बापट D. गणेश दामोदर सावरकर

97. वर्ष 1900 में विनायक दामोदर सावरकर द्वारा मित्र-मेला का शुभारंभ कहाँ किया गया था?

A. पूना B. बंबई
C. रत्नागिरि D. नासिक

98. 'अभिनव-भारत' था:

A. क्रांतिकारियों की गुप्त संस्था
B. समाज सुधार संगठन
C. धार्मिक संस्था
D. शैक्षिक संगठन

99. निम्नलिखित में से किसे 'चापेकर बंधु' के नाम से संबोधित नहीं किया जाता है?

A. दामोदर हरि चापेकर
B. विनायक हरि चापेकर
C. बालकृष्ण हरि चापेकर
D. वासुदेव हरि चापेकर

100. उद्देश्य की प्राप्ति अर्थात् 'भारत की राजनैतिक स्वतंत्रता' के लिए 'मित्र-मेला' ________ मार्ग का पक्षधर था:

A. याचिका
B. सशस्त्र विद्रोह
C. वार्तालाप
D. ज्ञापन

उत्तरमाला

1. (A): इतिहासकार बरनी ने गयासुद्दीन तुगलक की बिजली गिरने से हुई आकस्मिक मृत्यु का विवरण प्रस्तुत किया है। बरनी का पूरा नाम जियाउद्दीन बरनी है और उन्होंने अपने ग्रंथ 'तारीख-ए-फिरोजशाही' में इस घटना का वर्णन किया है। इस घटना के अनुसार, गयासुद्दीन तुगलक जब एक अभियान से लौट रहे थे, तब उनके शिविर के ऊपर बिजली गिरने से उनकी मृत्यु हो गई थी। यह घटना उनके पुत्र उलुग खान द्वारा सिंहासन हासिल करने के लिए रची गई साजिश का हिस्सा मानी जाती है। बरनी ने अपनी पुस्तक में इस घटना को बहुत ही विस्तार से लिखा है, जिसमें उन्होंने तत्कालीन राजनीतिक परिस्थितियों और उनके परिणामों का भी उल्लेख किया है।

2. (B): अंग्रेज ईस्ट इंडिया कंपनी ने 1623 तक इन स्थानों पर अपनी फैक्ट्रियाँ स्थापित की थीं। भरुच, अहमदाबाद, आगरा और मसूलीपट्टम् भारत के प्रमुख

व्यापारिक केंद्र थे, जहां स्थानीय और अंतर्राष्ट्रीय व्यापार के लिए उपयुक्त बाजार और सुविधाजनक संचार मार्ग उपलब्ध थे। ईस्ट इंडिया कंपनी ने इन स्थानों पर फैक्ट्रियों की स्थापना करके भारतीय बाजारों में अपनी पैठ बनाई और साथ ही स्थानीय राजाओं और नवाबों के साथ व्यापारिक संधियां भी कीं। इसके अलावा, ये फैक्ट्रियाँ सैन्य और प्रशासनिक उपयोग के लिए भी महत्वपूर्ण साबित हुईं, जिससे कंपनी की भारत में मजबूती और बढ़ी।

3. (B): इक्ष्वाकु राजवंश ने कृष्णा-गोदावरी क्षेत्र में शासन किया था (II), कदम्ब राजवंश पश्चिमी दक्कन में स्थित था (I), वाकाटक राजवंश उत्तरी दक्कन में स्थित था (IV), और शरभपुरीय राजवंश छत्तीसगढ़ क्षेत्र में स्थित था (III)। इन राजवंशों का भारतीय इतिहास में महत्वपूर्ण स्थान है, क्योंकि इन्होंने अपने-अपने क्षेत्रों में सांस्कृतिक और आर्थिक विकास में योगदान दिया था। ये राजवंश स्थानीय स्तर पर कला, वास्तुकला, और शिक्षा के प्रसार में सक्रिय थे, जिससे उनके क्षेत्रों की पहचान और महत्व में वृद्धि हुई।

4. (B): लॉर्ड कार्नवालिस ने 1793 में बंगाल, बिहार और उड़ीसा में स्थायी बंदोबस्त की शुरुआत की थी। इसे जमींदारी प्रथा भी कहा जाता है, जिसमें जमीन के मालिकाना हक को जमींदारों को स्थायी रूप से दे दिया गया था। इस प्रथा के तहत, जमींदारों को लगान एकत्र करने का अधिकार दिया गया था और बदले में उन्हें ब्रिटिश सरकार को एक निश्चित राशि भुगतान करनी थी। यह व्यवस्था भारतीय कृषि समाज में बड़े पैमाने पर आर्थिक परिवर्तन लाई और इसने जमींदारों को बड़ी शक्ति और संपत्ति प्रदान की, लेकिन साथ ही साथ किसानों की दुर्दशा भी बढ़ी।

5. (C): चोल शासन काल के दौरान, 'इरिविरपत्तनम' का तात्पर्य संरक्षित व्यापारिक नगर से था, जो व्यापार के प्रमुख केंद्र के रूप में उभरे थे। ये नगर चोल राज्य के व्यापार और वाणिज्य के मुख्य केंद्र बन गए थे और इन्हें राज्य द्वारा विशेष संरक्षण प्रदान किया गया था। इन नगरों में व्यापारिक गतिविधियाँ बहुत व्यापक रूप से फैली हुई थीं और यहां से विभिन्न प्रकार के माल का आदान-प्रदान किया जाता था। इन नगरों का उल्लेख चोल कालीन लेखों और अभिलेखों में भी मिलता है, जो इनकी वाणिज्यिक महत्व को दर्शाता है।

6. (C): इस प्रश्न में विकल्प (*a*), (*b*), और (*c*) सही हैं।

(*a*) मध्यकाल के आरंभ में दक्षिण भारतीय ग्राम जीवन की मूलभूत इकाई 'उर' थी। 'उर' का अर्थ गांव होता है, और यह दक्षिण भारतीय सामाजिक-आर्थिक जीवन का मूल तत्व था।

(*b*) 'उर' ग्राम सभाओं के साथ-साथ ग्राम से भी संबंधित था, जिसमें सामाजिक और प्रशासनिक गतिविधियों का आयोजन होता था।

(*c*) 'उर' गैर-ब्रह्मदेय ग्राम था, अर्थात इसे ब्राह्मणों को दान में दिए गए ग्रामों से अलग माना जाता था। ये ग्राम सामान्य जनसंख्या द्वारा निवासित और प्रबंधित किए जाते थे।

(*d*) विकल्प गलत है क्योंकि 'नाडु', 'सभा' और 'नगरम्' जैसे कार्पोरेट निकाय वास्तव में राजस्व के मूल्यांकन और संग्रह का कार्य करते थे।

7. (C): इस प्रश्न में विकल्प (*a*), (*b*), और (*c*) सही हैं।

(*a*) वर्ष 1880 में लार्ड लिटन सरकार ने वास्तव में स्ट्रेची कमीशन की स्थापना की थी, जिसका उद्देश्य भारत में अकाल पर विचार करना और उनके निवारण के उपाय सुझाना था।

(*b*) सर एंथोनी मैकडोनेल की अध्यक्षता में लार्ड कर्जन ने वास्तव में एक आयोग की स्थापना की थी, जिसने 1901 में अपनी रिपोर्ट सौंपी थी।

(*c*) वर्ष 1876-78 के अकाल ने मद्रास, बंबई, उत्तर प्रदेश और पंजाब को प्रभावित किया था।

(*d*) विकल्प गलत है क्योंकि 1866 के अकाल ने उड़ीसा को प्रभावित किया था, न कि राजपूताना या मध्यप्रांत को।

8. (C): वर्ष 1302 के अंत में या 1303 के प्रारंभ में, अलाउद्दीन खिलजी ने वारंगल पर आक्रमण करने के लिए फखरुद्दीन जौना और छज्जू के नेतृत्व में एक सैन्य टुकड़ी भेजी थी। यह सैन्य अभियान असफल रहा था, और सेनापति इस अभियान में बुरी तरह हार गए थे। इस घटना ने खिलजी के दक्षिण भारतीय विस्तार की नीतियों में महत्वपूर्ण परिवर्तन का संकेत दिया था, जिससे उन्हें भविष्य के अभियानों की रणनीति में सुधार करने की आवश्यकता महसूस हुई। यह पराजय उनके लिए एक बड़ा सबक बनी, जिसके बाद उन्होंने अपनी सैन्य रणनीतियों को मजबूती से पुनर्गठित किया।

9. (D): फारसी ग्रंथों की पूर्णता के कालानुक्रम में उन्हें इस प्रकार व्यवस्थित किया जा सकता है:

(*c*) तारीख-ए-अल्फी - यह अकबर के शासन काल के 10वें वर्ष में लिखी गई थी।

(*a*) तारीख-ए-दाउदी - यह अब्दुल्ला द्वारा 16वीं सदी में लिखी गई है जिसमें दक्षिण एशिया में पश्तों अफगानों के प्रभावों का वर्णन है।

(*d*) पादशाह-नामा - यह शाहजहाँ के शासन काल के दौरान लिखी गई थी।

(*b*) मसनवी-ए-आलमगीरी - यह औरंगजेब के शासन काल में लिखी गई थी।

10. (A): विशिष्टाद्वैत संप्रदाय के दर्शन का विस्तृत प्रतिपादन करने वाली पुस्तक 'न्याय-तत्व' का लेखक नाथमुनि हैं। नाथमुनि को विशिष्टाद्वैत परंपरा का प्रारंभिक और प्रभावशाली आचार्य माना जाता है। उन्होंने विशिष्टाद्वैत के दार्शनिक सिद्धांतों को व्यवस्थित रूप में प्रस्तुत किया और इस संप्रदाय की बुनियादी नींव रखी। 'न्याय-तत्व' उनके प्रमुख ग्रंथों में से एक है, जो विशिष्टाद्वैत दर्शन के जटिल तत्वों को स्पष्ट करता है और इसे आगे बढ़ाने का कार्य करता है।

11. (A): मिर्जा मजहर जान-ए-जाना ने हिंदुओं को 'अहले किताब' और वेदों को 'ईश्वरादिष्ट (अवतरित) पुस्तक' कहा था। यह उनकी सामाजिक और धार्मिक सहिष्णुता को दर्शाता है, जिसमें उन्होंने विभिन्न धार्मिक परंपराओं के प्रति आदर और समझ व्यक्त की। उनका यह दृष्टिकोण उस समय के सामान्य रुझानों से भिन्न था, जिससे उनकी अनूठी विचारधारा का पता चलता है।

12. (B): सन् 1855-56 में बिहार और बंगाल की संथाल जनजाति ने कुल्हाड़ी और तीर-धनुष से युक्त होकर अपने क्षेत्र से ब्रिटिश शासन को अस्थायी तौर पर उखाड़ फेंका। इसे संथाल विद्रोह के नाम से जाना जाता है। यह विद्रोह मुख्य रूप से जमींदारों, महाजनों और ब्रिटिश सरकार के अत्याचारों के खिलाफ हुआ था। संथाल जनजाति के लोगों ने अपनी जमीनों पर हो रहे अन्याय के खिलाफ संगठित होकर इस विद्रोह को अंजाम दिया। उन्होंने ब्रिटिश प्रशासनिक ढांचे को क्षतिग्रस्त किया और कई स्थानों पर उनके खिलाफ सफलतापूर्वक लड़ाई लड़ी। यह विद्रोह उस समय के सबसे प्रमुख जनजातीय विद्रोहों में से एक माना जाता है।

13. (B): कृष्ण की समर्पित प्रेयसी के रूप में 'राधा' के प्राचीनतम साक्ष्य से संबंधित ग्रंथ 'गीत गोविन्द' और 'ब्रह्मवैवर्तपुराण' हैं। 'गीत गोविन्द', जयदेव द्वारा रचित, कृष्ण और राधा के दिव्य प्रेम का एक महत्वपूर्ण वर्णन प्रदान करता है और मध्यकालीन भारतीय साहित्य में इसका विशेष स्थान है। 'ब्रह्मवैवर्तपुराण' में भी राधा और कृष्ण के प्रेम की कथाएँ विस्तृत रूप में मिलती हैं, जिसमें राधा को एक दिव्य शक्ति के रूप में दर्शाया गया है। ये दोनों ग्रंथ राधा और कृष्ण की भक्ति और प्रेम की कहानियों के प्रमुख स्रोत हैं।

14. (A): 1800 तक मराठा साम्राज्य पांच प्रमुख चीफों के परिसंघ में विभाजित हो गया था, जो विभिन्न स्थानों में अपने-अपने क्षेत्रों का नेतृत्व कर रहे थे। पुणे में पेशवाओं का नेतृत्व सर्वोच्च था, जबकि बड़ौदा में गायकवाड, ग्वालियर में सिंधिया, इंदौर में होल्कर, और नागपुर में भोंसले के नेतृत्व में प्रमुख शक्तियां स्थित थीं। ये सभी मराठा साम्राज्य के बिखराव और उसके विभिन्न क्षेत्रों में शक्ति के वितरण को दर्शाते हैं।

15. (B): 'स्पेनिश फ्लू' 1918 में सर्वप्रथम भारत के बंबई शहर में पहुंचा था। इस महामारी की शुरुआत बंबई से हुई और फिर यह तेजी से भारत के अन्य हिस्सों में फैल गया। बंबई उस समय ब्रिटिश भारत का एक प्रमुख बंदरगाह और व्यापारिक केंद्र था, जिसके कारण यहां पर बड़ी संख्या में अंतरराष्ट्रीय यात्री आते-जाते रहते थे। इसी कारणवश, विश्व महामारी के रूप में पहचाने गए स्पेनिश फ्लू का प्रवेश भारत में बंबई के माध्यम से हुआ।

16. (A): यह विकल्प सही है क्योंकि:

(*a*) कलकत्ता स्कूल ऑफ आर्ट की स्थापना वास्तव में 1854 में हुई थी। इस संस्थान की स्थापना से भारतीय चित्रकला में आधुनिकता और शैक्षिक पद्धति का प्रवेश हुआ।

(*b*) कालीघाट चित्रकारी का विकास 19वीं सदी के दूसरे आधे भाग में हुआ था, न कि प्रथम चतुर्थांश में।

(*c*) सन् 1905 में अबनीन्द्रनाथ टैगोर ने वास्तव में सर्वप्रथम ''भारत माता'' का चित्र बनाया था। यह चित्र भारतीय राष्ट्रवाद की भावना को प्रकट करता है और इसे आधुनिक भारतीय कला की एक महत्वपूर्ण कृति माना जाता है।

(*d*) सन् 1903 में मद्रास में आयोजित कांग्रेस अधिवेशन में रवि वर्मा की चित्रकारी की प्रदर्शनी लगी थी और उन्हें 1904 में कैसर-ए-हिन्द की उपाधि दी गई थी। यह उनके कलात्मक योगदान और उनकी प्रतिष्ठा का संकेत है।

17. (B): गयासुद्दीन तुगलक द्वारा भेजी गई सेना को पराजित करने वाला उड़ीसा का पूर्वी गंग राजा भानुदेव II था। यह घटना भारतीय इतिहास में महत्वपूर्ण है क्योंकि इसने उड़ीसा के राजनीतिक और सैन्य प्रभाव को प्रदर्शित किया। भानुदेव II की विजय ने तुगलक वंश की सैन्य क्षमता पर सवाल उठाए और उड़ीसा की स्वतंत्रता और सामरिक महत्व को मजबूत किया।

18. (A): सूची-I और सूची-II का मिलान इस प्रकार है:

(*a*) ऋत - ब्रह्मांड और मनुष्य को संचालित करने वाले विधि-सिद्धांत हैं (IV)। 'ऋत' का अर्थ है नियम या सिद्धांत जो संपूर्ण ब्रह्मांड को व्यवस्थित रूप से संचालित करते हैं।

(*b*) सामवेद - इसमें जप के निमित्त मंत्रों का संकलन है (III)। सामवेद में विशेष रूप से गायन के लिए मंत्र संग्रहीत हैं, जो वैदिक यज्ञों में प्रयोग होते हैं।

(*c*) यजुर्वेद - इसमें बलि की व्याख्या की गई है (I)। यजुर्वेद अनुष्ठानिक कर्मकांडों और बलि विधानों का विस्तार से वर्णन करता है।

(*d*) ब्राह्मण - इसमें पुजारियों को अनुष्ठानों (कर्मकांड) के संदर्भ में मार्गदर्शन है (II)। ब्राह्मण ग्रंथ विस्तार से यज्ञ और अन्य वैदिक अनुष्ठानों के नियमों का वर्णन करते हैं।

19. (B): जे.बी. बरी ने कहा था कि इतिहास केवल विज्ञान है, न इससे कुछ कम तथा न इससे अधिक। बरी का मानना था कि इतिहास विज्ञान की तरह तथ्यों और साक्ष्यों पर आधारित होता है और यह घटनाओं की व्यवस्थित और तार्किक व्याख्या प्रदान करता है। उनके अनुसार, इतिहास व्यक्तिगत अनुभवों या विचारधाराओं से प्रेरित न होकर, वास्तविक और प्रमाणित जानकारी पर आधारित होना चाहिए। इस दृष्टिकोण ने इतिहास के अध्ययन को और अधिक वैज्ञानिक और उद्देश्यपूर्ण बनाया, जिससे इतिहास की प्रकृति और समझ में स्थिरता और सटीकता आई।

20. (D): 'समग्र इतिहास' (टोटल हिस्ट्री) की संकल्पना मार्क ब्लॉक ने प्रचारित की। इस संकल्पना का उद्देश्य इतिहास को केवल राजनीतिक घटनाओं के संदर्भ में न देखते हुए समाज के सभी पहलुओं को समझना था। ब्लॉक का मानना था कि इतिहासकार को अर्थशास्त्र, समाजशास्त्र, मनोविज्ञान और अन्य संबंधित विषयों के प्रमाणों और तरीकों को शामिल करके इतिहास की गहराई से समझ विकसित करनी चाहिए। इस दृष्टिकोण ने इतिहास के अध्ययन को अधिक व्यापक और अंतःविषयात्मक बनाने में मदद की।

21. (D): चोल राज्य के संदर्भ में अनुष्ठानिक संप्रभुता और वास्तविक राजनीतिक नियंत्रण के मध्य विभेद, खंडीय राज्य प्रतिपादक का द्योतक है। इस मॉडल में, राजा अनुष्ठानिक संप्रभुता का प्रतीक होता है लेकिन वास्तविक शक्ति विभिन्न स्थानीय इकाइयों और सामंतों के हाथों में होती है। चोल राजवंश के दौरान, राजा धार्मिक और अनुष्ठानिक क्रियाओं में सर्वोच्च था, लेकिन स्थानीय स्तर पर नाडू, सभा और उर जैसे संस्थाओं द्वारा वास्तविक शासन संचालित किया जाता था। यह व्यवस्था चोल साम्राज्य की प्रशासनिक कुशलता और विस्तार के लिए कारगर साबित हुई।

22. (C): सिराजुद्दौला ने कलकत्ता अभियान के दौरान कासिम बाजार में अंग्रेजों की फैक्ट्री पर कब्जा किया और 20 जून, 1756 को फोर्ट विलियम पर अधिकार जमाया। सिराजुद्दौला, बंगाल के नवाब थे और उन्होंने ब्रिटिश व्यापारिक प्रभुत्व और राजनीतिक हस्तक्षेप के विरोध में यह कार्रवाई की थी। उनकी इस कार्रवाई ने प्लासी के युद्ध की पृष्ठभूमि तैयार की, जिसमें ब्रिटिश सेनाओं ने बंगाल पर अंततः अधिकार कर लिया। सिराजुद्दौला की ये कार्रवाई भारतीय इतिहास में एक महत्वपूर्ण मोड़ साबित हुई।

23. (B): कैवर्त मगध से संबंधित नहीं है। हर्यंक, शिशुनाग, और नंद ये सभी मगध के प्रमुख राजवंशों का हिस्सा थे और इन्होंने विभिन्न कालखंडों में मगध साम्राज्य की स्थापना और विस्तार में महत्वपूर्ण भूमिका निभाई। हर्यंक वंश ने बिंबिसार और अजातशत्रु जैसे शासकों को देखा, शिशुनाग वंश ने मगध को और विस्तृत किया, और नंद वंश ने मगध को भारतीय उपमहाद्वीप के बड़े हिस्सों पर शासन करने वाली एक बड़ी शक्ति बना दिया। इसके विपरीत, कैवर्त यह शब्द विशेष रूप से किसी राजवंश से संबंधित नहीं है बल्कि यह एक सामाजिक समूह या जाति का नाम हो सकता है।

24. (B): इस अनुक्रम का चयन नवीनतम पुरातत्वीय परिप्रेक्ष्यों के विकास क्रम को दर्शाता है:

(*c*) विसरणकारी परिप्रेक्ष्यः यह उद्‌विकास के पहले चरण का प्रतिनिधित्व करता है, जहां मुख्यतः प्रजातियों के विस्तार और फैलाव पर जोर दिया गया।

(*a*) नवीन एवं प्रक्रम धर्मी पुरातत्वः इसने पुरातत्व को अधिक समग्र और प्रक्रियात्मक ढंग से समझने का प्रयास किया, जिसमें अधिक गहन विश्लेषण और व्यवस्थित डेटा संग्रहण शामिल था।

(*b*) उद्‌विकास का अनुजात मॉडलः इसमें पुरातत्व और पुरानी सभ्यताओं के उद्‌विकास को समझने के लिए विकासवादी सिद्धांतों को अपनाया गया था।

(*d*) सांस्कृतिक विरासत का देशी पुरातत्व विज्ञानः यह नवीनतम दृष्टिकोण है जो स्थानीय संस्कृतियों और विरासतों के महत्व को समझने और उनके संरक्षण पर जोर देता है।

25. (A): इस प्रश्न का सही उत्तर विकल्प (A) है, जिसमें तीन कथन सही हैं:

(*a*) सुल्तान शुजा की अनुमति से सन् 1651 में बंगाल के हुगली में अंग्रेजों की पहली फैक्ट्री स्थापित हुई। यह बंगाल में ब्रिटिश व्यापारिक उपस्थिति की शुरुआत का प्रतीक है और इसने आगे चलकर अंग्रेजी शक्ति के विस्तार का मार्ग प्रशस्त किया।

(*b*) 'ब्लैक होल ट्रैजडी' के उत्तरजीवी और इस कथा के प्रधान लेखक जे. जेड हॉलवेल ने पीड़ितों के नाम का उल्लेख नहीं किया है। यह घटना अंग्रेजी इतिहास लेखन में विवादास्पद रही है, और हॉलवेल की रिपोर्ट ने बंगाल में अंग्रेजी प्रतिक्रिया को प्रभावित किया।

(*e*) बक्सर का युद्ध तीन संयुक्त सैन्य शक्तियों (बंगाल, अवध और दिल्ली) तथा मेजर मुनरो के सेनापतित्व में अंग्रेजों की सेना के मध्य लड़ा गया। इस युद्ध ने अंग्रेजों की बंगाल में निर्णायक शक्ति की स्थापना की और उत्तर भारत में उनके प्रभाव को मजबूत किया।

26. (C): ऑल इंडिया स्टेट्स पीपुल्स कांफ्रेंस की स्थापना दिसम्बर 1927 में हुई थी। यह संगठन भारतीय रियासतों के लोगों के अधिकारों और स्वतंत्रता के लिए

संघर्ष करने के उद्देश्य से स्थापित किया गया था। इसने राजनीतिक सक्रियता और सामाजिक परिवर्तन के लिए एक मंच प्रदान किया और भारतीय स्वाधीनता आंदोलन के एक महत्वपूर्ण घटक के रूप में काम किया।

27. (C): सूची-I और सूची-II का सही मिलान इस प्रकार है:

(*a*) हर्ष - पुष्यभूति शासक (II)। हर्ष वर्धन पुष्यभूति वंश का एक प्रमुख शासक था, जिसने उत्तरी भारत में व्यापक राज्य स्थापित किया।

(*b*) ललितादित्य मुक्तापीड - कारकोट वंश (IV)। ललितादित्य कश्मीर के कारकोट वंश का एक महान शासक था, जिसने कई युद्ध जीते और अपने राज्य का विस्तार किया।

(*c*) पल्लव - तोण्डमण्डलम् क्षेत्र (I)। पल्लव वंश दक्षिण भारत के तोण्डमण्डलम् क्षेत्र में स्थित था और इसने कला और स्थापत्य में महान योगदान दिया।

(*d*) पाल - 'मत्स्यन्याय' का अंत (III)। पाल वंश बंगाल क्षेत्र में स्थापित हुआ था और इसने क्षेत्र में अन्याय और अराजकता के विरुद्ध संघर्ष किया।

28. (C): मेवाड़ के शासक राणा कुम्भा ने संगीतराग, संगीत मीमांसा और सुरप्रबंध नामक संगीत विज्ञान से संबंधित तीन पुस्तकों का लेखन किया था। राणा कुम्भा न केवल एक सक्षम योद्धा और शासक थे, बल्कि एक उत्कृष्ट संगीतज्ञ और प्रशासक भी थे। उन्होंने मेवाड़ में कला और संस्कृति को बढ़ावा दिया और अपने शासनकाल में कई महत्वपूर्ण सांस्कृतिक पहलुओं की स्थापना की। उनकी रचनाओं ने भारतीय संगीत की परंपरा में महत्वपूर्ण योगदान दिया और आज भी उनके द्वारा रचित ग्रंथ संगीत शास्त्र में उल्लेखनीय माने जाते हैं।

29. (A): कालानुक्रम के अनुसार सही क्रम निम्न है:

(*a*) पंजाब का विभाजन और पुनर्वासः यह घटना 1947 में भारत की आजादी के समय हुई थी जब भारत और पाकिस्तान के बीच पंजाब का विभाजन हुआ था।

(*c*) प्रथम राज्य पुनर्गठन अधिनियमः यह 1956 में आया, जिसने भाषाई आधार पर राज्यों के पुनर्गठन की आधारशिला रखी।

(*d*) भारतीय अर्थव्यवस्था का वैश्वीकरणः यह प्रक्रिया 1991 में शुरू हुई, जब भारत ने आर्थिक सुधारों के तहत उदारीकरण, निजीकरण और वैश्वीकरण को अपनाया।

(*b*) नई शिक्षा नीति, 2020: यह नीति 2020 में लागू की गई, जिसने भारतीय शिक्षा प्रणाली में गहरे और व्यापक परिवर्तनों की शुरुआत की।

30. (C): ये दोनों कथन सही हैं:

(*a*) पीटर मुंडी ने आगरा में येसु समाजी (जेसुइट) के महाविद्यालय का उल्लेख किया है। यह जानकारी मुगल शासनकाल में धर्मनिरपेक्ष शिक्षा के प्रसार और उस समय के विदेशी संपर्कों को दर्शाती है।

(*b*) माहम अनगा का मदरसा जो खैरुल मंजिल के नाम से प्रसिद्ध था, बदायूँनी ने इसे 'मदरसा-ए-बेगम' की संज्ञा दी थी। यह शिक्षण संस्थान उस समय की महत्वपूर्ण शैक्षिक पहलों में से एक था।

(*c*) और (*d*) दोनों गलत हैं; शाहजहाँ ने मदरसा-ए-रहीमिया का निर्माण नहीं किया और औरंगजेब ने दारुल बका का निर्माण नहीं किया।

31. (A): (*a*) संस्कृत कॉलेज, बनारस - जोनाथन डंकन द्वारा स्थापित (III), जो इस कॉलेज को वैदिक शिक्षाओं के प्रचार के लिए खोला गया था।

(*b*) कलकत्ता मदरसा (मुहम्मडन कॉलेज) - वारेन हेस्टिंग्स द्वारा स्थापित (IV), जो मुस्लिम शिक्षा को बढ़ावा देने के लिए बनाया गया था।

(*c*) हिन्दू कॉलेज, कलकत्ता - राजा राममोहन राय, डेविड हेयर और अलेक्जेंडर डफ द्वारा स्थापित (I), जो आधुनिक शिक्षा प्रणाली को प्रोत्साहन देने के लिए खोला गया।

(*d*) फोर्ट विलियम कॉलेज, कलकत्ता - रिचर्ड वेलेजली द्वारा स्थापित (II), जिसका उद्देश्य ब्रिटिश अधिकारियों के लिए भारतीय भाषाओं की शिक्षा प्रदान करना था।

32. (B): ये कथन सही हैं:

(*a*) मसालिक-उल-अबसार के अनुसार, मुहम्मद तुगलक की कसीदाकारी की कार्यशाला में 4000 सिल्क कारीगर और अनेकों सोने की जरी के कारीगर थे। यह उस समय के कारखानों की विशालता और उनकी क्षमता को दर्शाता है।

(*c*) बहुत से कारखाने रातिबी (राज्य सहायता प्राप्त) थे, और अन्य कारखाने स्वक्तिपोषित थे (गैर रातिबी)। यह सामाजिक-आर्थिक संरचना में विविधता और उस समय की आर्थिक नीतियों को प्रदर्शित करता है।

(*d*) गैर रातिबी में राजसी पोशाक, बैनर बनाने तथा कालीन बनाने वाले कारखाने शामिल थे। यह उद्योगों की विविधता और उनके समाज में योगदान को दर्शाता है।

33. (D): वराहमिहिर की 'बृहत् संहिता' में निम्नलिखित का वर्णन है:

(*a*) वर्षा की मात्रा के मापन की विधि: इसमें वर्षा की मात्रा को मापने के लिए विभिन्न तकनीकी विधियाँ बताई गई हैं।

(*b*) खगोलशास्त्रीय प्रेक्षण: यह ग्रंथ खगोलीय घटनाओं के विस्तृत वर्णन के लिए प्रसिद्ध है, जिसमें ग्रहों की चाल, नक्षत्रों की स्थिति आदि शामिल हैं।

(*c*) घरों और मंदिरों का निर्माण: इसमें वास्तुशास्त्र के अनुसार भवन निर्माण के लिए विस्तृत निर्देश दिए गए हैं।

(*d*) पादपों का रोपण और फल उत्पादन में वृद्धि के तरीके: यह कृषि और बागवानी के तकनीकी पहलुओं पर भी प्रकाश डालता है, जिसमें पौधों की देखभाल और उनके उचित विकास के लिए विधियाँ शामिल हैं।

34. (C): सही मिलान इस प्रकार है:

(*a*) मणियम - मुखिया (II)। मणियम ग्रामीण समुदायों में एक मुख्य नेतृत्व की भूमिका निभाता था, जो गाँव के प्रशासनिक और सामाजिक मामलों में महत्वपूर्ण निर्णय लेने में सहायक होता था।

(*b*) कर्णम् - लेखाकार (III)। कर्णम् ग्रामीण समुदायों में लेखा-जोखा और रिकॉर्ड रखने का कार्य करता था, जिसमें कर संग्रहण और वित्तीय लेनदेन शामिल थे।

(*c*) तलैयरी - प्रहरी (I)। तलैयरी ग्रामीण समुदायों में सुरक्षा और प्रहरी की भूमिका निभाता था, जो गाँव की रक्षा और चौकीदारी का काम करता था।

(*d*) निरनिक्कर - भिश्ती (IV)। निरनिक्कर समुदाय में जल आपूर्ति का कार्य करता था, जिसे भिश्ती कहा जाता था और यह जल संग्रहण और वितरण में सहायक होता था।

35. (C): कालानुक्रम में सही क्रम निम्न है:

(*a*) बारबेरिकम - यह सिंध क्षेत्र में स्थित था और उत्तरी भारत में सबसे पहला समुद्री पत्तन था।

(*b*) बेरीगज (भृगुकच्छ) - यह गुजरात में स्थित था और बारबेरिकम के दक्षिण में आता है।

(*d*) सौप्परा (सोपारा) - यह महाराष्ट्र के उत्तरी भाग में स्थित है।

(*c*) मुजिरिस (मुसिरीपट्टनम) - यह केरल में स्थित है और सबसे दक्षिणी पत्तन है।

36. (D): शेख मुहम्मद गौस ने 'अमृत कुंड' का 'बहरुल हयात' नाम से अनुवाद किया था। उन्होंने इस्लामी सूफीवाद में अपनी गहरी विद्वता और ध्यान की विभिन्न तकनीकों पर उनकी महारत के लिए इस पुस्तक का अनुवाद किया। 'बहरुल हयात' एक व्यापक सूफी ग्रंथ है जो अध्यात्मिक उन्नति और आत्म-परिष्कार के विभिन्न पहलुओं पर प्रकाश डालता है।

37. (D): इंडियन नेशनल आर्मी (INA) के नेताओं में पृथ्वी सिंह आजाद और फणीन्द्रनाथ घोष शामिल नहीं थे।

आईएनए का नेतृत्व मुख्य रूप से रास बिहारी बोस, कैप्टन मोहन सिंह और सुभाष चंद्र बोस ने किया था। यह सेना ब्रिटिश इंडिया के खिलाफ लड़ी थी और भारतीय स्वतंत्रता आंदोलन का एक महत्वपूर्ण हिस्सा बनी। पृथ्वी सिंह आजाद और फणीन्द्रनाथ घोष इस सेना के सदस्य नहीं थे, और उनकी पहचान अन्य आंदोलनों या कार्यों के लिए जानी जाती है।

38. **(B):** "कैंची और पेस्ट इतिहास" वह धारणा है जिसमें इतिहास को केवल तथ्यों का संकलन माना जाता है। इस प्रकार की इतिहास लेखन शैली में ऐतिहासिक घटनाओं को बिना किसी गहरी व्याख्या या समझ के केवल तथ्यों के रूप में प्रस्तुत किया जाता है। यह दृष्टिकोण इतिहास के व्यापक संदर्भों और उसकी व्याख्यात्मक प्रकृति को नजरअंदाज कर देता है, जिससे पाठक को सतही जानकारी मिलती है जो घटनाओं की गहराई और उनके व्यापक प्रभाव को नहीं दर्शाती।

39. **(C):** सिकंदर-जिन्ना समझौता 1937 में सिकंदर हयात खान और मुहम्मद अली जिन्ना के मध्य हुआ था। यह समझौता ब्रिटिश भारत में मुस्लिम लीग की रणनीतियों और राजनीतिक दिशानिर्देशों को आकार देने में महत्वपूर्ण था। समझौता मुख्यतः मुस्लिम राजनीतिक दावों और अधिकारों की रक्षा के लिए किया गया था, और इसने मुस्लिम लीग के भीतर एकता और सहमति को मजबूत किया।

40. **(D):** परंपरागत रूप से 'पंचजनः' में शामिल पाँच प्रमुख आर्य कबीले मुरु, यदु, तुर्वस, अनु और द्रुह्यु हैं। ये कबीले वैदिक संहिताओं में वर्णित हैं और वैदिक काल में उत्तरी भारत में अपनी अलग-अलग भौगोलिक स्थितियों में बसे हुए थे। इन कबीलों का आर्य संस्कृति और धर्म में प्रमुख योगदान था, और वे वैदिक साहित्य में अपनी विशिष्ट विशेषताओं और परंपराओं के लिए पहचाने जाते हैं।

41. **(B):** सही मिलान इस प्रकार है:

(*a*) महापुरुषिया सम्प्रदाय - शंकरदेव (IV) शंकरदेव ने असम में वैष्णव धर्म का प्रचार किया और महापुरुषिया संप्रदाय की स्थापना की, जो भक्ति आंदोलन का एक हिस्सा था।

(*b*) पुष्टिमार्ग - वल्लभाचार्य (I) वल्लभाचार्य ने पुष्टिमार्ग की स्थापना की, जो कृष्ण भक्ति पर केंद्रित एक संप्रदाय है।

(*c*) ब्रह्म संहति या बमुनिया - दामोदरदेव (II) दामोदरदेव ने इस संप्रदाय की स्थापना की, जो बंगाल में वैष्णव धर्म के प्रसार में महत्वपूर्ण था।

(*d*) ठाकुरिया संप्रदाय - पुरुषोत्तम ठाकुर (III) पुरुषोत्तम ठाकुर ने ठाकुरिया संप्रदाय की स्थापना की, जो श्री चैतन्य महाप्रभु के शिष्यों में से एक थे।

42. **(A):** इतिहास-लेखन में 'रांके का उपागम' तथ्यों की पवित्रता पर बल देता है। लियोपोल्ड रांके, जिन्होंने इस दृष्टिकोण को प्रमोट किया, वे मानते थे कि इतिहासकार का मुख्य कार्य यथासंभव वास्तविकता को ज्यों का त्यों प्रस्तुत करना होना चाहिए। रांके ने जोर दिया कि इतिहास को "जैसा कि वास्तव में हुआ था" के रूप में लिखा जाना चाहिए, तथ्यों को विकृत किए बिना और इतिहासकार की व्यक्तिगत राय से मुक्त होकर।

43. **(A):** कोविलकोण्डा का युद्ध कृष्णदेव राय के शासनकाल में हुआ था, जो विजयनगर साम्राज्य के सबसे प्रमुख और सफल शासकों में से एक थे। इस युद्ध में विजयनगर और बहमनी राज्य के बीच संघर्ष हुआ था, जिसमें कृष्णदेव राय ने अपनी सैन्य शक्ति और रणनीतिक कौशल का प्रदर्शन किया था। यह युद्ध उनके शासनकाल की महत्वपूर्ण घटनाओं में से एक था और इसने विजयनगर साम्राज्य की सैन्य शक्ति को मजबूत किया।

44. **(A):** सही कालानुक्रम इस प्रकार है:

(*a*) कोरोमंडल तट पर आंग्ल-फ्रांसीसी युद्धः यह युद्ध 1746 से 1763 तक चला, जिसे कर्नाटक युद्ध के नाम से भी जाना जाता है।

(*d*) पंजाब और पश्चिमोत्तर सीमांत प्रांत का ब्रिटिश साम्राज्य द्वारा विलयः यह घटना 1849 में हुई, जब दूसरे एंग्लो-सिख युद्ध के बाद ब्रिटिश ने पंजाब पर अधिकार किया।

(*c*) लार्ड रिपन द्वारा प्रसिद्ध संकल्प, 1882 में: इसे स्थानीय स्वशासन का मैग्नाकार्टा कहा जाता है, जो भारत में स्वशासन के लिए एक महत्वपूर्ण कदम था।

(*b*) कलकत्ता में इम्पीरियल अभिलेख विभाग (भारतीय राष्ट्रीय अभिलेखागार) की स्थापना: यह 1891 में हुई, जिससे भारत में आधिकारिक रिकॉर्ड्स का संरक्षण और प्रबंधन सुनिश्चित हुआ।

45. (D): (*a*) प्रादेशिक - प्रांतीय गवर्नर (III)। प्रादेशिक शब्द का उपयोग प्रांतीय स्तर पर गवर्नर के लिए किया जाता था, जो क्षेत्रीय प्रशासन का मुख्य नेतृत्व करता था।

(*b*) अध्यक्ष - विभागीय अधिकारी (I)। अध्यक्ष शब्द का उपयोग विभागीय स्तर पर अधिकारी के लिए किया जाता था, जो विभागीय कार्यों की देखरेख करता था।

(*c*) नागरक - नगर-अधिकारी (IV)। नागरक शहरी प्रशासन में नगर-अधिकारी के लिए प्रयुक्त होता था, जो नगर की प्रशासनिक जिम्मेदारियों को संभालता था।

(*d*) ग्रामणी - ग्राम-अधिकारी (II)। ग्रामणी शब्द का प्रयोग गाँव के अधिकारी के लिए होता था, जो ग्रामीण स्तर पर प्रशासनिक कार्यों की देखरेख करता था।

46. (D): ब्रिटिश काल के दौरान भारतीय प्रेस के संदर्भ में निम्न कथन सही हैं:

(*a*) लाइसेंसिंग विनियमन, 1823 में प्रत्येक मुद्रक या प्रकाशक को प्रेस आरंभ करने या इसके उपयोग के लिए लाइसेंस प्राप्त करना आवश्यक था। यह विनियमन भारत में प्रेस की स्वतंत्रता पर गंभीर प्रतिबंध लगाने का एक माध्यम था, जिससे सरकारी नीतियों के आलोचकों को नियंत्रित किया जा सके।

(*b*) 1857 के महासमर के दौरान, उत्पन्न आपात स्थिति ने ब्रिटिश सत्ता को प्रेस पर पुनः प्रतिबंध लगाने के लिए बाध्य किया। इसके तहत नियम पंद्रह लागू किया गया, जिसने प्रेस पर प्रतिबंधों को मजबूत किया।

(*d*) समाचार पत्र अधिनियम, 1908 ने मजिस्ट्रेट को ऐसे समाचारपत्रों के प्रिंटिंग प्रेस व अन्य संपत्तियां जब्त करने का अधिकार दिया, जिनमें प्रकाशित आपत्तिजनक लेख हिंसा या हत्या की उत्प्रेरणा देते थे। यह अधिनियम ब्रिटिश सरकार द्वारा विपक्षी आवाजों को दबाने का एक मजबूत उपकरण बन गया।

47. (C): सन् 1857 के महासमर के बारे में निम्न कथन सही हैं:

(*a*) वी.डी. सावरकर ने इसे 'राष्ट्रीय स्वतंत्रता का नियोजित युद्ध' कहा था, जिसमें उन्होंने इस विद्रोह को भारतीय स्वतंत्रता संग्राम के एक अहम हिस्से के रूप में मान्यता दी।

(*b*) सावरकर ने यह सिद्ध करने का प्रयास किया कि 1826-27, 1831-32, 1854 के विद्रोह, 1857 के महासमर के पूर्वाभ्यास थे, जिससे वे इस विद्रोह को एक लंबे संघर्ष की परिणति के रूप में देखते थे।

(*d*) जेम्स आउट्रम और डब्ल्यू. टेलर ने इस महासमर को 'हिन्दू-मुस्लिम षड्यंत्र' का परिणाम माना, जिसमें उन्होंने इस विद्रोह को दो प्रमुख समुदायों के संयुक्त प्रयास के रूप में प्रस्तुत किया।

48. (A): महिलाओं की स्थिति के बारे में निम्न कथन सही हैं:

(*a*) राष्ट्रकूट राजा अमोघवर्ष ने गणिकाओं को नियमित तौर पर अपना दूत नियुक्त किया, जो उस समय की सामाजिक व्यवस्था में गणिकाओं के महत्व को दर्शाता है।

(*b*) चालुक्य वंश की राजकुमारी अक्कादेवी ने प्रांत के शासन का कार्यभार संभाला, जो उस समय की महिलाओं की राजनीतिक सक्रियता और सामर्थ्य को प्रदर्शित करता है।

(*c*) इब्न बतूता ने हनौर (दक्षिण भारत) में बालिकाओं की शिक्षा के लिए तेरह (13) स्कूल और बालकों के लिए तेईस स्कूल देखा था, जो उस समय की शिक्षा प्रणाली में लिंग समानता की ओर एक कदम था।

49. (D): प्राचीन भारत में 'तक्षण' शब्द बढ़ई का द्योतक है। बढ़ई, जिन्हें लकड़ी के काम में महारत हासिल होती थी, प्राचीन समाज में एक महत्वपूर्ण भूमिका निभाते थे। वे न केवल घरेलू सामान जैसे कि फर्नीचर और यात्री गाड़ियों का निर्माण करते थे, बल्कि मंदिरों और राजाओं के महलों के निर्माण में भी उनकी सेवाएं ली जाती थीं। उनका काम कुशलता और शिल्प कौशल की गहरी समझ को दर्शाता है।

50. (B): निम्नलिखित आंदोलनों का सही कालानुक्रम इस प्रकार हैः

(*b*) ज्योतिबा फुले द्वारा सत्यशोधक समाज की स्थापनाः यह 1873 में स्थापित किया गया था और इसने समाज में जाति और लिंग आधारित असमानताओं के खिलाफ संघर्ष किया।

(*c*) श्री नारायण गुरु धर्म परिपालन योगम द्वारा अरुविप्पुरम आंदोलन प्रारंभ किया गयाः यह आंदोलन 1888 में शुरू हुआ, जो दक्षिण भारत में जाति व्यवस्था के खिलाफ एक महत्वपूर्ण आंदोलन था।

(*d*) सी.एन. मुदलियार, टी.एम. नायर और पी. त्यागराज द्वारा न्याय आंदोलन प्रारंभ किया गयाः यह 1916 में शुरू हुआ, जिसने द्रविड़ अधिकारों की मांग की थी।

(*a*) ई.वी. रामास्वामी और ए. बलीजा नायडू द्वारा आत्म-सम्मान आंदोलन प्रारंभ किया गयाः यह 1925 में शुरू हुआ, जो तमिलनाडु में जातिवाद और हिंदू धर्म के सामाजिक ढांचे के खिलाफ लड़ाई थी।

51. (B): सूची-I के साथ सूची-II का सही मिलान निम्नलिखित हैः

(*a*) सोमदेव - कथासरित्सागर (II) सोमदेव ने 'कथासरित्सागर' की रचना की, जो एक प्रसिद्ध संस्कृत ग्रंथ है जिसमें कहानियों का एक विशाल संकलन है।

(*b*) क्षेमेन्द्र - बृहत्-कथामंजरी (I) क्षेमेन्द्र ने 'बृहत्-कथामंजरी' की रचना की, जो 'कथासरित्सागर' के समकालीन और उसका एक संस्करण माना जाता है।

(*c*) कालिदास - ऋतुसंहार (IV) कालिदास ने 'ऋतुसंहार' की रचना की, जो ऋतुओं के वर्णन से संबंधित कविता है।

(*d*) दामोदर गुप्त - कुट्टनीमतम् (III) दामोदर गुप्त ने 'कुट्टनीमतम्' की रचना की, जो कामशास्त्र पर आधारित एक ग्रंथ है।

52. (C): बेमेल शब्द इस संदर्भ में 'चूर्णी' है क्योंकि अरघट्ट, वापी, और नौरिया पानी संबंधित उपकरण या संरचनाओं से संबंधित हैं, जबकि 'चूर्णी' का अर्थ एक प्रकार का छोटा नदी या नाला होता है। अरघट्ट एक प्रकार का पानी उठाने का यंत्र है, वापी एक कृत्रिम जलाशय या कुंड है, और नौरिया भी जल संग्रहण और वितरण से संबंधित है।

53. (A): दिल्ली के सुल्तानों द्वारा निर्मित मस्जिदों का सही आरोही कालानुक्रम इस प्रकार हैः

(*b*) जमात खाना मस्जिदः इसे खिज्र खान ने 1315-1325 ई. के दौरान निर्मित करवाया था।

(*c*) बेगमपुरी मस्जिदः यह मस्जिद मोहम्मद बिन तुगलक के शासनकाल में 1343 ई. में बनी थी।

(*d*) खिर्की मस्जिदः यह मस्जिद सिकंदर लोदी के शासनकाल में 1351-54 ई. में बनाई गई थी।

(*a*) मोठ की मस्जिदः इसे सिकंदर लोदी के बाद के समय में 1505 ई. में बनाया गया था।

54. (C): अकबर की धार्मिक नीति के संदर्भ में सही कथन इस प्रकार हैंः

(*a*) उसने तीर्थयात्रा कर समाप्त कियाः अकबर ने हिन्दू तीर्थयात्राओं पर लगने वाले कर को समाप्त कर दिया था, जिससे धार्मिक सहिष्णुता का प्रदर्शन किया गया।

(*c*) उसने 1579 में 'मजहर' की घोषणा कीः इस घोषणा के द्वारा अकबर ने खुद को धार्मिक मामलों में सर्वोच्च अधिकार घोषित किया, जिससे वह उलेमा के प्रभाव को कम कर सकें।

(*d*) उसने दीन-ए-इलाही चलायाः अकबर ने दीन-ए-इलाही धर्म की स्थापना की, जो विभिन्न धार्मिक तत्वों का मिश्रण था और इसे सभी धर्मों के बीच समन्वय के रूप में प्रोत्साहित किया गया।

55. (D): 'आपरेशन पोलो' भारतीय सेना द्वारा सितंबर 1948 में हैदराबाद रियासत के विरुद्ध चलाया गया सैन्य अभियान था। हैदराबाद के निजाम ने भारतीय संघ में विलय का विरोध किया था। इस अभियान का उद्देश्य हैदराबाद को भारतीय संघ में शामिल करना था, जिसमें सैन्य बल का प्रयोग किया गया था। इस अभियान के परिणामस्वरूप हैदराबाद ने अंततः भारतीय संघ में विलय को स्वीकार किया।

56. (D): कात्यायन के अनुसार, विद्याधन (अधिगम द्वारा अर्जित संपत्ति) में शामिल हैः

(*a*) किसी विद्वान द्वारा अपने शिष्यों से प्राप्त संपत्तिः यह गुरु द्वारा शिक्षा देने के बदले में शिष्यों से प्राप्त दक्षिणा या अन्य प्रकार की सहायता को दर्शाता है।

(*c*) किसी कठिन प्रश्न के समाधान या शास्त्रार्थ में सफलता द्वारा पुरस्कार (पारितोषिक) के रूप में प्राप्त संपत्तिः यह विद्वत्तापूर्ण चर्चा या वाद-विवाद में विजयी होने पर मिलने वाले इनामों को संदर्भित करता है।

(*d*) यज्ञीय शुल्क के रूप में प्राप्त संपत्तिः यह यज्ञ या धार्मिक अनुष्ठानों के आयोजन में विद्वानों द्वारा प्राप्त दान या शुल्क को दर्शाता है।

57. (D): मध्यकाल में व्यापारियों और कारीगरों की 'हड़ताल' की घटनाओं के संदर्भ में निम्नलिखित कथन सही हैंः

(*a*) वर्ष 1668-69 में इस्लाम में बलात् धर्म-परिवर्तन के विरुद्ध सूरत के बनियों ने हड़ताल की थी, जिससे उन्होंने धर्मांतरण के विरोध में अपना रोष व्यक्त किया था।

(*b*) यूरोपीय यात्री थेवेनोट के अनुसार, बागनगर के हिन्दू बैंकरों ने अमीर की वसूली के विरोध में अपने कार्यालय बंद कर दिए, जिससे वित्तीय नीतियों के प्रति उनकी असहमति प्रदर्शित होती है।

(*c*) वर्ष 1686 में मद्रास की समस्त भारतीय जनता अंग्रेजों द्वारा अधिरोपित कर के विरोध में जाति प्रधानों के आदेश पर हड़ताल पर चली गई, जो विदेशी शासन और उनकी कर नीतियों के विरुद्ध थी।

(*d*) सत्रहवीं सदी में अब्बे कैरे ने लिखा कि कम्मलन (कारीगर) जाति में से यदि कोई अपमानित महसूस करता था या उसके साथ कुछ गलत किया जाता था तो सभी लोग अपनी दुकानें बंद कर देते थे, यह उनकी सामूहिक संघबद्धता और प्रतिरोध की क्षमता को दर्शाता है।

58. (B): बारदोली सत्याग्रह के नेता वल्लभ भाई पटेल थे। यह आंदोलन 1928 में गुजरात के बारदोली तालुका में हुआ था, जहाँ किसानों ने भूमि कर में वृद्धि के विरोध में आवाज उठाई थी।

59. (C): (*a*) मूलशंकर - स्वामी दयानन्द सरस्वतीः स्वामी दयानन्द सरस्वती, जो आर्य समाज के संस्थापक थे, का असली नाम मूलशंकर था।

(*b*) नरेन्द्र नाथ दत्त - स्वामी विवेकानन्दः स्वामी विवेकानन्द, जिन्होंने वेदांत के दर्शन को पश्चिम में प्रचारित किया, का मूल नाम नरेन्द्र नाथ दत्त था।

(*c*) गदाधर चट्टोपाध्याय - रामकृष्ण परमहंसः रामकृष्ण परमहंस, जो एक प्रमुख हिन्दू संत थे, का असली नाम गदाधर चट्टोपाध्याय था।

(*d*) मार्ग्रेट एलिजाबेथ नोबल - भगिनी निवेदिताः भगिनी निवेदिता, जो स्वामी विवेकानंद की शिष्या थीं, का असली नाम मार्ग्रेट एलिजाबेथ नोबल था।

60. (B): (*a*) 'एट्टीन फिफ्टी सेवेन' नामक पुस्तक के लेखक एस.एन. सेन हैं, जिसमें 1857 के विद्रोह का विश्लेषण किया गया है।

(*b*) 'द सिपाही म्यूटिनी एंड द रेबेलियन ऑफ 1857' के लेखक आर.सी. मजूमदार हैं, जो इस घटना का गहराई से अध्ययन प्रस्तुत करते हैं।

(*c*) 'सिविल रेबेलियन इन इंडियन म्यूटिनीज, 1857-1859' के लेखक एम.बी. चौधरी हैं, जिन्होंने विद्रोह के विभिन्न पहलुओं पर प्रकाश डाला है।

(*d*) 'एन एस्से ऑन द कॉजेज ऑफ द इंडियन रिवोल्ट' के लेखक एस. अहमद हैं, जिन्होंने 1857 के विद्रोह के कारणों का विश्लेषण किया है।

61. (A): (*a*) सुश्रुत - सुश्रुत संहिता के रचयिता, जो एक प्राचीन भारतीय वैद्यक ग्रंथ है, लगभग 6ठी शताब्दी ई.पू. में थे।

(*b*) आर्यभट्ट - आर्यभट्टिया के रचयिता, एक गणितीय और खगोलशास्त्रीय ग्रंथ, जो 5वीं शताब्दी में लिखा गया।

(*c*) वराहमिहिर - 6ठी शताब्दी में बृहत् संहिता के रचयिता, जो एक विशाल ज्योतिषीय और खगोलशास्त्रीय ग्रंथ है।

(*d*) ह्वेनत्सांग - 7वीं शताब्दी में भारत आने वाले चीनी यात्री और बौद्ध धर्म के विद्वान।

62. (D): शिवाजी ने राज्याभिषेक के समय अनेक उपाधियाँ धारण कीं, जैसे कि क्षत्रिय-कुलवतांश, सिंहासनाधीश्वर, और महाराज। हालांकि, वेदमार्ग-प्रतिष्ठापक शिवाजी की उपाधि नहीं थी, बल्कि उन्होंने धार्मिक सहिष्णुता को प्रोत्साहित किया था।

63. (C): (*a*) आण्डाल - एक वैष्णव संत, जो तमिलनाडु में 8वीं शताब्दी में थीं।

(*b*) रामानुज - एक महत्वपूर्ण वैष्णव संत, जो 1017-1137 के दौरान थे।

(*c*) रामानंद - भक्ति आंदोलन के प्रमुख संत, जिन्होंने 14वीं शताब्दी में काम किया।

(*d*) कुंभनदास - भक्ति संत, जो राजस्थान में 16वीं शताब्दी में थे।

64. (C): वर्ष 1281 में व्यापारी सबन्दपेरुमल उर्फ तवसचक्रवर्ती द्वारा भगवान शिव के मंदिर के निर्माण का अभिलेख दक्षिण चीन के क्वान्झू में पाया गया है। इस अभिलेख में तवसचक्रवर्ती के दान की जानकारी है, जिससे पता चलता है कि तमिल व्यापारियों की चीन में काफी सक्रियता थी और उन्होंने वहाँ हिन्दू धार्मिक स्थलों का निर्माण कराया था। यह भारत और चीन के मध्य सांस्कृतिक और व्यापारिक संबंधों का एक महत्वपूर्ण प्रमाण है।

65. (A): सूची-I और सूची-II का सही मिलान इस प्रकार है:

(*a*) कुरु (III) कुरु जनपद पांचाल के निकट था जो वर्तमान हरियाणा और दिल्ली के आसपास का क्षेत्र है।

(*b*) इक्ष्वाकु (I) इक्ष्वाकु वंश कोसल और अयोध्या से संबद्ध था, जो अयोध्या के राजवंश के रूप में प्रसिद्ध हैं।

(*c*) विदर्भ (II) विदर्भ का क्षेत्र वर्तमान महाराष्ट्र के नागपुर और आसपास के इलाके में आता है जो दक्षिणी क्षेत्र में पड़ता है।

(*d*) हैहय (IV) हैहय जनपद मध्य भारत, मालवा और गुजरात के क्षेत्रों में फैला हुआ था।

66. (A): स्कोपस वास्तव में साहित्यिक चोरी का पता नहीं लगा सकता। स्कोपस मुख्यतः एक शोध संदर्भित डेटाबेस है जिसका उपयोग वैज्ञानिक लेखों, सम्मेलनों के प्रकाशनों और पत्रिकाओं के अनुसंधान के लिए किया जाता है, परंतु यह चोरी की गई सामग्री का पता नहीं लगा सकता है। प्लैजरिज्म डिटेक्शन टूल्स जैसे कि टर्निटिन, आइथेन्टिकेट, और उरकुन्ड साहित्यिक चोरी को पहचानने के लिए विकसित किए गए हैं, जो समानता इंडेक्स और अन्य मेट्रिक्स के माध्यम से दस्तावेजों में मौजूद सामग्री की तुलना करते हैं।

67. (D): पेशवा बाजीराव प्रथम के शासनकाल की घटनाओं का सही आरोही कालानुक्रम इस प्रकार हैः

(*c*) अमझेरा का युद्धः यह युद्ध बाजीराव की आरंभिक विजयों में से एक था, जिसमें उन्होंने मालवा पर विजय प्राप्त की थी।

(*b*) छत्रसाल के साथ संधिः छत्रसाल, बुंदेलखंड के राजा थे और बाजीराव ने उनके साथ मित्रता और सहयोग की संधि की।

(*a*) भोपाल युद्धः भोपाल का यह युद्ध मराठा विजयों का हिस्सा था, जहां बाजीराव ने भोपाल के शासकों को पराजित किया।

(*d*) बेसिन के दुर्ग पर कब्जाः यह उनकी महत्वपूर्ण विजयों में से एक थी, जिसमें उन्होंने बेसिन के दुर्ग पर विजय प्राप्त की और मराठा साम्राज्य की सीमाओं का विस्तार किया।

68. (A): अब्राहम बेन यिजू, जिन्हें भारत में अपने व्यापारिक उपक्रमों के लिए जाना जाता है, उन्होंने मंगलोर में एक कांस्य की फैक्ट्री चलाई थी। उनकी गतिविधियाँ भारतीय वाणिज्य और व्यापारिक संस्कृति के साथ उनके गहरे जुड़ाव को दर्शाती हैं। मंगलोर उस समय एक महत्वपूर्ण वाणिज्यिक केंद्र था, जो अंतरराष्ट्रीय व्यापार में सक्रिय था।

69. (D): 'दीवान-ए-बयूतात' मुगल काल में एक मंत्रालय था जो राज्य शासित कारखानों से संबंधित था। यह मंत्रालय विभिन्न प्रकार के शिल्प और उद्योगों के प्रबंधन और नियंत्रण का कार्य करता था, जो राज्य के अंतर्गत आते थे। इन कारखानों में वस्त्र, आभूषण, और अन्य हस्तशिल्प उत्पादों का निर्माण होता था जो मुगल साम्राज्य की आर्थिक और सांस्कृतिक भव्यता को दर्शाता था।

70. (B): पुनर्जागरण की भावना ने इतिहास-लेखन पर व्यापक प्रभाव डाला था। इस युग में इतिहास के मानवीय दृष्टिकोण की ओर वापसी, मानवीय इतिहासकारों के नये संप्रदाय की वृद्धि और सार्वभौमिक इतिहास और कालानुक्रम का प्रादुर्भाव शामिल हैं। हालांकि, विकल्प (B) जो कि "अविशेषज्ञ इतिहासकारों का प्रादुर्भाव" बताता है, पुनर्जागरण के दौरान नहीं हुआ। पुनर्जागरण के दौरान वास्तव में इतिहास लेखन में विद्वानों और शिक्षित व्यक्तियों का योगदान बढ़ा, न कि अविशेषज्ञ इतिहासकारों का।

71. (B): मुगल बादशाह शाहजहाँ के दरबार में लाल खाँ को 'गुणसमुन्दर' की उपाधि मिली थी। शाहजहाँ ने अपने दरबार में कला और संगीत का बहुत समर्थन किया था, और उनके राज्यकाल में कई कलाकारों और संगीतकारों को उपाधियाँ प्रदान की गई थीं। लाल खाँ एक प्रसिद्ध गायक थे जिन्होंने अपनी संगीत कला के लिए यह उपाधि अर्जित की थी।

72. (A): मौर्योत्तर काल में भारत से रोम को निर्यात की जाने वाली मुख्य वस्तुएँ वस्त्र, हाथी दाँत और काली मिर्च शामिल थीं। ये वस्तुएँ उस समय की व्यापारिक प्रणाली में बहुत महत्वपूर्ण थीं और भारतीय व्यापारियों ने इन्हें बड़े पैमाने पर रोमान साम्राज्य में निर्यात किया था। जैतून का तेल वास्तव में भारत से नहीं बल्कि मुख्यतः मध्य भूमध्य क्षेत्र से निर्यात किया जाता था।

73. (C): मनसबदारी व्यवस्था, जो मुगल साम्राज्य में अपनाई गई थी, में नियुक्ति सीधे शासक द्वारा की जाती थी, और प्रमुख अमीरों द्वारा भी अनुशंसा की जाती थी। सामान्यतः 7000 से ऊपर के सभी मनसब आमतौर पर शाही परिवार के सदस्यों के लिए आरक्षित थे हालाँकि इसके कुछ अपवाद भी हैं।

74. (C): विलियम हॉकिन्स, पित्रा डेला वेले, पीटर मुंडी और ज्याँ बैपटिस्ट ट्रेवर्नियर के आगमन के आरोही क्रम के अनुसार, विलियम हॉकिन्स सबसे पहले आए थे, उसके बाद पित्रा डेला वेले, फिर पीटर मुंडी और अंत में ज्याँ बैपटिस्ट ट्रेवर्नियर आए। यह उनके यात्राओं का कालक्रम प्रदान करता है।

75. (A): मुगल पेंटिंग और उनके चित्रकारों के मिलान के अनुसार, बसावन ने 'दुर्बल अश्व के साथ निर्जन क्षेत्र में मजनूँ' की पेंटिंग बनाई थी, उस्ताद मंसूर ने 'साइबेरियाई सारस' को चित्रित किया था, अब्दुल हसन

ने 'चिनार वृक्ष पर ढेर सारी गिलहरियाँ' की पेंटिंग बनाई थी, और दौलत ने 'बिशनदास का चित्र' बनाया था। ये सभी चित्रकार अपनी विशिष्ट शैली और विषय के लिए प्रसिद्ध हैं।

76. (A): सही कालानुक्रम में ये घटनाएँ इस प्रकार हैं: थामस मैकाले द्वारा शिक्षा संबंधी मिनट (1835), ईश्वर चंद्र विद्यासागर द्वारा 'सोम प्रकाश' की शुरुआत (1858), मद्रास में वेद समाज की स्थापना (1864), और रंगपुर धिंग किसान विद्रोह (1893-94)। ये घटनाएँ भारतीय इतिहास और समाज में महत्वपूर्ण परिवर्तनों को दर्शाती हैं।

77. (B): विवाह के प्रकारों में 'अनुलोम' और 'प्रतिलोम' शामिल हैं, जो विवाह संबंधी वर्गीकरण के अंतर्गत आते हैं। 'अश्वमेध' और 'वाजपेय' यज्ञ से संबंधित हैं, विवाह से नहीं। अतः सही उत्तर केवल (*b*) और (*d*) है।

78. (A): आलवारों की संख्या 12 और नायनारों की संख्या 63 है। आलवार विष्णु भक्ति संप्रदाय से संबंधित हैं और नायनार शिव भक्ति संप्रदाय से संबंधित हैं। ये दक्षिण भारतीय भक्ति परंपरा के प्रमुख स्तंभ हैं।

79. (D): (*a*) अगस्त प्रस्ताव (IV), जिसे 1940 में पेश किया गया था, भारतीय नेताओं को शासन के लिए अधिक जिम्मेदारियां प्रदान करने का प्रस्ताव था।

(*b*) क्रिप्स मिशन (II), जो 1942 में आया, भारतीय नेताओं को पूर्ण स्वराज की दिशा में एक और कदम बढ़ाने की कोशिश थी।

(*c*) वेवल प्लान (I), 1945 में पेश किया गया, भारतीय नेताओं के साथ समझौता करने का प्रयास था।

(*d*) कैबिनेट मिशन प्लान (III), जो 1946 में आया, भारत के लिए संविधान निर्माण की प्रक्रिया की नींव रखी गई। ये सभी घटनाएँ भारतीय स्वतंत्रता की ओर अग्रसर थीं।

80. (C): 'सुत्तनिपात' ग्रंथ में मवेशियों के संरक्षण की बात की गई है क्योंकि वे हमें भोजन (*a*), शक्ति (*b*), सौंदर्य (*d*) और प्रसन्नता (*e*) प्रदान करते हैं। यह ग्रंथ बताता है कि मवेशी कृषि और जीवनयापन में किस प्रकार से महत्वपूर्ण भूमिका निभाते हैं और उन्हें कैसे संरक्षित किया जाना चाहिए।

81. (A): गोलकुण्डा के कुतुब-शाही राजवंश में सुल्तानों का क्रम इस प्रकार है: इब्राहिम कुतुब शाह (1550-1580)(*a*), मुहम्मद कुली कुतुब शाह (1580-1612) (*b*), अब्दुल्ला कुतुब शाह (1626-1672) (*c*), और अबुल-हसन कुतुब शाह (1672-1687) (*d*)। यह व्यवस्थित क्रम उनके शासनकाल को दर्शाता है और उनकी विरासत और योगदान को समझने में मदद करता है।

82. (D): व्यापार और वाणिज्य के संदर्भ में बंगाल और गुजरात के उद्योगों की आयात निर्भरता के कथन सत्य हैं। बंगाल की अफीम बिहार से प्राप्त होती थी (*b*), लाख के उत्पादन के लिए गुजरात बंगाल से लाख प्राप्त करता था (*c*), और शंख के आभूषण बनाने वाले बंगाल के विनिर्माता तूतोकोरिन से शंख के आयात पर निर्भर थे (*d*)। ये सभी तथ्य मध्यकालीन भारत के व्यापारिक संबंधों की जटिलता और विविधता को दर्शाते हैं।

83. (D): 'इंडियन वार ऑफ इंडिपेन्डेन्स, 1857' के लेखक वी.डी. सावरकर हैं, जिन्होंने इस पुस्तक में 1857 के विद्रोह को भारतीय स्वतंत्रता संग्राम के रूप में प्रस्तुत किया। यह पुस्तक ब्रिटिश शासन के खिलाफ भारतीय जनमानस के विद्रोह के कारणों और प्रभाव का विश्लेषण करती है और इसे भारतीय इतिहास में एक महत्वपूर्ण दस्तावेज माना जाता है।

84. (D): असैन्य और सैन्य राजपत्र का प्रकाशन लाहौर से होता था। यह प्रकाशन अंग्रेजी राज के दौरान भारतीय सेना और असैन्य सेवाओं की विभिन्न गतिविधियों और नियुक्तियों के विवरण प्रदान करता था। इन राजपत्रों का मुख्य उद्देश्य सरकारी नोटिफिकेशन, आदेश और

अन्य सरकारी सूचनाएँ प्रकाशित करना था, जो व्यापक जनसंख्या और सरकारी कर्मचारियों के लिए महत्वपूर्ण थीं।

85. (D): अष्टप्रधान अधिकारियों का मिलान निम्न प्रकार से होता है: पेशवा के रूप में मोरो त्रयम्बक पिंगले (*a*-III), मजूमदार (आमात्य) के रूप में रामचंद्र नीलकंठ (*b*-IV), सरनीस (सचिव) के रूप में अन्नाजी दत्तो (*c*-I), और वाकनवीस के रूप में दत्ताजी त्रयम्बक (*d*-II) थे। ये व्यक्ति शिवाजी महाराज के शासन काल में महत्वपूर्ण प्रशासनिक भूमिकाएँ निभाते थे और इनका योगदान मराठा साम्राज्य की संरचना में अभिन्न था।

86. (C): क्लियोपेट्रा की नाक का सिद्धांत इतिहास के व्यक्ति प्रधान होने की बात करता है। इस सिद्धांत के अनुसार, यदि क्लियोपेट्रा की नाक थोड़ी कम आकर्षक होती, तो जूलियस सीजर और मार्क एंटनी उससे आकर्षित न होते और इतिहास की धारा ही बदल जाती। यह सिद्धांत बताता है कि व्यक्तिगत विशेषताएँ और छोटे-छोटे परिवर्तन भी इतिहास की बड़ी घटनाओं को प्रभावित कर सकते हैं।

87. (B): 19वीं सदी के भारतीय शिक्षा विकास में चार्टर अधिनियम, 1813 में शिक्षा के लिए एक लाख रुपये वार्षिक व्यय का प्रावधान किया गया (*a*) और प्राच्य-आंग्ल विवाद के दौरान प्राच्यवादियों के समूह का नेतृत्व एच.टी. प्रिंसेप ने किया जिन्होंने प्राच्य साहित्य के प्रगामी प्रयोग को बढ़ावा दिया (*d*)। ये घटनाएं उस समय की शैक्षणिक परिस्थितियों और विचारधाराओं को दर्शाती हैं, जहाँ शिक्षा न केवल ज्ञान प्रदान करने का माध्यम थी बल्कि उपनिवेशीकरण और सांस्कृतिक पहचान की राजनीति का भी एक हिस्सा थी।

88. (D): सही कथन निम्नलिखित हैं: शैव सिद्धांत तीन शाश्वत सिद्धांतों–ईश्वर (शिव), ब्रह्मांड और आत्मा की स्वीकृति प्रदान करता है (*a*)। इसके अलावा, शैव सिद्धांत, कश्मीर शैववाद और वीरशैव परंपरा के अनुयायियों द्वारा 'आगम' को प्रामाणिक ग्रंथ माना जाता है (*b*)। अन्य कथन वैष्णव संप्रदाय के संबंध में हैं, जिनका शैव सिद्धांत से सीधा संबंध नहीं है।

89. (B): मदुराविजयम, जिसे गंगादेवी ने लिखा था, संस्कृत भाषा में रचित एक महत्वपूर्ण काव्य ग्रंथ है। इस ग्रंथ में बुक्का-I के पुत्र कुमार कंपन के अभियानों का वर्णन है, जो विजयनगर साम्राज्य की सैन्य उपलब्धियों को दर्शाता है।

90. (A): सही कालानुक्रम इस प्रकार है: पहले चालीसा का दुर्भिक्ष (*b*) जो 18वीं शताब्दी में हुआ, फिर महाराष्ट्र में परमहंस मंडली की स्थापना (*c*) जो 19वीं सदी में हुई, उसके बाद फिरोजशाह मेहता द्वारा बाम्बे क्रॉनिकल का शुभारंभ (*d*) जो 19वीं शताब्दी के अंत में हुआ, और अंत में मांटेग्यू चेम्सफोर्ड संवैधानिक सुधार (*a*) जो 20वीं शताब्दी की शुरुआत में हुआ। इस क्रम से भारतीय इतिहास में सामाजिक, आर्थिक और राजनीतिक परिवर्तनों की झलक मिलती है।

91. (C): वरुण को प्राचीन ग्रंथों में 'राजाओं का ताड़क' माना गया है। वरुण न्याय और सत्य के देवता हैं और उन्हें राजाओं का देवता कहा जाता है क्योंकि उनकी भूमिका न्याय व्यवस्था में अहम मानी जाती थी। उन्हें न केवल समुद्रों और जल स्रोतों का देवता माना जाता था, बल्कि वे न्याय और कानून के प्रहरी भी थे। इस भूमिका में वे राजा की न्यायिक शक्तियों के प्रतीक के रूप में देखे जाते थे।

92. (C): शुक्रनीतिसार में राजा का वर्णन जनता के स्वामी और सेवक दोनों के रूप में किया गया है। शुक्रनीतिसार एक प्राचीन राजनीतिक शास्त्र है जो राजा और उसके शासन के नैतिक और प्रशासनिक दायित्वों का विस्तार से वर्णन करता है। इसमें राजा को जनता का पालनहार और सेवक के रूप में दिखाया गया है, जो उनकी सुरक्षा और कल्याण के लिए जिम्मेदार होता है।

93. (B): अर्थशास्त्र में उल्लेख है कि राजा की स्थिति सिपाहियों के समान थी, दोनों को अलग-अलग पारिश्रमिक मिलता था और दोनों राष्ट्र की परिसंपत्ति साझा करने के हकदार थे। कौटिल्य की इस महत्वपूर्ण रचना में राजा और सिपाहियों के बीच समानता की भावना को दर्शाया गया है, जिसमें राजा का नेतृत्व और उसके सैनिकों की भूमिका को समान महत्व दिया गया है।

94. (D): उपर्युक्त गद्यांश राजा को जनसेवक के रूप में दर्शाने के संबंध में है। इसमें राजा की भूमिका को जनता के सेवक के रूप में व्याख्यायित किया गया है, जिसमें उसे अपने प्रजाओं की सेवा करनी चाहिए और उनके कल्याण के लिए काम करना चाहिए। इस दृष्टिकोण से राजा को न केवल सत्ता का प्रतीक माना गया है, बल्कि जन कल्याण के लिए काम करने वाला एक सेवक भी समझा गया है।

95. (A): प्रारंभिक धर्मसूत्र में यह टिप्पणी की गई है कि 'राजा वस्तुतः सेवक है और 16% कर उसका पारिश्रमिक है' यह टिप्पणी बौधायन धर्मसूत्र में मिलती है। इसमें राजा के प्रजा के प्रति दायित्व और उसके लिए मिलने वाले पारिश्रमिक को उजागर किया गया है, जो उसकी सेवाओं के बदले में रूप में प्रजा द्वारा अदा किया जाता है।

96. (C): पी.एन. बापट को रूसी क्रांतिकारियों से बम बनाने की कला सीखने के लिए पेरिस भेजा गया था। 'अभिनव भारत' एक क्रांतिकारी संगठन था जिसने भारतीय स्वतंत्रता संग्राम में महत्वपूर्ण भूमिका निभाई। पी.एन. बापट उन क्रांतिकारियों में से एक थे जो विदेश में गुप्त रूप से विस्फोटकों और हथियारों के निर्माण की तकनीकी प्राप्त करने के लिए गए थे, ताकि भारतीय स्वतंत्रता संग्राम को एक नई दिशा प्रदान की जा सके।

97. (D): वर्ष 1900 में विनायक दामोदर सावरकर ने नासिक में 'मित्र मेला' का शुभारंभ किया था। यह संगठन बाद में 'अभिनव भारत' में परिवर्तित हुआ। सावरकर का यह प्रयास भारतीय युवाओं को एकजुट करने और उनमें स्वतंत्रता की भावना को प्रेरित करने के लिए था, जिससे वे अंग्रेजी राज से मुक्ति पाने के लिए संघर्ष कर सकें।

98. (A): 'अभिनव-भारत' एक क्रांतिकारियों की गुप्त संस्था थी, जिसकी स्थापना विनायक दामोदर सावरकर ने की थी। इस संगठन का मुख्य उद्देश्य भारतीय स्वतंत्रता प्राप्त करना था, और इसके लिए यह संगठन किसी भी तरह के आवश्यक कदम उठाने को तैयार था, चाहे वह सशस्त्र विद्रोह ही क्यों न हो।

99. (B): 'चापेकर बंधु' के नाम से विनायक हरि चापेकर को संबोधित नहीं किया जाता है। 'चापेकर बंधु' तीन भाई थे - दामोदर हरि, बालकृष्ण हरि, और वासुदेव हरि, जिन्होंने 1890 के दशक में ब्रिटिश अधिकारियों के खिलाफ सशस्त्र विद्रोह में भाग लिया था।

100. (B): 'मित्र-मेला' सशस्त्र विद्रोह का पक्षधर था। यह संगठन स्पष्ट रूप से भारतीय राजनैतिक स्वतंत्रता के लिए संघर्ष करने के लिए बनाया गया था, और यदि आवश्यकता होती तो इसे हासिल करने के लिए सशस्त्र संघर्ष करने को भी तैयार था।

YOUR SPACE

पिछले प्रश्न-पत्र

National Testing Agency (NTA)

UGC-NET जूनियर रिसर्च फैलोशिप तथा सहायक प्राध्यापक पात्रता परीक्षा

इतिहास, दिसम्बर-2023

(Exam held on 14-12-2023)

प्रश्न-पत्र-II

1. अघोष स्नान (ब्रेथ बाथ) की दीवार और फर्श के जलसह (वाटर-प्रूफिंग) के लिए निम्नांकित में से किस पदार्थ का प्रयोग किया जाता था?

A. सीसा B. ताम्र

C. जिप्सम D. चूना

2. विश्व में पहली औद्योगिक क्रांति ________ के साथ संबंधित है।

A. प्रस्तर उपकरण बनाने

B. वस्त्र बनाने

C. गृह निर्माण

D. लौह निर्माण

3. उस पुराण का नाम बताइए, जिसमें भारत को भौगोलिक इकाई बताया गया है?

A. वायु पुराण B. विष्णु पुराण

C. भागवत पुराण D. पद्म पुराण

4. लीलावती गणित किसके द्वारा लिखित है?

A. कृष्णदेव राय B. भास्कराचार्य

C. अशोक D. पाणिनी

5. किस सातवाहन शासक को शक, इंडो-ग्रीक और पार्थियन का ध्वंसक कहा जाता है?

A. सातकर्णी I B. वशिष्ठिपुत्र पुलमावी

C. गौतमीपुत्र सातकर्णी D. सिमुक

6. 'मिलिंद-पन्हो' के लिए क्या सही **नहीं** है?

A. ग्रीक राजा मिलिंद और बौद्ध मठवासी नागसेन के बीच वार्तालाप का कार्य

B. मूल लेख अप्राप्त है तथा वर्तमान ग्रंथ मूल का पाली अनुवाद है।

C. मिलिंद पन्हो पर व्याख्या 5वीं शताब्दी (ई.) में धम्मपाल द्वारा लिखी गई थी।

D. मिलिंद पन्हो के कुछ संवाद प्लेटो के संवाद के साथ मिलते हैं।

7. तृतीय संगम का अध्यक्ष कौन था, जिसकी बैठक उत्तरी मदुरा में थी?

A. अगस्त्य B. इरुनदूयूर

C. कपिलार D. नक्कीरर

8. बाबर का पुत्र मिर्जा कामरान, राव जैतसी द्वारा पराजित हुआ था, जो कि ________ का शासक था।

A. उदयपुर B. जोधपुर

C. बीकानेर D. जयपुर

9. सार्वजनिक कल्याण के लिए मानव-निर्मित उत्तम बावड़ी (जल-समूह) ________ कहलाता है।

A. मोडेरा ताल

B. रानी की वाव

C. सरदार सरोवर

D. सूरजकुंड

10. तिल-तांदुल न्याय का अर्थ है :

A. चावल और सीसम को मिश्रित करना

B. पानी और चावल को मिश्रित करना

C. चावल और गेहूँ को मिश्रित करना

D. पानी और चीनी को मिश्रित करना

11. जयदेव महाकवि किसके दरबार में समृद्ध हुए?

A. पल्लव

B. बंगाल का सेन शासक

C. राजराज चोल

D. उड़ीसा का सोमवामसीस

12. महाबन किसके पास स्थित है?

A. मथुरा B. चित्तौड़

C. लखनऊ D. पन्ना

13. फारसी अनुवाद नामा-ए-खेराद-अफ्जा निम्नलिखित कौन-सी प्रसिद्ध पुस्तक (ग्रंथ) का अनुवाद है?

A. अथर्ववेद B. रामायण

C. सिंहासन बत्तीसी D. महाभारत

14. किस सिख गुरु ने 'चण्डी चरित्र' में यह उल्लेख किया है कि पुराकाल में ईश्वर ने दुर्गा को बुरा करने वाले का अंत करने के लिए भेजा था और अब यह कार्य उनको सौंप दिया गया है?

A. गुरु अर्जुन देव B. गुरु गोबिंद सिंह

C. गुरु तेग बहादुर D. गुरु हरगोविंद

15. दारा शिकोह को पकड़कर और उसे औरंगजेब के पास भेजने वाला विश्वासघाती कौन था?

A. शाह नवाज खान

B. मलिक जीवन

C. अरकाना के महाराजा

D. राय सिंह

16. चौथ के बारे में निम्नांकित में से क्या गलत है?

A. सर्वप्रथम 17वीं सदी के उत्तरार्द्ध में शिवाजी ने इस पर बल दिया था।

B. पेशवा बालाजी विश्वनाथ दक्कन के सूबों से चौथ की मांग करनेवाला प्रथम मराठा था।

C. एम.जी. रानाडे के अनुसार मराठाओं पर राज्य के लिए सशस्त्र सुरक्षा प्रदान करने का आरोप था।

D. जी.एस. सरदेसाई ने चौथ की तुलना अनुषंगी गठबंधन से की।

17. वीरशैव संप्रदाय के बारे में निम्नांकित में से कौन-सा कथन गलत है?

A. वीरशैव संप्रदाय आधुनिक कर्नाटक राज्य में विकसित हुआ था।

B. वीरशैव बासव इस मत (आस्था) के पुनरुज्जीवक के रूप में सराहना करते हैं।

C. इसमें दृढ़ एकेश्वरवाद और जाति के अस्वीकरण पर बल दिया गया।

D. वीरशैव संप्रदाय का आरंभ तेरहवीं सदी में हुआ।

18. किस लेखक का कथन है कि अकबर की महिलाओं की शिक्षा में बहुत अभिरुचि थी और उनके उपयोग के लिए हरम के भीतर पुस्तकालय थे?

A. राल्फ फिच B. थॉमस रो

C. फादर मोंसेरेट D. पीटर मुंडी

19. हम्जानामा के बारे में निम्नांकित में से कौन-सा कथन सही नहीं है?

A. अला-उद-दौला काजमी के अनुसार हम्जानामा हुमायूं का मानसपुत्र था।

B. हम्जानामा संभवतः 1475 ईसवी तक पूरा हो गया था।

C. वर्ण योजना भड़कीला है, जिसमें मनमोहक पौधे और रंग-बिरंगे फूल हैं।

D. पूर्ण कृति में लगभग 1200 चित्र थे।

20. तृतीय कर्नाटक युद्ध के दौरान फ्रांस के सैनिकों का सेनापति कौन था?

A. डुप्ले B. बस्सी

C. डी लैली D. कोल्बर्ट

21. किस वर्ष पुर्तगालियों ने बम्बई द्वीप इंग्लैंड के राजा चार्ल्स द्वितीय को पुर्तगाली राजकुमारी के साथ विवाह करने के लिए दहेज के रूप में दिया था?

A. 1510 B. 1562

C. 1610 D. 1662

22. वह इतिहासकार जिसने 1857 के विद्रोह को ''किसी विदेशी सत्ता (शक्ति) को चुनौती देने के लिए बहुत से वर्ग के लोगों द्वारा पहला संयुक्त प्रयास'' कहा साथ ही यह कहा कि वह वास्तविक है :

A. सी.ए. बेली B. एस.एन. सेन
C. एस.बी. चौधरी D. पार्था चटर्जी

23. जवाहिर और हेतवा किस विद्रोह के सर्वाधिक महत्वपूर्ण नेता थे?

A. कोल विद्रोह B. खरवार विद्रोह
C. रामोशी विद्रोह D. राजवार विद्रोह

24. ''ज्ञान का प्रत्येक संग्रह राज्य के लिए उपयोगी है। यह गुलामी की जंजीर जिससे देश बंधा हुआ है, उसका वजन कम करता है।''

A. विलियम जोन्स B. बाल गंगाधर तिलक
C. वारेन हेस्टिंग्स D. दादाभाई नौरोजी

25. वह अधिनियम जिससे भारत में 'फूट डालो और शासन करो' की नीति को संस्थागत स्वरूप देने की प्रक्रिया आरंभ हुई :

A. रेग्यूलेटिंग एक्ट, 1773
B. पिट इंडिया एक्ट, 1784
C. इंडियन काउंसिल एक्ट, 1892
D. इंडियन काउंसिल एक्ट, 1909

26. ठाकुर ने मुझे यह कहते हुए आदेश दिया है कि देश साहिबों का नहीं है। ठाकुर स्वयं युद्ध करेंगे। इसलिए आप साहिब और सिपाही स्वयं ठाकुर से लड़ेंगे। यह कथन किस जनजातीय नेता का है :

A. सिदो B. कान्हू
C. बिरसा मुंडा D. उपर्युक्त में से कोई नहीं

27. निम्नलिखित में से 'आंध्र महिला' का संपादन किसने किया?

A. सरोजिनी नायडू B. पद्मजा नायडू
C. दुर्गाबाई देशमुख D. पंडिता रमाबाई

28. 'गणदेवता' नामक पुस्तक किसने लिखी है जिसमें बंगाल में जजमानी प्रथा के पराभव की व्याख्या की गई है?

A. तारकनाथ दास B. ताराशंकर बंदोपाध्याय
C. रवीन्द्रनाथ टैगोर D. शरत चंद्र चट्टोपाध्याय

29. 'दस वर्ष के बंदोबस्त' की शर्तों की जाँच के लिए गठित समिति के सदस्य निम्नांकित में से कौन नहीं थे?

A. कार्नवालिस B. मैकफर्सन
C. जॉन शोर D. जेम्स ग्रांट

30. सहमति की आयु अधिनियम 1860 में महिलाओं के विवाह के लिए सहमति की कितनी आयु निर्धारित की गई?

A. 10 वर्ष B. 12 वर्ष
C. 14 वर्ष D. 18 वर्ष

31. 'मेवाड़ प्रजा मंडल' के संस्थापक कौन थे?

A. मोतीलाल तेजावत B. वल्लभभाई पटेल
C. माणिक लाल वर्मा D. स्वामी गोविन्दानन्द

32. निम्नलिखित में से किसे वर्ष 1852 में विद्युत तार विभाग (इलेक्ट्रिक टेलीग्राफ डिपार्टमेंट) का अधीक्षक नियुक्त किया गया था?

A. कर्नल बेयर्ड स्मिथ B. सर जेम्स लॉयल
C. ओ'शॉगनेस्से D. अलेक्जेंडर पिटमैन

33. 'अखिल भारतीय दलित संघ' के पहले चयनित अध्यक्ष कौन थे?

A. डॉ. बी.आर. अम्बेडकर
B. एम.सी. राजा
C. साहू महाराज
D. ई.वी. रामास्वामी नायकर

34. बंगाल विभाजन का विरोध करते हुए निम्नलिखित में से किस पत्रिका में यह टिप्पणी की गई थी–''क्या बंगाली लोग विदेशी वस्तुओं का बहिष्कार करने में चीन के उदाहरण का अनुसरण करने में सक्षम हैं? अगर वे कर सकते हैं तो उनके समक्ष रास्ता स्पष्ट है।''

A. बारीसाल हितैषी B. बंदे मातरम
C. युगान्तर D. द हिन्दू

35. निम्नलिखित में से किनके अनुसार, भारतीय राष्ट्रवाद का निर्माण पारंपरिक राष्ट्रभक्ति तथा राज क्षेत्रीयता के पूर्व विद्यमान अर्थ के आधार पर हुआ था?

A. पार्थ चटर्जी B. सी.ए. बेले
C. आर.सी. मजूमदार D. दीपेश चक्रवर्ती

36. निम्नलिखित में से किसने शिवाजी पर्व शुरू किया था?
A. अरविंद
B. बाल गंगाधर तिलक
C. लाला लाजपत राय
D. बिपिन चंद्र पाल

37. निम्नलिखित में से किसने 'द इंडियन स्ट्रगल' पुस्तक लिखी है?
A. डॉ. राजेन्द्र प्रसाद
B. मौलाना आजाद
C. सुभाष चंद्र बोस
D. बिपिन चंद्र पाल

38. भाषा के आधार पर राज्यों के पुनर्गठन संबंधी धर आयोग के निम्नलिखित में से कौन सदस्य नहीं थे?
A. के.एम. मुंशी
B. वल्लभ भाई पटेल
C. जस्टिस धर
D. जगत नारायण लाल

39. 'महावीर राजद्रोह मामले' में उनके द्वारा संपादित जर्नल महावीर में राजद्रोह संबंधी लेखन के लिए किसे सजा हुई थी?
A. लाला लाजपत राय
B. जगत नारायण लाल
C. मुरली मनोहर प्रसाद
D. जय प्रकाश नारायण

40. "इतिहास विज्ञान है, न इससे अधिक न इससे कम" यह कथन किसका है?
A. आर. कॉलिंगवुड
B. बी. रसल
C. एच. बटरफील्ड
D. जे.बी. ब्यूरी

41. निम्नांकित में से कौन-से पुरास्थल ताम्रपाषाण युग के हैं?
(*a*) मोहनजोदड़ो
(*b*) चान्हूदड़ो
(*c*) कालीबंगा
(*d*) हड़प्पा
(*e*) नागार्जुनकोंडा

नीचे दिए गए विकल्पों में से **सही उत्तर** का चयन कीजिए :
A. केवल (*e*), (*b*), (*a*), (*c*)
B. केवल (*a*), (*b*), (*c*), (*d*)
C. केवल (*d*), (*e*), (*c*), (*a*)
D. केवल (*c*), (*b*), (*d*), (*e*)

42. भीमबेटका चित्रकारी :
(*a*) मध्यपाषाण युग का है।
(*b*) आदि भारतीय कला के उदाहरण हैं।
(*c*) पूर्वपाषाण युग के दौरान बनाई गई थी।
(*d*) स्थानीय स्तर पर उपलब्ध रंगों द्वारा चित्रित।
(*e*) कई युगों में मानवजीवन की व्याख्या करती हैं।

नीचे दिए गए विकल्पों में से **सही उत्तर** का चयन कीजिए :
A. केवल (*a*), (*b*), (*d*), (*e*)
B. केवल (*c*), (*d*), (*b*), (*a*)
C. केवल (*a*), (*c*), (*b*), (*d*)
D. केवल (*a*), (*b*), (*d*), (*c*)

43. राष्ट्रकूट ने निम्नांकित क्षेत्रों पर शासन किया है?
(*a*) महाराष्ट्र
(*b*) तेलंगाना
(*c*) मध्य प्रदेश
(*d*) कर्नाटक
(*e*) तमिलनाडु

नीचे दिए गए विकल्पों में से **सही उत्तर** का चयन कीजिए :
A. केवल (*a*), (*b*), (*c*), (*d*)
B. केवल (*e*), (*c*), (*b*), (*d*)
C. केवल (*d*), (*e*), (*c*), (*a*)
D. केवल (*a*), (*d*), (*c*), (*e*)

44. कृषि से निम्नांकित को बढ़ावा मिला है :
(*a*) खाद्य फसल प्रौद्योगिकी
(*b*) धातुकर्म उद्योग
(*c*) कृषि-आधारित उद्योग
(*d*) सितारों की गणना
(*e*) जल-प्रबंध

नीचे दिए गए विकल्पों में से **सही उत्तर** का चयन कीजिए :
A. केवल (*d*), (*e*), (*b*), (*a*)
B. केवल (*a*), (*b*), (*c*), (*e*)
C. केवल (*e*), (*d*), (*b*), (*c*)
D. केवल (*c*), (*a*), (*d*), (*e*)

45. बौद्ध धर्म की शाखाएँ हैं :

(*a*) महायान (*b*) हीनयान

(*c*) वज्रयान (*d*) दिगम्बर

(*e*) गुह्य समाज

नीचे दिए गए विकल्पों में से **सही उत्तर** का चयन कीजिए :

A. केवल (*a*), (*d*), (*b*), (*c*)

B. केवल (*a*), (*b*), (*c*), (*e*)

C. केवल (*d*), (*b*), (*c*), (*e*)

D. केवल (*e*), (*b*), (*d*), (*a*)

46. कर्नाटक के मंदिरों के युग्म में निम्नांकित में से क्या बेमेल है?

(*a*) बादामी (*b*) ऐहोल

(*c*) पट्टदकल (*d*) हम्पी

(*e*) कांची

नीचे दिए गए विकल्पों में से **सही उत्तर** का चयन कीजिए :

A. केवल (*b*), (*c*), (*a*), (*d*)

B. केवल (*a*), (*c*), (*d*), (*e*)

C. केवल (*a*), (*b*), (*c*), (*d*)

D. केवल (*d*), (*b*), (*a*), (*c*)

47. निम्नांकित में से कौन-से देव वैष्णव धर्म (वैष्णव सम्प्रदाय) के नहीं हैं?

(*a*) संकर्षण (*b*) वासुदेव

(*c*) महादेव (*d*) श्रीकृष्ण

(*e*) वराह अवतार

नीचे दिए गए विकल्पों में से **सही उत्तर** का चयन कीजिए :

A. केवल (*a*), (*b*), (*c*), (*d*)

B. केवल (*a*), (*b*), (*d*), (*e*)

C. केवल (*c*), (*b*), (*a*), (*e*)

D. केवल (*d*), (*c*), (*e*), (*b*)

48. गोलकोंडा का किला है :

(*a*) चोल शासक द्वारा निर्मित

(*b*) हैदराबाद में अवस्थित

(*c*) काकातीय का पश्चिमी प्रभाव क्षेत्र

(*d*) कुतुबशाही द्वारा निर्मित

(*e*) वह स्थान जहाँ भक्त रामदास को बंदी बनाया गया था

नीचे दिए गए विकल्पों में से **सही उत्तर** का चयन कीजिए :

A. केवल (*b*), (*c*), (*d*), (*e*)

B. केवल (*a*), (*d*), (*b*), (*e*)

C. केवल (*d*), (*a*), (*b*), (*c*)

D. केवल (*e*), (*c*), (*a*), (*d*)

49. 'हीरा सौभाग्यम' जिसमें जैन भिक्षुओं के अकबर के दरबार में आगमन की विवेचना की गई हैं, इसके लेखक कौन हैं?

(*a*) सिद्धि चंद्र उपाध्याय (*b*) महेश ठाकुर

(*c*) देव विमल (*d*) जयासोम उपाध्याय

(*e*) रणछोड़ भट्ट

नीचे दिए गए विकल्पों में से **सही उत्तर** का चयन कीजिए :

A. केवल (*a*) B. केवल (*b*)

C. केवल (*c*) D. केवल (*e*), (*d*)

50. शेरशाह सूरी के बारे में निम्नांकित में से कौन-से कथन सही हैं?

(*a*) शेरशाह ने चौसा के युद्ध में हुमायूँ को पराजित किया था।

(*b*) गक्खर के विरुद्ध शेरशाह की मुहिम विफल सिद्ध हुई।

(*c*) शेरशाह का मूल नाम फरीद था।

(*d*) शेरशाह ने प्रांत को कई सरकारों में विभक्त किया और प्रधान शिकदार, मुंसिफ और काजी की नियुक्ति की।

(*e*) शेरशाह का मुसोलियम (मकबरा) सासाराम में अवस्थित है।

नीचे दिए गए विकल्पों में से **सही उत्तर** का चयन कीजिए :

A. केवल (*a*), (*b*) और (*c*)

B. केवल (*b*), (*c*) और (*d*)

C. केवल (*c*), (*d*), (*e*), (*a*)

D. केवल (*e*), (*a*), (*c*), (*b*)

51. महाराणा प्रताप के बारे में निम्नांकित में से कौन-से कथन सही हैं?

(*a*) महाराणा प्रताप स्थापक (आरंभिक) सैन्य प्रमुख थे जिन्होंने गुरिल्ला युद्ध कर्म में उत्कृष्टता प्राप्त की।

(*b*) महाराणा प्रताप को जनसमूह द्वारा जनरल एक्स्ट्रा ऑर्डिनरी की उपाधि से विभूषित किया गया था।

(*c*) महाराणा प्रताप ने अकबर के समक्ष आत्मसमर्पण किया था और मुगल की प्रभुता स्वीकार की थी।

(*d*) महाराणा प्रताप ने हल्दीघाटी का युद्ध वीरतापूर्वक लड़ा था।

(*e*) महाराणा प्रताप राणा संग्राम सिंह के पौत्र थे।

नीचे दिए गए विकल्पों में से **सही उत्तर** का चयन कीजिए :

A. केवल (*a*), (*b*), (*c*), (*d*)

B. केवल (*b*), (*c*), (*d*), (*e*)

C. केवल (*c*), (*d*), (*e*), (*a*)

D. केवल (*d*), (*e*), (*a*), (*b*)

52. हेमचन्द्र विक्रमादित्य के बारे में निम्नांकित में से कौन-से कथन सही हैं?

(*a*) महाराजा हेमचंद्र विक्रमादित्य 22 युद्धों में विजयी हुए थे।

(*b*) महाराजा हेमचंद्र विक्रमादित्य ने अपने जीवन काल में प्रभावी सिविल और सैन्य नीतियों को लागू किया था।

(*c*) महाराजा हेमचंद्र विक्रमादित्य का जन्म मछेरी में हुआ था।

(*d*) महाराजा हेमचंद्र विक्रमादित्य राजपूत शासक थे।

(*e*) महाराजा हेमचंद्र विक्रमादित्य ने सैन्य हार्डवेयर के लिए विभिन्न विपणन नीतियाँ शुरू की थीं।

नीचे दिए गए विकल्पों में से **सही उत्तर** का चयन कीजिए :

A. केवल (*a*), (*b*), (*c*), (*e*)

B. केवल (*b*), (*c*), (*d*), (*e*)

C. केवल (*a*), (*e*), (*d*), (*b*)

D. केवल (*b*), (*d*), (*c*), (*a*)

53. दक्कन के किस सुल्तान ने शिवाजी को जीवित या मृत बन्दी बनाकर लाने के लिए अफजल खाँ को भेजा था?

(*a*) बरार (*b*) बीजापुर

(*c*) गोलकुण्डा (*d*) अहमदनगर

(*e*) बीदर

नीचे दिए गए विकल्पों में से **सही उत्तर** का चयन कीजिए :

A. केवल (*a*), (*c*) B. केवल (*b*)

C. केवल (*c*), (*d*) D. केवल (*e*)

54. राजपूत चित्रकारी के बारे में निम्नांकित में से कौन-से कथन सही हैं?

(*a*) आनंद के. कुमारस्वामी ने राजपूत चित्रकारी की खोज कर कला के क्षेत्र में योगदान दिया और भारतीय कलात्मक परंपरा की विशिष्ट शाखा की स्थापना की।

(*b*) 'चावंड रागमाला' के चित्रकार कलाकार निसारादी थे।

(*c*) चित्रकारी की कांगड़ा शैली सत्रहवीं सदी के मध्य में अस्तित्व में आई।

(*d*) महाराज सावंत सिंह जो नागरी दास के नाम से सुप्रसिद्ध हैं उन्होंने किशनगढ़ चित्रकला शैली में अपना योगदान दिया था।

(*e*) राजकला चित्रकला अर्न्देशीय (देशज) भारतीय परंपरा पर फारसी और मुगल शैली के प्रभाव के परिणाम से अधिक है।

नीचे दिए गए विकल्पों में से **सही उत्तर** का चयन कीजिए :

A. केवल (*a*), (*b*), (*c*), (*d*)

B. केवल (*a*), (*b*), (*d*), (*e*)

C. केवल (*d*), (*e*), (*a*), (*c*)

D. केवल (*c*), (*d*), (*e*), (*b*)

55. निम्नलिखित में से कौन-से कथन सही हैं?

(*a*) वैष्णव धर्म को सर्वप्रथम भागवत पुराण में कृष्ण लीला के महिमा मंडन के माध्यम से बढ़ावा मिला।

(*b*) एकनाथ ज्ञानेश्वर के समकालीन और जाति से दर्जी थे।

(*c*) विठोबा वर्करी पंथ के देव थे। यह ऐसा पंथ (संप्रदाय) है, जिसका महाराष्ट्र के भक्तिवाद के इतिहास में महत्वपूर्ण स्थान है।

(*d*) गुरु रामदास रचित 'दासबोध' कई वर्षों के उनके लेखन और उपदेश का संकलन है।

(*e*) चंडीदास का मूल नाम विश्वंभर मिश्र है।

नीचे दिए गए विकल्पों में से **सही उत्तर** का चयन कीजिए :

A. केवल (*a*), (*c*), (*d*)

B. केवल (*b*), (*c*), (*d*)

C. केवल (*c*), (*d*), (*e*)

D. केवल (*d*), (*e*), (*a*)

56. अंग्रेजों ने 1831 से 1881 तक मैसूर प्रांत पर शासन किया था?

(*a*) अंग्रेजों द्वारा मैसूर पर आधिपत्य कायम करने का कारण नगर विद्रोह था।

(*b*) कृष्णराज वोडियन III अंग्रेजों के हाथों अपना राज्य खो दिया और नाम मात्रिक प्रधान बने रहे।

(*c*) अंग्रेजों ने मद्रास से मैसूर राज्य पर शासन किया था।

(*d*) अंग्रेजों ने कलकत्ता से मैसूर राज्य पर शासन किया था।

(*e*) दीवान पूरनैयाह मैसूर के अंग्रेज द्वारा अधिग्रहण के लिए उत्तरदायी था।

नीचे दिए गए विकल्पों में से **सही उत्तर** का चयन कीजिए :

A. केवल (*a*), (*b*), (*c*)

B. केवल (*a*), (*b*), (*d*)

C. केवल (*a*), (*b*), (*e*)

D. केवल (*b*), (*c*), (*d*)

57. भारत में ब्रिटिश प्रशासन के उद्विकास के बारे में निम्नांकित में से कौन-से कथन सही हैं?

(*a*) रेग्यूलेटिंग एक्ट 1773 द्वारा उच्चतम न्यायालय की स्थापना की गई।

(*b*) चार्टर एक्ट 1833 द्वारा विधि आयोग की स्थापना की गई।

(*c*) 1781 के संशोधन अधिनियम में उच्चतम न्यायालय की अधिकारिता की सटीक परिभाषा दी गई।

(*d*) हिंदू विधि सार का संकलन और अनुवाद कार्य लॉर्ड कॉर्नवालिस के अधीन किया गया था।

(*e*) मुफास्सिल दीवानी अदालत और मुफास्सिल फौजदारी अदालत की स्थापना 1772 में हुई थी।

नीचे दिए गए विकल्पों में से **सही उत्तर** का चयन कीजिए :

A. केवल (*a*), (*c*), (*d*)

B. केवल (*c*), (*e*), (*b*)

C. केवल (*a*), (*b*), (*c*)

D. केवल (*e*), (*c*), (*a*)

58. हमारा तंत्र स्पंज के सदृश कार्य करता है, जिसमें गंगा तट से उत्तम चीजें उद्धृत की जाती हैं और टेम्स नदी के किनारे पर उन्हें निचोड़ा जाता है।

(*a*) यह दादाभाई नौरोजी का कथन है।

(*b*) जॉन सुलीवन, राजस्व बोर्ड, मद्रास के अध्यक्ष का यह कथन है।

(*c*) इसमें अंग्रेजों द्वारा भारत से धन के अपवाह के मुख्य बिन्दु को शामिल किया गया है।

(*d*) इसमें 19वीं सदी में भारतीय अर्थव्यवस्था पर अकाल (दुर्भिक्ष) का प्रभाव परिलक्षित होता है।

(*e*) इससे अंग्रेजों को आत्मनिर्भरता की अर्थव्यवस्था के स्वरूप को नष्ट कर भारत पर अपना नियंत्रण सुदृढ़ करने में मदद मिली।

नीचे दिए गए विकल्पों में से **सही उत्तर** का चयन कीजिए :

A. केवल (*a*), (*c*), (*d*)

B. केवल (*b*), (*c*), (*e*)

C. केवल (*c*), (*d*), (*e*)

D. केवल (*b*), (*d*), (*e*)

59. "आज जार के निरंकुश तंत्र (स्वेच्छाचारी शासन) के नष्ट होने के बाद जर्मन सैन्यवाद के पतन (पराभव) के बाद समस्त विश्व में एक नई शक्ति का सूत्रपात हुआ है, जनता की शक्ति अपने विधिक अधिकारों की रक्षा के लिए प्रतिबद्ध हैं...।"

(*a*) यह रूस की बोल्शेविक क्रांति की प्रतिक्रिया थी।

(*b*) यह एस.ए. डांगे का कथन था।

(*c*) यह चरमपंथी नेता बिपिन चन्द्र पाल की अनुक्रिया थी।

(*d*) यह राम मनोहर लोहिया की अभिव्यक्ति थी।

(*e*) इससे अंग्रेजों को पराजित करने के लिए भारत-वासियों का आत्मविश्वास परिलक्षित होता है।

नीचे दिए गए विकल्पों में से **सही उत्तर** का चयन कीजिए :

A. केवल (*a*), (*b*), (*c*)

B. केवल (*b*), (*d*), (*e*)

C. केवल (*a*), (*c*), (*d*)

D. केवल (*a*), (*c*), (*e*)

60. असहयोग आंदोलन के बारे में निम्नांकित में से कौन-से कथन सही हैं?

(*a*) औपचारिक रूप से असहयोग आंदोलन 1 अगस्त, 1920 को आरंभ किया गया था।

(*b*) विदेशी वस्त्र का बहिष्कार सफल नहीं था।

(*c*) ताड़ी दुकानों का धरना बहुत प्रचलित थी।

(*d*) मार्च, 1921 में विजयवाड़ा में आयोजित अखिल भारतीय कांग्रेस समिति के अधिवेशन में तिलक स्वराज का शुभारंभ हुआ।

(*e*) बिहार विद्यापीठ, पटना के प्रथम कुलाधिपति डॉ. राजेन्द्र प्रसाद थे।

नीचे दिए गए विकल्पों में से **सही उत्तर** का चयन कीजिए :

A. केवल (*a*), (*b*), (*c*)

B. केवल (*b*), (*c*), (*d*)

C. केवल (*c*), (*d*), (*e*)

D. केवल (*a*), (*c*), (*d*)

61. कुछेक-सौ अंग्रेजों के लिए राजनीति से प्रेरित मनस बाहुल्य आबादी के विरोध में शासन व्यवस्था चलाना बिल्कुल असंभव कार्य होगा।

(*a*) इसमें वायसराय लॉर्ड माउंटबेटन की पराजित मानसिकता की स्वीकृति प्रतिबिम्बित होती है।

(*b*) यह क्लीमेंट एटली द्वारा व्यक्त राय थी।

(*c*) इस कथन से 1947 में भारत को स्वतंत्र करने की प्रक्रिया में ब्रिटिश द्वारा तेजी लाए जाने की तात्कालिकता परिलक्षित होती है।

(*d*) यह भारतीय राष्ट्रीय कांग्रेस का मत था।

(*e*) इससे 1940 के दशक के मध्य में भारतीयों की राजनीतिक परिपक्वता उद्‌भाषित होती है।

नीचे दिए गए विकल्पों में से **सही उत्तर** का चयन कीजिए :

A. केवल (*b*), (*c*), (*e*)

B. केवल (*a*), (*b*), (*c*)

C. केवल (*b*), (*c*), (*d*)

D. केवल (*a*), (*c*), (*d*)

62. मौलाना अबुल कलाम आजाद के बारे में निम्नलिखित में से कौन-से कथन सही हैं?

(*a*) उन्होंने साप्ताहिक पत्रिका अल-हिलाल और अल-बलाग का प्रकाशन किया था।

(*b*) उन्होंने मार्ले-मिन्टो सुधार में पृथक निर्वाचक मंडल की योजना का समर्थन किया था।

(*c*) वे सबसे अधिक समय तक भारतीय राष्ट्रीय कांग्रेस के अध्यक्ष बने रहे।

(*d*) उन्होंने मोतीलाल नेहरू समिति की सिफारिशों का विरोध किया था।

(*e*) उन्होंने सन् 1944 में गांधी-जिन्ना की वार्ता का विरोध किया था।

नीचे दिए गए विकल्पों में से **सही उत्तर** का चयन कीजिए :

A. केवल (*a*), (*b*), (*c*) B. केवल (*a*), (*c*), (*d*)

C. केवल (*a*), (*c*), (*e*) D. केवल (*b*), (*c*), (*d*)

63. भारत छोड़ो आंदोलन के दौरान देश के कुछ भागों में समानान्तर सरकारों का गठन किया गया था।

(*a*) बलिया (*b*) गोरखपुर

(*c*) मिदनापुर (*d*) मुंगेर

(*e*) सतारा

नीचे दिए गए विकल्पों में से **सही उत्तर** का चयन कीजिए :

A. केवल (*b*), (*c*), (*d*)

B. केवल (*a*), (*c*), (*e*)

C. केवल (*c*), (*e*), (*b*)

D. केवल (*a*), (*b*), (*c*)

64. वस्तुतः ज्ञातव्य मौलिक और यथार्थ सत्य के प्रति मानव मस्तिष्क के लिए अबाधित (निर्बाध) अधिगम नहीं है। अनुभव (भूतः, वर्तमान और भविष्य) का ज्ञान प्राप्त करने का एकमात्र माध्यम लाक्षणिक प्रक्रम के रूप में भाषा का प्राथमिक माध्यम है। सामान्यतः इसका निर्माण शक्ति, औचित्य और अनौचित्य के प्रयोग के लिए प्ररूप के भीतर होता है।

(*a*) यह आधुनिकोत्तरवादी विमर्श का भाग है।

(*b*) यह मिशेल फूको की महत्वपूर्ण मान्यता है।

(*c*) यह भाषा की सीमा का द्योतक है।

(*d*) रोनाल्ड बार्थ इस सिद्धांत के पक्षधर हैं।

(*e*) यह अभिव्यक्ति के माध्यम के रूप में भाषा की सीमा का द्योतक है।

नीचे दिए गए विकल्पों में से **सही उत्तर** का चयन कीजिए :

A. केवल (*b*), (*c*), (*d*)

B. केवल (*a*), (*b*), (*c*)

C. केवल (*a*), (*b*), (*e*)

D. केवल (*b*), (*d*), (*e*)

65. ऐतिहासिक तथ्यों की खोज विधि वैज्ञानिक होनी चाहिए। किंतु यह कि इनकी विवेचना में पाठक को कला के स्वरूप में भाग लेना पड़ा। लिखित शब्दों की कला सामान्यतः साहित्य कहलाता है।

(*a*) यह कथन ए.एल. रोज का है।

(*b*) यह कथन जी.एन. त्रेवेल्यन का है।

(*c*) इसका उद्देश्य इतिहास के बारे में जे.बी. ब्यूरी के दृष्टिकोण को अस्वीकृत करना है।

(*d*) इस कथन में इस बात पर बल दिया गया है कि इतिहास विज्ञान और कला का संयोजन है।

(*e*) स्पिंगलर की भी इतिहास के बारे में यही धारणा थी।

नीचे दिए गए विकल्पों में से **सही उत्तर** का चयन कीजिए :

A. केवल (*a*), (*b*), (*c*)

B. केवल (*b*), (*d*), (*e*)

C. केवल (*c*), (*d*), (*e*)

D. केवल (*b*), (*c*), (*d*)

66. सूची-I से सूची-II का मिलान कीजिए :

सूची-I (पूर्वेक्षण (अनुसंधान))	**सूची-II (उत्खनन)**
(*a*) रेडियोकार्बन	I. टीला
(*b*) खाई	II. तिथि निर्धारण
(*c*) स्तरविज्ञान	III. परतें (स्तर)
(*d*) ठीकरा	IV. गहराई

नीचे दिए गए विकल्पों में से **सही उत्तर** का चयन कीजिए :

	(*a*)	(*b*)	(*c*)	(*d*)
A.	II	III	IV	I
B.	III	II	I	IV
C.	I	III	II	IV
D.	II	IV	I	III

67. सूची-I से सूची-II का मिलान कीजिए :

सूची-I	**सूची-II**
(*a*) कालीबंगन	I. पंजाब
(*b*) लोथल	II. राजस्थान
(*c*) राखीगढ़ी	III. हरियाणा
(*d*) रोपड़	IV. गुजरात

नीचे दिए गए विकल्पों में से **सही उत्तर** का चयन कीजिए :

	(*a*)	(*b*)	(*c*)	(*d*)
A.	III	IV	II	I
B.	II	IV	III	I
C.	II	III	IV	I
D.	IV	I	II	III

68. सूची-I से सूची-II का मिलान कीजिए :

सूची-I	**सूची-II**
(*a*) माधव-निदान	I. गणित
(*b*) निघंटु	II. प्राचीनतम चिकित्सीय वानस्पतिक शब्दकोश
(*c*) गणित-स्कन्ध	III. पारद एवं अन्य धातुओं को बनाने की तैयारी
(*d*) रास रत्नाकर	IV. रोगविज्ञान से संबंधित

नीचे दिए गए विकल्पों में से **सही उत्तर** का चयन कीजिए :

	(a)	(b)	(c)	(d)
A.	IV	III	I	II
B.	IV	II	I	III
C.	II	IV	III	I
D.	II	I	IV	III

69. सूची-I से सूची-II का मिलान कीजिए :

सूची-I	सूची-II
(a) किरान-उस-सदेन	I. कैकुबाद एवं बुगरा खान के मध्य हुई मुलाकात का वर्णन मिलता है।
(b) आशिका	II. देवल रानी एवं खिज्र खान के दुखांत-प्रेम पर रचित
(c) नूह-सिफिर	III. दक्कन में मुबारक खिलजी की विजयों के बारे में
(d) तुगलकनामा	IV. गियास-उद-दीन तुगलक के राज्याभिषेक (राज्यारोहण) एवं विजयों के बारे में

नीचे दिए गए विकल्पों में से **सही उत्तर** का चयन कीजिए :

	(a)	(b)	(c)	(d)
A.	IV	III	II	I
B.	II	IV	I	III
C.	I	II	III	IV
D.	III	I	IV	II

70. सूची-I से सूची-II का मिलान कीजिए :

सूची-I	सूची-II
(a) वारेन हेस्टिंग्ज	I. पुरास्मारक संरक्षण अधिनियम
(b) कर्जन	II. हंटर आयोग
(c) डलहौजी	III. बनारस संस्कृत कॉलेज
(d) रिपन	IV. वुड्स डिस्पैच

नीचे दिए गए विकल्पों में से **सही उत्तर** का चयन कीजिए :

	(a)	(b)	(c)	(d)
A.	I	IV	III	II
B.	II	I	III	IV
C.	III	I	IV	II
D.	IV	II	III	I

71. सूची-I से सूची-II का मिलान कीजिए :

सूची-I	सूची-II
(a) गोलकोण्डा किला	I. राजस्थान
(b) मेहरानगढ़ किला	II. कर्नाटक
(c) रायगढ़ किला	III. तेलंगाना
(d) बीदर किला	IV. महाराष्ट्र

नीचे दिए गए विकल्पों में से **सही उत्तर** का चयन कीजिए :

	(a)	(b)	(c)	(d)
A.	I	II	III	IV
B.	II	III	IV	I
C.	IV	III	II	I
D.	III	I	IV	II

72. सूची-I से सूची-II का मिलान कीजिए :

सूची-I	सूची-II
(a) बिरसा मुंडा	I. हूल
(b) हाजी शरीयत अल्लाह	II. रामोशी
(c) सिदो कान्हू	III. उलुगुलॉन
(d) वासुदेव बलवंत फड़के	IV. फैराजी

नीचे दिए गए विकल्पों में से **सही उत्तर** का चयन कीजिए :

	(a)	(b)	(c)	(d)
A.	II	I	IV	III
B.	IV	I	II	III
C.	III	IV	I	II
D.	I	III	II	IV

73. सूची-I से सूची-II का मिलान कीजिए :

सूची-I	सूची-II
(a) इंद्राणी देवी	I. द यूनिटी ऑफ इंडिया
(b) बी.आर. अम्बेडकर	II. मेमॉयर्स
(c) डॉ. राजेंद्र प्रसाद	III. यंग इंडिया
(d) लाला लाजपत राय	IV. एडमिनिस्ट्रेशन एंड फाइनेन्सेज ऑफ द ईस्ट इंडिया कंपनी

नीचे दिए गए विकल्पों में से **सही उत्तर** का चयन कीजिए :

	(a)	(b)	(c)	(d)
A.	IV	III	II	I
B.	II	IV	I	III
C.	III	I	IV	II
D.	I	IV	III	II

74. सूची-I से सूची-II का मिलान कीजिए :

सूची-I	**सूची-II**
(*a*) मैडम भीकाजी कामा	I. फ्री हिंदुस्तान
(*b*) बीरेन्द्रनाथ चट्टोपाध्याय	II. द इंडियन सोशियोलॉजिस्ट
(*c*) श्यामजी कृष्ण वर्मा	III. बन्दे मातरम्
(*d*) तारकनाथ दास	IV. तलवार

नीचे दिए गए विकल्पों में से **सही उत्तर** का चयन कीजिए :

	(a)	(b)	(c)	(d)
A.	II	IV	III	I
B.	I	II	III	IV
C.	III	IV	II	I
D.	II	III	I	IV

75. सूची-I से सूची-II का मिलान कीजिए :

सूची-I	**सूची-II**
(*a*) चक्रीय सिद्धान्त	I. वैज्ञानिक भौतिकवाद
(*b*) हेगेल/हीगल	II. चुनौती एवं अनुक्रिया सिद्धान्त
(*c*) कार्ल मार्क्स	III. द्वंद्वात्मक विधि
(*d*) अरनॉल्ड टॉयनबी	IV. ओसवाल्ड स्पेन्गलर

नीचे दिए गए विकल्पों में से **सही उत्तर** का चयन कीजिए :

	(a)	(b)	(c)	(d)
A.	II	I	IV	III
B.	III	II	I	IV
C.	III	IV	I	II
D.	IV	III	I	II

76. *आत्मावय सर्वभूतानि,* से शिक्षा मिलती है :

(*a*) आत्मा सर्वव्यापी है।

(*b*) अपने जैसा ही दूसरों के बारे में सोचना।

(*c*) ईश्वर सर्वव्यापी है।

(*d*) ईश्वर नहीं है।

(*e*) सभी जीव आप में निवास (विद्यमान) करते हैं।

नीचे दिए गए विकल्पों में से **सही उत्तर** का चयन कीजिए :

A. (*d*), (*a*), (*c*), (*b*) B. (*e*), (*a*), (*b*), (*d*)

C. (*a*), (*b*), (*c*), (*e*) D. (*a*), (*d*), (*e*), (*c*)

77. श्रीमद् रामायण सभी मानवों द्वारा अनुसरण किया जाने वाला नैतिकता पर रचित एक सतत ग्रंथ है, यह इसके बारे में शिक्षा देता है :

(*a*) माता-पिता का सम्मान

(*b*) भाईयों (बंधुओं) के मध्य संबंध

(*c*) शत्रु के गुणों को भी स्वीकार करना

(*d*) जनजातीय लोगों के साथ भी संबंध बनाए रखना

(*e*) मदिरापान पापकर्म नहीं है

नीचे दिए गए विकल्पों में से **सही उत्तर** का चयन कीजिए :

A. (*a*), (*b*), (*d*), (*e*)

B. (*b*), (*e*), (*a*), (*c*)

C. (*e*). (*b*), (*a*), (*d*)

D. (*a*), (*b*), (*c*), (*d*)

78. बौद्ध कला से किसके बारे में शिक्षा मिलती है?

(*a*) मृत्यु पश्चात जीवन (पुनर्जन्म)

(*b*) भावनाओं पर नियंत्रण

(*c*) वैदिक धर्म के विरुद्ध संघर्ष

(*d*) सार्वभौमिकता

(*e*) पशुओं में भी जीवन

नीचे दिए गए विकल्पों में से **सही उत्तर** का चयन कीजिए :

A. (*c*), (*a*), (*b*), (*e*)

B. (*a*), (*b*), (*d*), (*e*)

C. (*b*), (*c*), (*a*), (*d*)

D. (*c*), (*b*), (*d*), (*e*)

79. आरंभिक एवं मध्यकाल के दौरान भारतीय अर्थव्यवस्था किस पर आधारित थी?

(*a*) कृषि-उद्योग

(*b*) धातु उद्योग

(*c*) मृत्तिका (मृदा) उद्योग

(*d*) सिगरेट उद्योग

(*e*) प्रस्तर उद्योग

नीचे दिए गए विकल्पों में से **सही उत्तर** का चयन कीजिए :

A. (*a*), (*d*), (*b*), (*c*)

B. (*d*), (*e*), (*b*), (*c*)

C. (*a*), (*c*), (*d*), (*e*)

D. (*a*), (*b*), (*c*), (*e*)

80. नायक (हीरो) प्रस्तर (वीर शिला) निम्नलिखित किस हेतु समाज, यहाँ तक मृत्यु का सामना भी करने वाले के प्रति उसके समर्पण की याद में रखे जाते हैं।

(*a*) पशुओं के संरक्षण

(*b*) धर्म-रक्षण

(*c*) देश के लिए बलिदान

(*d*) परिवार के लिए सम्मान

(*e*) पेशेवर हत्या

नीचे दिए गए विकल्पों में से **सही उत्तर** का चयन कीजिए :

A. (*a*), (*e*), (*d*), (*b*)

B. (*a*), (*b*), (*c*), (*d*)

C. (*b*), (*c*), (*a*), (*e*)

D. (*e*), (*a*), (*c*), (*d*)

81. निम्नलिखित को कालक्रमानुसार अनुक्रम में व्यवस्थित कीजिए।

(*a*) अमोघवर्ष III ने गोविन्द IV को पराजित किया एवं राष्ट्रकूट राजसिंहासन को अधिकृत कर लिया।

(*b*) वेलूर के युद्ध में चोलों ने पाण्ड्यों एवं सिंहलियों को पराजित किया।

(*c*) कश्मीर के उत्पल राजवंश की समाप्ति।

(*d*) कश्मीर के राजसिंहासन पर से रानी सुगंधा को उनकी सत्ता से पदच्युत कर दिया गया और निर्जितवर्मन के दस वर्षीय पुत्र पार्थ को सिंहासनारूढ़ किया गया।

(*e*) राष्ट्रकूटों द्वारा कन्नौज का विध्वंस।

नीचे दिए गए विकल्पों में से **सही उत्तर** का चयन कीजिए :

A. (*b*), (*e*), (*a*), (*c*), (*d*)

B. (*e*), (*a*), (*b*), (*c*), (*d*)

C. (*d*), (*b*), (*e*), (*a*), (*c*)

D. (*b*), (*d*), (*e*), (*c*), (*a*)

82. निम्नलिखित को कालक्रमानुसार ढंग से अवरोही क्रम में व्यवस्थित कीजिए।

(*a*) विक्रमादित्य की हत्या को देखने के पश्चात् मेवाड़ के पन्ना ने अपने पुत्र उदयसिंह को किले से बाहर भेजा एवं हत्यारे को धोखा देने हेतु अपने पुत्र को बिस्तर पर सुला दिया।

(*b*) हल्दीघाटी का युद्ध महाराणा प्रताप एवं अकबर की शाही सेना के मध्य लड़ा गया था।

(*c*) अकबर ने महाराणा उदयसिंह के पुत्र सागर को 'राणा' की उपाधि प्रदान की एवं चित्तौड़ के राजसिंहासन पर उन्हें बैठाया।

(*d*) उदयसिंह का विवाह अखैराज की पुत्री के साथ हुआ था।

(*e*) चित्तौड़ किले की दुर्गसेना के सेनापति, जयमल की हत्या तोप के दागने से हो गई।

नीचे दिए गए विकल्पों में से **सही उत्तर** का चयन कीजिए :

A. (*e*), (*a*), (*b*), (*d*), (*c*)

B. (*c*), (*e*), (*b*), (*d*), (*a*)

C. (*a*), (*d*), (*c*), (*e*), (*b*)

D. (*b*), (*c*), (*d*), (*e*), (*a*)

83. निम्नलिखित घटनाओं को आरोही क्रम में व्यवस्थित कीजिए।

(*a*) कश्मीर में शाहमीर राजवंश की समाप्ति।

(*b*) राक्षसी-तांगड़ी का युद्ध।

(*c*) बीर सिंह बुंदेला द्वारा अबुल फजल की हत्या।

(*d*) गोलकोंडा के मीर-जुमला की मृत्यु।

(*e*) तिलपत के गोकुल जाट का विद्रोह।

नीचे दिए गए विकल्पों में से **सही उत्तर** का चयन कीजिए :

A. (*a*), (*b*), (*c*), (*e*), (*d*)

B. (*a*), (*c*), (*b*), (*e*), (*d*)

C. (*a*), (*e*). (*c*), (*b*), (*d*)

D. (*d*), (*e*), (*a*), (*c*), (*b*)

84. निम्नलिखित को आरोही क्रम में व्यवस्थित कीजिए।

(*a*) तुकाराम

(*b*) चैतन्य महाप्रभु

(*c*) एकनाथ

(*d*) ज्ञानेश्वर

(*e*) रामदास

नीचे दिए गए विकल्पों में से **सही उत्तर** का चयन कीजिए :

A. (*b*), (*a*), (*c*), (*d*), (*e*)
B. (*b*), (*c*), (*d*), (*e*), (*a*)
C. (*d*), (*a*), (*b*), (*c*), (*e*)
D. (*d*), (*b*), (*c*), (*a*), (*e*)

85. निम्नलिखित को उनके प्रारंभ होने के सही कालक्रमानुसार क्रम में व्यवस्थित कीजिए।

(*a*) बारदोली सत्याग्रह

(*b*) बिहपुर सत्याग्रह

(*c*) रोलैट एक्ट

(*d*) अहमदाबाद सत्याग्रह

(*e*) खेड़ा सत्याग्रह

नीचे दिए गए विकल्पों में से **सही उत्तर** का चयन कीजिए :

A. (*a*), (*e*), (*c*), (*b*), (*d*)
B. (*b*), (*c*), (*e*), (*d*), (*a*)
C. (*d*), (*a*), (*c*), (*e*), (*b*)
D. (*d*), (*e*), (*c*), (*a*), (*b*)

86. नीचे दो कथन दिए गए हैं : एक अभिकथन (A) के रूप में लिखित है, तो दूसरा उसके कारण (R) के रूप में है।

अभिकथन (A): भरत शकुंतला और दुष्यन्त के पुत्र थे।

कारण (R): उनका पालन-पोषण शकुंतला के द्वारा किया गया था।

उपरोक्त कथन के आलोक में, नीचे दिए गए विकल्पों में से **सही उत्तर** चयन कीजिए।

A. दोनों (A) और (R) सत्य हैं और (R), (A) की सही व्याख्या है।
B. दोनों (A) और (R) सत्य हैं, लेकिन (R), (A) की सही व्याख्या नहीं है।
C. (A) सत्य है, लेकिन (R) असत्य है।
D. (A) असत्य है, लेकिन (R) सत्य है।

87. नीचे दो कथन दिए गए हैं : एक अभिकथन (A) के रूप में लिखित है, तो दूसरा उसके कारण (R) के रूप में है।

अभिकथन (A): कल्हण की राजतंरगिणी, कश्मीर के शासकों का एक ऐतिहासिक अभिलेख है।

कारण (R): किंतु समुद्रगुप्त का उल्लेख नहीं किया गया है। अतः कल्हण की कृति (रचना) अपूर्ण है।

उपरोक्त कथन के आलोक में, नीचे दिए गए विकल्पों में से **सही उत्तर** चयन कीजिए।

A. दोनों (A) और (R) सत्य हैं और (R), (A) की सही व्याख्या है।
B. दोनों (A) और (R) सत्य हैं, लेकिन (R), (A) की सही व्याख्या नहीं है।
C. (A) सत्य है, लेकिन (R) असत्य है।
D. (A) असत्य है, लेकिन (R) सत्य है।

88. नीचे दो कथन दिए गए हैं : एक अभिकथन (A) के रूप में लिखित है, तो दूसरा उसके कारण (R) के रूप में है।

अभिकथन (A): ब्रिटिश भारत में मिशनरियों (धर्म प्रचारकों) को बसने की अनुमति केवल अनुज्ञा (लाइसेंस) प्रणाली के अंतर्गत वर्ष 1813 से दी गई।

कारण (R): फिर भी इस प्रकार का नियंत्रित प्रवेश केवल 1833 तक ही बना रह पाया।

उपरोक्त कथन के आलोक में, नीचे दिए गए विकल्पों में से **सही उत्तर** चयन कीजिए।

A. दोनों (A) और (R) सत्य हैं और (R), (A) की सही व्याख्या है।
B. दोनों (A) और (R) सत्य हैं, लेकिन (R), (A) की सही व्याख्या नहीं है।
C. (A) सत्य है, लेकिन (R) असत्य है।
D. (A) असत्य है, लेकिन (R) सत्य है।

89. नीचे दो कथन दिए गए हैं : एक अभिकथन (A) के रूप में लिखित है, तो दूसरा उसके कारण (R) के रूप में है।

अभिकथन (A): सरदार वल्लभभाई पटेल ने एम.ए. जिन्ना से कहा कि "तलवार का जवाब तलवार से दिया जाएगा।"

कारण (R): सरदार वल्लभभाई पटेल ने कांग्रेस को अलग करने के लिए लॉर्ड वेवेल द्वारा एम.ए. जिन्ना के समर्थन करने की पृष्ठभूमि में उपर्युक्त कथन से स्वयं को अलग रखा।

उपरोक्त कथन के आलोक में, नीचे दिए गए विकल्पों में से **सही उत्तर** चयन कीजिए।

A. दोनों (A) और (R) सत्य हैं और (R), (A) की सही व्याख्या है।
B. दोनों (A) और (R) सत्य हैं, लेकिन (R), (A) की सही व्याख्या नहीं है।
C. (A) सत्य है, लेकिन (R) असत्य है।
D. (A) असत्य है, लेकिन (R) सत्य है।

90. नीचे दो कथन दिए गए हैं : एक अभिकथन (A) के रूप में लिखित है, तो दूसरा उसके कारण (R) के रूप में है।

अभिकथन (A): वर्ष 1916 का लखनऊ सम्मेलन कांग्रेस-लीग समझौता के कारण महत्वपूर्ण था। तिलक ने इसमें महत्वपूर्ण भूमिका का निर्वहन किया।

कारण (R): तिलक मुस्लिमों के लिए एक पृथक निर्वाचक मंडल की योजना के प्रबल समर्थक थे।

उपरोक्त कथन के आलोक में, नीचे दिए गए विकल्पों में से **सही उत्तर** चयन कीजिए।

A. दोनों (A) और (R) सत्य हैं और (R), (A) की सही व्याख्या है।
B. दोनों (A) और (R) सत्य हैं, लेकिन (R), (A) की सही व्याख्या नहीं है।
C. (A) सत्य है, लेकिन (R) असत्य है।
D. (A) असत्य है, लेकिन (R) सत्य है।

निर्देश (प्रश्न संख्या 91 से 95 तक): *नीचे दिए गए गद्यांश को पढ़िए तथा प्रश्नों के उत्तर दीजिए।*

प्रागू-ऐतिहासिक युग के रूप में ज्ञात, पुरापाषाण काल एवं मध्यपाषाण काल में मानव यायावर था। वे शिकारी संग्राहक थे। अपनी भूख मिटाने के लिए वे पेड़ों, पादपों एवं फलों पर निर्भर हुआ करते थे जो कि सामान्यतः ऋतु (मौसमी) परिवर्तन के कारण उनके पास पाए जाते थे। इस प्रकार के फलों को शाकाहारी फल के रूप में जाना जाता है। वे अपने लिए गैर-शाकाहारी खाद्य-पदार्थ (भोजन) अर्थात् पशु के मांस के लिए वे खरगोश, भेड़, बकरी इत्यादि के जैसे पशुओं पर निर्भर हुआ करते थे। उनको मारने की प्रक्रिया में, उनको शारीरिक रूप से उनके साथ संघर्ष करना पड़ता था। चूंकि पशुओं की शारीरिक ताकत मानव से अधिक होती है। इसलिए अधिकांश बार इस प्रक्रिया में उनकी (मानव) मृत्यु हो जाती थी। इसे वे लाखों (मिलियन) वर्षों तक प्रयोग करना जारी रखे जब तक कि मानव ने पाषाण उपकरण (औजार) के रूप में ज्ञात पत्थर से निर्मित उपकरणों एवं हस्त-कुठारों के जैसे प्रस्तर उपकरण (औजार) की खोज नहीं कर ली। आरंभिक रूप में वे (औजार) मूल (कोर) थे एवं बाद में वे परिष्कृत हो गए एवं परिष्कृत क्रियान्वित रूप में माने जाते हैं। मध्य पाषाण काल तक छोटे उपकरण (औजार) भी बनाए गए। एक तरह से औजार के आविष्कार की व्याख्या प्रथम औद्योगिक क्रांति के रूप में की जा सकती है।

91. मानव किस समय आखेटक-संग्राहक हुआ करता था?

A. प्रागैतिहासिक काल के दौरान
B. नवपाषाण काल के दौरान
C. जब वे निवास करने लगे
D. कृषि विकास के दौरान

92. निम्नलिखित में से किसे शाकाहारी खाद्य-पदार्थ (भोजन) में शामिल नहीं किया जाता है?

A. फल　　B. पुष्प (फूल)
C. पत्तियाँ　　D. खरगोश

93. पशुओं की हत्या के दौरान क्या घटित हुआ?

A. वे अति क्रुद्ध एवं हमलावर हो गए।
B. मनुष्य (मानव) जख्मी (घायल) हो गए।

C. (A) एवं (B) सही हैं।

D. अंधेरा छाया (कायम) रहा।

94. औजार (उपकरण) निर्माण समयकाल को प्रथम औद्योगिक क्रांति के रूप में क्यों माना जाता है?

A. मानव आखेटक-संग्राहक था।

B. वस्तुतः पशुओं को मारा गया।

C. औजारों का प्रयोग मानव ताकत मजबूरी के पूरक के रूप में किया जाता था।

D. मानव वस्तुतः पशुओं को नहीं मार सका।

95. प्रागैतिहासिक युग (काल) में कौन-सा काल (युग) शामिल है?

A. पुरापाषाण युग

B. गृह (आवास) निर्माण युग

C. शारीरिक शक्ति को दर्शाने वाला युग

D. पाषाण युग (काल)

निर्देश (प्रश्न संख्या 96 से 100 तक): *नीचे दिए गए गद्यांश को पढ़िए तथा प्रश्नों के उत्तर दीजिए।*

ब्रिटिश के अधीन भारतीय वैध प्रणाली कानून के समक्ष समानता की धारणा पर आधारित है। इसका अर्थ यह है कि कानून की नजरों में सभी व्यक्ति समान है। वहीं कानून सभी व्यक्ति पर उनकी जाति, धर्म या वर्ग का ध्यान किए बिना लागू नहीं होता है। पहले, न्यायिक प्रणाली जाति भेदभाव पर ध्यान देती थी और उच्च जाति और निम्न जाति में जन्मे के बीच अंतर करती थी। समान अपराध के लिए ब्राह्मण को गैर-ब्राह्मण से कम सजा मिलती थी। इसी तरह जमींदार और अभिजात को आम व्यक्तियों जितना कठोर फैसला नहीं दिया जाता था। वास्तव में, उनको अपने कार्य के लिए न्याय भी नहीं मिलता था। अब न्याय की मशीनरी भी विनम्र हो चली है।

जबकि उनके श्रेष्ठ कानून के समक्ष समानता के सिद्धांत का एक अपवाद भी था। यूरोपियन और उनके वंशज के लिए अलग से न्यायालय और यहाँ तक की अलग से कानून भी थे। आपराधिक स्थिति में उन्हें केवल यूरोपियन न्यायाधीश द्वारा सजा दी जाती थी। कई अंग्रेजी अधिकारी, सैन्य अधिकारी, शोषक और व्यावसायिक भारतीयों के साथ घमंडी, कठोर और यहाँ तक की क्रूर तरीके से पेश आते थे। जब सबको न्याय दिलवाने का प्रयास किया जाता, तो उनको अप्रत्यक्ष और अंतर्सुरक्षा दी जाती और कई यूरोपियन न्यायाधीशों द्वारा केवल जिनके सामने उनको सजा मिलती है, निरंतर अधिक या कोई सजा नहीं देते थे। फलस्वरूप यह न्याय की लगातार विफलता थी।

96. अधिकार पत्र (चार्टर एक्ट) जिसमें परिषद में गवर्नर जनरल को सभी कानून बनाने की शक्ति दी गई है :

A. चार्टर एक्ट 1793

B. चार्टर एक्ट 1813

C. चार्टर एक्ट 1833

D. चार्टर एक्ट 1853

97. ब्रिटिश द्वारा लागू वैध प्रणाली ____________ पर विकसित और आधारित है।

A. शास्त्र

B. शरीयत

C. शास्त्र और शरीयत दोनों

D. पश्चिमी प्रेरित संहिता के साथ देशज कानून की व्याख्या

98. ब्रिटिशों द्वारा भारत में वैध प्रणाली की संहिताकरण का उद्देश्य ____________ था।

A. राजस्व प्रशासन पर नियंत्रण

B. ब्रिटिश अधिकारियों के हितों की सुरक्षा

C. देशज जमींदारों, व्यावसायिक और शोषक के हितों की सुरक्षा

D. भारत में ब्रिटिश के सभी हितों की उन्नति

99. भारत में संहिताकरण की प्रक्रिया शुरू करने वाले गवर्नर जनरल कौन थे?

A. लॉर्ड कॉर्नवालिस B. लॉर्ड वारेन हेस्टिंग्स

C. लॉर्ड बेन्टिक D. लॉर्ड डलहौजी

100. उपर्युक्त लेखांश का तात्पर्य ________ है।

A. सैन्य प्रशासन का संगठन

B. महिलाओं के कानून के विनियोग में असमानता

C. शरीयत

D. भारत में कानून के विनियोग में असमानता

उत्तरमाला

1. (C): अघोष स्नान की दीवार और फर्श के जलसह (वाटर-प्रूफिंग) के लिए जिप्सम का प्रयोग किया जाता था। जिप्सम, जिसे कैल्शियम सल्फेट डाइहाइड्रेट के रूप में भी जाना जाता है, एक खनिज है जिसका उपयोग प्राचीन समय से ही निर्माण में किया जाता रहा है। इसकी जल-प्रतिरोधी विशेषताएँ इसे वाटर-प्रूफिंग के लिए एक उपयुक्त विकल्प बनाती हैं। जिप्सम प्लास्टर एक ऐसा मिश्रण होता है जिसमें जिप्सम, पानी और अन्य योजक सामग्री होती हैं, जिसे दीवारों और छतों को समतल बनाने के साथ-साथ उन्हें नमी से बचाने के लिए लगाया जाता है। इसका मुख्य लाभ यह है कि यह सूखने के बाद मजबूत और दीर्घकालिक सुरक्षा प्रदान करता है, जो नमी और पानी के प्रभाव को रोकने में मदद करता है। इस प्रकार, जिप्सम का उपयोग विभिन्न सांस्कृतिक और भौगोलिक स्थितियों में वाटर-प्रूफिंग के लिए बेहद प्रभावी साबित हुआ है।

2. (A)

3. (B): विष्णु पुराण में भारत को भौगोलिक इकाई के रूप में वर्णित किया गया है। विष्णु पुराण एक प्राचीन हिन्दू ग्रंथ है, जिसमें भूगोल, धर्म, दर्शन और इतिहास के विषयों का समावेश है। इस पुराण में भारतवर्ष को 'भारत' कहा गया है और इसे हिमालय से लेकर समुद्र तक फैले हुए भूभाग के रूप में वर्णित किया गया है। इस वर्णन से भारत की पहचान एक स्वतंत्र और विशिष्ट भौगोलिक इकाई के रूप में होती है। विष्णु पुराण के अनुसार, भारत विश्व के अन्य देशों से भिन्न है और यह अपने आप में एक पूर्ण और विशेष देश है। इस पुराण में भारत को 'कर्मभूमि' यानी कर्म की भूमि के रूप में भी महत्व दिया गया है, जहाँ धर्म और अध्यात्म की उच्च शिक्षा प्रदान की जाती है। यह वर्णन भारत के विशिष्ट सांस्कृतिक एवं धार्मिक विशेषताओं को उजागर करता है।

4. (B): लीलावती गणित भास्कराचार्य द्वारा लिखित है। भास्कराचार्य, जिन्हें भास्कर द्वितीय भी कहा जाता है, भारतीय गणितज्ञ और खगोलशास्त्री थे, जिन्होंने 12वीं शताब्दी के दौरान अपने कार्य किए। उनकी पुस्तक 'लीलावती' गणित पर एक महत्वपूर्ण ग्रंथ है, जिसमें बीजगणित, अंकगणित, ज्यामिति और त्रिकोणमिति के प्रश्नों का संग्रह है। इस पुस्तक का नाम उनकी पुत्री लीलावती के नाम पर रखा गया था, और यह गणितीय समस्याओं को सुलझाने के लिए एक रोचक और सहज विधि प्रस्तुत करती है। भास्कराचार्य ने इस पुस्तक में विभिन्न गणितीय विषयों को बहुत ही सरल और प्रभावी ढंग से समझाया है, जिससे यह विद्यार्थियों के लिए गणित सीखने का एक आकर्षक माध्यम बन गया। लीलावती को विश्वव्यापी रूप से गणित के क्षेत्र में एक महत्वपूर्ण कृति माना जाता है, और इसने गणित के अध्ययन और शिक्षण में नवाचार को बढ़ावा दिया है। भास्कराचार्य का यह योगदान गणित शास्त्र के इतिहास में एक अमिट छाप छोड़ने वाला है।

5. (C): गौतमीपुत्र सातकर्णी को शक, इंडो-ग्रीक और पार्थियन का ध्वंसक कहा जाता है। गौतमीपुत्र सातकर्णी दक्षिण भारत के सातवाहन राजवंश के महान शासकों में से एक थे और उन्होंने लगभग 106-130 ई.पू. के दौरान राज्य किया। उनका शासनकाल इन विदेशी आक्रमणकारियों के खिलाफ उनकी विजयों के लिए प्रसिद्ध है। गौतमीपुत्र सातकर्णी ने न केवल शकों को पराजित किया, बल्कि इंडो-ग्रीक और पार्थियन शासकों को भी अपने क्षेत्र से खदेड़ दिया, जिससे उन्होंने भारतीय उपमहाद्वीप के दक्षिणी भाग में स्थिरता और सुरक्षा स्थापित की। उनकी इन उपलब्धियों को नासिक के कर्ले गुफाओं में उत्कीर्ण शिलालेखों में दर्ज किया गया है। इस तरह, गौतमीपुत्र सातकर्णी ने अपने राज्य की सीमाओं का विस्तार किया और सातवाहन साम्राज्य को एक मजबूत और संगठित शक्ति के रूप में स्थापित किया, जिसने भारतीय इतिहास में उनके नेतृत्व को एक विशेष स्थान प्रदान किया।

6. (C): 'मिलिंद-पन्हो' के लिए यह सही नहीं है कि इस पर व्याख्या 5वीं शताब्दी (ई.) में धम्मपाल द्वारा लिखी गई थी। 'मिलिंद-पन्हो' एक बौद्ध ग्रंथ है, जिसमें बौद्ध भिक्षु नागसेन और ग्रीक राजा मिलिंद (मेनेंडर) के बीच हुए वार्तालाप का विवरण है। इस ग्रंथ की रचना लगभग 2वीं शताब्दी ईस्वी में हुई थी, और यह मूलतः पाली भाषा में लिखी गई थी। 'मिलिंद-पन्हो' की व्याख्या धम्मपाल द्वारा नहीं की गई थीय बल्कि, इसके अनुवाद और व्याख्यान विभिन्न बौद्ध विद्वानों द्वारा विभिन्न समय पर किए गए हैं। 'मिलिंद-पन्हो' का महत्व इसमें निहित है कि यह ग्रीक और भारतीय संस्कृतियों के मिलन का एक ज्वलंत उदाहरण प्रस्तुत करता है, और यह बौद्ध धर्म और दार्शनिक विचारों के प्रसार में एक महत्वपूर्ण कड़ी मानी जाती है।

7. (D): तृतीय संगम का अध्यक्ष नक्कीरर था, जिसकी बैठक उत्तरी मदुरा में हुई थी। नक्कीरर प्राचीन तमिल भाषा के एक प्रमुख कवि और विद्वान थे, जिन्होंने तमिल साहित्य में अपने गहन ज्ञान और कविता के प्रति अपनी असाधारण प्रतिभा के लिए प्रसिद्धि प्राप्त की थी। तृतीय संगम, जो कि तमिल भाषा और साहित्य के विकास के लिए एक महत्वपूर्ण मंच था, उसकी अध्यक्षता करना नक्कीरर के लिए एक महत्वपूर्ण भूमिका थी। उत्तरी मदुरा में इसकी बैठकें होती थीं, जहां विभिन्न कवियों और विद्वानों ने भाग लिया और तमिल भाषा और साहित्य के कई पहलुओं पर चर्चा की गई। इस संगम के दौरान तमिल साहित्य की कई महत्वपूर्ण कृतियाँ रची गईं, और तमिल साहित्यिक परंपरा में इनका विशेष स्थान है। नक्कीरर का नेतृत्व इस संगम को एक दिशा और संरचना प्रदान करने में महत्वपूर्ण था, और उन्होंने तमिल साहित्य के उत्थान में अपना एक अद्वितीय योगदान दिया।

8. (C): बाबर का पुत्र मिर्जा कामरान, राव जैतसी द्वारा पराजित हुआ था, जो कि बीकानेर का शासक था। यह घटना मुगल साम्राज्य के आरंभिक इतिहास का हिस्सा है, जब मुगलों का सामना भारतीय उपमहाद्वीप के विभिन्न राजपूत राज्यों से हो रहा था। राव जैतसी, जो बीकानेर के शासक थे, ने मिर्जा कामरान को युद्ध में हराया, जिससे मुगल साम्राज्य के प्रभाव को क्षेत्र में कमजोर किया गया। इस युद्ध ने बीकानेर और अन्य राजपूत राज्यों की सैन्य शक्ति और राजनीतिक महत्व को दर्शाया, और यह घटना भारतीय इतिहास में राजपूत प्रतिरोध के प्रमुख उदाहरणों में से एक है। राव जैतसी की विजय ने बीकानेर राज्य को मुगल आक्रमणों के खिलाफ एक मजबूत रक्षात्मक स्थिति में रखा और इसने उन्हें क्षेत्रीय राजनीति में एक महत्वपूर्ण भूमिका दी।

9. (B): सार्वजनिक कल्याण के लिए मानव-निर्मित उत्तम बावड़ी रानी की वाव कहलाता है। रानी की वाव, जो पाटन, गुजरात में स्थित है, एक प्राचीन और वास्तुकला की उत्कृष्ट कृति है, जिसे 11वीं शताब्दी में रानी उदयमती द्वारा उनके पति भीमदेव प्रथम की स्मृति में बनवाया गया था। यह बावड़ी अपनी जटिल और सुंदर नक्काशीदार संरचना के लिए प्रसिद्ध है, जिसमें सात स्तर हैं और यह लगभग 64 मीटर लंबी, 20 मीटर चौड़ी और 27 मीटर गहरी है। रानी की वाव का निर्माण न केवल एक जल स्रोत के रूप में किया गया था, बल्कि यह सांस्कृतिक और धार्मिक महत्व का भी प्रतीक है। इसमें बनी हुई विभिन्न मूर्तियाँ और नक्काशी हिंदू देवताओं की कथाओं को दर्शाती हैं और यह वास्तुशिल्प और कलात्मक प्रतिभा का अद्‌भुत संगम प्रस्तुत करती है। यूनेस्को द्वारा विश्व धरोहर स्थल के रूप में इसकी मान्यता, इसके महत्व को और भी बढ़ाती है।

10. (A): तिल-तांदुल न्याय का अर्थ है चावल और सीसम को मिश्रित करना। यह न्याय एक प्रकार की उपमा है जिसका उपयोग भारतीय तर्कशास्त्र में किया जाता है, जो कि दो भिन्न प्रकार की वस्तुओं के मिश्रण का संकेत देता है जिससे कि उनका पृथक्करण अत्यंत कठिन हो जाता है। इसका प्रयोग उन परिस्थितियों के संदर्भ में किया जाता है जहां दो या अधिक तत्वों का इस प्रकार से संयोजन होता है कि वे एक दूसरे में पूरी तरह से समाहित हो जाते हैं। तिल (सीसम)

और तांदुल (चावल) दोनों ही छोटे अनाज हैं और जब इन्हें मिलाया जाता है, तो इनका अलग कर पाना बहुत ही दुष्कर हो जाता है। इस प्रकार का न्याय दर्शन, तर्कशास्त्र, और व्यवहारिक जीवन के विभिन्न पहलुओं में उपयोगी होता है, जहां जटिल संबंधों और परस्पर क्रियाओं को समझने की आवश्यकता होती है। यह दर्शाता है कि कैसे कुछ संयोजन इतने घनिष्ठ हो सकते हैं कि उन्हें अलग करना व्यावहारिक रूप से असंभव हो जाता है।

11. (B): जयदेव महाकवि बंगाल का सेन शासक के दरबार में समृद्ध हुए। जयदेव एक प्रमुख भारतीय कवि थे, जिन्होंने 12वीं सदी के दौरान अपनी रचनाओं के माध्यम से भारतीय साहित्यिक और धार्मिक परंपरा में अपनी एक विशेष पहचान बनाई। उन्होंने अपनी सबसे प्रसिद्ध कृति 'गीत गोविंद' की रचना की, जो कृष्ण और राधा के प्रेम की कहानी को गीतात्मक और भावपूर्ण तरीके से व्यक्त करती है। उनका काल बंगाल के सेन वंश के शासनकाल के साथ मेल खाता है, और वह इस राजवंश के संरक्षण में अपनी काव्यात्मक प्रतिभा को विकसित करने में सक्षम हुए। बंगाल के सेन शासकों ने साहित्य और कला को बढ़ावा दिया, और जयदेव की रचनाएँ इस काल की सांस्कृतिक समृद्धि और धार्मिक उदारता को दर्शाती हैं। जयदेव का काम न केवल भक्ति आंदोलन को प्रभावित किया, बल्कि भारतीय कला और संस्कृति के विकास में भी एक महत्वपूर्ण भूमिका निभाई।

12. (A): महाबन मथुरा के पास स्थित है। महाबन, जिसे ब्रज के प्रमुख वनों में से एक माना जाता है, भारतीय पुराणों और धार्मिक ग्रंथों में अपनी पवित्रता और धार्मिक महत्व के लिए जाना जाता है। यह वन श्रीकृष्ण की लीलाओं से जुड़ा हुआ है, जहाँ उन्होंने अपने बचपन और किशोरावस्था के दौरान विभिन्न खेल और गतिविधियाँ की थीं। मथुरा वृंदावन क्षेत्र के अन्तर्गत आता है, और महाबन इस क्षेत्र के महत्वपूर्ण धार्मिक स्थलों में से एक है। यहाँ पर भक्तों और यात्रियों का बड़ी संख्या में आगमन होता है, जो श्रीकृष्ण की लीलाओं को स्मरण करने और धार्मिक अनुष्ठानों में भाग लेने के लिए आते हैं। महाबन का वनात्मक स्थल इस क्षेत्र के प्राकृतिक और आध्यात्मिक महत्व को बढ़ाता है, और यह वृंदावन की यात्रा का एक अभिन्न हिस्सा होता है, जो भक्तों को आध्यात्मिक शांति और धार्मिक प्रेरणा प्रदान करता है।

13. (C): नामा-ए-खेराद-अफ्जा फारसी में अनुवादित किया गया ग्रंथ सिंहासन बत्तीसी का अनुवाद है। सिंहासन बत्तीसी एक प्रसिद्ध भारतीय काव्य ग्रंथ है जो कि राजा विक्रमादित्य के सिंहासन के बत्तीस पुतलों से जुड़ी कहानियों का संग्रह है। प्रत्येक पुतला राजा विक्रमादित्य को एक नैतिक कथा सुनाता है, जिससे राजा को जीवन और शासन करने की विभिन्न शिक्षाएँ मिलती हैं। यह ग्रंथ मूल रूप से संस्कृत में था, लेकिन इसका अनुवाद विभिन्न भाषाओं में किया गया, जिसमें फारसी भी शामिल है। नामा-ए-खेराद-अफ्जा का अनुवाद फारसी में इस काव्य ग्रंथ की व्यापकता और महत्व को दर्शाता है। यह अनुवाद भारतीय साहित्य के प्रसार और अन्य संस्कृतियों के साथ सांस्कृतिक आदान-प्रदान का एक महत्वपूर्ण हिस्सा बना। फारसी भाषा में इसके अनुवाद से यह ग्रंथ मध्य एशिया और ईरानी भाषी समुदायों में भी प्रसिद्ध हुआ, जिससे इसकी कथाओं की वैश्विक पहुंच और भी बढ़ी।

14. (B): चण्डी चरित्र में गुरु गोबिंद सिंह ने उल्लेख किया है कि पुराकाल में ईश्वर ने दुर्गा को बुरा करने वालो का अंत करने के लिए भेजा था और अब यह कार्य उनको सौंप दिया गया है। गुरु गोबिंद सिंह, सिख धर्म के दसवें और अंतिम मानव गुरु थे, जिन्होंने सिखों की आध्यात्मिक और सामरिक दिशा निर्धारित की। चण्डी चरित्र उनके द्वारा रचित एक ग्रंथ है, जिसमें उन्होंने दुर्गा की वीरता और शक्ति का वर्णन किया है। इस ग्रंथ में उन्होंने स्वयं को एक दिव्य मिशन पर माना है, जिसमें उन्हें दुष्टता के विरुद्ध लड़ने और धर्म की रक्षा करने का कार्य सौंपा गया है। गुरु गोबिंद सिंह ने इसे अपने पिता गुरु तेग बहादुर की शहादत के बाद लिखा, जिसे मुगलों द्वारा उनके धर्म के लिए शहीद

किया गया था। इस ग्रंथ के माध्यम से, गुरु ने सिखों को आध्यात्मिक और यौद्धिक शक्ति प्रदान की और उन्हें अन्याय और अत्याचार के विरुद्ध खड़े होने की प्रेरणा दी।

15. (B): दारा शिकोह को पकड़कर और उसे औरंगजेब के पास भेजने वाला विश्वासघाती मलिक जीवन था। मलिक जीवन, जिसे मलिक जीवन लाल के नाम से भी जाना जाता है, मुगल साम्राज्य के एक कमांडर थे जिन्होंने दारा शिकोह की गिरफ्तारी में महत्वपूर्ण भूमिका निभाई थी। दारा शिकोह, शाहजहाँ का पुत्र और औरंगजेब का भाई था, जिन्हें उनके अपने भाई औरंगजेब ने सिंहासन के लिए अपना प्रतिद्वंद्वी मानकर शत्रुता निभाई। मलिक जीवन ने दारा शिकोह को पकड़ने के लिए छल और कूटनीति का उपयोग किया और उन्हें औरंगजेब के समक्ष पेश किया, जिसके बाद दारा शिकोह की नृशंस हत्या कर दी गई। इस घटना ने मुगल साम्राज्य में अंदरूनी संघर्ष और राजनीतिक कठोरता को उजागर किया, जिसमें सत्ता के लिए भाई-भाई के बीच युद्ध और विश्वासघात हुआ।

16. (B): पेशवा बालाजी विश्वनाथ दक्कन के सूबों से चौथ की मांग करनेवाला प्रथम मराठा नहीं था। वास्तव में, चौथ की प्रथा और इसका विकास मराठा साम्राज्य के भीतर जटिल और कई चरणों में हुआ था। चौथ, जो कि एक तरह का कर था जो व्यापार और कृषि उपज का चौथाई हिस्सा मराठा साम्राज्य को दिया जाता था, का संगठन और संचालन शिवाजी महाराज ने शुरू किया था, जो कि 17वीं शताब्दी में मराठा साम्राज्य के संस्थापक थे।

बालाजी विश्वनाथ ने, हालांकि, मराठा साम्राज्य के पेशवा के रूप में चौथ संग्रह की प्रक्रिया में महत्वपूर्ण भूमिका निभाई थी, लेकिन उन्होंने इस प्रथा को आरंभ नहीं किया था। इसलिए, यह कहना कि वह इसके पहले संग्रहकर्ता थे, यह गलत है। चौथ की प्रथा मराठा शासन के वित्तीय ढांचे का एक अभिन्न अंग थी और इसने मराठा साम्राज्य के विस्तार और वित्तीय स्वतंत्रता में योगदान दिया।

17. (D): वीरशैव संप्रदाय का आरंभ तेरहवीं सदी में नहीं हुआ था; यह कथन गलत है। वीरशैव संप्रदाय का वास्तविक उद्भव 12वीं सदी में हुआ था, विशेष रूप से बासवन्ना के नेतृत्व में, जिन्होंने इसे कर्नाटक में प्रचारित किया। वीरशैव संप्रदाय लिंगायत धर्म के रूप में भी जाना जाता है, जो कि एक विशेष धार्मिक आस्था है जो हिन्दू धर्म के भीतर शिव की उपासना करती है। इस संप्रदाय ने एकेश्वरवाद और जाति प्रथा के खिलाफ विचारों को बढ़ावा दिया और सामाजिक बराबरी पर बल दिया। वीरशैव संप्रदाय की मूल धारणाएँ और शिक्षाएँ 12वीं सदी में ही स्थापित हो गई थीं, और बासवन्ना इसके प्रमुख प्रवर्तक माने जाते हैं।

18. (C): अकबर की महिलाओं की शिक्षा में बहुत अभिरुचि थी और उनके उपयोग के लिए हरम के भीतर पुस्तकालय थे; यह कथन फादर मोंसेरेट का है। फादर मोंसेरेट एक जेसुइट पादरी थे जो मुगल सम्राट अकबर के दरबार में उपस्थित थे। उन्होंने अपनी लेखनी में अकबर की उदार और प्रगतिशील नीतियों का वर्णन किया है, विशेष रूप से शिक्षा के क्षेत्र में महिलाओं के प्रति उनके दृष्टिकोण को प्रमुखता से दिखाया।

अकबर ने महिला शिक्षा को महत्व दिया और हरम में महिलाओं के लिए विशेष पुस्तकालयों की स्थापना की, जिससे वे विद्या अर्जित कर सकें। इस पहल ने न केवल उनकी शासनकालीन नीतियों में उदारता को दर्शाया, बल्कि यह भी संकेत दिया कि उन्होंने महिलाओं की शिक्षा और सशक्तिकरण को कितना महत्व दिया था।

19. (B): हम्जानामा संभवतः 1475 ईसवी तक पूरा हो गया था, यह कथन सही नहीं है। हम्जानामा, जिसे अकबरनामा के अनुसार भी जाना जाता है, मुगल सम्राट अकबर के शासनकाल में उसकी कला दीर्घा में तैयार किया गया था, और इसका काम 1560 के दशक में शुरू होकर लगभग 1582 में समाप्त हुआ था। हम्जानामा एक बड़ी कलात्मक परियोजना थी जिसमें लगभग 1400 से ज्यादा चित्र शामिल थे, जो कि इस्लामिक और फारसी साहित्य की कथाओं को दर्शाते थे।

इसमें इस्तेमाल की गई वर्ण योजना और चित्रण शैली ने मुगल चित्रकला को एक नई दिशा प्रदान की थी। यह अकबर के कला प्रेम को दर्शाता है और उस समय की भारतीय कला में एक महत्वपूर्ण योगदान माना जाता है। इसलिए, यह कहना कि हम्जानामा 1475 ईसवी तक पूरा हो गया था, ऐतिहासिक तथ्यों से मेल नहीं खाता।

20. (C): तृतीय कर्नाटक युद्ध के दौरान फ्रांस के सैनिकों का सेनापति काउंट डी लैली था। थॉमस आर्थर, काउंट डी लैली, फ्रांसीसी सेना का एक प्रमुख कमांडर था, जिसने 1758 से 1761 तक भारत में अपनी सेनाओं का नेतृत्व किया। उन्होंने ब्रिटिश और उनके सहयोगी भारतीय राज्यों के खिलाफ युद्ध में महत्वपूर्ण भूमिका निभाई। डी लैली के नेतृत्व में फ्रांसीसी सेनाएँ कई लड़ाइयों में शामिल हुईं, जिसमें वांडीवाश की लड़ाई प्रमुख थी, जहाँ फ्रांसीसी सेनाएँ ब्रिटिश सेनाओं से हार गईं। इस हार ने भारत में फ्रांसीसी प्रभाव को कमजोर कर दिया और ब्रिटिश साम्राज्य की स्थापना के लिए मार्ग प्रशस्त किया। डी लैली की कमांडर के रूप में उनकी क्षमता और युद्ध नीति का विश्लेषण उस समय के यूरोपीय शक्ति संघर्ष के संदर्भ में महत्वपूर्ण है।

21. (D): पुर्तगालियों ने बम्बई द्वीप इंग्लैंड के राजा चार्ल्स द्वितीय को 1662 में पुर्तगाली राजकुमारी कैथरीन के साथ उनके विवाह के दहेज के रूप में दिया था। इस विवाह के माध्यम से अंग्रेजों को बम्बई का प्रशासनिक और वाणिज्यिक नियंत्रण प्राप्त हुआ, जो कि बाद में ब्रिटिश भारत के प्रमुख शहरों में से एक बन गया। इस दहेज समझौते ने बम्बई को एक व्यापारिक केंद्र के रूप में विकसित करने में महत्वपूर्ण भूमिका निभाई। इस ऐतिहासिक घटना ने न केवल अंग्रेजों की भारतीय उपमहाद्वीप में उपस्थिति को मजबूत किया, बल्कि इसने उस क्षेत्र में उनकी वाणिज्यिक और राजनीतिक शक्ति को भी बढ़ाया। बम्बई द्वीप का यह हस्तांतरण अंग्रेजों के लिए एक सामरिक लाभ था, जिसने उन्हें पश्चिमी भारत में एक मजबूत पैर जमाने में मदद की।

22. (C): एस.बी. चौधरी ने 1857 के विद्रोह को "किसी विदेशी सत्ता (शक्ति) को चुनौती देने के लिए बहुत से वर्ग के लोगों द्वारा पहला संयुक्त प्रयास" कहा और यह भी कहा कि वह वास्तविक है। उनका यह विश्लेषण 1857 के विद्रोह को भारतीय इतिहास में एक व्यापक और महत्वपूर्ण घटना के रूप में स्थापित करता है। चौधरी इस विद्रोह को केवल मिलिट्री म्युटिनी नहीं मानते, बल्कि एक व्यापक सामाजिक और राजनीतिक उभार के रूप में देखते हैं, जिसमें विभिन्न सामाजिक वर्गों का सहयोग शामिल था। उन्होंने इसे ब्रिटिश राज के खिलाफ भारतीय जनता के संघर्ष का पहला व्यवस्थित प्रयास माना, जिसमें विभिन्न सामाजिक, आर्थिक, और धार्मिक मुद्दे शामिल थे। चौधरी का विश्लेषण 1857 के विद्रोह को एक बड़े पैमाने पर राष्ट्रीय आंदोलन के रूप में देखने का एक दृष्टिकोण प्रदान करता है, जिससे यह घटना भारतीय स्वतंत्रता संग्राम की प्रारंभिक चिंगारी के रूप में देखी जा सकती है।

23. (D): जवाहिर और हेतवा राजवार विद्रोह के सर्वाधिक महत्वपूर्ण नेता थे। राजवार विद्रोह भारतीय इतिहास में एक प्रमुख जनजातीय विद्रोह है, जो 1914 में उड़ीसा में हुआ था। इस विद्रोह का मुख्य कारण भूमि अधिकारों और स्थानीय आदिवासी समुदायों के खिलाफ बढ़ते शोषण था। जवाहिर और हेतवा ने अपने समुदाय के हकों की रक्षा के लिए नेतृत्व प्रदान किया और ब्रिटिश अधिकारियों और स्थानीय जमींदारों के खिलाफ लड़ाई की। यह विद्रोह उस समय के जनजातीय विद्रोहों के बीच विशेष रूप से महत्वपूर्ण था क्योंकि इसने राजवार समुदाय के सामाजिक और आर्थिक मुद्दों को उजागर किया। इन नेताओं का संघर्ष न केवल भूमि अधिकारों के लिए था बल्कि अपनी सांस्कृतिक पहचान और स्वतंत्रता के लिए भी था।

24. (C): वारेन हेस्टिंग्स का यह कथन कि 'ज्ञान का प्रत्येक संग्रह राज्य के लिए उपयोगी है। यह गुलामी की जंजीर जिससे देश बंधा हुआ है, उसका वजन कम करता है।' बताता है कि हेस्टिंग्स भारतीय समाज में

शिक्षा और ज्ञान के महत्व को समझते थे। उन्होंने भारत में ब्रिटिश प्रशासन के दौरान शिक्षा की स्थापना और प्रोत्साहन पर बल दिया, यह मानते हुए कि ज्ञान का प्रसार न केवल सामाजिक और आर्थिक विकास में मदद करेगा बल्कि यह देश को औपनिवेशिक शासन की बंधनों से मुक्त करने में भी सहायक होगा। उनके इस दृष्टिकोण ने ब्रिटिश भारत में शिक्षा के विकास को एक नई दिशा प्रदान की और आगे चलकर भारतीय समाज में शिक्षा की महत्वपूर्ण भूमिका को स्थापित किया।

25. (D): इंडियन काउंसिल एक्ट, 1909 से भारत में 'फूट डालो और शासन करो' की नीति को संस्थागत स्वरूप देने की प्रक्रिया आरंभ हुई। इस अधिनियम को मॉर्ले-मिंटो सुधार के नाम से भी जाना जाता है, और इसने ब्रिटिश भारतीय विधायिका में प्रत्यक्ष सांप्रदायिक प्रतिनिधित्व की शुरुआत की थी। इसने मुस्लिम समुदाय के लिए अलग से आरक्षित सीटों का प्रावधान किया, जिससे विभिन्न साम्प्रदायिक समूहों के बीच राजनीतिक विभाजन को बढ़ावा मिला। इस कदम ने भारतीय समाज में धार्मिक आधार पर विभाजन को संस्थागत बना दिया और ब्रिटिश हुकूमत को इस विभाजन का लाभ उठाने में मदद की।

यह नीति आगे चलकर भारतीय स्वतंत्रता संग्राम के विभिन्न चरणों में एक प्रमुख विषय बनी रही, जिसने ब्रिटिश शासन के विरुद्ध भारतीय समुदायों को एकजुट करने के प्रयासों को जटिल बना दिया।

26. (A): यह कथन सिदो का है, जो संथाल विद्रोह (1855-1856) के दौरान महत्वपूर्ण जनजातीय नेता थे। सिदो और उनके भाई कान्हू ने ब्रिटिश और जमींदारों के खिलाफ अपने समुदाय का नेतृत्व किया। उन्होंने अपने लोगों को यह संदेश दिया कि उनकी भूमि और उनके संसाधन विदेशी शक्तियों के हाथों में नहीं जाने चाहिए। सिदो का यह उद्घोष उनके उस संकल्प को दर्शाता है जिसमें उन्होंने अपने समुदाय की स्वायत्तता और सम्मान की रक्षा के लिए युद्ध की घोषणा की थी। इस विद्रोह ने ब्रिटिश शासन के खिलाफ आदिवासी समुदायों के प्रतिरोध की एक नई लहर को जन्म दिया, जिसने भारतीय इतिहास में उनके संघर्ष को महत्वपूर्ण स्थान दिया।

27. (D)

28. (B): 'गणदेवता' नामक पुस्तक ताराशंकर बंदोपाध्याय ने लिखी है। इस पुस्तक में बंगाल में जजमानी प्रथा के पराभव की व्याख्या की गई है, जो ग्रामीण समाज में व्याप्त थी। जजमानी प्रथा एक पारंपरिक व्यवस्था है जहां ग्रामीण समुदाय में विशिष्ट वर्गों द्वारा कुछ विशेष सेवाएं प्रदान की जाती हैं और बदले में उन्हें अनाज, धन या अन्य सामग्री प्राप्त होती है। ताराशंकर बंदोपाध्याय ने इस पुस्तक में उन सामाजिक और आर्थिक परिवर्तनों को दर्शाया है जिनके कारण यह प्रथा कमजोर पड़ी और अंततः समाप्त हो गई। उनका यह काम बंगाल के ग्रामीण जीवन और इसके बदलते परिदृश्य को समझने में एक महत्वपूर्ण योगदान देता है, और यह दिखाता है कि कैसे पारंपरिक प्रथाएं आधुनिकीकरण के प्रभाव में आकर परिवर्तित होती जा रही हैं।

29. (D): 'दस वर्ष के बंदोबस्त' की शर्तों की जाँच के लिए गठित समिति में जेम्स ग्रांट सदस्य नहीं थे। इस समिति में शामिल मुख्य व्यक्ति थे लॉर्ड कार्नवालिस, जॉन शोर और मैकफर्सन। यह समिति भारत में भूमि राजस्व संग्रह की नई व्यवस्था की समीक्षा और पर्यवेक्षण के लिए बनाई गई थी, जिसे परमानेंट सेटलमेंट के नाम से जाना जाता है। यह व्यवस्था भारतीय भूमि राजस्व प्रणाली में एक महत्वपूर्ण परिवर्तन थी और इसने भूमि के निजी स्वामित्व की नींव रखी। जेम्स ग्रांट इस समीक्षा प्रक्रिया का हिस्सा नहीं थे, जो कि इस समिति के गठन और कार्यान्वयन में अन्य प्रमुख सदस्यों द्वारा संचालित थी।

30. (A): सहमति की आयु अधिनियम 1860 में महिलाओं के विवाह के लिए सहमति की आयु 10 वर्ष निर्धारित की गई थी। यह अधिनियम भारतीय विधान में महिलाओं के विवाह संबंधित अधिकारों को नियंत्रित

करने वाला एक महत्वपूर्ण कदम था, और इसने विवाह के लिए कानूनी उम्र को पहली बार परिभाषित किया। इस कानून का मुख्य उद्देश्य बाल विवाह को रोकना और युवा लड़कियों को उनकी सहमति के बिना विवाह के लिए बाध्य किए जाने से सुरक्षित करना था। हालांकि यह आयु अभी भी कम थी, इसने समाज में व्याप्त बाल विवाह की प्रथा के खिलाफ एक कानूनी ढांचा प्रदान किया। बाद में इस आयु सीमा में वृद्धि की गई थी ताकि इसे और अधिक सामाजिक रूप से स्वीकार्य और सुरक्षित बनाया जा सके।

31. (C): 'मेवाड़ प्रजा मंडल' के संस्थापक माणिक लाल वर्मा थे। मेवाड़ प्रजा मंडल एक राजनीतिक और सामाजिक संगठन था जिसकी स्थापना 1938 में हुई थी। इस संगठन का मुख्य उद्देश्य था मेवाड़ क्षेत्र में लोकतांत्रिक मूल्यों का प्रसार और आम जनता की आवाज को मजबूती प्रदान करना। माणिक लाल वर्मा ने इस संगठन के माध्यम से रियासती प्रजा मंडल आंदोलन को दिशा दी, जिससे राजस्थान में राजतंत्रीय शासन के खिलाफ जन जागरूकता और संघर्ष को बल मिला। उनके नेतृत्व में मेवाड़ प्रजा मंडल ने रियासती क्षेत्रों में विशेष रूप से जमीनी स्तर पर राजनीतिक सक्रियता और सामाजिक परिवर्तन के लिए कई अभियान चलाए। इस संगठन की गतिविधियों ने भारतीय स्वतंत्रता संग्राम में रियासती प्रजा की भूमिका को प्रमुखता से उजागर किया और भारतीय राजनीति में राजतंत्रीय प्रभावों के खिलाफ एक मजबूत वैचारिक आधार प्रदान किया।

32. (C): 1852 में विद्युत तार विभाग (इलेक्ट्रिक टेलीग्राफ डिपार्टमेंट) का अधीक्षक ओ'शॉगनेस्से को नियुक्त किया गया था। विलियम ओ'शॉगनेस्सी, जो कि एक ब्रिटिश चिकित्सक और वैज्ञानिक थे, उन्होंने भारत में टेलीग्राफ सिस्टम की स्थापना और विस्तार में महत्वपूर्ण योगदान दिया। उनके नेतृत्व में, भारत में पहली टेलीग्राफ लाइन कलकत्ता से आगरा तक बिछाई गई, जिसने संचार क्रांति का आगाज किया। ओ'शॉगनेस्सी के इस कार्य ने न केवल भारत में आधुनिक संचार प्रणाली की नींव रखी, बल्कि यह भारतीय प्रशासन और व्यापार में भी एक क्रांतिकारी परिवर्तन लेकर आया। उनकी इस पहल से भारत में संचार की गति और सुविधा में अप्रत्याशित वृद्धि हुई, जिसने देश के विकास में एक नई दिशा स्थापित की।

33. (B): 'अखिल भारतीय दलित संघ' के पहले चयनित अध्यक्ष एम.सी. राजा थे। एम.सी. राजा एक प्रमुख दलित नेता और समाज सुधारक थे, जिन्होंने भारत में दलित समुदायों के अधिकारों और उत्थान के लिए महत्वपूर्ण कार्य किया। उन्होंने दलित समुदाय की सामाजिक और आर्थिक स्थिति में सुधार लाने के लिए विभिन्न आंदोलनों और अभियानों का नेतृत्व किया। उनका यह प्रयास दलित समुदाय के लिए एक उचित प्रतिनिधित्व और उनके अधिकारों की मांग को मजबूती प्रदान करता है। एम.सी. राजा के नेतृत्व में 'अखिल भारतीय दलित संघ' ने दलित समुदाय के लिए न्याय और समानता की दिशा में महत्वपूर्ण पहल की, जिससे उनके समुदाय की सामाजिक और राजनीतिक स्थिति में सुधार हुआ।

34. (A): बंगाल विभाजन का विरोध करते हुए 'बारीसाल हितैषी' पत्रिका में यह टिप्पणी की गई थी, ''क्या बंगाली लोग विदेशी वस्तुओं का बहिष्कार करने में चीन के उदाहरण का अनुसरण करने में सक्षम हैं? अगर वे कर सकते हैं तो उनके समक्ष रास्ता स्पष्ट है।'' यह टिप्पणी उस समय की बढ़ती भावनाओं को दर्शाती है जब भारत में ब्रिटिश उत्पादों के बहिष्कार के लिए आवाज उठाई जा रही थी, विशेष रूप से बंगाल विभाजन के संदर्भ में। 'बारीसाल हितैषी' बंगाल के स्वदेशी आंदोलन के प्रचार में मुख्य भूमिका निभाता था और इसके माध्यम से बंगाली समाज में विदेशी शासन और उत्पादों के खिलाफ एक गहरी जागरूकता और विरोध की भावना को बल मिला। इस तरह के संदेशों ने न केवल विदेशी वस्तुओं के बहिष्कार को प्रोत्साहित किया, बल्कि यह भारतीय उपमहाद्वीप में स्वतंत्रता की चाह को भी मजबूत किया।

35. (B): भारतीय राष्ट्रवाद का निर्माण पारंपरिक राष्ट्रभक्ति तथा राज क्षेत्रीयता के पूर्व विद्यमान अर्थ के आधार

पर होने के अनुसार सी.ए. बेले का यह विचार है। बेले ने अपने अध्ययन में भारतीय राष्ट्रवाद के उद्भव को गहराई से अन्वेषित किया और पाया कि यह भारतीय समाज की पारंपरिक अवधारणाओं और ऐतिहासिक सामाजिक-राजनीतिक संरचनाओं से गहराई से प्रेरित था। उनके अनुसार, भारतीय राष्ट्रवाद की जड़ें उस ऐतिहासिक और सामाजिक परिप्रेक्ष्य में हैं, जहाँ राष्ट्रभक्ति और क्षेत्रीय विशिष्टता की धारणाएँ पहले से ही मौजूद थीं। यह विचार यह स्पष्ट करता है कि कैसे भारतीय राष्ट्रवाद ने पश्चिमी राष्ट्रवादी विचारधाराओं से भिन्न एक स्वदेशी रूप लिया जो भारत के विशेष सांस्कृतिक और ऐतिहासिक संदर्भ में अंतर्निहित था।

36. (B): शिवाजी पर्व की शुरुआत बाल गंगाधर तिलक ने की थी। तिलक ने इस उत्सव को 1895 में शुरू किया था, जिसका उद्देश्य भारतीयों में राष्ट्रीयता की भावना और स्वतंत्रता के प्रति उत्साह को बढ़ाना था। तिलक ने शिवाजी को एक हिन्दू राष्ट्रीय नायक के रूप में प्रस्तुत किया, जिन्होंने मुगल साम्राज्य के विरुद्ध सफलतापूर्वक लड़ाई लड़ी थी। उन्होंने शिवाजी की वीरता और नेतृत्व क्षमता को एक आदर्श रूप में पेश किया जिससे ब्रिटिश शासन के खिलाफ लड़ने की प्रेरणा मिले। शिवाजी पर्व ने न केवल महाराष्ट्र में बल्कि पूरे भारत में एक जन-जागरण का काम किया, और यह भारतीय स्वतंत्रता संग्राम में एक महत्वपूर्ण आयोजन बन गया।

37. (C): 'द इंडियन स्ट्रगल' पुस्तक सुभाष चंद्र बोस ने लिखी है। यह पुस्तक भारतीय स्वतंत्रता संग्राम के विभिन्न चरणों का विश्लेषण प्रस्तुत करती है और इसमें बोस की अपनी राजनीतिक विचारधारा और उनके स्वतंत्रता संग्राम में योगदान के अनुभवों का समावेश है। सुभाष चंद्र बोस, जिन्हें नेताजी के नाम से भी जाना जाता है, भारतीय राष्ट्रीय आंदोलन के प्रमुख नेताओं में से एक थे। उन्होंने इस पुस्तक के माध्यम से उस अवधि की राजनीतिक गतिविधियों, अंग्रेजी शासन के खिलाफ उनके विद्रोही रुख और उनके अजेय संघर्ष के विवरण को प्रस्तुत किया। यह पुस्तक भारतीय स्वतंत्रता संग्राम के इतिहास में एक महत्वपूर्ण संदर्भ दस्तावेज के रूप में कार्य करती है, और इसने नेताजी की वैचारिक गहराई और उनके संघर्ष के प्रति समर्पण को उजागर किया है।

38. (B): भाषा के आधार पर राज्यों के पुनर्गठन संबंधी धर आयोग के सदस्य में वल्लभ भाई पटेल शामिल नहीं थे। इस आयोग का गठन 1948 में किया गया था, और इसका मुख्य उद्देश्य था भारतीय राज्यों के पुनर्गठन का सुझाव देना, विशेषकर भाषाई आधार पर। आयोग के अध्यक्ष जस्टिस धर थे और अन्य सदस्यों में के.एम. मुंशी और जगत नारायण लाल शामिल थे। वल्लभ भाई पटेल उस समय भारतीय राजनीति में सक्रिय थे, लेकिन उन्होंने इस आयोग में कोई भूमिका नहीं निभाई थी। इस आयोग की सिफारिशों ने भारत में राज्यों के नए सिरे से गठन की दिशा में महत्वपूर्ण योगदान दिया था, जिससे भारतीय संघीय ढांचे में बदलाव आया।

39. (B): 'महावीर राजद्रोह मामले' में उनके द्वारा संपादित जर्नल महावीर में राजद्रोह संबंधी लेखन के लिए जगत नारायण लाल को सजा हुई थी। जगत नारायण लाल एक प्रमुख भारतीय स्वतंत्रता सेनानी और पत्रकार थे, जिन्होंने महावीर नामक पत्रिका का संपादन किया। इस पत्रिका में प्रकाशित लेखों में अंग्रेजी शासन के खिलाफ तीव्र आलोचना की गई थी, जिसके कारण उन्हें राजद्रोह के आरोप में सजा सुनाई गई। उनका मामला भारतीय प्रेस की स्वतंत्रता और ब्रिटिश शासन के खिलाफ उनके विरोध का प्रतीक बन गया। जगत नारायण लाल की यह सजा उस समय के राजनीतिक दमन का एक उदाहरण प्रस्तुत करती है, जिसमें भारतीय स्वतंत्रता संग्राम के सक्रिय सदस्यों को उनके विचारों के लिए दंडित किया गया था।

40. (D): 'इतिहास विज्ञान है, न इससे अधिक न इससे कम' यह कथन जे.बी. ब्यूरी का है। ब्यूरी ने इतिहास के वैज्ञानिक अध्ययन की महत्ता पर बल दिया था, जिसमें उन्होंने तथ्यों की सटीकता, साक्ष्यों के मूल्यांकन

और घटनाओं की व्याख्या के तरीकों पर जोर दिया। ब्यूरी का मानना था कि इतिहास का उद्देश्य केवल घटनाओं का वर्णन करना नहीं बल्कि उनके कारणों और प्रभावों को समझना है। उनकी इस सोच ने इतिहास के अध्ययन को एक व्यवस्थित और विश्लेषणात्मक दिशा प्रदान की, जिससे यह विज्ञान के समानांतर खड़ा हो सके।

41. (B): ताम्रपाषाण युग के पुरास्थलों में केवल (*a*) मोहनजोदड़ो, (*b*) चान्हूदड़ो, (*c*) कालीबंगा, और (*d*) हड़प्पा शामिल हैं। ये सभी स्थल सिंधु घाटी सभ्यता के हिस्से हैं, जो कि ताम्रपाषाण युग के दौरान उपमहाद्वीप में फली-फूली थी। इन स्थलों पर किए गए पुरातात्विक उत्खननों से जो सबूत मिले हैं, वे इस बात का प्रमाण हैं कि यहाँ उन्नत नगरीय संरचना, कृषि प्रणाली, और शिल्प कौशल मौजूद था। इस सभ्यता की खोज ने भारतीय इतिहास के अध्ययन में एक नया अध्याय जोड़ा और यह साबित किया कि भारत में ऐतिहासिक रूप से एक समृद्ध और विकसित सभ्यता मौजूद थी।

42. (A): भीमबेटका चित्रकारी के विषय में (*a*) मध्यपाषाण युग का है, (*b*) आदि भारतीय कला के उदाहरण हैं, (*d*) स्थानीय स्तर पर उपलब्ध रंगों द्वारा चित्रित, और (*e*) कई युगों में मानवजीवन की व्याख्या करती हैं, सही हैं। भीमबेटका की गुफा चित्रकारी भारत में पाषाण युग की कला का एक महत्वपूर्ण प्रतिनिधित्व करती है। यहाँ की चित्रकारी में विभिन्न प्रकार के जानवरों, मानव गतिविधियों और अन्य अनुष्ठानिक दृश्यों को दर्शाया गया है, जो कि उस काल के मानवीय जीवन की विविधता और जटिलता को बयान करते हैं। ये चित्र न केवल कलात्मक महत्व के हैं बल्कि उस समय के सामाजिक-सांस्कृतिक जीवन की गहरी समझ प्रदान करते हैं।

43. (A): राष्ट्रकूट साम्राज्य ने (*a*) महाराष्ट्र, (*b*) तेलंगाना, (*c*) मध्य प्रदेश, और (*d*) कर्नाटक पर शासन किया। यह साम्राज्य आठवीं से दसवीं सदी के दौरान भारतीय उपमहाद्वीप के महत्वपूर्ण क्षेत्रों में से एक था, जिसकी राजधानी मान्यखेटा (आधुनिक कर्नाटक में) थी। राष्ट्रकूट राजाओं ने विशाल क्षेत्रों पर अपना प्रभुत्व स्थापित किया, जिसमें महाराष्ट्र और मध्य भारत के साथ-साथ दक्षिणी भारत के विस्तृत भाग शामिल थे। इस साम्राज्य के दौरान, विभिन्न प्रकार के सांस्कृतिक और आर्थिक विकास हुए जिन्होंने भारतीय इतिहास में उनकी विरासत को महत्वपूर्ण बनाया। राष्ट्रकूट शासकों ने वास्तुकला, धर्म, और साहित्य को भी बढ़ावा दिया, जिसमें उनके द्वारा निर्मित विशाल रॉक-कट एलोरा गुफाएँ शामिल हैं।

44. (B): कृषि ने (*a*) खाद्य फसल प्रौद्योगिकी, (*b*) धातुकर्म उद्योग, (*c*) कृषि-आधारित उद्योग, और (*e*) जल-प्रबंध को बढ़ावा दिया है। कृषि का विकास न केवल खाद्य उत्पादन में वृद्धि को सक्षम बनाता है, बल्कि यह आर्थिक गतिविधियों के एक व्यापक स्पेक्ट्रम को भी प्रभावित करता है। खाद्य फसल प्रौद्योगिकी में नवाचार, जैसे कि हाइब्रिड बीज और उन्नत सिंचाई प्रणालियों का विकास, खाद्य सुरक्षा में सुधार लाता है। धातुकर्म उद्योग, जैसे कि ट्रैक्टर और अन्य कृषि उपकरणों का निर्माण, कृषि क्षमता को बढ़ाता है। कृषि-आधारित उद्योग, जैसे कि खाद्य प्रसंस्करण और पैकेजिंग, कृषि उत्पादों के मूल्य संवर्धन में महत्वपूर्ण हैं। जल-प्रबंधन तकनीक, जैसे कि बूंद-बूंद सिंचाई और जल संरक्षण प्रणालियाँ, स्थायी कृषि प्रथाओं को सक्षम बनाती हैं और पानी के संसाधनों का अधिकतम उपयोग सुनिश्चित करती हैं।

45. (B): बौद्ध धर्म की शाखाएँ में (*a*) महायान, (*b*) हीनयान, (*c*) वज्रयान, और (*e*) गुह्य समाज शामिल हैं। बौद्ध धर्म के ये विभिन्न रूप उसके धार्मिक और दार्शनिक विविधता को दर्शाते हैं। महायान बौद्ध धर्म अधिक करुणामय और बोधिसत्त्व की अवधारणा पर जोर देता है, जबकि हीनयान अधिक संयमित और शास्त्रीय अनुयायियों का पालन करता है। वज्रयान तंत्रिक प्रथाओं और मंत्रों का उपयोग करता है, और गुह्य समाज उन्नत तंत्रिक बौद्ध धर्म के रूपों में से एक है, जो अधिक गुप्त और एसोटेरिक अभ्यासों पर केंद्रित है। ये शाखाएँ बौद्ध धर्म के व्यापक स्वरूप

और उसके विविध पहलुओं को प्रकट करती हैं, जो अलग-अलग सांस्कृतिक और धार्मिक परंपराओं में विकसित हुई हैं।

46. (B): कर्नाटक के मंदिरों के युग्म में बेमेल है (*e*) कांची, जबकि शेष स्थल (*a*) बादामी, (*c*) पट्टदकल, और (*d*) हम्पी कर्नाटक में स्थित हैं और इनका संबंध दक्षिण भारतीय वास्तुकला से है। कांची, जो कि तमिलनाडु में स्थित है, अपने पल्लवकालीन मंदिरों के लिए प्रसिद्ध है और यह कर्नाटक के अन्य स्थानों के मंदिरों से वास्तुशिल्पीय और सांस्कृतिक रूप से भिन्न है। बादामी, पट्टदकल, और हम्पी कर्नाटक के चालुक्य और विजयनगर साम्राज्यों के प्रमुख वास्तुशिल्प स्थल हैं, जिनमें चट्टान को काटकर बनाई गई गुफाएं और शानदार मंदिर सम्मिलित हैं। ये स्थल दक्षिण भारतीय मंदिर निर्माण कला के विकास के विभिन्न चरणों का प्रतिनिधित्व करते हैं और उनमें वास्तुशिल्पीय सौंदर्यशास्त्र की गहराई देखी जा सकती है।

47. (B): वैष्णव धर्म (वैष्णव सम्प्रदाय) में नहीं हैं (*c*) महादेव। वैष्णव धर्म विष्णु और उनके अवतारों की पूजा करता है, जिनमें (*a*) संकर्षण, (*b*) वासुदेव, (*d*) श्रीकृष्ण, और (*e*) वराह अवतार शामिल हैं। संकर्षण विष्णु के अवतारों में से एक हैं, वासुदेव और श्रीकृष्ण क्रमशः विष्णु के पुत्र और अवतार हैं, और वराह अवतार में विष्णु ने वराह (सूअर) का रूप लिया था। इसके विपरीत, महादेव या शिव एक अलग देवता हैं, जो हिन्दू धर्म में शैव सम्प्रदाय से संबंधित हैं। वैष्णव सम्प्रदाय और शैव सम्प्रदाय दोनों प्रमुख हिन्दू धाराओं में विशिष्ट हैं और उनकी पूजा और अनुष्ठानों में भिन्नता होती है।

48. (A): गोलकोंडा का किला (*b*) हैदराबाद में अवस्थित है, (*c*) काकातीय का पश्चिमी प्रभाव क्षेत्र था, (*d*) कुतुबशाही द्वारा निर्मित था, और (*e*) वह स्थान जहाँ भक्त रामदास को बंदी बनाया गया था। गोलकोंडा किला, जो कि अब हैदराबाद में स्थित है, मूल रूप से काकातीय राजवंश के प्रभाव क्षेत्र में था और बाद में कुतुबशाही राजवंश के द्वारा इसका विस्तार और सुदृढ़ीकरण किया गया था। इस किले की स्थापत्य शैली और रक्षात्मक विशेषताएँ इसे भारतीय किलों के इतिहास में एक अनूठी पहचान देती हैं। यहाँ भक्त रामदास को राजकोष में गबन के आरोप में बंदी बनाया गया था, जो बाद में उनके भक्ति संगीत के लिए प्रसिद्ध हुए।

49. (C): 'हीरा सौभाग्यम' पुस्तक, जिसमें जैन भिक्षुओं के अकबर के दरबार में आगमन की विवेचना की गई है, के लेखक देव विमल हैं। यह पुस्तक जैन धर्म के इतिहास और मुगल साम्राज्य के साथ उनके इंटरएक्शन का महत्वपूर्ण दस्तावेज है। देव विमल ने इस पुस्तक में उस घटना का वर्णन किया है जब जैन समुदाय के धार्मिक नेता अकबर के दरबार में उपस्थित हुए थे और उन्होंने मुगल सम्राट के सामने अपने धर्म के मूल्यों और शिक्षाओं का प्रतिपादन किया था। इस घटना को दर्ज करने का महत्व इसलिए भी है क्योंकि यह बताता है कि कैसे जैन समुदाय ने उस समय की बड़ी शक्तियों के साथ संवाद स्थापित किया और अपनी धार्मिक आजादी को बनाए रखने की कोशिश की थी।

50. (C): शेरशाह सूरी के बारे में निम्नलिखित कथन सही हैं : शेरशाह ने चौसा के युद्ध में हुमायूँ को पराजित किया था, उनका मूल नाम फरीद था, उन्होंने प्रांत को कई सरकारों में विभक्त किया और उनका मकबरा सासाराम में अवस्थित है। युद्ध के बारे में विस्तार से बताया जाए तो, 1539 में चौसा के युद्ध में उन्होंने हुमायूँ को हराया और सत्ता हथिया ली थी। उनके प्रशासनिक सुधारों में सरकारों का विभाजन और विभिन्न प्रशासनिक पदों की स्थापना शामिल है, जिससे शासन कुशलता में वृद्धि हुई। उन्होंने अपने शासन काल में सासाराम में अपना भव्य मकबरा बनवाया, जो उनकी वास्तुकला की समझ को दर्शाता है। ये सभी बिंदु उनके कुशल नेतृत्व और प्रशासनिक दक्षता के प्रमाण हैं।

51. (D): महाराणा प्रताप के बारे में सही कथन यह हैं कि वे गुरिल्ला युद्ध कर्म में उत्कृष्ट थे, हल्दीघाटी का युद्ध वीरतापूर्वक लड़ा था, और वे राणा संग्राम

सिंह के पौत्र थे। महाराणा प्रताप, जिन्होंने 1576 में हल्दीघाटी के युद्ध में मुगल सेना का सामना किया, उन्होंने गुरिल्ला तकनीकों का प्रयोग करके अपने छोटे दल के साथ बड़ी मुगल सेना को चुनौती दी। उनकी यह रणनीति भारतीय सैन्य इतिहास में काफी प्रसिद्ध है। उनका संबंध राणा संग्राम सिंह के परिवार से था, जो उनके सैन्य कौशल और नेतृत्व क्षमता को प्रभावित करने वाले कारकों में से एक था।

52. (A): हेमचन्द्र विक्रमादित्य के बारे में सही कथन यह हैं कि वे 22 युद्धों में विजयी हुए थे, उन्होंने अपने जीवनकाल में प्रभावी सिविल और सैन्य नीतियों को लागू किया था, उनका जन्म मछेरी में हुआ था, और उन्होंने सैन्य शक्तियों के लिए विभिन्न विपणन नीतियाँ शुरू की थीं। हेमचन्द्र जिन्होंने दिल्ली सल्तनत के विरुद्ध कई युद्धों में विजय प्राप्त की, उनकी सैन्य और प्रशासनिक नीतियाँ उनके विजयों का मुख्य कारण थीं। उनका जन्म मछेरी में होने के कारण वे स्थानीय संस्कृति और रणनीतियों से गहराई से परिचित थे, जिसने उन्हें अपने सैन्य अभियानों में मदद की।

53. (B): शिवाजी को जीवित या मृत बंदी बनाने के लिए अफजल खान को बीजापुर के सुल्तान ने भेजा था। इस घटना का सन्दर्भ 1659 में होता है, जब अफजल खान ने प्रसारित षड्यंत्र के तहत शिवाजी से मुलाकात की थी। बीजापुर सुल्तानत, जो उस समय महत्वपूर्ण शक्ति के रूप में थी, ने शिवाजी के बढ़ते प्रभाव और स्वतंत्रता की मांग को अपने लिए खतरा माना था। अफजल खान के शिवाजी से मिलने का स्थल प्रतापगढ़ के निकट था जहां दोनों के बीच की यह मुलाकात खतरनाक साबित हुई और अंततः शिवाजी ने अफजल खान की हत्या कर दी। इस घटना ने शिवाजी को मराठा साम्राज्य की स्थापना में महत्वपूर्ण बढ़त प्रदान की और उनके युद्ध कौशल और रणनीतिक चतुराई को सिद्ध किया।

54. (B): राजपूत चित्रकला के बारे में सही कथन हैं कि आनंद के. कुमारस्वामी ने इसकी खोज की और इसे एक विशिष्ट कलात्मक परंपरा के रूप में स्थापित किया, 'चावंड रागमाला' के चित्र निसारादी ने बनाए, महाराज सावंत सिंह ने किशनगढ़ चित्रकला शैली में योगदान दिया, और राजपूत चित्रकला में फारसी और मुगल शैलियों का प्रभाव मुख्य रूप से दिखाई देता है। यह चित्रकला भारतीय कलात्मक परंपरा का एक महत्वपूर्ण भाग है जिसमें लोक कथाओं, धार्मिक लीलाओं और राजसी जीवन के दृश्यों को चित्रित किया गया है। इस शैली में रंगों का प्रयोग, विस्तृत विवरण और सूक्ष्मता स्पष्ट रूप से देखी जा सकती है। इन चित्रों में राजपूत समाज और संस्कृति की झलक मिलती है जो कि उस समय के समाजिक और धार्मिक जीवन को प्रदर्शित करती है।

55. (A): वैष्णव धर्म, विठोबा वर्करी पंथ और गुरु रामदास द्वारा रचित 'दासबोध' के बारे में सही कथन हैं। वैष्णव धर्म को भागवत पुराण के माध्यम से महत्वपूर्ण प्रोत्साहन मिला, जिसमें कृष्ण लीला को व्यापक रूप से महिमामंडित किया गया है। विठोबा वर्करी पंथ महाराष्ट्र में एक प्रमुख भक्ति संप्रदाय है जिसमें विठोबा की पूजा की जाती है। 'दासबोध', जो कि गुरु रामदास ने लिखा, उनके उपदेशों और लेखन का संकलन है जो धार्मिक और नैतिक शिक्षाओं को प्रदान करता है। यह ग्रंथ मराठी साहित्य में एक महत्वपूर्ण कृति है जो आध्यात्मिक ज्ञान और व्यावहारिक जीवन निर्देशों का एक विस्तृत संग्रह प्रस्तुत करता है।

56. (B): अंग्रेजों द्वारा 1831 से 1881 तक मैसूर पर आधिपत्य विशेष रूप से कृष्णराज वोडियर III के समय में स्थापित हुआ था। कृष्णराज वोडियर III को अंग्रेजों द्वारा राजा के पद से हटाने के बाद उन्हें नाम मात्र का प्रधान बना दिया गया था, जिससे उनके पास कोई वास्तविक शक्ति नहीं बची थी। इस दौरान मैसूर प्रांत का शासन अंग्रेजों ने मद्रास प्रेसीडेंसी से किया था, जो ब्रिटिश राज के तहत एक प्रमुख प्रशासनिक केंद्र था। इस आधिपत्य का मुख्य कारण मैसूर की राजनीतिक स्थिति और अंग्रेजों की दक्षिण भारत में अपनी स्थिति को मजबूत करने की इच्छा थी। इस प्रकार, अंग्रेजों ने मैसूर प्रांत पर प्रभावी नियंत्रण स्थापित करने के लिए

न केवल राजनीतिक बल का उपयोग किया बल्कि वहां के स्थानीय शासन प्रणाली को भी अपने हिसाब से ढालने की कोशिश की।

57. **(C):** भारत में ब्रिटिश प्रशासन के उद्विकास के संबंध में रेग्यूलेटिंग एक्ट 1773, चार्टर एक्ट 1833 और 1781 के संशोधन अधिनियम से जुड़े महत्वपूर्ण तथ्य हैं। रेग्यूलेटिंग एक्ट के द्वारा भारत में पहला उच्चतम न्यायालय कोलकाता में स्थापित किया गया था, जिससे ब्रिटिश अदालती प्रणाली की नींव पड़ी। चार्टर एक्ट 1833 ने भारतीय कानूनों की समीक्षा और संहिताबद्ध करने के लिए विधि आयोग की स्थापना की, जिससे भारतीय कानूनी ढांचे में एकरूपता आई। 1781 के संशोधन अधिनियम ने उच्चतम न्यायालय की अधिकारिता की सटीक परिभाषा प्रदान की, जिससे अदालती प्रणाली की कार्यवाही में स्पष्टता आई। ये सभी कानूनी प्रावधान भारतीय न्यायिक और प्रशासनिक ढांचे को विकसित करने में महत्वपूर्ण सिद्ध हुए।

58. **(B):** यह वक्तव्य जॉन सुलीवन का है, जो कि राजस्व बोर्ड, मद्रास के अध्यक्ष थे। उनके इस कथन में भारत से धन के अपवाह और अंग्रेजों द्वारा भारतीय अर्थव्यवस्था को आत्मनिर्भरता से वंचित कर उस पर नियंत्रण स्थापित करने की प्रक्रिया का वर्णन है। यह वक्तव्य ब्रिटिश उपनिवेशवाद की आर्थिक नीतियों की आलोचना करता है, जिसमें भारत से संसाधनों का दोहन और उन्हें ब्रिटेन के हित में उपयोग किया गया। इससे भारतीय अर्थव्यवस्था की स्वाभाविक विकास प्रक्रिया बाधित हुई और अंग्रेजी राज के अंतर्गत भारत एक आर्थिक रूप से परावलंबी क्षेत्र बन गया, जिससे देश की आत्मनिर्भरता को गहरा आघात पहुंचा।

59. **(D)**

60. **(D):** असहयोग आंदोलन के बारे में सही कथन यह हैं कि यह आंदोलन औपचारिक रूप से 1 अगस्त, 1920 को शुरू किया गया था, ताड़ी दुकानों का धरना प्रचलित था, और मार्च 1921 में विजयवाड़ा में अखिल भारतीय कांग्रेस समिति के अधिवेशन में तिलक स्वराज का शुभारंभ हुआ। इस आंदोलन की शुरुआत महात्मा गांधी ने की थी और इसका मुख्य उद्देश्य भारतीय समाज को अंग्रेजी सरकार और उसकी नीतियों से असहयोग करने के लिए प्रेरित करना था। ताड़ी दुकानों के धरने और विदेशी वस्त्रों के बहिष्कार ने इस आंदोलन को गति प्रदान की। विजयवाड़ा में हुए अधिवेशन में तिलक स्वराज की घोषणा ने इस आंदोलन को एक नई दिशा दी और भारतीय स्वतंत्रता संग्राम को मजबूती प्रदान की।

61. **(A)**

62. **(C):** मौलाना अबुल कलाम आजाद के बारे में सही कथन हैं कि उन्होंने साप्ताहिक पत्रिका अल-हिलाल और अल-बलाग का प्रकाशन किया था, वे सबसे अधिक समय तक भारतीय राष्ट्रीय कांग्रेस के अध्यक्ष बने रहे, और उन्होंने सन् 1944 में गांधी-जिन्ना की वार्ता का विरोध किया था। आजाद भारतीय स्वतंत्रता संग्राम के प्रमुख नेता थे और उन्होंने भारतीय मुस्लिम समाज को ब्रिटिश शासन के विरुद्ध एकजुट करने में महत्वपूर्ण भूमिका निभाई थी।

अल-हिलाल और अल-बलाग के माध्यम से उन्होंने ब्रिटिश विरोधी विचारों का प्रसार किया और मुस्लिम समाज को भारतीय स्वतंत्रता संग्राम में सक्रिय भागीदारी के लिए प्रेरित किया। उनकी लंबी अवधि तक कांग्रेस के अध्यक्ष रहने की अवधि उनकी नेतृत्व क्षमता और संगठन में उनके योगदान को दर्शाती है। इसके अलावा, उन्होंने गांधी-जिन्ना वार्ता का विरोध किया, क्योंकि उन्होंने महसूस किया कि यह वार्ता मुस्लिम लीग की मांगों को अनुचित रूप से मान्यता देने का कारण बन सकती है।

63. **(B):** भारत छोड़ो आंदोलन के दौरान समानांतर सरकारों का गठन बलिया, मिदनापुर और सतारा में किया गया था। ये समानांतर सरकारें उन क्षेत्रों में स्थापित की गईं, जहां भारतीय जनता ने ब्रिटिश शासन के खिलाफ सशक्त विरोध प्रदर्शित किया और अस्थायी रूप से अपने क्षेत्रों में स्वशासन स्थापित किया। बलिया में, चित्तू पांडेय के नेतृत्व में लोगों ने ब्रिटिश प्रशासन को उखाड़ फेंका और एक स्वतंत्र सरकार की स्थापना की।

मिदनापुर और सतारा में भी इसी प्रकार के प्रयास किए गए, जहां स्थानीय नेताओं ने ब्रिटिश अधिकारियों के खिलाफ सक्रिय विरोध करते हुए अपने क्षेत्रों में स्वायत्त शासन कायम किया। यह घटनाक्रम भारतीय स्वतंत्रता संग्राम के दौरान एक महत्वपूर्ण क्षण था, जिसमें भारतीय जनता ने दिखाया कि वे स्वयं का शासन चला सकते हैं।

64. (C): यह वक्तव्य आधुनिकोत्तरवादी विमर्श का भाग है और यह मिशेल फूको की महत्वपूर्ण मान्यताओं में से एक है तथा इससे भाषा की सीमा के रूप में अभिव्यक्ति के माध्यम की सीमाओं का भी पता चलता है। फूको के अनुसार, भाषा हमेशा सत्य को प्रकट करने का साधन नहीं हो सकती क्योंकि यह सामाजिक और सांस्कृतिक संदर्भों से प्रभावित होती है और इसमें शक्ति संबंधों का प्रभाव भी मौजूद होता है। आधुनिकोत्तरवादी विमर्श में भाषा की संरचनात्मकता और उसके द्वारा ज्ञान की व्याख्या कैसे की जाती है, इस पर प्रश्न उठाया जाता है। इस वक्तव्य में भाषा के माध्यम से ज्ञान के संप्रेषण की सीमाएं और उसकी शक्ति के नियमन के विचार को समझा जा सकता है, जो फूको के विचारों के अनुरूप है।

65. (D)

66. (A): सूची-I से सूची-II का सही मिलान इस प्रकार है : रेडियोकार्बन का मिलान तिथि निर्धारण (II) से है, खाई का मिलान गहराई (IV) से है, स्तरविज्ञान का मिलान परतें (स्तर) (III) से है, और ठीकरा का मिलान टीला (I) से है। रेडियोकार्बन डेटिंग तकनीक का उपयोग करके पुरातत्वविद जीवाश्मों और अन्य ऑर्गेनिक मटेरियल्स की आयु का सटीक अनुमान लगाते हैं। खाई खोदकर उस क्षेत्र की गहराई और उसके भौगोलिक संरचना का पता लगाया जाता है। स्तरविज्ञान में विभिन्न परतों को पहचानने का काम होता है, जो कि खुदाई के दौरान मिलने वाली स्तरीय संरचनाओं को दर्शाता है। ठीकरा आमतौर पर टीलों या मिट्टी के ढेर में पाया जाता है, जिसे खोदकर पुरानी सभ्यताओं के अवशेषों को ढूँढा जाता है।

67. (B): सूची-I से सूची-II का सही मिलान इस प्रकार है : कालीबंगन का मिलान राजस्थान (II) से है, लोथल का मिलान गुजरात (IV) से है, राखीगढ़ी का मिलान हरियाणा (III) से है, और रोपड़ का मिलान पंजाब (I) से है। कालीबंगन, जो कि राजस्थान में स्थित है, हड़प्पा सभ्यता का एक प्रमुख पुरातात्विक स्थल है। लोथल, जो कि गुजरात में है, प्राचीन समय में एक महत्वपूर्ण व्यापारिक केंद्र था। राखीगढ़ी, जो हरियाणा में स्थित है, हड़प्पा सभ्यता के सबसे बड़े खुदाई स्थलों में से एक है। रोपड़, पंजाब में स्थित है, और यह भी हड़प्पा सभ्यता का एक महत्वपूर्ण स्थल है।

68. (B): सूची-I से सूची-II का सही मिलान इस प्रकार है : माधव-निदान रोगविज्ञान से संबंधित (IV) है, निघंटु प्राचीनतम चिकित्सीय वानस्पतिक शब्दकोश (II) है, गणित-स्कन्ध गणित (I) से संबंधित है, और रास रत्नाकर पारद एवं अन्य धातुओं को बनाने की तैयारी (III) से संबंधित है। माधव-निदान एक प्राचीन ग्रंथ है जो विभिन्न रोगों के निदान और उपचार पर केंद्रित है। निघंटु एक विशेष प्रकार का वानस्पतिक शब्दकोश है जिसमें विभिन्न औषधीय पौधों के नाम और उनके गुणों का वर्णन किया गया है। गणित-स्कन्ध गणितीय सिद्धांतों और गणना विधियों के विकास पर ध्यान केंद्रित करता है। रास रत्नाकर मुख्य रूप से धातु विज्ञान और अल्केमी पर आधारित है, जिसमें धातुओं को परिष्कृत करने की प्रक्रियाओं का वर्णन होता है।

69. (C)

70. (C): सूची-I से सूची-II का सही मिलान इस प्रकार है : वारेन हेस्टिंग्ज का संबंध बनारस संस्कृत कॉलेज (III) से है, कर्जन का संबंध पुरास्मारक संरक्षण अधिनियम (I) से है, डलहौजी का संबंध वुड्स डिस्पैच (IV) से है, और रिपन का संबंध हंटर आयोग (II) से है। वारेन हेस्टिंग्ज ने भारतीय शिक्षा प्रणाली को बढ़ावा देने के लिए बनारस में संस्कृत कॉलेज की स्थापना की थी। कर्जन ने भारतीय पुरातत्व संरक्षण कानून लागू किया, जो भारतीय पुरातात्विक स्थलों के संरक्षण के लिए महत्वपूर्ण था। डलहौजी ने शिक्षा सुधारों के लिए

वुड्स डिस्पैच को प्रोत्साहित किया, जिससे भारत में शिक्षा के विकास को बल मिला। रिपन के कार्यकाल में हंटर आयोग की स्थापना हुई, जिसने भारत में शिक्षा सुधारों की समीक्षा की।.

71. (D): सूची-I से सूची-II का सही मिलान इस प्रकार है : गोलकोण्डा किला तेलंगाना (III) में स्थित है, मेहरानगढ़ किला राजस्थान (I) में स्थित है, रायगढ़ किला महाराष्ट्र (IV) में स्थित है, और बीदर किला कर्नाटक (II) में स्थित है। गोलकोण्डा किला, जो कि हैदराबाद के निकट स्थित है, अपनी वास्तुकला और इतिहास के लिए प्रसिद्ध है और यह तेलंगाना राज्य में एक प्रमुख पर्यटन स्थल है। मेहरानगढ़ किला जोधपुर में स्थित है और यह अपने भव्य निर्माण और ऐतिहासिक महत्व के लिए जाना जाता है। रायगढ़ किला, जो मराठा साम्राज्य का महत्वपूर्ण हिस्सा रहा है, महाराष्ट्र में स्थित है। बीदर किला कर्नाटक में स्थित है और यह अपनी खूबसूरत वास्तुकला और ऐतिहासिक पृष्ठभूमि के लिए प्रसिद्ध है।

72. (C): सूची-I से सूची-II का सही मिलान इस प्रकार है : बिरसा मुंडा का मिलान उल्गुलान (III) से है, हाजी शरीयत अल्लाह का मिलान फैराजी (IV) से है, सिद्दो कान्हू का मिलान हूल (I) से है, और वासुदेव बलवंत फड़के का मिलान रामोशी (II) से है। बिरसा मुंडा ने उल्गुलान नामक विद्रोह का नेतृत्व किया था, जो ब्रिटिश राज के खिलाफ एक महत्वपूर्ण जनजातीय विद्रोह था। हाजी शरीयत अल्लाह बंगाल में फैराजी आंदोलन के संस्थापक थे, जो धार्मिक और सामाजिक सुधारों पर आधारित था। सिद्दो कान्हू संथाल परगना में हूल विद्रोह के नेता थे, जो 1855 में अंग्रेजी शासन और जमींदारों के खिलाफ हुआ था। वासुदेव बलवंत फड़के ने रामोशी पीजेंट फोर्स का नेतृत्व किया, जो ब्रिटिश शासन के खिलाफ महाराष्ट्र में एक प्रारंभिक सशस्त्र विद्रोह था।

73. (B): सूची-I से सूची-II का सही मिलान इस प्रकार है : इंद्राणी देवी का मिलान मेमॉयर्स (II) से है, बी.आर. अम्बेडकर का मिलान एडमिनिस्ट्रेशन एंड फाइनेन्सेज ऑफ द ईस्ट इंडिया कंपनी (IV) से है, डॉ. राजेंद्र प्रसाद का मिलान द यूनिटी ऑफ इंडिया (I) से है, और लाला लाजपत राय का मिलान यंग इंडिया (III) से है। इंद्राणी देवी की आत्मकथा में उनके जीवन और संघर्षों का विस्तार से वर्णन है। बी.आर. अम्बेडकर ने अपने लेखन में भारतीय प्रशासनिक सिस्टम और ईस्ट इंडिया कंपनी के वित्तीय प्रबंधन पर गहराई से चर्चा की है। डॉ. राजेंद्र प्रसाद की पुस्तक भारतीय एकता के महत्व और इसके विभिन्न पहलुओं पर केंद्रित है। लाला लाजपत राय ने यंग इंडिया में भारतीय युवाओं के लिए राष्ट्रवाद की प्रेरणा और दिशा-निर्देश प्रदान किए हैं।

74. (C): मैडम भीकाजी कामा ने 'बन्दे मातरम्' पत्रिका का प्रकाशन किया, जो भारतीय स्वतंत्रता संग्राम से जुड़ी हुई थी। बीरेन्द्रनाथ चट्टोपाध्याय ने 'तलवार' नामक पत्रिका का संपादन किया, जो ब्रिटिश शासन के विरुद्ध थी। श्यामजी कृष्ण वर्मा 'द इंडियन सोशियोलॉजिस्ट' के माध्यम से भारतीय राष्ट्रीयता का प्रचार करते थे। तारकनाथ दास 'फ्री हिंदुस्तान' के प्रकाशक थे, जो अमेरिका में भारतीय स्वतंत्रता संग्राम के लिए समर्थन जुटाने का एक मंच था। ये सभी पत्रिकाएँ उस समय के समाज में राष्ट्रीयता की भावना को बढ़ावा देने के लिए महत्वपूर्ण थीं और इन्होंने विशेष रूप से भारतीय उपमहाद्वीप के बाहर रह रहे भारतीयों के बीच जागरूकता बढ़ाने में योगदान दिया।

75. (D): चक्रीय सिद्धान्त का संबंध ओसवाल्ड स्पेन्गलर से है, जिन्होंने सभ्यताओं के उदय और पतन के चक्रीय पैटर्न का प्रस्ताव रखा। हेगेल द्वंद्वात्मक विधि के प्रणेता माने जाते हैं, जिसमें विचारों का एक थीसिस, एंटीथीसिस और सिंथेसिस के रूप में विकास होता है। कार्ल मार्क्स वैज्ञानिक भौतिकवाद के प्रमुख समर्थक थे, जो मानते थे कि मानव इतिहास और सामाजिक संरचनाएं आर्थिक कारकों द्वारा निर्धारित होती हैं। अरनॉल्ड टॉयनबी ने चुनौती एवं अनुक्रिया सिद्धान्त को विकसित किया, जिसमें उन्होंने बताया कि सभ्यताएँ कैसे विभिन्न चुनौतियों का सामना करके विकसित होती हैं।

76. (C): 'आत्मावय सर्वभूतानि' का अर्थ है कि आत्मा सभी जीवों में निवास करती है। इससे शिक्षा मिलती है कि आत्मा सर्वव्यापी है, जिसे इस कथन के माध्यम से समझाया गया है। इसके अलावा, इस कथन से यह भी शिक्षा मिलती है कि हमें अपने जैसा ही दूसरों के बारे में सोचना चाहिए, क्योंकि सभी में वही आत्मा विद्यमान है। ईश्वर की सर्वव्यापकता का भी समर्थन इस कथन से होता है, जो दर्शाता है कि ईश्वर की उपस्थिति हर जीव में है। यह विचार आध्यात्मिकता और धर्मनिरपेक्षता के बीच सामंजस्य स्थापित करता है।

77. (D): श्रीमद् रामायण, जो एक धार्मिक और नैतिक शिक्षाओं से परिपूर्ण ग्रंथ है, हमें कई प्रकार की शिक्षाएँ देता है। प्रथमतः, यह माता-पिता का सम्मान करने की शिक्षा देता है, जैसे राम ने अपने पिता के वचनों का पालन करते हुए वनवास स्वीकार किया। दूसरे, भाईयों के मध्य प्रेम और समर्पण का आदर्श लक्ष्मण और भरत के चरित्र में देखने को मिलता है। तीसरे, यह ग्रंथ शत्रु के गुणों को पहचानने और स्वीकार करने की भी शिक्षा देता है, जैसे कि राम ने रावण के विद्वत्ता की प्रशंसा की। अंत में, जनजातीय लोगों के साथ संबंध बनाए रखने की शिक्षा भी दी गई है, जैसे राम का सुग्रीव और हनुमान से मित्रता का संबंध। इन सभी उदाहरणों से यह स्पष्ट होता है कि रामायण की शिक्षाएँ न केवल व्यक्तिगत नैतिकता पर बल देती हैं बल्कि समाज में सामंजस्य और एकता को भी प्रोत्साहित करती हैं।

78. (B): बौद्ध कला के माध्यम से हमें मृत्यु पश्चात जीवन (पुनर्जन्म), भावनाओं पर नियंत्राण, सार्वभौमिकता और पशुओं में भी जीवन के बारे में शिक्षा मिलती है। बौद्ध धर्म की मूल शिक्षाएँ जैसे कि अनित्यता, दुख और निर्वाण की अवधारणा को विभिन्न कलात्मक रूपों के माध्यम से दर्शाया गया है। जीवन के पुनर्जन्म की अवधारणा को स्तूपों और मूर्तियों के शिल्प में दर्शाया गया है जो जीवन चक्र को दर्शाते हैं। भावनाओं पर नियंत्रण को मुख्यतः ध्यान और आत्म-संयम के प्रतीक के रूप में प्रस्तुत किया गया है। सार्वभौमिकता, जो बौद्ध धर्म की एक महत्वपूर्ण शिक्षा है, को सभी प्राणियों के प्रति करुणा और समानता के भाव के रूप में चित्रित किया जाता है। अंत में, पशुओं में भी जीवन के महत्व को जैविक एकता और संवेदना के संदर्भ में दर्शाया गया है। इस प्रकार बौद्ध कला ने इन सिद्धांतों को विविध और सूक्ष्म तरीकों से प्रस्तुत किया है।

79. (D): आरंभिक और मध्यकालीन भारतीय अर्थव्यवस्था मुख्य रूप से कृषि-उद्योग, धातु उद्योग, मृत्तिका (मृदा) उद्योग और प्रस्तर उद्योग पर आधारित थी। कृषि, जो अर्थव्यवस्था का मुख्य स्तम्भ था, इसने न केवल भोजन प्रदान किया बल्कि व्यापार के लिए उत्पादों का सृजन भी किया। धातु उद्योग, जिसमें लोहा, सोना, तांबा और अन्य महत्वपूर्ण धातुएं शामिल थीं, ने विभिन्न प्रकार के औजारों, हथियारों और गहनों का निर्माण किया। मृत्तिका उद्योग में मिट्टी से विभिन्न प्रकार की वस्तुएं जैसे कि मिट्टी के बर्तन, ईंटें, और अन्य निर्माण सामग्री का उत्पादन होता था। प्रस्तर उद्योग में पत्थरों का उपयोग निर्माण कार्यों, मूर्तिकला और अन्य कलात्मक कृतियों में होता था। ये सभी उद्योग मिलकर आर्थिक विकास और सामाजिक स्थिरता में योगदान करते थे।

80. (B): नायक प्रस्थर या वीर शिला उन व्यक्तियों की स्मृति में स्थापित किए जाते हैं जिन्होंने पशुओं के संरक्षण, धर्म-रक्षण, देश के लिए बलिदान, और परिवार के लिए सम्मान में अपने जीवन को समर्पित किया। ये शिला पत्थरों पर उकेरी गई छवियाँ और लेख होते हैं जो उनके साहसिक कार्यों और बलिदानों की गाथाओं को दर्शाते हैं।

धर्म-रक्षण में वे अपने विश्वासों की रक्षा के लिए लड़ते हैं, जबकि देश के लिए बलिदान में उनके द्वारा राष्ट्र की सेवा में किए गए उत्कृष्ट कार्य शामिल होते हैं। परिवार के लिए सम्मान में उनका योगदान उनके परिवार और समुदाय के लिए अभूतपूर्व सम्मान का प्रतीक होता है। ये शिलाएँ सामाजिक स्मृति के महत्वपूर्ण अंग हैं जो समाज को इन व्यक्तियों की वीरता और नैतिकता की याद दिलाते रहते हैं।

81. (C): इस प्रश्न में दी गई घटनाओं का क्रम है : रानी सुगंधा का पदच्युत होना, वेलूर के युद्ध में चोलों की विजय, राष्ट्रकूटों द्वारा कन्नौज का विध्वंस, अमोघवर्ष III द्वारा गोविन्द IV को पराजित करना, और कश्मीर के उत्पल राजवंश की समाप्ति। इस क्रम में, पहली घटना (रानी सुगंधा का पदच्युत होना) कश्मीर के राजनीतिक परिवर्तन को दर्शाती है, जब उन्हें सिंहासन से हटाया गया और पार्थ को राजा बनाया गया। दूसरी घटना (वेलूर का युद्ध) चोल साम्राज्य के सैन्य विस्तार को दर्शाती है। तीसरी घटना (कन्नौज का विध्वंस) उत्तर भारत में राष्ट्रकूटों की सैन्य गतिविधियों को दर्शाती है। चौथी घटना (अमोघवर्ष III की विजय) दक्षिण भारत में राष्ट्रकूट साम्राज्य के स्थायित्व को दर्शाती है। अंतिम घटना (उत्पल राजवंश की समाप्ति) कश्मीर में एक और महत्वपूर्ण राजनीतिक परिवर्तन को दर्शाती है। ये सभी घटनाएं भारतीय इतिहास में विभिन्न समयावधियों और क्षेत्रों में महत्वपूर्ण राजनीतिक और सैन्य परिवर्तनों का प्रतिनिधित्व करती हैं।

82. (B): घटनाओं का कालक्रमानुसार अवरोही क्रम इस प्रकार है : अकबर ने महाराणा उदयसिंह के पुत्र सागर को 'राणा' की उपाधि प्रदान की, चित्तौड़ किले की दुर्गसेना के सेनापति, जयमल की हत्या तोप के दागने से हुई, हल्दीघाटी का युद्ध लड़ा गया, उदयसिंह का विवाह हुआ, और विक्रमादित्य की हत्या के बाद पन्ना ने अपने पुत्र उदयसिंह को बचाने के लिए उपाय किया। इस क्रम में पहली घटना मेवाड़ के राजवंश में एक महत्वपूर्ण राजनीतिक घटना है, जहाँ अकबर ने सागर को चित्तौड़ का राजा बनाया। दूसरी और तीसरी घटनाएं मुगल-राजपूत संघर्ष के महत्वपूर्ण हिस्से हैं। चौथी घटना राजपूत सामाजिक रीति-रिवाजों को दर्शाती है, और पांचवी घटना मेवाड़ इतिहास में एक दर्दनाक और नाटकीय क्षण है जहाँ एक माँ ने अपने पुत्र की जान बचाई। ये सभी घटनाएं भारतीय इतिहास के महत्वपूर्ण युगों का निर्माण करती हैं।

83. (A): इस प्रश्न में दी गई घटनाओं का आरोही क्रम है : कश्मीर में शाहमीर राजवंश की समाप्ति, राक्षसी-तांगड़ी का युद्ध, बीर सिंह बुंदेला द्वारा अबुल फजल की हत्या, तिलपत के गोकुल जाट का विद्रोह, और गोलकोंडा के मीर-जुमला की मृत्यु। पहली घटना, शाहमीर राजवंश की समाप्ति, कश्मीर के इतिहास में एक राजनीतिक बदलाव को दर्शाती है। दूसरी घटना, राक्षसी-तांगड़ी का युद्ध, भारतीय इतिहास में एक महत्वपूर्ण सैन्य संघर्ष है। तीसरी घटना, बीर सिंह बुंदेला द्वारा अबुल फजल की हत्या, मुगल दरबार में राजनीतिक उथल-पुथल को दर्शाती है। चौथी घटना, गोकुल जाट का विद्रोह, किसान विद्रोहों की एक श्रृंखला में महत्वपूर्ण है। अंतिम घटना, मीर-जुमला की मृत्यु, दक्कन के इतिहास में एक युग का अंत दर्शाती है। ये सभी घटनाएं अपने-अपने समय के भारतीय इतिहास में विभिन्न बदलावों का प्रतीक हैं।

84. (D): संत ज्ञानेश्वर, चैतन्य महाप्रभु, एकनाथ, तुकाराम और रामदास के आरोही क्रम में व्यवस्थित करने पर, हम देखते हैं कि ज्ञानेश्वर सबसे पहले आते हैं, जिनका काल 1275-1296 ईस्वी है। इसके बाद चैतन्य महाप्रभु हैं जिनका काल लगभग 1486-1534 ईस्वी है। फिर एकनाथ हैं जिनका समय काल 1533-1599 ईस्वी माना जाता है। इसके बाद तुकाराम आते हैं, जिनका जीवन काल 1608-1649 ईस्वी है। अंत में रामदास हैं जिनका काल 1608-1681 ईस्वी है। यह क्रम इन महान संतों की जीवनी और उनके द्वारा की गई आध्यात्मिक योगदान को समझने में मदद करता है। प्रत्येक संत ने अपने समय में भक्ति आंदोलन और सामाजिक-धार्मिक सुधारों में महत्वपूर्ण भूमिका निभाई है, और इनके जीवन तथा उपदेशों को क्रमबद्ध तरीके से देखने पर इनके योगदान की गहराई को समझा जा सकता है।

85. (D): अहमदाबाद सत्याग्रह (1918), खेड़ा सत्याग्रह (1918), रोलैट एक्ट (1919), बारदोली सत्याग्रह (1928), और बिहपुर सत्याग्रह (1930) के आरोही क्रम में व्यवस्थित करने पर, हम देखते हैं कि यह क्रम भारतीय स्वतंत्रता आंदोलन के विकास को दर्शाता है। अहमदाबाद और खेड़ा सत्याग्रह दोनों 1918 में आयोजित किए गए थे, जहाँ मजदूरों और किसानों ने

क्रमशः बेहतर मजदूरी और टैक्स में राहत की मांग की थी। रोलैट एक्ट के विरोध में 1919 में व्यापक प्रदर्शन हुए, जिसे 'काला कानून' भी कहा जाता है। बारदोली सत्याग्रह 1928 में हुआ था, जहां किसानों ने उच्च करों के खिलाफ विरोध किया था। अंत में, बिहपुर सत्याग्रह 1930 में नमक सत्याग्रह के अंतर्गत हुआ था, जिसमें ब्रिटिश सरकार द्वारा नमक पर लगाए गए कर का विरोध किया गया था। ये सत्याग्रह भारतीय स्वतंत्रता संग्राम में बदलाव की दिशा में महत्वपूर्ण कदम थे।

86. (A): अभिकथन (A) सत्य है कि भरत शकुंतला और दुष्यन्त के पुत्र थे। यह महाकाव्य 'महाभारत' के अधिनिर्णय पर आधारित है, जिसमें भरत का जन्म और उनकी वीरता का वर्णन किया गया है। उनका पालन-पोषण वास्तव में शकुंतला द्वारा नहीं किया गया था, क्योंकि वह दुष्यन्त के दरबार में वापस जाने के बाद अपने पुत्र को वन में छोड़ आई थीं। भरत का लालन-पालन ऋषियों द्वारा किया गया था, जिन्होंने उन्हें वन में पाया और बड़ा किया। इसलिए, कारण (R) असत्य है क्योंकि यह अभिकथन की सही व्याख्या नहीं है।

87. (C): अभिकथन (A) सत्य है कि कल्हण की 'राजतरंगिणी' कश्मीर के शासकों का एक ऐतिहासिक अभिलेख है, जो कश्मीर के इतिहास को कविता के रूप में प्रस्तुत करती है और इसे संस्कृत में लिखा गया है। यह ग्रंथ कश्मीर के राजाओं के वंशावली और उनके शासन काल की घटनाओं का वर्णन करता है। दूसरी ओर, कारण (R) कि समुद्रगुप्त का उल्लेख नहीं किया गया है, यह असत्य है क्योंकि समुद्रगुप्त कश्मीर का शासक नहीं था और उनका कश्मीर के इतिहास से कोई सीधा संबंध नहीं है। 'राजतरंगिणी' में मुख्य रूप से कश्मीर के शासकों का इतिहास लिखा गया है, और यह विचार कि समुद्रगुप्त का उल्लेख न होने के कारण कृति अपूर्ण है, गलत है। 'राजतरंगिणी' अपने उद्देश्य में संपूर्ण है और कश्मीर के राजनीतिक इतिहास को सफलतापूर्वक दर्शाती है।

88. (B): अभिकथन (A) सत्य है कि ब्रिटिश भारत में मिशनरियों को बसने की अनुमति 1813 से लाइसेंस प्रणाली के अंतर्गत दी गई थी। यह नीति ब्रिटिश सरकार द्वारा लागू की गई थी ताकि धार्मिक प्रचार की गतिविधियों पर नियंत्रण रखा जा सके और सामाजिक स्थिरता बनाए रखी जा सके। हालांकि, कारण (R) यह कहता है कि यह नियंत्रित प्रवेश केवल 1833 तक ही बना रहा, यह सत्य है लेकिन यह अभिकथन की सही व्याख्या नहीं है। 1833 के बाद भी मिशनरियों की गतिविधियों पर विभिन्न प्रकार के नियंत्रण बने रहे, और इसलिए कारण अभिकथन का सही व्याख्या नहीं करता। यह केवल एक समय सीमा का उल्लेख करता है और इससे अभिकथन की पूर्णता स्पष्ट नहीं होती।

89. (A): अभिकथन (A) सत्य है कि सरदार वल्लभभाई पटेल ने एम.ए. जिन्ना से कहा था कि 'तलवार का जवाब तलवार से दिया जाएगा।' यह बयान उस समय के तनावपूर्ण राजनीतिक माहौल को दर्शाता है और भारत के विभाजन के संदर्भ में दिया गया था, जब पाकिस्तान की मांग चरम पर थी। कारण (R) भी सत्य है, क्योंकि सरदार पटेल ने यह बयान लॉर्ड वेवेल की योजना और जिन्ना के समर्थन की पृष्ठभूमि में दिया था, जो कि कांग्रेस के लिए एक चुनौतीपूर्ण स्थिति थी। इस प्रकार, दोनों कथन सत्य हैं और कारण, अभिकथन की सही व्याख्या है।

90. (C): अभिकथन (A) सत्य है कि 1916 का लखनऊ सम्मेलन कांग्रेस-लीग समझौता के कारण महत्वपूर्ण था और तिलक ने इसमें महत्वपूर्ण भूमिका निभाई थी। इस समझौते के माध्यम से कांग्रेस और मुस्लिम लीग ने एक साथ मिलकर ब्रिटिश राज के खिलाफ एकता दिखाने का निर्णय लिया था, जो भारतीय राष्ट्रीय आंदोलन के लिए एक महत्वपूर्ण कदम था। हालांकि, कारण (R) कि तिलक मुस्लिमों के लिए एक पृथक निर्वाचक मंडल के प्रबल समर्थक थे, असत्य है। तिलक ने वास्तव में इस समझौते का समर्थन किया था लेकिन वे पृथक निर्वाचक मंडल के प्रबल समर्थक नहीं थे; यह मुद्दा मुख्य रूप से मुस्लिम लीग द्वारा उठाया गया था।

91. (A): प्रागैतिहासिक काल के दौरान मानव आखेटक-संग्राहक हुआ करता था। इस युग में मानव समाज यायावर था, जो विभिन्न स्थानों पर भ्रमण करते हुए अपने भोजन की तलाश करता था। इस दौरान, मानव अपनी जीविका के लिए मुख्य रूप से शिकार और संग्रह पर निर्भर था, जिसमें वनस्पतियों और फलों का संग्रह तथा जानवरों का शिकार शामिल था। इस समयावधि को पुरापाषाण काल एवं मध्यपाषाण काल के नाम से भी जाना जाता है, जहां मानव ने बड़े पैमाने पर प्रकृति से प्राप्त संसाधनों का उपयोग किया था। इस युग की प्रमुख विशेषता यह थी कि मानव ने कृषि की खोज से पहले अपना जीवनयापन शिकार और संग्रह कर के किया था, जो उसे प्रकृति से सीधे तौर पर प्राप्त होते थे।

92. (D): खरगोश को शाकाहारी खाद्य-पदार्थों में शामिल नहीं किया जाता है। शाकाहारी खाद्य-पदार्थ का अर्थ है वे खाद्य सामग्री जो पौधों से प्राप्त होती हैं जैसे कि फल, पुष्प, और पत्तियाँ। इसके विपरीत, खरगोश जैसे जानवर मांसाहारी खाद्य-पदार्थों में आते हैं क्योंकि ये जीवित प्राणी हैं जिनका मांस मानव द्वारा खाया जाता है। प्राचीन समय में मानव ने इन जानवरों का शिकार किया था ताकि वे अपनी प्रोटीन की आवश्यकताओं को पूरा कर सकें। ये शिकारी गतिविधियाँ उनके खाद्य संसाधनों का एक महत्वपूर्ण हिस्सा बन गई थीं, जो कि उनके जीवन यापन का एक आवश्यक अंग था।

93. (C): पशुओं की हत्या के दौरान अक्सर घटित होने वाली घटनाएँ यह थीं कि वे अति क्रुद्ध एवं हमलावर हो जाते थे और मनुष्य घायल हो जाते थे। प्राचीन मानव, जिसके पास आधुनिक हथियार नहीं थे, अक्सर शारीरिक रूप से पशुओं के साथ संघर्ष करते थे। इस संघर्ष में मानव को अनेक बार गंभीर चोटें आती थीं और कई बार तो उनकी मृत्यु तक हो जाती थी। यह स्थिति इसलिए बनती थी क्योंकि पशुओं की शारीरिक ताकत मानव से अधिक होती है, और बिना किसी उचित हथियार के, मानव अक्सर इन संघर्षों में हार जाते थे। यह घटना उस समय के जीवन की दुष्करता और खतरे को दर्शाती है, जिसमें मानव ने अपने जीवन के लिए संघर्ष किया था।

94. (C): औजार निर्माण समयकाल को प्रथम औद्योगिक क्रांति के रूप में माना जाता है क्योंकि यह मानव के विकास में एक महत्वपूर्ण तकनीकी प्रगति का प्रतीक है। इस काल में, मानव ने पहली बार पत्थरों और अन्य सामग्रियों से उपकरण बनाना शुरू किया, जिसने उनके जीवन के तरीके में क्रांतिकारी परिवर्तन किया। ये उपकरण उन्हें बेहतर और अधिक कुशलतापूर्वक शिकार करने, खुदाई करने, काटने और अन्य कार्यों में सहायता करते थे, जिससे उनकी जीवन शैली और बचे रहने की क्षमता में सुधार हुआ। इसलिए, औजारों का आविष्कार और विकास ने मानव समाज के विकास में एक नया युग शुरू किया, जिसे प्रथम औद्योगिक क्रांति कहा जा सकता है, क्योंकि यह तकनीकी नवाचारों की शुरुआत थी जिसने मानव इतिहास में महत्वपूर्ण परिवर्तन किया।

95. (A): प्रागैतिहासिक युग में पुरापाषाण युग शामिल है। यह युग मानव इतिहास के सबसे प्रारंभिक कालों में से एक है, जब मानव ने पहली बार पत्थर के उपकरणों का उपयोग करना शुरू किया था। पुरापाषाण काल को लोअर पैलियोलिथिक पीरियड के नाम से भी जाना जाता है, और यह काल सामान्यतः लाखों वर्ष पहले का माना जाता है।

इस दौरान, मानव समूह यायावर थे और वे अपने भोजन और आश्रय के लिए प्राकृतिक संसाधनों पर निर्भर थे। पुरापाषाण युग की विशेषता यह थी कि इसमें मानव ने पहली बार सजीव और निर्जीव प्राकृतिक संसाधनों का उपयोग किया था, जिसने उनके जीवन और उत्तरजीविता की रणनीतियों में महत्वपूर्ण बदलाव लाया था।

96. (C): चार्टर एक्ट 1833 वह अधिकार पत्र (चार्टर एक्ट) है जिसमें परिषद में गवर्नर जनरल को सभी कानून बनाने की शक्ति दी गई थी। इस एक्ट के माध्यम से भारत में ब्रिटिश शासन के कानूनी ढांचे में महत्वपूर्ण परिवर्तन किया गया था। इस एक्ट ने

गवर्नर जनरल को परिषद के सदस्यों के साथ मिलकर कानून बनाने की व्यापक शक्तियां प्रदान कीं, जिससे वह भारतीय संदर्भ में विधायिका की भूमिका अधिक प्रभावी ढंग से निभा सके। इस अधिनियम के जरिए ब्रिटिश सरकार का उद्देश्य भारतीय प्रशासनिक सिस्टम को और अधिक केंद्रीकृत और नियंत्रित बनाना था, जिससे भारत में उनकी शासन व्यवस्था और भी सशक्त हो। इस अधिनियम को लागू करने के पीछे मुख्य कारण ब्रिटिश राज के अधीन भारत में एक समान और स्थिर कानूनी व्यवस्था स्थापित करना था, जिससे शासन तंत्र में विधायिका, न्यायिक और कार्यकारी शाखाओं के बीच समन्वय सुनिश्चित किया जा सके।

97. (D): ब्रिटिश द्वारा लागू की गई वैध प्रणाली पश्चिमी प्रेरित संहिता के साथ देशज कानून की व्याख्या पर विकसित और आधारित है। इसका मुख्य उद्देश्य ब्रिटिश शासन के तहत एक ऐसी कानूनी व्यवस्था स्थापित करना था जो ब्रिटिश कानूनों को प्रमुखता देते हुए भारतीय सामाजिक-सांस्कृतिक परिस्थितियों के अनुकूल हो। इस प्रणाली में ब्रिटिश कानूनी ढांचे को भारतीय परिस्थितियों में मिलाने का प्रयास किया गया था, जिसमें स्थानीय रीति-रिवाजों और कानूनों को भी समझा गया था। इससे ब्रिटिश अधिकारियों को भारतीय समाज को अधिक कुशलतापूर्वक नियंत्रित करने में मदद मिली और साथ ही साथ भारतीय जनता के बीच कानून की प्रामाणिकता और मान्यता को बनाए रखने की कोशिश की गई।

98. (C): ब्रिटिशों द्वारा भारत में वैध प्रणाली की संहिताकरण का उद्देश्य देशज जमींदारों, व्यावसायिक और शोषक के हितों की सुरक्षा था। इस प्रणाली के तहत ब्रिटिश अधिकारियों ने ऐसे कानून बनाए जो भारतीय जमींदारों और वर्ग विशेष के लोगों के हितों को संरक्षित करते थे। इसका मुख्य कारण यह था कि इन वर्गों का समर्थन प्राप्त करके ब्रिटिश शासन अपनी शक्ति और प्रभाव को भारत में मजबूती से स्थापित कर सके। इस प्रक्रिया में, कानूनों का संहिताकरण ब्रिटिश हितों की रक्षा करने के लिए और शोषणकारी तंत्र को वैधता प्रदान करने के लिए किया गया था, जिससे भारतीय समाज में उनका दबदबा बना रहे।

99. (C): भारत में संहिताकरण की प्रक्रिया शुरू करने वाले गवर्नर जनरल लॉर्ड बेन्टिक थे। लॉर्ड बेन्टिक के कार्यकाल में कानूनी प्रणाली में कई महत्वपूर्ण सुधार किए गए थे, जिसमें भारतीय समाज में व्याप्त विभिन्न प्रकार के अपराधों और सामाजिक कुरीतियों के खिलाफ कठोर कानूनों का सृजन शामिल था। उनके द्वारा लागू की गई नीतियों ने भारतीय समाज में कानूनी और सामाजिक ढांचे में व्यापक परिवर्तन किया और इस प्रकार उन्हें संहिताकरण की प्रक्रिया का आरंभक माना जाता है। लॉर्ड बेन्टिक के प्रयासों से भारतीय कानूनी प्रणाली में स्पष्टता और व्यवस्था स्थापित हुई, जिससे न्याय की प्रक्रिया में सुधार हुआ और समाज में न्याय के प्रति विश्वास बढ़ा।

100. (D): उपर्युक्त लेखांश का तात्पर्य भारत में कानून के विनियोग में असमानता है। इस लेख में ब्रिटिश कालीन भारत में लागू की गई न्यायिक प्रणाली के अंतर्गत विभिन्न सामाजिक और आर्थिक वर्गों के बीच मौजूद असमानताओं का वर्णन किया गया है। इसमें यह बताया गया है कि किस प्रकार उच्च जाति और विशेष वर्ग के लोगों को अधिक लाभ और छूट प्राप्त थी, जबकि निम्न वर्ग और सामान्य लोगों के साथ भेदभावपूर्ण व्यवहार किया जाता था। यूरोपियन वंशजों के लिए अलग से न्यायालय और कानून होना इस असमानता का एक प्रमुख उदाहरण है। इस प्रकार, यह लेख ब्रिटिश शासन के दौरान भारतीय विधि प्रणाली में व्याप्त असमानताओं और भेदभाव की समीक्षा करता है।

पिछले प्रश्न-पत्र

National Testing Agency (NTA)

UGC-NET जूनियर रिसर्च फैलोशिप तथा सहायक प्राध्यापक पात्रता परीक्षा

इतिहास, जून-2023

(Exam held on 16-06-2023)

प्रश्न-पत्र-II

1. 'उकट्ठा' एवं 'कीतागिरी' निम्नलिखित में से किस महाजनपद के महत्वपूर्ण शहर हैं?
A. कोसल B. काशी
C. मत्स्य D. अवंती

2. निम्नलिखित में किस राजवंश द्वारा मंडासा एवं सान्ता-बोमाली अनुदान जारी किए गए?
A. गंग B. कदम्ब
C. चालुक्य D. राष्ट्रकूट

3. निम्नलिखित में से किसके द्वारा भारत में शैल चित्रकला को प्रथमतया खोजा गया था?
A. ए.सी.एल. कार्लाइल B. एफ.आर. ऑल्चिन
C. एम.सी. बर्किट D. एल.ए. कैम्मिएड

4. निम्नलिखित में से किस शासक के द्वारा महाशिलाकंटक एवं रथमूसल नामक दो गुप्त 'युद्ध-शस्त्र' का प्रयोग किया गया?
A. बिम्बिसार B. अजातशत्रु
C. नागदशक D. समुद्रगुप्त

5. निम्नलिखित में से किसने हर्षवर्धन को उनके भाई की मृत्यु के पश्चात राजगद्दी संभालने के लिए आमंत्रित किया था?
A. बाणभट्ट B. पोनी
C. ध्रुववर्धन D. देवगुप्त

6. निम्नलिखित किस विचारक ने 'द न्यू इंस्ट्रूमेंट' की रचना की एवं कहा कि "ज्ञान ही शक्ति है"।
A. रेने देकार्त B. ब्लाइस पास्कल
C. फ्रांसिस बेकन D. बी. स्पिनोजा

7. प्राकृत भाषा में लिखी गई एक काव्य कृति 'गौड़-वहो' की रचना किसने की है?
A. वाक्पति B. हेमचन्द्र
C. पम्पा D. वाग्भट्ट

8. प्राचीन भारत में निम्नलिखित कौन-सा तटीय बन्दरगाह, मोतियों और मछलियों के लिए प्रसिद्ध था?
A. अरिकामेडु B. कावेरीपट्टनम
C. कीलादि D. कोरकई

9. उस अभिलेख का नाम बताएँ जो कृष्ण के द्वारा अपने शत्रुओं का विनाश करने के बाद अपनी माता देवकी के पास जाने का उल्लेख करता है।
A. जूनागढ़ अभिलेख B. भीतरी अभिलेख
C. नानाघाट अभिलेख D. नासिक अभिलेख

10. एक अज्ञात लेखक द्वारा रचित 'स्मृति संग्रह' निम्नलिखित किस विषय पर लिखी गई एक कृति है?
A. धर्म एवं दर्शन
B. गुप्तचर व्यवस्था
C. विधि एवं विधिक संस्थाएँ
D. सैन्य एवं युद्ध

11. निम्नलिखित में से कौन एक पुरातात्विक अवशेषों के तिथि-निर्धारण की प्रविधि नहीं है?
A. सोनार संवेदन प्रविधि
B. थर्मोल्युमिनेसेन्स (ताप-संदीप्ति) विधि
C. त्वरित संहति स्पेक्ट्रोमिति
D. इलेक्ट्रॉन स्पिन अनुवाद (रेजोनेंस) विधि

12. "इस मन्दिर की आयोजना कुछ असाधारण-सी है। इसका तल-घर समुद्र के किनारे अवस्थित है। इसलिए स्वभावतः मन्दिर के अन्य भागों को इसके पीछे वाले हिस्से में रखा है। मध्य के भवन को एक बड़ी-सी दीवार घेरे हुए हैं और खुले दलान में पश्चिम से प्रवेश करना पड़ता है। लगता है कि पश्चिमी छोर पर बाद में दो और देवस्थानों को जोड़ दिया गया जिसमें से एक छोटा 'विमान' है जिसके सर्वप्रथम दर्शन पर वह हमें मन्दिर का मुख्य प्रवेश-द्वार मालूम पड़ता है। इस प्रकार मन्दिर के जो भाग बढ़ाए गए हैं उनके कारण तटवर्ती मन्दिर और उसके दो विमानों का रूप असामान्य-सा है पर किसी भी कदर कम मनोहर नहीं।"

उपर्युक्त गद्यांश किस मन्दिर की वास्तुकला का वर्णन करता है?
A. कोणार्क मन्दिर
B. मामल्लपुरम
C. कुमारी मन्दिर
D. द्वारका

13. "किसी नयी संस्कृति को समझने एवं उसे अपनाने हेतु....साम्राज्यिक सभ्यता में विविध प्रकार के विजित लोगों से प्राप्त हुए बहुत से योगदानों को समाविष्ट किया जा सकता है।"

उपर्युक्त गद्यांश को किसने लिखा?
A. फ्रांसिस फुकुयामा
B. ए.के. कुमारस्वामी
C. जोसेफ एस. न्ये
D. युआल नोह हरारी

14. निम्नलिखित अधिकारियों में से कौन मुगलकालीन भारत में शहरों के प्रशासन से संबद्ध नहीं था?
A. नाजिम
B. काजी
C. मीर-ए-अदल
D. कोतवाल

15. इब्न-बतूता के अनुसार भारत में दिल्ली की तरह समान वर्ग में रखा जा सकने वाला एकमात्र शहर था :
A. लखनौती
B. सतगाँव
C. मदुरई
D. दौलताबाद

16. सोलहवीं शताब्दी के विजयनगर शासन की राजनैतिक अर्थव्यवस्था को सामंती किसने कहा है?
A. एन. काराशिमा
B. बर्टन स्टीन
C. के.वी. रमेश
D. एन. वेंकटरमणय्या

17. यह किसका अभिकथन है कि शिवाजी का स्वराज कुछ भी नहीं था, केवल वतन की प्रतिकृति था?
A. वी.ए. स्मिथ
B. जदुनाथ सरकार
C. ए.आर. कुलकर्णी
D. आंद्रे विंक

18. "देश का अधिकांश भाग अच्छी तरह से वृष्ट एवं बहुत उपजाऊ है। वहाँ सैनिकों की संख्या ग्यारह लाख के आस-पास है।"

विजयनगर राज्य के संदर्भ में उपरोक्त टिप्पणी किसने की है?
A. नूनिज
B. अब्दुर रज्जाक
C. निकोलो कोन्टी
D. डी. बारबोसा

19. "दूर से देखने पर शहर अत्यंत आकर्षक दिखाई पड़ते हैं किन्तु अन्दर से उन सबकी भव्यता गलियों के संकरेपन एवं भीड़ की आपा-धापी में खो जाती है।"

मुगलकालीन भारत के शहरों के संदर्भ में उपरोक्त कथन किसने दिया था?
A. फादर मोन्सरेट
B. सर थॉमस रो
C. पीटर मुंडी
D. टैवर्नियर

20. "कोई महिला एक शासिका के रूप में अपने कर्तव्य का निर्वहन नहीं कर सकती है, क्योंकि उसमें बौद्धिक रूप से पर्याप्त रूप में न्यूनता (कमी) पायी जाती है।"

उपरोक्त टिप्पणी किसके द्वारा की गई है?
A. जियाउद्दीन बरनी
B. इब्न बतूता
C. इसामी
D. मिन्हाज-उस-सिराज

21. विजयनगर राज्य से संबंधित निम्नलिखित कौन-सा कथन सही है?
A. राज्य नामक प्रशासनिक इकाई प्रधानी कहे जाने वाले एक वरिष्ठ सरकारी अधिकारी के अधीन होता था।

B. प्रत्येक राज्य का मुख्यालय सीमा कहलाता था।
C. राज्य सम्पूर्ण 16वीं शताब्दी के दौरान एक महत्वपूर्ण प्रशासनिक राजस्व इकाई थे।
D. राज्यों का सृजन (स्थापना) तुलुव वंश के शासकों द्वारा किया गया था।

22. निम्नलिखित में से किसने बहमनी वंश की राजधानी को दौलताबाद से गुलबर्गा स्थानान्तरित किया?
A. अलाउद्दीन हसन बहमन शाह
B. मुहम्मद I
C. दाउद II
D. फिरोज

23. मिन्हाज सिराज के संदर्भ में निम्नलिखित में से किस स्थान का उल्लेख शहर-ए-नाऊ के रूप में किया जाता है?
A. लश्करगाह B. किलोखरी
C. मेहरौली D. तुगलकाबाद

24. निम्नलिखित में से कौन-सा कथन सही नहीं है?
A. बुनाई के क्षेत्र में महत्वपूर्ण आविष्कार अर्थात सपाट (समतल) रूप वाली हाथ से चलाई जाने वाली सिलाई मशीन का पहली बार उल्लेख वर्ष 1469 ई. में संकलित की गई पुस्तक मिफताहउल-फुजाला में हुआ है।
B. बाबर ने भारत में दासों का उल्लेख नहीं किया है।
C. महमूदी एवं मुजफ्फरी गुजरात एवं मालवा की टकसाल में टंकित हल्के प्रकार के रजत सिक्के थे।
D. लोदियों के द्वारा जारी किया गया बहलोली टंका कांस्य निर्मित था।

25. निम्नलिखित में से किसने सम्राट मुहम्मदशाह से खालसा भूमि से हजारा-प्रथा के उन्मूलन के लिए वकालत (निवेदन) किया?
A. शाह वली-उल्लाह
B. रतन चन्द
C. ख्वाजा मीरदर्द
D. सवाई जयसिंह

26. निम्नलिखित में से किस फिल्म में सुभाष चन्द्र बोस के जीवन की अवस्था और सिंगापुर में आई.एन.ए. के कार्यों को चित्रित किया गया है?
A. आदमी B. पहला आदमी
C. उदयकाल D. हावड़ा ब्रिज

27. सुभाष चन्द्र बोस ने भारतीय राष्ट्रीय सेना (आई.एन.ए.) के दो मुख्यालयों की स्थापना _______ में की?
A. रंगून और सिंगापुर
B. रंगून और टोक्यो
C. सिंगापुर और टोक्यो
D. सिंगापुर और क्योटो

28. भारतीय चलचित्र समिति, 1927-28 का सदस्य निम्नलिखित में से कौन नहीं था?
A. दीवान बहादुर टी. रंगचरियार
B. के.सी. नियोगी
C. कर्नल जे.डी. क्राफोर्ड
D. कर्नल एम.एम. स्मिथ

29. किसने कहा कि, ''यदि इतिहास हमें कोई सबक सिखाता है तो वह है कि कोई ऐतिहासिक सबक नहीं है''?
A. लुसियन फेबव्रे B. थॉमस फुलर
C. आर.जी. कॉलिंगवुड D. ई.एच. कार

30. एक क्रेता बाजार (मोनोपसोनी) शब्द का आशय क्या है?
A. यह अनेक विक्रेताओं किंतु केवल एक क्रेता वाले बाजार का एक प्रकार है, जो कि विक्रेताओं को शर्तों के बारे में आदेश देने की स्थिति में होता है।
B. यह एक विक्रेता किंतु अनेकों क्रेताओं वाली बाजार का एक प्रकार है और इसमें क्रेताओं के पास कोई विकल्प नहीं होता है।
C. यह बाजार का वह प्रकार है जिसमें अनेक विक्रेता एवं अनेक क्रेता होते हैं एवं दोनों के पास बहुत सारे विकल्प होते हैं।
D. यह वह बाजार है जिसमें सीमित विकल्पों वाले दो विक्रेता एवं अनेकों क्रेता होते हैं।

31. भारतीय सेना में अधिकारियों के पूर्ण भारतीयकरण हेतु योजना तैयार करने के लिए कौन-सी कमेटी (समिति) गठित की गई थी?

A. किचनर समिति
B. शिया समिति
C. कर्जन समिति
D. डफ समिति

32. वर्ष 1923 में हिन्दू महासभा के विशेष सत्र की अध्यक्षता किसने की थी?

A. राजेन्द्र प्रसाद
B. लाजपत राय
C. वीर सावरकर
D. सरदार पटेल

33. मुस्लिम लीग के संदर्भ में निम्नलिखित में से कौन-सा कथन सही **नहीं** है?

A. मुस्लिम लीग का गठन 30 दिसंबर, 1906 को हुआ था।
B. मुस्लिम लीग का उद्देश्य ब्रिटिश सरकार के प्रति भारतीय मुसलमानों में स्वामिभक्ति की भावना को बढ़ावा देना था।
C. मुस्लिम लीग का उद्देश्य भारतीय मुसलमानों के राजनैतिक एवं अन्य अधिकारों का संरक्षण था।
D. मुस्लिम लीग का उद्देश्य मुसलमानों की आवश्यकताओं एवं अपेक्षाओं को उग्र एवं प्रतिशोध की भाषा में सरकार के समक्ष रखना था।

34. राष्ट्रीय उन्नति की कुंजी के रूप में वैज्ञानिक शिक्षा के संवर्धन हेतु वर्ष 1876 में 'इंडियन एसोसिएशन फॉर द कल्टीवेशन ऑफ साइंस' की स्थापना किसने की थी?

A. महेन्द्र लाल सरकार
B. हेनरी विवियन डेरोजियो
C. राधाकान्त देव
D. ईश्वर चन्द्र विद्यासागर

35. निम्नलिखित में से कौन-सा सही **नहीं** है?

A. उच्चतम न्यायालय में एक मुख्य न्यायाधीश एवं 28 से अधिक न्यायधीश नहीं होते हैं।
B. उच्चतम न्यायालय के पास मौलिक एवं अपीलीय अधिकार क्षेत्र होता है।
C. भारत के उपराष्ट्रपति का चुनाव संसद के दोनों सदनों के सदस्यों द्वारा एकल हस्तांतरणीय विधि समानुपातिक प्रतिनिधित्व पद्धति के अनुसार होता है।
D. 42वें संशोधन अधिनियम (1976) में इसके नागरिकों को दस मौलिक कर्तव्य दिए गए हैं।

36. वर्ष 1819 में अफगानों से कश्मीर को किसने जीता था?

A. हरि सिंह
B. रंजीत सिंह
C. गुलाब सिंह
D. शमशेर सिंह

37. निम्नलिखित में से कौन-सा सही **नहीं** है?

A. सीताबाल्डी का युद्ध अंग्रेजों एवं अप्पा साहब भोंसले की सेनाओं के बीच लड़ा गया था।
B. पेशवा बाजीराव II ने पूना की संधि पर हस्ताक्षर किया था।
C. दौलत राव सिंधिया ने अंग्रेजों के साथ ग्वालियर की संधि की थी।
D. जनरल स्मिथ के नेतृत्ववाली अंग्रेजी सेना ने लस्वारी के युद्ध में बापू गोखले को पराजित किया था।

38. किसके भाषण के साथ फिल्म 'ब्रांडीची ब्रांडी की बोतल' (1939) का आरंभ होता है?

A. डॉ. बी.आर. अंबेडकर
B. महात्मा गांधी
C. लाला लाजपत राय
D. सरदार पटेल

39. भारत में ईस्ट इंडिया कंपनी के प्रशासन एवं कार्यकलाप संबंधी पंचम प्रतिवेदन (फिफ्थ रिपोर्ट) के बारे में निम्नलिखित में से कौन-सा कथन सही **नहीं** है?

A. इसे ब्रिटिश संसद में वर्ष 1815 में प्रस्तुत किया गया था।
B. यह 1002 पृष्ठों की थी।
C. इसकी लगभग 800 पृष्ठ की परिशिष्ट थी जिसमें जमींदारों और रैय्यतों की याचिकाएँ, विभिन्न जिलों के कलेक्टरों की रिपोर्ट, राजस्व प्राप्तियों संबंधी सांख्यिकीय सारणियाँ और राजस्व तथा बंगाल और मद्रास के न्यायिक प्रशासन संबंधी अधिकारियों के लिखे गए नोट्स शामिल थे।
D. पंचम रिपोर्ट सेलेक्ट कमेटी द्वारा प्रस्तुत की गई थी।

40. निम्नलिखित में से कौन-सा कथन सही **नहीं** है?

A. गणेश शंकर विद्यार्थी द्वारा संपादित समाचार पत्र 'नायक' बंगाली भाषा में था।

B. 'हिन्दी केसरी' समाचार पत्र तिलक द्वारा इसी नाम से संपादित समाचार पत्र का हिन्दी संस्करण था।

C. 'अभ्युदय' समाचार पत्र मदन मोहन मालवीय द्वारा प्रवर्तित था।

D. मराठी सैनिक 'राष्ट्रमत' को तिलक के नेतृत्व वाले गरम दल का अंग होने के कारण अत्यधिक लोकप्रियता प्राप्त हुई।

41. चित्रित धूसर मृदभाण्ड (पी.जी.डब्ल्यू.) के बारे में निम्नलिखित कौन-से कथन सही हैं?

(*a*) पी.जी.डब्ल्यू. की पहचान का (तादात्म्य) सर्वप्रथम 1940 के दशक में अहिच्छत्र (बरेली जिले में स्थित) से हुई।

(*b*) इसे उड़ीसा के तटीय क्षेत्र में स्थित स्थल थापली एवं पुरोला के स्थलों से भी पाया गया है।

(*c*) 1980 के दशक में माखनलाल द्वारा कानपुर जिले (उत्तर प्रदेश) में किए गए अध्ययन ने पी.जी.डब्ल्यू. स्थली एवं उनके अधिवास प्रतिरूपों को प्रकाश में लाया।

(*d*) नागदा, पी.जी.डब्ल्यू. के पर्याप्त तरीके से विकसित आद्य-नगरीय एवं अर्ध-नगरीय अवस्था का प्रतिनिधित्व करता है।

(*e*) आलमगीरपुर, काम्पिल, नोह, भगवानपुर एवं हस्तिनापुर से पी.जी.डब्ल्यू. भौतिक संस्कृति के साक्ष्य पाए जाते हैं।

नीचे दिए गए विकल्पों में से **सही उत्तर** का चयन कीजिए :

A. केवल (*a*), (*c*) और (*e*)

B. केवल (*a*), (*b*), (*c*) और (*d*)

C. केवल (*a*), (*c*) और (*d*)

D. केवल (*b*), (*c*), (*d*) और (*e*)

42. निम्नलिखित में से कौन-से कथन सही हैं?

(*a*) मास्की एवं गुर्जरा लघु शिला लेख के अतिरिक्त अशोक का उल्लेख अन्य सभी अभिलेखों में देवनामपिय एवं पियदस्सी के रूप में किया गया है।

(*b*) तेरहवें शिलालेख में, अशोक ने कलिंग युद्ध के कारण उत्पन्न कष्टों के प्रति वास्तविक पश्चाताप को व्यक्त किया है।

(*c*) आरमेइक लिपि वाले अशोक के अभिलेख तक्षशिला एवं जलालाबाद में पाए गए हैं।

(*d*) अशोक को पुरुगुप्त नामक बौद्ध भिक्षु द्वारा बौद्ध धर्म में दीक्षित किया गया।

(*e*) यूनानी (ग्रीक) एवं आरमेइक में लिखित अशोक का एक द्विभाषिक अभिलेख मैसूर स्थित कोपबल तालुक के गावीमठ एवं पलकीगुंडू से पाए गए।

नीचे दिए गए विकल्पों में से **सही उत्तर** का चयन कीजिए :

A. (*a*), (*b*), (*c*), (*d*) और (*e*)

B. (*b*), (*c*), (*d*) और (*e*)

C. (*a*), (*b*) और (*c*)

D. (*a*), (*b*), (*c*) और (*d*)

43. निम्नलिखित में से कौन-से कथन सही हैं?

(*a*) ह्वेनसांग एवं अलबरूनी ने कनिष्क द्वारा पेशावर में बौद्ध विहार निर्मित करवाए जाने संबंधी उल्लेख अपने विवरणों में अभिलिखित किया है।

(*b*) बौद्ध दार्शनिक अश्वघोष, पार्श्व एवं वसुमित्र ने कनिष्क का आश्रय प्राप्त किया।

(*c*) कनिष्क कालीन सिक्के के पृष्ठभाग पर ओएशो (शिव), साक्यमो बोड्डो, ओएडो, एल्शो आदि का निरूपण मिलता है।

(*d*) कनिष्क एवं उसके उत्तराधिकारियों के सिक्कों के पृष्ठ भाग पर खरोष्ठी लिपि में लेख मिलता है।

(*e*) कल्हण कृत राजतरंगिणी में हुष्क, जुष्क एवं कनिष्क नामक तीन शासकों का कश्मीर पर संयुक्त शासन का उल्लेख मिलता है।

नीचे दिए गए विकल्पों में से **सही उत्तर** का चयन कीजिए :

A. केवल (*a*), (*c*) और (*e*)

B. केवल (*a*), (*b*) और (*c*)

C. केवल (*a*), (*b*), (*c*) और (*d*)

D. केवल (*a*), (*b*), (*c*) और (*e*)

44. निम्नलिखित में से कौन-से कथन सही हैं?

(*a*) बराबर पहाड़ी पर स्थित गुफा में मौखरी प्रमुख (मुखिया) अनंतवर्मन द्वारा 5वीं सदी में कृष्ण की एक प्रतिमा चित्र प्रतिष्ठापित करवाया गया था।

(*b*) स्कंदगुप्त के जूनागढ़ अभिलेख में विष्णु का उल्लेख लक्ष्मी के आश्रय के रूप में किया गया है।

(*c*) पल्लवों के उनके पारिवारिक प्रतीक में शूकर का उल्लेख है।

(*d*) ईश्वर छंगू-नारायण अर्थात छंगू पर नारायण अथवा गरुड़, नेपाल में डोला पर्वत पर अवस्थित (स्थापित) हैं।

(*e*) विष्णु के वाराह, नरसिंह एवं वामन अवतार उदयगिरी एवं मामल्लपुरम स्थित शैलकृत गुफाओं की मूर्ति कलाओं में भी पाए जाते हैं।

नीचे दिए गए विकल्पों में से **सही उत्तर** का चयन कीजिए :

A. केवल (*a*), (*b*), (*c*) और (*d*)
B. केवल (*b*), (*c*), (*d*) और (*e*)
C. केवल (*a*), (*c*) और (*e*)
D. केवल (*a*), (*b*), (*d*) और (*e*)

45. निम्नलिखित में से कौन महापाषाणिक संरचनाओं के प्रकार/रूप हैं?

(*a*) मैनहिर
(*b*) संगोरा वृत्त
(*c*) डालमैन आकार वाला ताबूत
(*d*) फणाकृति पाषाण
(*e*) सरिखण

नीचे दिए गए विकल्पों में से **सही उत्तर** का चयन कीजिए :

A. केवल (*a*), (*b*) और (*d*)
B. केवल (*b*) और (*c*)
C. केवल (*a*), (*c*) और (*d*)
D. केवल (*a*), (*b*), (*c*), (*d*) और (*e*)

46. गृहसूत्र के अनुसार, निम्नलिखित में से कौन-सा कथन विवाह के संदर्भ में सर्वाधिक उपयुक्त है?

(*a*) विवाह हेतु समय, सूर्य के दक्षिणी दिशा की ओर गमन के समय तय किया जाना चाहिए।

(*b*) वर, कन्या के साथ अग्नि के फेरे लगाता है। (अग्निपरिणय)

(*c*) विवाह अनुष्ठान (संस्कार) कन्यादान के साथ आरंभ होता है। (कन्यादान)

(*d*) अधिकांश ग्रंथों के अनुसार विवाह संस्कार सप्तपदी के साथ समाप्त हो जाता है।

(*e*) ध्रुव अरुंधती दर्शन, वर के घर पर की जाने वाली विवाह संस्कार की एक प्रथा थी।

नीचे दिए गए विकल्पों में से **सबसे उपयुक्त उत्तर** का चयन कीजिए :

A. केवल (*a*), (*b*), (*c*) और (*d*)
B. केवल (*a*), (*c*) और (*e*)
C. केवल (*b*), (*d*) और (*e*)
D. केवल (*b*), (*c*), (*d*) और (*e*)

47. निम्नलिखित में से कौन-से कथन सही हैं?

(*a*) *कृषिपाराशर* एवं *कृषिसूक्ति* कृषि विषयक ग्रंथ हैं।

(*b*) बृहद्धोल या बड़े हल का उल्लेख जोधपुर से प्राप्त दसवीं शताब्दी के एक अभिलेख में मिलता है।

(*c*) *पर्यायमुक्तावली* भू-कर्षण की कृषि विषयक तकनीकियों से संबंधित ग्रंथ हैं।

(*d*) वापी का निर्माण आरंभिक मध्यकालीन भारत के राजस्थान एवं गुजरात में लोकप्रिय हुआ।

(*e*) कृषि संबंधित विस्तृत निर्देश अग्निपुराण एवं विष्णु धर्मोत्तरपुराण में पाया जाता है।

नीचे दिए गए विकल्पों में से **सही उत्तर** का चयन कीजिए :

A. केवल (*a*), (*c*), (*d*) और (*e*)
B. केवल (*b*), (*c*) और (*d*)
C. केवल (*a*), (*b*) और (*d*)
D. केवल (*a*), (*d*) और (*e*)

48. निम्नलिखित में से कौन-से कथन सही हैं?

(*a*) *'न्यायतत्व'* के लेखक नाथमुनि हैं, जिन्होंने विशिष्टाद्वैत संप्रदाय के दर्शन की विस्तृत व्याख्या प्रदान की है।

(*b*) इस संप्रदाय का आवश्यक सिद्धांत 'प्राप्ति' है जिसका अर्थ है ईश्वर के प्रति परम समर्पण।

(*c*) नाथमुनि द्वारा संस्थापित संप्रदाय अघोर के रूप में विख्यात हुआ।

(*d*) नाथमुनि रामानुज के उत्तराधिकारियों में से एक थे।

(*e*) नाथमुनि सथकोप के गीतों से प्रभावित थे।

नीचे दिए गए विकल्पों में से **सही उत्तर** का चयन कीजिए :

A. केवल (*b*), (*c*) और (*d*)

B. केवल (*a*), (*b*) और (*d*)

C. केवल (*a*), (*b*) और (*e*)

D. केवल (*c*), (*d*) और (*e*)

49. निम्नलिखित में से कौन-से कथन सही हैं?

(*a*) गुरु नानक विशेषतः पंजाब में अफगान शासकों द्वारा बनाई गई राजनैतिक प्रशासनिक व्यवस्था से पूर्ण रूप से परिचित थे।

(*b*) गुरु नानक की दृष्टि में बाबर की आक्रमणकारी सेना 'पापियों का समागम' था।

(*c*) गुरु नानक की समकालीन धार्मिक विश्वासों एवं अनुष्ठानों चाहे हिन्दू या मुस्लिम में कोई अभिरुचि नहीं थी।

(*d*) गुरु नानक की यह दृढ़ धारणा थी कि ईश्वर की कोई जाति नहीं होती।

(*e*) गुरु नानक मूर्तिकला के कर्मकांडीय पठन को समय की बर्बादी मानते थे।

नीचे दिए गए विकल्पों में से **सबसे उपयुक्त उत्तर** का चयन कीजिए :

A. केवल (*d*) और (*e*)

B. केवल (*a*), (*b*), (*d*) और (*e*)

C. केवल (*b*) और (*c*)

D. केवल (*a*), (*c*) और (*e*)

50. निम्नलिखित में से कौन-सा कथन सही है/हैं?

(*a*) बंदा बहादुर के अधीन सिखों ने सरहिंद, हिसार, सहारनपुर की सरकारों में नाटकीय सफलता प्राप्त की।

(*b*) बंदा बहादुर ने मुखलिसपुर में राजधानी स्थापित की।

(*c*) बंदा बहादुर ने सिख गुरुओं के नाम से सिक्के जारी किए।

(*d*) बंदा बहादुर ने मुगलों के आदेश पर उनकी मुहर का प्रयोग आरंभ किया।

(*e*) बंदा बहादुर ने मारवाड़ के राजा अजीत सिंह के साथ गठजोड़ (एलायंस) (बनाया) किया।

नीचे दिए गए विकल्पों में से **सबसे उपयुक्त उत्तर** का चयन कीजिए :

A. केवल (*b*) और (*c*)

B. केवल (*c*)

C. केवल (*a*), (*b*) और (*c*)

D. केवल (*c*), (*d*) और (*e*)

51. निम्नलिखित में से कौन-सा कथन सत्य है/हैं?

(*a*) शेरशाह ने अफगानिस्तान से लेकर उड़ीसा तक साम्राज्य स्थापित किया।

(*b*) शेरशाह ने प्रशासन में हिन्दवी जबान/भाषा का प्रयोग किया जो कि उसकी व्यावहारिक समझ का परिचायक था।

(*c*) शेरशाह ने सख्ती के साथ कानून एवं व्यवस्था को लागू किया।

(*d*) शेरशाह ने रजत (चांदी) सिक्कों के प्रचलन को बंद कर दिया।

(*e*) शेरशाह ने 3700 सरायों का निर्माण कराया।

नीचे दिए गए विकल्पों में से **सबसे उपयुक्त उत्तर** का चयन कीजिए :

A. केवल (*b*), (*c*), (*d*) और (*e*)

B. केवल (*d*) और (*e*)

C. केवल (*b*), (*c*) और (*d*)

D. केवल (*b*) और (*c*)

52. निम्नलिखित में से कौन-सा कथन सत्य है/हैं?

(*a*) दहशाला प्रणाली की शुरूआत अकबर द्वारा वर्ष 1579 में की गई जो माप पर आधारित थी।

(*b*) फसल-साझेदारी (बटाई) प्रणाली को दहशाला प्रणाली के क्रियान्वयन के पश्चात वापस ले लिया गया।

(*c*) पुरानी गज आधारित गज-ए-सिकंदरी को एक नवीन गज आधारित गज-ए-इलाही से प्रतिस्थापित कर दिया गया।

(*d*) मध्य प्रान्तों में कृषकों को भू-राजस्व नकद रूप में अथवा फसल-रूप देने का विकल्प दिया गया था।

(*e*) दहशाला अथवा फसल रूप देने का विकल्प दिया गया था।

नीचे दिए गए विकल्पों में से **सबसे उपयुक्त उत्तर** का चयन कीजिए :

A. केवल (*a*), (*b*) और (*c*)

B. केवल (*b*), (*c*), (*d*) और (*e*)

C. केवल (*a*) और (*c*)

D. केवल (*d*) और (*e*)

53. निम्नलिखित में से कौन-सा/से कथन सही हैं?

(*a*) यूरोप की तरह मुगलकालीन भारत में अभिजात वर्ग एक विविध कोटि थी।

(*b*) मुगल अभिजात वर्ग उच्च स्तरीय प्रशासन के कार्यों में शामिल नहीं थे।

(*c*) वर्ष 1595 और 1656-57 के मध्य मुगल अभिजात वर्ग के संगठन में भी परिवर्तन हुआ।

(*d*) ईरानियों, तूरानियों और शेखजादे अभिजात वर्गों के मध्य सामाजिक पृथक्करण समाप्त हो गया था।

(*e*) वे अभिजात वर्ग जिनके पूर्वज पीढ़ियों से मुगलशाही सेवा में थे, उन्हें खानजादा कहा जाता था।

नीचे दिए गए विकल्पों में से **सबसे उपयुक्त उत्तर** का चयन कीजिए :

A. केवल (*c*)

B. केवल (*c*) और (*e*)

C. केवल (*a*) और (*b*)

D. केवल (*c*), (*d*) और (*e*)

54. निम्नलिखित में से कौन-सा/से कथन सही है/हैं?

(*a*) सिक्के के रूप में रुपये का प्रयोग 17वीं सदी में मुगलकालीन भारत में घोषित किया गया।

(*b*) शाहजहाँ के ससुर आसफ खान ने सक्रियतापूर्वक समुद्री व्यापार किया।

(*c*) समुद्री व्यापार में सर्वाधिक रुचि लेने वाला मुगल शासक जहाँगीर था।

(*d*) वर्ष 1630 से, मुगलों ने बंगाल के समुद्री व्यापार पर नियंत्रण प्राप्त करने के लिए संयुक्त चेष्टा की।

(*e*) मुगलों ने पुर्तगाली व्यापारियों को उड़ीसा से बाहर निकाल दिया।

नीचे दिए गए विकल्पों में से **सबसे उपयुक्त उत्तर** का चयन कीजिए :

A. केवल (*a*)

B. केवल (*a*), (*b*) और (*c*)

C. केवल (*b*) और (*d*)

D. केवल (*c*) और (*e*)

55. निम्नलिखित में से कौन-सा/से कथन सही है/हैं?

(*a*) वर्ष 1649 में अंततः कंधार मुगलों के कब्जे से सफवियों के अधीन चला गया।

(*b*) जहाँगीर के शासनकाल में मुगल बंगाल पर अपना प्रभुत्व स्थापित करने में विफल रहे।

(*c*) शाहजहाँ ने मेवाड़ के राणा राज सिंह पर चित्तौड़ पर पुनः किलेबन्दी करने के लिए उसके विरुद्ध कार्रवाई की।

(*d*) शाहजहाँ कुमायूँ और गढ़वाल के राजाओं को मुगल आधिपत्य स्वीकार कराने में विफल रहा।

(*e*) वर्ष 1632 में शाहजहाँ द्वारा हुगली पर किए गए आक्रमण का पुर्तगालियों द्वारा सफलतापूर्वक प्रतिरोध किया गया।

नीचे दिए गए विकल्पों में से **सबसे उपयुक्त उत्तर** का चयन कीजिए :

A. केवल (*a*)

B. केवल (*b*), (*c*) और (*d*)

C. केवल (*c*), (*d*) और (*e*)

D. केवल (*a*) और (*c*)

56. निम्नलिखित में से कौन-सा/से कथन सही है/हैं?

(*a*) अपने भवनों में तुर्क सुल्तान मेहराब एवं गुंबद का प्रयोग व्यापक पैमाने पर करते थे।

(*b*) न तो मेहराब और न ही गुंबद तुर्की या मुस्लिम नवाचार था।

(*c*) तुर्क अपने भवनों में उत्तम कोटि के चूने के गारे का प्रयोग करते थे।

(*d*) तुर्की शासक अपने भवनों में कभी भी स्लैब और बीम विधि का प्रयोग नहीं करते थे।

(*e*) सर्वप्रथम वास्तविक मेहराब का प्रयोग सुल्तान नसीरुद्दीन महमूद के मकबरे में किया गया था।

नीचे दिए गए विकल्पों में से **सबसे उपयुक्त उत्तर** का चयन कीजिए :

A. केवल (*d*) और (*e*)

B. केवल (*a*), (*b*) और (*c*)

C. केवल (*b*) और (*c*)

D. केवल (*a*)

57. निम्नलिखित में से कौन-सा/से कथन सही हैं?

(*a*) नरेन्द्र नाथ चक्रवर्ती विवेकानन्द के नाम से जाने जाते थे।

(*b*) स्वामी विवेकानन्द ने न्यूयॉर्क में आयोजित धर्म-संसद में भाग लिया था।

(*c*) वर्ष 1897 में रामकृष्ण मिशन की स्थापना हुई थी।

(*d*) स्वामी विवेकानन्द ने कैलिफोर्निया की यात्रा की तथा लॉस एंजेल्स और सैन फ्रांसिस्को में भावी वेदान्त केन्द्रों के बीज बोये।

(*e*) स्वामी विवेकानन्द को पेरिस की हिस्ट्री ऑफ रिलीजन्स कांग्रेस में आमंत्रित किया गया था और वहाँ उन्होंने हिन्दू धर्म की प्रतिरक्षा में अपना वक्तव्य दिया।

नीचे दिए गए विकल्पों में से **सही उत्तर** का चयन कीजिए :

A. केवल (*c*), (*d*) और (*e*)

B. केवल (*a*), (*c*), (*d*) और (*e*)

C. केवल (*a*), (*b*), (*c*), (*d*) और (*e*)

D. केवल (*b*), (*c*), (*d*) और (*e*)

58. निम्नलिखित में से कौन-से सही हैं?

(*a*) जब द्वितीय विश्वयुद्ध की शुरूआत हुई, भारतीय साम्यवादियों ने सभी प्रकार के साम्राज्यवाद के प्रति अपनी संयुक्त मोर्चे की नीति को जारी रखा।

(*b*) जब हिटलर ने सोवियत संघ पर आक्रमण किया तब भारत के साम्यवादियों ने एक विपरीत पक्ष अपना लिया एवं इस युद्ध को जन-युद्ध (पीपल्स-वार) के रूप में पुनर्चिह्नित किया।

(*c*) भारत में साम्यवादियों ने सभी संभावित समर्थन का विस्तार किया एवं 1942 के लोकप्रिय विद्रोह को दबाने में अंग्रेजों के 'जासूसों' के रूप में कार्य तक किया।

(*d*) भारत सरकार ने कम्प्युनिस्ट पार्टी ऑफ इंडिया (सीपीआई) को एक वैध संगठन के रूप में 1942 में मान्यता दी।

(*e*) यह स्पष्ट रूप से प्रदर्शित करता है कि सीपीआई के नीतिगत निर्णयों को बाहरी एवं अन्तर्राष्ट्रीय शक्तियों के माध्यम से अधिवेशित किया जाता था।

नीचे दिए गए विकल्पों में से **सबसे उपयुक्त उत्तर** का चयन कीजिए :

A. केवल (*a*), (*b*) और (*c*)

B. केवल (*a*), (*b*), (*c*) और (*d*)

C. केवल (*a*), (*b*), (*c*), (*d*) और (*e*)

D. केवल (*a*), (*b*), (*d*) और (*e*)

59. निम्नलिखित फिल्मों के बारे में निम्नलिखित कौन-से सही हैं?

(*a*) *बालयोगिनी*, एक विधवा एवं इसकी पुत्री (बेटी) की वेदना (दुख) पर आधारित थी।

(*b*) *त्यागभूमि*, अस्पृश्यों की दुर्दशा पर आधारित थी।

(*c*) *सेवासदन* एक देशभक्ति पूर्ण फिल्म थी।

(*d*) *वंदेमातरम* तेलुगु भाषा में निर्मित की गई थी।

(*e*) *वंदेमातरम* फिल्म का निर्माण बी.एन. रेड्डी ने किया था।

नीचे दिए गए विकल्पों में से **सही उत्तर** का चयन कीजिए :

A. केवल (*a*), (*b*), (*c*), (*d*) और (*e*)

B. केवल (*a*), (*b*), (*c*) और (*d*)

C. केवल (*a*), (*b*) और (*c*)

D. केवल (*a*) और (*b*)

60. निम्नलिखित में से कौन-से सही हैं?

(*a*) पंडित मदनमोहन मालवीय ने बनारस हिंदू विश्वविद्यालय की स्थापना में महत्वपूर्ण भूमिका का निर्वहन किया।

(*b*) अरबिन्द घोष के मुकदमे में चित्तरंजनदास प्रतिवादी वकील थे।

(*c*) चित्तरंजन दास को प्यार से दीनबंधु कहा जाता था।

(*d*) दादाभाई नौरोजी, हाउस ऑफ कॉमन्स के लिए निर्वाचित होने वाले प्रथम भारतीय थे।

(*e*) बाल गंगाधर तिलक को 'भारतीय अशांति का जनक' कहा गया।

नीचे दिए गए विकल्पों में से **सही उत्तर** का चयन कीजिए :

A. केवल (*a*), (*b*), (*c*), (*d*) और (*e*)

B. केवल (*a*), (*b*), (*d*) और (*e*)

C. केवल (*a*), (*b*), (*c*) और (*d*)

D. केवल (*a*), (*b*) और (*c*)

61. निम्नलिखित में से कौन-से कथन सही हैं?

(*a*) हिंदी साहित्य में, राष्ट्रवाद एवं सामाजिक सुधार के युग का आरंभ भारतेन्दु हरिश्चन्द्र (1850-85) द्वारा किया गया था।

(*b*) उनकी रचना 'भारत दुर्दशा' भारत के पतन को दुर्भाग्य के रूप में वर्णित करती है।

(*c*) सुब्रमण्य भारती जिन्होंने बंकिमचन्द्र चटर्जी की तरह तमिल भाषा में लेखन किया, उन्होंने हिंदू देव कुल के देवताओं और देवियों के चित्रों का प्रयोग किया।

(*d*) सुब्रमण्य ने ईसा मसीह की प्रशंसा में एक कविता की रचना की जिसमें उन्होंने ईसा मसीह के मृत्यु-प्रतीक के बारे में बताया।

(*e*) सुब्रमण्य भारती ने मलयालम भाषा में पद्य (कविताओं) की रचना की।

नीचे दिए गए विकल्पों में से **सही उत्तर** का चयन कीजिए :

A. केवल (*a*), (*b*) और (*e*)

B. केवल (*a*), (*b*) और (*c*)

C. केवल (*a*), (*b*), (*c*) और (*d*)

D. केवल (*a*), (*b*), (*d*) और (*e*)

62. निम्नलिखित में से कौन-सा सही है?

(*a*) भारत सरकार ने बाम्बे सरकार पर दबाव बनाकर दक्कन-उपद्रव की जाँच के लिए आयोग के गठन की माँग की।

(*b*) 1857 के विद्रोह के दौरान चिनहट के युद्ध में अंग्रेजों की पराजय हुई।

(*c*) लॉर्ड डलहौजी ने अवध-रियासत को इस रूप में वर्णित किया "एक स्ट्रॉबेरी जो एक दिन हमारे मुँह में ही गिरेगा।"

(*d*) वर्ष 1896 में किसी फिल्म को पहली बार वाटसन के होटल बाम्बे में पर्दे पर दिखाया गया था।

(*e*) 1857 के विद्रोह के दौरान शाहमल ने उत्तर प्रदेश के बड़ौत-परगना के ग्रामीणों को लामबंद किया।

नीचे दिए गए विकल्पों में से **सही उत्तर** का चयन कीजिए :

A. केवल (*a*), (*b*), (*d*) और (*e*)

B. केवल (*a*), (*b*), (*c*), (*d*) और (*e*)

C. केवल (*a*), (*b*) और (*c*)

D. केवल (*a*), (*b*) और (*d*)

63. निम्नलिखित में से कौन-सा सही है?

(*a*) बाल गंगाधर तिलक वह पहले व्यक्ति थे जिन्होंने किसानों के सूखा अथवा अकाल अथवा महामारी के उनकी फसल पैदा नहीं हो पाने की दशा में भू-राजस्व का भुगतान नहीं करने की सलाह दी थी।

(*b*) जब वायसराय एल्गिन ने भारतीय मिलों में निर्मित कपड़ों पर उत्पाद शुल्क लगा दिया गया तब उन्होंने स्वदेशी आह्वान एवं ब्रिटिश वस्तुओं का बहिष्कार किया।

(*c*) तिलक को 1897 में गिरफ्तार किया गया एवं ब्रिटिश सरकार के विरुद्ध घृणा फैलाने एवं असंतोष फैलाने का आरोप लगाया गया।

(*d*) तिलक ने क्षमा मांगना अस्वीकार कर दिया एवं 18 माह के कठोर सश्रम कारावास को स्वीकार किया।

(*e*) बाल गंगाधर ने 'स्कैंडनेवियन ओरिजिन ऑफ आर्यन्स' नामक पुस्तक लिखी।

नीचे दिए गए विकल्पों में से **सही उत्तर** का चयन कीजिए :

A. केवल (*a*) और (*b*)

B. केवल (*a*), (*b*) और (*c*)

C. केवल (*a*), (*b*), (*c*) और (*d*)

D. केवल (*a*), (*b*), (*d*) और (*e*)

64. निम्नलिखित में से कौन-से कथन सही है?

(*a*) अंग्रेजों ने वर्ष 1639 में मद्रासपट्टनम में एक व्यापारिक चौकी निर्मित की।

(*b*) बंदोबस्त को स्थानीय स्तर पर छेनापट्टनम के रूप में जाना गया।

(*c*) ब्रिटिश ईस्ट इंडिया कंपनी ने बंदोबस्त संबंधी अधिकार का क्रय तेलुगु सामंतों, कालाहस्ती के नायकों से किया था।

(*d*) फोर्ट सेंट जॉर्ज, व्हाइट टाउन का केंद्र बन गया जहाँ पर अधिकांशतः यूरोपवासी रहा करते थे।

(*e*) किसी का रंग एवं धर्म नहीं निर्धारित करता था कि किसे फोर्ट सेंट जॉर्ज में रहने की अनुमति प्रदान की जानी थी।

नीचे दिए गए विकल्पों में से **सही उत्तर** का चयन कीजिए :

A. केवल (*a*) और (*b*)

B. केवल (*a*), (*b*) और (*c*)

C. केवल (*a*), (*b*), (*c*) और (*d*)

D. केवल (*a*), (*b*), (*d*) और (*e*)

65. जजमानी प्रथा के बारे में निम्नलिखित कौन-से कथन सही हैं?

(*a*) जजमानी प्रथा ग्रामीण शिल्पियों द्वारा कृषक परिवारों को फसल में उनके हिस्से के एवज में परंपरागत रूप से उपज के निश्चित हिस्से को दिए जाने पर आधारित थी।

(*b*) ताराशंकर बंदोपाध्याय द्वारा लिखित उपन्यास 'गणदेवता' में वर्ष 1920 एवं 1930 के दशक में पश्चिम बंगाल के आन्तरिक जिले के ग्रामीण जीवन का वर्णन किया गया है।

(*c*) गणदेवता को जजमानी प्रथा के पतन के रूप में चित्रित किया गया।

(*d*) जजमानी प्रथा, ब्राह्मणों द्वारा उनके जजमानों को प्रदत्त की जाने वाली धार्मिक सेवाओं तक सीमित थी।

(*e*) ब्रिटिश औपनिवेशिक काल में जजमानी प्रथा नगरीय जीवन का एक भाग (हिस्सा) थी।

नीचे दिए गए विकल्पों में से **सही उत्तर** का चयन कीजिए :

A. केवल (*a*) और (*b*)

B. केवल (*a*), (*b*) और (*c*)

C. केवल (*a*), (*b*), (*c*) और (*d*)

D. केवल (*a*), (*b*), (*c*) और (*e*)

66. सूची-I का सूची-II से मिलान कीजिए :

सूची-I (लघु शिलालेख)	सूची-II (स्थान)
(*a*) पंगुरड़िया	I. बेल्लारी, कर्नाटक
(*b*) उड़ेगोलम	II. चित्रदुर्ग, कर्नाटक
(*c*) जतिंग-रामेश्वर	III. मिर्जापुर, उत्तर प्रदेश
(*d*) अहरौरा	IV. सिहोर, मध्य प्रदेश

नीचे दिए गए विकल्पों में से **सही उत्तर** का चयन कीजिए :

	(*a*)	(*b*)	(*c*)	(*d*)
A.	IV	I	II	III
B.	IV	II	I	III
C.	III	II	IV	I
D.	I	III	II	IV

67. सूची-I का सूची-II से मिलान कीजिए :

सूची-I	सूची-II
(*a*) बौद्ध धर्म	I. स्कंद
(*b*) मुरुगन	II. शक्ति
(*c*) नाथ	III. तारा
(*d*) कोरावई	IV. सिद्ध

नीचे दिए गए विकल्पों में से **सही उत्तर** का चयन कीजिए :

	(a)	(b)	(c)	(d)
A.	III	I	IV	II
B.	I	III	II	IV
C.	II	IV	III	I
D.	IV	II	I	III

68. सूची-I का सूची-II से मिलान कीजिए :

सूची-I (लेखक)	सूची-II (पुस्तकें)
(a) युवाल एन. हरारी	I. पीपुल ऑफ द अर्थ
(b) दी गार्डन चाइल्ड	II. होमोडियस
(c) ए.एल. बाशम	III. पीसिंग टुगेदर द पास्ट
(d) ब्रायन एम. फेगन	IV. ए कल्चरल हिस्ट्री ऑफ इंडिया

नीचे दिए गए विकल्पों में से **सही उत्तर** का चयन कीजिए :

	(a)	(b)	(c)	(d)
A.	I	IV	III	II
B.	II	III	IV	I
C.	III	II	I	IV
D.	IV	I	II	III

69. सूची-I का सूची-II से मिलान कीजिए :

सूची-I	सूची-II
(a) वरुण	I. उषा-काल
(b) मन्यु	II. विश्वास (आस्था)
(c) उषा	III. ऋत् के नियामक
(d) श्रद्धा	IV. क्रोध

नीचे दिए गए विकल्पों में से **सही उत्तर** का चयन कीजिए :

	(a)	(b)	(c)	(d)
A.	III	IV	I	II
B.	I	II	III	IV
C.	III	II	I	IV
D.	II	I	IV	III

70. सूची-I का सूची-II से मिलान कीजिए :

सूची-I	सूची-II
(a) अमीर खुसरो	I. फुतूहस सलातीन
(b) जियाउद्दीन बरनी	II. सना-ए-मुहम्मदी
(c) रफीउद्दीन	III. तुगलकनामा
(d) इसामी	IV. तजकीरतुल मुलुक

नीचे दिए गए विकल्पों में से **सही उत्तर** का चयन कीजिए :

	(a)	(b)	(c)	(d)
A.	III	II	IV	I
B.	III	IV	II	I
C.	I	IV	II	III
D.	II	IV	I	III

71. सूची-I का सूची-II से मिलान कीजिए :

सूची-I	सूची-II
(a) निजामुद्दीन अहमद	I. तजकीरतुल-वाकियात
(b) अब्दुल कादिर बदायूंनी	II. तबकात-ए-अकबरी
(c) अब्बास सरवनी	III. मुंतखाब-उत-तवारीख
(d) जौहर अफतब्शी	IV. तोहफा-ए-अकबरशाही

नीचे दिए गए विकल्पों में से **सही उत्तर** का चयन कीजिए :

	(a)	(b)	(c)	(d)
A.	II	IV	III	I
B.	II	III	IV	I
C.	I	III	II	IV
D.	I	II	III	IV

72. सूची-I का सूची-II से मिलान कीजिए :

सूची-I	सूची-II
(a) इदरार	I. भूमि अनुदान
(b) खराज	II. कर मुक्त भूमि
(c) खालिसा	III. लवणीय भूमि
(d) ऊसर	IV. वह भूमि जिसका कर सीधे तौर पर राजा को प्राप्त होता था

नीचे दिए गए विकल्पों में से **सही उत्तर** का चयन कीजिए :

	(a)	(b)	(c)	(d)
A.	III	I	II	IV
B.	II	I	IV	III
C.	II	IV	I	III
D.	IV	II	I	III

73. सूची-I का सूची-II से मिलान कीजिए :

सूची-I	सूची-II
(*a*) पी. आनंद चारलू	I. मद्रास महाजन सभा
(*b*) के.टी. तैलंग	II. बाम्बे प्रेसीडेंसी एसोसिएशन
(*c*) आनंद मोहन बोस	III. इंडियन एसोसिएशन
(*d*) राजा राममोहन राय	IV. आत्मीय सभा

नीचे दिए गए विकल्पों में से **सही उत्तर** का चयन कीजिए :

	(*a*)	(*b*)	(*c*)	(*d*)
A.	I	II	III	IV
B.	II	I	IV	III
C.	II	I	III	IV
D.	I	II	IV	III

74. सूची-I का सूची-II से मिलान कीजिए :

सूची-I	सूची-II
(*a*) ज्योतिबा फुले	I. लाइफ ऑफ शिवाजी
(*b*) सुरेन्द्रनाथ बनर्जी	II. ए नेशन इन मेकिंग
(*c*) स्वामी विवेकानन्द	III. भक्तियोग
(*d*) दक्षिणारंजन मित्र मजूमदार	IV. ठाकुरमार झूली

नीचे दिए गए विकल्पों में से **सही उत्तर** का चयन कीजिए :

	(*a*)	(*b*)	(*c*)	(*d*)
A.	II	I	III	IV
B.	I	II	III	IV
C.	II	III	I	IV
D.	I	II	IV	III

75. सूची-I का सूची-II से मिलान कीजिए :

सूची-I	सूची-II
(*a*) उपरि	I. मराठों के शासनकाल में काश्तकारी अवधि की एक कोटि
(*b*) अमला	II. क्लर्क या कर संग्राहक
(*c*) देसाई	III. संपत्तिधारी या राजस्व अधिकारधारी
(*d*) मसन्द	IV. संगतों के अभिहित प्रभारी स्थानीय सिख अधिकारी

नीचे दिए गए विकल्पों में से **सही उत्तर** का चयन कीजिए :

	(*a*)	(*b*)	(*c*)	(*d*)
A.	I	II	III	IV
B.	II	I	III	IV
C.	II	I	IV	III
D.	I	II	IV	III

76. निम्नलिखित में से कौन-से 1857 के विद्रोह से संबंधित मत के बारे में सही है?

(*a*) टी.आर. होम्स ने इस मत को लोकप्रिय बनाया कि 1857 का विद्रोह, सभ्यता एवं बर्बर लोगों के मध्य का एक संघर्ष था।

(*b*) बेंजामिन डिजरायली ने इसे 'एक राष्ट्रीय उत्थान (उदय) के रूप में वर्णित किया है।

(*c*) वी.डी. सावरकर ने विद्रोह को राष्ट्रीय स्वतंत्रता हेतु योजनाबद्ध युद्ध के रूप में उल्लेख किया है।

(*d*) आर.सी. मजूमदार के तर्क का मुख्य केन्द्रबिन्दु था कि 1857 का विद्रोह कोई स्वतंत्रता संबंधी युद्ध नहीं था।

(*e*) जॉन शीले ने 1857 के विद्रोह को प्रकृति में देशभक्ति के रूप में वर्णित किया है।

नीचे दिए गए विकल्पों में से **सही उत्तर** का चयन कीजिए :

A. केवल (*a*), (*b*), (*d*) और (*e*)

B. केवल (*a*), (*b*) और (*c*)

C. केवल (*a*), (*b*), (*c*) और (*d*)

D. केवल (*a*), (*b*), (*c*), (*d*) और (*e*)

77. निम्नलिखित को कालानुक्रम में व्यवस्थित कीजिए:

(*a*) शाही भारतीय नौसेना में सैन्य विद्रोह

(*b*) कैबिनेट मिशन योजना की घोषणा

(*c*) प्रत्यक्ष कार्यवाही दिवस

(*d*) अंतरिम सरकार का गठन

(*e*) संविधान सभा की प्रथम बैठक

नीचे दिए गए विकल्पों में से **सही उत्तर** का चयन कीजिए :

A. (*b*), (*a*), (*d*), (*c*), (*e*)
B. (*b*), (*a*), (*c*), (*d*), (*e*)
C. (*a*), (*b*), (*c*), (*e*), (*d*)
D. (*a*), (*b*), (*c*), (*d*), (*e*)

78. निम्नलिखित को कालानुक्रम में व्यवस्थित कीजिए :

(*a*) प्रथम अफगान युद्ध
(*b*) सिंध-विजय
(*c*) प्रथम आंग्ल-सिख युद्ध
(*d*) ड्रिंकवाटर बेथ्यूने द्वारा कलकत्ता में हिन्दू गर्ल्स स्कूल का प्रारंभ
(*e*) द्वितीय आंग्ल-बर्मा युद्ध

नीचे दिए गए विकल्पों में से **सही उत्तर** का चयन कीजिए :

A. (*b*), (*a*), (*c*), (*d*), (*e*)
B. (*c*), (*a*), (*b*), (*d*), (*e*)
C. (*a*), (*b*), (*c*), (*d*), (*e*)
D. (*a*), (*c*), (*b*), (*d*), (*e*)

79. निम्नलिखित को कालानुक्रम में व्यवस्थित कीजिए :

(*a*) केरल वर्मा द्वारा शांकुतलम- का मलयालम में अनुवाद।
(*b*) भारतेन्दु हरिश्चन्द्र की मृत्यु।
(*c*) असम के बागान श्रमिकों की अवस्था की पड़ताल हेतु भारतीय संघ द्वारा द्वारकानाथ गांगुली को भेजा गया।
(*d*) शिव नारायण अग्निहोत्री द्वारा देव समाज स्थापित किया गया।
(*e*) सी.वी. रमन पिल्लई द्वारा मलयालम उपन्यास मार्तण्ड वर्मा का लेखन किया गया।

नीचे दिए गए विकल्पों में से **सही उत्तर** का चयन कीजिए :

A. (*e*), (*a*), (*b*), (*c*), (*d*)
B. (*c*), (*a*), (*b*), (*d*), (*e*)
C. (*a*), (*b*), (*c*), (*d*), (*e*)
D. (*b*), (*a*), (*c*), (*d*), (*e*)

80. निम्नलिखित राजवंशों को उनकी स्थापना के कालक्रमानुसार ढंग में व्यवस्थित कीजिए :

(*a*) कार्कोट
(*b*) शैलोद्भव
(*c*) मौखरी
(*d*) गहड़वाल
(*e*) आयुध

नीचे दिए गए विकल्पों में से **सही उत्तर** का चयन कीजिए :

A. (*c*), (*b*), (*a*), (*e*) और (*d*)
B. (*a*), (*b*), (*c*), (*e*) और (*d*)
C. (*e*), (*a*), (*b*), (*d*) और (*c*)
D. (*c*), (*b*), (*e*), (*a*) और (*d*)

81. निम्नलिखित को कालानुक्रम में व्यवस्थित कीजिए :

(*a*) सर प्रफुल्ल चन्द्र चटर्जी की अध्यक्षता में लाहौर में हिन्दू सम्मेलन का आयोजन हुआ।
(*b*) श्री अरबिन्द पाण्डिचेरी वापस आए।
(*c*) भारतीय विज्ञान संस्थान, बैंगलोर का कार्य आरंभ
(*d*) असम की विधान सभा का गठन।
(*e*) देहरादून में वन अनुसंधान संस्थान एवं कॉलेज खोला गया

नीचे दिए गए विकल्पों में से **सही उत्तर** का चयन कीजिए :

A. (*a*), (*b*), (*c*), (*d*) और (*e*)
B. (*a*), (*b*), (*d*), (*e*) और (*c*)
C. (*b*), (*a*), (*c*), (*d*) और (*e*)
D. (*b*), (*a*), (*d*), (*c*) और (*e*)

82. निम्नलिखित में से कौन शक शासक थे?

(*a*) रुद्रदमन
(*b*) चश्तान
(*c*) माओस
(*d*) गोन्डोफरेस
(*e*) मिथिराडेटस

नीचे दिए गए विकल्पों में से **सही उत्तर** का चयन कीजिए :

A. (*a*) और (*b*)
B. (*a*), (*b*) और (*c*)

C. (*b*), (*c*) और (*d*)
D. (*a*), (*b*), (*c*), (*d*) और (*e*)

83. निम्नलिखित विजयनगर शासकों को उनके शासन के सही कालक्रमानुसार ढंग में व्यवस्थित कीजिए।

(*a*) अच्युतदेव राय
(*b*) वेंकट प्रथम
(*c*) कृष्णदेव राय
(*d*) वीर नरसिंह
(*e*) सदाशिव

नीचे दिए गए विकल्पों में से **सही उत्तर** का चयन कीजिए :

A. (*a*), (*b*), (*d*), (*c*) और (*e*)
B. (*d*), (*c*), (*a*), (*b*) और (*e*)
C. (*a*), (*c*), (*b*), (*d*) और (*e*)
D. (*a*), (*b*), (*c*), (*e*) और (*d*)

84. अकबर के शासनकाल के दौरान निम्नलिखित को कालक्रमानुसार ढंग में व्यवस्थित कीजिए।

(*a*) कश्मीर का समामेलन (विलय)
(*b*) गुजरात की विजय
(*c*) नौरोज त्योहार का पुनरुत्थान
(*d*) हल्दीघाटी का युद्ध
(*e*) मालवा की विजय

नीचे दिए गए विकल्पों में से **सही उत्तर** का चयन कीजिए :

A. (*d*), (*e*), (*c*), (*b*) और (*a*)
B. (*e*), (*b*), (*d*), (*c*) और (*a*)
C. (*e*), (*d*), (*b*), (*c*) और (*a*)
D. (*b*), (*e*), (*c*), (*d*) और (a)

85. औरंगजेब के शासन काल में निम्नलिखित को कालानुक्रम में व्यवस्थित कीजिए।

(*a*) जजिया का पुनः आरोपण
(*b*) पुरंधर की संधि
(*c*) बीजापुर विजय
(*d*) शंभाजी को बंदी बनाना एवं प्राणदंड
(*e*) गोलकुण्डा की विजय

नीचे दिए गए विकल्पों में से **सही उत्तर** का चयन कीजिए :

A. (*a*), (*c*), (*b*), (*d*) और (*e*)
B. (*c*), (*b*), (*a*), (*d*) और (*e*)
C. (*b*), (*a*), (*c*), (*e*) और (*d*)
D. (*b*), (*c*), (*a*), (*e*) और (*d*)

86. नीचे दो कथन दिए गए हैं : एक अभिकथन (A) के रूप में लिखित है, तो दूसरा उसके कारण (R) के रूप में है।

अभिकथन (A): शैव सिद्धांत पर आधारित तिरुमंदिरम् नामक रचना के लेखक तिरुमलार का मत है कि आत्मा पदार्थ से कम नहीं होती, इसे यथार्थ के रूप में स्वीकार किया जाना चाहिए क्योंकि किसी एक को दूसरे से पृथक मानना असंभव है।

कारण (R): प्रेम एवं शिवम अनुभव की भिन्न श्रेणियाँ नहीं हैं। प्रेम अपनी चरमावस्था में शिवम पर पहुँचता है और उसी आनंदप्रद अवस्था में विश्रांति पाता है।

उपरोक्त कथन के आलोक में, नीचे दिए गए विकल्पों में से **सबसे उपयुक्त उत्तर** का चयन कीजिए।

A. दोनों (A) और (R) सत्य हैं और (R), (A) की सही व्याख्या है।
B. दोनों (A) और (R) सत्य हैं, लेकिन (R), (A) की सही व्याख्या नहीं है।
C. (A) सत्य है, लेकिन (R) असत्य है।
D. (A) असत्य है, लेकिन (R) सत्य है।

87. नीचे दो कथन दिए गए हैं :

कथन I: पूर्वी साम्राज्यों में से सर्वाधिक महत्वपूर्ण शक्तियाँ जिन्होंने गुप्त शासकों की अधीनता स्वीकार कर ली, वे समाताता और कामरूप थे।

कथन II: वे जनजातीय राज्य जिन्होंने गुप्त शासकों/साम्राज्य के प्रति सम्मान व्यक्त किया वे मालवा, अर्जुनायन, यौधेय, मदराक, आभीर और काकस थे।

उपरोक्त कथन के आलोक में, नीचे दिए गए विकल्पों में से सबसे उपयुक्त उत्तर का चयन कीजिए :

A. कथन I और II दोनों सही हैं।
B. कथन I और II दोनों गलत हैं।
C. कथन I सही है, लेकिन कथन II गलत है।
D. कथन I गलत है, लेकिन कथन II सही है।

88. नीचे दो कथन दिए गए हैं : एक अभिकथन (A) के रूप में लिखित है, तो दूसरा उसके कारण (R) के रूप में है।

अभिकथन (A): जयसिंह प्रथम के राज्यारोहण के साथ कछवाहा शाही परिवार ने समृद्धि एवं प्रसिद्धि की एक नई एवं अद्वितीय अवस्था में प्रवेश किया।

कारण (R): जयसिंह का बीजापुर पर आक्रमण एक महान सैन्य सफलता थी।

उपरोक्त कथन के आलोक में, नीचे दिए गए विकल्पों में से **सबसे उपयुक्त उत्तर** का चयन कीजिए।

A. दोनों (A) और (R) सत्य हैं और (R), (A) की सही व्याख्या है।
B. दोनों (A) और (R) सत्य हैं, लेकिन (R), (A) की सही व्याख्या नहीं है।
C. (A) सत्य है, लेकिन (R) असत्य है।
D. (A) असत्य है, लेकिन (R) सत्य है।

89. नीचे दो कथन दिए गए हैं :

कथन I: जब मंगल पांडे ने बैरकपुर में अपने अधिकारियों पर गोली चलाई, तो उनके एक साथी सिपाही शेख पलटू ने उन्हें रोकने का प्रयास किया।

कथन II: मंगल पांडे के मुकदमे के समय, मंगल पांडे ने केवल एक ही उत्तर दिया कि उन्होंने जो किया खुद से किया।

उपरोक्त कथन के आलोक में, नीचे दिए गए विकल्पों में से **सबसे उपयुक्त उत्तर** का चयन कीजिए :

A. कथन I और II दोनों सत्य हैं।
B. कथन I और II दोनों असत्य हैं।
C. कथन I सत्य है, लेकिन कथन II असत्य है।
D. कथन I असत्य है, लेकिन कथन II सत्य है।

90. नीचे दो कथन दिए गए हैं : एक अभिकथन (A) के रूप में लिखित है, तो दूसरा उसके कारण (R) के रूप में है।

अभिकथन (A): अहिल्याबाई होल्कर ने इंदौर को एक छोटे से गाँव से समृद्ध एवं सुंदर नगर के रूप में विकसित करवाया।

कारण (R): उन्होंने विधवाओं को अपने पतियों की धन-दौलत को राज्य या लालची संबंधियों अथवा प्रबंधकों को सुपुर्द करने की बजाय स्वयं अपने पास रखने हेतु सहायता की।

उपरोक्त कथन के आलोक में, नीचे दिए गए विकल्पों में से **सबसे उपयुक्त उत्तर** का चयन कीजिए।

A. दोनों (A) और (R) सत्य हैं और (R), (A) की सही व्याख्या है।
B. दोनों (A) और (R) सत्य हैं, लेकिन (R), (A) की सही व्याख्या नहीं है।
C. (A) सत्य है, लेकिन (R) असत्य है।
D. (A) असत्य है, लेकिन (R) सत्य है।

निर्देश (प्रश्न संख्या 91 से 95 तक): *नीचे दिए गए गद्यांश को पढ़िए तथा प्रश्नों के उत्तर दीजिए।*

दशकों तक पल्लव-चालुक्य संघर्ष चलता रहा, केवल बीच-बीच में युद्ध विराम का काल आया। पल्लवों का संघर्ष दक्षिण में पांड्यों से और उत्तर में राष्ट्रकूटों से भी हुआ। 9वीं शताब्दी की शुरूआत में ही, पल्लव शासक दंतिवर्मन के काल में राष्ट्रकूट शासक गोविंद-III ने कांची पर आक्रमण कर दिया। दंतिवर्मन के पुत्र नंदीवर्मन-III ने पाण्ड्यों को हराने में सफलता पाई। साम्राज्यवादी पल्लव शासकों में, अपराजित अंतिम सम्राट था। पश्चिमी गंग और चोलों की सहायता से उसने श्रीपुरमबियम के युद्ध में पाण्ड्यों को पराजित किया। 893 ई. में चोल शासक आदित्य-I के द्वारा पल्लवों का अंत हो गया, जिसके पश्चात् तोण्डईमंडलम् का नियंत्रण चोलों के हाथों में हस्तांतरित हो गया।

91. निम्नलिखित में से कौन राष्ट्रकूट शासक नहीं था?

A. गोविंद तृतीय B. कृष्ण प्रथम

C. शक्तिवर्मन D. नृपतुंग

92. गद्यांश में दिए गए 'तोण्डईमंडलम्' निम्नलिखित में से किसके लिए प्रयुक्त हुआ है?

A. कोयम्बटूर एवं सलेम के आसपास का क्षेत्र।

B. उत्तरी पेन्नार एवं उत्तरी वेल्लार नदियों के मध्य अवस्थित क्षेत्र।

C. कावेरी नदी के किनारे का क्षेत्र।

D. कावेरीपट्टनम के दक्षिण स्थित तटीय भू-भाग को समाविष्ट किया हुआ क्षेत्र।

93. निम्नलिखित में से कौन-सा क्षेत्र पश्चिमी गंग राजवंश द्वारा शासित किया गया?

A. आंध्र प्रदेश

B. कोंगनाडू

C. मैसूर

D. मेईलाई क्षेत्र

94. पल्लव एवं पश्चिमी चालुक्यों के मध्य संघर्ष का प्रारंभ निम्नलिखित में से किस पल्लव शासक के शासनकाल में हुआ?

A. महेन्द्रवर्मन प्रथम

B. महेन्द्रवर्मन द्वितीय

C. नन्दिवर्मन प्रथम

D. राजसिंह

95. निम्नलिखित में से कौन-सा पल्लव शासक, चोल शासक आदित्य प्रथम द्वारा पराजित हुआ था?

A. परमेश्वर

B. अपराजित

C. दंतिवर्मन

D. कम्पावर्मन

निर्देश (प्रश्न संख्या 96 से 100 तक): *नीचे दिए गए गद्यांश को पढ़िए तथा प्रश्नों के उत्तर दीजिए।*

उन्नीसवीं शताब्दी में चालीस के दशक में, पंजाब पर अंग्रेजों की विजय के कुछ समय पहले संभवतः पश्चिमी पंजाब में सिआन साहिब नाम से विख्यात भगत जवाहरमल द्वारा कूका आन्दोलन की आधारशिला रखी गई थी।

सिख धर्म में पहले से विद्यमान जाति भेद, हिन्दुओं में विधवाओं पर आरोपित सख्त नियम, और मूर्तियों, मकबरों और योगियों की पूजा जैसी बुराइयों एवं अंधविश्वासों को मिटाकर सिख धर्म का शुद्धीकरण करना इस आंदोलन का उद्देश्य था।

96. निम्नलिखित में से कौन-सा कूका आंदोलन के सिद्धांत का भाग **नहीं** है?

A. जाति-उन्मूलन

B. मांसाहार का त्याग

C. मद्य एवं मादक द्रव्य परिवर्जन

D. अन्तरजातीय विवाह पर प्रतिबंध लगाना

97. कूका आंदोलन के संस्थापक भगत जवाहर मल के प्रमुख अनुयायी (शिष्य) निम्नलिखित में से कौन थे?

A. बालक सिंह B. दूदू पंत

C. मूलराज सिंह D. ध्यान सिंह

98. कूका नेता रामसिंह ने किस सिख शासक की सेना में अपनी सेवाएँ दीं?

A. दिलीप सिंह

B. मूलराज सिंह

C. नौनिहाल सिंह

D. ध्यान सिंह

99. कूका समर्थक अपनी पगड़ी को विशिष्ट रीति से बाँधते थे, जिसे कहा जाता था :

A. शुद्ध-पुश्त पाग

B. सिद्धपाग

C. रिद्धि-सिद्धि पाग

D. पंथ पाग

100. कूका आन्दोलन के प्रमुख नेता रामसिंह ने स्वयं को किस सिख गुरु के अवतार के रूप में घोषित किया?

A. गुरु गोविन्द सिंह

B. गुरु तेगबहादुर

C. गुरु अंगद

D. गुरु अर्जुन देव

उत्तरमाला

1. **(A):** उकट्ठा और कीतागिरी दोनों कोसल महाजनपद के महत्वपूर्ण शहर थे। कोसल एक प्राचीन भारतीय महाजनपद था, जिसकी राजधानी अयोध्या थी। इस महाजनपद का वर्णन प्राचीन भारतीय ग्रंथों जैसे कि बौद्ध ग्रंथों और जैन ग्रंथों में भी मिलता है। उकट्ठा और कीतागिरी, कोसल के अंतर्गत आने वाले प्रमुख शहरों के रूप में उल्लेखित हैं, जो कि व्यापार और सांस्कृतिक गतिविधियों के केंद्र थे।

   इन शहरों के माध्यम से कोसल महाजनपद अन्य राज्यों के साथ व्यापारिक संबंध और सांस्कृतिक आदान-प्रदान में सक्रिय था। यह महाजनपद अपनी राजनीतिक शक्ति और धार्मिक महत्व के लिए जाना जाता था, जहां बौद्ध धर्म और जैन धर्म का प्रचार और प्रसार बहुत हुआ था।

2. **(B):** मंडासा और सान्ता-बोमाली अनुदान कदम्ब राजवंश द्वारा जारी किए गए थे। कदम्ब राजवंश दक्षिण भारत में एक प्रमुख राजवंश था, जिसकी स्थापना मयूरशर्मन ने की थी। इस राजवंश का मुख्य केंद्र बनवासी था। कदम्ब राजवंश ने कई धार्मिक और सामाजिक उपक्रमों का संचालन किया, जिसमें अनुदान और भूमि दान प्रमुख थे। मंडासा और सान्ता-बोमाली अनुदान उनके द्वारा बौद्धिक और धार्मिक कार्यों के लिए दिए गए थे।

3. **(A):** भारत में शैल चित्रकला को प्रथमतया खोजने का श्रेय ए.सी.एल. कार्लाइल को जाता है। 1880 के दशक में, उन्होंने मिर्जापुर के पास सोन नदी की घाटी में स्थित लेखनिया डांग पर प्राचीन चित्रों की खोज की थी। कार्लाइल उस समय भारतीय पुरातत्व विभाग में एक अधिकारी थे और उनकी इस खोज ने प्राचीन भारतीय चित्रकला के अध्ययन को एक नई दिशा प्रदान की।

   इन चित्रों की उम्र का अनुमान लगाने के लिए विभिन्न पुरातत्वशास्त्रीय तकनीकों का उपयोग किया गया, जिससे पता चला कि ये चित्र कई हजार वर्ष पुराने हैं। इस खोज ने भारत में पुरातात्विक अनुसंधानों में महत्वपूर्ण योगदान दिया और भारतीय चित्रकला के इतिहास को समझने में मदद की।

4. **(B):** अजातशत्रु, जो हर्यंक वंश का एक प्रमुख शासक था, ने महाशिलाकंटक और रथमूसल नामक दो युद्ध-शस्त्रों का प्रयोग किया था। अजातशत्रु का शासनकाल लगभग 492 ईसा पूर्व से 460 ईसा पूर्व तक माना जाता है। उन्होंने अपने पिता बिम्बिसार को हटाकर राजगद्दी प्राप्त की थी। अजातशत्रु के शासन काल में विशेषकर वैशाली के लिच्छवी गणराज्य के खिलाफ युद्ध में इन युद्ध-शस्त्रों का उपयोग हुआ था। महाशिलाकंटक एक प्रकार की बड़ी शिला थी जिसे दुश्मनों पर फेंका जाता था, जबकि रथमूसल एक बड़े युद्ध रथ पर लगी हुई बड़ी मूसल थी जिसे दुश्मनों को कुचलने के लिए प्रयोग किया जाता था।

5. **(B):** पोनी ने हर्षवर्धन को उनके भाई राज्यवर्धन की मृत्यु के पश्चात राजगद्दी संभालने के लिए आमंत्रित किया था। हर्षवर्धन उत्तरी भारत में थानेसर का शासक बना और बाद में कन्नौज का राजा बना। उनके भाई की मृत्यु उस समय हुई जब वह शशांक, गौड़ के राजा से युद्ध कर रहे थे। पोनी, जो कि एक महत्वपूर्ण सैन्य और प्रशासनिक अधिकारी था, ने हर्षवर्धन को राज्य की बागडोर संभालने के लिए उत्प्रेरित किया।

6. **(C):** फ्रांसिस बेकन ने 'द न्यू इंस्ट्रमेंट' की रचना की थी और उन्होंने कहा था कि 'ज्ञान ही शक्ति है'। बेकन एक अंग्रेजी दार्शनिक, राजनीतिज्ञ, और लेखक थे, जिन्होंने विज्ञान और दार्शनिक विचारों के क्षेत्र में महत्वपूर्ण योगदान दिया। उनकी पुस्तक 'नोवम ऑर्गेनम' जिसे 'द न्यू इंस्ट्रमेंट' भी कहा जाता है, ने वैज्ञानिक पद्धति की नींव रखी। इस पुस्तक में उन्होंने वैज्ञानिक विचार और प्रयोग के नए तरीके प्रस्तुत किए, जिससे विज्ञान की दिशा में क्रांति हुई।

7. (A): गौड़-वहो की रचना वाक्पति ने की है। यह कृति प्राकृत भाषा में लिखी गई एक महत्वपूर्ण काव्य रचना है, जिसमें राजनीतिक और सांस्कृतिक घटनाओं का वर्णन किया गया है। वाक्पति ने इस काव्य में गौड़ राज्य की सामाजिक, आर्थिक और राजनीतिक स्थिति को चित्रित किया है। वाक्पति की इस कृति को इतिहासकारों और साहित्यिक विद्वानों द्वारा प्राकृत भाषा की काव्य परंपरा में एक महत्वपूर्ण योगदान माना जाता है।

8. (D): कोरकई, प्राचीन भारत में एक प्रमुख तटीय बंदरगाह था, जो मोतियों और मछलियों के लिए प्रसिद्ध था। यह बंदरगाह तमिलनाडु के तटीय क्षेत्र में स्थित था और इसका ऐतिहासिक महत्व काफी उच्च्य था क्योंकि यह व्यापार और संस्कृति के आदान-प्रदान का एक मुख्य केंद्र था। कोरकई का उल्लेख तमिल संगम साहित्य में भी मिलता है, जो कि इसे तमिल व्यापार और नौवहन के लिए एक महत्वपूर्ण स्थल के रूप में दर्शाता है।

9. (B): स्कंदगुप्त के 'भीतरी स्तंभ लेख' में स्कंदगुप्त की तुलना कृष्ण से करते हुए कहा गया है, कि जिस प्रकार कृष्ण अपने शत्रुओं को परास्त करने के पश्चात् अपनी माँ देवकी के पास वापस गए, उसी तरह से स्कंदगुप्त भी अपने शत्रुओं को परास्त कर वापस आता है। जूनागढ़ अभिलेख शक क्षत्रप रुद्रदामन का है। रुद्रदामन का जूनागढ़ अभिलेख संस्कृत भाषा में लिखा गया, प्रथम अभिलेख है। नानाघाट अभिलेख, सातवाहन रानी नागनिका का है। नासिक अभिलेख, द्वितीय सातवाहन शासक, कृष्ण से संबंधित है।

10. (C): 'स्मृति संग्रह' विधि एवं विधिक संस्थाओं पर लिखी गई एक कृति है। यह ग्रंथ एक अज्ञात लेखक द्वारा रचित है, जिसमें प्राचीन भारतीय कानूनी और विधिक प्रणालियों के विभिन्न पहलुओं का गहन अध्ययन किया गया है। इस पुस्तक में विधियों, न्याय प्रक्रिया, दंड संहिता, और समाज में विधिक संस्थाओं की भूमिका जैसे विषयों पर विस्तार से चर्चा की गई है। यह ग्रंथ विधि शास्त्र के छात्रों और शोधकर्ताओं के लिए एक महत्वपूर्ण संसाधन माना जाता है, क्योंकि इसमें दिए गए विचार और व्याख्याएं उस समय की विधिक व्यवस्था को समझने में मदद करती हैं।

11. (A): सोनार संवेदन प्रविधि पुरातात्विक अवशेषों के तिथि-निर्धारण की प्रविधि नहीं है। यह तकनीक मुख्य रूप से समुद्री और जलीय पर्यावरण में वस्तुओं, संरचनाओं और भू-भाग की गहराई और संरचना का पता लगाने के लिए इस्तेमाल की जाती है। सोनार यानि **Sound Navigation and Ranging**, ध्वनि तरंगों का प्रयोग करके वस्तुओं की स्थिति और दूरी का निर्धारण करता है।

12. (B): उपर्युक्त गद्यांश में पल्लव शासक नरसिंहवर्मन II (राजसिंह) के शासनकाल में निर्मित तटीय मंदिर (Shore Temple) के स्थापत्य की चर्चा की गई है। यह तीन मंदिरों का समूह है। इनमें से दो शिव मंदिर हैं, जबकि एक विष्णु मंदिर है। शिव मंदिरों में से एक छोटा तथा एक बड़ा मंदिर है। इस मंदिर का मुख्य द्वार पश्चिम दिशा में है। तीनों मंदिर एक-दूसरे से जुड़े हुए हैं। मामल्लपुरम (महाबलीपुरम) मंदिर समूह यूनेस्को की विश्व धरोहर सूची में शामिल है।

13. (D): उपर्युक्त गद्यांश युआल नोह हरारी ने लिखा है। युआल नोह हरारी, एक इतिहासकार और लेखक हैं, जिन्होंने मुख्यतः मानव इतिहास और भविष्य के परिदृश्यों पर ध्यान केंद्रित किया है। उनकी लेखनी में साम्राज्यिक सभ्यताओं की विशेषताएं और उनके द्वारा विजित सभ्यताओं से प्राप्त योगदानों की महत्वपूर्णता को बार-बार उजागर किया गया है। हरारी का मानना है कि साम्राज्यिक सभ्यताएँ विभिन्न सांस्कृतिक, धार्मिक, और आर्थिक प्रभावों को समावेशित करने में सक्षम होती हैं, जिससे एक नयी और समृद्ध सभ्यता का निर्माण होता है। इस प्रकार, उनके लेखन में इतिहास और भविष्य के बीच की कड़ी को समझने की गहरी अंतर्दृष्टि मिलती है, जो पाठकों को न केवल इतिहास की घटनाओं को जानने में मदद करती है बल्कि वर्तमान और भविष्य के संदर्भ में उन्हें समझने का नजरिया भी प्रदान करती है।

14. (A): नाजिम मुगलकालीन भारत में शहरों के प्रशासन से संबद्ध नहीं था। नाजिम शब्द का प्रयोग मुगल साम्राज्य में अक्सर प्रांतों के शासकों के संदर्भ में किया जाता था, न कि शहरी प्रशासन के लिए। शहरी प्रशासन में मुख्य रूप से कोतवाल, जो कि शहर के पुलिस प्रमुख होते थे, और काजी, जो न्यायिक मामलों को संभालते थे, शामिल होते थे। नाजिम का मुख्य कार्य क्षेत्र प्रांतीय प्रशासन, साम्राज्य की आंतरिक सुरक्षा और कर संग्रहण में होता था।

15. (D): इब्न-बतूता के अनुसार, दिल्ली की तरह समान वर्ग में रखा जा सकने वाला एकमात्र शहर दौलताबाद था। इब्न-बतूता, जो कि 14वीं शताब्दी के मध्य में भारत आए थे, ने अपनी यात्राओं के दौरान दौलताबाद की उल्लेखनीय समृद्धि और भव्यता को दर्ज किया। दौलताबाद, जिसे देवगिरि के नाम से भी जाना जाता है, उस समय एक महत्वपूर्ण व्यापारिक और सैन्य केंद्र था। इसकी स्थिति और संरचना दिल्ली के समान ही प्रभावशाली थी, जिसमें विशाल दुर्ग, बड़े बाजार और विशाल आबादी शामिल थी। इब्न-बतूता का कहना है कि दौलताबाद की समृद्धि और आधारभूत संरचना उसे दिल्ली के समकक्ष बनाती है, जो उस समय भारत के सबसे महत्वपूर्ण शहरों में से एक था।

16. (A): विजयनगर साम्राज्य की राजनैतिक अर्थव्यवस्था को सामंती एन. काराशिमा ने कहा है। एन. काराशिमा एक प्रसिद्ध इतिहासकार हैं जिन्होंने दक्षिण भारतीय इतिहास पर गहन अध्ययन किया है, विशेष रूप से विजयनगर साम्राज्य के संदर्भ में। उन्होंने विजयनगर साम्राज्य की अर्थव्यवस्था का विश्लेषण करते हुए इसे सामंती व्यवस्था के रूप में पहचाना, जहाँ भूमि और राजस्व के अधिकार स्थानीय सामंतों के हाथों में केंद्रित थे।

17. (D): शिवाजी का स्वराज केवल वतन की प्रतिकृति था, यह अभिकथन आंद्रे विंक ने किया है। आंद्रे विंक एक इतिहासकार हैं जिन्होंने मराठा साम्राज्य और शिवाजी के शासन काल पर व्यापक अध्ययन किया है। विंक के अनुसार, शिवाजी का स्वराज, जिसे अक्सर एक स्वतंत्र और स्वदेशी राजनीतिक व्यवस्था के रूप में देखा जाता है, वास्तव में उस समय के प्रचलित वतन प्रणाली का एक विस्तार था। वतन प्रणाली में भूमि और अधिकारों का आवंटन वंशानुगत था, जो कि मराठा सामाजिक-राजनीतिक संरचना की एक विशेषता थी।

18. (B): विजयनगर राज्य के संदर्भ में उपरोक्त टिप्पणी अब्दुर रज्जाक ने की है। अब्दुर रज्जाक एक फारसी राजदूत था जो 1443 में विजयनगर साम्राज्य का दौरा करने आया था। उन्होंने अपनी यात्रा के दौरान साम्राज्य की समृद्धि और व्यवस्था का वर्णन किया। रज्जाक ने विशेष रूप से विजयनगर की उर्वरता और सैन्य क्षमता को उल्लेखित किया, जहां उन्होंने कहा कि वहाँ की भूमि बहुत उपजाऊ है और सैनिकों की संख्या ग्यारह लाख के आसपास है। यह विवरण विजयनगर साम्राज्य की आर्थिक और सैन्य ताकत को दर्शाता है और इस साम्राज्य के स्थानीय और अंतरराष्ट्रीय महत्व को समझने में मदद करता है।

19. (A): मुगलकालीन भारत के शहरों के संदर्भ में उपरोक्त कथन फादर मोन्सरेट ने दिया था। फादर मोन्सरेट एक जेसुइट मिशनरी थे जिन्होंने अकबर के दरबार में कुछ समय बिताया था। उन्होंने अपने अनुभवों को लिखित रूप में दर्ज किया, जिसमें उन्होंने मुगल शहरों की बाहरी सुंदरता और आंतरिक अव्यवस्था का वर्णन किया। मोन्सरेट ने उल्लेख किया कि शहर दूर से बहुत आकर्षक लगते हैं, परंतु जब कोई उनमें प्रवेश करता है, तो उसे गलियों की संकराई और भीड़-भाड़ से उत्पन्न होने वाली अव्यवस्था का सामना करना पड़ता है।

20. (C): इसामी ने उपरोक्त टिप्पणी की थी कि 'कोई महिला एक शासिका के रूप में अपने कर्तव्य का निर्वहन नहीं कर सकती है, क्योंकि उसमें बौद्धिक रूप से पर्याप्त रूप में न्यूनता पाई जाती है।' इसामी एक मध्यकालीन इतिहासकार थे जिन्होंने मुगल काल के दौरान भारतीय राजनीति और समाज के बारे में लिखा। इस टिप्पणी में उन्होंने महिलाओं की शासनिक

क्षमताओं पर अपनी स्पष्ट और नकारात्मक राय व्यक्त की, जो उस समय के समाज में प्रचलित लिंगभेदी धारणाओं को दर्शाता है।

21. (A): विजयनगर राज्य में प्रशासनिक इकाई के रूप में राज्य की स्थापना और उसका प्रबंधन एक वरिष्ठ सरकारी अधिकारी के अधीन होता था, जिसे प्रधानी कहा जाता था। विजयनगर साम्राज्य में राज्य प्रशासनिक ढांचे का मुख्य घटक था और प्रत्येक राज्य का प्रशासन एक प्रधानी द्वारा किया जाता था, जिसे विशेष अधिकार और जिम्मेदारियां प्रदान की गई थीं। ये अधिकारी राजस्व संग्रह, सामाजिक व्यवस्था और कानूनी मामलों को संभालते थे।

22. (A): बहमनी वंश की राजधानी को दौलताबाद से गुलबर्गा स्थानान्तरित करने का निर्णय अलाउद्दीन हसन बहमन शाह ने लिया था। अलाउद्दीन हसन बहमन शाह बहमनी साम्राज्य के संस्थापक थे और उन्होंने 1347 ईस्वी में इस साम्राज्य की स्थापना की थी। उनका यह निर्णय सामरिक और प्रशासनिक कारणों से प्रेरित था। गुलबर्गा, जिसे उन्होंने अपनी नई राजधानी के रूप में चुना, केंद्रीय दक्कन में स्थित है, जो कि उस समय विभिन्न क्षेत्रीय शक्तियों के बीच संतुलन स्थापित करने के लिहाज से महत्वपूर्ण था।

23. (B): मिन्हाज सिराज के संदर्भ में किलोखरी का उल्लेख शहर-ए-नाऊ के रूप में किया गया है। किलोखरी, जो कि दिल्ली के पास स्थित था, को सुल्तान नासिरुद्दीन महमूद के शासनकाल में महत्वपूर्ण शहरी विकास प्राप्त हुआ। मिन्हाज सिराज, जो एक प्रमुख इतिहासकार थे, ने इसे 'नया शहर' या शहर-ए-नाऊ के रूप में वर्णित किया, क्योंकि इस दौरान शहर ने नई बसावट और संरचनात्मक पुनर्निर्माण का अनुभव किया। किलोखरी का यह वर्णन मध्यकालीन भारत में शहरीकरण और स्थानीय प्रशासन की बढ़ती जटिलता को दर्शाता है। मिन्हाज के द्वारा किए गए इस वर्णन से उस समय के शहरी विकास की गतिशीलता और राजनीतिक महत्व की गहराई को समझने में मदद मिलती है।

24. (D): लोदियों के द्वारा जारी किया गया बहलोली टंका कांस्य निर्मित था, यह कथन सही नहीं है। लोदी वंश ने मुद्रा के रूप में मुख्यतः चांदी और सोने का इस्तेमाल किया। बहलोली टंका चांदी और सोने से निर्मित होते थे, न कि कांस्य से। इस प्रकार की गलतफहमी अक्सर हो सकती है क्योंकि इतिहास में मुद्रा की सामग्री को लेकर विभिन्न समयों में विभिन्न प्रकार की मुद्राएं चलन में रही हैं। हालांकि, लोदी वंश के दौरान जारी किए गए मुख्य मुद्राएं चांदी और सोने से बनी होती थीं, जो कि उस समय के मानक अनुसार थीं और इससे उनकी आर्थिक स्थिति और मुद्रा प्रणाली की स्थिरता का पता चलता है।

25. (A): शाह वली-उल्लाह ने सम्राट मुहम्मदशाह से खालसा भूमि से हजारा-प्रथा के उन्मूलन के लिए वकालत की थी। शाह वली-उल्लाह एक प्रभावशाली धार्मिक विद्वान थे जिन्होंने 18वीं शताब्दी में मुगल साम्राज्य में अपनी विचारधारा और सुधारात्मक उपायों के माध्यम से महत्वपूर्ण प्रभाव डाला। उन्होंने मुगल सम्राट मुहम्मदशाह के सामने खालसा भूमि में हजारा-प्रथा (एक प्रकार की कर प्रणाली जो किसानों पर अत्यधिक बोझ डालती थी) को समाप्त करने की अपील की थी।

26. (B): फिल्म 'पहला आदमी' में सुभाष चन्द्र बोस के जीवन की अवस्था और सिंगापुर में भारतीय राष्ट्रीय सेना (आई.एन.ए.) के कार्यों को चित्रित किया गया है। इस फिल्म में बोस की जीवनी और उनके द्वारा नेतृत्व किए गए आई.एन.ए. के संघर्षों और साहसिक कार्यों को प्रदर्शित किया गया है। फिल्म उनकी राजनीतिक और सैन्य गतिविधियों को दर्शाती है, जिसमें विशेष रूप से सिंगापुर में आई.एन.ए. के आधार पर उनके प्रयासों को उजागर किया गया है। इस फिल्म के माध्यम से दर्शकों को बोस के व्यक्तित्व और उनके द्वारा भारतीय स्वतंत्रता संग्राम में किए गए योगदान की गहराई से समझ मिलती है, साथ ही इसने ऐतिहासिक घटनाओं के चित्रण के माध्यम से उनकी विरासत को संरक्षित किया है।

27. (A): सुभाष चन्द्र बोस ने भारतीय राष्ट्रीय सेना (आई.एन.ए.) के दो मुख्यालयों की स्थापना रंगून और सिंगापुर में की। इन दोनों स्थानों का चयन उनकी रणनीतिक स्थितियों और भौगोलिक महत्व के कारण किया गया था। सिंगापुर, जहां आई.एन.ए. की स्थापना हुई, उसे स्वतंत्रता संग्राम के लिए एक महत्वपूर्ण केंद्र के रूप में विकसित किया गया। वहीं, रंगून ने इस सेना के लिए एक और महत्वपूर्ण संचालन केंद्र के रूप में कार्य किया। बोस का उद्देश्य इन मुख्यालयों के माध्यम से अधिक संगठित और प्रभावी ढंग से आजादी की लड़ाई को आगे बढ़ाना था, और इस प्रकार इन स्थानों का उपयोग भारतीय स्वतंत्रता के लिए एक नई उम्मीद और साहस के प्रतीक के रूप में किया गया।

28. (D): भारतीय चलचित्र समिति, 1927-28 का सदस्य कर्नल एम.एम. स्मिथ नहीं था। यह समिति भारतीय सिनेमा के विकास और उसके विनियमन पर चर्चा करने के लिए गठित की गई थी, जिसमें विभिन्न प्रमुख व्यक्तियों ने भाग लिया। समिति के सदस्यों में दीवान बहादुर टी. रंगचरियार, के.सी. नियोगी और कर्नल जे.डी. क्राफोर्ड शामिल थे, जिन्होंने फिल्म निर्माण, वितरण और प्रदर्शन से संबंधित मानदंडों और नीतियों पर अपनी राय दी। इस समिति का उद्देश्य भारतीय सिनेमा को और अधिक संगठित और विनियमित बनाना था, जिससे कि यह और अधिक व्यवसायिक रूप से व्यवहार्य और सांस्कृतिक रूप से प्रभावी हो सके। कर्नल एम.एम. स्मिथ का नाम इस समिति के सदस्यों में नहीं आता, जिससे यह स्पष्ट होता है कि उनका इसमें कोई योगदान नहीं था।

29. (A): 'यदि इतिहास में हमें कोई सबक सिखाता है तो वह है कि कोई ऐतिहासिक सबक नहीं है' यह कथन लुसियन फेबव्रे ने दिया था। लुसियन फेबव्रे, एक प्रमुख फ्रेंच इतिहासकार थे जिन्होंने ऐन्नाल्स स्कूल की स्थापना में महत्वपूर्ण भूमिका निभाई थी। फेबव्रे का यह कथन इतिहास की व्याख्या के पारंपरिक दृष्टिकोण को चुनौती देता है और इस विचार को प्रोत्साहित करता है कि इतिहास से सीधे-सीधे 'सबक' सीखने का विचार सरलीकरण है।

30. (A): एक क्रेता बाजार, जिसे मोनोपसोनी के रूप में जाना जाता है, वह बाजार का एक प्रकार है जिसमें अनेक विक्रेताओं के होने के बावजूद केवल एक क्रेता होता है। इस प्रकार की बाजार व्यवस्था में, एकमात्र क्रेता को महत्वपूर्ण बाजार शक्ति प्राप्त होती है, क्योंकि विक्रेताओं के पास अपने माल या सेवाओं को बेचने के लिए कोई अन्य विकल्प नहीं होता है। इस स्थिति में, क्रेता मूल्य निर्धारण और अन्य व्यापारिक शर्तों को नियंत्रित करने में सक्षम होता है, जिससे विक्रेताओं के लिए अक्सर व्यापार में नकारात्मक परिणाम हो सकते हैं। मोनोपसोनी बाजार आमतौर पर कुछ विशिष्ट उद्योगों में पाया जाता है, जहां केवल एक या दो बड़े खरीदार होते हैं, जैसे कि रक्षा उपकरणों का उद्योग जहां सरकार अक्सर एकमात्र खरीदार होती है।

31. (B): भारतीय सेना में अधिकारियों के पूर्ण भारतीयकरण के लिए योजना तैयार करने हेतु शिया समिति गठित की गई थी। यह समिति ब्रिटिश भारत में सेना के भारतीयकरण की प्रक्रिया को गति प्रदान करने के उद्देश्य से स्थापित की गई थी, जिसमें भारतीयों को अधिकारी के रूप में शामिल करने के तरीकों और चरणों की सिफारिशें की गईं। इस समिति का मुख्य कार्य ऐसे उपाय सुझाना था जिससे कि भारतीय सेना में अधिकारी स्तर पर भारतीयों की बढ़ोतरी हो सके। शिया समिति ने विभिन्न प्रशिक्षण प्रोग्रामों, चयन प्रक्रियाओं और सेना में करियर की संभावनाओं के सुधार के लिए सिफारिशें की, जिससे अंततः भारतीय सेना में नेतृत्व की भूमिकाओं में भारतीयों की भागीदारी बढ़ी।

32. (A): वर्ष 1923 में हिन्दू महासभा के विशेष सत्र की अध्यक्षता राजेन्द्र प्रसाद ने की थी। राजेन्द्र प्रसाद, जो कि बाद में भारत के पहले राष्ट्रपति बने, उस समय एक प्रमुख राजनीतिक और सामाजिक नेता थे। उनकी अध्यक्षता में हिन्दू महासभा का यह विशेष सत्र महत्वपूर्ण राजनीतिक और सामाजिक मुद्दों पर चर्चा करने के लिए आयोजित किया गया था। इस सत्र में भारतीय समाज में हिन्दू समुदाय की स्थिति और उसके

सामने आ रही चुनौतियों पर विशेष ध्यान केंद्रित किया गया था। राजेन्द्र प्रसाद की नेतृत्व क्षमता और उनकी विचारशीलता ने इस सत्र को विशेष बनाया और इसमें उठाए गए मुद्दों और सिफारिशों ने हिन्दू महासभा की भावी दिशा और नीतियों पर गहरा प्रभाव डाला।

33. (D): मुस्लिम लीग का उद्देश्य मुसलमानों की आवश्यकताओं एवं अपेक्षाओं को उग्र एवं प्रतिशोध की भाषा में सरकार के समक्ष रखना था, यह कथन सही नहीं है। मुस्लिम लीग का गठन वास्तव में ब्रिटिश भारत में मुसलमानों के हितों का संरक्षण और प्रचार करने के लिए किया गया था। इसका मुख्य उद्देश्य ब्रिटिश सरकार के प्रति मुसलमानों में वफादारी बढ़ाना और उनके राजनीतिक अधिकारों का संरक्षण करना था। मुस्लिम लीग ने अपनी मांगों और आवश्यकताओं को संवादात्मक और विनम्र तरीके से सरकार के समक्ष रखा, जिससे कि अधिक से अधिक उचित प्रतिक्रिया और समर्थन प्राप्त किया जा सके।

34. (A): 'इंडियन एसोसिएशन फॉर द कल्टीवेशन ऑफ साइंस' की स्थापना महेन्द्र लाल सरकार ने वर्ष 1876 में की थी। यह संस्था वैज्ञानिक शिक्षा के संवर्धन और भारत में विज्ञान के प्रचार-प्रसार के लिए स्थापित की गई थी। महेन्द्र लाल सरकार, जो एक प्रसिद्ध भारतीय चिकित्सक और समाज सुधारक थे, ने इस संस्थान की स्थापना के पीछे यह उद्देश्य रखा कि भारतीयों को वैज्ञानिक ज्ञान और शोध के क्षेत्र में उन्नति करने के अवसर प्रदान किए जा सकें। इस संस्थान ने विज्ञान के विभिन्न अनुशासनों में शोध और प्रयोगों को बढ़ावा दिया और भारतीय विज्ञानी समुदाय के लिए एक महत्वपूर्ण मंच के रूप में काम किया। यह संस्था आज भी वैज्ञानिक शिक्षा और शोध के क्षेत्र में अपना योगदान दे रही है, और इसकी स्थापना भारतीय विज्ञान की दिशा और दशा को निर्धारित करने में महत्वपूर्ण सिद्ध हुई।

35. (A): उच्चतम न्यायालय में एक मुख्य न्यायाधीश एवं 28 से अधिक न्यायाधीश नहीं होते हैं, यह कथन सही नहीं है। वर्तमान समय में वर्ष (2019 से) उच्चतम न्यायालय में न्यायाधीशों की संख्या 34 कर दी गई है, अर्थात् 33 न्यायाधीश एवं एक मुख्य न्यायाधीश। उल्लेखनीय है कि संविधान लागू होने के समय सुप्रीम कोर्ट में 8 (1 मुख्य न्यायाधीश + 7 न्यायाधीश) न्यायाधीश थे। यह बदलाव उच्चतम न्यायालय की बढ़ती मामलों की संख्या और न्यायिक प्रक्रिया की दक्षता को सुधारने के लिए किया गया था। इस प्रकार के तथ्यात्मक और विधिक परिवर्तन उच्चतम न्यायालय की कार्यप्रणाली और न्याय प्रदान करने की क्षमता में महत्वपूर्ण प्रभाव डालते हैं।

36. (B): वर्ष 1819 में कश्मीर को अफगानों से रंजीत सिंह ने जीता था। रंजीत सिंह, जिन्हें 'शेर-ए-पंजाब' के नाम से भी जाना जाता है, पंजाब के महाराजा थे और सिख साम्राज्य के संस्थापक थे। उन्होंने अपनी मिलिट्री क्षमता और रणनीतिक दूरदर्शिता के बल पर कई क्षेत्रों को जीता, जिसमें कश्मीर भी शामिल है। उनकी विजय ने न केवल कश्मीर को अफगान शासन से मुक्त कराया बल्कि इसने पंजाब साम्राज्य को भी और मजबूती प्रदान की। रंजीत सिंह की यह विजय उनके शासन काल की प्रमुख उपलब्धियों में से एक मानी जाती है, और इसने उत्तरी भारत में उनके साम्राज्य की सीमाओं का विस्तार किया।

37. (D): जनरल स्मिथ के नेतृत्ववाली अंग्रेजी सेना ने लस्वारी के युद्ध में बापू गोखले को पराजित किया था, यह कथन सही नहीं है। वास्तव में, लस्वारी का युद्ध 1 नवंबर 1803 को लड़ा गया था, जिसमें जनरल जेरार्ड लेक के नेतृत्व में अंग्रेजी सेना ने फ्रांसीसी प्रशिक्षित मराठा सेना को पराजित किया था। इस युद्ध में मराठा सेना की ओर से मुख्य रूप से यशवंत राव होल्कर के सेनापति अंबाजी इनग्लिया थे। यह युद्ध अंग्रेजों और मराठा साम्राज्य के बीच दूसरे अंग्रेज-मराठा युद्ध का हिस्सा था और इसने अंग्रेजों को उत्तरी भारत में अपनी स्थिति मजबूत करने में मदद की थी।

38. (D): फिल्म 'ब्रांडीची ब्रांडी की बोतल' (1939) का आरंभ सरदार पटेल के भाषण के साथ होता है। यह फिल्म उस समय की सामाजिक और राजनीतिक

स्थितियों को प्रदर्शित करती है और सरदार पटेल का भाषण उस समय की जनता में जागरूकता और प्रेरणा उत्पन्न करने के लिए उपयुक्त माध्यम था। सरदार पटेल, जो भारतीय राजनीति में प्रमुख नेता थे, उनके विचार और आदर्श उस समय की फिल्मों में भी अक्सर उजागर होते थे क्योंकि वे आजादी के संघर्ष और राष्ट्रीय एकता की भावना को मजबूती प्रदान करते थे। इस प्रकार, उनका भाषण इस फिल्म को एक उचित और प्रेरणादायक प्रारंभ प्रदान करता है।

39. (A): भारत में ईस्ट इंडिया कंपनी के प्रशासन एवं कार्यकलाप संबंधी पंचम प्रतिवेदन (फिफ्थ रिपोर्ट) के बारे में यह कथन कि इसे ब्रिटिश संसद में वर्ष 1815 में प्रस्तुत किया गया था, सही नहीं है। पंचम प्रतिवेदन वास्तव में वर्ष 1813 में प्रस्तुत किया गया था। यह रिपोर्ट ब्रिटिश संसद को ईस्ट इंडिया कंपनी के प्रशासन, उसकी नीतियों और भारत में उसके द्वारा किए गए कार्यों की जानकारी देने के लिए बनाई गई थी। यह रिपोर्ट उस समय के भारतीय प्रशासन और उसकी नीतियों पर गहरी नजर डालती है और ब्रिटिश सरकार के सामने भारत में कंपनी की गतिविधियों का आकलन प्रस्तुत करती है।

40. (A): गणेश शंकर विद्यार्थी द्वारा संपादित समाचार पत्र 'नायक' बंगाली भाषा में था, यह कथन सही नहीं है। गणेश शंकर विद्यार्थी ने 'प्रताप' नामक समाचार पत्र का संपादन किया था, जो हिंदी भाषा में प्रकाशित होता था और भारतीय स्वतंत्रता संग्राम के दौरान एक महत्वपूर्ण आवाज थी। गणेश शंकर विद्यार्थी कानपुर से थे और उन्होंने अपने पत्रकारिता करियर में सामाजिक और राजनीतिक मुद्दों पर जोरदार लेखन किया था। 'नायक' नामक किसी बंगाली भाषा के समाचार पत्र के संपादन का उनसे कोई संबंध नहीं है।

41. (A): सही उत्तर का चयन विकल्प (A) है जिसमें केवल (*a*), (*c*) और (*e*) शामिल हैं। पी.जी.डब्ल्यू. की पहचान का (तादात्म्य) सर्वप्रथम 1940 के दशक में अहिच्छत्रा (बरेली जिले में स्थित) से हुई, जो इसकी महत्वपूर्ण खोज को दर्शाता है। 1980 के दशक में माखनलाल द्वारा कानपुर जिले में किए गए अध्ययन ने पी.जी.डब्ल्यू स्थली एवं उनके अधिवास प्रतिरूपों को प्रकाश में लाया। आलमगीरपुर, काम्पिल, नोह, भगवानपुर और हस्तिनापुर से पी.जी.डब्ल्यू. भौतिक संस्कृति के साक्ष्य पाए जाने का कथन भी सही है। इस प्रकार की जानकारियाँ पुरातात्विक खोजों के संदर्भ में महत्वपूर्ण हैं और भारतीय प्राचीन इतिहास की समझ को गहराई प्रदान करती हैं।

42. (C): सही उत्तर विकल्प (C) है जिसमें (*a*), (*b*) और (*c*) शामिल हैं। मास्की और गुर्जरा लघु शिला लेख के अतिरिक्त अशोक का उल्लेख अन्य सभी अभिलेखों में देवनामपिय एवं पियदस्सी के रूप में किया गया है। तेरहवें शिलालेख में, अशोक ने कलिंग युद्ध के कारण उत्पन्न कष्टों के प्रति वास्तविक पश्चाताप को व्यक्त किया है। आरमेइक लिपि वाले अशोक के अभिलेख तक्षशिला और जलालाबाद में पाए गए हैं। ये तथ्य अशोक के राजत्व और उसके बौद्ध धर्म के प्रति समर्पण को और अधिक स्पष्टता से उजागर करते हैं, जिसने उनके शासन काल और नीतियों को गहराई से प्रभावित किया था।

43. (D): सही उत्तर विकल्प (D) है जिसमें केवल (*a*), (*b*), (*c*), और (*e*) शामिल हैं।

(*a*) ह्वेनसांग एवं अलबरूनी ने अपने विवरणों में कनिष्क द्वारा पेशावर में बौद्ध विहार निर्मित करवाए जाने का उल्लेख किया है, जो कि उनकी यात्राओं के दौरान की गई महत्वपूर्ण नोटिंग्स में से एक है।

(*b*) बौद्ध दार्शनिक अश्वघोष, पार्श्व और वसुमित्रा ने कनिष्क का आश्रय प्राप्त किया था, यह भी ऐतिहासिक तथ्य है जो उनके राज्य काल में बौद्ध धर्म के संवर्धन को दर्शाता है।

(*c*) कनिष्क कालीन सिक्कों पर ओएशो (शिव), साक्यमो बोड्डो, ओएडो, एत्शो आदि के निरूपण वाले विवरण सही हैं और उस समय की धार्मिक और सांस्कृतिक विविधता को प्रदर्शित करते हैं।

(*e*) कल्हण कृत 'राजतरंगिणी' में हुष्क, जुष्क और कनिष्क नामक तीन शासकों का कश्मीर पर संयुक्त शासन का उल्लेख मिलता है, जो कश्मीर के इतिहास के एक अनूठे पहलू को उजागर करता है।

44. (D): सही उत्तर विकल्प (D) है जिसमें (*a*), (*b*), (*d*) और (*e*) शामिल हैं।

(*a*) बराबर पहाड़ी पर स्थित गुफा में मौखरी प्रमुख अनंतवर्मन द्वारा 5वीं सदी में कृष्ण की प्रतिमा की स्थापना का उल्लेख वास्तविक और ऐतिहासिक रूप से सही है।

(*b*) स्कंदगुप्त के जूनागढ़ अभिलेख में विष्णु का लक्ष्मी के आश्रय के रूप में उल्लेख भी सही है।

(*d*) ईश्वर छंगू-नारायण, जो नेपाल में डोला पर्वत पर स्थित हैं, यह भी सही है और नेपाल की धार्मिक स्थलों में उनका महत्वपूर्ण स्थान है।

(*e*) विष्णु के वाराह, नरसिंह और वामन अवतार उदयगिरी और मामल्लपुरम स्थित शैलकृत गुफाओं की मूर्तिकलाओं में पाए जाने का उल्लेख सही है और इससे उन स्थलों की ऐतिहासिक और धार्मिक महत्वता को दर्शाया गया है।

45. (D): सही उत्तर विकल्प (D) है जिसमें (*a*), (*b*), (*c*), (*d*), और (*e*) शामिल हैं। महापाषाणिक संरचनाओं के रूपों में मैनहिर, संगोरा वृत्त, डालमैन आकार वाला ताबूत, फणाकृति पाषाण, और सरेखण शामिल हैं। ये सभी विभिन्न प्रकार की प्राचीन संरचनाएं हैं जो अतीत के समाजों द्वारा उनके धार्मिक और सामाजिक उपयोगों के लिए निर्मित की गई थीं। इन संरचनाओं का अध्ययन पुरातत्त्वविदों को प्राचीन समाजों के रीति-रिवाजों, धार्मिक विश्वासों और समाजिक संरचना को समझने में मदद करता है।

46. (C): सही उत्तर विकल्प (C) है जिसमें (*b*), (*d*), और (*e*) शामिल हैं।

(*b*) वर, कन्या के साथ अग्नि के फेरे लगाता है। (अग्निपरिणय) यह पारंपरिक हिंदू विवाह में सबसे महत्वपूर्ण अनुष्ठानों में से एक है जहाँ वर और कन्या सात फेरे लेते हुए विवाह के सात वचनों को स्वीकार करते हैं।

(*d*) अधिकांश ग्रंथों के अनुसार विवाह संस्कार सप्तपदी के साथ समाप्त हो जाता है। सप्तपदी, जिसे सात फेरे भी कहा जाता है, विवाह की संपूर्णता और उसकी मान्यता को दर्शाता है।

(*e*) ध्रुव अरुंधती दर्शन, वर के घर पर की जाने वाली विवाह संस्कार की एक प्रथा थी। यह नवविवाहित जोड़े को दिशा और निरंतरता का आशीर्वाद देने का प्रतीक है।

इन तीनों कथनों को मिलाकर विवाह संस्कार की परंपरागत प्रक्रिया और उसके महत्व को समझा जा सकता है।

47. (D): सही उत्तर विकल्प (D) है जिसमें (*a*), (*d*), और (*e*) शामिल हैं।

(*a*) कृषिपाराशर एवं कृषिसूक्ति कृषि विषयक ग्रंथ हैं। ये दोनों ग्रंथ कृषि विज्ञान पर प्राचीन भारतीय साहित्य में महत्वपूर्ण स्त्रोत हैं।

(*d*) वापी का निर्माण आरंभिक मध्यकालीन भारत के राजस्थान एवं गुजरात में लोकप्रिय हुआ। यह जल संग्रहण के लिए प्रयोग किया जाता था और क्षेत्र के जल संरक्षण की तकनीकों में एक महत्वपूर्ण नवाचार था।

(*e*) कृषि संबंधित विस्तृत निर्देश अग्निपुराण एवं विष्णु धर्मोत्तरपुराण में पाया जाता है। ये निर्देश कृषि पद्धतियों और तकनीकों पर प्राचीन भारतीय ज्ञान को प्रदर्शित करते हैं।

48. (C): सही उत्तर विकल्प (C) है जिसमें (*a*), (*b*), और (*e*) शामिल हैं।

(*a*) 'न्यायतत्व' के लेखक नाथमुनि हैं, जिन्होंने विशिष्टाद्वैत संप्रदाय के दर्शन की विस्तृत व्याख्या प्रदान की है।

(*b*) इस संप्रदाय का आवश्यक सिद्धांत 'प्राप्ति' है जिसका अर्थ है ईश्वर के प्रति परम समर्पण।

(*e*) नाथमुनि सथकोप के गीतों से प्रभावित थे। ये तीनों कथन नाथमुनि के दार्शनिक योगदान और उनके विचारों की गहराई को दर्शाते हैं, जिन्होंने बाद में विशिष्टाद्वैत वेदांत के विकास में महत्वपूर्ण भूमिका निभाई।

49. (B): सही उत्तर विकल्प (B) है जिसमें (*a*), (*b*), (*d*), और (*e*) शामिल हैं।

(*a*) गुरु नानक विशेषतः पंजाब में अफगान शासकों द्वारा बनाई गई राजनैतिक प्रशासनिक व्यवस्था से पूर्ण रूप से परिचित थे। उन्होंने अपने यात्राओं के दौरान अनेक राजनीतिक परिस्थितियों का साक्षी बने और अपने उपदेशों में इन अनुभवों को शामिल किया।

(*b*) गुरु नानक की दृष्टि में बाबर की आक्रमणकारी सेना 'पापियों का समागम' था। उन्होंने बाबर के आक्रमण के समय की भयावहता और उसके साम्राज्यवादी नीतियों की आलोचना की।

(*d*) गुरु नानक की यह दृढ़ धारणा थी कि ईश्वर की कोई जाति नहीं होती। उनका मानना था कि ईश्वर सर्वव्यापी है और सभी मनुष्यों के लिए समान है, जो धार्मिक समरसता को बढ़ावा देने वाला विचार है।

(*e*) गुरु नानक मूर्तिकला के कर्मकांडीय पठन को समय की बर्बादी मानते थे। वे रीति-रिवाजों और कर्मकांडों के बजाय आत्मिक उन्नति और व्यक्तिगत धार्मिक अनुभव पर जोर देते थे। इससे उनके द्वारा स्थापित सिख धर्म में अनुष्ठानिकता की अपेक्षा आध्यात्मिक ज्ञान को अधिक महत्व दिया गया।

50. (C): सही उत्तर विकल्प (C) है जिसमें (*a*), (*b*), और (*c*) शामिल हैं।

(*a*) बंदा बहादुर के नेतृत्व में सिखों ने सरहिंद, हिसार, सहारनपुर की सरकारों में नाटकीय सफलता प्राप्त की। उनका यह अभियान मुगल साम्राज्य के खिलाफ एक महत्वपूर्ण मोर्चा था जिसने सिख इतिहास में एक नये युग की शुरुआत की।

(*b*) बंदा बहादुर ने मुखलिसपुर में अपनी राजधानी स्थापित की, जिसे बाद में लोहगढ़ के नाम से जाना गया। यह उनकी स्वतंत्रता और स्वराज के प्रति प्रतिबद्धता का प्रतीक था।

(*c*) बंदा बहादुर ने सिख गुरुओं के नाम से सिक्के जारी किए, जिससे उनकी स्वतंत्र और स्वायत्त सरकार की स्थापना की दिशा में एक कदम उठाया गया। इन सिक्कों पर गुरु नानक और गुरु गोबिंद सिंह के नाम अंकित थे, जो सिखों के लिए उनकी गहरी आस्था और समर्पण को प्रदर्शित करते थे।

51. (D): सही उत्तर विकल्प (D) है जिसमें (*b*) और (*c*) शामिल हैं।

(*b*) शेरशाह ने प्रशासन में हिन्दवी जबान/भाषा का प्रयोग किया, जो उस समय के भारतीय समाज के साथ उनकी व्यावहारिक समझ को दर्शाता है। इससे प्रशासनिक संचार में सुगमता आई और स्थानीय जनसंख्या के साथ बेहतर संवाद स्थापित हो सका।

(*c*) शेरशाह ने सख्ती के साथ कानून एवं व्यवस्था को लागू किया। उनका शासन दृढ़ प्रशासनिक नियमों और सख्त न्यायिक व्यवस्था के लिए जाना जाता है, जिससे उनके राज्य में अपराध और भ्रष्टाचार में कमी आई।

शेरशाह की नीतियों और उपलब्धियों ने उसे भारतीय इतिहास में एक महत्वपूर्ण स्थान दिलाया, और उसके द्वारा किए गए सुधारों का प्रभाव बाद के शासकों पर भी पड़ा।

52. (C): सही उत्तर विकल्प (C) है जिसमें (*a*) और (*c*) शामिल हैं।

(*a*) दहशाला प्रणाली की शुरुआत अकबर द्वारा वर्ष 1579 में की गई, जो माप पर आधारित थी। इस प्रणाली में, भूमि के पिछले दस वर्षों की औसत उपज के आधार पर कर निर्धारित किया जाता था। इससे किसानों को अपनी फसल की उपज

के आधार पर कर देना पड़ता था, जो अधिक न्यायसंगत माना जाता था क्योंकि यह उपज की मात्रा पर निर्भर करता था।

(*c*) पुरानी गज आधारित गज-ए-सिकंदरी को एक नवीन गज आधारित गज-ए-इलाही से प्रतिस्थापित कर दिया गया। गज-ए-इलाही अकबर द्वारा प्रवर्तित एक नयी मापन प्रणाली थी, जिसे राज्य में एकरूपता और व्यवस्था लाने के लिए अपनाया गया था। यह नवीन प्रणाली अधिक सटीक और समान मानकों पर आधारित थी, जिससे भूमि मापन और कर आकलन में सुधार हुआ।

ये दोनों कथन अकबर के सुधारों का हिस्सा थे, जिन्होंने मुगल साम्राज्य में प्रशासनिक और आर्थिक व्यवस्था को संगठित और प्रभावी बनाने की कोशिश की थी। ये सुधार न केवल राजस्व संग्रहण को बढ़ाने में मदद करते थे बल्कि किसानों और भूमि मालिकों के लिए न्यायसंगत भी थे।

53. (B): मुगलकालीन भारत में अभिजात वर्ग की संरचना और उसके विकास को समझने के लिए कथन (*c*) और (*e*) महत्वपूर्ण हैं।

कथन (*c*) के अनुसार, वर्ष 1595 और 1656-57 के मध्य मुगल अभिजात वर्ग के संगठन में परिवर्तन हुआ। इस अवधि में मुगल साम्राज्य अपने चरम पर था और इसके प्रशासनिक ढांचे में कई बदलाव हुए थे। यह बदलाव शासन की केंद्रीयकृत नीति, अधिक संगठित और कुशल प्रशासन के निर्माण की दिशा में था।

कथन (*e*) के अनुसार, जिन अभिजात वर्गों के पूर्वज पीढ़ियों से मुगलशाही सेवा में थे, उन्हें खानजादा कहा जाता था। यह उन विशेष परिवारों को दर्शाता है जिनकी पीढ़ियों का लंबा इतिहास मुगल सेवा में रहा है, और यह उनके समाज में उच्च स्थान और प्रतिष्ठा का प्रतीक है। ये कथन मुगल साम्राज्य के प्रशासनिक और सामाजिक ढांचे में उनकी भूमिका और महत्व को बताते हैं।

54. (C): सही उत्तर विकल्प (C) है जिसमें (*b*) और (*d*) शामिल हैं।

(*b*) शाहजहाँ के ससुर आसफ खान ने सक्रियतापूर्वक समुद्री व्यापार किया। उन्होंने मुगल साम्राज्य के समुद्री व्यापारिक हितों को मजबूती प्रदान की और विशेष रूप से गुजरात और बंगाल में इसे विस्तारित किया।

(*d*) वर्ष 1630 से, मुगलों ने बंगाल के समुद्री व्यापार पर नियंत्रण प्राप्त करने के लिए संयुक्त चेष्टा की। इसमें उन्होंने व्यापार मार्गों को सुरक्षित करने और समुद्री डाकूओं को नियंत्रित करने के लिए कई उपाय किए, जिससे व्यापारिक विस्तार और आर्थिक समृद्धि में मदद मिली।

55. (D): सही उत्तर विकल्प (D) है जिसमें (*a*) और (*c*) शामिल हैं।

(*a*) वर्ष 1649 में अंततः कंधार मुगलों के कब्जे से सफवियों के अधीन चला गया। यह एक महत्वपूर्ण भौगोलिक और रणनीतिक क्षेत्र था जिस पर मुगलों ने काफी समय तक नियंत्रण करने की कोशिश की थी। सफवी साम्राज्य के हाथों में यह क्षेत्र जाने का मतलब था कि मुगल साम्राज्य को एक महत्वपूर्ण सीमावर्ती क्षेत्र में अपना प्रभुत्व खोना पड़ा था।

(*c*) शाहजहाँ ने मेवाड़ के राणा राज सिंह पर चित्तौड़ पर पुनः किलेबन्दी करने के लिए उसके विरुद्ध कार्रवाई की। चित्तौड़ की किलेबन्दी और उसकी सैन्य क्षमता उस समय के रणनीतिक महत्व के मद्देनजर शाहजहाँ के लिए एक प्रमुख चिंता का विषय थी।

इन दोनों कथनों के माध्यम से, मुगल साम्राज्य के विस्तार और उसके सैन्य और कूटनीतिक उपायों की झलक मिलती है, जो कि उस समय के राजनीतिक परिदृश्य पर उनके प्रभाव को दर्शाती है।

56. (B): तुर्की वास्तुकला में मेहराब और गुंबद का व्यापक प्रयोग होता था, लेकिन यह विशेषता मूल रूप से तुर्की या मुस्लिम नवाचार नहीं थी। मेहराब और गुंबद दोनों

ही विश्वव्यापी रूप से प्राचीन रोमन और बीजान्टाइन वास्तुकला में प्रयुक्त हो चुके थे। तुर्क सुल्तानों ने इसे अपने भवनों में इस्तेमाल किया जो कि उनकी वास्तुकला की शैली का एक प्रमुख तत्व बन गया। इसके अलावा, तुर्क अपने भवनों के निर्माण में उत्तम कोटि के चूने के गारे का प्रयोग करते थे, जिससे उनकी संरचनाएं अधिक मजबूत और दीर्घकालिक होती थीं। यह तथ्य तुर्की वास्तुकला के उत्कृष्ट तकनीकी और आर्टिस्टिक गुणवत्ता को दर्शाता है।

57. (A): स्वामी विवेकानंद ने वर्ष 1897 में रामकृष्ण मिशन की स्थापना की थी। यह संस्था वेदांत और योग के आध्यात्मिक विचारों के प्रसार के लिए और सामाजिक सेवा के कार्यों में योगदान के लिए स्थापित की गई थी। इसके अलावा, स्वामी विवेकानंद ने अमेरिका के कैलिफोर्निया राज्य की यात्रा की और वहां लॉस एंजेल्स और सैन फ्रांसिस्को में भविष्य के वेदांत केंद्रों की स्थापना के लिए कार्य किया। इसी तरह, वे पेरिस की हिस्ट्री ऑफ रिलीजन्स कांग्रेस में भी शामिल हुए थे जहां उन्होंने हिन्दू धर्म का प्रतिनिधित्व किया। ये घटनाएं स्वामी विवेकानंद के वैश्विक प्रभाव और उनके द्वारा प्रस्तुत धार्मिक विचारों के महत्व को दर्शाती हैं।

58. (C): द्वितीय विश्वयुद्ध के दौरान भारतीय साम्यवादियों की नीति में महत्वपूर्ण परिवर्तन आया जब हिटलर ने सोवियत संघ पर आक्रमण किया। इस आक्रमण के पहले, भारतीय साम्यवादी सभी प्रकार के साम्राज्यवाद के खिलाफ थे, लेकिन जर्मनी के इस कदम के बाद उन्होंने युद्ध को जन-युद्ध के रूप में पुनर्चिह्नित किया और सोवियत संघ के पक्ष में अपनी नीति को बदल दिया। इस दौरान, वे ब्रिटिश शासन के सहयोगी बन गए और 1942 के भारत छोड़ो आंदोलन के दौरान उन्होंने इसे दबाने में ब्रिटिशों का सहयोग किया। इसी वर्ष, भारत सरकार ने कम्युनिस्ट पार्टी ऑफ इंडिया को एक वैध संगठन के रूप में मान्यता दी, जिससे उनकी गतिविधियाँ कानूनी रूप से स्वीकृत हो गईं।

59. (A): इस प्रश्न में दिए गए विकल्पों में सभी फिल्मों के बारे में दिए गए कथन सही हैं। 'बालयोगिनी' फिल्म एक विधवा और उसकी बेटी की वेदना पर आधारित थी, जिसमें भारतीय समाज में विधवाओं की कठिनाइयों और संघर्षों को दर्शाया गया था। 'त्यागभूमि' फिल्म ने अस्पृश्यों की दुर्दशा और सामाजिक भेदभाव के मुद्दों को उजागर किया।

'सेवासदन' को भले ही एक देशभक्ति पूर्ण फिल्म के रूप में उल्लेखित किया गया है, यह मूलतः सामाजिक मुद्दों पर आधारित थी, लेकिन इसे देशभक्ति के साथ जोड़ा जा सकता है क्योंकि यह सामाजिक सुधार को बढ़ावा देती है जो राष्ट्र की प्रगति के लिए महत्वपूर्ण है।

'वंदेमातरम' फिल्म वास्तव में तेलुगु भाषा में निर्मित की गई थी और इसका निर्माण बी.एन. रेड्डी ने किया था। इस प्रकार, इन सभी कथनों की पुष्टि होती है और ये उन फिल्मों के मुख्य विषयों और निर्माण संबंधी तथ्यों को सही रूप में प्रस्तुत करते हैं।

60. (B): सही विकल्प (*a*), (*b*), (*d*) और (*e*) हैं। पंडित मदनमोहन मालवीय ने बनारस हिंदू विश्वविद्यालय की स्थापना में महत्वपूर्ण भूमिका निभाई थी। अरबिन्द घोष के मुकदमे में चित्तरंजन दास प्रतिवादी वकील थे। चित्तरंजन दास को 'देशबंधु' कहा जाता था, न कि 'दीनबंधु' जो कि सी.एफ. एंड्रूज का उपनाम था। दादाभाई नौरोजी, हाउस ऑफ कॉमन्स के लिए निर्वाचित होने वाले प्रथम भारतीय थे और बाल गंगाधर तिलक को 'भारतीय अशांति का जनक' कहा गया था।

61. (D): भारतेंदु हरिश्चंद्र का युग हिंदी साहित्य में राष्ट्रवाद एवं सामाजिक सुधारों की शुरूआत का युग माना जाता है। उन्होंने प्रतीकात्मक माध्यमों से 'भारत दुर्दशा' नामक अपने नाटक में, भारत की तत्कालीन स्थिति का मार्मिक चित्रण किया है। सुब्रमण्य भारती एक प्रख्यात स्वतंत्रता सेनानी, कवि एवं लेखक थे। तमिल भाषा में अपनी रचनाओं के माध्यम से श्री सुब्रमण्य ने स्वतंत्रता संघर्ष के लिए लोगों को प्रेरित करने का कार्य किया। श्री सुब्रमण्य ने हिंदू देवी-देवताओं पर भक्तिमय गीतों की भी रचनाएं की। उन्होंने ईसा मसीह की प्रशंसा में भी गीत लिखा, जिसमें ईसा मसीह की मृत्यु-प्रतीक के संबंध में भी उल्लेख किया है।

62. **(A):** इस प्रश्न में दिए गए कथनों में से कथन (*a*), (*b*), (*d*), और (*e*) सही हैं।

कथन (*a*) यह बताता है कि भारत सरकार ने बॉम्बे सरकार पर दबाव बनाकर दक्कन-उपद्रव की जांच के लिए आयोग के गठन की माँग की थी। यह ब्रिटिश शासन के तहत विशेष परिस्थितियों में किए गए हस्तक्षेपों का एक उदाहरण है।

कथन (*b*) बताता है कि 1857 के विद्रोह के दौरान चिनहट के युद्ध में अंग्रेजों की पराजय हुई थी, जो विद्रोह की गंभीरता और प्रभाव को दर्शाता है।

कथन (*d*) यह जानकारी देता है कि वर्ष 1896 में पहली बार किसी फिल्म को बॉम्बे में वाटसन होटल में पर्दे पर दिखाया गया था, जो भारत में सिनेमा के आगमन को दर्शाता है।

अंत में, कथन (*e*) बताता है कि 1857 के विद्रोह के दौरान शाहमल ने उत्तर प्रदेश के बड़ौत-परगना के ग्रामीणों को लामबंद किया था, जो स्थानीय नेतृत्व और सामाजिक संगठन के महत्व को प्रदर्शित करता है।

63. **(C):** बाल गंगाधर तिलक के जीवन और उनकी उपलब्धियों को समझने के लिए कथन (*a*), (*b*), (*c*) और (*d*) महत्वपूर्ण हैं।

कथन (*a*) में बताया गया है कि तिलक ने किसानों को सूखा, अकाल या महामारी के दौरान भू-राजस्व का भुगतान नहीं करने की सलाह दी थी, जो उनके किसान हितैषी विचारों को दर्शाता है।

कथन (*b*) और (*c*) उनकी राजनीतिक सक्रियता और ब्रिटिश शासन के खिलाफ उनके प्रतिरोध को दर्शाते हैं।

कथन (*d*) तिलक की दृढ़ता और न्याय के प्रति उनकी प्रतिबद्धता को दर्शाता है, जब उन्होंने क्षमा मांगने के बजाय कठोर सश्रम कारावास को स्वीकार किया था।

64. **(C):** इस प्रश्न के उत्तर में कथन (*a*), (*b*), (*c*) और (*d*) सही हैं।

कथन (*a*) बताता है कि अंग्रेजों ने वर्ष 1639 में मद्रासपट्टनम में व्यापारिक चौकी का निर्माण किया था, जो मद्रास के उत्थान की शुरुआत थी।

कथन (*b*) और (*c*) उस समय की स्थानीय और व्यापारिक स्थितियों का वर्णन करते हैं, जहां स्थानीय समंतों से बंदोबस्त संबंधी अधिकार खरीदे गए थे।

कथन (*d*) फोर्ट सेंट जॉर्ज के ऐतिहासिक महत्व को दर्शाता है, जो व्हाइट टाउन का केंद्र बना और जहां पर अधिकांश यूरोपवासी रहा करते थे।

65. **(B):** जजमानी प्रथा भारतीय ग्रामीण समाज का एक पारंपरिक आर्थिक और सामाजिक ढांचा है।

कथन (*a*) के अनुसार, इस प्रथा में ग्रामीण शिल्पियों ने कृषक परिवारों की उनकी फसलों में से एक निश्चित हिस्सा पारंपरिक सेवाओं के बदले में दिया करते थे। यह सेवाएं मुख्य रूप से नाई, लोहार, धोबी आदि द्वारा प्रदान की जाती थीं।

कथन (*b*) और (*c*) ताराशंकर बंदोपाध्याय के उपन्यास 'गणदेवता' से संबंधित हैं, जिसमें 1920 और 1930 के दशक में पश्चिम बंगाल के ग्रामीण जीवन का वर्णन किया गया है। इस उपन्यास में जजमानी प्रथा के पतन को भी दर्शाया गया है, जो औपनिवेशिक और आधुनिकीकरण प्रक्रियाओं के कारण हुआ। इस उपन्यास के माध्यम से ग्रामीण समाज के बदलते परिदृश्य और जजमानी प्रथा के आर्थिक पक्ष के अलावा सामाजिक संबंधों में आयी दरार को समझा जा सकता है।

66. **(A)**

67. **(A):** सूची-I और सूची-II का सही मिलान विकल्प (A) के अनुसार है जो इस प्रकार है : (*a*) बौद्ध धर्म - तारा (III), (*b*) मुरुगन - स्कंद (I), (*c*) नाथ - सिद्ध (IV), (*d*) कोरावई - शक्ति (II)। यह सूची विभिन्न धार्मिक परंपराओं और उनसे जुड़े पौराणिक पात्रों या अवधारणाओं का मिलान करती है। बौद्ध धर्म में तारा बोधिसत्व की सहायता के लिए जानी जाती हैं, मुरुगन को हिन्दू धर्म में स्कंद के रूप में पूजा जाता है, नाथ संप्रदाय सिद्ध योगियों के लिए प्रसिद्ध है, और कोरावई शक्ति की प्रतीकात्मकता को दर्शाती है। ये सभी मिलान उनके धार्मिक और सांस्कृतिक महत्व को उजागर करते हैं।

80. (D): भारतीय इतिहास में राजवंशों के स्थापना का क्रम विकल्प (D) के अनुसार इस प्रकार है : (*c*) मौखरी, (*b*) शैलोद्भव, (*e*) आयुध, (*a*) कार्कोट, और (*d*) गहड़वाल। मौखरी राजवंश की स्थापना सबसे पहले हुई, जो उत्तर प्रदेश के कन्नौज क्षेत्र में 6ठी शताब्दी में हुई थी। उसके बाद शैलोद्भव राजवंश की स्थापना ओडिशा में 7वीं शताब्दी में हुई। आयुध राजवंश भी इसी काल में स्थापित हुआ था। कार्कोट राजवंश की स्थापना कश्मीर में 7वीं शताब्दी में हुई। अंत में, गहड़वाल राजवंश की स्थापना, जो उत्तर भारत में 11वीं शताब्दी में हुई, सबसे बाद में हुई। यह क्रम भारतीय इतिहास के विभिन्न क्षेत्रीय शक्तियों के उदय और विकास को दर्शाता है।

81. (A)

82. (B): शक शासकों के बारे में सही उत्तर विकल्प (B) के अनुसार है, जिसमें (*a*) रुद्रदमन, (*b*) चश्तान, और (*c*) माओस शामिल हैं। रुद्रदमन, जो कि जूनागढ़ के प्रसिद्ध अभिलेख के लिए जाना जाता हैं। चश्तान और माओस भी इसी काल में शक साम्राज्य के प्रमुख शासक थे। ये तीनों शासक भारतीय उपमहाद्वीप में शक सत्ता के विस्तार और प्रभाव के साक्षी हैं।

83. (B): विजयनगर साम्राज्य के शासकों का सही कालक्रम विकल्प (B) के अनुसार इस प्रकार है : (*d*) वीर नरसिंह, (*c*) कृष्णदेव राय, (*a*) अच्युतदेव राय, (*b*) वेंकट प्रथम, (*e*) सदाशिव। वीर नरसिंह ने 1509 से पहले विजयनगर साम्राज्य पर शासन किया था, उसके बाद कृष्णदेव राय का काल 1509-1529 तक था, जो विजयनगर साम्राज्य के स्वर्णिम युग के रूप में जाना जाता है। अच्युतदेव राय ने 1529 से 1542 तक शासन किया। वेंकट प्रथम ने 1585 से 1614 तक और सदाशिव ने 1542 से आगे कुछ वर्षों तक शासन किया। यह क्रम विजयनगर साम्राज्य की राजनीतिक स्थिरता और विकास को दर्शाता है।

84. (B): अकबर के शासनकाल की महत्वपूर्ण घटनाओं का सही कालक्रम विकल्प ठ के अनुसार है : (*e*) मालवा की विजय - 1561, (*b*) गुजरात की विजय - 1573, (*d*) हल्दीघाटी का युद्ध - 1576, (*c*) नौरोज त्योहार का पुनरुत्थान - 1582, (*a*) कश्मीर का समामेलन - 1586। यह क्रम अकबर के शासनकाल की विजयी और सांस्कृतिक घटनाओं को दर्शाता है जिसमें विभिन्न क्षेत्रों की विजय के साथ-साथ सांस्कृतिक उत्सवों की शुरुआत भी शामिल है।

85. (C): औरंगजेब के शासन काल की घटनाओं का सही क्रम विकल्प (C) के अनुसार है : (*b*) पुरंधर की संधि - 1665, (*a*) जजिया का पुनः आरोपण - 1679, (*c*) बीजापुर विजय - 1686, (*e*) गोलकुण्डा की विजय - 1687, (*d*) शंभाजी को बंदी बनाना एवं प्राणदंड - 1689। ये घटनाएं औरंगजेब के शासनकाल के विस्तार और संघर्षों को दर्शाती हैं, जिसमें मराठों के साथ संधियाँ, धार्मिक नीतियों में परिवर्तन, और दक्षिण भारत में विजय प्रमुख हैं।

86. (A): अभिकथन (A) और कारण (R) दोनों सत्य हैं, और (R), (A) की सही व्याख्या है। तिरुमलार द्वारा रचित तिरुमंदिरम्, जो शैव सिद्धांत पर आधारित है, में आत्मा और पदार्थ की एकता को महत्वपूर्ण माना गया है। यह दर्शन कहता है कि आत्मा और पदार्थ अविभाज्य हैं और इसे यथार्थ के रूप में स्वीकार करना चाहिए। (R) में कहा गया है कि प्रेम और शिवम अलग-अलग श्रेणियाँ नहीं हैं; प्रेम अपनी चरमावस्था में शिवम पर पहुँचता है और उसी आनंदप्रद अवस्था में विश्रांति पाता है, जो आत्मा और पदार्थ के अविभाज्य स्वभाव को और बल देता है। इस प्रकार, (R), (A) के मुख्य विचार को स्पष्ट करता है और इसे समर्थन प्रदान करता है।

87. (A): गुप्त शासक समुद्रगुप्त के मित्र एवं संधिविग्राहक हरिषेण द्वारा रचित प्रयाग प्रशस्ति में समुद्रगुप्त की विजयों एवं अन्य उपलब्धियों का वर्णन किया गया है। प्रशस्ति लेख के अनुसार, पूर्वोत्तर के शक्तिशाली राज्यों समाताता और कामरूप ने गुप्त शासक समुद्रगुप्त की अधीनता स्वीकार की। प्रयाग प्रशस्ति में मालव, अर्जुनायन, मदराक, यौधेय, आभीर एवं काकस जैसे जनजातीय राज्यों का उल्लेख है, जिन्होंने समुद्रगुप्त के

प्रति सम्मान व्यक्त किया। अतः कथन और कारण दोनों सही हैं।

88. (C): अभिकथन (A) सत्य है क्योंकि जयसिंह प्रथम के शासन काल में कछवाहा राजवंश ने वास्तव में समृद्धि और प्रसिद्धि की एक नई अवस्था प्राप्त की थी। हालांकि, कारण (R) असत्य है क्योंकि जयसिंह का बीजापुर पर कोई आक्रमण नहीं हुआ था। जयसिंह के युग में कछवाहा शाही परिवार की समृद्धि और प्रसिद्धि की अद्वितीय अवस्था मुख्य रूप से उनकी प्रशासनिक नीतियों, वास्तुकला में उनके योगदान और मुगलों के साथ उनके संबंधों के कारण आई थी, न कि किसी विशेष सैन्य अभियान के कारण।

89. (A): कथन I और II दोनों सत्य हैं। कथन I में बताया गया है कि जब मंगल पांडे ने 1857 में बैरकपुर में अपने अधिकारियों पर गोली चलाई थी, तब उनके साथी सिपाही शेख पलटू ने उन्हें रोकने का प्रयास किया था। यह घटना भारतीय स्वतंत्रता संग्राम की प्रारंभिक और महत्वपूर्ण घटना मानी जाती है, जिसने 1857 के विद्रोह की आग को हवा दी। कथन II में उल्लिखित है कि मंगल पांडे के मुकदमे के समय, उन्होंने केवल यही उत्तर दिया था कि उन्होंने जो किया वह खुद से किया, जो उनके स्वतंत्र और साहसी चरित्र को दर्शाता है। ये दोनों कथन ऐतिहासिक रूप से प्रमाणित हैं और 1857 के विद्रोह की पृष्ठभूमि में महत्वपूर्ण हैं।

90. (B): अभिकथन (A) और कारण (R) दोनों सत्य हैं, लेकिन (R), (A) की सही व्याख्या नहीं है। अभिकथन (A) के अनुसार, अहिल्याबाई होल्कर ने वास्तव में इंदौर को एक छोटे से गाँव से समृद्ध एवं सुंदर नगर के रूप में विकसित किया था। उनका शासनकाल मध्य प्रदेश के इतिहास में विकास और प्रगति की एक स्वर्णिम अवधि माना जाता है। हालांकि, कारण (R) में दिया गया तर्क उनकी विधवा नीतियों से संबंधित है, जो उनके द्वारा इंदौर के विकास से सीधे तौर पर संबंधित नहीं है। अहिल्याबाई होल्कर ने शहर के विकास के लिए निर्माण कार्यों, धार्मिक संस्थानों की स्थापना, और व्यापार तथा कृषि को बढ़ावा देने की व्यापक योजनाएं बनाई थीं, जो इंदौर को समृद्ध बनाने में सहायक थीं।

91. (C): गद्यांश में उल्लिखित नामों में से शक्तिवर्मन राष्ट्रकूट शासक नहीं था। गोविंद तृतीय, कृष्ण प्रथम, और नृपतुंग ये सभी राष्ट्रकूट वंश के प्रमुख शासक थे। राष्ट्रकूट वंश दक्षिण भारत के प्रमुख राजवंशों में से एक था और इसने आठवीं से दसवीं शताब्दी तक अपनी शक्ति का प्रदर्शन किया। गोविंद तृतीय और कृष्ण प्रथम के शासनकाल में राष्ट्रकूट साम्राज्य ने अपनी सीमाओं का विस्तार किया और विभिन्न कलात्मक और धार्मिक उपलब्धियों को प्राप्त किया। नृपतुंग के शासनकाल में भी साम्राज्य में स्थिरता और समृद्धि देखने को मिली।

92. (B): 'तोण्डईमंडलम्' का प्रयोग उत्तरी पेन्नार एवं उत्तरी वेल्लार नदियों के मध्य अवस्थित क्षेत्र के लिए किया गया है। यह क्षेत्र आज के तमिलनाडु राज्य में स्थित है और इतिहास में यह पल्लवों के प्रमुख शासन क्षेत्रों में से एक था। पल्लवों ने इस क्षेत्र को केंद्र बनाकर दक्षिण भारत में अपनी सांस्कृतिक और राजनीतिक पहचान स्थापित की थी। यह क्षेत्र उनके राजनीतिक और सैन्य अभियानों का मुख्य आधार भी था।

93. (C): पश्चिमी गंग राजवंश ने मैसूर क्षेत्र को शासित किया था। यह वंश दक्षिण भारत में सक्रिय था और इसने विशेष रूप से मैसूर और आसपास के क्षेत्रों में अपनी सांस्कृतिक और राजनीतिक छाप छोड़ी। पश्चिमी गंग राजवंश के शासकों ने कई मंदिरों का निर्माण करवाया और स्थानीय कला व संस्कृति को समृद्ध किया।

94. (A): पल्लव एवं पश्चिमी चालुक्यों के मध्य संघर्ष का प्रारंभ महेन्द्रवर्मन प्रथम के शासनकाल में हुआ। महेन्द्रवर्मन प्रथम एक महत्वपूर्ण पल्लव शासक थे जिन्होंने दक्षिण भारत में अपने राजनीतिक और सैन्य प्रभाव को मजबूती प्रदान की। उनके शासनकाल में पल्लवों और पश्चिमी चालुक्यों के बीच कई युद्ध हुए, जिससे दोनों राजवंशों के बीच संबंधों में तनाव और प्रतिद्वंद्विता बढ़ी।

95. (B): चोल शासक आदित्य प्रथम द्वारा पराजित होने वाला पल्लव शासक अपराजित था। अपराजित पल्लवों के अंतिम महत्वपूर्ण शासक थे, और उनकी पराजय ने चोलों के हाथों में तोण्डईमंडलम् का नियंत्रण हस्तांतरित कर दिया। यह घटना पल्लव राजवंश के अंत और चोल राजवंश के उदय का सूचक है, जिसने दक्षिण भारत में एक नए राजनीतिक युग की शुरुआत की।

96. (D): कूका आंदोलन के सिद्धांतों में अन्तरजातीय विवाह पर प्रतिबंध लगाना शामिल नहीं है। कूका आंदोलन मुख्य रूप से सिख धर्म के शुद्धिकरण और जाति-उन्मूलन पर केंद्रित था। यह आंदोलन सामाजिक अन्याय और अंधविश्वासों के खिलाफ था और इसने मांसाहार, मद्य तथा अन्य मादक द्रव्यों के त्याग की वकालत की। अन्तरजातीय विवाह पर प्रतिबंध लगाना इसके मुख्य उद्देश्यों के विपरीत होता, क्योंकि इससे जाति प्रथा को और बल मिलता।

97. (A): कूका आंदोलन के संस्थापक भगत जवाहर मल के प्रमुख अनुयायी बालक सिंह थे। बालक सिंह ने जवाहर मल के विचारों को आगे बढ़ाया और उन्हें व्यापक रूप से प्रचारित किया। वे कूका आंदोलन के भीतर एक महत्वपूर्ण व्यक्तित्व थे और उन्होंने आंदोलन की धार्मिक और सामाजिक नीतियों को स्थापित करने में महत्वपूर्ण भूमिका निभाई।

98. (C): कूका नेता रामसिंह ने सिख शासक नौनिहाल सिंह की सेना में अपनी सेवाएँ दीं। नौनिहाल सिंह का काल पंजाब में एक सक्रिय और प्रभावशाली समय था, और रामसिंह की भागीदारी ने उन्हें युद्ध कौशल और संगठनात्मक क्षमताओं में महारत हासिल करने में मदद की।

99. (B): कूका समर्थक अपनी पगड़ी को विशिष्ट रीति से बाँधते थे, जिसे 'सिद्धपाग' कहा जाता था। यह विशेष पगड़ी बांधने का तरीका कूका समुदाय के लोगों की पहचान और उनकी आध्यात्मिक आकांक्षाओं को प्रकट करता था।

'सिद्धपाग' का अर्थ है 'पूर्णता प्राप्त पगड़ी', जो उनकी धार्मिकता और शुद्धता के प्रति प्रतिबद्धता को दर्शाता है।

100. (A): कूका आन्दोलन के प्रमुख नेता रामसिंह ने स्वयं को गुरु गोविन्द सिंह के अवतार के रूप में घोषित किया। इस घोषणा के द्वारा रामसिंह ने अपने अनुयायियों के बीच अपनी आध्यात्मिक और नैतिक अधिकारिता को मजबूत किया।

गुरु गोविन्द सिंह, सिख धर्म के दसवें और अंतिम गुरु होने के नाते, उनका आदर्श और आत्म-साक्षात्कार की उनकी अवधारणा कूका आंदोलन के धार्मिक और सामाजिक लक्ष्यों के लिए प्रेरणादायक थी।

पिछले प्रश्न-पत्र (हल सहित)

National Testing Agency (NTA)

UGC-NET जूनियर रिसर्च फैलोशिप तथा सहायक प्राध्यापक पात्रता परीक्षा

इतिहास, फरवरी-2023

(Online exam held on 28/02/2023)

प्रश्न-पत्र-II

1. धम्मपद, थेरागाथा, थेरीगाथा और जातक ग्रंथ निम्नलिखित में से किस बौद्ध धर्म ग्रंथ समूह से संबंधित हैं?

A. दीघ निकाय B. संयुत्त निकाय
C. मज्झिम निकाय D. खुद्दक निकाय

2. निम्नलिखित में से कौन-सा ग्रंथ जैन परंपरा से संबंधित है?

A. रामकियन B. दशरथ जातक
C. पउमचरियम D. इरामावतारम

3. गुप्तवंश के शासकों का पारिवारिक (कुल) चिह्न क्या था?

A. मयूर B. गरुड़
C. शेर D. सूर्य

4. प्रबोध-चन्द्रोदय नामक ग्रंथ के लेखक कौन हैं?

A. कृष्ण मिश्र B. वाचस्पति मिश्र
C. दामोदर D. धनिक

5. ऐतरेय और शतपथ ब्राह्मण में किस राजा के नाम का उल्लेख मिलता है, जिन्होंने इन्द्र महाभिषेक के साथ-साथ अश्वमेध यज्ञ करवाया था, वह थे?

A. पर B. बिम्बिसार
C. बिन्दुसार D. अशोक

6. राजपुरा और द्वारका नगर निम्नलिखित में से किस क्षेत्र में स्थित थे?

A. कंबोज B. अवंति
C. कुरु D. गांधार

7. ओट्टाकूथर ने निम्नलिखित में से किस शासक के बारे में नहीं लिखा है?

A. राजराजा-I B. राजराजा-II
C. विक्रम चोल D. कुलोत्तुंग-II

8. उस अभिलेख का नाम बताइए जो पूजा-शिला-प्रकार की रचना (निर्माण) से संबंधित है?

A. नानाघाट अभिलेख B. हाथीगुम्फा अभिलेख
C. हल्मिदी अभिलेख D. घोसुंडी अभिलेख

9. चरिया-पिटक निम्नांकित में से किसका एक संग्रह (संकलन) है?

A. पद्य में रचित 40 जातकों का
B. पद्य में रचित 35 जातकों का
C. गद्य में रचित 35 जातकों का
D. पद्य में रचित 38 जातकों का

10. लंकावतार निम्नलिखित में किससे संबंधित है?

A. वैपुल्यसूत्र B. लंकादहन
C. काठक-संहिता D. वार्तिका

11. कियारी और गियक नामक नवपाषाण कालीन स्थल निम्नांकित में से किस जगह पर अवस्थित हैं?

A. नगालैंड B. त्रिपुरा
C. अल्मोड़ा D. लद्दाख

12. घग्घर-हाकरा नदी-तंत्र का निम्नलिखित में किसके द्वारा अध्ययन किया गया था?

A. सी.एफ. ओल्डहैम B. कैथलीन केन्योन
C. रॉबर्ट जे. ब्रेडवुड D. जॉन लुबॉक

13. ए.के. घोष के अनुसार भारत में निम्नलिखित में कौन-पुरापाषाणिक संस्कृति समूह काम्पलेक्स का एक काल (क्रोनो) - सांस्कृतिक तत्व नहीं है?
A. पेबल-कोर B. फ्लेक
C. फ्लेक-ब्लेड D. बोरर-ब्युरिन

14. औरंगजेब के शासनकाल में निम्नलिखित में से किस कुलीन राजपूत को 7000/7000 का मनसब दिया गया था?
A. अनूप सिंह B. राणा राजसिंह
C. मिर्जा राजा जय सिंह D. बिशन सिंह

15. भारत में कुएँ से जल निकालने की दो विधियों का विवरण निम्नलिखित ग्रंथों में से किसमें मिलता है?
A. सीरत-ए-फिरोजशाही B. बाबरनामा
C. तारीख-ए-फिरोजशाही D. रौजुतुस सफा

16. किसने इस बात का उल्लेख किया कि जब अकबर मिर्जा हकीम के विद्रोह का दमन करने के अभियान हेतु काबुल की ओर गया था, तो उसने अपनी माँ हमीदा बानू बेगम को दिल्ली सूबे का प्रभारी नियुक्त किया था?
A. अबुल फजल B. फादर एंथोनी मॉन्सरेट
C. निजामुद्दीन अहमद D. ड्यू जैरिक

17. जनवरी 1751 में, निम्नलिखित में से किस सेनानायक के नेतृत्व में फ्रांसीसी सेना मुजफ्फर जंग के साथ आई थी?
A. कैप्टन बस्सी B. कैप्टन कोप
C. कैप्टन सेली D. कैप्टन बर्री

18. आरंभिक आधुनिक काल में, 'उम्मल' के रूप में किसे जाना जाता है?
A. कर-दाता B. कर-संग्राहक
C. जमींदार D. ग्राम का मुखिया

19. निम्नलिखित में से किस साम्राज्य के अंतर्गत सैनिक सेवा के बदले गाँवों से राजस्व संग्रह का कार्य अर्थात सरन्जाम, एक लोकप्रिय प्रथा थी?
A. मुगल साम्राज्य B. विजयनगर साम्राज्य
C. मराठा साम्राज्य D. बहमनी राज्य

20. किसने लिखा है कि, 'समय बहुमूल्य है और अपरिवर्तनीय है।'
A. अबुल फजल B. जियाउद्दीन बरनी
C. खाफी खान D. अमीर खुसरो

21. किसने कहा कि उसके (लालकुँवर) लिए नूरजहाँ के समय को पुनर्जीवित किया गया और उसके नाम से सिक्के जारी किये गये थे?
A. हादी कम्वार खान B. खाफी खान
C. शाहनवाज खान D. रूस्तम अली शाहहादी

22. राजस्थान में अवस्थित निम्नलिखित में कौन से स्थल से 2000 ई. पूर्व लगभग सूखापन (शुष्कता) के आरंभ का प्रमाण प्राप्त होता है?
A. कोटा B. अर्जुनपुर
C. माउन्ट आबू D. लूणकरनसर

23. 'द कोर्ट ऑफ डायरेक्टर्स' ने निम्नलिखित में से किस रियासत के विलय को 'राज्य-हड़प सिद्धांत' (ड्राक्ट्रिन ऑफ लैप्स) के आधार पर मंजूरी नहीं दी थी?
A. नागपुर B. झांसी
C. करौली D. सम्भल

24. निम्नलिखित में से किस भारतीय फैक्टरी अधिनियम के अंतर्गत सभी श्रमिकों को साप्ताहिक अवकाश प्रदान किया गया था?
A. प्रथम भारतीय फैक्टरी अधिनियम, 1881
B. द्वितीय भारतीय फैक्टरी अधिनियम, 1891
C. तृतीय भारतीय फैक्टरी अधिनियम, 1901
D. चतुर्थ भारतीय फैक्टरी अधिनियम, 1911

25. प्रथम बर्मा युद्ध (1824-26) का तात्कालिक कारण क्या था?
A. एक ब्रिटिश संरक्षित राज्य के रूप में कछार की स्थापना
B. बर्मा द्वारा मणिपुर में राजनीतिक सत्ता की स्थापना
C. रंगून में ब्रिटिश नौसैनिक मिशन
D. मिसामी पहाड़ियों में ब्रिटिश अभियान

26. निम्नलिखित में से किसने ''गाँधीजी लीडरशीप एंड द कांग्रेस सोशलिस्ट पार्टी'' शीर्षक से निबंध लिखा था?
A. आचार्य नरेन्द्र देव B. पुरुषोत्तम दास टंडन
C. एस.ए. डांगे D. जयप्रकाश नारायण

27. निम्नलिखित में से किस युद्ध के बाद प्रख्यात हीरा–कोहिनूर, ब्रिटिश शासक को समर्पित कर दिया गया था?

A. प्रथम आंग्ल-सिख युद्ध (1845-46)

B. द्वितीय आंग्ल-सिख युद्ध (1848-49)

C. प्रथम अफगान युद्ध (1839-42)

D. द्वितीय अफगान युद्ध (1878-80)

28. मैला ढोने वालों की 1928 की हड़ताल के एक प्रमुख नेता के रूप में किसको 'धनगर्मा' की उपाधि दी गई थी?

A. संतोष कुमारी गुप्ता B. प्रभावती दास गुप्ता

C. मुथियालु D. बसंती देवी

29. 'एस्टाडो द इंडिया' निम्नलिखित में से किस नाम से लोकप्रिय है?

A. पुर्तगाली ईस्ट इंडिया कंपनी

B. डच ईस्ट इंडिया कंपनी

C. अंग्रेजी ईस्ट इंडिया कंपनी

D. फ्रांसीसी ईस्ट इंडिया कंपनी

30. 1770 और 1780 के दशक के अंतिम वर्षों में खतबंदी विनियमन किससे संबंधित थे?

A. भारतीय किसानों द्वारा ब्रिटिश ईस्ट इंडिया कंपनी से अपनी लिए उपकरण (औजार) खरीदने से।

B. भारतीय दस्तकारों को उनके उत्पाद अनन्य रूप से ब्रिटिश ईस्ट इंडिया कंपनी को बिक्री करने के लिए बाध्य करते हैं।

C. भारतीय किसानों को भूमि-राजस्व नकद रूप में ब्रिटिश ईस्ट इंडिया कंपनी को भुगतान करने के लिए बाध्य करते हैं।

D. भारतीय दस्तकार कपास जैसे कच्चे माल अनन्य रूप से ब्रिटिश ईस्ट इंडिया कंपनी से खरीदेंगे।

31. दादा भाई नौरोजी ने 1895 में किस आयोग के समक्ष भारत से 'धन के निष्कासन' (ड्रैन ऑफ वैल्थ) के मामले को प्रस्तुत किया था?

A. वेल्बी आयोग

B. मैकडोनाल्ड आयोग

C. स्ट्राची आयोग

D. प्रेषण आयोग (रेमिटेंस आयोग)

32. 1880 के दशक की किस संस्था से फर्ग्यूसन कॉलेज को विकसित किया गया था?

A. दक्कन इंग्लिश स्कूल B. न्यू इंग्लिश स्कूल

C. एंग्लो-ब्रिटिश स्कूल D. पूना इंग्लिश स्कूल

33. निम्नलिखित में से कौन अस्पृश्यता पर 1929 की कांग्रेस उप-समिति के अध्यक्ष थे?

A. सुभाष चंद्र बोस

B. जवाहरलाल नेहरु

C. पंडित मदन मोहन मालवीय

D. एन.जी. चंदावरकर

34. उपयोगितावाद के सिद्धांत का प्रतिपादक कौन था?

A. इमैनुअल कांट B. जे.एस. मिल

C. जैक्स देरीदा D. मिशेल फूको

35. हेरोडोटस का जन्म कहाँ हुआ था?

A. हेलीकारनासस B. पेलोपोनेसिया

C. मिस्र D. फीनिसिया

36. लेनी रीफेन्स्टॉल की फिल्म 'ट्रायंफ ऑफ विल' निम्नलिखित में से किससे संबंधित है?

A. साम्यवादी प्रचार B. नारीवादी उपागम

C. नाजी प्रचार D. सबाल्टर्न उपागम

37. किसने यह कहा था– ''काल्पनिक कृतियों के रूप में इतिहासकार की कृति और उपन्यासकार की कृति भिन्न नहीं होती है। वे जहां भिन्न होते हैं, वह यह है कि इतिहासकार के वर्णन का अर्थ सच होने से है।''

A. आर.जी. कॉलिंगवुड

B. विल ड्यूरेन्ट

C. ई.एच. कार

D. विलियम एच. ड्रे

38. किसने यह कहा था–''इतिहास का पुनर्लेखन किया जाना चाहिए क्योंकि इतिहास कारणों या पूर्व-वृतों (एन्टीसिडेंटस) के वे धागे हैं, जिनमें हमारी रूचि होती है।''

A. मैक्स बर्बोहन

B. विलियम जिन्सर

C. ओलिवर वेन्डेल होम्स, जूनियर

D. हेनरी एडम्स

39. निम्नलिखित में से किसने 1831 के रामोसी विद्रोह का नेतृत्व किया था?

A. देवी चौधरानी B. राम सिंह

C. शाह मल D. उमाजी राजे

40. राजा राममोहन रॉय द्वारा स्थापित ब्रह्म-समाज निम्नांकित में से किसका उत्तरवर्ती था?

A. सनातन सभा B. आत्मीय सभा

C. धर्म सभा D. तत्वबोधिनी सभा

41. मध्यकाल के दौरान तारीख/तवारीख के संदर्भ में निम्नलिखित कथनों में से कौन से कथन सही हैं?

(*a*) ये दरबारी इतिवृत्त थे।

(*b*) बाबरनामा रोजनामचे (डायरियों) पर आधारित नहीं है।

(*c*) फारसी परंपरा राजतंत्रीय संस्थाओं से प्रभावित नहीं थी।

(*d*) वे स्मारक उपक्रम थे जिसने पुस्तक लेखन के लिए इतिहास-लेखन को केन्द्रीय विषय बनाया।

(*e*) यह पैटर्न सेल्जुक साम्राज्य के इतिहास द्वारा प्रभावित था।

नीचे दिए गए विकल्पों में से सही उत्तर का चयन कीजिएः

A. केवल (*a*), (*c*), (*e*) B. केवल (*a*), (*b*), (*d*)

C. केवल (*b*), (*c*), (*d*) D. केवल (*a*), (*d*), (*e*)

42. यूरोपीय व्यापारिक कंपनियों की भूमिका के संदर्भ में निम्नलिखित कथनों में से कौन से कथन सही हैं?

(*a*) वर्ष 1605 में डचों ने अंबोयना के पुर्तगाली दुर्ग पर कब्जा कर लिया।

(*b*) वर्ष 1606 में डचों ने मसूलीपट्टम में एक फैक्ट्री स्थापित करने के लिए गोलकुण्डा के शासकों से फरमान प्राप्त किया।

(*c*) डचों ने वर्ष 1617 में सूरत में अपनी फैक्ट्री स्थापित की।

(*d*) अंग्रेजों ने सूरत में 1625 में पहले ही फैक्ट्री खोल दी थी।

(*e*) वर्ष 1639 में डचों ने मलक्का पर कब्जा किया।

नीचे दिए गए विकल्पों में से सही उत्तर का चयन कीजिएः

A. केवल (*b*), (*c*), (*d*) B. केवल (*a*), (*d*), (*e*)

C. केवल (*a*), (*b*), (*c*) D. केवल (*b*), (*c*), (*e*)

43. निम्नलिखित में से कौन-सही हैं?

(*a*) वायुपुराण में वाकाटक राजवंश के संस्थापंक विंध्यशक्ति, और उसके पुत्र प्रवरसेन के बारे में संकेत मिलता है।

(*b*) आरंभिक अभिलेखीय प्रलेखों में आभीरों को पश्चिमी भारत में स्थित शक महाक्षत्रपों के सेनापति के रूप में दर्शाया गया है।

(*c*) कौटिल्य रचित अर्थशास्त्र में उल्लिखित इच्छवाकु वंशीय शासक मदुरई नगर से शासक करते थे।

(*d*) बोधि राजवंश उस क्षेत्र में विकसित हुआ जो कभी चेर राजवंश के अधिकार क्षेत्र में हुआ करता था।

(*e*) महावंश में चोल शासक करिकाल का सिलोन पर आक्रमण का उल्लेख नहीं मिलता है।

नीचे दिए गए विकल्पों में से सही उत्तर का चयन कीजिएः

A. केवल (*a*), (*b*), (*c*), (*d*)

B. केवल (*a*), (*b*), (*e*)

C. केवल (*b*), (*c*), (*d*), (*e*)

D. केवल (*a*), (*d*), (*e*)

44. निम्नलिखित में से कौन-सा सही हैं?

(*a*) तंजौर स्थित बृहदेश्वर मंदिर का निर्माण चोल शासकों द्वारा करवाया गया था।

(*b*) मन्दिर की दीवारों पर चोल शासकों की चित्रकारी की गयी है।

(*c*) त्रिपुरान्तक शिवजी का एक अन्य नाम है।

(*d*) राजराजेश्वर मन्दिर चोल राजवंश की कला के महान चरण का प्रतीक है।

(*e*) राजराजा देवी दुर्गा के भक्त थे।

नीचे दिए गए विकल्पों में से सही उत्तर का चयन कीजिएः

A. केवल (*a*), (*b*), (*c*), (*d*)

B. केवल (*a*), (*c*), (*d*), (*e*)

C. केवल (*a*), (*c*), (*d*)

D. केवल (*c*), (*d*), (*e*)

45. निम्नलिखित में से कौन सही है?

(*a*) नागार्जुनकोंडा अभिलेख से वर्ष 278 ईस्वी की तिथि प्राप्त होती है।

(*b*) नागार्जुनकोंडा अभिलेख में देव परमदेव की छवि के प्रति समर्पण के भाव का उल्लेख मिलता है।

(*c*) अभीर शासक, वशिष्ठीपुत्र वसुसेन देवी दुर्गा के भक्त थे।

(*d*) नागार्जुनकोंडा अभिलेख सर्वोच्च ईश्वर का आदि-पुरुष के रूप में उल्लेख करता है।

(*e*) नागार्जुनकोंडा अभिलेख ईश्वर को रुम्बर-भाव के रूप में भी वर्णित करता है।

नीचे दिए गए विकल्पों में से सही उत्तर का चयन कीजिए:

A. केवल (*a*), (*c*), (*d*), (*e*)

B. केवल (*b*), (*c*), (*d*), (*e*)

C. केवल (*a*), (*b*), (*d*), (*e*)

D. केवल (*a*), (*b*), (*c*), (*d*)

46. नौकरों एवं दासों की स्थिति के संदर्भ में निम्नलिखित कथनों में से कौन-से कथन सही हैं?

(*a*) मोरलैण्ड ने 'इंडिया एट द डेथ ऑफ अकबर' में दासता को विस्तारपूर्वक निरूपित किया है।

(*b*) फिरोज तुगलक एक मात्र शासक था जिसने दासों को निर्माण के उद्देश्य से प्रयुक्त किया था।

(*c*) पुर्तगालियों ने व्यापक पैमाने पर दासों की नियुक्ति की थी।

(*d*) जेद्दा के तीर्थयात्री जहाज, दास व्यापार में लिप्त नहीं थे।

(*e*) अकबर ने युद्धबंदियों को दास बनाने की प्रथा को स्वीकृत किया।

नीचे दिए गए विकल्पों में से सही उत्तर का चयन कीजिए:

A. केवल (*a*), (*d*), (*e*) B. केवल (*a*), (*b*), (*c*)

C. केवल (*b*), (*d*), (*e*) D. केवल (*b*), (*c*), (*d*)

47. पुरंदर की संधि (1665) के संदर्भ में निम्नलिखित में से कौन-से कथन सही हैं?

(*a*) शिवाजी द्वारा जीते गये 35 किलों में से 23 किले मुगलों को वापस कर दिये गये।

(*b*) वापस किये गये किलों से प्रतिवर्ष चार लाख हूण का राजस्व प्राप्त होता था।

(*c*) शेष 12 किलों से प्राप्त दो लाख हूण की वार्षिक आय को शिवाजी के लिए छोड़ दिया गया था।

(*d*) बीजापुरी कोंकण में एक क्षेत्र शिवाजी को प्रदान किया गया था।

(*e*) शिवाजी को 30 लाख हूण किश्तों में मुगलों को देना था।

नीचे दिए गए विकल्पों में से सही उत्तर का चयन कीजिए:

A. केवल (*a*), (*d*), (*e*) B. केवल (*b*), (*c*), (*d*)

C. केवल (*a*), (*b*), (*d*) D. केवल (*c*), (*d*), (*e*)

48. मध्यकाल में व्यापार के संदर्भ में निम्नलिखित में से कौन-से कथन सही हैं?

(*a*) कन्नौज, कड़ा और मानिकपुर से नमक राजधानी लाया जाता था।

(*b*) पान का पत्ता उत्तर-पूर्वी भाग से आयातित किया जाता था।

(*c*) दिल्ली को रसद की आपूर्ति काफी दूर के ग्रामीण क्षेत्रों से होती थी।

(*d*) बरनी ने अलाउद्दीन खिलजी के कृषि एवं मूल्य-नियंत्रण उपायों का विस्तारपूर्वक उल्लेख किया है।

(*e*) इब्न बतूता से हमें ज्ञात होता है कि मुख्यतः गंगा के तट पर स्थित अमरोहा से अनाज की आपूर्ति होती थी।

नीचे दिए गए विकल्पों में से सही उत्तर का चयन कीजिए:

A. केवल (*a*), (*b*), (*d*) B. केवल (*b*), (*c*), (*d*)

C. केवल (*c*), (*d*), (*e*) D. केवल (*b*), (*c*), (*e*)

49. निम्नलिखित में से कौन से कथन सही हैं?

(*a*) नौसैनिक रेटिंग्स ने 18 फरवरी, 1946 को एच.एम.आई.एस. तलवार से विरोध प्रारम्भ किया।

(*b*) बॉम्बे में नौसैनिक विद्रोह का मुख्य कारण खराब भोजन और नस्लीय भेदभाव था।

(*c*) नौसैनिक विद्रोह के दौरान बॉम्बे शहर शांत रहा था और जनता ने हड़ताल में भाग नहीं लिया।

(*d*) बॉम्बे में शांति स्थापना के लिए एक मराठा बटालियन बुलाई गई थी।

(*e*) कराची में भी हड़ताल फरवरी, 1946 में हुई।

नीचे दिए गए विकल्पों में से सबसे उपयुक्त उत्तर का चयन कीजिए:

A. केवल (*a*) और (*b*)

B. केवल (*a*), (*b*) और (*c*)

C. केवल (*a*), (*b*) और (*d*)

D. केवल (*a*), (*b*), (*d*) और (*e*)

50. निम्नलिखित में से कौन से कथन सही हैं?

(*a*) डॉ. बी.आर. अम्बेडकर ने सिडेन्हैम कॉलेज में एक प्रोफेसर के रूप में पद ग्रहण किया था।

(*b*) डॉ. बी.आर. अम्बेडकर ने इंडिपेन्डेंट लेबर पार्टी की स्थापना की थी।

(*c*) इंडिपेन्डेंट लेबर पार्टी का लाल ध्वज था।

(*d*) डॉ. बी.आर. अम्बेडकर ने दलित-शूद्र पहचान संबंधी गैर-आर्यन सिद्धांत का समर्थन नहीं किया था।

(*e*) डॉ. बी.आर. अम्बेडकर ने 1936 में 'द एनिहिलेशन ऑफ कास्ट' शीर्षक से पुस्तक प्रकाशित की थी।

नीचे दिए गए विकल्पों में से सबसे उपयुक्त उत्तर का चयन कीजिए:

A. केवल (*a*), (*b*)

B. केवल (*a*), (*b*), (*c*)

C. (*a*), (*b*), (*c*), (*d*), (*e*)

D. केवल (*a*), (*b*), (*c*), (*d*)

51. निम्नलिखित में से कौन से कथन सही हैं?

(*a*) कलकत्ता स्थित टाउनहॉल में आयोजित एक बैठक में बहिष्कार और स्वदेशी पर प्रस्ताव को अंगीकार किया गया था।

(*b*) खुदीराम बोस को 30 अप्रैल, 1908 को फांसी दी गई थी।

(*c*) अरून्डेल समिति ने अपनी रिपोर्ट लॉर्ड इरविन को प्रस्तुत की थी।

(*d*) श्यामजी कृष्णवर्मा ने फरवरी 1905 में लंदन में इंडिया होम रूल सोसायटी की स्थापना की थी।

(*e*) मदन लाल धींगरा ने 01 जुलाई, 1909 को लंदन में कर्जन वाइली को गोली चला कर मार दिया था।

नीचे दिए गए विकल्पों में से सही उत्तर का चयन कीजिए:

A. केवल (*a*), (*b*), (*e*)

B. केवल (*a*), (*b*), (*c*)

C. केवल (*a*) और (*b*)

D. केवल (*a*), (*c*), (*e*)

52. निम्नलिखित में से कौन से कथन सही हैं?

(*a*) कॉर्नवालिस के पहुँचने से भी पूर्व 1770 से एलेक्जेंडर डाऊ, हेनरी पैटुलो और फिलिप भूमि-कर को स्थायी रूप से निर्धारित कर देने की पैरवी कर रहे थे।

(*b*) फिजियोक्रेटिक विचार-सम्प्रदाय ने देश की अर्थव्यवस्था में कृषि को प्रमुखता प्रदान की थी।

(*c*) स्थायी भूमि बंदोबस्त (भूमि व्यवस्था) ने सदैव के लिए भूमि मूल्यांकन किया था।

(*d*) स्थायी भूमि बंदोबस्त के अंतर्गत मूल्यांकन भ्रष्टाचार की गुंजाइश को कम करेगा।

(*e*) यह आशा की गई थी कि भूमि बंदोबस्त (भूमि व्यवस्था) के अंतर्गत जमींदार भूमि के सुधार में निवेश नहीं करेंगे।

नीचे दिए गए विकल्पों में से सबसे उपयुक्त उत्तर का चयन कीजिए:

A. केवल (*a*), (*b*)

B. केवल (*a*), (*b*), (*c*)

C. केवल (*a*), (*b*), (*c*), (*d*)

D. केवल (*a*), (*c*), (*d*), (*e*)

53. निम्नलिखित में से कौन से कथन सही हैं?

(*a*) हिन्दी-उर्दू विवाद 1860 के दशक के आस-पास के समय में उत्तर-पश्चिमी प्रांतों एवं अवध में शुरू हुआ था।

(*b*) 1893 में 'नागरी प्रचारणी सभा' की स्थापना के साथ 1890 के दशक में इस आंदोलन ने अधिक तीव्रता पकड़ी।

(*c*) हिन्दी देवनागरी लिपि में लिखी जाती है इसलिए इस में संस्कृत शब्दों की वृहत्तर उपस्थिति रहती है।

(*d*) उर्दू, फारसी लिपि में लिखी जाती है, इसलिए इसमें अधिक फारसी और अरबी शब्द हैं।

(*e*) उत्तर-पूर्वी प्रांत की सरकार और अवध ने अप्रैल, 1900 में एक प्रस्ताव के माध्यम से नागरी के साथ संस्कृत को समान आधिकारिक दर्जा प्रदान किया।

नीचे दिए गए विकल्पों में से सबसे उपयुक्त उत्तर का चयन कीजिए:

A. केवल (*a*), (*b*)

B. केवल (*a*), (*b*), (*c*)

C. केवल (*a*), (*b*), (*c*), (*d*)

D. केवल (*a*), (*b*), (*d*), (*e*)

54. निम्नलिखित में कौन से कथन सत्य **नहीं** हैं?

(*a*) दारा शिकोह ने उपनिषदों का फारसी भाषा में अनुवाद किया।

(*b*) यह कार्य वर्ष 1657 ई. में पूर्ण हुआ।

(*c*) दारा शिकोह ने 1860 ई. में योग वशिष्ठ के अनुवाद का पर्यवेक्षण किया।

(*d*) दारा शिकोह का सिर्रे-ए-अकबर भगवद् गीता का फारसी रूपांतरण हैं।

(*e*) मज्म-अल-बहरीन दारा शिकोह की रचना नहीं थी।

नीचे दिए गए विकल्पों में से सही उत्तर का चयन कीजिए:

A. केवल (*a*), (*b*), (*d*), (*e*)

B. केवल (*b*), (*c*), (*d*), (*e*)

C. केवल (*c*), (*d*), (*e*)

D. केवल (*b*), (*c*), (*d*)

55. निम्नलिखित में कौन से सही हैं?

(*a*) शंकराचार्य के द्वारा रचित प्रस्थानत्रयी में उपनिषद, ब्रह्मसूत्र और भगवद गीता शामिल हैं।

(*b*) शंकराचार्य मण्डन मिश्र के शिष्य थे।

(*c*) जयेष्ठेश्वर मंदिर श्रीनगर में स्थित है।

(*d*) शंकराचार्य अपने बौद्धिक विरोधियों द्वारा क्रिप्टो-बुद्धिष्ट (प्रच्छन्न बौद्ध) कहे जाते थे।

(*e*) शंकराचार्य ने मण्डन मिश्र के साथ दार्शनिक शास्त्रार्थ किया था।

नीचे दिए गए विकल्पों में से सही उत्तर का चयन कीजिए:

A. केवल (*a*), (*b*), (*d*), (*e*)

B. केवल (*a*), (*c*), (*d*), (*e*)

C. केवल (*b*), (*c*), (*d*), (*e*)

D. केवल (*a*), (*b*), (*c*), (*d*)

56. निम्नांकित में कौन से कथन सही हैं?

(*a*) बौद्ध, निर्वाण प्राप्त करने हेतु बुद्ध, धम्म और संघ नामक त्रिरत्नों में विश्वास रखते हैं।

(*b*) सारिपुत्र और तथागत दो भिन्न व्यक्ति हैं।

(*c*) थेरवादी एवं महायानवादी बुद्ध की शिक्षाओं को मानते हैं।

(*d*) महात्मा बुद्ध ने अपना प्रथम उपदेश बोधगया में दिया था।

(*e*) अशोक का सिंह स्तंभ शीर्ष पहली बार वाराणसी के नजदीक स्थित सारनाथ में संस्थापित हुआ था।

नीचे दिए गए विकल्पों में से सही उत्तर का चयन कीजिए:

A. केवल (*a*), (*b*), (*d*), (*e*)

B. केवल (*a*), (*c*), (*e*)

C. केवल (*a*), (*c*), (*d*)

D. केवल (*b*), (*c*), (*d*), (*e*)

57. महाराजा जयसिंह और राजकुमार मोहम्मद आजम के मध्य हुई संधि की शर्तों में निम्नलिखित में से कौन-सी शामिल नहीं थीं?

(*a*) महाराजा जय सिंह ने मंडल, पुर और बदनौर परगने मुगलों को सौंपे।

(*b*) उपर्युक्त की एवज में जय सिंह के राज्य में जजिया लागू हुआ।

(*c*) उन्हें 5000 का मनसब दिया गया।

(*d*) जय सिंह मारवाड़ के राणा के रूप में नहीं जाने जायेंगे।

(*e*) जय सिंह को 7000 का मनसब दिया गया।

नीचे दिए गए विकल्पों में से सही उत्तर का चयन कीजिए:

A. केवल (*c*), (*d*)

B. केवल (*a*), (*b*), (*e*)

C. केवल (*a*), (*b*), (*c*)

D. केवल (*b*), (*c*), (*d*)

58. नीचे दो कथन दिए गए हैं:

कथन I: चन्देल शासक, यशोवर्मन ने खजुराहो में वैकुण्ठ विष्णु के लक्ष्मण (वैकुण्ठ) मंदिर का निर्माण करवाया जिसे उसने प्रतिहार शासक, देवपाल से प्राप्त किया था।

कथन II: कलचुरी शासक, लक्ष्मण राज I ने विग्रह राजवंश से कृष्ण की एक छवि (चित्र) को प्राप्त किया था।

उपरोक्त कथन के आलोक में, नीचे दिए गए विकल्पों में से सही उत्तर का चयन कीजिए:

A. कथन I और कथन II दोनों सत्य हैं
B. कथन I और कथन II दोनों असत्य हैं
C. कथन I सत्य है, लेकिन कथन II असत्य है
D. कथन I असत्य है, लेकिन कथन II सत्य है

59. भक्ति आंदोलन के संदर्भ में निम्नलिखित कथनों में से कौन से कथन सही हैं?

(*a*) रामानुजम ने भक्तिपरक गीत लिखे और लोगों के बीच भक्तिपरक वैष्णव धर्म के प्रसार को प्रेरित किया।
(*b*) बासव ने ब्राह्मण विरोधी लिंगायत आंदोलन को बढ़ावा देने के लिए तांत्रिक कर्म एवं मंदिर अनुष्ठान की वकालत की।
(*c*) वल्लभाचार्य ने कृष्ण भक्ति की महत्ता हेतु जागरूकता उत्पन्न की।
(*d*) रामदास ने विष्णु के रामावतार के रूप में उनकी पूजा को लोकप्रिय बनाया।
(*e*) नामदेव बंगाल के एक प्रसिद्ध संत थे।

नीचे दिए गए विकल्पों में से सही उत्तर का चयन कीजिए:

A. केवल (*a*), (*b*), (*c*), (*d*)
B. केवल (*a*), (*c*), (*d*), (*e*)
C. केवल (*b*), (*c*), (*d*), (*e*)
D. केवल (*a*), (*d*), (*e*)

60. निम्नलिखित में से कौन से कथन सही हैं?

(*a*) रानी जिंदन को बनारस में एक कैदी के रूप में रखा गया था।
(*b*) रानी जिंदन ने नेपाल के राजा से उसे आश्रय देने की प्रार्थना की थी।
(*c*) दलीप सिंह ने 1853 में ईसाई धर्म को अपनाया था।
(*d*) दलीप सिंह ने ईसाई धर्म त्याग दिया था और सिख आस्था को पुनः अपनाया था।
(*e*) दलीप सिंह की लंदन में मृत्यु हुई थी।

नीचे दिए गए विकल्पों में से सही उत्तर का चयन कीजिए:

A. केवल (*a*), (*b*), (*c*), (*e*)
B. केवल (*b*), (*c*), (*d*), (*e*)
C. केवल (*a*), (*b*), (*c*), (*d*)
D. केवल (*c*), (*d*), (*e*)

61. निम्नलिखित में से कौन से कथन सही हैं?

(*a*) वासुदेव बलवंत फड़के ने पन्द्रह वर्ष से भी अधिक समय तक कमिसेरियट (सैन्य लेखा) विभाग में कार्य किया था।
(*b*) फड़के का पक्का मानना था कि भारत की दुर्दशा विदेशी शासन का परिणाम है।
(*c*) फड़के को अंडमान जेल में भेजा गया था।
(*d*) फड़के अपने लक्ष्य के प्रति 'धांगड़ों' की निष्ठा से प्रभावित था।
(*e*) फड़के ने आत्मकथा का लेखन नहीं किया था।

नीचे दिए गए विकल्पों में से सही उत्तर का चयन कीजिए:

A. केवल (*b*), (*c*), (*e*)
B. केवल (*b*), (*c*), (*d*)
C. केवल (*a*), (*b*), (*c*), (*d*)
D. केवल (*a*), (*b*), (*d*)

62. निम्नलिखित में कौन से कथन सही हैं?

(*a*) बेन्टिक ने 1834 में चाय समिति (टी कमेटी) का प्रस्ताव रखा था।
(*b*) बंगाल के ग्लोस्टर के किले पर प्रथम कॉफी कृषि प्रारम्भ की गई थी।
(*c*) मिंडन विल्सन ने कहा है कि फ्रैंक्रोइस ग्रांड ने बंगाल में प्रथम इंडिगो फैक्टरी को शुरु किया था।
(*d*) जब बंगाल में 1870 में बैली मिल्स की स्थापना की गई, तब से मशीन निर्मित कागज का उत्पादन हुआ था।

(*e*) मेजर एन्ड्रयू डंकन ने 1808 में सलेम इस्पात की गुणवत्ता के बारे में मद्रास सरकार का ध्यान आकर्षित किया था।

नीचे दिए गए विकल्पों में से सही उत्तर का चयन कीजिए:

A. केवल (*a*), (*c*), (*d*), (*e*)

B. केवल (*a*), (*b*), (*c*), (*d*)

C. केवल (*a*), (*b*), (*d*)

D. केवल (*a*), (*b*), (*e*)

63. निम्नलिखित में से कौन से कथन सही हैं?

(*a*) भारतीय सिनेमैटोग्राफी अधिनियम 1918 में पारित किया गया था।

(*b*) 1920 में चार नगरों– बॉम्बे, कलकत्ता, मद्रास और रंगून में सेंसर बोर्ड स्थापित किए गए थे।

(*c*) नाटकीय प्रस्तुति अधिनियम को 1878 में अधिनियमित किया गया था।

(*d*) 1927 में लाहौर में सेंसर बोर्ड की स्थापना की गई थी।

(*e*) टी.पी.ओ. कोनोर ने ब्रिटिश फिल्म सेंसर बोर्ड के अध्यक्ष के रूप में कार्य किया था।

नीचे दिए गए विकल्पों में से सही उत्तर का चयन कीजिए:

A. केवल (*a*), (*b*), (*c*), (*d*)

B. केवल (*a*), (*b*), (*e*)

C. केवल (*a*), (*b*), (*d*), (*e*)

D. केवल (*a*), (*b*), (*d*)

64. निम्नलिखित में से कौन से कथन सही हैं?

(*a*) भारत में 1926 में राष्ट्रीय महिला परिषद का गठन किया गया था।

(*b*) राष्ट्रीय महिला परिषद के प्रारम्भिक वर्षों में मुख्य प्रेरणा लेडी मेहरीबाई टाटा बनी रही थी।

(*c*) अखिल भारतीय महिला सम्मेलन 1928 में अस्तित्व में आया था।

(*d*) अखिल भारतीय महिला सम्मेलन प्रारम्भ में महिला शिक्षा को बढ़ावा देने के लिए एक गैर-राजनीतिक निकाय था।

(*e*) अखिल भारतीय महिला सम्मेलन बाद में राष्ट्रीय राजनीति में सम्मिलित हुआ और महिलाओं के सभी प्रकार के अधिकारों के लिए लॉबिंग की थी।

नीचे दिए गए विकल्पों में से सबसे उपयुक्त उत्तर का चयन कीजिए:

A. केवल (*a*) और (*b*)

B. केवल (*a*), (*b*) और (*c*)

C. केवल (*b*), (*d*) और (*e*)

D. केवल (*a*), (*b*), (*c*) और (*e*)

65. निम्नलिखित में से कौन से कथन सही हैं?

(*a*) यूरोपीय व्यापार संगठन ने 1921 में एसोसिएटेड चैम्बर ऑफ कॉमर्स (एसोचैम) नामक एक शीर्ष निकाय गठित किया था।

(*b*) भारतीय पूंजीपतियों ने 1927 में अपने स्वयं के संगठन - फिक्की (एफ.आई.सी.सी.आई.) का गठन किया था।

(*c*) मार्च 1931 के कपास संरक्षण अधिनियम के अंतर्गत कपास पर शुल्क 11 प्रतिशत से बढ़ा कर 15 प्रतिशत किया गया, लेकिन यह गैर ब्रिटिश वस्तु तक सीमित था।

(*d*) कपास पर शुल्कों में वृद्धि लंकाशायर के अनुकूल थी।

(*e*) भारतीय उद्योगपतियों और राष्ट्रवादियों ने साम्राज्यिक वरीयता का विरोध किया था। उनमें से अनेक ने विधानसभा से त्यागपत्र दे दिया, जिसमें बिरला और पुरुषोत्तम ठाकुरदास भी शामिल थे।

नीचे दिए गए विकल्पों में से सबसे उपयुक्त उत्तर का चयन कीजिए:

A. केवल (*a*) और (*b*)

B. केवल (*a*), (*b*) और (*c*)

C. केवल (*a*), (*b*), (*c*) और (*d*)

D. केवल (*a*), (*b*), (*d*) और (*e*)

66. सूची-I का सूची-II से मिलान कीजिए:

सूची-I	सूची-II
(*a*) दर्श-पौर्णमासस्	I. पवित्र अग्नि की स्थापना
(*b*) अग्न्याधेय	II. पहले फसल की कटाई पर नैवेद्य अर्पण

(*c*) आग्रयण III. तीनों ऋतुओं में प्रत्येक के प्रारंभ में किया जानेवाला यज्ञ

(*d*) चातुरमासस्यस IV. पूर्णमासी एवं अमावस्या के समय किया जाने वाला यज्ञ

निम्नलिखित विकल्पों में से सही उत्तर का चयन कीजिए:

	(*a*)	(*b*)	(*c*)	(*d*)
A.	I	II	III	IV
B.	IV	II	I	III
C	IV	I	II	III
D.	I	III	II	IV

67. सूची-I का सूची-II से मिलान कीजिए:

सूची-I	सूची-II
(*a*) एच.सी. रायचौधरी	I. ए कल्चरल हिस्ट्री ऑफ इण्डिया
(*b*) ए.एल. बाशम	II. चन्द्रगुप्त मौर्य एंड हिज टाइम्स
(*c*) आर.के. मुखर्जी	III. द हिस्ट्री एण्ड कल्चर ऑफ द इण्डियन - पीपल
(*d*) कपिला वात्स्यायन	IV. द स्कवायर एंड द सर्कल ऑफ द इण्डियन आर्टस

निम्नलिखित विकल्पों में से सही उत्तर का चयन कीजिए:

	(*a*)	(*b*)	(*c*)	(*d*)
A.	I	II	III	IV
B.	IV	III	I	II
C	I	III	II	IV
D.	III	I	II	IV

68. सूची-I का सूची-II से मिलान कीजिए:

सूची-I	सूची-II
(*a*) पेसरा	I. मध्य प्रदेश
(*b*) भीमवेटका	II. हरियाणा
(*c*) अनंगपुर	III. बिहार
(*d*) हुंग्गी	IV. कर्नाटक

निम्नलिखित विकल्पों में से सही उत्तर का चयन कीजिए:

	(*a*)	(*b*)	(*c*)	(*d*)
A.	III	I	II	IV
B.	II	I	III	IV
C	IV	I	III	II
D.	I	IV	II	III

69. सूची-I का सूची-II से मिलान कीजिए:

सूची-I	सूची-II
(*a*) कर्नल टॉड	I. भारतीय प्राचीन लिपिमाला
(*b*) जी.एच. ओझा	II. वीर विनोद
(*c*) श्यामलदास	III. रास माला
(*d*) ए.के. फोर्ब्स	IV. एनाल्स एंड एन्टीक्विटीस ऑफ राजस्थान

निम्नलिखित विकल्पों में से सही उत्तर का चयन कीजिए:

	(*a*)	(*b*)	(*c*)	(*d*)
A.	IV	II	III	I
B.	IV	I	II	III
C	II	IV	I	III
D.	III	I	IV	II

70. सूची-I का सूची-II से मिलान कीजिए:

सूची-I	सूची-II
(*a*) जमा	I. मासिक पैमाना
(*b*) हासिल	II. निर्धारित भू राजस्व
(*c*) माहवार	III. वास्तविक संग्रहित राजस्व
(*d*) कब्ज	IV. जमानत राशि

निम्नलिखित विकल्पों में से सही उत्तर का चयन कीजिए:

	(*a*)	(*b*)	(*c*)	(*d*)
A.	III	II	IV	I
B.	III	II	I	IV
C	II	III	I	IV
D.	II	III	IV	I

71. सूची-I का सूची-II से मिलान कीजिए:

सूची-I	सूची-II
(*a*) घाघरा का युद्ध	I. 1532
(*b*) दादरा का युद्ध	II. 1537
(*c*) सूरजगढ़ का युद्ध	III. 1534
(*d*) गौर पर कब्जा	IV. 1529

निम्नलिखित विकल्पों में से सही उत्तर का चयन कीजिए:

	(a)	(b)	(c)	(d)
A.	II	IV	I	III
B.	I	III	II	IV
C	IV	I	III	II
D.	III	I	IV	II

72. सूची-I का सूची-II से मिलान कीजिए:

सूची-I	सूची-II
(a) लिओनार्द ए. गोर्डन	I. ब्रदर्स अगेन्स्ट द राजः ए बॉयोग्राफी ऑफ इंडियन नेशनेलिस्ट्स शरद एंड सुभाष चंद्र बोस
(b) किट्टी कुर्ती	II. सुभाषचंद्र बोस एज आई न्यू हिम
(c) शिशिर के बोस *एट एल एड.*	III. ए. बिकॉन एक्रोस एशियाः बायोग्राफी ऑफ सुभाषचंद्र बोस
(d) कृष्ण बोस	IV. इतिहासेर संधाने (इन सर्च ऑफ हिस्ट्री)

निम्नलिखित विकल्पों में से सही उत्तर का चयन कीजिए:

	(a)	(b)	(c)	(d)
A.	II	IV	I	III
B.	I	II	IV	III
C	I	II	III	IV
D.	II	I	IV	III

73. सूची-I का सूची-II से मिलान कीजिए:

सूची-I	सूची-II
(a) दयानंद सरस्वती	I. निबंधमाला
(b) गोपाल हरि देशमुख	II. नोट ऑन द ग्रोथ ऑफ मराठी लिटरेचर
(c) विष्णु कृष्ण चिपलूणकर	III. सतपत्र सीरीज
(d) एम.जी. रानाडे	IV. गौकरूणानिधि

निम्नलिखित विकल्पों में से सही उत्तर का चयन कीजिए:

	(a)	(b)	(c)	(d)
A.	I	III	IV	II
B.	I	IV	III	II
C	IV	I	III	II
D.	IV	III	I	II

74. सूची-I का सूची-II से मिलान कीजिए:

सूची-I	सूची-II
(a) चार्टर अधिनियम, 1793	I. ग्रामीण बंगाल में स्थानीय स्व-सरकार के प्रावधान की दिशा में प्रथम कदम
(b) शाही सेना स्वच्छता आयोग की रिपार्ट, 1868	II. वैधानिक आधार पर नगरपालिका संस्थाएँ
(c) भारतीय परिषद अधिनियम, 1861	III. नगरपालिका संस्थाओं के विकास को बढ़ावा देना
(d) बंगाल जिला बोर्ड अधिभार अधिनियम, 1871	IV. विधायी हस्तांतरण की नीति को प्रारम्भ किया

निम्नलिखित विकल्पों में से सही उत्तर का चयन कीजिए:

	(a)	(b)	(c)	(d)
A.	I	II	III	IV
B.	II	I	III	IV
C	II	III	IV	I
D.	II	III	I	IV

75. सूची-I का सूची-II से मिलान कीजिए:

सूची-I	सूची-II
(a) "पुरुष अपने काल में अपने पिता की तुलना में अधिक सदृश होते हैं"	I. अरब कहावत
(b) "अतीत एक विदेशी क्षेत्र है, जहां वे चीजों को अलग ढंग से करते हैं।"	II. एल.पी. हार्टली
(c) "साथी नागरिकों, हम इतिहास से बच नहीं सकते।"	III. ऑलिवर वेन्डेल होल्म्स
(d) "इतिहास की एक पृष्ठ तर्कशास्त्र के एक महत्वपूर्ण खंड जैसा है।"	IV. अब्राहम लिंकन

निम्नलिखित विकल्पों में से सही उत्तर का चयन कीजिए:

	(a)	(b)	(c)	(d)
A.	I	II	III	IV
B.	II	I	IV	III
C	I	II	IV	III
D.	II	IV	I	III

76. निम्नलिखित में से कौन से वक्तव्य सही हैं?

(*a*) पी.वी. काणे ने धर्मशास्त्र का इतिहास लिखा था।

(*b*) महाभारत का समालोचनात्मक संस्करण बड़ौदा ओरियन्टल इंस्टीट्यूट से प्रकाशित हुआ था।

(*c*) वाल्मीकि रामायण सात काण्डों में विभाजित है।

(*d*) आर.पी. कांगले ने कौटिल्य के अर्थशास्त्र का अंग्रेजी में अनुवाद किया था।

(*e*) विलियम जोन्स ने मनुस्मृति का अनुवाद फारसी भाषा में किया था।

निम्नलिखित विकल्पों में से सही उत्तर का चयन कीजिए:

A. केवल (*a*), (*b*), (*d*), (*e*)
B. केवल (*b*), (*c*), (*d*)
C. केवल (*a*), (*c*), (*d*)
D. केवल (*a*), (*b*), (*c*), (*d*)

77. निम्नलिखित ऐतिहासिक घटनाओं को काल क्रमानुसार क्रम में व्यवस्थित कीजिए।

(*a*) सिकन्दर की मृत्यु।

(*b*) गौतमीपुत्र ने नहपान को हराया एवं उसकी हत्या कर दी।

(*c*) अशोक का राज्याभिषेक।

(*d*) अजातशत्रु का लिच्छवियों के साथ युद्ध।

(*e*) सिकन्दर एवं पोरस के मध्य युद्ध।

निम्नलिखित विकल्पों में से सही उत्तर का चयन कीजिए:

A. (*d*), (*e*), (*a*), (*c*), (*b*)
B. (*d*), (*a*), (*e*), (*b*), (*c*)
C. (*a*), (*d*), (*b*), (*e*), (*c*)
D. (*d*), (*a*), (*c*), (*b*), (*e*)

78. राणा अमर सिंह को राजी करने के लिए भेजे गये निम्नलिखित व्यक्तियों को कालानुक्रम में व्यवस्थित कीजिए।

(*a*) राजकुमार सलीम।

(*b*) राजकुमार खुर्रम।

(*c*) महाबत खान।

(*d*) राजकुमार परवेज।

(*e*) अब्दुल्ला खान।

निम्नलिखित विकल्पों में से सही उत्तर का चयन कीजिए:

A. (*a*), (*d*), (*c*), (*e*), (*b*)
B. (*d*), (*a*), (*b*), (*e*), (*c*)
C. (*b*), (*a*), (*c*), (*d*), (*e*)
D. (*c*), (*b*), (*d*), (*a*), (*e*)

79. निम्नलिखित कथनों को कालानुक्रम में व्यवस्थित कीजिए:

(*a*) बंदा बहादुर के नेतृत्व में सिख विद्रोह।

(*b*) शाहू को राजा बनाया गया।

(*c*) जयसिंह को मालवा का गवर्नर नियुक्त किया गया।

(*d*) बहादुरशाह की मृत्यु।

(*e*) अजीत सिंह को गुजरात का गवर्नर नियुक्त किया गया।

निम्नलिखित विकल्पों में से सबसे उपयुक्त उत्तर का चयन कीजिए:

A. (*a*), (*b*), (*c*), (*d*), (*e*)
B. (*b*), (*a*), (*c*), (*e*), (*d*)
C. (*c*), (*e*), (*a*), (*b*), (*d*)
D. (*b*), (*a*), (*d*), (*c*), (*e*)

80. निम्नलिखित घटनाओं को कालानुक्रम में व्यवस्थित कीजिए जो बक्सर के युद्ध के उपरांत घटित हुए।

(*a*) ब्रिटिश ईस्ट इंडिया कंपनी को बंगाल, बिहार एवं उड़ीसा की दीवानी दी गई।

(*b*) बंगाल में दसवर्षीय बंदोबस्त।

(*c*) रेग्यूलेटिंग एक्ट।

(*d*) द्वैध सरकार का समापन।

(*e*) सूरत के बंदरगाह का अधिग्रहण।

निम्नलिखित विकल्पों में से सही उत्तर का चयन कीजिए:

A. (*c*), (*e*), (*b*), (*d*), (*a*)
B. (*b*), (*d*), (*e*), (*a*), (*c*)
C. (*a*), (*d*), (*c*), (*b*), (*e*)
D. (*e*), (*a*), (*b*), (*c*), (*d*)

81. निम्नलिखित को काल क्रमानुसार व्यवस्थित कीजिए।

(*a*) अटलांटिक चार्टर।

(*b*) बैंकाक में भारतीय स्वतंत्रता लीग संगठन की घोषणा।

(*c*) जापान द्वारा पर्ल हार्बर में अमेरिकी नौसैनिक अड्डे पर आक्रमण।

(*d*) 16,300 सैनिकों के साथ आई.एन.ए. के प्रथम डिवीजन का गठन किया गया।

(*e*) आई.एन.ए. की बटालियन ने मॉडोक पर कब्जा कर लिया।

निम्नलिखित विकल्पों में से सही उत्तर का चयन कीजिए:

A. (*a*), (*b*), (*c*), (*d*), (*e*)
B. (*a*), (*c*), (*b*), (*d*), (*e*)
C. (*c*), (*b*), (*a*), (*d*), (*e*)
D. (*d*), (*a*), (*b*), (*c*), (*e*)

82. निम्नलिखित घटनाओं को कालक्रमानुसार व्यवस्थित कीजिए।

(*a*) एनी बेसेन्ट ने बनारस में केन्द्रीय हिन्दू महाविद्यालय की आधार-शिला रखी थी।

(*b*) थियोसोफिकल सोसायटी का मुख्यालय भारत के अडयार में स्थानांतरित किया गया।

(*c*) हरिद्वार में गुरुकुल पाठशाला की स्थापना।

(*d*) स्वामी विवेकानंद द्वारा रामकृष्ण मिशन की स्थापना।

(*e*) लाहौर में आंग्ल-वैदिक विचार-सम्प्रदाय की स्थापना।

निम्नलिखित विकल्पों में से सही उत्तर का चयन कीजिए:

A. (*b*), (*e*), (*a*), (*d*), (*c*)
B. (*b*), (*e*), (*d*), (*a*), (*c*)
C. (*e*), (*b*), (*d*), (*a*), (*c*)
D. (*e*), (*b*), (*a*), (*d*), (*c*)

83. निम्नलिखित को कालक्रमानुसार व्यस्थित कीजिए:

(*a*) बाल गंगाधर तिलक पर मुकदमा चलाया गया और उन्हें चार साल की जेल की सजा सुनाई गई।

(*b*) कांग्रेस के लखनऊ सत्र में गवर्नर सैण्डहर्स्ट के बॉम्बे के प्रशासन की निंदा करनेवाला तिलक द्वारा प्रस्ताव रखने के प्रयास को भी रोक दिया गया।

(*c*) तिलक को 18 माह के लिए जेल भेज दिया गया।

(*d*) तिलक और उनके समूह ने रानाडे और गोखले को पूना सार्वजनिक सभा के नियंत्रण से हटा दिया।

(*e*) नरमपंथियों ने मद्रास के कांग्रेस सत्र में तिलक के आत्म-बलिदान की भावना की सराहना करने वाला प्रस्ताव रखने के, तिलक के प्रशंसकों के प्रयास को विफल कर दिया।

निम्नलिखित विकल्पों में से सही उत्तर का चयन कीजिए:

A. (*d*), (*a*), (*c*), (*b*), (*e*)
B. (*a*), (*d*), (*b*), (*c*), (*e*)
C. (*a*), (*d*), (*c*), (*e*), (*b*)
D. (*a*), (*d*), (*c*), (*b*), (*e*)

84. निम्नलिखित को कालक्रमानुसार व्यवस्थित कीजिए:

(*a*) ऐलेक्जेन्डर रीड ने रैयतवाड़ी प्रयोग प्रारम्भ किया था।

(*b*) जी. विन्गेट और एच.ई. गोल्डस्मिड ने 'बॉम्बे सर्वे सिस्टम' का विचार प्रदान किया।

(*c*) मद्रास यातना आयोग।

(*d*) सिविल प्रक्रिया संहिता प्रारम्भ की गई।

(*e*) थॉमस मुनरो से सत्तांतरित जिलों के भूमि राजस्व का प्रभार ग्रहण करने को कहा गया था।

निम्नलिखित विकल्पों में से सही उत्तर का चयन कीजिए:

A. (*a*), (*e*), (*b*), (*c*), (*d*)
B. (*a*), (*e*), (*c*), (*b*), (*d*)
C. (*e*), (*a*), (*b*), (*c*), (*d*)
D. (*e*), (*a*), (*d*), (*c*), (*b*)

85. निम्नलिखित घटनाओं को कालक्रमानुसार व्यवस्थित कीजिए।

(*a*) फिल्म–*सीता* वेनिस फिल्मोत्सव में प्रदर्शित की गई प्रथम भारतीय फिल्म थी।

(*b*) फिल्म–*अछूत कन्या* का रिलीज होना।

(*c*) गीत–दूर हटो ऐ दुनिया वालों को फिल्म-*किस्मत* में दर्शाया गया था।

(*d*) फिल्म–*संत तुकाराम* को सिनेमैटोग्राफिक कला की पांचवी अंतर्राष्ट्रीय प्रदर्शनी वेनिस में पहली बार तीन श्रेष्ठ फिल्मों में रैंक प्रदान की गई।

(*e*) फिल्म *औरत* जो फिल्म *मदर इंडिया* की कहानी की तर्ज पर थी, रिलीज हुई।

निम्नलिखित विकल्पों में से सही उत्तर का चयन कीजिए:

A. (*b*), (*a*), (*d*), (*c*), (*e*)
B. (*a*), (*b*), (*e*), (*d*), (*c*)
C. (*a*), (*b*), (*d*), (*e*), (*c*)
D. (*b*), (*a*), (*d*), (*e*), (*c*)

86. नीचे दो कथन दिए गए हैं:

कथन I: अशोक के 5वें स्तम्भलेख से उन जानवरों की एक सूची प्राप्त होती है जिन्हें किसी भी स्थिति में नहीं मारा जाना है।

कथन II: सम्राट अशोक ने इस पर विचार किया कि वे जानवर जो न तो उपयोगी हैं न ही खाने योग्य हैं, उन्हें नहीं मारा जाना चाहिए।

उपरोक्त कथन के आलोक में, नीचे दिए गये विकल्पों में से सबसे उपयुक्त उत्तर का चयन कीजिए।

A. कथन I और II दोनों सही हैं।
B. कथन I और II दोनों गलत हैं।
C. कथन I सही है, लेकिन कथन II गलत है।
D. कथन I गलत है, लेकिन कथन II सही है।

87. नीचे दो कथन दिए गए हैं—एक अभिकथन (A) के रूप में लिखित है तो दूसरा उसके कारण (R) के रूप में:

अभिकथन (A): अभिलेख इतिहास के बहुत महत्वपूर्ण स्रोत हैं।

कारण (R): अशोक का इतिहास अभिलेखों से हमें ज्ञात होता है।

उपरोक्त कथन के आलोक में, नीचे दिए गए विकल्पों में से सही उत्तर का चयन कीजिए:

A. (A) और (R) दोनों सत्य हैं, (R), (A) की सही व्याख्या है
B. (A) और (R) दोनों सत्य हैं, (R), (A) की सही व्याख्या नहीं है
C. (A) सत्य है, लेकिन (R) असत्य है
D. (A) असत्य है, लेकिन (R) सत्य है

88. नीचे दो कथन दिए गए हैं—एक अभिकथन (A) के रूप में लिखित है तो दूसरा उसके कारण (R) के रूप में:

अभिकथन (A): दक्षिण पूर्व एशिया पर भारतीय सांस्कृतिक प्रभाव बिलकुल भी नहीं था।

कारण (R): शिव भगवान को समर्पित अनेक मन्दिर (मठ) जावा के डिएंग पठार पर पाए जा सकते हैं।

उपरोक्त कथन के आलोक में, नीचे दिए गए विकल्पों में से सही उत्तर का चयन कीजिए:

A. (A) और (R) दोनों सत्य हैं और (R), (A) की सही व्याख्या है
B. (A) और (R) दोनों सत्य हैं, लेकिन (R), (A) की सही व्याख्या नहीं है
C. (A) सत्य है, लेकिन (R) असत्य है
D. (A) असत्य है, लेकिन (R) सत्य है

89. नीचे दो कथन दिए गए हैं—एक अभिकथन (A) के रूप में लिखित है तो दूसरा उसके कारण (R) के रूप में:

अभिकथन (A): राजा राममोहन राय मुख्य रूप से उपयोगितावादी महत्व के कारण अन्य लोक के संभावित अस्तित्व को मानने को तैयार थे।

कारण (R): राजा राममोहन राय ने दर्शाया कि सती-प्रथा को धार्मिक स्वीकृति प्राप्त नहीं थी।

उपरोक्त कथन के आलोक में, नीचे दिए गए विकल्पों में से सही उत्तर का चयन कीजिए:

A. (A) और (R) दोनों सत्य हैं और (R), (A) की सही व्याख्या है
B. (A) और (R) दोनों सत्य हैं, लेकिन (R), (A) की सही व्याख्या नहीं है
C. (A) सत्य है, लेकिन (R) असत्य है
D. (A) असत्य है, लेकिन (R) सत्य है

90. नीचे दो कथन दिए गए हैं:

कथन I: आर.सी. दत्त के अनुसार 1901-02 में गृह शुल्कों में 'ऋण पर ब्याज और ऋण का प्रबंधन' सम्मिलित थे।

कथन II: आर.सी. दत्त के अनुसार 1901-02 में गृह शुल्कों में 'सैन्य शुल्क (पेन्शन सहित)' सम्मिलित थे।

उपरोक्त कथन के आलोक में, नीचे दिए गए विकल्पों में से सबसे उपयुक्त उत्तर का चयन कीजिए:

A. कथन I और II दोनों सही हैं
B. कथन I और II दोनों गलत हैं
C. कथन I सही है, लेकिन कथन II गलत है
D. कथन I गलत है, लेकिन कथन II सही है

निर्देश (प्र.सं. 91-95): *निम्नलिखित गद्यांश को पढ़िये और उससे संबंधित निम्नलिखित प्रश्नों के उत्तर दीजिएः*

सैय्यद और उनके खानकाह को उनके परिजनों तथा अनुयायियों को सहायता प्रदान करने के निमित्त दिये गये दान के फलस्वरूप भूमि पर उनको नियंत्रण प्रदान किया गया। वे अत्यधिक सौभाग्यशाली थे कि उनके पास कृषि हेतु उपजाऊ भूमि थी, वे इन स्थानों पर रहनेवाले अपने शिष्यों के स्वैच्छिक श्रम और अपने क्षेत्र के किसानों और कारीगरों से उत्पाद के रूप में भेंट से भी आय प्राप्त करते थे। अपने शिष्यों के अदत्त श्रम से उनके पास अकूत धन इकट्ठा हो गया। कालांतर में, धार्मिक और पंथनिरपेक्ष अनुदान की प्रथा तथा दानदाताओं के अधीन किसानों और शिल्पकारों की दासता से घाटी के भीतर विद्यमान सामाजिक व्यवस्था परिभाषित होती थी। उनके अनुदान से सैय्यद समयानुक्रम में अपने उत्तराधिकारियों को सदैव के लिए प्रशासक के रूप में स्थापित करते रहे। शनैः-शनैः सैय्यदों ने स्थानीक परंपराओं को अपनाया, कम-से-कम बाह्य रूप में ही उन्होंने अनुरूपता को अंगीकार किया ताकि अपने खानकाह और रियासतों के लोकस्वरूप का निर्माण कर सकें। उनके दान सुल्तान और उनके अधिकारियों द्वारा आहरण से मुक्त थे। यद्यपि इन रियासतों के साथ उनके संबंध को यूरोपीय अर्थ में सामंती नहीं कहा जा सकता है। तथापि श्रम शक्ति के उपयोग में बहुत सी अड़चनें थीं। राज्य शासन ने इस अर्थ में सामंती प्रवृत्ति को अपना लिया था कि मूलतः यह धार्मिक और पंथनिरपेक्ष व्यक्तियों द्वारा वसूल किये गये अधिशेष पर ही आश्रित था और उप-जागीर पद प्रदान करने की प्रक्रिया पर रोक नहीं लगा सका।

91. इन रियासतों के संबंध को आप कैसे वर्णित करेंगे?
A. एशियाई निरंकुशवाद
B. मुक्त कृषक अर्थव्यवस्था
C. मुक्त व्यापार
D. सामंती चरित्र

92. अपने खानकाह को सामाजिक स्वीकार्यता प्रदान करने के लिए सैय्यदों द्वारा कौन से कदम उठाये गये थे?
A. स्थानीय परंपराओं का अंगीकरण
B. अपने उत्तराधिकारियों को वंशागत प्रशासकों के रूप में नियुक्ति
C. किसानों और कारीगरों को अपने अधीन करना
D. नई सामाजिक व्यवस्था के निर्माण के द्वारा

93. सामाजिक व्यवस्था में इस अनुदान के कारण कौन से नये लक्षण उपस्थित हुए?
A. प्राथमिक कृषकों की समृद्धि में वृद्धि हुई
B. इन भू अनुदानों पर काम करनेवाले किसानों और कारीगरों की दासता
C. श्रम के बलात् निष्कर्षण पर आधारित उत्पादन का संबंध
D. बृहद् ग्रामीण कुलीन वर्ग का विकास

94. सैय्यद और उनके खानदान को दान देने का उद्देश्य क्या था?
A. उनके परिजनों एवं अनुयायियों के लिए आय का स्रोत प्रदान करना
B. उन्हें पूर्णकालिक किसान बनने हेतु प्रोत्साहित करना
C. नये जमींदारी अधिकार बनाना
D. स्थानीय व्यापार को प्रोत्साहित करना

95. उनकी आय का स्रोत क्या था?
A. स्वैच्छिक श्रमिकों के द्वारा उनकी भूमि की जुताई से प्राप्त उपज
B. राज्य के अधिकारियों से प्राप्त उपहार
C. इजारादारों को अपनी कृषि हेतु भूमि देना
D. यात्रियों से प्राप्त भेंट

निर्देश (प्र.सं. 96-100): *निम्नलिखित गद्यांश को पढ़ें और प्रश्नों के उत्तर दीजिए।*

"गुजरात से जम्मू तक और अटक से रोहिलखंड तक सिंधिया और सिखों को छोड़ कर कोई शक्तिशाली नहीं थे, शेष अन्य सभी नाममात्रिक थे। यदि उनमें विवाद उत्पन्न हो जाए तो उनमें गंभीर और महत्वपूर्ण टकराव होगाः यदि उनमें एकता स्थापित हो जाए तो उनकी शक्ति अप्रतिरोध्य होगी।"

96. मुगल सम्राट द्वारा महाजी सिंधिया को किस उपाधि से सम्मानित किया गया था?

A. वकील-ए-मुतलक B. मीर बख्शी
C. नायब-ए-मुनैब D. खजानदार

97. महाजी सिंधिया की किस वर्ष में मृत्यु हुई थी?
A. 1791 B. 1792
C. 1793 D. 1794

98. सालबाई संधि (1782) का सही प्रावधान (क्लॉज) क्या है?
A. मराठा और ब्रिटिश मुगलों के विरुद्ध सहयोग करेंगे।
B. ब्रिटिश ने बसीन मराठा को लौटा दिया।
C. रघुनाथ राव ने पेशवा की उपाधि पर अपना दावा छोड़ दिया।
D. इसके एक अंग के रूप में ब्रिटिश और गायकवाड़ के बीच वड़गांव में एक कन्वेन्शन (अभिसमय) पर हस्ताक्षर किए गए थे।

99. किस पेशवा के शासन के दौरान मराठा राज्य "कटक से अटक तक" अपने प्रादेशिक विस्तार की पराकाष्टा पर था?
A. बालाजी विश्वनाथ B. बाजी राव-I
C. बालाजी बाजी राव D. बाजी राव-II

100. निम्नलिखित में से किसने 'कृष्णा से अटक तक' मराठा के विस्तार की नीति का अनुसरण किया था?
A. बालाजी विश्वनाथ B. बाजी राव-I
C. बालाजी बाजी राव D. बाजी राव-II

उत्तरमाला

1. (D): खुद्दक निकाय बौद्ध ग्रंथ त्रिपिटक का पाँचवां निकाय है। इसमें धम्मपद, उदान, इतिवुत्तक, थेर-थेरीगाथा, जातक आदि सोलह ग्रंथ संकलित हैं। इनमें से कुछ में बुद्ध के प्रामाणिक वचनों का संग्रह है।

2. (C): 'पउमचरियम' रामकथा पर आधारित अपभ्रंश का एक महाकाव्य है। इसके रचयिता 'जैन कवि स्वयंभू' हैं। इसमें बारह हजार पद हैं। जैन धर्म में राजा राम के लिए 'पद्म' शब्द का प्रयोग होता है, इसलिए स्वयंभू के रामायण को 'पद्म चरित' (पउमचरिउम) कहा गया। उसकी रचना छह वर्ष तीन मास ग्यारह दिन में पूरी हुई। गोस्वामी तुलसीदास के 'रामचरित मानस' पर महाकवि स्वयंभू रचित 'पउमचरिउम' का प्रभाव दिखलाई पड़ता है।

3. (B): गुप्त सम्राट वैष्णव धर्म के अनुयायी थे तथा उन्होंने उसे राजधर्म बनाया था। विष्णु का वाहन 'गरुड़' गुप्तों का राजकीय चिह्न था। गुप्तकाल में वैष्णव धर्म सम्बन्धी सबसे महत्वपूर्ण अवशेष देवगढ़ का दशावतार मंदिर है।

4. (A): प्रबोध-चन्द्रोदय एक संस्कृत नाटक है। इसके रचयिता कृष्ण मिश्र हैं। इसकी रचना चन्देल राजवंश के काल (1100 ई.) में हुई थी। कृष्ण मिश्र चंदेल नरेश कीतिवर्मा के समकालीन थे। यह भावप्रधान प्रतीकात्मक नाटक है तथा समकालीन संस्कृति का दर्पण है। विद्वानों ने प्रबोध-चन्द्रोदय को प्रतीकात्मक शैली का एक जीवन्त नाट्य बताया है। इस नाटक में छः अंक हैं। सभी पात्र प्रतीकात्मक हैं, जिनके नाम हैं– परमार्थतत्त्व, माया, महामोह, विवेक, रति, काम, उपनिषद (स्त्री पात्र), मति, दम्भ, अहंकार, चार्वाक, धर्म, शान्ति, करुणा, श्रद्धा, जैनमत (क्षपणक), बौद्धमत (भिक्षु), सोमसिद्धान्त (कापालिक), विष्णुभक्ति, वस्तुविचार, क्षमा, सन्तोष, प्रवृत्ति, निवृत्ति, मधुमती आदि।

इस नाटक में बताया गया है कि मोहपाश से आबद्ध होकर मानव अपने सत्य स्वरूप को भूल जाता है। विवेक के द्वारा जब मोह पराजित होता है तब पुरुष को शाश्वत ज्ञान की प्राप्ति होती है। विवेकपूर्वक उपनिषद का अध्ययन करने तथा विष्णुभक्ति का आश्रय लेने से ही ज्ञान रूपी चन्द्रमा का उदय होता है। प्रबोध-चन्द्रोदय में नाटककार ने निवृत्तिमार्गीय साधना को संबल बताया है। काम रति, हिंसा, लोभ, दम्भ, तृष्णा आदि को मुक्तिमार्ग में बाधक बताया है। साथ ही मति, करुणा, शान्ति, क्षमा, सन्तोष आदि को मुक्तिमार्ग में सहयोगी बताया है।

5. (A)

6. (A): कंबोज प्राचीन भारत के 16 महाजनपदों में से एक था। इसका उल्लेख पाणिनी के अष्टाध्यायी में 15 शक्तिशाली जनपदों में से एक के रूप में भी

मिलता है। बौद्ध ग्रन्थ अंगुत्तर निकाय, महावस्तु में 16 महाजनपदों में भी कम्बोज का कई बार उल्लेख हुआ है– ये गांधारों के समीपवर्ती थे। इनमें कभी निकट संबंध भी रहा होगा, क्योंकि अनेक स्थानों पर गांधार और कंबोज का नाम साथ-साथ आता है। इसका क्षेत्र आधुनिक उत्तर पश्चिमी पाकिस्तान और अफगानिस्तान में मिलता है। राजपुरा, द्वारका तथा कापिशी इनके प्रमुख नगर थे।

7. (A): ओट्टाकूथर (12वीं सदी) का एक तमिल कवि था जिसने उत्तरकालीन चोल शासकों–विक्रम चोल, कुलोतुंग II और राजराजा II के सम्मान में कई ग्रन्थ लिखे। उसकी अन्य रचनाओं में तमिल रामायण का सातवाँ अध्याय "उत्तर कन्दम", "इती-एलुपट्टू", "एलुप-एलुपट्टू", आदि प्रसिद्ध हैं।

8. (D): घोसुण्डी शिलालेख चित्तौड़गढ़ (राजस्थान) घोसुण्डी गाँव के पास नगरी से प्राप्त हुआ था।

इस शिलालेख को सर्वप्रथम डॉक्टर देवदत्त रामकृष्ण भंडारकर ने पढ़ा था। यह राजस्थान में वैष्णव या भागवत संप्रदाय से संबंधित सर्वाधिक प्राचीन अभिलेख है। इस अभिलेख से ज्ञात होता है कि उस समय तक राजस्थान में भागवत धर्म लोकप्रिय हो चुका था।

इसमें भागवत की पूजा के निमित्त शिला प्राकार बनाए जाने का वर्णन है। इसमें संकर्षण और वासुदेव के पूजागृह के चारों ओर पत्थर की चारदीवारी बनाने और गजवंश के सर्वतात द्वारा अश्वमेध यज्ञ करने का उल्लेख है।

9. (B): चरिया-पिटक खुद्दक निकाय का अंतिम ग्रन्थ है, जिसमें 35 जातक कथाओं को पद्य रूप में संकलित किया गया है।

10. (A): बौद्ध धर्म की महायान शाखा में नौ सूत्र जिन्हें वैपुल्यसूत्र भी कहते हैं अत्यधिक महत्वपूर्ण हैं। इन नौ सूत्रों में लंकावतार सूत्र का बौद्ध दर्शन के विकास की दृष्टि से विशिष्ट महत्व है। महायानी परम्परा में लंकावतार सूत्र बौद्ध दर्शन की विज्ञानवादी शाखा का मूलभूत स्रोत है। इसमें यद्यपि अव्यवस्थित रूप में तथापि विज्ञानवाद के सभी प्रमुख सिद्धांतों का वर्णन किया गया है।

11. (D)

12. (A): ऋग्वेद में पश्चिम में सिंधु और पूर्व में सरस्वती नदी के बीच पाँच नदियों– झेलम, चिनाव, सतलज रावी और व्यास की उपस्थिति का जिक्र है। ऋग्वेद में सरस्वती को सिंधु और अन्य नदियों की माँ बताया गया है। इस नदी के लुप्त होने को लेकर सी.एफ. ओल्डहैम ने कहा था कि कुदरत ने करवट बदली है और सतलुज के पानी ने सिंधु नदी का रूख किया है। पूरा नदी तंत्र घग्घर-हाकरा तंत्र के अन्तर्गत है। हालांकि इसके बाद सरस्वती के स्वरूप को लेकर कई परिकल्पनाएं आई।

13. (D): ए.के. घोष ने पुरापाषाण संस्कृति समूह में, फ्लेक, पेबल-कोर, फ्लेक-ब्लेड का जिक्र तो किया है परन्तु उनकी संस्कृति क्रोनोकाल में बोरर-ब्युरिन का कोई जिक्र नहीं है।

14. (C): मिर्जा राजा जयसिंह आमेर रियासत के शासक थे, जिन्होंने सन् 1621-1667 (46 वर्ष) तक आमेर रियासत की गद्दी संभाली। ये आमेर के शासक के रूप में मुगल दरबार में सेनापति के पद पर सर्वाधिक सेवाएं (46 वर्ष) देने वाले शासक रहे हैं। इन्होंने 3 मुगल बादशाहों का शासनकाल देखा– जहांगीर, शाहजहां, और औरंगजेब। इन्हें मुगल बादशाह शाहजहां द्वारा 1637 ई. में मिर्ज़ाराजा की उपाधि से सम्मानित किया गया।

1659 ई. में उत्तराधिकार के लिये हुए संघर्ष में दारा शिकोह के विरुद्ध औरंगजेब का साथ देने के कारण औरंगजेब ने राजा जय सिंह को 7000 का मनसबदार बना दिया।

15. (B)

16. (B): फादर एंथोनी मॉन्सरेट, पुर्तगीज यात्री था जो फादर एक्वाविवा के साथ 1578 ई. में अकबर के दरबार में आया। अपने यात्रा विवरण में उसने 1580-82 ई. तक के काल के अकबर के दरबार का विस्तृत विवरण प्रस्तुत किया है।

भारत यात्रा के दौरान मॉन्सरेट ने कई शहरों का भ्रमण किया जिसमें माण्डु, सूरत, नरवर, सिराज, ग्वालियर, दिल्ली, सोनीपत व लाहौर आदि शामिल हैं, जिसका उसने विस्तारपूर्वक वर्णन किया है। वह अकबर के काबुल अभियान के समय उसके साथ था। मॉन्सरेट कहता है जब अकबर मिर्जा हकीम के विद्रोह का दमन

करने के अभियान पर काबुल की ओर गया था, तो उसने अपनी माँ हमीदा बानू बेगम को दिल्ली सूबे का प्रभारी नियुक्त किया था।

17. (A): 1749 ई. में कर्नाटक और हैदराबाद के उत्तराधिकार के युद्ध में हस्तक्षेप करते हुए फ्रांसीसी गवर्नर डुप्ले ने क्रमशः चंदा साहब और मुजफ्फरजंग को समर्थन दिया। 3 अगस्त, 1749 को हुए अम्बूर के युद्ध में चंदा साहब और फ्रांसीसियों की सम्मिलित सेना ने कर्नाटक पर विजय हासिल की। इससे नाराज होकर अंग्रेजों ने हैदराबाद के निजाम नासिरजंग के साथ मिलकर कर्नाटक पर आक्रमण कर दिया। किंतु इस युद्ध में नासिरजंग की मृत्यु हो जाने से मुजफ्फरजंग हैदराबाद का निजाम बना और उसने फ्रांसीसी सेना की टुकड़ी हैदराबाद में रखना स्वीकार किया। इसी संधि को तहत फ्रांसीसी सैनिकों का नेतृत्व करते हुए कैप्टन बस्सी मुजफ्फरजंग के साथ कर्नाटक से हैदराबाद की ओर चला।

18. (B):

19. (C): मराठा काल में शिवाजी ने अपने सैनिकों को जागीर (मोकासा) के रूप में सरंजाम भी प्रदान किया। सरंजाम भू-राजस्वप्रथा थी जो पूर्ण रूप से सैनिक सेवाओं के बदले में जात तथा फौज दो रूप में दी जाती थी। सरंजाम मूल रूप से सिविल और सैन्य सेवा के लिए भूमि अनुदान का ही नाम था। पेशवाओं के शासन में सरंजाम प्रणाली ने अनुवांशिक रूप ले लिया।

20. (A): अबुल फजल का पूरा नाम अबुल फजल इब्न मुबारक था। इसका जन्म 14 जनवरी, 1551 को आगरा में हुआ था। इनके पिता का नाम शेख मुबारक था। अबुल फजल एक महान राजनेता, राजनयिक, सैन्य जनरल, विद्वान तथा लेखक था। उसने अकबरनामा एवं आइने अकबरी जैसे प्रसिद्ध पुस्तक की रचना की। अबुल फजल का मानना था कि "समय बहुमूल्य है और अपरिवर्तनीय है।"

21. (A): मुहम्मद हादी कम्वार खान 17वीं एवं 18वीं सदी का प्रसिद्ध इतिहासकार था। इसने अपनी पुस्तक "ताजकीराह-ए-सालातिनी-चुगताई" में औरंगजेब और उसके उत्तराधिकारियों के शासनकाल का वर्णन किया है। कम्वार खान ने मुगल शासक जहाँदार शाह (1712-13 ई.) और एक तवायफ लालकुँवर के संबंधों की चर्चा करते हुए ही यह कहा था कि जहाँदार शाह ने लालकुँवर के लिये नूरजहाँ के काल को पुनर्जीवित कर दिया था और उसके नाम से सिक्के जारी किये थे।

22. (D): लूणकरनसर राजस्थान के बीकानेर जिले में एक छोटा सा शहर है। यहाँ अपस्फीति के कारण बनी एक प्लाया झील है। 2000 ई.पू. के लगभग यहाँ सूखापन का सर्वप्राचीन प्रमाण मिलता है। यह मूंगफली की फसल के उत्पादन के लिए प्रसिद्ध है, इसलिए उसे राजस्थान का राजकोट कहा जाता है।

23. (C): व्यपगत का सिद्धान्त या हड़प नीति–अपने अधीनस्थ क्षेत्रों में पैतृक वारिस के न होने की स्थिति में वहाँ की सर्वोच्च सत्ता कंपनी के द्वारा ब्रिटिश साम्राज्य में मिलाने की नीति व्यपगत का सिद्धान्त या हड़प नीति कहलाती है। यह परमसत्ता के सिद्धान्त का उपसिद्धांत था, जिसके द्वारा ग्रेट ब्रिटेन ने भारतीय उपमहाद्वीप के शासक के रूप में अधीनस्थ भारतीय राज्यों के संचालन तथा उनकी उत्तराधिकार के व्यवस्थापन का दावा किया।

हिन्दू कानून के अनुसार, कोई व्यक्ति या शासक, जिसका स्वाभाविक उत्तराधिकारी नहीं है, किसी व्यक्ति को गोद ले सकता है, जिसे उसके बाद पुत्र के सभी व्यक्तिगत और राजनीतिक अधिकार मिल जाएँगे। लॉर्ड डलहौजी ने ऐसे दत्तक ग्रहण को मंजूरी देने एवं आश्रित राज्यों के मामले में अपने विवेकानुसार कार्यवाही करने के परम अधिकारों पर जोर दिया। व्यावहारिक तौर पर इसका मतलब अंतिम क्षण के दत्तक ग्रहण को अस्वीकृत करना तथा स्वाभाविक या दत्तक उत्तराधिकारी न होने पर राज्यों का विलय था।

स्वाभाविक या दत्तक उत्तराधिकारी न होने के कारण सतारा, जैतपुर-संभलपुर, बघाट, उदयपुर, झाँसी, नागपुर, राज्यों का विलय कर दिया गया। द कोर्ट ऑफ डायरेक्टर ने 'करौली' रियासत को 'राज्य हड़प सिद्धांत' के आधार पर विलय की मंजूरी नहीं दी थी।

24. (B): द्वितीय कारखाना अधिनियम 1891, गवर्नर-जनरल लार्ड लैन्सडाउन के समय में लाया गया। यह अधिनियम उन कारखानों पर लागू था जहाँ श्रमिकों की संख्या कम-से-कम 50 थी। नौ वर्ष से कम आयु के बच्चों

के कारखानों में कार्य करने पर पूर्ण प्रतिबन्ध था। इसमें नौ से उन्नीस वर्ष के लोगों के काम करने की अवधि 7 घन्टे निर्धारित की गई थी। स्त्रियों को रात्रि 8 बजे से लेकर 5 बजे सुबह तक कार्य करने पर प्रतिबन्ध था तथा इनके काम करने की अवधि 11 घंटे प्रतिदिन निश्चित कर दी गई। इस अधिनियम के द्वारा सप्ताह में एक दिन अवकाश की व्यवस्था की गई थी।

25. (A): 1822 ई. तक मणिपुर और असम में बर्मा साम्राज्य के विस्तार ने उसे भारत स्थित ब्रिटिश साम्राज्य के बिल्कुल सामने ला खड़ा किया। अंग्रेजों ने असम, मणिपुर और अराकान से भाग कर आए विद्रोहियों को न सिर्फ संरक्षण दिया बल्कि कछार और जयन्तिया को ब्रिटिश संरक्षित राज्य भी घोषित कर दिया। यही प्रथम आंग्ल-बर्मा युद्ध (1824-26 ई.) का तात्कालिक कारण था।

युद्ध के आरम्भिक चरण में बर्मी सेना ने अभूतपूर्व सफलता हासिल की, किन्तु बर्मी सेनापति महा बाण्डुला की युद्ध के आगे बढ़ाने की अनिच्छा ने उनकी आरंभिक सफलता को विफलता और पराजय में परिवर्तित कर दिया। 24 फरवरी, 1826 ई. की यान्दबो की संधि के द्वारा यह युद्ध समाप्त हुआ। किन्तु युद्ध ने उत्तर-पूर्वी भारत में ब्रिटिश साम्राज्य के विस्तार का मार्ग प्रशस्त कर दिया।

26. (D): जयप्रकाश नारायण भारतीय स्वतंत्रता सेनानी और राजनेता थे। अपने विद्यार्थी जीवन में वह मार्क्सवाद की विचारधारा से प्रभावित हुए। 1929 ई. में भारतीय राष्ट्रीय कांग्रेस में शामिल होकर वह भी देश की आजादी के समर में कूद पड़े। किन्तु समाजवादी विचारधारा से प्रभावित जयप्रकाश नारायण ने 1934 ई. में आचार्य नरेन्द्र देव, राम मनोहर लोहिया, मीनू मशानी आदि नेताओं के साथ मिल कर कांग्रेस की अधीनस्थ संस्था के रूप में कांग्रेस समाजवादी दल की स्थापना की। 1947 में भारत की आजादी के बाद उन्होंने खुद को कांग्रेस से अलग कर लिया और समाज सेवा में समर्पित कर दिया। 1965 ई. में इन्हें समाज सेवा के लिये 'रमण मैग्सेसे पुरस्कार' से सम्मानित किया गया। इन्होंने इंदिरा गाँधी की प्रशासनिक नीतियों का विशेष करते हुए 'सम्पूर्ण क्रांति' का आह्वान किया। 8 अक्टूबर, 1979 को उनका निधन हो गया।

27. (B): द्वितीय आंग्ल-सिख युद्ध पंजाब के सिख प्रशासित क्षेत्रों वाले राज्य तथा अंग्रेजों के ईस्ट इंडिया कंपनी के बीच 1848-49 के बीच लड़ा गया था। इसके परिणाम स्वरूप सिख राज का संपूर्ण हिस्सा अंग्रेजी राज का अंग बन गया।

इस युद्ध का अंत लाहौर की संधि से हुआ जिसमें यह निश्चित हुआ कि कोहिनूर/हीरा लाहौर के महाराजा द्वारा ब्रिटेन की महारानी को सौंपा जाएगा। 1851 ई. में महाराजा रणजीत सिंह के उत्तराधिकारी दलीप सिंह ने यह हीरा महारानी विक्टोरिया को भेंट किया।

28. (B)

29. (A): 12वीं शताब्दी के उत्तरार्ध एवं 17वीं शताब्दी के पूर्वार्ध के मध्य भारत में व्यापार के प्रारंभिक उद्देश्यों से प्रवेश करने वाली यूरोपीय कंपनियों ने यहाँ की राजनीतिक, आर्थिक तथा सामाजिक नियति को लगभग 350 वर्षों तक प्रभावित किया। इन विदेशी शक्तियों में पुर्तगाली प्रथम थे। इनके पश्चात डच, अंग्रेज, डेनिश तथा फ्रांसीसी आये। पुर्तगाली ईस्ट कम्पनी को ही 'एस्टाडो द इंडिया' कहा जाता था।

यूरोपीय शक्तियों में पुर्तगाली कंपनी ने भारत में सबसे पहले प्रवेश किया। भारत के लिए नए समुद्री मार्ग की खोज पुर्तगाली व्यापारी वास्कोडिगामा ने 17 मई, 1498 को भारत के पश्चिमी तट पर अवस्थित बंदरगाह कालीकट पहुँच कर की। वास्कोडिगामा का स्वागत कालीकट के तत्कालीन शासक जमोरिन (यह कालीकट के शासक की उपाधि थी) द्वारा किया गया। धीरे-धीरे पुर्तगालियों ने भारत आना आरम्भ कर दिया और कालीकट, दमन, दीव एवं हुगली के बंदरगाहों में पुर्तगालियों ने अपनी व्यापारिक कोठियों की स्थापना की।

30. (B)

31. (A): वेल्बी आयोग भारत में फिजुलखर्ची की जाँच के लिए ब्रिटिश सरकार द्वारा स्थापित एक समूह था। 1895 में स्थापित, इसका आधिकारिक नाम भारत के व्यय प्रशासन पर रॉयल कमीशन था। आयोग के

सदस्यों में शामिल वेल्बी, चमन और टी आर बुकानन संसदीय प्रतिनिधि के रूप में, जबकि विलियम वेडरवर्न, दादाभाई नौरोजी और विलियम केन भारतीय प्रतिनिधि के रूप में शामिल थे। जीके गोखले और दिनशा वाचा 1897 में आयोग के सामने पेश हुए। आयोग की 1900 की रिपोर्ट में वित्तीय व्यवस्थाओं की निष्पक्षता सुनिश्चित करने के लिए ब्रिटिश हाउस ऑफ कामन्स का आह्वान किया गया था। इसी आयोग के समक्ष दादा भाई नौरोजी ने प्रसिद्ध 'धन के निष्कासन' के मामले को प्रस्तुत किया था।

32. (B): 1857 के भारतीय विद्रोह के दमन के बाद, सुधार के कारणों को आगे बढ़ाने के लिए भारत में सुधारकों ने शिक्षा प्रणाली को आधुनिक बनाने की अत्यंत आवश्यकता महसूस की। इसी के तहत् तिलक, चिपलूणकर और गोपाल गणेश आगरकर जैसे राष्ट्रवादियों ने 'न्यू इंग्लिश स्कूल' के निर्माण में अग्रणी भूमिका निभाई। इसी स्कूल का नाम 1885 में बदलकर फर्ग्यूसन कॉलेज कर दिया गया था।

फर्ग्यूसन कॉलेज की स्थापना में वामन शिवराम आप्टे, बाल गंगाधर तिलक, विष्णु शास्त्री चिपलूणकर, महादेव बल्लाल नामजोशी और गोपाल गणेश आगरकर ने महती भूमिका निभाई थी। प्रोफेसर वामन शिवराम आप्टे उसके पहले प्राचार्य थे। कॉलेज का नाम सर जेम्स फर्ग्यूसन, बाम्बे के गवर्नर के नाम पर रखा गया।

33. (C): सनातन धर्म व हिन्दू संस्कृति की रक्षा और संवर्धन में मालवीयजी का योगदान अनन्य है। जनबल तथा मनोबल में नित्यशः क्षयशील हिन्दू जाति को विनाश से बचाने के लिये उन्होंने हिन्दू संगठन का शक्तिशाली आन्दोलन चलाया और स्वयं अनुदार सहधर्मियों के तीव्र प्रतिवाद झेलते हुए भी कलकत्ता, काशी, प्रयाग और नासिक में भंगियों को धर्मोपदेश और मन्त्र दीक्षा दी। उल्लेखनीय है कि राष्ट्रनेता मालवीयजी ने अपने नेतृत्वकाल में हिन्दू महासभा को राजनीतिक प्रतिक्रियावादिता से मुक्त रखा और अनेक बार धर्मों के सहअस्तित्व में अपनी आस्था को अभिव्यक्त किया। मालवीय जी अश्पृश्यता पर 1929 की कांग्रेस उप-समिति के अध्यक्ष नियुक्त किए गए थे।

मालवीय जी को कई संस्थाओं को स्थापित अथवा प्रोत्साहित करने का श्रेय प्राप्त है। किन्तु उनका अक्षय-कीर्ति-स्तम्भ तो काशी हिन्दू विश्वविद्यालय ही है जिसमें उनकी विशाल बुद्धि, संकल्प, देशप्रेम, क्रियाशक्ति तथा तप और त्याग साक्षात् मूर्तिमान हैं। विश्वविद्यालय के उद्देश्यों में हिन्दू समाज और संसार के हित के लिये भारत की प्राचीन सभ्यता और महत्ता की रक्षा, संस्कृत विद्या के विकास एवं पाश्चात्य विज्ञान के साथ भारत की विविध विद्याओं और कलाओं की शिक्षा को प्राथमिकता दी गयी।

34. (B): उपयोगितावाद (Utilitarianism) एक आचार सिद्धांत है जिसकी एकांतिक मान्यता है कि आचरण (action) तभी नैतिक है जब वह अधिकतम व्यक्तियों के अधिकतम सुख की अभिवृद्धि करता है। राजनीतिक तथा अन्य क्षेत्रों में इसका संबंध मुख्यतः बेंथम (1748-1832) तथा जान स्टुअर्ट मिल (1806-73) से रहा है।

उपयोगितावाद अनेक सापेक्ष विचारों को महत्व देता है। जैसे, आनंद ही सबसे वांछनीय वस्तु है और यह जितना अधिक हो उतना ही श्रेयस्कर है। इसका एक भ्रामक निष्कर्ष यह है कि दुःख ही सबसे अवांछनीय वस्तु है और यह जितना कम भोगना पड़े उतना ही अच्छा है। इससे यह निर्दिष्ट है कि नैतिक अभिकर्ता का किसी भी परिस्थिति में ऐसा ही आचरण सदाचार माना जाएगा जो स्वेच्छया किया गया हो, जो संबंधित लोगों के लिए महत्तम सुख की सृष्टि करता हो अथवा कर सकने की संभावना रखता हो और जहाँ पर दुःख अवश्यंभावी है वहाँ उसे यथासंभव कम-से-कम करने का प्रयत्न करता हो।

वास्तव में उपयोगितावाद का पूर्णतः तर्कसम्मत एवं स्थायी अनुयायी होना कुछ सरल नहीं, फिर भी सिद्धांत तथा व्यवहार में सामंजस्य स्थापित करने के प्रयत्न के कारण और जीवतत्व के लिए स्वस्थ तथा नैतिक अच्छाई का मार्ग निर्दिष्ट करनेवाले आनंद को मनुष्य के स्वाभाविक मार्गदर्शन के रूप में प्रतिष्ठित करने के कारण उपयोगितावाद कुछ आकर्षण रखता है और एतदर्थ सामान्य भी है।

35. (A): हेरोडोट्स यूनान का ऐसा विद्वान हुआ जिसका भौगोलिक योगदान उल्लेखनीय है। हेरोडोट्स का जन्म 48 ई.पू. में हेलिकारनेसस (यूनान का एक नगर) में हुआ। यह नगर प्रमुख शिक्षा केन्द्र मिलेट्स के निकट था।

हेरोडोट्स एक धनी कुलीन परिवार का सदस्य था, जिस कारण विशेष सम्मानित माना गया था। प्रारम्भिक रूप से वह इतिहासकार था जिसने मानव जातियों का भी अध्ययन किया, इन अध्ययनों में भौगोलिक जानकारी भी है। उसने अनेक देशों का भ्रमण कर ज्ञान अर्जित किया। कहा जाता है कि उसने अपनी पुस्तकें यूनान के प्रसिद्ध नगर एथेन्स में लिखी। भारत के सन्दर्भ में 'हिस्टोरिका' प्रसिद्ध ग्रंथ है। उन्हें 'इतिहास का पिता' कहा जाता है।

36. (C): 'ट्रायंफ ऑफ द विल' 1935 की जर्मन नाजी प्रचार फिल्म है, जिसका निर्देशन, निर्माण, संपादन और सह-लेखन लेनी रीफेन्स्टॉल ने किया है। एडॉल्फ हिटलर ने फिल्म को कमीशन किया और एक अनौपचारिक कार्यकारी निर्माता के रूप में काम किया; उसका नाम शुरुआती शीर्षकों में दिखाई देता है। यह नूनबर्ग में 1934 की नाजी पार्टी कांग्रेस का इतिहास है, जिसमें 700,000 से अधिक नाजी समर्थकों ने भाग लिया था। फिल्म में हिटलर, रुडोल्फ हेस और जूलियस स्ट्रीचर सहित कांग्रेस में नाजी नेताओं द्वारा दिए गए भाषणों के अंश शामिल हैं। इसका प्रमुख विषय हिटलर के नेता के रूप में एक महान शक्ति के रूप में जर्मनी की वापसी है।

मार्च 1935 में रिलीज होने के बाद, यह प्रचार के रूप में इस्तेमाल की जाने वाली फिल्म का एक प्रमुख उदाहरण बन गया। रीफेन्स्टॉल की तकनीक– जैसे मूविंग कैमरा, एरियल फोटोग्राफी, विकृत परिप्रेक्ष्य बनाने के लिए लॉन्ग-फोकस लेंस का उपयोग, और संगीत और सिनेमैटोग्राफी के उपयोग के लिए क्रांतिकारी दृष्टिकोण–ने *ट्रायम्फ ऑफ द विल को* सबसे बड़ी प्रचार फिल्मों में से एक के रूप में मान्यता दी है। इसने जर्मनी, फ्रांस और इटली में कई पुरस्कार जीते।

37. (A): रॉबिन जॉर्ज कॉलिंगवुड एक अंग्रेजी दार्शनिक, इतिहासकार और पुरातत्वविद थे। वह अपने दार्शनिक कार्यों के लिए सबसे ज्यादा जाने जाते हैं, जिनमें *द प्रिंसिपल्स ऑफ आर्ट* (1938) और मरणोपरांत प्रकाशित *द आइडिया ऑफ हिस्ट्री* (1946) शामिल हैं। रस्किन के जीवन के अंतिम वर्षों में उन्होंने जॉन रस्किन के निजी सचिव के रूप में काम किया था। कॉलिंगवुड ने इतिहास को एक विज्ञान के रूप में वर्गीकृत किया, और विज्ञान को "ज्ञान का कोई भी संगठित निकाय" के रूप में परिभाषित किया। हालाँकि, उन्होंने इतिहास को प्राकृतिक विज्ञान से अलग किया क्योंकि इन दोनों शाखाओं की चिंताएँ अलग-अलग हैं: प्राकृतिक विज्ञान का संबंध भौतिक दुनिया से है, जबकि इतिहास, अपने सबसे आम उपयोग में, सामाजिक विज्ञान और मानव मामलों से संबंधित है।

38. (C): ओलिवर बेन्डेल होम्स जूनियर अमेरिकी सुप्रीम कोर्ट के न्यायाधीशों में से एक थे और इतिहास में सबसे प्रभावशाली अमेरीकी आम कानून न्यायाधीशों में से एक थे, जो उनकी लम्बी सेवा, सारगर्भित राय के लिए विख्यात थे–विशेष रूप से नागरिक स्वतंत्रता और अमेरिकी संवैधानिक लोकतंत्र पर और निर्वाचित लोगों के निर्णय के प्रति सम्मान के प्रति। इतिहास के सन्दर्भ में ओलिवर का मानना था कि "इतिहास का पुनर्लेखन किया जाना चाहिए क्योंकि इतिहास कारणों या पूर्व-वृत्तों (एन्टीसिडेंटस) के वे धागे हैं, जिनमें हमारी रूचि है।" वेवर्ली, मैसाचुसेट्स में होम्स के समर हाउस को अमेरिकी न्यायशास्त्र में उनके योगदान के लिए 1972 ई. में एक राष्ट्रीय ऐतिहासिक मील का पत्थर नामित किया गया था।

39. (D): पश्चिमी घाट में रहने वाले 'रामोसी जनजाति' के लोगों ने 1822 ई. में अपने नेता सरदार 'चित्तर सिंह' के नेतृत्व में यह विद्रोह किया। यह विद्रोह अकाल और भूख की समस्या के चलते प्रारम्भ हुआ था। रामोसियों ने सतारा के आस-पास के क्षेत्रों को लूटा और किलों पर भी आक्रमण कर दिया। 1825-1826 ई. में भयंकर अकाल और अन्नाभाव के कारण इन्होंने 'उमाजी राजे' के नेतृत्व में पुनः विद्रोह किया। यह विद्रोह लगातार 1939 ई. तक चलता रहा।

40. (B): राजा राममोहन राय को भारतीय पुर्नजागरण का अग्रदूत और आधुनिक भारत का जनक कहा जाता है। भारतीय सामाजिक और धार्मिक पुर्नजागरण के क्षेत्र में उनका विशिष्ट स्थान है। वे ब्रह्म समाज के संस्थापक, भारतीय भाषायी प्रेस के प्रवर्तक, जनजागरण और सामाजिक सुधार आंदोलन के प्रणेता तथा बंगाल में नव-जागरण युग के पितामह थे। उन्होंने भारतीय स्वतंत्रता संग्राम और पत्रकारिता के कुशल संयोग से

दोंनो क्षेत्रों को गति प्रदान की। उनके आंदोलनों को सही दिशा दिखाने का कार्य किया। वे दार्शनिक विषयों पर वाद-विवाद एवं परिचर्चा सत्र आयोजित करते थे तथा स्वतंत्र एवं सामूहिक चिन्तन तथा सामाजिक सुधार को भी बढ़ावा देते थे। 1815 में आत्मीय सभा की नींव कोलकता में आधुनिक युग की शुरूआत के रूप में है। सभा की मुख्य गतिविधि एकेश्वरवादी हिंदु वेदांतवाद और इसी तरह के विषयों पर चर्चा और बहस सत्र आयोजन करनी थी। 'आत्मीय सभा' को ही 'ब्रह्म समाज' की पूर्ववर्ती संस्था माना जाता है।

41. (D): मध्यकाल में दरबारी इतिहासकारों को तारीख या तवारीख कहा जाता था। ये दरबारी इतिहास का पैटर्न सेल्जुक साम्राज्य के इतिहास द्वारा प्रभावित था। ये स्मारक उपक्रम थे जिसने पुस्तक लेखन के लिए इतिहास लेखन को केन्द्रीय विषय बनाया। तारीख एक अरबी शब्द है जिसका अर्थ है 'कालक्रम, युग, तारीख' जहाँ विस्तार से इतिहास लेखन होता है।

42. (C): दक्षिण-पूर्व एशिया के मसालों के व्यापार पर अधिकार करना ही डचों (Dutch) का महत्वपूर्ण उद्देश्य था। भारत में 'डच ईस्ट इंडिया कम्पनी' की स्थापना 1602 ई. में हुई थी।

भारत आने वाला प्रथम डच नागरिक कार्नेलियस डाहस्तमान था, जो 1596 ई. में भारत आया था। डचों व पुर्तगालियों के संघर्ष में डचों को विजय प्राप्त हुई और धीरे-धीरे डचों ने भारत के सभी महत्वपूर्ण मसाला उत्पादन क्षेत्रों पर अधिकार कर लिया। डचों ने इण्डोनेशिया (मसाला द्वीप) को अपना प्रारम्भिक केन्द्र बनाया।

भारत में डचों की महत्वपूर्ण कोठियाँ: मछलीपट्टनम (1605), पुलीकट (1610), सूरत (1616), विमलीपट्टम (1614), चिनसुरा (1653), कासिम बाजार, कड़ा नगर, पटना, बालासोर, नागपट्टम (1658), कोचीन (1663)।

डचों का पतनः 1759 ई. में अंग्रेजों (रॉबर्ट क्लाइव के नेतृत्व में) एवं डचों के मध्य वेदरा का युद्ध हुआ, जिसमें अंग्रेज विजयी हुए और डचों का भारत से प्रभुत्व समाप्त हो गया।

43. (B): वाकाटक शब्द का प्रयोग प्राचीन भारत के ब्राह्मण राजवंश के लिए किया जाता है। इस राजवंश का शासन मध्य प्रदेश के भूभाग तथा आन्ध्र प्रदेश के बरार तक विस्तृत था, जिसके शासक विन्ध्यशक्ति का नाम वायुपुराण तथा अजंतालेख में मिलता है। इस नरेश का प्रमाणिक इतिवृत्र उपस्थित करना कठिन है। क्योंकि विन्ध्यशक्ति का कोई अभिलेख या सिक्का अभी तक उपलब्ध नहीं है। उसके पुत्र प्रवरसेन प्रथम ने वंश की प्रतिष्ठा को अमर बना दिया। अभिलेखों के अध्ययन से पता चलता है कि प्रवरसेन प्रथम ने दक्षिण में राज्यविस्तार किया। पुराणों से पता चलता है कि प्रवरसेन प्रथम ने चार अश्वमेध यज्ञ, एक वाजपेय यज्ञ तथा अन्य अनेक वैदिक यज्ञों का अनुष्ठान किया था।

करिकाल प्रारम्भिक चोल शासकों में सर्वाधिक महत्वपूर्ण शासक था। इसे 'जले हुए पैरों वाला' कहा गया है। अपने शासन के आरम्भिक वर्षों में 'वण्णि' नामक स्थान पर 'बेलरि' तथा अन्य ग्यारह शासकों की संयुक्त सेना को पराजित कर प्रसिद्धि प्राप्त की थी। इसकी दूसरी सफलता थी– 'वहैप्परन्लई' के 9 छोटे-छोटे शासकों की संयुक्त सेना को पराजित करना। करिकाल सात स्वरों का ज्ञाता तथा वैदिक धर्म का अनुयायी था।

आभीरों ने पश्चिमी दक्कन पर शासन किया, जहाँ उसने सातवाहनों का स्थान लिया। उसे ईश्वरसेन द्वारा शुरू किया गया था। आरम्भिक अभिलेखों में आभीरों को पश्चिमी भारत में स्थित शक महाक्षत्रपों के सेनापति के रूप में दर्शाया गया है।

44. (*)

45. (C): नागार्जुनकोण्डा तेलंगाना में स्थित बौद्ध महायान के प्रसिद्ध आचार्य नागार्जुन के नाम से प्रसिद्ध है। प्रथम शताब्दी में यहाँ सातवाहनों का राज्य था। 'हाल' नामक सातवाहन राजा ने नागार्जुन के लिए श्री पर्वत पर एक विहार बनवाया था। सातवाहनों के पश्चात इछवाकुओं ने राज्य किया। नागार्जुनकोंडा के अभिलेख से स्थवीरों के संघों का ज्ञान होता है। इस अभिलेख से 278 ई. की तिथि प्राप्त होती है। अभिलेख में सर्वोच्च ईश्वर का आदि-पुरुष के रूप में उल्लेख मिलता है तथा ईश्वर को रूम्बर-भव के रूप में भी वर्णित करता है।

46. (B): सल्तनत काल में फिरोजशाह तुगलक (1351-88 ई.) ने दास प्रथा को अधिक प्रोत्साहन

दिया। व्यवसायहीन मध्यम श्रेणी के मुसलमानों के संकट मिटाने के लिए फिरोजशाह ने उन लोगों की सूची तैयार करवाई और उन्हें अपने व्यक्तिगत दासों में भर्ती कर लिया। इतिहासकार अलीफ के अनुसार इन व्यक्तिगत दासों की संख्या बढ़ते-बढ़ते 1,80,000 तक पहुँच गई। पुर्तगालियों ने भी दासों की नियुक्ति बड़े पैमाने पर की थी।

मोरलैण्ड ने अपनी पुस्तक 'इंडिया एट द डेथ ऑफ अकबर' में अकबरकालीन दासता का विस्तार से वर्णन किया है। उसके अनुसार, अकबर ने अपने शासनकाल में सती प्रथा को समाप्त किया। साथ ही अकबर ने विधवा-विवाह को कानूनी मान्यता भी प्रदान की थी। विवाह के लिए लड़कों की उम्र कम-से-कम 16 वर्ष तथा प्रथा को समाप्त किया गया।

47. (C): पुरंदर की संधि पर हस्ताक्षर के बाद पुरंदर का किला मुगल बादशाह को सौंप दिया गया। राजा जय सिंह और शिवाजी के बीच लंबी चर्चा के बाद पुरंदर की संधि में निम्नलिखित शर्तों को शामिल किया गया थाः

1. शिवाजी ने मुगलों से जीते हुए 35 किले में से 23 वापस मुगलों को सौंप दिए, जिनकी वार्षिक आय 4 लाख हूण थी।
2. मुगल साम्राज्य के प्रति वफादार रहने की शर्त पर शिवाजी को शेष बारह किलों पर अपना प्रभाव बनाए रखने की अनुमति दी गई थी।
3. शिवाजी अपने आठ साल के बेटे संभाजी को उसके स्थान पर मुगल दरबार में भेजेंगे जहाँ उन्हें राजा जय सिंह की सिफारिश पर 500 का मनसब और गौरव का पद दिया जाएगा।
4. शिवाजी जरूरत के समय और शाही आदेश पर खुद को शाही सेना में पेश करेंगे। कोंकण और बीजापुर के प्रांत बालाघाट पर नियंत्रण करने की शिवाजी की पेशकश को भी स्वीकार कर लिया गया। उन्होंने मुगल बादशाह को 13 किश्तों में 40 लाख हूण देने का भी वादा किया, बशर्ते कि उन्हें आश्वासन दिया जाए कि मुगलों द्वारा उनकी आसन्न विजय के बावजूद ये प्रांत उनके नियंत्रण में रहेंगे।

48. (C): मध्यकाल में व्यापार और वाणिज्य का विकास हुआ, जिससे लोगों की आर्थिक स्थिति में सुधार हुआ। निर्यात की मुख्य वस्तु भारतीय क्षेत्रों से तैयार किया गया वस्त्र था।

महीन वस्त्र पूर्व में बंगाल के बाजारों और पश्चिम में गुजरात और भारत के दक्षिणी भाग के कुछ हिस्सों में बुने जाते थे। मुद्रित कपड़ों ने यूरोपीय देशों में एक बड़े बाजार को आकर्षित किया।

जियाउद्दीन बर्नी ने अलाउद्दीन खिलजी के समय में राज्य द्वारा व्यापार की वस्तुओं के मूल्य-नियंत्रण के उपायों का विस्तारपूर्वक वर्णन किया है।

उल्लेखनीय है कि उस समय उत्पादन एवं व्यापार की मूल इकाई ग्राम थी जहाँ से अनाज, आवश्यकता की अन्य वस्तुएँ, तैयार माल आदि बड़े शहरों में भेजे जाते थे। यहाँ तक कि सल्तनत कालीन राजधानी दिल्ली को भी रसद की आपूर्ति दूर दराज के ग्रामीण क्षेत्रों से ही होती थी। इब्न बतूता से हमें ज्ञात होता है कि मुख्य रूप से गंगा के तट पर स्थित अमरोहा से अनाज की पूर्ति होती थी।

49. (D): नौसेना विद्रोह (1945-1946 ई.) ब्रिटिश जहाज पर कार्य करने वाले कर्मचारियों द्वारा किया गया था। 18 फरवरी, 1946 ई. को 'एन.एस. तलवार' नामक जहाज के कर्मचारियों ने ब्रिटिश सरकार के समक्ष खराब खाना मिलने की शिकायत की। इस पर ब्रिटिश अधिकारियों का जवाब था कि 'भिखमंगों को चुनने की छूट नहीं हो सकती।' नौसेना कर्मचारियों ने सरकार की इस विभेदात्मक नीति के खिलाफ विद्रोह कर दिया।

विद्रोह करने वाले कर्मचारियों ने जहाज पर से यूनियन जैक के झण्डों को हटाकर वहाँ पर कांग्रेस एवं मुस्लिम लीग के झण्डे लगा दिये। उनकी एक मांग यह भी थी कि नाविक बी.सी. दत्त, जिसे जहाज की दीवारों पर 'भारत छोड़ो' लिखने के कारण गिरफ्तार कर लिया गया था, को रिहा किया जाय। विद्रोहियों ने एम.एस. खान के नेतृत्व में 'नौसेना केन्द्रीय हड़ताल समिति' का गठन किया। बम्बई में शुरू हुआ यह विप्लव जल्द ही मद्रास एवं कराची तक फैल गया। बाम्बे में शांति स्थापना हेतु मराठा की एक बटालियन बुलाई गई थी।

का इतिहास' पाँच भागों में प्रकाशित बड़े आकार का 6500 पृष्ठों का भारतीय धर्मशास्त्र का विश्वकोष है। काणे ने छुआछूत का विरोध किया तथा अन्तर्जातीय और विधवा-विवाह का समर्थन किया।

77. (A): प्रश्न में उल्लिखित ऐतिहासिक घटनाओं का कालक्रम इस प्रकार है:

- अजातशत्रु का लिच्छवियों के साथ युद्ध– 484-468 ई.पू.
- सिकन्दर एवं पोरस के मध्य युद्ध– 326 ई.पू.
- सिकन्दर की मृत्यु– 323 ई.पू.
- अशोक का राज्याभिषेक– 269 ई.पू.
- गौतमीपुत्र सातकर्णि ने शक शासक नहपान के हराया– 123-124 ई.

78. (A): राणा अमर सिंह मेवाड़ के सिसोदिया वंशी शासक थे। 1597 ई. में पिता महाराणा प्रताप की मृत्यु के पश्चात इन्होंने भी मुगल-मेवाड़ संघर्ष की परम्परा जारी रखी और मुगलों के साथ 17 युद्ध किए। मुगल शासकों अकबर और जहाँगीर ने इन पर नियंत्रण पाने के लिये कई अभियान भेजे जिसका क्रम इस प्रकार है:

- शहजादा सलीम–1599 ई.
- शहजादा परवेज–1605 ई.
- महावत खान–1608 ई.
- अब्दुल्ला खान–1609 ई.
- शहजादा खुर्रम–1613 ई.

79. (D):
- शाहू का राज्याभिषेक–1707 ई.
- बन्दा बहादुर का विद्रोह–1710 ई.
- अजीत सिंह गुजरात के गवर्नर नियुक्त हुए–1712 ई.
- बहादुर शाह I की मृत्यु–1712 ई.
- जय सिंह को मालवा का गवर्नर नियुक्त किया गया– 1728 ई.

80. (C): अगस्त 1765 ई. में इलाहाबाद की संधि द्वारा ईस्ट इण्डिया कम्पनी को बंगाल, बिहार और उड़ीसा की दीवानी प्राप्त हुई। वारेन हेस्टिंग्स ने 1772 ई. में द्वैध शासन व्यवस्था को समाप्त किया तथा रेग्युलेटिंग एक्ट वारेन हेस्टिंग्स द्वारा 1773 ई. में पारित किया गया। लार्ड कार्नवालिस ने जमीदारों को भूमि का स्वामी मान लिया और 1790 ई. में उनसे 10 वर्षीय व्यवस्था की। 1793 में इसे स्थायी बना दिया गया। 1800 ई. में सूरत के बंदगाह का पूर्णरूपेण अधिग्रहण हो गया था।

81. (B): अटलांटिक चार्टर अमेरिकी राष्ट्रपति फ्रेंकलिन रूजवेल्ट और ब्रिटिश प्रधानमंत्री विंस्टन चर्चिल द्वारा 14 अगस्त 1941 को जारी एक संयुक्त घोषणा थी। मार्च 1942 में टोक्यो में भारतीयों का एक सम्मेलन आयोजित किया गया और इंडियन इंडिपेंडेंस लीग का गठन किया गया। बैंकाक सम्मेलन में रासबिहारी बोस लीग के अध्यक्ष चुने गए। दूसरे विश्व युद्ध के दौरान 7 दिसम्बर, 1941 को अमेरिकी नौसैनिक अड्डे पर्ल हार्बर पर जापानी एयरफोर्स ने चुपके से हमला किया था जिसमें 2,403 अमेरिकी सैनिक मारे गए। आजाद हिंद फौज की प्रथम डिवीजन का गठन 1 दिसम्बर, 1942 ई. को मोहनसिंह के अधीन हुआ।

82. (B): बनारस के केन्द्रीय हिन्दू विद्यालय की स्थापना 1898 में एनी बेसेंट द्वारा किया गया। 1916 में मदन मोहन मालवीय द्वारा इस कॉलेज को बनारस हिंदू विश्वविद्यालय के रूप में विकसित किया गया।

थियोसोफिकल सोसायटी की स्थापना 1875 में न्यूयार्क में मैडम एच.पी. ब्लावत्स्की और कर्नल अल्कॉट ने की थी। 1882 में, भारत में मद्रास के पास अडयार में सोसायटी का मुख्यालय स्थापित किया गया।

गुरूकुल पाठशाला उत्तराखण्ड के हरिद्वार शहर में स्थित है। उसकी स्थापना सन् 1902 में स्वामी श्रद्धानन्द ने की थी। भारतीय समाजसेवा संगठन रामकृष्ण मिशन की स्थापना स्वामी विवेकानन्द द्वारा 1890 ई. में की गई थी। वर्ष 1886 ई. में लाहौर में दयानंद एंग्लो वैदिक स्कूल की स्थापना की गई थी। यह मुख्य रूप से पश्चिमी शिक्षा प्रदान करने पर केन्द्रित था।

83. (C): बाल गंगाधर तिलक गरमदल के उग्रपंथी विचारधारा वाले थे। आमजन में वे 'लोकमान्य' के उपाधि से नवाजे गए। उनपर कई बार मुकदमा चलाया गया। वापट वाले मुकाबले में तथा राजद्रोह के मामले में 6 साल की सजा हुई। तिलक और उनके समूह ने रानाडे और गोखले को पूना सार्वजनिक सभा के नियंत्रण से हटा दिया गया। बाद में उन्हें 18 माह का जेल हुआ।

84. (A): रैयतवाड़ी व्यवस्था 1792 ई. में कर्नल रीड द्वारा बारामहल क्षेत्र में लागू किया गया। 1820 में मुनरो ने मद्रास प्रेसिडेंसी में तथा 1825 में एल्फिस्टन के द्वारा बम्बई प्रेसिडेंसी में इसे लागू किया गया। भारत में सिविल प्रक्रिया संहिता पहली बार 1859 में लागू की गई थी। मद्रास यातना आयोग की रिपोर्ट 1855 में पेश की गई थी।

85. (C): फिल्म 'सीता' वेनिस फिल्मोत्सव में 1934 में प्रदर्शित की जाने वाली प्रथम भारतीय फिल्म थी। 1936 में 'अछूत कन्या' को रिलीज किया गया था फिल्म *संत तुकाराम* 1936 में रिलीज हुई थी और 1937 ई. में इसे पांचवें अंतर्राष्ट्रीय वेनिस फिल्म फेस्टिवल में पहली बार तीन श्रेष्ठ फिल्मों की सूची में स्थान मिला था। महबूब खान निर्देशित फिल्म 'औरत' को 1940 में रिलीज किया गया था। फिल्म *किस्मत* 1968 में रिलीज की गई थी।

86. (A): अशोक अपने शिलालेखों में राजाज्ञा तथा स्तम्भलेख में लोकोपकारी कार्यों का उल्लेख करता है। अपने धम्म के विचार से अशोक का मानना था कि जो जानवर न तो उपयोगी है और ना ही खाने योग्य उन्हें नहीं मारा जाना चाहिए। ऐसे जानवरों की सूची वह स्तम्भलेख 5वें में जारी करता है जिन्हें किसी भी स्थिति में नहीं मारे जाने योग्य समझता है। अतः दिए गए दोनों ही कथन सत्य हैं।

87. (A): प्राचीन काल के इतिहास जानने के लिए अभिलेख महत्वपूर्ण स्रोत माने गए हैं। अशोक ने अपनी राजाज्ञा इन अभिलेखों में खुदवाई। अशोक के अभिलेख सम्पूर्ण भारत के विभिन्न हिस्सों में प्राप्त किए जाते हैं। इन अभिलेखों से अशोक के इतिहास की जानकारी होती है। भण्डारकर महोदय ने अभिलेखों के आधार पर अशोक का इतिहास लिखा। अतः कथन और कारण दोनों सही हैं तथा कारण कथन की सही व्याख्या करता है।

88. (D): दक्षिण-पूर्व एशिया के जावा, थाइलैण्ड और कम्बोडिया के विभिन्न स्थानों पर हिन्दू देवी-देवताओं के प्राचीन मंदिर अवस्थित है। इनमें डिएंग पठार, ओंकारवाट, बोरोबुदूर के मंदिर महत्वपूर्ण हैं। इन स्थलों पर काफी प्राचीन समय से हिंदू संस्कृतियों का विस्तार हुआ। अतः कथन असत्य है जबकि कारण सत्य है।

89. (A): राजा राममोहन राय ने सती-प्रथा की आलोचना की। उनके प्रयासों से लार्ड विलियम बैंटिक ने 1829 के नियम-14 द्वारा सती-प्रथा का उन्मूलन किया। अपने लेखों के माध्यम से उन्होंने दर्शाया कि यह एक कुरीति है जिसे कोई धार्मिक स्वीकृति प्राप्त नहीं है। कथन और कारण दोनों ही सत्य हैं तथा कारण, कथन की सही व्याख्या करता है।

90. (A): दादा भाई नौरोजी और डी.डी. बसु के साथ रमेशचन्द्र दत्त तीसरे आर्थिक चिन्तक थे जिन्होंने औपनिवेशिक शासन के तहत भारतीय अर्थव्यवस्था को हुए नुकसान के प्रामाणिक विवरण पेश किए और विख्यात 'ड्रेन थ्योरी' का प्रतिपादन किया। 1902 में दत्त के महान ग्रन्थ 'द इकोनॉमिक हिस्ट्री ऑफ ब्रिटिश इण्डिया' का पहला खण्ड प्रकाशित हुआ। उनके अनुसार 1901-02 में गृह शुल्कों में 'ऋण पर ब्याज और ऋण का प्रबन्ध' साथ ही सैन्य शुल्क (पेंशन सहित) सम्मिलित थे। दत्त इण्डियन सिविल सर्विसेज के वरिष्ठ अधिकारी थे और ब्रिटिश शासन की सेवा के दायित्व से बँधे हुए थे। अपनी बात पर जमे रहकर उन्होंने अपने विरोधियों के साथ बहस की और सरकार से लगातार अनुरोध किया कि वह भारत की आर्थिक दशा में सुधार करें। अतः दोनों ही कथन सत्य हैं।

91. (D): इन रियासतों का सम्बन्ध यूरोपीय अर्थ में सामंती नहीं कहा जा सकता है। तथापि श्रम शक्ति के उपयोग में बहुत अड़चनें थी। राज्य शासन ने उस अर्थ में सामंती प्रवृति को अपना लिया था कि मूलतः यह धार्मिक और पंथनिरपेक्ष व्यक्तियों द्वारा वसूल किए गए अधिशेष पर ही आश्रित था और उप-जागीर पद प्रदान करने की प्रक्रिया पर रोक नहीं लगा सका। दिए गए उद्धरण से स्पष्ट है कि रियासतों का सम्बन्ध मूल रूप से सामंती था।

92. (A): 'दिए गए अनुदान से सैयद समयानुक्रम में अपने उत्तराधिकारियों को सदैव के लिए प्रशासक के रूप में स्थापित करते रहे। धीरे-धीरे सैय्यदों ने स्थानीय परम्पराओं को अपनाया, कम-से-कम बाह्यरूप में ही उन्होंने अनुरूपता को अंगीकार किया ताकि अपने खानकाह और रियासतों के लोकस्वरूप का निर्माण कर सके' से

स्पष्ट है कि खानकाह को सामाजिक स्वीकार्यता प्रदान करने के लिए सैय्यदों द्वारा स्थानीय परम्पराओं का अंगीकरण किया गया।

93. (B): 'धार्मिक और पंथनिरपेक्ष अनुदान की प्रथा तथा दानदाताओं के अधीन किसानों और शिल्पकारों की दासता से घाटी के भीतर विद्यमान सामाजिक व्यवस्था परिभाषित होती थी' से स्पष्ट है कि अनुदान के कारण काम करने वाले किसानों और कारीगरों के दासता के लक्षण उपस्थित हुए।

94. (A): 'सैय्यद और उनके खानकाह को उनके परिजनों तथा अनुयायियों को सहायता प्रदान करने के निमित्त दिए गए दान के फलस्वरूप भूमि पर उनको नियंत्रण प्रदान किया गया'। उद्धरण से स्पष्ट होता है कि सैय्यद और उनके खानदान को दान देने का उद्देश्य उनके परिजनों एवं अनुयायियों के लिए आय का स्रोत प्रदान करना था।

95. (A): वे अत्यधिक सौभाग्यशाली थे कि उनके पास कृषि योग्य उपजाऊ भूमि थी, वे उन स्थानों पर रहनेवाले अपने शिष्यों के स्वैच्छिक श्रम और अपने क्षेत्र के किसानों और कारीगरों से उत्पाद के रूप में भेंट से भी आय प्राप्त करते थे। इस उद्धरण से स्पष्ट है कि सैय्यद और उनके खानकाहों की आय का स्रोत स्वैच्छिक श्रमिकों के द्वारा उनकी भूमि की जुताई से प्राप्त उपज था।

96. (A): माधव राव प्रथम के कार्यकाल में महादजी सिंधिया ने उत्तरी भारत में मराठा प्रभाव को फिर से स्थापित करने का प्रयत्न किया था। उसने 1772 ई. में मुगल सम्राट शाह आलम II को फिर से दिल्ली के सिंहासन पर बैठा दिया था। इसके अलावा उसने राजपूतों, जाटों और रूहेलों को कई स्थानों पर हराकर मराठा प्रभाव बढ़ाया था। उसने ग्वालियर तथा दोहद पर अधिकार कर लिया। 1784 में मुगल सम्राट शाह आलम ने महादजी सिन्धिया को वकील-ए-मुतलक की उपाधि प्रदान की तथा उसे मुगल-साम्राज्य के समस्त प्रशासनिक अधिकार भी सौंप दिए।

97. (D): महाजी सिंधिया का जन्म 1727 ई में सुप्रसिद्ध मराठा सरदार रानोजी सिंधिया के यहाँ उसकी राजपूत पत्नी से हुआ। रानोजी ने एक सैनिक के रूप में बालाजी विश्वनाथ के अधीन काफी ख्याति अर्जित की थी। एस.आर. शर्मा ने कहा, महादजी सिंधिया ने मराठों को भारत में सर्वोपरि शक्ति बना दिया। इनकी मृत्यु 1794 ई. में हुई। मृत्यु से पहले उन्होंने ग्वालियर को विजय करके वहाँ अपनी जागीर स्थापित कर ली।

98. (C): 17 मई 1782 को मराठा साम्राज्य और ब्रिटिश ईस्ट इण्डिया कम्पनी के प्रतिनिधियों द्वारा प्रथम आंग्ल-मराठा युद्ध को समाप्त करने के लिए लम्बी बातचीत के बाद सिंधिया ने पेशवा व अंग्रेजों के मध्य सालबाई की संधि करवा दी। इसके तहत कम्पनी ने सालसेट और भरूच पर नियंत्रण बनाए रखा और गारंटी ली कि मराठा मैसूर के हैदर अली को हरा देंगे और कर्नाटक क्षेत्र को वापिस हासिल करेंगे। मराठों ने यह भी गारंटी दी कि फ्रांसीसी अपने क्षेत्रों पर बस्तियाँ स्थापित करने से प्रतिबन्धित होंगे। बदले में, अंग्रेजों ने शागिर्द, रघुनाथ राव को पेंशन देने पर सहमति जताई और माधवराव द्वितीय को मराठा साम्राज्य के पेशवा के रूप में स्वीकार किया। साथ ही इस संधि से रघुनाथ राव ने पेशवा की उपाधि पर से अपना दावा छोड़ दिया।

99. (C): बालाजी बाजी राव को 'नाना साहेब' के नाम से भी जाना जाता है। वे मराठा साम्राज्य के पेशवा (प्रधानमंत्री) थे। इनके शासनकाल में मराठा साम्राज्य अपनी चरम उत्कर्ष पर पहुँचा। इनका प्रादेशिक विस्तार ''कटक से अटक तक'' विस्तार की पराकाष्ठा माना जाता है।

100. (B): बालाजी विश्वनाथ की मृत्यु के बाद शाहू ने उनके पुत्र बाजी राव प्रथम को पेशवा नियुक्त किया। इस प्रकार बालाजी विश्वनाथ के परिवार में पेशवा पद पैतृक हो गया। मुगल साम्राज्य के प्रति अपनी नीति की घोषणा करते हुए बाजी राव प्रथम ने कहा, ''हमें इस जर्जर वृक्ष के तने पर आक्रमण करना चाहिए, शाखाएं तो स्वयं गिर जाएगी।'' बाजी राव प्रथम ने 'कृष्णा से अटक तक' विस्तारवादी नीति का अनुकरण किया। बाजी राव प्रथम को लड़ाकू पेशवा के रूप में स्मरण किया जाता है। वह शिवाजी के बाद गुरिल्ला युद्ध का सबसे बड़ा प्रतिपादक था। शाहू ने बाजी राव प्रथम को योग्य पिता का योग्य पुत्र कहा था।

पिछले प्रश्न-पत्र (हल सहित)

National Testing Agency (NTA)

UGC-NET जूनियर रिसर्च फैलोशिप तथा सहायक प्राध्यापक पात्रता परीक्षा

इतिहास, जून-2022

(Online exam held on 10/10/2022)

प्रश्न-पत्र-II

नोटः *इस प्रश्न-पत्र में* ***सौ (100)*** *बहु-विकल्पीय प्रश्न हैं। प्रत्येक प्रश्न के* ***दो (2)*** *अंक हैं।* ***सभी प्रश्न अनिवार्य*** *हैं।*

1. भारत में निम्नलिखित कौन-सी पहाड़ियाँ जैन गुफाओं के लिए प्रसिद्ध हैं?

(*a*) बराबर पहाड़ी
(*b*) खांडगिरि पहाड़ी
(*c*) उदयगिरि पहाड़ी
(*d*) पदना पहाड़ी
(*e*) रामशिला पहाड़ी

नीचे दिए गए विकल्पों में से सही उत्तर का चयन कीजिएः

A. केवल (*a*), (*b*) और (*c*)
B. केवल (*b*), (*c*) और (*d*)
C. केवल (*b*), (*c*) और (*e*)
D. केवल (*b*) और (*c*)

2. द इंडियन सैंडहर्स्ट कमैटी किस अन्य नाम से भी जानी जाती थी?

A. पील कमेटी B. मैक्डोनॉल्ड कमेटी
C. स्कीन कमेटी D. हण्टर कमेटी

3. निम्नलिखित घटनाओं को सर्वप्रथम से शुरू कर कालक्रमानुसार व्यवस्थित कीजिएः

(*a*) इंग्लिश ईस्ट इंडिया कंपनी को रायल चार्टर प्रदान किया जाना
(*b*) मुगल शहंशाह अकबर की मृत्यु
(*c*) गोवा पर पुर्तगालियों का कब्जा
(*d*) फ्रांसीसी ईस्ट इंडिया कंपनी की स्थापना
(*e*) डच ईस्ट इंडिया कंपनी (वीओसी) की स्थापना

नीचे दिए गए विकल्पों में से सही उत्तर का चयन कीजिएः

A. केवल (*c*), (*b*), (*a*), (*d*), (*e*)
B. केवल (*c*), (*a*), (*e*), (*b*), (*d*)
C. केवल (*b*), (*c*), (*e*), (*a*), (*d*)
D. केवल (*b*), (*d*), (*e*), (*c*), (*a*)

4. हीनयान और महायान नामक दो बौद्ध सम्प्रदायों को निम्नलिखित में से किसने मान्यता दी थी?

A. पाटलिपुत्र में तृतीय बौद्ध परिषद
B. कश्मीर में चतुर्थ बौद्ध परिषद
C. नागार्जुन
D. अशोक

5. किस निम्नलिखित राजवंश ने कोहिनूर हीरा को प्रथमतया एक मन्दिर में प्रतिष्ठापित किया?

A. पाण्डय वंश B. होयसला वंश
C. चोल वंश D. काकतीय वंश

6. निम्नलिखित में से हैहय किस क्षेत्र की जनजाति थी?

A. मगध B. कोसल
C. मतस्य D. अवंती

7. क्षेमेन्द्र के 'समय मातृका' में समाज के विभिन्न क्षेत्रों में से किसके साहसिक कार्यों का वर्णन मिलता है?

A. स्त्री B. राजकुमार
C. यात्री D. योद्धा

8. 19वीं सदी में किसने औपनिवेशिक शासन के दौरान वि-औद्योगीकरण को अस्वीकृत किया और एक महत्वपूर्ण आर्थिक उन्नति का दावा किया?

A. विपिन चंद्र
B. तपन राय चौधरी
C. मोरिस डेविस मोरिस
D. तोरु मैटस्यु

9. निम्नलिखित में से कौन से कथन सही हैं?

(*a*) अरबिन्दो घोष ने 'न्यू लैंप्स फॉर ओल्ड' लिखी।
(*b*) 'न्यू लैंप्स फॉर ओल्ड' में कांग्रेस का 'सर्वहारा' से संपर्क न होने के रूप में वर्णन किया गया था।
(*c*) 'न्यू लैंप्स फॉर ओल्ड' में कांग्रेस को अ-राष्ट्रीय (अन नेशनल) के रूप में चित्रित किया गया था।
(*d*) अरबिन्दो घोष के विचार में कांग्रेस अतिशयवाद से मर रही थी।
(*e*) रानाडे ने 'एसेज इन यूरोपियन इकोनॉमिक्स' लिखी।

नीचे दिए गए विकल्पों में से सही उत्तर का चयन कीजिए:

A. केवल (*a*), (*b*), (*c*), (*d*)
B. केवल (*a*), (*b*)
C. केवल (*b*), (*c*)
D. केवल (*a*), (*b*), (*d*)

10. निम्नलिखित में से कौन-सी उपाधियाँ अशोक के लिए प्रायः प्रयुक्त होती थीः

(*a*) देवनामप्रिय/देवानांपिय (*b*) चक्रवर्ती
(*c*) आर्यपुत्र (*d*) महासम्मत
(*e*) देवपुत्र

नीचे दिए गए विकल्पों में से सही उत्तर का चयन कीजिए:

A. केवल (*a*), (*b*) और (*d*)
B. केवल (*a*), (*b*) और (*e*)
C. केवल (*b*) और (*d*)
D. केवल (*a*), (*b*) और (*d*)

11. हिन्दू साहित्य परंपरा में कौन से ग्रंथ प्रस्थानत्रयी के समुच्चय का निर्माण करते हैं:

(*a*) ब्राह्मण ग्रंथ (*b*) रामायण
(*c*) ब्रह्मसूत्र (*d*) उपनिषद्
(*e*) कल्पसूत्र

नीचे दिए गए विकल्पों में से सही उत्तर का चयन कीजिए:

A. केवल (*a*), (*b*) और (*c*)
B. केवल (*b*), (*c*) और (*d*)
C. केवल (*c*) और (*d*)
D. केवल (*a*), (*b*) और (*e*)

12. इनमें से कौन 1917 में महात्मा गाँधी के साथ चम्पारण नहीं गया था?

A. बाबू राजेंद्र प्रसाद B. मजहर-उल-हक
C. जे.बी. कृपलानी D. एनी बेसेंट

13. निम्नलिखित में से कौन-सा लेखक चंदेल वंश के जीवनचरित संबंधी विवरण प्रदान करता है?

A. बाण
B. बिल्हण
C. कल्हण
D. उपर्युक्त में से कोई नहीं

14. सूची-I के साथ सूची-II का मिलान कीजिए:

सूची-I	सूची-II
(*a*) अशोक का वृहद्-शिलालेख - V	(*i*) राजत्व का सिद्धांत
(*b*) अशोक का वृहद्-शिलालेख - VI	(*ii*) अशोक की धार्मिक यात्राएँ
(*c*) अशोक का वृहद्-शिलालेख - VII	(*iii*) धम्ममहामात्रों की नियुक्ति
(*d*) अशोक का वृहद्-शिलालेख - VIII	(*iv*) अन्य संप्रदायों के प्रति धार्मिक सहिष्णुता

नीचे दिए गए विकल्पों में से सही उत्तर का चयन कीजिए:

	(*a*)	(*b*)	(*c*)	(*d*)
A.	(*i*)	(*ii*)	(*iii*)	(*iv*)
B.	(*iii*)	(*i*)	(*ii*)	(*iv*)
C.	(*iii*)	(*i*)	(*iv*)	(*ii*)
D.	(*ii*)	(*iv*)	(*i*)	(*iii*)

15. निम्नलिखित में से कौन से कथन सही हैं?

(*a*) मौर्योत्तर काल में सिक्कों की ढलाई में काफी तेजी देखी गई।

(*b*) उत्तर पश्चिम के राजाओं ने यूनानी, रोमन और ईरानी सिक्कों की नकल की।

(*c*) मौर्य पश्चात काल में मुद्रा के अधिकाधिक प्रयोग से, विशेष कर ग्रामीण क्षेत्रों में वस्तु विनिमय प्रणाली समाप्त नहीं हुई।

(*d*) मौर्य पश्चात काल में सिक्कों के विविध प्रयोग से विभिन्न प्रकार की कारीबारी अर्थव्यवस्थाओं का संकेत मिलता है।

(*e*) मौर्य पश्चात काल में निष्क और स्वर्ण नामक सोने के सिक्के और शतमान चांदी के सिक्के प्रयोग में थे।

नीचे दिए गए विकल्पों में से सबसे उपयुक्त उत्तर का चयन कीजिए:

A. केवल (*a*), (*b*) और (*c*)

B. केवल (*a*), (*b*), (*c*) और (*d*)

C. केवल (*a*), (*c*), (*d*) और (*e*)

D. केवल (*a*), (*b*), (*c*), (*d*) और (*e*)

16. मापिकी निम्नलिखित में से किसका अध्ययन है?

A. सिक्कों का कालानुक्रम

B. मौसम का अध्ययन

C. सिक्कों का भार अनुसार माप और क्रम

D. धातु का अध्ययन

17. निम्नलिखित में से कौन से कथन सही हैं?

(*a*) योगिक क्रियाएँ जिसमें श्वास पर नियंत्रण का उद्देश्य हो, प्राणायाम कहलाता है।

(*b*) नागार्जुन का मानना है कि प्रकृति (द्रव्य) का रूपान्तरण औषधि एवं समाधि के प्रयोग द्वारा होता है।

(*c*) योगसूत्र में पतंजलि कहते हैं कि सिद्धि जड़ी-बूटी के प्रयोग द्वारा प्राप्त की जा सकती है।

(*d*) मेगास्थनीज का भी मानना है कि कुछ प्रकार की औषधियों का प्रयोग तपस्वी संप्रदाय द्वारा किया जाता था।

(*e*) सुश्रुत खगोलशास्त्र से संबंधित थे।

नीचे दिए गए विकल्पों में से सबसे उपयुक्त उत्तर का चयन कीजिए:

A. केवल (*a*), (*b*) और (*c*)

B. केवल (*a*), (*b*) और (*d*)

C. केवल (*a*), (*b*), (*c*) और (*d*)

D. केवल (*a*), (*b*) और (*e*)

18. दक्षिण भारत में स्त्री शिक्षा के बारे में निम्नलिखित कथन किस यात्री ने दिया:

"हनौर में मैंने तेरह स्कूल लड़कियों एवं तेइस स्कूल लड़कों के निर्देश के लिए देखे, ऐसी चीज मैंने इसके अलावा कहीं नहीं देखी?"

A. इब्न बतूता B. वारथीम

C. बरबोसा D. अब्दुर रज्जाक

19. सूची-I के साथ सूची-II का मिलान कीजिए:

सूची-I (पुस्तक)	**सूची-II (लेखक)**
(*a*) मुगल गवर्नमेंट एंड एडमिनिस्ट्रेशन	(*i*) एम.एस. गोलवलकर
(*b*) द हिस्टरी एंड कल्चर ऑफ द इंडियन पीपुल (संपादन)	(*ii*) श्री राम शर्मा
(*c*) वी आर अवर नेशनहुड डिफाइंड	(*iii*) आर.सी. मजूमदार
(*d*) डॉ. केशव बलिराम हेडगेवार	(*iv*) राकेश सिन्हा

नीचे दिए गए विकल्पों में से सही उत्तर का चयन कीजिए:

	(*a*)	(*b*)	(*c*)	(*d*)
A.	(*ii*)	(*iii*)	(*i*)	(*iv*)
B.	(*i*)	(*ii*)	(*iii*)	(*iv*)
C.	(*ii*)	(*iii*)	(*iv*)	(*i*)
D.	(*iv*)	(*ii*)	(*i*)	(*iii*)

20. सिंह सभा आंदोलन के बारे में कौन-सा/से सही है/हैं?

(*a*) इसकी स्थापना 1873 में हुई थी।

(*b*) इसकी स्थापना जालंधर में हुई थी।

(*c*) इसकी योजना सिख समुदाय में आधुनिक शिक्षा के माध्यम से पश्चिमी प्रबोधन के लाभों को प्राप्त करवाना था।

(*d*) इसने ईसाई मिशनरियों और हिंदू पुनरुत्थानवादियों के धर्मांतरणकारी गतिविधियों का सामना किया।

(*e*) इसने संपूर्ण पंजाब में खालसा स्कूलों और कालेजों का एक संजाल (नेटवर्क) बनाया।

नीचे दिए गए विकल्पों में से सही उत्तर का चयन कीजिए:

A. केवल (*a*), (*b*), (*c*) और (*d*)
B. केवल (*a*), (*b*) और (*c*)
C. केवल (*a*), (*b*), (*c*), (*d*) और (*e*)
D. केवल (*a*), (*c*), (*d*) और (*e*)

21. निम्नलिखित स्मारकों के निर्माण के कालक्रमानुसार सही अनुक्रम को चुनिए:

(*a*) बंदा नवाज की दरगाह का प्रवेश
(*b*) इब्राहिम रोजा
(*c*) चारमीनार
(*d*) मेहतार महल
(*e*) गोल गुंबज

नीचे दिए गए विकल्पों में से सही उत्तर का चयन कीजिए:

A. केवल (*d*), (*c*), (*b*), (*e*) और (*a*)
B. केवल (*c*), (*b*), (*d*), (*a*) और (*e*)
C. केवल (*b*), (*c*), (*a*), (*d*) और (*e*)
D. केवल (*c*), (*d*), (*a*), (*b*) और (*e*)

22. चोलों के शासन के अंतर्गत पदिकावल कुली क्या था?

A. भूमि कर B. जल कर
C. ग्राम कर D. पुलिस कर

23. निम्नलिखित में से कौन से सही हैं?

(*a*) जैन संघ विश्व का सबसे प्राचीन धार्मिक संप्रदाय है।
(*b*) स्यादवाद बौद्ध धर्म का केन्द्रीय दर्शन है।
(*c*) कौटिल्य का अर्थशास्त्र केवल धन उत्पादन की नीतियों से संबंधित है।
(*d*) शिशुपाल की कथा महाभारत के सभापर्व में पायी जाती है।
(*e*) अल्लामा प्रभु रामानुजाचार्य के शिक्षक थे।

नीचे दिए गए विकल्पों में से सही उत्तर का चयन कीजिए:

A. केवल (*a*), (*b*), (*c*), (*d*) और (*e*)
B. केवल (*a*) और (*d*)
C. केवल (*a*) और (*b*)
D. केवल (*c*), (*d*) और (*e*)

24. सूची-I के साथ सूची-II का मिलान कीजिए:

सूची-I	सूची-II
(*a*) नानादेशी	(*i*) व्यापारिक श्रेणी जिसका विस्तार दक्षिण भारत से सुमात्रा तक था।
(*b*) उत्तरमेरूर	(*ii*) दक्षिण भारत में मंदिर से संबंद्ध कालेज।
(*c*) मणिग्रामम	(*iii*) ब्राह्मणों का गाँव
(*d*) घटिका	(*iv*) व्यापारिक श्रेणी जो कि व्यवसाय को नियंत्रित करता था।

नीचे दिए गए विकल्पों में से सही उत्तर का चयन कीजिए:

	(*a*)	(*b*)	(*c*)	(*d*)
A.	(*iii*)	(*i*)	(*iv*)	(*ii*)
B.	(*i*)	(*iii*)	(*iv*)	(*ii*)
C.	(*ii*)	(*iv*)	(*iii*)	(*i*)
D.	(*i*)	(*ii*)	(*iv*)	(*iii*)

25. निम्नलिखित में से कौन-सा/से सही है/हैं?

(*a*) कल्हण की राजतरंगिणी में पश्चिमी भारत के शासकों के इतिहास का वर्णन मिलता है।
(*b*) राजेन्द्र-I चोल साम्राज्य के सर्वाधिक महत्वपूर्ण राजा थे।
(*c*) आलवार दक्षिण भारत के शैव संत थे।
(*d*) नाथमुनि वैष्णव परंपरा के महान शिक्षक थे।
(*e*) व्यास ने महाभारत लिखने के पूर्व भगवतगीता लिखी थी।

नीचे दिए गए विकल्पों में से सही उत्तर का चयन कीजिए:

A. केवल (*a*), (*b*) और (*c*)
B. केवल (*a*), (*b*) और (*d*)
C. केवल (*a*), (*c*) और (*e*)
D. केवल (*b*) और (*d*)

26. इन कथनों में से कौन-से सही हैं?

(*a*) महापाषाण स्थल वितरण एवं विनिमय के केन्द्र थे।

(*b*) कई महापाषाण स्थल महत्वपूर्ण मार्गों पर अवस्थित थे।

(*c*) पाण्डिचेरी के निकट अरिकामेडु जैसे पत्तन महापाषाणीय कार्यकलापों द्वारा हिन्टरलैण्ड से जुड़े हुए थे।

(*d*) अरिकामेडु के उत्खनन में शीशों और बर्तन-भांड़े के रूप में रोम की वस्तुओं की शृंखला प्रकाशित हुई।

(*e*) एम्फोरा रोम के शासकों के बड़े सिक्के थे।

नीचे दिए गए विकल्पों में से सबसे उपयुक्त उत्तर का चयन कीजिए:

A. केवल (*a*), (*b*) और (*c*)

B. केवल (*a*), (*b*) और (*d*)

C. केवल (*a*), (*b*), (*c*) और (*d*)

D. केवल (*a*), (*b*), (*d*) और (*e*)

27. नीचे दो कथन दिए गए हैं:

कथन I : चौरी-चौरा की घटना 04 फरवरी, 1922 को घटित हुई

कथन II : चौरी-चौरा की घटना 05 फरवरी, 1922 को घटित हुई

उपरोक्त कथन के आलोक में, नीचे दिए गए विकल्पों में से सबसे उपयुक्त उत्तर का चयन कीजिए:

A. कथन I और II दोनों सही हैं

B. कथन I और II दोनों गलत हैं

C. कथन I सही है, लेकिन कथन II गलत है

D. कथन I गलत है, लेकिन कथन II सही है

28. महाराजा रणजीत सिंह की नयी सेना में निम्नलिखित में से किस-एक को शामिल नहीं किया गया था:

A. बिहारी B. डोगरा

C. गोरखा D. गुजराती

29. कश्मीर के निम्नलिखित शासकों में से किसने महमूद गज़नी का सामना किया?

A. कलश B. संग्रामराज

C. जयसिंह D. हरि राज

30. किस अधिनियम द्वारा गवर्नर जनरल परिषद को भारत के सभी ब्रिटिश राज्यक्षेत्रों हेतु कानून बनाने (लेजिस्लेट) की शक्ति प्राप्त हुई?

A. चार्टर एक्ट – 1813

B. चार्टर एक्ट – 1793

C. चार्टर एक्ट – 1833

D. पिट्स इंडिया एक्ट – 1784

31. निम्नलिखित में से कौन-से कथन सही हैं?

(*a*) शक प्रशासन मोटे तौर पर ईरान में एकेमेनिड और सेल्युसिड प्रणाली के अनुसार ही चलता रहा।

(*b*) शक शासन काल में राज्य प्रांतों में विभाजित था और प्रत्येक प्रांत एक सैन्य गवर्नर के अधीन होता था जिसे महाक्षत्रप कहा जाता था।

(*c*) एक अन्य अधिकारी पद था मेरीड्राक, जो शक प्रशासन में एक निर्दिष्ट क्षेत्र का प्रभारी होता था।

(*d*) शक शासन में कतिपय ऐसे सिक्कों की ढ़लाई हुई जिन पर दो शासकों के नाम थे। इसका अर्थ था कि राजा स्वयं को निचली हैसियत के शासक से संबद्ध करता था।

(*e*) शक राजाओं ने सामन्त जैसे निचले पद अपनाए।

नीचे दिए गए विकल्पों में से सही उत्तर का चयन कीजिए:

A. केवल (*a*), (*b*) और (*c*)

B. केवल (*a*), (*b*), (*c*) और (*d*)

C. केवल (*a*), (*b*), (*c*) और (*e*)

D. केवल (*a*), (*c*), (*d*) और (*e*)

32. किसने अपनी अपूर्ण जीवनी के दस अध्याय लिखे जिसके लिए वे ''एन इण्डियन पिलग्रिम'' नामक शीर्षक देना चाहते थे?

A. कैप्टन मोहन सिंह

B. अरविंदो घोष

C. सुभाष चन्द्र बोस

D. सत्यमूर्ति

33. मनसबदारों को निम्नलिखित के बदले 'मशरुत' नियत किये गये थे:

A. इनाम

B. राजस्व संग्रह

C. युद्ध पशुओं पर सामान्य व्यय

D. सशर्त रैंक

34. अहोम की सेना 'गोट्स' द्वारा 'पाइको' के संगठन से शक्ति प्राप्त करती थी जिसका प्रत्येक सदस्य सम्मिलित रूप से कम-से-कम कितने महीने की सैन्य सेवा के लिए उत्तरदायी था?

A. 9 माह B. 12 माह

C. 18 माह D. 24 माह

35. निम्नलिखित को कालक्रमानुसार व्यवस्थित कीजिए:

(*a*) नयनिका (*b*) दिद्दा

(*c*) प्रभावती (*d*) रुद्राम्बा

(*e*) अक्कादेवी

नीचे दिए गए विकल्पों में से सही उत्तर का चयन कीजिए:

A. केवल (*a*), (*b*), (*c*), (*d*) और (*e*)

B. केवल (*b*), (*a*), (*c*), (*e*) और (*d*)

C. केवल (*a*), (*c*), (*b*), (*e*) और (*d*)

D. केवल (*c*), (*a*), (*b*), (*d*) और (*e*)

36. निम्नलिखित घटनाओं को सर्वप्रथम से शुरू कर कालक्रमानुसार व्यवस्थित कीजिए:

(*a*) दिल्ली ऊर्दू अखबार, दिल्ली

(*b*) वर्नाकुलर प्रेस एक्ट

(*c*) हिक्कीज गजेट, कलकत्ता

(*d*) बांबे समाचार

(*e*) दादा भाई नौरोजी का निबन्ध 'पावर्टी ऑफ इंडिया'

नीचे दिए गए विकल्पों में से सही उत्तर का चयन कीजिए:

A. केवल (*c*), (*d*), (*a*), (*e*) और (*b*)

B. केवल (*d*), (*e*), (*b*), (*c*) और (*a*)

C. केवल (*a*), (*d*), (*b*), (*c*) और (*e*)

D. केवल (*b*), (*a*), (*e*), (*c*) और (*d*)

37. इनमें से कौन-सा/से सही है/हैं?

(*a*) गुरु गोविंद सिंह की मृत्यु के बाद बंदा बहादुर को नेता चुना गया।

(*b*) बंदा बहादुर ने 1709 में समाना पर धावा किया।

(*c*) बंदा बहादुर ने हिसार से राजस्व संग्रहित किया।

(*d*) दिसंबर 1710 तक बंदा बहादुर ने संपूर्ण सरहिंद सरकार और हिसार सरकार के कुछ परगनों पर कब्जा कर लिया।

(*e*) बंदा बहादुर मुगलों द्वारा 1716 में मौत के घाट उतार दिया गया।

नीचे दिए गए विकल्पों में से सही उत्तर का चयन कीजिए:

A. केवल (*a*), (*b*), (*c*) और (*d*)

B. केवल (*a*), (*b*) और (*c*)

C. केवल (*a*), (*b*), (*c*) और (*e*)

D. केवल (*a*), (*b*), (*c*), (*d*) और (*e*)

38. सूची-I के साथ सूची-II का मिलान कीजिए:

सूची-I (लेखक)	सूची-II (कृति)
(*a*) हुसैन अली शाह फुरशी	(*i*) मासिरी-ई-आलमगिरी
(*b*) बरनी	(*ii*) निस्बत नामा ई शहरयारी
(*c*) मुस्तैद खान	(*iii*) बहारिस्तान
(*d*) मिर्जा नाथन	(*iv*) सना-ई-मुहम्मदी

नीचे दिए गए विकल्पों में से सही उत्तर का चयन कीजिए:

	(*a*)	(*b*)	(*c*)	(*d*)
A.	(*ii*)	(*iv*)	(*i*)	(*iii*)
B.	(*iii*)	(*iv*)	(*i*)	(*ii*)
C.	(*i*)	(*iv*)	(*ii*)	(*iii*)
D.	(*iv*)	(*ii*)	(*iii*)	(*i*)

39. निम्नलिखित में से कौन-सा/से सही है/हैं?

(*a*) रवीन्द्रनाथ टैगोर ने वर्ष 1913 में नोबेल पुरस्कार प्राप्त किया।

(*b*) मुंशी प्रेमचंद ने शोज-ए-वतन पुस्तक लिखी।

(*c*) उपन्यास जलवा-ए-इसार में विवेकानंद के कृत्यों पर आधारित अपना प्रमुख पात्र (हीरो) गढ़ा।

(*d*) जार्ज पंचम ने दिल्ली दरबार के समय पर बंगाल के विभाजन को रद्द करने की घोषणा की।

(*e*) गदर आंदोलन वर्ष 1913 में न्यूयॉर्क में प्रारंभ हुआ।

नीचे दिए गए विकल्पों में से सही उत्तर का चयन कीजिए:

A. केवल (*a*), (*b*), (*c*), (*d*) और (*e*)

B. केवल (*a*), (*b*), (*c*) और (*d*)
C. केवल (*a*), (*b*), (*c*) और (*e*)
D. केवल (*a*), (*b*) और (*c*)

40. निम्नलिखित घटनाओं को सबसे पहले से शुरू कर कालक्रमानुसार व्यवस्थित कीजिएः
(*a*) पंजाब में कूका आन्दोलन
(*b*) सुरेन्द्र नाथ बनर्जी को आई.सी.एस. से अयोग्य घोषित किया गया
(*c*) पूना सार्वजनिक सभा की स्थापना
(*d*) कलकत्ता में इंडिया लीग की स्थापना
(*e*) स्वामी दयानंद सरस्वती ने बंबई में आर्य समाज की नींव रखी

नीचे दिए गए विकल्पों में से सही उत्तर का चयन कीजिएः
A. केवल (*a*), (*b*), (*d*), (*e*) और (*c*)
B. केवल (*b*), (*a*), (*e*), (*d*) और (*c*)
C. केवल (*c*), (*b*), (*a*), (*e*) और (*d*)
D. केवल (*d*), (*c*), (*a*), (*b*) और (*e*)

41. बरनी द्वारा तारीख-ए-फिरोजशाही में दी गई मुहम्मद बिन तुगलक की योजना का सही क्रम चिह्नित कीजिएः
(*a*) खुरासान का प्रस्तावित अभियान
(*b*) राजधानी परिवर्तन
(*c*) दोआब में करारोपण
(*d*) टोकन मुद्रा
(*e*) कराचिल अभियान

नीचे दिए गए विकल्पों में से सही उत्तर का चयन कीजिएः
A. केवल (*b*), (*d*), (*e*), (*a*) और (*c*)
B. केवल (*c*), (*b*), (*d*), (*a*) और (*e*)
C. केवल (*c*), (*d*), (*b*), (*a*) और (*e*)
D. केवल (*b*), (*d*), (*a*), (*e*) और (*c*)

42. इनमें से फरवरी 1943 में, वायसराय की कार्यकारी परिषद के किन भारतीय सदस्यों ने इस्तीफा दे दिया था?
(*a*) एम.एस. एनी
(*b*) एन.आर. जयकर
(*c*) एच.पी. मोदी
(*d*) तेज बहादुर सप्रू
(*e*) सुचेता कृपलानी

नीचे दिए गए विकल्पों में से सही उत्तर का चयन कीजिएः
A. केवल (*a*) और (*b*)
B. केवल (*a*), (*b*) और (*c*)
C. केवल (*a*), (*b*), (*c*) और (*d*)
D. केवल (*a*), (*b*), (*c*), (*d*) और (*e*)

43. 'मूशिका वंश' की रचना किसने की?
A. संध्याकार नंदी B. अतुल
C. बिल्हण D. कल्हण

44. भारतीय तर्कशास्त्र की कौन-सी पुस्तक भारतीय दर्शन में नव्य न्याय प्रणाली प्रस्तुत करती है?
A. खण्डनखण्डखाद्य B. न्यायसिद्धार्जन
C. तत्वचिंतामणि D. पदार्थचिंतामणि

45. निम्नलिखित कथनों में से कौन से सही हैंः
(*a*) गहपति पद का यथार्थ सामाजिक शब्दावली में आशय समृद्ध गृहस्थ है।
(*b*) गहपति की संपदा उसकी स्वामित्व वाली भूमि और धनी व्यापारी के रूप में आती है।
(*c*) व्यापारी के रूप में गहपति द्वारा संपदा अर्जित करने की अवस्था में उसे सेठी-गहपति कहा जाता था।
(*d*) ब्राह्मण गहपति का वर्णन ब्राह्मण के रूप में मिलता है जिसे भूमि का दान प्राप्त हुआ हो।
(*e*) गहपति सेना में भी सम्मिलित थे।

नीचे दिए गए विकल्पों में से सबसे उपयुक्त उत्तर का चयन कीजिएः
A. केवल (*a*), (*b*) और (*c*)
B. केवल (*a*), (*c*) और (*d*)
C. केवल (*a*), (*b*) और (*e*)
D. केवल (*a*), (*b*), (*c*) और (*d*)

46. आर्य समाज के बारे में कौन-सा/से सही हैं?
(*a*) इसकी स्थापना मूलशंकर ने की थी।
(*b*) इसकी स्थापना 1873 के वर्ष में हुई थी।
(*c*) आर्यसमाज की प्रथम इकाई बम्बई में संगठित की गयी।

(*d*) वेद सत्य ज्ञान के ग्रंथ हैं।

(*e*) ईश्वर सभी सत्य ज्ञान हेतु प्राथमिक स्रोत है।

नीचे दिए गए विकल्पों में सही उत्तर का चयन कीजिए:

A. केवल (*a*), (*b*), (*c*) और (*d*)

B. केवल (*a*), (*b*) और (*c*)

C. केवल (*a*), (*c*), (*d*) और (*e*)

D. केवल (*a*), (*b*), (*c*), (*d*) और (*e*)

47. सूची-I के साथ सूची-II का मिलान कीजिए:

सूची-I	सूची-II
(*a*) भगवती सूत्र	(*i*) सुनह शेप की कहानी
(*b*) वरुण सूक्त	(*ii*) 16 महाजनपदों का वर्णन मिलता है
(*c*) सभा पर्व	(*iii*) प्रशासन के बारे में वर्णन मिलता है।
(*d*) शांति पर्व	(*iv*) राजधर्म के बारे में वर्णन मिलता है।

नीचे दिए गए विकल्पों में से सही उत्तर का चयन कीजिए:

	(*a*)	(*b*)	(*c*)	(*d*)
A.	(*ii*)	(*i*)	(*iii*)	(*iv*)
B.	(*i*)	(*ii*)	(*iv*)	(*iii*)
C.	(*ii*)	(*iv*)	(*iii*)	(*i*)
D.	(*iv*)	(*i*)	(*iii*)	(*ii*)

48. निम्नलिखित में से शिक्षा पर ध्यान देने हेतु वर्धा योजना (स्कीम) ने किन विचारों को प्रस्तुत किया?

A. ग्रामीण हस्तशिल्प में व्यावसायिक प्रशिक्षण को शामिल करते हुए ग्रामीण बच्चों के लिए सात वर्ष की बुनियादी शिक्षा।

B. नगरीय बच्चों हेतु पाँच वर्ष की बुनियादी शिक्षा।

C. ग्रामीण हस्तशिल्प में व्यावसायिक प्रशिक्षण को शामिल करते हुए ग्रामीण बच्चों के लिए पाँच वर्ष की बुनियादी शिक्षा।

D. नगरीय बच्चों हेतु तीन वर्ष की बुनियादी शिक्षा।

49. गुप्त साम्राज्य में ग्राम स्तर पर बहुत विस्तृत प्रशासनिक व्यवस्था थी। नीचे दिये निकायों में से उस काल के शिलालेखों में वर्णित निकाय कौन से हैं:

(*a*) घाटिका

(*b*) पंचमंडली

(*c*) अष्टकुल-अधिकरण

(*d*) सभामंडल

(*e*) त्रिमंडली

नीचे दिए गए विकल्पों में से सही उत्तर का चयन कीजिए:

A. केवल (*a*) और (*b*) B. केवल (*b*) और (*d*)

C. केवल (*b*) और (*e*) D. केवल (*b*) और (*c*)

50. निम्नलिखित में से कौन-सी पुस्तक नाथमुनि की है?

A. सिद्धित्रय B. न्यायतत्व

C. श्रीभाष्य D. तत्त्वरत्नाकर

51. भारत शासन अधिनियम, 1935 के बारे में क्या सही है/हैं?

(*a*) एक अखिल भारतीय संघ हेतु प्रावधान।

(*b*) रक्षोपायों वाले उत्तरदायी शासन हेतु प्रावधान।

(*c*) सांप्रदायिक और अन्य समूहों के पृथक प्रतिनिधित्व का प्रावधान।

(*d*) एक संघीय न्यायालय हेतु प्रावधान।

(*e*) प्रांतीय स्वायत्तता हेतु प्रावधान।

नीचे दिए गए विकल्पों में से सही उत्तर का चयन कीजिए:

A. केवल (*a*), (*b*) और (*c*)

B. केवल (*a*), (*b*), (*c*) और (*d*)

C. केवल (*a*), (*b*), (*c*), (*d*) और (*e*)

D. केवल (*a*) और (*b*)

52. मुगलों के शासन के निम्नलिखित कार्यों (पेन्टिंग्स) को कालक्रमानुसार सही क्रम में व्यवस्थित कीजिए:

(*a*) राजकुमार का जन्म

(*b*) मुज्महिल जादूगर के रूप में

(*c*) अकबर ने बाघ की हत्या की

(*d*) ट्री हाउस में अनवरी एवं उनकी साथी

(*e*) इनायत खान की मृत्यु

नीचे दिए गए विकल्पों में से सही उत्तर का चयन कीजिए:

A. केवल (*b*), (*a*), (*c*), (*d*) और (*e*)

B. केवल (*a*), (*c*), (*e*), (*d*) और (*b*)
C. केवल (*a*), (*d*), (*c*), (*b*) और (*e*)
D. केवल (*b*), (*d*), (*c*), (*a*) और (*e*)

53. 1927 में, भारतीय चलचित्र समिति के अध्यक्ष के तौर पर किसे नियुक्त किया गया?

A. डी.वाई. पाटिल B. रजनीकांत सेन
C. वी. शांताराम D. टी. रंगाचारियर

54. नीचे दो कथन दिए गए हैं: एक अभिकथन (Assertion A) के रूप में लिखित है तो दूसरा उसके कारण (Reason R) के रूप में:

अभिकथन (A) : चौरी-चौरा घटना 1920 के वर्ष में विचारित स्वराज प्राप्ति में विलंब के लिए उत्तरदायी ठहरायी जाती है।

तर्क (R) : स्वराज का विचार स्पष्टतया परिभाषित नहीं था जैसा कि बहुत से समकालीनों द्वारा इसका दावा किया जाता है।

उपरोक्त कथन के आलोक में, नीचे दिए गए विकल्पों में से सबसे उपयुक्त उत्तर का चयन कीजिए:

A. (A) और (R) दोनों सही हैं और (R), (A) की सही व्याख्या है
B. (A) और (R) दोनों सही हैं, लेकिन (R), (A) की सही व्याख्या नहीं है
C. (A) सही है, लेकिन (R) सही नहीं है
D. (A) सही नहीं है, लेकिन (R) सही है

55. पौमाचरियम निम्नलिखित में से किस कथा का जैन रूपांतर है?

A. महाभारत B. बुद्धचरितम
C. दशरथजातक D. रामायण

56. सूची-I के साथ सूची-II का मिलान कीजिए:

सूची-I (पुस्तकें)	**सूची-II (घटनाओं का विवरण)**
(*a*) किताब फुतुलाल बुल्दान	(*i*) अश्वों को भुने जौ, मक्खन और गाय का दूध देने की भारतीय प्रथा
(*b*) तज्यातु-ल-अमसरवा तरियातु-ल-असर	(*ii*) रजिया का महिला होना दरबारी सरदारों द्वारा उसे सुल्तान के रूप में स्वीकार करने में अवरोध था।
(*c*) तबाकत-ई-नासिरी	(*iii*) अरबों द्वारा 712 ई. में सिन्ध पर आक्रमण
(*d*) मरूजु-अल-जहाब	(*iv*) भारत के बल्हारा राजा के रूप में राष्ट्रकूट की महानता

नीचे दिए गए विकल्पों में से सही उत्तर का चयन कीजिए:

	(*a*)	(*b*)	(*c*)	(*d*)
A.	(*i*)	(*iv*)	(*iii*)	(*ii*)
B.	(*iii*)	(*iv*)	(*ii*)	(*i*)
C.	(*iii*)	(*i*)	(*ii*)	(*iv*)
D.	(*i*)	(*iii*)	(*ii*)	(*iv*)

57. निम्नलिखित में से कौन-सा/से सही है/हैं?

(*a*) वी.डी. सावरकर फर्ग्युसन कालेज से स्नातक थे।
(*b*) वी.डी. सावरकर ने कृष्ण वर्मा के छात्रवृत्ति की पेशकश को स्वीकार किया और जून 1906 में लंदन चले गए।
(*c*) वी.डी. सावरकर ने नासिक में मित्र मेला की स्थापना किया।
(*d*) वी.डी. सावरकर ने "द इण्डियन वार ऑफ इंडिपेंडेंस, 1857" नामक पुस्तक लिखी।
(*e*) वी.डी. सावरकर इंडिया हाऊस के सदस्य बने।

नीचे दिए गए विकल्पों में से सही उत्तर का चयन कीजिए:

A. केवल (*a*), (*b*), (*c*) और (*d*)
B. केवल (*a*), (*b*), (*c*) और (*e*)
C. केवल (*a*), (*b*), (*c*), (*d*) और (*e*)
D. केवल (*a*), (*b*) और (*c*)

58. निम्नलिखित में से किस पालि धर्मग्रंथ में गौतम बुद्ध गौ संरक्षण की आवश्यकता पर बल देते हैं?

A. सुत्तनीपात B. प्रज्ञापारमिता
C. अभिधम्मपिटक D. अशोकवदन

59. सूची-I के साथ सूची-II का मिलान कीजिए:

सूची-I	सूची-II
(*a*) शिवाजी महोत्सव	(*i*) 1914
(*b*) गोपाल कृष्ण गोखले की मृत्यु	(*ii*) 1895
(*c*) बाल गंगाधर तिलक की मांडले जेल से रिहाई	(*iii*) 1915
(*d*) बनारस हिन्दू विश्वविद्यालय की स्थापना	(*iv*) 1916

नीचे दिए गए विकल्पों में से सही उत्तर का चयन कीजिए:

	(*a*)	(*b*)	(*c*)	(*d*)
A.	(*i*)	(*ii*)	(*iii*)	(*iv*)
B.	(*iii*)	(*ii*)	(*i*)	(*iv*)
C.	(*ii*)	(*iii*)	(*iv*)	(*i*)
D.	(*ii*)	(*iii*)	(*i*)	(*iv*)

60. बौद्ध कृति 'मणिमेगलाई' निम्नलिखित में से किस दार्शनिक की तार्किक प्रणाली से प्रेरित थी?

A. अश्वघोष B. दिन्नग
C. नागसेन D. गौतम

61. अपनी प्रतिष्ठा के पतन को वर्णित करती निम्नलिखित पंक्तियाँ किसने लिखी:

'आरंभ में ईश्वर ने मुझे सम्मानित किया और मेरे जीवन के अंत में मुझे अपमानित कर दिया।'

A. इसामी B. मुल्ला अहमद टत्तावी
C. अमीर खुसरो D. बरनी

62. निम्नलिखित पर विचार कीजिए:

(*a*) बहलोल लोदी के बारे में माना जाता था कि सैयद अफ्फन ने उसे समाना में दिल्ली गद्दी का आशीर्वाद दिया था।

(*b*) बहलोल लोदी ने अफगान नेताओं को रोह ई कुद से दिल्ली आमंत्रित किया।

(*c*) अपनी सर्वोच्चता पर बल देने के लिए, बहलोल लोदी ने अपने शासनकाल के अंत में पैबोस की शुरूआत की।

(*d*) बहलोल ने शर्की राज्य को जीतकर दिल्ली सल्तनत में शामिल किया।

(*e*) बहलोल ने अपने शासन को सुदृढ़ करने के लिए सूरी के प्रति समंजन की नीति अपनाई।

नीचे दिए गए विकल्पों में से सही उत्तर का चयन कीजिए:

A. केवल (*a*), (*b*)
B. केवल (*b*), (*c*)
C. केवल (*a*), (*b*), (*e*)
D. केवल (*b*), (*e*)

63. ऋगवेद में उल्लिखित मृधर वाच का निम्नलिखित में से किसकी ओर संकेत है?

A. वह जो बलि देता है
B. वह जो बलि नहीं देता है
C. वह जो प्रकृति की पूजा करता है
D. वह जो पत्थर की पूजा करता है

64. ज्योतिबा फुले ने अपनी पुस्तक "गुलामगीरी" किसे समर्पित की?

A. ब्रिटेन के अच्छे लोगों के लिए
B. युनाइटेड स्टेट ऑफ अमेरिका के अच्छे लोगों के लिए
C. भारत के लोगों के लिए
D. फ्रांस के लोगों के लिए

65. उत्तरवर्ती चोल शासकों के शासन के निम्नलिखित घटनाओं को सही क्रम में व्यवस्थित कीजिए:

(*a*) कंडलूर एवं विलिनम् पर हमला
(*b*) पश्चिमी चालुक्यों के शासन कोलीपाक्कई (कुल पाक) के पतन का ध्वंस
(*c*) तंजौर पर कब्जा
(*d*) सीलोन पर हमला एवं अनुराधापुर का ध्वंस
(*e*) श्री विजय का नौसैनिक हमला

नीचे दिए गए विकल्पों में से सही उत्तर का चयन कीजिए:

A. केवल (*c*), (*a*), (*d*), (*e*) और (*b*)
B. केवल (*c*), (*d*), (*a*), (*b*) और (*e*)
C. केवल (*a*), (*c*), (*b*), (*d*) और (*e*)
D. केवल (*b*), (*a*), (*c*), (*d*) और (*e*)

66. भगवत गीता का पहला मलयालम संस्करण निम्नलिखित में से किसने लिखा?

A. माधव पाणिक्कर B. शंकर पाणिक्कर
C. राम पाणिक्कर D. चेरुस्सेरी

67. निम्नलिखित में से कौन से सही हैं:

(*a*) अहिंसा और भक्ति भागवत परंपरा की दो महत्वपूर्ण विशेषताएँ हैं।

(*b*) महाभारत यह स्थापित करता है कि कृष्ण और विष्णु अपने दैवत्व में एक हैं।

(*c*) बौद्ध धर्म का थेरवाद बुद्ध को पूजे जाने वाले ईश्वर के रूप में मानता है।

(*d*) धम्मपद यह बताता है कि भिक्षु (भिक्खु) को बौद्ध विहार में अपना जीवन कैसे व्यतीत करना चाहिए।

(*e*) धर्मचक्र प्रवर्तन बुद्ध का मुख्य उद्देश्य था।

नीचे दिए गए विकल्पों में से सही उत्तर का चयन कीजिए:

A. केवल (*a*), (*b*), (*d*) और (*e*)
B. केवल (*a*), (*b*), (*c*), (*d*) और (*e*)
C. केवल (*a*), (*b*) और (*e*)
D. केवल (*b*), (*c*) और (*d*)

68. "शिवाजी के बाद गुरिल्ला रणनीति के सर्वश्रेष्ठ प्रतिपादक" के तौर पर किसे जाना जाता है?

A. बालाजी विश्वनाथ B. बालाजी बाजीराव
C. बाजीराव I D. यशवंत राव होल्कर

69. सूची-I के साथ सूची-II का मिलान कीजिए:

सूची-I	सूची-II
(*a*) शिमला सम्मेलन	(*i*) फरवरी, 1946
(*b*) बंबई में नौसैनिक विद्रोह	(*ii*) जून, 1945
(*c*) कैबिनेट मिशन का भारत आगमन	(*iii*) जुलाई, 1946
(*d*) संवैधानिक सभा हेतु चुनाव सम्पन्न हुए	(*iv*) मार्च-जून, 1946

नीचे दिए गए विकल्पों में से सही उत्तर का चयन कीजिए:

	(*a*)	(*b*)	(*c*)	(*d*)
A.	(*ii*)	(*i*)	(*iii*)	(*iv*)
B.	(*ii*)	(*i*)	(*iv*)	(*iii*)
C.	(*i*)	(*ii*)	(*iii*)	(*iv*)
D.	(*ii*)	(*iv*)	(*i*)	(*iii*)

70. किस स्थान पर हिन्दुस्तान रिपब्लिकन एसोसिएशन (एच.आर.ए.) ने अपना नाम हिन्दुस्तान सोशलिस्ट रिपब्लिकन एसोसिएशन (एच.एस.आर.ए.) के रूप में परिवर्तित कर लिया?

A. ताजमहल, आगरा
B. किला-ए-रायपिथौरा, दिल्ली
C. फिरोज शाह कोटला मैदान, दिल्ली
D. कुतुब मीनार, दिल्ली

71. भीमबेटका शैल चित्रों में निम्नलिखित में से कौन-सी विषय वस्तु चित्रित नहीं की गई है?

A. पक्षियों का आखेट
B. पशुओं का आखेट
C. खाद्यान्नों पर निर्भर पक्षियों का बसेरा
D. पक्षियों और पशुओं दोनों का आखेट

72. हाथीगुम्फा शिलालेख निम्नलिखित कारणों से जाना जाता है:

(*a*) बौद्ध स्तूप
(*b*) जिन मूर्ति
(*c*) राजा खारवेल
(*d*) बौद्ध विहार
(*e*) अग्रहार

नीचे दिए गए विकल्पों में से सही उत्तर का चयन कीजिए:

A. केवल (*a*), (*b*) और (*c*)
B. केवल (*b*) और (*c*)
C. केवल (*a*), (*b*) और (*d*)
D. केवल (*a*) और (*e*)

73. निम्नलिखित घटनाओं को सर्वप्रथम से पहली शुरू कर – कालक्रमानुसार व्यवस्थित कीजिए:

(*a*) सूरत संधि
(*b*) वड़गांव कन्वेंशन
(*c*) मंगलौर संधि
(*d*) पुरंधर संधि
(*e*) साल्बाई संधि

नीचे दिए गए विकल्पों में से सही उत्तर का चयन कीजिए:

A. केवल (*c*), (*d*), (*e*), (*a*) और (*b*)
B. केवल (*d*), (*e*), (*a*), (*b*) और (*c*)
C. केवल (*a*), (*d*), (*b*), (*e*) और (*c*)
D. केवल (*b*), (*c*), (*d*), (*e*) और (*a*)

74. प्राचीन भारत के पवित्र स्थानों के इतिहास का वर्णन करने वाले संस्कृत ग्रंथों को निम्नलिखित में से क्या कहा जाता है?

A. उपनिषद B. अगम
C. काव्य D. स्थलपुराण

75. नीचे दो कथन दिए गए हैं: एक अभिकथन (Assertion A) के रूप में लिखित है तो दूसरा उसके कारण (Reason R) के रूप में:

अभिकथन (A) : जेम्स मिल ने भारतीय इतिहास के प्राचीन काल को हिन्दू काल और मध्यकाल को मुस्लिम काल के रूप में चित्रित किया है।

तर्क (R) : उसने आधुनिक काल को ईसाई काल नहीं कहा।

उपरोक्त कथन के आलोक में, नीचे दिए गए विकल्पों में से सही उत्तर का चयन कीजिए:

A. (A) और (R) दोनों सत्य हैं, और (R), (A) की सही व्याख्या है
B. (A) और (R) दोनों सत्य हैं, लेकिन (R), (A) की सही व्याख्या नहीं है
C. (A) सत्य है, लेकिन (R) असत्य है
D. (A) असत्य है, लेकिन (R) सत्य है

76. सूची-I के साथ सूची-II का मिलान कीजिए:

सूची-I (उपकरण)	**सूची-II (संदर्भ)**
(*a*) ढाल धनुष	(*i*) राउजत-उस-शफा
(*b*) तालिका-यंत्र-चक्र	(*ii*) सीरत-ए-फिरोजशाही
(*c*) भांड माला के साथ रहट का पहिया	(*iii*) भविष्य पुराण
(*d*) रेतघड़ी	(*iv*) मिफ्ताहुल फुजल

नीचे दिए गए विकल्पों में से सही उत्तर का चयन कीजिए:

	(*a*)	(*b*)	(*c*)	(*d*)
A.	(*iv*)	(*iii*)	(*i*)	(*ii*)
B.	(*iv*)	(*iii*)	(*ii*)	(*i*)
C.	(*ii*)	(*iii*)	(*i*)	(*iv*)
D.	(*ii*)	(*iii*)	(*iv*)	(*i*)

77. चोल काल के मंदिर अपनी शिल्पकारी और भव्यता के लिए प्रसिद्ध हैं। मंदिर की देवी/देवता की प्रतिमा के प्रधान मूर्तिकार को निम्नलिखित में से किस रूप में जाना था?

A. विश्वकर्मा B. सूत्रधार
C. स्तापथी D. शिल्पी

78. भगत सिंह ने लगभग छः माह तक किस छद्म नाम से 'प्रताप' नामक हिंदी पत्रिका में लिखा?

A. कुलवंत B. सुखवंत
C. बलवंत D. सतवंत

79. नीचे दो कथन दिए गए हैं: एक अभिकथन (Assertion A) के रूप में लिखित है तो दूसरा उसके कारण (Reason R) के रूप में:

अभिकथन (A) : 712 ई. में मुहम्मद बिन कासिम ने सिन्ध पर आक्रमण किया जिसके परिणामस्वरूप दाहिर की पराजय हुई।

तर्क (R) : अल बावर्जी सिन्ध के खतरनाक समुद्री लुटेरे थे जो खलीफा की ओर जाने वाले जलपोतों को लूट लेते थे और अल बावर्जियों को दंडित करने में दाहिर असमर्थ था।

उपरोक्त कथन के आलोक में, नीचे दिए गए विकल्पों में से सही उत्तर का चयन कीजिए:

A. (A) और (R) दोनों सत्य हैं, और (R), (A) की सही व्याख्या है
B. (A) और (R) दोनों सत्य है, लेकिन (R), (A) की सही व्याख्या नहीं है
C. (A) सत्य है, लेकिन (R) असत्य है
D. (A) असत्य है, लेकिन (R) सत्य है

80. सूची-I के साथ सूची-II का मिलान कीजिए:

सूची-I	**सूची-II**
(*a*) बसीन की संधि	(*i*) 1799
(*b*) वेल्लोर गदर	(*ii*) 1802
(*c*) नाना फड़नवीस की मृत्यु	(*iii*) 1806
(*d*) रंजीत सिंह का लाहौर पर कब्जा	(*iv*) 1800

नीचे दिए गए विकल्पों में से सही उत्तर का चयन कीजिए:

	(a)	(b)	(c)	(d)
A.	(iii)	(ii)	(iv)	(i)
B.	(ii)	(iii)	(i)	(iv)
C.	(ii)	(iii)	(iv)	(i)
D.	(i)	(ii)	(iii)	(iv)

81. निम्नलिखित घटनाओं को सर्वप्रथम से शुरू कर कालक्रमानुसार व्यवस्थित कीजिए:

(a) श्रमिक संघ अधिनियम पारित हुआ

(b) काकोरी ट्रेन डकैती

(c) जालियांवाला बाग जनसंहार

(d) स्वराज पार्टी का गठन

(e) हंटर कमेटी रिपोर्ट का प्रकाशन

नीचे दिए गए विकल्पों में से सही उत्तर का चयन कीजिए:

A. केवल (a), (b), (d), (c) और (e)

B. केवल (c), (e), (d), (b) और (a)

C. केवल (b), (e), (d), (a) और (c)

D. केवल (d), (e), (a), (b) और (c)

82. उस संत का नाम बताइये जिसने "खड़ी बोली मुक्तकों" की रचना की?

A. कबीर B. दादू दयाल

C. धन्ना D. रहीम

83. भारतीय इतिहास में अशोक के 13वें शैल धर्मादेश को महत्वपूर्ण क्यों माना जाता है?

A. इसमें उसकी धम्मयात्रा का उल्लेख हैं।

B. इसमें उसके समकालीन भारतीय राजाओं के नामों का उल्लेख है।

C. इसमें यूनानी राजाओं के नामों का उल्लेख है।

D. इसमें यह घोषणा की गई है कि राजा अशोक बौद्ध भिक्षु बन गए हैं।

84. कौटिल्य के अर्थशास्त्र में प्रयुक्त 'उपवास' शब्दावली निम्नलिखित में से किसकी ओर संकेत करती है

A. धनी कृषक B. भूस्वामी

C. काश्तकार D. साहूकार

85. 1871 में किसने कहा था: "मेरे विचार से इंग्लैंड के भारत से चले जाने और उसके स्वयं के हाल पर छोड़ देने से बड़ा संकट भारत के लिए कुछ और नहीं होगा"?

A. बाल गंगाधर तिलक

B. दादा भाई नौरोजी

C. एम.जी. रानाडे

D. बिपिन चंद्र पाल

86. निम्नलिखित कथनों में से कौन से सही नहीं हैं?

(a) फिल्म 'सवकारी पाश' (भारतीय शाइलॉक, मूक, 1925) सूदखोरों के हाथों 'भारतीय किसानों' के शोषण से संबंधित पहली फिल्म थी।

(b) फिल्म संत तुकाराम, 1934 को वेनिस फिल्म उत्सव की तीन सर्वोत्तम फिल्मों में से एक माना गया।

(c) फिल्म 'नया संसार' (1943) में एक निडर पत्रकार को अभिव्यक्ति की स्वतंत्रता के अपने अधिकार की रक्षा के लिए संघर्ष करते दिखाया गया था।

(d) फिल्म 'डाक्टर कोटनीस की अमर कहानी' (1946) जापान भेजे गए भारतीय चिकित्सा मिशन के कार्यों के बारे में है।

(e) 'दूर हटो ए दुनिया वालों, हिंदुस्तान हमारा है' गीत 'किस्मत' (1943) फिल्म से था।

नीचे दिए गए विकल्पों में से सबसे उपयुक्त उत्तर का चयन कीजिए:

A. केवल (a), (b), (c) और (d)

B. केवल (a), (b), (c), (d) और (e)

C. केवल (a), (b), (c) और (e)

D. केवल (a), (b) और (d)

87. भारतीय राष्ट्रीय इण्डियन नेशनल आर्मी (आई.एन.ए.) के बारे में कौन-सा/से सही है/हैं?

(a) आई.एन.ए. को आधारभूत रूप से संगठित करने का श्रेय रास बिहारी बोस को दिया जाता है।

(b) कैप्टन मोहन सिंह ब्रिटिश भारतीय सेना में एक अधिकारी थे।

(c) सुभाषचन्द्र बोस ने आई.एन.ए. को पुनर्गठित किया।

(d) सुभाषचन्द्र बोस ने आजाद हिंद सरकार (स्वतंत्र भारत के लिए अस्थायी सरकार) का गठन किया।

(*e*) भारत की ब्रिटिश सरकार ने पकड़े गए आई.एन.ए. सिपाहियों पर सम्राट के विरुद्ध युद्ध छेड़ने का मुकदमा चलाया।

नीचे दिए गए विकल्पों में से सही उत्तर का चयन कीजिए:

A. केवल (*a*), (*b*), (*c*), (*d*), (*e*)
B. केवल (*a*), (*b*), (*c*), (*d*)
C. केवल (*a*), (*b*), (*c*)
D. केवल (*a*), (*b*), (*d*)

88. बाँबे योजना (प्लान) के बारे में कौन-सा/से सही है/हैं?
(*a*) इसमें तीव्र आर्थिक विकास के प्रश्न को उठाया गया।
(*b*) इसमें न्यायसंगत वितरण के प्रश्न को उठाया गया।
(*c*) इसमें आंशिक राष्ट्रीयकरण की आवश्यकता को प्रस्तुत किया गया।
(*d*) इसमें श्रमिकों के कल्याण योजनाओं की एक शृंखला को प्रस्तुत किया गया।
(*e*) इसमें सार्वजनिक क्षेत्र की आवश्यकता का विरोध किया गया।

नीचे दिए गए विकल्पों में से सही उत्तर का चयन कीजिए:

A. केवल (*a*), (*b*), (*c*) और (*d*)
B. केवल (*a*), (*b*), (*c*) और (*e*)
C. केवल (*a*), (*b*), (*c*), (*d*) और (*e*)
D. केवल (*a*), (*b*) और (*c*)

89. नीचे दो कथन दिए गए हैं:

कथन I : हड़प्पावासी जीवात्मवाद में विश्वास नहीं करते थे।

कथन II : किसी भी हड़प्पा स्थल से किसी मंदिर का साक्ष्य नहीं प्राप्त होता।

उपरोक्त कथन के आलोक में, नीचे दिए गए विकल्पों में से सही उत्तर का चयन कीजिए:

A. कथन (I) और कथन (II) दोनों सत्य हैं
B. कथन (I) और (II) दोनों असत्य हैं
C. कथन (I) सत्य है, लेकिन कथन (II) असत्य है
D. कथन (I) असत्य है, लेकिन कथन (II) सत्य है

90. वर्ष 1831 में, भारत में रेलवे के निर्माण का आरंभिक सुझाव किस स्थान पर दिया गया?

A. कलकत्ता B. बंबई
C. मद्रास D. दिल्ली

निर्देश (प्र.सं. 91-95): *निम्न गद्यांश को पढ़ें और दिए गए प्रश्नों के उत्तर दें:*

क्या हम शुतुरमुर्ग की तरह अपने सिर को धरती में गाड़े रहेंगे और मराठी भाषा में उपलब्ध इस मूल समकालीन पाठ्य सामग्री को अनदेखा कर देंगे और अपने निष्कर्षों को दूरस्थ ब्रिटिश और डच व्यापारियों की कृतियों (लेखों) पर आधारित करेंगे जिनके व्यापार को शिवाजी द्वारा अपने स्वदेश की मुक्ति के लिए विद्रोह के माध्यम से अस्त-व्यस्त कर दिया गया था अथवा उन मुस्लिम वृत्तान्तों पर आधारित करेंगे जिसके प्रत्येक वाक्य में हिंदू बगावत के प्रति विद्वेष भरा हुआ रहा हो? विन्सेंट स्मिथ और उनके अनुगामी मराठा प्रशासन के बारे में जैसा कि यह उनके स्वदेश में मिलता है उससे विकृत प्रकार के विचार को प्रस्तुत किया है। विन्सेंट स्मिथ शाखा (स्कूल) लेखन अभिधारणाओं को चुनौती देने और सही संदर्भों को प्रस्तुत करने का समय आ गया है?

91. पेशवा डायरियों और पेशवा दफ्तरों से चयनिकों द्वारा संपूरित मराठा इतिहास के स्रोतों का व्यापक स्तर पर किसके द्वारा उपयोग किया गया है:

A. जी.एस. अधिकारी
B. जी.एस. सरदेसाई और वाड
C. पर्सिवल स्पीयर
D. उमेश अशोक कदम

92. मराठा इतिहास में वृतांत जो एक महत्वपूर्ण प्राथमिक स्रोत का संघटन है, उसे इस रूप में जाना जाता है:

A. ताम्र पत्र B. पोथी
C. बही D. बाखर

93. मराठा सेना के संगठन में परिवर्तन के बारे में देशी स्रोतों का व्यापक स्तर पर उपयोग किसके द्वारा हुआ है?

A. यदुनाथ सरकार और ए.आर. कुलकर्णी
B. ए.सी. बनर्जी
C. पी. मुखर्जी
D. डी.आर. गाडगिल

94. निम्नलिखित में से किसने दुर्भावनापूर्ण तरीके से विचार दिया कि "मराठे लुटेरों के स्तर से ऊपर उठने में विफल रहे"

A. ली-वार्नर

B. केनेथ जोन्स

C. एरिक स्टोक्स

D. विन्सेंट स्मिथ और पर्सिवल स्पीयर

95. निम्नलिखित गद्यांश के लेखक हैं?

A. रेन्डोल्फ कूपर B. ए.आर. कुलकर्णी

C. जी.एस. अधिकारी D. आर.सी. मजूमदार

निर्देश (प्र.सं. 96-100): *निम्न गद्यांश को पढ़ें और दिए गए प्रश्नों के उत्तर दें:*

कलिंग विजय पर ईश्वर के परमप्रिय को पश्चाताप हुआ। एक स्वतंत्र देश पर विजय प्राप्त करने के लिए लोगों की हत्या, मृत्यु और निर्वासन ईश्वर के परमप्रिय को अत्यन्त पीड़ा देती है और उसके मन पर गहरा प्रभाव डालती है। जो बात ईश्वर के परमप्रिय के लिए और अधिक खेदजनक है वह यह कि जो वहाँ निवास करते हैं चाहे वह ब्राह्मण, श्रमण अथवा अन्य संप्रदायों के लोग अथवा गृहस्थ जो अपने शिक्षकों के प्रति आदर भाव और अच्छा व्यवहार प्रदर्शित करते हैं और अपने मित्रों, परिचितों, सहकर्मियों, संबंधियों, दासों और नौकरों के प्रति समर्पित भाव रखते हैं, वे सभी हिंसा, हत्या और अपने प्रियजनों से अलगाव का दंश झेलते हैं....। आज यदि मारे गये अथवा मरे अथवा विस्थापित लोगों का सौवाँ अथवा हजारवाँ भाग भी कलिंग विजय से उसी तरह से प्रभावित हुआ, तो यह ईश्वर के परमप्रिय के मन पर बहुत गहरा प्रभाव डालेगा। ईश्वर के परमप्रिय धम्म द्वारा प्राप्त विजय को सर्वश्रेष्ठ विजय मानते हैं।

96. अशोक ने अपनी वैयक्तिक आस्था के रूप में बौद्धधर्म अंगीकार किया, जिसका वर्णन है:

A. तराई लेख B. वृहद् शिलालेख XIII

C. भब्रु-बैराठ शिला लेख D. वृहद् शिलालेख V

97. अशोक के शासनकाल के दौरान कलिंग क्षेत्र किस प्रान्त के अंतर्गत आता था?

A. उज्जैन B. तोसली

C. तक्षशिला D. सुवर्णगिरी

98. उपरोक्त वर्णित अशोक के कलिंग विजय से संबंधित अवतरण किस शिलालेख से संबंधित है?

A. 11वीं वृहद् शिलालेख

B. 12वीं वृहद् शिलालेख

C. 13वीं वृहद् शिलालेख

D. 10वीं वृहद् शिलालेख

99. अशोक ने सांस्कृतिक विजय के पक्ष में भौतिक कब्जे की नीति को त्याग दिया, इन दोनों को कहा जाता है:

A. धम्म घोष और शासन

B. भेरीघोष और धम्मघोष

C. संस्कार और धम्मघोष

D. संस्कार और भेरीघोष

100. किस प्रमुख शिलालेख में अशोक ने धम्म का वर्णन किया है?

A. वृहद् शिलालेख V

B. वृहद् शिलालेख VIII

C. वृहद् शिलालेख X

D. वृहद् शिलालेख XI

उत्तरमाला

1. (D): उदयगिरि और खंडगिरि ओडिशा में भुवनेश्वर के पास स्थित दो पहाड़ियाँ हैं। इन पहाड़ियों में आंशिक रूप से प्राकृतिक व आंशिक रूप से कृत्रिम गुफाएँ हैं जो पुरातात्विक, ऐतिहासिक एवं धार्मिक महत्व की हैं। हाथीगुम्फा शिलालेख में इनका वर्णन 'कुमारी पर्वत' के रूप में है। उदयगिरि की गुफाएं लगभग 135 फुट और खंडगिरि की गुफाएं 118 फुट ऊंची हैं। ये गुफाएं ईसा पूर्व दूसरी शताब्दी की हैं। ये गुफाएं ओडिशा क्षेत्र में बौद्ध धर्म और जैन धर्म के प्रभाव को दर्शाती हैं। ये पहाड़ियां गुफाओं से आच्छादित हैं, जहां जैन साधुओं के जीवन और काल से संबंधित वास्तुकला कृतियां हैं। इन गुफाओं का निर्माण प्राचीन ओडिशा यानी कलिंग के नरेश खारवेल ने 209-170 ईसा पूर्व के बीच कराया था। नरेश खारवेल को

अशोक सम्राट ने हरा दिया था। यद्यपि नरेश खारवेल जैन धर्म को मानते थे, लेकिन धार्मिक जिज्ञासाओं के प्रति उनका दृष्टिकोण उदार था।

इन गुफाओं का निर्माण अधिकतर शिलाओं के ऊपरी भाग में होता था और गुफाओं के आवास, साधना और प्रार्थना के लिए सूखे वाले स्थान होते थे, जहां वर्षा का पानी नहीं ठहरता था, इनके साथ बरामदा या आँगन होता था। छोटी-छोटी सुविधाओं की भी व्यवस्था होती थी। हालांकि छत की ऊँचाई कम होती थी और कोई व्यक्ति सीधे खड़ा नहीं हो सकता था। मुख्य रूप से ये विश्राम स्थल या शयन कक्ष थे। एक ही कक्ष में बहुत से साधु रहते थे। कक्ष में एक खास बात यह थी कि प्रवेश स्थल के सामने की ओर का फर्श ऊँचा उठा हुआ था, जो शायद सोने के समय सिरहाने का काम देता था। ये कक्ष तंग और सपाट होते थे और इनके प्रवेश द्वार पर विभिन्न वास्तुकला कृतियां होती थीं। भारतीय पुरातत्व सर्वेक्षण विभाग ने इन गुफाओं की गणना कराई और इन वस्तुओं के आधार पर इनके अलग-अलग नाम रखे। इन वस्तुओं में विभिन्न प्रकार के दरबार के दृश्य, पशु-पक्षी, शाही जुलूसों, शिकार अभियानों और दैन्य जीवन के दृश्य होते थे। ये लेख ब्राह्मी लिपि में हैं और जैनियों के मूल मंत्र-णमोकार मंत्र से शुरू होते हैं। इसके बाद राजा खारवेल के जीवन और कार्यों से संबंधित दृश्य हैं, जो सभी धार्मिक व्यवस्थाओं का सम्मान करते थे और धर्म स्थलों का जीर्णोद्धार करते थे। अलग-अलग गुफाओं पर उनके संरक्षकों के नाम हैं। अधिकतर संरक्षक राजा के वंशज हैं। कलिंग विजय के बाद जब अशोक का शासन हुआ और राजा खारवेल की सभी संपत्तियों पर उनका अधिकार हो गया, तो धीरे-धीरे जैन धर्म के स्थान पर बौद्ध धर्म का प्रभाव बढ़ने लगा।

2. **(C)**

3. **(B):** सन् 1509 ई. में भारत में पुर्तगाली वायसराय के रूप में अल्फांसो द अल्बुकर्क का आगमन हुआ। इसे भारत में पुर्तगाली शक्ति का वास्तविक संस्थापक माना जाता है। इसने कोचीन को अपना मुख्यालय बनाया। अल्बुकर्क ने 1510 ई. में गोवा को बीजापुर के शासक युसुफ आदिलशाह से छीनकर अपने अधिकार क्षेत्र में कर लिया। इसने 1511 ई. में दक्षिण-पूर्व एशिया की महत्वपूर्ण मंडी मलक्का तथा 1515 ई. में फारस की खाड़ी में अवस्थित हॉरमुज पर अधिकार कर लिया। अल्बुकर्क ने पुर्तगाली पुरुषों को पुर्तगालियों की आबादी बढ़ाने के उद्देश्य से भारतीय स्त्रियों से विवाह करने के लिये प्रोत्साहित किया तथा पुर्तगाली सत्ता एवं संस्कृति के महत्वपूर्ण केंद्र के रूप में गोवा को स्थापित किया। यह वह समय था जब पुर्तगालियों ने प्रत्यक्ष रूप से भारतीय राजनीति में हस्तक्षेप करना प्रारंभ कर दिया था।

ईस्ट इण्डिया कम्पनी (East India Company) एक निजी व्यापारिक कम्पनी थी, जिसने 1600 ई. में शाही अधिकार पत्र द्वारा व्यापार करने का अधिकार प्राप्त कर लिया था। इसकी स्थापना 1600 ई. में महारानी एलिजाबेथ प्रथम के एक घोषणा-पत्र द्वारा हुई थी। यह लन्दन के व्यापारियों की कम्पनी थी, जिसे पूर्व में व्यापार करने का एकाधिकार प्रदान किया गया था। कम्पनी का मुख्य उद्देश्य धन कमाना था।

पुर्तगालियो के बाद डचों ने भारत में अपने कदम रखे। ऐतिहासिक दृष्टि से डच समुद्री व्यापार में निपुण थे। 1602 ई. में नीदरलैंड की यूनाइटेड ईस्ट इंडिया कंपनी की स्थापना की गयी और डच सरकार द्वारा उसे भारत सहित ईस्ट इंडिया के साथ व्यापार करने की अनुमति प्रदान की गयी। 1605 ई. में डचों ने आंध्र प्रदेश के मसूलीपत्तनम में अपनी पहली फैक्ट्री स्थापित की। बाद में उन्होंने भारत के अन्य भागों में भी अपने व्यापारिक केंद्र स्थापित किये।

अकबर तीसरा मुगल सम्राट था, जो कि महज 13 साल की छोटी सी उम्र में मुगल राजवंश के सिंहासन पर बैठा और उसने मुगल साम्राज्य का न सिर्फ काफी विस्तार किया, बल्कि हिन्दू-मुस्लिम एकता पर बल देने के लिए कई नीतियां भी बनाई। अपने शासनकाल में शांतिपूर्ण माहौल स्थापित किया एवं कराधान प्रणाली को फिर से संगठित किया। उसे अकबर-ए-आजम शहंशाह अकबर के नाम से भी जाना जाता था।

पेचिश के कारण बीमार होने की वजह से 27 अक्तूबर, 1605 को अकबर की मृत्यु हो गयी और उसे आगरा के सिकंदरा में दफनाया गया।

फ्रांसीसी ईस्ट इंडिया कंपनी (French East India Company) एक व्यापारिक प्रतिष्ठान थी। इसकी स्थापना 1664 ई. में की गई थी ताकि ब्रिटिश ईस्ट इंडिया कंपनी तथा डच इस्ट इंडिया कंपनी से मुकाबला किया जा सके।

4. (B): चतुर्थ बौद्ध संगीति, जिसे अंतिम बौद्ध संगीति माना जाता है, का आयोजन कुषाण सम्राट कनिष्क के शासनकाल में हुई। यह संगीति कश्मीर के 'कुण्डलवन' में 72 ईस्वी में आयोजित की गई थी। इस संगीति के अध्यक्ष वसुमित्र एवं उपाध्यक्ष अश्वघोष थे। अश्वघोष कनिष्क का राजकवि था। इसी संगीति में बौद्ध धर्म दो शाखाओं—हीनयान और महायान में विभाजित हो गया। ह्वेनसांग के मतानुसार सम्राट कनिष्क की संरक्षता तथा आदेशानुसार इस संगीति में 500 बौद्ध विद्वानों ने भाग लिया और 'त्रिपिटक' का पुनः संकलन किया।

कनिष्क ने जब बौद्ध धर्म का अध्ययन शुरू किया, तो उसने अनुभव किया कि उसके विविध सम्प्रदायों में बहुत मतभेद हैं। धर्म के सिद्धांतों के स्पष्टीकरण के लिए यह आवश्यक है कि प्रमुख विद्वान् एक स्थान पर एकत्र हों, और सत्य सिद्धांतों का निर्णय करें। इसलिए कनिष्क ने कश्मीर के कुण्डलवन विहार में एक महासभा का आयोजन किया, जिसमें प्रसिद्ध बौद्ध विद्वान् सम्मिलित हुए।

5. (D): कोहिनूर हीरे से जुड़ी कुछ महत्वपूर्ण जानकारियाँः

1. प्राचीन भारत की शान कोहिनूर हीरे की खोज भारत के आंध्र प्रदेश राज्य के गोलकुंडा की खदानों में हुई थी। एक समय इसे दुनिया का सबसे बड़ा हीरा माना जाता था।
2. कोहिनूर सबसे पहले 12वीं शताब्दी में काकतीय साम्राज्य के पास था। जहां वारंगल के एक मंदिर में कोहिनूर हिंदू देवता की आंख के तौर पर मंदिर की शोभा बढ़ा रहा था। सबसे पहले वहां से अलाउद्दीन खिलजी के सेनापति मलिक काफूर ने 1310 ई. में इसे लूट लिया और खिलजी को भेंट कर दिया। इसके बाद इसने दिल्ली सल्तनत के विभिन्न राज्यों की शोभा बढ़ाई।
3. बाबर ने 1526 ई. में इब्राहिम लोधी से दिल्ली की सत्ता छीनने के साथ ही इसे भी छीन लिया। बाबर के बाद हुमायूं ने इसे 'बाबर हीरे' का नाम दिया। तब से कोहिनूर मुगल सल्तनत के पास बना रहा।
4. 1739 ई. में फारसी शासक नादिर शाह ने मुगल सल्तनत पर आक्रमण करके अपने साथ तख्ते ताउस और कोहिनूर हीरे को पर्शिया ले गया। उसने इस हीरे का नाम कोहिनूर रखा।
5. 1747 ई. में नादिरशाह की हत्या हो गयी और कोहिनूर हीरा अफगानिस्तानी शहंशाह अहमद शाह दुर्रानी के पास पहुंच गया। उसकी मौत के बाद उसके वंशज शाह शुजा दुर्रानी के पास पहुंचा। पर कुछ समय बाद मुहम्मद शाह ने शाह शुजा को अपदस्थ कर दिया। साल 1830 ई. में अफगानिस्तान का तत्कालीन पदच्युत शासक शूजा किसी तरह कोहिनूर के साथ बच निकला और पंजाब पहुंचा। उसने यह हीरा महाराजा रणजीत सिंह को भेंट किया। इसके बदले में रणजीत सिंह ने अपनी सेना अफगानिस्तान भेज कर शाह शूजा को वापस गद्दी दिलाई।
6. कुछ सालों बाद महाराजा रणजीत सिंह की मृत्यु हो गई है और अंग्रेज सिख साम्राज्य को अपने अधीन कर लिए। इसी के साथ यह हीरा ब्रिटिश साम्राज्य का हिस्सा हो गया और कोहिनूर हीरे को ब्रिटेन ले जाकर महारानी विक्टोरिया को सौंप दिया गया।

6. (D): गौतम बुद्ध से पहले संपूर्ण उत्तरी भारत सोलह महाजनपदों में विभक्त था। जैन साहित्यों के अनुसार मालवा की सीमा के अंतर्गत ''अवन्ति'' एक महाजनपद था। छठी शताब्दी ई.पू. से पहले अवन्ति (मालवा) के इतिहास के बारे में कोई खास प्रामाणिक जानकारी नहीं है। डी.आर. भंडारकर के मतानुसार छठी सदी ई.पू. अवन्ति राज्य दो भागों में विभक्त था—

1. उत्तरी अवन्ति (राजधानी-उज्जयिनी) तथा
2. दक्षिणी अवन्ति (राजधानी-महिष्मती)।

छठी सदी ई.पू. वीतिहोत्र नामक वंश ने हैहय राजवंश को हटाकर अवन्ति में अपनी राजनीतिक सत्ता की स्थापना की। तुरंत बाद ही प्रद्योतों ने वीतिहोत्रों के राज्य पर अपना अधिकार कर लिया। प्रद्योत वंश के अभ्युदय के साथ यहाँ के इतिहास के बारे में साक्ष्य मिलने शुरु हो जाते हैं।

7. **(A):** समयमातृका क्षेमेंद्र द्वारा रचित हास्य प्रहसन का अत्युत्तम ग्रंथ है। क्षेमेन्द्र ने अपने ग्रंथों के रचना काल का उल्लेख किया है, जिससे इनके आविर्भाव के समय का परिचय मिलता है। कश्मीर के नरेश अनन्त (1028-1063 ई.) तथा उनके पुत्र और उत्तराधिकारी राजा कलश (1063-1089 ई.) के राज्य काल में क्षेमेन्द्र का जीवन व्यतीत हुआ। 'समयमातृका' का रचना काल 1050 ई. है। समयमातृका में क्षेमेन्द्र ने वेश्याओं का बड़ा ही जीवित खाका खींचकर उनके फेर में फँसनेवालों की खिल्ली उड़ाई है। विषय की दृष्टि से समयमातृका, अभिनवगुप्त द्वारा रचित कुट्टनीमतम् के सदृश है। कुट्टनीमतम् की तरह समयमातृका की रचना का उद्देश्य भी कुट्टनियों के जाल से धनी युवकों को दूर रखना है ताकि उनको वेश्याओं द्वारा लुटे जाने से बचाया जा सके।

क्षेमेन्द्र ने 'समयमातृका' की रचना 1050 ई. में की थी। इससे यह सिद्ध होता है कि उन्होंने इस प्रबन्ध का निर्माण उस समय किया जब उनकी कवित्वशक्ति एवं अनुभव पूर्ण परिपक्व हो चुका था। इस ग्रन्थ के बाद उन्होंने केवल 'सेव्यसेवकोपदेश', 'दशावतारचरित', और 'चारुचर्या' की रचना कर अपनी जीवन-लीला समाप्त की थी। इस प्रकार यह प्रबन्ध कवि की समग्र प्रौढ़ता को एकसाथ समेटे हुए पाठकों के समक्ष अपनी चारुता को प्रदर्शित करता है।

8. **(C):** उन्नीसवीं शताब्दी में भारत में अनौद्योगिकरण के प्रश्न पर हुए विवाद पर रमेशचंद्र दत्त और मदनमोहन मालवीय ने भारतीय औद्योगिक आयोग को लिखे विरोध-पत्र में अपना पक्ष साबित करने के लिए आयात के आँकड़ों का उपयोग किया था। उन्होंने दर्शाया, उदाहरण के लिए, कि सन् 1860 ई. में आयातित मैनचेस्टर कपड़ों का मूल्य 96 लाख स्टर्लिंग था जो सन् 1900 में बढ़कर 27 करोड़ स्टर्लिंग हो गया। मौरिस डेविड मॉरिस, ने तर्क दिया कि यह प्रमाण निर्णायक नहीं है। उन्होंने बताया कि "पैक्स ब्रिटेनिका" के अंतर्गत जनसंख्या बढ़ गयी थी, प्रति व्यक्ति आय बढ़ गयी थी, उपभोग की आदतों में परिवर्तन के कारण वस्त्रों की बिक्री बढ़ गयी थी और इसलिए भारतीयों के लिए यह संभव था कि देशी शिल्पकारों के लिए बाजारों को अप्रभावित छोड़कर वे विदेशी वस्त्र खरीद सकें। संक्षेप में मॉरिस का तर्क यह है कि बाजारों की क्षमता इतनी बढ़ गयी थी कि वे मैनचेस्टर तथा भारतीय करघा उत्पादों, दोनों को शामिल कर सकें। मॉरिस इस बात पर कायम हैं कि मैनचेस्टर वस्त्रों ने देशी बुनकरों के वस्त्रों को हटाया नहीं था। मोरिस का यह विचार स्वीकार योग्य नहीं हैं, क्योंकि उसने उन्नीसवीं शताब्दी में जनसंख्या तथा प्रति व्यक्ति आय की वृद्धि का कोई तथ्य प्रस्तुत नहीं किया है। अनौद्योगिकरण की धारणा पर बल देने वाले बहुत सारे तथ्यों को आधुनिक आर्थिक इतिहासकारों, जैसे शरद राजू (मद्रास), एन.के. सिन्हा (बंगाल), ए. वी. रामन राव (आंध्र प्रदेश), आर.डी. चौकसे (महाराष्ट्र) और ए.के. बागची (बिहार) आदि, ने प्रस्तुत किया है। प्रारंभिक राष्ट्रवादी अर्थशास्त्रियों के पास आधुनिक आर्थिक इतिहासकारों द्वारा उपयोग में लाए जाने वाले स्रोतों का भंडार तथा शोध-पद्धतियाँ नहीं थी, फिर भी अनौद्योगिकरण के उनके निष्कर्ष को बाद के शोधकर्त्ताओं ने पुष्ट किया।

9. **(A)** 10. **(C)**

11. **(C):** श्रीमद्भगवद्गीता, ब्रह्मसूत्र तथा उपनिषदों को सामूहिक रूप से प्रस्थानत्रयी कहा जाता है जिनमें प्रवृत्ति और निवृत्ति दोनों मार्गों का तात्त्विक विवेचन है। ये वेदान्त के तीन मुख्य स्तम्भ माने जाते हैं। इनमें उपनिषदों को श्रुति प्रस्थान, भगवद्गीता को स्मृति प्रस्थान और ब्रह्मसूत्र को न्याय प्रस्थान कहते हैं। प्राचीन काल में भारतवर्ष में जब कोई गुरु अथवा आचार्य अपने मत का प्रतिपादन एवं उसकी प्रतिष्ठा करना चाहता था तो उसके लिये सर्वप्रथम वह इन

तीनों पर भाष्य लिखता था। निम्बार्काचार्य, शंकराचार्य, रामानुजाचार्य, मध्वाचार्य आदि बड़े-बड़े दार्शनिकों ने ऐसा कर के ही अपने मत का प्रतिपादन किया।

12. (D): बिहार के चंपारण में गांधीजी ने सत्याग्रह का पहला प्रयोग 1917 ई. में किया। चंपारण में सत्याग्रह प्रारंभ करने के दो प्रमुख कारण थे— चंपारण में नील बागान के मालिकों द्वारा 'तकावी ऋण' और 'तिनकठिया व्यवस्था' (कृषकों को अपनी जमीन के 3/20वें भाग पर नील की खेती करना अनिवार्य) के कारण किसानों की स्थिति बहुत दयनीय थी।

19वीं सदी के अंत में जर्मनी में रासायनिक रंगों (डाइ) का विकास हो गया था जिससे भारतीय कृषकों द्वारा उगाए गए नील की मांग ठप्प हो चुकी थी। परिणामतः चंपारण के बागान मालिक नील की खेती बंद करने को विवश हो गए। यूरोपीय बागान मालिकों ने इस स्थिति का फायदा उठाया तथा लगान व गैरकानूनी अबवाब की दर मनमाने ढंग से बढ़ा दी। 1917 ई. में चंपारण के एक किसान राजकुमार शुक्ल ने इस परिस्थिति से गांधीजी को अवगत कराया। गांधीजी चंपारण पहुँचकर कृषकों की समस्याओं से अवगत हुए तथा सरकार को इस समस्या का हल करने के लिये कहा। सरकार ने इस मामले की जाँच के लिये एक आयोग गठित की और गांधीजी को भी इसका सदस्य बनाया।

गांधीजी आयोग को समझाने में सफल रहे कि तिनकठिया पद्धति खत्म होनी चाहिये। गांधीजी के प्रयास से ही किसानों को अंग्रेज नील बागान मालिकों से मुक्ति मिली।

चंपारण सत्याग्रह के सफल नेतृत्व के बाद रवींद्रनाथ टैगोर ने गांधीजी को पहली बार 'महात्मा' कहा। चंपारण सत्याग्रह में ब्रज किशोर, राजेंद्र प्रसाद, महादेव देसाई, नरहरि पारिख, जे.बी. कृपलानी आदि उनके सहयोगी थे।

13. (D): चन्देल वंश गोंड जनजातीय मूल का राजपूत वंश था, जिसने 8वीं से 12वीं शताब्दी तक स्वतंत्र रूप से राज किया। प्रतिहारों के पतन के साथ ही चंदेल नौवीं शताब्दी में सत्ता में आए। उनका साम्राज्य उत्तर में यमुना नदी से लेकर सागर (मध्य प्रदेश, मध्य भारत) तक और धसान नदी से विंध्य पहाड़ियों तक फैला हुआ था। सुप्रसिद्ध कालिंजर का किला, खजुराहो, महोबा और अजयगढ़ उनके प्रमुख गढ़ थे। चंदेल राजा नंद या गंड ने लाहौर में तुर्कों के खिलाफ अभियान में एक अन्य राजपूत सरदार जयपाल की मदद की, लेकिन गजनी के महमूद ने उन्हें पराजित कर दिया था। 1023 ई. में चंदेलों का स्थान बुंदेलों ने ले लिया। खजुराहो के मंदिर निर्माण के लिए ही चंदेल संभवतः सबसे अधिक विख्यात हैं।

चंदेल वंश के इतिहास के सर्वाधिक प्रमाणिक साधन उसके शासकों द्वारा उत्कीर्ण करवाये गये बहुसंख्यक अभिलेख हैं। इन अभिलेखों का वर्णन निम्नलिखित हैं:

- खजुराहो के विक्रम संवत् 1011 अर्थात् 954 ईस्वी तथा विक्रम संवत् 1059 अर्थात् 1002 ईस्वी का लेख।
- नन्यौरा (हमीरपुर, उत्तरप्रदेश) से प्राप्त विक्रम संवत् 1055 अर्थात् 998 ईस्वी का लेख।
- मऊ-प्रस्तर अभिलेख।
- छतरपुर का लेख।
- महोबा के किले की दीवार पर अंकित विक्रम संवत् 1240 अर्थात् 1183 ईस्वी का लेख।

इन सभी लेखों में खजुराहो से प्राप्त हुए लेखों का सर्वाधिक महत्व है। ये दोनों चंदेल शासक धंग के समय के हैं। इनमें चंदेल शासकों की वंशावली तथा यशोवर्मा और धंग की उपलब्धियों का विस्तारपूर्वक वर्णन किया गया है। इस प्रकार ये लेख चंदेल वंश के इतिहास का अध्ययन करने के लिये हमारे प्रमुख साधन हैं।

चंदेल वंश के इतिहास पर प्रकाश डालने वाले ग्रंथों में कृष्णमिश्र के प्रबोध-चंदोदय, राजशेखर का प्रबंधकोष, चंदबरदाई कृत पृथ्वीराजरासो तथा परमालरासो, जगनिक कृत आल्हाखंड आदि महत्वपूर्ण हैं।

14. (C): अशोक के प्रमुख शिलालेख एवं उनमें वर्णित विषयः

पहला शिलालेखः इसमें पशुबलि की निंदा की गयी है।

दूसरा शिलालेखः इसमें अशोक ने मनुष्य एवं पशु दोनों की चिकित्सा व्यवस्था का उल्लेख किया है।

तीसरा शिलालेखः इसमें राजकीय अधिकारियों को यह आदेश दिया गया है कि वे हर पाँचवें वर्ष के उपरान्त दौरे पर जाएँ। इस शिलालेख में कुछ धार्मिक नियमों का भी उल्लेख किया गया है।

चौथा शिलालेखः इस अभिलेख में भेरीघोष की जगह धम्मघोष की घोषणा की गयी है।

पाँचवां शिलालेखः इस शिलालेख में धर्म-महामात्रों की नियुक्ति के विषय में जानकारी मिलती है।

छठा शिलालेखः इसमें आत्म-नियंत्रण की शिक्षा दी गयी है।

सातवाँ एवं आठवाँ शिलालेखः इनमें अशोक की तीर्थ यात्राओं का उल्लेख किया गया है।

नौवाँ शिलालेखः इसमें सच्ची भेंट तथा सच्चे शिष्टाचार का उल्लेख किया गया है।

दसवाँ शिलालेखः इसमें अशोक ने आदेश दिया है कि राजा तथा उच्च अधिकारी हमेशा प्रजा के हित में सोचें।

ग्यारहवाँ शिलालेखः इसमें धम्म की व्याख्या की गयी है।

बारहवाँ शिलालेखः इसमें स्त्री महामात्रों की नियुक्ति एवं सभी प्रकार के विचारों के सम्मान की बात कही गयी है।

तेरहवाँ शिलालेखः इसमें कलिंग युद्ध का वर्णन एवं अशोक के हृदय-परिवर्तन की बात कही गयी है। इसी में पड़ोसी राजाओं का वर्णन है।

चौदहवाँ शिलालेखः अशोक ने जनता को धार्मिक जीवन बिताने के लिए प्रेरित किया है।

15. (D)

16. (C): मापिकी, मापविद्या या मापविज्ञान (Metrology) में मापन के सभी सैद्धांतिक और व्यावहारिक पहलुओं का अध्ययन किया जाता है। यह मापन एवं उसके अनुप्रयोगों का विज्ञान है।

मापिकी (Metrology) भौतिकी की वह शाखा है जिसमें शुद्ध माप के बारे में हमें ज्ञान होता है। मापविज्ञान में मूल रूप से हम तीन राशियों, अर्थात् द्रव्यमान, लम्बाई एवं समय के बारे में चर्चा करते हैं और इन्हीं तीन राशियों के ज्ञान से हम अन्य राशियों, जैसे घनत्व, आयतन, बल तथा शक्ति आदि को मापते हैं।

मापविज्ञान द्वारा अपरिवर्तनीय मानकों (Standards) का निर्देश ही नहीं मिलता, वरन् इन्हें कायम भी रखा जाता है। इन्हीं मानकों द्वारा हम वस्तुओं के गुणों की माप तथा तुलना भी करते हैं। दूसरा पक्ष यह है कि किसी कार्यविशेष को दृष्टि में रखकर मापविज्ञान से ऐसे तरीके प्राप्त होते हैं जिनसे तुलनाएँ काफी उच्च स्तर की शुद्धता तक की जा सकें। आधुनिक विज्ञान तथा उद्योगों में उपर्युक्त मौलिक तुलनाओं (Fundamental comparisons) का अत्यंत शुद्ध होना आवश्यक है।

17. (C): शल्य चिकित्सा (Surgery) के पितामह और 'सुश्रुत संहिता' के प्रणेता आचार्य सुश्रुत का जन्म छठी शताब्दी ईसा पूर्व में काशी में हुआ था। इन्होंने धन्वन्तरि से शिक्षा प्राप्त की। सुश्रुत संहिता को भारतीय चिकित्सा पद्धति में विशेष स्थान प्राप्त है। सुश्रुत संहिता में शल्य चिकित्सा के विभिन्न पहलुओं को विस्तार से समझाया गया है। शल्य क्रिया के लिए सुश्रुत 125 तरह के उपकरणों का प्रयोग करते थे। ये उपकरण शल्य क्रिया की जटिलता को देखते हुए बनाए गए थे। इन उपकरणों में विशेष प्रकार के चाकू, सुइयां, चिमटियां आदि हैं। सुश्रुत ने 300 प्रकार की ऑपरेशन प्रक्रियाओं की खोज की। उन्हें कॉस्मेटिक सर्जरी में विशेष निपुणता हासिल थी। सुश्रुत नेत्र शल्य चिकित्सा भी करते थे। सुश्रुत संहिता में मोतियाबिंद के ऑपरेशन की विधि को विस्तार से बताया गया है। उन्हें शल्य क्रिया द्वारा प्रसव कराने का भी ज्ञान था। सुश्रुत को टूटी हुई हड्डियों का पता लगाने और उनको जोड़ने में विशेषज्ञता प्राप्त थी। शल्य क्रिया के दौरान होने वाले दर्द को कम करने के लिए वे मद्यपान या विशेष औषधियां देते थे। मद्य संज्ञाहरण का कार्य करता था। इसलिए सुश्रुत को संज्ञाहरण का पितामह भी कहा जाता है।

18. (A): दक्षिण भारत में स्त्री शिक्षा के बारे में मोरक्को यात्री इब्न बतूता का कथन है कि "हनौर में मैंने 13 स्कूल लड़कियों एवं 23 स्कूल लड़कों के निर्देश के लिए देखे, ऐसी चीज मैंने इसके अलावा कहीं नहीं देखी"।

इब्न बतूता द्वारा अरबी भाषा में लिखा गया उसका यात्रा वृत्तांत जिसे रिह्ला कहा जाता है, चौदहवीं शताब्दी में भारतीय उपमहाद्वीप के सामाजिक तथा सांस्कृतिक जीवन के विषय में बहुत ही प्रचुर तथा रोचक जानकारियाँ देता है। मोरक्को के इस यात्री का जन्म तैंजियर के सबसे सम्मानित तथा शिक्षित परिवारों में से एक, जो इस्लामी कानून अथवा शरिया पर अपनी विशेषज्ञता के लिए प्रसिद्ध था, में हुआ था। अपने परिवार की परंपरा के अनुसार इब्न बतूता ने कम उम्र में ही साहित्यिक तथा शास्त्ररूढ़ शिक्षा हासिल की।

अपनी श्रेणी के अन्य सदस्यों के विपरीत, इब्न बतूता पुस्तकों के स्थान पर यात्राओं से अर्जित अनुभव को ज्ञान का अधिक महत्वपूर्ण स्रोत मानता था। उसे यात्राएँ करने का बहुत शौक था और वह नए-नए देशों और लोगों के विषय में जानने के लिए दूर-दूर के क्षेत्रों तक गया। 1332-33 ई. में भारत के लिए प्रस्थान करने से पहले वह मक्का की तीर्थ यात्राएँ और सीरिया, इराक, फारस, यमन, ओमान तथा पूर्वी अफ्रीका के कई तटीय व्यापारिक बंदरगाहों की यात्राएँ कर चुका था।

मध्य एशिया के रास्ते होकर इब्न बतूता सन् 1333 ई. में स्थलमार्ग से सिंध पहुँचा। उसने दिल्ली के सुल्तान मुहम्मद बिन तुगलक के बारे में सुना था और कला और साहित्य के एक दयाशील संरक्षक के रूप में उसकी ख्याति से आकर्षित हो बतूता ने मुल्तान और उच्छ के रास्ते होकर दिल्ली की ओर प्रस्थान किया। सुल्तान उसकी विद्वता से प्रभावित हुआ और उसे दिल्ली का काजी या न्यायाधीश नियुक्त किया।

19. (A)

20. (D): सिक्खों के सुधारवादी संगठन के रूप में सिंह सभा की स्थापना 1873 ई. में अमृतसर में हुई। यह आन्दोलन ईसाइयों, ब्रह्मसमाजियों, आर्यसमाजियों, अलीगढ़ आन्दोलन के समर्थकों, और अहमदिया मुसलमानों के धर्म-परिवर्तक कार्रवाइयों के विरुद्ध एक प्रतिक्रिया के रूप में आरम्भ हुई। मुख्यधारा के सिख बड़ी तेजी से दूसरे धर्मों और पन्थों में चले जा रहे थे। बाद में 1879 में लाहौर में भी सिंह सभा का गठन किया गया।

इस आन्दोलन के प्रमुख उद्देश्य निम्नलिखित थे–

1. सच्चे सिख धर्म का प्रचार-प्रसार करना,
2. सिख धर्म के खोए गौरव को पुनः प्राप्त करना,
3. सिखों के ऐतिहासिक एवं धार्मिक पुस्तकें लिखना और उनका वितरण करना,
4. पत्र-पत्रिकाओं के माध्यम से गुरुमुखी पंजाबी का प्रचार करना,
5. सिख धर्म में सुधार करना और दूसरे धर्मों में चले गए लोगों की घर-वापसी करना

21. (*)

22. (D): चोल साम्राज्य की स्थापना विजयालय ने की, जो आरम्भ में पल्लवों का एक सामंती सरदार था। चोल साम्राज्य दक्षिण भारत का निःसन्देह सबसे शक्तिशाली साम्राज्य था। अपनी प्रारम्भिक कठिनाइयों पर विजय प्राप्त करने के बाद करीब दो शताब्दियों तक अर्थात् बारहवीं ईस्वी के मध्य तक चोल शासकों ने न केवल एक स्थिर प्रशासन दिया, वरन् कला और साहित्य को बहुत प्रोत्साहन दिया। कुछ इतिहासकारों का मत है कि चोल काल दक्षिण भारत का 'स्वर्ण युग' था।

प्रशासन की सुविधा हेतु सम्पूर्ण चोल साम्राज्य 6 प्रान्तों में विभक्त था। प्रान्तों को 'मण्डलम्' कहा जाता था। प्रायः राजकुमारों को यहां का प्रशासन देखना पड़ता था। मण्डलम् को कोट्टम (कमिश्नरी) में, कोट्टम को नाडु (जिले) में एवं प्रत्येक नाडु को कई कुर्रमों (ग्राम समूह) में विभक्त किया गया था। बड़े-बड़े शहर या गांव एक अलग कुर्रम बन जाते थे और तनियूर या तंकुरम कहलाते थे। मण्डलम् से लेकर ग्राम स्तर तक के प्रशासन हेतु स्थानीय सभाओं का सहयोग लिया जाता था। 'नाडु' की स्थानीय सभा को

'नाटूर' एवं नगर की सभाओं को क्रमशः 'श्रेणी और पूग' कहा जाता था। चोल सम्राट परान्तक प्रथम के शासन के 12वें एवं 14वें वर्ष के प्रसिद्ध 'उत्तरमेरूर अभिलेखों' में चोल कालीन स्थानीय स्वशासन एवं ग्राम प्रशासन व्यवस्था का साक्ष्य मिलता है। स्थानीय स्वशासन चोल शासन प्रणाली की महत्वपूर्ण विशेषता थी। स्थानीय स्वशासन में 'उर' तथा 'सभा' व महासभा के सदस्य वयस्क होते थे। उर सर्वसाधारण लोगों की समिति थी, जिसका कार्य होता था– सार्वजनिक कल्याण के लिए तालाबों व बगीचों के निर्माण हेतु गांव की भूमि का अधिग्रहण करना।

राज्य की आय का मुख्य साधन भूराजस्व था। भूराजस्व निर्धारित करने से पूर्व भूमि का सर्वेक्षण, वर्गीकरण एवं नाप-जोख कराई जाती थी। तत्कालीन अभिलेखों से ज्ञात होता है कि, राजराज प्रथम एवं कुलोत्तुंग के पैर की माप ही भूमि की लम्बाई मापने की इकाई बनी। भूमिकर भूमि की उर्वरता एवं वार्षिक फसल चक्र देखने के बाद निर्धारित किया जाता था। सम्भवतः चोल काल में भूमि कर उपज का एक तिहाई हुआ करता था, जिसे अन्न व नकद दोनों रूपों में लिया जाता था। चोल अभिलेखों में भूमिकर के अतिरिक्त अन्य करों का उल्लेख मिलता है। राजस्व विभाग का उच्च्य अधिकारी 'वरित्पोत्तगकक्' कहा जाता था। इन करों के अतिरिक्त चोल राजा निकटवर्ती क्षेत्रों की लूट मार से भी अपनी आय बढ़ाते थे। विवाह समारोह पर भी कर लगता था। अभिलेखों में करों व वसूलियों के लिए 'हरै' या 'वरि', 'मरुन्पाडु' और 'द्रंडम्' शब्द का प्रयोग किया गया है। अन्न का मान एक कलम (तीन मन) था। 'बेलि' भूमि माप की इकाई थी। सोने के सिक्के को 'काशु' कहा जाता था। चोल अभिलेखों में भूमि कर के अतिरिक्त अनेक प्रकार के कर लगाए जाते थे, जैसे–मरमज्जाडि (उपयोगी वृक्षकर), कडमै (सुपाड़ी के बागान पर कर), मनैइरै (गृहकर), कढ़ैइरै (व्यापारिक प्रतिष्ठान कर), पेविर (तेलघानी कर), पाडिकावल (ग्राम सुरक्षा कर), मगन्यै (स्वर्णकार, लौहकार, कुम्भकार, बढ़ई आदि के पेशों पर लगाया जाने वाला कर)।

23. (B) **24. (B)**

25. (D): राजेन्द्र प्रथम चोल राजवंश का सबसे महान शासक था। उसने अपनी महान विजयों द्वारा चोल साम्राज्य का विस्तार कर उसे दक्षिण भारत का सर्वशक्तिशाली साम्राज्य बनाया। उसने 'गंगईकोंड' की उपाधि धारण की तथा गंगईकोंडचोलपुरम नामक नगर की स्थापना की। वहीं पर उसने चोल गंगम नामक एक विशाल सरोवर का भी निर्माण किया। राजेंद्र के साम्राज्य की सीमा तटीय बर्मा, अंडमान और निकोबार द्वीप समूह, लक्षद्वीप, मालदीव तक फैले हुए थे, श्रीविजय (दक्षिण पूर्व एशिया में सुमात्रा, जावा और मलाया) और पेगु द्वीपों के राजाओं को अपने विशाल शक्तिशाली जहाजों के बेड़े के साथ जीत लिया था। उसने बंगाल और बिहार के पाल राजा महिपाल को भी पराजित किया था।

नाथमुनि नवीं सदी के उत्तरार्ध में त्रिचिनापल्ली के श्रीरंगम् के रहने वाले थे। उनका समय सन् 824 से 924 माना जाता है। इनके संग्रह का नाम ''दिव्य प्रबन्धम्'' है। प्रबन्धम् एक प्रकार से दक्षिण भारत में भक्ति आन्दोलन का आदि ग्रंथ बन गया। नाथमुनि ने अपनी साधना में राम निष्ठा को प्रमुखता दी। तमिल सन्तों में 12 वैष्णवी भक्तों को आलवार सन्तों के नाम से जाना जाता है। ये सब पूर्ण रूप से ईश्वर के प्रति समर्पित और आश्रित थे। आलवार का अर्थ है ऐसा व्यक्ति जिसने स्वयं को ईश्वर की आस्था में पूर्णतया तिरोहित कर दिया हो। इसका शाब्दिक अर्थ है 'निमग्न' या डूबा हुआ। यहां अर्थ है भगवत प्रेम में निमग्न। ये सभी सन्त, समाज के अत्यंत साधारण वर्ग से थे। इन्हें शिक्षा, वंश अथवा वैभव का कोई दंभ नहीं था। ये सन्त अत्यंत विनीत और साधन विहीन थे। अपने दैन्य भाव से ही इन्होंने स्वयं ईश्वर को निवेदित किया था।

26. (C) **27. (D)**

28. (D): महाराजा रणजीत सिंह को सिखों के सबसे दृढ़ और शक्तिशाली राजा के रूप में जाना जाता है। इतिहास में उन्हें शेर-ए-पंजाब के नाम से जाना जाता है। उन्होंने अपनी ''खालसा सेना'' गठित की, जिसमें कई पश्चिमी अधिकारियों को भी नियुक्त किया गया।

उनकी सेना में भारतीयों के साथ-साथ फ्रांसीसी, इतालवी और यहां तक कि अमेरिकी सैन्य अधिकारी भी थे। अंग्रेज, रणजीत सिंह की सेना को भारत की सर्वश्रेष्ठ सेना मानते थे। रणजीत सिंह ने यूरोपीय प्रशिक्षकों अलार्ड बेंतुस, कोर्ट अविटेबिल के सहयोग से एक ऐसी सेना का गठन किया जिसमें यूरोपीय सैनिक एवं अधिकारियों के साथ-साथ सिक्ख, गोरखा, बिहारी, ओडिया, पठान, डोगरे, पंजाबी, मुसलमान आदि शामिल थे। फ्रेंच यात्री विक्टर जाकमाँ ने अपनी किताब 'अ जर्नी टू इंडिया' में लिखा है, "रणजीत सिंह की तुलना में हमारे अच्छे से अच्छे कूटनीतिज्ञ नौसीखिया हैं। मैंने अपने जीवन में इतने सवाल करने वाला भारतीय नहीं देखा। उन्होंने मुझसे भारत, ब्रिटेन, यूरोप और नेपोलियन के बारे में करीब एक लाख सवाल पूछ डाले।"

29. (B): कश्मीर की दुरूह भौगोलिक स्थिति की वजह से वहां किसी तरह का बाहरी घुसपैठ आसान नहीं था। इसके अलावा कश्मीर के राजा भी अपनी सीमाओं को पूरी तरह बंद रखते थे और बाहरी संपर्क को हतोत्साहित करते थे। 1017 ई. में भारत की यात्रा करने वाले अल बरूनी ने इस बारे में बहुत ही शिकायती लहजे में लिखा है– 'कश्मीरी राजा खास तौर पर अपने राज्य के प्राकृतिक संसाधनों के बारे में बहुत चिंतित रहते हैं। इसलिए कश्मीर तक पहुंचने वाले हर प्रवेश-मार्ग और सड़कों पर अपनी पकड़ बनाए रखने के लिए वे बहुत सावधानी बरतते हैं। इस वजह से उनके साथ किसी भी तरह का व्यापार करना भी बहुत मुश्किल है। वे किसी ऐसे हिंदू को भी अपने राज्य में नहीं घुसने देते जिन्हें वे व्यक्तिगत रूप से जानते न हों।

विदित है कि अल बरूनी का काल महमूद गजनी का काल भी है। भारत पर किए गए गजनी के कई आक्रमणों से हम परिचित हैं। गजनी से करीब सौ साल पहले काबुल में लल्लिया नाम के एक ब्राह्मण मंत्री ने अपनी राजशाही स्थापित की थीं जिसे इतिहासकार 'हिंदू शाही' कहते हैं। उसने कश्मीर के हिंदू राजाओं के साथ गहरे राजनीतिक और सांस्कृतिक संबंध कायम किए थे।

गजनी ने जब उत्तर भारत पर हमला करने की ठानी तो उसका पहला निशाना यही साम्राज्य बना। उस समय काबुल का राजा था जयपाल। जयपाल ने कश्मीर के राजा से मदद मांगी। मदद मिली भी, लेकिन वह गजनी के हाथों पराजित हुआ। पराजित होने के बाद भी जयपाल के बेटे आनंदपाल और पोते त्रिलोचनपाल ने गजनी के खिलाफ लड़ाई जारी रखी।

त्रिलोचनपाल को तत्कालीन कश्मीर के राजा संग्रामराजा (1003-1028 ई.) से मदद भी मिली, लेकिन वह अपना साम्राज्य बचा न सका। 12वीं सदी में 'राजतरंगिणी' के नाम से कश्मीर का प्रसिद्ध इतिहास लिखने वाले कल्हण ने इस महान साम्राज्य के पतन पर बहुत दुःख जताया है। गजनी ने इसके बाद आज के हिमाचल का हिस्सा कांगड़ा भी जीत लिया, लेकिन कश्मीर का स्वतंत्र हिंदू साम्राज्य उसकी आंख का कांटा बना रहा। 1015 ई. में उसने पहली बार तोसा-मैदान दर्रे के रास्ते कश्मीर पर हमला किया, लेकिन दुर्गम भौगोलिक परिस्थिति और कश्मीरियों के जबरदस्त प्रतिरोध की वजह से उसे बहुत अपमान के साथ वापस लौटना पड़ा।

यह भारत में किसी युद्ध में उसके पीछे हटने का पहला मौका था। वापसी में उसकी सेना रास्ता भी भटक गई और घाटी में आए बाढ़ में फंस गई। अपमान के साथ-साथ गजनी का नुकसान भी बहुत हुआ। छह साल बाद 1021 ई. में अपने खोए हुए सम्मान को अर्जित करने के लिए गजनी ने फिर से उसी रास्ते कश्मीर पर हमला किया।

लगातार एक महीने तक उसने जबरदस्त प्रयास किया, लेकिन लौहकोट की किलेबंदी को वह भेद न सका। घाटी में बर्फबारी शुरू होने वाली थी और गजनी को लग गया कि इस बार उसकी सेना का हाल पिछली बार से भी बुरा होनेवाला है। वह कश्मीर की अजेय स्थिति को भांप चुका था। दोबारा अपमान का घूंट पीते हुए उसे फिर से वापस लौटना पड़ा। उसके बाद उसने कश्मीर के बारे में सोचना भी बंद कर दिया।

30. (C): 1833 के चार्टर अधिनियम की विशेषताएँ:

- बंगाल का गवर्नर-जनरल अनन्य विधायी शक्तियों के साथ भारत का गवर्नर जनरल बन गया।

- बॉम्बे और मद्रास प्रेसीडेंसी अपनी विधायी शक्तियों से वंचित हो गई।
- भारत के गवर्नर जनरल को नागरिक एवं सैन्य शक्तियाँ दी गईं।
- पहली बार भारत में अंग्रेजों के कब्जे वाले पूरे क्षेत्र पर अधिकार रखने के लिये 'भारत सरकार' बनाई गई थी।
- भारत के प्रथम गवर्नर जनरल लॉर्ड विलियम बेंटिक थे।
- गवर्नर जनरल की परिषद् के सदस्यों की संख्या, जो कि पिट्स इंडिया एक्ट, 1784 द्वारा घटा दी गई थी, को फिर से 4 कर दिया गया।
- चौथे सदस्य के पास बहुत सीमित शक्तियाँ थीं, वह विधायी उद्देश्यों को छोड़कर परिषद् के सदस्य के रूप में कार्य करने हेतु अधिकृत नहीं था।
- गवर्नर जनरल की परिषद् के पास किसी भी ब्रिटिश, विदेशी या भारतीय के लिये भारत के पूरे क्षेत्र में किसी भी कानून को संशोधित करने, निरस्त करने या बदलने का अधिकार था।

31. (B) **32. (C)**

33. (D): मनसबदारी व्यवस्था सरकारी सोपान व्यवस्था से सम्बद्ध थी। सभी मुगल अधिकारी, चाहे वो सैन्य सेवा से सम्बद्ध हों या असैन्य सेवा से, एक ही सोपानक्रम में संयोजित कर दिए गए थे। मनसब से ओहदा एवं वेतन निर्धारित होता था। मनसबदारी व्यवस्था अकबर ने लागू की थी। मनसबदारी व्यवस्था मंगोलों की दशमलव पद्धति पर आधारित थी।

अकबर ने अपने अंतिम वर्षों में मनसबदारी व्यवस्था में जात एवं सवार नामक द्वैध मनसब प्रथा को प्रारंभ किया। जात का अर्थ है व्यक्तिगत पद या ओहदा और सवार का अर्थ घुड़सवारों की उस निश्चित संख्या से है जिसे किसी मनसबदार को अपने अधिकार में रखना होता था। इस तरह मनसब शब्द केवल सैनिक व्यवस्था का ही शब्द नहीं अपितु इसका अर्थ है वह पद जिस पर सैनिक और गैर-सैनिक अधिकारी को नियुक्त किया जाता या रखा जाता था। दूसरे शब्दों में, मनसब पद प्रतिष्ठा अथवा अधिकार प्राप्त करने की स्थिति थी। इससे व्यक्ति का पद, स्थान और वेतन निर्धारित होता था।

मनसबदारों को वेतन जागीर के रूप में या नकद दिया जाता था। परन्तु उन्हें केवल राजस्व प्राप्ति का अधिकार था। प्रशासनिक अधिकार नहीं था। मृत्यु या पदच्युति के बाद जागीर वापस करनी होती थी।

जहांगीर ने मनसबदारी व्यवस्था में दुअस्पा एवं सिंहअस्पा दर्जे को लागू किया। शाहजहां ने मनसबदारी में मासिक व्यवस्था प्रारंभ की। इसके अंतर्गत मनसबदारों के वेतन, जागीर से होने वाली निर्धारित आय के स्थान पर जागीर से होने वाली वास्तविक आय के अनुसार बारह के मापदण्ड पर निर्धारित किए गए। औरंगजेब काल में मशरूत व्यवस्था (सवार संख्या में अतिरिक्त वृद्धि करना) शुरू हुई। ऐसा मनसबदार को किसी महत्वपूर्ण पद या अभियान हेतु नियुक्त करते समय होता था।

34. (B): अहोम राजा राज्य की सेना का सर्वोच्च सेनापति भी होता था। युद्ध के समय सेना का नेतृत्व राजा स्वयं करता था और पाइक राज्य की मुख्य सेना थी। पाइक दो प्रकार के होते थे– सेवारत और गैर-सेवारत। गैर-सेवारत प्राइकों ने एक स्थायी मिलिशिया (Militia) का गठन किया, जिन्हें खेलदार (Kheldar- सैन्य आयोजक) द्वारा थोड़े ही समय में इकट्ठा किया जा सकता था।

अहोम सेना की पूरी टुकड़ी में पैदल सेना, नौसेना, तोपखाने, हाथी, घुड़सवार सेना और जासूस शामिल थे। युद्ध में इस्तेमाल किये जाने वाले मुख्य हथियारों में तलवार, भाला, बंदूक, तोप, धनुष और तीर शामिल थे। अहोम राजा युद्ध अभियानों का नेतृत्व करने से पहले दुश्मनों की युद्ध रणनीतियों को जानने के लिये उनके शिविरों में जासूस भेजते थे।

अहोम सैनिकों को गोरिल्ला युद्ध (Guerilla Fighting) में विशेषज्ञता प्राप्त थी। ये सैनिक दुश्मनों को अपने देश की सीमा में प्रवेश करने देते थे, फिर उनके संचार को बाधित कर उन पर सामने और पीछे से हमला कर देते थे। उनके कुछ महत्वपूर्ण किले चमधारा, सराईघाट, सिमलागढ़, कलियाबार, कजली और पांडु थे। उन्होंने ब्रह्मपुत्र नदी पर नाव का पुल

(Boat Bridge) बनाने की तकनीक भी सीखी थी। इन सबसे ऊपर अहोम राजाओं के लिये नागरिकों और सैनिकों के बीच आपसी समझ तथा रईसों के बीच एकता ने हमेशा मजबूत हथियारों के रूप में काम किया।

35. (C) **36. (A)**

37. (D): बन्दा बहादुर का जन्म 1670 ई. में कश्मीर के पुंछ जिले के राजौरी क्षेत्र में एक राजपूत परिवार में हुआ था। उनका बचपन का नाम 'लक्ष्मण देव' था। 15 वर्ष की उम्र में वह एक बैरागी के शिष्य बनें और उनका नाम 'माधोदास' हो गया। कुछ समय तक पंचवटी (नासिक) में रहने के बाद वे दक्षिण की ओर चले गये और वहाँ एक आश्रम की स्थापना की। दसवें गुरु गोविन्द सिंह की 1708 ई. में हत्या हो जाने के बाद बन्दा सिक्खों के नेता बने। वह सिक्खों के आध्यात्मिक नेता तो नहीं थे, किन्तु 1708 से 1716 ई. तक अपनी मृत्युपर्यन्त उनके राजनीतिक नेता रहे।

1708 ई. में सिक्खों के दसवें गुरु गोविन्द सिंह ने बन्दा के आश्रम को देखा। उन्होंने माधोदास को सिक्ख धर्म में दीक्षित किया और उनका नाम 'बन्दा सिंह' रख दिया। गुरु गोविन्द सिंह जी के सात और नौ वर्ष के बच्चों की जब सरहिन्द के फौजदार वजीर खाँ ने क्रूरता के साथ हत्या कर दी, तो बन्दा सिंह पर इसकी बड़ी तीव्र प्रतिक्रिया हुई। उन्होंने वजीर खाँ से बदला लेना अपना मुख्य कर्तव्य मान लिया। उन्होंने पंजाब आकर बड़ी संख्या में सिक्खों को संगठित किया और सरहिन्द पर कब्जा करके वजीर खाँ को मार डाला।

बन्दा बहादुर ने यमुना और सतलुज के प्रदेश को अपने अधीन कर लिया और मुखलिशपुर में लोहागढ़ (लोहगढ़ अथवा लौहगढ़) नामक एक मजबूत किला निर्मित कराया, इसके साथ ही राजा की उपाधि ग्रहण कर अपने नाम से सिक्के भी जारी किए। बन्दा बहादुर ने मुगलों पर हमला करके बहुत बड़े क्षेत्र पर कब्जा कर लिया। किन्तु 1715 ई. में मुगलों ने गुरदासपुर के किले पर घेरा डाल दिया। बन्दा बहादुर उस समय उसी किले में थे। कई माह की घेराबन्दी के बाद खाद्य सामग्री के अभाव के कारण उन लोगों को आत्मसमर्पण करने के लिए बाध्य होना पड़ा। मुगलों ने किले पर अधिकार करने के साथ ही बन्दा तथा उनके अनेक साथियों को बन्दी बना लिया। फरवरी, 1716 में बन्दा बहादुर और उनके 794 साथियों को कैद करके दिल्ली ले जाया गया। उन्हें अमानुषिक यातनाएँ दी गईं। फर्रुखसियर के आदेश पर बन्दा के शरीर को गर्म चिमटों से नुचवाया गया और फिर हाथी से कुचलवाकर मार डाला गया। यह घटना 16 जून, 1716 ई. को घटी थी।

38. (A)

39. (B): गदर पार्टी की स्थापना 1913 में सेन फ्रांसिस्को में लाला हरदयाल के प्रयासों से हुई इसका उद्देश्य सशस्त्र संघर्ष के माध्यम से भारत को अंग्रेजी दासता से मुक्ति दिलाना था। इस संगठन ने भारत को अनेक महान क्रांतिकारी दिये। इसका उद्देश्य स्वतंत्र गणराज्य की स्थापना करना था।

लाला हरदयाल गदर आंदोलन को अंध राष्ट्रभक्ति से बचाने के लिये अक्सर आयरिश एवं रूसी क्रांतिकारियों का उदाहरण देते थे। ये भारत तथा शेष दुनिया के मध्य स्वतंत्रता, समानता तथा भाई-चारे का संबंध कायम करना चाहते थे। उन्होंने धर्म को निजी मामला माना तथा राजनीति को धर्म से अलग किया। नेतृत्व के स्तर पर सभी वर्गों की भागीदारी थी। जैसे—हरदयाल हिन्दू थे तो बरकतुल्ला मुसलमान। यद्यपि आंदोलनकारियों में सिखों की बहुलता थी फिर भी उन्होंने 'सत श्री अकाल' जैसे धार्मिक नारों की बजाय 'वंदे मातरम' को आंदोलन का लोकप्रिय नारा बनाया। यद्यपि गदर आंदोलन अपने उद्देश्यों की प्राप्ति में पूर्णतः सफल नहीं माना जाता तथापि यह समतावादी एवं जनतंत्रवादी मूल्यों पर आधारित था।

40. (C) **41. (B)**

42. (B): 1942 के आंदोलन का सबसे ज्यादा प्रभाव बंगाल, बिहार, संयुक्त प्रांत, मद्रास और बंबई में था, लेकिन इसकी भागीदारी समूचे भारत में देखी गई। सितंबर 1942 के बाद बढ़ते हुये ब्रिटिश दमन के

विरुद्ध यह आंदोलन भूमिगत हो गया। गिरफ्तारी से बचे नेता, जैसे—जय़ प्रकाश नारायण, राम मनोहर लोहिया, अच्युत पटवर्धन, अरुणा आसफ अली आदि ने भूमिगत रहते हुये आंदोलन का नेतृत्व किया और कांग्रेस की रणनीतिक कार्रवाइयों और महत्वपूर्ण सूचनाओं आदि का रेडियो प्रसारण के द्वारा संचालन किया। भूमिगत नेता जिसमें सुचेता कृपलानी, ऊषा मेहता, छोटू भाई पुराणिक, बीजू पटनायक, आर.पी. गोयनका भी शामिल थे, बम, गोला, बारूद जैसी सामग्री एकत्र कर गुप्त संगठनों में बाँटते थे।

आंदोलन के प्रति दमनात्मक कार्रवाई के विरुद्ध गांधीजी ने आगा खाँ पैलेस में 21 दिन (फरवरी 1943) के उपवास की घोषणा कर दी। उपवास शुरू करते ही देश-विदेश से उन्हें रिहा करने की मांग तीव्र हो गई। राजभक्त एम.एस.एनी, एन.आर. सरकार और एच.पी. मोदी ने वायसराय की कार्यकारिणी से इस्तीफा दे दिया।

7 मार्च, 1943 को गांधीजी ने अपनी भूख हड़ताल वापस ले ली। उनके खराब स्वास्थ्य के कारण सरकार ने 6 मई, 1944 को उन्हें कैद से रिहा कर दिया।

43. (B): 11वीं शताब्दी में अतुल नामक कवि द्वारा लिखित मुशिका वंश उत्तरी केरल में शासन करने वाले मुशिक/मुशिका वंश की उपलब्धियों को बताता है।

44. (C): तत्वचिन्तामणि, गंगेश उपाध्याय द्वारा रचित नव्यन्याय का प्रसिद्ध ग्रन्थ है। तत्वचिन्तामणि के पश्चात् जितने न्यायग्रंथ लिखे गए वे सब नव्यन्याय के नाम से प्रख्यात हैं।

उन्होंने गौतम के मात्र एक सूत्र 'प्रत्यक्षानुमानोपमान शब्दाः प्रमाणानि' (प्रत्यक्ष, अनुमान, उपमान और शब्द, प्रमाण हैं) की व्याख्या में इस ग्रंथ की रचना की है। यह न्याय ग्रंथ चार खंडों में विभाजित है— प्रत्यक्षखण्ड, अनुमानखण्ड, उपमानखण्ड और शब्दखण्ड। इसमें पूर्ववर्ती नैयायिकों की भांति 16 तत्वों का वर्णन नहीं किया गया है। इसमें उन्होंने अवच्छेद्‌य-अवच्छेदक, निरूप्य-निरूपक, अनुयोगी-प्रतियोगी आदि पारिभाषिक शब्दों का प्रयोग कर एक नई स्वतंत्र लेखन शैली को जन्म दिया जिसका अनुसरण परवर्ती अनेक दार्शनिकों ने किया है।

तत्वचिंतामणि पर जितनी टीकाएँ, जितने विस्तार के साथ लिखी गई हैं उतनी किसी अन्य ग्रंथ पर नहीं लिखी गईं। पहले इसकी टीका पक्षधर मिश्र ने की; तदन्तर उनके शिष्य रुद्रदत्त ने एक अपनी टीका तैयार की। और इन दोनों से भिन्न वासुदेव सार्वभौम, रघुनाथ शिरोमणि, गंगाधर, जगदीश, मथुरानाथ, गोकुलनाथ, भवानंद, शशधर, शितिकंठ, हरिदास, प्रगल्भ, विश्वनाथ, विष्णुपति, रघुदेव, प्रकाशधर, चंद्रनारायण, महेश्वर और हनुमान कृत टीकाएँ हैं। इन टीकाओं पर भी असंख्य टीकाएँ लिखी गई हैं। गंगेश उपाध्याय के पुत्र वर्धमान उपाध्याय भी महान नैयायिक थे जिन्होंने तत्वचिन्तामणि पर 'तत्वचिन्तामणिप्रकाश' नाम से भाष्य लिखा।

45. (D)

46. (C): दयानंद सरस्वती ने 1875 ई. में बम्बई में आर्य समाज की स्थापना की। इसका उद्देश्य वैदिक धर्म को पुनः शुद्ध रूप से स्थापित करने का प्रयास, भारत को धार्मिक, सामाजिक व राजनीतिक रूप से एक सूत्र में बांधने का प्रयत्न, पाश्चात्य प्रभाव को समाप्त करना आदि था। 1824 ई. में गुजरात के मौरवी नामक स्थान पर पैदा हुए स्वामी दयानंद को बचपन में 'मूलशंकर' के नाम से जाना जाता था। 21 वर्ष की अवस्था में मूलशंकर ने गृह त्याग कर घुमक्कड़ों का जीवन स्वीकार किया। 24 वर्ष की अवस्था में उनकी मुलाकात दण्डी स्वामी पूर्णानंद से हुई। इन्हीं से संन्यास की दीक्षा लेकर मूलशंकर ने दण्ड धारण किया। दीक्षा प्रदान करने के बाद दण्डी स्वामी पूर्णानंद ने मूलशंकर का नाम 'स्वामी दयानन्द सरस्वती' रखा। ज्ञान की खोज में भटकने के बाद 1861 ई. में स्वामी ने दयानंद को वेदों की दार्शनिक व्याख्या का परिचय कराया। दयानन्द ने इन्हें गुरु बना लिया। वेदों और भारतीय दर्शन के गहन अध्ययन के बाद स्वामी जी ने यह निष्कर्ष निकाला कि आर्य श्रेष्ठ हैं, वेद ही ईश्वरीय ज्ञान है तथा भारत भूमि ही श्रेष्ठ है।

स्वामी जी ने अपने उपदेशों का प्रचार आगरा से प्रारम्भ किया तथा झूठे धर्मों का खण्डन करने के लिए 'पाखण्ड खण्डनी पताका' लहराई। इन्होंने अपने उपदेशों में मूर्तिपूजा, बहुदेववाद, अवतारवाद, पशुबलि, श्राद्ध, तंत्र-मंत्र, झूठे कर्मकाण्ड आदि की आलोचना की।

स्वामी दयानंद जी ने वेदों को ईश्वरीय ज्ञान मानते हुए 'पुनः वेदों की ओर चलो' का नारा दिया। सामाजिक सुधार के क्षेत्र में इन्होंने छुआछूत एवं जन्म के आधार पर जाति प्रथा की आलोचना की। वे शूद्रों एवं स्त्रियों के वेदों की शिक्षा ग्रहण करने के अधिकारों के हिमायती थे। स्वामी जी के विचारों का संकलन इनकी कृति 'सत्यार्थ प्रकाश' में मिलता है, जिसकी रचना स्वामी जी ने हिन्दी में की थी। राजनीति के क्षेत्र में स्वामी जी का मानना था कि बुरे से बुरा देशी राज्य अच्छे से अच्छे विदेशी राज्य से बेहतर होता है। वे स्वदेशी एवं देशभक्ति के प्रबल समर्थक थे।

47. (A)

48. (A): "वर्धा-योजना" एवं "बेसिक शिक्षा योजना" की रूपरेखा इस प्रकार हैः–

1. बेसिक शिक्षा के पाठ्यक्रम की अवधि 7 वर्ष की है।
2. यह शिक्षा 7 से 14 वर्ष तक के बालकों और बालिकाओं के लिए निःशुल्क और अनिवार्य है।
3. शिक्षा का माध्यम मातृभाषा है।
4. पाठ्यक्रम में अंग्रेजी का कोई स्थान नहीं है।
5. सम्पूर्ण शिक्षा का सम्बन्ध किसी आधारभूत शिल्प से होता है।
6. शिल्प को बालकों की योग्यता और स्थान की आवश्यकताओं को ध्यान में रखकर चुना जाता है।
7. चुने हुए शिल्प की शिक्षा इस प्रकार दी जाती है कि वह बालकों को अच्छा शिल्पी बनाकर, उनको स्वावलम्बी बना देती है।
8. उक्त शिल्प की शिक्षा इस प्रकार प्रदान की जाती है कि बालक उसके सामाजिक और वैज्ञानिक महत्व से भली-भाँति परिचित हो जाते हैं।
9. शारीरिक श्रम पर बल दिया जाता है, ताकि बालक सीखे हुए शिल्प के द्वारा अपनी जीविका का उपार्जन कर सके।
10. शिक्षा का बालक के जीवन, गृह एवं ग्राम से और उसके ग्राम के उद्योगों, हस्तशिल्पों और व्यवसायों से घनिष्ठ सम्बन्ध होता है।
11. बालकों द्वारा बनायी जाने वाली वस्तुएँ ऐसी होती हैं, जिनका प्रयोग किया जा सकता है या जिनको बेचकर विद्यालय का कुछ व्यय चलाया जा सकता है।

इस प्रकार बेसिक शिक्षा की योजना में गांधी जी के शिक्षा दर्शन के मुख्य तत्वों का समावेश है।

49. (D)

50. (B): आलवारों की भक्तिभावपूर्ण गीति-रचनाओं में केवल भक्ति के साधन पक्ष का उद्घाटन मिलता है। नौवीं-दसवीं शदी में तमिल प्रदेश में ही आलवारों के भक्ति-आंदोलन को वैदिक और शास्त्रीय रूप देनेवाले आचार्यों का उदय हुआ। शंकर के मायावाद-अद्वैतवाद के साथ भक्ति का सामंजस्य कैसे हो, यह एक विकट समस्या थी। अतः अद्वैत के स्थान पर विशिष्टाद्वैत का प्रतिपादन किया गया और मायावाद का प्रबल तर्कों के आधार पर खंडन किया गया। सबसे पहला आचार्य रंगनाथ मुनि (824-924 ई.) हुए, जो नाथमुनि के नाम से प्रसिद्ध हैं। लुप्तप्राय तमिल वेद का उद्धार करके उन्होंने श्रीरंगम के प्रसिद्ध मंदिर में उसके गायन की व्यवस्था की। 'योगरहस्य' और 'न्याय-तत्व' नामक इनके दो संस्कृत ग्रंथ भी कहे जाते हैं, जिनमें विशिष्टाद्वैत का प्रतिपादन हुआ है। नाथ-मुनि के पौत्र यमुनाचार्य (आलंबदार) हुए, जिन्होंने 'गीतार्थ-संग्रह', 'सिद्धित्रय', 'महापुरुष-निर्णय' और 'आगम प्रामाण्य' आदि अनेक ग्रंथों की रचना करके विशिष्टाद्वैत सिद्धांत का समर्थन, मायावाद का खंडन, विष्णु की श्रेष्ठता का प्रतिपादन तथा पंचरात्र सिद्धांत की वैदिक प्रामाणिकता की स्थापना की, परंतु वैष्णव आचार्यों में सबसे अधिक प्रसिद्ध श्री रामानुजाचार्य (1016-1137 ई.) हुए। उन्होंने ब्रह्मसूत्र पर 'श्रीभाष्य' लिखा। इसके अतिरिक्त 'वेदार्थसंग्रह', 'वेदांतसार', 'वेदांतदीप', 'गद्यत्रय' और 'गीताभाष्य' की रचना करके उन्होंने शंकर के अद्वैत और भेदाभेदवादी भास्कर मत का खंडन अपने मायाविरहित विशिष्टाद्वैत तथा उस पर आधारित प्रपत्तिपूर्ण भक्तिधर्म का प्रतिपादन किया। रामानुज का स्थापित भक्ति-धर्म श्रीवैष्णव कहा जाता है, क्योंकि विश्वास किया जाता है कि इसका प्रवर्तन स्वयं श्री लक्ष्मीनारायण के द्वारा हुआ है। लक्ष्मीनारायण इसके उपास्य देव हैं।

51. (C): भारत शासन अधिनियम, 1935:

- भारत के वर्तमान संविधान का प्रमुख स्रोत 1935 का अधिनियम है।
- भारत में सर्वप्रथम संघीय शासन प्रणाली की नींव रखी गई। संघ की दो इकाइयाँ थीं—ब्रिटिश भारतीय प्रांत तथा देशी रियासतें।
- संघीय व्यवस्था कभी अस्तित्व में नहीं आई क्योंकि देसी रियासतों ने इसमें शामिल होने से मना कर दिया।
- अवशिष्ट शक्तियाँ वायसराय को दे दी गईं।
- इस अधिनियम के तहत केंद्र और राज्यों के बीच शक्तियों का बंटवारा किया गया तथा राज्य में द्वैध शासन समाप्त कर केंद्र में द्वैध शासन लागू किया गया।
- इस अधिनियम ने केंद्र और इकाइयों के बीच तीन सूचियों—संघीय सूची (59), राज्य सूची (54), और समवर्ती सूची (36) के आधार पर शक्तियों का बंटवारा कर दिया।
- दलित जातियों, महिलाओं और मजदूर वर्ग के लिये अलग से निर्वाचन की व्यवस्था की गयी।
- इसने भारत शासन अधिनियम, 1858 द्वारा स्थापित भारत सचिव की परिषद् को समाप्त कर दिया।
- मताधिकार का विस्तार हुआ (लगभग 10 प्रतिशत जनसंख्या)।
- देश की मुद्रा और साख पर नियंत्रण के लिये भारतीय रिजर्व बैंक की स्थापना की गई।
- भारत शासन अधिनियम 1935 के प्रावधानों के अनुरूप 1937 में बर्मा को भारत से अलग कर दिया गया।
- संघ लोक सेवा आयोग, प्रांतीय सेवा आयोग तथा दो या अधिक राज्यों के लिये संयुक्त सेवा आयोग की स्थापना हुई।
- इसके तहत 1937 में संघीय न्यायालय की स्थापना हुई।

52. (D) **53. (D)** **54. (A)**

55. (D): पौमाचारिया (संस्कृत में पद्मचरित्र), राम के जीवन की कहानी को याद करने की परंपरा में सबसे पुराना जैन संस्करण है। यह प्राकृत में है, जिसे विमलसूरि ने लिखा है। शीर्षक का अर्थ है 'द लाइफ ऑफ पद्मा'। राम को पद्म कहा जाता है (संस्कृत शब्द पद्म का अर्थ कमल होता हैं) क्योंकि ऐसा कहा जाता है कि उनके पास कमल की पंखुडियों के समान सुंदर आँखें थीं और उनका चेहरा एक उत्कृष्ट खिले हुए कमल जैसा था।

कहानी की शुरुआत रामायण में काल्पनिक तत्वों के बारे में राजा श्रेणिक द्वारा किए गए संदेहों से होती है। कहानी को युक्तिसंगत बनाना और जैन तत्वों को सम्मिलित करना कवि विमलसूरि का उद्देश्य है। कुछ नाम बदले भी गए हैं। पद्मा की माता अपराजिता (कौशल्या) हैं। कैकेयी का उनका चित्रण एक स्वार्थी, लालची और लोभी महिला का नहीं है। इसके बजाय वह उसे एक उत्कृष्ट मां के रूप में दिखाता है जो केवल अपने बेटे के लिए राज्य चाहती है ताकि उसे संसार छोड़ने से रोका जा सके। यह वनवास जाने का राम का निर्णय था ताकि भरत राज्य संभालें।

56. (C) **57. (C)** **58. (A)**
59. (D) **60. (B)** **61. (D)**
62. (A) **63. (B)**

64. (B): गुलामगिरी में महात्मा ज्योतिबा फूले ने तत्कालीन समाज में व्याप्त सभी समस्याओं को स्थान देते हुए सामाजिक मान्यताओं पर कटाक्ष किया। उन्होंने वर्णभेद, धर्मभेद, जातिभेद, लिंगभेद आदि के केंद्र में मौजूद ब्राह्मणवादी रूढ़िवादी विचारों पर प्रहार किए। जातिवादी, विभेदकारी और शोषणकारी व्यवस्था के खिलाफ आधुनिक भारत में पहली मुखर आवाज उठाने वाले थी। ज्योतिबा फूले ने अपनी पुस्तक गुलामगिरी को भारत के लोगों का समर्पित किया।

65. (A) **66. (A)** **67. (C)**

68. (C): बाजीराव प्रथम मराठा साम्राज्य का महान् सेनानायक और बालाजी विश्वनाथ का बड़ा पुत्र था। छत्रपति शाहूजी महाराज ने बालाजी विश्वनाथ की मृत्यु हो जाने के बाद उसे अपना दूसरा पेशवा (1720-1740 ई.) नियुक्त किया। बाजीराव प्रथम को 'बाजीराव बल्लाल' तथा 'थोरले बाजीराव' के नाम से भी जाना जाता है। बाजीराव प्रथम विस्तारवादी प्रवृत्ति का

व्यक्ति था। उसने हिन्दू जाति की कीर्ति को विस्तृत करने के लिए 'हिन्दू पद पादशाही' के आदर्श को फैलाने का प्रयत्न किया। बाजीराव प्रथम एक महान् राजनयिक और योग्य सेनापति था। उसने मुगल साम्राज्य की कमजोर हो रही स्थिति का फायदा उठाने के लिए राजा शाहू को उत्साहित करते हुए कहा था कि–

"आओ हम इस पुराने वृक्ष के खोखले तने पर प्रहार करें, शाखायें तो स्वयं ही गिर जायेंगी। हमारे प्रयत्नों से मराठा पताका कृष्णा नदी से अटक तक फहराने लगेगी।"

इसके उत्तर में शाहू ने कहा कि–

"निश्चित रूप से ही आप इसे हिमालय के पार गाड़ देंगे। निःसन्देह आप योग्य पिता के योग्य पुत्र हैं।"

राजा शाहू ने राज-काज से अपने को करीब-करीब अलग कर लिया था और मराठा साम्राज्य के प्रशासन का पूरा काम पेशवा बाजीराव प्रथम देखता था। बाजीराव प्रथम को सभी नौ पेशवाओं में सर्वश्रेष्ठ माना जाता है। बाजीराव प्रथम ने अपनी दूरदृष्टि से देख लिया था कि मुगल साम्राज्य छिन्न-भिन्न होने जा रहा है। इसीलिए उसने महाराष्ट्र क्षेत्र से बाहर के हिन्दू राजाओं की सहायता से मुगल साम्राज्य के स्थान पर 'हिन्दू पद पादशाही' स्थापित करने की योजना बनाई थी। इसी उद्देश्य से उसने मराठा सेनाओं को उत्तर भारत भेजा, जिससे पतनोन्मुख मुगल साम्राज्य की जड़ पर अन्तिम प्रहार किया जा सके। बाजीराव प्रथम ने मराठा शक्ति के प्रदर्शन हेतु 29 मार्च, 1737 को दिल्ली पर धावा बोल दिया था। मात्र तीन दिन के दिल्ली प्रवास के दौरान उसके भय से मुगल सम्राट मुहम्मदशाह दिल्ली को छोड़ने के लिए तैयार हो गया था। इस प्रकार उत्तर भारत में मराठा शक्ति की सर्वोच्चता सिद्ध करने के प्रयास में बाजीराव प्रथम सफल रहा था। उसने पुर्तगालियों से बसई और सालसिट प्रदेशों को छीनने में सफलता प्राप्त की थी। शिवाजी के बाद बाजीराव प्रथम ही दूसरा ऐसा मराठा सेनापति था, जिसने गुरिल्ला युद्ध प्रणाली को अपनाया। वह 'लड़ाकू पेशवा' के नाम से भी जाना जाता है।

69. (B)

70. (C): देश में उचित ढंग से क्रांतिकारी आंदोलन का संचालन करने के उद्देश्य से अक्तूबर, 1924 में युवा क्रांतिकारियों ने कानपुर में एक सम्मेलन बुलाया तथा 'हिंदुस्तान रिपब्लिकन एसोसिएशन' (Hindustan Republican Association–HRA) नामक क्रांतिकारी संगठन की स्थापना की। इसके संस्थापक शचींद्र नाथ सान्याल (अध्यक्ष), राम प्रसाद बिस्मिल, जोगेश चंद्र चटर्जी तथा चंद्रशेखर आजाद थे। 1928 में चंद्रशेखर आजाद के नेतृत्त्व में दिल्ली के फिरोजशाह कोटला मैदान में 'हिंदुस्तान रिपब्लिकन एसोसिएशन' का नाम बदलकर 'हिंदुस्तान सोशलिस्ट रिपब्लिकन एसोसिएशन' (Hindustan Socialist Republican Association–HSRA) कर दिया गया जिसका उद्देश्य भारत में एक समाजवादी, गणतंत्रवादी राज्य की स्थापना करना था।

साइमन कमीशन के विरोध के समय लाला लाजपत राय पर लाठियों का प्रहार करने वाले सहायक पुलिस अधीक्षक सांडर्स की 30 अक्तूबर, 1928 को भगत सिंह, चंद्रशेखर आजाद तथा राजगुरु द्वारा की गई हत्या इस संगठन (HSRA) की पहली क्रांतिकारी गतिविधि थी। HSRA के दो सदस्यों भगत सिंह तथा बटुकेश्वर दत्त ने 8 अप्रैल, 1929 को दिल्ली में केंद्रीय विधानसभा में बम फेंका, दोनों को गिरफ्तार कर केंद्रीय असेंबली बम कांड के अंतर्गत मुकदमा चलाया गया। बाद में इस संगठन के अन्य सदस्यों को भी गिरफ्तार कर कुल 16 क्रांतिकारियों के ऊपर लाहौर षडयंत्र कांड के अंतर्गत मुकदमा चलाया गया। भगत सिंह, राजगुरु और सुखदेव को 23 मार्च, 1931 को फांसी दे दी गई।

71. (C): भीमबेटका मध्य प्रदेश की राजधानी भोपाल के दक्षिण में 45 किलोमीटर की दूरी पर स्थित है, जहाँ 10 वर्ग किलोमीटर के क्षेत्र में लगभग 800 शैलाश्रय (शेल्टर) मौजूद हैं। इनमें से 500 शैलाश्रयों में चित्र पाए जाते हैं।

भीमबेटका की गुफाओं की खोज वर्ष 1957-58 में डॉ वी.ए. वाकणकर द्वारा की गई थी और बाद में अन्य अनुसंधानकर्ताओं ने भी उनका अनुसरण किया। वाकणकर ने इन चित्रों का अध्ययन करने के लिए वर्षों तक इन दुर्गम पहाड़ियों और जंगलों का सर्वेक्षण किया। यहाँ पाए गए चित्रों के विषय अनेक प्रकार

के हैं। इनमें उस समय की रोजमर्रा की जिंदगी की घटनाओं के अलावा, धार्मिक एवं भव्य दृश्य भी चित्रित किए गए हैं, जिनमें शिकार, नृत्य, संगीत, हाथी-घोड़ों की सवारी, जानवरों की लड़ाई, शहद इकट्ठा करने, शरीर-सज्जा, छद्मवेष, मुखौटा लगाने जैसी अनेकानेक घरेलू गतिविधियों के चित्र शामिल हैं।

72. (B): • उदयगिरी गुफाओं में हाथीगुम्फा अभिलेख कलिंग शासक खारवेल के बारे में जानकारी का मुख्य स्रोत है।

- 19वीं शताब्दी के शुरुआती वर्षो में ओडिशा पर ब्रिटिश विजय के तुरंत बाद इतिहासकार ए. स्टर्लिंग द्वारा इसकी खोज की गई थी।
- इसमें पहली शताब्दी ईसा पूर्व के गहरे खुदे हुए ब्राह्मी अक्षरों में 17 पंक्तियां शामिल हैं, जो हाथीगुम्फा नामक एक प्राकृतिक गुफा के ऊपर लटकी हुई हैं।
- हाथीगुम्फा शिलालेखों की सामग्री को खारवेल के शासनकाल के वास्तविक अभिलेखों के रूप में माना जाता है क्योंकि शिलालेख में जैन धार्मिक प्रतीक थे।
- खारवेल ने अपने शिलालेख की शुरुआत अर्हतों को और सभी सिद्धों को प्रणाम करके की।
- खारवेल वर्तमान ओडिशा में कलिंग के राजा थे। ऐसा माना जाता है कि ई.पू. दूसरी शताब्दी के दौरान उन्होंने शासन किया था।
- वह महामेघवाहन वंश का सबसे प्रसिद्ध राजा था।
- ऐसा माना जाता है कि वे जैन धर्म के अनुयायी थे, हालांकि हाथीगुम्फा शिलालेख उन्हें सभी धर्मों का भक्त बताता है।
- वह 'गंधर्ववेद' या संगीत की कला और विज्ञान में पारंगत थे।

73. (C) **74. (D)**

75. (B): 1817 में स्कॉटिश अर्थशास्त्री जेम्स मिल ने 'द हिस्ट्री ऑफ ब्रिटिश इन इंडिया' नामक पुस्तक लिखी थी।

- जेम्स मिल एक स्कॉटिश इतिहासकार, अर्थशास्त्री, राजनीतिक सिद्धांतकार और दार्शनिक थे।
- उन्हें रिकार्डियन स्कूल ऑफ इकोनॉमिक्स के संस्थापकों में गिना जाता है।
- उन्होंने 'द हिस्ट्री आफ ब्रिटिश इंडिया' पुस्तक भी लिखी।
- वह भारतीय इतिहास को तीन भागों हिंदू, मुस्लिम और ब्रिटिश में विभाजित करने वाले पहले लेखक थे, यह एक ऐसा वर्गीकरण है, जो भारतीय ऐतिहासिक अध्ययनों के क्षेत्र में अत्यधिक प्रभावशाली सिद्ध हुआ है।

76. (B)

77. (C): चोल काल के मंदिर अपनी शिल्पकारी और भव्यता के लिए प्रसिद्ध हैं। मंदिर की देवी/देवता की प्रतिमा के प्रधान मूर्तिकार को स्तापंथी कहा जाता था। चोल सम्राटों के युग में दक्षिण भारत में मन्दिर स्थापत्य अपने शिखर पर था। इनके समय मन्दिर स्थापत्य में एक नयी शैली का विकास हुआ। इस शैली को 'द्रविड़' कहते हैं क्योंकि यह अधिकांश दक्षिण भारत में सीमित थी। इसकी प्रमुख विशेषता यह थी कि, गर्भगृह, अर्थात् प्रतिमा कक्ष के ऊपर एक के बाद एक कर पाँच से सात मंजिलों तक का निर्माण होता था। हर मंजिल एक विशेष शैली में निर्मित होती थी जिसे 'विमान' कहते थे। प्रतिमा कक्ष के सामने खम्बों वाला और सपाट छत का एक विशाल हॉल था, जिसे 'मंडप' के नाम से जाना जाता था। इसके खम्बों पर बारीक खुदाई होती थी। मंडप में विशेष अवसरों पर सभाएँ होती थीं और 'देवदासियों' का नृत्य होता था। देवदासियाँ ऐसी स्त्रियों को कहते थे, जिन्हें देवताओं की सेवा के लिए अर्पित कर दिया जाता था। कभी-कभी प्रतिमा कक्ष के चारों ओर एक गलियारा होता था ताकि भक्त लोग प्रतिमा की परिक्रमा कर सकें। इस गलियारे में भी कई देवी-देवताओं की मूर्तियाँ होती थीं। मंडप तथा प्रतिमा कक्ष एक ऊँची दीवारों वाले बहुत बड़े प्रांगण से घिरा रहता था, जिसमें प्रवेश के लिए बड़े-बड़े दरवाजे थे जो 'गोपुरम्' के नाम से जाने जाते थे। समय के साथ विमानों को और ऊँचा करने का रिवाज बढ़ता गया, प्रांगणों की संख्या दो या तीन तक बढ़ा दी गई तथा गोपुरम् और अधिक भव्य होते गए। इस प्रकार मन्दिरों ने छोटे-मोटे महल अथवा शहरों का रूप धारण कर

लिया। जिसमें पुरोहित तथा मन्दिर से सम्बन्धित अन्य लोग रहते थे। मन्दिरों को खर्चे के लिए कर-मुक्त भूमि का अनुदान दिया जाता था। इसके अलावा धनी व्यापारी भी इन्हें दान देते थे। कुछ मन्दिरों के पास तो इतनी सम्पत्ति हो गई कि, वे भी व्यापार और ऋण देने का काम करने लगे।

द्रविड़ शैली के आरम्भ के काल के मन्दिर स्थापत्य का उदाहरण हमें कांची में कैलाशनाथार मंदिर में मिलता है। इसका उत्कृष्ट उदाहरण हमें तंजावुर में राजराज प्रथम द्वारा निर्मित 'बृहदीश्वर मन्दिर' में मिलता है। इसे राजराज मन्दिर कह कर पुकारा जाता है। क्योंकि चोल सम्राट मन्दिरों में देवी-देवताओं की प्रतिमाओं के अलावा अपनी तथा रानियों की मूर्तियाँ भी प्रतिष्ठापित करते थे। गंगाईकोंडचोलपुरम् के मन्दिर में भी, यद्यपि यह टूटी-फूटी स्थिति में है, हमें चोल सम्राटों के काल के मन्दिर स्थापत्य शैली का अच्छा उदाहरण देखने को मिलता है। दक्षिण भारत के अन्य जगहों में भी बड़ी संख्या में मन्दिरों का निर्माण कराया गया।

78. (C): प्रताप हिन्दी का समाचार-पत्र था जिसने भारत के स्वाधीनता आन्दोलन में प्रमुख भूमिका निभायी। प्रताप के जरिये जहाँ न जाने कितने क्रान्तिकारी स्वाधीनता आन्दोलन से रूबरू हुए, वहीं समय-समय पर यह अखबार क्रान्तिकारियों हेतु सुरक्षा की ढाल भी बना। इसे गणेश शंकर 'विद्यार्थी' ने सन् 1913 से कानपुर से निकालना आरम्भ किया।

वस्तुतः प्रताप प्रेस की बनावट ही कुछ ऐसी थी कि जिसमें छिपकर रहा जा सकता था तथा फिर सघन बस्ती में तलाशी होने पर एक मकान से दूसरे मकान की छत पर आसानी से जाया जा सकता था। बनारस षड्यंत्र से भागे सुरेश चन्द्र भट्टाचार्य प्रताप अखबार में उपसम्पादक थे। बाद में भट्टाचार्य और प्रताप अखबार से ही जुड़े पं. राम दुलारे त्रिपाठी को काकोरी काण्ड में सजा मिली। भगत सिंह ने तो 'प्रताप' अखबार में बलवन्त सिंह के छद्म नाम से लगभग ढाई वर्ष तक कार्य किया। सर्वप्रथम दरियागंज, दिल्ली में हुये दंगे का समाचार एकत्र करने के लिए भगत सिंह ने दिल्ली की यात्रा की और लौटकर 'प्रताप' के लिए सचिन दा के सहयोग से दो कॉलम का समाचार तैयार किया। चन्द्रशेखर आजाद से भगत सिंह की मुलाकात विद्यार्थी जी ने ही कानपुर में करायी थी, फिर तो शिव वर्मा सहित तमाम क्रान्तिकारी जुड़ते गये। यह विद्यार्थी जी ही थे कि जेल में भेंट करके क्रान्तिकारी राम प्रसाद बिस्मिल की आत्मकथा छिपाकर लाये तथा उसे 'प्रताप' प्रेस के माध्यम से प्रकाशित करवाया। जरूरत पड़ने पर विद्यार्थी जी ने राम प्रसाद बिस्मिल की माँ की मदद की और रोशन सिंह की कन्या का कन्यादान भी किया। यही नहीं अशफाकउल्ला खान की कब्र भी विद्यार्थी जी ने ही बनवाई।

79. (A) **80. (C)** **81. (B)**

82. (B): खड़ी बोली हिन्दी साहित्य का आरंभ कब हुआ इसको लेकर विद्वानों में लंबे समय से मतभेद है। कुछ विद्वान गोरखनाथ, नामदेव और कबीर की रचनाओं को सामने रखकर खड़ी बोली साहित्य की शुरुआत हिन्दू कवियों से ही जोड़ते हैं जबकि मुसलमान विद्वान मसूद साद सलमान लाहौरी, बाबा फरीद और अमीर खुसरो देहलवी से इस साहित्य की इब्तिदा मानने को तैयार हैं। यह बात ध्यान देने योग्य है कि दादू दयाल से पहले खड़ी बोली साहित्य हमें सिर्फ फारसी लिपि में मिलता है। जो खड़ी बोली की रचनाएँ गोरखनाथ, अमीर खुसरो, नामदेव, कबीर आदि कवियों के नाम से प्रचलित हैं असल में सोलहवीं-अठारहवीं सदी की रचनाएँ हैं, और बाद में खुसरो और कबीर जैसे बड़े कवियों के नाम से प्रचलित हो गयी हैं। ये रचनाएं पांडुलिपियों में सिर्फ सतरहवीं-अठारहवीं सदियों से मिलने लगती हैं। यहाँ तक कि ये खड़ी बोली या रेखता रचनाएँ इन मशहूर कवियों की सब से पुरानी हस्तप्रतों में गायब हैं। मिसाल के लिये अमीर खुसरो का रेखता लीजिये जिसमें आधी पंक्ति फारसी में, आधी ब्रज में है,

जे हाल-ए मिस्कीन मकुन तगाफुल,
दुराए नैनाँ बनाए बतियाँ।
कि ताब-ए हिज्रान नदारम ऐ जान,
न लेहु काहे लगाए छतियाँ।।

83. (C): सम्राट अशोक इतिहास का प्रथम शासक था जिसने अभिलेखों के माध्यम से अपनी प्रजा को संबोधित किया था। इसकी प्रेरणा उन्हें ईरानी शासक के माध्यम से मिली थी। सम्राट अशोक ने 14 शिलालेख जारी किए थे।

सम्राट अशोक के तेरहवें शिलालेख को अत्यंत महत्वपूर्ण बताया गया है क्योंकि इसमें कलिंग युद्ध के पश्चात सम्राट अशोक के हृदय में आए परिवर्तन का उल्लेख किया गया है। इसके अलावा इस शिलालेख में कलिंग युद्ध के बाद की विजय की घोषणा एवं विदेशों में धम्म प्रचार का वर्णन भी किया गया है। इसके साथ ही इस शिलालेख में पड़ोसी राजाओं का भी उल्लेख किया गया है। सम्राट अशोक ने तेरहवें शिलालेख के माध्यम से आटविक जनजातियों (वन में निवास करने वाली जनजातियाँ) को धर्म का मार्ग चुनने का आदेश दिया है।

84. (C) **85. (B)** **86. (C)**

87. (A): वर्ष 1942 में इंडियन इंडिपेंडेंस लीग का गठन किया गया और भारत की आजादी के लिये इंडियन नेशनल आर्मी (INA) के गठन का निर्णय लिया गया। रास बिहारी बोस के निमंत्रण पर सुभाष चंद्र बोस 13 जून, 1943 को पूर्वी एशिया गए। उन्हें इंडियन इंडिपेंडेंस लीग का अध्यक्ष और INA का नेता बनाया गया, जिसे लोकप्रिय रूप से 'आजाद हिंद फौज' कहा जाता है।

INA का गठन पहली बार मोहन सिंह और जापानी मेजर इवाइची फुजिवारा द्वारा किया गया था और इसमें मलय (वर्तमान मलेशिया) अभियान तथा सिंगापुर में जापान द्वारा बंदी बनाए गए ब्रिटिश-भारतीय सेना के सैनिक शामिल थे। नवंबर 1945 में INA के लोगों पर मुकदमा चलाने के ब्रिटिश कदम के कारण पूरे देश में बड़े पैमाने पर प्रदर्शन किये गए।

88. (A): 1944 में मुम्बई के 8 उद्योगपतियों ने 15 वर्षीय पूंजीवादी योजना पेश की, जिसे बॉम्बे प्लान कहा गया। योजना ने औद्योगिकीकरण को सर्वोच्च प्राथमिकता देते हुए 15 वर्षों की अवधि में राष्ट्रीय आय और प्रति व्यक्ति आय को दोगुना करने का प्रस्ताव दिया, विशेषकर बिजली और पूंजीगत वस्तुओं के उत्पादन को। बॉम्बे प्लान का मुख्य सिद्धांत यह था कि अर्थव्यवस्था सरकारी हस्तक्षेप और विनियमन के बिना विकसित नहीं हो सकती। इस धारणा के तहत कि भारतीय उद्योग एक मुक्त बाजार अर्थव्यवस्था में प्रतिस्पर्धा करने में सक्षम नहीं होंगे, योजना ने प्रस्तावित किया कि भविष्य की सरकार स्थानीय बाजारों में विदेशी प्रतिस्पर्धा के खिलाफ स्वदेशी उद्योगों की रक्षा करेगी। इस योजना के तहत सामाजिक कल्याण और सामाजिक विषमताओं को कम करने के लिए वृहत पैमाने वाले साधनों को बढ़ावा दिया गया।

89. (D): हड़प्पाई पृथ्वी को उर्वरता की देवी मानते थे और पृथ्वी की पूजा उसी तरह करते थे, जिस प्रकार मिस्र के लोग नील नदी की पूजा देवी के रूप में करते थे। पुरुष देवता के रूप में मुहरों पर तीन शृंगी चित्र पाए गए हैं जो कि योगी की मुद्रा में बैठे हुए हैं। देवता के एक तरफ हाथी, एक तरफ बाघ, एक तरफ गैंडा तथा उनके सिंहासन के पीछे भैंसा का चित्र बनाया गया है। उनके पैरों के पास दो हिरनों के चित्र हैं। चित्रित भगवान की मूर्ति को पशुपतिनाथ महादेव की संज्ञा दी गई है। अनेक पत्थरों पर लिंग तथा स्त्री जनन अंगों के चित्र पाए गए हैं। सिंधु घाटी सभ्यता के लोग वृक्षों तथा पशुओं की पूजा किया करते थे। सिंधु घाटी सभ्यता में सबसे महत्वपूर्ण पशु एक सींग वाला गैंडा था तथा दूसरा महत्वपूर्ण पशु कूबड़ वाला सांड था। अत्यधिक मात्रा में ताबीज भी प्राप्त किये गए हैं।

90. (C): ब्रिटिश कालीन भौतिक साधनों की वृद्धि में रेलवे प्रणाली के विकास को सर्वाधिक माना गया। भारत में सबसे पहले रेल निर्माण का सुझाव 1831-32 ई. में विलियम बैंटिक के काल में रखा गया जब कावेरीपट्टनम से करूर तक तथा मद्रास से बेंगलुरु तक रेलवे लाईन बिछाने का सुझाव दिया गया। 1836 ई. में सर ए.पी. कॉटन ने मद्रास से बम्बई तक रेलवे लाईन बिछाने का सुझाव रखा। 1843 ई. में लॉर्ड हॉडिग ने अपनी विज्ञप्ति में पंजाब, अफगानिस्तान तथा उत्तर-पश्चिम की सुरक्षा के लिए रेलवे के विकास की अत्यधिक महत्ता बताई।

91. (B) **92. (D)** **93. (A)**
94. (D) **95. (D)** **96. (C)**
97. (B) **98. (C)** **99. (B)**
100. (D)

पिछले प्रश्न-पत्र (हल सहित)

National Testing Agency (NTA)

UGC-NET जूनियर रिसर्च फैलोशिप तथा सहायक प्राध्यापक पात्रता परीक्षा

इतिहास, जून-2021

(Online exam held on 29-11-2021)

प्रश्न-पत्र-II

नोटः *इस प्रश्न-पत्र में* ***सौ (100)*** *बहु-विकल्पीय प्रश्न हैं। प्रत्येक प्रश्न के* ***दो (2)*** *अंक हैं।* ***सभी प्रश्न अनिवार्य*** *हैं।*

1. सूची-I के साथ सूची-II का मिलान कीजिए :

सूची-I (लेखक)	**सूची-II (पुस्तक)**
(*a*) जॉन विलियम काये	(*i*) इंडिया ओल्ड एंड न्यू
(*b*) मैरी कारपेंटर	(*ii*) द इकोनॉमिक हिस्ट्री ऑफ इंडिया अंडर अर्ली ब्रिटिश रूल
(*c*) रोमेश चंद्र दत्त	(*iii*) ए हिस्ट्री ऑफ द सिपोय वार इन इंडिया
(*d*) वैलेंटाइन शिरोल	(*iv*) सिक्स मंथ्स इन इंडिया

नीचे दिए गए विकल्पों में से सही उत्तर का चयन कीजिए:

	(*a*)	(*b*)	(*c*)	(*d*)
A.	(*iii*)	(*iv*)	(*ii*)	(*i*)
B.	(*iv*)	(*iii*)	(*i*)	(*ii*)
C.	(*ii*)	(*i*)	(*iv*)	(*iii*)
D.	(*ii*)	(*iii*)	(*i*)	(*iv*)

2. सूची-I के साथ सूची-II का मिलान कीजिए :

सूची-I (पुस्तक)	**सूची-II (विषय-वस्तु)**
(*a*) निजामी-ए अंजुम	(*i*) तात्कालिक माप-तौल से संबंधित
(*b*) तुहफतुल हिंद	(*ii*) हिंदू फलित ज्योतिष
(*c*) दबिस्तान-ए मजाहिब	(*iii*) हिंदू छंदशास्त्र और अलंकार
(*d*) रिसाला-मिकदारिया	(*iv*) भारत के विभिन्न धर्म और संप्रदाय

नीचे दिए गए विकल्पों में से सही उत्तर का चयन कीजिए:

	(*a*)	(*b*)	(*c*)	(*d*)
A.	(*iii*)	(*iv*)	(*i*)	(*ii*)
B.	(*i*)	(*ii*)	(*iii*)	(*iv*)
C.	(*ii*)	(*iii*)	(*iv*)	(*i*)
D.	(*iv*)	(*i*)	(*ii*)	(*iii*)

3. नीचे दो कथन हैं : एक अभिकथन (A) के रूप में लिखित है तो दूसरा उसके कारण (R) के रूप में :

अभिकथन (A) : जून, 1857 के अपने एक्ट XIV में कलकत्ता में गवर्नर जनरल की सर्वोच्च परिषद ने विशेष आयोग को 1857 के विद्रोहियों को पकड़ने और दंडित करने का असाधारण अधिकार दिया।

कारण (R) : कॉजेज ऑफ द इंडियन रिवोल्ट (1858) में उस समय के सब-जज रहे सर सैयद अहमद खान का प्राथमिक उद्देश्य मुसलमानों की निष्ठा दिखाना था, जिन्हें विद्रोह के बाद के वर्षों में संदेह और नापसंदगी से देखा जाता था।

उपरोक्त कथन के आलोक में नीचे दिए गए विकल्पों में से सबसे उपयुक्त उत्तर का चयन कीजिए :

A. (A) और (R) दोनों सही हैं और (R), (A) की सही व्याख्या है

B. (A) और (R) दोनों सही हैं, लेकिन (R), (A) की सही व्याख्या नहीं है

C. (A) सही है, लेकिन (R) सही नहीं है

D. (A) सही नहीं है, लेकिन (R) सही है

4. इब्न बतूता वर्णन करता है कि सुल्तान ने पुरुष गुलामों को मुक्त करने के लिए बुधवार का दिन, महिला गुलामों को मुक्त करने के लिए शुक्रवार का दिन तथा पुरुष गुलामों की शादी महिला गुलामों से कराने के लिए शनिवार का दिन तय किया था। सुल्तान को पहचानिए।

A. बलबन
B. अलाउद्दीन खलजी
C. मुहम्मद बिन तुगलक
D. फिरोज शाह तुगलक

5. बयाना मुद्रा निधान से किस गुप्त शासक की सर्वाधिक मुद्राएँ प्राप्त हुई हैं?

A. चन्द्रगुप्त-I
B. समुद्रगुप्त
C. चन्द्रगुप्त-II
D. कुमारगुप्त-I

6. निम्नलिखित में से कौन-से ग्रन्थ कश्मीरी कवि क्षेमेन्द्र द्वारा रचित हैं?

(*a*) कुट्टनीमत
(*b*) कलाविलास
(*c*) प्रबोधचन्द्रोदय
(*d*) समयमातृका

नीचे दिए गए विकल्पों में से सही उत्तर का चयन कीजिए:

A. केवल (*a*) और (*b*)
B. केवल (*b*) और (*d*)
C. केवल (*a*), (*b*) और (*c*)
D. केवल (*b*), (*c*) और (*d*)

7. निजामुल मुल्क से मराठाओं के संबंध के संदर्भ में निम्न में से कौन-से कथन सही हैं?

(*a*) 1710 से 1715 के बीच दक्कन के वायसराय के रूप में निजामुल मुल्क ने दक्कन के लिए चौथ और सरदेशमुखी के मराठा दावे का प्रतिरोध किया।
(*b*) सैयदों के खिलाफ अपने सफल विद्रोह के बाद निजामुल मुल्क के दक्कन का चौथ और सरदेशमुखी मराठाओं को देने के शाही फरमान को सम्मान दिया।
(*c*) जनवरी 1721 में बाजी राव से उसने पहली मुलाकात की।
(*d*) मराठाओं और निजामुल मुल्क के बीच विवाद का मुख्य मुद्दा कर्नाटक था।

नीचे दिए गए विकल्पों में से सबसे उपयुक्त उत्तर का चयन कीजिए :

A. केवल (*b*), (*c*) और (*d*)
B. केवल (*a*) और (*b*)
C. केवल (*a*), (*b*) और (*c*)
D. केवल (*a*) और (*d*)

8. 'हमारी सामान्य नीति, शक्ति की राजनीति में लिप्त नहीं होने और एक गुट के खिलाफ शक्ति के किसी अन्य गुट के साथ नहीं जुड़ने की है। आज के दो बड़े गुट रूसी ब्लाक और आंग्ल-अमेरिकी ब्लाक हैं। हमें दोनों से मैत्रीपूर्ण संबंध रखने चाहिए और किसी में शामिल नहीं होना चाहिए'। उपरोक्त शब्द किस नीति के केंद्रीय तत्व को स्पष्ट करते हैं?

A. गुट-निरपेक्षता
B. बगदाद समझौता
C. 1955 का अफ्रीकी-एशियाई सम्मेलन
D. पंचशील

9. नीचे दो कथन दिए गए हैं :

कथन (I) : जब कोई योद्धा राजा के लिए युद्ध करते हुए, उत्कृष्ट पराक्रम दर्शाते हुए, वीरगति को प्राप्त होता था तब उसके आश्रितों को जीविका के लिए भूमि प्रदान की जाती थी, जिसे 'मृत्युकवृत्ति' कहा जाता था।

कथन (II) : एक चंदेल शिलालेख में ऐसी ही 'मृत्युकवृत्ति' के अनुदान का विवरण है।

उपरोक्त कथन के आलोक में नीचे दिए गए विकल्पों में से सबसे उपयुक्त उत्तर का चयन कीजिए :

A. कथन (I) और कथन (II) दोनों सत्य हैं
B. कथन (I) और कथन (II) दोनों असत्य हैं
C. कथन (I) सत्य है, लेकिन कथन (II) असत्य है
D. कथन (I) असत्य है, लेकिन कथन (II) सत्य है

10. नीचे दो कथन दिए गए हैं : एक अभिकथन (A) के रूप में लिखित है तो दूसरा उसके कारण (R) के रूप में :

अभिकथन (A) : जब ऑल इंडिया वीमंस कान्फ्रेंस ने चाइल्ड मैरिज रेस्ट्रेंट बिल (1929) के समर्थन में अपना अभियान शुरू किया, तो सिस्टर सुब्बालक्ष्मी ने जोशी समिति के सामने अल्पायु में विवाह के नुकसान के साक्ष्य प्रस्तुत किए।

कारण (R) : सामाजिक कार्यकर्ता मिठूबेन पेटिट ने गरीबों के बीच सेवा कार्य करने के लिए सेवा मंदिर का संगठन किया। वे बाद में महत्वपूर्ण ट्रेड यूनियन नेता भी बनीं।

उपरोक्त कथन के आलोक में नीचे दिए गए विकल्पों में से सबसे उपयुक्त उत्तर का चयन कीजिए :

A. (A) और (R) दोनों सही हैं और (R), (A) की सही व्याख्या है

B. (A) और (R) दोनों सही हैं, लेकिन (R), (A) की सही व्याख्या नहीं है

C. (A) सही है, लेकिन (R) सही नहीं है

D. (A) सही नहीं है, लेकिन (R) सही है

11. गांधी के सत्याग्रह की अवधारणा के संबंध में निम्न में से कौन से कथन सही हैं?

(*a*) गांधी के लिए सत्याग्रह का उद्देश्य पूर्वाग्रह, दुर्भावना, मतांधता, दंभ और स्वार्थपरता की बाधाओं को भेदना था।

(*b*) गांधी के सत्याग्रह के प्रभाव को कष्टसाध्य प्रेम के आध्यात्मिक प्रभाव के रूप में समझाया है।

(*c*) गांधी सत्याग्रह को अपने विरोधी को अपमानित करने का सबसे बड़ा हथियार समझते थे।

(*d*) गांधी का राजनैतिक यथार्थ-बोध उनके नैतिक आदर्शों पर भारी पड़ा और इसके दावे के उलट उनके सत्याग्रह हमेशा शुद्ध रूप से आध्यात्मिक प्रकृति के नहीं रहे।

नीचे दिए गए विकल्पों में से सही उत्तर का चयन कीजिए:

A. केवल (*a*) और (*b*)

B. केवल (*a*), (*c*) और (*d*)

C. केवल (*b*), (*c*) और (*d*)

D. केवल (*a*), (*b*) और (*d*)

12. मुहम्मद बिन तुगलक के निम्नलिखित प्रयोगों/परियोजनाओं को कालक्रमानुसार रखें :

(*a*) सांकेतिक मुद्रा

(*b*) खुरासान अभियान

(*c*) राजधानी परिवर्तन

(*d*) कराचील अभियान

नीचे दिए गए विकल्पों में से सही उत्तर का चयन कीजिए:

A. (*c*), (*a*), (*d*), (*b*) B. (*d*), (*a*), (*b*), (*c*)

C. (*c*), (*a*), (*b*), (*d*) D. (*a*), (*c*), (*d*), (*b*)

13. मुगल बैलस्टर स्तंभों (baluster columns) के एकमात्र अवशेष के उदाहरण निम्नलिखित में से किस मुगल बादशाह के किला-महलों में मिलते हैं?

A. अकबर B. जहांगीर

C. शाहजहाँ D. औरंगजेब

14. सूची-I के साथ सूची-II का मिलान कीजिए :

सूची-I (सिख गुरु)	**सूची-II (उप-जाति)**
(*a*) गुरु नानक	(*i*) भल्ला
(*b*) गुरु अमर दास	(*ii*) बेदी
(*c*) गुरु राम दास	(*iii*) त्रेहन
(*d*) गुरु अंगद	(*iv*) सोधी

नीचे दिए गए विकल्पों में से सही उत्तर का चयन कीजिए:

	(*a*)	(*b*)	(*c*)	(*d*)
A.	(*ii*)	(*iii*)	(*iv*)	(*i*)
B.	(*iii*)	(*iv*)	(*i*)	(*ii*)
C.	(*iv*)	(*iii*)	(*ii*)	(*i*)
D.	(*ii*)	(*i*)	(*iv*)	(*iii*)

15. निम्नलिखित में से कौन-सा सुल्तान अपने फरमान में अमीरों को मसनद-ए आली के नाम से संबोधित करता था?

A. कुतबुद्दीन ऐबक B. बलबन

C. फिरोज तुगलक D. बहलोल लोदी

16. सूची-I के साथ सूची-II का मिलान कीजिए :

सूची-I (लेखक)	**सूची-II (धर्मशास्त्र)**
(*a*) भट्ट लक्ष्मीधर	(*i*) चतुर्वर्ग चिन्तामणि
(*b*) देवण्णभट्ट	(*ii*) स्मृत्यर्थसार
(*c*) हेमाद्रि	(*iii*) कृत्यकल्पतरु
(*d*) श्रीधर	(*iv*) स्मृति-चन्द्रिका

नीचे दिए गए विकल्पों में से सही उत्तर का चयन कीजिए:

	(*a*)	(*b*)	(*c*)	(*d*)
A.	(*i*)	(*ii*)	(*iii*)	(*iv*)
B.	(*iii*)	(*iv*)	(*i*)	(*ii*)
C.	(*ii*)	(*i*)	(*iv*)	(*iii*)
D.	(*iii*)	(*ii*)	(*i*)	(*iv*)

17. ऐतिहासिक लेखन में व्याख्या के संदर्भ में निम्न में से कौन-से कथन सही हैं?

(*a*) ऐतिहासिक पद्धति के आवश्यक चरण के रूप में व्याख्या का स्थान आलोचना तथा उद्घाटन के परे जान पड़ता है।

(*b*) विवेचनात्मक निर्णय के लिए यह जानना जितनी बड़ी चुनौती है कि किसी दस्तावेज का क्या अर्थ है, उतनी ही बड़ी यह भी है कि उसे कब और किसने लिखा और क्या उस पर विश्वास किया जा सकता है।

(*c*) ऐतिहासिक आंकड़ों का साहित्यिक प्रतिपादन बहुत हद तक इस बात से निर्धारित होता है कि कोई उसकी व्याख्या कैसे करता है।

(*d*) तथ्यात्मक व्याख्या का संबंध दस्तावेज के तथ्यों से होता है, शब्दों से नहीं।

नीचे दिए गए विकल्पों में से सही उत्तर का चयन कीजिए:

A. केवल (*a*), (*c*) और (*d*)
B. केवल (*a*), (*b*) और (*d*)
C. केवल (*b*), (*c*) और (*d*)
D. केवल (*c*) और (*d*)

18. 'सुल्तान ने मलिकों, अमीरों, दरबार के अधिकारियों तथा जिम्मेदार और रुतबे वाले व्यक्तियों को एक-दूसरे के घर न जाने और दावतखानों में सामूहिक पार्टी न करने का आदेश दिया; सुल्तान को सूचित किए बिना और उसकी अनुमति लिए बिना उनके बीच अन्तर्विवाह की इजाजत नहीं थी'। सुल्तान को पहचानिए।

A. बलबन　　B. अलाउद्दीन खलजी
C. मुहम्मद बिन तुगलक　　D. फिरोज शाह तुगलक

19. 1926 में गठित 'ऑल इंडिया डिप्रेस्ड क्लासेज एसोसिएशन' के प्रथम निर्वाचित अध्यक्ष कौन थे?

A. डॉ. बी.आर. अम्बेडकर
B. राव बहादुर एम.सी. राजा
C. भास्करराव जाधव
D. जगजीवन राम

20. मराठी भक्ति काव्य में उपदेश रूपक के रूप में वर्गीकृत कविताओं को क्या कहा जाता था?

A. भारूड　　B. अभंग
C. पालना　　D. वचन

21. जहांगीर के शासनकाल में कुछ चित्रकारों ने मुगल चित्रकारी के क्षेत्र में विशेष शैलियों में निपुणता हासिल कर ली थी। इस संबंध में निम्नलिखित में से कौन-से कथन सही हैं?

(*a*) मंसूर जानवरों और फूलों के चित्र बनाने में निपुण था।

(*b*) अबुल हसन एक छवि चित्रकार था।

(*c*) गोवर्धन साधू-संतों, संगीतज्ञों और फकीरों के चित्र बनाने में निपुण था।

नीचे दिए गए विकल्पों में से सही उत्तर का चयन कीजिए:

A. केवल (*b*) और (*c*)
B. केवल (*a*) और (*b*)
C. केवल (*a*) और (*c*)
D. (*a*), (*b*) और (*c*)

22. निम्नलिखित में से सत्रहवीं सदी के किन संस्कृत विद्वानों का संबंध मुगल बादशाह शाहजहां से था?

(*a*) शांति चंद्र
(*b*) जगन्नाथ पंडितराज
(*c*) कविन्द्राचार्या सरस्वती
(*d*) पद्मसुंदरा

नीचे दिए गए विकल्पों में से सबसे उपयुक्त उत्तर का चयन कीजिए :

A. केवल (*a*), (*b*) और (*c*)
B. केवल (*b*), (*c*) और (*d*)
C. केवल (*b*) और (*c*)
D. केवल (*c*) और (*d*)

23. मुंशी प्रेमचंद और उनकी कृतियों के बारे में नीचे दिए गए कथनों में से कौन-से सही हैं?

(*a*) दलितों को स्वतंत्र और पहचान योग्य पात्रों के रूप में चित्रित करने वाले शुरुआती लेखकों में से प्रेमचंद एक थे, जो पात्र की गरीबी भी दर्शाते थे और उनकी विशिष्ट समस्याएँ भी।

(*b*) प्रेमचंद अपने समय के राजनीतिक और सामाजिक आंदोलनों के प्रति बिल्कुल संवेदनहीन थे।

(*c*) प्रेमचंद सामाजिक बुराइयों और देश की गुलामी की स्थितियों—दोनों के लिए चिंतित थे।

(*d*) उनकी अंतिम और अत्यंत प्रसिद्ध कहानियों में से एक कफन पहले 1935 में हिंदी में प्रकाशित हुई थी और बाद में उर्दू में।

नीचे दिए गए विकल्पों में से सही उत्तर का चयन कीजिए:

A. केवल (*a*) और (*c*)

B. केवल (*c*) और (*d*)

C. केवल (*a*), (*b*) और (*c*)

D. केवल (*b*), (*c*) और (*d*)

24. इनमें से कौन-से ग्रन्थ तलाक की अनुमति देते हैं?

(*a*) नारद स्मृति

(*b*) मानव धर्मशास्त्र

(*c*) अर्थशास्त्र

(*d*) याज्ञवल्क्य स्मृति

नीचे दिए गए विकल्पों में से सही उत्तर का चयन कीजिए:

A. केवल (*d*)

B. केवल (*a*) और (*c*)

C. केवल (*a*) और (*d*)

D. केवल (*c*)

25. निम्न में से कौन-सा कथन सही **नहीं** है?

A. औपनिवेशिक स्रोतों ने 1857 के विद्रोह को 'सेना की बगावत' के रूप में दिखाया।

B. सैयद अहमद खान ने 1857 के विद्रोह में ब्रिटिश सत्ता के प्रति मुसलमानों की निष्ठा को दिखाया है।

C. अंग्रेज 'फ्री ट्रेडर्स' ने भारत में ईस्ट इंडिया कंपनी के एकाधिकार का समर्थन किया और कंपनी के खिलाफ बगावत करने वाली देसी रियासतों के राजाओं की आलोचना की।

D. आर.सी. मजूमदार 1857 के विद्रोह को 'आजादी की पहली लड़ाई' मानने से इनकार करते हैं।

26. निम्नलिखित संगठनों को उनकी स्थापना के वर्ष के अनुसार कालक्रम में रखें :

(*a*) आल इंडिया ट्रेड यूनियन कांग्रेस (AITUC)

(*b*) इंडियन नेशनल ट्रेड यूनियन कांग्रेस (INTUC)

(*c*) इंडिपेंडेंट लेबर पार्टी ऑफ इंडिया (डॉ. अम्बेडकर)

(*d*) हिंदुस्तान सोशलिस्ट रिपब्लिकन एसोसिएशन

नीचे दिए गए विकल्पों में से सही उत्तर का चयन कीजिए:

A. (*b*), (*d*), (*c*), (*a*) B. (*a*), (*c*), (*d*), (*b*)

C. (*c*), (*d*), (*a*), (*b*) D. (*a*), (*d*), (*c*), (*b*)

27. 31 अगस्त, 1920 को स्थापित ऑल इंडिया ट्रेड यूनियन कांग्रेस के प्रथम अध्यक्ष कौन थे?

A. लाला लाजपत राय B. दीवान चमन लाल

C. जोसेफ बेपटिस्टा D. एन.एम. जोशी

28. निम्नलिखित में से कौन-सा/से कथन सही है/हैं?

(*a*) तमिल क्षेत्र में दक्षिण-हस्त (राइट हैंड) और वाम-हस्त (लेफ्ट हैंड) समूहों को क्रमशः इडंगई और वलंगई के नाम से जाना जाता था।

(*b*) दक्षिण-हस्त और वाम-हस्त दोनों समूहों में गैर-कृषक जातियां जैसे कि शिल्पकार और ऊँची जातियां शामिल थीं।

(*c*) दक्षिण-हस्त और वाम-हस्त दोनों समूहों ने अस्पृश्यों, मुख्य रूप से पड़य्यों को अपने समूह से बाहर रखा।

नीचे दिए गए विकल्पों में से सही उत्तर का चयन कीजिए:

A. केवल (*a*) B. केवल (*a*) और (*b*)

C. केवल (*a*) और (*c*) D. केवल (*b*) और (*c*)

29. निम्नलिखित में से कौन प्राचीन भारतीय राज्य के सात अंगों में सम्मिलित हैं?

(*a*) स्वामी (*b*) अमात्य

(*c*) जनपद (*d*) युवराज

नीचे दिए गए विकल्पों में से सही उत्तर का चयन कीजिए:

A. केवल (*a*) और (*b*)

B. केवल (*a*) और (*c*)

C. केवल (*a*), (*b*) और (*c*)

D. (*a*), (*b*), (*c*), (*d*)

30. उपनिवेशवाद की आर्थिक आलोचना के संबंध में निम्न में से कौन-से कथन सही हैं?

(*a*) ब्रितानी प्रशासकों ने रेल मार्गों के तेज निर्माण और भारत के विदेश व्यापार को भारत की समृद्धि के साक्ष्य के रूप में प्रस्तुत किया।

(*b*) राष्ट्रवादियों के लिए घरेलू उद्योग, विदेशी व्यापार और रेलवे पर नकारात्मक प्रभाव भारतीय अर्थव्यवस्था के अल्पविकास को दर्शाता है।

(*c*) राष्ट्रवादियों ने इस तथ्य पर जोर दिया कि व्यय ब्रिटिश साम्राज्य की आवश्यकताएं पूरी कर रहा था, लेकिन परिणामस्वरूप वह भारतीय लोगों में समृद्धि भी ले आया।

(*d*) 1905 तक धन निर्गमन (ड्रेन थ्योरी) का सिद्धांत इंडियन नेशनल कांग्रेस के कार्यक्रम का हिस्सा नहीं बना था।

नीचे दिए गए विकल्पों में से सही उत्तर का चयन कीजिए:

A. केवल (*a*) और (*b*)

B. केवल (*b*), (*c*) और (*d*)

C. केवल (*b*) और (*d*)

D. केवल (*a*) और (*d*)

31. निम्नलिखित में से किस शासक के शासनकाल में अपधातु मुद्रा (बिलयन करेंसी) ने चांदी के सिक्कों को लगभग पूरी तरह प्रतिस्थापित कर दिया है?

A. अलाउद्दीन खलजी B. मुहम्मद तुगलक

C. फिरोज शाह तुगलक D. बलबन

32. 1962 के भारत-चीन युद्ध के बारे में भारतीय कम्युनिस्ट पार्टी के रुख के संबंध में निम्नलिखित में से कौन-सा कथन **सही** है?

A. पार्टी की एक शाखा ने चीनी आक्रमण के विरुद्ध भारत सरकार का समर्थन किया।

B. कम्युनिस्ट पार्टी (मार्क्सवादी) ने चीनी रुख का समर्थन किया।

C. पार्टी की एक शाखा ने चीन की आलोचना एक बुर्जुआ राज्य के रूप में की।

D. कम्युनिस्ट पार्टी की (मार्क्सवादी) शाखा ने दुनियाभर में क्रांतिकारी तत्वों से हाथ मिलाया।

33. निम्नलिखित में से किस सिख गुरु ने सिखों के लिए प्रथम प्रतीक तीर्थ केन्द्र की स्थापना की जिसमें स्नान करने के लिए पानी तक पहुँचने के लिए 84 सीढ़ियों वाले कुएँ, जो सिखों के लिए पवित्र-स्थल हो गया था, का निर्माण किस स्थान पर किया था?

A. गुरु राम दास—अमृतसर

B. गुरु अमर दास—गोइंदवाल

C. गुरु अंगद—खादुर

D. गुरु नानक—करतारपुर

34. चोखामेला के बारे में निम्नलिखित में से कौन-से कथन **सही** हैं?

(*a*) चोखामेला एक वारकरी संत थे।

(*b*) उनकी कविताओं में विठ्ठल के प्रति भक्ति व्यक्त की गई है।

(*c*) विठ्ठल के महान् उपासक होने के कारण उनकी मृत्यु के बाद उनकी समाधि का निर्माण पंढरपुर स्थित विठ्ठल मंदिर के अंदर किया गया।

नीचे दिए गए विकल्पों में से सही उत्तर का चयन कीजिए:

A. केवल (*b*) और (*c*)

B. केवल (*a*) और (*b*)

C. केवल (*a*) और (*c*)

D. (*a*), (*b*) और (*c*)

35. निम्नलिखित में से कौन-से सुत्त दीघनिकाय से संबंधित हैं?

(*a*) ब्रह्मजालसुत्त

(*b*) महापदानसुत्त

(*c*) महापरिनिब्बानसुत्त

(*d*) सामञ्ञफलसुत्त

नीचे दिए गए विकल्पों में से सही उत्तर का चयन कीजिए:

A. केवल (*a*) और (*b*)

B. केवल (*a*) और (*d*)

C. केवल (*a*), (*b*) और (*d*)

D. (*a*), (*b*) (*c*), (*d*)

36. निम्नलिखित में से किस महिला समाज सुधारक ने सुल्ताना का सपना (1905) और अवरोधबासिनी (1929) नामक लघु कहानियां लिखीं, जिनमें मुसलमानों में प्रचलित पर्दा प्रथा की आलोचना की गई?

A. कैथरीन मेयो

B. श्रीमती अब्बास तैयबजी

C. बेगम जहां आरा शाह नवाज

D. बेगम रुकैया सखावत हुसैन

37. नीचे दो कथन दिए गए हैं :

कथन (I) : फावड़ा और हंसिया, छोटे शस्त्र एवं घोड़ों के लौह उपकरण महापाषाण युग के स्थलों से मिले हैं।

कथन (II) : मास्की और नागार्जुनकोण्ड महापाषाण युग के स्थल हैं।

उपरोक्त कथन के आलोक में नीचे दिए गए विकल्पों में से सबसे उपयुक्त उत्तर का चयन कीजिए :

A. कथन (I) और कथन (II) दोनों सत्य हैं

B. कथन (I) और कथन (II) दोनों असत्य हैं
C. कथन (I) सत्य है, लेकिन कथन (II) असत्य है
D. कथन (I) असत्य है, लेकिन कथन (II) सत्य है

38. मुगल बादशाहों/अमीरों द्वारा जारी किए विभिन्न फरमानों/विज्ञप्तियों को कालक्रमानुसार रखें :

(*a*) अकबर का रामदास को जारी फरमान
(*b*) राजस्व प्रशासन पर राजा टोडरमल की विज्ञप्ति
(*c*) मुहम्मद हाशिम को जारी फरमान
(*d*) रसिकदास करोड़ी को जारी फरमान

नीचे दिए गए विकल्पों में से सही उत्तर का चयन कीजिए:
A. (*a*), (*d*), (*b*), (*c*) B. (*b*), (*c*), (*a*), (*d*)
C. (*a*), (*b*), (*d*), (*c*) D. (*d*), (*c*), (*b*), (*a*)

39. 1232 के ग्वालियर अभियान की स्मृति में एक स्मारकीय सिक्का जारी किया गया। इस पर इल्तुतमिश के अतिरिक्त और किसका नाम उत्कीर्ण था?
A. तुरकान खातून B. नसीरुद्दीन महमूद
C. रुक्नुद्दीन फिरोज D. रजिया सुल्तान

40. शैलेन्द्रवंशीय निम्नलिखित राजाओं में से किनके अपने समकालीन भारतीय राजाओं के साथ मैत्रीपूर्ण संबंध थे?
(*a*) समराग्रवीर (*b*) बालपुत्रदेव
(*c*) चूड़ामणि वर्मन (*d*) श्रीमारविजयोत्तुंगवर्मन्

नीचे दिए गए विकल्पों में से सही उत्तर का चयन कीजिए:
A. केवल (*b*) और (*d*) B. केवल (*d*) और (*a*)
C. केवल (*a*) और (*b*) D. केवल (*b*), (*c*) और (*d*)

41. निम्नलिखित संधियों को कालक्रमानुसार रखें :
(*a*) श्रीरंगपट्टनम की संधि
(*b*) लाहौर की संधि
(*c*) वसई की संधि
(*d*) इलाहाबाद और कड़ा की संधि

नीचे दिए गए विकल्पों में से सही उत्तर का चयन कीजिए:
A. (*a*), (*c*), (*d*), (*b*) B. (*c*), (*d*), (*b*), (*a*)
C. (*d*), (*a*), (*c*), (*b*) D. (*d*), (*c*), (*b*), (*a*)

42. निम्नलिखित में से कौन-सा कथन सही **नहीं** है?
A. मद्रास थियोसाफिकल सोसायटी की एनी बेसेंट का कहना था कि प्राचीन काल में हिंदू महिलाएँ शिक्षित थीं और समाज में आजादी से घूमती थीं।
B. उत्तर भारत में सक्रिय आर्य समाजियों ने स्त्री शिक्षा का जोरदार समर्थन किया।
C. 1882 की हँटर कमीशन रिपोर्ट ने बालिका विद्यालयों के लिए बालकों के विद्यालय से अधिक और उदार आर्थिक अनुदान देने तथा छात्राओं के लिए विशेष छात्रवृत्ति व पुरस्कार देने की सिफारिश की।
D. ढोंडो केशव कर्वे उच्च वर्ण की हिंदू विधवाओं की शिक्षा के खिलाफ थे।

43. 1859-60 में दिगंबर बिस्वास और बिष्णु बिस्वास ने किस आंदोलन का नेतृत्व किया था?
A. मुंडा विद्रोह B. कूका विद्रोह
C. नील विद्रोह D. फरायज़ी आंदोलन

44. औपनिवेशिक नगरों के संदर्भ में निम्न में से कौन-से कथन **सही** हैं?
(*a*) दिल्ली, आगरा और लाहौर ने अपना बहुत सारा वैभव खो दिया।
(*b*) ढाका, मुर्शिदाबाद और पटना ब्रिटिश काल में महत्वपूर्ण हो गए।
(*c*) बंबई का विक्टोरिया टर्मिनल स्टेशन मुगल वास्तु शैली के आधार पर बनाया गया था।
(*d*) सी.ए. बेली के अनुसार 1720 के दशक के बाद मध्य-गंगा क्षेत्र में छोटे कस्बों का काफी विस्तार हुआ।

नीचे दिए गए विकल्पों में से सही उत्तर का चयन कीजिए:
A. केवल (*b*) और (*c*)
B. केवल (*a*), (*c*) और (*d*)
C. केवल (*a*) और (*d*)
D. केवल (*b*) और (*d*)

45. सूची-I के साथ सूची-II का मिलान कीजिए :

सूची-I (स्मारक)	**सूची-II (सुलेखकार)**
(*a*) बुलंद दरवाजा, फतेहपुर सीकरी	(*i*) बाकी मुहम्मद
(*b*) अतगा खान का मकबरा, दिल्ली	(*ii*) अब्द अल नबी अल कुरैशी
(*c*) शाह बेगम का मकबरा, इलाहाबाद	(*iii*) अहमद अल चिश्ती
(*d*) इतिमादुद्दौला का मकबरा, आगरा	(*iv*) मीर अब्दुल्ला मुश्किन कलम

नीचे दिए गए विकल्पों में से सही उत्तर का चयन कीजिए:

	(*a*)	(*b*)	(*c*)	(*d*)
A.	(*iii*)	(*i*)	(*iv*)	(*ii*)
B.	(*ii*)	(*iv*)	(*iii*)	(*i*)
C.	(*iv*)	(*ii*)	(*i*)	(*iii*)
D.	(*i*)	(*iii*)	(*ii*)	(*iv*)

46. सूची-I के साथ सूची-II का मिलान कीजिए :

सूची-I (यक्षिणी या शासन देवता)	सूची-II (तीर्थंकारों से सम्बद्धता)
(*a*) सिद्धायिका	(*i*) आदिनाथ
(*b*) चक्रेश्वरी	(*ii*) नेमिनाथ
(*c*) अम्बिका	(*iii*) पार्श्वनाथ
(*d*) पद्मावती	(*iv*) महावीर

नीचे दिए गए विकल्पों में से सही उत्तर का चयन कीजिए:

	(*a*)	(*b*)	(*c*)	(*d*)
A.	(*iv*)	(*i*)	(*ii*)	(*iii*)
B.	(*iii*)	(*iv*)	(*i*)	(*ii*)
C.	(*ii*)	(*iii*)	(*i*)	(*iv*)
D.	(*i*)	(*ii*)	(*iv*)	(*iii*)

47. नीचे दो कथन दिए गए हैं : एक अभिकथन (A) के रूप में लिखित है तो दूसरा उसके कारण (R) के रूप में :

अभिकथन (A) : देवराय द्वितीय ने जंगी घोड़ों की गुणवत्ता में सुधार करके तथा घुड़सवारों और तीरंदाजों को प्रशिक्षण देकर अपने साम्राज्य के सैन्य आधार को मजबूत किया। उसने पश्चिमी तट के वाणिज्यिक केन्द्रों पर कड़ा राजनीतिक नियंत्रण स्थापित किया, इस प्रकार सैन्य सुधार को अंतर्राष्ट्रीय वाणिज्य के साथ जोड़ा।

कारण (R) : अरब सागर के प्रमुख बंदरगाहों पर सैन्य और प्रशासनिक आधिपत्य के कारण देवराय द्वितीय को राज्य के वित्त का एक नया और अलग स्रोत मिल गया।

उपरोक्त कथन के आलोक में नीचे दिए गए विकल्पों में से सबसे उपयुक्त उत्तर का चयन कीजिए :

A. (A) और (R) दोनों सही हैं और (R), (A) की सही व्याख्या है

B. (A) और (R) दोनों सही हैं, लेकिन (R), (A) की सही व्याख्या नहीं है

C. (A) सही है, लेकिन (R) सही नहीं है

D. (A) सही नहीं है, लेकिन (R) सही है

48. लाजाहोम अंश था :

A. वाजपेय यज्ञ का B. विवाह अनुष्ठान का

C. संन्यासी के कर्तव्यों का D. पञ्चमहायज्ञ का

49. विदेश में भारतीय क्रांतिकारियों और उनके समाचारपत्र के निम्नलिखित में से कौन-से युग्म सही नहीं हैं?

(*a*) तारक नाथ दास—सर्कुलर-ए-आजादी

(*b*) रामनाथ पुरी—फ्री हिन्दुस्तान

(*c*) श्यामजी कृष्ण वर्मा—इंडियन सोशियोलॉजिस्ट

(*d*) इंदुभूषण डे मजूमदार—गैलिक अमेरिकन

नीचे दिए गए विकल्पों में से सही उत्तर का चयन कीजिए:

A. केवल (*a*) और (*d*)

B. केवल (*b*), (*c*) और (*d*)

C. केवल (*c*) और (*d*)

D. केवल (*a*), (*b*) और (*d*)

50. इनमें से किस ग्रंथ में सभा और समिति का उल्लेख एक वैदिक देवता की दो पुत्रियों के रूप में किया गया है?

A. ऋग्वेद B. यजुर्वेद

C. अथर्ववेद D. बृहदारण्यक उपनिषद्

51. यह कथन किसने लिखा है : 'पूरा इतिहास विचारों का इतिहास है'?

A. जी.आर. एल्टन B. आर.जी. कॉलिंगवुड

C. जी.एम. ट्रेवेलियन D. लियो वोन रांके

52. 1724 में हैदराबाद के स्वायत्तशासी राज्य की स्थापना किसने की?

A. मुबरिज़ खान B. आसफ जाह

C. अलीवर्दी खान D. शौकत जंग

53. 'किसी समय और स्थान पर तब तक सड़कें, गोदी, बंदरगाह, नहरें, सिंचाई की व्यवस्था, अस्पताल, स्कूल, कॉलेज और छापाखाने नहीं होंगे, जब तक सरकार उनका निर्माण नहीं करेगी'।

जॉन स्टुअर्ट मिल की पॉलिटिकल इकोनामी से लिया गया यह उद्धरण कंपनी सरकार द्वारा अपनाई गई किस नीति की ओर इंगित करता है?

A. मुक्त व्यापार (लेसेज़ फेयर)

B. हस्तक्षेपवाद

C. वणिकवाद

D. उदासीनतावाद

54. नासिक गुहा संख्या 10 के अभिलेखानुसार शक-सातवाहन काल में अक्षयनिधि पर ब्याज दर थी।

A. 6 से 9 प्रतिशत B. 9 से 12 प्रतिशत
C. 12 से 16 प्रतिशत D. 15 से 18 प्रतिशत

55. 1623-24 में निम्न में से किस यात्री ने कैम्बे में 'परिंदों का अस्पताल' देखा, जहाँ कुछ लंगड़े, बीमार, बिना जोड़े वाले परिन्दे और कुछ छोटे-छोटे अनाथ चूहे देखे। उसने लिखा, 'एक संभ्रांत सफेद दाढ़ी वाला बेहद बूढ़ा इंसान उन्हें पेटी में रूई के बीच में रख रहा था। उसकी नाक पर ऐनक चढ़ा हुआ था और वह चिड़िया के पंखों की सहायता से उन छोटे चूहों को दूध पिलाने की कोशिश कर रहा था क्योंकि वे अभी छोटे थे कि और कुछ नहीं खा सकते थे। और जैसा कि उसने कहा, उसका इरादा यह था कि बड़ा होने पर वह उन्हें मुक्त कर देगा, फिर वे जहाँ चाहें वहां जाएं'?

A. राल्फ फिच B. जॉन मिल्डेनहाल
C. पिएत्रो देला वेले D. सेबेस्टियन मैनरिक

56. अकबर के निम्नलिखित विजय अभियानों को काल-क्रमानुसार रखें :

(*a*) सिंध (*b*) खानदेश
(*c*) बंगाल (*d*) काबुल

नीचे दिए गए विकल्पों में से सही उत्तर का चयन कीजिए:

A. (*c*), (*d*), (*a*), (*b*) B. (*a*), (*b*), (*c*), (*d*)
C. (*c*), (*b*), (*d*), (*a*) D. (*b*), (*d*), (*c*), (*a*)

57. इनमें से ताम्रपाषाण युग का कौन-सा स्थल राजस्थान में स्थित है?

A. सोनगाँव B. एरण
C. चन्दोली D. गणेश्वर

58. दक्कन के बलूतेदारों के बारे में निम्नलिखित में से कौन-से कथन सही हैं?

(*a*) बलूतेदार ग्रामसेवक और शिल्पकार थे।
(*b*) वतनदार बलूतेदार के पास गांव में काम करने और पारिश्रमिक प्राप्त करने का स्थायी अधिकार था।
(*c*) उपरि बलूतेदारों के पास गांव में स्थायी अधिकार नहीं थे और वे प्रवासी थे।

नीचे दिए गए विकल्पों में से सही उत्तर का चयन कीजिए:

A. केवल (*a*) और (*b*) B. केवल (*b*) और (*c*)
C. केवल (*a*) और (*c*) D. (*a*), (*b*) और (*c*)

59. दिल्ली की गद्दी पर रजिया के राज्यारोहण की निम्नलिखित में से कौन-सी विशेषताएं थीं?

(*a*) दिल्ली के लोगों ने दिल्ली सल्तनत के इतिहास में पहली बार अपनी स्वयं की पहल पर उत्तराधिकार के मुद्दे का निर्णय किया। उसके बाद से दिल्ली की जनता का समर्थन रजिया की ताकत का मुख्य स्रोत बना।
(*b*) उसने लोगों से कहा कि यदि वह उसकी उम्मीदों को पूरा नहीं करती है तो उसे गद्दी से उतार दें, इस प्रकार उसने राज्यारोहण को एक संविदा का रूप दिया।
(*c*) यह एक महिला को शासक के रूप में स्वीकार करने में तुर्की मानसिकता की मजबूती को दर्शाता है।

नीचे दिए गए विकल्पों में से सही उत्तर का चयन कीजिए:

A. केवल (*a*) और (*b*) B. केवल (*b*) और (*c*)
C. केवल (*a*) और (*c*) D. (*a*), (*b*) और (*c*)

60. निम्नलिखित गुर्जर-प्रतिहार राजाओं को कालक्रमानुसार में व्यवस्थित कीजिए :

(*a*) महेन्द्रपाल-I (*b*) मिहिरभोज
(*c*) नागभट्ट-II (*d*) वत्सराज

नीचे दिए गए विकल्पों में से सही उत्तर का चयन कीजिए:

A. (*a*), (*b*), (*c*), (*d*) B. (*c*), (*a*), (*d*), (*b*)
C. (*b*), (*c*), (*d*), (*a*) D. (*d*), (*c*), (*b*), (*a*)

61. गौतम बुद्ध के महापरिनिर्वाण के पश्चात् उनके शरीर धातु (अवशेष) के वितरण में किसने प्रमुख भूमिका निभाई?

A. अजातशत्रु B. द्रोण
C. महाकश्यप D. उपालि

62. मुगल वित्त प्रणाली के संदर्भ में निम्न में से कौन-से कथन **सही** हैं?

(*a*) मुगल भारत में एक विकसित वित्तीय और साख प्रणाली मौजूद थी।
(*b*) हुंडियों का प्रयोग बहुप्रचलित था।
(*c*) बीमा की कोई प्रणाली नहीं थी, इसलिए परिवहन के दौरान सामान की क्षति का जोखिम बहुत ज्यादा बना रहता था।

(*d*) सामान ढुलाई अपने आप में महंगी थी, जो स्वायत्त सरदारों और बागियों की मांगों के संदर्भ में उसे और जोखिम वाला बना देती थी।

नीचे दिए गए विकल्पों में से सही उत्तर का चयन कीजिएः

A. केवल (*a*), (*b*) और (*d*)

B. केवल (*a*), (*c*) और (*d*)

C. केवल (*b*) और (*c*)

D. केवल (*c*) और (*d*)

63. वह सुल्तान जिसे उसकी उदारता के लिए लाख बख्श के नाम से भी जाना जाता था, उसका नाम बताइएः

A. कुतुबुद्दीन ऐबक B. इल्तुतमिश

C. फिरोज तुगलक D. सिकंदर लोदी

64. निम्नलिखित ईरानी चित्रकारों में से पिता-पुत्र का कौन-सा जोड़ा हुमायूं के दरबार में था?

A. मीर मुसव्विर और सैय्यद अली

B. दस्त मुहम्मद और सैय्यद अली

C. अब्दुस समद और सैय्यद अली

D. मीर मुसव्विर और अब्दुस समद

65. निम्नलिखित में से राजतरंगिणी में वर्णित वह कौन-सा राजा है जिसने स्वयं एक चर्मकार के घर जाकर त्रिभुवनस्वामी का मन्दिर बनवाने के लिए उसकी कुटिया की जमीन मांगी?

A. अवन्तिवर्मा B. चन्द्रापीड

C. मुक्तापीड ललितादित्य D. तारापीड

66. चोरी के लिए वर्णानुसार भिन्न-भिन्न दण्ड-विधान था? निम्नलिखित में से किसे सर्वाधिक दण्ड दिया जाता था?

A. ब्राह्मण B. क्षत्रिय

C. वैश्य D. शूद्र

67. वह वाद-विवाद तथा शास्त्रार्थ में गहरी दिलचस्पी रखता था, और जब श्रीनाथ ने उसके राजकवि डिंडिमा को एक शास्त्रार्थ में परास्त कर दिया तो उसने उसे (श्रीनाथ को) 'कवि सार्वभौम' की उपाधि से सम्मानित किया और उसे 'सोने के सिक्कों से नहलाया'। विजयनगर के उस शासक की पहचान करें :

A. हरिहर II B. देवराय II

C. मल्लिकार्जुन राय D. विरुपक्ष राय II

68. कल्हण के अनुसार कश्मीर के प्रशासन एवं संस्कृति में महत्वपूर्ण भूमिका निभानेवाली निम्नलिखित रानियों को कालक्रमानुसार व्यवस्थित करें :

(*a*) दिद्दा (*b*) रड्डा

(*c*) सुगन्धा (*d*) सूर्यमती

नीचे दिए गए विकल्पों में से सही उत्तर का चयन कीजिएः

A. (*a*), (*b*), (*c*), (*d*) B. (*b*), (*a*), (*d*), (*c*)

C. (*c*), (*a*), (*d*), (*b*) D. (*d*), (*c*), (*a*), (*b*)

69. सूची-I के साथ सूची-II का मिलान कीजिए :

सूची-I	सूची-II
(*a*) मुल्लै	(*i*) शुष्क भूभाग
(*b*) पालै	(*ii*) नदीय भूभाग
(*c*) कुरिंची	(*iii*) पशुचारण क्षेत्र
(*d*) मरुतम्	(*iv*) पर्वतीय क्षेत्र

नीचे दिए गए विकल्पों में से सही उत्तर का चयन कीजिएः

	(*a*)	(*b*)	(*c*)	(*d*)
A.	(*ii*)	(*i*)	(*iv*)	(*iii*)
B.	(*iv*)	(*iii*)	(*i*)	(*ii*)
C.	(*iii*)	(*i*)	(*iv*)	(*ii*)
D.	(*iii*)	(*ii*)	(*iv*)	(*i*)

70. भारत की निम्नलिखित पुरातात्विक संस्कृतियों को उनके कालक्रम के अनुसार व्यवस्थित कीजिए :

(*a*) कोट दीजि संस्कृति (*b*) जोरवे संस्कृति

(*c*) मालवा संस्कृति (*d*) कायथा संस्कृति

नीचे दिए गए विकल्पों में से सही उत्तर का चयन कीजिएः

A. (*b*), (*d*), (*c*), (*a*) B. (*a*), (*c*), (*d*), (*a*)

C. (*a*), (*b*), (*d*), (*c*) D. (*a*), (*d*), (*c*), (*b*)

71. एलोरा के निम्नलिखित में से कौन-से गुफा मंदिर ब्राह्मण धर्म से संबंधित हैं?

(*a*) धूमेर लेण (*b*) इन्द्र-सभा

(*c*) जगन्नाथ सभा (*d*) रावण की खाई

नीचे दिए गए विकल्पों में से सही उत्तर का चयन कीजिएः

A. केवल (*a*) और (*b*)

B. केवल (*c*) और (*d*)

C. केवल (*a*) और (*d*)

D. केवल (*a*), (*b*) और (*c*)

72. निम्नलिखित में से कौन-से राजवंश अपनी उत्पत्ति असुर नरक से जोड़ते हैं?

(*a*) उड़ीसा के भंज (*b*) बंगाल के पाल
(*c*) उड़ीसा के शैलोद्भव (*d*) असम के वर्मन

नीचे दिए गए विकल्पों में से सही उत्तर का चयन कीजिए:

A. केवल (*a*) और (*c*) B. केवल (*b*) और (*d*)
C. केवल (*a*) और (*b*) D. केवल (*d*)

73. शेरशाह सूरी के संबंध में निम्नलिखित में से कौन-से कथन सही हैं?

(*a*) व्यापार और वाणिज्य को बढ़ावा देने के लिए शेरशाह ने अपने पूर्ववर्ती काल के मिश्रित धातु के प्रचलित सिक्कों की जगह चांदी और तांबे के समान वजन के नए सिक्के ढलवाए।
(*b*) उसने माप-तौल के मानकीकरण के भी कुछ प्रयास किए।
(*c*) उसके साम्राज्य में माल पर सिर्फ दो बार कर देना होता था—एक प्रवेश के स्थान पर और दूसरा बिक्री के समय।
(*d*) उसने अनेक सरायें बनवाई जो सिर्फ यात्रियों के आराम के लिए थीं।

नीचे दिए गए विकल्पों में से सही उत्तर का चयन कीजिए:

A. केवल (*a*), (*c*) और (*d*)
B. केवल (*b*) और (*d*)
C. केवल (*c*) और (*d*)
D. केवल (*a*), (*b*) और (*c*)

74. भारतीय राज्यों के भाषाई पुनर्गठन के संबंध में कौन-से कथन सही हैं?

(*a*) 1948 के भाषाई प्रदेश आयोग के प्रमुख सरदार वल्लभभाई पटेल थे।
(*b*) 1952 में पोट्टि श्रीरामुलु ने पृथक आँध्र प्रदेश के लिए आमरण अनशन किया।
(*c*) संसद द्वारा राज्य पुनर्गठन कानून काफी बाद में 1968 में पारित किया गया।
(*d*) पंजाब के मामले में अकाली दल और हिंदू दक्षिण पंथी शाखा ने एक-दूसरे का समर्थन किया।
(*e*) संविधान का अनुच्छेद 347 भाषाई अल्पसंख्यकों के अधिकारों की रक्षा करता है।

नीचे दिए गए विकल्पों में से सही उत्तर का चयन कीजिए:

A. केवल (*a*), (*c*) और (*d*)
B. केवल (*c*) और (*e*)
C. केवल (*a*), (*b*) और (*d*)
D. केवल (*b*) और (*e*)

75. ईश्वरकृष्ण थे :

A. पूर्व मध्यकालीन उड़ीसा के एक वैष्णव आचार्य
B. आठवीं शताब्दी में आसाम के एक राजा
C. षड्-दर्शन में से एक के दार्शनिक
D. मध्यकाल के एक विधिप्रदाता

76. वलभी में आयोजित जैन सभा की अध्यक्षता किसने की थी?

A. नागार्जुन B. कुन्दकुन्द
C. स्कन्दिल D. बाहुबलि

77. सूची-I के साथ सूची-II का मिलान कीजिए :

सूची-I (लेखक)	**सूची-II (पुस्तक)**
(*a*) संजय जोशी	(*i*) कोलोनियलिज्म एंड इट्स फार्मस् आफ नालेज
(*b*) निकोलस बी डर्क्स	(*ii*) फ्रैक्चर्ड माडर्निटी—मेकिंग ऑफ ए मिडल क्लास इन कोलोनियन नार्थ इंडिया
(*c*) बर्नार्ड एस कॉन	(*iii*) कास्ट्स आफ माईंड—कोलोनियलिज्म एंड द मेकिंग आफ मार्डन इंडिया
(*d*) एरिक हाब्सबॉम	(*iv*) फ्रैक्चर्ड टाइम्स-कल्चर एंड सोसायटी इन द ट्वेंटिएथ सेंचुरी

नीचे दिए गए विकल्पों में से सही उत्तर का चयन कीजिए:

	(*a*)	(*b*)	(*c*)	(*d*)
A.	(*ii*)	(*i*)	(*iv*)	(*iii*)
B.	(*iv*)	(*iii*)	(*i*)	(*ii*)
C.	(*iii*)	(*iv*)	(*ii*)	(*i*)
D.	(*ii*)	(*iii*)	(*i*)	(*iv*)

78. निम्नलिखित में से कौन-से अधिकारी अपने प्रांत में जल-व्यवस्था के लिए जाने जाते हैं?

(*a*) सुय्य (*b*) पुष्यगुप्त
(*c*) तुषास्प (*d*) सुविशाख

नीचे दिए गए विकल्पों में से सही उत्तर का चयन कीजिए:

A. केवल (*a*) और (*b*)

B. केवल (*a*) और (*c*)
C. केवल (*a*), (*b*) और (*c*)
D. (*a*), (*b*), (*c*), (*d*)

79. बलबन के राजत्व सिद्धांत के संदर्भ में निम्नलिखित में से कौन-से कथन **सही** हैं?

(*a*) राजत्व पृथ्वी पर ईश्वर का प्रतिनिधित्व है। राजा ईश्वर की प्रतिच्छाया है।
(*b*) बाहरी मान-मर्यादा और प्रतिष्ठा को राजत्व के लिए अनिवार्य नहीं समझा जाता था।
(*c*) बलबन ने उच्च कुल और निम्न कुल में पैदाईश के फर्क को बार-बार रेखांकित किया है।
(*d*) बलबन का विचार था कि ईरानी रिवाजों तथा जीवन शैली के अनुकरण की आवश्यकता नहीं थी।

नीचे दिए गए विकल्पों में से सही उत्तर का चयन कीजिए:
A. केवल (*a*), (*b*) और (*c*)
B. केवल (*b*) और (*d*)
C. केवल (*b*), (*c*) और (*d*)
D. केवल (*a*) और (*c*)

80. सूची-I के साथ सूची-II का मिलान कीजिए :

सूची-I (लेखक)	**सूची-II (पुस्तक)**
(*a*) लेविस ममफोर्ड	(*i*) वंदे मातरम्–द बायोग्राफी आफ ए साँग
(*b*) कैथरीन आर्नल्ड	(*ii*) मास्क्स ऑफ कंक्वेस्ट–लिटररी स्टड एंड ब्रिटिश रूल इन इंडिया
(*c*) गौरी विश्वनाथन	(*iii*) पैंडेमिक-1918
(*d*) सब्यसाची भट्टाचार्य	(*iv*) द सिटी इन हिस्ट्री

नीचे दिए गए विकल्पों में से सही उत्तर का चयन कीजिए:

	(*a*)	(*b*)	(*c*)	(*d*)
A.	(*ii*)	(*i*)	(*iv*)	(*iii*)
B.	(*iv*)	(*iii*)	(*ii*)	(*i*)
C.	(*iii*)	(*iv*)	(*ii*)	(*i*)
D.	(*ii*)	(*iii*)	(*i*)	(*iv*)

81. राष्ट्रकूट राजाओं द्वारा जारी और उनके सचिवों द्वारा अभिलिखित आदेशों को, कहा जाता था?
A. राजपत्र B. रहस्याधिकृत
C. राजश्रावितम् D. अधिकरण

82. कुख्यात जलियांवाला बाग हत्याकांड में शामिल सर माइकल ओ'डायर की हत्या करने के लिए 1940 में ब्रिटिश सरकार द्वारा किस सिख देशभक्त पर मुकदमा चलाकर उन्हें फांसी दी गई है?
A. हरबंस सिंह अटारीवाला
B. बाबा संता सिंह
C. सरदार ऊधम सिंह
D. मनजीत सिंह कशीद

83. निम्नलिखित में से किस अभिलेख में भारत-युद्ध की काल-गणना का उल्लेख मिलता है?
A. पुलकेशिन् द्वितीय के ऐहोल अभिलेख में
B. हर्ष के मधुबन ताम्रपत्र में
C. प्रभावती गुप्ता के पूना ताम्रपत्र में
D. ईशानवर्मन् के हराहा अभिलेख में

84. 27 दिसंबर, 1891 को पंजाब के कादियान में किस सामाजिक-धार्मिक सुधारवादी आंदोलन की पहली आम सभा हुई?
A. आर्य समाज B. अहमदिया
C. निरंकारी D. देव समाज

85. निम्नलिखित ऐतिहासिक कानूनी मामलों को पूर्व से बाद के कालक्रम में रखें :
(*a*) फूलमनी केस
(*b*) विजयलक्ष्मी केस
(*c*) महाराजा अभियोग केस
(*d*) रुक्माबाई केस

नीचे दिए गए विकल्पों में से सही उत्तर का चयन कीजिए:
A. (*a*), (*c*), (*d*), (*b*) B. (*c*), (*b*), (*d*), (*a*)
C. (*d*), (*c*), (*a*), (*b*) D. (*d*), (*b*), (*c*), (*a*)

86. सूची-I के साथ सूची-II का मिलान कीजिए :

सूची-I (मुगल शासक)	**सूची-II (कुल जमा में खालिसा का अनुमानित हिस्सा)**
(*a*) अकबर	(*i*) 1/20
(*b*) जहांगीर	(*ii*) 1/5
(*c*) शाहजहाँ	(*iii*) 1/4
(*d*) औरंगजेब	(*iv*) 1/7

नीचे दिए गए विकल्पों में से सही उत्तर का चयन कीजिए:

	(*a*)	(*b*)	(*c*)	(*d*)
A.	(*iii*)	(*i*)	(*iv*)	(*ii*)
B.	(*ii*)	(*iii*)	(*iv*)	(*i*)
C.	(*iii*)	(*iv*)	(*i*)	(*ii*)
D.	(*iv*)	(*iii*)	(*ii*)	(*i*)

87. निम्नलिखित में से किस इतिहासकार के अनुसार 1592 में अकबर के साम्राज्य में लगभग 120 नगर और 3,200 कस्बे थे?

A. निजामुद्दीन अहमद B. बदायूंनी
C. अबुल फजल D. फैजी

88. प्राचीन वैयाकरणों के अनुसार निम्नलिखित में से कौन-सा युग्म महिला शिक्षिकाओं को इंगित करता है?

A. आचार्या एवं आचार्याणी
B. आचार्याणी एवं उपाध्यायानी
C. उपाध्याया एवं उपाध्यायानी
D. आचार्या एवं उपाध्याया

89. याज्ञवल्क्य स्मृति के प्रसिद्ध टीकाकार अपरार्क राजा थे:

A. शैलोद्भव राजवंश के B. सेन राजवंश के
C. शिलाहार राजवंश के D. काकतीय राजवंश के

90. उड़ीसा के मंदिरों के निम्नलिखित भागों को नीचे से प्रारंभ कर ऊपर के क्रम में व्यवस्थित कीजिए:

(*a*) बरंड (*b*) बेकी
(*c*) खपुरी (*d*) पाभाग

नीचे दिए गए विकल्पों में से सही उत्तर का चयन कीजिए:

A. (*a*), (*b*), (*c*), (*d*) B. (*b*), (*a*), (*d*), (*c*)
C. (*c*), (*b*), (*a*), (*d*) D. (*d*), (*a*), (*b*), (*c*)

निर्देश (प्र.सं. 91 से 95 तक) : *निम्नलिखित गद्यांश को पढ़ें और उसके नीचे दिए गए प्रश्नों के उत्तर दें :*

प्राचीन भारत ने हमें ग्रन्थों का एक विशाल भंडार प्रदान किया है, जो दो हजार वर्षों से भी अधिक समय से बौद्धिक एवं साहित्यिक गतिविधियों का प्रतिनिधित्व करते हैं और जिनका क्षेत्र अत्यन्त व्यापक है। प्राचीनतम साहित्य ऋग्वेद संहिता कम से कम तीन हजार वर्ष पुरानी है अथवा यह उससे भी काफी प्राचीन हो सकती है। भारत की प्राचीन सभ्यता पर प्रकाश डालने वाले साहित्य की धारा निरन्तरता के साथ शताब्दियों तक प्रवाहवान रही, जिसने राजनैतिक इतिहास के अलावा मानवीय क्रियाकलाप के सभी क्षेत्रों को समाविष्ट किया। ऐसी स्थिति दुनिया की अन्य संस्कृतियों में दिखाई नहीं देती। साहित्य के इस विशाल भण्डार में धर्म और दर्शन, नीति शास्त्र, कर्मकांड एवं धार्मिक अनुष्ठान के साथ-साथ सृष्टिशास्त्र, ब्रह्मांड विद्या, भूगोल, खगोलशास्त्र एवं आनुषंगिक विज्ञान, राजनीतिक एवं आर्थिक सिद्धांत एवं व्यवहार अर्थात् संक्षेप में लौकिक जीवन के समस्त क्षेत्र समाहित हैं। इसमें विशद धार्मिक ग्रन्थों के अलावा शुद्ध साहित्यिक परम्परा के ग्रन्थ जैसे महाकाव्य, गीतिकाव्य, काव्य, नाटक, गद्य, चरित्र ग्रन्थ और लोक कथाएँ सम्मिलित हैं। यह साहित्य अपने स्वरूप की दृष्टि से जितना भारी-भरकम है, उतना ही अपनी विषय-वस्तु की दृष्टि से समृद्ध भी है। यद्यपि यह भारत के राजनैतिक इतिहास के पुनर्निर्माण में अधिक सहायक नहीं हैं किन्तु यह भारतीय सभ्यता और संस्कृति के विविध चरणों के विकास के अध्ययन की दृष्टि से अत्यन्त उपयोगी है। प्राचीन मिस्र, पश्चिम एशिया, चीन और यहाँ तक कि ग्रीक एवं रोम की सभ्यताओं के अध्ययन हेतु ऐसे संसाधन उपलब्ध नहीं हैं।

91. ऋग्वेद का सातवां मण्डल किस वंश (परिवार) से संबंधित है?

A. अत्रि B. भारद्वाज
C. वसिष्ठ D. विश्वामित्र

92. प्राचीन भारतीय नाटकों की लोकप्रिय विषयवस्तु मुख्यतः रामायण, महाभारत, दरबारी-प्रेम और लोक कथाओं पर आधारित हैं। भास द्वारा लिखित माने गए निम्नलिखित नाटकों में किसका कथानक रामायण से लिया गया है?

A. अभिषेक
B. अविमारक
C. बालचरित
D. पंचरात्र

93. वैदिक कर्मकांड एवं अनुष्ठानों पर ब्राह्मण ग्रंथ विशद प्रकाश डालते हैं। निम्नलिखित में से कौन-सा ब्राह्मण ग्रंथ एवं वैदिक संहिता-युग्म सही सुमेलित **नहीं** है?

A. ऐतरेय ब्राह्मण–ऋग्वेद संहिता
B. ताण्ड्य ब्राह्मण–सामवेद संहिता
C. कौषितकी ब्राह्मण–यजुर्वेद संहिता
D. गोपथ ब्राह्मण–अथर्ववेद संहिता

94. निम्नलिखित में से कौन-से ऐतिहासिक ग्रन्थ बिल्हण द्वारा रचित हैं?

(*a*) विक्रमांकदेव-चरित

(*b*) भुवनाभ्युदय

(*c*) कवि-रहस्य

(*d*) कर्णसुन्दरी

नीचे दिए गए विकल्पों में से सही उत्तर का चयन कीजिए:

A. केवल (*a*) और (*b*) B. केवल (*b*) और (*c*)

C. केवल (*a*) और (*c*) D. केवल (*a*) और (*d*)

95. भारत के महान् दार्शनिक वेदान्त-देशिक ने एक संदेश काव्य (गीति काव्य का एक प्रकार) लिखा था, जिसका नाम है :

A. मेघदूत B. पवनदूत

C. हंस-संदेश D. शीलदूत

निर्देश (प्र.सं. 96 से 100 तक) : *निम्न गद्यांश को पढ़ें और दिए गए प्रश्नों के उत्तर दें :*

इंडियन नेशनल कांग्रेस सिर्फ एक दल नहीं, बल्कि एक आंदोलन था। इसमें व्यापक रूप से अलग-अलग राजनैतिक तथा वैचारिक दृष्टि रखने वाले व्यक्ति और समूह शामिल थे। यह मुख्यधारा का संगठन था, लेकिन एकमात्र धारा नहीं था। स्पष्ट है कि गैर-कांग्रेसी आंदोलनों को कभी समानांतर धाराओं के रूप में नहीं देखा गया, जैसा कि कुछ लोगों ने कहा है। हालांकि वे कांग्रेस के बाहर थे, उनमें से ज्यादातर उससे सचमुच अलग नहीं थे और किसी भी चरण में वे कांग्रेस का विकल्प नहीं बने। सिर्फ एक जिसके बारे में कहा जा सकता है कि उसने राजनीति की वैकल्पिक धारा बनाई, वह थी सांप्रदायिक और जातिवादी आंदोलनों की धारा, जो न राष्ट्रीय थी और न साम्राज्यवाद विरोधी। 1919 से 1942 के बीच अनगिनत जन आंदोलनों के अलावा अनेक सत्याग्रह अभियान चलाए गए। यह आंदोलन अनेक रूपों और चरणों में नए किस्म की राजनीति लोगों के समाने ले आया। इसने उनके धर्म, जाति और स्थान आधारित आधुनिकता पूर्व चेतना या पारंपरिक शासक के प्रति निष्ठा को नहीं झकझोरा। हालांकि कुछ मामलों में गांवों में कुछ आंदोलनों में अनुशासन लाने के लिए जातिगत ढाँचे का इस्तेमाल किया गया, जबकि आंदोलन के लक्ष्य और उसकी मांगों का जाति से कोई लेना-देना नहीं था। भारतीय संस्कृति के उपनिवेशीकरण से बचाव के लिए 19वीं शताब्दी में जो सामाजिक और धार्मिक सुधार आंदोलन खड़े हुए, वे भी राष्ट्रीय आंदोलन में समाहित हो गए। जन आंदोलन के रूप में भारत का राष्ट्रीय आंदोलन एक तरफ जहाँ ब्रिटिश शासन के खिलाफ लड़ने के लिए विविध प्रतिभाओं, ऊर्जाओं और व्यापक रूप से लोगों की क्षमताओं का इस्तेमाल कर पाया, वहीं रचनात्मक कार्यक्रमों पर भी बल दिया गया।

96. इंडियन नेशनल कांग्रेस की कार्यवाहियों में महिलाओं ने किस वर्ष भाग लिया?

A. 1885 B. 1889

C. 1898 D. 1926

97. निम्न में से कौन आंदोलन की वैकल्पिक धारा नहीं थे, पर उसके समानांतर अवश्य थे?

(*a*) गदर आंदोलन

(*b*) सविनय अवज्ञा आंदोलन

(*c*) इंडियन नेशनल आर्मी

(*d*) रॉयल इंडियन नेवी विद्रोह

नीचे दिए गए विकल्पों में से सही उत्तर का चयन कीजिए:

A. केवल (*a*) और (*b*)

B. केवल (*a*), (*c*) और (*d*)

C. केवल (*b*) और (*d*)

D. केवल (*b*), (*c*) और (*d*)

98. निम्नलिखित में से कौन-सा सत्याग्रह आंदोलन, इंडियन नेशनल कांग्रेस के कार्यक्रम का हिस्सा नहीं था?

A. रौलेट सत्याग्रह

B. असहयोग आंदोलन

C. महाद स्वीट टैंक सत्याग्रह

D. भारत छोड़ो आंदोलन

99. भारतीय राष्ट्रीय आंदोलन से किस प्रकार के लोग नहीं जुड़े थे?

A. साम्राज्यवादी B. मध्यमार्गी

C. साम्यवादी D. स्वराजी

100. निम्न में से गैर-कांग्रेसी आंदोलन था?

A. चरमपंथी

B. ऑल इंडिया ट्रेड यूनियन कांग्रेस

C. ऑल इंडिया डिप्रेस्ड क्लासेज मिशन सोसायटी

D. किसान सभा

उत्तरमाला

1	2	3	4	5	6	7	8	9	10
A	C	B	C	C	B	A	A	A	C
11	**12**	**13**	**14**	**15**	**16**	**17**	**18**	**19**	**20**
D	C	C	D	D	B	C	B	B	A
21	**22**	**23**	**24**	**25**	**26**	**27**	**28**	**29**	**30**
D	C	A	D	C	D	A	D	C	A
31	**32**	**33**	**34**	**35**	**36**	**37**	**38**	**39**	**40**
C	A	B	B	D	D	A	C	D	D
41	**42**	**43**	**44**	**45**	**46**	**47**	**48**	**49**	**50**
C	D	C	C	A	A	A	B	D	C
51	**52**	**53**	**54**	**55**	**56**	**57**	**58**	**59**	**60**
B	B	B	B	C	A	D	D	D	D
61	**62**	**63**	**64**	**65**	**66**	**67**	**68**	**69**	**70**
B	A	A	A	B	A	B	C	C	D
71	**72**	**73**	**74**	**75**	**76**	**77**	**78**	**79**	**80**
C	D	D	D	C	A	D	D	D	B
81	**82**	**83**	**84**	**85**	**86**	**87**	**88**	**89**	**90**
C	C	A	B	B	A	A	D	C	D
91	**92**	**93**	**94**	**95**	**96**	**97**	**98**	**99**	**100**
C	A	C	D	C	B	B	C	A	C

व्याख्यात्मक उत्तर

4. इब्न बतूता वर्णन करता है कि तुगलक सुल्तान मुहम्मद ने पुरुष गुलामों को मुक्त करने के लिए बुधवार का दिन, महिला गुलामों को मुक्त करने के लिए शुक्रवार का दिन तथा पुरुष गुलामों की शादी महिला गुलामों से कराने के लिए शनिवार का दिन तय किया था।

मुहम्मद तुगलक के शासन काल में इब्न बतूता नामक मोरक्को का यात्री भारत आया था। पहले उसे दिल्ली का काजी नियुक्त किया तथा बाद में राजदूत की हैसियत से चीन भेज दिया गया। इस पद पर पूरे सात वर्ष रहकर, जिसमें उसे सुल्तान को अत्यंत निकट से देखने का अवसर मिला, इब्न बतूता ने हर घटना को बड़े ध्यान से देखा और सुना।

इब्न बतूता द्वारा दास प्रथा के सन्दर्भ में अनेक साक्ष्य दिए गए हैं। उसके अनुसार बाजारों में दास किसी भी अन्य वस्तु की तरह खुलेआम बेचे जाते थे और नियमित रूप से भेंटस्वरूप दिए जाते थे।

5. बयाना मुद्रा निधान से चंद्रगुप्त द्वितीय विक्रमादित्य (गुप्त शासक) की सर्वाधिक मुद्राएँ प्राप्त हुई हैं।

- भारत में सर्वाधिक स्वर्ण सिक्के गुप्त काल में जारी किए गए थे।
- गुप्त शासकों में सर्वप्रथम सोने के सिक्के चंद्रगुप्त प्रथम द्वारा चलाए गए थे।
- चंद्रगुप्त प्रथम के सिक्के राजा-रानी प्रकार के सिक्के कहलाते हैं।
- गुप्त शासकों में सर्वप्रथम तांबे के सिक्के रामगुप्त ने चलवाए थे।
- गुप्त शासको में समुद्रगुप्त ने छह प्रकार के स्वर्ण सिक्के चलवाए थे।

- गुप्त शासकों में सर्वप्रथम चांदी के सिक्के चंद्रगुप्त द्वितीय विक्रमादित्य ने चलाए थे।
- गुप्त शासकों में सर्वाधिक प्रकार से स्वर्ण सिक्के कुमार गुप्त के द्वारा चलाए गए थे।
- गुप्त शासकों के सिक्कों पर भारतीय देवताओं का अंकन किया गया है। वे हैं–केशव, स्कंध, विशाख एवं बुद्ध।
- गुप्तकाल में स्वर्ण सिक्कों को गुप्त अभिलेखों में दिनार और चांदी के सिक्कों को रूप्यक कहा गया है।
- राजस्थान में बुंदावनी का टीबा (जयपुर), बयाना (भरतपुर), मोरोली (जयपुर), नलिया सर (सांभर) रैढ (टोंक), अहेडा (अजमेर), देवली (टोंक) से गुप्तकालीन स्वर्ण मुद्राएं मिली हैं।
- 1948 में गुप्त शासकों की सर्वाधिक स्वर्ण मुद्राएं राजस्थान में भरतपुर जिले के बयाना के समीप हुल्लननपुरा गांव से मिली हैं जिनकी संख्या लगभग 2000 है। इनमें सर्वाधिक चंद्रगुप्त विक्रमादित्य के हैं।

6. क्षेमेन्द्र 11वीं शताब्दी के प्रसिद्ध कवि थे। क्षेमेन्द्र सिन्धु के पौत्र व प्रकाशेन्द्र के पुत्र थे। क्षेमेन्द्र के पिता प्रकाशेन्द्र ब्राह्मणों के संरक्षक थे। क्षेमेन्द्र कश्मीर के राजा अनन्त के सभापण्डित थे। अन्तत का शासन काल 1027 ई. से 1064 ई. तक था।

क्षेमेन्द्र की बहुत-सी कृतियाँ प्राप्त होती हैं– शशिवंशमहाकाव्य, अमृतरंगकाव्य, अवसरसार, मुक्तावली, लावण्यवती, देशोपदेश, पवनपंचाशिका, पद्मकादम्बरी, अवदानकल्पलता, नीतिकल्पतरु, लोकप्रकाशकोश, सेव्यसेवकोपदेश, विनयवल्ली, दर्पदलनम्, कविकण्ठाभरणम्, रामायणमंजरी, भारत मंजरी, वृहत्कथामंजरी, समयमातृका कलाविलास और दशावतारचरितम्।

7. 1710 से 1715 के बीच दक्कन के वायसराय के रूप में नियुक्त निज़ामुल-मुल्क ने 23 जून, 1724 में शूकरखेड़ा के युद्ध में मराठों की मदद से दक्कन के मुगल सूबेदार 'मुबारिज खाँ' को परास्त करके दक्कन में अपनी स्वतन्त्र सत्ता स्थापित की। निज़ामुल-मुल्क ने अपनी स्थिति मजबूत होने पर पुनः मराठों के खिलाफ कार्यवाही शुरू कर दी तथा चौथ और सरदेशमुखी देने से इन्कार कर दिया, सैयदों के खिलाफ अपने सफल विद्रोह के बाद 1728 ई. में निजामुल-मुल्क 'पालखेड़ा' के युद्ध में बाजीराव से पराजित हुआ, युद्ध में पराजित होने पर निजामुल-मुल्क संधि के लिए बाध्य हुआ। 16 मार्च, 1728 में दोनों के बीच 'मुशी शिवगाँव' की संधि हुई जिसमें निजाम मराठों को चौथ और सरदेशमुखी देना स्वीकार कर लिया था। बाजीराव व निज़ाम की पहली मुलाकात जनवरी, 1721 में नहीं थी अपितु 7 मार्च, 1728 को मुंशी शिवगाँव की संधि के समय हुई मराठों और निजामुल-मुल्क के बीच विवाद का मुख्य मुद्दा कर्नाटक नहीं था। बल्कि साम्राज्य विस्तार की नीति थी।

8. 'हमारी सामान्य नीति, शक्ति की राजनीति में लिप्त नहीं होने और एक गुट के खिलाफ शक्ति के किसी अन्य गुट के साथ नहीं जुड़ने की है। आज के दो बड़े गुट रूसी ब्लॉक और आंग्ल-अमेरिकी ब्लॉक हैं। हमें दोनों से मैत्री पूर्ण संबंध रखने चाहिए और किसी में शामिल नहीं होना चाहिए'। उपरोक्त शब्द गुटनिरपेक्ष नीति के केंद्रीय तत्व को स्पष्ट करते हैं।

'गुटनिरपेक्षता' शब्द को सर्वप्रथम लिस्का द्वारा वैज्ञानिक अर्थ प्रदान किया गया, बाद में अन्य विद्वानों ने इसे अलग-अलग रूप में परिभाषित किया। द्वितीय विश्व युद्ध के बाद इसे पंडित जवाहर लाल नेहरू द्वारा व्यवस्थित रूप दिया गया जिसको कर्नल नासिर तथा मार्शल टीओ ने भी स्वीकार कर लिया।

जवाहर लाल नेहरू ने गुटनिरपेक्षता को परिभाषित करते हुए कहा है–"गुटनिरपेक्षता का अर्थ है अपने आप को सैनिक गुटों से दूर रखना तथा जहाँ तक सम्भव हो तथ्यों को सैनिक दृष्टि से न देखना। यदि ऐसी आवश्यकता पड़े तो स्वतन्त्र दृष्टिकोण रखना तथा दूसरे देशों से मैत्रीपूर्ण सम्बन्ध बनाए रखना गुटनिरपेक्षता के लिए आवश्यक है।" इससे स्पष्ट होता है कि केवल आंख बंद करके विश्व घटनाक्रम को देखते रहना गुटनिरपेक्षता नहीं है। यह सही है गलत में अन्तर करते हुए सही का पक्ष लेने की भी नीति है। लेकिन गुटनिरपेक्ष देश वही हो सकता है जो गुटों से दूर रहकर ही अंतर्राष्ट्रीय सम्बन्धों में महत्वपूर्ण भूमिका निभाए।

गुटनिरपेक्षता का सरल अर्थ है कि विभिन्न शक्ति गुटों से तटस्थ या दूर रहते हुए अपनी स्वतन्त्र निर्णय नीति और राष्ट्रीय हित के अनुसार सही या न्याय का साथ देना। आंख बंद करके गुटों से अलग रहना गुटनिरपेक्षता नहीं हो सकती। गुटनिरपेक्षता का अर्थ है—सही और गलत में अन्तर करके सदा सही नीति का समर्थन करना।

जार्ज लिस्का ने इसका सही अर्थ स्पष्ट करते हुए कहा कि सबसे पहले यह बताना जरूरी है कि गुटनिरपेक्षता तटस्थता नहीं है। इसका अर्थ है—उचित और अनुचित का भेद जानकर उचित का साथ देना। गुटनिरपेक्षता का सही अर्थ स्पष्ट करने के लिए यह बताना जरूरी है कि गुटनिरपेक्षता क्या नहीं है।

गुटनिरपेक्षता शान्तिपूर्ण सहअस्तित्व की भावना को विकसित करने, अंतर्राष्ट्रीय संघर्षों का विरोध करने व उनके समाधान का प्रयास करके विश्व में स्थायी शान्ति की सथापना के प्रयास की नीति है। गुटनिरपेक्षता किसी समस्या के प्रति आंख बंद करके बैठ जाने या अलग रहकर जीने की नीति नहीं है बल्कि अंतर्राष्ट्रीय समस्याओं के प्रति जागरूक रहने की नीति है। यह एक गतिशील धारणा है जो भारतीय विदेश नीति व अन्य तृतीय विश्व के राष्ट्रों की स्वतन्त्रता विदेश नीति का आधार है। यह किसी राष्ट्र की सम्प्रभुता को सुदृढ़ करने की नीति है।

9. 8वीं शताब्दी से लेकर 12वीं शताब्दी तक बुंदेलखण्ड और उत्तर प्रदेश के दक्षिणी पश्चिमी भाग पर चंदेल वंश ने शासन किया। जो भारत का प्रसिद्ध राजपूत वंश था। चंदेल मूल रूप से गुर्जर-प्रतिहारों के जागीदार थे। इस वंश का संस्थापक नन्नुक नामक व्यक्ति था। चंदेल वंश अपनी स्थापत्य कला के लिए प्रसिद्ध है जिसके प्रमुख उदाहरण कंदरिया महादेव मन्दिर, चौसठ योगिनी मंदिर, लक्ष्मण मंदिर आदि प्रमुख है। त्रैलोक्यवर्मन (1203-1247 ई.) के अजमगढ़ शिलालेख' से पता चलता है कि युद्ध भूमि में उत्कृष्ठ पराक्रम दर्शाते हुए वीरगति को प्राप्त करने वाले योद्धाओं के आश्रितों को जीविका के लिए भूमि प्रदान किया जाता था जिसे 'मृत्युकवृत्ति' कहा जाता था।

10. जब ऑल इंडिया वीमंस कॉफ्रेंस ने चाइल्ड मैरिज रेस्ट्रेट बिल; 1929 के समर्थन में अपना अभियान शुरू किया, तो सिस्टर सुब्बालक्ष्मी ने जोशी समिति के सामने अल्पायु में विवाह के नुकसान के साक्ष्य प्रस्तुत किए।

बाल विवाह प्रतिबन्ध अधिनियम, 1929, 28 सितंबर, 1929 को इम्पीरियल लेजिस्लेटिव काउंसिल ऑफ इंडिया में पारित हुआ। लड़कियों के विवाह की आयु 14 वर्ष और लड़कों की 18 वर्ष तय की गई जिसे बाद में लड़कियों के लिए 18 और लड़कों के लिए 21 कर दिया गया। इसके प्रायोजक हरविलास शारदा थे जिनके नाम पर इसे 'शारदा अधिनियम' के नाम से जाना जाता है। यह छह महीने बाद 1 अप्रैल 1930 को लागू हुआ और यह केवल हिंदुओं के लिए नहीं बल्कि ब्रिटिश भारत के सभी लोगों पर लागू होता है। यह भारत में सामाजिक सुधार आंदोलन का परिणाम था। ब्रिटिश अधिकारियों के कड़े विरोध के बावजूद, ब्रिटिश भारतीय सरकार द्वारा कानून पारित किया गया, जिसमें अधिकांश भारतीय थे।

अखिल भारतीय महिला सम्मेलन, महिला भारतीय संघ और भारत में महिलाओं की राष्ट्रीय परिषद, ने अपने सदस्यों के माध्यम से जोशी समिति के समक्ष शादी और सहमति के लिए उम्र बढ़ाने के पक्ष में तर्क प्रस्तुत किया। मुस्लिम महिलाओं ने मुस्लिम उलेमाओं के विरोध के बावजूद शादी की उम्र सीमा बढ़ाने के पक्ष में जोशी समिति को अपने विचार प्रस्तुत किए।

जोशी समिति ने 20 जून, 1929 को अपनी रिपोर्ट पेश की और इम्पीरियल लेजिस्लेटिव काउंसिल द्वारा 28 सितंबर 1929 को पारित किया गया और 1 अप्रैल 1930 को पूरे ब्रिटिश भारत में एक कानून बन गया। इसने 14 और 18 को सभी समुदायों के क्रमशः लड़कियों और लड़कों के लिए विवाह योग्य उम्र के रूप में तय किया।

11. महात्मा गाँधी ने अन्याय और बुराई का अहिंसक ढंग से विरोध करने तथा न्याय की माँग करने के लिये जिस नये तरीके का अविष्कार किया उसे ही उन्होंने सत्याग्रह का नाम दिया। गांधीजी वह पहले व्यक्ति थे जिन्होंने सत्य, अहिंसा और आत्मशक्ति के बीच एक अद्भुत

समन्वय स्थापित किया। सत्याग्रह का शाब्दिक अर्थ है : ''सत्य'' के लिए आग्रह करना।

सत्याग्रह की विशेषताए : गाँधीजी द्वारा प्रतिपादित सत्याग्रह के सिद्धांत की विशेषताएं इस प्रकार हैं :

(क) **सत्य** : सत्याग्रह का मार्ग सत्य, अहिंसा एवं प्रेम का है। सत्याग्रही को स्वयं में यह पूर्ण विश्वास होना चाहिए कि वह सत्य के लिये लड़ रहे तथा सत्य में हिंसा का प्रयोग नहीं होना चाहिए। गाँधी जी का मत था कि व्यक्ति की सामाजिक क्रियाएं सत्य पर आधारित होनी चाहिए।

(ख) **अहिंसा** : सत्याग्रह विरोधी के प्रति घृणा या हिंसा की अनुमति नहीं देता क्योंकि इसका उद्देश्य विरोधी का हृदय परिवर्तन करना है न कि उसका दमन करना। वस्तुतः सत्य और अहिंसा एक दूसरे से अत्यधिक घनिष्ठ रूप से जुड़े हैं कि उन्हें अलग नहीं किया जा सकता। अहिंसा साधन है और सत्य साध्य।

(ग) **बलिदान** : प्रेम सत्याग्रह का आधार होता है। प्रेम की सफलता बलिदान और तपस्या पर निर्भर होती है। बलिदान तथा तपस्या का तात्पर्य है कष्ट तथा यातानाएं सहन करना और आत्मपीड़ा में भी संतुष्ट रहना। ऐसी तपस्या करने वाला व्यक्ति दुःख मृत्यु से डरता नहीं है। वह निडर होकर अपने लक्ष्य की ओर आगे बढ़ता है। गाँधी ने इस सम्बन्ध में कहा है, सत्याग्रही को वैयक्तिक रूप से कष्ट सहन करना होता है।

सत्याग्रह के स्वरूप अथवा प्रणालियाँ या साधन :

(1) सविनय अवज्ञा

(2) असहयोग

(3) हिजरत

(4) सामाजिक अहिष्कार

(5) हड़ताल

(6) धरना

(7) उपवास

एक सत्याग्रही के लिए विशिष्ट नियमों का पालन करना अनिवार्य है। ये नियम गांधी जी के अनुसार इस प्रकार हैं :

(1) एक सत्याग्रही व्यक्ति के लिए ईमानदार होना आवश्यक है।

(2) एक सत्याग्रही को मन, वचन तथा कर्म से अपने शत्रु के प्रति भी हिंसा का भाव नहीं रखना चाहिए। उसमें प्रत्येक कष्ट को सहन करने की असीम क्षमता होनी चाहिए।

(3) किसी भी परिस्थिति में उसे किसी भी व्यक्ति पर क्रोध नहीं करना चाहिए।

(4) सत्याग्रही को किसी भी परिस्थिति में अपने विरोधी का अपमान नहीं करना चाहिए।

(5) जब कोई अधिकारी सविनय अवज्ञा भंग करने वालों को पकड़ने आयेगा तो वह स्वयं गिरफ्तारी देगा एवं उसका प्रतिकार नहीं करेगा।

(6) इस संघर्ष में यदि कोई किसी अधिकारी का अपमान करता है अथवा उस पर हमला करता है तो सत्याग्रही अपने प्राणों को संकट में डालकर भी उस अधिकारी की रक्षा करेगा।

उपर्युक्त नियमों का कठोरतापूर्वक पालन करने वाला व्यक्ति ही सच्चा ''सत्याग्रही'' हो सकता है।

सत्याग्रही के गुणः एक सत्याग्रही व्यक्ति अन्य सामान्य व्यक्तियों की तुलना में विशेष व्यक्ति होता है। अतः सत्याग्रही को सदाचारी तथा नैतिक दृष्टि से सबल एवं श्रेष्ठ होना जरूरी है। अतः उसे कुछ आदर्शों को अपने व्यवहार में कठोरतापूर्वक पालन करना जरूरी है। ये आदर्श इस प्रकार हैं :

(1) उसे शारीरिक श्रम तथा रचनात्मक कार्य करते रहना चाहिए। रचनात्मक कार्यों से गांधी जी का अर्थ है: साम्प्रदायिक एकता, अस्पृश्यता निवारण, नारी जागृति, बेसिक शिक्षा, खादी एवं ग्रामोद्योग का विकास, राष्ट्रभाषा कार्यक्रम आदि।

(2) एक सत्याग्रही की ईश्वर में अटूट आस्था होनी चाहिए, क्योंकि गांधी के विचार में वही सिर्फ एक अटूट आधार है।

(3) एक सत्याग्रही व्यक्ति जीवन के हर क्षेत्र में अहिंसा का पालन करना चाहिए। दूसरों के सुख-दुःख को सदेव अपना सुख-दुःख मानना चाहिए।

(4) उसे हर समय "सत्य" के मार्ग पर चलना चाहिए। सत्य की खातिर बलिदान करने के लिए भी उसे तत्पर रहना चाहिए। उसके जीवन का परम लक्ष्य ही "सत्य" प्राप्ति होना चाहिए।

(5) शुद्ध तथा अनुशासित जीवन एक सत्याग्रही की महत्वपूर्ण विशेषता है।

(6) एक सत्याग्रही को सभी प्रकार के व्यसनों से दूर रहना चाहिए। साथ ही नशीली वस्तुओं का प्रयोग नहीं करना चाहिए। इससे उसकी बुद्धि निर्मल एवं अचंचल रहेगी।

इस तरह गाँधी जी के "सत्याग्रह" सम्बन्धी विचार अत्यंत व्यापक दृष्टिकोण लिए हुए है। ये विचार केवल आदर्शवादी नहीं हैं। स्वयं गाँधी जी ने "सत्याग्रह" को आचरण में लाकर न केवल भारतवासियों वरन् समूचे विश्व के सम्मुख आदर्श प्रस्तुत किया है।

12. मुहम्मद बिन तुगलक की विभिन्न योजनाएँ

राजधानी परिवर्तन (1327 ई.)

- सुल्तान की सर्वाधिक विवादास्पद योजना दिल्ली से देवगिरी में राजधानी परिवर्तन था। 1327 ई. में राजधानी परिवर्तन से पूर्व देवगिरी को दौलताबाद नाम दिया गया।
- देवगिरी को कुतबुल इस्लाम भी कहा गया है।
- तत्कालीन इतिहासकारों के अनुसार दिल्ली की समस्त जनता को दौलताबाद जाने के आदेश दिए गए और दिल्ली उजाड़ हो गई।

सांकेतिक मुद्रा का प्रचलन (1329 ई.)

- इसके लिए उसने चाँदी के टंका के स्थान पर काँसे के नए सिक्के चलाए तथा उनका मूल्य टंका के बराबर घोषित कर दिया।
- तुगलक से पूर्व इस सांकेतिक मुद्रा का चीन के कुबलई खाँ तथा ईरान के कैरवतू ऐसा प्रयोग कर चुके थे और उन्होंने कागज की मुद्रा को अपनाया था।
- मोहम्मद तुगलक की यह योजना असफल रही, क्योंकि उसने नकली मुद्रा बाजार को नियंत्रित करने के कड़े उपाय नहीं किए और जैसा कि बरनी मानता है कि प्रत्येक हिंदू के घर में टकसालें स्थापित हो गई थीं, प्रजा ने काँसे तथा ताँबे के सिक्कों को दबा लिया।
- यह ताँबे के सिक्के लगभग 1329-1332 ई. तक यानी तीन वर्ष तक प्रचलन में रहे, यह योजना बड़ी संख्या में नकली सिक्कों के प्रचलन के कारण असफल हो गई। शहर के बाहर हिंदू सरदार, इनका प्रयोग भूमि राजस्व दायित्व का निर्वाह करने के लिए करते थे, बरनी के उल्लेख के अनुसार, प्रत्येक हिंदू परिवार एक टकसाल बन गया। सरकार को आखिरकार इन सिक्कों को वापिस लेकर, इनके स्थान पर सोने और चाँदी के टंके जारी करने पड़े।

दोआब में कर वृद्धि

- खुरासान सेना के खर्च ने सुल्तान को दोआब में कर की दर बढ़ाने पर विवश कर दिया। क्योंकि वर्तमान खिराज फसल का आधा हिस्सा था, इसलिए बढ़ी हुई राजस्व की दर से किसानों के बीच अशांति फैल गई।
- बरनी लिखता है कि हिंदुओं ने अनाज के ढेरों पर आग लगाकर उन्हें नष्ट कर दिया और अपने घरों से पशुओं को खदेड़ दिया। सुल्तान ने शिकदार और फौजदारों (राजस्व एकत्रित करने वाले और सेनापति) को सब कुछ नष्ट कर देने का आदेश दिया।
- उन्होंने कई खोत और मुकद्दमों को मार डाला और अनेक को अंधा कर दिया। जो बच गए, वे दल बनाकर जंगलों में भाग गए; और देश नष्ट हो गया। ऐसे समय सुल्तान बरान जिले (आधुनिक बुलंदशहर) में गया और उसने आदेश दिया कि सारे बरान जिले को लूट कर नष्ट कर दिया जाए।
- सुल्तान ने स्वयं कन्नौज से लेकर दलमऊ तक लूटपाट की और तबाही मचाई। जो भी पकड़ा गया, उसे मार डाला गया। अधिकांश (किसान) जंगलों में भाग गए। उन्होंने (सुल्तान की सेना ने)

जंगलों को घेर लिया और उन्हें जो कोई भी वहाँ मिला, उसे मार डाला।

- दिल्ली, में, दोआब से अन्न न आने के कारण भोजन की भारी कमी हो गई और सूखा पड़ने से स्थिति और भी विकट हो गई। यह सूखा, मालवा और पूर्वी पंजाब में फैल गया। बरनी लिखता है कि दिल्ली के अधिकांश नागरिक या तो मारे गए या शहर छोड़कर भाग गए।
- सुल्तान को दिल्ली छोड़कर अवध के उपजाऊ क्षेत्रों में जाने की अनुमति देनी पड़ी और इब्नबतूता के अनुसार सुल्तान स्वयं अस्थाई रूप से (ढाई वर्ष के लिए) गंगा पर स्वर्गद्वारी चला गया। कहा जाता है कि यह सूखा सात वर्ष तक पड़ा रहा।
- सुल्तान ने पुनः खेतीबाड़ी शुरू करने के लिए किसानों को बड़ी मात्रा में धन दिया, लेकिन उसके प्रयासों को कुछ खास सफलता नहीं मिली।
- बरनी लिखता है कि लालची आदमियों, जो कष्ट में थे और दुःसाहसिक व्यक्तियों ने तीन वर्ष के अंदर तीन लाख बीघा बंजर जमीन को उपजाऊ बनाने का बीड़ा उठाया। उन्हें सत्तर लाख टंके के बराबर ऋण (सोनधर) दिया गया, उन्होंने सारा धन स्वयं पर खर्च कर दिया।

खुरासान अभियान (1331 ई.)

- यह तरमाशरीन के साथ मैत्री का परिणाम था। कहा जाता है कि त्रिमैत्री संगठन (मोहम्मद बिन तुगलक, तरमाशरीन तथा मिस्र के सुल्तान) भी खुरासान के सुल्तान अबू सैय्यद के विरूद्ध बनाया गया था।
- अभियान को सुल्तान की सेना जब तैयार हुई तो ट्रांस ऑक्सियाना में राजनीतिक परिवर्तन होने के कारण तरमाशरीन को शासक पद से हटा दिया गया। इस प्रकार यह अभियान कभी भी प्रारम्भ न हो सका।

कराचिल का सैनिक अभियान (1332 ई.)

- यह सुल्तान की अगली विजय योजना थी, किन्तु इसका विनाशकारी अन्त हुआ। कराचिल कुमायूँ की पहाड़ियों में स्थित एक क्षेत्र था।
- सर्दी और बर्फीले तूफान में लगभग सम्पूर्ण सेना मारी गई। जो सैनिक इन प्राकृतिक आपदाओं से बच गए वे प्लेग में मारे गए। इसका सैन्य नेतृत्व खुसरो मलिक कर रहा था।

13. मुगल बैलस्टर स्तंभों (Baluster columns) के एकमात्र अवशेष के उदाहरण मुगल बादशाह शाहजहाँ के किला-महलों में मिलते हैं। इतिहासकार आशिर्वादी लाल श्रीवास्तव ने शाहजहाँ के शासनकाल को वास्तुकला की दृष्टि से स्वर्णकाल कहा है। आगरा के किले में स्थित दीवाने-आम (1627 ई.) संगमरमर से बनी शाहजहाँ के काल की पहली इमारत थी।

शाहजहाँ ने अपनी नवीन राजधानी दिल्ली (शाहजहाँबाद) में एक चतुर्भुज आकार का किला बनवाया। यह 'लाल-बलुआ पत्थर' से निर्मित होने के कारण, 'लाल-किले' के नाम से प्रसिद्ध हुआ। इसका निर्माण कार्य 1648 ई. में पूर्ण हुआ। दिल्ली के किले में निर्मित दीवाने-आम की विशेषता इसके पीछे की दीवार में बना एक कोष्ठ थी, जहाँ पर विश्व-प्रसिद्ध तख्ते-ताउस रखा जाता था। उसने लाल-किले के पास ही 'जामा मस्जिद' का निर्माण करवाया।

शाहजहाँ कालीन वास्तुकला का चरम दृष्टांत आगरा में निर्मित उसकी प्रिय पत्नी मुमताज महल का मकबरा (ताजमहल) हैं इसका मुख्य स्थापत्यकार उस्ताद अहमद लाहौरी था, जिसे शाहजहाँ ने 'नादिर-उल-असरार' की उपाधि प्रदान की थी।

15. बहलोल लोदी अपने फरमान में अमीरों को मसनद-ए आली के नाम से संबोधित करता था। सुल्तान बहलोल लोदी सक्षम सेनापति था। वह इस सत्य से भलीभांति परिचित था कि सल्तनत पर अपना नियंत्रण स्थापित करने के लिए अफगान कुलीनों की आवश्यकता पड़ेगी। अफगान अमीर सुल्तान से अपेक्षा करते थे कि वह उनके साथ पूर्ण शासक के बजाय समान सहयोगी जैसा बर्ताव करे। उन्हें प्रसन्न करने के लिए बहलोल ने स्वयं घोषणा की कि वह सुल्तान नहीं है, बल्कि अफगान साथियों में से ही एक है। न तो लोदी गद्दी पर बैठा तथा न ही उसने अपने दरबार में अमीरों के खड़े होने

पर जोर दिया। उसके लंबे शासनकाल के लिए यह नीति कारगर रही तथा उसे शक्तिशाली अफगान अमीरों द्वारा किसी भी विरोध का सामना नहीं करना पड़ा।

18. 'सुल्तान अलाउद्दीन खिलजी ने मालिकों, अमीरों, दरबार के अधिकारियों तथा जिम्मेदार और रुतबे वाले व्यक्तियों को एक-दूसरे के घर न जाने और दावतखानों में सामूहिक पार्टी न करने का आदेश दिया; सुल्तान को सूचित किए बिना और उसकी अनुमति लिए बिना उनके बीच अन्तर्विवाह की इजाजत नहीं थी।

अलाउद्दीन खिलजी, खिलजी वंश का दूसरा शासक एवं बेहद शक्तिशाली सम्राट था, इसलिए उसे "सिंकदर-ए-शाही" की उपाधि से भी नवाजा गया था। उसने अपनी कुशल राजनैतिक क्षमता का इस्तेमाल कर अपना खिलजी साम्राज्य दक्षिण में मदुरै तक फैला दिया था। खिलजी के बाद करीब 300 सालों तक कोई भी शासक इतना बड़ा साम्राज्य स्थापित नहीं कर सका था।

इतिहास के सबसे क्रूर शासक अलाउद्दीन खिलजी ने दिल्ली गद्दी पर अपना अधिकार जमाने के लिए अपने सगे चाचा और अपने ससुर जलाल-उद्-दीन खिलजी की हत्या करवा दी थी। जबकि उसका पालन-पोषण उसके चाचा ने ही किया था।

अलाउद्दीन खिलजी बेहद घमंडी था, जो कि खुद की तुलना दुनिया को जीतने वाले सिंकदर से करता था, और खुद को "विश्व का दूसरा सिकंदर कहता था"।

अलाउद्दीन खिलजी ने कई लड़ाईयों में मंगोलों को बुरी तरह परास्त किया था।

अलाउद्दीन खिलजी के शासनकाल में शराब बिक्री, भांग खाने एवं जुआ खेलने पर पूरी तरह से रोक थी।

अलाउद्दीन खिलजी ने अपने शासनकाल में एक बेहतर टैक्स प्रणाली की भी शुरुआत की थी, जिसे 19वीं और 20वीं सदी तक के शासकों ने भी जारी रखा था। इसके साथ ही गुप्तचर विभाग की भी स्थापना की थी।

अलाउद्दीन खिलजी ने अपने शासनकाल में रईस घरानों की घनिष्ट मित्रता और आपस में शादी पर रोक थी ताकि ये घराने आपस में मिलकर संगठित विरोध न खड़ा कर पाएं।

19. ऑल इंडिया डिप्रेस्ड क्लासेस एसोसिएशन का गठन नागपुर में हुआ था, जिसके प्रथम निर्वाचित अध्यक्ष एम. सी. राजा थे। डॉ. बी.आर. अम्बेडकर 1926 में ऑल इंडिया डिप्रेस्ड क्लासेस एसोसिएशन में उपस्थित नहीं हुए थे।

अम्बेडकर ने ऑल इंडिया डिप्रेस्ड क्लासेस एसोसिएशन से इस्तीफा देकर 1930 में स्वयं का ऑल इंडिया डिप्रेस्ड क्लास काँग्रेस बनाया।

21. मुगल सम्राट जहाँगीर के समय में चित्रकारी अपने चरमोत्कर्ष पर थी। उसने 'हेरात' के 'आगारजा' के नेतृत्व में आगरा में एक 'चित्रशाला' की स्थापना की। जहाँगीर ने हस्तलिखित ग्रंथों के विषयवस्तु की चित्रकारी करने की पद्धति को समाप्त किया और इसके स्थान पर छवि चित्रों, प्राकृतिक दृश्यों की पद्धति को अपनाया। जहाँगीर के समय के प्रमुख चित्रकारों में 'फारुख बेग', 'दौलत', 'मनोहर', 'बिसनदास', 'मंसूर' एवं 'अबुल असन' थे। 'फारुख बेग' ने बीजापुर के शासक सुल्तान 'आदिल शाह' का चित्र बनाया था। जहाँगीर चित्रकला का बड़ा कुशल पारखी थी। जहाँगीर के समय को 'चित्रकला का स्वर्ण काल' कहा जाता है।

मुगल शैली में मनुष्य को चित्र बनाते समय एक ही चित्र में विभिन्न चित्रकारों द्वारा मुख, शरीर तथा पैरों को चित्रित करने का रिवाज था। जहाँगीर का दावा था कि वह किसी चित्र में विभिन्न चित्रकारों के अलग-अलग योगदान को पहचान सकता है। शिकार, युद्ध और राज दरबार के दृश्यों को चित्रित करने के अलावा जहाँगीर के काल में मनुष्यों तथा जानवरों के चित्र बनाने की कला में विशेष प्रगति हुई। इस क्षेत्र में 'मंसूर' का नाम प्रसिद्ध था। मनुष्यों के चित्र बनाने का भी प्रचलन था। जहाँगीर के निर्देश पर चित्रकार 'दौलत' ने अपने साथ चित्रकार 'बिसनदास', 'गोवर्धन' एवं 'अबुल हसन' के चित्र एवं स्वयं अपना एक छवि चित्र बनवाया। सम्राट जहाँगीर ने अपने समय के अग्रणी चित्रगार बिसनदास को फारस के शाह, उसके अमीरों तथा परिजनों के यथारूप छवि-चित्र बनाकर लाने के लिए फारस भेजा था। जहाँगीर के विश्वसनीय चित्रकार 'मनोहर ने उस समय कई छवि चित्रकारों का निर्माण किया।

जहाँगीर के समय में चित्रकारों ने सम्राट के दरबार, हाथी पर बैठकर धनुष-बाण के साथ शिकार का पीछा करना, जुलूस, युद्ध स्थल एवं प्राकृतिक दृश्य, फूल, पौधे, पशु-पक्षी, घोड़े, शेर, चीता आदि चित्रों को अपना विषय बनाया। जहाँगीर के समय चित्रकारी के क्षेत्र में घटी महत्वपूर्ण घटना थी—मुगल चित्रकला की फारसी प्रभाव से मुक्ति। पर्सी ब्राउन के अनुसार, जहाँगीर के समय मुगल चित्रकला की वास्तविक आत्मा लुप्त हो गई। इस समय चित्रकला में भारतीय पद्धति का विकास हुआ। यूरोपीय प्रभाव जो अकबर के समय से चित्रकला में प्रारंभ हुआ था वह अभी भी जारी रहा।

अबुल हसन ने 'तुजुके जहाँगीर' में मुख्य पृष्ठ के लिए चित्र बनाया था। 'उस्ताद मंसूर' एवं अबुल हसन जहाँगीर के श्रेष्ठ कलाकारों में से एक थे। उन्हें बादशाह ने क्रमशः 'नादिर-उल-अस्र' एवं 'नादिरुज्जमा'' की उपाधि प्रदान की थी। उस्ताद मंसूर दुर्लभ पशुओं, विरले पक्षियों एवं अनोखे पुष्पों आदि के चित्रों को बनाने के चित्रकार थे। उसकी महत्वपूर्ण कृति में 'साइबेरियन सारस' एवं बंगाल का एक पुष्प है। उस्ताद मंसूर पक्षी चित्र विशेषज्ञ तथा अबुल हसन व्यक्ति चित्र विशेषज्ञ था। यूरोपीय प्रभाव वाले चित्रकारों में 'मिश्किन' सर्वश्रेष्ठ था। इस काल में एक छोटे आकार के चित्र बनाने की परंपरा शुरु हुई जिसे पगड़ी पर लगाया जा सके या गले में पहना जा सके।

22. गंगा लहरी और रस गंगाधर के लेखक पण्डित-जगन्नाथ मुगल बादशाह शाहजहाँ के राजकवि थे। इसके अतिरिक्त चिन्तामणि, कवीन्द्राचार्य और सुन्दरदास, आदि अनेक हिन्दू लेखक भी उसके दरबार में थे।

शाहजहाँ के संरक्षण प्राप्त हिन्दी के विद्वानों में सुन्दर कवि राय, सेनापति, शिरोमणि मिश्र, बनारसीदास, भूषण, मतिराम, वेदांगराय व हरीनाथ आदि प्रमुख थे। इनमें सुन्दर कवि राय राजदूत का भी कार्य सम्पादित करते थे। उसने काव्य कला पर सुन्दर श्रृंगार नामक ग्रंथ लिखा है। उसने सिंहासन बत्तीसी तथा बारहमासा नामक कृतियों की रचना की। कविन्द्राचार्य संस्कृत एवं हिन्दी दोनों के मर्मज्ञ विद्वान थे। इन्हें 'सरस्वती' की उपाधि प्राप्त थी। इनकी एक रचना 'कविन्द्र कल्पलता' है।

24. कौटिल्य विधवा विवाह का समर्थन करता है। कौटिल्य का कहना है कि कोई विधवा विवाह कर सकती है, परन्तु विवाह करने के बाद उसका पहले पति की सम्पत्ति पर मालिकाना हक समाप्त हो जाएगा। स्पष्ट है कि पति की मृत्यु के बाद उसकी सम्पत्ति का पूरा मालिकाना हक विधवा को प्राप्त होता है।

विधवा विवाह जैसे आधुनिक कदम का बहुत पहले समर्थन करने वाला कौटिल्य तलाक (विवाह-विच्छेद) का भी समर्थन करता है। कौटिल्य कहता है कि जब पति-पत्नी एक साथ रहकर दुःखी रहें और सम्बन्ध विच्छेद चाहें तो वे तलाक ले सकते हैं। अगर स्त्री-पुरुष किसी दूसरे से शारीरिक सम्बन्ध बनाएं, तो ऐसी स्थिति में तलाक लेना ही बेहतर है। यदि किसी स्त्री का पुरुष किन्नर हो, तो वह उससे तलाक ले सकती है।

26. 1920 में एटक (AITUC-All India Trade Union Congress) का गठन किया गया और लाला लाजपत राज्य पहले निर्वाचित अध्यक्ष बने। उनके समर्थन की वजह से 1926 में ट्रेड यूनियन एक्ट पारित किया गया।

वर्ष 1928 में चंद्रशेखर आजाद के नेतृत्व में दिल्ली के फिरोजशाह कोटला मैदान में 'हिंदुस्तान रिपब्लिकन एसोसिएशन' का नाम बदलकर 'हिन्दुस्तान सोशलिस्ट रिपब्लिकन एसोसिएशन' (Hindustan Socialist Republication Association-HSRA) कर दिया गया जिसका उद्देश्य भारत में एक समाजवादी, गणतंत्रवादी राज्य की स्थापना करना था।

स्वतंत्र लेबर पार्टी (ILP) एक भारतीय राजनीतिक संगठन था जिसे डॉ. बी.आर. अम्बेडकर द्वारा स्थापित किया गया था। इसकी स्थापना अगस्त, 1936 में हुई थी। यह समाज में ब्राह्मणवादी और पूंजीवादी संरचनाओं के खिलाफ एक राजनीतिक संगठन के रूप में स्थापित किया गया था।

इंडियन नेशनल ट्रेड यूनियन कांग्रेस (INTUC) भारतीय राष्ट्रीय कांग्रेस की ट्रेड यूनियन विंग है। इसकी स्थापना 3 मई, 1947 को हुई थी और यह अंतर्राष्ट्रीय ट्रेड यूनियन परिसंघ से संबद्ध है।

27. आजीवन ब्रिटिश राजशक्ति का सामना करते हुए अपने प्राणों की परवाह न करने वाले लाला लाजपत राय 'पंजाब केसरी' भी कहे जाते हैं। जब वी.पी. वाडिया ने भारत में 'मद्रास श्रमिक संघ' की स्थापना की, तब इनके प्रयासों से ही 1926 ई. में 'श्रमिक संघ अधिनियम' पारित किया गया। 1920 ई. में स्थापित 'अखिल भारतीय ट्रेड यूनियन कांग्रेस' (ए.आई.टी.यू.सी.) में तत्कालीन, लगभग 64 श्रमिक संघ शामिल हो गये। एन.एम. जोशी, लाला लाजपत राय एवं जोसेफ बैपटिस्टा के प्रयत्नों से 1920 ई. में स्थापित 'अखिल भारतीय ट्रेड यूनियन कांग्रेस' पर वामपंथियों का प्रभाव बढ़ाने लगा 'एटक' (ए.आई.टी.यू.सी.) के प्रथम अध्यक्ष लाला लाजपत राय थे। यह सम्मेलन 1920 ई में बम्बई में हुआ था। इसके उपाध्यक्ष जोसेफ बैप्टिस्टा तथा महामंत्री दीवान चमनलाल थे।

29. वैदिक साहित्य तथा प्रारंभिक धर्मसूत्रों में दी गयी जानकारी के बाद भी हम राज्य की कोई निश्चित परिभाषा नहीं दे सकते। इसका कारण यह है, कि इस समय तक राज्य संस्था को ठोस आधार नहीं मिल सका था। उत्तरी भारत में विशाल राजतंत्रों की स्थापना के साथ ही राज्य के स्वरूप का निर्धारण किया गया। सर्वप्रथम कौटिल्य द्वारा रचित अर्थशास्त्र में ही राज्य की सही परिभाषा प्राप्त होती है। यह राज्य को एक सजीव एकात्मक शासन-संस्था के रूप में मान्यता प्रदान करता है, तथा उसे सात प्रकृतियों अर्थात् अंगों में निरूपित करता है, जो निम्नलिखित हैं :

(1) स्वामी (शासक)

(2) अमात्य (मंत्री)

(3) जनपद (जनसंख्या)

(4) दुर्ग (फोर्टिफाइड कैपिटल)

(5) कोष (खजाना)

(6) दंड (सेना)

(7) मित्र (सहयोगी)

30. आरम्भिक भारतीय राष्ट्रवादी, जैसे—दादा भाई नौरोजी, एम.जी. रानाडे तथा आर.सी. दत्त ने ब्रिटेन से भारतीय पूँजीवादी औद्योगिकीकरण की अपेक्षा रखी थी। किन्तु उपनिवेशवादी आर्थिक नीतियों से वे असंतुष्ट नजर आए। परिणामतः उन्होंने 19वीं शताब्दी के अन्त में उपनिवेशवाद की भयंकर आर्थिक आलोचना की। दादा भाई नौरोजी ने ''समृद्धि का पलायन'' अवधरणा को आगे बढ़ाया। उनके अनुसार भारत में गरीबी, भारतीय संपदा का धीरे-धीरे ब्रिटेन में पलायन का परिणाम था। यह पलायन उस ब्याज की वजह से हुआ जो भारत ने ईस्ट इण्डिया कम्पनी को विदेशी कर्ज चुकाने, सैन्य खर्चों, रेलवे तथा अन्य ढाँचागत सेवाओं में विदेशी निवेश पर निश्चित ब्याज, इंग्लैंड से हर लेखन सामग्री का आयात तथा ब्रिटिश सरकार द्वारा भारत पर शासन करने के लिए सैन्य तथा नागरिक अधिकारियों की नियुक्ति, राज सचिव के वेतन, अधिकारियों की पेंशन वगैरह के लिए भारतीय धन का प्रयोग किया। हालाँकि यह पलायन भारत के कुल निर्यात का छोटा-सा ही अंश था, यदि इसका निवेश देश में हो गया होता तो पूँजीवादी अर्थव्यवस्था के निर्माण में यह मदद कर सकता था।

31. फिरोज तुगलक ने मुद्रा व्यवस्था के अन्तर्गत बड़ी संख्या में तांबा एवं चाँदी के मिश्रण से निर्मित सिक्के जारी करवाये, जिसे सम्भवतः 'अद्धा' एवं 'बिख' कहा जाता था। फिरोज तुगलक ने 'शंशगानी' (6 जीतल का) नामक नया सिक्का चलवाया था। उसने सिक्कों पर अपने नाम के साथ अपने पुत्र अथवा उत्तराधिकारी 'फतह खाँ' का नाम अंकित करवाया। फिरोज ने अपने को खलीफा का नाइब पुकारा तथा सिक्कों पर खलीफा का नाम अंकित करवाया। फिरोजशाह तुगलक का शासन कल्याणकारी, निरंकुशता पर आधारित था। वह प्रथम सुल्तान था, जिसने विजयों तथा युद्धों की तुलना में अपनी प्रजा की भौतिक उन्नति को श्रेष्ठ स्थान दिया, शासक के कर्तव्यों को विस्तृत किया तथा इस्लाम धर्म को राज्य शासन का आधार बनाया। हेनरी इलिएट और एलफिन्सटन ने फिरोज तुगलक को ''सल्तनत युग का अकबर' कहा है। फिरोजशाह तुगलक की सफलताओं का श्रेय उसके प्रधानमंत्री 'खान-ए-जहाँ मकबूल' को दिया गया है।

32. 1962 के भारत-चीन युद्ध में भारतीय कम्युनिस्ट पार्टी की एक शाखा चीनी आक्रमण के विरुद्ध भारत सरकार

का समर्थन किया। भारत-चीन संघर्ष का असर विपक्षी दलों पर भी हुआ। इस युद्ध और चीन-सोवियत संघ के बीच बढ़ते मतभेद से भारतीय कम्युनिस्ट पार्टी (भाकपा) के अंदर बड़ी उठा-पटक मची। सोवियत संघ का पक्षधर खेमा भाकपा में ही रहा और उसने कांग्रेस के साथ नजदीकियां बढ़ायी। दूसरा खेमा कुछ समय के लिए चीन का पक्षधर रहा और यह खेमा कांग्रेस के लिए चीन का पक्षधर रहा और यह खेमा कांग्रेस के साथ किसी भी तरह की नजीदीकी के खिलाफ था। भारतीय कम्युनिस्ट पार्टी 1964 में टूट गई। इस पार्टी के भीतर जो खेमा चीन का पक्षधर था। उसने मार्क्सवादी भारतीय कम्युनिस्ट पार्टी (सी.पी.आई.एम.–माकपा) बनाई। चीन-युद्ध के क्रम में माकपा के कई नेताओं को चीन का पक्ष लेने के आरोप में गिरफ्तार किया गया।

चीन के साथ हुए युद्ध ने भारत के नेताओं को पूर्वोत्तर की डावाँडोल स्थिति के प्रति सचेत किया। यह इलाका अत्यंत पिछड़ी दशा में था और अलग-थलग पड़ गया था। राष्ट्रीय एकता और अखंडता के लिहाज से भी यह इलाका चुनौतीपूर्ण था। चीन-युद्ध के तुरंत बाद इस इलाके को नयी तरतीब में ढालने की कोशिशें शुरू की गई। नगालैंड को प्रांत का दर्जा दिया गया। मणिपुर और त्रिपुरा हालाँकि केंद्र-शासित प्रदेश थे लेकिन उन्हें अपनी विधानसभा के निर्वाचन का अधिकार मिला।

33. गुरु अमरदास ने सिखों के लिए प्रथम प्रतीक तीर्थ केन्द्र की स्थापना की जिसमें स्नान करने के लिए पानी तक पहुँचाने के लिए 84 सीढ़ियों वाले कुएँ, जो सिखों के लिए पवित्र-स्थल हो गया था, का निर्माण गोइंदवाल साहिब में किया था।

मध्यकालीन भारतीय समाज 'सामंतवादी समाज' होने के कारण अनेक सामाजिक बुराइयों से ग्रस्त था। उस समय जाति-प्रथा, ऊंच-नीच, कन्या-हत्या, सती-प्रथा जैसी अनेक बुराइयां समाज में प्रचलित थीं। ये बुराइयां समाज के स्वस्थ विकास में अवरोध बनकर खड़ी थीं। ऐसे कठिन समय में गुरु अमरदास जी ने इन सामाजिक कुरीतियों के विरुद्ध बड़ा प्रभावशाली आंदोलन चलाया। जाति-प्रथा एवं ऊंच-नीच को समाप्त करने के लिए गुरु जी ने लंगर प्रथा को और सशक्त किया। उस जमाने में भोजन करने के लिए जातियों के अनुसार 'पातें' लगा करती थीं, लेकिन गुरु जी ने सभी के लिए एक ही पंगत में बैठकर 'लंगर छकना' (भोजन करना) अनिवार्य कर दिया। कहते हैं कि जब मुगल बादशाह अकबर गुरु-दर्शन के लिए गोइंदवाल साहिब आया, तो उसने भी 'संगत' के साथ एक ही 'पंगत' में बैठकर लंगर छका। यहीं नहीं, छुआछूत को समाप्त करने के लिए गुरु जी ने गोइंदवाल साहिब में एक 'सांझी बावली' का निर्माण भी कराया। कोई भी मनुष्य बिना किसी भेदभाव के इसके जल का प्रयोग कर सकता था।

गुरु जी का एक अन्य क्रांतिकारी कार्य सती-प्रथा की समाप्ति था। इन्होंने सती-प्रथा जैसी घिनौनी रस्म को स्त्री के अस्तित्व का विरोधी मानकर, उसके विरुद्ध जबरदस्त प्रचार किया। गुरु जी द्वारा रचित 'वार सूही' में सती प्रथा का जोरदार खंडन किया गया है। इतिहासकारों का मत है कि गुरु जी सती प्रथा के विरोध में आवाज उठाने वाले पहले समाज सुधारक थे। यह गुरु अमरदास जी एवं बाद के अन्य समाज सुधारकों के प्रयत्नों का ही फल है कि आज का समाज अनेक बुराइयों से दूर हो सका है।

34. चोखामेला (1300-1400) महाराष्ट्र के एक नामी संत थे। संत चोखामेला ने कई अभंग लिखे हैं, जिसके कारण उन्हें भारत का पहला दलित-कवि कहा गया है। सामाजिक-परिवर्तन के आन्दोलन में चोखामेला पहले संत थे, जिन्होंने भक्ति-काल के दौर में सामाजिक-गैर बराबरी को लोगों ने सामने रखा। अपनी रचनाओं में वे दलित समाज के लिए खासे चिंतित दिखाई पड़ते हैं।

चोखामेला के मन में बचपन से ही ईश्वर भक्ति और संतों जैसा जीवन जीने की इच्छा थी। विट्ठल दर्शनों के लिए वे प्रायः पंढरपुर जाते रहते थे। उन दिनों पंढरपुर में संत नामदेव जी का बड़ा प्रभाव था। वे विट्ठल मंदिर में भजन गाया करते थे। नामदेव के अभंग (भजन) सुनकर चोखामेला इतने प्रभावित हुए कि उन्हें अपना गुरु मानने लगे।

उनके पूरे परिवार ने संत नामदेव जी से दीक्षा ली थी। उनके अभंगों की संख्या 300 बताई जाती हैं। उनकी पत्नी सोयराबाई भी भक्त थी। सोयराबाई के एक अभंग

का अर्थ है–हे प्रभु! तेरे दर्शन करने से मेरे हृदय की सब वासनाएं नष्ट हो गई हैं।

36. महिला समाज सुधारक बेगम रुकैया सखावत हुसैन ने 'सुल्ताना का सपना' (1905) और 'अवरोधबासिनी' (1929) नामक लघु कहानियां लिखीं, जिनमें मुसलमानों में प्रचलित पर्दा प्रथा की आलोचना की गई। इन्होंने मुसलमान लड़कियों के लिए पाठशाला खोली, यह पाठशाला आज भी खुली रहती है। वे प्रमुख मुसलमानी नारीवादी थीं।

39. 1232 के ग्वालियर अभियान की स्मृति में एक स्मारकीय सिक्का जारी किया गया। इस पर इल्तुतमिश के अतिरिक्त रजिया सुल्तान का नाम उत्कीर्ण था। रजिया सुल्तान इल्तुतमिश की पुत्री तथा भारत की पहली मुस्लिम शासिका थी। अपने अंतिम दिनों में इल्तुतमिश अपने उत्तराधिकार के सवाल को लेकर चिन्तित था। इल्तुतमिश के सबसे बड़े पुत्र नसीरूद्दीन महमूद की, जो अपने पिता के प्रतिनिधि के रूप में बंगाल पर शासन कर रहा था, 1229 ई. में मृत्यु हो गई। सुल्तान के शेष जीवित पुत्र शासन कार्य के किसी भी प्रकार से योग्य नहीं थे। अतः इल्तुतमिश ने अपनी मृत्यु शैय्या पर से अपनी पुत्री रजिया को अपना उत्तराधिकारी नियुक्त किया।

41. **इलाहाबाद की सन्धि :** 1765 ई. में ईस्ट इण्डिया कम्पनी की ओर से रॉबर्ट क्लाइव और बादशाह शाहआलम द्वितीय के मध्य हुई थी। इस सन्धि के द्वारा ईस्ट इंडिया कम्पनी ने कड़ा और इलाहाबाद के जिले शाहआलम द्वितीय को लौटाना स्वीकार किया। साथ ही कम्पनी ने बादशाह को 26 लाख रुपये वार्षिक खिराज देना स्वीकार किया था। इस सन्धि के बदले में बादशाह ने ईस्ट इण्डिया कम्पनी को बंगाल, बिहार और उड़ीसा की 'दीवानी' (राजस्व वसूलने का अधिकार) सौंप दी।

श्रीरंगपट्टनम की सन्धि : 18 मार्च, 1792 को श्रीरंगपट्टनम की संधि पर हस्ताक्षर किये गय थे, इसके साथ तृतीय आंग्ल-मैसूर युद्ध की समाप्ति हुई थी। इस संधि पर अंग्रेजों की ओर से लार्ड कॉर्नवालिस जबकि दूसरी ओर टीपू सुल्तान और हैदराबाद के निजाम ने हस्ताक्षर किये थे।

वसई की सन्धि : यह सन्धि 31 दिसम्बर, 1802 में, पूना (पुणे) के मराठा पेशवा बाजीराव द्वितीय और अंग्रेजों के मध्य हुई थी। यह 'मराठा महासंघ' को तोड़ने की दिशा में एक निर्णायक कदम था। इसके फलस्वरूप 1818 ई. में पेशवा के पश्चिमी भारत के क्षेत्रों का ईस्ट इण्डिया कम्पनी में विलय का मार्ग प्रशस्त हुआ।

लाहौर की सन्धि : यह सन्धि अंग्रेजों और सिक्खों के मध्य 9 मार्च, 1846 ई. हुई थी। इस सन्धि में लॉर्ड हार्डिंग ने लाहौर के आर्थिक साधनों को नष्ट कर दिया। लाहौर की सन्धि के अनुसार कम्पनी की सेना को दिसम्बर, 1846 तक पंजाब से वापस हो जाना था, परन्तु हार्डिंग ने यह तर्क दिया कि महाराजा दलीप सिंह के वयस्क होने तक सेना का वहाँ रहना अनिवार्य है। उसने सामन्तों को प्रलोभन तथा शक्ति के द्वारा इस बात को मनवाने का प्रयास किया।

42. धोंडो केशव कर्वे का जन्म 18 अप्रैल, 1858 को महाराष्ट्र के रत्नागिरी जिले के शेरावली गांव में निम्न वर्गीय परिवार में हुआ था। उनके पिता का नाम केशवपंत और माता का नाम लक्ष्मीबाई था। उन्होंने 1881 में मैट्रिक परीक्षा उत्तीर्ण करने के बाद मुंबई के एलफिंस्टन कॉलेज में दाखिला लिया। यहां से उन्होंने 1884 में गणित में स्नातक की परीक्षा उत्तीर्ण की। कर्वे स्नातक करने के बाद एलफिंस्टन स्कूल में बतौर शिक्षक, पढ़ाने लगे थे। 1891 में उन्होंने पूना के प्रसिद्ध फर्ग्युसन कॉलेज में गणित विषय पढ़ाना शुरू कर दिया। क्योंकि आजादी के समय बाल गंगाधर तिलक अधिक व्यस्त रहते थे, इस कारण उन्हें वहां पढ़ाने का मौका मिला था। उन्होंने यहां पर 1914 तक अध्यापन का कार्य किया। इस दौरान कर्वे की मुलाकात देशभक्त और समाजसेवी गोपालकृष्ण गोखले, दादा भाई नौरोजी और महादेव गोविंद रानाडे जैसे महापुरुषों से हुई। इनसे वे इतने प्रभावित हुए कि समाज सेवा को ही उन्होंने अपने आगे के जीवन का उद्देश्य बना लिया।

भारतीय राष्ट्रीय आंदोलन का नेतृत्व कर रहे नेताओं के सामने यह बात पूरी तरह साफ की थी कि स्वाधीनता का असली मकसद तभी पूरा होगा जब समाज हर लिहाज से जागरूक होगा। जागरूकता के इस एजंडे में

पहले दिन से सबसे बड़ा मुद्दा रहा महिलाओं की स्थिति में सुधार और लैंगिक, गैरबराबरी पूरी तरह समाप्त करना। समाज सुधारक धोंडो केशव कर्वे का नाम और कार्य इस लिहाज से ऐतिहासिक माना जाता है। उन्हें महर्षि कर्वे के नाम से भी जाना जाता है। कर्वे ने विधवा विवाह और स्त्री शिक्षा को बढ़ावा देने में महत्वपूर्ण भूमिका निभाई थी। भारत सरकार ने 1958 में भारत रत्न से सम्मानित किया।

43. नील आन्दोलन भारतीयों किसानों द्वारा ब्रिटिश नील उत्पादकों के खिलाफ बंगाल में किया गया। अपनी आर्थिक माँगों के सन्दर्भ में किसानों द्वारा किया जाने वाला यह आन्दोलन उस समय का एक विशाल आन्दोलन था। अंग्रेज अधिकारी बंगाल तथा बिहार के जमींदारों से भूमि लेकर बिना पैसा दिये ही किसानों को नील की खेती में काम करने के लिए विवश करते थे, तथा नील उत्पादक किसानों को एक मामूली सी रकम अग्रिम देकर उनसे करारनामा लिख लेते थे, जो बाजार भाव से बहुत कम दाम पर हुआ करता था। इस प्रथा को 'ददनी प्रथा' कहा जाता था, जबकि किसान अपनी उपजाऊ जमीन पर चावल की खेती करना चाहते थे।

इस आन्दोलन की सर्वप्रथम शुरुआत सितम्बर, 1859 ई. में बंगाल के 'नदिया जिले' के गोविन्दपुर गाँव से हुई। भारतीय किसानों ने अंग्रेजों द्वारा अपने साथ दासों जैसा व्यवहार करने के कारण ही विद्रोह किया। यह आन्दोलन 'नदिया', 'पावना', 'खुलना', 'ढाका', 'मालदा', 'दीनाजपुर' आदि स्थानों पर फैला था। किसानों की आपसी एकजुटता, अनुशासन एवं संगठित होने के बदौलत ही आन्दोलन पूर्णरूप से सफल रहा। इसकी सफलता के सामने अंग्रेज सरकार को झुकना पड़ा। रैय्यतों की स्वतन्त्रता को ध्यान में रखते हुए 1860 ई. के नील विद्रोह का वर्णन 'दीनबन्धु मित्र' ने अपनी पुस्तक 'नील दर्पण' में किया है। इस आन्दोलन की शुरुआत 'दिगम्बर' एवं 'विष्णु' विश्वास ने की थी। 'हिन्दू पैट्रियट' के संपादक 'हरीशचन्द्र मुखर्जी' ने नील आन्दोलन में काफी काम किया। किसानों के शोषण, सरकारी अधिकारियों के पक्षपात और इसके विरुद्ध विभिन्न स्थानों पर चल रहे किसानों के संघर्ष में उन्होंने अखबार में लगातार खबरें छापीं। मिशनरियों ने भी नील आन्दोलन के समर्थन में सक्रिय भूमिका निभाई। इस आन्दोलन के प्रति सरकार का भी रवैया काफी संतुलित रहा। 1860 ई. तक नील की खेती पूरी तरह खत्म हो गई।

47. देवराय द्वितीय (1422-1446 ई.) संगम वंश का सबसे प्रतापी राजा माना जाता है। उसके अभिलेखों में उसके लिए 'गजबेटकर' उपाधि अर्थात् 'हाथियों के शिकारी' का उल्लेख मिलता है।

फरिश्ता के अनुसार देवराय द्वितीय का विचार था कि बहमनी सेना की श्रेष्ठता मजबूत घोड़ों और बड़ी संख्या में तीरंदाजों के कारण थी। इसलिए उसने 2000 मुसलमानों को सेना में नौकरी और जागीरें दी और सभी हिंदू सैनिकों और सैनिक अधिकारियों को उनसे तीरंदाजी सीखने का आदेश दिया। इस प्रकार देवराय द्वितीय ने तीरंदाजी में कुशल 60,000 हिंदू, 80,000 घुड़सवार और 2,00,000 पैदल सैनिक एकत्र कर लिए।

अपनी नयी सेना के बदौलत देवराय द्वितीय ने अरब सागर के प्रमुख बंदरगाहों पर सैन्य और प्रशासनिक आधिपत्य कायम किया। इसके परिणामस्वरूप देवराय द्वितीय को वित्त का एक नया स्रोत प्राप्त हुआ। इस प्रकार उन्होंने अपने सैन्य सुधारों को अंतर्राष्ट्रीय वाणिज्य के साथ जोड़ा।

48. **लाजाहोम :** पाणिग्रहण के पश्चात् वधू और वर पूर्व की ओर मुँह करके खड़े हो जाते हैं। फिर वधू अपने भाई से खीलें (fried grain) लेकर अग्नि कुण्ड में डालते हुए स्वयं को पति के कुल से जोड़ने के लिए देवताओं से प्रार्थना करती है। इसी समय वह देवताओं से अपने पति के आयुष्मान होने तथा पारस्परिक अनुराग बढ़ाने की भी कामना करती है।

50. उत्तरवैदिक युग में सभा और समिति के अधिकारों में पर्याप्त वृद्धि हुई। अथर्ववेद में सभा और समिति को ''प्रजापति की दो पुत्रियों'' कहा गया है। इन दोनों संस्थानों के स्वरूप के विषय में विवाद है। लुडविग का विचार है कि सभा उच्च सदन थी जिसमें पुरोहित तथा कुलीन लोग भाग लेते थे। इसके विपरीत समिति निम्न सदन थी जिसमें सामान्य जन के प्रतिनिधि बैठते थे।

जिमर का मत है कि सभा आम लोगों की संस्था थी तथा समिति सम्पूर्ण जन की केन्द्रीय समिति होती थी। हिलब्रान्ट के मतानुसार समिति संस्था थी जबकि सभा उसका बैठक स्थल। अल्तेकर के अनुसार सभा प्रायः आम संस्था थी और उसमें सामाजिक़ तथा राजनीतिक दोनों विषयों पर विचार किया जाता था। सभा में बहुमत से निर्णय लिये जाते थे। यह न्यायालय का भी कार्य करती थी। समिति का स्वरूप केन्द्रीय शासन की व्यवस्थापिका सभा के समान था। यह सभा से बड़ी जनता की संसद होती थी।

52. निजाम-उल-मुल्क आसफ जाह मुगल शासक औरंगजेब के बाद के हैदराबाद का प्रसिद्ध निजाम था, जिसने आसफ जाही राजवंश की नींव रखी। उसने 1724 में हैदराबाद राज्य की स्थापना की तथा 1748 (मृत्युपर्यंत) तक शासन किया। औरंगजेब ने उसे चिंकिलिच खां, फर्रुखसियर ने निजाम-उल-मुल्क (1713) तथा मुहम्मद शाह के आसफ जाह (1725) आदि उपाधियाँ प्रदान की।

56. अकबर एक महान विस्तारवादी शासक था, उसने अपने साम्राज्य का विस्तार पूर्व में बंगाल की खाड़ी से लेकर पश्चिम में कंधार तक और उत्तर में कश्मीर से लेकर दक्षिण में नर्मदा तक किया था। वास्तव में उसका साम्राज्य अलाउद्दीन खिलजी के साम्राज्य के बराबर था। उसने अपने साम्राज्य के अंतर्गत अनेक हिन्दू सरदारों को शामिल किया। हिन्दुओं ने उसके साम्राज्य का पुरजोर समर्थन किया था। अकबर ने अपने अधिकारियों को किसी भी प्रकार के उत्पीड़न की अनुमति कभी नहीं दी। अकबर के प्रमुख विजय निम्नलिखित हैं:

- 1573 ईस्वी में अकबर ने गुजरात जीता। इस अभियान में खान-ए-आजम मिर्जा को गुजरात के सूबेदार के रूप में नियुक्त किया।
- 1574-75 ईस्वी में उसने बंगाल जीता।
- 1581 ईस्वी में उसने अफगानिस्तान में एक विद्रोह को दबा दिया।
- 1595 ईस्वी में उसने कश्मीर, उड़ीसा, सिंध और कंधार पर विजय प्राप्त की।
- दक्कन के अधिकांश भागों में उसने बरार, खानदेश और अहमदनगर के कुछ हिस्सों पर विजय प्राप्त की।

59. इल्तुतमिश ने रजिया (1236-1240 ई.) को अपना उत्तराधिकारी घोषित कर दिया और चाँदी के टंके उसका नाम अंकित करवाया। रजिया के मामले में पहली बार दिल्ली की जनता ने उत्तराधिकार के प्रश्न पर स्वयं निर्णय लिया। उसके बाद से दिल्ली की जनता का समर्थन रजिया की ताकत का मुख्य स्रोत बना। रजिया ने जनता से अपील की कि यदि वह उनकी उम्मीदों और भावनाओं के अनुरूप शासन नहीं करती है तो उसे गद्दी से उतार दे। इस प्रकार उसने शर्तों के आधार पर शासन किया।

60. 'प्रतिहार वंश' को गुर्जर प्रतिहार वंश इसलिए कहा गया, क्योंकि ये गुर्जरों की ही एक शाखा थे, जिनकी उत्पत्ति गुजरात व दक्षिण-पश्चिम राजस्थान में हुई थी। प्रतिहारों के अभिलेखों में उन्हें श्रीराम के अनुज लक्ष्मण का वंशज बताया गया है, जो श्रीराम के लिए प्रतिहार (द्वारपाल) का कार्य करते थे। कन्नड़ कवि 'पम्प' ने महिपाल को 'गुर्जर राजा' कहा है। 'स्मिथ' ह्वेनसांग के वर्णन के आधार पर उनका मूल स्थान आबू पर्वत के उत्तर-पश्चिम में स्थित भीनमल को मानते हैं। कुछ अन्य विद्वानों के अनुसार उनका मूल सथान अवन्ति था।

गुर्जर-प्रतिहार वंश के शासक

- नागभट्ट प्रथम (730-756 ई.)
- वत्सराज (783-795 ई.)
- नागभट्ट द्वितीय (795-833 ई.)
- मिहिरभोज (भोज प्रथम) (836-889 ई.)
- महेन्द्र पाल (890-910 ई.)
- महिपाल (914-944 ई.)

63. कुतुबुद्दीन ऐबक को बड़े पैमाने पर दान देने के कारण 'लाख बख्श' या लाखों के दाता की उपाधि दी गई थी। कुतुबुद्दीन ऐबक दिल्ली सल्तनत का पहला सुल्तान और गुलाम राजवंश का संस्थापक था। कुतुबुद्दीन ऐबक मुहम्मद गोरी का गुलाम था। जब गोरी की हत्या हुई, तो ऐबक ने 1206 में खुद को दिल्ली का सुल्तान घोषित किया

ओर उसके वंश को गुलाम राजवंश के रूप में मान्यता दी गई। 1206-90 तक गुलाम वंश भारत पर शासन करने वाला पहला मुस्लिम राजवंश बन गया।

कुतुबुद्दीन ऐबक, इल्तुतमिश, रजिया सुल्तान, बलबन इस राजवंश के प्रख्यात राजा थे। कुतुबुद्दीन ऐबक के बाद आराम शाह ने और फिर इल्तुतमिश ने शासन किया। उसने दिल्ली में कुतुब मीनार का निर्माण शुरू किया। उसने 1210 में अपनी मृत्यु तक शासन किया। राजवंश तब समाप्त हुआ जब जलालुद्दीन फिरोज खिलजी ने 1290 में अंतिम मामलुक शासक मुईज उद दीन कायकाबाद को उखाड़ फेंका।

64. मीर मुसव्विर और सैय्यद अली (पिता-पुत्र) हुमायूँ के दरबार के ईरानी चित्रकार थे। हुमायूँ नें अफगानिस्तान के अपने निर्वासन के दौरान मुगल चित्रकला की नींव रखी। फारस में ही हुमायूँ की मुलाकात मीर सैय्यद अली एवं ख्वाजा अब्दुस्समद से हुई जिन्होंने मुगल चित्रकला का शुभारंभ किया। मीर सैय्यद अली हेरात के प्रसिद्ध चित्रकार बिहजाद का शिष्य था। मीर सैय्यद ने जो कृतियाँ तैयार की उसमें से कुछ जहाँगीर द्वारा तैयार की गई गुलशन चित्रावली में संकलित है।

हुमायूँ ने इन दोनों को दास्ताने-अमीर-हम्जा (हम्जानामा) की चित्रकारी का कार्य सौंपा। हम्जानामा मुगल चित्रशाला की प्रथम महत्वपूर्ण कृति है। यह पैगंबर के चाचा अमीर हम्जा के वीरतापूर्ण कारनामों का चित्रणीय संग्रह है। इसमें कुल 1200 चित्रों का संग्रह है। मुल्ला अलाउद्दीन कजवीनी ने अपने ग्रंथ 'नफाई-सुल-मासिरे' में हम्जानाम को हुमायूँ के मस्तिष्क की उपज बताया।

65. राजतरंगिणी कल्हण द्वारा रचित एक संस्कृत ग्रन्थ है, जिसकी रचना 1148 से 1150 ई. के बीच हुई। कश्मीर के इतिहास पर आधारित इस ग्रंथ की रचना में कल्हण ने ग्यारह अन्य ग्रंथों का सहयोग लिया जिसमें अब केवल नीलमत पुराण ही उपलब्ध है। यह ग्रंथ संस्कृत में ऐतिहासिक घटनाओं के क्रमबद्ध इतिहास लिखने का प्रथम प्रयास है। इसमें आदिकाल से लेकर 1151 ई. के आरम्भ तक के कश्मीर के प्रत्येक शासक के काल की घटनाओं का क्रमानुसार विवरण दिया गया है। यह कश्मीर का राजनीतिक उथल-पुथल का काल था। आरंभिक भाग में यद्यपि पुराणों के ढंग का विवरण अधिक मिलता है। परंतु बाद की अवधि का विवरण पूरी ऐतिहासिक ईमानदारी से दिया गया है। अपने ग्रंथ में कल्हण ने इस आदर्श को सदा ध्यान में रखा है। इसलिए कश्मीर के ही नहीं, तत्काल भारतीय इतिहास के संबंध में भी राजतरंगिणी में बड़ी महत्वपूर्ण और प्रमाणिक सामग्री प्राप्त होती है। राजतरंगिणी के उद्धरण अधिकतर इतिहासकारों ने इस्तेमाल किये हैं। इस ग्रंथ से कश्मीर के इतिहास के बारे में जानकारी मिलती है। कल्हण की राजतरंगिणी में कुल 8 तरंग एवं लगभग 8000 श्लोक हैं। पहले के तीन तरंगों में कश्मीर के प्राचीन इतिहास की जानकारी मिलती है। चौथे से लेकर छठवें तरंग में कार्कोट एवं उत्पल वंश के इतिहास का वर्णन है। अन्तिम सातवें एवं आठवें तरंग में लोहार वंश का इतिहास उल्लिखित है। इस पुस्तक में ऐतिहासिक घटनाओं का क्रमबद्ध उल्लेख है। कल्हण ने पक्षपातरहित होकर राजाओं के गुण एवं दोषों का उल्लेख किया है।

राजा चन्द्रपीड के शासन काल में वर्ण व्यवस्था का स्पष्ट उल्लेख मिलता है, जहाँ राजा के अधिकारियों द्वारा एक निम्नवर्ग के व्यक्ति की कुटिया का उल्लेख है, जहाँ पर मन्दिर निर्माण के लिए राजा के अधिकारियों ने उसके कुटिया को हटाने का आदेश दिया, परन्तु राजा के न्यायप्रियता के द्वारा अधिकारियों को दण्डित किया गया। जिससे ज्ञात होता है कि उस समय वर्णव्यवस्था तो प्रचलित थी, परन्तु वर्णों में परस्पर मतभेद नहीं थे।

67. देवराय द्वितीय साहित्य का महान संरक्षक था और स्वयं संस्कृत का एक निष्णात विद्वान था। उसे दो संस्कृत ग्रंथों 'महानाटक सुधानिधि' एवं 'बादरायण के बम्हसूत्र' पर टीका की रचना करने का गौरव प्राप्त है।

प्रमुख तेलुगु कवि 'श्रीनाथ' देवराय द्वितीय के दराबारी कवि थे। ऐसा कहा जाता है कि श्रीनाथ का दर्जा उनके दरबार में वरिष्ठ मंत्रियों के ही समान था और वे सम्राट के साथ स्वतंत्रतापूर्वक घूमते थे। देवराय द्वितीय ने श्रीनाथ को 'कवि सार्वभौम' की उपाधि प्रदान की थी। तेलुगु भाषा का साहित्य अत्यंत समृद्ध एवं प्राचीन है।

इस भाषा के साहित्य की परम्परा 11वीं शताब्दी के आरंभिक काल से शुरू होती है। देवराय द्वितीय ने लक्कना दंडेसा, चामासा, जक्कनाचार्या तथा कुमार व्यास जैसे कन्नड़ कवियों और श्रीनाथ (जिन्हें स्वर्ण मुद्राओं अर्थात् टंका से नहला दिया गया था) जैसे तेलुगु कवि को बहुत सम्मान दिया।

74. संविधान का अनुच्छेद 347 भाषाई अल्पसंख्यकों के अधिकारों की रक्षा करता है। लेकिन आजादी के बाद राष्ट्रीय नेतृत्व में यह विचार व्यक्त किया गया कि देश की सुरक्षा, एकता और आर्थिक संपन्नता पर पहले ध्यान दिया जाना चाहिये। 1948 में एस.के. धर के नेतृत्व में बने भाषाई राज्य आयोग तथा जे.वी.पी. समिति ने भी तात्कालिक रूप से भाषाई आधार पर राज्यों के पुनर्गठन के विरुद्ध सलाह दी थी।

भाषाई आधार पर राज्य गठन हेतु बनी समितियों के सुझाव के बाद पूरे देश में राज्यों के पुनर्गठन को लेकर व्यापक जनांदोलन शुरू हो गए, जिनमें मद्रास प्रेसीडेंसी से अलग आंध्र राज्य बनाने की मांग सबसे प्रबल थी। अक्तूबर 1952 में पोट्टी श्रीरामलू की आमरण अनशन के चलते मृत्यु हो गई, इसके पश्चात् हुई हिंसा के कारण सरकार को 1953 में आंध्र प्रदेश के रूप में नया राज्य बनाना पड़ा। इसके बाद देश के अन्य क्षेत्रों में भी भाषाई आधार पर राज्यों की माँग जोर पकड़ने के कारण 1956 में 'राज्य पुनर्गठन आयोग' की स्थापना की गई। आयोग की रिपोर्ट के आधार पर वर्ष 1956 में पारित राज्य पुनर्गठन अधिनियम द्वारा भाषायी आधार पर 14 राज्यों तथा 6 केंद्रशासित प्रदेशों का गठन हुआ।

75. ईश्वरकृष्ण को सांख्य का प्रधान दार्शनिक कहा जाता है। सांख्य दर्शन की परम्परा अत्यधिक प्राचीन है, इसीलिए ईश्वरकृष्ण को सांख्य का आदि प्रवर्तक नहीं कहा जा सकता है। उनके पहले कपिल, आसुरि, पंचशिख आदि के नाम आते हैं। फिर भी ईश्वरकृष्ण को सांख्य का प्रधान दार्शनिक कह सकते हैं। उनकी पुस्तक 'सांख्यकारिका' को सांख्य का प्रामाणिक और प्राचीन ग्रंथ (चौथी शताब्दी) माना जाता है। इस पर माठरवृत्ति, गौड़ापाद भाष्य, युक्तिदीपिका आदि अनेक टीकायें है। सांख्यकारिका में दो मौलिक तत्व स्वीकार किये गए हैं—'पुरुष' तथा 'प्रकृति'। सम्भवतः यह इसलिए किया गया है कि उपनिषदों में पुरुष या आत्मा को अपरिवर्तनशील कहा गया है। अतः जगत् की सृष्टि के लिए परिवर्तनशील तत्व प्रकृति को मानना आवश्यक प्रतीत हुआ। अद्वैत वेदान्त में इसी प्रकृति को त्रिगुणात्मिका माया कहा गया है। इसी से सांख्य के मत में जगत् सत्य और वेदान्त मत में जगत् मिथ्या माना गया। सांख्य का वेदांत से दूसरा मतभेद पुरुष की अनेकता के विषय में है। सांख्यकारिका के प्रारम्भ में ही यह कहा गया है कि आध्यात्मिक, आधिदैविक तथा आधिभौतिक तीनों प्रकार के दुःखों से आत्यंतिक और पूर्ण मुक्ति प्राप्त करने के लिए तत्वज्ञान ही एकमात्र उपाय है। शास्त्रीय अन्य लौकिक उपायों से दुःख से पूर्ण और स्थायी मुक्ति नहीं मिल सकती। उनमें हिंसा आदि का भी दोष है। दुःख अज्ञान से होता है, अतः उसकी आत्यंतिक निवृत्ति ज्ञान से ही हो सकती है। उस ज्ञान का अर्थ है—पुरुष प्रकृति का ज्ञान या पुरुष-प्रकृति के भेद का ज्ञान (विवेकख्याति)।

79. बलबन को अमीरों की शक्ति का एहसास सुल्तान नासिरूद्दीन महमूद के नायब या संरक्षक के रूप में कार्य करने के समय से ही था। अतः उस समय उसने समस्त सैनिक एवं असैनिक शक्तियों से युक्त शासक की आवश्यकता का अनुभव करते हुए इसी के अनुरूप राजत्व को आकार दिया।

बलबन का राजत्व प्रतिष्ठा, शक्ति एवं न्याय पर आधारित होने का वर्णन निम्नलिखित आधार पर किया गया है :

- बलबन का मानना था कि आतंरिक एवं बाह्य संकट का सामना करने का एकमात्र उपाय सम्राट की प्रतिष्ठा एवं शक्ति को बढ़ाना है जिसके लिये यह निरंतर प्रयत्नशील रहे।
- बलबन ने राजा के पद को विशेष स्थान प्रदान किया ताकि अपनी शक्ति एवं सत्ता के लिये अभिजात वर्ग पर निर्भर न रहना पड़े।
- बलबन के अनुसार, सुल्तान पृथ्वी पर ईश्वर की छाया और परमात्मा की कृपा को ग्रहण करने वाला होता है। उसका मानना था कि जनहित के कल्याण के लिये राजा के पद एवं प्रतिष्ठा को बनाए रखना उसका सर्वोच्च कर्त्तव्य है।

- बलबन ने अमीरों पर अपनी श्रेष्ठता साबित करने के लिये सिजदा एवं पैबोस जैसी कठोर दरबारी शिष्टाचार एवं नई प्रथाओं को लागू किया।
- दिल्ली सल्तनत की प्रतिष्ठा को ऊँचा उठाने के लिये बलबन ने फारस के इस्लामी राजस्व के सिद्धांतों एवं परंपराओं के आधार पर अपने शासन को संगठित किया।
- राजत्व की प्रतिष्ठा को ध्यान में रखते हुए बलबन का विश्वास था कि कुलीन घरानों और प्राचीन वंशों के व्यक्तियों को ही प्रभुत्व और शक्ति का अधिकार था। हालाँकि बलबन ने तुर्क अमीरों की शक्ति एवं एकाधिकार को ध्यान में रखते हुए निम्न वर्ग के तुर्कों को न केवल महत्वपूर्ण पदों पर नियुक्त किया बल्कि उन्हें 'चालीस' के समकक्ष स्थान भी दिया।
- बलबन ने जनता का विश्वास प्राप्त करने के लिये न्याय देने में थोड़ा भी पक्षपात नहीं किया। अपने अधिकारों की अवहेलना करने वाले बड़े से बड़े व्यक्ति को भी बलबन नहीं छोड़ता था।

81. राष्ट्रकूट राजाओं द्वारा जारी और उनके सचिवों द्वारा अभिलिखित आदेशों को राजश्रावितम् कहा जाता था। राष्ट्रकूट कन्नड़ मूल के थे और उनकी मातृभाषा कन्नड़ थी। राष्ट्रकूट वंश की स्थापना 8वीं सदी में दन्तिदुर्ग द्वारा की गयी थी। उसने दक्कन में राष्ट्रकूटों को एक सर्वोच्च शक्ति के रूप में स्थापित करने में महत्वपूर्ण भूमिका निभाई थी। उसने गुर्जरों को हराने के बाद मालवा पर तथा कीर्तिवर्मन द्वितीय को पराजित कर चालुक्य राज्य पर आधिपत्य स्थापित कर लिया था।

उसका उत्तराधिकारी कृष्ण प्रथम था जो एक महान साम्राज्य निर्माता था। कृष्ण प्रथम ने वेंगी के पूर्वी चालुक्यों और गंगों के खिलाफ विजय प्राप्त की थी। उसे एलोरा की चट्टानों को काटकर विशालकाय कैलाश मंदिर के निर्माण के लिए जाना जाता है। उसका उत्तराधिकारी गोविंद तृतीय था।

अमोघवर्ष प्रथम (815-880 ईस्वी) गोविंदा तृतीय का उत्तराधिकारी बना जिसका शासनकाल अपने सांस्कृतिक विकास के लिए लोकप्रिय था। उसने जैन धर्म का पालन किया। वह कन्नड़ भाषा में लिखित एक प्रसिद्ध पुस्तक '*कविराजमार्ग*' का भी लेखक था। वह राष्ट्रकूट राजधानी मालखेड या मान्यखेट का भी वास्तुकार था। अमोघवर्ष प्रथम का उत्तराधिकारी कृष्ण तृतीय (936-968 ईस्वी) था। जिसे पड़ोसी राज्यों के खिलाफ अपने विजयी अभियान के लिए जाना जाता था। उसने तक्कोतम में चोलों के खिलाफ विजय प्राप्त की थी। उसने तंजौर के साथ-साथ रामेश्वरम पर भी कब्जा कर लिया था। अमोघवर्ष ने कई मंदिरों का भी निर्माण करवाया था जिनमें रामेश्वरम का कृष्णस्वारा मंदिर भी शामिल था। उसकी मृत्यु के बाद राष्ट्रकूटों की शक्ति में कमी आई।

82. शहीद उधम सिंह ने जलियांवाला बाग हत्याकांग का बदला लिया था। वह इंग्लैंड गए थे और लंदन की रॉयल सेंट्रल एशियन सोसायटी के हॉल में पंजाब के लेफ्टिनेंट गर्वनर माइकल ओ'डायर को 1940 में गोली मारकर हत्या कर दी थी। लंदन की पैटनविले जेल में उन्हें फांसी दी गई थी।

83. पुलकेशिन् द्वितीय के ऐहोल अभिलेख में भारत-युद्ध की काल-गणना का उल्लेख मिलता है। ऐहोल कर्नाटक राज्य में एक जगह है, जो अपनी वास्तुकला के लिए प्रसिद्ध है। यह चालुक्यों की पहली राजधानी थी। ऐहोल शिलालेख (634 ई.) को चालुक्य राजा पुलकेशिन-2 के दरबारी कवि और मंत्री रविकीर्ति ने लिखा था। यह वर्ष 634 ईस्वी तक बादामी के चालुक्यों के प्रारंभिक इतिहास के बारे में बहुमूल्य जानकारी प्रदान करता है, साथ ही कवि कालिदास और भारवी की तिथियां भी।

इसमें उल्लेख है कि रविकर्ति ने अपने काव्य कौशल के द्वारा कालिदास और भारवि जैसी प्रसिद्धि प्राप्त की है। शिलालेख से पता चलता है कि कालिदास और भारवी दोनों ही दक्षिण भारत में संस्कृत कवियों में सबसे महत्वपूर्ण माने जाते थे।

इस अभिलेख में पुलकेशिन द्वितीय द्वारा हर्षवर्धन की पराजय का उल्लेख है और पल्लवों पर चालुक्यों की विजय के बारे में वर्णन है। पुलकेशिन द्वितीय द्वारा ऐहोल से बादामी तक राजधानी को स्थानांतरित करने का भी संदर्भ है।

84. 27 दिसंबर, 1891 को पंजाब के कादियान में अहमदिया सामाजिक-धार्मिक सुधारवादी आंदोलन की पहली आम सभा हुई। अहमदिया इस्लाम का एक संप्रदाय है जिसकी उत्पत्ति भारत में हुई। इसकी स्थापना वर्ष 1889 में मिर्जा गुलाम अहमद ने की थी।

यह उदारवादी सिद्धांतों पर आधारित था। इसने खुद को मुस्लिम पुनर्जागरण के मानक-वाहक के रूप में वर्णित किया और खुद को ब्रह्म समाज की तरह मानवता के सार्वभौमिक धर्म के सिद्धांतों पर आधारित बताया, साथ ही जिहाद (गैर-मुसलमानों के खिलाफ पवित्र युद्ध) का विरोध किया।

इस आंदोलन ने भारतीय मुसलमानों के बीच पश्चिमी उदार शिक्षा का प्रसार किया। अहमदिया समुदाय एकमात्र इस्लामी संप्रदाय है जो यह मानता है कि मसीहा मिर्जा गुलाम अहमद का जन्म धार्मिक युद्धों और रक्तपाल को समाप्त करने एवं नैतिकता, शांति व न्याय को बहाल करने के लिये हुआ था। वे मस्जिद (धर्म) को राज्य से अलग करने के साथ-साथ मानवाधिकार और सहिष्णुता में भी विश्वास करते थे। हालाँकि अहमदिया आंदोलन, वहाबवाद की तरह जो कि पश्चिम एशियाई देशों में फला-फूला, रहस्यवाद से युक्त था।

86. मुगलकालीन शासन व्यवस्था में राजस्व के स्रोत मुख्यतः दो भागों में बँटे थे–'केन्द्रीय' एवं 'स्थानीय'। केन्द्रीय आय के कई महत्वपूर्ण स्रोत थे, जिनमें भू-राजस्व, चुंगी, टकसाल, उत्तराधिकारी के अभाव में प्राप्त आय, उपहार, नमक पर कर एवं प्रत्येक व्यक्ति पर लगने वाला पॉल-टैक्स या व्यक्ति कर शामिल था। इन सबमें 'भू-राजस्व' सर्वाधिक महत्वपूर्ण स्रोत था। वास्तविक कृषि उत्पाद या फसल में राज्य के अंश को 'माल' या 'खराज' (लगान, भूमिकर, चौथ) के रूप में अभिहित किया जाता था।

भूमि कर के विभाजन के आधार पर मुगल साम्राज्य की समस्त भूमि तीन वर्गों में विभक्त थी :

(1) खालसा भूमि

(2) जागीर भूमि

(3) सयूरगल भूमि।

(1) **खालसा भूमि :** प्रत्यक्ष रूप में बादशाह के अधिकार क्षेत्र में रहने वाली 'खालसा भूमि' से प्राप्त आय शाही कोष में जमा कर दी जाती थी। इस आय का उपयोग व्यक्तिगत खर्च पर (शाही परिवार), राजा के अंगरक्षक एवं निजी सैनिक पर, युद्ध की तैयारी आदि पर किया जाता था। सम्पूर्ण साम्राज्य का लगभग 20 प्रतिशत क्षेत्र खालसा भूमि के अन्तर्गत शामिल था। 1573 ई. में अकबर ने जागीर भूमि को कम करके खालसा भूमि के विस्तार का निर्णय लिया। जहाँगीर ने खालसा भूमि का आकार कम कर दिया था, पर शाहजहाँ ने इनका पुनः विस्तार किया। औरगजेब के शासन काल के अन्तिम दिनों में खालसा भू-क्षेत्रों को जागीरों के रूप आवंटित किया जाने लगा।

(2) **जागीर भूमि :** यह भूमि राज्य के प्रमुख कर्मचारियों को उनकी तनख्वाह के बदले दी जाती थी। जब इस भूमि का केंद्र के निरीक्षण में हस्तांतरण होता था, तब इसे 'पायबाकी' कहा जाता था। भूमि प्राप्त करने वाले को भूमि से कर वसूलने का भी अधिकार मिला रहता था। पदमुक्त होने पर इस भूमि पर से उस व्यक्ति का अधिकार जागीरदारों के हाथों में चला जाता था। जागीरदारों पर नियंत्रण रखने के लिए 'सावनिहनिगार' नामक विभाग होता था, जो जागीरदारों की कार्रवाई एवं अन्य विवरण केन्द्र को भेजता था।

(3) **सयूरगल भूमि :** इस प्रकार की भूमि को 'मदद-ए-माश' भी कहा जाता था। यह भूमि अनुदान के रूप में धार्मिक प्रवृत्ति के व्यक्तियों को दी जाती थी। इस तरह की अधिकांश भूमि अनुत्पादक होती थी। इस-भूमि को 'मिल्क' भी कहा जाता था। जहाँगीर ने 'अलतमगा' ज़ागीर अनुदान में प्रदान की थी। यह जागीर वंशानुगत होती थी। 'एम्मा' जागीरें' मुसलमान धर्मविदों और उलेमाओं को प्रदान की जाती थी।

87. तबकात-ए अकबरी (लगभग 1593 ई.) के इतिहासकार निजामुद्दीन अहमद के अनुसार अकबर के काल में

लगभग 120 बड़े शहर और 3200 कस्बे (छोटे शहर) थे। 17वीं शताब्दी में उद्योग व व्यापार के विकास के साथ यह संख्या भी बढ़ी होगी। निश्चित स्रोतों और अभिलेखों के अभाव में विभिन्न शहरों की ठीक-ठीक जनसंख्या पता करना संभव नहीं है। इरफान हबीब के अनुसार कुल जनसंख्या का लगभग 15 प्रतिशत शहरों में निवास करता था।

विभिन्न शहरों के आकार के विषय में कुछ यूरोपीय यात्रियों के वृत्तांतों से जानकारी मिलती है। इन्होंने कहीं-कहीं तो अपने अनुमान दिये हैं और कहीं भारतीय शहरों की तुलना यूरोपीय शहरों से की है। इस प्रकार की जानकारी केवल कुछ गिने-चुने शहरों के बारे में ही दी गई है।

89. याज्ञवल्क्य स्मृति धर्मशास्त्र परम्परा का एक हिन्दू धर्मशास्त्र का ग्रंथ (स्मृति) है। याज्ञवल्क्य स्मृति को अपने तरह की सबसे अच्छी एवं व्यवस्थित रचना माना जाता है। इसकी विषय-निरूपण-पद्धति अत्यंत सुग्रंथित है। इस पर विरचित मिताक्षरा टीका हिंदू धर्मशास्त्र के विषय में भारतीय न्यायालयों में प्रमाण मानी जाती रही है। याज्ञवल्क्य स्मृति में ही सर्वप्रथम महिलाओं के सम्पत्ति के अधिकार को मान्यता दी गई।

इस स्मृति में 1003 श्लोक हैं। इस पर विश्वरूपकृत 'बालक्रीडा' (800-825), अपरार्क कृत याज्ञवल्कीय धर्मशास्त्र निबंध (12वीं शती) और विज्ञानेश्वरकृत मिताक्षर (1070-1100) टीकाएँ प्रसिद्ध हैं।

पिछले प्रश्न-पत्र (हल सहित)

National Testing Agency (NTA)

UGC-NET जूनियर रिसर्च फैलोशिप तथा सहायक प्राध्यापक पात्रता परीक्षा

इतिहास, जून-2020

(Online exam held on 09-10-2020)

प्रश्न-पत्र-II

नोटः *इस प्रश्न-पत्र में* ***सौ (100)*** *बहु-विकल्पीय प्रश्न हैं। प्रत्येक प्रश्न के* ***दो (2)*** *अंक हैं।* ***सभी प्रश्न अनिवार्य*** *हैं।*

1. प्रारंभिक वैदिक काल में व्रजपति कौन था?

A. योद्धा समूहों के प्रमुखों का नेतृत्व करने वाला अधिकारी
B. राजा का वरिष्ठ मंत्री
C. कबीलाई सभाओं की बैठकों की अध्यक्षता करने वाला अधिकारी
D. गांव का मुखिया

2. निम्नलिखित में से कौन जैन भिक्षुणी बनने वाली पहली महिला थी?

A. चंदना　　B. खेमा
C. सुजाता　　D. त्रिशला

3. 'स्त्रीधन' शब्द का पहली बार उल्लेख निम्नलिखित में से किस ग्रन्थ में हुआ है?

A. शतपथ ब्राह्मण　　B. सुत्त पिटक
C. अर्थशास्त्र　　D. हर्षचरित

4. किस प्राचीन तमिल लेखक ने नंद शासकों द्वारा संचित अपार धन-संपदा का उल्लेख किया है?

A. कंबन　　B. कुलशेखर
C. मधुरकवि　　D. मामूलनार

5. रबातक अभिलेख के संदर्भ में निम्नलिखित में से कौन-सा कथन ***सही*** है?

A. कनिष्क और कडफिसेस शासकों के बीच संबंध स्पष्ट करने के लिए
B. अंतिम तीन मौर्य शासकों के बारे में नई जानकारी देने के लिए
C. विष्णु पूजा के प्रारंभिक रूप का वर्णन करने के लिए
D. प्रारम्भिक तमिल इतिहास में तटीय व्यापार का वर्णन करने के लिए

6. निम्नलिखित में से किसने गुप्त संवत के प्रारम्भ के निर्धारण के संबंध में महत्वपूर्ण सूचना दी है?

A. फाहियान　　B. ह्वेनसांग
C. अल-मसूदी　　D. अल-बरूनी

7. 'मेरी सीमा क्षेत्र में सौ करोह भी पूरी तरह से मेरी आज्ञा के अधीन नहीं हैं।'

सुलतान अलाउद्दीन खलजी यह शिकायत किससे कर रहा था?

A. काजी मुगीसुद्दीन　　B. काजी फखरुद्दीन
C. शरफ कैनी　　D. अलाउल मुल्क

8. आर्यभट्ट ने निम्नलिखित में से कौन-सी खोज नहीं की?

A. पृथ्वी गोल है
B. पृथ्वी अपने अक्ष पर घूमती है
C. पृथ्वी सूर्य के चारों ओर चक्कर लगाती है
D. पृथ्वी की छाया चन्द्रमा पर पड़ने से ग्रहण लगते हैं

9. 'सती' का पहला अभिलेखीय साक्ष्य निम्नलिखित में से किस अभिलेख में मिलता है?

A. भानुगुप्त का एरण-स्तंभ लेख

B. रुद्रदामन का जूनागढ़ अभिलेख
C. समुद्रगुप्त का इलाहाबाद स्तम्भ लेख
D. हर्ष का मधुबन अभिलेखन

10. 'बुरुन्जी' का क्या अर्थ है?
A. नेपाल के एक पहाड़ी कबीले का नाम
B. कश्मीर में हाल ही में खोजे गए नवपाषाण स्थल का नाम
C. असम के वंशावली रिकॉर्ड
D. उड़ीसा में पूजित मातृ-देवियां

11. निम्नलिखित में से किस गुप्त शासक ने सबसे कम स्वर्ण प्रतिशत वाले स्वर्ण सिक्के जारी किए?
A. स्कंदगुप्त B. बुद्धगुप्त
C. नरसिंहगुप्त D. विष्णुगुप्त

12. प्रशासन में महिलाओं की भागीदारी निम्नलिखित में से किस राजवंश की विशेषता थी?
A. चाहमानों B. चंदेलों
C. चालुक्यों D. चोलों

13. खरोष्ठी लिपि में लिखित धम्मपद की पांडुलिपि कहाँ से प्राप्त हुई थी?
A. तुर्फान B. काशगर
C. कूची D. खोतान

14. निम्नलिखित में से किस सुल्तान ने तनका पर टकसाल शहर का नाम उत्कीर्ण करने की प्रथा शुरू की?
A. कुतुबद्दीन ऐबक B. इल्तुतमिश
C. अलाउद्दीन खलजी D. मुहम्मद तुगलक

15. सुलतान स्वयं कृषि में गहरी दिलचस्पी लेता था। उसने अनाज पर जकात (आयात कर) खत्म कर दिया और पैमाइश का एक मानक लागू किया, जो मुगल काल तक प्रचलित रहा। वह सुलतान कौन था?
A. बलबन B. अलाउद्दीन खलजी
C. फिरोज तुगलक D. सिकंदर लोदी

16. अमृत कुंड, जिसमें स्वास्थ्य के लिए विभिन्न प्रकार के अभ्यासों और प्रयोगों का वर्णन किया गया है, वह ग्रंथ फारसी में किस नाम से अनूदित किया गया है?
A. ख्वान-ए पुर नेमत B. हौज-उल हयात
C. नूह सिपिहर D. हश्त बिहिश्त

17. मुगल शासक सिंध की घुमंतू जनजातियों को नियंत्रित करना चाहते थे, क्योंकि
A. वे उन्हें इस्लाम में दीक्षित करना चाहते थे
B. वे उन्हें सुहरावर्दी सूफी सिलसिले के प्रभाव में लाना चाहते थे
C. साम्राज्य की आय बढ़ाने के लिए वे उन्हें स्थानबद्ध बनाना चाहते थे
D. वे उनके विशाल पशु-धन को अपने इस्तेमाल के लिए हासिल करना चाहते थे

18. निम्न में से किस मालवा सुलतान ने मांडू में एक विशाल दारुल-शिफा (अस्पताल) का निर्माण कराया था?
A. हुशंग शाह B. गियास शाह
C. महमूद खलजी I D. महमूद खलजी II

19. संगीत के क्षेत्र में अपनी महारत के लिए निम्नलिखित में से कौन-सा राजा/सुलतान/कवि को गंधर्व की उपाधि से संबोधित किया गया था?
A. सुलतान सिकंदर लोदी
B. सुलतान हुसैन शर्की
C. ग्वालियर के राजा मान सिंह
D. अमीर खुसरो

20. बाबर का ध्यान इस तथ्य की ओर किसने आकर्षित किया कि सिकंदर लोदी के काल में हिंदुओं ने फारसी सीखी और उन्हें बड़ी संख्या में विभिन्न पदों पर नियुक्त किया गया?
A. मौलाना अब्दुल्लाह अजुधनी
B. शेख अब्दुल्लाह
C. शेख अजीजुल्लाह
D. शेख अब्दुल कुद्दूस गंगोही

21. निम्न में से कौन प्रेममार्गी निर्गुण भक्ति संत नहीं है?
A. मुल्ला दाउद B. कुतबन
C. मंझन D. मलूक दास

22. निम्नलिखित में से किस ग्रंथ में हिंदुस्तान के सूफी संतों का जीवनवृत्तांत दिया गया है और जिसके रचयिता ने उसे जहांगीर को भेंट किया था?
A. मआसिर-उल उमरा B. तज़किरात-उल उमरा
C. अखबार-उल अखयार D. ज़खीरत-उल खवानीन

23. निम्नलिखित में से किस शहजादे/अमीर के पुस्तकालय में सोलहवीं सदी के उत्तरार्द्ध में मुगल शैली में शाहनामा की सचित्र प्रति तैयार करवाई गई?

A. शाहजादा मुराद
B. शाहजादा खुर्रम
C. ख्वाजा अब्दुल माजिद आसफ खान
D. अब्दुल रहीम खान-ए खानान

24. कीमती पत्थरों को तराशने की गति को बढ़ाने के लिए 'बेल्ट ड्राइव' के इस्तेमाल की जानकारी सबसे पहले किस यात्री के विवरण से मिलती है?

A. पीटर मंडी और मैनरिक
B. बर्नियर और मनूची
C. टैवर्नियर और फ्रायर
D. मास्टर स्ट्रैनशम और जॉर्ज रोक्स

25. निम्नलिखित में से किस ग्रंथ में सबसे पहले मध्यकालीन भक्तों का विवरण एक जगह मिलता है?

A. भक्तमाल
B. वैष्णवतबज्य भास्कर
C. चौरासी वैष्णवों की वार्ता
D. 252 वैष्णवों की वार्ता

26. तमिल सिद्धों के संदर्भ में निम्न में से कौन-सा कथन सही **नहीं** है?

A. तिरुमुलर का दर्जा सभी तमिल सिद्धों में सबसे ऊँचा था
B. तमिल सिद्धवाद में ब्राह्मण विरोधी और कर्मकांड-विरोधी लक्षण मिलते हैं
C. तमिल सिद्धों ने शिव तथा तमिल देवता मुरुगन के महत्व पर जोर दिया
D. तमिल सिद्धों का मुख्य केंद्र तोंडैनाडु और पांडिनाडु था

27. 1914 तक भारतीय पैदल सेना के तीन-चौथाई सिपाही निम्नलिखित में से किस क्षेत्र से आते थे?

A. बंगाल, बिहार और अवध
B. मद्रास, बॉम्बे और बंगाल
C. पंजाब, नेपाल और उत्तर-पश्चिमी सीमांत प्रांत
D. पंजाब, सिंध और राजपूताना

28. 'राजद्रोह' से संबंधित कुख्यात धारा 124-A को एक्ट XXVII द्वारा भारतीय दंड संहिता में कब समाविष्ट किया गया था?

A. 1860 B. 1861
C. 1870 D. 1879

29. 1850 में भारत में बड़े पैमाने के उद्योग के उदय की पूर्व संध्या पर निम्नलिखित में से कौन-सा प्रमुख समुदाय पश्चिमी तट से निर्यात योग्य दो प्रमुख वस्तुओं कपास और अफीम का व्यापार करता था?

A. यूरोपीय पूँजीवादी B. बंगाली व्यापारी
C. पारसी D. चेट्टियार

30. निम्नलिखित में से कौन 23 मार्च, 1940 को मुस्लिम लीग द्वारा स्वीकृत लाहौर प्रस्ताव से नहीं जुड़ा था?

A. खिजर हयात खान B. सिकंदर हयात खान
C. फजलुल हक D. खलीकुज्जमां

31. निम्नलिखित में से कौन-से सुधारवादी मुस्लिम नेता ने एक आधुनिकतावादी उर्दू पत्रिका तहजीब अल-अख्लाक प्रकाशित की?

A. जमालुद्दीन-अल-अफगानी
B. सैयद अहमद खान
C. मुहसिन अल-मुल्क
D. मुहम्मद इस्माइल युसुफ

32. निम्नलिखित में से किसने 15 जनवरी, 1876 को कलकत्ता में इंडियन एसोसिएशन फॉर द कल्टिवेशन ऑफ साइंस की स्थापना की?

A. जे.सी. बोस B. पी.सी. रे
C. सी.वी. रमन D. महेन्द्र लाल सरकार

33. निम्नलिखित में से किसने बंगाल के विभाजन का उद्देश्य इन शब्दों में व्यक्त किया कि 'संयुक्त बंगाल एक शक्ति है; विभाजित बंगाल अलग-अलग दिशाओं में जाएगा?'

A. लॉर्ड कर्जन B. लॉर्ड मॉर्ले
C. अलेक्जेंडर मेकेंजी D. एच.एच. रिज्ले

34. निम्नलिखित में से कौन आजाद हिंद फौज के सदस्यों के खिलाफ चल रहे मुकदमों में बचाव पक्ष का नेतृत्व कर रहा था?

A. भूलाभाई देसाई B. जवाहरलाल नेहरू
C. महात्मा गांधी D. सरदार पटेल

35. निम्नलिखित में से कौन-सा एक आर्य समाज का आदर्श **नहीं** था?

A. शास्त्री वर्ग के प्राधिकार में विश्वास

B. ईश्वर के पितृत्व और मनुष्यों के भ्रातृत्व भाव में विश्वास

C. शुद्धि आंदोलन

D. लिंगों के बीच समानता

36. ऑल इंडिया वूमेन्स कॉन्फ्रेंस की स्थापना किस वर्ष हुई थी?

A. 1927　　B. 1929

C. 1931　　D. 1933

37. फ्रांसीसियों ने अपने भारतीय क्षेत्रों को अन्ततः भारत को कब सौंपा?

A. 1947　　B. 1950

C. 1954　　D. 1959

38. निम्नलिखित में से किस राज्य के महाराजा ने अंत में विद्रोह का नाटकीय प्रदर्शन करने के बाद ही विलय पत्र हस्ताक्षर किए?

A. हैदराबाद　　B. भोपाल

C. जैसलमेर　　D. जोधपुर

39. 1936 में निम्नलिखित में से किसने 'साम्राज्यवाद-विरोधी जन मोर्चा' कांग्रेस के अंतर्गत गठित किया?

A. आर.पी. दत्त और ब्रेन ब्रेडले

B. सुभाष चन्द्र बोस

C. छठी कमिंटर्न कांग्रेस

D. फिलिप स्प्रेट

40. 'कलकत्ता एंड हावड़ा स्मोक न्यूसेंसेज एक्ट' के अनुसार जूट मिलों के उत्सर्जन पर नियंत्रण लगाया गया था। यह अधिनियम बंगाल काउंसिल द्वारा किस वर्ष पारित किया गया था?

A. 1853　　B. 1857

C. 1863　　D. 1872

41. भारत की नवपाषाण संस्कृति में निम्नलिखित में से क्या पाया गया है?

(*a*) घिसकर और पॉलिश कर बनाए गए प्रस्तर उपकरण

(*b*) हल

(*c*) बैलगाड़ी

(*d*) खेती से उपजाए गए जौ और मटर

नीचे दिए गए विकल्पों में से सही उत्तर चुनिए :

A. केवल (*b*), (*c*) और (*d*)

B. केवल (*a*), (*c*) और (*d*)

C. केवल (*a*) और (*d*)

D. केवल (*b*) और (*c*)

42. भारतीय महापाषाण संस्कृति से निम्नलिखित में से क्या-क्या संबंधित है?

(*a*) लोहे के औजार और उपकरण

(*b*) घोड़े

(*c*) जोरवे भांड

(*d*) सार्कोफैगी

(*e*) डोलमेन

नीचे दिए गए विकल्पों में से सही उत्तर चुनिए :

A. केवल (*c*), (*d*) और (*e*)

B. केवल (*a*), (*b*), (*c*), (*e*)

C. केवल (*a*), (*b*), (*d*), (*e*)

D. केवल (*b*), (*c*) और (*d*)

43. निम्नलिखित में से किन स्थानों पर अशोक के 'पृथक शिलालेख' मिले हैं?

(*a*) धौली　　(*b*) जौगढ़

(*c*) सन्नति　　(*d*) उदेगोलम

नीचे दिए गए विकल्पों में से सही उत्तर चुनिए :

A. केवल (*a*) और (*b*)

B. केवल (*a*) और (*c*)

C. केवल (*a*), (*b*) और (*c*)

D. केवल (*b*), (*c*) और (*d*)

44. निम्नलिखित में से कौन-से महायान बौद्ध धर्म के मुख्य लक्षण हैं?

(*a*) बुद्ध की प्रतिमा की पूजा

(*b*) स्थानीय पंथों का आत्मसातीकरण

(*c*) बोधिसत्व की अवधारणा

(*d*) बौद्ध दर्शन के प्रसार के लिए पालि का प्रयोग

नीचे दिए गए विकल्पों में से सही उत्तर चुनिए :

A. केवल (*a*), (*c*) और (*d*)

B. केवल (*b*) और (*c*)

C. केवल (*a*) और (*c*)

D. केवल (*a*), (*b*) और (*c*)

45. गुप्त सम्राट चन्द्रगुप्त द्वितीय को किस/किन अन्य नाम/नामों से जाना जाता था?

(*a*) देवगुप्त (*b*) देवराज

(*c*) देवपुत्र (*d*) देवव्रत

नीचे दिए गए विकल्पों में से सही उत्तर चुनिए :

A. केवल (*a*)

B. केवल (*a*) और (*b*)

C. केवल (*a*), (*b*) और (*c*)

D. केवल (*b*), (*c*) और (*d*)

46. निम्नलिखित में से कौन मनु-स्मृति के प्रसिद्ध टीकाकार हैं?

(*a*) अपरार्क (*b*) कुल्लूक

(*c*) मेधातिथि (*d*) विज्ञानेश्वर

नीचे दिए गए विकल्पों में से सही उत्तर चुनिए :

A. केवल (*a*) और (*b*) B. केवल (*c*) और (*d*)

C. केवल (*b*) और (*c*) D. केवल (*a*) और (*c*)

47. अलबरूनी और भारत के बारे में दिए गए उसके विवरण के संबंध में निम्नलिखित में से कौन-से कथन **सही** हैं?

(*a*) उसे देश से निकाल दिया गया था और दस साल भारत में रहने का आदेश दिया गया था।

(*b*) उसके अनुसार अस्पृश्य जातियों के लोग चारों जातियों के गांवों और शहरों के बाहर ही रह सकते थे।

(*c*) ग्रहण की सच्ची प्रकृति के बारे में उसने ब्रह्मगुप्त के दृष्टिकोण का समर्थन किया।

(*d*) उसके अनुसार हिंदू सोचते हैं कि उनके देश जैसा कोई और देश और उनके धर्म जैसा कोई और धर्म नहीं है।

नीचे दिए गए विकल्पों में से सही उत्तर चुनिए :

A. केवल (*b*), (*c*) और (*b*)

B. केवल (*a*), (*b*) और (*d*)

C. केवल (*c*) और (*d*)

D. केवल (*b*) और (*c*)

48. निम्नलिखित मंदिरों में से कौन-से मंदिर ईंटों से निर्मित है?

(*a*) भीतरगांव मंदिर, कानपुर

(*b*) परशुरामेश्वर मंदिर, भुवनेश्वर

(*c*) लक्ष्मण मंदिर, खजुराहो

(*d*) लक्ष्मण मंदिर, सिरपुर

नीचे दिए गए विकल्पों में से सही उत्तर चुनिए :

A. केवल (*a*) और (*b*) B. केवल (*b*) और (*c*)

C. केवल (*a*) और (*d*) D. केवल (*b*) और (*d*)

49. 712 में जब अरबों ने सिंध पर आक्रमण किया, तो वे अपने साथ कौन-से खतरनाक हथियार लेकर आये थे?

(*a*) नाफ्था

(*b*) हवाई

(*c*) बान

(*d*) मंजनीक

नीचे दिए गए विकल्पों में से सही उत्तर चुनिए :

A. केवल (*a*) और (*b*)

B. केवल (*b*) और (*c*)

C. केवल (*c*) और (*d*)

D. केवल (*a*) और (*d*)

50. शिक्षा के संदर्भ में निम्नलिखित में से कौन-से कथन **सही** हैं?

(*a*) इल्तुतमिश ने अपने बेटे शाहजादा नसीर-उद्दीन महमूद की याद में दिल्ली में नसीरिया मदरसे की स्थापना की।

(*b*) रजिया ने मिनहाज सिराज को इसका प्राचार्य नियुक्त किया।

(*c*) गियासपुर में यमुना के किनारे सुल्तान फिरोज शाह तुगलक ने फिरोज शाही मदरसे की स्थापना की।

(*d*) अभिजात वर्ग अपने बेटे-बेटियों के लिए पुरुष और महिला शिक्षक नियुक्त करते थे।

नीचे दिए गए विकल्पों में से सही उत्तर चुनिए :

A. केवल (*a*), (*c*) और (*d*)

B. केवल (*a*), (*b*) और (*d*)

C. केवल (*b*), (*c*) और (*d*)

D. केवल (*a*), (*b*) और (*c*)

51. सुलतान मुहम्मद तुगलक द्वारा जारी सांकेतिक मुद्रा के संबंध में निम्नलिखित में से कौन-से कथन **सही** हैं?

(*a*) बरनी के अनुसार इन सांकेतिक सिक्कों के लिए जो धातु इस्तेमाल की गई, वह तांबा था।

(*b*) फरिश्ता का कहना है कि वह कांस्य या पीतल था।

(*c*) दूसरे सिक्कों पर सिर्फ अरबी में लिखा गया था, जबकि इन सांकेतिक सिक्कों पर फारसी में भी लिखा था।

(*d*) सांकेतिक सिक्कों पर लिखी इबारत को स्पष्ट और पठनीय बनाने पर कोई ध्यान नहीं दिया गया था।

नीचे दिए गए विकल्पों में से सही उत्तर चुनिए :

A. केवल (*a*), (*c*) और (*d*)
B. केवल (*a*), (*b*) और (*c*)
C. केवल (*b*), (*c*) और (*d*)
D. केवल (*c*) और (*d*)

52. अफगान राज्य तंत्र के बारे में निम्नलिखित में से कौन-से कथन **सही** हैं?

(*a*) बहलोल के विपरीत, सिकंदर लोदी ने राज सिंहासन पर बैठना शुरू किया, कोई भी दूसरा अमीर उसके बराबर नहीं बैठ सकता था।

(*b*) वह अभी भी 'समान हैसियत वालों में प्रथम' के सिद्धांत में विश्वास करता था।

(*c*) अमीरों तथा आम जनों के सामने सुलतान की श्रेष्ठता स्थापित करने के लिए उसने राज्य के दूर-दराज के क्षेत्रों में राजकीय फरमान प्राप्त करने के लिए विस्तृत नियम बनाए।

(*d*) एक प्रभावशाली गुप्तचर व्यवस्था सुलतान को राज्य और विशेषकर अमीरों की गतिविधियों से सूचित रखती थी।

नीचे दिए गए विकल्पों में से सही उत्तर चुनिए :

A. केवल (*a*), (*b*) और (*d*)
B. केवल (*b*) और (*d*)
C. केवल (*a*), (*c*) और (*d*)
D. केवल (*b*) और (*c*)

53. निजाम शाही राज्य में मलिक अंबर ने कृषि और राजस्व ढाँचे में क्रांतिकारी बदलाव किए। इस संदर्भ में निम्नलिखित में से कौन-से प्रावधान **सही** हैं?

(*a*) मलिक अंबर ने भू-राजस्व संग्रहण उगाही को ठेके पर देने की प्रथा समाप्त की।

(*b*) उसने भू-क्षेत्र का आकलन सरसरी निगाह द्वारा करने (नजर-पाहनी) की शुरूआत की।

(*c*) नजर-पाहनी के अंतर्गत जमीन को बागात और नाबूद में बाँटा जाता था।

(*d*) भू-राजस्व की अधिकतम दर भूमि की उर्वरा शक्ति के आधार पर उपज का 1/4 और 2/3 हिस्सा हुआ करती थी।

नीचे दिए गए विकल्पों में से सही उत्तर चुनिए :

A. केवल (*a*), (*b*) और (*c*)
B. केवल (*b*), (*c*) और (*d*)
C. केवल (*a*), (*b*) और (*d*)
D. केवल (*a*), (*c*) और (*d*)

54. मुगल काल के परवांचाओं के बारे में निम्नलिखित में से कौन-से कथन **सही** हैं?

(*a*) मुगल साम्राज्य के अधिकारियों और मंत्रियों द्वारा जारी किया जानेवाला आज्ञा पत्र।

(*b*) इस पर राजकीय मुहर की जरूरत नहीं होती थी।

(*c*) वे सम्राट के पूर्व आदेश के संदर्भ में जारी किए जाते थे।

(*d*) मुगल वंश के आरंभिक चरण में बेगमों और शाहजादों की तनख्वाह के निर्धारण के लिए परवांचा जारी नहीं किए जाते थे।

नीचे दिए गए विकल्पों में से सही उत्तर चुनिए :

A. केवल (*a*) और (*b*)
B. केवल (*b*) और (*d*)
C. केवल (*a*), (*b*) और (*c*)
D. केवल (*b*), (*c*) और (*d*)

55. दाग प्रथा के संदर्भ में निम्न में से कौन-से कथन **सही** हैं?

(*a*) अब्दुल हमीद लाहौरी लिखता है कि साम्राज्य का यह नियम था कि जिन मनसबदारों के पास हिंदुस्तान के किसी भी प्रांत में यदि जागीरें थीं, चाहे वे साम्राज्य में कहीं भी नियुक्त हों, उन्हें अपने सवार ओहदे के एक तिहाई के बराबर घुड़सवारों को पहचान (मस्टर) के लिए लाना होता था।

(*b*) यदि वे बल्ख और बदख्शां में नियुक्त होते थे, तो उन्हें सवार ओहदे के पांचवें हिस्से के बराबर लाना होता था।

(*c*) बल्ख और बदख्शां से संबंधित यह नियम बाद में पूरे काबुल प्रांत के नियुक्त सभी (मनसबदारों) पर लगाए जाने लगा।

(*d*) औरंगजेब काल के उत्तरार्ध में लिखे गए खुलासत-उस सियाक ने इन नियमों की पुष्टि की है।

नीचे दिए गए विकल्पों में से सही उत्तर चुनिए :

A. केवल (*a*) और (*b*)

B. केवल (*a*), (*c*) और (*d*)

C. केवल (*a*) और (*c*)

D. केवल (*b*), (*c*) और (*d*)

56. सिख गुरु गोविंद सिंह के विषय में निम्नलिखित में से कौन-से कथन **सही** हैं?

(*a*) सिखों के दसवें गुरु गोविंद सिंह ने युद्ध कला और आध्यात्मिक नेतृत्व—दोनों में निपुणता हासिल की थी।

(*b*) सैन्य कार्यवाही को उचित ठहराने के लिए उन्होंने सिख मान्यताओं की पुनर्व्याख्या की।

(*c*) काबुल के गवर्नर शाहजादा मुअज्जम ने सिखों के साथ एक समझौता किया और उन्हें पनाह दी।

(*d*) शाहजादा मुअज्जम को अंततः आदेश मिला कि जिस सिख गुरु ने उसके राज्य में शरण ली है, उसे वह राज्य से बाहर कर दे, लेकिन मुअज्जम ने यह आदेश मानने से इनकार कर दिया।

नीचे दिए गए विकल्पों में से सही उत्तर चुनिए :

A. केवल (*a*), (*c*) और (*d*)

B. केवल (*b*) और (*d*)

C. केवल (*a*), (*b*) और (*c*)

D. केवल (*c*) और (*d*)

57. भारतीय राष्ट्रीय कांग्रेस के संबंध में निम्नलिखित कथनों में से कौन-से कथन **सही** हैं?

(*a*) एक आंदोलन के रूप में उन विभिन्न राजनीतिक झुकावों, विचारधाराओं और सामाजिक समूहों/वर्गों को सम्मिलित किया जब तक वे प्रजातांत्रिक और धर्मनिरपेक्ष राष्ट्रवाद के प्रति प्रतिबद्ध हैं।

(*b*) आरंभिक राष्ट्रवादी नेताओं ने जन आंदोलनों को संगठित नहीं किया परन्तु उन्होंने उत्पीड़कों के विरुद्ध वैचारिक संघर्ष चलाया।

(*c*) आरंभिक राष्ट्रवादी नेताओं ने प्रेस और वाक् स्वतंत्रता के प्रत्येक उल्लंघन के विरुद्ध संघर्ष किया।

(*d*) उन्होंने न्यायिक और कार्यकारी शक्तियों के पृथक्कीकरण के लिए संघर्ष किए और नस्ली भेदभाव के विरुद्ध लड़ाई लड़ी।

नीचे दिए गए विकल्पों में से सही उत्तर चुनिए :

A. केवल (*a*), (*b*), (*c*), (*d*)

B. केवल (*b*) और (*d*)

C. केवल (*c*) और (*d*)

D. केवल (*a*), (*b*) और (*d*)

58. लॉर्ड कर्जन ने निम्नलिखित में से कौन-से अलोकप्रिय विधायी तथा प्रशासनिक कदम उठाए?

(*a*) कलकत्ता म्यूनिसिपल एमेंडमेंड एक्ट

(*b*) इंडियन यूनिवर्सिटीज एक्ट

(*c*) इंडियन ऑफिशियल सिक्रेट्स एक्ट

(*d*) लोकल सेल्फ-गवर्नमेंट एक्ट

(*e*) क्रिमिनल लॉ एमेंडमेंट एक्ट

नीचे दिए गए विकल्पों में से सही उत्तर चुनिए :

A. केवल (*a*), (*b*) और (*c*)

B. केवल (*c*), (*d*) और (*e*)

C. केवल (*b*), (*d*) और (*e*)

D. केवल (*a*), (*b*) और (*d*)

59. निम्नलिखित में से किन किसान नेताओं ने भारत के विभिन्न क्षेत्रों में किसानों के बीच संगठनात्मक कार्य आरंभ किया ताकि वे ब्रिटिश सरकार से अपनी शिकायतें कह सकें?

(*a*) कुंवरजी मेहता

(*b*) ईशान चंद्र राय

(*c*) भास्करराव जाधव

(*d*) शशिपद बनर्जी

(*e*) द्वारकानाथ गांगुली

नीचे दिए गए विकल्पों में से सही उत्तर चुनिए :

A. केवल (*a*) और (*b*)

B. केवल (*b*) और (*c*)

C. केवल (*c*) और (*d*)

D. केवल (*d*) और (*e*)

60. 1855 के संथाल विद्रोह के निम्नलिखित में से कौन-से लक्षण थे?

(*a*) विद्रोह के क्षेत्र को दामन-ए-कोह कहा गया।

(*b*) आदिवासियों ने बाहरी लोगों को बाहर खदेड़ने का दृढ़ निश्चय कर रखा था।

(*c*) विद्रोहियों ने विदेशी सत्ता को पूरी तरह से ध्वस्त कर देने की घोषणा की।

(*d*) आदिवासियों के पास आधुनिकतम हथियार थे।

(*e*) ग्वालों और लोहारों (दूधवाले और लोहे के काम करने वाले) ने आदिवासियों का विरोध किया।

नीचे दिए गए विकल्पों में से सही उत्तर चुनिए :

A. केवल (*a*), (*b*) और (*d*)

B. केवल (*a*), (*b*) और (*e*)

C. केवल (*a*), (*b*) और (*c*)

D. केवल (*b*), (*c*) और (*e*)

61. निम्नलिखित में से कौन-से कथन **सही** हैं?

(*a*) साम्राज्यीय एवं प्रान्तीय विधान परिषदें 1892 तक पूर्णतया मनोनीत निकाय हुआ करती थीं।

(*b*) 1892 के इंडिया काउंसिल एक्ट से पूर्व, विधान परिषदों को बजट पर चर्चा करने और प्रश्न पूछने की सांविधिक शक्तियां प्रदान की गईं।

(*c*) इल्बर्ट विधेयक पर मचा तूफान श्वेत नस्लवाद की सर्वाधिक उग्र अभिव्यक्ति थी, यद्यपि यह कोई एकाकी मामला नहीं था।

(*d*) 1909 मॉर्ले-मिंटो सुधारों ने प्रान्तीय स्तर पर द्वैध-शासन (डायर्की) प्रदान किया।

नीचे दिए गए विकल्पों में से सही उत्तर चुनिए :

A. केवल (*a*), (*b*) और (*d*)

B. केवल (*b*) और (*d*)

C. केवल (*c*) और (*d*)

D. केवल (*a*) और (*c*)

62. भाषाई आधार पर राज्यों के पुनर्गठन के लिए नेहरू की हिचकिचाहट को निम्नलिखित में से किनका समर्थन प्राप्त था?

(*a*) महात्मा गांधी

(*b*) वल्लभभाई पटेल

(*c*) ई.एम.एस. नंबूदरीपाद

(*d*) सी. राजगोपालाचारी

नीचे दिए गए विकल्पों में से सही उत्तर चुनिए :

A. केवल (*a*) और (*b*)

B. केवल (*a*) और (*c*)

C. केवल (*a*), (*b*) और (*c*)

D. केवल (*b*) और (*d*)

63. स्वदेशी आंदोलन के संबंध में निम्नलिखित कथनों में से कौन-से कथन **सही** हैं?

(*a*) स्वदेशी आंदोलन की औपचारिक घोषणा 7 अगस्त, 1904 को की गई थी।

(*b*) इस आंदोलन के दौरान, गणपति और शिवाजी उत्सव जैसे पारंपरिक लोकप्रिय उत्सवों और जात्रा जैसे पारंपरिक लोक रंगमंच रूपों का व्यापक रूप से रचनात्मक प्रयोग किया गया।

(*c*) भारतीय राष्ट्रीय कांग्रेस ने 1905 में बनारस में हुए अपने सत्र में स्वदेशी के आह्वान को स्वीकार करने से मना कर दिया था।

(*d*) 'बहिष्कार' की तकनीक में विदेशी वस्तुओं, सरकारी विद्यालयों, न्यायालयों, पदवियों और सरकारी सेवा का बहिष्कार शामिल था।

नीचे दिए गए विकल्पों में से सही उत्तर चुनिए :

A. केवल (*b*) और (*d*)

B. केवल (*a*), (*b*) और (*c*)

C. केवल (*b*) और (*c*)

D. केवल (*c*) और (*d*)

64. पूर्वाग्रह और वस्तुनिष्ठता के संबंध में निम्नलिखित में से कौन-से कथन **सही** हैं?

(*a*) इतिहास लेखन में वस्तुनिष्ठ व्याख्याएँ वे हैं जो परिशुद्धि, व्यापकता, संगति और खुलेपन की तार्किक कसौटी पर खरी उतरती हों।

(*b*) यदि ऐतिहासिक व्याख्या दुर्घटनावश, गलती से असावधानी के कारण होती है, तो इसे पूर्वाग्रह नहीं, मात्र गलत कहा जा सकता है।

(*c*) पूर्वाग्रह ग्रसित इतिहास में त्रुटियां दुर्घटना नहीं वरन् सोद्देश्य हैं।

(*d*) पूर्वाग्रह ग्रसित विवरण बहुधा अपने विषय का एक पक्षीय वर्णन प्रस्तुत कर अनुचित होते हैं।

नीचे दिए गए विकल्पों में से सही उत्तर चुनिए :

A. केवल (*a*), (*b*) और (*d*)

B. केवल (*a*), (*b*), (*c*), (*d*)

C. केवल (*c*) और (*d*)

D. केवल (*a*) और (*d*)

65. भारत में अंग्रेज विद्वानों के आरंभिक पूर्वदेशीयता (ओरिएंटलिज्म) के संबंध में निम्नलिखित कथनों में से कौन-से कथन **सही** हैं?

(*a*) संस्कृत, ग्रीक और लैटिन के बीच भाषायी संबंध स्थापित कर विलियम जोन्स ने भारत को क्लासिकीय पश्चिम के समान प्राचीनता से विभूषित किया।

(*b*) आरंभिक पूर्वदेशीय परंपरा का मूल सिद्धांत था कि विजित जनता को ब्रिटेन की विधिक परंपराओं से शासित किया जाता था।

(*c*) भारतीय रीति-रिवाजों और कानूनों के संबंध में आरंभिक पूर्वदेशीय अध्ययनों का उद्देश्य भारतीय समाज की बर्बर स्थिति को दर्शाना था।

(*d*) पूर्वदेशीय परंपरा के आरंभ से आगे चलकर कलकत्ता मदरसा, एशियाटिक सोसायटी ऑफ बंगाल की स्थापना हुई।

नीचे दिए गए विकल्पों में से सही उत्तर चुनिए :

A. केवल (*a*), (*b*) और (*c*)

B. केवल (*a*) और (*d*)

C. केवल (*b*), (*c*) और (*d*)

D. केवल (*c*) और (*d*)

66. सूची-I को सूची-II के साथ सुमेलित कीजिए :

सूची-I (पुरातात्विक स्थल)	**सूची-II (प्रदेश)**
(*a*) जोरवे	(*i*) गुजरात
(*b*) कायथा	(*ii*) महाराष्ट्र
(*c*) ओजियाना	(*iii*) मध्य प्रदेश
(*d*) रोजदी	(*iv*) राजस्थान

नीचे दिए गए विकल्पों में से सही उत्तर चुनिए :

	(*a*)	(*b*)	(*c*)	(*d*)
A.	(*ii*)	(*iii*)	(*iv*)	(*i*)
B.	(*i*)	(*ii*)	(*iii*)	(*iv*)
C.	(*iii*)	(*iv*)	(*ii*)	(*i*)
D.	(*ii*)	(*iii*)	(*i*)	(*iv*)

67. सूची-I को सूची-II के साथ सुमेलित कीजिए :

सूची-I (वैदिक नदी)	**सूची-II (वर्तमान नाम)**
(*a*) असिक्नी	(*i*) ब्यास
(*b*) परुष्णी	(*ii*) चेनाब
(*c*) शुतुद्रि	(*iii*) रावी
(*d*) विपाश्	(*iv*) सतलज

नीचे दिए गए विकल्पों में से सही उत्तर चुनिए :

	(*a*)	(*b*)	(*c*)	(*d*)
A.	(*ii*)	(*iii*)	(*iv*)	(*i*)
B.	(*iii*)	(*ii*)	(*i*)	(*iv*)
C.	(*ii*)	(*i*)	(*iii*)	(*iv*)
D.	(*i*)	(*iv*)	(*ii*)	(*iii*)

68. सूची-I को सूची-II के साथ सुमेलित कीजिए :

सूची-I (महाजनपद)	**सूची-II (राजधानी)**
(*a*) अश्मक	(*i*) कांपिल्य
(*b*) चेदि	(*ii*) मथुरा
(*c*) दक्षिण पांचाल	(*iii*) पोटन
(*d*) शूरसेन	(*iv*) शुक्तिमती

नीचे दिए गए विकल्पों में से सही उत्तर चुनिए :

	(*a*)	(*b*)	(*c*)	(*d*)
A.	(*i*)	(*ii*)	(*iii*)	(*iv*)
B.	(*iv*)	(*iii*)	(*i*)	(*ii*)
C.	(*iii*)	(*iv*)	(*i*)	(*ii*)
D.	(*ii*)	(*i*)	(*iv*)	(*iii*)

69. सूची-I को सूची-II के साथ सुमेलित कीजिए :

सूची-I (पद)	**सूची-II (प्रभारी)**
(*a*) अमीर-ए कोही	(*i*) खुफिया अधिकारी
(*b*) अमीर-ए आखूर	(*ii*) सचिव
(*c*) बरीद	(*iii*) कृषि का प्रभारी अधिकारी
(*d*) दबीर	(*iv*) घोड़ों का कमान अधिकारी

नीचे दिए गए विकल्पों में से सही उत्तर चुनिए :

	(*a*)	(*b*)	(*c*)	(*d*)
A.	(*iv*)	(*iii*)	(*ii*)	(*i*)
B.	(*ii*)	(*iv*)	(*i*)	(*iii*)
C.	(*iii*)	(*i*)	(*iv*)	(*ii*)
D.	(*iii*)	(*iv*)	(*i*)	(*ii*)

70. सूची-I को सूची-II के साथ सुमेलित कीजिए :

सूची-I (चित्रकला तकनीक)	**सूची-II (अर्थ)**
(*a*) खत	(*i*) हाशिया
(*b*) तरह	(*ii*) रेखांकन, रेखाचित्र, आरेख
(*c*) रंगामेजी	(*iii*) रंग-मिश्रण, रंगाई
(*d*) शम्स	(*iv*) अलंकृत शीर्षक

नीचे दिए गए विकल्पों में से सही उत्तर चुनिए :

	(*a*)	(*b*)	(*c*)	(*d*)
A.	(*iv*)	(*iii*)	(*ii*)	(*i*)
B.	(*ii*)	(*i*)	(*iv*)	(*iii*)
C.	(*iii*)	(*iv*)	(*i*)	(*ii*)
D.	(*i*)	(*ii*)	(*iii*)	(*iv*)

71. सूची-I को सूची-II के साथ सुमेलित कीजिए :

सूची-I **(स्रोत)**	**सूची-II** **(संबंधित विषय)**
(*a*) गुनयात-उल मुनया	(*i*) फिरोज तुगलक के काल में संकलित एक संगीत ग्रंथ
(*b*) फतवा-ए जहांदारी	(*ii*) राजनीतिक दर्शन प्रणाली से संबंधित
(*c*) आदाब-उल हर्ब वा शुजात	(*iii*) युद्ध कला से संबंधित
(*d*) खजाइन-उल फुतुह	(*iv*) अलाउद्दीन खलजी के दक्षिण अभियान का विवरण

नीचे दिए गए विकल्पों में से सही उत्तर चुनिए :

	(*a*)	(*b*)	(*c*)	(*d*)
A.	(*iii*)	(*ii*)	(*i*)	(*iv*)
B.	(*i*)	(*ii*)	(*iii*)	(*iv*)
C.	(*ii*)	(*iv*)	(*i*)	(*iii*)
D.	(*iv*)	(*ii*)	(*iii*)	(*i*)

72. सूची-I को सूची-II के साथ सुमेलित कीजिए :

सूची-I **(समाचार-पत्र)**	**सूची-II** **(सम्पादक)**
(*a*) फ्री हिन्दुस्तान	(*i*) श्यामजी कृष्ण वर्मा
(*b*) इंडियन सोशियोलॉजिस्ट	(*ii*) एनी बेसेंट
(*c*) न्यू इंडिया एवं कामनवील	(*iii*) तारक नाथ दत्त
(*d*) बांबे क्रॉनिकल	(*iv*) बी.जी. होर्निमेन

नीचे दिए गए विकल्पों में से सही उत्तर चुनिए :

	(*a*)	(*b*)	(*c*)	(*d*)
A.	(*iv*)	(*iii*)	(*i*)	(*ii*)
B.	(*iii*)	(*iv*)	(*ii*)	(*i*)
C.	(*iii*)	(*i*)	(*ii*)	(*iv*)
D.	(*ii*)	(*iii*)	(*iv*)	(*i*)

73. सूची-I को सूची-II के साथ सुमेलित कीजिए :

सूची-I **(चित्रकार)**	**सूची-II** **(उनकी चित्रकला शैली)**
(*a*) अबनिन्द्रनाथ टैगोर	(*i*) विश्व परंपराओं के विविध पक्षों से सीखकर अपनी चित्रकारी में उनका सम्मिश्रण किया।
(*b*) रबीन्द्रनाथ टैगोर	(*ii*) सामान्य वस्तुओं और घटनाओं का कल्पना फंतासी के जादू के साथ सम्मिश्रण किया।
(*c*) नन्दलाल बोस	(*iii*) एक व्यक्तिगत शैली विकसित की जो ग्राम्य परंपरा के निकट थी।
(*d*) जेमिनी रॉय	(*iv*) अपनी चित्रकारी में भोलेपन और परिष्करण को मोहक तरीके से बुना।

नीचे दिए गए विकल्पों में से सही उत्तर चुनिए :

	(*a*)	(*b*)	(*c*)	(*d*)
A.	(*i*)	(*ii*)	(*iii*)	(*iv*)
B.	(*iii*)	(*i*)	(*ii*)	(*iv*)
C.	(*iv*)	(*iii*)	(*i*)	(*ii*)
D.	(*ii*)	(*iv*)	(*i*)	(*iii*)

74. सूची-I को सूची-II के साथ सुमेलित कीजिए :

सूची-I **(इतिहासकार)**	**सूची-II** **(रचनाएं)**
(*a*) जॉन विलियम काए	(*i*) द इंडियन म्यूटनी इन पर्सपैक्टिव
(*b*) एडवर्ड जे. थाम्पसन	(*ii*) एटीन फिफ्टी-सेवन
(*c*) एस.एन. सेन	(*iii*) द अदर साइड ऑफ द मेडल
(*d*) जॉर्ज मेक्मन्न	(*iv*) ए हिस्ट्री ऑफ द सिपॉय वार

नीचे दिए गए विकल्पों में से सही उत्तर चुनिए :

	(*a*)	(*b*)	(*c*)	(*d*)
A.	(*iv*)	(*iii*)	(*ii*)	(*i*)
B.	(*iii*)	(*iv*)	(*i*)	(*ii*)
C.	(*ii*)	(*i*)	(*iii*)	(*iv*)
D.	(*iv*)	(*i*)	(*ii*)	(*iii*)

75. सूची-I को सूची-II के साथ सुमेलित कीजिए :

सूची-I (विप्लव)	**सूची-II (प्रमुख नेता)**
(*a*) रामोसी विप्लव	(*i*) जत्रा भगत
(*b*) कोल विप्लव	(*ii*) बुद्ध भगत
(*c*) कच्चा नागा विप्लव	(*iii*) चित्तूर सिंह
(*d*) ओराँव विप्लव	(*iv*) शंभूदन

नीचे दिए गए विकल्पों में से सही उत्तर चुनिए :

	(*a*)	(*b*)	(*c*)	(*d*)
A.	(*iii*)	(*ii*)	(*iv*)	(*i*)
B.	(*ii*)	(*iii*)	(*i*)	(*iv*)
C.	(*iv*)	(*ii*)	(*iii*)	(*i*)
D.	(*i*)	(*iii*)	(*ii*)	(*iv*)

76. निम्नलिखित चोल राजाओं को कालानुक्रम में व्यवस्थित करें :

(*a*) कुलोतंग प्रथम (*b*) राजराज प्रथम
(*c*) राजेन्द्र प्रथम (*d*) वीरराजेन्द्र

नीचे दिए गए विकल्पों में से सही उत्तर चुनिए :

A. (*a*), (*b*), (*c*), (*d*) B. (*b*), (*c*), (*d*), (*a*)
C. (*c*), (*d*), (*a*), (*b*) D. (*d*), (*a*), (*b*), (*c*)

77. कला के इतिहास के संदर्भ में निम्नलिखित को पहले से बाद के कालानुक्रम में व्यवस्थित करें :

(*a*) भूमरा (*b*) भरहुत
(*c*) जग्गेयपेट (*d*) तंजावुर

नीचे दिए गए विकल्पों में से सही उत्तर चुनिए :

A. (*a*), (*c*), (*b*), (*d*) B. (*b*), (*c*), (*a*), (*d*)
C. (*c*), (*d*), (*b*), (*a*) D. (*d*), (*a*), (*c*), (*b*)

78. निम्नलिखत को पहले से बाद के कालानुक्रम में व्यवस्थित करें :

(*a*) द पेरीप्लस ऑफ द एरिथ्रियन सी
(*b*) सी-यू-की
(*c*) मणिमेकलै
(*d*) सुत्तनिपात

नीचे दिए गए विकल्पों में से सही उत्तर चुनिए :

A. (*d*), (*a*), (*c*), (*b*) B. (*c*), (*d*), (*b*), (*a*)
C. (*a*), (*c*), (*b*), (*d*) D. (*b*), (*d*), (*c*), (*a*)

79. निम्नलिखित मालवा सुलतानों को उनके आरंभिक काल से ऐतिहासिक कालानुक्रम में रखें :

(*a*) गियास शाह (*b*) नासिर शाह
(*c*) मुहम्मद शाह गौरी (*d*) महमूद खलजी I

नीचे दिए गए विकल्पों में से सही उत्तर चुनिए :

A. (*d*), (*b*), (*c*), (*a*) B. (*b*), (*a*), (*d*), (*c*)
C. (*c*), (*d*), (*b*), (*a*) D. (*c*), (*d*), (*a*), (*b*)

80. निम्नलिखित स्मारकों को आरंभिक काल से उनके ऐतिहासिक कालानुक्रम में रखें :

(*a*) चश्मा-ए नूर, अजमेर
(*b*) बीबी का मकबरा, औरंगाबाद
(*c*) एतमाद-उद् दौला का मकबरा, आगरा
(*d*) बेगम शाही मस्जिद, लाहौर

नीचे दिए गए विकल्पों में से सही उत्तर चुनिए :

A. (*b*), (*c*), (*a*), (*d*) B. (*a*), (*b*), (*c*), (*d*)
C. (*d*), (*a*), (*c*), (*b*) D. (*c*), (*b*), (*d*), (*a*)

81. भारत में आने वाले निम्नलिखित यूरोपीय यात्रियों को आरंभिक काल से उनके ऐतिहासिक कालानुक्रम में रखें :

(*a*) एबे कैरे (*b*) फ्रे सेबेस्टियन मेनरीक
(*c*) जैमेली करेरी (*d*) पिट्रो डेला वेले

नीचे दिए गए विकल्पों में से सही उत्तर चुनिए :

A. (*b*), (*a*), (*d*), (*c*) B. (*d*), (*c*), (*b*), (*a*)
C. (*a*), (*b*), (*c*), (*d*) D. (*d*), (*b*), (*a*), (*c*)

82. निम्नलिखित सैय्यद सुलतानों को आरंभिक काल से उनके ऐतिहासिक कालानुक्रम में रखें :

(*a*) अलाउद्दीन आलम शाह
(*b*) मुइजुदीन मुबारक शाह II
(*c*) खिज्र खान
(*d*) मुहम्मद शाह IV

नीचे दिए गए विकल्पों में से सही उत्तर चुनिए :

A. (*c*), (*b*), (*d*), (*a*) B. (*b*), (*a*), (*d*), (*c*)
C. (*c*), (*d*), (*b*), (*a*) D. (*d*), (*c*), (*b*), (*a*)

83. निम्नलिखित अधिनियमों को उनके अधिनियम की तिथि के अनुसार कालानुक्रमिक रूप से व्यवस्थित करें :

(*a*) द ऑफिशियल सीक्रेट्स एक्ट
(*b*) एन एक्ट फॉर द बैटर कंट्रोल ऑफ पब्लिकेशन इन ओरिएंटल लेंग्वएजेस
(*c*) द इंडियन प्रेस एक्ट (एमरजेंसी पावर्स)
(*d*) रजिस्ट्रेशन ऑफ प्रेस एक्ट XI

नीचे दिए गए विकल्पों में से सही उत्तर चुनिए :

A. (*a*), (*b*), (*c*), (*d*) B. (*d*), (*b*), (*a*), (*c*)
C. (*b*), (*a*), (*c*), (*d*) D. (*c*), (*d*), (*b*), (*a*)

84. आरंभ से शुरू करते हुए निम्नलिखित संगठनों की स्थापना को कालानुक्रम से लगाएँ :

(*a*) मद्रास महाजन सभा

(*b*) राजमुंदरी सोशल रिफॉर्म एसोसिएशन

(*c*) इलाहाबाद पीपल्स एसोसिएशन

(*d*) इंडियन एसोसिएशन ऑफ लाहौर

(*e*) पूना सार्वजनिक सभा

नीचे दिए गए विकल्पों में से सही उत्तर चुनिए :

A. (*a*), (*b*), (*c*), (*d*), (*e*)
B. (*e*), (*d*), (*c*), (*b*), (*a*)
C. (*d*), (*e*), (*a*), (*b*), (*c*)
D. (*b*), (*c*), (*d*), (*e*), (*a*)

85. आरंभ से शुरू करते हुए निम्नलिखित संस्थाओं की स्थापना को कालानुक्रम से लगाएँ :

(*a*) फोर्ट विलियम कॉलेज, कलकत्ता

(*b*) एशियाटिक सोसाइटी ऑफ बंगाल

(*c*) संस्कृत कॉलेज, बनारस

(*d*) कलकत्ता मदरसा

नीचे दिए गए विकल्पों में से सही उत्तर चुनिए :

A. (*c*), (*d*), (*b*), (*a*) B. (*d*), (*b*), (*c*), (*a*)
C. (*b*), (*d*), (*c*), (*a*) D. (*a*), (*d*), (*c*), (*b*)

86. नीचे दो कथन हैं : इनमें से एक को अभिकथन (A) और दूसरे को तर्क (R) कहा गया है :

अभिकथन (A) : ऐसा माना जाता है कि हड़प्पा सभ्यता के लोगों के दजला-फरात नदी घाटियों के लोगों के साथ व्यापारिक संबंध थे।

तर्क (R) : ऐसा कोई पुरातात्विक साक्ष्य नहीं है जो मेसोपोटामिया के साथ व्यापारिक संबंधों की परिकल्पना की पुष्टि करता हो।

उपर्युक्त कथनों के आलोक में नीचे दिए गए विकल्पों में से सबसे उपयुक्त उत्तर चुनें :

A. (A) और (R) दोनों सही हैं और (R), (A) की सही व्याख्या है
B. (A) और (R) दोनों सही हैं, परन्तु (R), (A) की सही व्याख्या नहीं है
C. (A) सही है, किन्तु (R) गलत है
D. (A) गलत है, किन्तु (R) सही है

87. नीचे दो कथन हैं : इनमें से एक को अभिकथन (A) और दूसरे को तर्क (R) कहा गया है :

अभिकथन (A) : गुप्तकाल में हिंदू धर्म, विशेषतः भागवत धर्म या वैष्णव धर्म का उत्थान हुआ।

तर्क (R) : फाह्यान के कथनानुसार इस काल के दौरान बौद्ध धर्म फल-फूल रहा था। यह भी कहा जा सकता है कि सांची के महास्तूप के चार प्रवेशद्वारों पर बुद्ध की चार प्रतिमाएं स्थापित की गईं। इस काल के दौरान ही नालंदा भी बौद्ध शिक्षा का केन्द्र बन गया था।

उपर्युक्त कथनों के आलोक में नीचे दिए गए विकल्पों में से सबसे उपयुक्त उत्तर चुनें :

A. (A) और (R) दोनों सही हैं और (R), (A) की सही व्याख्या है
B. (A) और (R) दोनों सही हैं, परन्तु (R), (A) की सही व्याख्या नहीं है
C. (A) सही है, किन्तु (R) गलत है
D. (A) गलत है, किन्तु (R) सही है

88. नीचे दो कथन हैं : इनमें से एक को अभिकथन (A) और दूसरे को तर्क (R) कहा गया है :

अभिकथन (A) : पेशवा सरदारों पर अपना हुक्म चलाते थे, विजित क्षेत्रों में अपने लोगों को नियुक्त करते थे और उस क्षेत्र का लगातार विस्तार करते रहते थे, जहां से वे चौथ और सरदेशमुखी की वसूली करते थे।

तर्क (R) : पेशवाओं ने दो शासकों—छत्रपति और मुगल बादशाह के प्रति अपनी निष्ठा व्यक्त की और दोनों से ही वास्तविक स्वायत्तता हासिल की।

उपर्युक्त कथनों के आलोक में नीचे दिए गए विकल्पों में से सबसे उपयुक्त उत्तर चुनें :

A. (A) और (R) दोनों सही हैं और (R), (A) की सही व्याख्या है
B. (A) और (R) दोनों सही हैं, परन्तु (R), (A) की सही व्याख्या नहीं है

C. (A) सही है, किन्तु (R) गलत है

D. (A) गलत है, किन्तु (R) सही है

89. नीचे दो कथन हैं : इनमें से एक को अभिकथन (A) और दूसरे को तर्क (R) कहा गया है :

अभिकथन (A) : भारतेन्दु हरीशचन्द्र ने राजनीतिक और सांस्कृतिक ढाँचे के भीतर राष्ट्रवादी सोच और लेखन की अपनी विशिष्ट शैली की रचना और विकास किया।

तर्क (R) : ब्रिटिश राज के अधीन होने के कारण, भारतेन्दु हरीशचन्द्र को शासकों के प्रति और प्रचंड देशभक्ति के सह-अस्तित्व में कोई विरोधाभास नहीं दिखाई दिया।

उपर्युक्त कथनों के आलोक में नीचे दिए गए विकल्पों में से सबसे उपयुक्त उत्तर चुनें :

A. (A) और (R) दोनों सही हैं और (R), (A) की सही व्याख्या है

B. (A) और (R) दोनों सही हैं, परन्तु (R), (A) की सही व्याख्या नहीं है

C. (A) सही है, परन्तु (R) सही नहीं है

D. (A) सही नहीं है, परन्तु (R) सही है

90. नीचे दो कथन हैं : इनमें से एक को अभिकथन (A) और दूसरे को तर्क (R) कहा गया है :

अभिकथन (A) : औपनिवेशिक विज्ञान उपनिवेशवाद के समग्र ताने-बाने के साथ अभिन्न रूप से गुंथा हुआ था।

तर्क (R) : औपनिवेशिकता विज्ञान बहुत स्पष्टता के साथ नहीं आया; सार्वभौमिकता और विज्ञान की उपादेयता के दावों ने इसकी पहचान को धुंधला कर दिया था।

उपर्युक्त कथनों के आलोक में नीचे दिए गए विकल्पों में से सबसे उपयुक्त उत्तर चुनें :

A. (A) और (R) दोनों सही हैं और (R), (A) की सही व्याख्या है

B. (A) और (R) दोनों सही हैं, परन्तु (R), (A) की सही व्याख्या नहीं है

C. (A) सही है, परन्तु (R) सही नहीं है

D. (A) सही नहीं है, परन्तु (R) सही है

निर्देश (प्र.सं. 91 से 95 तक) : *कौटिल्य के अर्थशास्त्र से लिए गए निम्नलिखित गद्यांश को ध्यानपूर्वक पढ़ें और उसके नीचे दिए गए प्रश्नों के उत्तर दें :*

पशुओं के अधीक्षक को मजदूरी के बदले देखभाल किए जाने वाले पशुओं; कर और पूर्व निर्धारित लाभ के साथ देखभाल किए जाने वाले पशुओं; बेकार हो गए और छोड़ दिए गए पशुओं; अंशदान देकर सरकारी झुंडों में शामिल किए गए पशुओं; सभी झुंडों में शामिल पशुओं की कुल संख्या; ऐसे पशु जो खो गए या मर गए; तथा दूध और घी के कुल उत्पादन के बारे में जानकारी होनी चाहिए। गायों के चरवाहे, भैसों के चरवाहे, दूध-दुहने वाले, मथने वाले व्यक्ति और शिकारी को एक सौ दुधारू गायों की देखभाल करनी चाहिए और इसके लिए उन्हें नकद मजदूरी मिलनी चाहिए। क्योंकि यदि दूध और घी के रूप में मजदूरी दी गई, तो वे बछड़ों को नुकसान पहुँचा सकते हैं। ये मजदूरी के बदले में देखभाल किए जाने वाले पशु हैं। एक व्यक्ति को एक सौ पशुओं की देखभाल करनी चाहिए, जिनमें बूढ़ी गायों, दुधारू गायों, बछड़ों वाली गायों, पहली बार बछड़े को जन्म देने वाली गायों और ओसर गायों (जिन्होंने बछड़े को जन्म नहीं दिया है) की बराबर संख्या होनी चाहिए। उसे प्रति वर्ष प्रति पशु आठ बारका घी और एक पण तथा दाग सहित चर्म देना चाहिए। यह कर और पूर्वनिर्धारित लाभ के साथ देखभाल है। एक सौ पशुओं की देखभाल करने वाले चरवाहों को ऐसी गायों, जो रुग्ण हैं, जो विकलांग हैं, जो दूसरे व्यक्ति को दूध दुहने नहीं देतीं, जिनका दूध दुहना कठिन है और जो अपने बछड़ों को मार देती हैं, को बराबर संख्या में बांटकर उस प्रत्येक वर्ग के लिए उचित हिस्सा देना चाहिए। ये ऐसे पशु हैं जो बेकार हो गए हैं और छोड़ दिए गए हैं।

91. उपर्युक्त गद्यांश के अनुसार एक चरवाहे को कितनी बूढ़ी गायों और कितनी ओसर गायों की जिम्मेदारी सौंपी गई है?

A. क्रमशः बीस और चालीस

B. क्रमशः बीस और बीस

C. क्रमशः तीस और बीस

D. क्रमशः बीस और तीस

92. निम्नलिखित में से किसके लिए वस्तु और नकद दोनों में भुगतान किया जाता था?

A. दूध दुहने वाले और मथने वाले व्यक्ति के लिए

B. अधीक्षक की जिम्मेदारियों की द्वितीय श्रेणी के लिए
C. ऐसे पशुओं के लिए जो खो गए हैं या मर गए हैं
D. विकलांग गायों की देखभाल करने वाले चरवाहों के लिए

93. दुधारू गायों की देखभाल करने वालों को दूध और घी के रूप में भुगतान क्यों नहीं किया जाता था?
A. ताकि वे दूध और घी का अत्यधिक उपभोग न करें
B. क्योंकि यदि उन्हें वस्तु के रूप में भुगतान किया गया तो वे अपने काम के प्रति आलसी और लापरवाह हो सकते हैं
C. ताकि वे बछड़ों को उनके हिस्से के दूध से वंचित न करें
D. क्योंकि बाजार में दूध और घी बेचना राज्य के लिए अधिक लाभकारी था

94. पशु अधीक्षक के कार्य को कितनी श्रेणियों में विभाजित किया गया था?
A. चार B. पाँच
C. छह D. सात

95. उपर्युक्त गद्यांश के अनुसार शिकारी का कार्य और हक क्या है?
A. दुधारू गायों की देखभाल करना और वस्तु के रूप में भुगतान
B. चर्म के रूप में भुगतान के लिए बूढ़ी गायों की देखभाल करना
C. मजदूरी के बदले में ओसर गायों की देखभाल करना
D. नकद मजदूरी के बदले में दुधारू गायों की देखभाल करना

निर्देश (प्र.सं. 96 से 100 तक) : *नीचे दिया गया गद्यांश पढ़ें और निम्न प्रश्नों के उत्तर दें :*

तिमारिअट्स (Timariots), गवर्नर और राजस्व के ठेकेदार अपनी ओर से समस्या को इस प्रकार देखते हैं। इस भूमि की यह अपेक्षित अवस्था हमारे लिए बेचैनी का कारण क्यों बनना चाहिए? और इसे उपजाऊ बनाने के लिए हमें अपना धन और समय क्यों खर्च करना चाहिए? हम एक पल में इससे वंचित किए जा सकते हैं और हमारे परिश्रम का लाभ न हमें मिलेगा, न हमारे बच्चों को। इस मिट्टी से जितनी उगाही कर सकते हैं, उतनी कर लें। हालांकि किसान भूखे मरेंगे या पलायन करेंगे, हमें उन्हें उनके हाल पर छोड़ देना चाहिए। हमें तो जब आदेश होगा, इसे छोड़कर कहीं और भटकने के लिए चल देना होगा।

96. उपर्युक्त टिप्पणी निम्नलिखित में से किस यूरोपीय यात्री ने की है?
A. थॉमस बावरी
B. ज्यां बैपटिस्ट टेवर्नियर
C. फ्रैंकोइस बर्नियर
D. ज्यां दे थीवनो

97. 'तिमारिअट्स' से उस विदेशी यात्री का आशय किस मुगल अधिकारी से है?
A. मनसबदार B. जागीरदार
C. इजारेदार D. सूबेदार

98. निम्नलिखित में से किस इतिहासकार ने उपर्युक्त टिप्पणी के आधार पर यह निष्कर्ष निकाला है कि जागीरों के हस्तांतरण की मुगल प्रणाली में किसानों का शोषण निहित था, जो बाद में मुगल साम्राज्य के 'संकट' का कारण बना?
A. इरफान हबीब B. सतीश चंद्र
C. जे.एफ. रिचर्ड्स D. एम. अतहर अली

99. निम्नलिखित में से कौन मुगल जागीर प्रणाली का लक्षण नहीं है?
A. मुगल जागीरें बार-बार हस्तांतरित की जाती थीं
B. औरंगजेब के काल में जागीरें स्थायी और पुश्तैनी बना दी गईं
C. जागीरदार राजस्व की वसूली के लिए अपने कर्मचारी नियुक्त करते थे
D. जहांगीर ने स्थायित्व के लिए अलतून-तमगा जागीरों की स्थापना की

100. शाहजहाँ काल के किस इतिहासकार ने लिखा है कि शाहजहाँ के शासन में इजारा की प्रथा आम हो गई और यह भी किसानों की बर्बादी का एक कारण था?
A. अब्दुल हमीद लाहौरी
B. मुहम्मद सालेह कांबोह
C. मुहम्मद वारिस
D. मुहम्मद सादिक खान

उत्तरमाला

1	2	3	4	5	6	7	8	9	10
A	A	C	D	A	D	A	C	A	C
11	12	13	14	15	16	17	18	19	20
D	C	D	B	D	B	C	C	B	D
21	22	23	24	25	26	27	28	29	30
D	C	D	C	A	D	C	C	C	A
31	32	33	34	35	36	37	38	39	40
B	D	D	A	A	A	C	D	A	C
41	42	43	44	45	46	47	48	49	50
C	C	C	D	B	C	B	C	D	B
51	52	53	54	55	56	57	58	59	60
B	C	C	C	D	C	A	A	A	C
61	62	63	64	65	66	67	68	69	70
D	D	A	B	B	A	A	C	D	D
71	72	73	74	75	76	77	78	79	80
B	C	D	A	A	B	B	A	D	C
81	82	83	84	85	86	87	88	89	90
D	A	B	B	B	C	B	B	A	A
91	92	93	94	95	96	97	98	99	100
B	B	C	D	D	C	B	A	B	D

व्याख्यात्मक उत्तर

1. ऋग्वेद में 'राज्यक्षेत्र' के लिए आमतौर पर कोई शब्द नहीं मिलता। यद्यपि 'जन' शब्द जिसका अर्थ होता है–जनजाति, 275 बार प्रयुक्त हुआ है फिर भी 'जनपद' शब्द एक बार भी प्रयोग में नहीं आया है। एक उद्धरण में 'राज्य' शब्द का उल्लेख हुआ है और 'राष्ट्र' शब्द का उल्लेख दस बार। इससे यह संकेत मिलता है कि राजनैतिक व्यवस्था में राज्यक्षेत्र की अवधारणा ऋग्वैदिक युग के अंत में अस्तित्व में आई। ऋग्वेद में 'ग्राम' शब्द का उल्लेख 13 बार हुआ है और इस शब्द से 'गाँव' का अर्थ नहीं अपितु लड़ाई के लिए एकत्र की गई एक जनजातीय इकाई का आभास मिलता है। इसीलिए पूरी जनजाति के समान अधिकारवादी भूमि का प्रभारी और परिवार का मुखिया 'वज्रपति' जो युद्धों में नेतृत्व करता था और बाद में जो 'ग्रामणी' शब्द का पर्याय बन गया, वह स्वयं भी मूलरूप से 'ग्राम' के नाम से पुकारी जानेवाली जनजातीय इकाई का मुखिया होता था।

2. **महावीर स्वामी के शिष्य**

तथ्य	शिष्य	स्थान	विशेष
प्रथम शिष्य	जामालि	राजगृह	• महावीर स्वामी का भांजा व दामाद • प्रथम उपदेश प्राप्तकर्ता • प्रथम विद्रोही
प्रथम शिष्या	चन्दना	पावा	• संघ की प्रथम महिला सदस्य • महिला संघ की प्रथम अध्यक्ष
मुख्य शिष्य	सुधर्म (इंद्रभूति गौतम)	पावा	• प्रथम गणधर • महावीर स्वामी के मृत्यु के पश्चात संघ का प्रथम अध्यक्ष
	मक्खली पुत गोसाल		• आजीवक सम्प्रदाय के संस्थापक

4. घनानंद नंद वंश का अन्तिम शासक था। यूनानी लेखकों ने इसे अग्रमीज कहा है। यह धन का अत्यंत लोभी था। कथासरितसागर में नंद की 99 करोड़ स्वर्ण मुद्राओं का उल्लेख मिलता है। तमिल लेखक मामूलनार ने भी उल्लेख किया है कि नन्दों ने अपना कोष गंगा की धारा में छिपाकर रखा था।

5. रबातक शिलालेख के अनुसार यह कुषाण वंश का चौथा शासक था। कनिष्क कुषाण वंश का महानतम शासक था। उसके ही कारण कुषाण वंश का भारत के सांस्कृतिक एवं राजनीतिक इतिहास में महत्वपूर्ण स्थान है। इसने शक संवत, जो 78 ई. में आरम्भ हुआ माना जाता है, प्रारम्भ किया जो कनिष्क के राज्यारोहण की तिथि है। कनिष्क के राज्यारोहण के समय कुषाण साम्राज्य में अफगानिस्तान, सिंध का भाग, बैक्ट्रिया एवं पार्थिया के प्रदेश सम्मिलित थे। कनिष्क ने भारत में अपना राज्य मगध तक विस्तृत कर दिया। कश्मीर को अपने राज्य में मिलाकर उसने वहाँ एक नगर बसाया जिसे 'कनिष्कपुर' कहते हैं। इस अभिलेख से ही कनिष्क और कडफिसेस शासकों के बीच संबंध स्पष्ट होते हैं। कनिष्क का सबसे प्रसिद्ध युद्ध चीन के शासक के साथ हुआ था, जहाँ एक बार पराजित होकर वह दुबारा विजयी हुआ। कनिष्क ने मध्य एशिया में काशगर, यारकंद, खोतान आदि प्रदेशों पर भी अपना आधिपत्य स्थापित किया। इस प्रकार मौर्य साम्राज्य के पश्चात् पहली बार एक विशाल साम्राज्य की स्थापना हुई, जिसमें गंगा, सिंधु और आक्सस की घाटियाँ सम्मिलित थीं।

6. विदेशी यात्रियों ने अपने यात्रा-विवरणों में गुप्त-इतिहास के सम्बन्ध में लिखा है। इन विवरणों में बताए गए अनेक तथ्यों की पुष्टि अभिलेखों एवं सिक्कों से होती है।

फाह्यान–चीनी बौद्ध यात्री फाह्यान उस समय भारत आया जब गुप्तकाल काफी उन्नतिशील अवस्था में था। इस यात्री ने बिना गुप्तशासकों का नाम बताए तत्कालीन आर्थिक, सामाजिक आदि अवस्थाओं का चित्रण अपने विवरण में किया है। तत्कालीन मनुष्यों के रहन-सहन, भोजन-वस्त्र तथा धार्मिक वातावरण का वर्णन फाह्यान ने किया है।

ह्वेनत्सांग–सातवीं सदी के चीनी यात्री ह्वेनत्सांग ने हर्ष के काल के सम्बन्ध में ज्यादा लिखा है लेकिन कहीं-कहीं उस काल के छोटे-छोटे गुप्त राजाओं द्वारा किए जा रहे शासन के सम्बन्ध में भी थोड़ा-बहुत प्रकाश डाला है।

इत्सिंग–सबसे महत्वपूर्ण और ठोस जानकारी हमें इत्सिंग नामक चीनी यात्री के यात्रा-विवरण से मिलती है। गुप्त शासक चेलिकेतों अर्थात् श्रीगुप्त द्वारा मृग-शिखा वन में निर्मित मन्दिर की जानकारी इसी यात्री ने दी।

अलबिरूनी–तेरहवीं सदी के मुसलमान यात्री अलबिरूनी ने यत्रतत्र गुप्तशासकों की चर्चा की है। गुप्त संवत् की चर्चा भी इसी के ग्रन्थ में किया गया है।

8. प्राचीन काल के ज्योतिर्विदों में आर्यभट्ट, वराहमिहिर, ब्रह्मगुप्त, आर्यभट्ट द्वितीय, भास्कराचार्य, कमलाकर जैसे प्रसिद्ध विद्वानों का इस क्षेत्र में अमूल्य योगदान है। इन सभी में आर्यभट्ट सर्वाधिक प्रख्यात हैं। वे गुप्तकाल के प्रमुख ज्योतिर्विद थे। आर्यभट्ट का जन्म ई. सं. 476 में कुसुमपुर (पटना) में हुआ था। नालंदा विश्वविद्यालय में उन्होंने शिक्षा प्राप्त की थी। 23 वर्ष की आयु में आर्यभट्ट ने 'आर्यभट्टीय' ग्रंथ लिखा था। उनके इस ग्रंथ को चारों ओर से स्वीकृति मिली जिससे प्रभावित होकर राजा बुद्धगुप्त ने आर्यभट्ट को नालंदा विश्वविद्यालय का प्रमुख बना दिया।

आर्यभट्ट का योगदान–पृथ्वी गोल है और अपनी धुरी पर घूमती है, जिसके कारण रात और दिन होते हैं। आर्यभट्ट ने यह खोज कर ली थी कि पृथ्वी गोल है और उसकी परिधि अनुमानतः 24835 मील है। उसके अनुसार चंद्रग्रहण में चन्द्रमा और सूर्य के बीच पृथ्वी के आ जाने से और उसकी छाया चंद्रमा पर पड़ने से 'चंद्रग्रहण' होता है। आर्यभट्ट के अनुसार चन्द्रमा और दूसरे ग्रह स्वयं प्रकाशमान नहीं हैं, बल्कि सूर्य की किरणें उसमें प्रतिबिंबित होती हैं और यह भी कि पृथ्वी तथा अन्य ग्रह सूर्य के चारों ओर वृत्ताकार घूमते हैं। उन्होंने यह भी बताया कि 'चंद्रमा' काला है और वह सूर्य के प्रकाश से ही प्रकाशित होता है। आर्यभट्ट ने यह सिद्ध किया कि वर्ष में 366 दिन नहीं वरन् 365.2951 दिन होते हैं।

9. भानु गुप्त भारत पर राज्य करने वाले प्रसिद्ध गुप्त राजवंश के प्रारम्भिक गुप्त सम्राटों में से एक था। प्रथम सती होने का प्रमाण 510 ई. के भानु गुप्त के एरण के अभिलेख से मिलता है, जिसमें किसी गोपराज नामक सेनापति की मृत्यु पर उसकी पत्नी के सती होने का उल्लेख है।

11. चंद्रगुप्त के बाद गुप्त वंश का पतन शुरू हो गया। विष्णु गुप्त 550 ई. गुप्तवंश का अंतिम शासक था। गुप्त वंश में भी केन्द्र तथा प्रांत दोनों में एक कुशल प्रशासकीय प्रणाली की स्थापना की गई थी। उनकी सैनिक प्रणाली का ढाँचा थोड़ा भिन्न था। इस काल में आंतरिक और बाहरी व्यापार को काफी प्रोत्साहन मिला। गुप्त सम्राटों ने सोने तथा चांदी के सिक्के जारी किए। गुप्त शासकों ने ना केवल पूर्वी देशों के साथ व्यापार किया बल्कि पश्चिमी देशों के साथ व्यापार करने के लिए भी अपनी बंदरगाहें खोल दीं। उस समय समाज चार वर्ण और चार आश्रमों वाले प्राचीन सिद्धांतों में बँटा हुआ था। लेकिन ये नियम इतने कठिन नहीं थे। उस समय अंतरजातीय विवाह भी होते थे। दास प्रथा भी समाज में प्रचलित थी और स्त्रियों को पर्याप्त स्वतंत्रता प्राप्त थी। विष्णुगुप्त ने 148 ग्रेन की तौल के बराबर सिक्के प्रचलित किए। इस प्रकार पूर्वी भारत में सिक्कों की तौल बढ़ती गई। सम्मिश्रण का अनुपात बढ़ गया तथा सिक्के का भद्दापन भी सर्वत्र लोकप्रिय हो गया।

12. चालुक्यों की उत्पत्ति का विषय अत्यंत ही विवादास्पद है। वराहमिहिर की 'बृहत्संहिता' में इन्हें 'शूलिक' जाति का माना गया है, जबकि पृथ्वीराजरासो में इनकी उत्पत्ति आबू पर्वत पर किए गए यज्ञ के अग्निकुंड से बतायी गई है। 'विक्रमांकदेवचरित' में इस वंश की उत्पत्ति भगवान ब्रह्म के चुलुक से बताई गई है। इतिहासविद् 'विन्सेण्ट ए. स्मिथ' इन्हें विदेशी मानते हैं। 'एफ. फ्लीट' तथा 'के.ए. नीलकंठ शास्त्री' ने इस वंश का नाम 'चलक्य' बताया है। 'आर. जी. भण्डारकर' ने इस वंश का प्रारम्भिक नाम 'चालुक्य' का उल्लेख किया है। ह्वेनसांग ने चालुक्य नरेश पुलकेशी द्वितीय को क्षत्रिय कहा है। इस प्रकार चालुक्य नरेशों की वंश एवं उत्पत्ति का कोई अभिलेखीय साक्ष्य नहीं मिलता है। चालुक्य वंश के शासन काल में महिलाओं को उच्च पदों पर नियुक्त किया गया था। राजकुमारियाँ प्रदेशों की शासिका होती थीं। जयसिंह द्वितीय की बड़ी बहन अक्का देवी एक प्रान्त का शासन चलाती थी।

13. खरोष्ठी लिपि के प्राचीनतम लेख शहबाजगढ़ी और मनसेरा में मिले हैं, जो अशोककालीन प्रतीत होते हैं। इसे अन्य नामों जैसे इण्डोपैक्तियन, काबुलियन, बैक्ट्रोपाल, आर्यन से भी सम्बोधित किया जाता है, पर ज्यादा प्रचलित नाम खरोष्ठी ही है। इस लिपि के बारे में दो विचारधाराएँ प्रचलित हैं। कुछ विद्वान इसे भारतीय सिद्ध करते हैं और कुछ विदेशी। विदेशी मानने वालों की धारणा है कि–(1) खरोष्ठी लिपि आर्मेइक लिपि की तरह दायें से बायें लिखी जाती है। (2) काडवेल, भंडारकर आदि इतिहासकारों का कहना है कि खरोष्ठी का विकास आर्मेइक या सीरियाई लिपि से हुआ है, जो छठी शताब्दी ईसा पूर्व समस्त हक्कानी साम्राज्य की राजलिपि थी, और जिसका प्रयोग मिस्र से हिन्दुस्तान तक होता था। (3) गौरीचन्द हीराचन्द ओझा तथा डॉ. डिरिंजर का भी यही कहना है कि खरोष्ठी का सम्बन्ध आर्मेइक लिपि से है और आर्मेइक लिपि विदेशी है। अतः खरोष्ठी भारतीय लिपि नहीं है।

इसके विपरीत इसे भारतीय लिपि सिद्ध करने वाले विद्वानों के विचार इस प्रकार हैं–(1) डॉ. राजबली पाण्डेय ने 'इण्डियन पैलोग्राफी' नामक पुस्तक में लिखा है कि खरोष्ठी एक भारतीय लिपि है। (2) कुछ विद्वानों के अनुसार खरोष्ठी लिपि के निर्माता एक भारतीय ऋषि थे। (3) कतिपय विद्वान यह सिद्ध करते हैं कि यह लिपि भारत सीमा प्रान्त के अर्द्ध सभ्य लोगों के नाम पर विकसित हुई थी, उनके खर जैसे ओष्ठ होते थे और इसी आधार पर इसे खरोष्ठी कहते थे।

प्रत्येक व्यंजन में अ की विद्यमानता, दीर्घस्वरों एवं स्वरमात्राओं का अभाव, अन्य स्वरमात्राओं का ऋजुदंडों द्वारा व्यक्तीकरण, व्यंजनों के पूर्व पंचम वर्णों के लिए सर्वत्र अनुस्वार का प्रयोग तथा संयुक्ताक्षरों की अल्पता खरोष्ठी लिपि की कुछ विशेषताएँ हैं। इसकी विशेषताओं एवं वर्णों के घसीट स्वरूप से सिद्ध होता है कि यह लिपिकों और व्यापारियों आदि की लिपि थी किंतु खरोष्ठी में लिखी खोतान से प्राप्त पांडुलिपि से इसके एक दूसरे परिष्कृत रूप का अस्तित्व भी सिद्ध होता है, जिसका प्रयोग शास्त्रों के लेखन में होता था।

14. इल्तुतमिश ने पहले भारतीय चिह्नों के साथ सिक्के निकाले थे। बाद में इन्हें हटाकर सिक्कों पर अपना नाम खुदवाया और साथ में कलमा (अल्लाह ही ईश्वर है, मुहम्मद उसका अवतार है) भी अंकित कराया था। उसने नागौर (राजस्थान) से घुड़सवार शैली के सोने के सिक्के जारी किए। घुड़सवार के चारों ओर घेरे में कलमा और तिथि दी गई है। पृष्ठ भाग पर पदवियों सहित सुलतान का

नाम अंकित था। सिक्कों पर टकसाल का नाम अंकित करने वाला इल्तुतमिश पहला भारतीय सुलतान था। इसके समय सिक्कों के तौल में भी काफी परिवर्तन हुआ। उस समय मध्य एशिया से व्यापार चल रहा था इसलिए भारत में चाँदी की कमी न थी। इल्तुतमिश ने भारतीय परंपरा को अपनाकर 172.8 ग्रेन तौल के चांदी के नए मानक टंक जारी किए थे। बाद के सुलतानों ने शेरशाह सूरी के समय तक, इसी मान में रजत टंक जारी किए। यह टंक शब्द संस्कृत का है। बहुत से इतिहासकारों ने इसका तोल 175 ग्रेन माना था। इसके समय तक मध्य एशिया से दिल्ली सल्तनत के अच्छे संबंध स्थापित हो गए थे और वहाँ से चाँदी का आयात होने लगा था, इसीलिए उसने मानक रजत-मुद्राएँ तैयार करवाई थी। इल्तुतमिश ने दिल्ली टकसाल की स्थापना की थी।

15. बहलोल लोदी की मृत्यु के पश्चात् उसका तीसरा पुत्र 'निजाम खाँ' सिकन्दर लोदी के नाम से लोदी वंश के सिंहासन पर आरूढ़ हुआ। वह एक हिन्दू महिला का पुत्र था, इस कारण कुछ दरबारी अमीरों ने उसके सिंहासनारोहण का विरोध किया। लेकिन इन विरोधों को दरकिनार करते हुए वह 1489 ई. में दिल्ली की गद्दी पर बैठा। उसने अपने शासनकाल में कई महत्वपूर्ण कार्य किए जिनमें भू-राजस्व निर्धारण के लिए एक नया पैमाना गज-ए-सिकन्दरी का विकास किया। चूँकि वह एक शिक्षित व्यक्ति था, इसलिए साहित्यिक रचनाओं के प्रति उसकी रुचि थी। इसी उद्देश्य से उसने एक अनुवाद विभाग की स्थापना की। उसने स्वयं के आदेश से आयुर्वेद के एक ग्रन्थ का 'फरहंगे सिकन्दरी' नाम से अनुवाद कराया। उसने खाद्यान्नों पर लिए जाने वाले कर को समाप्त कर दिया। लेकिन अपने पिता के राजत्व सिद्धान्त को पलटते हुए अफगान आदर्शों की जगह तुर्की तथा हिन्दू सिद्धांतों को अपनाया।

18. 1305 ई. में अलाउद्दीन खलजी ने मालवा पर अधिकार कर लिया था। फिरोज तुगलक के अमीर हुसैन खाँ गोरी ने 1401 ई. में स्वतन्त्र मालवा राज्य की स्थापना की। उसने दिलावर खाँ की उपाधि ली। 1406 ई. में अलप खाँ, हुशंग शाह के नाम से मालवा की गद्दी पर बैठा। 1407 ई. में गुजरात के शासक मुजफ्फरशाह ने मालवा पर अधिकार कर उसे बन्दी बना लिया परन्तु शीघ्र ही वह मुक्त हो गया। इसने धार से हटाकर माण्डू को अपनी राजधानी बनाया। इसने 1435 ई. में नर्मदा तट पर होशंगाबाद नामक नगर स्थापित किया। महमूद खलजी (1436-1469 ई.) ने सुलतान मोहम्मद शाह गोरी की हत्या कर मालवा में खलजी वंश का शासन स्थापित किया। इसने मेवाड़ के शासक राणा कुम्भा से युद्ध किए जिसमें दोनों पक्षों ने विजय का दावा किया। राणा ने चित्तौड़ में विजय स्तम्भ बनवाया तथा महमूद ने माण्डू में सात मंजिलों वाला विजय स्तम्भ बनवाया। इसने मांडू में दारुल शिफा और दारुखाना (डिस्पेंसरी) बनवाने का आदेश दिया था।

19. हुसैनशाह शर्की जौनपुर के शर्की वंश का अंतिम शासक था। उसने 1458-1485 ई. तक शासन किया था। मुहम्मदशाह शर्की की हत्या के बाद उसके भाई हुसैनशाह शर्की को 1458 ई. में गद्दी पर बिठाया गया था। उसने सत्ता प्राप्त करने के बाद लोदियों से संधि कर ली। इसके समय में दिल्ली और जौनपुर का संघर्ष अपनी चरम सीमा पर पहुँच गया था। इसके काल में अन्ततः बहलोल लोदी ने जौनपुर पर 1483-1484 ई. में अधिकार कर लिया। लगभग 75 वर्ष तक स्वतन्त्र रहने के उपरान्त जौनपुर को सिकन्दर शाह लोदी ने पुनः दिल्ली सल्तनत में मिला लिया। शर्की शासन के अन्तर्गत, विशेष कर इब्राहिमशाह शर्की के समय में जौनपुर में साहित्य एवं स्थापत्य कला के क्षेत्र में हुए विकास के कारण जौनपुर को 'भारत का सीराज' कहा गया। हुसैनशाह शर्की को संगीत के क्षेत्र में अपनी महारत के लिए 'गंधर्व' की उपाधि से सम्बोधित किया गया था।

20. अब्दुल कुद्दूस गंगोही 'चिश्ती-साबिरी' परम्परा के थे, उन्होंने सिकंदर लोदी और बाबर को पत्र लिखकर भारत में शरिया लागू करने की कामना की थी। इसने बाबर का ध्यान इस तथ्य की ओर आकर्षित किया कि सिकंदर लोदी के काल में हिन्दुओं ने फारसी सीखी और उन्हें बड़ी संख्या में विभिन्न पदों पर नियुक्त किया। चिश्ती परम्परा के लोग शरियत को सर्वाधिक महत्व देते थे किन्तु साथ ही बुजूदी सिद्धान्त और हिन्दू विचारों को भी स्वीकार करते थे। विचारों का यह विरोधाभास शेख अब्दुल कुद्दूस गंगोही (1538) के चरित्र में देखने को

मिलता है कि जो चिश्ती सिलसिला की एक शाखा चिश्ती साबिरी परम्परा के थे। वुजूदी विचारधारा को स्वीकार करने के कारण ही शायद शेख अब्दुल कुद्दूस नाथ योगियों के सर्वात्मवादी सिद्धान्त को भी मानते थे। उन्होंने "रुश्द नामा" लिखा जिसमें सर्वात्मवाद को स्वीकार किया गया और उनमें उनके द्वारा 'अलख' उपनाम से लिखी कविताएँ भी हैं। शेख अब्दुल कुद्दूस के अनुसार 'अलख निरंजन' को देखा नहीं जा सकता। जो लोग उसका अनुभव करते हैं, वे अपने में खोये रहते हैं।

21. मलूकदास का जन्म 'लाला सुंदरदास खत्री' के घर वैशाख कृष्ण 5, संवत् 1631 में कड़ा, जिला इलाहाबाद में हुआ। इनकी मृत्यु 108 वर्ष की अवस्था में संवत् 1739 में हुई। ये औरंगजेब के समय में दिल के अंदर खोजने वाले 'निर्गुण मत' के नामी संतों में हुए हैं और इनकी गद्दियाँ कड़ा, जयपुर, गुजरात, मुलतान, पटना, नेपाल और काबुल तक में कायम हुईं। इनके संबंध में बहुत से चमत्कार या करामातें प्रसिद्ध हैं। कहते हैं कि एक बार इन्होंने एक डूबते हुए शाही जहाज को पानी के ऊपर उठाकर बचा लिया था और रुपयों का तोड़ा गंगाजी में तैरा कर कड़े से इलाहाबाद भेजा था। मलूकदास का यह दोहा बहुत प्रसिद्ध है–

अजगर करै न चाकरी, पंछी करै न काम।
दास मलूका कहि गए, सबके दाता राम।

22. मध्य काल में इतिहास लेखन अपने उत्तम स्थिति में था। विभिन्न इतिहासकारों ने अपने इतिहास लेखन में कई कालखण्डों के शासकों के शासन सम्बन्धी व्यवस्था का वर्णन किया है। जैसे–मुन्तखब-उत-तवारीख (अब्दुल कादिर बदायूंनी), मआसिर-ए-आलमगीरी (साकी मुस्तैद खाँ) और अखबार-उल-अखियार (अब्दुल हक) आदि। मआसिर-उल-उमरा के लेखक शाहनबाज खान हैं। तीन भागों में लिखित इस ग्रंथ में बाबर से लेकर औरंगजेब के काल के मुगल सामंतों का वर्णन है। राजपूत मुगल सामन्तों के चित्रण हेतु यह ग्रंथ उपयोगी स्रोत है।

23. अब्दुर्रहीम खानखाना हिन्दी के प्रसिद्ध कवि थे। अकबर के दरबार में इनका महत्वपूर्ण स्थान था। रहीम अकबर के नवरत्नों में से एक थे। गुजरात के युद्ध में शौर्य प्रदर्शन के कारण अकबर ने इन्हें 'खानखाना' की उपाधि दी थी। इन्होंने शाहजादे/अमीर के पुस्तकालय में 16वीं सदी के उत्तरार्द्ध में मुगल शैली में शाहनामा की सचित्र प्रति तैयार करवाई। रहीम अरबी, तुर्की, फारसी, संस्कृत और हिन्दी के अच्छे ज्ञाता थे। इन्हें ज्योतिष का भी ज्ञान था। रहीम की ग्यारह रचनाएँ प्रसिद्ध हैं। इनके काव्य में मुख्य रूप से शृंगार, नीति और भक्ति के भाव मिलते हैं। 70 वर्ष की उम्र में 1626 ई. में रहीम का देहांत हो गया।

25. नाभादास का 'भक्तमाल' बहुत प्रसिद्ध हिन्दी ग्रंथ है। नाभादास का प्रसिद्ध ग्रंथ 'भक्तमाल' संवत् 1642 के बाद बना और संवत् 1769 में 'प्रियादास' जी ने उसकी टीका लिखी। इस ग्रंथ में 200 भक्तों के चमत्कारपूर्ण चरित्र 316 छप्पयों में लिखे गए हैं। इन चरित्रों में पूर्ण जीवनवृत्त नहीं है, केवल भक्ति की महिमासूचक बातें दी गई हैं। इनका उद्देश्य भक्तों के प्रति जनता में पूज्यबुद्धि का प्रचार जान पड़ता है। यह उद्देश्य बहुत अंशों में सिद्ध भी हुआ। आज उत्तरी भारत के गाँव-गाँव में साधुवेषधारी पुरुषों को शास्त्रज्ञ विद्वानों और पंडितों से कहीं बढ़कर जो सम्मान और पूजा प्राप्त है, वह बहुत कुछ भक्तों की करामातों और चमत्कारपूर्ण वृत्तातों के सम्यक् प्रचार से। भक्तमाल का प्रकाशन श्रीरामकृपालदास 'चित्रकूटी' द्वारा किया गया है। नाभादास की भक्तमाल एक ऐसी रचना है, जो मध्यकालीन संत-भक्तों के जीवन के संबंध में आधारभूत सामग्री उपलब्ध करवाती है। उन्होंने अपने गुरु अग्रदास की आज्ञा से 'भक्तमाल' नामक प्रसिद्ध ग्रंथ लिखा था। नाभादास जी ने अपने 'भक्तमाल' में कहा है कि सखी-सम्प्रदाय में राधा-कृष्ण की उपासना और आराधना की लीलाओं का अवलोकन साधक सखी-भाव से करता है। सखी-सम्प्रदाय में प्रेम की गम्भीरता और निर्मलता दर्शनीय है।

26. तिरुमूलर (800 ई.) प्रसिद्ध शिव भक्त तथा तमिल ग्रंथ 'तिरुमंत्रम्' के रचयिता थे। तमिल के विद्वान शैव संत तिरुमूलर को महान् सिद्ध संत मानते हैं। वे कैलास के सिद्ध थे और स्वयं शिव से ज्ञान प्राप्त कर उन्होंने जनता में उसका प्रचार किया था। उनका लक्ष्य जाति निरपेक्ष मानव की सेवा करना था। उन्होंने रूढ़िग्रस्त शास्त्रों का विरोध किया और समन्वयवादी ढंग से भक्ति का प्रचार किया। इस प्रकार तमिल सिद्धवाद में ब्राह्मण विरोधी और कर्मकांड विरोधी लक्षण मिलते हैं।

'पेरिय पुराण' के अनुसार संत तिरुमूलर ने कैलास, केदान, नेपाल, काशी, विंध्याचल और श्रीशैल आदि स्थानों का भ्रमण किया और अंत में अगस्त्य मुनि से मिलने दक्षिणापथ में पधारे। तिरुमूलर तमिल शैव सम्प्रदाय के सबसे पहले कवि थे, जिन्होंने अपने काव्य 'तिरुमंत्रम्' में आगमों के धार्मिक नियमों का अनुसरण किया था। शैव संतों में अप्पर, संबंधर, सुंदरर, माणिक्कवाचगर और तिरुमूलर अधिक विख्यात हैं। समस्त तमिल प्रदेश में इन संतों की रचनाओं का व्यापक प्रचार है। संत तिरुमूलर के ग्रंथ 'तिरुमंत्रम्' में 3000 पद्य हैं। इन पद्यों में यौगिक सिद्धांतों का सरल रूप में विवेचन किया गया है। तमिल के विद्वान शैव संत तिरुमूलर को महान् सिद्ध संत मानते हैं। इन सिद्धों ने तमिल भाषा में योगशास्त्र, वैद्यकशास्त्र, मंत्रशास्त्र, ज्ञानशास्त्र और रसायनशास्त्र का निर्माण किया है।

28. सन् 1882 ई. से 1907 ई. तक कोई अलग प्रेस विधेयक नहीं लाया गया तथा राजद्रोह का दमन भारतीय दण्ड संहिता की धारा 124-ए के तहत किया गया। 1908 ई. में समाचार-पत्र विधेयक पारित हुआ। सन् 1910 ई. के भारतीय प्रेस विधेयक का उद्देश्य प्रेस को वैध विवादों के अन्तर्गत सीमित रखना था। कई प्रेसों तथा समाचार-पत्रों का प्रकाशन सन् 1908 ई. एवं 1910 ई. के विधेयकों के कारण बंद हो गया। प्रेस की स्वतंत्रता पर 1930 ई. के भारतीय प्रेस अध्यादेश ने और भी अंकुश लगा दिया, क्योंकि अब अपराध की परिभाषा और भी व्यापक कर दी गई थी। सन् 1931 ई. के भारतीय प्रेस (आपातकालीन अधिकार) विधेयक ने किसी भी प्रकार के कांग्रेसी प्रचार के प्रकाशन पर प्रतिबन्ध लगा दिया। इसकी समाप्ति स्वतंत्रता के बाद हुई।

29. 19वीं शताब्दी के अन्तिम वर्षों तक भारत का लगभग 50 प्रतिशत आयात और निर्यात बम्बई से ही किया जाता था। अफीम इस व्यापार की एक महत्वपूर्ण वस्तु थी। 1850 में भारत में बड़े पैमाने के उद्योग के उदय की पूर्व संध्या पर पारसी समुदाय पश्चिमी तट से निर्यात योग्य दो प्रमुख वस्तुओं कपास और अफीम का व्यापार करते थे। ब्रिटिश ईस्ट-इंडिया कम्पनी द्वारा बम्बई के बंदरगाह से चीन को अफीम का निर्यात किया जाता था। अफीम के व्यापार में भारतीय व्यापारियों एवं बिचौलियों की भी भागीदारी थी। उनकी सहायता से बम्बई की अर्थव्यवस्था मालवा, राजस्थान एवं सिन्ध जैसे अफीम उत्पादक क्षेत्रों से जुड़ गई थी। कम्पनी के साथ यह गठबंधन भारतीय व्यापारियों के लिए अत्यधिक लाभदायक था। इसने भारतीय पूँजीपति वर्ग के विकास में महत्वपूर्ण योगदान दिया।

30. 23 मार्च, 1940 को मुस्लिम लीग ने उपमहाद्वीप के मुस्लिम-बहुल इलाकों के लिए कुछ स्वायत्तता की माँग का प्रस्ताव पेश किया। इस प्रस्ताव से खिजर हयात खान, फजलुल हक तथा खजीकुज्जमां आदि नेता सम्बन्धित थे। इस अस्पष्ट से प्रस्ताव में कहीं भी विभाजन या पाकिस्तान का जिक्र नहीं था। बल्कि, इस प्रस्ताव को लिखने वाले पंजाब के प्रधानमंत्री और यूनियनिस्ट पार्टी के नेता सिकंदर हयात खान ने 1 मार्च, 1941 को पंजाब असेम्बली को संबोधित करते हुए ऐलान किया था कि वह ऐसे पाकिस्तान की अवधारणा का विरोध करते हैं जिसमें "यहाँ मुस्लिम राज और बाकी जगह हिंदू राज होगा...। अगर पाकिस्तान का मतलब यह है कि पंजाब में खालिस मुस्लिम राज कायम होने वाला है तो मेरा उससे कोई वास्ता नहीं है।" उन्होंने संघीय इकाईयों के लिए उल्लेखनीय स्वायत्तता के आधार पर एक ढीले-ढाले (संयुक्त) महासंघ के समर्थन में अपने विचारों को फिर दोहराया।

कुछ लोगों का मानना है कि पाकिस्तान के गठन की माँग उर्दू कवि मोहम्मद इकबाल से शुरू होती है जिन्होंने "सारे जहाँ से अच्छा हिंदोस्ताँ हमारा" लिखा था। 1930 में मुस्लिम लीग के अधिवेशन में अध्यक्षीय भाषण देते हुए उन्होंने एक "उत्तर-पश्चिमी भारतीय मुस्लिम राज्य" की जरूरत पर जोर दिया था। मगर उस भाषण में इकबाल एक नए देश के उदय पर नहीं बल्कि पश्चिमोत्तर भारत में मुस्लिम बहुल इलाकों को एकीकृत, शिथिल भारतीय संघ के भीतर एक स्वायत्त इकाई की स्थापना पर जोर दे रहे थे।

31. सर सैयद अहमद खाँ मुस्लिम शिक्षक, विधिवेत्ता और लेखक, ऐंग्लो-मोहम्मडन ओरिएंटल कॉलेज अलीगढ़, उत्तर प्रदेश, के संस्थापक थे। सर सैयद अहमद खाँ ऐसे महान मुस्लिम समाज सुधारक और भविष्यद्रष्टा थे, जिन्होंने शिक्षा के लिए जीवन भर प्रयास किया। सर सैयद अहमद खाँ ने लोगों को पारंपरिक शिक्षा के स्थान पर आधुनिक ज्ञान हासिल करने के लिए प्रेरित किया,

क्योंकि वे जानते थे कि आधुनिक शिक्षा के बिना प्रगति संभव नहीं है। इन्होंने 1865 में अंग्रेजी ग्रंथों को उर्दू भाषा में अनुवादित करने के लिए 'विज्ञान समाज' की स्थापना की तथा मुसलमानों को अपने विचारों से परिचित करवाने हेतु 1871 ई. से 1897 के मध्य तहजीब-उल- अखलाक (सभ्यता और नैतिकता) नामक पत्र का प्रकाशन किया।

32. इंडियन एसोसिएशन फॉर द कल्टीवेशन ऑफ साइंस (IACS) भारत के विज्ञान एवं प्रौद्योगिकी विभाग के अंतर्गत एक स्वायत्त शोध संस्थान है। इसकी संस्थापना 29 जुलाई, 1876 को डॉ. महेन्द्रलाल सरकार ने की थी। यह भारत का प्राचीनतम शोध संस्थान है। यह संस्थान भौतिकी, रसायन, जीवविज्ञान, ऊर्जा, बहुलक तथा पदार्थों के सीमांतवर्ती क्षेत्रों में मौलिक शोध कार्य में समर्पित है। प्रत्येक क्षेत्र में आई.ए.सी.एस. युवा एवं प्रगतिशील शोध अध्येताओं का उनके डॉक्टरॉल कार्यक्रमों में उचित पोषण करती है। चन्द्रशेखर वेंकट रमन यहीं से वर्ष 1907 से 1933 तक भौतिकी के विविध विषयों पर शोध कार्य करते रहे तथा 1928 में उन्होंने प्रकाश के प्रकीर्णन के प्रभाव पर अपना बहुचर्चित आविष्कार किया जिसने उन्हें ख्याति के साथ अनेक पुरस्कार भी दिलवाए जिनमें 1930 में प्राप्त नोबेल पुरस्कार भी शामिल है।

34. अगस्त, 1945 को द्वितीय विश्वयुद्ध की समाप्ति हो चुकी थी। अंग्रेजों ने आजाद हिंद फौज के अधिकारियों तथा सैनिकों को अक्टूबर-नवंबर, 1945 के दौरान बंदी बनाकर दिल्ली के लाल किले में रखा। इन 17 हजार युद्धबंदियों पर ब्रिटिश सम्राट के विरुद्ध युद्ध करने के अपराध में अभियोग चलाया जाना था। आजाद हिंद फौज के 17 हजार सैनिकों पर सैनिक-अदालत में चलाए जाने वाले मुकदमे की ओर सारे देश का ध्यान लगा हुआ था। कांग्रेस की कार्यसमिति ने इन युद्धबंदियों के विरुद्ध चलाए जाने वाले अभियोग के विरुद्ध रक्षात्मक कार्यवाही कर समस्त युद्धबंदियों को सम्मानजनक ढंग से मुक्त कराने की नीति निर्धारित कर ली थी। इसके लिए कांग्रेस ने एक सुरक्षा समिति बनाई थी, जिसमें राष्ट्रीय स्तर के नेता सर तेजबहादुर सप्रू, कैलाशनाथ काटजू, भूलाभाई देसाई, जवाहरलाल नेहरू, आसफ अली, रघुनंदन सहाय आदि थे। यह सैनिक अभियोग 5 नवंबर से 31 दिसंबर, 1945 तक चला। मेजर जनरल शाहनवाज खान, कर्नल प्रेमकुमार सहगल तथा कर्नल ढिल्लों पर ब्रिटिश सम्राट के विरुद्ध युद्ध करने का आरोप था क्योंकि ये तीनों आजाद हिंद फौज में शामिल होने के पूर्व अंग्रेजों की भारतीय फौज की सेना में वरिष्ठ अधिकारी थे। अभियोग में बचाव पक्ष के वकील के रूप में भूलाभाई देसाई उपस्थित थे।

35. आर्य समाज की स्थापना स्वामी दयानन्द सरस्वती ने सन् 1875 ई. में बम्बई में की थी, यद्यपि आरम्भ में इसके समक्ष अनेक बाधाएँ खड़ी हुईं, परन्तु शीघ्र ही उत्तरी भारत के अधिकांश भागों–पंजाब, उत्तर प्रदेश, राजस्थान, बिहार पर इसका प्रभाव कायम हो गया। स्वामी दयानन्द सरस्वती के नेतृत्व में प्रारम्भ में आर्य समाज ने अपने दृष्टिकोणों का प्रचार शास्त्रार्थ एवं 'सामूहिक भोज' आदि के माध्यम से किया। इसके बाद 'सत्यार्थ प्रकाश' जैसी पुस्तकें लिखकर स्वामी दयानन्द सरस्वती ने अपने मूल विचारों को अभिव्यक्त किया। प्रारम्भ में आर्य समाज ने केवल तीन सिद्धांत रखे। वे सिद्धांत थे–आर्य समाज केवल वेदों को ही स्वतंत्र एवं अन्तिम शब्द स्वीकार करेगा, आर्य समाज का प्रत्येक सदस्य अपनी आय का 1/100वाँ भाग 'आर्य विद्यालय' एवं 'आर्य प्रकाश' समाचार-पत्र को देगा एवं वेदों के आधार पर शिक्षा ग्रहण करेगा। परन्तु सन् 1877 ई. में इन तीन सिद्धांतों के स्थान पर दस सिद्धांत निश्चित किए गए। इन दस सिद्धांतों में मूर्ति-पूजा का खंडन, तीर्थयात्रा एवं अवतारवाद का विरोध, एकेश्वरवाद, बाल-विवाह एवं बहु-विवाह का विरोध, हिंदी एवं संस्कृत भाषा का प्रसार, कर्म एवं पुनर्जन्म में विश्वास, वेदों पर आधारित शिक्षा आदि प्रमुख हैं। आर्य समाज के योगदानों में सर्वाधिक स्थायी योगदान शिक्षा के क्षेत्र में है। सन् 1886 ई. में लाहौर में दयानन्द एंग्लो वैदिक (डी.ए.वी.) स्कूल की स्थापना हुई, जो सन् 1889 ई. में डी.ए.वी. कॉलेज में परिवर्तित हो गया। सन् 1902 में हरिद्वार के पास कांगड़ी में गुरुकुल विश्वविद्यालय की नींव रखी गई।

36. 20वीं सदी की शुरूआत के साथ ही भारत में नारी नेतृत्व में महिलाओं हेतु अनन्य अनेक संगठन क्षितिज पर उभरे। वर्ष 1913 के आरंभ में नलिनी दत्त, एक उच्च वर्ग एवं जाति से आयी शिक्षित भारतीय महिला

ने बंगाल के कई कस्बों/नगरों में महिला समितियाँ शुरू की। वर्ष 1910 में अभिजात्य पृष्ठभूमि की ही सरलादेवी चौधरानी ने भारत स्त्री महामंडल की स्थापना की इस दौर में अखिल भारतीय स्तर के अन्य कई संगठन अस्तित्व में आये। एनी बेसेंट ने 1917 में मद्रास में महिला भारत संघ (WIA) की स्थापना की। उन्होंने भारतीय महिलाओं से होमरूल लीग और स्वदेशी आंदोलन में शामिल होने का आग्रह किया। लेडी अबरदीन औरलेडी टाटा ने 1925 में राष्ट्रीय महिला परिषद् की स्थापना की। मार्गरेट कजन्स के प्रयासों से 1927 में अखिल भारतीय महिला सम्मेलन (AIWC) की स्थापना हुई। इन सभी संगठनों ने स्वयं को महिलाओं की सामाजिक समस्याएँ दूर करने व उन्हें शिक्षित करने से जोड़ा।

37. पुडुचेरी के क्षेत्र में दक्षिण में फैले पुडुचेरी, कराईकल, माहे और यनाम के वे क्षेत्र शामिल हैं जहाँ पहले फ्रांसीसियों का शासन था। पुडुचेरी इस प्रदेश की राजधानी है जो कभी भारत में फ्रांस वालों का मुख्यालय हुआ करता था। यह 138 वर्षों तक फ्रांसीसी शासन के अधीन रहा और 1 नवंबर, 1954 को भारत में इसका विलय हो गया। इसके पूर्व में बंगाल की खाड़ी और शेष तीन तरफ तमिलनाडु है। पुडुचेरी से लगभग 150 किलोमीटर दक्षिण में पूर्वी तट पर कराईकल है जबकि माहे पश्चिम में केरल से घिरे पश्चिमी घाटों के मालाबार तट पर स्थित है। यहाँ पर कालीकट हवाई अड्डे से पहुँचा जा सकता है जो माहे से 70 किलोमीटर दूर है। यनाम आंध्र प्रदेश के पूर्वी गोदावरी जिले से सटा हुआ है और विशाखापत्तनम से 200 किमी. की दूरी पर है।

38. जोधपुर रियासत मारवाड़ क्षेत्र में सन् 1250 से 1949 तक चलने वाली भारतीय रियासत थी। वर्ष 1950 में इसकी राजधानी जोधपुर नगर में रही। लगभग 34,963 वर्ग मील क्षेत्रफल के साथ, जोधपुर रियासत राजपुताना की सबसे बड़ी रियासत थी। इसके अन्तिम शासक ने इसके भारत में विलय पर हस्ताक्षर 1 नवम्बर, 1956 को किए थे। यह विलय नाटकीय प्रदर्शन करने के बाद ही किया गया था। देश की आजादी के समय जोधपुर के तत्कालीन महाराजा हनुवंत सिंह ने जोधपुर को पाकिस्तान में मिलाने की तैयारी कर ली थी। पाकिस्तान के संस्थापक मोहम्मद अली जिन्ना की लच्छेदार बातों में आकर महाराजा एक बार पक्का मन बना चुके थे कि मारवाड़ को पाकिस्तान में शामिल होना चाहिए। लेकिन सरदार पटेल की सूझबूझ, सख्त तेवर और अनुभव के साथ ही उनके सचिव वी.पी. मेनन के धैर्य से महाराजा का मन बदला और जोधपुर भारत में शामिल हो गया।

39. 1936 तक कम्युनिस्ट अपने नए महासचिव पी.सी. जोशी के नेतृत्व में संयुक्त मोर्चे की रणनीति के प्रबल पक्षधर हो गए थे। इस कार्य-नीति का विकास 1935 के ग्रीष्म में दिमित्रोव ने कोमिंटर्न की सातवीं कांग्रेस में किया था और भारत के लिए इसके निहितार्थों को आर. पी. दत्त और बेन ब्रैडले ने ब्रिटिश कम्युनिस्ट पत्रिका *लेबर मंथली* में मार्च 1936 में स्पष्ट किया था। इससे यह आवश्यक हो गया कि कांग्रेस के भीतर ऐसा कार्य किया जाए जिसका लक्ष्य उसे 'साम्राज्यवादी- विरोधी जन-मोरचा' बनाना हो—ट्रेड यूनियनों एवं किसान संगठनों को सामूहिक रूप से कांग्रेस से संबद्ध किया जाए, चुनाव जुझारू कार्यक्रमों के आधार पर लड़े जाएं, किंतु पद ग्रहण करने से सख्ती से इनकार किया जाए, और मुख्य सकारात्मक नारा एक ऐसी संविधान सभा का हो जिसे सार्वत्रिक वयस्क मताधिकार द्वारा चुना गया हो। वास्तव में नेहरू ऐसी मांग करने की राय 1930 में ही दे चुके थे, और दत्त एवं ब्रैडले इस लेख को लिखने के कुछ समय पूर्व ही लाउसान में उनसे मिल चुके थे।

40. वर्ष 1855 में कोलकाता को रानीगंज कोयला खदानों से जोड़ने वाली देश की पहली समुचित रेल सेवा की शुरूआत होने के साथ कोयले के उपयोग में उल्लेखनीय वृद्धि हुई। स्थानीय कोयला उपलब्ध होने की वजह से कोलकाता, हुगली औद्योगिक क्षेत्र का केंद्र बन गया। इसे एशिया की 'रूर घाटी' भी कहा जाता था। इसी के साथ यहाँ हवा में प्रदूषण भी बढ़ता गया। भारतीय कोयले की खराब गुणवत्ता के कारण धुएँ की समस्या और अधिक विकराल होती गई। इसमें वजन के हिसाब से 14.8 प्रतिशत से 47 प्रतिशत तक राख होती है और ब्रिटिश कोयले के मुकाबले यह अधिक धुआँ छोड़ता था।

धुएँ की बढ़ती समस्या के कारण वर्ष 1863 में कोलकाता धुआं रोकथाम कानून लाया गया जो इस तरह का कानून लागू करने वाला विश्व का पहला शहर बना।

वायु प्रदूषण की समस्या की पड़ताल करने के लिए वर्ष 1879 में गठित समिति ने लीड्स के धुआं निरीक्षक फ्रेडरिक ग्रोवर को सन् 1902 में कोलकाता भेजा, ताकि वे धुएँ के निपटने के बारे में अपनी सिफारिश दे सके। ग्रोवर की रिपोर्ट के आधार पर ही सन् 1905 में 'द बंगाल स्मोक न्यूसेंस एक्ट' सामने आया और आगे चलकर 'द बंगाल स्मोक न्यूसेंस कमीशन' की स्थापना हुई।

41. नवपाषाण संस्कृतियाँ पाषाण युग के अंत को चिह्नित करती हैं। भारत का नवपाषाण काल एक महत्वपूर्ण चरण है। 1842 में भारत में कर्नाटक के रायचूर जिले में ले मेसुरी द्वारा और बाद में 1867 में ऊपरी असम की ब्रह्मपुत्र घाटी में जॉन लबॉक द्वारा एक नवपाषाण काल की कुल्हाणी (celt) का पता चला। व्यापक खोज और उत्खनन से भारत की नवपाषाण संस्कृतियों के बारे में काफी मात्रा में सामग्री प्राप्त हुई हैं।

इस काल के मानव ने नई तकनीक से औजार का विकास किया जिन्हें घिसकर तथा पॉलिश करके चमकदार बना दिया गया। औजार बनाने के लिए सर्वप्रथम पत्थर के फलक उतारे जाते थे, दूसरी अवस्था में उसके ऊबड़-खाबड़ उभारों को साफ किया जाता था। इसे पैकिंग कहा जाता था। तृतीय अवस्था में उस औजार को किसी बड़े पत्थर या चट्टान से घिसकर साफ किया जाता था तथा उसके किनारों को घर्षित कर तीखा किया जाता था। अंतिमं अवस्था में उन पर पशुओं की चर्बी या वनस्पति के तेल से पॉलिश करके चिकना किया जाता था। इस प्रकार नवपाषाणकाल के मानव ने चिकने-चमकदार तथा सुडौल औजार बनाए। जिनमें कुल्हाड़ियाँ, छैनियाँ, हथौड़े, बसौले, इत्यादि प्रमुख हैं। इसके अतिरिक्त साक्ष्य रूप में हल, दाने अलग करने का औजार (गिरड़ी), ब्लेड तथा खेती में उपजाए गए जौ एवं मटर इत्यादि थे।

42. 'मेगालिथ' शब्द की उत्पत्ति ग्रीक शब्द 'मेगास' (महा) और 'लिथोस' (पत्थर) से हुई है। कब्र या दफन स्थलों को चिह्नित करने के लिए बड़े पत्थर इस्तेमाल किये जाते हैं। कर्नल मीडोज टेलर पहले व्यक्ति थे जिन्होंने 1852-62 में कर्नाटक के शोरापुर-दोआब में व्यापक खोज की और महापाषाण (मेगालिथ) पर लिखा।

- महापाषाणिक कब्रों में कई तरह के मृदभांडों, विशेषकर काले व लाल मृदभांड मिलना तत्कालीन प्रायद्वीपीय भारत में शिल्प कार्यों की शुरूआत है। इसने आगे चलकर प्रायद्वीपीय भारत की मृदभांड निर्माण तकनीक को प्रोत्साहित किया।
- प्रायद्वीपीय भारत में सबसे पहले महापाषाणिक लोगों ने ही लोहे का उपयोग एवं प्रसार किया। उनके महापाषाणिक हथियारों में लोहे के बाण, बरछे की नोंक, फावड़े, हँसिया और त्रिशूल मिले हैं। हालाँकि इनमें शिकार के हथियार अधिक हैं, फिर भी लोहे के ज्ञान ने आगे चलकर कावेरी डेल्टा एवं अन्य प्रायद्वीपीय भागों में कृषि गतिविधियों और उत्पादन में वृद्धि की।
- महापाषाणिक लोगों ने प्रायद्वीपीय भाग में खेती की शुरूआत की और ये लोग धान एवं रागी उपजाते थे। कृषि के कारण ये गाँवों में स्थायी रूप से निवास करने लगे एवं उत्तरी क्षेत्र के लोगों से इनके संपर्क में वृद्धि हुई।
- महापाषाणयुगीन संस्कृति के लोगों ने दक्षिण भारत में नवीन राज्यों के निर्माण और सभ्यता के उदय में महत्वपूर्ण योगदान दिया। ईसा सन् के आरंभ के साथ या संभवतः इससे कुछ पहले ये लोग ऊँची भूमि से उतरकर उर्वर नदी घाटियों में आए और कछारी डेल्टा को कृषि योग्य बनाया। कालांतर में उत्तरी भारत से आने वाले व्यापारी, विजेता और धर्म प्रचारक लोगों के साथ आई भौतिक संस्कृति के संगम से अनेक नगरों का निर्माण हुआ तथा उनके बीच भी विभिन्न सामाजिक वर्गों का उदय हुआ।
- इनके अलावा कार्नेलियन मोतियों और लापीस लाजुली, घोड़े, सर्कोफैगी, डोलमैन, ताँबे तथा कांस्य की वस्तुओं के मिलने से यह संकेत मिलता है कि महापाषाण काल में व्यापार उन्नत स्थिति में था। रोमन सिक्कों और मृदभांडों का मिलना ऐतिहासिक काल की शुरूआत की ओर संकेत करता है।

43. अशोक के पृथक शिलालेख

धौली वृहद शिलालेख वर्तमान उड़ीसा प्रांत के पुरी में स्थित है। धौली की तीन छोटी पहाड़ियों की एक शृंखला पर लेख खुदे हैं। जिनका पता 1837 में किटो ने लगाया था। इस अभिलेख पर 11वें से 13वें तक लेख नहीं मिलते तथा उनके स्थान पर दो नये लेख खुदे

हुए हैं, जिनमें अंतों (सीमांतवासियों तथा जनपदवासियों) को दिए गए आदेश हैं। इसको पृथक कलिंग प्रज्ञापक कहा जाता है। यह अभिलेख ब्राह्मी लिपि तथा प्राकृत भाषा में लिखा गया है।

जौगढ़ वृहद् शिलालेख उड़ीसा के गंजाम जिले में स्थित है। जौगढ़ के लेख तीन शिलाखंडों पर खुदे हुए हैं, जिनका पता 1850 में वाल्टर इलियट को चला था। इस शिलालेख में 11वें से 13वें तक लेख नहीं मिलते हैं।

सन्नति दक्षिण भारत के राज्य कर्नाटक के उत्तरी भाग में गुलबर्ग जिला में स्थित चितापुर तालुक का एक ग्राम है, जो भीमा नदी के तट पर स्थित है। यह चंद्रपरमेश्वरी मंदिर के लिए प्रसिद्ध है। हाल ही में यहाँ भारतीय पुरातात्विक सर्वेक्षण विभाग द्वारा खुदाई में एक प्राचीन बौद्ध केन्द्र के अवशेष भी मिले हैं।

44. महायान बौद्ध धर्म की एक प्रमुख शाखा है, जिसका आरम्भ पहली शताब्दी के आस-पास माना जाता है। ईसा पूर्व पहली शताब्दी में वैशाली में बौद्ध संगीति हुई, जिसमें पश्चिमी एवं पूर्वी बौद्ध पृथक् हो गए। पूर्वी शाखा का ही आगे चलकर महायान नाम पड़ा। भक्ति और पूजा की भावना के कारण इसकी ओर लोग सरलता से आकृष्ट हुए।

महायान शब्द का वास्तविक अर्थ इसके दो खंडों (महा + यान) से स्पष्ट हो जाता है। 'यान' का अर्थ मार्ग और 'महा' का श्रेष्ठ, बड़ा या प्रशस्त समझा जाता है। महायान बुद्ध की पूजा करता है। महायान भक्ति प्रधान मत है। इसी मत के प्रभाव से बुद्ध की मूर्तियों का निर्माण आरंभ हुआ। इसी ने बौद्ध धर्म में बोधिसत्व की भावना का समावेश किया। स्थानीय पंथों का आत्मसातीकरण हुआ। यह भावना सदाचार, परोपकार, उदारता आदि से सम्पन्न थी। इसी मत के अनुसार 'बुद्धत्व' की प्राप्ति सर्वोपरि लक्ष्य है। महायान संप्रदाय ने गृहस्थों के लिए सामाजिक उन्नति का मार्ग निर्दिष्ट किया।

45. चन्द्रगुप्त द्वितीय 'विक्रमादित्य' (375-415 ई.)

- समुद्रगुप्त के पश्चात् उसकी प्रधान महिषी दत्तदेवी से उत्पन्न पुत्र चंद्रगुप्त द्वितीय गुप्त वंश का सर्वाधिक महत्वपूर्ण एवं शक्तिशाली शासक बना।
- चन्द्रगुप्त द्वितीय के शासनकाल में गुप्त साम्राज्य में राजनीतिक एवं सांस्कृतिक दोनों ही क्षेत्रों में अभूतपूर्व प्रगति किया तथा अपने विकास के शीर्ष पर पहुँच गया।
- चन्द्रगुप्त द्वितीय का दूसरा नाम देव भी था। अभिलेखों (सांची) में उसे देवगुप्त, देवराज एवं देवश्री भी कहा गया है।
- विमादित्य, विक्रमांक एवं परमभागवत् चन्द्रगुप्त द्वितीय की उपाधियाँ थीं जो उसके अतुल पराक्रम तथा धर्मनिष्ठ वैष्णव होने को सिद्ध करते हैं।
- अपनी राजनीतिक एवं आन्तरिक स्थिति को सुदृढ़ करने के लिए चन्द्रगुप्त द्वितीय ने भी वैवाहिक संबंधों का सहारा लिया।
- इस उद्देश्य से उसने तत्कालीन समय के तीन प्रमुख राजवंशों नागवंश, वाकाटक वंश एवं कदम्ब राजवंश के साथ वैवाहिक सम्बन्ध स्थापित किए तथा उन्हें अपना हितैषी बना लिया।

46. मनुस्मृति के प्रसिद्ध टीकाकार मेघातिथि हैं। मेघातिथि के अलावा मनुस्मृति पर कुल्लुक भट्ट तथा गोविन्द राज ने भी टीका लिखी है। याज्ञवल्क्य स्मृति का रचनाकाल 100 ई. से 300 ई. तक माना जाता है। याज्ञवल्क्य स्मृति में शूद्रों को व्यापारी, कृषक और कारीगर होने की बात कही गई है। याज्ञवल्क्य स्मृति के भाष्यकार विज्ञानेश्वर हैं जिन्होंने मिताक्षरा नामक ग्रन्थ लिखा। विज्ञानेश्वर के अलावा विश्वरूप एवं अपरार्क याज्ञवल्क्य स्मृति के भाष्यकार थे।

47. 1200 ई. के काल का महत्वपूर्ण ऐतिहासिक स्रोत अलबरूनी का भारत विवरण है। अलबरूनी 1017 ई. में महमूद गजनवी द्वारा ख्वारिज्म पर आक्रमण पर युद्धबन्दी के रूप में गजनी लाया गया था। अलबरूनी ने भारत के बारे में निम्नलिखित बातें कहीं—

- अलबरूनी के किताबुल-हिन्द या तहकीक-ए-हिन्द में वर्णित विवरण के अनुसार पूर्व मध्यकालीन भारत में हिन्दू-मुस्लिम धर्म से पूरी तरह भिन्न थे। इसका एकमात्र कारण संस्कृत भाषा थी। हिन्दू धर्म का शिक्षित और अशिक्षित वर्ग, सामान्य लोग संस्कृत भाषा बोलते थे, जबकि मुस्लिम धर्म के लोग इससे अपरिचित थे।
- विदेशियों को तत्कालीन भारत में मलेच्छ माना जाता था, खान-पान, विवाह एवं अन्य सामाजिक सम्पर्क

विदेशियों के साथ नहीं होते थे। विदेशियों के सम्पर्क में आने वाली हर वस्तु को भारतीय दूषित एवं अपवित्र मानते थे।

- अलबरूनी के अनुसार—''हिन्दुओं में यह दृढ़ विश्वास है कि उनके देश के समान और कोई देश नहीं है, कोई ऐसा राष्ट्र नहीं हैं, कोई राजा उनके राजा के समान नहीं है तथा अन्य कहीं भी विज्ञान उनके विज्ञान के समान नहीं है।''
- अलबरूनी के अनुसार तत्कालीन भारतीय समाज चार वर्णों में विभक्त था। ब्राह्मण सर्वश्रेष्ठ होते थे, ब्रह्मा के सिर से उनकी उत्पत्ति मानी जाती थी। हिन्दू उनको मानव जाति में सबसे अच्छा मानते थे।
- अलबरूनी के अनुसार क्षत्रियों की उत्पत्ति ब्रह्मा के कन्धे और भुजाओं से हुई थी। ब्राह्मण और क्षत्रिय उसके समय में लगभग समान स्थिति में थे। वैश्यों की उत्पत्ति ब्रह्मा की जांघ से तथा शूद्रों की उत्पत्ति ब्रह्मा के पैरों से हुई थी। शूद्र और वैश्य पूरी तरह समान थे। सराय, घर, गाँव, शहर में शूद्र और वैश्य एक साथ रहते थे।
- अलबरूनी के अनुसार तत्कालीन भारतीय समाज में शूद्रों से निम्न वर्ग एक और था, जिसे 'अन्त्यज' कहा जाता था। उन्हें जाति और वर्ण से मुक्त रखा गया था। अन्त्यजों को आठ श्रेणियों में वर्गीकृत किया गया था।

48. **भीतर गाँव मंदिर,** उत्तर प्रदेश के कानपुर जिले में स्थित है। यहाँ गुप्तकालीन एक मंदिर के अवशेष उपलब्ध हैं जो गुप्तकालीन वास्तुकला के सुंदर नमूनों में से एक है। ईंटों का बना यह मंदिर अपनी सुरक्षित तथा उत्तम साँचे में ढली ईंटों के कारण विशेष रूप से प्रसिद्ध है। इसकी एक-एक ईंट सुंदर एवं आकर्षक आलेखनों से खचित थी। इसकी दो-दो फुट लंबे चौड़े खानें अनेक सजीव एवं सुंदर उभरी हुई मूर्तियों से भरी थीं। इसकी छत शिखरमयी है तथा बाहर की दीवारों के ताखों में मृण्मयी मूर्तियाँ दिखलाई पड़ती है। इस मंदिर की हजारों ईंटें लखनऊ संग्रहालय में सुरक्षित हैं।

लक्ष्मण मंदिर भारत में ईंटों से निर्मित पहला मंदिर है। यह रायपुर से लगभग 90 किमी. की दूरी पर स्थित है, जो छत्तीसगढ़ की राजधानी है। इसमें बारीक नक्काशी और कला का चित्रण है जो इस मंदिर को और आकर्षित बनाती है। ईंटों से बना यह मंदिर, एक ऊँचे प्लेटफॉर्म पर और तीन प्रमुख भागों में बना हुआ है जिन्हें गर्भ गृह (मुख्य घर), अंतराल (पैसज) और मंडप (एक शेल्टर) कहा जाता है। अन्य धर्मों को भी खूबसूरती से मंदिर में वातायन, चित्या गोवाक्सा, भारवाहाक्गाना, अजा, कीर्तिमिख और कामा अमालक के रूप में डिजाइन किया गया है।

49. भारत पर पहला मुस्लिम आक्रमण 711 ई. में अरब आक्रमणकारी मुहम्मद बिन कासिम के नेतृत्व में हुआ था। मुहम्मद-बिन कासिम से पूर्व 711 ई. में ही उबैदुल्लाह के नेतृत्व में एक अभियान दल भेजा गया, परंतु वह पराजित हुआ और मारा गया। इराक के हाकिम अल-हज्जाज ने मुहम्मद-बिन-कासिम के नेतृत्व में अरबों को सिंध पर आमण करने के लिए भेजा। भारी संघर्ष के बाद अरबों ने 712 ई. में सिंध पर विजय प्राप्त कर ली। ये अपने साथ नाफ्था तथा मंजनीक जैसे खतरनाक हथियार साथ लेकर आए थे। उस समय सिंध पर चच के पुत्र दाहिर का शासन था। फारसी ग्रंथ 'चचनामा' से अरबों द्वारा सिंध विजय की जानकारी मिलती है।

51. **सांकेतिक मुद्राओं का प्रचलन**—बरनी के अनुसार मुहम्मद बिन तुगलक ने 1330 ई. में तांबे के तथा फरिश्ता के अनुसार पीतल के सिक्के चलाये। मुहम्मद बिन तुगलक ने इन नवीन पीतल और तांबे के सिक्कों को कानूनी घोषित कर दिया तथा इन्हें सोने-चांदी के सिक्कों के समान प्रयोग करने के आदेश दिए। लोगों का सांकेतिक मुद्रा पर भरोसा करने तथा उन्हें अपनाने के लिए मुहम्मद बिन तुगलक ने इन सिक्कों पर अरबी तथा फारसी में सुंदर लेख अंकित करवाये ताकि जनता इन सिक्कों पर विश्वास कर सकें। अरबी लेख का आशय था ''सुलतान का आदेश मानना अल्लाह का आदेश मानने के बराबर है।'' फारसी लेख का आशय था ''अल्लाह की कृपा से मुहम्मद तुगलक के राज में यह टंका मान्य रहेगा।'' सुलतान यह चाहता था कि लोग श्रद्धा से इन सांकेतिक मुद्रा को अपना लें तथा किसी भी प्रकार का विरोध न करें। आरम्भ में तो ये आराम से चले परन्तु थोड़े ही दिन बाद गड़बड़ी पैदा होने लगी। लोग यह नहीं समझ सके कि केवल राजाज्ञा से तांबा

और चांदी बराबर नहीं हो सकते हैं। साधारण लोगों के लिए तांबा, तांबा ही था और चांदी, चांदी ही थी। लोगों में यह भ्रम हो गया था कि सुलतान इस प्रकार से उनकी चांदी को स्वयं के लिए राजकोष में रखना चाहता है और उसके बदले तांबे के टुकड़े दे रहा है। परिणामस्वरूप लोग देते समय तो सांकेतिक मुद्रा (तांबे एवं पीतल) देते थे और लेते समय सोने-चांदी के सिक्के। लोग सोने चांदी के सिक्कों को घरों में छिपाने लगे। लोग कर भी सांकेतिक मुद्रा में देने लगे थे। विदेशी व्यापारी भारतीय वस्तुओं का क्रय सांकेतिक मुद्रा से करते तथा अपना माल बेचने का कार्य पुराने सोने चांदी के सिक्के लेकर ही करते थे। इससे राज्य कार्य और व्यापार में व्यापक स्तर पर असुविधा होने लग गई। परिणामतः आर्थिक अराजकता की स्थिति उत्पन्न हो गई।

56. गुरु गोविन्द सिंह 1675-1708 ई. सिक्खों के 10वें एवं अन्तिम गुरु हुए। इनका जन्म 1666 ई. में पटना में हुआ था। इन्होंने अपने को सच्चा पादशाह कहा। इन्होंने सिक्खों के लिए 5 'ककार' अर्थात् केश, कंघा, कृपाण, कच्छा और कड़ा रखने की अनुमति दी और नाम के अन्त में 'सिंह' शब्द जोड़ने के लिए कहा। इन्होंने खालसा पंथ की स्थापना 1699 ई. में करवाई। इन्होंने पाहुल प्रणाली की शुरूआत की। सिक्खों के धार्मिक ग्रंथ आदिग्रंथ को वर्तमान रूप दिया और कहा कि अब 'गुरुवाणी' सिक्ख सम्प्रदाय के गुरु का कार्य करेगी। सन् 1708 ई. में नादेड़ नामक स्थान पर गुल खाँ नामक पठान ने गुरु गोविन्द सिंह की हत्या कर दी। बन्दा बहादुर ने सरहिन्द के मुगल फौजदार वजीर खाँ की हत्या कर दी। मुगल बादशाह फर्रुखसियर के आदेश पर 1716 ई. में बन्दा बहादुर की गुरुदासपुर के नांगल में हत्या कर दी गई। बन्दा की मृत्यु के बाद सिक्ख कई छोटे-छोटे टुकड़ों में बँट गए थे। नवाब कपूर सिंह 1748 ई. की पहल पर सभी सिक्ख टुकड़ियों का दल खालसा में विलय हो गया। 1753 में खालसा दल ने आर्थिक स्थिति सुधारने हेतु राखी प्रथा की शुरूआत की। जस्सा सिंह आहलूवालिया ने दल खालसा का नेतृत्व किया, जिसे बाद में बारह दलों में विभाजित किया गया। इसे मिसल के नाम से जाना गया। मिसल अरबी भाषा का शब्द है, जिसका अर्थ 'समान' होता है।

58. कर्जन के प्रशासनिक सुधार–

- 1901 ई. में सर कोलिन स्कॉट की अध्यक्षता में सिंचाई विभाग में सुधार के लिए आयोग नियुक्त किया गया।
- 1902 ई. में कर्जन ने सर एंड्रयू फ्रेजर की अध्यक्षता में पुलिस आयोग का गठन किया। इस आयोग को प्रत्येक प्रांत में पुलिस प्रशासन के कुशल कामकाज की जाँच के निर्देश दिए गए थे। आयोग के सुझावों के आधार पर प्रांतीय पुलिस सेवा का गठन किया गया तथा केंद्रीय आपराधिक गुप्तचर विभाग का गठन किया गया।
- 1902 ई. में विश्वविद्यालय आयोग का गठन भारत में विश्वविद्यालयों की स्थिति तथा विश्वविद्यालय में शिक्षा व्यवस्था में सुधार के लिए सुझाव देने हेतु किया गया था। इस आयोग की रिपोर्ट के आधार पर इंडियन यूनिवर्सिटी अधिनियम (1904) पारित किया गया, जिसमें विश्वविद्यालयों पर आधिकारिक नियंत्रण में वृद्धि की बात की गई थी।
- उसने प्राचीन स्मारक अधिनियम, 1904 पारित किया तथा इसके द्वारा सरकार एवं स्थानीय निकायों के लिए पुरातात्विक महत्व के स्मारकों का संरक्षण बाध्यकारी कर दिया गया और उनके विध्वंस को अपराध घोषित कर दिया गया।
- कर्जन ने रेलवे के विकास पर विशेष ध्यान दिया। मौजूदा रेलमार्गों को बेहतर बनाया गया तथा नए मार्गों पर कार्य शुरू किया गया। 1905 ई. में सरकारी रेलमार्गों का रेल विशेषज्ञों के सुझावों के अनुसार प्रशासनिक तथा नियंत्रण मामलों के लिए रेलवे बोर्ड का गठन किया गया।
- लॉर्ड कर्जन ने 'कलकत्ता निगम अधिनियम' 1899 ई. के द्वारा चुने जाने वाले सदस्यों की संख्या में कमी कर दी, परन्तु निगम एवं उसकी समितियों में अंग्रेज लोगों की संख्या बढ़ा दी गई। परिणाम यह हुआ कि कलकत्ता (वर्तमान कोलकाता) नगर निगम मात्र एक 'ऐंग्लो-इंडियन' सभा के रूप में ही रह गया।
- औपनिवेशिक शासन में गोपनीयता सुनिश्चित करने के लिए सामान्यतः राष्ट्रीय सुरक्षा और जासूसी के

मुद्दों पर अधिकारियों द्वारा सूचना को गोपनीय रखने के लिए यह कानून लाया गया था। मूल रूप से यह इंडियन ऑफिशियल सीक्रेट्स एक्ट, 1889 के रूप में जाना जाता था। वायसराय लॉर्ड कर्जन के कार्यकाल के दौरान इस अधिनियम में संशोधन किया गया और इसे द इंडियन ऑफिशियल सीक्रेट्स एक्ट, 1904 के रूप में और अधिक कठोर बनाया गया।

60. संथाल विद्रोह–अंग्रेजी शासन के विरुद्ध 1850 ई. के बाद होने वाले विद्रोहों में संथाल जनजाति का विद्रोह सबसे तीव्र एवं महत्वपूर्ण था। भागलपुर से राजमहल तक का क्षेत्र संथाल बाहुल्य क्षेत्र था। संथालों का विद्रोह मुख्य रूप से वीरभूम, बांकुरा, सिंहभूम, हजारीबाग, भागलपुर एवं मुंगेर तक फैला। इस विद्रोह का मुख्य कारण अंग्रेजी उपनिवेशवादी शोषण की नीति थी। भूमि कर अधिक वसूला जाना, अंग्रेजी अदालतों से उचित न्याय न मिलना, पुलिस के अत्याचार एवं भ्रष्टाचार, महाजनों अर्थात् बाहरियों के द्वारा शोषण किया जाना, उधार की समस्या आदि कारणों से संथालों में विद्रोह की भावना आई।

30 जून, 1855 को भगनीडीह में हजारों संथाल जनजातीय लोग एकत्र हुए। इन्होंने विदेशियों का राज्य समाप्त कर न्याय एवं धर्म पर आधारित राज्य स्थापित करने का निश्चय किया। संथालों के प्रमुख नेता सिद्धू और कान्हू थे। इन्होंने अंग्रेज कंपनी के शासन का अंत करने की घोषणा करते हुए स्वयं को स्वतंत्र घोषित कर दिया। इन्होंने कहा कि स्वयं ईश्वर ने इन्हें इस कार्य के लिए चुना है और स्वर्ग से इन्हें संदेश प्राप्त हुआ है। इन्होंने उपनिवेशवादी सत्ता के प्रतीक पुलिस स्टेशन एवं अन्य भवनों पर हमले किए। धनी व्यक्तियों को लूटा। इस विद्रोह को दबाने के लिए अंग्रेजी प्रशासन की सहायता के लिए सेना बुलाई गई। 1855 ई. में सिद्धू को गिरफ्तार कर फांसी दे दी गई। फरवरी 1856 में कान्हू को भी गिरफ्तार कर लिया गया। इस प्रकार 1856 ई. में संथालों का विद्रोह समाप्त हुआ।

61. इंडियन कौंसिल एक्ट (1892) ने विधायी निकायों (स्थानीय एवं केन्द्रीय विधान परिषदों) की संरचना और कार्यप्रणाली में कुछ परिवर्तन किए। वायसराय की सेंट्रल एक्जीक्यूटिव कौंसिल में 10-16 अतिरिक्त सदस्य शामिल किए गए जिनमें से कम-से-कम आधे सदस्य गैर-सरकारी होते थे। चुनाव की बात जोड़ी नहीं गई थी। लेकिन केन्द्रीय विधान परिषद् (सेंट्रल लेजिस्लेटिव कौंसिल) में विभिन्न समूहों (विशेषतया स्थानीय परिषदों के गैर सरकारी सदस्यों) को अपना प्रतिनिधि निर्वाचित करने, चुनने या नामांकित करने, या उनके नामांकन के नियम बनाने के लिए, उनको आमंत्रित करने का अधिकार वायसराय को दिया गया था। नए संविधान के अंतर्गत अंतिम तौर पर गठित संस्थान (अर्थात् केन्द्रीय विधान परिषद्) में नौ पदेन (गवर्नर-जनरल, एक्जीक्यूटिव कौंसिल के छह सदस्य, कमांडर-इन-चीफ और जिस प्रांत में इसकी बैठक होती उसका लेफ्टीनेंट गवर्नर), छह अतिरिक्त अधिकारी सदस्य और बंगाल, बंबई, मद्रास तथा उत्तर पश्चिमी प्रांतों की विधान परिषदों के गैर सरकारी सदस्य होने थे।

इल्बर्ट बिल, वायसराय के कानून सदस्य, 'सर सी.पी. इल्बर्ट' ने 1883 ई. में पेश किया था। यह मुख्य रूप से अंग्रेज अपराधियों के मामलों पर भारत के जजों द्वारा सुनवाई से सम्बन्धित था। अंग्रेजों ने इस बिल का तीव्र विरोध किया, क्योंकि वे किसी भी भारतीय जज से अपने केस की सुनवाई नहीं चाहते थे। भारतीय जनमत ने इल्बर्ट बिल का जोरदार समर्थन किया। इल्बर्ट विधेयकपर मचा तूफान श्वेत नस्लवाद की सर्वाधिक उग्र अभिव्यक्ति थी, यद्यपि यह कोई एकाकी मामला नहीं था।

62. भाषाई प्रान्तों पर महात्मा गांधी के विचार–कांग्रेस ने अपने मैनिफेस्टो में घोषणा की थी कि आजादी के बाद भाषा के आधार पर प्रान्तों का गठन किया जाएगा। यह बात सन् 1917 की है और इसी साल मद्रास प्रेसीडेंसी के तहत आंध्र वृत्त का गठन हुआ था। कांग्रेस इसके जरिए अपने संगठन को मजबूत करना चाहती थी।

नेहरू और पटेल के विचार–जवाहरलाल नेहरू के मुताबिक हाल ही में देश का धर्म के आधर पर विभाजन हुआ है और दूसरा विभाजन, जो कि भाषा के आधार पर होगा, देश को तोड़ देगा। स्थिरता को नेहरू ने भी तरजीह दी। इनके इस विचारों का समर्थन सरदार बल्लभभाई पटेल एवं सी. राजगोपालाचारी के द्वारा भी किया गया। जून 1948 में पटेल के कहने पर राजेन्द्र प्रसाद ने प्रांतीय भाषा कमीशन का गठन किया जिसमें सेवानिवृत्त न्यायाधीश (एस.के. धर), वकील और एक सेवानिवृत्त

आईसीएस अफसर थे। इस कमीशन से इस मुद्दे पर राय मांगी गयी जो उसने छह महीने में ही दे दी।

धर कमीशन ने स्वीकारा कि यह जनभावना से जुड़ा मुद्दा जरूर है पर उसने इसे यह कहकर खारिज कर दिया कि यह देश हित में नहीं है। इससे जनता के साथ-साथ कई राजनैतिक लोग भी आहत हो गए। तब फिर कांग्रेस के जयपुर अधिवेशन में 'जेवीपी' कमेटी बनायी गई। नेहरू और पटेल के अलावा पट्टाभि सीतारमैय्या इसके सदस्य थे। इसने भी भाषा के आधार पर राज्यों के पुनर्गठन को विभाजनकारी बताकर खारिज कर दिया।

विद्वान सी. राजगोपालाचारी (राजाजी) ने भी इस मुद्दे पर पटेल और नेहरू का साथ दिया। इन्होंने तो दक्षिण के लोगों के विपरीत जाकर हिंदी को राष्ट्र भाषा बनाने में नेहरू का साथ दिया था। 1937 में जब राजाजी मद्रास प्रेसिडेंसी के अध्यक्ष थे तब उन्होंने कई सारे दक्षिण के स्कूलों में हिंदी को अनिवार्य किया।

63. **स्वदेशी आंदोलन**–बंगभंग को लेकर हुए आंदोलन के परिणामस्वरूप बहिष्कार एवं स्वदेशी भारतीयों के लिए ब्रिटिश साम्राज्यवाद के विरुद्ध शक्तिशाली हथियार बन गए। बंबई, मद्रास एवं उत्तर भारत में स्वदेशी अपनाने, विदेशी वस्तुओं के बहिष्कार एवं राष्ट्रीय शिक्षा के लिए आंदोलन हुआ। स्वदेशी आंदोलन को शक्तिशाली बनाने के लिए अनेक स्वयंसेवी संगठनों एवं जनसमितियों का गठन किया गया। विदेशी कपड़े, चीनी, नमक आदि का बहिष्कार किया गया। विदेशी माल की दुकानों पर धरना दिया गया। विदेशी माल की दुकानों के मालिकों का बहिष्कार किया गया। विदेशी कपड़ों की होली जलाई गई। विदेशी वस्तुओं को खरीदने वालों का सामाजिक बहिष्कार करते हुए कहा गया कि उनके साथ कोई भी खानपान न रखे, नाई उनका काम न करें। लोगों को सरकारी अवैतनिक पदों से इस्तीफा देने एवं कौंसिलों से इस्तीफा देने को कहा गया। जनसभाओं में लोगों को स्वदेशी अर्थात् भारतीय वस्तुओं के उपयोग करने की शपथ दिलाई गई। इस आंदोलन के दौरान गणपति और शिवाजी उत्सव जैसे पारंपरिक लोकप्रिय उत्सवों और जात्रा जैसे पारंपरिक लोक रंगमंच रूपों का व्यापक रूप से रचनात्मक प्रयोग किया गया।

1906 ई. तक स्वदेशी आंदोलन शीघ्र ही देश के विभिन्न भागों में फैल गया। स्वदेशी आंदोलन की एक महत्वपूर्ण विशेषता आत्मनिर्भरता थी। इससे आर्थिक क्षेत्र में देशी उद्योगों को बढ़ावा मिला। अनेक कपड़ा मिलें, हैंडलूम उद्योग, राष्ट्रीय बैंक एवं बीमा कंपनियों की स्थापना हुई। पी.सी. रॉय ने बंगाल केमिकल स्वदेशी स्टोर की स्थापना की। प्रथम भारतीय औद्योगिक सम्मेलन रमेशचंद्र दत्त की अध्यक्षता में दिसम्बर, 1905 में बनारस में हुआ। इसी वर्ष यहाँ कांग्रेस का वार्षिक अधिवेशन गोपालकृष्ण गोखले की अध्यक्षता में हुआ। इस आंदोलन के परिणामस्वरूप भारत में ब्रिटिश माल की खपत में बहुत कमी आयी।

राष्ट्रवादी साहित्य और पत्रकारिता का विकास हुआ। रवीन्द्रनाथ टैगोर, रजनीकांत सेन, डी.एल. राय आदि ने देशभक्ति के गीत लिखकर राष्ट्रीय भावना का विकास किया। इस आंदोलन में राष्ट्रीय शिक्षा का नारा दिया गया। बंगाल के विभिन्न जिलों में राष्ट्रीय स्कूल स्थापित किए गए। कलकत्ता में एक नेशनल कॉलेज खोला गया, जिसके प्राचार्य अरविंद घोष बने। राष्ट्रीय, साहित्यिक, वैज्ञानिक एवं तकनीकी शिक्षा देने के लिए राष्ट्रीय शिक्षा परिषद् की स्थापना का निर्णय लिया गया। युवाओं एवं महिलाओं ने इस आंदोलन में अपना योगदान दिया।

महिलाएँ सक्रियता के साथ जुलूसों एवं धरनों में सम्मिलित हुईं। वाजिद हुसैन, अब्दुल गफूर, लियाकत हुसैन आदि कई मुस्लिम नेताओं ने स्वदेशी आंदोलन में भाग लिया। स्वदेशी आंदोलन के समय सामाजिक उत्थान के कार्य किए गए। अश्विनी कुमार दत्त ने अपनी संस्था स्वदेशी बांधव समिति द्वारा बारीसाल में गाँवों के उत्थान का कार्यक्रम चलाया। छुआछूत, बाल विवाह आदि कुप्रथाओं को समाप्त करने के लिए जनता को जागृत किया गया।

65. **प्राच्यवाद की परंपरा**–सन् 1783 में विलियम जोन्स कलकत्ता आये। उन्हें ईस्ट इंडिया कंपनी द्वारा स्थापित किए गए सुप्रीम कोर्ट में जूनियर जज के पद पर तैनात किया गया था। कानून का माहिर होने के साथ-साथ जोन्स एक भाषाविद भी थे। उन्होंने ऑक्सफोर्ड में ग्रीक और लैटिन का अध्ययन किया था, वे फ्रेंच और अंग्रेजी जानते थे और अपने एक दोस्त से अरबी सीखने के अलावा फारसी भी सीख चुके थे। इन्होंने संस्कृत विद्वानों के साथ मिलकर संस्कृत की बारीकियाँ, उसकी व्याकरण और संस्कृत काव्यों का अध्ययन किया। कुछ ही समय

में उन्होंने कानून, दर्शन, धर्म, राजनीति, नैतिकता, अंकगणित, चिकित्सा विज्ञान और अन्य विज्ञानों की प्राचीन भारतीय पुस्तकों का अध्ययन शुरू कर दिया। हैनरी टॉमस कोलब्रुक और नैथेनियल हॉलहेड भी भारतीय भाषाएँ सीखकर संस्कृत व फारसी रचनाओं का अंग्रेजी में अनुवाद कर रहे थे और प्राचीन भारतीय विरासत को समझने के प्रयास में लगे हुए थे। इन लोगों के साथ मिलकर जोन्स ने एशियाटिक सोसायटी ऑफ बंगाल का गठन किया और 'एशियाटिक रिसर्च' नामक शोध पत्रिका का प्रकाशन शुरू किया।

जोन्स और कोलब्रुक भारत के प्रति एक खास तरह का रवैया रखते थे। वे भारत और पश्चिम, दोनों की प्राचीन संस्कृतियों के प्रति गहरा आदर भाव रखते थे। उनका मानना था कि भारतीय सभ्यता प्राचीन काल में अपने वैभव के शिखर पर थी परंतु बाद में उसका पतन होता चला गया। उनकी राय में, भारत को समझने के लिए प्राचीन काल में लिखे गए यहाँ के पवित्र और कानूनी ग्रंथों को खोजना व समझना बहुत जरूरी था। उनका मानना था कि हिंदुओं और मुसलमानों के असली विचारों व कानूनों को इन्हीं रचनाओं के जरिए समझा जा सकता है और इन रचनाओं के पुनः अध्ययन से ही भारत के भावी विकास का आधार पैदा हो सकता है। इस बात को ध्यान में रखते हुए 1781 में अरबी, फारसी, इस्लामिक कानून के अध्ययन को बढ़ावा देने के लिए कलकत्ता में एक मदरसा खोला गया।

66. जोरवे महाराष्ट्र प्रान्त के अहमदनगर जिले में गोदावरी की सहायक नदी प्रवरा के बायें तट पर स्थित है। 1963 ई. में एच.डी. संकालिया ने यहाँ उत्खनन कार्य करवाया था जिसमें विभिन्न सांस्कृतिक स्तरों का उद्घाटन हुआ। यहाँ के उत्खनन से ताम्रपाषाणिक युग की एक ऐसी संस्कृति का पता चलता है जो महाराष्ट्र की अपनी संस्कृति है।

कायथा नामक पुरास्थल उज्जैन (मध्य प्रदेश) से लगभग 25 किलोमीटर दूरी पर पूर्व दिशा में चम्बल नदी की सहायक नदी काली सिंध के दाहिने तट पर काली मिट्टी के मैदान में स्थित है। कायथा पुरास्थल की खोज का श्रेय वी.एस. वाकणकर को जाता है, जिन्होंने इस कायथा पुरास्थल को सन् 1964 ई. में खोज निकाला था।

ओझियाना सभ्यता राजस्थान के भीलवाड़ा जिले के बदनोर के पास खारी नदी के तट पर स्थित यह स्थल ताम्रयुगीन आहड़ संस्कृति से संबंधित है। इस स्थल का उत्खनन बी.आर. मीणा तथा आलोक त्रिपाठी द्वारा वर्ष 1999-2000 में किया गया था। यहाँ से वृषभ तथा गाय की मृण्मय मूर्तियाँ प्राप्त हुई हैं जिन पर सफेद रंग से चित्रण किया हुआ है। यहाँ से प्राप्त अवशेषों के आधार पर इस संस्कृति का विकास तीन चरणों में हुआ माना जाता है। यहाँ से कार्नेलियन फियान्स तथा पत्थर के मनके, शंख एवं ताम्र की चूड़ियाँ तथा अन्य आभूषण भी मिले हैं।

रोजदी पुरातात्विक स्थल गुजरात के सौराष्ट्र जिले में स्थित है। यहाँ से प्राप्त मृद्भाण्ड लाल, काले तथा चमकदार हैं। रोजदी से हाथी के अवशेष प्राप्त हुए हैं।

67. ऋग्वैदिककालीन नदियाँ

प्राचीन नाम	**आधुनिक नाम**
क्रुभु	कुर्रम
कुभा	काबुल
वितस्ता	झेलम
अस्किनी	चिनाव
परुष्णी	रावी
शतद्रि	सतलुज
सदानीरा	गंडक
दृषद्वती	घग्घर
गोमती	गोमल
सुवास्तु	स्वात
सिंधु	सिन्ध
सरस्वती/दृशद्वर्ती	घग्घर/रक्षी/चित्तग
सुषोमा	सोहन
मरुद्वृधा	मरुवर्मन

68. अश्मक : अश्मक महाराष्ट्र में आधुनिक पैठण के निकट गोदावरी के तट पर फैला हुआ था। पैठण को अश्मकों की राजधानी, प्राचीन प्रतिष्ठान माना जाता है। दक्षिणापथ प्रतिष्ठान को उत्तरी शहरों से जोड़ता था। अश्मकों के राजाओं के अस्पष्ट उल्लेख अवश्य मिलते हैं। किन्तु अभी तक हमारे पास इस क्षेत्र की जानकारी काफी सीमित है।

चेदि : चेदि क्षेत्र आधुनिक बुंदेलखंड के पूर्वी भागों के आस-पास था। संभव है कि इसका विस्तार मालवा पठार तक हो गया हो। कृष्ण का प्रसिद्ध शत्रु शिशुपाल चेदियों का शासक था। महाभारत के अनुसार, चेदि चंबल के पार मत्स्य, बनारस के काशियों तथा सोन नदी की घाटी में करुषों के निकट संपर्क में थे। इसकी राजधानी सोथीवती (सुक्तिमती) संभवतः उत्तर प्रदेश के बांदा जिले में स्थित थी। इस क्षेत्र के अन्य मुख्य नगर सहजति तथा त्रिपुरी थे।

पांचाल : पांचाल महाजनपद रूहेलखंड तथा मध्य दोआब के कुछ भागों (मोटे तौर पर बरेली, पीलीभीत, बदायूँ, बुलंदशहर, अलीगढ़ आदि) में स्थित था। प्राचीन ग्रंथों में पांचालों के दो वंशों : उत्तर पांचाल तथा दक्षिणीपांचाल, जिन्हें भागीरथी नदी पृथक करती थी, का उल्लेख मिलता है। उत्तरी पांचालों की राजधानी उत्तर प्रदेश के बरेलीजिले में अहिच्छत्र में स्थित थी। दक्षिणी पांचालों की राजधानी कांपिल्य थी। संभवतः वे कुरुओं से निकट संपर्क रखतेथे।

शूरसेन : शूरसेन की राजधानी यमुना तट पर मथुरा में थी। महाभारत और पुराण में मथुरा के शासक वंश को यदु कहा गया है। यादव वंश कई छोटे-छोटे वंशों जैसे अंधक, वृष्णि, महाभोज आदि में बंटा हुआ था। इनकी राज व्यवस्था भी संघ व्यवस्था थी। महाकाव्यीय नायक कृष्ण इन्हीं शासक परिवारों से संबंधित है। मथुरा दो विख्यात प्राचीन भारतीय व्यापार मार्ग—उत्तरापथ तथा दक्षिणापथ के बीच में स्थित था। इसका कारण यह था कि मथुरा स्थायी कृषि वाले गांगेय मैदानों और विकीर्ण जनसंख्या वाले चारागाहों, जो मालवा पठार तक पहुँचते थे, अंतर्वर्ती क्षेत्रों के बीच स्थित था। इसीलिए मथुरा एक महत्वपूर्ण नगर बन गया।

69. **अमीर-ए-आखुर**—राज दरबार से सम्बन्धित पद हुआ करता था। भारत के इतिहास में सल्तनत काल में यह अश्वशाला का अध्यक्ष होता था।

दीवान-ए-कोही—दोआब क्षेत्र में कृषि सुधार को क्रियान्वित करने के लिए मोहम्मद बिन तुगलक ने दीवान-ए-कोही की स्थापना की। इसका प्रधान अमीर-ए-कोही होता था।

दबीर—भारत के इतिहास में सल्तनत काल के दौरान एक महत्वपूर्ण पद हुआ करता था जिसका अर्थ होता था—शाही पत्र व्यवहार की देखभाल करने वाले विभाग का अधिकारी।

बरीद—शब्द का प्रयोग भारत के इतिहास में सल्तनत काल के दौरान अधिक होता था। जिसका अर्थ होता था—समाचार वाहक।

72. **तारकनाथ दत्त**—1905 ई. में साधु का वेश बनाकर 'तारक ब्रह्मचारी' के नाम से जापान चले गए। एक वर्ष वहाँ रहकर फिर अमेरिका में 'सेन फ्रांसिस्को' पहुँचे। यहाँ उन्होंने भारत में अंग्रेजों के अत्याचारों से विश्व जनमत को परिचित कराने के लिए 'फ्री हिन्दुस्तान' नामक पत्र का प्रकाशन आरंभ किया।

श्यामजी कृष्ण वर्मा का जन्म 4 अक्टूबर, 1857 को गुजरात के मांडवी गाँव में हुआ था। उन्होंने सन् 1888 में अजमेर में वकालत के दौरान स्वराज के लिए काम करना शुरू कर दिया था। मध्य प्रदेश में रतलाम और गुजरात में जूनागढ़ में दीवान रहकर उन्होंने जनहित के काम किए। सन् 1897 में वे पुनः इंग्लैंड गए। 1905 में लॉर्ज कर्जन की ज्यादतियों के विरुद्ध संघर्षरत रहे। इसी वर्ष इंग्लैंड से मासिक *'द इंडियन सोशियोलॉजिस्ट'* प्रकाशित किया, जिसका प्रकाशन बाद में जिनेवा में भी किया गया।

श्रीमती एनी बेसेन्ट ने थियोसॉफी (ब्रह्मविद्या) पर करीब 220 पुस्तकें व लेख लिखे। 'अजैक्स' उपनाम से भी उन्होंने लेखन कार्य किया था। पूर्व-थियोसॉफिकल पुस्तकों एवं लेखों की संख्या लगभग 105 है। 1893 में उन्होंने अपनी आत्मकथा प्रकाशित की थी। एनी बेसेन्ट ने भगवद्‌गीता का अंग्रेजी अनुवाद किया और पुस्तकों के लिए प्रस्तावनाएँ भी लिखीं। उनकी मौलिक कृतियों में से चयनित 28 ग्रंथों का निर्माण हुआ। समय-समय पर 'लूसिफेर', 'द कामनवील' व 'न्यू इंडिया' का संपादन भी एनी बेसेन्ट ने किया।

फिरोजशाह मेहता भारतीय राजनेता, बंबई नगरपालिका के संविधान (चार्टर) के निर्माता तथा अंग्रेजी भाषा के अखबार 'बाम्बे क्रॉनिकल' के संस्थापक (1913) थे।

75. **रामोसी विद्रोह :** पश्चिमी घाट में रहने वाले 'रामोसी जाति' के लोगों ने 1822 ई. में अपने नेता सरदार चितुर सिंह के नेतृत्व में रामोसी विद्रोह किया। रामोसियों ने सतारा के आस-पास के क्षेत्रों को लूटा और किलों पर भी आक्रमण कर दिया। 1825-26 ई. में भयंकर अकाल और अन्नाभाव के कारण इन्होंने उमाजी के नेतृत्व में पुनः विद्रोह किया।

कोल विद्रोह : कोल जनजाति द्वारा अंग्रेजी सरकार के अत्याचार के खिलाफ 1831 ई. में किया गया एक विद्रोह है। यह भारत में अंग्रेजों के खिलाफ किया गया एक महत्वपूर्ण विद्रोह है। यह विद्रोह अंग्रेजों के शोषण का बदला लेने के लिए किया गया था। इस विद्रोह का नेतृत्व बुधु भगत ने किया था।

काचा नागा विद्रोह : 1882 ई. में असम के कछार क्षेत्र में काचा नागाओं का विद्रोह हुआ। इस विद्रोह के नेता सम्बुधन थे। अंग्रेजों द्वारा विद्रोह को क्रूरतापूर्वक कुचल दिया गया।

ताना भगत आंदोलन : इस आंदोलन की शुरूआत वर्ष 1914 ई. में बिहार में हुई थी। यह आन्दोलन लगान की ऊँची दर तथा चौकीदारी कर के विरुद्ध किया गया था। इस आन्दोलन के प्रवर्तक 'जतरा भगत' थे। ताना भगत आन्दोलन में उन आदर्शों और मानदंडों के आधार पर जनजातीय पंथ को सुनिश्चित आकार प्रदान किया गया। बिरसा ने संघर्ष के दौरान शांतिमय और अहिंसक तरीके विकसित करने के प्रयास किए। ताना भगत आन्दोलन में अहिंसा को संघर्ष के अमोघ अस्त्र के रूप में स्वीकार किया गया।

76. राजराज चोल I (985-1014): इसने तंजावुर में बृहदेश्वर मंदिर का निर्माण किया।

राजेंद्र चोल I (1012-1044): इसने बंगाल और बिहार के पाल राजा महिपाल को पराजित करने के बाद अपनी जीत का स्मरण करने के लिए गंगाईकोंडा चोलपुरम नामक एक नई राजधानी का निर्माण किया था।

वीरराजेंद्र I (1063-1070): यह चोल राजाओं में से सबसे न्यून राजा था क्योंकि इसके जीवन का एक बड़ा हिस्सा अपने दो बड़े भाइयों राजराज चोल I और राजेन्द्र चोल द्वितीय के अधीनस्थ के रूप में सेवा की थी।

कुलोथुंगा चोल I (1070-1122): इसे कुलोत्तुन्गा के नाम से भी जाना जाता है, जिसका शाब्दिक अर्थ है कि उनकी दौड़ का उत्थान।

79. मालवा गुजरात का प्रतिस्पर्द्धी एवं पड़ोसी क्षेत्र था। यह नर्मदा एवं ताप्ती नदियों के मध्य पठारी क्षेत्र में अवस्थित था। अतः इसका आर्थिक महत्व अत्यधिक था। प्रारम्भिक काल में परमारवंशीय राजपूत यहाँ पर शासन करते थे। 1310 ई. में अलाउद्दीन के सेनापति आइन-उल-मुल्क मुल्तानी ने मालवा के शासक हरनन्द पर विजय प्राप्त की थी। उस समय आइन-उल-मुल्क-मुलतानी को अलाउद्दीन ने मालवा का प्रान्तपति बना दिया था। 1310 से 1398 ई. तक दिल्ली सल्तनत के शासकों के अधीन मालवा रहा। 1398 ई. में मालवा के सूबेदार दिलावर खाँ गोरी ने मालवा को स्वतन्त्र कर स्वयं को सुलतान घोषित कर दिया।

मालवा सुलतानों का कालक्रम :

दिलावर खान गोरी	1401-1406 ई.
हुशंगशाह	1406-1435 ई.
मोहम्मद शाह गोरी	1435-1436 ई.
महमूद खलजी प्रथम	1436-1469 ई.
गयास शाह या गयासुद्दीन खलजी	1469-1501 ई.
महमूद खलजी द्वितीय	1510-1531 ई.
कादिर शाह	1537-1542 ई.

82. सैयद वंश का आरम्भ तुगलक वंश के अंतिम शासक महमूद तुगलक की मृत्यु के पश्चात् खिज्र खाँ से 1414 ई. में हुआ। इस वंश के प्रमुख शासक थे–खिज्र खाँ (1414-1421 ई.), उसका पुत्र मुबारक शाह (1421-1434 ई.), उसका भतीजा मुहम्मदशाह (1434-1445 ई.), और अलाउद्दीन आलमशाह (1445-1451 ई.)। अंतिम सुलतान इतना अशक्त और अहदी था कि उसने 1451 ई. में बहलोल लोदी को सिंहासन समर्पित कर दिया। 37 वर्षों के शासनकाल में सैयद वंश के शासकों ने कोई भी उल्लेखनीय कार्य नहीं किए।

83. 'प्रेस एवं पुस्तक पंजीकरण अधिनियम, 1867' भारत में मुद्रण एवं प्रकाशन के संबंध में मौजूद प्रेस कानूनों में से सबसे पुराना कानून है। यह समय-समय पर किए गए कुछ संशोधनों के साथ आज भी विद्यमान है। यह अधिनियम अपने वर्तमान रूप में पाँच भागों में विभाजित है। प्रथम भाग में विभिन्न पदनामों की परिभाषाएँ दी गई हैं। द्वितीय भाग छापाखाने एवं समाचार-पत्रों के संबंध में उपबंध है। तृतीय भाग में कानून के उल्लंघन पर दंड का प्रावधान है। चौथा भाग पुस्तकों के और पाँचवां भाग समाचार-पत्रों के पंजीकरण की व्यवस्था से संबद्ध है। यह अधिनियम पूरे भारत में लागू व मान्य है।

अंग्रेज सरकार द्वारा भारत में सन् 1878 में देशी प्रेस अधिनियम पारित किया गया ताकि भारतीय भाषाओं के पत्र-पत्रिकाओं पर और कठोर नियंत्रण रखा जा सके। उस समय लॉर्ड लिटन भारत का वायसराय था। इस अधिनियम में पत्र-पत्रिकाओं में ऐसी सामग्री छापने पर कड़ी कार्यवाही का प्रावधान था जिससे जनता में ब्रिटिश शासन के विरुद्ध असंतोष पनपने की संभावना हो। वस्तुतः यह कानून भाषाई समाचार-पत्रों को दबाने के लिए लाया गया था।

ब्रिटिश सरकार ने भारत में **सरकारी गोपनीयता अधिनियम, 1923** बनाया, जिसके अनुसार सरकार को यह अधिकार दिया गया कि वह सामान्य जनता से किसी तथ्य को छिपा सकती थी। सरकार को यह भी अधिकार था कि यदि कोई व्यक्ति किसी तथ्य को प्रकट करता है तो सरकार उस व्यक्ति को दंडित कर सकती है।

भारतीय समाचार-पत्र (संकटकालीन स्थितियाँ) अधिनियम, 1931 के द्वारा प्रांतीय सरकारों को सविनय अवज्ञा आंदोलन को दबाने के लिए अत्यधिक शक्तियाँ दे दी गईं। 1932 में इस अधिनियम का विस्तार करके इसे आपराधिक संशोधित अधिनियम बना दिया गया। इसमें वे सभी गतिविधियाँ सम्मिलित कर दी गईं जिनसे सरकार की प्रभुसत्ता को हानि पहुँचायी जा सकती थी।

84. 1851-52—ब्रिटिश भारत के तीनों प्रोविन्स में शुरू में अलग-अलग तीन संगठनों का गठन हुआ जिसके सदस्य मुख्यतः अंग्रेज और भारतीय जमींदार थे। बंगाल में ब्रिटिश-इंडियन एसोसिएशन, मद्रास में मद्रास नेटिव एसोसिएशन और बम्बई में बम्बई एसोसिएशन।

1867—पूना सार्वजनिक सभा की स्थापना महादेव गोविन्द रानाडे ने की। इसके सदस्य मध्यमवर्गीय सामान्य लोगथे।

1876—इंडियन एसोसिएशन की स्थापना सुरेन्द्रनाथ बनर्जी द्वारा कलकत्ता में की गई। इसके सदस्य भी पढ़े-लिखे आम लोग थे।

1878—नेटिव प्रेस और पोलिटिकल एसोसिएशन कॉन्फ्रेंस, कलकत्ता का गठन।

1883—अखिल भारतीय सम्मेलन में सुरेन्द्रनाथ बनर्जी द्वारा कुछ पढ़े-लिखे भारतीयों को बुलाया गया।

1884—मद्रास महाजन सभा का गठन किया गया। इसके अधिकांश सदस्य मध्यमवर्ग के लोग थे।

1885—इलाहाबाद पीपुल्स एसोसिएशन, बम्बई प्रेसीडेंट एसोसिएशन। संस्थानों के सदस्य भी मध्यमवर्ग के लोग थे।

28 दिसम्बर, 1885—भारतीय राष्ट्रीय कांग्रेस की स्थापना।

1878—राजमुंदरी सोशल रिफॉर्म एसोसिएशन की स्थापना विधवा पुनर्विववाह के समर्थन में वीरेशलिंगम पुन्तलू द्वारा की गयी थी। रमाबाई द्वारा 1909 में पूना सेवा सदन नाम से महिला उत्थान हेतु संगठन बनाया गया था।

85. सामाजिक सुधारों के अन्तर्गत हेस्टिंग्स ने 1781 ई. में कलकत्ता में मुस्लिम शिक्षा के विकास के लिए एक मदरसा स्थापित किया। 'गीता' के अंग्रेजी अनुवादक 'चार्ल्स विलिकिन्स' को हेस्टिंग्स ने आश्रय प्रदान किया। 'सर विलियम जोंस' द्वारा 1784 ई. (हेस्टिंग्स के समय) में 'द एशियाटिक सोसायटी ऑफ बंगाल' की स्थापना की गई।

सुप्रसिद्ध अंग्रेज भारतविद् विलियम जोंस (1747-94) ने एशिया के सामाजिक तथा सांस्कृतिक इतिहास, पुरावशेष, कला विज्ञान तथा साहित्य की खोज के उद्देश्य से 1784 में एशियाटिक सोसायटी, कोलकाता की नींव रखी थी। दो सौ वर्ष पुरानी यह संस्था भारत में सभी साहित्यिक तथा वैज्ञानिक गतिविधियों के लिए एक स्रोत तथा संसार में सभी एशियाई सोसायटियों के लिए अभिभावक सिद्ध हुई।

सम्पूर्णानन्द संस्कृत विश्वविद्यालय की स्थापना 1791 ई. में भारत के गवर्नर जनरल लॉर्ड कॉर्नवालिस ने की थी। वाराणसी का यह प्रथम महाविद्यालय था। जे म्योर, आई.सी.एस. इस महाविद्यालय के प्रथम प्रधानाचार्य, संस्कृत प्राध्यापक थे।

फोर्ट विलियम कॉलेज कोलकाता में स्थित प्राच्य विद्याओं एवं भाषाओं के अध्ययन का केन्द्र है। इसकी स्थापना 10 जुलाई, 1800 को तत्कालीन गवर्नर जनरल लॉर्ड वेलेजली ने की थी।

पिछले प्रश्न-पत्र (हल सहित)

National Testing Agency (NTA)

UGC-NET जूनियर रिसर्च फैलोशिप तथा सहायक प्राध्यापक पात्रता परीक्षा

इतिहास, दिसम्बर-2019*

प्रश्न-पत्र-II

नोटः *इस प्रश्न-पत्र में* ***सौ (100)*** *बहु-विकल्पीय प्रश्न हैं। प्रत्येक प्रश्न के* ***दो (2)*** *अंक हैं।* ***सभी प्रश्न अनिवार्य*** *हैं।*

1. बल्ख व बदक्शाँ पर मुगल सैन्य अभियान के संबंध में निम्नलिखित में से कौन-सा कथन सही है?

(*i*) मुगल सम्राटों की उद्घोषित इच्छा थी कि वे अपनी पैतृक भूमि को पुनः प्राप्त करें।

(*ii*) शाहजहाँ, बल्ख व बदक्शाँ के शासक नजर मुहम्मद को दण्ड देना चाहता था, जिसकी काबुल पर निगाहें थीं।

(*iii*) शाहजहाँ दाराशिकोह को बल्ख के स्वतंत्र शासक के रूप में गद्दी पर बैठाना चाहता था।

(*iv*) शाहजहाँ, शहजादे औरंगजेब को बदक्शाँ की जागीर देना चाहता था।

नीचे दिए गए विकल्पों में से उत्तर का चयन करें :

A. केवल (*i*), (*ii*) व (*iii*)
B. केवल (*ii*), (iii) व (*iv*)
C. केवल (*i*) व (*ii*)
D. केवल (*ii*) व (*iii*)

2. किस इतिहास दर्शनशास्त्री ने कहा था, "समस्त इतिहास समकालीन इतिहास है"?

A. गायमबतिस्ता विको
B. बेनेडिटो क्रोचे
C. ऑगस्टे कोमटे
D. ओसवाल्ड स्पेंगलर

3. निम्नलिखित में से किस सम्राट ने मनसबदारी प्रथा में *दो-अस्पा, सिह-अस्पा* को लागू किया था?

A. अकबर
B. जहाँगीर
C. शाहजहाँ
D. औरंगजेब

4. "मैं चाहता हूँ कि अलग-अलग रेजिमेंटों में भिन्न और प्रतिस्पर्धी भावना रहे, ताकि आवश्यकता पड़ने पर सिख हिंदू पर और गोरखा उन दोनों पर बिना हिचक के गोली दाग सके"। यह निम्नांकित में से किसका कथन है?

A. लॉर्ड कर्जन
B. लॉर्ड लिटन
C. चार्ल्स वुड
D. लॉर्ड डलहौजी

5. उन्नीसवी सदी में सामाजिक परिवर्तन के बारे में निम्नांकित कथन किसका है?

"सामाजिक मुक्ति की दिशा में हुई समस्त प्रगति अवस्था विधि से अनुबंध विधि में और परिवार और जाति व्यवस्था के नियंत्रणों से व्यक्ति की स्वेच्छा जनित स्व-आरोपित नियंत्रणों में परिवर्तन का सूचक है।"

A. केशव चंद्र सेन
B. स्वामी विवेकानंद
C. श्री नारायण गुरु
D. महादेव गोविंद रानाडे

6. बनारसीदास ने 1641 में किस भाषा में एक अति रोचक आत्मकथा *अर्द्ध-कथानक* लिखी थी?

A. अवधी
B. ब्रज
C. मराठी
D. संस्कृत

7. निम्नांकित स्मारकों को कालक्रमानुसार सुव्यवस्थित करें :

(*a*) अकबर का मकबरा – सिकंदरा
(*b*) गोल गुम्बद – बीजापुर
(*c*) शेख सलीम चिश्ती का मकबरा – फतेहपुर सीकरी
(*d*) चारमीनार – हैदराबाद

सही विकल्प चुनें :

A. (*d*), (*c*), (*b*), (*a*)
B. (*a*), (*d*), (*c*), (*b*)
C. (*d*), (*b*), (*c*), (*a*)
D. (*c*), (*d*), (*a*), (*b*)

*Online exam held on 02-12-2019.

8. आधुनिक संगीत के विषय में निम्नांकित में से कौन-सा कथन सही *नहीं* है?

A. उन्नीसवीं सदी में दरबारी संरक्षण में कमी, एक नए शहरी पश्चिमी शिक्षा प्राप्त वर्ग का उदय जिसने शास्त्रीय संगीत को दरबारों और मंदिरों से निकाल कर धर्म निरपेक्ष बनाने की कोशिश की जो एक नए सांस्कृतिक परिवेश का द्योतक था।

B. नए सांस्कृतिक परिवेश ने शास्त्रीय संगीत की संरचना और रूप में मौलिक बदलाव किए।

C. एक समुदाय के रूप में राष्ट्र के उभार ने भारतीय शास्त्रीय संगीत को उपयुक्त तरीके से परिभाषित, पुनर्गठित, पोषित और उपभोगित किया।

D. संगीत में नव विकसित रुचि, इसका अभ्यास और प्रस्तुति पूर्णतः राष्ट्रवादी आदर्शों से प्रेरित थी।

9. निम्नलिखित में से कौन-सा कथन **सही** है?

(*a*) ऐतिहासिक विधि एक जटिल प्रक्रिया है, जिसमें सूचना के स्रोतों की खोज, उसका आलोचनात्मक मूल्यांकन संश्लेषण और प्रतिपादन सम्मिलित हैं।

(*b*) यदि प्रतिज्ञप्ति का आधार केवल संयोग है तो तर्क किया जाना चाहिए।

(*c*) 'प्रलेख' के पंथ, विशेष रूप से 'सरकारी प्रलेख' के विकास का अधिकांशतः श्रेय लिओपोल्ड वॉन रांके को दिया जाता है।

(*d*) ओस्वाल्ड स्पेन्गलर का इतिहास दर्शन, इतिहास को प्राचीन, मध्ययुगीन और आधुनिक के बीच यूरोपीय अवधिकीकरण पर तीव्र प्रहार से प्रारम्भ होता है।

निम्नलिखित में से सही उत्तर चुनिए :

A. केवल (*a*), (*b*) और (*c*)

B. केवल (*a*), (*c*) और (*d*)

C. केवल (*b*), (*c*) और (*d*)

D. केवल (*a*) और (*b*)

10. आभिलेखिक साक्ष्यों के अनुसार प्राचीन भारत के निम्नलिखित में से कौन-से नरेश कुशल संगीतज्ञ थे?

(*a*) खारवेल

(*b*) हर्षवर्द्धन

(*c*) रुद्रदामन्

(*d*) समुद्रगुप्त

सही विकल्प चुनिए :

A. (*a*) और (*c*) B. (*a*) और (*d*)

C. (*b*) और (*c*) D. (*c*) और (*d*)

11. एक इतिहासकार द्वारा बरती जाने वाली सावधानियों के बारे में निम्नांकित में से कौन-सा कथन सही **नहीं** है?

A. उसे पाठ में वह प्रवर्तित नहीं करना चाहिए जो लेखक द्वारा नहीं कहा गया है।

B. प्रलेख की प्रत्यक्ष ज़ाँच से प्राप्त तथ्यों को तर्कना से प्राप्त नतीजों के साथ भ्रमित नहीं किया जाना चाहिए।

C. यदि तर्कना से कोई संदेह उत्पन्न होता हो तो रचनात्मक कल्पना से निष्कर्ष निकाले जाने चाहिए।

D. इतिहासकार को अविद्यमान का अन्वेषण नहीं करना चाहिए।

12. निम्नांकित में से कौन-सा युग्म सुमेलित **नहीं** है?

	लेखक		**पुस्तक**
A.	इनायत खान	–	शाहजहाँ नामा
B.	भीमसेन	–	नुस्खा-ए-दिलकुशा
C.	मुहम्मद काजिम	–	आलमगीरनामा
D.	मुहम्मद वारिस	–	बहार-ए-आजम

13. अपराध का पता लगाने और साक्ष्य के लिए बंगाल पुलिस ने सर्वप्रथम किस वर्ष 'अंगुली छापा' प्रणाली का प्रयोग किया?

A. 1860 B. 1898

C. 1904 D. 1903

14. किस पुरापाषाण स्थल से जानवरों के पद चिह्न के साथ-साथ एक्यूलिन औजार (Acheulian Tools) के साक्ष्य प्राप्त हुए हैं?

A. अट्टीरामपक्कम B. भीमबेटका

C. हंस्गी D. पलेरू

15. निम्नांकित में से कौन-से कथन सही हैं?

(*a*) प्रेमचंद उन पहले लेखकों में से थे जिन्होंने दलितों को गरीबों के एक भाग के रूप में और उसकी विशिष्ट समस्याओं के साथ स्वतंत्र और महत्वपूर्ण चरित्रों के रूप में दर्शाया।

(*b*) प्रेमचंद की साहित्यिक कृतियाँ उनके समय के राजनैतिक और सामाजिक आंदोलनों को प्रतिबिंबित नहीं करतीं।

(*c*) प्रेमचंद के उपन्यास पारंपरिक हिंदू धर्म के विचारों के प्रति समर्पण दर्शाते हैं।

(*d*) प्रेमचंद की अंतिम और सर्वाधिक महत्वपूर्ण कहानियों में से एक 'कफन' सर्वप्रथम उर्दू में 1935 में और बाद में हिंदी में 1936 में प्रकाशित हुई थी और इस प्रकार यह उनका समन्वयकारी व्यक्तित्व दर्शाता है।

सही विकल्प चुनिए :

A. केवल (*a*) और (*d*)

B. केवल (*a*), (*b*) और (*c*)

C. केवल (*b*) और (*c*)

D. केवल (*b*), (*c*) और (*d*)

16. सूची-I को सूची-II से सुमेलित करें और निम्नांकित विकल्पों में से सही उत्तर चुनें :

सूची-I (लेखक)	**सूची-II (कृति)**
(*a*) आर.जी. कॉलिंगवुड	(*i*) कोलोनियलिज्म, ट्रैडिशन एंड रिफॉर्म : एन एनालिसिस ऑफ गांधीज पॉलिटिकल डिस्कोर्स
(*b*) भीखू पारिख	(*ii*) द आइडिया ऑफ हिस्ट्री
(*c*) दीपेश चक्रवर्ती	(*iii*) ऑन हिस्ट्री
(*d*) एरिक हॉब्सबॉम	(*iv*) द कॉलिंग ऑफ हिस्ट्री

सही उत्तर चुनें :

	(*a*)	(*b*)	(*c*)	(*d*)
A.	(*iii*)	(*ii*)	(*i*)	(*iv*)
B.	(*iv*)	(*iii*)	(*i*)	(*ii*)
C.	(*ii*)	(*i*)	(*iv*)	(*iii*)
D.	(*ii*)	(*iv*)	(*i*)	(*iii*)

17. सुल्तान अलाउद्दीन खिलजी के बारे में निम्नलिखित में से कौन-से कथन **सही** हैं?

(*a*) उसे मालूम था कि नमाज (प्रार्थना) कैसे पढ़ी जाए, लेकिन उसने कभी भी रोजा (उपवास) नहीं रखा।

(*b*) उसने नशीले पेयों को निषिद्ध किया।

(*c*) उसने सरदारों को मनचाही संख्या में विवाह करने के लिए प्रेरित किया।

(*d*) वह शरियत के अनुसार राज्य के संचालन के लिए उलेमा से सहयत था।

सही विकल्प चुनिए :

A. केवल (*a*), (*b*) और (*c*)

B. केवल (*a*) और (*b*)

C. केवल (*a*), (*c*) और (*d*)

D. केवल (*b*) और (*d*)

18. क्लासिकल संस्कृत भाषा के दिल्ली स्थित दीर्घ पालम बावली अभिलेख, में स्वभावतः दावा किया गया है कि राजा के 'सुशासन' के कारण भगवान विष्णु 'समस्त चिंताओं को त्याग कर क्षीरसागर में शांतिपूर्वक शयनरत हैं।' यह किस राजा के बारे में दावा किया गया है?

A. अलाउद्दीन खिलजी

B. ग्यासुद्दीन बलबन

C. फिरोजशाह तुगलक

D. इल्तुतमिश

19. सूची-I को सूची-II से सुमेलित करें :

सूची-I (इतिहास-दर्शनशास्त्री)	**सूची-II (कृतियाँ)**
(*a*) माइकल फूको	(*i*) *हिस्टोरियन्स क्राफ्ट*
(*b*) एडवर्ड सईद	(*ii*) *द आर्कियोलॉजी ऑफ नॉलेज*
(*c*) हेडेन व्हाइट	(*iii*) *कल्चर एंड इम्पीरियलिज्म*
(*d*) मार्क ब्लॉक	(*iv*) *मेटाहिस्ट्री*

सही विकल्प चुनें :

	(*a*)	(*b*)	(*c*)	(*d*)
A.	(*iv*)	(*ii*)	(*i*)	(*iii*)
B.	(*ii*)	(*iii*)	(*iv*)	(*i*)
C.	(*iv*)	(*i*)	(*ii*)	(*iii*)
D.	(*iii*)	(*iv*)	(*i*)	(*ii*)

20. गुलबर्गा की जामी मस्जिद के निम्नलिखित विशेषताओं में से कौन-से सही हैं?

(*a*) भारतीय और ईरानी तत्व परस्पर ऐसे गुथे हुए हैं कि उन्हें अलग-अलग नहीं किया जा सकता।

(*b*) संपूर्ण संरचना विशालकाय स्तंभयुक्त छतदार भवन है।

(*c*) इसमें खुला प्रांगण है।

(*d*) सात पंक्तियों में व्यवस्थित छोटे गुंबदों से संपूर्ण छत आच्छादित है।

सही विकल्प चुनें :

A. केवल (*b*) और (*c*)
B. केवल (*a*), (*b*) और (*d*)
C. केवल (*a*) और (*d*)
D. केवल (*c*) और (*d*)

21. नीचे दो कथन दिए गए हैं, जिसमें से एक को अभिकथन (A) और दूसरे को तर्क (R) कहा गया है।

अभिकथन (A) : नालंदा ताम्र-पत्र से हमें पता चलता है कि पाल राजा देवपाल ने सुवर्णद्वीप और यवभूमि के राजा द्वारा नालंदा में निर्मित बौद्ध विहारों के रखरखाव के लिए पाँच गाँवों को दान दिया था।

तर्क (R) : यह शैलेन्द्र राजाओं द्वारा अपनी मातृभूमि के साथ लंबे समय तक संबंध रखने का एक अद्वितीय साक्ष्य है।

उपरोक्त दोनों कथनों के संदर्भ में निम्नलिखित में से कौन-सा सही है?

A. (A) और (R) दोनों सही हैं तथा (A) की सही व्याख्या (R) है।
B. (A) और (R) दोनों सही हैं, लेकिन (A) की सही व्याख्या (R) नहीं है।
C. (A) सही है, लेकिन (R) गलत है।
D. (A) गलत है, लेकिन (R) सही है।

22. निम्नलिखित में से किस सुल्तान को पहले अली गुरशास्प के नाम से जाना जाता था?

A. बलबन
B. अलाउद्दीन खिलजी
C. मुहम्मद तुगलक
D. सिकन्दर लोदी

23. फिरदौस मकानी (बाबर) के संस्मरणों को तुर्की से फारसी में अनूदित कर निम्नांकित में से किसने अकबर के समक्ष प्रस्तुत किया और अत्यधिक प्रशंसा बटोरी?

A. अब्दुर रहीम खाने खानां
B. अबुल फजल
C. बदायुँनी
D. फैजी

24. थियोसॉफिकल सोसायटी में मुख्य उद्देश्यों में निम्नांकित में से कौन थे?

(*a*) मानवता के लिए विश्व बंधुत्व की भावना का निर्माण।
(*b*) प्राचीन धर्मों, दर्शनों और विज्ञानों को बढ़ावा देना।
(*c*) ईसाई धर्म-सिद्धांतों की सर्वोच्चता की उद्घोषणा।
(*d*) प्रकृति के नियमों का अन्वेषण और मनुष्य में छुपी दैवी शक्तियों का विकास करना।

सही विकल्प चुनिए :

A. सिर्फ (*a*), (*b*) और (*d*)
B. सिर्फ (*b*), (*c*) और (*d*)
C. सिर्फ (*c*) और (*d*)
D. सिर्फ (*a*), (*c*) और (*d*)

25. निम्नांकित को सही कालक्रमानुसार सुव्यवस्थित करें :

(*a*) बंगाल अपराध विधि संशोधन अधिनियम
(*b*) बंगाल आतंकवादी गतिविधि दमन अधिनियम
(*c*) बंगाल आपात शक्तियाँ अध्यादेश
(*d*) बंगाल अपराधी विधि संशोधन अध्यादेश

निम्नलिखित में से सही विकल्प चुनिए :

A. (*d*), (*b*), (*a*), (*c*)
B. (*c*), (*d*), (*b*), (*a*)
C. (*d*), (*c*), (*b*), (*a*)
D. (*b*), (*d*), (*a*), (*c*)

26. किसके यात्रा वृत्तांत में भारतीय जनता की भौतिक अवस्था का वर्णन निम्नानुसार किया गया है :

"आम जनता इतनी भीषण गरीबी में जीवनयापन करती थी कि उसके जीवन को सिर्फ अपार वंचना और घोर दुख के निवास स्थल के रूप में चित्रित अथवा सही ढंग से वर्णित किया जा सकता है"

A. इब्न-बतूता का 'किताब उल रेहला'
B. फ्रांसिस्को पेलसार्ट् का 'रेमान्सट्रैन्टाई'
C. फ्रैंको बर्नियर का 'ट्रेवल्स इन द मुगल एम्पायर'
D. जीवन बैपटिस्ट टेवर्नियर का 'ट्रेवल्स इन इंडिया'

27. भारतीय उपमहाद्वीप के निम्नलिखित में से किस नवपाषाणकालीन स्थल पर फसल उत्पादन का प्राचीनतम साक्ष्य पाया गया है?

A. किलि गुल मोहम्मद
B. कोट दिजी
C. मेही
D. मेहरगढ़

28. 'सुल्तान द्वारा सैन्य बलों का पुनर्गठन किया गया तत्पश्चात सेनापति को *अमीरुल उमरा* कहा गया और *बारब रा दारान* नामक अधिकारियों का एक समूह बनाया गया जिसका काम जरूरत के वक्त फौज को जुटाना था। इसके अलावा दो सौ *यक्क* जवान अथवा *सिलाहदारान* थे जिनका काम सुल्तान के निजी शस्त्रों का संरक्षण था। सुल्तान के 400 अंगरक्षक थे, जिन्हें *खासह खेल* कहा जाता था।'

गुलबर्गा के इस बहमनी सुल्तान की पहचान करें :

A. अलाउद्दीन हसन बहमनी
B. मुहम्मद I
C. अलाउद्दीन मुजाहिद
D. दाउद शाह

29. निम्नांकित चिश्ती सूफी शेखों को कालक्रमानुसार सुव्यवस्थित करें :

(*a*) निजामुद्दीन औलिया
(*b*) मोइनुद्दीन चिश्ती
(*c*) सलीम चिश्ती
(*d*) गेसूदराज

सही विकल्प चुनें :

A. (*a*), (*b*), (*d*) और (*c*)
B. (*b*), (*a*), (*d*) और (*c*)
C. (*d*), (*a*), (*c*) और (*b*)
D. (*a*), (*c*), (*b*) और (*d*)

30. निम्नांकित मुगल शासकों को कालक्रमानुसार सुव्यवस्थित करें :

(*a*) फर्रुखसियर (*b*) जहांदार शाह
(*c*) बहादुर शाह (*d*) मुहम्मद शाह

निम्नलिखित में से सही विकल्प चुनिए :

A. (*d*), (*a*), (*b*), (*c*) B. (*b*), (*c*), (*d*), (*a*)
C. (*c*), (*b*), (*a*), (*d*) D. (*a*), (*c*), (*d*), (*b*)

31. सूची-I (ग्रंथ) को सूची-II (विषय-वस्तु) के साथ सुमेलित कीजिए :

सूची-I	सूची-II
(*a*) भुवनकोष	(*i*) वास्तुकला
(*b*) बृहाजातक	(*ii*) ज्योतिष
(*c*) दशरुपक	(*iii*) नाट्य कला
(*d*) मानसार	(*iv*) भूगोल

नीचे दिए गए विकल्पों में से सही विकल्प का चयन कीजिए :

	(*a*)	(*b*)	(*c*)	(*d*)
A.	(*ii*)	(*iii*)	(*iv*)	(*i*)
B.	(*iv*)	(*ii*)	(*iii*)	(*i*)
C.	(*iv*)	(*ii*)	(*i*)	(*iii*)
D.	(*iii*)	(*i*)	(*ii*)	(*iv*)

32. निम्नलिखित में से किस सम्राट के शासनकाल के अंतिम वर्षों में *वतन जागीर* की अवधारणा अस्तित्व में आई थी :

A. हुमायूँ B. अकबर
C. जहाँगीर D. औरंगजेब

33. प्रसिद्ध सिंधु नदी की निम्नलिखित में से कौन-सी सहायक नदियाँ अफगानिस्तान में अवस्थित थीं?

(*a*) हरिरुद
(*b*) कुभा
(*c*) क्रुम्मु
(*d*) वितस्ता

सही विकल्प चुनिए :

A. केवल (*a*) और (*b*)
B. केवल (*b*) और (*c*)
C. केवल (*a*), (*b*) और (*c*)
D. केवल (*b*), (*c*) और (*d*)

34. निम्नलिखित में से किस स्थल पर 2001 में जीवाश्मीकृत मानव शिशु कपाल पाया गया था?

A. भीमबेटका B. डीडवाना
C. हथनोरा D. ओडई

35. नीचे दो कथन दिए गए हैं, जिसमें से एक को अभिकथन (A) और दूसरे को तर्क (R) कहा गया है।

अभिकथन (A) : ''इतिहास'' का संदर्भ विषयवस्तु और विचार-प्रक्रिया से है।

तर्क (R) : ऐतिहासिक चिंतन की विचार-प्रक्रिया में प्रश्न करना, साक्ष्य जुटाना, साक्ष्य के स्वरूप का पता लगाना और अन्य द्वारा लिखित आख्यानों की मीमांसा करना सम्मिलित है।

उपरोक्त दोनों कथनों के संदर्भ में निम्नलिखित में से कौन-सा सही है?

A. (A) और (R) दोनों सही हैं तथा (A) की सही व्याख्या (R) है।

B. (A) और (R) दोनों सही हैं, लेकिन (A) की सही व्याख्या (R) नहीं है।

C. (A) सही है, लेकिन (R) गलत है।

D. (A) गलत है, लेकिन (R) सही है।

36. निम्नांकित में से कौन शाहजहाँ के चित्रकार थे?

(*a*) मुहम्मद नादिर समरकंदी

(*b*) अब्दुस समद

(*c*) मीर हाशिम

(*d*) मीर सैयद अली

निम्नलिखित विकल्पों में से सही उत्तर चुनें :

A. केवल (*b*) और (*d*)

B. केवल (*a*), (*b*) और (*d*)

C. केवल (*b*) और (*c*)

D. केवल (*a*) और (*c*)

37. किस मुगल सम्राट ने कश्मीर के श्रीनगर में दिवाली मनाई थी?

A. अकबर B. जहाँगीर

C. शाहजहाँ D. औरंगजेब

38. निम्नांकित में से पलामू (रांची) की किस जनजाति ने 1857 के विद्रोह में भाग नहीं लिया था?

A. चेरो और बोगताह B. मुंडा और ओरांव

C. संथाल और मुंडा D. बिंघल और भील

39. आरंभिक तमिल साहित्य निम्नांकित में से किसका साक्ष्य प्रस्तुत करता है?

A. जाति प्रथा की अनुपस्थिति

B. एक जटिल राजनैतिक और आर्थिक तंत्र

C. आर्य प्रभाव की वृद्धि

D. एक कठोर जाति-व्यवस्था

40. **फरिश्ता** लिखते हैं—"उनके देश में अच्छी बसावट थी और जनता उनकी सत्ता के प्रति समर्पित थी। मालाबार, सिलोन तथा अन्य देशों के रईसों ने उनके दरबार में दूत रखे हुए थे और प्रतिवर्ष महंगे उपहार भेजते थे।"

विजयनगर के इस शासक की पहचान कीजिए :

A. हरिहर प्रथम B. बुक्का प्रथम

C. देव राय प्रथम D. देव राय द्वितीय

41. नीचे दो कथन दिए गए हैं, जिसमें से एक को अभिकथन (A) और दूसरे को तर्क (R) कहा गया है।

अभिकथन (A) : राजशेखर ने बालरामायण शीर्षक एक नाटक लिखा था।

तर्क (R) : वह प्रतिहार राजा रामभद्र के शिक्षक थे।

उपरोक्त दोनों कथनों के संदर्भ में निम्नलिखित में से कौन-सा सही है?

A. (A) और (R) दोनों सही हैं तथा (A) की सही व्याख्या (R) है।

B. (A) और (R) दोनों सही हैं, लेकिन (A) की सही व्याख्या (R) नहीं है।

C. (A) सही है, लेकिन (R) गलत है।

D. (A) गलत है, लेकिन (R) सही है।

42. बार-बार आनेवाली बाढ़ के कारण निम्नांकित में से कौन-सा हड़प्पीय नगर नष्ट हो गया था?

A. हड़प्पा B. कालीबंगा

C. कोतदिजी D. मोहनजोदड़ो

43. निम्नलिखित घटनाओं को कालक्रम से व्यवस्थित कीजिए:

(*a*) सिकन्दर का भारत से वापस जाना।

(*b*) पर्सीपोलिस का दहन

(*c*) सिकन्दर द्वारा हिन्दुकुश के पार पूर्वी ईरान पर विजय।

(*d*) सिकन्दर के साम्राज्य का त्रिपैरेदिसस में विभाजन।

सही विकल्प चुनें :

A. (*c*), (*b*), (*a*), (*d*) B. (*b*), (*c*), (*d*), (*a*)

C. (*c*), (*b*), (*d*), (*a*) D. (*b*), (*c*), (*a*), (*d*)

44. सूची-I को सूची-II से सुमेलित करें :

सूची-I (शब्द)	सूची-II (अर्थ)
(*a*) ऐवान	(*i*) एक स्तंभ और लिन्टल पर आधारित संरचना सिद्धांत
(*b*) बारादरी	(*ii*) टाइल मोजैक

(*c*) काशी कारी (*iii*) एक स्तंभयुक्त वीथी (गैलरी)
(*d*) ट्रेबियेट (*iv*) एक स्तंभयुक्त मंडप (पैवेलियन)

निम्नलिखित विकल्पों में से सही उत्तर चुनें :

	(*a*)	(*b*)	(*c*)	(*d*)
A.	(*iii*)	(*iv*)	(*ii*)	(*i*)
B.	(*iv*)	(*iii*)	(*i*)	(*ii*)
C.	(*ii*)	(*i*)	(*iii*)	(*iv*)
D.	(*i*)	(*ii*)	(*iv*)	(*iii*)

45. सूची-I (हड़प्पन शवाधान व्यवस्था) को सूची-II (स्थल) से सुमेलित करें :

सूची-I	**सूची-II**
(*a*) ताबूत-शवाधान	(*i*) हड़प्पा
(*b*) विस्तरित-शवाधान	(*ii*) लोथल
(*c*) संयुक्त-शवाधान	(*iii*) मोहनजोदड़ो
(*d*) कलश-शवाधान	(*iv*) सनौली

नीचे दिए गए विकल्पों में से सही विकल्प चुनें :

	(*a*)	(*b*)	(*c*)	(*d*)
A.	(*iv*)	(*ii*)	(*i*)	(*iii*)
B.	(*ii*)	(*i*)	(*iv*)	(*iii*)
C.	(*i*)	(*iv*)	(*ii*)	(*iii*)
D.	(*i*)	(*iv*)	(*iii*)	(*ii*)

46. भारत के निम्नलिखित में से कौन-से शासक शिवभक्त थे?

(*a*) हर्षवर्द्धन
(*b*) भोज परमार
(*c*) गोविन्दचन्द्र गहड़वाल
(*d*) चन्द्रगुप्त II

सही विकल्प चुनिए :

A. केवल (*a*) और (*b*)
B. केवल (*b*) और (*c*)
C. केवल (*a*), (*b*) और (*c*)
D. केवल (*b*), (*c*) और (*d*)

47. *फरमान* किसके द्वारा जारी किया जा सकता था?

A. राजकुमारों द्वारा B. राजकुमारियों द्वारा
C. राजाओं द्वारा D. वजीर-ए-मुतलक्स द्वारा

48. भारत में निम्नांकित यात्रियों को कालक्रमानुसार सुव्यवस्थित करें :

(*a*) सिदी अली रईस
(*b*) अल-बरुनी
(*c*) विलियम फिंच
(*d*) इब्नबतूता

निम्नलिखित विकल्पों में से सही उत्तर चुनें :

A. (*b*), (*a*), (*c*), (*d*) B. (*d*), (*a*), (*b*), (*c*)
C. (*b*), (*d*), (*a*), (*c*) D. (*a*), (*b*), (*d*), (*c*)

49. नीचे दो कथन दिए गए हैं, जिसमें से एक को अभिकथन (A) और दूसरे को तर्क (R) कहा गया है।

अभिकथन (A) : नादिर शाह का दिल्ली पर कब्जा और उसकी जनता के कत्लेआम ने लोगों को 340 वर्ष पहले तैमूर के हाथों इसी प्रकार की विपदा की याद दिलाई।

तर्क (R) : दूसरी ओर, नादिर शाह ने सिंधु पार के प्रांतों और पूरे अफगानिस्तान को नहीं हड़पा था।

उपरोक्त दोनों कथनों के संदर्भ में निम्नलिखित में से कौन-सा सही है?

A. (A) और (R) दोनों सही हैं तथा (A) की सही व्याख्या (R) है।
B. (A) और (R) दोनों सही हैं, लेकिन (A) की सही व्याख्या (R) नहीं है।
C. (A) सही है, लेकिन (R) गलत है।
D. (A) गलत है, लेकिन (R) सही है।

50. नीचे दो कथन दिए गए हैं, जिसमें से एक को अभिकथन (A) और दूसरे को तर्क (R) कहा गया है।

अभिकथन (A) : डॉ. अम्बेडकर के अलावा कोई अन्य नेता दलित वर्गों को अपने स्वयं के विकास के लिए जागृत और एकजुट करने में सफल नहीं रहा क्योंकि उन्होंने उन्हें उनकी अस्मिता-भाव प्रदान किया।

तर्क (R) : डॉ. अम्बेडकर का सम्पूर्ण व्यक्तित्व एक ऐसी सामाजिक व्यवस्था के मुखर विरोध के प्रति समर्पित था, जिसने उन्हें और उनके लोगों के जीवन को सामाजिक बहिष्करण, भौतिक वंचना और सामाजिक आघात और अपमान की ओर धकेला था।

उपरोक्त दोनों कथनों के संदर्भ में निम्नलिखित में से कौन-सा सही है?

A. (A) और (R) दोनों सही हैं तथा (A) की सही व्याख्या (R) है।

B. (A) और (R) दोनों सही हैं, लेकिन (A) की सही व्याख्या (R) नहीं है।

C. (A) सही है, लेकिन (R) गलत है।

D. (A) गलत है, लेकिन (R) सही है।

51. आरंभिक 13वीं शताब्दी में बिहार और बंगाल को मिलाकर एक स्वायत्त राज्य की स्थापना निम्नांकित में से किसने की थी?

A. इवाज खिलजी

B. मुहम्मद बख्तियार खिलजी

C. उलुघ खान

D. जलालुद्दीन खिलजी

52. जैन ग्रन्थ भगवती सूत्र के अनुसार काशी और कौशल के कितने गणराज्य पूर्वी भारत के शक्तिशाली महासंघ के अंग थे, जिन्होंने मगध के राजा अजातशत्रु का विरोध किया था?

A. 9 B. 10

C. 18 D. 36

53. निम्नांकित युग्मों में से कौन-से युग्म सही सुमेलित हैं?

प्रशासनिक इकाई		**पदाधिकारी**
(*a*) सूबा	—	तरफदार
(*b*) परगना	—	सरदार
(*c*) सरकार	—	कौजदार
(*d*) वतन	—	वतनदार

नीचे दिए गए विकल्पों में से सही उत्तर का चयन कीजिए :

A. केवल (*a*) और (*c*)

B. केवल (*a*), (*b*) और (*c*)

C. केवल (*b*), (*c*) और (*d*)

D. केवल (*a*) और (*d*)

54. निम्नांकित में से कौन भारत में ज्ञात विभालतम मध्यपाषाण वास क्षेत्र है?

A. बागोर B. चोपनीमांडो

C. कोल्डिहवा D. महगड़ा

55. निम्नलिखित में से किन पुराणों में बुद्ध को विष्णु के अवतारों की सूची में सम्मिलित किया गया है?

(*a*) अग्नि

(*b*) भागवत

(*c*) मत्स्य

(*d*) वायु

सही विकल्प चुनिए :

A. केवल (*a*) और (*b*)

B. केवल (*c*) और (*d*)

C. केवल (*a*), (*b*) और (*c*)

D. (*a*), (*b*), (*c*) और (*d*)

56. 'स्टार ऑफ इंडिया', यूरोपियनों और भारतीयों दोनों के लिए नाइटहुड की एक गैर-आनुवांशिक उपाधि प्रदान करना किस वर्ष से शुरू हुआ?

A. 1833 B. 1853

C. 1861 D. 1883

57. मौर्य प्रशासन में रिपोर्टरों को कहा जाता था :

A. नागरक B. प्रतिवेदक

C. राजुक D. युक्त

58. इलाहाबाद स्तम्भ लेख में उल्लिखित समुद्रगुप्त द्वारा विजित दक्षिणापथ के राज्यों को क्रमानुसार लिखिए :

(*a*) देवराष्ट्र

(*b*) कांची

(*c*) पिष्टपुर

(*d*) वेंगी

सही विकल्प चुनें :

A. (*b*), (*a*), (*d*) एवं (*c*)

B. (*a*), (*c*), (*b*) एवं (*d*)

C. (*c*), (*b*), (*d*) एवं (*a*)

D. (*c*), (*a*), (*b*) एवं (*d*)

59. अशोक के प्रस्तर स्तम्भों पर यूनानी शासकों का जिस क्रम में उल्लेख हुआ है, उसी क्रम में व्यवस्थित कीजिए।

(*a*) सिकन्दर

(*b*) एंतिओकस

(*c*) एंटिगोनस

(*d*) टोलमी

सही विकल्प चुनें :

A. (*a*), (*c*), (*b*) और (*d*)

B. (*b*), (*c*), (*d*) और (*a*)

C. (*b*), (*d*), (*c*) और (*a*)

D. (*c*), (*d*), (*b*) और (*a*)

60. निम्नलिखित कथनों में से कौन-से **सही** हैं?

(*a*) कासिम खान को उसके सैन्य अभियंता के साथ-साथ भवन निर्मात के रूप ख्याति के कारण आगरा किले की इमारत का अधीक्षक चुना गया था।

(*b*) बाद में उसे आगरा किले का गवर्नर बनाया गया था।

(*c*) फादर मोन्सेरेट टिप्पणी करते हैं कि 'उसे सफर मैना (सैपर) की साधारण स्थिति से उक्त उच्च प्रतिष्ठा तक उठाया गया था।'

(*d*) 1583 में अकबर ने शाही इमारत की देखभाल के लिए संयुक्त रूप से आठ लोगों को नियुक्त किया था, जिनमें से एक कासिम खान था।

नीचे दिए गए विकल्पों से सही उत्तर का चयन करें :

A. केवल (*a*), (*c*) और (*d*)

B. केवल (*a*), (*b*) और (*c*)

C. केवल (*b*) और (*d*)

D. केवल (*a*) और (*d*)

61. निम्नांकित में से किस सत्याग्रह का नेतृत्व महात्मा गाँधी ने नहीं किया था?

A. खेड़ा सत्याग्रह

B. रॉलेट बिल के विरुद्ध सत्याग्रह

C. महाद मीठा जलाशय सत्याग्रह

D. वायकोम सत्याग्रह

62. चालुक्य राजा पुलकेसिन द्वितीय के ऐहोल अभिलेख में इसके रचयिता रविकीर्ति ने अपने आपको किसके समान वर्णन किया है?

(*a*) बाणभट्ट

(*b*) भास

(*c*) भारवि

(*d*) कालिदास

सही विकल्प चुनिए :

A. केवल (*a*), (*b*) और (*c*)

B. केवल (*b*), (*c*) और (*d*)

C. केवल (*b*) और (*d*)

D. केवल (*c*) और (*d*)

63. इतिहास लेखन की बाह्य आलोचना (स्वतः शोध एवं अनुभवजन्य संक्रिया) का निम्नांकित में से कौन-सा प्रकार्य सही नहीं है?

A. प्रलेख के लेखक का पता लगाना।

B. व्याख्यापरक आलोचना करना।

C. प्रलेख का स्थान निर्धारण।

D. प्रलेख का काल निर्धारण, लेखन की वास्तविक तिथि, मास और वर्ष का पता लगाना।

64. दीनबंधु मित्रा द्वारा लिखे गए किस नाटक में बंगाल के बागान मजदूरों के शोषण को उजागर किया गया है?

A. *नील दर्पण*

B. *कमले कामिनी*

C. *लीलावती*

D. *सधाबर एकादशी*

65. भारत पर पाश्चात्य विचारों के प्रभाव के संदर्भ में निम्नांकित कथनों में से कौन-सा सही है?

(*a*) अंग्रेजी शिक्षा ने पाश्चात्य विचारों के असीम द्वार खोल दिए जिन्होंने प्रारम्भ में उन्हें अभिभूत कर दिया था।

(*b*) अंग्रेजी शिक्षा के माध्यम से आई पाश्चात्य विचारों की स्वीकृति ब्रिटिश शासन की स्वीकृति के समानार्थी थी।

(*c*) इसने तुरंत राजनीतिक सत्ता के खिलाफ राजनीतिक चेतना व प्रतिरोध को जन्म दिया।

(*d*) इसने तर्कवाद की भावना को जागृत किया जिसके कारण हठधर्मी सिद्धांत की निरंकुशता और परम्परागत सत्ताओं, विश्वासों व प्रथाओं के खिलाफ मानसिक विद्रोह हुआ।

निम्नलिखित में से सही विकल्प का चयन कीजिए :

A. केवल (*a*), (*b*) और (*c*)

B. केवल (*a*) और (*d*)

C. केवल (*b*) और (*c*)

D. केवल (*b*), (*c*) और (*d*)

66. निम्नलिखित राजनीतिक संगठनों को उनके स्थापना के कालक्रमानुसार व्यवस्थित कीजिए :

(*a*) मद्रास महाजन सभा

(*b*) बॉम्बे प्रेसीडेन्सी एसोसिएशन

(*c*) पूना सार्वजनिक सभा

(*d*) बॉम्बे एसोसिएशन

सही विकल्प चुनिए :

A. (*b*), (*c*), (*d*), (*a*) B. (*c*), (*a*), (*b*), (*d*)

C. (*c*), (*d*), (*a*), (*b*) D. (*d*), (*c*), (*a*), (*b*)

67. जावा में निम्नांकित में से किस देवता का सर्वोच्च स्थान रहा है?

A. ब्रह्मा B. विष्णु

C. शिव D. सूर्य

68. मेगस्थनीज के अनुसार *एस्टीनोमोई* मौर्य प्रशासन में निम्नलिखित में से क्या था?

A. मुख्य दंडाधिकारी

B. सेना प्रमुख

C. जिला प्रशासन का प्रभारी

D. राजस्व कर्मचारी

69. उस सुल्तान की पहचान कीजिए, जिसने काजी की सलाह पर *शरियत* को कार्यान्वित करने से इंकार कर दिया था।

A. कुतुबुद्दीन ऐबक

B. अलाउद्दीन खिलजी

C. मुहम्मद तुगलक

D. बहलोल लोदी

70. अमीर खुसरो द्वारा रचित कृतियाँ निम्नलिखित में से कौन-सी हैं?

(*a*) *हश्त बिहिश्त*

(*b*) *मतला उल अनवर*

(*c*) *खजायन उल फुतुह*

(*d*) *नूह सिपिहर*

निम्नलिखित में से सही विकल्प चुनिए :

A. केवल (*a*), (*b*) और (*c*)

B. केवल (*b*) और (*d*)

C. (*a*), (*b*), (*c*) और (*d*)

D. केवल (*a*) और (*d*)

71. कांग्रेस के कराची अधिवेशन (1931) में निम्नांकित में से किस प्रतिनिधि (डेलीगेट) ने गाँधी-इरविन समझौते का विरोध नहीं किया?

A. जमनादास मेहता

B. स्वामी गोविंदानंद

C. युसुफ मेहरली

D. पुरुषोत्तम दास ठाकुर दास

72. "इतिहास का कार्य अतीत का मूल्यांकन करना और भावी युगों के लाभार्थ वर्तमान का अनुदेशन करना है", निम्नांकित में से किसने इतिहास की उपर्युक्त परिभाषा दी है?

A. कार्ल बेकर B. जी.पी. गूच

C. हेनरी पीरेन D. जे.बी. ब्यूरी

73. औपनिवेशिक भारत में विज्ञान के संवर्धन के बारे में निम्नलिखित कथनों में से कौन-से कथन सही हैं?

(*a*) उन्नीसवीं सदी में भारतीय विज्ञान शिक्षा यूरोप केन्द्रित, केन्द्राभिसारी व प्रभुत्ववादी थी।

(*b*) महेन्द्र लाल सरकार के लिए राजनीतिक राष्ट्रवाद का विज्ञान और उसकी मार्गदर्शक प्रवृत्ति के बिना कोई अर्थ नहीं था।

(*c*) राज्य की संलग्नता ने औपनिवेशिक विज्ञान को जन हितैषी और भारतीय हितों को बढ़ावा देनेवाला बनाया।

(*d*) औपनिवेशिक विज्ञान उपनिवेशवाद के ताने बाने के साथ जटिल रूप से बुना हुआ था।

नीचे दिए गए विकल्पों में से सही उत्तर का चयन कीजिए:

A. केवल (*a*) और (*b*)

B. केवल (*b*), (*c*) और (*d*)

C. केवल (*c*) और (*d*)

D. केवल (*a*), (*b*) और (*d*)

74. नीचे दो कथन दिए गए हैं, जिसमें से एक को अभिकथन (A) और दूसरे को तर्क (R) कहा गया है।

अभिकथन (A) : लगभग 1715 से बंगाली व्यापारियों ने ब्रिटिश नौपरिवहन सेवा के विकल्प और अपने मालवाहक यातायात के लिए ब्रिटिश पोतों के उपयोग को प्राथमिकता दी।

तर्क (R) : वे निजी जहाज को अपना माल सौंपने में असल में उस कंपनी को माल सुपुर्द कर रहे थे, जिसका अंग्रेजों के पास विशेषाधिकार था।

उपरोक्त दोनों कथनों के संदर्भ में निम्नलिखित में से कौन-सा सही है?

A. (A) और (R) दोनों सही हैं तथा (A) की सही व्याख्या (R) है।

B. (A) और (R) दोनों सही हैं, लेकिन (A) की सही व्याख्या (R) नहीं है।

C. (A) सही है, लेकिन (R) गलत है।

D. (A) गलत है, लेकिन (R) सही है।

75. निम्न में से कौन-सा सही सुमेलित **नहीं** है?

A. सुरेन्द्रनाथ बैनर्जी – ए नेशन इन मेकिंग

B. वेलेन्टाइन शिरोल – द लिगेसी ऑफ दी लोकमान्य

C. सुभाष चन्द्र बोस – द इन्डियन स्ट्रगल–1935–1942

D. शाहनवाज खान – माई मेमोरीज ऑफ आई.एन.ए. एंड इट्स नेताजी

76. सूची-I (तीर्थंकर) को सूची-II (विशिष्ट संज्ञान (लांछन)) के साथ सुमेलित कीजिए :

सूची-I (तीर्थंकर)	**सूची-II (विशिष्ट संज्ञान(लांछन))**
(*a*) आदिनाथ	(*i*) साँड़
(*b*) मल्लिनाथ	(*ii*) घड़ा
(*c*) महावीर	(*iii*) शेर
(*d*) पार्श्वनाथ	(*iv*) सर्प

नीचे दिए गए विकल्पों में से **सही** विकल्प चुनें :

	(*a*)	(*b*)	(*c*)	(*d*)
A.	(*i*)	(*iii*)	(*ii*)	(*iv*)
B.	(*i*)	(*ii*)	(*iii*)	(*iv*)
C.	(*ii*)	(*i*)	(*iv*)	(*iii*)
D.	(*iv*)	(*iii*)	(*ii*)	(*i*)

77. नीचे दो कथन दिए गए हैं, जिसमें से एक को अभिकथन (A) और दूसरे को तर्क (R) कहा गया है।

अभिकथन (A) : अजंता के प्राचीनतम चित्रों का काल द्वितीय और प्रथम शताब्दी ईसा पूर्व माना जाता है।

तर्क (R) : कालक्रमानुसार गुहा सं. 1 और 2 के चित्र सबसे बाद के एवं गुप्तोत्तर काल के हैं।

उपरोक्त दोनों कथनों के संदर्भ में निम्नलिखित में से कौन-सा सही है?

A. (A) और (R) दोनों सही हैं तथा (A) की सही व्याख्या (R) है।

B. (A) और (R) दोनों सही हैं, लेकिन (A) की सही व्याख्या (R) नहीं है।

C. (A) सही है, लेकिन (R) गलत है।

D. (A) गलत है, लेकिन (R) सही है।

78. अंग्रेजों द्वारा पारित निम्नलिखित सामाजिक विधानों को कालक्रमानुसार व्यवस्थित कीजिए :

(*a*) विनियमन-XVII (रेगुलेशन-XVII), जिसके द्वारा बंगाल प्रेसीडेन्सी में *सती* को अवैध घोषित किया गया।

(*b*) हिन्दू विधवा पुनर्विवाह अधिनियम-XV (हिन्दू विडोज रिमैरिज एक्ट-XV)

(*c*) अधिनियम-V (एक्ट-V), जिसके द्वारा भारत में दास-प्रथा को अवैध किया गया।

(*d*) विनियमन-III (रेगुलेशन-III), जिसके द्वारा शिशु-वध को एक हत्या घोषित किया गया।

नीचे दिए गए विकल्पों में से सही विकल्प चुनिए :

A. (*a*), (*c*), (*d*) और (*b*)

B. (*b*), (*c*), (*a*) और (*d*)

C. (*c*), (*d*), (*a*) और (*b*)

D. (*d*), (*a*), (*c*) और (*b*)

79. स्तूप के बारे में निम्नलिखित में से कौन-से कथन सही हैं?

(*a*) बुद्ध ने अपने आस्थि-अवशेषों पर स्तूपों के निर्माण का आदेश दिया था।

(*b*) स्तूपों के निर्माण की प्रथा प्राक-बौद्ध काल में थी।

(*c*) जैन धर्मावलम्बियों ने भी प्रारम्भिक काल में स्मारक के इस रूप का निर्माण किया था।

(*d*) सारनाथ का वर्तमान धमेख स्तूप प्राचीनतम स्तूपों में से एक है।

सही विकल्प चुनिए :

A. केवल (*a*) और (*b*)

B. केवल (*a*), (*b*) और (*c*)

C. केवल (*a*), (*b*) और (*d*)

D. (*a*), (*b*), (*c*) और (*d*)

80. प्रथम सूची को दूसरी से सुमेलित कीजिए :

सूची-I (नाटककार)	**सूची-II (नाटक)**
(*a*) धर्मवीर भारती	(*i*) आगरा बाजार
(*b*) विजय तेंदुलकर	(*ii*) हयवदन
(*c*) गिरीश कर्नाड	(*iii*) अंधायुग
(*d*) हबीब तनवीर	(*iv*) घासीराम कोतवाल

नीचे दिए गए विकल्पों में से सही उत्तर चुनिए :

	(*a*)	(*b*)	(*c*)	(*d*)
A.	(*iv*)	(*i*)	(*ii*)	(*iii*)
B.	(*ii*)	(*iii*)	(*i*)	(*iv*)
C.	(*ii*)	(*i*)	(*iv*)	(*iii*)
D.	(*iii*)	(*iv*)	(*ii*)	(*i*)

81. निम्नांकित में से कौन मुगल सम्राट *वेदांत* दर्शन से प्रभावित था और जदरूप गोसाईं से मिलने गया था?

A. बाबर B. अकबर

C. जहाँगीर D. शाहजहाँ

82. निम्नलिखित में से किस स्थल पर मानव जीवाश्म पुरापाषाणकालीन औजारों के साथ स्वस्थानें मानव पाए गए हैं?

A. आदमगढ़ B. बाघोर

C. डीडवाना D. हथनोरा

83. नीचे दो कथन दिए गए हैं, जिसमें से एक को अभिकथन (A) और दूसरे को तर्क (R) कहा गया है।

अभिकथन (A) : गर्व, अहंकार, सहानुभूति, विद्वेष, व्यक्तिगत प्रतिद्वन्द्विता, राजनीतिक मतभेद, सामाजिक विभेद, धार्मिक विवाद या देशभक्तिपूर्ण भावना किन्हीं व्यक्तियों को मूल अभिलेखों को विकृत बनाने के लिए प्रेरित कर सकते हैं।

तर्क (R) : विद्वता और राजनीतिक वक्तव्यों के बीच एक धूसर क्षेत्र बना रहता है, जो संभवतः अन्यों की तुलना में इतिहासकारों को अधिक प्रभावित करता है क्योंकि उनका चिरकालिक रूप से राजनीतिज्ञों के वैध दावों के लिए उपयोग किया जाता रहा है।

उपरोक्त दोनों कथनों के संदर्भ में निम्नलिखित में से कौन-सा सही है?

A. (A) और (R) दोनों सही हैं तथा (A) की सही व्याख्या (R) है।

B. (A) और (R) दोनों सही हैं, लेकिन (A) की सही व्याख्या (R) नहीं है।

C. (A) सही है, लेकिन (R) गलत है।

D. (A) गलत है, लेकिन (R) सही है।

84. निम्नलिखित में से सही कथनों का चयन करें :

(*a*) अकबर के सिक्के ढालने वाले कर्मचारी तीनों धातुओं के सिक्कों को ढालने में उच्च गुणवत्ता को कायम रखने के प्रति सावधानी रखते थे।

(*b*) स्वर्ण लगभग शुद्ध होता था, चाँदी की शुद्धता में कभी 96 प्रतिशत से नीचे गिरावट नहीं हुई, और ताँबे के सिक्कों की उच्च शुद्धता बनी रहती थी।

(*c*) वहाँ एक स्वतंत्र अथवा मुक्त ढलाई व्यवस्था थी।

(*d*) 1595 में कुल 96 टकसालें थीं।

सही विकल्प चुनें :

A. केवल (*a*), (*b*) और (*d*)

B. केवल (*a*), (*b*) और (*c*)

C. केवल (*a*) और (*c*)

D. केवल (*b*), (*c*) और (*d*)

85. निम्नलिखित में से कौन-सा राजस्व-मुक्त भूमि अनुदान नहीं था?

A. सुयरघाल

B. अल्तमघा जागीर

C. मदद-ए-माश

D. पुण्य-उदक

86. मनके बनाने वाली कार्यशाला निम्नांकित में से किस हड़प्पन स्थल पर पाई गई है?

A. अमरी B. बनावाली

C. लोथल D. रंगपुर

87. दक्षिण भारत के निम्नलिखित में से किन स्थलों में चौदह घोषणाओं वाले अशोककालीन शिलालेख पाए गए हैं?

(*a*) एर्रगुड़ी (आंध्र प्रदेश)

(*b*) राजुल मण्डगिरि (आंध्र प्रदेश)

(*c*) मस्की (कर्नाटक)

(*d*) सन्नति (कर्नाटक)

सही विकल्प चुनिए :

A. (*a*) और (*b*) B. (*c*) और (*d*)

C. (*a*) और (*c*) D. (*a*) और (*d*)

88. ईश्वरचंद्र विद्यासागर के बारे में निम्नलिखित कथनों में से कौन-से कथन सही हैं?

(*a*) सामाजिक सुधार व बौद्धिक जागरण के लिए उनके प्रयासों का मूलभूत सिद्धान्त मानवता थी।

(*b*) वे प्राचीन शास्त्रों के पुनर्व्याख्या की प्रभावोत्पादकता में विश्वास नहीं करते थे।

(*c*) उन्होंने आधुनिक वैज्ञानिक देशज शिक्षा के प्रसार के लिए अथक प्रयास किए।

(*d*) उन्होंने मानव समानता पर आधारित सामाजिक सुधार के लिए कार्य किया।

निम्नलिखित विकल्पों में से सही विकल्प चुनें :

A. केवल (*a*), (*c*) और (*d*)

B. केवल (*a*) और (*b*)

C. केवल (*b*), (*c*) और (*d*)

D. केवल (*b*) और (*d*)

89. भारत के बारे में मेगस्थनीज के मौलिक विवरण खो गए हैं। उनके कुछ संस्मरण निम्नलिखित में से किसके वृत्तांतों में संरक्षित किए गए हैं?

(*a*) एरियन

(*b*) डिओडोरस

(*c*) हेलिओडोरस

(*d*) हेरोडोटस

सही विकल्प चुनिए :

A. केवल (*a*), (*b*) और (*d*)

B. केवल (*b*), (*c*) और (*d*)

C. केवल (*a*) और (*d*)

D. केवल (*a*) और (*b*)

90. 1913 में किसने निम्नांकित टिप्पणी की थी :

''भारतीय राष्ट्रीय कांग्रेस की स्थापना कोई भारतीय नहीं कर सकता था...यदि किसी भारतीय ने ऐसा कोई अखिल भारतीय आंदोलन शुरू किया होता तो भारत के अधिकारियों ने आंदोलन को अस्तित्व में ही नहीं आने दिया होता। उन दिनों राजनैतिक आंदोलन को लेकर इतना अविश्वास था कि यदि कांग्रेस के संस्थापक एक अंग्रेज नहीं हुए होते तो प्राधिकारियों ने आंदोलन को कुचलने का तत्काल कोई रास्ता ढूँढ लिया होता।''

उचित विकल्प चुनें :

A. फिरोजशाह एम. मेहता

B. बिपिन चंद्र पाल

C. बाल गंगाधर तिलक

D. गोपाल कृष्ण गोखले

निर्देश (प्रश्न संख्या 91 से 95 तक) : *निम्नलिखित परिच्छेद को पढ़ें और दिए गए प्रश्नों के उत्तर दें।*

बरनी एक भिन्न प्रकार का इतिहासकार था, जिसकी दिल्ली सल्तनत के इतिहास के बारे में 1357 में लिखित कृति उस बिंदु से शुरू होती है, जहाँ मिन्हाज सिराज ने अपना आख्यान समाप्त किया था। बरनी अपने सहकर्मियों से भिन्न है, विशेष रूप से इसलिए कि वह वंशगत और राजनीतिक के बजाय जीवन के पहलुओं जैसे—आर्थिक, सामाजिक, बौद्धिक और धार्मिक को उठाता है। वह इसमें भी अनुपम है कि वह घटनाओं के प्रति स्वयं अपना एक विशिष्ट ऐतिहासिक सिद्धांत प्रयुक्त करता है। यह सिद्धांत स्वेच्छाचारी राजतंत्र, स्थापित अभिजात वर्ग और गैर-कुलीन वर्गों के, नवोदित वर्ग के बीच त्रिकोणीय संबंध पर आधारित है।

91. बरनी द्वारा वर्णित त्रिकोणीय संबंध के कौन-से तत्व हैं?

A. स्वेच्छाचारी राजतंत्र, स्थापित अभिजात्य वर्ग, गैर-कुलीन वर्गों के नवोदित वर्गी

B. स्वेच्छाचारी राजतंत्र, नया अभिजात्य वर्ग, गैर-कुलीन वर्गों से आगे बढ़ने वाला अभिजात वर्ग

C. स्वेच्छाचारी राजतंत्र, स्थापित अभिजात्य वर्ग, कुलीन वर्गों के व्यक्ति

D. स्वेच्छाचारी राजतंत्र, नया अभिजात्य वर्ग, गैर-कुलीन वर्गों के समूह

92. उस पुस्तक का नाम बताइए, जो दिल्ली सल्तनत के इतिहास के बारे में उस बिंदु से शुरू होती है, जहाँ मिन्हाज सिराज ने अपनी पुस्तक को समाप्त किया था :

A. ताजुल मासिर B. तारीख-ए-फिरोजशाही
C. फतिया इब्रिया D. तबकात-ए महमूद शाही

93. मिन्हाज सिराज की पुस्तक का शीर्षक क्या है?

A. ताजुल मासिर B. फतवा-ए जहाँदारी
C. तबकात-ए नासिरी D. तारीख-ए महमूद शाही

94. निम्नलिखित में से बरनी की लेखन शैली के बारे में क्या सही है?

A. बरनी ने राजवंशीय इतिहास लिखा है।
B. बरनी राजनीतिक घटनाओं की तारीखें प्रदान करने में सटीक है।
C. बरनी का वर्णन मुहम्मद बिन तुगलक के शासनकाल पर समाप्त होता है।
D. बरनी सामाजिक-आर्थिक और बौद्धिक इतिहास के महत्वपूर्ण विश्लेषण में विश्वास करते थे।

95. बरनी का तारिक-ए-फिरोज शाही लिखने का उद्देश्य था :

A. शरीयत की रक्षा करना
B. मुहम्मद बिन तुगलक को खुश करना
C. फिरोज शाह तुगलक को खुश करना
D. इल्तुतमिश-सिकंदर लोदी काल की घटनाओं पर प्रकाश डालना

निर्देश (प्रश्न संख्या 96 से 100 तक) : *निम्नलिखित परिच्छेद को पढ़ें और दिए गए प्रश्नों के उत्तर दें।*

1857 का विद्रोह सिर्फ सिपाहियों के असंतोष से उपजी हुई चीज नहीं थी। वह वस्तुतः कंपनी के प्रशासन के विरुद्ध संचित शिकायतों, एक व्यापक असंतोष और विदेशी शासन के प्रति घृणा का परिणाम था। इसका सर्वाधिक महत्वपूर्ण कारण आर्थिक शोषण, पारंपरिक आर्थिक ताने-बाने का संपूर्ण विनाश और बड़ी संख्या में किसानों, हस्तकारों व हथकरघा कारीगरों और पारंपरिक जमींदारों और प्रमुखों की निर्धनता थी। ब्रिटिश भूमि और राजस्व नीतियों के चलते बड़ी संख्या में किसान भू-स्वामियों की जमीनें व्यापारियों और महाजनों के हाथों में चली गईं और वे ऋण के बोझ तले दब गए। इसके अलावा, आम जनता प्रशासन के निचले स्तर पर भी व्याप्त भ्रष्टाचार से काफी पीड़ित थी। दुरूह न्यायिक तंत्र के कारण अमीर लोग गरीबों का दमन करते थे और वे अपनी निरंतर बढ़ती गरीबी से हताश थे। भारतीय समाज का मध्य और उच्च वर्ग प्रशासन के उच्चतर पदों से अपनी बेदखली से परेशान था। भारतीय शासकों के विस्थापन से कला और संस्कृत कर्मियों तथा धार्मिक उपदेशकों—पंडितों और मौलवियों का राज्य संरक्षण खत्म हो गया था और उन्होंने सरकार के विरुद्ध असंतोष को हवा देने में महत्वपूर्ण भूमिका निभाई, इसके अतिरिक्त, 'हड़प सिद्धांत' के प्रयोग द्वारा देशी रियासतों के विलय की लॉर्ड डलहौजी की नीति से भी व्यापक क्षोभ था। अंततः ईसाई धर्म प्रचारकों की धर्मांतरण संबंधी गतिविधियों ने आम जनता के मन में भय और शंकाएँ पैदा कर दी थीं।

96. निम्नांकित में से कौन 1857 के विद्रोह को सिर्फ 'सिपाहियों की बगावत' मानते हैं?

A. एरिक स्टोक्स B. जॉन डब्ल्यू. के.
C. आर.सी. मजूमदार D. एस.एन. सेन

97. निम्नांकित में से किसने 'हड़प सिद्धांत' की नीति का प्रयोग किया?

A. लॉर्ड केनिंग B. लॉर्ड कर्जन
C. लॉर्ड डलहौजी D. लॉर्ड वेलेजली

98. 'हड़प सिद्धांत' के तहत निम्नांकित में से किस रियासत का विलय नहीं किया गया था?

A. उदयपुर B. बगहाट
C. संभलपुर D. अवध

99. निम्नलिखित में से कौन-सा 1857 के विद्रोह का एक कारण नहीं था?

A. आर्थिक शोषण
B. बढ़ता असंतोष और विदेशी शासन के प्रति घृणा
C. दोषपूर्ण न्यायिक व्यवस्था
D. पहला अफगान युद्ध

100. निम्नांकित में से सही विकल्प चुनें :

A. विभिन्न भूमि और राजस्व नीतियों के कारण भारतीय किसान अमीर हो गए
B. ब्रिटिश भूमि और राजस्व नीतियों ने भारतीय किसानों को कर्जदार बना डाला
C. न्याय तंत्र ने अत्याचारियों के विरुद्ध खड़े होने में गरीबों की मदद की
D. पारंपरिक जमींदारों और प्रमुखों से अंग्रेजों ने अच्छा व्यवहार किया

उत्तरमाला

1	2	3	4	5	6	7	8	9	10
C	B	B	C	D	B	D	D	B	*
11	**12**	**13**	**14**	**15**	**16**	**17**	**18**	**19**	**20**
C	D	B	A	A	C	B	B	B	B
21	**22**	**23**	**24**	**25**	**26**	**27**	**28**	**29**	**30**
A	B	A	A	*	B	D	B	B	C
31	**32**	**33**	**34**	**35**	**36**	**37**	**38**	**39**	**40**
B	B	C	D	A	D	A	B	A	B
41	**42**	**43**	**44**	**45**	**46**	**47**	**48**	**49**	**50**
C	D	D	A	C	C	C	C	C	A
51	**52**	**53**	**54**	**55**	**56**	**57**	**58**	**59**	**60**
B	C	A	A	C	C	B	C	C	B
61	**62**	**63**	**64**	**65**	**66**	**67**	**68**	**69**	**70**
C	D	B	A	B	D	C	C	B	C
71	**72**	**73**	**74**	**75**	**76**	**77**	**78**	**79**	**80**
D	B	D	A	B	B	B	D	B	D
81	**82**	**83**	**84**	**85**	**86**	**87**	**88**	**89**	**90**
B,C	D	B	B	B	B, C	D	A	D	D
91	**92**	**93**	**94**	**95**	**96**	**97**	**98**	**99**	**100**
A	B	C	A, D	C	B	C	D	*	B

व्याख्यात्मक उत्तर

1. मध्य एशिया में मुगल अभियान–मुगल सेना ने कुन्दुज, खोस्त, बदक्शाँ जीत लिए और बल्ख की ओर बढ़ने लगी। विशाल मुगल सेना, उसकी विजय योजना तथा सम्राट की काबुल में उपस्थिति से नजर मुहम्मद भयभीत हो गया और ईरान के शाह के यहाँ शरण लेने भाग गया। मुगल सेना ने असीम शौर्य का प्रदर्शन किया और बल्ख पर अधिकार कर लिया। यह शाहजहाँ की महान उपलब्धि थी क्योंकि जो कार्य बाबर और अकबर नहीं कर पाये थे, उसने कर दिखाया था। अगर शाहजादा मुराद सम्राट के आदेश का उल्लंघन करके वापस न आ जाता तो मुगल बल्ख से भी आगे बढ़ सकते थे और विजित क्षेत्रों को संगठित किया जा सकता था। शाहजादा मुराद बल्ख और बदक्शाँ के कठोर जीवन से ऊब गया था और सन् 1646 ई. में वापस लौट आया। शाहजहाँ ने विजित क्षेत्रों को चार भागों में विभाजित करके सेनापतियों के नियंत्रण में रख दिया और औरंगजेब को बल्ख जाने का आदेश दिया। उसने पेशावर और काबुल के मध्य विशाल सेनाएँ भी एकत्रित कर लीं।

औरंगजेब ने बल्ख के उत्तर में बढ़ना जारी रखा और उसने दो युद्धों में उजबेगों को पराजित किया। यह मुगलों का साहसिक अभियान था और उन्होंने उजबेगों पर सफलता प्राप्त की थी। इस समय औरंगजेब को बल्ख की ओर लौटना पड़ा क्योंकि उजबेग बल्ख पर आक्रमण करने जा रहे थे। पीछे हटने से मुगलों की स्थिति दुर्बल हो गई और उजबेगों को प्रोत्साहन मिला। औरंगजेब ने अब्दुल अजीज को एक भीषण युद्ध में

पराजित किया, लेकिन मुगल भी इस विजय से लाभ उठाने की स्थिति में नहीं थे। भीषण दुर्भिक्ष के कारण उनके सैनिक और घोड़े मर रहे थे। उजबेग भी मुगलों के युद्ध कौशल से प्रभावित थे। ऐसी स्थिति में दोनों पक्ष शान्ति-सन्धि करना चाहते थे। अब्दुल अजीज ने सन्धि प्रस्ताव रखा। औरंगजेब ने सारी स्थिति से सम्राट को अवगत कराया। शाहजहाँ को स्पष्ट रूप से ज्ञात हो गया था कि उसकी सेना मध्य एशिया में नहीं रुकना चाहती थी, वहाँ की दुर्भिक्ष-स्थिति और उजबेग-प्रतिरोध के कारण अन्त में उसने सन्धि करने की आज्ञा दे दी। अक्टूबर, सन् 1647 ई. में मुगल सेना वापस काबुल आ गई।

परिणाम एवं समीक्षा–शाहजहाँ के मध्य एशिया अभियान पर राजकोष को चार करोड़ रुपये व्यय करने पड़े थे। इन युद्धों में लगभग पाँच हजार मुगल सैनिक मारे गए। मुगलों की हार के कई कारण थे–मुगलों के लिए मध्य एशिया के पहाड़ी मार्ग अपरिचित थे और वे वहाँ की कठोर जलवायु को सहन नहीं कर सके, उजबेगों के छापामार युद्ध का सामना वे नहीं कर सके, उन्हें जन समर्थन प्राप्त नहीं था, वे अपने आधार से दूर थे जिससे उन्हें रसद प्राप्त करना कठिन था, मुगल अमीर ऐशोआराम के अभ्यस्त थे और मध्य एशिया से वापस आना चाहते थे।

2. बेनेडिटो क्रोचे का जन्म 25 फरवरी, 1866 ई. में जर्मनी में हुआ था। ये जर्मनी के एक प्रसिद्ध आत्मवादी दार्शनिक थे। इनकी मृत्यु 20 नवंबर, 1952 ई. में हुई थी।

3. मनसबदारी व्यवस्था की शुरुआत 1575 में अकबर ने की थी। मनसबदार के साथ 1594-95 ई. से सवार का पद भी जुड़ने लगा। इस तरह अकबर के शासन काल में मनसबदारी प्रथा कई चरणों से गुजरकर उत्कर्ष पर पहुँची। जहाँगीर ने मनसबदारी व्यवस्था में कुछ परिवर्तन करते हुए सवार पद में दु-अस्पा एवं सिह अस्पा की व्यवस्था की। दु-अस्पा में मनसबदारों को निर्धारित संख्या में घुड़सवारों के साथ उतने ही कोतल (अतिरिक्त) घोड़े रखने होते थे जबकि सिह-अस्पा में मनसबदारों को दुगुने कोतल घोड़े रखने पड़ते थे। शाहजहाँ ने अपने शासन काल में मनसबदारी व्यवस्था में व्याप्त भ्रष्टाचार को रोकने के लिए उन मनसबदारों के लिए नियम बनाया, जो अपने पद की तुलना में घुड़सवारों की संख्या कम रखते थे। औरंगजेब के समय में सक्षम मनसबदारों के किसी महत्वपूर्ण पद पर जैसे फौजदार या किलेदार आदि पद पर नियुक्त या फिर किसी महत्वपूर्ण अभियान पर जाते समय उसके सवार पद में अतिरिक्त वृद्धि का एक और माध्यम निकाला गया, जिसे मसाहत कहा गया।

5. **महादेव गोविन्द रानाडे (1842-1901) :** रानाडे को एकेश्वरवाद में गहरा विश्वास था। इस समाज ने भी आत्मा के आवागमन सिद्धान्त को स्वीकार किया। मिस कोलेट की मान्यता है कि ब्रह्म समाज के समान प्रार्थना समाज में ब्राह्मणवाद का उग्र विरोध नहीं था।

प्रार्थना समाज ने सामाजिक सुधार की दिशा में प्रशंसनीय कार्य किया। इसने बाल विवाह, पर्दा प्रथा, बहुविवाह एवं जात-पात का विरोध किया तथा स्त्री शिक्षा एवं विधवा विवाह को प्रोत्साहित किया। 1891 में रानाडे ने महाराष्ट्र में विधवा विवाह संस्था (Widow Marriage Association) की स्थापना की। शिक्षा के विस्तार हेतु डक्कन एजूकेशनल सोसायटी (Deccan Educational Society) की स्थापना एवं गोपालकृष्ण गोखले एवं बालगंगाधर तिलक ने इसके तत्वाधान में शिक्षा के प्रसार के लिए कार्य किया। प्रार्थना समाज के अनुयायियों ने विधवा आश्रम, अछूतोद्धार, रात्रि पाठशालाएँ आदि समाजसेवी संस्थाएँ शुरू कीं। इसी समाज द्वारा स्थापित दलित जाति मंडल (Depressed Classed Mission) एवं समाज सेवा संघ (Social Service League) ने सामाजिक उत्थान के लिए उल्लेखनीय कार्य किया। इस प्रकार धार्मिक गतिविधियों की अपेक्षा प्रार्थना समाज ने समाज सुधार व शिक्षा के प्रसार के लिए उल्लेखनीय कार्य किया। महादेव गोविन्द रानाडे द्वारा बम्बई हाईकोर्ट के मुख्य न्यायाधीश के पद पर आसीन रहते हुए उनकी समाज को दी गई बहुमूल्य सेवाओं को विस्मृत नहीं किया जा सकता। इसीलिए सी.आई. चिंतामणी ने लिखा था कि 'रानाडे एक महान समाज सुधारक व राजनीतिज्ञ थे।' उनके द्वारा समाज के लिए किए गए योगदान से तिलक बहुत प्रभावित थे। उन्होंने इसीलिए कहा था कि 'उनके कारण ही पुणे व बम्बई प्रान्त बौद्धिक व राजनीतिक राजधानी बन गईं।' वह प्रार्थना समाज के प्रमुख नेता ही नहीं थे वरन् विद्वानों ने उन्हें भारतीय पुनर्जागरण का सबसे उज्ज्वल प्रतिनिधि भी कहा है। बम्बई के प्रार्थना

समाज की यह विशेषता रही है कि इसने अपने को ब्रह्म समाज की भांति हिन्दू समुदाय से अलग करने का प्रयास नहीं किया और न ही मिशनरियों के साथ समझौते की कोशिश की। महाराष्ट्र के सन्तों के अनुरूप ही अपने धार्मिक विचारों की प्रस्तुति की, परिणामस्वरूप प्रार्थना समाज का यहाँ विभाजन नहीं हुआ। समाज सुधारकों ने अपने अतीत की धरोहर का तिरस्कार नहीं किया। इसीलिए यहाँ के सुधार आन्दोलन की गति धीमी रहने पर भी अधिक सफल साबित हुआ। महाराष्ट्र के सुधारवादियों की धारणा थी कि सामाजिक बुराइयाँ भ्रांतिपूर्ण विचारों के कारण विकसित हुईं। अतः इस तरह की भ्रान्तियाँ दूर की जानी चाहिए। इसके अतिरिक्त रानाडे ने भारतीय समाज को भारत की राजनीति एवं आर्थिक स्थिति से अलग करके नहीं देखा। भारतीय जनता की राजनैतिक जागरूकता एवं अर्थव्यवस्था के विकास का जोरदार प्रयास किया। उन्होंने अपने व्याख्यानों (एसेज ऑन इंडियन इकॉनोमिक्स) में भारत में आधुनिक उद्योगों के विकास की जबर्दस्त वकालत की।

6. 'अर्द्धकथानक' एक आत्मकथा है। इसके लेखक बनारसी दास जैन जी हैं जो कि ब्रजभाषा पद्य में रचित हिन्दी की प्रथम आत्मकथा है। 'कलम का सिपाही' एक जीवनी है, जिसके रचयिता अमृत राय हैं। 'चीड़ों पर चाँदनी' एक यात्रा साहित्य है इसके रचयिता निर्मल वर्मा हैं। 'बाणभट्ट की आत्मकथा' एक उपन्यास है। इसके रचयिता हजारीप्रसाद द्विवेदी जी हैं।

7. अकबर को जब कोई सन्तान नहीं थी तो वह अजमेर ख्वाजा मुइनुद्दीन चिश्ती की दरगाह पर जाते समय फतेहपुर सीकरी में शेख सलीम चिश्ती से मिलता था। शेख सलीम चिश्ती के आशीर्वाद से जब अकबर को पुत्र हुए तो उसने शेख सलीम चिश्ती का मकबरा फतेहपुर सीकरी में बनवाया जो संगमरमर से निर्मित है।

शेख सलीम चिश्ती की समाधि भारत के आगरा जिले में नगर से 35 किलोमीटर दूर फतेहपुर सीकरी शहर में, जनाना रौजा के निकट, दक्षिण में बुलन्द दरवाजे की ओर मुख किए हुए, जामी मस्जिद के भीतर स्थित है। शेख सलीम चिश्ती एक सूफी संत थे। उन्होंने अकबर और उसके बेटे को आशीर्वाद दिया था कि भविष्य में सलीम, जहाँगीर के नाम से पहचाना जाएगा। जून 1573 में अकबर ने गुजरात विजय के साथ इस क्षेत्र को भी जीत लिया तो इसका नाम फतेहपुर सीकरी रखा गया और अकबर ने इस समाधि का निर्माण संत के सम्मान में वर्ष 1580 और 1581 के बीच करवाया।

चारमीनार 1591 ई. में हैदराबाद शहर के अंदर प्लेग की समाप्ति की खुशी में मोहम्मद कुली कुतुब शाह द्वारा बनवाई गई बृहत वास्तुकला का एक नमूना है। हैदराबाद शहर की पहचान मानी जाने वाली चार मीनार, चार मीनारों से मिलकर बनी एक चौकोर प्रभावशाली इमारत है। यह स्मारक ग्रेनाइट के मनमोहक चौकोर खंभों से बना है, जो उत्तर, दक्षिण, पूर्व और पश्चिम दिशाओं में स्थित चार विशाल आर्च पर निर्मित किया गया है।

जहाँगीर के समय में बनी सबसे महत्वपूर्ण इमारतों में आगरा के निकट सिकन्दरा में बना अकबर का मकबरा है। चारों तरफ से एक मील के घेरे में फैले हुए विस्तृत बगीचे के बीच बना यह 5 मंजिल का मकबरा अकबर के विशाल और उदार हृदय का प्रतीक है। मकबरे के चारों कोनों पर संगमरमर की बनी हुई चार सुन्दर मीनारें हैं, इसकी बनावट के आधार पर विद्वानों ने इसे बौद्ध-कला का एक मिश्रित रूप माना है। पर्सी ब्राउन ने इसे "अपनी तरह की इमारतों में सबसे अधिक पूर्ण" माना है। मकबरे की ऊपरी मंजिल पर गुम्बद नहीं है। फर्ग्युसन का मत है कि इस गुम्बद के बिना यह स्मारक 'दबा-सा अर्थहीन किस्म' का लगता है।

गोल गुम्बद कर्नाटक राज्य के बीजापुर शहर में स्थित आदिलशाही वंश के शासक मुहम्मद आदिलशाह का मकबरा है। यह सेंट पीटर्स (रोम, इटली) के बाद दुनिया का दूसरा सबसे बड़ा गोल गुम्बद है। ध्यातव्य है कि बीजापुर के सूबेदार यूसुफ आदिल खाँ ने 1489-90 ई. में बीजापुर को स्वतंत्र घोषित करके आदिलशाही वंश की स्थापना की थी।

9. ऐतिहासिक शोध (Historical Research): ऐतिहासिक शोध से तात्पर्य उस शोध से होता है जिसमें बीती घटनाओं का अभिलेखन किया जाता है, उनका विश्लेषण किया जाता है तथा उनकी व्याख्या की जाती है ताकि समुचित सामान्यीकरण किया जा सके। ऐसे सामान्यीकरण से विगत एवं वर्तमान की क्रियाओं को समझने में मदद मिलती ही है साथ ही साथ इनमें प्रत्याशित भविष्य

(anticipated future) को भी समझने में मदद मिलती है। अतः यह कहा जा सकता है कि ऐतिहासिक शोध मूलतः 'क्या था' का वर्णन करता है।

जब दो संज्ञापद उद्देश्य विधेय के रूप में सम्बन्धित होते हैं, तो उनके सम्बन्ध का कथन तर्क वाक्य या प्रतिज्ञप्ति कहलाता है। जैसे—'मनुष्य मरणशील है'। यह एक तर्क वाक्य है। वाक्य में व्यक्त कोई विचार जो सत्य या असत्य हो तर्क वाक्य या प्रतिज्ञप्ति कहलाता है। तर्कवाक्य सत्य या असत्य होता है, किन्तु एक साथ सत्य और असत्य नहीं हो सकता।

उन्नीसवीं शताब्दी के इतिहासकारों ने 'रेनेसाँ' (शाब्दिक अर्थ—पुनर्जन्म, हिंदी में पुनर्जागरण) शब्द का प्रयोग किया जो उस काल के सांस्कृतिक परिवर्तनों को बताता है। स्विट्जरलैंड के ब्रेसले विश्वविद्यालय के इतिहासकार जैकब वर्कहार्ट (Jacob Burckhardt, 1818-97) ने इस पर बहुत अधिक बल दिया। वे जर्मन इतिहासकार लियोपोल्ड वॉन रांके (Leopold von Ranke, 1795-1886) के विद्यार्थी थे। रांके ने उन्हें यह बताया कि इतिहासकार का पहला उद्देश्य है कि वह राज्यों और राजनीति के बारे में लिखे जिसके लिए वह सरकारी विभागों के कागजात और फाइलों का इस्तेमाल करे। पर बर्कहार्ट अपने गुरु के सीमित लक्ष्यों से असंतुष्ट थे। उनके अनुसार इतिहास-लेखन में राजनीति ही सबकुछ नहीं है। इतिहास का सरोकार उतना ही संस्कृति से है जितना राजनीति से।

ऑसवाल्ड अर्नोल्ड गॉटफाइड स्पेंगलर (29 मई, 1880 – 8 मई, 1936) एक जर्मन इतिहासकार और इतिहास के दार्शनिक थे, जिनके हितों में गणित, विज्ञान और कला शामिल थी। वह 1918 और 1922 में प्रकाशित अपनी पुस्तक *द डेकलाइन ऑफ द वेस्ट (डर अनतरगैंग डेस एबेंडलैड्स)* के लिए सबसे अच्छी तरह से जाने जाते हैं, जिसमें विश्व के सभी इतिहास शामिल हैं। स्पेंगलर का इतिहास का मॉडल यह बताता है कि कोई भी संस्कृति एक सीमित और अनुमानित जीवनकाल के साथ एक महाद्वीप है। स्पेंगलर ने भविष्यवाणी की कि वर्ष 2000 के बारे में, पश्चिमी सभ्यता पूर्व-मृत्यु आपातकाल की अवधि में प्रवेश करेगी, जिनके प्रतिवाद को सीजरवाद (केंद्र सरकार की कार्यकारी शाखा के अतिरिक्त संवैधानिक सर्वज्ञता) की आवश्यकता होगी।

12.

क्र.सं.	रचनाकार	रचना
1.	गुलबदन बेगम	*हुमायूँनामा*
2.	अबुल फजल	*आइन-ए-अकबरी*
3.	अबुल फजल	*अकबरनामा*
4.	बदायूँनी	*मुन्तखब-अल-तवारीख*
5.	मुल्ला दाऊद	*तवारीख-ए-अल्फी*
6.	मौतमिद खान	*इकबालनामा*
7.	अब्दुल हक	*नूरिया-ए-सुल्तानिया*
8.	अब्दुल हमीद लाहौरी	*बादशाहनामा*
9.	मुहम्मद वारिस	*पादशाहनामा*
10.	इनायत खान	*शाहजहाँनामा*
11.	मुहम्मद सालेह	*शाहजहाँनामा*
12.	दारा शिकोह	*सफीनत अल-औलिया*
13.	दारा शिकोह	*सकीनत-अल-औलिया*
14.	दारा शिकोह	*मज्म-अल-बहरैन*
15.	दारा शिकोह	*हसनत-अल-अरीफीन*
16.	औरंगजेब	*रुक्कत-ए-आलमगीरी*
17.	खाफी खान	*मुन्तखब-अल-लुबाब*
18.	मुहम्मद काजिम	*आलमगीर नामा*
19.	मुहम्मद साकी	*मासिर-ए-आलमगीरी*
20.	इकबाल खान जफर	*नामा-ए-आलमगीरी*
21.	मुहम्मद रफी खान	*हमला-ए-हैदरी*
22.	सुजान राय खत्री	*खुलासत-अल-तवारीख*
23.	भीमसेन	*नुस्खा-ए-दिलकुशाँ*
24.	ईश्वरदास	*फतूहा-ए-आलमगीरी*
25.	नेमत खान अली	*बका-ए-हैदराबाद*

14. दक्षिण भारत में पाषाणकालीन मानव के प्रमाण मिलते रहे हैं और यह पाषाणकालीन भारतीय इतिहास के निर्माण में सहायक भी रहे हैं। परंतु तमिलनाडु में चेन्नई के पास 'अट्टिरामपक्कम' (Attirampakkam) से जो उपकरण मिले हैं वह भारत ही नहीं, बल्कि वैश्विक मानव इतिहास के लिए अनूठा है। ये उपकरण यह सिद्ध कर सकते हैं कि आधुनिक मानव के इतिहास में

भारत ने भी महत्वपूर्ण भूमिका निभाई है और अफ्रीका से आधुनिक मानव का जो उत्प्रवासन हुआ उसमें भारत भी एक कड़ी हो सकता है। हालाँकि अभी इस निष्कर्ष पर पहुँचना जल्दबाजी होगा।

होमिनिंस जब निकले तब उनके पास पाषाण निर्मित अंडाकार हस्त कुल्हाड़ी थी जिसे 'एश्युलियन' (Acheulean) प्रौद्योगिकी नाम दिया गया है। अट्टिरामपक्कम में जो 10 लाख वर्ष पहले के प्राचीनतम उपकरण मिले हैं वे इसी से मिलते हैं। किंतु जब दूसरे चरण की खुदाई की गई तब चट्टानों के नीचे आधुनिक हथियार मिले वे पहले की तुलना में आधुनिक व कम भारी हैं। एक ऐसा उपकरण भी प्राप्त हुआ है जिसमें फेंकने वाला भाला को लगाया जा सकता है। इस तरह की प्रौद्योगिकी को आधुनिक नीएंडरथल्स या होमोसिपिंश मानव से जोड़कर देखा जाता रहा है। ऐसे आधुनिक हथियारों को 'लेवालोइस' (Levallois) प्रौद्योगिकी कहा जाता रहा है। अट्टीरामपक्कम के ये हथियार 2,50,000 वर्ष से लेकर 3,85,000 वर्ष पुराने हैं। ऐसे में भारतीय शोधकर्ता का अनुमान है कि आधुनिक मानव का अफ्रीका से उत्प्रवासन कहीं पहले हुआ होगा और उसके तार कहीं न कहीं भारत से भी जुड़े होंगे। हालांकि कुछ मानव विज्ञानियों ने भारत में मिली इस प्रौद्योगिकी को लेवालोइस से जोड़ने के प्रति सावधान रहने को कहा है।

15. **प्रेमचन्द की कृतियाँ**–प्रेमचन्द ने अपने नाते के मामू के एक विशेष प्रसंग को लेकर अपनी सबसे पहली रचना लिखी। 13 साल की आयु में 1894 में 'होनहार बिरवान के चिकने-चिकने पात' नामक नाटक की रचना की। 1898 में एक उपन्यास लिखा। लगभग इसी समय 'रूठी रानी' नामक दूसरा उपन्यास जिसका विषय इतिहास था, की रचना की। 1902 में प्रेमा और 1904-05 में 'हम खुर्मा व हम सवाब' नामक उपन्यास लिखे गए। इन उपन्यासों में विधवा-जीवन और विधवा-समस्या का चित्रण प्रेमचन्द ने काफी अच्छे ढंग से किया।

जब कुछ आर्थिक निर्जिश्चतता आई तो 1907 में पाँच कहानियों का संग्रह सोजे वजन (वतन का दुख-दर्द) की रचना की, जैसा कि इसके नाम से ही मालूम होता है, इसमें देश-प्रेम और देश को जनता के दर्द को रचनाकार ने प्रस्तुत किया। अंग्रेज शासकों को इस संग्रह से बगावत की झलक मालूम हुई। इस समय प्रेमचन्द नवाबराय के नाम से लिखा करते थे। लिहाजा नवाबराय की खोज शुरू हुई। नवाबराय पकड़ लिए गए। उस दिन इनके सामने ही इनकी इस कृति को अंग्रेजी शासकों ने जला दिया और बिना आज्ञा न लिखने का बंधन लगा दिया गया।

इस बंधन से बचने के लिए प्रेमचन्द ने दयानारायण निगम को पत्र लिखा और उनको बताया कि वह अब कभी नवाबराय या धनपतराय के नाम से नहीं लिखेंगे तो मुंशी दयानारायण निगम ने पहली बार प्रेमचन्द नाम सुझाया। यहीं से धनपतराय हमेशा के लिए प्रेमचन्द हो गए। 'सेवा सदन', 'मिल मजदूर' तथा 1935 में गोदान की रचना की। गोदान इनकी समस्त रचनाओं में सबसे अधिक लोकप्रिय हुई। अपने जीवन के अंतिम दिनों में 'मंगलसूत्र' उपन्यास लिखना आरम्भ किया।

प्रेमचन्द की अंतिम कहानी (1936) कफन है। प्रेमचन्द विश्वस्तर के महान उपन्यासकार और कहानीकार हैं। इनकी प्रमुख कहानियाँ हैं–ईदगाह, ठाकुर का कुआँ, बड़े घर की बेटी, शतरंज के खिलाड़ी, नमक का दारोगा, दो बैलों की कथा, पूस की रात आदि।

16. **आर.जी. कॉलिंगवुड** (22 फरवरी, 1889 – 9 जनवरी, 1943) ब्रिटेन के प्रसिद्ध दार्शनिक, इतिहासकार और पुरातत्वविद् थे। इनके द्वारा लिखित कुछ प्रमुख पुस्तकें इस प्रकार हैं–द आइडिया ऑफ हिस्ट्री, एन ऐस्से ऑन मेटाफिजिक्स, द आइडिया ऑफ नेचर, द प्रिंसिपल ऑफ आर्ट, एन ऐस्से ऑन फिलॉसॉफिकल मेथड और रिलीजन एंड फिलॉसोफी इत्यादि।

भीखू पारेख को सन् 2007 में भारत सरकार द्वारा साहित्य एवं शिक्षा के क्षेत्र में पद्म भूषण से सम्मानित किया गया था। ये यूनाइटेड किंगडम से हैं।

दिपेश चक्रवर्ती एक भारतीय इतिहासकार हैं, जिन्होंने उत्तर औपनिवेशिक सिद्धांत और उपशास्त्रीय अध्ययन में भी योगदान दिया है। वह शिकागो विश्वविद्यालय में इतिहास में लॉरेंस ए किम्पटन प्रतिष्ठित सेवा के प्रोफेसर हैं, और प्रोफेसर अर्नोल्ड जे टॉयबी के लिए नामित 2014 टॉयनी प्राइज के प्राप्तकर्ता हैं, जो मानवता के लिए महत्वपूर्ण शैक्षणिक और सार्वजनिक योगदान के लिए सामाजिक वैज्ञानिकों को पहचानते हैं।

पुस्तकें–

'रिथिंकिंग वर्किंग क्लास हिस्ट्री' (1989)

'प्रांतीयकृत यूरोप : उत्तर औपनिवेशिक विचार और ऐतिहासिक अंतर'' (2000)

''हैबिटेशन ऑफ मॉडर्निटी : एसेज इन द वेक ऑफ सबाल्टर्न स्टडीज' (2002)

'द कॉलिंग ऑफ हिस्ट्री (2015)

'सभ्यता के संकट : वैश्विक और ग्रहों के इतिहास पर खोज' (2018)

एरिक जॉन अर्नेस्ट हॉब्सबॉम (1917-2012) : वे बीसवीं शताब्दी के श्रेष्ठ मार्क्सवादी इतिहासकार, विचारक एवं राजनीतिज्ञ थे। 18वीं सदी के अंत से लेकर, संपूर्ण 19वीं सदी एवं लगभग पूरी बीसवीं सदी की कालावधि पर केंद्रित उनके चारखंडीय इतिहास लेखन ने उन्हें अत्यधिक प्रसिद्धि दिलाई।

एरिक हॉब्सबॉम का सर्वाधिक प्रसिद्ध लेखन कार्य उन्नीसवीं सदी के विकास क्रम का अलग-अलग खंडों में प्रस्तुत अध्ययन है। इस श्रृंखला की पहली पुस्तक *क्रांति का युग* (एज ऑफ रेवोल्यूशन)—1789-1848, औद्योगिक और फ्रांसीसी क्रांति के दोहरे प्रभावों, लोकतंत्र और असमानता से बनी आधुनिक दुनिया में इनके योगदान तथा लोकरंजक राजनीति और संप्रभुता के विचार के उभार पर केंद्रित है जिसने शासकों को जनता के करीब लाने का काम किया। *पूँजी का युग* (एज ऑफ कैपिटल)—1848-1875, दुनिया भर में पूँजी की प्रभावात्मक विजय की कहानी है कि कैसे पूँजी ने लोगों के आंतरिक जीवन, परिवार और सांस्कृतिक मूल्यों को रूपांतरित किया और कैसे इसने अपने आईने में इस दुनिया को ढाल लिया। *साम्राज्य का युग* (एज ऑफ एंपायर)—1875-1914 में साम्राज्यवादियों द्वारा आपस में दुनिया के बँटवारे और पहले विश्व युद्ध को संभव करने वाली वैश्विक स्थितियों का विवरण है। इसमें मजदूर वर्ग, समाजवादी आंदोलनों और महिला आंदोलन द्वारा राजनीतिक प्रतिनिधित्व एवं समान अधिकारों के लिए पैदा की गई चुनौतियों का विवरण भी मौजूद है। इस श्रृंखला के अंतिम खंड *अतिरेकों का युग* (एज ऑफ एक्स्ट्रीम्स)—1917-1991, समकालीन देशकाल से सम्बद्ध है। यही वह समय है जिसने हॉब्सबॉम की अपनी जिंदगी को भी निर्णायक रूप में निर्मित किया था।

17. योग्य प्रशासक–अलाउद्दीन खिलजी एक योग्य प्रशासक था। वह परम्परावादी प्रशासनिक व्यवस्था से सन्तुष्ट नहीं था बल्कि उसने प्रशासन में कई सुधार किए। ये सुधार उसकी मौलिक प्रतिभा को प्रदर्शित करते हैं। यद्यपि वह अपने अमीरों से परामर्श लेता था तथापि इस बात का कोई प्रमाण नहीं है कि उसने सैनिक या प्रशासनिक सुधार किसी अधिकारी के परामर्श से किए थे। अलाउद्दीन पहला सुल्तान था जिसने स्थायी सेना का संगठन किया और दाग व तसीहा प्रणाली को आरम्भ किया। उसने राजस्व विभाग के अधिकारियों में भ्रष्टाचार समाप्त किया और भूमि की पैमाइश कराई। उसका बाजार नियंत्रण एक आश्चर्यजनक योजना थी। उसने प्रशासन का पूर्ण केन्द्रीकरण किया। उसके सम्पूर्ण राज्य में शान्ति स्थापित थी, मार्ग सुरक्षित थे और अपराध नाममात्र के लिए रह गए थे। डॉ. के.एस. लाल ने लिखा है कि, ''वह अपने परवर्ती या पूर्ववर्ती सभी से श्रेष्ठ था।''

धर्मपरायणता–अलाउद्दीन को इस्लाम धर्म में आस्था थी और वह धर्मपरायण मुसलमान था। वह अशिक्षित था अतः उसके लिए कुरान पढ़ना सम्भव नहीं था। उस पर आरोप लगाया गया है कि वह नमाज, रोजा आदि के बारे में नियमों का पालन नहीं करता था। ये आरोप सही हो सकते हैं लेकिन इससे उसकी इस्लाम में आस्था की कमी प्रमाणित नहीं होती है। यह सत्य है कि उसने उलेमाओं को राजनीति से पृथक् कर दिया और उन्हें प्रशासन को प्रभावित नहीं करने दिया। लेकिन इसका मुख्य कारण यह था कि वह राज्य की नीतियों का निर्माण केवल राज्य की आवश्यकताओं और हितों के आधार पर करना चाहता था।

हिन्दुओं के प्रति उसकी नीति के आधार पर अलाउद्दीन पर धर्मान्धता का भी आरोप लगाया गया है। उसके राजस्व सम्बन्धी नीति का दुष्परिणाम राजस्व अधिकारियों और कृषकों को भोगना पड़ा। इन वर्गों में अधिकांश हिन्दू थे। काजी मुगीसुद्दीन ने हिन्दुओं के बारे में जो विचार प्रकट किए, सुल्तान उससे सहमत था। डॉ. ए.

एल. श्रीवास्तव लिखते हैं कि, ''हिन्दुओं का दमन करने की उसकी नीति क्षणिक आवेश का परिणाम नहीं अपितु निश्चित विचारधारा का अंग थी।'' इस बारे में एक तथ्य का उल्लेख आवश्यक है कि उसने जब माफी की जमीनें जब्त की थीं तो उसका दुष्प्रभाव जिन पर पड़ा था, उनमें अधिकांश मुसलमान थे। अतः यह निष्कर्ष स्वाभाविक प्रतीत होता है कि उसकी कठोर नीति का प्रभाव सभी वर्गों पर पड़ा था और इसे धार्मिक अत्याचार कहना अधिक उचित नहीं है।

18. पालम बावली अभिलेख दिल्ली के नाम से संबंधित सबसे प्राचीन अभिलेख हैं जो कि न केवल यहाँ के इतिहास बल्कि भूगोल पर भी प्रकाश डालता है। यह अभिलेख दक्षिण-पश्चिमी दिल्ली में स्थित पालम गाँव (जो कि अब इंदिरा गाँधी अंतर्राष्ट्रीय हवाई अड्डे के कारण प्रसिद्ध है) के एक कुएँ में लगा मिला था। जिसे कि अब दिल्ली के लालकिले में पुरातत्व संग्रहालय में संरक्षित करके रखा गया है।

अगर इस अभिलेख की भाषा की बात कहें तो इसमें काले पत्थर पर संस्कृत भाषा की नागरी लिपि में 31 पंक्तियाँ उत्कीर्ण हैं। यह पत्थर 19 इंच लंबा और 3-10 इंच चौड़ा है। अब इस प्रस्तर अभिलेख के दाहिनी तरफ का ऊपरी भाग टूटा हुआ है और स्वस्ति का पहला अक्षर पवित्र उच्चारण ओम के साथ गायब है। पहली और अंतिम दूसरी पंक्तियों में अनेक शब्द अनमेल हैं। हाँ, अंतिम भाग में एक स्थानीय भाषा है जो हरियाणा में बोली जाती थी।

संस्कृत में और स्थानीय भाषा में भी दिल्ली को 'ढिल्ली' लिखा गया है। इससे शहर दिल्ली के आरंभिक नाम पर कुछ प्रकाश पड़ता है। ऐसा लगता है कि इस अभिलेख का रचयिता दिल्ली को हरियाणा मानता है। यह इस नाम का क्षेत्र के लिए आरंभिक उपयोग है। इस अभिलेख का आरंभ गणपति और शिव की वंदना से होता है जो कि पालम में एक बावली और एक धर्मशाला के निर्माण की बात दर्ज करता है।

इस पर संवत् 1337 विक्रमी (तदनुसार सन् 1280-81 ईस्वी) खुदा हुआ है, जबकि दिल्ली के सिंहासन पर सुल्तान ग्यासुद्दीन बलबन बैठा शासन कर रहा था। फिर वह दिल्ली और हरियाणा के राजाओं को तोमर, चौहान और शक बतलाता है। इनमें से पहले दो को राजपूत वंश माना गया है तथा अंतिम से अभिप्राय सुल्तान है। यह बात शकों की एक विस्तृत सूची अर्थात् तब तक के शासक बलबन समेत दिल्ली के सुल्तानों की एक सूची से स्पष्ट कर दी गई है। इस शिलालेख की भाषा में तोमर तथा बाद के शाक्य राजाओं 'साहावादीना' (शाहबुद्दीन), 'खुदुवादीना' (कुतुबुद्दीन) और 'असामासादीना' (शम्सुद्दीन) का वर्णन है। बलबन को नायक श्री हम्मीर ग्यासुद्दीन नृपति सम्राट कहा गया है और उसकी विजयों का वर्णन अतिश्योक्ति भरी प्रशंसा के साथ किया गया है। उसकी उपाधियों में नए और पुराने का मिश्रण है। नायक तो पहले की एक उपाधि है तथा हम्मीर को 'अमीर' का संस्कृत रूप माना गया है।

फिर उसके बाद वंशावली की परंपरागत शैली में उस व्यापारी के परिवार का खासा विस्तृत इतिहास दिया गया है। स्पष्ट है कि वह पर्याप्त धन-दौलत वाला व्यक्ति था। दूसरे स्रोत हमें बतलाते हैं कि मुल्तान के हिंदू सौदागर बलबन के अमीरों (कुलीनों) को, जब भी उनकी राजस्व वसूली में कोई कमी होती थी, कर्ज देते रहते थे। सुल्तान की पहचान पहले के कालों की निरंतरता में दिखाया गया है तथा व्यापारी की पहचान उसके अपने इतिहास और व्यवसाय के आधार पर और संभवतः सुल्तान के अकथित संरक्षण के आधार पर दिखाई गई है। धर्म का एकमात्र जिक्र भी टेढ़े ढंग से किया गया है—यह कहकर कि संभवतः बलबन के शासन के कारण, विष्णु भी शांति की नींद सोते हैं।

20. जामी मस्जिद का निर्माण बहमनी राजवंश के अलाउद्दीन बहमन शाह ने गुलबर्गा किले के भीतरी भाग में 1367 ई. में करवाया था। चारों ओर से बंद यह मस्जिद मनोहारी गुंबदों और मेहराबदार स्तंभों सहित फारसी वास्तु शैली से निर्मित एक अद्वितीय संरचना है। इस मस्जिद का निर्माण 1327 से 1424 के मध्य गुलबर्गा किले पर बहमनी शासन की स्थापना के उपलक्ष्य में करवाया गया था। यह मस्जिद दक्षिण भारत की पहली मस्जिदों में से एक है। मस्जिद की रूपरेखा सरल और सममिति है और इसके सभी भाग अच्छी तरह से आयोजित हैं। यह मस्जिद भारत में अद्वितीय है और इसका आकार

216 फुट (66 मी.) × 176 फुट (54 मी.) है। इसका निर्माण कारडोबा (स्पेन) के कैथीड्रल मस्जिद के तर्ज पर हुआ है।

21. **नालंदा में शैलेंद्र राजा द्वारा प्रदत्त उपहार**–नालंदा पाल राजाओं की राजनीतिक परिधि के अंदर आता था और ऐसा लगता है कि प्रथम सहस्राब्दि सा.सं. के मध्यकाल तक एशिया में इसकी ख्याति फैल चुकी थी। ह्वेनत्सांग जैसे चीनी भिक्खुओं के यात्रावृतांतों में इसका नाम आने के अतिरिक्त एक कोरियाई अभिलेख में बताया गया है कि 13वीं/14वीं सदी के एक भारतीय भिक्खु तिनाबोतुओ की बीजिंग यात्रा से पहले उसे नालंदा में प्रशिक्षित और अभिसिक्त किया गया था। तारानाथ और धर्मस्वामी के विवरणों से इस स्थान का तिब्बती भिक्खुओं के साथ संबंध होने का प्रमाण मिलता है। यहाँ पर हम एक विशिष्ट अभिलेख पर अपना ध्यान केंद्रित करेंगे–देवपाल का नालंदा ताम्रपत्र। इस नौवीं सदी सा.सं. के मध्यकालीन अभिलेख का विश्लेषण करते समय हमें बंगाल और दक्षिणपूर्व एशिया के बीच अंतर्संबंधों के बृहत्तर सांस्कृतिक संदर्भ का भी ध्यान रखना चाहिए जिसमें व्यापार और कलात्मकताओं का विनियम भी शामिल था।

नालंदा ताम्रपत्र अभिलेख (सिद्धमात्रिका लिपि में संस्कृत की 66 पंक्तियाँ) में बताया गया है कि नालंदा में सुवर्णद्वीप/यवभूमि (दोनों शब्द आते हैं) के शैलेंद्र शासक महाराजा बालपुत्रदेव द्वारा निर्मित एक विहार के लिए उनके आग्रह पर पाल राजा देवपालदेव ने अपने शासनकाल के 39वें वर्ष में पाँच गाँवों का अनुदान दिया। शैलेंद्र राजवंश केंद्रीय जावा में स्थापित था। कुछ विद्वानों ने सुवर्णद्वीप/यवभूमि को श्रीविजय बताया है पर यह संदेह से परे नहीं है। बालपुत्रदेव के आग्रह को किसी अनाम दूत या दूतों के द्वारा संप्रेषित किया गया था। गाँवों से प्राप्त होनेवाली आमदनी वहाँ पर रहनेवाले भिक्खुओं की विभिन्न आवश्यकताओं की पूर्ति, 'धर्म रत्न' (बौद्ध ग्रंथ) लिखने में सहायता तथा विहार के रख-रखाव के लिए निर्दिष्ट किया गया था। इस अभिलेख को नौवीं सदी का माना जा सकता है।

22. जलालुद्दीन फिरोज खिलजी (1290-96 ई.) ने गुलाम वंश के शासन को समाप्त कर 13 जून, 1290 ई. को खिलजी वंश की स्थापना की।

अलाउद्दीन खिलजी (1296-1316 ई.) अपने चाचा एवं ससुर जलालुद्दीन खिलजी की कड़ा (इलाहाबाद) में 20 जुलाई, 1296 ई. को हत्या कर सुल्तान बना। इसका बचपन का नाम अली गुरशास्प था।

अलाउद्दीन का राज्याभिषेक दिल्ली में बलबन के 'लाल महल' में हुआ।

अलाउद्दीन खिलजी ने सिकन्दर द्वितीय (सानी) की उपाधि धारण की।

23. भक्तिकाल हिन्दी साहित्य में रहीम का महत्वपूर्ण स्थान है। उन्होंने अरबी, फारसी, संस्कृत, हिन्दी आदि का गहन अध्ययन किया। वे राजदरबार में अनेक पदों पर कार्य करते हुए भी साहित्य सेवा में लगे रहे। रहीम का व्यक्तित्व बहुत प्रभावशाली था। वे इतिहास और काव्य जगत में अब्दुल रहीम खानखाना के नाम से प्रसिद्ध हैं। रहीम मुसलमान होते हुए भी कृष्ण भक्त थे। उनके काव्य में नीति, भक्ति-प्रेम तथा श्रृंगार आदि के दोहों का समावेश है। साथ ही जीवन में आए विभिन्न मोड़ भी परिलक्षित होते हैं।

रहीम की भाषा–रहीम ने अपने अनुभवों को सरल और सहज शैली में मार्मिक अभिव्यक्ति प्रदान की। उन्होंने ब्रज भाषा, पूर्वी अवधी और खड़ी बोली को अपनी काव्य भाषा बनाया। किन्तु ब्रज भाषा उनकी मुख्य शैली थी। गहरी से गहरी बात भी उन्होंने बड़ी सरलता से सीधी-सादी भाषा में कह दी। भाषा को सरल, सरस और मधुर बनाने के लिए तद्भव शब्दों का अधिक प्रयोग किया।

- रहीम अरबी, तुर्की, फारसी, संस्कृत और हिन्दी के अच्छे जानकार थे। हिन्दू-संस्कृति से ये भली-भांति परिचित थे। इनकी नीतिपरक उक्तियों पर संस्कृत कवियों की स्पष्ट छाप परिलक्षित होती है।
- कुल मिलाकर इनकी 11 रचनाएँ प्रसिद्ध हैं। इनके प्रायः 300 दोहे 'दोहावली' नाम से संग्रहीत हैं। मायाशंकर याज्ञिक का अनुमान था कि इन्होंने सतसई लिखी होगी किन्तु वह अभी तक प्राप्त नहीं हो सकी है। दोहों में ही रचित इनकी एक स्वतन्त्र कृति 'नगर शोभा' है। इसमें 142 दोहे हैं। इसमें विभिन्न जातियों की स्त्रियों का श्रृंगारिक वर्णन है।

- रहीम अपने बरवै छन्द के लिए प्रसिद्ध हैं। इनका 'बरवै नायिका भेद' अवधी भाषा में नायिका-भेद का सर्वोत्तम ग्रन्थ है। इसमें भिन्न-भिन्न नायिकाओं के केवल उदाहरण दिए गए हैं। मायाशंकर याज्ञिक ने काशीराज पुस्तकालय और कृष्णबिहारी मिश्र पुस्तकालय की हस्तलिखित प्रतियों के आधार पर इसका सम्पादन किया है। रहीम ने बरवै छन्दों में गोपी-विरह वर्णन भी किया है।
- रहीम की एक कृति संस्कृत और हिन्दी खड़ी बोली की मिश्रित शैली में रचित 'मदनाष्टक' नाम से मिलती है। इसका वर्ण्य-विषय कृष्ण की रासलीला है और इसमें मालिनी छन्द का प्रयोग किया गया है। इसके कई पाठ प्रकाशित हुए हैं। 'सम्मेलन पत्रिका' में प्रकाशित पाठ अधिक प्रामाणिक माना जाता है। इनके कुछ भक्ति विषयक स्फुट संस्कृत श्लोक 'रहीम काव्य' या 'संस्कृत काव्य' नाम से प्रसिद्ध हैं। कवि ने संस्कृत श्लोकों का भाव छप्पय और दोहों में भी अनूदित कर दिया है।
- रहीम ने 'वाकेआत बाबरी' नाम से बाबर लिखित आत्मचरित का तुर्की से फारसी में भी अनुवाद किया था। इनका एक 'फारसी दीवान' भी मिलता है।

24. थियोसोफिकल सोसायटी

- थियोसोफिकल सोसायटी की स्थापना 1875 ई. में न्यूयार्क (अमेरिका) में मैडम हेलना ब्लावत्सकी तथा कर्नल हेनरी ऑल्काट ने की थी।
- भारत में इसका मुख्यालय 1882 ई. में अड्यार (मद्रास) में बनाया गया था।
- थियोसोफिकल सोसायटी को भारत में प्रचारित एवं प्रसारित करने में आयरिश महिला एनी बेसेंट (1847-1933 ई.) का विशेष योगदान था।
- थियोसोफिकल सोसायटी के प्रमुख उद्देश्य निम्नलिखित थे :

  1. धार्मिक भाईचारे को बढ़ावा देना।
  2. धर्म को आधार बनाकर समाज सेवा करना।
  3. प्राचीन धर्म की महत्ता को प्रतिपादित करना।
  4. पुनर्जन्म एवं कर्म की भावना को मानकर ईश्वर की एकता में विश्वास करना।
  5. ईश्वर को आत्मिक हर्षोन्मान एवं अन्तर्ज्ञान द्वारा प्राप्त किया जा सकता है।

  ऐनी बेसेंट ने भारत में होमरूल लीग की स्थापना वर्ष 1916 में की थी। उन्होंने हिन्दू धर्म के प्रचार-प्रसार के लिए मद्रास में हिन्दू सम्मेलन का आयोजन किया।
- थियोसोफिकल सोसायटी एवं होमरूल लीग आन्दोलन ने भारत में सामाजिक सुधार, शिक्षा के विकास तथा राष्ट्रीय चेतना जगाने में विशेष भूमिका निभाई थी।

26. फ्रांसिस्को पेलसर्ट एक डच पर्यटक था, जिसने जहाँगीर के शासनकाल का मूल्यवान विवरण दिया है। जहाँगीर के शासनकाल में कैप्टन हॉकिन्स, सर टॉमस रो, विलियम फिंच एवं एडवर्ड टैरी जैसे यूरोपीय यात्री आए थे। वह 1620 में जहाँगीर के समय भारत यात्रा पर आया था। उसने अपने यात्रा विवरण में तत्कालीन भारतीय नगरों के उद्योग-धंधों तथा व्यापारिक क्रियाकलापों मुख्यतः गरम मसाले तथा नील व्यवसाय का वर्णन किया है। वह 1627 ई. में पुनः लौट गया। फ्रांसिस्को पेलसर्ट (1620-27) एक डच व्यापारी था, जो जहाँगीर काल में भारत आया था। वह आगरा में डच टकसाल का अध्यक्ष था। अपने विवरण में उसने आगरा शहर, उसकी बनावट के साथ ही नूरजहाँ के बारे में भी लिखा है।

27. सिन्ध और बलूचिस्तान की सीमा पर कच्छ मैदान में बोलन नदी के किनारे मेहरगढ़ नामक स्थल से कृषि का पहला स्पष्ट साक्ष्य प्राप्त हुआ है। इस स्थल का उत्खनन 1977 ई. से चल रहा है। लगभग ईसा पूर्व 7000 के आसपास के संदर्भ में कृषिजन्य गेहूँ और जौ की विभिन्न किस्में प्राप्त हुई हैं। गेहूँ, जौ का यह कृषि क्षेत्र आगे यूरोप में दक्षिणी-पूर्वी यूनान और बाल्कन देशों तक फैला हुआ था। मेहरगढ़ से पाषाण संस्कृति से लेकर हड़प्पा सभ्यता तक के सांस्कृतिक अवशेष प्राप्त हुए हैं। नवीनतम शोधों के अनुसार भारतीय उपमहाद्वीप में कृषि का प्राचीनतम साक्ष्य उत्तर प्रदेश के संत कबीर नगर जिले में स्थित लहुरादेव से प्राप्त होता है जहाँ से 9000 ई.पू. से 8000 ई.पू. के मध्य के चावल के साक्ष्य प्राप्त हुए हैं।

नोट–यदि मेहरगढ़ और लहुरादेव दोनों विकल्प में हों तो लहुरादेव उचित विकल्प होगा।

29. ख्वाजा कुतुबुद्दीन को 'बख्तियार' की उपाधि ख्वाजा मोइनुद्दीन चिश्ती ने प्रदान की थी। ये मोइनुद्दीन चिश्ती के शिष्यों में प्रमुख थे। इनका जन्म 1186 ई. में फरगना (इस्फहान) में हुआ था। इनके जन्म के सम्बन्ध में यह कहा जाता है कि जिस रात इनका जन्म हुआ था, सम्पूर्ण कक्ष दैवी-प्रकाश से प्रकाशित हो उठा था। ये सुल्तान इल्तुतमिश के काल में भारत आए थे।

शेख निजामुद्दीन औलिया बाबा फरीद के शिष्य थे। इनका जन्म बदायूँ में 1236 ई. में हुआ था। निजामुद्दीन औलिया ने अपने जीवनकाल में दिल्ली के सात सुल्तानों का शासन देखा था। दुर्भाग्यवश इनका संबंध किसी भी शासक के साथ अच्छा नहीं था। सुल्तान ग्यासुद्दीन तुगलक तो इनकी लोकप्रियता से इतनी ईर्ष्या रखता था कि इनके संगीत समारोहों के कारण उसने इनके विरुद्ध मुकदमा चलवाया। 1325 ई. में शेख निजामुद्दीन औलिया की मृत्यु हो गई। गियासपुर में इन्हें दफनाया गया। इनके शिष्यों में अमीर खुसरो और अमीर हसन देहलवी प्रमुख थे। निजामुद्दीन औलिया के समय में चिश्ती सिलसिला अपनी पराकाष्ठा पर पहुँच गया था। ज्ञातव्य है कि फरीदुद्दीन मसूद-गज-ए शंकर का जन्म मुल्तान जिले के कठवाल शहर में 1175 ई. में हुआ था। शेख कुतुबुद्दीन बाबा फरीद के नाम से प्रसिद्ध थे। इनके नाम के साथ शंकरगंज शब्द भी जुड़ा हुआ है। इनकी तीन पत्नियाँ थीं। पहली पत्नी दिल्ली के बादशाह बलबन की पुत्री थी। शेख निजामुद्दीन को महबूब-ए-इलाही, सुल्तान-उल-औलिया तथा योगी सिंह की उपाधि मिली थी।

सैय्यद वल शरीफ कमालुद्दीन बिन मुहम्मद बिन यूसुफ अल हुसैनी : जिन्हें आमतौर पर ख्वाजा बन्दा नवाज गेसू दराज कहते हैं। (7 अगस्त, 1321 दिल्ली–10 नवंबर, 1422, गुलबर्गा) बंदा नवाज या गेसू दराज के नाम से जाना जाता है। चिश्ती तरीके के भारत से एक प्रसिद्ध सूफी संत थे, जिन्होंने समझ, सहिष्णुता की वकालत की, विभिन्न धार्मिक समूहों के बीच सद्भावना पैदा की।

'गेसूदराज' दक्कन में चिश्तिया सिलसिला की प्रसिद्धि के कारक थे। भारत में चिश्ती सम्प्रदाय को स्थापित करने में ख्वाजा मुइनुद्दीन चिश्ती का महत्वपूर्ण योगदान है। चिश्ती सिलसिला का मुख्य केन्द्र अजमेर था। दक्षिण भारत में चिश्ती सिलसिला को प्रसारित करने का श्रेय गेसूदराज को ही दिया जाता है।

सलीम चिश्ती (1478-1572) : भारत में मुगल साम्राज्य के दौरान चिश्तिया तरीका के सूफी संत थे। सलीम चिश्ती अजमेर के ख्वाजा मुइनुद्दीन चिश्ती के पौत्र थे। जब बादशाह अकबर द्वारा संतान प्राप्ति की दिशा में किए गए सभी प्रयास निष्फल रहे तो वह स्वप्न में आए निर्देश के मुताबिक बाबा सलीम चिश्ती के पास आए। उन्हीं के आशीर्वाद से अकबर को महारानी मरीयम-उज्-जमानी से पुत्र प्राप्ति हुई और बाबा के नाम पर उसका नाम भी सलीम रखा गया। बाबा सलीम चिश्ती के सम्मान में ही बादशाह अकबर ने बुलंद दरवाजा बनवाया था। उसके बाद अकबर ने फतेहपुर सीकरी को अपनी राजधानी भी बनाया लेकिन केवल 15 वर्ष में ही उसे अपना यह निर्णय बदलना पड़ा। यहाँ पर बादशाह अकबर का महल भी है जो कि भारत सरकार के पुरातत्व संरक्षण विभाग द्वारा संरक्षित है। यहाँ पर जोधाबाई महल, पंचमहल, अस्तबल, पचीसी दरबार, दीवाने-ए-खास, दीवान-ऐ-आम, बीरबल महल, अनूप तालाब भी है जहाँ पर सुरसम्राट तानसेन अपना संगीत सुनाते थे।

30. उत्तरकालीन मुगल सम्राट

बहादुरशाह-I	1707-1712 ई.
जहाँदारशाह	1712-1713 ई.
फर्रुखसियर	1713-1719 ई.
मुहम्मद शाह	1719-1748 ई.
अहमद शाह	1748-1754 ई.
आलमगीर-II	1754-1759 ई.
शाहआलम-II	1759-1806 ई.
अकबर-II	1806-1837 ई.
बहादुरशाह जफर	1837-1857 ई.

32. अकबर के काल के अंतिम समय में वतन जागीर विकसित हुई। वतन जागीर के प्रमुख बिन्दु :

- यह अधीनस्थ राजाओं को उनके ही शासन-क्षेत्र में दी गई जागीर होती थी।
- यह स्थायी और वंशानुगत भू-अनुदान था।

- भू-अनुदान प्राप्तकर्ता को दंडित करने के लिए यह जब्त किया जा सकता था।
- एक अमीर को पुरस्कृत करने के लिए नवीन वतन जागीर का सृजन किया जा सकता था।
- वतन जागीर के राजस्व का हिस्सा इनाम में दिया जा सकता था।
- यह हस्तांतरित नहीं होती थी।
- सर्वप्रथम 'वतनजागीर' को सम्राज्य में मिलाने का प्रयास औरंगजेब ने 'मारवाड़ के सन्दर्भ में किया था।

34. सन् 2001 में केरल विश्वविद्यालय के इतिहास विभाग के शिक्षक पी. राजेन्द्रन को (तमिलनाडु) के विल्लुपुरम जिला के ओडई में एक शिशु का पूरा कपाल मिला। राजेंद्रन एक ऐसी खाई में खुदाई कर रहे थे, जिसके ऊपरी स्तर पर सूक्ष्म पाषाण और सबसे निचले स्तर पर उच्च पुरापाषाण कालीन औजार मौजूद थे। करीब 6 मीटर की गहराई पर उच्च पुरापाषाण कालीन निक्षेप के ठीक नीचे लौह ऑक्साइड मिश्रित रेत और कंकड़ का कठोर पत्थर का जमा हुआ एक स्तर फैला हुआ था। उच्चपाषाण कालीन स्तर में 6 मीटर गहराई पर लौहयुक्त कंक्रीट में यह कपाल दबा पाया गया था जिसकी तिथि 1,66,000 वर्ष (वर्तमान से पूर्व) निर्धारित की गई (अर्थात् मध्य से उच्च प्लीस्टोसीन काल)।

कुछ अन्य प्राप्त हुए हॉमिनिड अवशेषों की तिथि में अनिश्चितता है। एच.डी. सांकलिया और एस.एन. राजू द्वारा पुणे जिला के मूल-मुषा नदी के किनारे पाए गए नर तथा मादा होमो सेपियन्स के सम्बन्ध में यही विवाद है। वी.ए. वाकंकर द्वारा खोजे गए मध्य प्रदेश के भीमबेटका के वयस्क होमो सेपियन्स के जबड़े के विषय में भी तिथि ज्ञात नहीं की जा सकी। इस प्रकार भारतीय उपमहाद्वीप से प्राप्त किए गए हॉमिनिड के पुरावशेष अत्यल्प संख्या में हैं। अतः दक्षिण एशिया में मानव विकास की कथा की अधिक संपुष्टि के लिए अभी समुचित प्रयासों की नितांत आवश्यकता है।

35. 'इतिहास-दर्शन' दो शब्दों से मिलकर बना है। इतिहास का अर्थ है—इति+ह+आस, अर्थात् ऐसा ही था। तात्पर्य यह है कि काल विशेष में जो घटनाएँ घटीं, उनका लेखा और दर्शन का अर्थ है—''दृश्यते इति दर्शनम्' अर्थात् जो दिखाई देता है वह। लेकिन इसका दूसरा अर्थ यह भी निकलता है—'दृश्यते अनेन इति दर्शनम्' अर्थात् जिसके द्वारा देखा जाए, वह आँख या दृष्टि।

कहने का आशय यह है कि चेतन व्यक्ति इतिहास को अपनी दृष्टि द्वारा जिस तरह देखता है, उसे दर्शन कहते हैं। इसका सीधा-सा मतलब यह है कि द्रष्टा की चेतना में इतिहास की घटना जिस रूप में प्रतिबिंबित होती है, उसे अभिव्यक्त करना इतिहास-दर्शन है। दूसरे शब्दों में हम कह सकते हैं कि इतिहास के आंतरिक स्वरूप में प्रवेश करके जब हम अपनी प्रतिक्रिया व्यक्त करते हैं तो वह इतिहास-दर्शन बन जाती है।

इतिहास-दर्शन वस्तुतः समीक्षक की वह दृष्टि है, जो निर्जीव वस्तु को चैतन्य बनाकर उपस्थित कर देती है। जब कवि कल-कल करती, लहराती नदी को देखता है, तो उसका हृदय उल्लसित होकर पुकार उठता है—'हे शैवलिनि तुम बाँहें उठाकर किससे मिलने जा रही हो।' इस तरह कवि उस जड़ नदी में चेतन भावात्मकता का दर्शन करता है।

36. शाहजहाँ के शासनकाल में—इसकी रुचि वास्तुकला में अधिक थी। इसलिए इस काल में चित्रों में बनावट तड़क-भड़क अधिक थी और स्वाभाविकता की कमी थी। इसके काल में बॉर्डर पेंटिंग्स का विकास हुआ। शाहजहाँ के काल के प्रमुख चित्रकार फकीरुल्लाह मीर हाशिम, चित्रा, अनूप, मुरार, बिशनदास, अबुलहसन, दौलत आदि थे।

38. 1857 का विद्रोह—सन् 1857 का विद्रोह भारत का पहला स्वतंत्रता संग्राम माना जाता है। झारखंड इससे अछूता नहीं रहा। यद्यपि सन् 1857 से ठीक पहले 1855-56 में हुए संथाल विद्रोह के कारण न सिर्फ सरकार सचेत थी, बल्कि स्थानीय लोग भी काफी हद तक थके हुए और हताश थे। इसी कारण सन् 1857 का विद्रोह झारखंड में व्यापक असरदार नहीं रहा। झारखंड में यह विद्रोह देवघर क्षेत्र के रोहणी ग्राम से प्रारंभ हुआ। 12 जून, 1857 को मेजर लैसली की हत्या कर दी गई। फलतः संथालों की एक सैन्य टुकड़ी तैयार कर देवघर में तैनात की गई।

पलामू में नीलांबर और पीतांबर ने 1857 के विद्रोह का नेतृत्व किया। पूरे सिंहभूम क्षेत्र में अर्जुन सिंह ने विद्रोह का नेतृत्व किया, इसके अलावा भगवान सिंह, रामनाथ सिंह ने भी सिंहभूम में विद्रोहियों का नेतृत्व किया।

सरकारी दमन से विद्रोहियों को घुटने टेकने पर मजबूर कर दिया गया। 10 अगस्त, 1857 को पूरे झारखंड में मार्शल लॉ लागू कर दिया गया और क्रांतिकारियों को मृत्युदंड देने का प्रावधान किया गया।

39. यह द्रविड़ भाषाओं की जननी है। इसका सबसे प्राचीन ग्रंथ **तोलकाप्पियम** को माना जाता है। तमिल साहित्य की प्राचीन रचनाओं को **संगम** साहित्य के नाम से जाना जाता है।

उत्तर-संगम युग (Sangam Age): साहित्य–तमिल देश के इतिहास में पहला सुप्रकाशित युग संगम-साहित्य (अर्थात् तीसरी या चौथी सदी के साहित्य) में प्रतिबिम्बित है। तमिल साहित्य का यह सबसे प्राचीन उपलब्ध अंश है। संगम-साहित्य विभिन्न नौ ग्रंथों में समाहित मिलता है– 1. नट्रिणै, 2. कुरंदोगै, 3. ऐंगरूनुरु, 4. पट्टिपत्तु, 5. पारिपाडाल, 6. कलित्तोगै, 7. अहनानूरू, 8. कलिन्ततरीय, 9. पुरनानूरू।

संपूर्ण संग्रह में 102 अज्ञातनामा लेखों के अतिरिक्त 473 कवियों (जिनमें कुछ महिलाएँ भी हैं) की 2279 कविताएँ संग्रहीत हैं, जिनकी लम्बाई 4-5 पंक्तियों से लेकर किसी-किसी की 800 पंक्तियों से भी अधिक है। प्रत्येक कविता के अंत में टिप्पणी में इसके रचयिता का नाम, रचना का अवसर तथा अन्य विवरण दिए हुए हैं। ये टिप्पणियाँ सम्भवतः सम्पादकों द्वारा तैयार की गई हैं। यद्यपि इन्हें तैयार करने में कठिनाइयाँ भी हैं तो भी उन्हें साधारणतः सही परम्परा के अनुरूप समझा जा सकता है। तमिल व्याकरण पर **'तौलकाप्पियम'** नामक विस्तृत ग्रंथ की रचना भी इसी युग में हुई।

41. राजशेखर–संस्कृत भाषा के विद्वान राजशेखर कान्यकुब्ज के प्रतिहारवंशीय नरेश महेन्द्रपाल के गुरु थे। इनका विवाह चौहान कुल की विदुषी क्षत्राणी अवंतिसुंदरी के साथ हुआ था। इनका समय 880 से 920 ई. के लगभग माना जाता है।

राजशेखर ने निम्नलिखित ग्रंथों की रचना की–'काव्यमीमांसा', 'बाल भारत', 'बाल रामायण', 'कर्पूर मंजरी', 'विद्धशाल मंजिका', 'भुवन कोश' और 'हरिविलास'।

काव्यमीमांसा का प्रथम भाग ही उपलब्ध है जिसमें 18 अध्याय हैं। इसमें सभी प्रयोजनीय विषयों का संकलन किया गया है। बाल भारत और बाल रामायण, महाभारत और रामायण की कथा पर आधारित नाटक हैं। कर्पूर मंजरी और विद्धशाल मंजिका प्रेमाख्यान हैं, हरिविलास का उल्लेख मात्र मिलता है, यह ग्रंथ अभी उपलब्ध नहीं है।

42. बाढ़ और भूकम्प–अनेक इतिहासकारों के मतानुसार बाढ़ों एवं भूकम्पों ने हड़प्पा सभ्यता के पतन में महत्वपूर्ण योगदान दिया। विभिन्न पुरास्थलों की खुदाइयों से प्राप्त साक्ष्यों से पता लगता है कि इस क्षेत्र में बार-बार बाढ़ें आती रहीं। सुप्रसिद्ध जलविज्ञानी **आर.एल. रेइक्स** (R.L. Raikes) ने भी इस मत का समर्थन किया है। उनके अनुसार हड़प्पा सभ्यता के पतन का कारण भयंकर बाढ़ थी। इस बाढ़ से 30 फुट तक पानी भर गया और सिंधु नदी घाटी के नगर लम्बे समय तक डूबे रहे। अशान्त भूकम्प क्षेत्र होने के कारण यहाँ बाढ़ के साथ-साथ भूकम्प भी आते रहे। इन उग्र भूकम्पों से, जिन्होंने नदियों के मार्ग को अवरुद्ध कर दिया और शहरों को जला दिया, हड़प्पा सभ्यता नष्ट हो गई।

45. हड़प्पा नामक पुरास्थल वर्तमान पाकिस्तान के पंजाब प्रान्त में स्थित मांटगोमरी जिले में स्थित है। 1921 में दयाराम साहनी ने इसका सर्वेक्षण किया और 1923 से इसका नियमित उत्खनन आरंभ हुआ। 1926 में माधोस्वरूप वत्स ने तथा 1946 में मॉर्टीमर व्हीलर ने व्यापक स्तर पर उत्खनन कराया था। हड़प्पा के सामान्य आवास क्षेत्र के दक्षिण में एक ऐसा कब्रिस्तान स्थित है जिसे समाधि R-37 का नाम दिया गया है।

यहाँ पर खुदाई से कुल 57 शवाधान पाए गए हैं। शव प्रायः उत्तर-दक्षिण दिशा में दफनाए जाते थे जिनमें सिर उत्तर की ओर होता था। एक कब्र में लकड़ी के ताबूत में लाश को रखकर यहाँ दफनाया गया था। 12 शवाधानों से 'कांस्य दर्पण' भी पाए गए हैं। एक सुरमा लगाने की सलाई, एक से सीपी की चम्मच एवं कुछ अन्यय से पत्थर के फलक (ब्लेड) पाए गए हैं। हड़प्पा में सन् 1934 में एक अन्य समाधि मिली थी जिसे समाधि

'एच' नाम दिया गया था। इसका संबंध सिंधु सभ्यता के बाद के काल से था।

गुजरात में स्थित लोथल की खोज 1954 में एस.आर. राव ने की थी। लोथल एवं कालीबंगा से युगल शवाधान के प्रमाण मिलें हैं। जहाँ दोनों शव को एक-दूसरे से लिपटाकर गाड़ा गया है। सुरकोटदा से कलश शवाधान प्राप्त हुआ है।

सिन्धु सभ्यता के पुरास्थल मोहनजोदड़ो के ध्वंशावशेष पाकिस्तान के सिंध प्रान्त के लरकाना जिले में सिन्धु नदी के दाहिने किनारे पर स्थित है। मोहनजोदड़ो के टीले लगभग पाँच किलोमीटर के क्षेत्र में फैले हुए हैं। मोहनजोदड़ो के टीलों के सन् 1922 में अन्वेषण का श्रेय राखलदास बनर्जी को है। मोहनजोदड़ो के निवास गृहों का निर्माण पकी ईंटों से किया गया था। मोहनजोदड़ो से अभी तक समाधि क्षेत्र (अगर कोई था) के विषय में जानकारी नहीं है। मोहनजोदड़ो के नगर के अन्दर शव विसर्जन के दो प्रकार के साक्ष्य मिले हैं–1. आंशिक शवाधान, 2. पूर्ण समाधीकरण (दफनाना)। चिड़ियाँ, मछलियों आदि की हड्डियाँ, कोयला एवं राख, मृत्पिण्ड, आभूषण आदि भरे हुए मिले थे। इनको कतिपय विद्वानों ने आंशिक शवाधान का उदाहरण माना है। दूसरी कोटि के अन्तर्गत मोहनजोदड़ो के अंतिम चरण से प्राप्त बयालीस (42) कंकालों को रखा जा सकता है जो नगर क्षेत्र के अन्दर मकानों तथा सार्वजनिक मार्गों पर अस्त-व्यस्त दशा में पड़े हुए मिले हैं।

सनौली

- भारतीय पुरातत्व विभाग (एएसआई) द्वारा हाल ही में उत्तर प्रदेश स्थित सनौली में पुरातात्विक उत्खनन के दौरान 4,000 वर्ष पुरानी कब्रगाह और अन्य अवशेष खोजे गए हैं। विशेषज्ञों द्वारा इस उत्खनन के दौरान चार हजार वर्ष पुराने चावल, कोठरियाँ तथा बर्तन भी खोज निकाले गए हैं।
- पुरातत्व विभाग को यहाँ तीन रथ, ताबूत, ढाल, तलवार और हेलमेट जैसे कृति भी मिले हैं जो उस समय के योद्धा वर्ग के अस्तित्व के बारे में जानकारी प्रदान करते हैं।
- यह कब्रगाह परिपक्व हड़प्पा संस्कृति के अंतिम चरण के समकालीन है। उस कालखंड के दौरान ऊपरी गंगा-यमुना दोआब की संस्कृति के पैटर्न को समझने के लिए इस उत्खनन से ज्ञात निष्कर्ष महत्वपूर्ण हैं।

46. हर्षवर्धन का जन्म 591 ई. के लगभग हुआ था। वह प्रभाकरवर्धन का छोटा पुत्र था। बड़े भाई राज्यवर्धन की मृत्यु के बाद हर्षवर्धन थानेश्वर के राजसिंहासन पर आसीन हुआ। राज्यारोहण के समय हर्ष के सम्मुख दो प्रमुख तात्कालिक समस्याएँ थीं–(*i*) गौड़ नरेश शशांक को मारकर बड़े भाई राज्यवर्धन की हत्या का बदला लेना, (*ii*) अपनी बहन राज्यश्री को ढूँढ निकालना।

हर्ष के व्यक्तिगत धर्म तथा उसके समय की धार्मिक अवस्था के विषय में बाणभट्ट कृत हर्षचरित तथा ह्वेनसांग के भ्रमण वृत्तांत से जानकारी प्राप्त होती है। हर्ष के पूर्वज भगवान शिव एवं सूर्य के अनन्य भक्त थे। वह खुद शिव का भक्त था। उसने विन्ध्यवन में दिवाकर मित्र नामक बौद्ध भिक्षु से साक्षात्कार किया था जिसका उस पर बड़ा प्रभाव पड़ा।

भोज परमार मालवा के 'परमार' अथवा 'पवार वंश' का नौवाँ यशस्वी राजा था। उसने 1018-1060 ई. तक शासन किया। उसकी राजधानी धार थी। भोज परमार ने 'नवसाहसाक' अर्थात् 'नव विक्रमादित्य' की पदवी धारण की थी। भोज ने बहुत-से युद्ध किए और पूर्णतः अपनी प्रतिष्ठा स्थापित की, जिससे सिद्ध होता है कि उसमें असाधारण योग्यता थी। यद्यपि उसके जीवन का अधिकांश समय युद्धक्षेत्र में बीता, तथापि उसने अपने राज्य की उन्नति में किसी प्रकार की बाधा न उत्पन्न होने दी। राजा भोज ने मालवा के नगरों व ग्रामों में बहुत-से मंदिर बनवाए, यद्यपि उनमें से अब बहुत कम का पता चलता है। भोज स्वयं एक विद्वान था और कहा जाता है कि उसने धर्म, खगोल विद्या, कला, कोश रचना, भवन निर्माण, काव्य, औषधशास्त्र आदि विभिन्न विषयों पर पुस्तकें लिखीं, जो अब भी वर्तमान हैं।

गोविन्द चन्द्र गहड़वाल शासक मदन चन्द्र का पुत्र एवं उत्तराधिकारी था। वह गहड़वाल वंश का सर्वाधिक शक्तिशाली राजा था। 'कृत्यकल्पतरु' का लेखक लक्ष्मीधर इसका मंत्री था। गोविन्द चन्द्र ने अपने राज्य की सीमा को उत्तर प्रदेश से आगे मगध तक विस्तृत करके मालवा को भी जीत लिया था। उसके विशाल राज्य की राजधानी कन्नौज थी।

- युवराज के रूप में गोविन्द चन्द्र ने गजनी के राजा मसूद तृतीय को पराजित किया था।
- कश्मीर, गुजरात एवं चोल वंश के शासकों से गोविन्द चन्द्र के मैत्रीपूर्ण सम्बन्ध थे।
- गहड़वाल वंश के इस प्रतापी शासक ने 1114 से 1154 ई. तक शासन किया।
- वाराणसी और जेतवन जैसे पवित्र स्थानों की रक्षा गोविन्द चन्द्र ने मुस्लिम और तुर्क आक्रमणकारियों से की थी।
- उसके कार्यकाल में कन्नौज को पुनः उसकी पुरानी प्रतिष्ठा प्राप्त हुई।
- गोविन्द चन्द्र के उत्तराधिकारी विजय चन्द्र (1156 से 1170 ई.) ने गहड़वाल राज्य की सीमाओं को सुरक्षित रखा था।

48. अलबरूनी का जन्म 973 ई. में खीवा (उज्बेकिस्तान) में हुआ था। 1017 ई. में महमूद गजनवी ने खीवा को विजय किया और वहाँ अलबरूनी को एक युद्ध बंदी के रूप में प्राप्त किया। अलबरूनी की योग्यता से प्रभावित होकर महमूद गजनवी से उसे अपने दरबार के विद्वानों में स्थान दिया। महमूद गजनवी के भारत आक्रमण के समय अलबरूनी भारत आया और दर्शन, ज्योतिष एवं संस्कृत भाषा का अध्ययन किया। अलबरूनी ने भारत के विषय में अपना ग्रंथ 'तहकीक-ए-हिन्द' लिखा। तहकीक-ए-हिन्द एक विस्तृत ग्रन्थ है जिसमें 80 अध्याय हैं।

इब्नबतूता मोरक्को (अफ्रीका) का निवासी था जो दिल्ली सल्तनत के प्रसिद्ध शासक मुहम्मद बिन तुगलक के समय (1333) में भारत आया था। इब्नबतूता ने मुहम्मद बिन तुगलक के शासन काल के बारे में विशेष वर्णन अपनी पुस्तक 'रेहला' में किया है। मुहम्मद बिन तुगलक ने इब्नबतूता के ज्ञान से प्रभावित होकर उसे काजी नियुक्त किया था। इस पद पर वह पूरे सात वर्ष रहकर सुल्तान को अत्यंत निकट से देखने का अवसर मिला, इब्नबतूता ने हर घटना को बड़े ध्यान से देखा और सुना। 1342 में मुहम्मद तुगलक ने उसे चीन के बादशाह के पास अपना राजदूत बनाकर भेजा। इब्नबतूता मुसलमान यात्रियों में सबसे महान था। इब्नबतूता की मृत्यु 1377 में हुई।

सिदी अली रईस (1498-1563), पूर्व में सिदी अली रईस और सिदी अली बेन होसैन भी लिखे गए थे, एक तुर्क एडमिरल और नाविक थे। उन्होंने 1538 में प्रीवेजा के नौसैनिक युद्ध में ओटोमन बेड़े के बाएँ विंग की कमान संभाली। बाद में उन्हें हिंद महासागर में ओटोमन बेड़े के एडमिरल के पद पर पदोन्नत किया गया, और इस तरह, भारतीय शहर में पुर्तगाली सेनाओं का सामना किया।

विलियम फिंच हॉकिंस के साथ ही अगस्त 1608 ई. में जहाँगीर के शासनकाल में सूरत आया। फिंच ने मनुष्यों, जानवरों, पौधों, किलों, पुलों, इलाकों, धार्मिक विश्वासों आदि का वर्णन किया। ऐसा वर्णन किसी अन्य यात्री का नहीं मिलता है। बुलंद दरवाजे को उसने सारी दुनिया में सबसे ऊँचा और भव्य माना तथा लाहौर को पूर्व का सबसे बड़ा शहर माना है। केवल विलियम फिंच ही ऐसा यात्री है, जिसने अनारकली की दंत कथा का उल्लेख किया है।

49. 20 मार्च, 1739 को मुगलशासक मुहम्मद शाह के समय फारस के आक्रमणकारी नादिरशाह ने दिल्ली पर कब्जा करके भयंकर लूटपाट एवं कत्लेआम किया। नादिर कुल 57 दिनों तक दिल्ली में रहा तथा वापस जाते समय विश्व प्रसिद्ध 'कोहिनूर हीरा' तथा शाहजहाँ द्वारा निर्मित 'तख्त-ए-ताऊस' को अपने साथ लेता गया। इसके फलस्वरूप 29 जून, 1738 को उसने काबुल पर अधिकार कर लिया। इसके बाद आगे बढ़ते हुए नादिरशाह ने अटक के स्थान पर सिन्धु नदी को पार कर लाहौर में प्रवेश किया। मुगल गवर्नर 'जकारिया खाँ' ने बिना युद्ध किए ही हथियार डाल दिए और 20 लाख रुपये तथा अपने हाथी नजराने में देकर स्वयं को लाहौर का और 'नासिर खाँ' को काबुल और पेशावर का गवर्नर नियुक्त किया। 16 फरवरी, 1739 को नादिरशाह सरहिन्द पहुँचा। सरहिन्द से अम्बाला, अम्बाला से अजीमाबाद और फिर करनाल की ओर कूच किया, जहाँ उसका मुगल सेना के साथ युद्ध हुआ। यह युद्ध 'भारतीय इतिहास' में 'करनाल के युद्ध' के नाम से प्रसिद्ध है।

51. बख्तियार खिलजी ने सबसे पहले बिहार में 1198 ई. में ओदंतपुरी (बिहारशरीफ) को जीता एवं वहाँ स्थापित

शिक्षण संस्थान नालंदा विश्वविद्यालय को जलाकर नष्ट कर दिया।

भारत में मुहम्मद गोरी के तीन सेनापति विजय अभियान चला रहे थे, जिसमें एक सेनापति इख्तियार-अल-दीन मुहम्मद बिन बख्तियार खिलजी पूर्वी भारत में बिहार-बंगाल तक अपना अभियान चला रहा था। बख्तियार खिलजी को गाजी इख्तियार के नाम से भी जाना जाता है। अतः बिहार में तुर्क सत्ता की स्थापना का श्रेय बख्तियार खिलजी को जाता है। जिस समय बख्तियार खिलजी ने बिहार-बंगाल क्षेत्र पर आक्रमण किया, उस समय सेन वंश का शासक लक्ष्मण सेन और पाल वंश का शासक इंद्रद्युम्न पाल ने उसका विरोध किया था। बख्तियार खिलजी ने सबसे पहले बिहार में 1198 ई. में ओदंतपुरी (बिहारशरीफ) को जीता एवं वहाँ स्थापित शिक्षण संस्थान नालंदा विश्वविद्यालय को जलाकर नष्ट कर दिया। इसके बाद 1203-04 ई. में लक्ष्मण सेन की राजधानी नादिया पर आक्रमण किया और उसे पराजित किया। बख्तियार खिलजी ने बिहार और बंगाल के क्षेत्रों को जीतकर एक प्रांत के रूप में संगठित किया तथा लखनौती को राजधानी के रूप में स्थापित किया। बख्तियार खिलजी की हत्या अलीमर्दान खिलजी द्वारा 1206 ई. में कर दी गई। बख्तियार खिलजी के बाद इस क्षेत्र में मुहम्मद गोरी का अन्य सेनापति कुतुबुद्दीन ऐबक का शासन स्थापित रहा।

52. भगवती सूत्र में वर्णित महाशिलाकंटक संग्राम

महावीर के काल में प्रसिद्ध महाशिलाकण्टक संग्राम को भगवती सूत्र ने सजीव चित्रित किया है। रथमूसल संग्राम मगध शासक अजातशत्रु एवं वैशाली नरेश चेटक के प्रमुख संघों नौ लिच्छवि, नौ मल्ल, काशी, कौशल और उनके अठारह गणराज्यों के मध्य हुआ। महावीरकालीन इस युद्ध की प्रकृति एवं चारों प्रमुख राजतंत्रों एवं गणतंत्रों की राजनैतिक स्थिति को भगवती सूत्र में स्पष्ट किया गया है।

युद्ध की भूमिका बनने पर अजातशत्रु ने अपने अधीनस्थों को चतुरंगिणी सेना, पैदल रथ, अश्व, हाथी को तैयार करने की आज्ञा दी। अपने प्रसिद्ध हाथी उदाई को सज्जित करने का आदेश दिया। मांगलिक विधि-विधानों द्वारा अजातशत्रु के लिए शगुन किए गए। सुसज्जित सेना, अधिकारियों, कर्मचारियों एवं भाट, चारणों के साथ अजातशत्रु महाशिलाकंटक संग्राम के लिए अग्रसर हुए। महाशिलाकंटक संग्राम भूमि में उतरने के बाद अजातशत्रु ने अपने नवीन युद्ध आयुध महाशिला का प्रयोग करना आरम्भ किया। इस युद्ध में अजातशत्रु ने लड़ते हुए नौ मल्ल, नौ लिच्छवि और काशी-कौशल के अठारह गणराज्यों की सेना को ध्वस्त कर दिया। महाशिलाकंटक संग्राम में अजातशत्रु ने 'महाशिला' आयुध का प्रयोग किया। युद्ध के दौरान अश्व, हाथी, सारथी या सैनिक पर घास, लकड़ी या कंकर से प्रहार किया जाता था। आहत व्यक्ति को महाशिला समान महसूस होता था इसलिए इसे महाशिलाकंटक संग्राम नाम दिया गया।

भगवती सूत्र ने महाशिलाकंटक संग्राम में चौरासी लाख लोगों के मारे जाने का उल्लेख किया है। यह युद्ध अजातशत्रु के लिए निर्णायक साबित नहीं हुआ। आगे चलकर रथमूसल संग्राम की पृष्ठभूमि बनी और पुनः संग्राम हुआ।

54. बागोर राजस्थान में भीलवाड़ा के निकट कोठारी नदी के किनारे प्रागैतिहासिक आवास स्थल था। यहाँ से मध्य पाषाणकाल के पाँच मानव कंकाल मिले हैं, जो सुनियोजित ढंग से दफनाए गए थे। बनास सभ्यता के इस उल्लेखनीय स्थल से पाषाण युग की सर्वाधिक सामग्री प्राप्त हुई हैं। इनमें स्क्रेपर (लम्बा आयताकार एवं गोल औजार), पॉइंट (त्रिभुजाकार अर्थात् नोंक वाला) आदि प्रमुख हैं। इसके अतिरिक्त तक्षणी, खुरचनी तथा बेधक भी बड़ी मात्रा में प्राप्त हुए हैं। इस समय तक मानव संगठित सामाजिक जीवन से दूर था। यहाँ से नवीन पाषाणकालीन संस्कृति के भी अवशेष मिले हैं। बागोर से इस बात के भी साक्ष्य मिले हैं कि इस स्थल पर फर्श बनाने के लिए पत्थर लाए गए थे और यहाँ फूस के वातरोधी पर्दे भी बनाए गए। यहाँ के उद्योग में बहुत ही छोटी-छोटी वस्तुओं का निर्माण होता था और वे ज्यामितीय प्रारूपों की दृष्टि से अत्यंत उन्नत थीं।

55. बौद्ध धर्म का प्रवर्तन गौतम बुद्ध ने किया था। बुद्ध ने सांसारिक दुखों के सम्बन्ध में चार आर्य सत्यों का उपदेश दिया। ये हैं–(*i*) दुख, (*ii*) दुख समुदाय, (*iii*) दुख निरोध, (*iv*) दुख निरोधगामिनी प्रतिपदा। इन सांसारिक

दुखों से मुक्ति हेतु बुद्ध ने अष्टांगिक मार्ग की बात कही। ये साधन हैं–(*i*) सम्यक् दृष्टि, (*ii*) सम्यक् संकल्प, (*iii*) सम्यक् वाणी, (*iv*) सम्यक् कर्मान्त, (*v*) सम्यक् आजीव, (*vi*) सम्यक् व्यायाम, (*vii*) सम्यक् स्मृति, (*viii*) सम्यक् समाधि। बौद्ध धर्म के पतन का कारण था मध्ययुग में मूर्ति पूजा जो इनके अनुयायी इन्हें विष्णु का अवतार मानने लगे।

नॉरमन कौसिंस लिखते हैं कि बौद्ध धर्म का निर्माण होने पर हिन्दू धर्म ने उसके साथ होड़ नहीं लगाई, बल्कि उसे सोख लिया। बुद्ध को अवतार के रूप में शामिल करने का मुख्य उद्देश्य बौद्ध धम्म को अवशोषित (सोख) कर उसका ब्राह्मणीकरण करना था, जिसे ब्राह्मण विरोध करके भी दबा नहीं पाए। बुद्ध को अवतार के रूप में स्थापित करने का काम एक राजनीतिक चाल के तहत किया गया, यह इस बात से स्वयं प्रमाणित हो जाता है कि पुराणों और अन्य धर्मग्रंथों में निरंतर बुद्ध और बौद्ध धम्म के प्रति एक विरोधात्मक एवं विद्रोहात्मक स्वर देखने को मिलता है, उदाहरण के तौर पर:

(क) याज्ञवल्क्य ने घोषणा की कि सपने तक में किसी बौद्ध संन्यासी का दर्शन पाप है और इससे बचने का प्रयास करना चाहिए।

(ख) ब्रह्मपुराण में यह लिखा गया है कि अत्यधिक संकट आ जाने पर भी ब्राह्मण को किसी बौद्ध के घर में नहीं जाना चाहिए क्योंकि इससे वह महापाप का भागी होगा।

(ग) अग्नि पुराण में उल्लेख है कि शुद्धोदन के पुत्र (बुद्ध) ने दैत्यों को बौद्ध बनने के लिए बहकाया।

(घ) विष्णु पुराण बुद्ध को महाप्रलोभनकारी घोषित करते हुए कहता है कि वह 'महामोह' है जो राक्षसों को छलने के लिए संसार में आया है।

57. महाशिलालेख VI और अन्य शिलालेखों में भी प्रतिवेदकों का उल्लेख मिलता है। प्रतिवेदक सम्राट अथवा केंद्रीय सरकार के प्रमुख संवाददाता होते थे। उनकी पहुँच सीधे सम्राट तक थी। महाशिलालेख VI से पता चलता है कि सम्राट अशोक को सदा प्रजाहित की चिन्ता रहती थी। इसमें कहा गया है– *"राजन् देवानांपिय पियदस्सी यह कहते हैं; 'अतीत में मसलों को निपटाने और नियमित रूप से सूचना एकत्र करने की व्यवस्थाएँ नहीं थीं, किन्तु मैंने व्यवस्था की है कि लोगों के समाचार हम तक प्रतिवेदक सदैव पहुँचाए। चाहे मैं कहीं भी हूँ, खाना खा रहा हूँ, अन्तःपुर में हूँ, विश्राम कक्ष में हूँ, गोशाले में हूँ या फिर पालकी में मुझे ले जाया जा रहा हो अथवा वाटिका में हूँ। मैं लोगों के विषयों का निराकरण हर स्थल पर करूँगा।"* इसी प्रकार धर्म सहनशीलता जो मौर्य प्रशासन का एक प्रमुख अभिलक्षण था, का उल्लेख भी हमें अशोक के शिलालेखों में मिलता है। महाशिलालेख XII में स्पष्ट रूप से कहा गया है कि मनुष्य को अपने धर्म का आदर करना चाहिए, किन्तु दूसरे धर्मों की निन्दा नहीं करनी चाहिए।

58. चंद्रगुप्त का उत्तराधिकारी उसका पुत्र समुद्रगुप्त था जो काच नामक अपने ही वंश के एक राजकुमार को पराजित कर शासक बना। हरिसेन द्वारा लिखित इलाहाबाद स्तंभ अभिलेख में समुद्रगुप्त की विजयों का उल्लेख है। इस विवरण में राज्यों, राजाओं तथा कबीलों की एक लंबी सूची है जिन्हें कई प्रकार से समुद्रगुप्त ने अपने अधीन किया। इसको चार श्रेणियों में बाँटा जा सकता है–

- पहली श्रेणी में दक्षिणापथ के 12 राज्यों और उनके राजाओं के नाम हैं जिन पर समुद्रगुप्त ने विजय प्राप्त कर उन्हें स्वतंत्र किया तथा फिर से उन्हें राजा बनाया। ये राज्य हैं–कोसल, पिष्टपुर, कांची, वेंगी, एरनादपल्ली, देवराष्ट्र, अवमुक्त, दुष्ठलपुर, महाकंतर, कुराल, कोथुर तथा पलक्क।
- दूसरी श्रेणी में आर्यावर्त के आठ राजा हैं जिन्हें पराजित कर गुप्त राज्य में मिलाया गया।
- तीसरी श्रेणी में जंगली राज्यों के वे शासक हैं जिन्हें पराजित कर दास बनाया गया। इनमें पाँच प्रत्यांत या सीमावर्ती राज्यों के प्रमुख एवं नौ कबीलायी गणराज्य हैं जिन्हें सभी प्रकार के कर देने, समुद्रगुप्त की आज्ञा मानने तथा उसकी सेवा में उपस्थित होने को मजबूर किया गया। पाँच सीमावर्ती राज्य थे–समतट (पूर्वी बंगाल), डव (असम), कामरूप (असम), नेपाल तथा कार्तिपुर (कश्मीर)। नौ कबीलायी गणराज्य थे–मालव, अर्जुनायन, यौधेय, माद्रक, आभीर, प्रार्जुन, सरकिणक, काव तथा खर्परीक।

- चौथी श्रेणी में देवपुत्र षाहनुषाह (कुषाण), शक मुरुंड तथा सिंहल व अन्य द्वीपों के निवासी थे जिन्होंने समुद्रगुप्त की सेवा में स्वयं को समर्पित किया।

59. शासक बनने के बाद सम्राट अशोक ने एकमात्र युद्ध कलिंग के साथ आखिरी युद्ध लड़ा। कलिंग वर्तमान में महानदी एवं गोदावरी के पूर्वी तट पर स्थित है जिसका अधिकतम क्षेत्र ओडिशा के अन्तर्गत आता है। रोमिला थापर का कहना है कि अशोक की नजर कलिंग के समृद्ध व्यापार पर थी। इस युद्ध का उल्लेख 13वें शिलालेख में किया गया है। कलिंग युद्ध अशोक के राज्याभिषेक के 8 वर्ष बाद 261 ई.पू. में हुआ। इस युद्ध में भीषण रक्तपात एवं हृदयविदारक दृश्य देखकर अशोक ने अपनी विजय नीति बदली। अशोक ने विजय घोष के स्थान पर धम्म विजय एवं धम्म घोष की नीति अपनाई। इस युद्ध का वर्णन अशोक के तेरहवें शिलालेख में मिलता है।

तेरहवां दीर्घ शिलालेख–अपने अभिषेक के आठ वर्ष के बाद देवताओं के प्रिय राजा पियदस्सि ने कलिंग पर विजय प्राप्त की। अपने राज्य में तथा सब सीमांत प्रदेशों में छह सौ योजन दूर तक (1500 मील) प्राप्त की है, जहाँ संतिओक नाम का यवन राजा राज्य करता है और उस अंतियोक के राज्य के परे चार राजाओं : तुरमय (टोलमी), अंतेकिन (एंटिगोनस), मग (मगस) और अलिकसुंदर (सिकंदर) पर और दक्षिण में चोल, पांड्य और ताम्रपर्णी (श्रीलंका) पर (विजय प्राप्त की है) उसी तरह राजा के राज्य में यवनों और कंबोजों, नाभकों और नाभपंक्तियों, भोजों और पितिनिकों, आंध्रों और पारिंदों में सब जगह लोग देवताओं के प्रिय के धम्म अनुशासन का पालन करते हैं।

61. महाद का सत्याग्रह/चवदार तालाब सत्याग्रह भीमराव अंबेडकर की अगुवाई में 20 मार्च, 1927 को महाराष्ट्र राज्य के रायगढ़ जिले के महाद स्थान पर दलितों को सार्वजनिक चवदार तालाब से पानी पीने और इस्तेमाल करने का अधिकार दिलाने के लिए किया गया एक प्रभावी सत्याग्रह था। इस दिन को भारत में सामाजिक सशक्तिकरण दिवस के रूप में मनाया जाता है। इस सत्याग्रह में हजारों की संख्या में दलित लोग सम्मिलित हुए थे, सभी लोग महाद के चवदार तालाब पहुँचे और अंबेडकर ने प्रथम अपने दोनों हाथों से उस तालाब का पानी पिया, फिर हजारों सत्याग्रहियों ने उनका अनुकरण किया। यह अंबेडकर का पहला सत्याग्रह था।

62. ऐहोल अभिलेख पुलकेशिन द्वितीय से सम्बन्धित है। इस अभिलेख के रचनाकार जैन कवि रविकीर्ति है तथा इसमें पुलकेशिन द्वितीय तथा हर्षवर्धन के बीच हुए युद्ध का वर्णन है। पुलकेशिन द्वितीय वातापी के चालुक्य वंश का पराक्रमी व प्रसिद्ध शासक था जिसका शासनकाल 609-642 ई. तक था। पुलकेशिन ने गृहयुद्ध में चाचा मंगलेश पर विजय प्राप्त कर राज्याधिकार प्राप्त किया। उसने श्री पृथ्वीवल्लभ की उपाधि से स्वयं को विभूषित किया। ऐहोल से रविकीर्ति द्वारा रचित जो अभिलेख मिला है, उसमें कवि ने कालिदास और भारवि के नामों का भी उल्लेख किया है।

64. 1857 के विद्रोह के ठीक बाद बंगाल में नील विद्रोह हुआ। बंगाल के वे काश्तकार जो अपने खेतों में चावल की खेती करना चाहते थे, उन्हें यूरोपीय नील बागान मालिक नील की खेती के लिए मजबूर करते थे। नील की खेती से इंकार करने वाले किसानों को नील बागान मालिकों के दमन चक्र का सामना करना पड़ता था। सितंबर, 1859 में उत्पीड़ित किसानों ने यूरोपीय बागान मालिकों के विरुद्ध विद्रोह कर दिया। किसानों पर नील बागान मालिकों के अत्याचारों का चित्रण दीनबंधु मित्रा ने अपने नाटक 'नील दर्पण' में किया है।

66. बॉम्बे एसोसिएशन तथा बॉम्बे प्रेसीडेन्सी एसोसिएशन : बॉम्बे एसोसिएशन (Bombay Association) की स्थापना 1852 में हुई। वह बम्बई का प्रथम धर्म निरपेक्ष संगठन था। मुख्य संस्थापकों में स्नातक और शेट्टियों के उदार संगठन सम्मिलित थे। शीघ्र ही बॉम्बे एसोसिएशन शेट्टी व्यापारिक समुदाय के हितों की आवाज उठाने वाला संगठन हो गया। शिक्षित व्यक्तियों द्वारा रस्त गुप्तार 1851 तथा इन्दुप्रकाश 1862 समाचार-पत्रों में अपने विचार व्यक्त किए गए। 1885 में तीन वकीलों (मेहता, तेलांग और तैयबजी) ने बॉम्बे प्रेसीडेन्सी एसोसिएशन (Bombay Presidency Association) की स्थापना की। शीघ्र ही बम्बई में यह एक महत्वपूर्ण

राजनीतिक शक्ति के रूप में उभरा। स्थानीय समस्याओं का विवेचन करना तथा विभिन्न मामलों में भारत सरकार का ध्यान आकृष्ट करने हेतु अनेक प्रयत्न संगठन द्वारा किए गए।

पूना सार्वजनिक सभा (Poona Sarvajanik Sabha): सन् 1867 में जस्टिस महादेव गोविन्द रानाडे द्वारा एक महत्वपूर्ण राजनीतिक संगठन पूना सार्वजनिक सभा की स्थापना की गई। गणेश वासुदेव जोशी ने इसके विकास में महत्वपूर्ण योगदान दिया। रानाडे के अनुसार भारत की समृद्धि औद्योगिक क्रान्ति के अभाव में असम्भव थी। सभा ने भारतीय जनता में अधिकारों की चेतना जागृत की तथा अपने अधिकारों के लिए लड़ने हेतु संवैधानिक साधनों पर बल दिया। 1876-77 के अकाल में सभा द्वारा अनेक प्रकार से प्रभावित लोगों को राहत पहुँचाई गई। सभा ने वर्नाक्यूलर प्रेस एक्ट, 1878 के विरुद्ध आवाज उठाई, इलबर्ट बिल 1883 के विरोध में आन्दोलन चलाया और स्थानीय स्वशासन की माँग की। लेजिस्लेटिव कौंसिलों के सुधार तथा सिविल सेवा में भारतीयों की नियुक्ति हेतु भी सभा द्वारा माँग की गई। इसके अतिरिक्त सभा कृषकों की समस्या उठाने तथा इन्हें दूर करने में अधिकतम व्यस्त रही।

मद्रास महाजन सभा–16 मई, 1884 को मद्रास महाजन सभा की स्थापना एम. वीरराघवाचारी, बी. सुब्रह्मण्यम अय्यर एवं पी. चारलू ने की थी।

बंबई प्रेसीडेन्सी एसोसिएशन की स्थापना 1885 में (बम्बई में) फिरोजशाह मेहता, बदरुद्दीन तैय्यबजी और के.टी. तैलंग ने की थी। फिरोजशाह मेहता स्थापना के समय से आजीवन इस संस्था के अध्यक्ष रहे।

67. जावा द्वीप इंडोनेशिया गणराज्य में स्थित है। इस द्वीप का भारतीय इतिहास से बहुत निकट का सम्बन्ध रहा है। प्राचीन समय में इस द्वीप को 'यव द्वीप' कहा जाता था। भारत के कई ग्रंथों में जावा द्वीप का उल्लेख हुआ है। लगभग दो हजार वर्ष तक यहाँ हिन्दू सभ्यता का प्रभुत्व रहा। आज भी यहाँ हिन्दुओं की बड़ी बस्तियाँ पाई जाती हैं। विशेषकर पूर्व जावा में 'मजापहित' साम्राज्य के वंशज टेंगर लोग रहते हैं, जो अब भी हिन्दू हैं। 'बोरोबुदुर' और 'प्रमबनन मंदिर' यहाँ के प्रसिद्ध धार्मिक स्थल हैं।

68. नगर प्रशासन

- मेगस्थनीज ने पाटलिपुत्र के नगर प्रशासन का वर्णन किया है। नगर का प्रमुख एस्ट्रोनोमोई तथा जिले का अधिकारी एग्रोनोमोई होता था। पाटलिपुत्र नगर का प्रशासन 30 सदस्यों के एक समूह द्वारा चलाया जाता था। ये सदस्य 6 समितियों में विभक्त थे तथा प्रत्येक समिति में 5 सदस्य थे।
- ये समितियाँ थीं–1. उद्योग एवं शिल्पकला समिति, 2. विदेश समिति, 3. जनसंख्या समिति, 4. व्यापार एवं वाणिज्य समिति, 5. वस्तु विक्रय निरीक्षण समिति तथा 6. बिक्री कर समिति।
- पहली समिति का कार्य उद्योग एवं शिल्प कार्य का निरीक्षण करना, दूसरी का विदेशियों की देखरेख करना, तीसरी का जन्म-मरण का विवरण रखना, चौथी का व्यापार एवं वाणिज्य की देखभाल करना, पाँचवीं का निर्मित वस्तुओं के विक्रय का निरीक्षण करना तथा छठी समिति का कार्य बिक्री कर वसूल करना था।

69. दिल्ली सल्तनत काल में अलाउद्दीन खिलजी पहला शासक था जिसने धर्म को राजनीति से अलग रखा और उलेमाओं की इच्छाओं का पालन नहीं किया। अलाउद्दीन की लौकिक शक्ति ने धार्मिक शक्ति को पूर्णतः आच्छादित भी किया। अलाउद्दीन ने यह अनुभव किया कि राजनीतिक आवश्यकताएँ धार्मिक सहिष्णुता की माँग करती हैं और एक अस्थिर बुद्धि व धर्मान्ध शासक की अपेक्षा एक शक्तिशाली शासक की आवश्यकता को अधिक महसूस करती है। अलाउद्दीन जब गद्दी पर बैठा तो उसने यह विचार प्रकट किया कि राजनीति तथा धर्म बिल्कुल ही भिन्न तथा विपरीत क्षेत्र हैं। धर्म और धार्मिक आदेशों का राजनीति से कोई सम्बन्ध नहीं है और राजनीति के कानून स्वयं अपने आपमें कानून हैं एवं उन पर धार्मिक कानून का कोई दबाव नहीं होना चाहिए। वह केवल जनहित को अपना कर्तव्य मानता था। धार्मिक कानूनों के पालन को नहीं। उसने काजी मुगीसुद्दीन से कहा था कि वह इस बात की चिन्ता नहीं करता कि कोई नियम शरियत सम्मत है या नहीं, मैं वही चाहता हूँ जिसे राज्य के हित में उचित समझता हूँ।

70. अमीर खुसरो का जन्म (1253-1325) इटावा उत्तर प्रदेश में हुआ था। खुसरो ऐसे परिवार से आए थे जिनका कई पीढ़ियों से राजदरबार से घनिष्ठ सम्बन्ध रहता चला आ रहा था। उन्हें खुद छः सुल्तानों के अन्तर्गत सेवा का मौका मिला था। खुसरो की अधिकांश रचनाएँ अलाउद्दीन के राजकाल की ही हैं। तुगलकनामा अमीर खुसरो द्वारा रचित अंतिम कृति है। 1298 से 1301 ई. की अवधि में उन्होंने पाँच रोमांटिक मसनवियाँ–

1. 'मल्लोल अनवर'
2. 'शिरीन खुसरो'
3. 'मजनू लैला'
4. 'आईने-ए-सिकन्दरी'
5. 'हश्त विहिश्त'

ये पंच-गंज नाम से प्रसिद्ध हैं। ये मसनवियाँ खुसरो ने अपने धर्म गुरु शेख निजामुद्दीन औलिया को समर्पित कीं तथा उन्हें सुल्तान अलाउद्दीन को भेंट कर दिया। पद्य के अतिरिक्त खुसरो ने दो गद्य-ग्रन्थों की भी रचना की–

1. 'खजाइनुल फतह', जिसमें अलाउद्दीन की विजयों का वर्णन है।
2. 'एजाजयेखुसरवी', जो अलंकारग्रन्थ हैं। अलाउद्दीन के शासन के अन्तिम दिनों में खुसरो ने देवलरानी खिज्रखाँ नामक प्रसिद्ध ऐतिहासिक मसनवी लिखी।

अमीर खुसरो मुख्य रूप से फारसी के कवि हैं। फारसी भाषा पर उनका अप्रतिम अधिकार था। उनकी गणना महाकवि फिरदौसी, शेख सादिक और निजामी फारस के महाकवियों के साथ होती है। फारसी काव्य के लालित्य और मार्दव के कारण ही अमीर खुसरो को 'हिन्दी की तूती' कहा जाता है। खुसरो का फारसी काव्य चार वर्गों में विभक्त किया जा सकता है–

1. **ऐतिहासिक मसनवी**–जिसमें किरानुससादैन, मिफतोलफतह, देवलरानी खिज्रखाँ, नूहसिपहर और तुगलकनामा नाम की रचनाएँ आती हैं;
2. **रोमांटिक मसनवी**–जिसमें मतलऊ लअनवार, शिरीन खुसरी, आईन-ए-सिकन्दरी, मजनू-लैला और हश्त विहश्त गिनी जाती हैं;
3. **दीवान**–जिसमें तुहफ तुम सिगहर, वास्तुलहयात आदि ग्रन्थ आते हैं;
4. **गद्य रचनाएँ**–'एजाजयेखुसरवी' और 'खजाइनुलफतह तथा मिश्रित'–जिसमें वेदऊलअजाइब', 'मसनवी शहरअसुब', 'चिश्तान' और 'खालितबारी' नाम की रचनाएँ परिगणित हैं।

71. 29 मार्च, 1931 में सरदार पटेल की अध्यक्षता में कराची में कांग्रेस का जो अधिवेशन आयोजित हुआ था, उसमें कांग्रेस पक्ष की नीति के रूप में एक ऐसा प्रस्ताव पारित किया गया था कि इस देश में सभी अपने धर्म का पालन कर सकते हैं, परंतु किसी को अपने धर्म का प्रचार करने का अधिकार नहीं हो सकता। संविधान की जब रचना की जा रही थी तब जिस धारा को उसमें धर्म-पालन और धर्म-प्रचार दोनों की छूट दी गई थी। संविधान समिति के ही एक सदस्य कन्हैयालाल मुंशी ने संविधान के प्रारूप में इस धारा को शामिल करने का विरोध किया था और इस विरोध के कारण में उन्होंने कांग्रेस के कराची अधिवेशन में सरदार के नेतृत्व में पारित उस प्रस्ताव का सहारा लिया था। पुरुषोत्तमदास टंडन ने मुंशी के इस विरोध का समर्थन किया। उन दोनों ने सरदार से अत्यधिक आग्रह करते हुए कहा कि इस धारा को केवल धर्म-पालन तक ही सीमित रखें। धर्म-प्रचार की छूट कांग्रेस द्वारा स्वीकृत नीति के विपरीत होगी। इतना ही नहीं, उससे भविष्य में कौमी विवाद उग्र होगा, ऐसी भी चेतावनी दी।

72. जी.पी. गूच ने इतिहास की परिभाषा दी है कि ''इतिहास वास्तव में इतिहासकार का अतीत के सम्बन्ध में निर्णय होता है, जिसका उद्देश्य वर्तमान को प्रशिक्षित करना तथा भावी पीढ़ी के लिए मार्गदर्शन होता है।''

76. जैन धर्म में कुल 24 तीर्थंकर हुए हैं। सभी तीर्थंकरों की पहचान उनके अलग-अलग चिह्नों द्वारा होती है।

1. ऋषभ — सांड़
2. अजित — हाथी
3. संभव — घोड़ा
4. अभिनंदन — कपि
5. सुमति — सारस
6. पद्म प्रभा — लाल कमल

7. संपर्श्व — स्वास्तिक
8. चंद्रप्रभा — चांद
9. सुविधि — डालफिन
10. सीतल — वक्ष
11. श्रेयंस — गैंडा
12. वसुपूज्य — भैंस
13. विमल — शूकर
14. अनंत — बाज या साही
15. धर्म — वज्र
16. शांति (हस्तिनापुर नरेश) — सींगदार हिरण
17. कुंथु — अज
18. अर — मत्स्य
19. मल्लि (मिथिला नरेश की पुत्री) — कलश
20. सुव्रत — कच्छव
21. नामि — नीलकमल
22. अरिष्टनेमि या नेमि (कृष्ण के संबंधी) — शंख
23. पार्श्व — ऋजदार सर्प
24. महावीर — सिंह

77. प्राचीन भारतीय चित्रकला का वास्तविक प्रतिनिधित्व अजन्ता गुफाओं में बने चित्र करते हैं। इस शैली का विकास शुंग, कुषाण, गुप्त, वाकाटक एवं चालुक्य वंशीय राजाओं के काल में हुआ। अजंता में बने चित्र भारतीय चित्रकला की महान परंपरा को दर्शाते हैं। अजन्ता में 29 गुफाएँ हैं—ये सभी अर्द्धगोलाकार चट्टानी कगार में खुदाई करके बनाई गई हैं। गुफा संख्या 9, 10, 19 और 26 चैत्य हैं और शेष विहार या भिक्षु आवास हैं। अजंता की गुफाओं में 9वीं व 10वीं गुफा सबसे प्राचीन मानी जाती है। माना जाता है कि इन गुफाओं के चित्र शुंगकालीन (ईसा पूर्व पहली सदी) के हैं, बाकी चित्रों के पीछे गुप्तकालीन प्रेरणा है। कुछ गुफाओं के चित्र वाकाटक और चालुक्य वंशीय शासकों के संरक्षण में भी बने हैं। 8वीं, 12वीं व 13वीं गुफा के चित्र अपना अस्तित्व लगभग खो चुके हैं। अजंता की गुफा संख्या 17वीं में सबसे अधिक चित्र हैं।

अजंता की गुफा संख्या 2 में निम्नलिखित भित्तिचित्र प्राप्त हुए हैं—सर्वनाश, माया देवी का स्वप्न, महारानी का पितृ गृह गमन, महाहंस जातक, विदुर पंडित जातक, झूलती हुई राजकुमारी, दो बाएँ अँगूठे वाली नारी, बुद्ध जन्म, बुद्ध के सात कदम, एक हजार बुद्ध, इन्द्रलोक, तुषित स्वर्ग में भोज तत्व, श्रावस्ती का चमत्कार और सुनहरे मृग का उपदेश आदि।

78. महत्वपूर्ण सामाजिक सुधार अधिनियम

वर्ष	अधिनियम	विषय
1802	शिशुवध प्रतिबंध अधिनियम	शिशुओं को मारने पर रोक
1829	सती प्रथा प्रतिबंध अधिनियम	सती प्रथा पर पूरी तरह रोक (राजा राममोहन राय का प्रयास)
1829	बाल विवाह निषेध अधिनियम	18 वर्ष से कम आयु के लड़कों के विवाह पर प्रतिबंध
1843	दास प्रथा प्रतिबंध अधिनियम	दास प्रथा पर पूर्णतः प्रतिबंध
1856	हिन्दू विधवा पुनर्विवाह अधिनियम	विधवा विवाह को वैध ठहराया गया (ईश्वरचन्द्र विद्यासागर का प्रयास)
1872	नेटिव मैरेज एक्ट	अंतर्जातीय विवाह को वैधानिकता (केशवचन्द्र सेन का प्रयास)
1891	एज ऑफ कंसेंट एक्ट	लड़की की सहमति की आयु 10 से बढ़ाकर 12 वर्ष की गई (बहरामजी मालाबारी का प्रयास)
1930	शारदा एक्ट	लड़कों के लिए विवाह की आयु 18 वर्ष की गई (हरबिलास शारदा का प्रयास)
1931	बाल विवाह निषेध अधिनियम	बाल विवाह को प्रतिबंधित किया गया।

79. स्तूप

- स्तूप का निर्माण बुद्ध के स्मृति अवशेषों को सुरक्षित रखने हेतु किया गया। स्तूप अर्द्धवृत्ताकार संरचना है जो चबूतरे के ऊपर एक उल्टे कटोरे की आकृति के रूप में होता है।
- स्तूप के शीर्ष पर हर्मिका नामक संरचना होती है, जहाँ अवशेष रखे जाते हैं। इसे सबसे पवित्र भाग माना जाता है। हर्मिका के ऊपर तीन छत्र होते हैं जो श्रद्धा, सम्मान एवं उदारता के प्रतीक हैं।
- चबूतरे के चारों ओर घूमने के लिए प्रदक्षिणा पथ होता है। यह पूरी संरचना एक वेदिका से घिरी होती है जहाँ तोरण द्वार बना होता है।
- स्तूप प्रायः ईंट या पत्थर से बने होते थे। आगे चलकर इसमें अलंकरण का प्रयोग होने लगा।
- प्रारंभिक स्तूपों में सांची का स्तूप प्रसिद्ध है। यहाँ तीन स्तूप बने हैं, पहला स्तूप मौर्यकाल का जबकि दूसरा व तीसरा स्तूप मौर्योत्तर काल का है।
- सांची के मौर्यकालीन स्तूप में रेलिंग नहीं है जबकि मौर्योत्तर काल के स्तूप में रेलिंग पाई जाती है।
- सांची स्तूप की वेदिका पर कोई अलंकरण नहीं है। सांची स्तूप से मिली पेटिका से बौद्ध धर्म प्रचारकों एवं शिष्टमंडल की सूची प्राप्त हुई है। इसी पेटिका से सारिपुत्र व महामोग्गलन के अस्थि अवशेष प्राप्त हुए हैं।
- भरहुत स्तूप में पालिशदार लाल बलुआ पत्थर का प्रयोग किया गया है। इसकी रेलिंग की डिजाइन आकर्षक है।
- नागार्जुन कोंडा स्तूप गोलाकार ईंटों द्वारा बनाई गईहै। इस स्तूप की प्रमुख विशेषता पाँच मुक्त खंभे हैं जो बुद्ध के जीवन (जन्म, त्याग, प्रथम उपदेश तथा महापरिनिर्वाण) की महत्वपूर्ण घटनाओं से संबंधित हैं।
- अमरावती स्तूप पर की गई नक्काशियों से बुद्ध के जीवन एवं शिक्षाओं का चित्रण मिलता है। इस स्तूप की वेदिका अलंकरणयुक्त है, जिसके निर्माण में संगमरमर का प्रयोग किया गया है।
- अमरावती स्तूप के सामने एक स्तंभ खड़ा है, जिसे आयक स्तंभ कहा गया है।
- सारनाथ से तीन स्तूप प्राप्त हुए हैं। प्रथम चौखंडी स्तूप, द्वितीय धर्मराजिका स्तूप तथा तृतीय धमेख स्तूप।

80. धर्मवीर भारती (25 दिसंबर, 1926–4 सितंबर, 1997) : आधुनिक हिन्दी साहित्य के प्रमुख लेखक, कवि, नाटककार और सामाजिक विचारक थे। वे एक समय की प्रख्यात साप्ताहिक पत्रिका धर्मयुग के प्रधान संपादक भी थे। डॉ. धर्मवीर भारती को 1972 में पद्मश्री से सम्मानित किया गया। उनका उपन्यास 'गुनाहों का देवता' सदाबहार रचना मानी जाती है। 'सूरज का सातवां घोड़ा' को कहानी कहने का अनुपम प्रयोग माना जाता है, जिस पर श्याम बेनेगल ने इसी नाम की फिल्म बनाई। 'अंधा युग' उनका प्रसिद्ध नाटक है।

विजय तेंदुलकर (जन्म : 6 जनवरी, 1928 – मृत्यु : 19 मई, 2008) का नाम आधुनिक भारतीय नाटक और रंगमंच के विकास में अग्रणी है। पाँच दशक से ज्यादा समय तक सक्रिय रहे तेंदुलकर ने रंगमंच और फिल्मों के लिए लिखने के अलावा कहानियाँ और उपन्यास भी लिखे। तेंदुलकर के 'गिधाड़े', 'कमला', 'कन्यादान' आदि नाटक भी बहुचर्चित हुए। विजय तेंदुलकर ने पचास से भी अधिक नाटकों की रचना की है। हिंदी में उनके तीस नाटकों का अनुवाद और मंचन किया जा चुका है। वर्ष 2007 में 'भूत' और वर्ष 2008 में 'विट्ठला' और 'एक जिद्दी लड़की' का हिंदी अनुवाद भी प्रकाशित हो गया है। 'खामोश अदालत जारी है', 'गिद्ध', 'सखाराम बाइंडर', 'जाति ही पूछो साधु की', 'घासीराम कोतवाल', 'कन्यादान', 'कमला' आदि नाटकों के जरिए तेंदुलकर की छवि नाट्य जगत में स्वीकृत हुई वह मराठी नाटककार की सीमा में बंधकर नहीं रह सकी।

गिरीश कर्नाड ने पहला नाटक कन्नड़ में लिखा और उसके बाद उसका अंग्रेजी अनुवाद किया। उनके नाटकों में 'ययाति', 'तुगलक', 'हयवदन', 'अंजु मल्लिगे', 'अग्निमतु माले', 'नागमंडल', 'अग्नि और बरखा' आदि बहुत प्रसिद्ध हैं। गिरीश ने कन्नड़ भाषा में अपनी रचनाएँ लिखीं। जिस समय उन्होंने कन्नड़ में लिखना शुरू किया, उस समय कन्नड़ लेखकों पर पश्चिमी साहित्यिक पुनर्जागरण का गहरा प्रभाव था।

हबीब तनवीर भारत के सबसे महशूर पटकथा लेखक, नाट्य निर्देशक, कवि और अभिनेता थे। हबीब तनवीर

हिन्दुस्तानी रंगमंच के शलाका पुरुष थे। उन्होंने लोकधर्मी रंगकर्म को पूरी दुनिया में प्रतिष्ठित किया और भारतीय रंगमंच को एक नया मुहावरा दिया।

प्रमुख कृतियाँ–आगरा बाजार (1954); शतरंज के मोहरे (1954); लाला शोहरत राय (1954); मिट्टी की गाड़ी (1958); गाँव का नाम ससुराल मोर नाम दामाद (1973); चरणदास चोर (1975); पोंगा पण्डित : द ब्रोकन ब्रिज (1995); जहरीली हवा (2002); राज रक्त (2006)।

82. भारतीय पुरातत्व सर्वेक्षण के अरुण सोनकिया को मध्य नर्मदा घाटी में होशंगाबाद जिले में स्थित हथनोरा नामक पुरास्थल से मानव की एक खोपड़ी का जीवाश्म मिला है। कुछ विद्वानों ने इसे होमो एरेक्टस वर्ग के अन्तर्गत रखा है तथा अन्य इसे 'विकसित होमो सेपियन्स' बताते हैं।

अन्य महत्वपूर्ण तथ्य–

- 1956 ई. में बी.बी. लाल ने व्यास नदी घाटी में अनेक पुरापाषाणीय बस्तियों की खोज की।
- एच.डी. सांकलिया ने महत्वपूर्ण ताम्रपाषाणिक स्थल नवदाटोली का उत्खनन कराया था।
- जी.आर. शर्मा इलाहाबाद विश्वविद्यालय से संबंद्ध थे। इन्होंने कौशाम्बी का उत्खनन कराया था।

85. **अल्तमगा**–मोहरबंद या शाही सीलयुक्त भूमि अनुदान जहाँगीर द्वारा शुरू किया गया था। इन भूमि अनुदानों को अल्तमगा इसलिए कहते थे क्योंकि इसी नाम की सम्राट की मोहर इन अनुदानों पर लगाई जाती थी। ये भूमि अनुदान जागीर-ए-वतन अथवा गृह जागीरों के रूप में मुसलमान सरदारों को दिए जाते थे।

86. बनावाली हरियाणा के हिसार जिले में स्थित है। यहाँ से दो संस्कृत अवस्थाओं के अवशेष मिले हैं। हड़प्पा पूर्व एवं हड़प्पाकालीन इस स्थल की खुदाई 1973-74 ई. में 'रवीन्द्र सिंह विष्ट' के नेतृत्व में की गई। यहाँ दुर्ग तथा निचला नगर अलग-अलग न होकर एक ही प्राचीर से घिरे थे। यहाँ से मिट्टी के बर्तन, गोलियाँ, मनके, ताँबे के वाणाग्र हल की आकृति के खिलौने आदि मिले हैं।

87. अशोक के चतुर्दश-शिलालेख या मुख्य शिलालेख निम्नलिखित स्थानों पर पाए जाते हैं–

1. **गिरनार :** सौराष्ट्र, गुजरात राज्य में जूनागढ़ के पास। इसी चट्टान पर शक महाक्षत्रप रुद्रदामन ने लगभग 150 ई. में संस्कृत भाषा में एक लेख खुदवाया। बाद में गुप्त-सम्राट स्कंदगुप्त (455-67 ई.) ने भी यहाँ एक लेख अंकित करवाया। चंद्रगुप्त मौर्य ने यहाँ 'सुदर्शन' नाम के एक सरोवर का निर्माण करवाया था। रुद्रदामन तथा स्कंदगुप्त के लेखों में इसी सुदर्शन सरोवर के पुनर्निर्माण की चर्चा है।
2. **कालसी :** देहरादून जिला, उत्तराखंड।
3. **सोपारा :** (प्राचीन सूप्पारक) ठाणे जिला, महाराष्ट्र। यहाँ से अशोक के शिलालेख के कुछ टुकड़े ही मिले हैं, जो मुम्बई के प्रिंस ऑफ वेल्स संग्रहालय में रखे हुए हैं।
4. **एर्रगुड़ी :** कर्नूल जिला, आंध्र प्रदेश।
5. **धौली :** पुरी जिला, ओडिशा।
6. **जौगड़ :** गंजाम जिला, ओडिशा।

89. इंडिका ग्रीक लेखक मेगस्थनीज द्वारा मौर्यकालीन भारत का एक लेख है। यह मूल रूप से प्राप्त नहीं हुई है परन्तु इसके कुछ भाग परवर्ती लेखकों के ग्रंथों से प्राप्त हुए हैं इनमें डियोडोरस, सुकीलस, स्ट्रैबो (जियोग्राफिक), प्लिनी और एरियन (इंडिका), प्लूटार्क, जस्टिन के नाम उल्लेखनीय हैं।

90. ह्यूम के उद्देश्य भी मिश्रित थे। जिन उदारवादी भारतीय बुद्धिजीवियों ने कांग्रेस स्थापना में सहयोग दिया, वे उच्च चरित्रवाले देशभक्त थे, जिन्होंने स्वेच्छा से ह्यूम की सहायता को स्वीकार किया और वे सरकारी विरोध को दूर रखना चाहते थे ताकि प्रारंभिक राष्ट्रीय कार्यक्रम को बल मिल सके। दादाभाई नौरोजी, न्यायमूर्ति रानाडे, फिरोजशाह मेहता, जी. सुब्रह्मण्य अय्यर इत्यादि ने ह्यूम का समर्थन इसी उद्देश्य से किया था कि जैसा कि गोखले ने 1913 में स्पष्ट किया : 'भारतीय राष्ट्रीय कांग्रेस की स्थापना कोई भारतीय नहीं कर सकता था। यदि कोई भारतीय अखिल भारतीय स्तर पर ऐसे आन्दोलन की शुरुआत करता, तो सरकार ऐसे आन्दोलन को अस्तित्व में ही नहीं आने देती। यदि कांग्रेस का संस्थापक एक महान अंग्रेज और पूर्व सरकारी अधिकारी न होता तो उन दिनों में राजनीतिक संघर्ष के विरुद्ध सरकारी अविश्वास के होते, सरकार आन्दोलन को दबाने का कोई न कोई उपक्रम ढूँढ ही लेती।'

पिछले प्रश्न-पत्र (हल सहित)

National Testing Agency (NTA)

UGC-NET जूनियर रिसर्च फैलोशिप तथा सहायक प्राध्यापक पात्रता परीक्षा

इतिहास, जून–2019*

प्रश्न-पत्र-II

नोटः *इस प्रश्न-पत्र में* ***सौ (100)*** *बहु-विकल्पीय प्रश्न हैं। प्रत्येक प्रश्न के* ***दो (2)*** *अंक हैं।* ***सभी*** *प्रश्न* ***अनिवार्य*** *हैं।*

1. भरतपुर पुरातात्विक स्थल के संबंध में निम्नलिखित में से कौन-सा वक्तव्य सही **नहीं** है?

A. यह पश्चिम बंगाल में स्थित है

B. यह राजस्थान में स्थित है जहाँ से प्रवासी पक्षियों की हड्डियों के अवशेष मिले थे।

C. कालावधि I में मछली पकड़ने, शिकार करने और कृषि के साक्ष्य मिले हैं।

D. कालावधि II में लोहे और उत्तरी काले चमकदार मृदभांड के प्रयोग के साक्ष्य मिले हैं।

2. निम्नलिखित में से किसमें रेडियोकार्बन काल-निर्धारण तकनीक लागू की जाती है?

A. पुरालेख विद्या B. पुरातत्व विज्ञान

C. पाण्डुलिपि D. पुरालेख सामग्री

3. "संभवतः शकों द्वारा उनके राजनीतिक प्रभुत्व हेतु अपनाया गया सांस्कृतिक नवाचार ही था कि एक नए युग का नाम उनके नाम पर रखा गया।" शेल्डन पोलॉक के अनुसार यह "सांस्कृतिक नवाचार" क्या था?

A. भारी बख्तयुक्त सेना

B. पार्थियन शॉट

C. शराब, मांस और सिले हुए वस्त्रों का प्रयोग

D. राजनीतिक प्रयोजनों हेतु संस्कृत का प्रयोग

4. निम्नलिखित में से कौन-सा गलत तरीके से सुमेलित है?

A. आर.एस. शर्मा : *अर्बन डिके इन इंडिया*

B. जोना विलियम्स : *द आर्ट ऑफ गुप्ता इंडिया : एंपायर एंड प्रोविंस*

C. ए.एल. बाशम : *द वंडर दैट वाज इंडिया*

D. रोमिला थापर : *मिथ एंड रियलिटी, स्टडीज इन द फॉर्मेशन ऑफ इंडियन कल्चर*

5. सूची-I को सूची-II के साथ सुमेलित कीजिए :

सूची-I (स्थान)	सूची-II (काल)
(*a*) किली गुल मोहम्मद	(*i*) 3370-2530 ई.पू.
(*b*) डम्ब सादथ	(*ii*) 4555-3885 ई.पू.
(*c*) कालीबंगा	(*iii*) 2980-1865 ई.पू.
(*d*) राना गुंडाई	(*iv*) 4550-3165 ई.पू.

नीचे दिए गए विकल्प में से सही उत्तर का चयन कीजिए :

	(*a*)	(*b*)	(*c*)	(*d*)
A.	(*i*)	(*ii*)	(*iii*)	(*iv*)
B.	(*ii*)	(*i*)	(*iii*)	(*iv*)
C.	(*iii*)	(*iv*)	(*ii*)	(*i*)
D.	(*iv*)	(*ii*)	(*iii*)	(*i*)

6. धर्मशास्त्र रचनाओं के संबंध में निम्नलिखित में से कौन-सा वक्तव्य सही नहीं है?

A. इनमें चार *वर्णों* और सामाजिक जीवन के मानदंडों का संदर्भ है।

B. इनमें विभिन्न *जातियों* का संदर्भ नहीं है।

C. इनमें *देश-धर्म* और *कुल-धर्म* का संदर्भ है।

D. इनमें जोर दिया जाता है कि प्रत्येक व्यक्ति अपने *वर्ण* के *धर्म* का पालन करे।

7. उस स्थल की पहचान कीजिए जहाँ घोड़ा होने के प्रमाण नहीं मिलते हैं?

*Exam held on 20 June, 2019.

A. गालिगाइ (1895-1695 ई.पू.)
B. बुर्जहोम (1700 ई.पू.)
C. पिराक (करीब 1300 ई.पू.)
D. इनामगाँव (करीब 1400 ई.पू.)

8. चट्टानों और मुक्त रूप से खड़े स्तम्भों पर उत्कीर्ण लेखों के लोक प्रदर्शन की विधि भारतीय शासकों द्वारा निम्नलिखित में से किनके द्वारा अपनाई गई संबंधित प्रथा का अनुकरण थी?

A. अखेमनी B. यूनानी
C. शक D. पार्थियन

9. नीचे दो कथन दिए गए हैं, एक को अभिकथन (A) कहा गया है और दूसरे को कारण (R) कहा गया है :

अभिकथन (A) : राष्ट्रवादी इतिहास लेखन ने भारतीय संस्कृति के आध्यात्मिक घटक तथा पश्चिमी संस्कृति के भौतिकवादी आधार को एक आवश्यक और अंतर्निहित अंतर के रूप में देखा।

कारण (R) : यह अंशतः उस विचार की प्रतिक्रिया थी जिसकी यह धारणा थी कि धर्म भारत के पारंपरिक समाज में एक ऐसा केन्द्रीय कारक था जिसने प्रगति को अवरुद्ध किया।

उपर्युक्त दो कथनों के संदर्भ में निम्न में से क्या सही है?

A. (A) और (R) दोनों सही हैं और (A) की सही व्याख्या (R) है।
B. (A) और (R) दोनों सही हैं, परन्तु (A) की सही व्याख्या (R) नहीं है।
C. (A) सही है, परन्तु (R) गलत है।
D. (A) गलत है, परन्तु (R) सही है।

10. नीचे दो कथन दिए गए हैं, एक को अभिकथन (A) कहा गया है और दूसरे को कारण (R) कहा गया है :

अभिकथन (A) : अब इस संबंध में काफी कम संदेह है कि सिन्धु घाटी सभ्यता के कतिपय पहलू द्वितीय और प्रथम सहस्राब्दि की संस्कृतियों में मिलते हैं।

कारण (R) : सिंधु घाटी सभ्यता और वैदिक संस्कृति के बीच प्रारंभिक हैती सभ्यता के अस्तित्व को अब नहीं माना जाता है।

उपर्युक्त दो कथनों के संदर्भ में निम्न में से क्या सही है?

A. (A) और (R) दोनों सही हैं और (A) की सही व्याख्या (R) है।
B. (A) और (R) दोनों सही हैं, परन्तु (A) की सही व्याख्या (R) नहीं है।
C. (A) सही है, परन्तु (R) गलत है।
D. (A) गलत है, परन्तु (R) सही है।

11. अग्रहारों के संबंध में निम्नलिखित में से कौन-से वक्तव्य सही हैं?

(*a*) यह एक संस्कृत शब्द है जिसका प्रयोग विशेष रूप से प्रथम सहस्राब्दी के मध्य से हुआ था।
(*b*) यह एक ऐसा शब्द था जो ब्राह्मणों को दिए जाने वाले भूमि अनुदान की एक श्रेणी का पदनाम था।
(*c*) सामान्य तौर पर ये अनुदान स्थायी होते थे।
(*d*) दान प्राप्तकर्ता को उत्पादन संघटित करने और भूमि से राजस्व व अन्य संसाधन एकत्र करने का अधिकार दिया जाता था।

नीचे दिए गए विकल्पों से सही उत्तर चुनिए।

A. केवल (*a*), (*c*) और (*d*)
B. केवल (*b*) और (*d*)
C. (*a*), (*b*), (*c*) और (*d*)
D. केवल (*a*), (*b*) और (*c*)

12. राजशेखर के संबंध में निम्नलिखित में से कौन-सा वक्तव्य सही है?

A. वह चोल वंश का सर्वाधिक शक्तिशाली शासक (985-1014 सी.ई.) था।
B. वह प्रतिहार शासक महेन्द्रपाल और महिपाल का दरबारी कवि (सी. 9वीं-10वीं शताब्दी सी.ई.) था।
C. वह पुराणों में उल्लिखित सातवाहन (सी. 230 बी.सी.ई.) का पहला ज्ञात शासक था।
D. उसने संगम संकलन के दस परितोष गीतों में से एक सिरिपांडरुंप्पतल की रचना की।

13. निम्नलिखित में से कौन-सा सही सुमेलित **नहीं** है?

A. नागर शैली : नागर मंदिरों का आधार वर्गाकार होता है जिसकी प्रत्येक भुजा के मध्य में अनेक प्रक्षेप होते हैं जो उसे क्रॉस-रूप प्रदान करते हैं।

B. द्रविड़ शैली : इस शैली की सबसे महत्वपूर्ण विशेषता उनके पिरामिडाकार शिखर हैं।

C. कश्मीरी शैली : यह बाह्य विश्व के किसी भी प्रकार के प्रभाव से रहित विशुद्ध स्थानीय शैली है।

D. वासर शैली : यह उत्तरी और दक्षिणी शैलियों का मिश्रण है।

14. सूची-I को सूची-II के साथ सुमेलित कीजिए :

सूची-I (लेखक)	**सूची-II (लेख)**
(*a*) इरफान हबीब	(*i*) परहैप्स दि अर्लिएस्ट प्लाउड फील्ड सो फार एक्सकेवेटिड एनीह्वेयर इन दि वर्ल्ड
(*b*) बी.बी. लाल	(*ii*) इमेजिनिंग रिवर सरस्वती—अ डिफेन्स ऑफ कॉमन सेंस
(*c*) आर.एच. मीडो	(*iii*) रीजनल इंटरेक्शन इन इंडस वैली अर्बेनाइजेशन
(*d*) मार्सिया ए. फेन्ट्रेस	(*iv*) दि डोमेस्टिकेशन एंड एक्सप्लायटेशन ऑफ प्लांट्स एंड एनिमल्स इन दि ग्रेटर इंडस वैली

नीचे दिए गए विकल्प में से सही उत्तर का चयन कीजिए :

	(*a*)	(*b*)	(*c*)	(*d*)
A.	(*i*)	(*iii*)	(*ii*)	(*iv*)
B.	(*iv*)	(*i*)	(*ii*)	(*iii*)
C.	(*ii*)	(*i*)	(*iii*)	(*iv*)
D.	(*ii*)	(*i*)	(*iv*)	(*iii*)

15. बागोर साइट के संबंध में निम्नलिखित में से कौन-सा सही **नहीं** है?

A. यह राजस्थान में अवस्थित है।

B. इसके विशुद्ध मध्यपाषाण प्राक्-भाण्ड चरण के होने के संबंध में हमारे पास 5365-3775 ई.पू. की अवधि की कार्बन तिथियाँ हैं।

C. इसके प्रारंभ से ही कृषि संबंधी चिह्न पाए गए हैं।

D. जबु, बैल, भेड़, बकरी और सुअर का करीब 5000 ई.पू. से ही पालतू पशु के रूप में पालन किया जाता था।

16. नीचे दो कथन दिए गए हैं, एक को अभिकथन (A) कहा गया है और दूसरे को कारण (R) कहा गया है :

अभिकथन (A) : तर्क दिया जाता है कि आरंभिक ऐतिहासिक दक्षिण भारत में कवियों द्वारा किया गया गुणगान राजनीतिक सत्ता का आधार नहीं था।

कारण (R) : उक्त काल के कवि अपनी भौतिक खुशहाली के लिए राजाओं पर निर्भर होते थे।

उपर्युक्त दो कथनों के संदर्भ में निम्न में से क्या सही है?

A. (A) और (R) दोनों सही हैं और (A) की सही व्याख्या (R) है।

B. (A) और (R) दोनों सही हैं, परन्तु (A) की सही व्याख्या (R) नहीं है।

C. (A) सही है, परन्तु (R) गलत है।

D. (A) गलत है, परन्तु (R) सही है।

17. कालीबंगा, जहाँ प्राक्-हड़प्पा संस्कृति के अनेक स्थल पाए गए हैं, निम्नलिखित किस क्षेत्र में स्थित था?

A. सिंध B. पंजाब

C. राजस्थान D. गुजरात

18. निम्नलिखित में से कौन-सा गलत है?

A. लेखन के दैनंदिन कार्य बन जाने के बहुत दिनों बाद तक मौखिक परम्परा के प्रति मोह बना रहा।

B. भर्तृहरि ने घोषणा की थी कि 'समझ के पास वाक् रूप होता है—वाक् प्रकटीत जागरूकता सभी प्रकार के ज्ञान की नींव है।'

C. इस प्रकार भारतीयों ने 'कंठस्थ' की अपेक्षा 'ग्रंथस्थ' को वरीयता दी।

D. नौवीं शताब्दी के लातिनी वैयाकरणों का विचार आदर्शक भारतीय विचारों से बिल्कुल अलग था। इसलिए यूरोप में विद्वान व्यक्ति वह था जो 'लिटरेट्स' अर्थात् पढ़ा-लिखा (लेटर्ड मैन) होता था।

19. निम्नलिखित में से किसको खगोलीय उपकरणों के सुव्यवस्थित विवरण वाली पहली उपलब्ध भारतीय रचना कहा जाता है?

A. आर्यभटिया
B. सूर्य सिद्धांत
C. ब्रह्मास्फुट सिद्धांत
D. खंड़ाखड़ाइका

20. निम्नलिखित में से कौन-सा मनुस्मृति में मिश्रित जातियों को दिए जाने वाले विभिन्न दर्जों के संबंध में सही **नहीं** है?

A. वर्ण व्यवस्था में एक दर्जा कम की पत्नी से जन्मे बच्चों को द्विजों के भाग के रूप में स्वीकृति मिलती थी।
B. वर्ण दर्जे के हिसाब से दो या तीन डिग्री नीचे की महिला से जन्मे बच्चों से शूद्रों में एक नया समूह निर्मित होता था।
C. यदि महिला का संबंधित दर्जा पुरुष के दर्जे से ऊँचा होता था, तो ऐसे विवाह की संततियों को माता-पिता के दर्जे से नीचे रखा जाता था।
D. *अनुलोम* विवाह को *प्रतिलोम* विवाह की अपेक्षा कहीं अधिक, पवित्र कानून का उल्लंघन करने वाला माना जाता था।

21. निम्नलिखित में से किस महाजनपद से यूनानियों के खिलाफ लड़ने वाली फारसी सेना को पुरुषों और सामग्री की आपूर्ति होती थी?

A. गांधार B. कंबोज
C. मगध D. वत्स

22. "यदि हम अहार में निकले लोहे की बात छोड़ दें तो भारत में प्रारंभिक लौह स्तर हेतु सभी 14 कार्बन (14 C) तिथियाँ करीब 1000 ई.पू. अथवा इससे थोड़ा पहले की आती हैं।" यह मत किसका है?

A. राकेश तिवारी
B. बी.एंड आर. अल्चिन
C. इरफान हबीब
D. बी. शशिकरन

23. बदामी के निकट महाकुटेश्वर स्थित मंदिरों के समूह से उस मंदिर को पहचानें जिसके गर्भगृह के एक भाग का कुछ महत्व है।

A. गलागनाथ B. संघमेश्वर
C. हुचिमल्लीगुडी D. कदासिद्धेश्वर

24. निम्नलिखित में से कौन-सा मिल के हिस्ट्री ऑफ ब्रिटिश इंडिया के संबंध में सही **नहीं** है?

A. इसने भारत की पारंपरिक संस्थाओं को जड़ और पश्चगामी पाया।
B. मिल द्वारा किया गया विश्लेषण साम्राज्यिक सरकार के अनुकूल था।
C. यह हेलीबरी कॉलेज में भारतीय सिविल सेवा के ब्रिटिश अधिकारियों हेतु भारत के संबंध में एक पाठ्यपुस्तक बनी।
D. इस पर ब्रिटिश उपयोगितावादी दर्शन का कोई असर नहीं था।

25. नीचे दो कथन दिए गए हैं, एक को अभिकथन (A) कहा गया है और दूसरे को कारण (R) कहा गया है :

अभिकथन (A) : गुप्त काल को सांस्कृतिक विकास के क्षेत्र में प्रायः क्लासीकल युग कहा जाता है।

कारण (R) : गुप्त काल के कलात्मक आदर्शों की प्रशंसा करते हुए यह तर्क दिया जाता है कि यह एक ऐसा युग है जिसमें कलात्मक क्रियाकलापों का आश्चर्यजनक विकास देखने को मिला।

उपर्युक्त दो कथनों के संदर्भ में निम्न में से क्या सही है?

A. (A) और (R) दोनों सही हैं और (A) की सही व्याख्या (R) है।
B. (A) और (R) दोनों सही हैं, परन्तु (A) की सही व्याख्या (R) नहीं है।
C. (A) सही है, परन्तु (R) गलत है।
D. (A) गलत है, परन्तु (R) सही है।

26. निम्नलिखित में से कौन-सा छोटे सावधिक बाजारों तथा बड़े व्यापारिक केन्द्रों के बीच के स्थानीय विनिमय केन्द्र को इंगित करता है?

A. मंडपिका B. तेवराम

C. गण D. अग्रहार

27. नीचे दो कथन दिए गए हैं, एक को अभिकथन (A) कहा गया है और दूसरे को कारण (R) कहा गया है :

अभिकथन (A) : ऐसा माना जाता है कि अजातशत्रु ने 493 ई.पू. में अपने पिता की हत्या की। उसने कोसल को अपने राज्य में मिला लिया जबकि वहाँ का शासक उसका मामा था।

कारण (R) : मगध के बिंबिसार का पुत्र अजातशत्रु मगध का शासक बनने के लिए आतुर था और उसने अन्य क्षेत्रों को अपने राज्य में मिलाया।

उपर्युक्त दो कथनों के संदर्भ में निम्न में से क्या सही है?

A. (A) और (R) दोनों सही हैं और (A) की सही व्याख्या (R) है।

B. (A) और (R) दोनों सही हैं, परन्तु (A) की सही व्याख्या (R) नहीं है।

C. (A) सही है, परन्तु (R) गलत है।

D. (A) गलत है, परन्तु (R) सही है।

28. सूची-I को सूची-II के साथ सुमेलित कीजिए :

सूची-I (पुस्तक)	**सूची-II (लेखक)**
(*a*) काव्यदर्श	(*i*) अभिनवगुप्त
(*b*) अष्टाध्यायी	(*ii*) पतंजलि
(*c*) महाभाष्य	(*iii*) पाणिनी
(*d*) तंत्रलोक	(*iv*) दंडी

नीचे दिए गए विकल्प में से सही उत्तर का चयन कीजिए :

	(*a*)	(*b*)	(*c*)	(*d*)
A.	(*iv*)	(*ii*)	(*iii*)	(*i*)
B.	(*iv*)	(*iii*)	(*ii*)	(*i*)
C.	(*iii*)	(*ii*)	(*i*)	(*iv*)
D.	(*iii*)	(*i*)	(*ii*)	(*iv*)

29. सूची-I को सूची-II के साथ सुमेलित कीजिए :

सूची-I (राज्य)	**सूची-II (भौगोलिक सीमा)**
(*a*) अवन्ती	(*i*) मध्य भारत का मालवा क्षेत्र
(*b*) गांधार	(*ii*) आधुनिक पेशावर और रावलपिंडी जिले तथा कश्मीर घाटी
(*c*) चेदी	(*iii*) मध्य भारत में बुंदेलखंड का पूर्वी भाग
(*d*) वज्जि	(*iv*) नेपाल की पहाड़ियों तक गंगा का उत्तरी भाग

नीचे दिए गए विकल्प में से सही उत्तर का चयन कीजिए :

	(*a*)	(*b*)	(*c*)	(*d*)
A.	(*i*)	(*ii*)	(*iii*)	(*iv*)
B.	(*ii*)	(*iii*)	(*iv*)	(*i*)
C.	(*iii*)	(*ii*)	(*i*)	(*iv*)
D.	(*i*)	(*ii*)	(*iv*)	(*iii*)

निर्देश (प्रश्न संख्या 30 से 31 तक): निम्नलिखित परिच्छेद को पढ़ें और नीचे दिए गए प्रश्न के उत्तर दें।

पूर्व मध्यकाल के राजनीतिक इतिहास में राज्यों और भूमि-अनुदानों का विस्तार देखने को मिला। ब्राह्मणों को दिए जाने वाले भूमि-अनुदानों ने राजनीतिक शक्ति के विधिमान्यकरण में महत्वपूर्ण भूमिका निभाई और कृषि संबंधों पर उसका महत्वपूर्ण प्रभाव पड़ा। उपमहाद्वीप के विभिन्न भागों में कृषि का विस्तार हुआ और ग्रामीण समाज अत्यधिक स्तरीकृत बन गया। यह शहरी अवनति का काल नहीं था। यह दक्षिण भारत को देखने से बिल्कुल स्पष्ट है कि यहाँ शिल्पों, शहरों, व्यापार और व्यापार संघों का पर्याप्त विकास हुआ। उपमहाद्वीप चीन और दक्षिण-पूर्व एशिया के बीच व्यापारिक संबंधों में काफी विस्तार हुआ। भक्ति पूजा धार्मिक विचार और व्यवहार की प्रमुख विशेषता थी। मंदिर न केवल पवित्र स्थल थे, बल्कि शहरी केन्द्रों के मूल और राजनीतिक प्रतीक भी थे। उन्हें पर्याप्त संरक्षण मिला जिसके कारण वे विभिन्न सामाजिक समूहों के क्रियाकलापों और आकांक्षाओं के केन्द्र बिन्दु बन गए। संस्कृत और देशी भाषाओं में अनेक पुस्तकों की रचना सहित सांस्कृतिक क्षेत्र में पर्याप्त विकास हुआ। मंदिर स्थापत्यकला और मूर्तिकला का विकास और परिष्करण हुआ, विभिन्न क्षेत्रीय

शैलियाँ स्पष्ट दिखाई पड़ने लगीं। 600 से 1200 ई. के दौरान राजनीतिक, सामाजिक, आर्थिक और सांस्कृतिक स्तरों पर घटनाक्रम ने विशिष्ट क्षेत्रीय संघटनों और प्रतिमानों में निश्चित रूप धारण किया।

30. ब्राह्मणों को दिए गए भूमि-अनुदानों का क्या परिणाम हुआ?

(*i*) उन्होंने शासकों की स्थिति को सुदृढ़ किया।

(*ii*) इससे कृषि का विकास हुआ क्योंकि प्रायः अनुदान प्राप्तकर्ता को खेती के तहत नई भूमि लानी पड़ती थी।

(*iii*) भेदभावविहीन ग्रामीण समाज का और स्तरीकरण हुआ।

(*iv*) धार्मिक संस्थाओं और व्यक्तियों को भूमि-अनुदान प्रदान करने की प्रथा की शुरूआत 600 ई. से हुई।

नीचे दिए गए विकल्पों से सही उत्तर का चयन करें :

A. (*i*), (*ii*), (*iii*), (*iv*)
B. (*i*), (*ii*), (*iii*)
C. (*i*), (*iii*), (*iv*)
D. (*ii*), (*iii*), (*iv*)

31. यहाँ इंगित पूर्व मध्यकाल का प्रारंभ लगभग कब हुआ?

A. 1206 ई. B. 12वीं शताब्दी
C. 11वीं शताब्दी D. 600 ई.

32. नीचे दो कथन दिए गए हैं, एक को अभिकथन (A) कहा गया है और दूसरे को कारण (R) कहा गया है :

अभिकथन (A) : पूर्व मध्यकाल में सामंतवाद की कुछ महत्वपूर्ण विशेषताएँ पायी जाती थीं, परंतु यह यूरोपीय सामंतवाद से काफी भिन्न था।

कारण (R) : दक्षिण भारत में पूर्व मध्यकाल शहरी विकास का काल था जैसा कि शिल्पों, व्यापार, व्यापार संघों और शहरी केन्द्रों के विकास से स्पष्ट है।

उपर्युक्त दो कथनों के संदर्भ में निम्न में से क्या सही है?

A. (A) और (R) दोनों सही हैं और (A) की सही व्याख्या (R) है।
B. (A) और (R) दोनों सही हैं, परन्तु (A) की सही व्याख्या (R) नहीं है।
C. (A) सही है, परन्तु (R) गलत है।
D. (A) गलत है, परन्तु (R) सही है।

33. संगीत के संबंध में निम्नलिखित में से कौन-सा कथन सही **नहीं** है?

A. शास्त्रीय संगीत से संबंधित कृति लहजात-ए सिकंदरी की रचना सुल्तान सिकंदर के संरक्षण में हुई थी।
B. अबुल फजल ने छत्तीस संगीतकारों के नाम बताए हैं, जिन्होंने अकबर के दरबार में स्वर और वाद्य संगीत बजाया था।
C. शाहजहाँ ने अपने दरबार में न तो संगीत को प्रोत्साहित और न संगीतकारों को पुरस्कार प्रदान किए। उसकी रुचि स्थापत्यकला में थी।
D. औरंगजेब ने अपने शासनकाल के प्रारंभिक दस वर्षों के दौरान सामान्यतः संगीतकारों को पुरस्कार प्रदान किए और ऐसा लगता है कि वह संगीत के प्रति समर्पित था।

34. ताप्ती नदी के किनारे लगभग 1400 ई. में बुरहानपुर शहर की स्थापना किसने की थी?

A. नासिर खाँ फारुकी
B. मुहम्मद कुली
C. इब्राहिम आदिल शाह
D. सुल्तान कुली

35. सूची-I को सूची-II के साथ सुमेलित कीजिए :

सूची-I (स्रोत)	**सूची-II (क्षेत्र)**
(*a*) चचनामा	(*i*) गुजरात
(*b*) रियाज उस सलातिन	(*ii*) दक्कन
(*c*) मिरात-ए अहमदी	(*iii*) बंगाल
(*d*) नुस्खा-ए दिलकुशा	(*iv*) सिंध

नीचे दिए गए विकल्प में से सही उत्तर का चयन कीजिए :

	(*a*)	(*b*)	(*c*)	(*d*)
A.	(*iv*)	(*iii*)	(*i*)	(*ii*)
B.	(*ii*)	(*iv*)	(*iii*)	(*i*)
C.	(*iv*)	(*ii*)	(*iii*)	(*i*)
D.	(*iii*)	(*i*)	(*iv*)	(*ii*)

36. "सूफीवाद तब सर्वेश्वरवादी बनना शुरू हुआ जब इब्न अल-अरबी (1240 में मृत्यु) के विचार सबसे पहले जलालुद्दीन रूमी (1207-73) और अब्दुर रहमान जउनी (1414-92) के फारसी काव्य और उसके बाद अशरफ जहाँगीर सिमनोनी (पंद्रहवी शताब्दी के प्रारंभ) के भारत के भीतर प्रयासों पर अपना प्रभाव डालने लगे। इसी समय शंकराचार्य की वेदांत विचारधारा के सर्वेश्वरवाद का प्रभाव ब्राह्मणवादी विचारों के भीतर लगातार बढ़ रहा था।"

निम्नलिखित में से वह कौन-सा मुगल शासक था जिसने सबसे पहले इस विचार को पहचाना?

A. बाबर B. अकबर
C. जहाँगीर D. औरंगजेब

37. "उसने सड़कों पर सुरक्षा सुनिश्चित करने और यात्रियों को सुविधाएँ प्रदान करने के लिए राजमार्ग पर दो कोस की दूरी पर सरायों का निर्माण कराया। यहाँ यात्री बिस्तर और पका भोजन प्राप्त कर सकते थे। बिना पके भोजन की आपूर्ति की भी व्यवस्था थी। उसने ऐसी लगभग 1700 सरायों का निर्माण कराया।" यह शासक कौन है?

A. इब्राहिम लोदी B. शेरशाह
C. अकबर D. शाहजहाँ

38. निम्नलिखित में से कौन-सा/से कथन सही है/हैं?

(*a*) इब्न-बतूता भारत में उत्पादित आम का बढ़ा-चढ़ाकर वर्णन करता है।
(*b*) वह गुठली बोकर उसके उत्पादन का उल्लेख करता है।
(*c*) इब्न-बतूता उल्लेख करता है कि भारत में आम की कलम बाँधने की प्रथा थी।

नीचे दिए गए विकल्पों से सही उत्तर का चयन करें :

A. केवल (*a*) B. केवल (*c*)
C. (*a*) और (*b*) D. (*b*) और (*c*)

39. भारत में निम्नलिखित में से किस उत्पाद की शुरूआत पुर्तगालियों द्वारा नहीं की गई थी?

A. तम्बाकू B. पान
C. काजू D. अनन्नास

40. निम्नलिखित में से कौन-से कर मुक्त व्यापार सुविधाएँ प्रदान करने और करों में कमी किए जाने की श्रेणी में आते हैं?

(*a*) साइर-दाम
(*b*) मुकांता
(*c*) मापा
(*d*) राहदारी

नीचे दिए गए विकल्पों से सही उत्तर का चयन करें :

A. (*a*) और (*b*) B. (*b*) और (*c*)
C. (*b*) और (*d*) D. (*a*), (*c*) और (*d*)

41. भारत और उज्बेकिस्तान के दो बादशाहों के नाम बताइए जो हिन्दू-कोह या हिन्दू कुश को दोनों साम्राज्यों की सीमा तय करने पर सहमत हुए।

A. अकबर और अब्दुल्ला खाँ उज्बेक
B. जहाँगीर और अब्दुल्ला खाँ उज्बेक
C. जहाँगीर और अब्दुल मुमीन उज्बेक
D. शाहजहाँ और इमाम कुली

42. सिखों द्वारा मुफ्त रसोई (लंगर) की अवधारणा कहाँ से अपनाई गई थी?

A. हिन्दू मंदिरों से B. गिरिजाघरों से
C. सूफी दरगाहों से D. शंकराचार्य के मठों से

43. फ्रांसीसी यात्री जीन-बैप्टिस्ट टैवर्नियर ने गोलकोंडा के राजधानी नगर को क्या नाम दिया था?

A. गोलकोंडा B. भागनगर
C. फलकनुमा D. हैदराबाद

44. 600 से 1200 ई. के बीच की अवधि के दौरान क्षेत्रीय संघटनों के उदय के लिए निम्नलिखित में से क्या प्रासंगिक नहीं है?

(*i*) संस्कृत ग्रन्थों का विकास
(*ii*) देशी भाषाओं का विकास
(*iii*) स्थापत्यकला और कला का परिष्करण
(*iv*) कला और स्थापत्यकला की विशिष्ट शैलियों का उदय

नीचे दिए गए विकल्पों से सही उत्तर का चयन करें :

A. (*ii*), (*iv*) B. (*iii*), (*iv*)
C. (*i*), (*iii*) D. (*i*), (*ii*)

45. सूची-I को सूची-II के साथ सुमेलित कीजिए :

सूची-I	सूची-II
(*a*) मलिक सरवर	(*i*) गुजरात सल्तनत
(*b*) जफर खाँ	(*ii*) बहमनी सल्तनत
(*c*) दिलावर खाँ गोरी	(*iii*) जौनपुर सल्तनत
(*d*) अलाउद्दीन हसन	(*iv*) मालवा सल्तनत

नीचे दिए गए विकल्प में से सही उत्तर का चयन कीजिए :

	(*a*)	(*b*)	(*c*)	(*d*)
A.	(*iii*)	(*iv*)	(*i*)	(*ii*)
B.	(*ii*)	(*i*)	(*iv*)	(*iii*)
C.	(*iii*)	(*i*)	(*iv*)	(*ii*)
D.	(*iv*)	(*iii*)	(*ii*)	(*i*)

46. अलाउद्दीन की कृषि व्यवस्था में गियासुद्दीन तुगलक द्वारा अनेक परिवर्तन किए गए। इस संदर्भ में निम्नलिखित में से कौन-सा सही नहीं है?

A. उसने किसानों का बोझ कम करने के लिए हुक्म-ए-मसाहत (माप) के स्थान पर हुक्म-ए हासिल (फसल बँटाई) को अपनाया।

B. गियासुद्दीन ने ग्राम प्रमुखों को साधारण किसानों के स्तर पर लाने के अलाउद्दीन के सिद्धांत में विश्वास नहीं किया और उनकी परिलब्धियों को बहाल किया।

C. उसने खेती और चारागाह को कर-निर्धारण से छूट प्रदान की।

D. उसने भू-राजस्व की प्रथा को भी जारी रखा और उसे प्रोत्साहित किया।

47. सिख धर्म के संबंध में निम्नलिखित में से कौन-से कथन सही हैं?

(*a*) 1750 ई. के दशक से सिख दल और मिसल (समूह) अलग-अलग प्रमुखों (सरदारों) के नेतृत्व में अधिक से अधिक शक्तिशाली बन गए जिन्होंने अत्यंत पेशेवर तरीके से हथियारबंद सैनिक संगठित किए।

(*b*) चक गुरु (अमृतसर) में वार्षिक 'सरबत खालसा' के आयोजन की प्रथा थी, परंतु आपसी मतभेद के कारण प्रत्येक सरकार ने अपने लिए अलग क्षेत्र के निर्माण का इरादा बनाया।

(*c*) इस प्रक्रिया पर अंत में रणजीत सिंह (1780-1839) ने रोक लगाई, उन्होंने खालसा के नाम से पंजाब में एक राज्य की स्थापना की।

(*d*) सभी गुरु खत्री थे, परंतु सत्रहवीं शताब्दी में उनके सेनापति अर्थात् मसंद अधिकांशतः जाट थे।

नीचे दिए गए विकल्पों से सही उत्तर का चयन करें :

A. केवल (*a*), (*b*) और (*d*)

B. केवल (*b*), (*c*) और (*d*)

C. (*a*), (*b*), (*c*), (*d*)

D. केवल (*c*) और (*d*)

48. निम्नलिखित में से कौन-सा कथन सही **नहीं** है?

A. बतूतेदारों से यह अपेक्षा की जाती थी कि जरूरत पड़ने पर वे अपनी क्षमता के अनुसार ग्रामीणों की सेवा करें।

B. उनका पारिश्रमिक हमेशा वस्तु के रूप में दिया जाता था।

C. वे गाँव के मंदिरों के चढ़ावे का एक निश्चित हिस्सा और विशेष अवसरों पर कुछ अन्य परिलब्धियों के पात्र थे।

D. स्थायी बतूतेदारों के सेवा के अधिकार और विभिन्न पारिश्रमिक प्राप्त करने के अधिकार को उनके मिरास या वतन के रूप में मान्यता प्रदान की गई थी।

49. निम्नलिखित में से कौन-सी फारसी पुस्तक में कपास धुनने के चाप का प्रारंभिक साहित्यिक संदर्भ मिलता है?

A. मिफ्ताह-उल फुजाता

B. काव्वा'ज लेक्सिकन

C. सीरत-ए फिरोजशाही

D. फुतुहात-ए फिरोजशाही

50. गुरु नानक के संबंध में निम्नलिखित में से कौन-सा कथन सही **नहीं** है?

A. जब नानक सोलह वर्ष के थे, तभी उनके माता-पिता ने उनकी शादी कर दी, बाद वह एक व्यापारी और किसान बन गए।

B. भाई मरदाना की गुरु नानक से मुलाकात हुई और वे आजीवन मित्र बने रहे।

C. उन्होंने हिन्दू और सूफी धार्मिक स्थलों के दर्शन करते हुए पानीपत से असम की यात्रा की।
D. वह श्रीलंका गए, परंतु कश्मीर जाने की तीव्र इच्छा के बावजूद वहाँ नहीं जा पाये।

51. निम्नलिखित कथन को पढ़कर नीचे दिए गए विकल्पों से सही उत्तर का चयन करें :

''समाजशास्त्रियों ने यह बताया है कि जातियाँ भी 'संस्कृतीकरण के रूपों के अंतर्गत अपने व्यवसायों के साथ-साथ अपने दर्जे में कैसे परिवर्तन करती हैं।''

संस्कृतीकरण के सिद्धांत का प्रतिपादन किसने किया था?

A. कार्ल मार्क्स
B. एम.एन. श्रीनिवास
C. रोमिला थापर
D. मैक्स वैबर

52. शाहजहानाबाद में साहिबाबाद बगीचे का निर्माण किसने करवाया था, जिसे धनी व्यापारियों के लिए सराय के रूप में उपयोग किया जाता था?

A. नूरजहाँ
B. रोशन आरा बेगम
C. जहाँ आरा बेगम
D. जीनत उन निसा

53. निम्नलिखित में से कौन-से स्रोत सिंध के इतिहास से संबंधित हैं?

(*i*) फतवा-ए जहाँदारी
(*ii*) मिरात-ए सिकन्दरी
(*iii*) तारीख-ए ताहिरी
(*iv*) मजहर-ए शाहजहानी

नीचे दिए गए विकल्पों से सही उत्तर का चयन करें :

A. केवल (*i*) और (*ii*)
B. केवल (*ii*), (*iii*) और (*iv*)
C. केवल (*i*) और (*iii*)
D. केवल (*iii*) और (*iv*)

54. मीर जुमला ने अहोम राज्य पर हमला करके अहोम की राजधानी गढ़गाँव पर कब्जा कर लिया। 1663 ई. में अहोम राज्य और उसके बीच एक संधि हुई। अहोमों ने किस वर्ष मुगलों को कुच हाजी को छोड़ने और मानस नदी को सीमा के रूप में स्वीकार करने के लिए बाध्य किया?

A. 1667 B. 1681
C. 1685 D. 1689

55. अलाउद्दीन खिलजी की मौत के बाद उसकी मूल्य नियंत्रण व्यवस्था ध्वस्त हो गई और कुतुबुद्दीन मुबारक खिलजी के शासनकाल में कीमतों में तेजी से बढ़ोत्तरी हुई। निम्नलिखित में से कौन-सा इतिहासकार/यात्री मुबारक खिलजी के शासनकाल के दौरान बढ़ती कीमतों के बारे में उल्लेख करता है?

A. शेख मुबारक
B. याह्या बिन अहमद सरहिंदी
C. शैफुद्दीन अली यजदी
D. मिर्जा हैदर दुगलत

56. निम्नलिखित में से कौन-से विद्वानों ने 1579 ई. में महजर का प्रारूप तैयार किया था?

A. अबुल फजल और शेख मुबारक
B. शेख मुबारक और अब्दुन नबी
C. अब्दुन नबी और बदायूंनी
D. शेख मुबारक और फैजी

57. शाहजहाँ पहला मुगल बादशाह था जिसने माही-मरातिब नामक एक नए ध्वज की शुरूआत की। इसे किसी व्यक्ति को प्रदत्त सर्वोच्च सम्मान माना जाता था। शाहजहाँ से पहले कौन-सा भारतीय शासक इसे प्रदान किया करता था?

A. सिंध के अरब शासक
B. दिल्ली के सुल्तान
C. दिल्ली के सूर
D. मालवा के सुल्तान

58. निम्नलिखित में से कौन-से कथन सही हैं?

(*i*) पूर्व मध्यकालीन भारत में साम्प्रदायिक धार्मिक समूहों का विकास हुआ। इनमें से भक्ति पूजा पर बल देने वाले सिद्धांतवादी सम्प्रदाय लोकप्रिय हुए।
(*ii*) मंदिर राजनीतिक, सामाजिक, सांस्कृतिक और आर्थिक कार्यों के गतिशील स्थल बन गए।

(*iii*) पूर्व मध्यकालीन भारत के शहरी केन्द्रों को दो वर्गों में विभाजित किया जा सकता है–इनमें से एक को प्रशासनिक शहर और दूसरे को वाणिज्यिक शहर कहा जा सकता है।

(*iv*) चूँकि मंदिरों ने विभिन्न सामाजिक समूहों को आकृष्ट किया, इस प्रकार उन्होंने अपवर्जन के पक्षधरों का विरोध किया।

नीचे दिए गए विकल्पों से सही उत्तर का चयन करें :

A. (*i*), (*ii*), (*iv*) B. (*ii*), (*iii*), (*iv*)
C. (*i*), (*ii*), (*iii*) D. (*i*), (*ii*)

59. मंगोल खाँ तरमशिरीन ने निम्नलिखित में से किस तुगलक शासक के शासनकाल में भारत पर आक्रमण किया था?

A. गियासुद्दीन तुगलक
B. मुहम्मद बिन तुगलक
C. फिरोज शाह तुगलक
D. सुल्तान मुहम्मद

60. 18वीं शताब्दी के स्रोत 'तुहफात-उल हिन्द' में निम्नलिखित में से किस बोली में विशाल शब्दावली दी गई है?

A. ब्रज B. अवधी
C. राजस्थानी D. गुजराती

61. निम्नलिखित में से कौन-सा राजस्व अनुदान धार्मिक बुद्धिजीवियों को नहीं दिया जाता था?

A. आमलक B. इदरार
C. इनाम D. औकाफ

62. *तकावी* ऋणों के संबंध में निम्नलिखित में से कौन-से कथन सही **नहीं** हैं?

(*i*) ये कृषि प्रयोजनों हेतु किसानों को दिए जाते थे।
(*ii*) ये व्यापारिक प्रयोजनों हेतु व्यापारियों को दिए जाते थे।
(*iii*) ये चौधरियों और मुकद्दमों के माध्यम से दिए जाते थे, जो अलग-अलग किसानों को वितरण करते थे।
(*iv*) चौधरी और मुकद्दम उनकी अदायगी के लिए गारंटी नहीं देते थे।

नीचे दिए गए विकल्पों से सही उत्तर का चयन करें :

A. केवल (*i*), (*ii*) और (*iii*)
B. केवल (*i*) और (*iii*)
C. (*i*), (*ii*), (*iii*), (*iv*)
D. केवल (*ii*) और (*iv*)

63. कश्मीर में ऋषि सिलसिला का संस्थापक कौन था?

A. सैय्यद मुहम्मद हमदानी
B. शेख अब्दुल कादिर
C. शेख नुरुद्दीन
D. बाकी बिल्लाह

निर्देश (प्रश्न संख्या 64 से 68 तक): *निम्नलिखित परिच्छेद को पढ़ें और नीचे दिए गए प्रश्न के उत्तर दें।*

जहाँगीर दो बार लाहौर से लगभग 29 कि.मी. दूर शिकार महल के रूप में उपयोग किए जाने वाले एक मीनार, तालाब और मंडप का उल्लेख करता है। आज इस जगह को शेखूपुरा के नाम से जाना जाता है, परंतु जहाँगीर ने 1606 में इसे जहाँगीरपुरा कहा है और उसके बाद 1620 में इसे जहाँगीराबाद कहता है, इन दोनों का अर्थ है जहाँगीर का शहर। इसमें जहाँगीराबाद अधिक भावात्मक रूप है। यहाँ जहाँगीर के प्रिय लंगड़े हिरण की 1606 ई. में मौत हुई थी। उसे एक कब्र में दफना दिया गया था और उसके ऊपर हिरण की प्रतिमा और कश्मीर के मुल्ला मुहम्मद हुसैन द्वारा लिखी प्रशस्ति लगा दी गई। इस समाधि प्रस्तर के समीप उस क्षेत्र के जागीरदार सिकंदर मुइन खान की देखरेख में 1606 के लगभग एक मीनार का निर्माण कराया गया था। जहाँगीर के आदेशानुसार सिकंदर मुइन खान ने तालाब और राजमहल का भी निर्माण कराया। जब निर्माण कार्य प्रगति पर था, उसी समय मुइन की मौत हो गई। इसके बावजूद परिसर का निर्माण कार्य 1620 में ठीक प्रकार से पूरा हो गया। बाद के चरणों का निर्माण कार्य इरादत खाँ की देखरेख में पूरा हुआ। इसके निर्माण पर इतना अधिक व्यय हुआ था कि बादशाह ने अपने संस्मरणों में इस राशि का उल्लेख किया है। जहाँगीर ने इस स्थल को एक 'शाही शिकार स्थल' माना था, यद्यपि उसके उत्तराधिकारियों ने इस जगह को अपर्याप्त पाया और 1634 में इसके मंडप के पुनर्निर्माण पर काफी धन व्यय किया।

64. इनमें से किसे शेखू बाबा भी कहा जाता था?

A. शहजादा कामरान
B. बादशाह हुमायूँ
C. शेख सलीम चिश्ती
D. बादशाह जहाँगीर

65. जहाँगीर ने अपनी किस पुस्तक में मीनार, तालाब और मंडप का दो बार उल्लेख किया है?

A. *मासिर-ए-जहाँगीरी*
B. *तुजुक-ए जहाँगीरी*
C. *इकबालनामा-ए जहाँगीरी*
D. *मजलिस-ए जहाँगीरी*

66. शेखूपुरा मीनार की योजना अकबर के शासनकाल में निर्मित हिरण मीनार के समान है। हिरण मीनार निम्नलिखित में से किस शहर में स्थित है?

A. फतेहपुर सीकरी B. दिल्ली
C. आगरा D. सिकन्दरा

67. जहाँगीरपुरा और जहाँगीराबाद दोनों नामों का एक ही अर्थ अर्थात् जहाँगीर का शहर है। *पुरा* शब्द किस भाषा से लिया गया है?

A. मराठी B. उर्दू
C. फारसी D. संस्कृत

68. निम्नलिखित में से किस शहर में अकबर के शासनकाल में निर्मित 'नीम सराय मीनार' स्थित है?

A. पानीपत B. मालदा
C. लाहौर D. मुल्तान

69. निम्नलिखित में से कौन-सा युग्म सही रूप में सुमेलित **नहीं** है?

	X **(संघ)**	**Y** **(संबद्ध)**
A.	भारत स्त्री महामंडल	(*i*) सरला देवी चौधरानी
B.	वीमेंस इंडियन एसोसिएशन	(*ii*) तिय्या
C.	द नेशनल काउंसिल ऑफ वूमेन	(*iii*) लेडी मेहरीबाई टाटा
D.	ऑल इंडिया वीमेंस कॉन्फरेंस	(*iv*) मार्ग्रेट कजिंस

70. मद्रास उच्च न्यायालय में मुथुस्वामी अय्यर की नियुक्ति का निम्नलिखित में से किसने इस आधार पर विरोध किया था कि देशज अधिकारियों को समान परिस्थितियों में कार्यरत यूरोपीय अधिकारियों के समान वेतन नहीं मिलना चाहिए?

A. द हिन्दू B. अमृत बाजार पत्रिका
C. द ट्रिब्यून D. मद्रास मेल

71. निम्नलिखित में से क्या सही **नहीं** है?

A. 1857 के विद्रोह से पहले दिल्ली और लखनऊ में रहने वाले अंग्रेजों और भारतीयों के बीच वैयक्तिक संबंध काफी हद तक दोस्ताना थे।
B. 1857 से पहले की दिल्ली में अधिकतर यूरोपीय लोग पुराने दिल्ली शहर (वॉल्ड सिटी) में भारतीयों के घरों में किराए पर रहते थे।
C. 1857 के बाद भारतीयों को दिल्ली और लखनऊ से बाहर कर दिया गया था।
D. 1857 के बाद ब्रिटिश गैरिसन को शाहजहाँबाद के पुराने शहर (वॉल्ड सिटी) के बाहर ले जाया गया था।

72. मुजफ्फर अहमद ने 1925 में काजी नजरूल इस्लाम के साथ मिलकर किस पार्टी की स्थापना की?

A. लेबर स्वराज पार्टी
B. वर्कर्स एंड पीजेंट्स पार्टी
C. स्वराज पार्टी
D. ऑल इंडिया ट्रेड यूनियन कांग्रेस

73. सूची-I को सूची-II के साथ सुमेलित कीजिए :

सूची-I **(संघ)**	**सूची-II** **(संस्थापक)**
(*a*) द सत्य महिमा धर्म ऑफ उड़ीसा	(*i*) पं. शिव नारायण अग्निहोत्री
(*b*) द स्वामी नारायण संप्रदाय ऑफ गुजरात	(*ii*) महिमा गोसाईं
(*c*) द परमहंस मंडली	(*iii*) सहजानंद स्वामी
(*d*) देव समाज (डिवाइन सोसायटी)	(*iv*) दादोबा पांडुरंग

नीचे दिए गए विकल्प में से सही उत्तर का चयन कीजिए :

	(*a*)	(*b*)	(*c*)	(*d*)
A.	(*ii*)	(*iii*)	(*iv*)	(*i*)
B.	(*iii*)	(*iv*)	(*ii*)	(*i*)
C.	(*iv*)	(*iii*)	(*i*)	(*ii*)
D.	(*i*)	(*ii*)	(*iii*)	(*iv*)

74. निम्नलिखित में से कौन-सा कदम लॉर्ड कर्जन ने **नहीं** उठाया था?
A. द कलकत्ता म्युनिसिपल एमेंडमेंट ऐक्ट
B. इंडियन यूनिवर्सिटीज ऐक्ट
C. इंडियन ऑफिशियल सीक्रेट्स एमेंडमेंट ऐक्ट
D. वर्नाकुलर प्रेस ऐक्ट

75. फ्रेंकॉयस केरान ने भारत में पहली फ्रांसीसी फैक्टरी की स्थापना कब की?
A. 1667 ई. B. 1669 ई.
C. 1672 ई. D. 1674 ई.

76. इनमें से कौन फराइजी आंदोलन से संबद्ध **नहीं** था?
A. हाजी शरियतुल्ला
B. टीटू मियाँ
C. दुदु मियाँ
D. नया मियाँ

77. इनमें से किसने भारत में चलचित्रों की अवधारणा का प्रवेश कराया?
A. कोलोरेलो और कॉर्नेग्लिया
B. हीरालाल सेन
C. लुईस और ऑगस्ट लुमिएरे
D. दादा साहब फाल्के

78. निम्नलिखित में से किसने मोंटेग्यू-चेम्सफोर्ड अधिनियम के प्रावधानों को लागू कराने के लिए अंग्रेजों का साथ दिया और उनके प्रति निष्ठा की घोषणा की? 1930 के दशक के उत्तरार्द्ध में इसका कांग्रेस में विलय हो गया, जिससे राष्ट्रीय आंदोलन का आधार व्यापक हुआ।
A. सत्यशोधक समाज
B. द जस्टिस पार्टी
C. द्रविड़ कषगम
D. गैर-ब्राह्मण संघ

79. प्रथम एंग्लो-बर्मा युद्ध (1824-26) के बाद कौन-सी संधि हुई?
A. अराकान संधि
B. टैनासैरिम संधि
C. रंगून संधि
D. यंदाबू संधि

80. ब्रिटिश भारत के इतिहास में मैसूर को उसके पुराने शासक परिवार को वापस सौंपा जाना एक अद्वितीय घटना थी। इसे किसने अंजाम दिया?
A. लॉर्ड कैनिंग
B. मार्कीस ऑफ रिपन
C. मार्कीस ऑफ लैंसडाउन
D. डफरिन

81. इनमें से किसने यह लिखा कि कांग्रेस का जन्म एक षड़यंत्र के तहत हुआ था जिसका उद्देश्य था भारत में एक लोकप्रिय जनउभार को पहले से रोकना और पूँजीवादी नेता इसमें शामिल थे?
A. आर.पी. दत्त B. आर.सी. दत्त
C. जे.पी. नारायण D. बी.जी. तिलक

82. सूची-I को सूची-II के साथ सुमेलित कीजिए :

सूची-I (लेखक)	**सूची-II (पुस्तक)**
(*a*) वेरा एंस्टे	(*i*) इकॉनोमिक डेवलपमेंट ऑफ इंडिया
(*b*) बी.एम. भाटिया	(*ii*) फेमिंस इन इंडिया
(*c*) डी.एच. बुचानन	(*iii*) द डेवलपमेंट ऑफ कैपिटलिस्ट एंटरप्राइज इन इंडिया
(*d*) डी.आर. गाडगिल	(*iv*) इंडस्ट्रियल एवोल्यूशन इन इंडिया

नीचे दिए गए विकल्प में से सही उत्तर का चयन कीजिए :

	(*a*)	(*b*)	(*c*)	(*d*)
A.	(*iii*)	(*ii*)	(*i*)	(*iv*)
B.	(*i*)	(*ii*)	(*iii*)	(*iv*)
C.	(*iv*)	(*iii*)	(*i*)	(*ii*)
D.	(*i*)	(*ii*)	(*iv*)	(*iii*)

83. 395 अनुच्छेद और 12 अनुसूचियों वाला भारत का संविधान किस अवधि के दौरान तैयार किया गया?
A. दिसंबर 1946 और दिसंबर 1949
B. दिसंबर 1945 और जनवरी 1950
C. अगस्त 1947 और जनवरी 1950
D. दिसंबर 1946 और जनवरी 1950

84. सरकारी अभिलेखों के संदर्भ में 'कंसल्टेशन्स' क्या थे?

A. बंगाल में अंग्रेज ईस्ट इंडिया कंपनी के तमाम किस्म के कारोबार।

B. अंग्रेज ईस्ट इंडिया कंपनी के तमाम किस्म के सैन्य अभिलेख।

C. प्रेजीडेंसियों के गवर्नरों को उनके सलाहकारों की रिपोर्ट।

D. शिक्षा और न्यायपालिका से संबंधित अभिलेख।

85. निम्नलिखित में से किस स्थान से सुभाष चन्द्र बोस ने 'दिल्ली चलो' का अपना प्रसिद्ध आह्वान किया?

A. रूस B. जर्मनी

C. इटली D. सिंगापुर

86. किस व्यवस्था अथवा बंदोबस्त के अधीन भारतीय राज्य, विदेश और रक्षा मामलों के अपने अधिकार खो बैठे?

A. राज्यलय नीति

B. सहायक संधि प्रणाली

C. स्थायी बंदोबस्त

D. द्विशासन प्रणाली

87. गाँधीजी ने किस वर्ष साबरमती आश्रम (अहमदाबाद) छोड़ा और स्वराज प्राप्ति के बाद ही लौटने का व्रत लिया?

A. 1933 B. 1922

C. 1930 D. 1929

88. भारतीय समाज को मूक, बधिर और गतिहीन समाज बताने वाले सबसे पहले विद्वान कौन थे?

A. कार्ल मार्क्स

B. मार्क ब्लॉक

C. ए.एल. बाशम

D. जी.डब्ल्यू.एफ. हीगल

89. गवर्नर-जनरल को 'द सर्वेंट ऑफ द एम्परर' घोषित करने वाले वाक्यांश का शासकीय मुहर से कब विलोप किया गया?

A. गवर्मेन्ट ऑफ इंडिया ऐक्ट, 1858 के बाद से

B. 1833 के चार्टर ऐक्ट के बाद से

C. 1813 के चार्टर ऐक्ट के बाद से

D. 1784 के पिट्स इंडिया ऐक्ट के बाद से

90. 1946-47 के दौरान हैदराबाद का निजाम कौन था?

A. नज्म-उद-दौला

B. कासिम रिजवी

C. मीर उस्मान अली

D. मीर विलायत अली

91. निम्नलिखित में से किस आंदोलन के दौरान सत्याग्रह, बहिष्कार और जन-विरोध के कई अन्य कारगर तौर-तरीकों का विकास और प्रयोग हुआ?

A. बंग-भंग विरोधी आंदोलन

B. चंपारण आंदोलन

C. खेड़ा सत्याग्रह

D. खिलाफत आंदोलन

92. केनिंग-लॉरेंस स्कूल, मिल स्कूल और मेयो-नॉर्थब्रूक स्कूल किस प्रशासनिक विवाद से संबंधित थे?

A. समाज-सुधारों से संबंधित अधिनियमन।

B. स्थायी बंदोबस्त का क्रियान्वयन, जारी रहना और विस्तार।

C. नए क्षेत्रों में महालवाड़ी बंदोबस्त की शुरूआत।

D. 1857 के विद्रोह के बाद भारत के प्रति उदार दृष्टिकोण का अपनाया जाना।

93. निम्नलिखित में से किन क्षेत्रों में, 19वीं सदी में, व्यवस्थित रूप से राजकीय पहल दिखाई देती है?

A. गणित, भौतिक-विज्ञान, रसायन-विज्ञान

B. मानचित्र और सर्वे, वनस्पति-विज्ञान, भू-विज्ञान, चिकित्सा

C. धर्मशास्त्र, साहित्य और गणित

D. कला, भाषा-विज्ञान, नाट्यशास्त्र

94. ब्रिटेन ने भारत पर शासन करने का अधिकार कैसे हासिल किया? निम्नलिखित वक्तव्यों पर विचार करें और सही कूट चुनें :

(*a*) 1757 से 1857 के दौरान मुगल साम्राज्य का विघटन और मराठा, सिख और अन्य क्षेत्रीय संप्रभुओं द्वारा अर्पण और उनकी विजय।

(*b*) ब्रिटिश सवैधानिक विधि और यूरोप में प्रतिपादित 'लॉ ऑफ नेशन्स' के अधीन भारत में संप्रभुता में ब्रिटिश संसद का प्राधिकार और सभी सभ्य राष्ट्रों की मान्यता शामिल थी।

(*c*) चार्टर प्रदान किए जाने से ईस्ट इंडिया कंपनी को संप्रभुता का दर्जा मिला और पेरिस और वर्सेल्स की संधियाँ और कांग्रेस ऑफ वियना ने इस दर्जे की अंतर्राष्ट्रीय मान्यता संप्रेषित की।

(*d*) 1857 के विद्रोह के दमन के बाद, मुगल शहंशाह ने ब्रिटेन को संप्रभुता हस्तांतरित की।

कूट :

A. केवल (*a*) और (*b*)

B. केवल (*a*), (*b*) और (*c*)

C. (*a*), (*b*), (*c*) और (*d*)

D. केवल (*a*) और (*d*)

95. यूरोप में सातवर्षीय युद्ध (1756-1763) के फलस्वरूप भारत स्थित फ्रांसीसी और ब्रितानी बस्तियों के बीच भी खुली शत्रुता पैदा हो गई। दक्षिण में डुप्ले और बुसी की प्राप्तियों को 1760-61 में तहस-नहस कर दिया गया। भारत में फ्रांसीसी परिसंपत्तियों के पुनर्स्थापन का प्रावधान किस संधि से हुआ?

A. पांडिचेरी की संधि

B. वाँडिवाश की संधि

C. पेरिस की संधि

D. लंदन की संधि

96. भारत में अंग्रेजों की स्थिति में तब सुधार हुआ जब 1632 ई. में उन्हें 'गोल्डन फरमान' दिया गया। यह फरमान उन्हें किसने दिया?

A. मुगल बादशाह जहाँगीर

B. गोलकुण्डा का सुल्तान

C. अहमदनगर का सुल्तान

D. बीजापुर का शासक

97. इस बहस का अभी अंत नहीं हुआ है कि ब्रिटिश शासन के अधीन भारतीय अर्थव्यवस्था का अभिलक्षण विकास या गतिरोध था या उत्तरोत्तर गरीबी बढ़ी थी। इस बहस के अनिर्णीत चरित्र का क्या प्रमुख कारण है?

A. गुणात्मक साक्ष्य की विविध प्रकार से व्याख्या की जाती है।

B. संबंधित गुणात्मक आँकड़े अपर्याप्त हैं।

C. लेखक विशेष की वैचारिक प्राथमिकताएँ।

D. भारतीय अर्थव्यवस्था का औपनिवेशिक चरित्र।

98. सार्वजनिक मंचों पर प्रदर्शनीय कार्यक्रमों पर कड़ा राजकीय नियंत्रण लगाने वाले द ड्रामेटिक परफॉर्मेंसिस ऐक्ट को किस वर्ष में पारित किया गया था?

A. 1888 B. 1896

C. 1876 D. 1898

99. नीचे दो कथन दिए गए हैं, एक को अभिकथन (A) कहा गया है और दूसरे को कारण (R) कहा गया है :

अभिकथन (A) : भारत के क्रमिक उद्योगीकरण ने न सिर्फ पूँजीपतियों को सार्वजनिक जीवन के अग्रभाग में ला खड़ा किया बल्कि एक औद्योगिक मजदूर वर्ग को भी उत्पन्न किया।

कारण (R) : यूरोपीय स्थिति के विपरीत भारत में सर्वहारा बने किसानों के बीच से मजदूरों की कोई कुली भर्ती नहीं हुई। यह भर्ती आमतौर पर बेरोजगारों के बीच से हुई।

उपर्युक्त दो कथनों के संदर्भ में निम्न में से क्या सही है?

A. (A) और (R) दोनों सही हैं और (A) की सही व्याख्या (R) है।

B. (A) और (R) दोनों सही हैं, परन्तु (A) की सही व्याख्या (R) नहीं है।

C. (A) सही है, परन्तु (R) गलत है।

D. (A) गलत है, परन्तु (R) सही है।

100. निम्नलिखित में से क्या सही रूप में सुमेलित **नहीं** है?

A. द हिन्दू : जी.सुब्रमण्यम अय्यर

B. अमृत बाजार पत्रिका : मोतीलाल घोष

C. बंगाली : सुरेन्द्रनाथ बनर्जी

D. सुधारक : एन.एन. सेन

उत्तरमाला

1	2	3	4	5	6	7	8	9	10
B	B	D	D	B	B	B	A	A	B
11	12	13	14	15	16	17	18	19	20
C	B	C	D	C	D	C	C	C	D
21	22	23	24	25	26	27	28	29	30
A	C	B	D	B	A	A	B	A	B
31	32	33	34	35	36	37	38	39	40
D	B	C	A	A	C	B	C	B	D
41	42	43	44	45	46	47	48	49	50
A	C	B	C	C	D	C	B	B	*
51	52	53	54	55	56	57	58	59	60
B	C	D	B	A	A	B	A	B	A
61	62	63	64	65	66	67	68	69	70
D	D	C	D	B	A	D	B	B	D
71	72	73	74	75	76	77	78	79	80
D	A	A	D	A	B	C	D	D	B
81	82	83	84	85	86	87	88	89	90
A	B	A	A	D	B	C	D	*	C
91	92	93	94	95	96	97	98	99	100
A	B	B	B	C	B	B	C	B	D

व्याख्यात्मक उत्तर

1. पश्चिम बंगाल के अजेय नदी के किनारे स्थित पांडु राजार ढिबी एक महत्वपूर्ण पुरातात्विक स्थल है, यहाँ के कालखंड-I के असंशोधित काल की तिथि ल. 1500 सा.सं.पू. के बाद की है। यहाँ से कोई भी धातु की वस्तु प्राप्त नहीं हुई। लेकिन शायद ऐसा विधिवत् उत्खनन के अभाव में हो सकता है। ताम्रपाषाणकाल खंड II में कुछ मात्रा में तांबे की वस्तुएँ मिलने लगीं। इसी काल से लोहे के भालाग्र और लोहे के स्लैग भी मिले हैं। यहाँ के ब्लैक-एंड-रेड मृद्भाण्डों पर सफेद रंग का डिजाइन देखा जा सकता है। इसके अतिरिक्त कई अन्य प्रकार के मृद्भाण्ड भी पाए गए हैं, जिनमें चिकनी मिट्टी के घोल के लेप वाले काले मृद्भाण्ड और एक धुसर/पांडु लेप वाला मृद्भाण्ड शामिल है। पालतू मवेशी, भैंस, बकरी तथा हिरण साथ में सांभर, मछली, कछुए और पक्षी जैसे पशुओं की हड्डियों के अवशेष मिले हैं।

दामोदर नदी घाटी के भरतपुर नामक स्थल के कालखंड-I से तांबे की वस्तुएँ प्राप्त हुई हैं जो ब्लैक-एंड-रेड मृद्भाण्डों की संस्कृति से जुड़ी हुई हैं। साथ में सूक्ष्मपाषाण औजार, नवपाषाण कुल्हाड़ी (सेल्ट), पकी मिट्टी (स्टी. टाइट) के मनके भी मिले हैं। यहाँ की अंशशोधित तिथि 1735-1417 सा.सं.पू. निर्धारित की गई है। महिषादल (कोपई नदी घाटी) में विशेष प्रकार के घरों की टेराकोटा ग्रंथिकाओं वाले फर्श,

टेराकोटा की वस्तुएँ यथा चूड़ियाँ, टेराकोटा के लिंग और तांबे के कुल्हाड़ इत्यादि मिले हैं। अधिकांश संस्कृति ब्लैक-एंड-रेड मृद्भाण्ड के इर्द-गिर्द घूमती है। यहाँ पर एक गड्ढे में चावल के जले हुए अवशेष मिले हैं जिससे लगता है इनमें चावल का भंडारण किया जाता था। महिषादल की अंशशोधित तिथि 1619-1415 सा.सं.पू. के बीच की है।

2. रेडियोधर्मी डेटिंग एक प्रक्रिया है जिससे चट्टानों की उम्र ज्ञात की जाती है। अमेरिका के एफ. लिवी को रेडियो कार्बन प्रणाली के आविष्कार का श्रेय है जिसने सर्वप्रथम 1949 ई. में कार्बन पर आधारित तिथियों के निर्धारण की विधि की घोषणा की थी। रेडियो कार्बन का अर्द्ध जीवन कार्बन-14 की विघटन प्रक्रिया से सम्बन्ध रखता है। पुरातत्व विज्ञान में रेडियो कार्बन काल निर्धारण तकनीक लागू की जाती है।

4. रोमिला थापर भारतीय इतिहासकार हैं तथा इनके अध्ययन का मुख्य विषय 'प्राचीन भारतीय इतिहास' रहा है। इनकी प्रमुख रचनाएँ निम्नलिखित हैं—

- *अशोक तथा मौर्य साम्राज्य का पतन*
- *प्राचीन भारत का सामाजिक इतिहास : विवेचना*
- *समकालीन परिप्रेक्ष्य में प्रारंभिक भारतीय इतिहास* (संपादिका)
- *भारत का इतिहास,* खंड-I
- *प्रारंभिक भारत—उत्पत्ति से ई. 1300 तक।*

6. धर्मशास्त्र संस्कृत भाषा का एक शब्द है जिसका अर्थ 'पवित्र कानून या उचित आचरण का विज्ञान' है। विधिशास्त्र की प्राचीन भारतीय व्यवस्था, जो आज भी भारत के बाहर रहने वाले हिंदुओं के लिए परिवार कानून का आधार है और प्रचलन में है। इसमें कानूनी संशोधन हो सकते हैं। धर्मशास्त्र का सीधा संबंध वैधानिक प्रशासन से नहीं है, बल्कि प्रत्येक दुविधापूर्ण स्थिति में आचरण के उचित मार्ग से है।

संस्कृत में लिखे गए धर्मशास्त्र का साहित्य वृहद् है। इसे तीन वर्गों में विभक्त किया जा सकता है—(*i*) सूत्र, (*ii*) स्मृति, जिनमें मनुस्मृति संभवतः सर्वाधिक प्रसिद्ध है, (*iii*) निबंध और वृत्ति।

भारत में वेदों के उपरान्त सर्वाधिक मान्यता और प्रचलन 'मनुस्मृति' का ही है। इसमें चारों वर्णों, चारों आश्रमों, सोलह संस्कारों तथा सृष्टि उत्पत्ति के अतिरिक्त राज्य की व्यवस्था, राजा के कर्तव्य, भांति-भांति के विवादों, सेना का प्रबन्ध आदि उन सभी विषयों पर परामर्श दिया गया है जो कि मानव मात्र के जीवन में घटित होने संभव हैं। यह सब धर्म-व्यवस्था वेद पर आधारित है।

7. उत्तर भारत की नवपाषाणिक संस्कृति के अंतर्गत कश्मीर प्रांत के पुरास्थलों का उल्लेख किया जा सकता है। इनमें बुर्जहोम तथा गुफ्कराल विशेष महत्व के हैं। बुर्जहोम नामक पुरास्थल की खोज 1935 में डी.टेरा तथा पीटरसन ने की थी। यहाँ से गढ़े वाले घरों के अवशेष मिले हैं। शवाधान के जो उदाहरण मिलते हैं, उनसे पता चलता है कि मनुष्य के साथ-साथ पालतू कुत्ते को भी दफनाने की प्रथा प्रचलित थी। इस प्रकार की प्रथा नवपाषाणकालीन भारत में कहीं और प्रचलित नहीं थी। बुर्जहोम से घोड़ा होने का साक्ष्य नहीं मिलता है।

12. राजशेखर (विक्रमाब्द 930-977 तक) काव्यशास्त्र के पंडित थे। वे गुर्जरवंशीय नरेश महेन्द्रपाल प्रथम एवं उनके बेटे महिपाल के गुरु एवं मंत्री थे। उनके पूर्वज भी प्रख्यात पण्डित एवं साहित्यमनीषी रहे थे। काव्यमीमांसा उनकी प्रसिद्ध रचना है। समूचे संस्कृत साहित्य में कुन्तक और राजशेखर ये दो ऐसे आचार्य हैं जो परंपरागत संस्कृत पंडितों के मानस में उतने महत्वपूर्ण नहीं हैं जितने रसवादी या अलंकारवादी अथवा ध्वनिवादी हैं। राजशेखर लीक से हटकर अपनी बात कहते हैं और कुन्तक विपरीत धारा में बहने का साहस रखने वाले आचार्य हैं।

13. **नागर शैली :** इस शैली के मंदिर की विशेषता है, चौकोर गर्भगृह के ऊपर चोटी की ओर तिरछी होती हुई रेखाओं सहित मीनारनुमा शिखर, जिसके शीर्ष पर आमलक रखा रहता है और उसके ऊपर शूल सहित कलश है। इस शैली के उदाहरण हैं—सूर्य मंदिर (कोणार्क), जगन्नाथ मंदिर (पुरी) एवं दिलवाड़ा जैन मंदिर (माउन्ट आबू) आदि।

द्रविड़ शैली : इस शैली के मंदिरों के बनावट की विशेषता है—वर्गाकार गर्भगृह पर पिरामिडनुमा ऊपर की ओर आकार में छोटी हुई मंजिलों का बना शिखर, जिसका शीर्ष आठ या छह कोणों के गुम्बद के आकार का होता है। पल्लव, चालुक्य, चोल एवं पाण्ड्य शासकों के शासनकाल में मुख्यतः इस शैली में मंदिरों का निर्माण हुआ।

बेसर शैली : इस शैली के मंदिर आयताकार आधार पर निर्मित नहीं होते थे अपितु बहुभुजी आधार पर निर्मित होते थे, जो भवन के समान आकृति वाले एक ऊँचे ठोस चबूतरे पर स्थित होते थे।

कश्मीरी शैली : इस शैली की प्रमुख विशेषता मस्जिद एवं हिन्दू वास्तुकला का समन्वय है। जामा मस्जिद, हमदान मस्जिद आदि कश्मीरी शैली की प्रसिद्ध इमारतें हैं।

15. राजस्थान के चित्तौड़गढ़ बागौर स्थल (उदयपुर) में मध्य-पाषाण युगीन सुस्पष्ट सूक्ष्म-पाषाण उद्योग था और यहाँ के निवासियों की जीविका का साधन शिकार और पशुपालन था। इस स्थल पर बस्ती ईसा पूर्व पांचवीं सहस्राब्दी के आरम्भ से 5,000 वर्ष तक रही है। इस काल में ज़बु, बैल, भेड़ और सुअर का पालतु पशु के रूप में पालन किया जाता था। इस युग के अवशेष स्थल राजस्थान में सरस्वती नदी, बनास नदी व आहड़ नदी के समीप प्राप्त हुए हैं। राजस्थान में इस युग के प्रमाण अजमेर, उदयपुर, चित्तौड़गढ़, टोंक, पाली, भीलवाड़ा आदि में मिले हैं। कुछ प्रमुख मध्य पाषाण युगीन स्थलों में उम्मेदनगर (ओंसिया), बिलाड़ा (जोधपुर) व रेड (जयपुर) भी शामिल हैं।

17. कालीबंगा से हड़प्पा के साथ-साथ हड़प्पा पूर्व सभ्यता के अवशेष भी प्राप्त हुए हैं। कालीबंगा राजस्थान के गंगानगर जिले में घग्घर नदी के किनारे स्थित है। यहाँ शहर के दोनों भाग दुर्गीकृत हैं। यहाँ के घर कच्ची ईंटों के बने हैं। कालीबंगा का अर्थ काले रंग की मिट्टी की चूड़ियां होता है। यहाँ से लकड़ी के हल तथा जुते हुए खेत के साक्ष्य मिले हैं, जिनके कूड़ों के बीच का फासला पूर्व से पश्चिम की ओर 30 सेमी. और उत्तर से दक्षिण 1.10 मीटर पर है। यहाँ कुछ अग्निकुंड मिले हैं जिन्हें वज्र प्रणाली से जोड़ा जाता है। दो फसलों को उगाने का प्रमाण यहाँ से मिला है। यहाँ के फर्श पर अलंकृत ईंटों के प्रयोग का साक्ष्य मिला है। इस स्थल में लकड़ी के पाइप के प्रयोग का प्रमाण मिला है। यहाँ से एक शव की प्राप्ति हुई है जो पेट के बल लेटा हुआ है तथा जिसका सिर दक्षिण में तथा पैर उत्तर दिशा में है। यहाँ एक धुरी वाले ठोस पहिये का भी अवशेष मिला है जिससे किसी वाहन के अस्तित्व का पता चलता है। शल्य चिकित्सा का साक्ष्य यहाँ से भी मिला है। भूकंप आने का प्राचीनतम साक्ष्य कालीबंगा से ही मिला है। कालीबंगा से भी एक युग्मित समाधि का अवशेष मिलता है। इस स्थल से एक उस्तरे पर कपास का वस्त्र लिपटा हुआ मिला है।

19. **ब्रह्मगुप्तः** 7वीं शताब्दी के प्रमुख गणितज्ञ ब्रह्मगुप्त मिनमल निवासी विष्णु के पुत्र थे। इनकी प्रसिद्ध कृति "ब्रह्मस्फुट सिद्धांत" 628 ई. में लिखी गई। इसके कुल 24 अध्यायों में से 22 ज्योतिष से सम्बन्धित हैं। यह सिद्धांत खगोलीय उपकरणों के सुव्यवस्थित वितरण वाली पहली उपलब्ध भारतीय रचना है।

21. गांधार भारत के उत्तर पश्चिम में काबुल और रावलपिंडी के मध्य का क्षेत्र था। संभव है कि इसमें कश्मीर का भी कुछ भाग रहा हो। यद्यपि वैदिक युग में यह एक महत्वपूर्ण क्षेत्र था, किन्तु ब्राह्मणीय और बौद्ध परंपरा के उत्तरकालीन चरणों में इसके महत्व में कमी आयी। इसकी राजधानी तक्षशिला एक महत्वपूर्ण शहर था, जहां सभी जनपदों के लोग शिक्षा तथा व्यापार के उद्देश्य से जाते थे। छठी शताब्दी ईसा पूर्व में गांधार पर पुक्कसती नामक राजा शासन कर रहा था। वह बिम्बिसार का मित्र था। गांधार महाजनपद से ही यूनानियों के खिलाफ लड़ने वाली फारसी सेना को पुरुषों एवं सामग्री की आपूर्ति होती थी। छठी शताब्दी ईसा पूर्व के उत्तरार्ध में गांधार पर फारस ने विजय प्राप्त कर ली। आधुनिक तक्षशिला की खुदाई

से पता चलता है कि इस स्थान पर 1000 ईसा पूर्व में ही लोग बस चुके थे और बाद के दिनों में नगरों का उदय हुआ। छठी शताब्दी ईसा पूर्व तक आते-आते गांगेय घाटी के शहरों के समरूप यहां भी एक शहर का उदय हुआ।

24. 'हिस्ट्री ऑफ ब्रिटिश इंडिया' जेम्स मिल की लिखी पुस्तक है। इस पुस्तक में उन्होंने साम्राज्यवादी दृष्टिकोण से भारतीय इतिहास का विवेचन किया है।

मिल ने अपनी पुस्तक में भारत के समाज की विकृति का भरपूर चित्रण किया है। वह यहाँ तक कह गया है कि हिन्दू जाति सबसे अधिक 'कृतदास' जाति है। अतः इन्हें स्वतंत्र करना हमारा पुनीत कर्त्तव्य बनता है। इसके लिए हमें भारत के लोगों के लिए अच्छी और कारगर सरकार मुहैया करानी चाहिए। अच्छे कानून बनाना चाहिए। और इन सब के माध्यम से भारतीय जन को ब्राह्मण और परंपरा की गुलामी से मुक्ति दिलानी चाहिए। उनके पुत्र जान स्टुअर्ट मिल ने इस धारा को और आगे बढ़ाया। लेकिन अपने पिता से एक माने में वे अलग सोच के थे। उनके मुताबिक कानून से अधिक कारगर होगी शिक्षा पद्धति। लेकिन सुधारवादी कार्यक्रम में उनका पक्का विश्वास था। वे भारत के लोगों के लिए अन्ततः एक प्रतिनिधित्ववादी सरकार के भी पक्षधर थे। इस युग के उदारवादियों की मूल मान्यता यह थी कि अंग्रेजों का भारत पर कब्जा उनको अधीन बनाने के लिए नहीं बल्कि उनको सभ्यता के पैमाने पर ऊपर ले जाने के लिए मिला है। इसलिए जब भारत के लोग यूरोप के ज्ञान-विज्ञान से युक्त होकर यूरोपियन संस्थाओं के पैटर्न पर अपने देश का प्रशासन चलाएंगे, वह दिन इंग्लैंड के लोगों के लिए गौरव का दिन होगा। लेकिन जेम्स मिल स्वतंत्र भारत के पक्षधर नहीं थे। इस प्रकार विकल्प 'D' सही नहीं है।

26. आठवीं शताब्दी से ही उपहाद्वीप में अनेक छोटे-छोटे नगरों का संजाल-सा बिछने लगा था। संभवतः उनका प्रादुर्भाव बड़े-बड़े गाँवों से हुआ था। उनमें आमतौर पर एक मंडपिका (बाद में जिसे 'मंडी' कहा जाने लगा) होती थी, जहाँ आस-पास के गाँव वाले अपनी उपज बेचने के लिए लाते थे। उनमें ऐसी गलियाँ थी, जहाँ दुकानें एवं बाजार थे जिन्हें 'हट्ट' (बाद में 'हाट' कहा जाने लगा) कहा जाता था। इसके अलावा भिन्न-भिन्न प्रकार के कारीगरों तथा शिल्पियों, जैसे—कुम्हारों, तेलियों, शक्कर बनाने वालों, ताड़ी बनाने वालों, सुनारों, लौहारों, पत्थर तोड़ने वालों आदि के अलग-अलग बाजार होते थे। कुछ व्यापारी तो नगर में स्थायी रूप से बसकर अपना कारोबार करते थे, जबकि कुछ अन्य व्यापारी नगर-नगर घूमकर क्रय-विक्रय किया करते थे। आस-पास और दूरदराज के व्यापारी इन नगरों में स्थानीय उपज खरीदने और दूरवर्ती स्थानों के उत्पाद, जैसे—घोड़े, नमक, कपूर, केसर, पान-सुपारी और काली मिर्च जैसे मसाले बेचने के लिए आते थे।

27. अजातशत्रु (493 ई.पू. से 461 ई.पू.) बिंबिसार का पुत्र था। उसके बचपन का नाम 'कुणिक' था। अजातशत्रु ने मगध की राजगद्दी अपने पिता की हत्या करके प्राप्त की थी। यद्यपि यह एक घृणित कृत्य था, तथापि एक वीर और प्रतापी राजा के रूप में उसने ख्याति प्राप्त की थी। अपने पिता के समान ही उसने भी साम्राज्य विस्तार की नीति को अपनाया और साम्राज्य की सीमाओं को चरमोत्कर्ष तक पहुँचा दिया। सिंहली अनुश्रुतियों के अनुसार अजातशत्रु ने लगभग 32 वर्षों तक शासन किया और 461 ई.पू. में अपने पुत्र उदयन द्वारा वह मारा गया।

अजातशत्रु ने अंग, लिच्छवी, वज्जी, कोसल तथा काशी जनपदों को अपने राज्य में मिलाकर एक विशाल साम्राज्य को स्थापित किया था। पालि ग्रंथों में अजातशत्रु का नाम अनेक स्थानों पर आया है, क्योंकि वह बुद्ध का समकालीन था और तत्कालीन राजनीति में उसका बड़ा हाथ था। गंगा और सोन नदी के संगम पर पाटलिपुत्र की स्थापना उसी ने की थी।

पिता की हत्या करने और पितृघाती कहलाने के कारण इतिहास में वह सदा अभिशप्त रहा। पिता की हत्या करने के कारण इसका मन अशांत हो गया। यह

अजीवक धर्म प्रचारक गोशाल और जैन धर्म प्रचारक महावीर स्वामी के निकट भी गया, किंतु इसे शांति नहीं मिली। फिर यह बुद्ध की शरण में गया, जहाँ उसे आत्मिक शांति मिली। इसके बाद यह बुद्ध का परम अनुयायी बन गया।

इस प्रकार अभिकथन (A) और (R) दोनों सही है और (A) की सही व्याख्या (R) है।

28. अभिनवगुप्त (975-1025) दार्शनिक, रहस्यवादी एवं साहित्यशास्त्र के मूर्धन्य आचार्य थे। वे कश्मीरी शैव और तन्त्र के पण्डित थे। वे संगीतज्ञ, कवि, नाटककार, धर्मशास्त्री एवं तर्कशास्त्री भी थे।

अष्टाध्यायी महर्षि पाणिनि द्वारा रचित संस्कृत व्याकरण का एक अत्यंत प्राचीन ग्रंथ है। इसमें आठ अध्याय हैं; प्रत्येक अध्याय में चार पाद है; प्रत्येक पाद में 38 से 220 तक सूत्र हैं। इस प्रकार अष्टाध्यायी में आठ अध्याय, बत्तीस पाद और सब मिलाकर लगभग 3155 सूत्र हैं।

पतंजलि 'व्याकरण महाभाष्य' के रचयिता हैं। इनकी गणना भारत के अग्रगण्य विद्वानों में की जाती है।

दण्डी संस्कृत गद्य साहित्य के प्रसिद्ध लेखक माने जाते हैं। ये पल्लव नरेश नरसिंह वर्मन की राजसभा में निवास करते थे। काव्यादर्श, दशकुमारचरित तथा अवन्तिसुन्दरीकथा इसकी प्रसिद्ध रचनाएं हैं।

29. **अवन्ति महाजनपदः** यह पश्चिमी भारत मध्य प्रदेश के मालवा प्रदेश में अवस्थित था। अवन्ति जनपद (उत्तरी अवन्ति एवं दक्षिणी अवन्ति) दो विभागों में विभाजित थे। उत्तरी अवन्ति की राजधानी उज्जैन एवं दक्षिणी अवन्ति की राजधानी माहिष्मति थी। यह जनपद बौद्ध धर्म का प्रमुख केन्द्र था। मगध सम्राट् शिशुनाग ने अवन्ति पर आक्रमण कर मगध में शामिल कर लिया।

गांधार महाजनपदः गांधार भारत के उत्तर-पश्चिम सीमावर्ती क्षेत्र में अवस्थित था। वर्तमान में यह पेशावर, रावलपिण्डी के क्षेत्र कहलाये गये। गांधार जनपद की राजधानी तक्षशिला थी। यहाँ की राजधानी विद्या एवं व्यापार का प्रमुख केन्द्र थी। सम्प्रभुता के लिए गांधार और अवन्ति में परस्पर संघर्ष हुआ था। छठी शताब्दी ई. पू. के उत्तरार्द्ध में गांधार पर फारस (ईरान) का अधिकार हो गया था।

चेदिः चेदि क्षेत्र आधुनिक बुंदेलखंड के पूर्वी भागों के आस-पास था। संभव है इसका विस्तार मालवा पठार तक हो गया हो। कृष्ण का प्रसिद्ध शत्रु शिशुपाल चेदियों का शासक था। महाभारत के अनुसार, चेदि चंबल के पार मत्स्य, बनारस के काशियों तथा सोन नदी की घाटी में करूषों के निकट सम्पर्क में थे। इसकी राजधानी सोथीवती (सुक्तिमति) संभवतः उत्तर प्रदेश के बांदा जिले में स्थित थी। इस क्षेत्र के अन्य मुख्य नगर सहजाति एवं त्रिपुरी थे।

वज्जिः बिहार के वैशाली जिले के आस-पास बसा वज्जि (जिसका शाब्दिक अर्थ पशु-पालक समुदाय है) गंगा के उत्तर में स्थित था। यह महाजनपद उत्तर में नेपाल की पहाड़ियों तक फैला हुआ था। गंडक नदी इसे कोसल से अलग करती थी। पूर्व उल्लेखित महाजनपदों के विपरीत वज्जियों का राजनैतिक संगठन भिन्न था। समकालीन ग्रंथों में उन्हें गणसंघ कहा जाता था जिसकी व्याख्या गणतंत्र का कुलतंत्रीय राज्य के रूप में की गई है। इस युग के गणसंघ किसी एक सर्वशक्तिमान राजा द्वारा शासन का प्रतिनिधित्व नहीं करते थे बल्कि यह शासन क्षत्रिय सरदारों द्वारा संयुक्त रूप से होता था।

34. बुरहानपुर भारत के मध्य प्रदेश का एक प्रमुख शहर है। यह मध्य प्रदेश में ताप्ती नदी के किनारे पर स्थित नगर है। यह खानदेश की राज़धानी था। इसको 14वीं शताब्दी में खानदेश के फारूकी वंश के सुल्तान मलिक अहमद के पुत्र नासिर खाँ फारूकी के द्वारा बसाया गया था। अकबर ने 1599 ई. में बुरहानपुर पर अधिकार कर लिया। अकबर ने 1601 ई. में खानदेश को मुगल साम्राज्य में शामिल कर लिया।

35. चचनामा नामक ग्रन्थ से हमें सिन्ध का विस्तृत वृत्तान्त प्राप्त होता है। फारसी भाषा में यह ग्रंथ 1216 ई. में लिखा गया है। यद्यपि इसमें लिखे गये सभी तथ्यों

और विवरणों को स्वीकार नहीं किया जा सकता तथापि सिन्ध का स्थानीय इतिहास होने के कारण, अरबों के आक्रमण के विषय में इससे पर्याप्त जानकारी मिलती है।

रियाज-उस-सलातीनः गुलाम हुसैन सलीम ने इस ग्रन्थ की रचना की थी। बंगाल के शासकों, उनके युद्धों तथा उनके शासनकाल की अन्य परिस्थितियों का वर्णन इस ग्रन्थ में किया गया है। बंगाल के इतिहास को जानने के लिये यह ग्रन्थ उपयुक्त साधन है।

मिरात-ए अहमदीः गुजरात के इतिहास के बारे में फारसी भाषा में लिखी गई पुस्तक 'मिरात ए अहमदी' में बावड़ी का उल्लेख मिलता है। यह इतिहास अली मुराद खान ने सन् 1761 में लिखा था।

नुस्खा-ए-दिलकुशाः इसकी रचना भीमसेन द्वारा की गई थी। इसमें औरंगजेबकालीन दक्षिण भारत के इतिहास का वर्णन तथा मुगल-मराठा संघर्ष का उल्लेख मिलता है।

37. शेरशाह के द्वारा अपने शासनकाल में किए गए प्रमुख कार्य निम्नलिखित हैं:

मुद्रा सुधारः इसने पुराने घिसे-पिटे तथा मिलावटी सिक्कों के स्थान पर स्वर्ण, चांदी और तांबे के प्रमाणित सिक्कों का प्रचलन शुरू किया। चांदी का रुपया ही बाद में मुगल व ब्रिटिश मुद्रा प्रणाली का आधार बना।

भू-राजस्व सुधारः इसने कृषि योग्य भूमि की पैमाईश करवायी और मापने के लिए सिकंदरी गज तथा सन् की डंडी का उपयोग किया। अपने राजस्व अधिकारी टोडरमल की सहायता से लगान वसूली के लिए जब्ती प्रणाली की शुरुआत की। इसे टोडरमल का बंदोबस्त भी कहते हैं।

कानून और व्यवस्थाः कानून व्यवस्था बनाए रखने के लिए इसने कठोर व्यवस्था का अनुसरण किया। किसी भी क्षेत्र में कोई वारदात होने पर, इसने उस क्षेत्र के मुखिया को दंडित करने की व्यवस्था लागू की।

न्याय व्यवस्थाः इसकी न्याय प्रक्रिया बहुत ही निष्पक्ष एवं कठोर थी। इसके पुत्र इस्लाम शाह सूरी ने कानूनों को संहिताबद्ध किया।

कर सुधारः इसने व्यापरियों पर लगाए जा रहे अनेक करों में एकरुपता प्रदान की। इसके समय में व्यापारियों से दो स्थानों– (1) सीकरी गली एवं (2) सिंधु नदी, पर दो तरह के कर– प्रवेश कर एवं बिक्री कर, वसूले जाते थे।

परिवहन सुधारः इसने परिवहन के क्षेत्र में सराहनीय कार्य किया। इसने लोगों के आवागमन के लिए कई सड़कों का निर्माण करवाया, जिसमें मुख्य सड़कें थीं– ग्रांड ट्रांक (बंगाल के सोनार गांव से आगरा व दिल्ली होते हुये लाहौर तक) सड़क की मरम्मत, आगरा-जोधपुर-चित्तौड़ सड़क का निर्माण तथा मुलतान-लाहौर सड़क का निर्माण।

इसने यात्रियों की सुविधा के लिए प्रत्येक 2 कोस (लगभग 8 किमी) पर एक सराय के हिसाब से 1,700 सरायों का निर्माण करवाया अर्थात् इन सरायों का दायरा लगभग 13,000 किमी (1,700 × 8) तक था। इसके अतिरिक्त इसने यात्रियों के लिए उनके धर्म के अनुसार रसोईयों की भी व्यवस्था की। इन सरायों के माध्यम से इसने गुप्तचर तथा डाक व्यवस्था को प्रोत्साहित किया।

39. प्रथम पुर्तगाली यात्री वास्को-डि-गामा 90 दिन की समुद्री यात्रा के बाद अब्दुल मनीक नामक गुजराती पथ-प्रदर्शक की सहायता से 1498 ई. को कालीकट (भारत) के समुद्र तट पर उतरा। उस समय कालीकट का शासक जमोरिन था। पुर्तगाली सामुद्रिक साम्राज्य को एस्तादो द इण्डिया नाम दिया गया। पुर्तगालियों के भारत में आगमन से भारत में तम्बाकू की खेती, काजू, अनन्नास, जहाज निर्माण तथा प्रिंटिंग प्रेस (1556 ई.) की शुरूआत हुई। इसके अलावा भारत में गोथिक स्थापत्यकला का आगमन हुआ। औषधीय वनस्पति से सम्बन्धित पहले वैज्ञानिक ग्रंथ का 1563 ई. में गोवा में प्रकाशन हुआ।

42. सिखों द्वारा मुफ्त रसोई (लंगर) की अवधारणा सूफी दरगाहों से अपनाई गई है। लंगर सिखों के गुरुद्वारों

में प्रदान किए जाने वाले निःशुल्क, शाकाहारी भोजन को कहते हैं। लंगर सभी लोगों के लिए खुला होता है। लंगर प्रथा लगभग 15वीं सदी में गुरु अमर दास जी द्वारा शुरू की गई तथा इनका आध्यात्मिक वाक्य 'पहले संगत फिर पंगत'। यह प्रथा छूत-अछूत जैसी बुराइयों को दूर करने के लिए चलाई गयी थी।

43. ज्याँ बैप्टिस्ट ट्रैवर्नियर फ्रांसीसी व्यापारी एवं यात्री था जिसने 1638 ई. में शाहजहाँ के काल में भारत की यात्रा की थी। उसने गोलकुण्डा की यात्रा भी की थी। इसने गोलकुण्डा की राजधानी नगर को भागनगर का नाम दिया था।

45. **जौनपुर सल्तनतः** 1539 ई. में फिरोज तुगलक ने अपने भाई मुहम्मद बिन तुगलक (जूना खाँ) की स्मृति में जौनपुर नगर की स्थापना की, जो बाद में शर्की साम्राज्य की राजधानी बना। शर्की साम्राज्य की स्थापना फिरोज तुगलक के एक हिजड़े (ख्वाजा सरा) मलिक सरवर ने की थी। जौनपुर का अंतिम शासक हुसैन शाह शर्की था, जिसे सुल्तान सिकन्दर लोदी ने पराजित करके जौनपुर पर अधिकार कर लिया। पराजित हुसैन शाह ने बंगाल के सुल्तान अलाउद्दीन हुसैन शाह (1493-1518) के यहाँ शरण ली। 1505 में हुसैन शाह की बंगाल में मृत्यु हो गई।

गुजरातः सन् 1401 ई. में गुजरात दिल्ली सल्तनत से पृथक् हो गया था। इस राजवंश का संस्थापक जफर खाँ था। उसने तैमूर के आक्रमण से उत्पन्न अराजकता की स्थिति का लाभ उठाकर अपनी स्वतन्त्र सत्ता स्थापित कर ली थी। इस राजवंश का सबसे प्रतापी सुल्तान महमूद बेगड़ा (सन् 1458-1511 ई.) था। उसने चम्पानेर, जूनागढ़ तथा कच्छ को जीतकर राज्य का विस्तार किया।

मालवाः बाबर के आक्रमण के समय मालवा में खिलजी वंश का महमूद द्वितीय शासन कर रहा था। मालवा फिरोज तुगलक के काल में दिल्ली सल्तनत से पृथक् हो गया और वहाँ के तुगलक सूबेदार दिलावर खाँ गौरी ने अपनी स्वतन्त्रता की घोषणा करके गौरी राजवंश की स्थापना की थी। सन् 1435 ई. में गौरी वंश के स्थान पर खिलजी वंश की स्थापना की गयी। महमूद द्वितीय सन् 1512 ई. में गद्दी पर बैठा था। उसके शासनकाल में राज्य की सम्पूर्ण शक्ति मेदिनीराय के हाथों में थी। उसने राज्य के समस्त उच्च पदों पर राजपूतों को नियुक्त किया।

बहमनी राज्यः सन् 1347 ई. में अलाउद्दीन बहमनशाह ने इस राज्य की स्थापना की थी। यह राज्य बरार से दक्षिण में कृष्णा नदी तक विस्तृत था। इस वंश के शासक क्रूर और धर्मान्ध थे और उनका सुदूर दक्षिण के हिन्दू राज्य विजयनगर से सदैव युद्ध होता रहा। सन् 1481 ई. में प्रधानमन्त्री महमूद गवाँ की हत्या के बाद बहमनी राज्य का विघटन आरम्भ हो गया। बहमनी राज्य का अन्तिम राजा कलीमुल्ला शाह था जिसकी सन् 1527 ई. में मृत्यु के साथ बहमनी राज्य भी समाप्त हो गया।

46. गियासुद्दीन तुगलक ने, राज्य की आर्थिक स्थिति को ठीक करने के लिए लगान व्यवस्था को पुनर्व्यवस्थित किया। इसने अलाउद्दीन खिलजी द्वारा लागू की गई भूमि लगान को त्याग दिया।

गियासुद्दीन तुगलक द्वारा अलाउद्दीन खिलजी के कृषि व्यवस्था में किए गए दो महत्वपूर्ण परिवर्तन निम्न थेः

1. मध्यस्थ वर्ग का अधिकार वापस दिया गया।
2. भूमि को नापने की व्यवस्था (मसाहत) तो जारी रखी गई, परंतु साथ ही अवलोकन या वास्तविक उपज के आधार पर भी कर का निर्धारण जारी रखा।

मुहम्मद तुगलक ने खराज की राशि पुनः बढ़ाकर 50 प्रतिशत कर दिया। उसने चरी और घरी को मध्यस्थों पर लागू कर दिया। इसके कारण मध्यस्थों के नेतृत्व में किसानों का अभूतपूर्व विद्रोह हुआ। बाद में फिरोजशाह तुगलक ने लगभग 23 प्रकार के उपकर या अबवाब समाप्त किए जिसमें चरी और घरी शामिल थे।

राजस्व को ठेके पर देने की प्रथा संभवतः मुहम्मद तुगलक के काल में आरंभ हुई। फिरोजशाह के काल में एक सिंचाई कर हक-ए-शर्ब भी किसानों पर लगाया गया, जो राज्य द्वारा निर्मित नहरों से सिंचाई के लिए पानी लेते थे। मुहम्मद तुगलक के काल में कृषि ऋण तकावी एवं सोंधर भी दिया जाता था। अफीफ के अनुसार फिरोजशाह तुगलक के आदेश पर ख्वाजा हिसामुद्दीन जुनैद ने राज्य की जमा (अनुमानित आय) बर-हुक्म-मुस्हंदा (जांच के नियम) के आधार पर निर्धारित की। इस कार्य को पूरा करने में 6 वर्ष लगे। इस गणना के अनुसार राज्य की आय लगभग 6 करोड़ 75 लाख टंका आंकी गई।

48. विभिन्न अभिलेखों से पता चलता है कि बलूतों को कभी भी परिवारों द्वारा अलग से रोजगार नहीं दिया जाता था। बल्कि वे समूचे गाँव के सेवक हुआ करते थे। बलूतों के दो प्रकार हुआ करते थे– वतनदार या मिरासी बलूतेदार और उपारी बलूतेदार। वतनदार बलूतों की सेवा का स्वरूप अनुवांशिक आधार पर निर्धारित था। आमतौर पर अपने पेशों पर उनका एकाधिकार हुआ करता था। परंतु उपारी बलूतों की सेवाएँ इस प्रकार की नहीं थी। उन्हें अस्थायी आधार पर या तो मौजूदा बलूतों की सहायता के लिए या यदि कोई वतन बलूतेदार गाँव छोड़कर चला जाता था तो उसके स्थान पर अस्थायी काम करने के लिए रखा जाता था।

वतन बलूतों को उसके धारक द्वारा बेचा, विभाजित या हस्तांरित किया जा सकता था। एक ही पेशेवर जाति के बीच वतन की बिक्री आम प्रचलन में थी। यदि गाँव में सेवक जाति का केवल एक ही परिवार होता था तो उसे समूचे गाँव का सेवक माना जाता था।

52. जहाँ आरा बेगम बादशाह शाहजहाँ की बड़ी पुत्री थी। यह बहुत दयालु, खुले विचारों एवं धार्मिक कार्यों में रुचि लेने वाली महिला थी। इसका जन्म 1 अप्रैल 1614 ई. को हुआ था। इसने शाहजहानाबाद में साहिबाबाद बगीचे का निर्माण करवाया था, जिसे धनी व्यापारियों के लिए सराय के रूप में उपयोग किया जाता था।

54. मुगल शासक औरंगजेब ने उत्तर-पूर्वी सीमांत की ओर अपना ध्यान लगाया। उत्तराधिकार युद्ध के समय कूच बिहार तथा असम के शासकों ने मुगलों के जिला कामरूप पर अधिकार कर लिया। 1600 ई. में मीर जुमला ने कूच बिहार की राजधानी पर अधिकार कर लिया। 13 मार्च, 1662 को मीर जुमला ने अहोम सेनाओं को पराजित कर उस पर अधिकार कर लिया। 1663 ई. में पश्चिमी असम के अहोम राजाओं एवं मुगलों के मध्य हुई संधि के अनुसार युद्ध की क्षतिपूर्ति कर युद्ध बंद कर दिया गया। अहोमों ने 1681 ई. में मुगलों को कुच हाजो को छोड़ने और मानस नदी को सीमा के रूप में स्वीकार करने के लिए बाध्य किया।

56. महजर (सन् 1579 ई.): धार्मिक मामलों में अपना नेतृत्व स्थापित करने के लिए अकबर ने धीरे-धीरे उस दिशा में काम करना शुरू किया। जून, सन् 1579 ई. में उसने फतेहपुर सीकरी की प्रधान मस्जिद के उलेमा को पदच्युत कर दिया और अपने नाम से खुतबा पढ़ा। उसका एकमात्र उद्देश्य धर्म के क्षेत्र में भी अपना सार्वभौमिकता स्थापित करना था। वह खुतबा शेख मुबारक के पुत्र फैजी ने तैयार किया था और परम्परागत खुतबे से भिन्न था। उस खुतबे के आखिरी शब्द थे "अल्लाहू अकबर" जिनका अर्थ था कि खुदा सबसे बड़ा है। इसमें इस बात का संकेत नहीं था कि अकबर में दैवी शक्ति थी, किन्तु उस खुतबे में यह अवश्य लिखा था कि अकबर खुदा का प्रतिनिधि (Khalifatullah) है।

सितम्बर, सन् 1579 ई. में अकबर ने उलेमाओं की शक्ति पर फिर प्रहार किया। एक घोषणा-पत्र तैयार किया गया जिसे शेख मुबारक ने लिखा और मखदूम-उल-मुल्क, अब्दुन्नबी, काजी जलालुद्दीन मुलतानी, गाजीखाँ बदख्शी, साम्राज्य के मुफ्ती और प्रधान काजी और शेख मुबारक ने स्वीकार करते हुए उस पर अपने हस्ताक्षर किए। बदायूँनी का कहना है कि केवल शेख

मुबारक ने उस मजहर पर अपनी इच्छा से हस्ताक्षर किए परन्तु अन्य सभी ने दबाव में आकर हस्ताक्षर किए।

57. मुगल बादशाह अमीरों को कई प्रकार की दंड पताकायें प्रदान किया करते थे। शाहजहाँ ने अमीरों को दिए जाने वाले दंड पताकाओं में माही-मरातिब को शामिल किया। शाहजहाँ से पहले दिल्ली के सुल्तान इसे प्रदान किया करते थे।

59. मुहम्मद बिन तुगलक (1325-1351): गयासुद्दीन तुगलक की मृत्यु के बाद उसका पुत्र जूना खां 'मुहम्मद बिन तुगलक' के नाम से दिल्ली की गद्दी पर बैठा। सम्भवतः मध्यकालीन सभी सुल्तानों में मुहम्मद बिन तुगलक सर्वाधिक शिक्षित, विद्वान एवं योग्य सुल्तान था।

कराचिल अभियान के अन्तर्गत सुल्तान ने खुसरो मलिक के नेतृत्व में एक विशाल सेना को पहाड़ी राज्यों को जीतने के लिए भेजा। उसकी पूरी सेना दुर्गम जंगली रास्तों में भटक गई, इब्नबतूता के अनुसार अन्ततः केवल तीन अधिकारी ही बचकर वापस आ सके। इस तरह मुहम्मद बिन तुगलक की यह योजना भी असफल रही। ऐसे में सम्भवतः 1328-29 के मध्य मंगोल आक्रमणकारी तरमाशरीन चगताई ने एक विशाल सेना के साथ भारत पर आक्रमण कर मुल्तान, लाहौर से लेकर दिल्ली तक के प्रदेशों को रौंद डाला। ऐसा माना जाता है कि सुल्तान मुहम्मद बिन तुगलक ने मंगोल नेता को घूस देकर वापस कर दिया। अपनी इस नीति के कारण सुल्तान को आलोचना का शिकार बनना पड़ा।

62. मुहम्मद बिन तुगलक के समय भूमि मापने की प्रथा फिर अपना ली गयी। परन्तु स्थिति तब बिगड़ गयी जब अनाज के रूप में वसूली वास्तविक उत्पादन के आधार पर न कर के राज्य द्वारा निर्धारित पैदावार (वफा-ए-फरमानी) के आधार पर की गयी। उसी तरह नगद रूप में वसूली भी बाजार में प्रचलित मूल्य के आधार पर नहीं की गयी वरन् राज्य द्वारा घोषित मूल्य (निर्ख-ए-फरमानी) के आधार पर की गयी। विशेषतः मुहम्मद बिन तुगलक के समय राजस्व वसूली का काम भी ठेकेदारी पर दिया जाने लगा। फसल खराब होने पर भूमि-राजस्व में छूट भी दी जाती थी। मुहम्मद बिन तुगलक के द्वारा किसानों को कृषि ऋण दिया गया जिसे सोनधर (तकाबी ऋण) कहा जाता है। यह ऋण चौधरियों और मुकद्दमों के माध्यम से दिए जाते थे जो अलग-अलग किसानों को वितरण करते थे।

63. मध्यकालीन सूफी संत शेख नुरूद्दीन ने भारत कश्मीर में ऋषि सिलसिले की स्थापना की तथा हिन्दू-मुस्लिम एकता पर बल दिया।

69. मागरेट कजिंस एवं एनी बेसेन्ट ने वर्ष 1917 में महिलाओं के सामाजिक, आर्थिक एवं राजनीतिक मामलों में महिलाओं को अपमानजनक स्थिति से मुक्त कराने के लिए 'वीमेन्स इंडियन एसोसिएशन' की स्थापना की। एसोसिएशन ने बाद में अशिक्षा, बाल-विवाह, देवदासी प्रथा एवं अन्य सामाजिक कुरीतियों से लड़ने में महत्वपूर्ण भूमिका निभाई।

72. काजी नजरूल इस्लामः बंगाल के मुजफ्फर अहमद ने 1925-26 में काजी नजरूल इस्लाम के सहयोग से लेबर स्वराज पार्टी (जो बाद में किसानों तथा मजदूरों की पार्टी कहलाई) की स्थापना की। काजी नजरूल इस्लाम उस समय 49वीं बंगाल रेजीमेन्ट में हवलदार के रूप में कार्यरत थे जो बाद में राष्ट्रीय कवि के रूप में प्रसिद्ध हुए।

73. सत्य महिमा धर्मः मुकंद दास अथवा महिमा गोसाई, गोविंद बाबा और भीमाभोई (एक निरक्षर दृष्टिहीन ग्वाला) सत्य महिमा धर्म की विभूतियाँ थीं। इस पंथ ने धार्मिक कर्मकांडों के क्षेत्र में पुरातनपंथी ब्राह्मणी वर्चस्व का विरोध किया। ब्राह्मणी कर्मकांडों और मूर्ति पूजा को अस्वीकार करने के कारण, इस पंथ ने नीची जाति के लोगों, आदिवासियों और अछूतों को खूब आकर्षित किया। महिलाएँ भक्तों के रूप में इस आन्दोलन में शामिल हो सकती थीं किन्तु उनका मठीय व्यवस्था में प्रवेश वर्जित था।

गुजरात का स्वामी नारायण पंथः रामानंद स्वामी (1739-1802) के शिष्य सहजानंद स्वामी (1781-1830) ने गुजरात क्षेत्र में एक शुद्धाचारवादी विचारधारा को लोकप्रिय बनाया। स्थापित हिंदू परम्पराओं से स्वामी नारायण पंथ का अलगाव कुछ प्रथाओं तक, विशेषकर विवाह संबंधी प्रथाओं, शिशु हत्या और *वाणी मार्गी पंथ* की प्रथाओं तक, सीमित था। इस पंथ ने ऐसे पंथों पर प्रहार किया जो *शक्ति* की पूजा करते, पशु बलि चढ़ाते, माँस खाते, मदिरा पीते और अन्य कर्मकांडों में लिप्त रहते थे। हालांकि महिलाओं को भी *सांख्ययोगिनी* अथवा साध्वी के रूप में स्थान दिया गया था और स्वामी सहजानंद विधवा विवाह पर लगे प्रतिबंधों, *सती* प्रथा और कन्या शिशु हत्या को चुनौती देते थे, फिर भी यह पंथ पारम्परिक पितृसत्तात्मक व्यवस्था के बुनियादी मूल्यों का भी समर्थन करता था।

देव समाजः 1887 ई. में शिव नारायण अग्निहोत्री ने लाहौर में देव समाज की स्थापना की। इन्होंने मदिरा एवं मांस सेवन की तीव्र निंदा की थी।

परमहंस मंडलीः इसका इतिहास मानव धर्म सभा एवं दादोबा पांडुरंग (1814-82) से जुड़ा था। दादोबा ने धर्म विवेचन (1848 ई.) में अपना सिद्धांत प्रस्तुत किया। उन्होंने सात सिद्धांतों को सूचीबद्ध किया। 1849 ई. में दादोबा एवं उनके मित्रों ने बंबई में परमहंस मंडली की एक मूल सामाजिक धार्मिक संस्था की स्थापना की।

इस संस्था की शाखाएं पूना, अहमदनगर एवं रत्नागिरी में स्थापित हुई। मंडली ने मानव धर्म सभा का अनुसरण किया एवं जातिप्रथा, मूर्ति पूजा, रूढ़िवादी धार्मिक यज्ञों तथा ब्राह्मणों के प्रभुत्व को अस्वीकृत किया, जिसमें इसे कुछ सफलता मिली।

74. लार्ड लिटन ने 1878 में भारतीय समाचारपत्र अधिनियम, (वर्नाक्यूलर प्रेस एक्ट) पारित कर भारतीय समाचारपत्रों पर कठोर प्रतिबंध लगाया। जिससे उपनिवेशी भारत के प्रेस एवं साहित्य ने वर्नाक्यूलर प्रेस एक्ट के विरोध में राष्ट्रव्यापी आन्दोलन किया। जिसके कारण लार्ड रिपन ने 1882 में वर्नाक्यूलर प्रेस एक्ट को समाप्त कर दिया। मुद्रण माध्यमों (प्रिंट मीडिया) ने देश के विभिन्न भागों में रहने वाले राष्ट्रवादियों को आपस में विचार विनिमय के माध्यम से भारत की स्वतंत्रता की लड़ाई में अहम योगदान किया।

75. 1667 ई. में फ्रांसिस कैरों के नेतृत्व में फ्रांसीसियों ने भारत की ओर प्रस्थान किया तथा 1668 ई. में सूरत में प्रथम व्यापारिक कारखानों की स्थापना की। 1669 ई. में मर्कारा द्वारा मछुलीपट्टम में दूसरी फ्रांसीसी फैक्टरी स्थापित हुई। फ्रेंसिस मार्टिन ने वलीकोण्डापुर के सूबेदार शेरखाँ लोदी से पर्दुचुरी नामक गाँव प्राप्त किया, जो कालान्तर में पाण्डिचेरी (अब पुडुचेरी) के नाम से प्रसिद्ध हुआ। 1690 में चन्द्रनगर को फ्रांसीसियों ने अपना केन्द्र बनाया। 1701 ई. तक पाण्डिचेरी फ्रांसीसी कालोनियों का मुख्यालय बन गया। 1731 ई. में चन्द्रनगर के प्रमुख के रूप में डूप्ले की नियुक्ति हुई। 1739 ई. में फ्रांसीसियों का करिकाल पर अधिकार हो गया। 1742 तक आते-आते फ्रांसीसी व्यापारिक लाभ के साथ-साथ राजनीतिक महत्वाकांक्षाओं की पूर्ति हेतु संघर्ष हुए तथा अंग्रेज-फ्रांसीसी युद्ध का सूत्रपात हुआ।

76. अंग्रेजों ने मुसलमानों के लगभग सात सौ वर्षों के शासन को मिटा दिया। उन्होंने 1857 के विद्रोह को बर्बरतापूर्वक कुचल दिया, बहादुरशाह 'जफर' को रंगून में कैद रखा, उसके दो पुत्रों को उसके सामने मार दिया, मुगल साम्राज्य का पूर्ण अन्त कर दिया। इसका प्रारम्भ 1757 की प्लासी की लड़ाई से शुरू होता है। जब क्लाइव ने बंगाल छीन लिया तथा नवाब सिराजुद्दौला की हत्या करा दी। इसके विरोध में फरायजी आन्दोलन (Faraizi Movement) चला। इसे हाजी शरियतुल्लाह ने 1804 में चलाया। देखने में इसका उद्देश्य मुस्लिम समाज की शुद्धता को बनाये रखना तथा मुस्लिम समाज में व्याप्त भ्रष्टाचार को दूर करना था, वास्तव में इसका उद्देश्य अंग्रेजों की सत्ता को उखाड़ फेंकना था जिसने मुसलमानों से सत्ता छीन ली थी। यह आन्दोलन बंगाल के पूर्वी जिलों में उभरा। फरीदपुर

इसका गढ़ था। उद्योग के विकास के कारण कृषि पिछड़ गई थी, किसान जमींदारों के शोषण से पीड़ित थे, आम लोग विदेशी शासन की निन्दा कर रहे थे। अतः आन्दोलन करने वालों ने किसानों को संगठित किया। किसानों से कहा गया कि वे लगान या अन्य करों का भुगतान न करें तथा अपनी अदालतें बनाकर अपने विवादों का निपटान करें। 1837 में हाजी की मृत्यु के बाद उसके पुत्र मोहम्मद मोहसिन (उर्फ दूदू मियां) ने यह काम जारी रखा और वह पकड़ा गया। 1860 में उसकी मृत्यु हो गई। मीर नासिर अली (उर्फ टीटू मियां) इस आन्दोलन से जुड़ा था, लेकिन वह सय्यद अहमद बरेलवी से प्रभावित हो गया जो वहाबी आन्दोलन चला रहा था। इसलिए फरायजी आन्दोलन आगे चलकर वहाबी आन्दोलन का अंग बन गया।

78. ज्योतिबा फूले चातुर्वर्ण-व्यवस्था और ब्राह्मण विरोधी आन्दोलन के प्रथम प्रवक्ता बने। उनकी दृष्टि में भारतीय समाज की मूल समस्या थी ब्राह्मणों की लोक जीवन के हर क्षेत्र में वर्चस्वता। इसलिए उन्होंने ब्राह्मणेत्तर समूहों को एकजुट होने के लिए आवाहन किया। इसके लिए 1873 में उन्होंने पूना (अब पुणे) में 'सत्यशोधक समाज' की स्थापना की। लेकिन आगे चलकर सत्यशोधक समाज में भी दरार पड़ गयी। उसका एक तबका तो ब्राह्मण और ब्राह्मणेतर वर्ग के रूप में समाज को बाँट कर देखने लगा। उसकी मुख्य मान्यता थी कि एक तरफ ब्राह्मणेत्तर वर्ग तथा दूसरी तरफ ब्राह्मण-बनिया जिसे सेठ जी-भट्ट जी कहते थे। इन दोनों वर्गों के हित में कोई तालमेल नहीं हो सकता। लेकिन ब्राह्मण विरोधी आन्दोलन से निकला एक दूसरा तबका थोड़ा ज्यादा सम्पन्न लोगों का था। वे अपना हित अंग्रेजी राज के साथ मिलकर काम करने में देखते थे। 1919 के ऐक्ट के तहत जब चुनाव लड़ने की बात आयी तो उन्होंने अपना एक अलग संगठन बनाया 'गैर ब्राह्मण संघ'। वे-भारत के 'लिबरल फेडरेशन' के साथ 1919 के ऐक्ट के तहत काम करने के लिए तैयार थे। गाँधी जी की भारत की राजनीति में प्रवेश से महाराष्ट्र के गैर-ब्राह्मणवादी आन्दोलन की स्थिति थोड़ी बदली। अब गैर-ब्राह्मण संघ कांग्रेस के करीब आने लगा। इसका एक कारण तो यह था कि गाँधी जी ने अपने को किसानों की समस्या से जोड़ा। परिणामतः केशव राव जेधे के नेतृत्व में गैर-ब्राह्मण संघ का कांग्रेस में विलय हो गया। इस प्रकार महाराष्ट्र कांग्रेस में मराठों का वर्चस्व स्थापित हो गया और ब्राह्मण धीरे-धीरे महाराष्ट्र की राजनीति में पीछे हटते गए।

79. **प्रथम ऐंग्लो-बर्मा युद्धः** 1824 में अंग्रेजों ने बर्मा पर आक्रमण किया, परंतु बंगाल सेना की तीन बटालियनों ने उस समय विद्रोह कर दिया जिस समय उनको बर्मा के अराकन क्षेत्र के पड़ोस में चिटगाँव पर आक्रमण करने को कहा गया। मुख्य आक्रमण समुद्र से किया गया। बर्मा की सेनाएं आसानी से पराजित हो गई। राजा ने उस शांति संधि को स्वीकार कर लिया (24 फरवरी, 1926 की यंदाबू की संधि) जिसके अनुसार असम, मणिपुर, अराकन, तावाय और मेरगुई को अंग्रेजों के अधिकार में दे दिया गया। इस प्रकार राजा ने अपने अधिकतर समुद्र तट को खो दिया तथा उसके पास ऊपरी एवं केन्द्रीय बर्मा, पेगू और इरावदी के मुहाने वाले क्षेत्र शेष रहे। उसको अपनी राजधानी में एक अंग्रेज रेजीडेंट (प्रतिनिधि) को रखने के लिए बाध्य होना पड़ा तथा 1000,000 पौंड का हर्जाना अदा करना पड़ा। इस युद्ध में अंग्रेज-भारतीय सेना के 40,000 लोगों ने भाग लिया जिसमें से 15,000 लोग मारे गये। युद्ध का खर्च इतना अधिक था कि बर्मा युद्ध के दौरान अर्थात् 1824 से 1828 तक भारतीय बजट का घाटा 7,000,000 पौंड पहुँच गया।

80. हैदर अली (शासन काल 1761 से 1782) और उनके विख्यात पुत्र टीपू सुल्तान (शासन काल 1782 से 1799) जैसे शक्तिशाली शासकों के नेतृत्व में मैसूर काफी ताकतवर हो चुका था। मालाबार तट पर होने वाला व्यापार मैसूर रियासत के नियंत्रण में था जहाँ से कंपनी काली मिर्च और इलायची खरीदती थी। 1785 में टीपू सुल्तान ने अपनी रियासत में पड़ने

वाले बंदरगाहों से चंदन की लकड़ी, काली मिर्च और इलायची का निर्यात रोक दिया। सुल्तान ने स्थानीय सौदागरों को भी कंपनी के साथ कारोबार करने से रोक दिया था। टीपू सुल्तान ने भारत में रहने वाले फ्रांसीसी व्यापारियों से घनिष्ठ संबंध विकसित किए और उनकी मदद से अपनी सेना का आधुनिकीकरण किया।

सुल्तान के इन कदमों से अंग्रेज आग-बबूला हो गए। उन्हें हैदर अली और टीपू सुल्तान बहुत महत्वाकांक्षी, घमण्डी और खतरनाक दिखाई देते थे। अंग्रेजों को लगता था कि ऐसे राजाओं को नियंत्रित करना और कुचलना जरूरी है। फलस्वरूप, मैसूर के साथ अंग्रेजों की चार बार जंग हुई (1767-69, 1780-84, 1790-92 और 1799)। श्रीरंगपट्टनम की आखिरी जंग में कंपनी को सफलता मिली। अपनी राजधानी की रक्षा करते हुए टीपू सुलतान मारे गए और मैसूर का राजकाज पुराने वाडियार राजवंश के हाथों में सौंप दिया गया। इस संदर्भ में लॉर्ड रिपन का कहना था कि "ब्रिटिश भारत के इतिहास में मैसूर को उसके पुराने शासक परिवार को वापस सौंपा जाना एक अद्वितीय घटना थी।"

85. स्वतंत्रता आंदोलन के दौरान सुभाषचंद्र बोस ने भारतीय राष्ट्रीय थलसेना का पुनरुत्थान किया था। जापान में रह रहे पुराने क्रान्तिकारी रासबिहारी बोस ने 5 जुलाई, 1943 को इण्डियन इंडिपेंडेंस लीग तथा आजाद हिंद फौज की कमान सुभाष चन्द्र बोस को सौंप दी। आजाद हिन्द फौज की सर्वोच्च सेनापति की हैसियत से सुभाष चन्द्र बोस ने सिंगापुर में अस्थायी भारत सरकार की स्थापना की। यहीं पर इन्होंने 'तुम मुझे खून दो, मैं तुम्हें आजादी दूँगा' तथा 'दिल्ली चलो' का नारा दिया।

86. वेलेजली ने भारतीय राज्यों को अंग्रेजी राजनैतिक परिधि में लाने के लिए सहायक संधि प्रणाली का प्रयोग किया। इस प्रणाली ने भारत में अंग्रेजी साम्राज्य के प्रसार में विशेष भूमिका निभाई और उन्हें भारत का एक विस्तृत क्षेत्र हाथ लगा। वेलेजली ने सहायक संधि का आविष्कार नहीं किया, सम्भवतः डुप्ले प्रथम यूरोपीय था जिसने अपनी सेना किराये पर भारतीय राजाओं को दी थी। वेलेजली की विशेषता यह थी कि उसने इसका विकास कर अपने संपर्क में आने वाले सभी देशी राजाओं के सम्बन्धों में इसका प्रयोग किया। सहायक संधि के मूलभूत सिद्धांत निम्नलिखित थे:

1. भारतीय राजाओं के विदेशी सम्बन्ध कम्पनी के अधीन होंगे। वे कोई युद्ध नहीं करेंगे तथा अन्य राज्यों से बातचीत कम्पनी की मध्यस्थता में ही होगी।
2. बड़े राज्यों को अपने यहाँ एक ऐसी सेना रखनी होती थी जिसकी कमान अंग्रेज अधिकारियों के हाथ में होगी और जिसका उद्देश्य सार्वजनिक शान्ति बनाये रखना था। इसके लिए उन्हें 'पूर्ण प्रभुसत्ता युक्त प्रदेश' कम्पनी को देना होता था। छोटे राज्यों को कम्पनी को नकद धन देना होता था।
3. राज्यों को अपनी राजधानी में एक अंग्रेज रेजीडेन्ट रखना होता था।
4. राज्य कम्पनी की अनुमति के बिना किसी यूरोपीय व्यक्ति को सेवा में नहीं रख सकते थे।
5. कम्पनी राज्यों के आन्तरिक मामलों में हस्तक्षेप नहीं करेगी।
6. कम्पनी राज्यों की प्रत्येक प्रकार के शत्रुओं से रक्षा करेगी।

87. 12 मार्च 1930 को गांधीजी ने 79 स्वयंसेवकों के साथ साबरमती आश्रम से समुद्र तट पर स्थित दांडी के लिए यात्रा प्रारम्भ कर दी। गांधीजी ने प्रतिज्ञा की कि वे स्वराज्य प्राप्ति के बाद ही साबरमती आश्रम लौटेंगे। बड़ी संख्या में अहमदाबाद के लोग जुलूस के रूप में उनके पीछे चल पड़े। अहमदाबाद में इतना बड़ा जुलूस इससे पूर्व कभी नहीं निकला था। करीब 200 मील की पद यात्रा 24 दिनों में पूरी करके वे 5 अप्रैल को दांडी पहुँच गए। जनता में जागृति पैदा करने और उसे आन्दोलन में प्रवृत्त करने में दांडी

यात्रा ने महत्वपूर्ण भूमिका निभाई। 6 अप्रैल को प्रातः गांधीजी ने समुद्र तट से नमक एकत्र किया और इस प्रकार नमक कानून का उल्लंघन किया।

एक बार जब गांधीजी ने दांडी में नमक हाथ में लेकर इसके शुरु होने की रस्म पूरी कर दी तो नमक कानून तोड़ने का सत्याग्रह समूचे देश में शुरु हो गया।

90. मीर उस्मान अली खाँ 1911 से 1948 तक हैदराबाद रियासत के निजाम (शासक) तथा 1956 तक उसके संवैधानिक प्रमुख थे। एक समय में विश्व के सबसे धनी व्यक्तियों में से एक उस्मान अली ने इटली के बराबर रियासत पर राज्य किया। निजी तौर पर शिक्षा ग्रहण करने के बाद उस्मान अली ने 29 अगस्त 1911 को छठे निजाम महबूब अली खाँ से हैदराबाद का पदभार संभाला। वित्तीय सुधारों को बढ़ावा देते हुए वह हैदराबाद रियासत को वांछनीय वित्तीय रूप से सशक्त स्थिति में ले आए; रियासत ने अपनी मुद्रा एवं सिक्के जारी किए और एक प्रमुख रेल कंपनी का स्वामित्व ग्रहण किया।

91. लार्ड कर्जन ने बंग-भंग की घोषणा 20 जुलाई, 1905 को की। 7 अगस्त, 1905 को बंग-भंग विरोधी आंदोलन प्रारम्भ हो गया। 16 अक्टूबर, 1905 को विभाजन लागू हो गया। सम्पूर्ण बंगाल में इसे शोक दिवस के रूप में मनाया गया। भारी दबाव के चलते 1911 में बंग-भंग के आदेश को वापस ले लिया गया और 1912 में बिहार, उड़ीसा नाम के नये प्रान्तों के निर्माण की भी घोषणा हुई।

95. तीसरा कर्नाटक युद्ध 1756-63 ई. के बीच हुआ। यह 1756 ई. में शुरू हुआ। यह सप्तवर्षीय युद्ध का ही एक अंश था। पेरिस की संधि होने पर यह युद्ध समाप्त हुआ। अंग्रेजी सेना ने 1760 ई. में सर आयरकूट के नेतृत्व में वांडीवाश की लड़ाई में फ्रांसीसियों को बुरी तरह हराया। इसमें फ्रांसीसी सेना का नेतृत्व लाली कर रहा था। अंग्रेजों ने 1761 ई. में पांडिचेरी को फ्रांसीसियों से छीन लिया। पेरिस संधि के अन्तर्गत अंग्रेजों ने 1763 ई. में चन्द्रनगर को छोड़कर शेष अन्य प्रदेशों को लौटा दिया जो 1749 ई. तक फ्रांसीसी कब्जे में थे। ये प्रदेश भारत की आजादी तक फ्रांसीसियों के कब्जे में रहे।

96. 1608 में ब्रिटेन के राजा जेम्स प्रथम के दूत के रूप में कैप्टन हॉकिन्स सूरत पहुँचा तथा जहाँगीर से मिलने के लिए आगरा आया। जहाँगीर उससे बहुत प्रभावित हुआ और उसे 400 का मनसब, जागीर प्रदान कर आगरा में रहने की अनुमति प्रदान की। 1613 ई. में जहाँगीर ने अंग्रेजों को सूरत में व्यापारिक कोठी स्थापित करने की अनुमति प्रदान कर दी। 1618 ई. में सर टॉमस के प्रयासों से ईस्ट इंडिया कंपनी को व्यापार करने की अनुमति प्राप्त हो गई तथा 1619 ई. तक कंपनी ने अहमदाबाद, भड़ौच, बड़ौदा, आगरा में कारखाने स्थापित कर लिए, परंतु सभी का नियन्त्रण सूरत से ही होता था। 1632 ई. में गोलकुण्डा के सुल्तान ने अंग्रेजों को एक 'सुनहला फरमान' दिया, जिसका उद्देश्य पाँच सौ पैगोड़ा सालाना कर देने पर उन्हें गोलकुण्डा राज्य में स्वतंत्रतापूर्वक व्यापार करने की अनुमति प्रदान करना था।

98. 1876 में ब्रिटिश राज ने भारतीय रंगमंच पर पूरी तरह नियंत्रण स्थापित करने के लिए नाट्य प्रदर्शन अधिनियम पारित किया। भारत देश ब्रिटिश समाज का उपनिवेश था अतः ब्रिटिश राज के जातीय विरोध में रंगमंच को एक हथियार के रूप में इस्तेमाल किया जाने लगा। क्रांति एवं विरोध की इस नई धारा को रोकने और इस पर नियंत्रण स्थापित करने की दृष्टि से ब्रिटिश सरकार ने इस अधिनियम की स्थापना की। तत्कालीन वायसराय ''नार्थ ब्रुक'' की राय में इस अधिनियम के द्वारा भारत में रंगमंच परिदृश्य को बेहतर तरीके से नियंत्रित किया जा सकता है। इस अधिनियम के प्रमुख प्रावधान निम्नलिखित थे:

1. इस अधिनियम के विभिन्न प्रावधानों के द्वारा किसी भी नाटक के सार्वजनिक मंचन/प्रदर्शन को रोका जा सकता है।

2. नाटक के क्षेत्र में मूक अभिनय एवं अन्य नाट्य रूपों को भी शामिल कर लिया गया था। अधिनियम के प्रावधानों के अनुसार ये अधिकार प्राप्त हो गये थे कि वह किसी भी नाट्य प्रदर्शन कोः
   (क) षडयन्त्रकारी प्रकृति का।
   (ख) सामाजिक मूल्यों को ध्वस्त करने का।
   (ग) कानून द्वारा स्थापित सरकारी नियमों एवं संस्थाओं के विरूद्ध असंतुष्टि एवं विरोध उत्पन्न करने वाला।

   होने की स्थिति में व्यक्तियों में भ्रम उत्पन्न करने वाला घोषित किया जा सकता था तथा ऐसे प्रदर्शन को निषिद्ध किया जा सकता था।
3. इस अधिनियम के अन्य प्रावधानों के अनुसार उपनियमों की अवहेलना करने वाले व्यक्तियों के समूह को दंडित करने का प्रावधान भी किया गया था जिसके अंदर तीन साल की कैद और जुर्माना हो सकता था या दोनों।

100. गोपाल गणेश आगरकर (जन्म-14 जुलाई, 1856, सतारा, महाराष्ट्र; मृत्यु-17 जून, 1895) का नाम भारत के प्रसिद्ध समाज सेवकों में लिया जाता है। एक पत्रकार के रूप में भी उन्होंने प्रसिद्धि पाई थी। वे प्रसिद्ध स्वतंत्रता सेनानी लोकमान्य बालगंगाधर तिलक के सहपाठी रहे थे। उन्होंने 'सुधारक' नामक एक साप्ताहिक भी निकाला था। गोपाल गणेश आगरकर जी वर्ष 1892 में फर्ग्युसन कॉलेज, पुणे के प्रधानाध्यापक बनाये गए थे और फिर इस पद पर वे अंत तक रहे। साप्ताहिक पत्र 'केसरी' के सम्पादन में भी गोपाल गणेश आगरकर, लोकमान्य तिलक के निकट सहयोगी थे, परंतु 'बाल विवाह' और विवाह की उम्र बढ़ाने के प्रश्न पर आगरकर जी का तिलक से मतभेद हो गया। इस मतभेद के कारण 1887 में वे साप्ताहिक पत्र 'केसरी' से अलग हो गये। अब उन्होंने स्वयं का 'सुधारक' नामक नया साप्ताहिक निकालना आरंभ किया। 1890 में लोकमान्य तिलक ने 'दक्कन एजुकेशनल सोसाइटी' छोड़ दी।

पिछले प्रश्न-पत्र (हल सहित)

National Testing Agency (NTA)

UGC-NET जूनियर रिसर्च फैलोशिप तथा सहायक प्राध्यापक पात्रता परीक्षा

इतिहास, दिसम्बर-2018*

प्रश्न-पत्र-II

नोटः *इस प्रश्न-पत्र में* ***सौ (100)*** *बहु-विकल्पीय प्रश्न हैं। प्रत्येक प्रश्न के* ***दो (2)*** *अंक हैं।* ***सभी*** *प्रश्न अनिवार्य हैं।*

1. किसने धाय-कुल के साथ अपने संबंध को परिभाषित करने के संदर्भ में निम्नलिखित वाक्य कहा?

''मेरे और अजीज के बीच दूध की नदी है जिसे मैं पार नहीं कर सकता।''

A. बाबर B. हुमायूँ

C. अकबर D. जहाँगीर

2. ''जब राजस्थान की एक रियासत के चारण अपने राजा के द्वारा स्वयं पर अत्याचार के बारे में मुगल बादशाह से शिकायत करने गए तो बादशाह ने यह कहकर कि वह 'मोटा राजा' है, उनकी शिकायत की अनदेखी कर दी।''

राजा, उसकी रियासत और मुगल बादशाह, जिसने उसे 'मोटा राजा' कहा, की निम्नलिखित में से पहचान कीजिए :

A. बीकानेर का राजा राय सिंह और बादशाह अकबर

B. मेवाड़ का राणा राज सिंह और बादशाह औरंगजेब

C. जोधपुर का राजा उदय सिंह और बादशाह अकबर

D. आमेर का मिर्जा राजा जय सिंह और बादशाह जहाँगीर

3. निम्नलिखित शासकों और उनकी उपाधियों के युग्मों में कौन-सा युग्म सही सुमेलित **नहीं** है?

A. प्रवरसेन II – परम-माहेश्वर

B. हर्ष – परम-सौगात

C. कुमारगुप्त – परम-भागवत

D. बुद्धगुप्त – परमदैवत

4. मध्यकालीन भारत में विभिन्न मतों के लोगों के बीच पारस्परिक सांस्कृतिक आदान-प्रदान होता था। मुगल शासक और अमीर एक ब्राह्मण तपस्वी और वैदिक विचारों के प्रतिपादक जदरूप गोसाईं के साथ चर्चा किया करते थे। वे उनके *वेदान्त* के ज्ञान से प्रभावित थे जिसे सूफीवाद के समान माना गया था।

निम्नलिखित में से कौन जदरूप गोसाईं से मिले थे?

A. जहाँगीर, शाहजहाँ और अब्दुर रहीम खान-ए-खानान

B. शाहजहाँ, राजा बिट्ठल दास और सूरत सिंह राठौड़

C. अकबर, जहाँगीर और मिर्जा अजीज कोका

D. अकबर, शहजादा खुसरो और शहजादा खुर्रम

5. ऋग्वेद के नदीस्तुति-सूक्त से किन दो नदियों के बीच वैदिक नदी सरस्वती की स्थिति का बोध होता है?

A. शुतुद्रि एवं असिक्नी B. यमुना एवं शुतुद्रि

C. गंगा एवं यमुना D. असिक्नी एवं वितस्ता

6. अशोक का समकालीन विदेशी राजा तुरमय कहाँ का शासक था?

A. एपाइरस B. मिस्र

C. सीरिया D. सायरीन

7. निम्नलिखित में से कौन-सा लेखकों और उनकी रचना का युग्म सही सुमेलित **नहीं** है?

A. हसन निजामी – *तारीख-ए-शाही*

B. जियाउद्दीन बर्नी – *फतवा-ए-जहाँदारी*

C. मिनहाज-ए-सिराज – *तबकात-ए-नासिरी*

D. अमीर खुसरो – *हश्त बिहिश्त*

* Held on 18 December, 2018.

8. अभिनवगुप्त निम्नलिखित किस सम्प्रदाय के प्रसिद्ध आचार्य थे?

A. लिंगायत B. पाशुपत
C. प्रत्यभिज्ञा D. कापालिक

9. ''इस बादशाह ने स्थानीय और अन्य अधिकारियों से यात्रियों तथा व्यापारियों को क्षति नहीं पहुँचाने और यदि कोई व्यापारी दुर्घटना में और बिना उत्तराधिकारी के मर जाता है तो उनकी संपत्ति को नहीं हड़पने का आदेश दिया। साथ ही अधिकारियों को व्यापारियों से केवल बाजार मूल्य पर ही माल खरीदने को कहा गया।''

इस शासक को पहचानिए।

A. शाहजहाँ B. अकबर
C. जहाँगीर D. शेरशाह

10. *वतन जागीर* की अवधारणा अकबर के शासनकाल के अंत में विकसित हुई। *वतन जागीर* के संबंध में निम्नलिखित कथनों में से कौन-से सही हैं?

(*i*) यह स्थायी और वंशानुगत भू-अनुदान था।
(*ii*) भू-अनुदान प्राप्तकर्ता को दंडित करने के लिए यह जब्त किया जा सकता था।
(*iii*) एक *अमीर* को पुरस्कृत करने के लिए नवीन *वतन जागीर* का सृजन किया जा सकता था।
(*iv*) *वतन जागीर* के राजस्व का हिस्सा *इनाम* में दिया जा सकता था।

नीचे दिए गए कूट में से सही उत्तर को चुनिए :

कूट :

A. केवल (*i*), (*iii*) और (*iv*)
B. केवल (*iii*) और (*iv*)
C. केवल (*ii*) और (*iv*)
D. (*i*), (*ii*), (*iii*), (*iv*)

11. गोविन्दचन्द्र गहड़वाल की एक रानी कुमारदेवी ने एक बौद्ध विहार बनवाया :

A. नालन्दा में B. सारनाथ में
C. बोधगया में D. श्रावस्ती में

12. नीचे दो वक्तव्य दिए गए हैं, जिनमें से एक कथन (A) है और दूसरा कारण (R) है। वक्तव्यों को पढ़िए और नीचे दिए गए कूट का प्रयोग कर सही उत्तर चुनिए।

कथन (A) : गौतम बुद्ध पुनर्जन्म में विश्वास करते थे।
कारण (R) : उन्होंने शाश्वत आत्मा के अस्तित्व को स्वीकार नहीं किया।

कूट :

A. (A) और (R) दोनों सही हैं तथा (R), (A) की सही व्याख्या है।
B. (A) सही है, परन्तु (R) गलत है।
C. (A) गलत है, परन्तु (R) सही है।
D. (A) और (R) दोनों सही हैं, परन्तु (R), (A) की सही व्याख्या नहीं है।

13. बादशाह शाहजहाँ और गुरु हरगोबिंद के बीच संघर्ष आखेट के मुद्दे पर था जिसके कारण एक के बाद एक सैन्य संघर्ष हुए। सिख सेना का नेतृत्व किस पठान ने किया?

A. पाइन्दा खान B. फिदायी खान
C. शाइस्ता खान D. मरहमत खान

14. सूची-I को सूची-II से सुमेलित कीजिए और नीचे दिए गए कूट में से सही उत्तर को चुनिए।

सूची-I (कलाकार)	**सूची-II (प्राप्त उपाधि)**
(*a*) अब्दुस समद	(*i*) *जरीन कलम*
(*b*) अबुल हसन	(*ii*) *नादिर-उल अस्र*
(*c*) कश्मीर का मुहम्मद हुसैन	(*iii*) *शीरीन कलम*
(*d*) उस्ताद मंसूर	(*iv*) *नादिर-उज जमाँ*

कूट :

	(*a*)	(*b*)	(*c*)	(*d*)
A.	(*iv*)	(*iii*)	(*ii*)	(*i*)
B.	(*i*)	(*ii*)	(*iii*)	(*iv*)
C.	(*iii*)	(*iv*)	(*i*)	(*ii*)
D.	(*ii*)	(*iv*)	(*i*)	(*iii*)

15. ''उन दिनों मनोरंजन सामान्य बात थी। तीर्थयात्राओं के दिनों तथा सफर के महीने के अंतिम बुधवार को दर्शक दीर्घाओं, सार्वजनिक उद्यानों या तालाबों के किनारे (बैठने की) जगह पाना कठिन था। चारों ओर संगीत तथा नृत्य का वातावरण था। इन दावतों पर एक टंका या अधिक खर्च होता था।''

शेख नसीरुद्दीन चिराग किसके शासनकाल की बात कर रहा था?

A. बलबन B. गियासुद्दीन तुगलक
C. मुहम्मद तुगलक D. अलाउद्दीन खलजी

16. निम्नलिखित में से कौन-सा स्मारक तुगलक-कालीन ढलावदार दीवार तकनीक के प्रयोग का अंतिम उदाहरण है?

A. अधम खान का मकबरा B. हसन खान का मकबरा
C. शेरशाह का मकबरा D. इसा खान का मकबरा

17. "एक ऊँट एक पैसे (डांग) में मिलता है, लेकिन पैसा किसके पास है?"

उपर्युक्त कथन में जियाउद्दीन बर्नी निम्नलिखित सुल्तानों में से किसके शासन की स्थिति का उल्लेख कर रहा है?

A. अलाउद्दीन खलजी
B. कुतुब-उद्दीन मुबारक शाह खलजी
C. मुहम्मद बिन तुगलक
D. फिरोज तुगलक

18. नीचे दो वक्तव्य दिए गए हैं, जिनमें से एक कथन (A) है और दूसरा कारण (R) है। वक्तव्यों को पढ़िए और नीचे दिए गए कूट का प्रयोग कर सही उत्तर चुनिए।

कथन (A) : चंगेज खान के परिवार का अर्ध-दैवी मूल और उसकी सफलता तथा जीवन वृत्त ने उसके खानदान को प्रेरणा तथा रौब की वस्तु बना दिया था और उसने 16वीं सदी तक अपने परिवार की सम्प्रभुता अक्षुण्ण बनाए रखी।

कारण (R) : चंगेज खान वंश का सम्मोहन ऐसा था कि तैमूर ने भी चंगेज खान के वंशज के नाम पर अपनी शक्ति का प्रयोग करना उपयुक्त समझा और अमीर या बेग की विनम्र उपाधि से ही संतुष्ट रहा।

कूट :

A. (A) और (R) दोनों सही हैं तथा (R), (A) की सही व्याख्या है।
B. (A) और (R) दोनों सही हैं, परन्तु (R), (A) की सही व्याख्या नहीं है।
C. (A) सही है, परन्तु (R) गलत है।
D. (A) गलत है, परन्तु (R) सही है।

19. अकबर के दरबार में निम्नलिखित चित्रकारों में से कौन कहार का पुत्र था?

A. दसवन्त B. सरवन
C. बसावन D. मीर सैय्यद अली

20. प्राचीनतम अजन्ता चित्रकला कहाँ उपलब्ध है?

A. गुफा सं. 1 एवं 2 B. गुफा सं. 19
C. गुफा सं. 16 एवं 17 D. गुफा सं. 9

21. निम्नलिखित में से किन मध्यपाषाणिक स्थलों से अच्छी खासी लम्बाई वाले अस्थिपंजरों से युक्त शवाधान निकले हैं?

(*i*) आदमगढ़ (*ii*) भीमबैठका
(*iii*) महादहा (*iv*) सराय नहर राय

नीचे दिए गए कूट में से सही उत्तर को चुनिए :

कूट :

A. (*i*) एवं (*iii*) B. (*ii*) एवं (*iii*)
C. (*iii*) एवं (*iv*) D. (*i*) एवं (*ii*)

22. नीचे दो वक्तव्य दिए गए हैं, जिनमें से एक कथन (A) है और दूसरा कारण (R) है। वक्तव्यों को पढ़िए और नीचे दिए गए कूट का प्रयोग कर सही उत्तर चुनिए।

कथन (A) : नानादेशी व्यापारिक संघ ने दावा किया कि उन्होंने अनेक देशों में भ्रमण किया।

कारण (R) : सुमात्रा में लोबु तुवा से प्राप्त ग्यारहवीं शताब्दी के एक खण्डित तमिल अभिलेख में उनका उल्लेख मिलता है।

A. (A) और (R) दोनों सही हैं तथा (R), (A) की सही व्याख्या है।
B. (A) सही है, परन्तु (R) गलत है।
C. (A) गलत है, परन्तु (R) सही है।
D. (A) और (R) दोनों सही हैं, परन्तु (R), (A) की सही व्याख्या नहीं है।

23. भारत में सिकन्दर के आक्रमण के समय निम्नलिखित किस प्रदेश में महाजनों की एक समिति के साथ दो राजा शासन करते थे?

A. पत्तल B. शिवि
C. सौभूति D. क्षुद्रक

24. नीचे दो वक्तव्य दिए गए हैं, जिनमें से एक कथन (A) है और दूसरा कारण (R) है। वक्तव्यों को पढ़िए और नीचे दिए गए कूट का प्रयोग कर सही उत्तर चुनिए।

कथन (A) : मानुकी कहता है, "सूरत में पोतारोहण के लिए पहुँचने पर आप प्रचुर मात्रा में धन पाते हैं। क्योंकि भारत के अमीरों का प्रमुख व्यापार फिरंगी देशों—फ्रांस, इंग्लैंड और यहाँ तक कि इटली के लिए सट्टेबाजी पर अपना धन लगाना था।"

कारण (R) : यद्यपि अमीरों द्वारा व्यापार देश में कुल व्यापार का एक अंश मात्र था, इसका अर्थ कृषि से निकाले गए संसाधनों के एक हिस्से को घरेलू और विदेशी व्यापार में विपथित करना था।

कूट :

A. (A) और (R) दोनों सही हैं, परन्तु (R), (A) की सही व्याख्या नहीं है।

B. (A) गलत है, परन्तु (R) सही है।

C. (A) सही है, परन्तु (R) गलत है।

D. (A) और (R) दोनों सही हैं तथा (R), (A) की सही व्याख्या है।

25. 'पेरिप्लस ऑफ द इरीथ्रियन सी' में उल्लिखित दक्षिणपथ के अन्तर्देशी बाजारों के प्रतिनिधि निम्नलिखित में से कौन हैं?

A. प्रतिष्ठान एवं तगर

B. अमरावती एवं नागार्जुनकोंड

C. नासिक एवं जुन्नर

D. कल्याण एवं कन्हेरी

26. शेख बायजीद के आध्यात्मिक उत्तराधिकारियों को अलग-अलग क्षेत्रों में अलग-अलग नामों से जाना जाता था। इस संबंध में निम्नलिखित में से कौन-सा सही सुमेलित **नहीं** है?

A. बिस्तामिया – तुर्की

B. इश्किया – मध्य एशिया और ईरान

C. शत्तारिया – भारत

D. नूरबख्शिया – मिस्र

27. निम्नलिखित में से कौन-सा युग्म सही सुमेलित **नहीं** है?

(पूर्व गुप्त कालीन दक्षिणपथ के शासक)	**(उनके राज्य)**
A. नीलराज	– अवमुक्त
B. हस्तिवर्मन्	– वेंगी
C. दमन	– एरंडपल्ल
D. मंटराज	– पालक्क

28. निम्नलिखित किस कवि ने अपने को कलिकाल-वाल्मीकि कहा है?

A. राजशेखर B. सन्ध्याकरनन्दी

C. कालिदास D. भवभूति

29. 1121 ई. के एक अभिलेख में एक आयुर्वेद विद्यालय का उल्लेख है जहाँ चरक संहिता एवं वाग्भट के अष्टांग हृदय की पढ़ाई होती थी। वह विद्यालय कहाँ था?

A. नालन्दा B. तिरुवाडुतुरई

C. वलभी D. वाराणसी

30. निम्नलिखित किस रचना में प्राचीन भारतीय न्यायालय की एक झांकी मिलती है?

A. मृच्छकटिक B. मुद्राराक्षस

C. मालविकाग्निमित्र D. रत्नावली

31. महाजल प्लावन की कथा जिसमें दैवी मत्स्य द्वारा मनु की रक्षा करने का विवरण है, किस ग्रंथ में उपलब्ध है?

A. शतपथ ब्राह्मण B. ऋग्वेद

C. ऐतरेय ब्राह्मण D. वाजसनेयी संहिता

32. सूची-I को सूची-II से सुमेलित कीजिए और नीचे दिए गए कूट में से सही उत्तर को चुनिए।

सूची-I (राजस्व शब्द)	**सूची-II (आधुनिक अर्थ)**
(*a*) *अखल*	(*i*) कृषित और अकृषित भूमि
(*b*) *बूद-ओ-नाबूद*	(*ii*) कर-मुक्त भूमि अनुदानों से भिन्न वजीफा
(*c*) *इदरारात*	(*iii*) राजा से प्राप्त अनुदान द्वारा धारित कर-मुक्त भूमि
(*d*) *इमलाक*	(*iv*) बंजर भूमि

कूट :

	(*a*)	(*b*)	(*c*)	(*d*)
A.	(*iii*)	(*iv*)	(*i*)	(*ii*)
B.	(*iv*)	(*i*)	(*ii*)	(*iii*)
C.	(*iv*)	(*iii*)	(*ii*)	(*i*)
D.	(*ii*)	(*iv*)	(*iii*)	(*i*)

33. नीचे दो वक्तव्य दिए गए हैं, जिनमें से एक कथन (A) है और दूसरा कारण (R) है। वक्तव्यों को पढ़िए और नीचे दिए गए कूट का प्रयोग कर सही उत्तर चुनिए।

कथन (A) : चौदहवीं सदी का मध्य प्रायद्वीप में माबर और बंगाल की स्वतंत्रता तथा विजयनगर साम्राज्य और बहमनी सल्तनत की स्थापना का साक्षी था।

कारण (R) : मुहम्मद तुगलक अपने शासन के अंतिम वर्षों में क्षेत्रीय शक्तियों के प्रति नरम हो गया और उसने उन्हें अधिक स्वायत्तता प्रदान की।

कूट :

A. (A) और (R) दोनों सही हैं, परन्तु (R), (A) की सही व्याख्या नहीं है।

B. (A) सही है, परन्तु (R) गलत है।

C. (A) और (R) दोनों सही हैं तथा (R), (A) की सही व्याख्या है।

D. (A) गलत है, परन्तु (R) सही है।

34. चित्रकला की कांगड़ा शैली के मुख्य विषय थे :

(*i*) कृष्ण-राधा (*ii*) शिव-पार्वती

(*iii*) *नायिकाभेद* (*iv*) *संयोग* और *वियोग*

नीचे दिए गए कूट में से सही उत्तर को चुनिए :

कूट :

A. (*i*), (*ii*), (*iii*), (*iv*) B. केवल (*i*), (*ii*) और (*iii*)

C. केवल (*i*) और (*iv*) D. केवल (*ii*) और (*iv*)

35. निम्नलिखित में से कौन-सा संस्थापकों और प्रमुख नगरों का युग्म सही सुमेलित **नहीं** है?

A. ललितादित्य – परिहासपुर

B. महेन्द्रपाल – महोदय

C. अवन्तिवर्मन् – अवन्तिपुर

D. अमोघवर्ष – मान्यखेट

36. श्रावस्ती में मक्खलि गोशाल अधिकांशतः हालाहला की कार्यशाला में ठहरते थे। वह महिला किस समुदाय से सम्बन्धित थी?

A. कुम्हार B. बढ़ई

C. स्वर्णकार D. लौहकार

37. परमार्थ चीन में 20 वर्षों से अधिक रहे और वहाँ उन्होंने 70 बौद्ध ग्रंथों का चीनी भाषा में अनुवाद किया। वे कहाँ के थे?

A. वाराणसी B. कांची

C. नालन्दा D. उज्जैन

38. शाहजहाँ ने जब *करोड़ी/आमिल* (राजस्व संग्रहकर्ता) और *अमीन* (कर निर्धारक) के पद को विभाजित कर दिया तो शाहजहाँ के काल में करोड़ी के पारिश्रमिक का हिस्सा कितने प्रतिशत निर्धारित किया गया?

A. यह 2 प्रतिशत से कम कर 1 प्रतिशत कर दिया गया।

B. यह 5 प्रतिशत से कम कर 2.5 प्रतिशत कर दिया गया।

C. यह 7.5 प्रतिशत से कम कर 5 प्रतिशत कर दिया गया।

D. यह 8 प्रतिशत से कम कर 5 प्रतिशत कर दिया गया।

39. नीचे दो वक्तव्य दिए गए हैं, जिनमें से एक कथन (A) है और दूसरा कारण (R) है। वक्तव्यों को पढ़िए और नीचे दिए गए कूट का प्रयोग कर सही उत्तर चुनिए।

कथन (A) : कलचुरि राजा गांगेयदेव की विक्रमादित्य के रूप में प्रसिद्धि थी।

कारण (R) : उसने लक्ष्मी प्रकार के सोने के सिक्के चलाए।

कूट :

A. (A) और (R) दोनों सही हैं तथा (R), (A) की सही व्याख्या है।

B. (A) गलत है, परन्तु (R) सही है।

C. (A) और (R) दोनों सही हैं, परन्तु (R), (A) की सही व्याख्या नहीं है।

D. (A) सही है, परन्तु (R) गलत है।

40. ईरान से आया रफीउद्दीन शिराजी लिखता है कि ''मैं (आगरा में) भीड़ के बीच तम्बू के बने घेरे में खड़ा था, तभी अचानक आवाज गूँजी 'खुदा राजा की रक्षा करे।' मैं समझा कि राजा आ गया है। मैंने देखा कि बीस वर्ष का एक युवा अपने प्रिय लोगों की ओर झुका हुआ था। मैंने अनुमान लगाया कि वह राजा होगा। परंतु लोगों ने कोई शिष्टाचार या अभिवादन नहीं किया। मैं बड़ा आश्चर्यचकित था और मैंने पूछा कि क्या राजा के प्रति आदर प्रकट करने की कोई परंपरा नहीं है। उन्होंने उत्तर दिया कि दरबारियों के लिए शिष्टाचार बहुत ज्यादा हैं, परंतु राजा स्वयं सबसे ज्यादा अनौपचारिक है। वह साथियों और अजनबियों के बीच कोई भेद नहीं करता है।''

निम्नलिखित में से किस शासक के बारे में शिराजी ने यह लिखा है?

A. अकबर B. जहाँगीर

C. जहाँदार शाह D. मुहम्मद शाह रंगीला

41. जब यह सुल्तान अपने वस्त्र और बिछावन बदलता था, उन्हें बेचा जाता था और उससे प्राप्त धन अनाथ लड़कियों को दहेज के रूप में दिया जाता था।

A. बहलोल लोदी B. इब्राहिम लोदी
C. सिकन्दर लोदी D. मलिक काला

42. निम्नलिखित किस ग्रंथ में इतिहास-पुराण को पंचम वेद कहा गया है?

A. छांदोग्य उपनिषद् B. श्वेताश्वतर उपनिषद्
C. बृहदारण्यक उपनिषद् D. ऐतरेय उपनिषद्

43. कुमारगुप्त के समय के एक लेख में मालव संवत् के वर्ष 493 का उल्लेख है। निम्नलिखित में इसका समकक्ष वर्ष कौन-सा है?

A. 436 ई. B. 415 ई.
C. 550 ई. D. 571 ई.

44. निम्नलिखित में से कौन-सा युग्म सही सुमेलित **नहीं** है?

A. मल्लिकार्जुन मंदिर पट्टदकल – त्रैलोक्य महादेवी
B. वैकुण्ठपेरूमाल मंदिर, कांची – नन्दिवर्मन् II
C. लक्ष्मण मंदिर, सिरपुर – महाशिवगुप्त बालार्जुन
D. मेगुती मंदिर, ऐहोल – रविकीर्ति

45. निम्नलिखित वक्तव्यों में से कौन-से सही हैं?

(*i*) वल्लभाचार्य आंध्र प्रदेश के ब्राह्मण थे किंतु बनारस में रहते थे।
(*ii*) वल्लभाचार्य ने सबसे पहले दामोदरदास को *ब्रह्मसंबंध* मंत्र द्वारा दीक्षा दी।
(*iii*) वल्लभ सम्प्रदाय में गुरु की *गद्दी* उनके वंशजों तक ही सीमित रही। उनके किसी भी शिष्य को दूसरों को दीक्षा देने का अधिकार नहीं था।
(*iv*) वल्लभ के अनुसार *ब्रह्म* की प्रकृति को प्रस्तुत करने की दो अलग-अलग रीतियाँ *पूर्व-मीमांसा* और *उत्तर-मीमांसा* हैं और गीता एक सच्चा *शास्त्र* है।

नीचे दिए गए कूट में से सही उत्तर को चुनिए :

कूट :

A. (*i*), (*ii*), (*iii*) और (*iv*)
B. केवल (*i*) और (*ii*)
C. केवल (*ii*) और (*iii*)
D. केवल (*ii*), (*iii*) और (*iv*)

46. याज्ञवल्क्य एवं मैत्रेयी का दार्शनिक संवाद किस उपनिषद् में वर्णित है?

A. छांदोग्य B. कौषीतकि
C. श्वेताश्वतर D. बृहदारण्यक

47. निम्नलिखित में से किस हड़प्पीय स्थल से ऊँट की अस्थियाँ मिली हैं?

A. हड़प्पा B. कालीबंगा
C. लोथल D. मोहनजोदड़ो

48. ऋग्वेद का प्राचीनतम भाष्यकार निम्नलिखित में से कौन है?

A. स्कन्दस्वामी B. माधव भट्ट
C. वेंकट माधव D. सायण

49. निम्नलिखित मुगल शासकों, जिन्होंने औरंगजेब की मृत्यु के पश्चात् शासन किया, को कालक्रमानुसार व्यवस्थित कीजिए :

(*i*) बहादुर शाह I (*ii*) फरुख सियर
(*iii*) रफी-उद दराजात (*iv*) जहाँदार शाह

नीचे दिए गए कूट में से सही उत्तर को चुनिए :

कूट :

A. (*i*), (*iv*), (*ii*), (*iii*) B. (*i*), (*iii*), (*iv*), (*ii*)
C. (*i*), (*iii*), (*ii*), (*iv*) D. (*i*), (*ii*), (*iii*) (*iv*)

50. नीचे दो वक्तव्य दिए गए हैं, जिनमें से एक कथन (A) है और दूसरा कारण (R) है। वक्तव्यों को पढ़िए और नीचे दिए गए कूट का प्रयोग कर सही उत्तर चुनिए।

कथन (A) : दास प्रथा एक संस्था थी जो लंबे समय से दक्षिण और उत्तर भारत दोनों में विद्यमान थी।

कारण (R) : लेखपद्धति उल्लेख करती है कि दास सैन्य अभियानों में बंदीं बनाए गए लोगों में से नहीं बनाए जा सकते थे, न ही स्वतंत्र व्यक्ति अभावग्रस्तता के कारण स्वयं को दासता के लिए प्रस्तुत कर सकते थे।

कूट :

A. (A) सही है, परन्तु (R) गलत है।
B. (A) और (R) दोनों सही हैं, परन्तु (R), (A) की सही व्याख्या नहीं है।
C. (A) और (R) दोनों सही हैं तथा (R), (A) की सही व्याख्या है।
D. (A) गलत है, परन्तु (R) सही है।

51. एक कुषाण देवकुल, जहाँ राजघराने के व्यक्तियों की मूर्तियाँ रखी जाती थीं, कहाँ मिला है?

A. अहिच्छत्र B. शाहबाजगढ़ी

C. चम्बा D. माट

52. निम्नलिखित में से कौन-सा युग्म सही सुमेलित **नहीं** है?

(ग्रंथ)		**(लेखक)**
A. मालतीमाधव	–	भारवि
B. रत्नावली	–	हर्ष
C. प्रतिमानाटक	–	भास
D. नर्ममाला	–	क्षेमेन्द्र

53. नीचे दो वक्तव्य दिए गए हैं, जिनमें से एक कथन (A) है और दूसरा कारण (R) है। वक्तव्यों को पढ़िए और नीचे दिए गए कूट का प्रयोग कर सही उत्तर चुनिए।

कथन (A) : गिलौम एडम ने इस मान्यता के आधार पर कि मामुलक मिस्र दोनों का समान शत्रु होगा लैटिन ईसाइयों और इलखानिद ईरान के बीच गठबंधन के पक्ष का समर्थन किया था।

कारण (R) : मिस्र के साथ लाल सागर से होकर भारतीय व्यापार की नाकाबंदी के लिए नौसैनिक अवरोध खड़ा करने की धारणा और योजना एक नया विचार था किंतु इसे कभी भी व्यवहार में नहीं लाया जा सका। तथापि, लगभग दो सदियों बाद पुर्तगालियों ने इसे कार्यान्वित किया।

कूट :

A. (A) और (R) दोनों सही हैं तथा (R), (A) की सही व्याख्या है।

B. (A) और (R) दोनों सही हैं, परन्तु (R), (A) की सही व्याख्या नहीं है।

C. (A) गलत है, परन्तु (R) सही है।

D. (A) सही है, परन्तु (R) गलत है।

54. महिलाओं को दिए गए अनुदानों के सम्बन्ध में निम्नलिखित में से कौन-से वक्तव्य सही हैं?

(*i*) अबुल फजल ईरानी और तूरानी महिलाओं को प्रदत्त अनुदानों की बात करता है।

(*ii*) जहाँगीर ने अपने पिता की धाय बहन को महिलाओं को प्रदत्त अनुदानों का विशेष प्रभारी अधिकारी नियुक्त किया था।

(*iii*) *मजहर-ए-शाहजहाँनी* में *एइम्मा चकों* (भूमि) की दो श्रेणियों *चक-हा-ए मुसम्माति* (महिलाओं द्वारा धारित भूमि) और *मुजक्कराति* (पुरुषों द्वारा धारित भूमि) का उल्लेख मिलता है।

(*iv*) *मदद-ए-माश* के बारे में 1690 के *फरमान* द्वारा औरंगजेब ने पुत्री को, यदि वह विवाहित हो या उसके पास अन्य प्रावधान हों, तो उसे उसके हिस्से से वंचित किया और यह निर्धारित किया कि एक विधवा अपने जीवन काल में अपने पति को प्राप्त अनुदान रख सकती है।

नीचे दिए गए कूट में से सही उत्तर को चुनिए :

कूट :

A. (*i*), (*ii*), (*iii*) और (*iv*)

B. केवल (*i*), (*iii*) और (*iv*)

C. केवल (*i*) और (*ii*)

D. केवल (*ii*) और (*iv*)

55. उड़ीसा के निम्नलिखित मन्दिरों में किसका देउल *पंचरथ* है?

(*i*) लिंगराज (*ii*) मुक्तेश्वर

(*iii*) राजारानी (*iv*) परशुरामेश्वर

नीचे दिए गए कूट में से सही उत्तर को चुनिए :

कूट :

A. (*i*), (*ii*) एवं (*iii*) B. (*iii*) एवं (*iv*)

C. केवल (*i*) D. केवल (*iv*)

56. मौलाना कबीर सुल्तान के शिक्षक थे, लेकिन ज्ञान प्राप्ति के लिए वे हिरात चले गए। सुल्तान ने उन्हें वहाँ से बुलवाया और शेख-उल-इस्लाम के पद पर नियुक्त किया।

कश्मीर के इस सुल्तान की पहचान कीजिए जिसने अपने शिक्षक को सम्मानित किया।

A. सुल्तान अली शाह B. सुल्तान जैनुल आबिदीन

C. सुल्तान सिकंदर D. सुल्तान कुतुब-उद्दीन

57. बौद्ध संघ में 'कठिन समारोह' सम्बन्धित था :

A. पूजार्थ वस्तुओं के वितरण से

B. वस्त्र वितरण से

C. भोजन वितरण से

D. दवा वितरण से

58. महमूद खलजी द्वारा गुजरात के सोमनाथ मन्दिर के नष्ट किए जानें के उपरान्त निम्नलिखित किस शासक ने उसका पुनरुद्धार किया?

A. कर्ण B. जयसिंह
C. भोज D. कुमारपाल

59. सूची-I को सूची-II से सुमेलित कीजिए और नीचे दिए गए कूट में से सही उत्तर को चुनिए।

सूची-I (लेखक)	**सूची-II (आश्रयदाता राजा)**
(*a*) हेमचन्द्र	(*i*) अनन्त
(*b*) जयदेव	(*ii*) कुमारपाल
(*c*) क्षेमेन्द्र	(*iii*) लक्ष्मणसेन
(*d*) राजशेखर	(*iv*) महेन्द्रपाल

कूट :

	(*a*)	(*b*)	(*c*)	(*d*)
A.	(*iv*)	(*iii*)	(*i*)	(*ii*)
B.	(*iii*)	(*ii*)	(*i*)	(*iv*)
C.	(*iv*)	(*i*)	(*iii*)	(*ii*)
D.	(*ii*)	(*iii*)	(*i*)	(*iv*)

60. किसके काल में 'अष्टप्रधान मंडल' में *पंत प्रतिनिधि* और *हुकूमत पन्हा* नामक दो नए पद जोड़े गए थे?

A. पेशवा बाजीराव I
B. छत्रपति राजाराम
C. पेशवा बालाजी विश्वनाथ
D. छत्रपति शम्भाजी

61. अलीवल खान निम्नलिखित भवनों में से किसका वास्तुकार था?

(*i*) हसन खान सूर का मकबरा
(*ii*) शेरशाह का मकबरा
(*iii*) अधम खान का मकबरा
(*iv*) हुमायूँ का मकबरा

नीचे दिए गए कूट में से सही उत्तर को चुनिए :

कूट :

A. (*ii*) और (*iv*) B. (*iii*) और (*iv*)
C. (*i*) और (*ii*) D. (*i*) और (*iii*)

62. उत्तर भारत के निम्नलिखित मन्दिरों में किसका शिखर द्राविड़ शैली का है?

A. वाराणसी का कर्दमेश्वर मन्दिर
B. उड़ीसा का ब्रह्मेश्वर मन्दिर
C. ग्वालियर का तेली का मन्दिर
D. खजुराहो का पार्श्वनाथ मन्दिर

निर्देश (प्रश्न संख्या 63 से 66 तक): *मार्को पोलो के निम्नलिखित विवरण को पढ़िए और इसके बाद दिए गए प्रश्नों का उत्तर दीजिए।*

ये जहाज (अरब सागर में चलने वाले) निम्न तकनीकी स्तर के थे और इनमें से अनेक लापता हो जाते थे, क्योंकि उन्हें बाँधने के लिए उनके पास लोहे की कड़ी नहीं थी, और वे केवल भारतीय नारियल के तुष से बनी रस्सी से एक साथ मिले होते थे। वे इस तुष को तब तक कूटते थे जब तक कि यह घोड़े के बाल की भांति नहीं हो जाता था और उससे वे रस्सी बुनते थे और इससे जहाजों के तख्तों को सिलते थे। यह मजबूत रहता है और समुद्र के पानी से इसमें जंग नहीं लगती है किंतु यह तूफान के थपेड़ों को भली-भांति नहीं सह सकेगा। जहाजों पर डामर नहीं लगे हैं अपितु इन पर मछली का तेल लगाया गया है। उनमें मस्तूल, पतवार और पाल हैं और इनमें कोई नौतल नहीं हैं किंतु जब माल लादे जाते हैं तो उन्हें ढँकने के लिए केवल एक आवरण है। यह आवरण चमड़े का होता है और इन चमड़ों के ऊपर वे घोड़े रखते हैं जिन्हें वे (होरमुज से) भारत बिक्री के लिए लेकर आते हैं। कील बनाने के लिए उनके पास लोहा नहीं है और यही कारण है कि वे अपने जहाज निर्माण में केवल लकड़ी की कील का प्रयोग करते हैं तथा उसके बाद तख्तियों को रस्सी से सिल देते हैं जैसा कि मैंने आपको बताया है। इसलिए इन जहाजों पर समुद्र यात्रा पर जाना जोखिम भरा कार्य है और उनमें से अनेक लापता हो जाते हैं क्योंकि भारत के समुद्र में तूफान बहुधा भयानक होते हैं।

63. मार्को पोलो के अनुसार भारतीय जहाजों में सामान्यतः कितने मस्तूल होते थे?

A. दो B. पाँच
C. एक D. तीन

64. मार्को पोलो लोहे की कील नहीं होने की शिकायत करता है। निम्नलिखित सत्रहवीं सदी के किस यात्री ने भी स्क्रू के ग्रूवों को काटने में खराद के प्रयोग की अनुपस्थिति की शिकायत की है?

A. टैवर्नियर B. मानुकी
C. बर्नियर D. थीवनो

65. मार्को पोलो जब यह शिकायत करता है कि भारतीय जहाजों में जब माल लादे जाते हैं तो उन्हें ढँकने के लिए केवल एक आवरण था, तो वह निम्नलिखित में से किसके नहीं होने की शिकायत कर रहा था?

A. गजन (चूल) B. कीली

C. परिचालन चप्पू D. नौतल

66. भारतीय जहाजों में तख्तों को जोड़ने के लिए निम्नलिखित में से किस तकनीक का प्रयोग किया जाता था?

A. ग्रूव तकनीक B. कावल

C. धातु तलछट D. गहनी तकनीक

67. नीचे दो वक्तव्य दिए गए हैं, जिनमें से एक कथन (A) है और दूसरा कारण (R) है। वक्तव्यों को पढ़िए और नीचे दिए गए कूट का प्रयोग कर सही उत्तर चुनिए।

कथन (A) : 1892 तक साम्राज्यिक और प्रान्तीय विधान परिषदों के पूर्णरूपेण मनोनीत निकाय होने के बावजूद उनके पास बजट पर चर्चा और प्रश्न पूछने के सांविधिक अधिकार थे।

कारण (R) : इल्बर्ट विधेयक से उठा तूफान सर्वाधिक उग्र था, लेकिन किसी भी तरह से गोरों के नस्लवाद की एकमात्र अभिव्यक्ति नहीं था।

कूट :

A. (A) गलत है, परन्तु (R) सही है।

B. (A) और (R) दोनों सही हैं तथा (R), (A) की सही व्याख्या है।

C. (A) और (R) दोनों सही हैं, परन्तु (R), (A) की सही व्याख्या नहीं है।

D. (A) सही है, परन्तु (R) गलत है।

68. भारतीय राष्ट्रीय कांग्रेस ने शीघ्र स्वतंत्र होने वाले भारत में आर्थिक विकास की नीति निर्धारित करने के लिए जवाहरलाल नेहरू की अध्यक्षता में राष्ट्रीय नियोजन समिति की स्थापना कब की थी?

A. 1944 B. 1939

C. 1938 D. 1934

69. गाँधी के कार्य के प्रारम्भिक वर्षों के दौरान निम्नलिखित में से किस व्यक्ति ने उनको प्रभावित **नहीं** किया?

A. डेविड थोरु B. चार्ल्स ब्रैडलॉ

C. लियो टॉल्स्टॉय D. जॉन रस्किन

70. निम्नलिखित विकल्पों में से कौन-सा भारतीय राष्ट्रीय कांग्रेस के पहले अधिवेशन के स्थान और वर्ष को दिखाता है?

A. कलकत्ता, 1883 B. बॉम्बे, 1883

C. कलकत्ता, 1885 D. बॉम्बे, 1885

71. प्रार्थना समाज के सिद्धांतों के विषय में निम्नलिखित में से कौन-सा वक्तव्य सही **नहीं** है?

A. सामाजिक प्रगति के आधार के रूप में मध्ययुगीन संतों की कृति को अंगीकार करने में विश्वास।

B. मनुष्य की जातियों के उन्मूलन और विश्वबंधुत्व में विश्वास।

C. हिंदू समाज से एक भिन्न संप्रदाय बनाने में विश्वास।

D. यह आस्था कि ईश्वर एक है, और उसका कोई रूप नहीं होता।

72. आदिवासी विद्रोहों के बारे में निम्नलिखित में से कौन-सा कथन सही **नहीं** है?

A. लॉर्ड लिटन की नस्ल-भेदभाव की नीतियों के कारण वासुदेव बलवंत फड़के का सशस्त्र विद्रोह (1876-77) तेजी से भड़का था।

B. ओखा मंडल के वाघेराओं ने 1818-1819 में विद्रोह किया क्योंकि ब्रिटिश सरकार की सहायता से बड़ोदा के गायकवाड़ शासकों ने बलपूर्वक वसूली की।

C. असम के अहोम अभिजात वर्ग ने 1828 में विद्रोह किया क्योंकि ब्रिटिश सत्ता ने बर्मा युद्ध के बाद हटने के वायदे पूरे नहीं किए।

D. राजमहल की पहाड़ियों के संथालों ने 1855 में विद्रोह किया क्योंकि वे राजस्व अधिकारियों के दुर्व्यवहार, तथा पुलिस, जमींदारों और साहूकारों के अत्याचार से तंग आ गए थे।

73. निम्नलिखित में से किस कथन का लेखकीय श्रेय गलत तरीके से दिया गया है?

A. "मध्यरात्रि के घंटे की दस्तक पर जब विश्व सो रहा होगा तो भारत प्रकाश और स्वतंत्रता के साथ जागेगा।"—*जवाहरलाल नेहरू*

B. "अंतिम युद्ध शीघ्र प्रारम्भ होगा। इसका परिणाम निर्णायक होगा। हमने इस संघर्ष में भाग लिया और हमें यह करने पर गर्व है।"—*भगत सिंह, सुखदेव एवं राजगुरु*

C. "व्यक्ति को मरना चाहिए ताकि राष्ट्र जिंदा रह सके। आज, मुझे मरना चाहिए ताकि भारत स्वतंत्रता और गौरव प्राप्त कर सके।"—*सुभाष चंद्र बोस*

D. "1920 में प्रारम्भ हुआ संघर्ष मर-मिटने का संघर्ष है, चाहे यह एक माह या एक वर्ष या अनेक महीनों या अनेक वर्षों में समाप्त हो।"—*चित्तरंजन दास*

74. किसने निम्नलिखित शब्द कहे थे?

"विश्वविद्यालय मानवतावाद, सहिष्णुता, विवेक-बुद्धि, विचारों के साहस और सत्य की खोज का प्रतीक है। यह सदैव उच्चतर लक्ष्यों की दिशा में मानव जाति के अग्रवर्ती मार्च का प्रतीक है। यदि विश्वविद्यालय अपने कर्तव्य पर्याप्त ढंग से निभाते हैं तो यह राष्ट्र और जनता के लिए शुभ है।"

A. डॉ. जाकिर हुसैन B. पंडित जवाहरलाल नेहरू
C. डॉ. एस. राधाकृष्णन D. डॉ. राजेन्द्र प्रसाद

75. सूची-I को सूची-II से सुमेलित कीजिए और नीचे दिए गए कूट में से सही उत्तर को चुनिए।

सूची-I (नारीवादी)	**सूची-II (उनकी कृति)**
(*a*) मेरी वूल्स्टोनक्राफ्ट	(*i*) *स्त्री-पुरुष तुलना*
(*b*) ताराबाई शिन्दे	(*ii*) *विन्डीकेशन ऑफ द राइट्स ऑफ विमेन*
(*c*) पंडिता रमाबाई	(*iii*) *विमेन्स सफ्रेज मूवमेन्ट*
(*d*) मिलिसेन्ट गैरेट फॉसेट	(*iv*) *द हाई-कास्ट हिन्दू विमेन*

कूट :

	(*a*)	(*b*)	(*c*)	(*d*)
A.	(*iii*)	(*ii*)	(*iv*)	(*i*)
B.	(*iv*)	(*i*)	(*ii*)	(*iii*)
C.	(*iv*)	(*iii*)	(*ii*)	(*i*)
D.	(*ii*)	(*i*)	(*iv*)	(*iii*)

76. भारत में किसान आंदोलनों के बारे में निम्नलिखित में से कौन-सा कथन सही **नहीं** है?

A. कांग्रेस सोशलिस्ट्स द्वारा 1938 में उत्कल किसान संघ की स्थापना की गई।

B. स्वामी सहजानंद सरस्वती ने 1929 में बिहार प्रान्तीय किसान सभा का गठन किया।

C. कांग्रेस सोशलिस्ट पार्टी कार्यकर्ता एन.जी. रंगा ने 1933-34 में आंध्र में अनेक किसान मार्च आयोजित किए और जमींदारी के उन्मूलन की माँग की।

D. 1935 में एन.जी. रंगा और ई.एम.एस. नम्बूदरीपाद् ने मद्रास प्रेसीडेन्सी में किसान आंदोलन के प्रसार का प्रयास किया और साउथ इंडियन फेडरेशन ऑफ पीजेन्ट्स एंड एग्रीकल्चर लेबर का गठन किया।

77. निम्नलिखित में से कौन-सा एक पंचशील संधि के अंतर्गत सिद्धांत **नहीं** था?

A. एक-दूसरे के आंतरिक मामलों में पारस्परिक अहस्तक्षेप
B. शांतिपूर्ण सह-अस्तित्व
C. राष्ट्रीय प्राकृतिक संसाधनों को साझा न करना
D. एक-दूसरे की प्रादेशिक अखंडता और संप्रभुता का पारस्परिक आदर करना

78. भारतीय इतिहास के लेखन के प्रति साम्राज्यवादी दृष्टिकोण के बारे में निम्नलिखित में से कौन-सा कथन सही **नहीं** है?

A. साम्राज्यवादी लेखकों का मानना था कि भारत एक राष्ट्र के निर्माण की प्रक्रिया में है।

B. इसके रूढ़िगत संस्करण को अधिक स्पष्ट और अधिक आकर्षक 1968 के बाद जॉन गेलघर और अनिल सील द्वारा बनाया गया।

C. साम्राज्यवादी दृष्टिकोण का सर्वप्रथम आविर्भाव वॉयसराय की आधिकारिक घोषणाओं में हुआ था और वी. चिरोल, रौलट समिति और वर्नी लोवट द्वारा विश्वासोत्पादक ढंग से प्रस्तुत किया गया।

D. इसका सर्वप्रथम सिद्धांतीकरण 1940 में ब्रूस टी. मेक्युली द्वारा किया गया था और इसके उदार संस्करण को रेजिनाल्ड कूपलैंड और पर्सिवल स्पीयर ने अंगीकार किया।

79. किसने एक सौ एकड़ भूमि 1951 में विनोबा भावे को दान में दी, जिससे भावे "भूदान आंदोलन" प्रारम्भ करने को प्रेरित हुए?

A. नुकला रामचंद्र रेड्डी B. कोन्डा वेंकटराम रेड्डी
C. पिंगली वेंकटराम रेड्डी D. वेदिरे रामचंद्र रेड्डी

80. निम्नलिखित में से कौन मार्क्स-पूर्व समाजवादी समूह से संबंधित सदस्य **नहीं** था?

A. लुई ब्लाँ B. डेनिस दिदेरो
C. रॉबर्ट ओवेन D. चार्ल्स फुरिऐ

81. जेम्स मिल और उनके उपयोगितावाद के बारे में निम्नलिखित में से कौन-सा कथन सही **नहीं** है?

A. मिल ने भारत की सामाजिक-आर्थिक समस्याओं के कानूनी समाधानों का प्रयास किया।
B. जेम्स मिल ने *हिस्ट्री ऑफ ब्रिटिश इंडिया* को लिखकर भारतीय इतिहास का साम्प्रदायिक आधार पर वर्गीकरण किया।
C. उपयोगितावादी होने के नाते जेम्स मिल संस्कृत और फारसी विद्या के दृढ़ समर्थक थे।
D. जेम्स मिल का मत था कि प्राच्यवेत्ता, प्राच्य अधिनायकवाद के क्षय के उन्मूलन में सहायता करने के बजाय इसके रखने के दोषी थे।

82. निम्नलिखित प्रबोधनकालीन दार्शनिकों में से कौन इस समूह से संबंधित **नहीं** है?

A. डेविड ह्यूम B. डेनिस दिदेरो
C. एडमंड बर्क D. एडवर्ड गिबन

83. निम्नलिखित राजनीतिक संगठनों को उनकी स्थापना के आधार पर कालानुक्रम में व्यवस्थित कीजिए और नीचे दिए गए कूट में से सही उत्तर चुनिए।

(*i*) मद्रास महाजन सभा
(*ii*) पूना सार्वजनिक सभा
(*iii*) इंडियन एसोसिएशन
(*iv*) बॉम्बे प्रेसीडेन्सी एसोसिएशन

नीचे दिए गए कूट में से सही उत्तर को चुनिए :

कूट :

A. (*iii*), (*iv*), (*ii*), (*i*) B. (*iii*), (*iv*), (*i*), (*ii*)
C. (*ii*), (*iii*), (*i*), (*iv*) D. (*ii*), (*iv*), (*iii*) (*i*)

84. किसने कहा : ''भारत की एकमात्र आशा जनता से है। उच्च वर्ग शारीरिक और नैतिक रूप से मृत हैं''?

A. स्वामी विवेकानन्द B. महात्मा गाँधी
C. डॉ. बी.आर. अम्बेडकर D. ई.वी. रामास्वामी नायकर

85. नागालैंड की किस रानी ने गांधीजी के आह्वान पर विदेशी शासन के विरुद्ध विद्रोह किया था और उन्हें आजीवन कारावास की सजा दी गई थी?

A. रानी गैदिनलियु B. रानी मैतई जगोई
C. रानी रोंगमै D. रानी अम्बिका

86. किस अधिनियम के अंतर्गत आई.सी.एस. के लिए प्रथम परीक्षा इलाहाबाद में आयोजित की गई?

A. 1919 का रॉलेट अधिनियम
B. 1892 का भारत परिषद् अधिनियम
C. 1919 का भारत सरकार अधिनियम
D. मोर्ले-मिन्टो सुधार अधिनियम, 1909

87. कौन 1857 के विद्रोह को ''राष्ट्रीय आंदोलन के स्रोत'' के रूप में मानता है?

A. सुमित सरकार B. पर्सिवल स्पीयर
C. पी.ई. रॉबर्ट्स D. पी.सी. जोशी

88. कांग्रेस सोशलिस्ट पार्टी का निम्नलिखित में से कौन सदस्य **नहीं** था?

A. श्रीपाद अमृत डांगे B. अच्युत पटवर्धन
C. नरेन्द्र देव D. जय प्रकाश नारायण

89. वल्लभाचार्य के अनुयायियों ने 1862-63 में किसके विरुद्ध 'द महाराज लाइबल केस' दायर किया था?

A. धीरजराम दलपतराम B. डॉ. भाऊ दाजी
C. कर्सनदास मूलजी D. नर्मदाशंकर लालशंकर

90. निम्नलिखित में से कौन काकोरी षड्यंत्र मामले से संबंधित **नहीं** था?

A. राम प्रसाद बिस्मिल B. अशफाकुल्ला खान
C. चंद्रशेखर आजाद D. शौकत उस्मानी

91. नीचे दो वक्तव्य दिए गए हैं, जिनमें से एक कथन (A) है और दूसरा कारण (R) है। वक्तव्यों को पढ़िए और नीचे दिए गए कूट का प्रयोग कर सही उत्तर चुनिए।

कथन (A) : इतिहासकारों को वर्तमान और अतीत में प्रचलित नैतिक विचारों के प्रति संवेदनशील होना चाहिए।

कारण (R) : इतिहास लेखन के विरूपीकरण में जानबूझ कर या बौद्धिक उपेक्षा का एक तत्व होता है, जिसमें निष्कपट गलत व्याख्या या मिथ्या बोध को दूर रखा जाता है।

कूट :

A. (A) और (R) दोनों सही हैं, परन्तु (R), (A) की सही व्याख्या नहीं है।

B. (A) और (R) दोनों सही हैं तथा (R), (A) की सही व्याख्या है।
C. (A) सही है, परन्तु (R) गलत है।
D. (A) गलत है, परन्तु (R) सही है।

92. सूची-I को सूची-II से सुमेलित कीजिए और नीचे दिए गए कूट में से सही उत्तर को चुनिए।

सूची-I (लेखक)	**सूची-II (कृति)**
(*a*) जुडिथ एम. ब्राउन	(*i*) *द फेजेज ऑफ इंडियन नेशनलिज्म*
(*b*) मुशीरुल हसन	(*ii*) *ब्रिटेन एंड इंडियन नेशनलिज्म : द इम्प्रिंट ऑफ एम्बीग्यूटी*
(*c*) डेविड ए. लो	(*iii*) *गांधी : प्रिजनर ऑफ होप*
(*d*) डी. रोदरमंड	(*iv*) *इंडियाज पार्टीशन : प्रोसेस, स्ट्रेटेजी एंड मोबिलाइजेशन*

कूट :

	(*a*)	(*b*)	(*c*)	(*d*)
A.	(*iii*)	(*iv*)	(*ii*)	(*i*)
B.	(*iv*)	(*i*)	(*ii*)	(*iii*)
C.	(*ii*)	(*iii*)	(*iv*)	(*i*)
D.	(*i*)	(*ii*)	(*iii*)	(*iv*)

93. निम्नलिखित पत्रिकाओं/समाचार-पत्रों में से कौन-सी/ कौन-सा पत्रिका/समाचार-पत्र डॉ. बी.आर. अम्बेडकर से संबंधित **नहीं** है?

A. बहिष्कृत भारत
B. जनता
C. जागृति
D. मूकनायक

94. भारतीय इतिहासलेखन की मार्क्सवादी विचारधारा के बारे में निम्नलिखित में से कौन-सा कथन सही **नहीं** है?

A. जहाँ तक राष्ट्रीय आंदोलन के अध्ययन का संबंध है, आर.पाम दत्त और ए.आर. देसाई ने इस विचारधारा की आधारशिला रखी थी लेकिन अनेक अन्य ने बाद के वर्षों में इसको विकसित किया।
B. उनका मानना है कि वित्तीय संसाधनों तक पहुँच राष्ट्रीय राजनीति के पथ और दिशा को प्रभावित करने की सक्षमता को निर्धारित नहीं करती।
C. वे राष्ट्रीय आंदोलन की वर्गीय प्रकृति की व्याख्या उसके संघर्ष के रूपों, उसके रणनीतिक रूप से पीछे हटने और समझौतों के अर्थों में करते हैं।
D. वे राष्ट्रीय आंदोलन को एक संरचनात्मक बुर्जुआ आंदोलन के रूप में देखने को प्रवृत्त होते हैं।

95. सूची-I को सूची-II से सुमेलित कीजिए और नीचे दिए गए कूट में से सही उत्तर को चुनिए।

सूची-I (लेखक)	**सूची-II (पुस्तक)**
(*a*) डेविड आर्नोल्ड	(*i*) प्रोविन्सिएलाइजिंग यूरोपः पोस्ट-कोलोनियल थॉट एंड हिस्टोरिकल डिफरेन्स
(*b*) स्टैनली वॉलपर्ट	(*ii*) साइंस, टेक्नोलॉजी एंड मेडिसिन इन कोलोनियल इंडिया
(*c*) डेविड कॉफ	(*iii*) गांधीज पैशन
(*d*) दीपेश चक्रवर्ती	(*iv*) ब्रिटिश ओरिएंटिलिज्म एंड द बंगाल रैनैसान्स

कूट :

	(*a*)	(*b*)	(*c*)	(*d*)
A.	(*ii*)	(*iii*)	(*iv*)	(*i*)
B.	(*iii*)	(*i*)	(*iv*)	(*ii*)
C.	(*i*)	(*ii*)	(*iv*)	(*iii*)
D.	(*iii*)	(*iv*)	(*ii*)	(*i*)

निर्देश (प्रश्न संख्या 96 से 100 तक): *निम्नलिखित गद्यांश को पढ़िए और इसके बाद दिए गए प्रश्नों के उत्तर दीजिए।*

''राष्ट्रवादी आंदोलन प्रारम्भ से ही नागरिक स्वतंत्रताओं की रक्षा के लिए उत्साही था। इसलिए, राष्ट्रवादियों ने प्रेस, बोलने और सभा करने की स्वतंत्रता तथा अन्य नागरिक स्वतंत्रताओं पर औपनिवेशिक शासन के प्रहार के विरुद्ध संघर्ष किया। जवाहरलाल नेहरू संभवतः नागरिक स्वतंत्रताओं के सर्वाधिक दृढ़ पैरोकार थे। उन्होंने इन स्वतंत्रताओं को उतना ही अधिक महत्व दिया, जितना कि आर्थिक समानता और समाजवाद को। उन्होंने 1931 में कराची कांग्रेस में मौलिक अधिकारों के बारे में पारित प्रस्ताव का मसौदा तैयार किया था। इस प्रस्ताव में भाषण और प्रेस के माध्यम से अभिव्यक्ति की स्वतंत्रता की गारंटी दी गई थी। धर्मनिरपेक्षता को आरम्भ से ही राष्ट्रवादी विचारधारा का एक मूल घटक बनाया गया और हिन्दू-मुस्लिम एकता पर भारी बल दिया गया। इसके अतिरिक्त, यह स्पष्ट रूप से समझा गया कि क्षेत्रीय, धार्मिक, जातिगत, नृजातीय और भाषायी भिन्नताओं को अंगीकार करते हुए एक राष्ट्र के रूप में भारतीय जनता को एकता के सूत्र में बाँधने का उद्देश्य प्राप्त

होगा। 1921 में भाषायी आधार पर भारतीय राष्ट्रीय कांग्रेस की प्रान्तीय और क्षेत्रीय समितियों को गठित कर भिन्न-भिन्न भाषायी समूहों की सांस्कृतिक आकांक्षाओं को अंगीकार किया गया, न कि ब्रिटेन-निर्मित बहु-भाषायी प्रान्तों के आधार पर। अपने प्रारम्भिक चरण से भारतीय राष्ट्रवादियों ने लगभग सर्वसम्मति से स्वीकार किया कि देश के पूरे आर्थिक रूपांतरण का लक्ष्य आधुनिक औद्योगिक एवं कृषि संबंधी विकास हो, जिससे विदेशी पूँजी से मुक्त होने के आधार पर भारत को आर्थिक दृष्टि से आत्मनिर्भर बनाया जाए, स्वदेशी पूँजीगत सामानों का निर्माण हो और स्वतंत्र विज्ञान एवं प्रौद्योगिकी के विकास की आधारशिला रखी जाए।"

96. अंग्रेजों ने भारतीयों को नागरिक स्वतंत्रताएँ क्यों नहीं दीं?

A. क्योंकि भारतीय इसके योग्य नहीं थे
B. सांस्कृतिक श्रेष्ठता जताने के लिए
C. क्योंकि भारतीय शैक्षिक रूप से पिछड़े हुए थे
D. भारत के आर्थिक शोषण के लिए

97. राष्ट्रवादियों द्वारा भारत को आत्मनिर्भर बनाने के लिए निम्नलिखित में से किस सिद्धांत की पैरोकारी नहीं की गई?

A. विज्ञान एवं प्रौद्योगिकी की संवृद्धि
B. भारत का औद्योगीकरण
C. बड़े उद्योगों की स्थापना के लिए विदेशी पूँजी को आमंत्रण
D. स्वदेशी पूँजीगत सामानों का निर्माण

98. निम्नलिखित में से किसमें जवाहरलाल नेहरू का विश्वास **नहीं** था?

A. आर्थिक असमानता
B. धर्मनिरपेक्षता
C. प्रेस की स्वतंत्रता
D. बोलने की स्वतंत्रता

99. एक राष्ट्र के रूप में भारत के निर्माण के लिए भारतीय राष्ट्रवादियों ने किसको एक अनिवार्य आवश्यकता माना?

A. आर्थिक शोषण की समाप्ति
B. इसकी बहु-सांस्कृतिक विविधता के संरक्षण
C. नागरिक स्वतंत्रताओं की स्वीकृति
D. एक राष्ट्रीय भाषा के रूप में हिन्दी का प्रचार करना

100. भारतीय राष्ट्रीय कांग्रेस ने किस प्रकार भारतीय सांस्कृतिक आकांक्षाओं को पूरा किया?

A. खादी ग्रामोद्योग की पैरोकारी करना
B. संगठन में भारतीयों के सभी वर्गों को प्रतिनिधित्व देना
C. बहु-भाषायी प्रान्तों का निर्माण करना
D. संगठन में चुनाव शुरू करवाना

उत्तरमाला

1	2	3	4	5	6	7	8	9	10
C	C	B	C	B	B	A	C	D	D
11	**12**	**13**	**14**	**15**	**16**	**17**	**18**	**19**	**20**
B	D	A	C	D	D	A	A	A	D
21	**22**	**23**	**24**	**25**	**26**	**27**	**28**	**29**	**30**
C	A	A	B	A	D	D	B	B	A
31	**32**	**33**	**34**	**35**	**36**	**37**	**38**	**39**	**40**
A	B	B	A	B	A	D	D	C	A
41	**42**	**43**	**44**	**45**	**46**	**47**	**48**	**49**	**50**
C	A	A	C	A	D	B	A	A	A
51	**52**	**53**	**54**	**55**	**56**	**57**	**58**	**59**	**60**
D	A	A	A	A	B	B	D	D	B
61	**62**	**63**	**64**	**65**	**66**	**67**	**68**	**69**	**70**
C	C	C	D	D	A	A	C	B	D

71	72	73	74	75	76	77	78	79	80
C	A	D	B	D	A	C	A	D	B
81	**82**	**83**	**84**	**85**	**86**	**87**	**88**	**89**	**90**
C	C	C	A	A	C	D	A	C	D
91	**92**	**93**	**94**	**95**	**96**	**97**	**98**	**99**	**100**
A	A	C	B	A	A	C	A	B	B

व्याख्यात्मक उत्तर

1. मुगल वंश के महानतम शासक जलालुद्दीन मुहम्मद अकबर का जन्म अमरकोट (सिन्ध के थार जिले में) के राणा वीरसाल के महल में 15 अक्टूबर, 1542 को हुआ। अकबर बाल्यावस्था से अपने अजीज के संरक्षण में ही कार्य किया हुआ था। अपने जन्म के प्रारम्भिक तीन वर्ष अस्करी के संरक्षण में रहा। अकबर ने अपने बाल्यावस्था में ही गजनी और लाहौर के सूबेदार के रूप में कार्य किया था। अकबर का राज्याभिषेक बैरम खाँ के देख-रेख में पंजाब के गुरूदासपुर जिले के कलनौर नामक स्थान पर 14 फरवरी, 1556 को मिर्जा अबुल कासिम ने किया था। अकबर ने बैरम खाँ को अपना वकील (वजीर) नियुक्त कर उसे खान-ए-खाना की उपाधि प्रदान की। अकबर की प्रारंभिक स्थिति को सुदृढ़ करने में बैरम खाँ का सबसे बड़ा हाथ था जो फारस के शिया संप्रदाय से सम्बन्धित था। इसकी मृत्यु के पश्चात अकबर माहम अनगा (धाय माँ) के संरक्षण में शासन चलाया।

6. मौर्य शासक अशोक के तेरहवें शिलालेख से यह ज्ञात होता है कि अशोक के यवन राजाओं के साथ मैत्रीपूर्ण सम्बन्ध थे, जिसमें अक्तियोको, सीरिया के अन्तियोकस II थेओस, तुरमय, मिस्र के टॉलसी द्वितीय फिलाडेल्फस, अक्तिकिनी, यूनान के अन्तिगोनस II, अलिकसुदारो, एपाइरस के एलेक्जेन्डर II, माका, सएटीन (लीबिया) के मागस के शासन काल के प्रमुख दूत थे।

8. अभिनवगुप्त बहुमुखी प्रतिभाशाली कश्मीरी संस्कृत-विद्वान् तथा कश्मीर शैवदर्शन के आचार्य थे। काव्यशास्त्रीय 'ध्वन्यालोक' पर इनकी टीका 'ध्वन्यालोक-लोचन' तथा 'नाट्यशास्त्र' की टीका 'अभिनवभारती' प्रसिद्ध हैं। 'प्रत्यभिज्ञाविमर्शिनी' 'तंत्रालोक' इत्यादि इनकी प्रसिद्ध दार्शनिक कृतियाँ हैं। भारतीय समीक्षाशास्त्र एवं सौंदर्यमीमांसा पर अभिनवगुप्त की अमिट छाप है। साथ ही तत्व चिन्तन परम्परा में भी उनका योगदान अविस्मरणीय है। इन्होंने इस सिद्धांत की मनोवैज्ञानिक व्याख्या (अभिव्यंजनावाद) कर अलंकारशास्त्र को दर्शन के उच्च स्तर पर प्रतिष्ठित किया तथा ''प्रत्यभिज्ञा'' और 'त्रिक दर्शनों' को प्रौढ़ भाष्य प्रदान कर इन्हें तर्क की कसौटी पर व्यवस्थित किया। इनके आरंभिक ग्रंथों में ''क्रमस्रोत'' की रचना 66 लौकिक संवत् (991 ई.) में और 'भैरवस्रोत'' की 68 संवत (933) में हुई।

9. शेरशाह को एक व्यवस्था सुधारक के रूप में जाना जाता है, व्यवस्था प्रवर्तक के रूप में नहीं। साम्राज्य निर्माता एवं प्रशासक के रूप में उसे अकबर का पूर्वगामी माना जाता है। शेरशाह की वित्त व्यवस्था के अंतर्गत राज्य का मुख्य स्रोत भूमि पर लगने वाला कर था जिसे 'लगान' कहा जाता था। शेरशाह की लगान व्यवस्था मुख्यरूप से ''रैय्यतवाड़ी'' थी, जिसमें किसानों से प्रत्यक्ष सम्पर्क स्थापित किया गया था। यह व्यवस्था मुल्तान को छोड़कर राज्य के सभी भागों में लागू थी। उसने अपने अधिकारियों से यात्रियों तथा व्यापारियों को क्षति नहीं पहुँचाने तथा किसी व्यापारी के दुर्घटना या मृत्यु हो जाने पर संपत्ति को नहीं हड़पने का आदेश दिया तथा अधिकारियों को व्यापारियों से केवल बाजार मूल्य पर ही माल खरीदने को कहा गया।

10. अकबर शासन काल के अंतिम समय में वतन जागीर विकसित हुई। वतन जागीर के प्रमुख विशेषताएँ निम्नलिखित थीः (1) यह अधीनस्थ राजाओं को उनके ही शासन क्षेत्र में दी गयी जागीर होती थी। (2) यह स्थायी और वंशानुगत भू-अनुदान था। (3) भू-अनुदान प्राप्तकर्ता को दंडित करने के लिए यह जब्त किया जा सकता था।

(4) एक अमीर को पुरस्कृत करने के लिए नवीन वतन जागीर का सृजन किया जा सकता था। (5) वतन जागीर के राजस्व का हिस्सा इनाम में दिया जा सकता था। (6) यह हस्तान्तरित नहीं होती थी। (7) सर्वप्रथम 'वतनजागीर' को साम्राज्य में मिलाने का प्रयास औरंगजेब ने 'मारवाड़' के सन्दर्भ में किया था।

11. गहड़वाल वंश का संस्थापक चन्द्रदेव था। इसकी राजधानी वाराणसी (काशी) थी।
गोविन्द्रचन्द्र गहड़वाल वंश का सर्वाधिक योग्य एवं शक्तिशाली शासक था। इसके कुछ सिक्कें जो कलचुरियों के सिक्कों के अनुकरण पर ढाले गए हैं "बैठी हुई लक्ष्मी' शैली के हैं। गोविन्दचन्द्र की पत्नी कुमारदेवी का उनके शासन में महत्वपूर्ण स्थान था जो कि बौद्ध मतानुयायी थी तथा सारनाथ में एक बौद्ध बिहार का निर्माण करवाया। गोविन्दचन्द्र का मंत्री लक्ष्मीधर शास्त्रों का प्रकाण्ड पंडित था, जिसने कृत्यकल्पतरु नामक ग्रंथ लिखा था। पृथ्वीराज-III ने स्वयंवर से जयचन्द की पुत्री संयोगिता का अपहरण कर लिया था। इस वंश का अंतिम शासक जयचन्द था, जिसे गोरी ने 1194 ई. के चन्दावर युद्ध में मार डाला।

13. शाहजहाँ और गुरू हरगोविन्द के बीच संघर्ष आखेट के मुद्दे पर था। जिसके कारण मुगल व सिखों के बीच शत्रुभाव उत्पन्न हो गया। सिख सेना का नेतृत्व पाइन्दा खान नामक पठान ने किया। गुरू हरगोविन्द ने व्यास नदी के तट पर श्री गोविन्दपुर नामक एक शहर बनाने की योजना बनाई। इसका निर्माण मुगलों के हित में नहीं था जो सिख व मुगलों के बीच विवाद का प्रमुख कारण था।

17. जियाउद्दीन बरनी का जन्म 1285 ई. में एक शिक्षित और धनवान परिवार में हुआ था। उसने 46 विद्वानों से शिक्षा ग्रहण की थी। उसका पिता सुल्तान बलबन के समय में एक उच्च अधिकारी था और सुल्तान जलालुद्दीन के समय में वह शाहजादा अर्कली खां का नाइब था। उसका नाम मुईदुलमुल्क सैयद जलालुद्दीन था। जियाउद्दीन बरनी ने फिरोज की प्रशंसा में तारीख-ए-फिरोजशाही और फतवा-ए-जहांदारी की रचना की। उसने अपनी रचना अमीर व कुलीन लोगों को समर्पित की। जियाउद्दीन बरनी ने 'तारीखे-फीरोजशाही' में अलाउद्दीन की बाजार नियन्त्रण व्यवस्था का उल्लेख किया है। अलाउद्दीन ने बड़ी सेना को रखने के लिये ये व्यवस्था बनायी थी ताकि दाम कम रहने पर राजधानी में एक बड़ी सेना रखी जा सके साथ ही उसने विद्रोह की समस्या दूर करने के लिये लोगों की आय पर भी नियंत्रण किया अर्थात् बाजार नियन्त्रण में दाम कम हुए परन्तु आय नियंत्रण से लोगों की क्रय शक्ति पर प्रभाव पड़ा। इसी संदर्भ में बरनी ने उपर्युक्त वक्तव्य कहा था।

18. मंगोल चीन के उत्तर में गोबी के रेगिस्तान के निवासी थी। वह एक घूमने-फिरने वाली अर्द्धसंभ्य जाति थी तथा उनका मुख्य पेशा घोड़ों और अन्य पशुओं का पालन करना था। वे विभिन्न कबीलों में बँटे थे, उन्हीं कबीलों में से एक 1163 ई. में तेमूचिन उर्फ चंगेज खाँ का जन्म हुआ जिसे महान एवं श्रापित दोनों पुकारा गया। चंगेज खान ने मंगोल साम्राज्य के विस्तार में एक अहम भूमिका निभाई। वह पूर्वोत्तर एशिया में कई घुमन्तू जनजातियों को एकजुट करके सत्ता में आया। चंगेज खान आधुनिक युग में चीन, कोरिया, काकेशस, मध्य एशिया, पूर्वी यूरोप, दक्षिण पश्चिम एशिया के महत्वपूर्ण हिस्से पर विजय प्राप्त किया। वर्तमान मंगोलियाई लोग उसे मंगोलिया के "संस्थापक पिता" के रूप में जानते हैं। उसकी इन्हीं विजयों और जीवन वृत्तों से तैमूर इतना प्रभावित हुआ कि उसके वंशगत के नाम पर अपनी शक्ति का प्रयोग करना उपयुक्त समझा और अमीर या बेग की विनम्र उपाधि से ही संतुष्ट रहा।

19. अकबर ने चित्रकला को विशेष प्रश्रय दिया, चित्रकला का एक पृथक विभाग खोला। इस विभाग का अध्यक्ष अब्दुस्समद था। उसने अपनी चित्रकला में विदेशी चित्रकारों के साथ-साथ स्थानीय चित्रकारों को भी रखा। अकबरकालीन प्रमुख चित्रकार थे मीर सैयद अली, अब्दुस्समद, मिस्किन (यूरोपीय शैली का चित्रकार), फारूख बेग बसावन (व्यंग चित्रकार थे) एवं दसवन्त (हिन्दुओं में अग्रणी थे)। मुगल काल की महत्वपूर्ण कृति दास्तान-ए-अमीर-हम्जा (हम्जनामा) का चित्रांकन इसी काल में हुआ। दसवंत एक प्रमुख चित्रकार तथा कहार का पुत्र था। इनके द्वारा बनाए गए चित्र अकबरकालीन चित्रों में महत्वपूर्ण स्थान रखते हैं।

20. अजंता गुफाएँ, महाराष्ट्र, भारत में स्थित 29 गुफाओं को काटकर बना बौद्ध स्मारक गुफाएँ हैं जो द्वितीय शताब्दी ई.पू. के हैं। यहाँ से बौद्ध धर्म से सम्बन्धित चित्रण एवं शिल्पकारी के उत्कृष्ट नमूने मिलते हैं परन्तु अब केवल 7 गुफाओं (1,2,9,10,16,17 और 19) के चित्र अवशिष्ट है। इसमें 16, 17 और 19 गुप्तकालीन हैं। अजंता की गुफा संख्या 9 और 10 सबसे पुराने (वाकाटंक काल की) हैं जबकि गुफा संख्या 1 और 2 पुलकेशिन II के समय की है। 16वीं गुफा के चित्रों में मरणासन्न राजकुमारी का चित्र अत्यन्त सुन्दर है। 17वीं गुफा के चित्रों को चित्रशाला कहा गया है।

21. भारत में मानव अस्थि-पंजर सर्वप्रथम मध्यपाषाण काल से ही प्राप्त होने लगता है। मध्यपाषाण युगीन औजार बनाने के तकनीक को फ्लूटिंग कहा जाता है। इस काल के कुछ सूक्ष्म औजारों का आकार ज्यामितीय है, जिसमें ब्लेड, क्रोड, त्रिकोण, नव चन्द्राकार तथा समलम्ब औजार प्रमुख हैं। मध्यपाषाणिक स्थलों में अस्थिपंजरों से युक्त शवाधान प्राप्त हुए हैं, जिसमें प्रमुख रूप से प्रतापगढ़ जनपद मुख्यालय से 15 किलोमीटर दूर स्थित महादहा, सरायनाहर राय का महत्वपूर्ण स्थान है। यहाँ से युग्म शवाधान के अतिरिक्त 15 मानव कंकाल, 08 गर्तचूल्हे प्राप्त हुए है। यहाँ की कब्रों (समाधियाँ) आवास क्षेत्र के अन्दर स्थित थीं। मध्यपाषाण काल के मनुष्यों ने अनुष्ठान के साथ शवों को दफनाने की प्रथा प्रारम्भ की। मध्य भारत के लेखनिया से मध्यपाषाण कालीन शवों को अनुष्ठान के साथ दफनाने का साक्ष्य मिला है।

22. फिलिप पुत्र सिकन्दर जो मकदूनियाँ का निवासी था, 327 ई.पू. में भारत की उत्तर-पश्चिमी सीमा पर अनेक राज्यों को रौंदता हुआ आ पहुँचा। इसके भारत आक्रमण के समय कुल 28 स्वतंत्र शक्तियाँ थीं जो पंजाब तथा सिन्ध के प्रदशों में विद्यमान थीं। इनमें प्रमुख रूप से (I) सौभूति (सोफाइट्स) राज्य–झेलम का तटवर्ती राजतंत्र या (II) क्षुद्रक-व्यास नदी के तट पर बसा हुआ एक गणराज्य या (III) पत्तल (पाटल)–यह राज्यतंत्र सिन्धु नदी के डेल्टा में बसा हुआ था। पाटल इसकी राजधानी थी। स्पार्टा के समान ही ''द्वैराज्य-प्रथा'' थी जिस पर एक समिति के साथ दो राजा शासन करते थे। (IV) पुरु–झेलम तथा चिनाब नदियों के बीच में स्थित था।

25. सातवाहन वंश की स्थापना सिमुक (60 ई.पू.-37 ई.पू.) ने की थी, सातवाहन वंश को पुराणों में आन्ध्र मृत्यु भी कहा गया है। यह वंश किसी-न-किसी रूप में लगभग चार शताब्दियों तक बना रहा, जो प्राचीन भारत में किसी एक वंश का सर्वाधिक कार्यकाल है। प्रतिष्ठान इस वंश की राजधानी थी। सातवाहन काल के आंतरिक तथा बाह्य दोनों व्यापार उन्नति पर था। पेरिप्लस टालमी के भूगोल तथा सातवाहन लेख, मुद्राओं से व्यापारिक प्रगति की सूचना मिलती है। व्यापार वाणिज्य को शासकों द्वारा पूर्ण सुरक्षा प्रदान की गयी थी। देश के भीतर पैठन (प्रतिष्ठान), तगर, जुन्नर, नासिक, वैजयन्ती, धान्यकटक आदि अनेक व्यापारिक नगर थे। गोलकुण्डा (हैदराबाद), तगर तथा पैठन से मार्ग भड़ौच को जाता था। भड़ौच पश्चिम भारत की प्रमुख मण्डी थी जबकि प्रतिष्ठान, तगर, मथुरा, उज्जैनी जैसे प्रसिद्ध नगर दक्षिणपथ प्रतिष्ठान के अन्तर्देशी बाजारों का प्रतिनिधित्व भी करते थे।

28. पाल वंश की स्थापना बौद्ध धर्म के अनुयायी गोपाल (750-770 ई.) ने की थी। गोपाल ने ओदन्तपुरी में एक मठ का निर्माण करवाया था। इस वंश का अंतिम शासक रामपाल को माना जाता है। संध्याकरनंदी को कलिकाल वाल्मीकि कहा जाता है। इनकी प्रसिद्ध रचना 'रामपाल चरित' में रामपाल के शासनकाल में हुए कैवर्तो के विद्रोह का वर्णन किया गया है। पाल शासकों के समय में संतरिक्षत और दीपंकर नामक बौद्ध विद्वानों ने तिब्बत की यात्रा की तथा कालांतर में धर्मस्वामी नामक विद्वान तिब्बत से भारत आया।

31. यजुर्वेद एक कर्मकाण्डीय वेद है। इसमें विभिन्न यज्ञों से सम्बन्धित अनुष्ठान विधियों का उल्लेख है। यह वेद गद्य एवं पद्य दोनों में रचित है। यजुर्वेद की दो शाखाएँ हैं–शुल्क यर्जुर्वेद और कृष्ण यजुर्वेद। शुल्क यजुर्वेद का केवल एक ब्राह्मण ग्रंथ शतपथ ब्राह्मण है। यह सबसे प्राचीन तथा सबसे बड़ा ब्राह्मण ग्रंथ माना जाता है। शतपथ ब्राह्मण में जल-प्लावन कथा, पुनर्जन्म का सिद्धान्त, पुरुरवा-उर्वशी आख्यान रामकथा तथा आश्विन कुमार द्वारा च्यवनऋषि को यौवन दान का वर्णन है। शतपथ ब्राह्मण का लेखक महर्षि याज्ञवल्क्य है।

33. दक्षिण भारत में तुगलक सत्ता के विरुद्ध होने वाले राजनीतिक तथा सांस्कृतिक आंदोलन के परिणामस्वरूप

विजयनगर साम्राज्य की स्थापना 1336 ई. में हुई। इसी समय बहमनी साम्राज्य की स्थापना जफर खाँ ने की थी। इन्होंने अलाउद्दीन हसन बहमन शाह की उपाधि धारण की। इन्होंने गुलबर्गा को अपने नव-संस्थापित साम्राज्य की राजधानी बनाया तथा उसका नाम अहसानाबाद रखा। मुहम्मद तुगलक का अंतिम समय में असफल होने के प्रमुख कारण निम्नलिखित थे–

खुरासन अभियान (1330 ई.) : यह तरमाशरीन के साथ मैत्री का परिणाम था। कहा जाता है कि त्रिमैत्री संगठन (मोहम्मद बिन तुगलक, तरमाशरीन तथा मिस्र के सुल्तान) भी खुरासन के सुल्तान अबू सय्यद के विरुद्ध बनाया गया था। अभियान को सुल्तान की सेना जब तैयार हुई तो ट्रॉस ऑक्सियाना में राजनीतिक परिवर्तन होने के कारण तरमाशरीन को शासन पद से हटा दिया गया इस प्रकार यह अभियान कभी भी प्रारम्भ न हो सका।

कराचिल का सैनिक अभियान (1332 ई.) : यह सुल्तान की अगली विजय योजना थी, किन्तु इसका विनाशकारी अन्त हुआ। कराचिल कुमायूँ की पहाड़ियों में स्थित एक क्षेत्र था। सर्दी और बर्फीले तूफान में लगभग सम्पूर्ण सेना मारी गई और जो सैनिक इन प्राकृतिक आपदाओं से बच गए वे प्लेग से मारे गए। इसका सैन्य नेतृत्व खुसरो मलिक कर रहा था।

दोआब में कर वृद्धि (1325 ई.) : मोहम्मद तुगलक ने अपने शासन काल के आरम्भ में दोआब में कर वृद्धि की जो कुल उपज का 50% तक थी। बरनी के अनुसार, यह वृद्धि दस या बीस गुना थी, जबकि फरिश्ता के अनुसार, यह तीन से चार गुना अधिक थी। वह कृषि में शस्यावर्तन प्रणाली लागू करने वाला प्रथम शासक था।

34. कांगड़ा चित्रकला वस्तुतः एक पहाड़ी चित्रकला शैली है जिसे 17वीं और 19वीं शताब्दी के मध्य राजपूत शासकों के मध्य राजपूत शासकों का संरक्षण प्राप्त हुआ। यद्यपि चित्रकला का उद्भव मुगल चित्रकला से ही हुआ इन चित्रों में भगवान कृष्ण के जीवन से संबंधित घटनाओं और भक्ति से सम्बन्धित अन्य विषयों और दृश्यों को चित्रित किया गया है। इसके अतिरिक्त पौराणिक कथाओं, शिव-पार्वती, नायिकाभेद, संयोग और वियोग, ग्रामीण इलाके, पशु-पक्षी आदि इन चित्रों का विषयवस्तु है। पहाड़ी शैली में चित्रित नल-दमयंती की कथा महाभारत पर आधारित है।

36. मक्खलि गोशाल 6वीं सदी के एक प्रमुख आजीवक दार्शनिक हैं। इन्हें नास्तिक परम्परा के सबसे लोकप्रिय आजीवक सम्प्रदाय का संस्थापक, 24वाँ तीर्थंकर और नियतिवाद का प्रवर्तक दार्शनिक माना जाता है। इस संप्रदाय के अनुसार, संसार की प्रत्येक वस्तु भाग्य द्वारा पूर्ण नियंत्रित एवं संचालित होती है। मनुष्य के जीवन पर उसके कर्मों का कोई भी प्रभाव नहीं पड़ता है। महावीर के समान ईश्वर की सत्ता में विश्वास नहीं करते थे तथा जीव और पदार्थ को अलग-अलग तत्व मानते थे। महावीर और बुद्ध के समकालीन थे। गोशाल अपने सम्प्रदाय का प्रचार-प्रसार श्रावस्ती, आदि स्थानों पर किया करते थे। निवास के लिए श्रावस्ती में हालाहल नामक महिला की कार्यशाला में ठहरते थे जो एक कुम्हार महिला थी। मक्खलि गोशाल के छह प्रमुख शिष्य थे जो इनके मत को प्रचारित-प्रसारित करते थे।

37. भारतीय भिक्षु अथवा भारतीय मूल के भिक्षुओं में, जिन्होंने चीन की यात्राएं की, उनमें कुमारजीव (पांचवीं शताब्दी), परमार्थ (छठी शताब्दी) तथा बोधिधर्म (छठी शताब्दी), सर्वाधिक महत्वपूर्ण कहे जा सकते हैं। परमार्थ उज्जैन के निवासी थे। एक गुप्त सम्राट के समय चीन के सम्राट के द्वारा जो मिशन भारत भेजा गया था, उसी के एवज में भेजे जाने वाले भारतीय प्रतिनिधि मंडल के वे हिस्सा थे। उन्होंने अपनी अनथक यात्राओं के दौरान, विविध बौद्ध विहारों में निवास किया, तथा कई पाठ्यों का चीनी भाषा में अनुवाद किया, और कुछ मौलिक रचनाएं भी लिखीं। उन्होंने 23 वर्षों तक चीन में निवास किया और कभी भारत नहीं लौटे। परमार्थ के द्वारा लिखे और चीनी भाषा में अनुदित की गई अनेक रचनाओं में त्रिपिटक भी शामिल है।

38. शाहजहाँ (खुर्रम) का जन्म 5 फरवरी, 1592 ई. को लाहौर में हुआ था। शाहजहाँ का विवाह आसफ खाँ की पुत्री अर्जुमन्द बानो बेगम (मुमताज महल) के साथ हुआ। शाहजहाँ द्वारा आसफ खाँ को वजीर का पद तथा महावत खाँ को खानखाना की उपाधि दी गई। 24 फरवरी, 1628 ई. को शाहजहाँ 'अबुल मुजफ्फर शहाबुद्दीन मुहम्मद साहब

किरान-ए-शानी शाहजहाँ' के नाम से शासक बना। शाहजहाँ ने सिजदा एवं पायबोस की प्रथा समाप्त कर दी और चहार-तस्लीम प्रथा शुरू की। शाहजहाँ ने 1638 ई. में अपनी राजधानी को आगरा से दिल्ली लाने के लिए यमुना नदी के दाहिने तट पर शाहजहाँनाबाद की नींव डाली। शाहजहाँ के शासनकाल को स्थापत्यकला का स्वर्णयुग कहा जाता है। शाहजहाँ द्वारा बनवाई गई प्रमुख इमारत हैं–दिल्ली का लालकिला, दीवाने आम, दीवाने खास, दिल्ली की जामा मस्जिद, आगरा की मोती मस्जिद तथा ताजमहल आदि। शाहजहाँ ने करोड़ी/आमिल (राजस्व संग्रहकर्ता) और अमीन (कर निर्धारक) के पद को विभाजित कर दिया तो करोड़ी के पारिश्रमिक का हिस्सा 8 प्रतिशत से कम कर 5 प्रतिशत कर दिया गया।

39. कोकल्ल-I ने 845 ई. में कलचुरि वंश की स्थापना की। गांगेयदेव विक्रमादित्य कलचुरिवंश का एक प्रतापी राजा हुआ। सम्पूर्ण कलचुरि वंश में सिक्के प्रवर्तित करने वाला गांगेयदेव पहला और अंतिम राजा था। राजपूत राजाओं में सर्वप्रथम उसी ने स्वर्ण सिक्के प्रचलित करवाये जो लक्ष्मी शैली के सोने के सिक्के हैं। गांगेयदेव ने परमेश्वर, महाराजाधिराज, विक्रमादित्य, महामण्डलेश्वर जैसी उपाधियों को ग्रहण किया। लक्ष्मीकर्ण ने त्रिकलिंगाधिपति की उपाधि धारण की। उसने कर्णमेह नामक शैव मंदिर बनवाया एवं कर्णावती नगर की स्थापना की। प्रसिद्ध कवि राजशेखर इसकी राजसभा में थे।

41. सिकन्दर लोदी का प्रारंभिक नाम निजाम शाह था। उसने अफगान सरदारों से समानता के व्यवहार को त्याग दिया तथा सुल्तान को सर्वोच्च मानने के लिए बाध्य किया। सिकन्दर लोदी ने स्वयं कहा था 'यदि मैं अपने गुलाम को भी पालकी में बिठा दूँ तो मेरे आदेश पर मेरे सभी सरदार उसे अपने कन्धों पर उठा ले जाएँगे। यह लोदी वंश का सर्वश्रेष्ठ शासक साबित हुआ। उसने अपने शासनकाल में बहुत से महत्वपूर्ण कार्य किये जैसे–राज्य के हिसाब-किताब की लेखा-परीक्षण प्रणाली की शुरुआत की। उसने आगरा शहर की नींव डाली। उसने खाद्यान्न करों (अनाजकर) को समाप्त कर दिया तथा व्यापार से प्रतिबंधों को हटा दिया, जिससे लोगों की आर्थिक समृद्धि को बढ़ावा मिले। उसने भूमि के लिए एक प्रमाणिक पैमाना ''गज-ए-सिकन्दरी'' का प्रचलन करवाया जो 30 इंच का था। वह गरीब व अनाथ लड़कियों के लिए अपने वस्त्रों को बेचने पर प्राप्त धन से दहेज प्रदान करवाता था तथा निर्धनों के लिए मुफ्त भोजन की व्यवस्था भी करवायी थी।

42. इतिहास-पुराण में ऋग्वेद, सामवेद, यजुर्वेद, अथर्ववेद के अतिरिक्त पंचम वेद छांदोग्य उपनिषद को माना गया है। यह सामवेद का उपनिषद् है। छांदोग्य उपनिषद् सबसे प्राचीन उपनिषद् माना जाता है। देवकी पुत्र कृष्ण का सर्वप्रथम उल्लेख इसी उपनिषद् में है। इसमें प्रथम तीन आश्रमों तथा ब्रह्म एवं आत्मा की अभिन्नता के विषय में उद्दालक आरुणि एवं उनके पुत्र श्वेतकेतु के बीच विख्यात संवाद का वर्णन है। तत् त्वं असि नामक दार्शनिक अवधारणा छान्दोग्य उपनिषद् से ही ली गई है।

43. चन्द्रगुप्त द्वितीय के पश्चात् उसका पुत्र कुमारगुप्त प्रथम गुप्त साम्राज्य का शासक बना। कुमारगुप्त की माता का नाम ध्रुव देवी था। गुप्त शासकों में सर्वाधिक अभिलेख कुमारगुप्त के ही प्राप्त हुए हैं। कुमारगुप्त के समय में गुप्तकालीन सर्वाधिक अभिलेख प्राप्त हुए हैं जिनकी संख्या लगभग 18 है। इसके समय में गुप्तकालीन मुद्राओं का सबसे बड़ा ढेर बयाना मृदभांड (रजस्थान के भरतपुर जिले में) से प्राप्त हुआ है। कुमारगुप्त समय के एक लेख में मालव संवत् के वर्ष 493 का उल्लेख है जो कि 436 ई. समकक्ष माना जाता है। कुमारगुप्त कालीन प्रमुख अभिलेख विलसड़, करमदण्डा, मानकुंवर व गढ़वा के दो अभिलेख माने जाते हैं।

कुमारगुप्त प्रथम के अभिलेखों व मुद्राओं से ज्ञात होता है कि उसने अनेक उपाधियाँ धारण की थीं। उसने 'महेन्द्र कुमार', 'श्रीमहेन्द्र', 'श्रीमहेन्द्रसिंह', 'महेन्द्रकर्म', 'अजित महेन्द्र' और 'गुप्तकुल व्योग' आदि उपाधियाँ धारण की थीं। उसकी सर्वप्रमुख उपाधि 'महेन्द्रादित्य' थी। कुमारगुप्त प्रथम ने अधिकाधिक संख्या में मयूर आकृति की रजत मुद्राएँ प्रचलित की थीं। कुमारगुप्त प्रथम के शासनकाल में नालन्दा विश्वविद्यालय की स्थापना की गई थी।

45. पन्द्रहवीं तथा सोलहवीं शताब्दी में भक्ति आन्दोलन अपनी पूर्णता को प्राप्त किया। यह आन्दोलन हिन्दुओं का सुधारवादी आंदोलन था। भक्ति आंदोलन के प्रमुख संतों

में वल्लभाचार्य का महत्वपूर्ण स्थान है। ये वैष्णव धर्म के कृष्णमार्गी शाखा के दूसरे महान संत थे। ये आन्ध्र प्रदेश के ब्राह्मण थे किन्तु ये बनारस में रहते थे। वल्लभाचार्य शुद्धाद्वैत में विश्वास करते थे। इन्होंने अनेक धार्मिक ग्रंथ लिखे जिनमें 'सुबोधिनी' और 'सिद्धान्त रहस्य' अत्यन्त प्रसिद्ध हैं। वल्लभाचार्य का दर्शन एक वैयक्तिक तथा प्रेममयी ईश्वर की अवधारणा पर केन्द्रित है। वे पुष्टिमार्ग और भक्तिमार्ग में विश्वास करते थे। इनके सम्मान में भारत सरकार ने सन् 1977 में एक रुपये का डाक टिकट जारी किया था।

46. यजुर्वेद यजुष शब्द का अर्थ है यज्ञ। यजुर्वेद के मंत्रों का उच्चारण अध्वर्य नामक पुरोहित करता था। इस वेद में अनेक प्रकार के यज्ञों को सम्पन्न करने की विधियों का उल्लेख है। यह गद्य तथा पद्य दोनों में लिखा गया है। यजुर्वेद के प्रमुख उपनिषद बृहदारण्यक उपनिषद्, कठोपनिषद, ईशोपनिषद्, श्वेताश्वर उपनिषद् हैं। बृहदारण्यक उपनिषद् में याज्ञवल्क्य-गार्गी/मैत्रेयी का दार्शनिक संवाद का वर्णन है जबकि कौषीतकि ऋग्वेद का उपनिषद् है तथा छांदोग्य उपनिषद् सामवेद का प्रमुख उपनिषद् है। छांदोग्य उपनिषद् सबसे प्राचीन उपनिषद माना जाता है। देवकी पुत्र कृष्ण का सर्वप्रथम उल्लेख इसी में है।

47. कालीबंगा राजस्थान के गंगानगर जिले में स्थित है। इस स्थल की खोज 1951 ई. में अमलानन्द घोष ने की। यहाँ से प्रमुख रूप से जुते हुए खेत, युगल शवाधान, ऊँट की अस्थियाँ, अग्निकुण्ड तथा अन्त्येष्टि संस्कार की तीनों विधियाँ-पूर्ण समाधीकरण, आंशिक समाधीकरण एवं दाह संस्कार के साक्ष्य मिले हैं। यहाँ के मकान कच्ची ईंटों से बने हैं। नगर टीलें से अलंकृत ईंटों के प्रयोग के प्रमाण मिले हैं। यहाँ पर भूकम्प के सबसे प्राचीनतम साक्ष्य प्राप्त हुए हैं।

हड़प्पा से प्राप्त साक्ष्यों में श्रमिक निवास, कांसे की घरिया, कब्रिस्तान R-37, शंख का बना बैल, काँसे का एक्का एवं दर्पण, तथा बर्तन पर मछुआरे का चित्र आदि प्रमुख हैं। मोहनजोदड़ो से प्राप्त साक्ष्यों में मृतकों का टीला, स्नानागार, अन्नागार, काँसे की नग्न नर्तकी, सूती कपड़ा, दाढ़ी वाला साधु तथा पशुपति के अंकन की मुहर आदि प्रमुख हैं। लोथल से प्राप्त साक्ष्यों में सुमेरियन मूल से सम्बन्धित अक्षीय नलिका सहित सोने के मनके, युग्म शवाधान तथा धान की खेती आदि प्रमुख हैं।

49. मुगल शासक औरंगजेब की मृत्यु के पश्चात निम्न शासकों ने शासन किया :

बहादुरशाह प्रथम (1707-1712 ई.) : बहादुरशाह प्रथम 65 वर्ष की अवस्था में सम्राट बना। अपनी इस अवस्था में कठोर व दमनात्मक नीति का अनुसरण करने में वह सक्षम नहीं था। बहादुरशाह राजकीय कार्यों में इतना लापरवाह था कि उसे शाहे बेखबर के नाम से भी जाना जाता है।

जहाँदारशाह (1712-1713 ई.) : बहादुरशाह की मृत्यु के बाद उसके बेटों–शाहजादा अजीमुश्शान, रफीउश्शान, जहानशाह तथा जहाँदारशाह के बीच गद्दी के लिए उत्तराधिकार युद्ध हुआ, जिसमें जुल्फिकार खाँ की सहायता से जहाँदारशाह को सफलता मिली।

फर्रूखसियर (1713-1719 ई.) : फर्रूखसियर को मुगल सिंहासन सैयद बधुओं अब्दुल्ला खाँ और हुसैन अली खाँ बराहा के सहयोग से मिला। उत्तरोत्तर मुगलकाल में अमीरों के विभिन्न गुटों की शासक निर्माता के रूप में महत्वपूर्ण भूमिका थी; इस समय ईरानी, तूरानी तथा हिन्दुस्तानी गुट के अमीर गुगल राजदरबार में सक्रिय थे।

रफी-उद्-दरजात (1719 ई.) : इसे भी सैयद बन्धुओं ने ही गद्दी पर बिठाया था। इसकी मृत्यु क्षयरोग से हुई। रफी-उद्-दरजात की सबसे महत्वपूर्ण घटना निकूसियर का विद्रोह थी। निकूसियर अकबर द्वितीय का पुत्र था। यह सबसे कम समय का शासन करने वाला मुगल शासक था।

50. दास प्रथा काफी पुराने समय से सिर्फ भारत में ही नहीं बल्कि दुनिया के कई देशों में व्याप्त रही है। मानव समाज में जितनी भी संस्थाओं का अस्तित्व रहा है उनमें सबसे भयावह दासता की प्रथा है। यद्यपि चौथी शताब्दी ई.पू. में भारत के विषय में मेगस्थनीज ने लिखा था कि "भारतवर्ष में दास प्रथा नहीं है", तथापि कौटिल्य के अर्थशास्त्र तथा मौर्य सम्राट अशोक के अभिलेखों में प्राचीन भारत में दास प्रथा प्रचलित होने के संकेत उपलब्ध होते हैं। दास प्रथा को संस्थात्मक शोषण की पराकाष्ठा कहा जाता है। एशिया, यूरोप, अफ्रीका, अमेरिका, दक्षिण और उत्तर भारत आदि सभी भूखंडों में उदय होने वाली

सभ्यताओं के इतिहास में दासता ने सामाजिक राजनीतिक तथा आर्थिक व्यवस्थाओं के निर्माण एवं परिचालन में महत्वपूर्ण योगदान किया है। दास प्रथा के द्वारा प्रायः ऋणग्रस्त अथवा युद्धों में बन्दी होने वाले व्यक्तियों को दास बनाया जाता था। 1833 ई. में अंग्रेजी साम्राज्य में दासता समाप्त कर दी गई और 1833 के चार्टर अधिनियम में एक धारा जोड़ दी गई, जिससे दासता को शीघ्रता-शीघ्र समाप्त करने को कहा गया। अंत में 1843 ई. में समस्त भारत में दासता अवैध घोषित कर दी गई। इस समय भारत में ब्रिटिश गवर्नर जनरल लॉर्ड एलेनबरो थे।

51. पल्लवों के पश्चात् कुषाणों का भारत में आगमन हुआ। अधिकांश आधुनिक विद्वान कुषाणों का सम्बन्ध पश्चिमी चीन में गोबी प्रदेश में रहने वाली यू-ची जाति से मानते हैं। कुजुल कडफिसेस भारत में कुषाण वंश का संस्थापक था। इसके बाद राजा बने विम कउफिसेस ने भारी मात्रा में स्वर्ण सिक्के जारी किए जिनकी शुद्धता गुप्तकालीन स्वर्ण सिक्कों से उत्कृष्ट थी। इन सिक्कों पर शिव, नदी और त्रिशूल की आकृतियाँ बनी हैं, जिससे यह अनुमान लगाया जा सकता है कि यह शैव था। 72 ई. में कनिष्क कुषाण साम्राज्य का शासक बना। कनिष्क कुषाण वंश का सबसे प्रतापी शासक था। कनिष्क ने 78 ई. में एक सम्वत् प्रारम्भ किया था, जो शक सम्वत् के नाम से जाना जाता है। इसे भारत सरकार द्वारा प्रयोग में लाया जाता है। इस काल के माट क्षेत्र में राजघराने के व्यक्तियों की मूर्तियाँ रखी जाती हैं। कुषाणों ने एक मिश्रित संस्कृति को बढ़ावा दिया जो उनके सिक्कों पर बने विभिन्न देवी-देवताओं यूनानी-रोमन, ईरानी और भारतीय के द्वारा समझा जा सकता है।

55. मंदिर स्थापत्य की नागर शैली उत्तरी भारत में हिमालय से लेकर विंध्य तक फैली हुई थी। इन शैली के मंदिर चतुष्कोणीय (वर्गाकार) होते हैं। शिखर इन मंदिरों की प्रमुख विशेषता होती है। इन मंदिरों के शिखरों में खड़ी रेखा की प्रधानता होने के कारण इसे रेखीय शिखर भी कहते हैं। उड़ीसा के मंदिर शुद्ध नागर शैली का प्रतिनिधित्व करते हैं। ये 7वीं से 13वीं शताब्दी के बीच बनाए गए। मंदिर निर्माण का कार्य भुवनेश्वर नगर में हुआ। इनमें से लिंगराज, मुक्तेश्वर, राजारानी, पूर्ण विकसित आर्य नागर शैली के सर्वोत्तम उदाहरण हैं। इसके मुख्य भाग अर्थात् गर्भगृह को देवुल कहते हैं। उससे जुड़ा हुआ दूसरा भाग जगमोहन है जो एक प्रकार का मंडप है। मंदिर के मुख्य शिखर की खड़ी धारिया उसकी गगन-चुंबियों से भी प्रभावशाली बनाती है। इन सभी मंदिरों को रथ का रूप दिया गया है तथा उनका आधार एक विशाल चबूतरा है। शिखर सहित देउल की ऊँचाई 225 फुट रही। अपने प्रचुर अलंकरण तथा उत्तम शिल्पविधि के कारण यह मंदिर-निर्माण करने का सर्वोत्कृष्ट नमनू माना जा सकता है।

56. सुल्तान गियास-उद्-दीन जैन-उल-आबिदीन मध्यकालीन कश्मीर में (1423-74) काल में राज करने वाले सुल्तान थे जिनका राज्य आधुनिक भारत में जम्मू-कश्मीर राज्य पर विस्तृत था। वे मध्यकालीन कश्मीर के सबसे महान शासकों में से एक गिने जाते हैं जिन्होंने सर्वधार्मिक उदारता और प्रशासनिक निपुणता के साथ राज किया। उसने अपने शिक्षक मौलाना कबीर को "शेख-उल-इस्लाम" के पद पर नियुक्त किया तथा उन्हें सम्मानित भी किया। जैन-उल-आबिदीन को बुद्धशाह या महान सुल्तान भी कहा जाता है। यह 'कुतुब' उपनाम से कविताएँ लिखा करता था तथा इसने शिकायतनामा नामक ग्रंथ की रचना भी की। इन्होंने जजिया कर को हटाकर भी गोहत्या व सती प्रथा पर प्रतिबन्ध लगाया जिसके कारण इसे "कश्मीर का अकबर" कहा जाता है।

57. गौतम बुद्ध ने सर्वप्रथम सारनाथ में संघ की स्थापना की, बौद्ध धर्म में संघ का महत्वपूर्ण स्थान है। यह बौद्ध धर्म के त्रिरत्न का एक अंग है। बुद्ध ने घोषणा की थी कि धर्म और संघ के निर्धारित नियम ही उनके उत्तराधिकारी हैं। यह विवरण महापरिनिर्वाण सुत्त में मिलता है। स्त्रियों को भी संघ में प्रवेश का अधिकार प्राप्त था। इसमें प्रवेश के लिए 15 वर्ष या उससे अधिक उम्र अनिवार्य थी। बौद्ध संघ में चोर, हत्यारों, ऋणी व्यक्तियों, राजा के सेवक, दास या रोगी व्यक्तियों का प्रवेश वर्जित था। बौद्ध संघ में शामिल होने के बाद इसके सदस्यों को इंद्रियनिग्रह, अपरिग्रह और श्रद्धा का संकल्प लेना पड़ता था। बौद्ध धर्म के तीन प्रमुख अंग बुद्ध, संघ और धम्म। बौद्ध संघ का सुगठित प्रचार बुद्ध के जीवनकाल से मगध, कोसल और मध्य एशिया, श्रीलंका में फैला। वर्तमान में श्रीलंका, तिब्बत, चीन तथा जापान में बौद्ध धर्म प्रचलित है। बौद्ध संघ में 'कठिन चीवर समारोह' वस्त्र वितरण से सम्बन्धित था।

58. गुजरात (अन्हिलवाड़) के चालुक्य वंशी शासकों में कुमारपाल एक महत्वाकांक्षी शासक था। अपने शासनकाल के आरम्भ में ही अर्णोराज चौहान, विक्रमसिंह परमार तथा मालवा के शासक बल्लार के आक्रमणों को विफल करके अपनी योग्यता को प्रमाणित कर दिया। हेमचंद्र के प्रभाव के कारण कुमारपाल भी जैन धर्मानुयायी बन गया था। उसने अपने राज्य में अहिंसा के सिद्धांतों के परिपालन के लिए कठोर आज्ञाएं निकलवाई थीं। पशुबलि पर उसने रोक लगवा दी थी। राज्य में कसाई की दुकानें बंद करवा दी गई थीं। आखेट बंद हो गया था। मनोरंजन के लिए पशु-युद्ध बंद करवा दिए गए। जुआ और सुरा-सेवन पर कठोर प्रतिबंध लगा दिया गया था, लेकिन वह धर्म सहिष्णु था। उसने सोमनाथ मंदिर का जीर्णोद्धार भी करवाया था। उत्कीर्ण लेखों में कुमारपाल को शैव कहा गया है। 1171 ई. में कुमारपाल की मृत्यु हो गई। कुमारपाल की मृत्यु के पश्चात् चालुक्यों का पतन शुरू हो गया। उसका उत्तराधिकारी अजयपाल प्रतिहारों के साथ युद्ध करते हुए मारा गया। तत्पश्चात् उसका भाई मूलराज तृतीय गद्दी पर बैठा। उसके बाद उसका भाई भीम द्वितीय, जिसने 60 वर्ष तक राज्य किया।

60. शिवाजी के शासन का वास्तविक संचालन ''अष्टप्रधान'' नामक आठ मंत्री करते थे जिसका कार्य राजा को परामर्श देना मात्र था। प्रत्येक मंत्री राजा के प्रति उत्तरदायी था तथा उसके सचिवों के रूप में कार्य करता था। अष्टप्रधान के आठ मंत्री निम्न थेः

1. **पेशवा** अथवा मुख्य प्रधान यह प्रधानमंत्री था तथा संपूर्ण राज्य के शासन की देखभाल करता था। सरकारी पत्रों पर राजा के नीचे इसकी मुहर लगती थी।
2. **अमात्य** अथवा मजूमदार यह वित्त एवं राजस्व मंत्री थी।
3. **वाकियानवीस** अथवा मंत्री राजा तथा दरबार की प्रतिदिन की कार्यवाहियों की खबर रखता था।
4. **शुरूनवीस** या सचिव राजकीय पत्र-व्यवहार तथा परगने का हिसाब देखता था, इसे चिटनिस भी कहते थे, इसे गृहमंत्री भी कह सकते हैं।
5. **दबीर** या सुमन्त विदेश मंत्री था।
6. **सर-ए-नौबत** अथवा सेनापति सेना सम्बन्धी कार्य देखता था।
7. **पंडितराव** अनुदान से सम्बन्धित था।
8. **न्यायाधीश** राजा के बाद ये ही मुख्य न्यायाधिकारी था।

शिवाजी के पुत्र राजाराम ने इस ''अष्टप्रधान मंडल'' में *पंत प्रतिनिधि* और *हुकूमत पन्हा* नामक दो नए पद जोड़े थे। राजाराम ने मराठा सरदारों को अपनी सेना रखने तथा अपने क्षेत्र में स्वतन्त्रतापूर्वक कार्य करने की छूट दी। राजाराम ने मराठा सरदारों को जागीरें प्रदान कीं जिसके परिणामस्वरूप मराठा सरदारों की स्वायत्त सत्ता का और अन्ततः मराठा मण्डल या राजसंघ का उदय हुआ।

62. ग्वालियर भारत के मध्य प्रदेश राज्य का एक प्रमुख स्थल है। यह शहर और इसका किला उत्तर भारत के प्राचीन शहरों के केन्द्र रहे हैं। 8वीं शताब्दी में गुर्जर राजा के सेनापति तेल्प ने दुर्ग पर दक्षिण और उत्तर भारतीय शैली का मंदिर बनवाया था जिसे तेल्प का मंदिर कहा जाता था। आज इसे तेली का मंदिर कहा जाता है। यह उत्तर भारत का एकमात्र मंदिर है जिसका शिखर द्रविड़ शैली का है।

68. 1938 ई. में कांग्रेस शासित राज्यों के उद्योग मंत्रियों के सम्मेलन में विभिन्न समस्याओं के समाधान हेतु औद्योगीकरण एवं राष्ट्रीय नियोजन की आवश्यकता महसूस की गयी तथा सुभाषचन्द्र बोस द्वारा जवाहर लाल नेहरू की अध्यक्षता में एक राष्ट्रीय नियोजन समिति की स्थापना (1938) की गयी, जिसे देश के आर्थिक विकास के लिए एक विस्तृत योजना बनाने को कहा गया। यह रिपोर्ट 1949 ई. में प्रकाशित हुई तथा यही रिपोर्ट भारतीय नियोजन का आधार बनी।

69. गांधी जी 1893 ई. में दक्षिण अफ्रीका गए। वहाँ पहुँचते ही उन्हें दक्षिण अफ्रीका में भारतीयों के साथ किए जाने वाले कटु व्यवहार का अनुभव हुआ। गाँधी जी ने दक्षिण अफ्रीका में सन् 1894 ई. में ''नटाल इण्डियन कांग्रेस'' की स्थापना की और द. अफ्रीका के लम्बे आंदोलन के दौरान कई बार जेल भी गये। उन्होंने श्रीमद्भगवद्गीता, रस्किन, डेविड थोरू, लियो टालस्टॉय के ग्रंथों का गहन अध्ययन किया तथा उनसे प्रेरणा प्राप्त की। द. अफ्रीका में ''इण्डियन ओपीनियन नामक अखबार निकाला तथा 1904 ई. में 'फीनिक्स आश्रम'' की स्थापना की। 1909

ई. में लिखित अपनी पुस्तक ''हिन्द स्वराज'' में स्वराज की व्याख्या की।

70. भारतीय राष्ट्रीय कांग्रेस की स्थापना एक अवकाश प्राप्त अंग्रेज अधिकारी एलन अक्टोवियन ह्यूम द्वारा 1885 ई. में की गई। 28 दिसम्बर, 1885 को 'गोकुलदास तेजपाल संस्कृत कॉलेज' में भारतीय राष्ट्रीय कांग्रेस का प्रथम अधिवेशन सम्पन्न हुआ। इस स्थापना अधिवेशन के कुल 72 प्रतिनिधियों में उत्तर प्रदेश का प्रतिनिधित्व गंगा प्रसाद वर्मा, प्राणनाथ पंडित, मुशी ज्वाला प्रसाद, जानकी नाथ घोषाल, रामकली चौधरी, बाबू जमुनादास, बाबू शिव प्रसाद चौधरी तथा लाला बैजनाथ आदि ने किया था। कलकत्ता में सम्पन्न कांग्रेस के दूसरे अधिवेशन में उत्तर प्रदेश के प्रतिनिधियों की संख्या 74 पहुँच गयी थी। दादा भाई नौरोजी की अध्यक्षता में प्रारम्भ इस अधिवेशन में कुल 431 प्रतिनिधियों ने हिस्सा लिया था।

71. 1867 में केशवचन्द्र सेन की प्रेरणा से बम्बई (मुम्बई) में प्रार्थना समाज की स्थापना हुई। प्रारम्भिक सुधारकों में जगन्नाथ शंकर शेट, बालशास्त्री जम्भेकर, विष्णुशास्त्री बापट और कृष्णशास्त्री चिपलूणकर प्रमुख थे। ताराचंद ने बालशास्त्री को उदारवादी शिक्षा की प्रथम उपज कहा है। इनके विरुद्ध एक उग्रवादी दल भी था जिसमें रामबालकृष्ण जयकर, दादोबा पाण्डुरंग तरखड़, उनके भाई आत्माराम पाण्डुरंग प्रमुख थे। आत्माराम पाण्डुरंग ने 1850 में बम्बई में परमहंस मण्डली की स्थापना की। ब्रह्म-समाज के समान इसके प्रमुख उद्देश्य थे–(1) विवेकपूर्ण उपासना करना, (2) जाति-प्रथा को अस्वीकार करना, (3) विधवा विवाह का प्रचार करना, (4) स्त्री-शिक्षा को प्रोत्साहन देना, (5) बाल-विवाह का बहिष्कार करना, (6) अन्य सामाजिक सुधार करना इत्यादि।

72. मशहूर क्रांतिकारी वासुदेव बलवन्त फड़के किसानों की दयनीय दशा से विचलित थे। वे 'स्वराज' को ही इसका प्रमुख उपाय मानते थे। उन्होंने महाराष्ट्र की कोल, भील आदि जातियों को एकत्र कर 'रामोशी' नाम का क्रान्तिकारी संगठन खड़ा किया। अन्त में भूमि अनुदान के द्वारा इस विरोध को रोका गया परन्तु तब तक फड़के ब्रिटिश अत्याचार के शिकार हो चुके थे। इसमें लार्ड लिटन की नस्ल भेदी नीति की कोई भूमिका नहीं थी।

76. 1929-30 के आर्थिक संकट से उत्पन्न तबाही ने भी बहुत हद तक किसानों को संगठित होने एवं अपनी रक्षा के लिए प्रेरित किया, रजनीपाम दत्त के शब्दों में कहा जा सकता है : गाँवों, कस्बों में किसान संगठन बनने लगे तथा परस्पर मिलकर जिला एवं प्रान्तीय संगठनों का आविर्भाव हुआ। सर्वप्रथम 1927 में बिहार किसान सभा का गठन हुआ और 1934 के बाद यह संगठन काफी प्रभावशाली हो गया था। स्वामी सहजानंद सरस्वती को इसका श्रेय जाता है। कांग्रेस समाजवादी दल भारत का एक राजनैतिक दल था। 1934 में कांग्रेस के भीतर समाजवादी विचारों के बढ़ते हुए प्रभाव के कारण आचार्य नरेन्द्रदेव, जयप्रकाश नारायण और अच्युत पटवर्धन ने कांग्रेस समाजवादी पार्टी की स्थापना की। भारत को स्वतंत्रता मिलने के बाद कांग्रेस राष्ट्रीय शक्तियों का संयुक्त मोर्चा न रहकर एक राजनीतिक दल बन गई, अतः अन्य स्वायत्त और संगठित दलों को कांग्रेस से निकलना पड़ा इसमें कांग्रेस समाजवादी दल भी था। उसने कांग्रेस शब्द को अपने नाम से हटा दिया। बाद में प्रजा सोशलिस्ट और सोशलिस्ट पार्टी ने मिलकर संयुक्त सोशलिस्ट पार्टी बनाई। अन्ततः 1965 के वाराणसी अधिवेशन में प्रजा सोशलिस्ट पार्टी से अलग होकर सोशलिस्ट पार्टी बना।

77. **पंचशील के सिद्धान्त :** पंचशील के सिद्धांतों का प्रतिपादन 29 अप्रैल, 1954 को तिब्बत के सन्दर्भ में भारत और चीन के मध्य हुए समझौते के तहत किया गया था। 28 जून, 1954 को भारत के प्रधानमंत्री एवं चीन के तत्कालीन प्रधानमंत्री चाऊ-एन-लाई ने इनमें आस्था व्यक्त की थी। पंचशील के सिद्धांत निम्नलिखित हैं :

(1) एक-दूसरे की प्रादेशिक अखण्डता एवं सर्वोच्च सत्ता के लिए पारस्परिक सम्मान की भावना।

(2) अनाक्रमण।

(3) एक-दूसरे के आन्तरिक मामलों में हस्तक्षेप न करना।

(4) समानता एवं पास्परिक साथ।

(5) शान्तिपूर्ण सह अस्तित्व।

79. भूदान आंदोलन का नेतृत्व विनोबा भावे द्वारा किया गया था। उन्होंने गाँव-गाँव अभियान चलाया और सर्वोदय शिक्षा का प्रचार किया। यह अभियान 1951 में शुरू हुआ

था जब भूमि समस्या पर तेलंगाना किसान आंदोलन अपने उत्कर्ष पर आ चुका था। तेलंगाना आंदोलन स्थानीय भूस्वामियों के विरुद्ध निर्धन किसानों का सशस्त्र संघर्ष था। समस्या की जाँच-पड़ताल के बाद विनोबा ने एक अनूठा समाधान सुझायाः भूस्वामियों द्वारा भूमि का स्वेच्छा से दान भारत में भूमिहीनता की समस्या का समाधान हो सकता है। इससे घृणा के बजाय प्रेम पर आधारित, अहिंसक समाधान का पथ प्रशस्त होगा। तेलंगाना जिले के पोचमपल्ली गाँव में रामचन्द्र रेड्डी ने विनोबा को 100 एकड़ भूमि दान में देकर ऐतिहासिक कार्य किया।

80. फ्रांस के मशहूर दार्शनिक डेनिस दिदेरों 18वीं सदी के कला विशेषज्ञ व लेखक भी रहे हैं। 1746 ई. में दिदेरो ने अपना प्रथम लेख (Philosophical thoughts) प्रकाशित किया जो कि एक पुस्तक के रूप में था। इसमें उन्होंने चर्च का आलोचनात्मक विश्लेषण भी किया है। शेष सभी 19वीं के मार्क्स-पूर्व समाजवादी समूह से संबंधित हैं।

83. **पूना सार्वजनिक सभा :** सन् 1867 में जस्टिस महादेव गोविन्द रानाडे द्वारा एक महत्वपूर्ण राजनीतिक संगठन पूना सार्वजनिक सभा की स्थापना की गई। गणेश वासुदेव जोशी ने इसके विकास में महत्वपूर्ण योगदान दिया।

इण्डियन एसोसिएशन : उदीयमान भारतीय राष्ट्रवाद की भावना की कसौटी पर ब्रिटिश इण्डियन एसोसिएशन खरा नहीं उतरा। इसके स्थान पर एक नया संगठन इण्डियन एसोसिएशन की स्थापना 26 जुलाई, 1876 में सुरेन्द्रनाथ बनर्जी की अध्यक्षता में कलकत्ता में हुई। आनन्द मोहन बोस इसके सचिव निर्वाचित हुए।

मद्रास नेटिव एसोसिएशन तथा महाजन सभा : ब्रिटिश संसद को पिटीशन भेजने के उद्देश्य से 1832 में गाजुलु लक्ष्मीनृसिंलु और पी. सोम सुन्दरम चेती द्वारा मद्रास नेटिव एसोसिएशन (Madras Native Association) की स्थापना की गई। 1868 में चेती की मृत्यु के पश्चात एसोसिएशन सक्रिय भूमिका नहीं निभा सका। सन् 1884 में मद्रास महाजन सभा (Madras Mahajana Sabha) की स्थापना हुई। सभा का उद्देश्य मद्रास प्रेसीडेन्सी में उत्पन्न अनेक स्थानीय संगठनों के क्रियाकलापों में समन्वय स्थापित करना था।

बोम्बे प्रेसीडेन्सी एसोसिएशन : 1885 में तीन वकीलों (मेहता, तेलांग और तैयबजी) ने बोम्बे प्रेसीडेन्सी एसोसिएशन की स्थापना की। शीघ्र ही बम्बई में यह एक महत्वपूर्ण राजनीतिक शक्ति के रूप में उभरा। स्थानीय समस्याओं का विवेचन करना तथा विभिन्न मामलों में भारत सरकार का ध्यान आकृति करने हेतु अनेक प्रयत्न संगठन द्वारा किये गये।

84. स्वामी विवेकानन्द के गुरु रामकृष्ण परमहंस थे। इनके बचपन का नाम नरेन्द्र नाथ दत्त था। नरेन्द्र ने 1893 ई. में अमेरिका के शिकागो में आयोजित प्रथम विश्व धर्म सम्मेलन में भाग लिया। अमेरिका जाने से पहले खेतड़ी के राजा के सुझाव पर नरेन्द्र नाथ ने अपना नाम 'स्वामी विवेकानन्द' रख लिया। फरवरी 1896 ई. में इन्होंने न्यूयॉर्क में वेदान्त सोसायटी का गठन भारतीय धर्म एवं दर्शन के प्रचार हेतु किया। पेरिस में 1900 ई. में आयोजित द्वितीय विश्व धर्म सम्मेलन में भी इन्होंने भाग लिया। इनका मानना था कि "मनुष्य की सेवा ईश्वर की सेवा" है। इन्होंने शिक्षित समुदाय के लिए कहा कि "मैं ऐसे शिक्षित लोगों को दोषी मानता हूँ जो गरीब एवं भूखी जनता के पैसे से पढ़कर ही उनके ऊपर ध्यान नहीं देते हैं। इन्हीं सब कारणों से इन्हें 19वीं शताब्दी के "नव हिन्दू जागरण" का संस्थापक कहा जाता है। सुभाष चन्द्र बोस ने विवेकानन्द को "आधुनिक राष्ट्रीय आन्दोलन का आध्यात्मिक पिता" कहा है।

85. रानी गैदिनलियु ने भारत की स्वतंत्रता के लिए नागालैण्ड में क्रांतिकारी आन्दोलन चलाया था। इन्हें 'नागालैण्ड की रानी लक्ष्मीबाई' कहा जाता है। ये भारत की नागा आध्यात्मिक एवं राजनीतिक मैत्री थीं जिन्होंने भारत में ब्रिटिश शासन के विरुद्ध विद्रोह का नेतृत्व किया। वह छापामार युद्ध और शस्त्र आंदोलन में निपुण थीं। इन्होंने विद्रोह के दौरान एक बड़ा किला बनाने का निश्चय किया जिसमें उसके चार हजार नागा साथी रह सके। इस पर काम चल ही रहा था कि 17 अप्रैल, 1932 को अंग्रेजों की सेना ने अचानक आक्रमण कर दिया। गैदिनलियु को गिरफ्तार कर उन पर मुकदमा चला कर आजीवन कारावास की सजा दी गई। 1947 में देश के स्वतंत्र होने पर ही वह जेल से बाहर आई। जवाहर लाल नेहरू ने इन्हें "नागाओं की रानी' कहा था।

88. कांग्रेस की गैर प्रगतिशील नीतियों से असंतुष्ट होकर जुलाई, 1931 ई. में जय प्रकाश नारायण, फूलन कुमार वर्मा तथा अन्य लोगों ने 'बिहार समाजवादी दल की नींव रखी'। 1933 ई. में प्रो. बृजलाल के नेतृत्व में ''पंजाब समाजवादी दल'' का गठन हुआ और अन्ततः 1934 ई. में बम्बई में आचार्य नरेन्द्र देव एवं जय प्रकाश नारायण ने कांग्रेस समाजवादी पार्टी की स्थापना की।

कांग्रेस के इस नीतिगत निर्णय के फलस्वरूप कांग्रेस सोशलिस्ट पार्टी के संस्थापक नेताओं–आचार्य नरेंद्र देव, जयप्रकाश नारायण, डॉ. राममनोहर लोहिया, अशोक मेहता, अच्युत पटवर्धन, कमलादेवी चट्टोपाध्याय, अरुणा आसफ अली, एस.एम. जोशी, एन.जी. गारे, यूसुफ मेहर अली, मीनू मसानी और फरीदुल हक अंसारी आदि ने अपने समर्थकों व अनुयायियों के साथ मार्च, 1948 में कांग्रेस छोड़ दी। यहीं से लोहिया की नेहरू से मोहभंग की प्रक्रिया शुरू हुई। सन् 1950 में पटेल के देहांत और 1952 के पहले आम चुनाव के बाद लोहिया द्वारा नेहरू की आलोचना में तल्खी आने की शुरुआत हो चली थी। ये तल्खी आगे और बढ़ती चली गई।

90. 9 अगस्त, 1925 को उत्तर प्रदेश में लखनऊ के पास काकोरी में क्रान्तिकारी देशभक्तों ने रेल विभाग की ले जा रही संग्रहीत धनराशि को लूटा था। यह घटना इतिहास में काकोरी षड्यंत्र के नाम से जानी जाती है। इस डकैती में अशफाक उल्ला खाँ, चन्द्रशेखर आजाद, राजेन्द्र लाहिड़ी, सचीन्द्र सान्याल, मन्मथनाथ गुप्त, रामप्रसाद बिस्मिल आदि शामिल थे। इस संबंध में 29 क्रांतिकारियों को गिरफ्तार कर उन पर काकोरी षड्यंत्र कांड में मुकदमा चलाया गया। इसमें रामप्रसाद बिस्मिल, अशफाक उल्ला खाँ, रोशनलाल, राजेन्द्र लाहिड़ी को क्रमशः गोरखपुर, फैजाबाद, नैनी (इलाहाबाद) तथा गोण्डा में फाँसी दी गई।

93. भीमराव रामजी अम्बेडकर, बाबासाहब अम्बेडकर नाम से लोकप्रिय भारतीय बहुज्ञ, विधिवेक्ता, अर्थशास्त्री, राजनीतिज्ञ और समाज सुधारक थे। उन्होंने दलित बौद्ध आंदोलन को प्रेरित किया और अछूतों (दलितों) से सामाजिक भेदभाव के विरुद्ध अभियान चलाया था। वे स्वतंत्र भारत के प्रथम विधि एवं न्यायमंत्री, भारतीय संविधान के जनक एवं भारत गणराज्य के निर्माता थे। इन्होंने पाँच मराठी पत्रिकाओं का सम्पादन किया था जिसमें मूकनायक (1920), जनता (1930), बहिष्कृत भारत (1927), समता (1928) एवं प्रबुद्ध भारत (1954) सम्मिलित है। इन्होंने बहिष्कृत हितकारिणी सभा, समता सैनिक दल, डिप्रेस्ड क्लासेस एज्युकेशन सोसायटी नामक संगठनों का भी निर्माण किया।

1956 में उन्होंने बौद्ध धर्म अपना लिया। 1990 में, उन्हें भारत रत्न, भारत के सर्वोच्च नागरिक सम्मान से मरणोंपरांत सम्मानित किया गया था। 14 अप्रैल को उनका जन्म दिवस आम्बेडकर जयंती के रूप में मनाया जाता है।

94. मार्क्सवादी विचारधारा सामाजिक वर्ग व आर्थिक विवशता के प्रचलित दर्शन पर आधारित है। मार्क्सवाद ने समाज को शोषक व शोषित दो वर्गों में माना है। इसके अनुसार साधन संपन्न वर्ग द्वारा संसाधनों पर एकाधिकार इसका कारण है अर्थात् राष्ट्रीय राजनीति की दिशा में आम या शोषित वर्ग की उत्पादन के संसाधनों तक पहुँच आवश्यक है। यह आन्दोलन की दिशा व पक्ष को प्रभावित करने की क्षमता से जुड़ा है।

पिछले प्रश्न-पत्र (हल सहित)

UGC-NET जूनियर रिसर्च फैलोशिप तथा सहायक प्राध्यापक परीक्षा

इतिहास, जुलाई-2018*

प्रश्न-पत्र-II

***नोटः** इस प्रश्न-पत्र में **सौ (100)** बहु-विकल्पीय प्रश्न हैं। प्रत्येक प्रश्न के **दो (2)** अंक हैं। **सभी प्रश्न अनिवार्य** हैं।*

1. सूची-I को सूची-II से सुमेलित कीजिए और नीचे दिए गए कूट से **सही** उत्तर चुनिएः

सूची–I (विचारक)		**सूची–II (इतिहास की परिभाषा)**
(*a*) जी.पी. गूच	(*i*)	"सम्पूर्ण अतीत मेरा अतीत है और मैं (उसे) अपने व्यक्तिगत संतोष के लिए स्मरण करता हूँ।"
(*b*) हेनरी पिरेन	(*ii*)	"या तो हमें यह स्वीकार करना चाहिए कि इतिहास अर्थपूर्ण है, अथवा इतिहास अव्यवस्थित या असंगठित घटनाओं का संयोग है जिसमें न तो कोई स्वर है न तर्क।"
(*c*) रेनियर	(*iii*)	"इतिहास वास्तव में इतिहासकार का अतीत के सम्बन्ध में निर्णय होता है, जिसका उद्देश्य वर्तमान को प्रशिक्षित करना तथा भावी पीढ़ी के लिए मार्गदर्शन होता है।"
(*d*) वाल्श	(*iv*)	"इतिहास समाज में रहने वाले मनुष्यों के कार्यों व उपलब्धियों की कहानी है।"

कूटः

	(*a*)	(*b*)	(*c*)	(*d*)
A.	(*ii*)	(*iv*)	(*i*)	(*iii*)
B.	(*iv*)	(*ii*)	(*iii*)	(*i*)
C.	(*i*)	(*ii*)	(*iii*)	(*iv*)
D.	(*iii*)	(*iv*)	(*i*)	(*ii*)

2. निम्नलिखित में से कौन **गलत** सुमेलित है?

लेखक		**पुस्तक का शीर्षक**
A. एस.के. मैती	–	द इकोनॉमिक लाइफ इन नार्दर्न इंडिया इन द गुप्त पीरियड
B. आर.के. मुकर्जी	–	*हिस्ट्री ऑफ इंडियन शिपिंग*
C. आर.सी. मजूमदार	–	*हिन्दू कोलोनीस* इन द फार ईस्ट
D. टी.वी. महालिंगम	–	द *पाण्ड्यन किंगडम*

3. निम्नलिखित में से कौन-सा प्रागैतिहासिक स्थल बड़े परिमाण में लघुपाषाण-उपकरणों के उत्पादन के लिए जाना जाता है?

A. आदमगढ़ B. बागौर
C. नलगोंडा D. संगनकल्लु

4. निम्नलिखित में से कौन-सी वस्तुएँ ताम्र-निधिस्थल से ज्ञात होती हैं?

(*a*) मानवरूपी आकृतियाँ (*b*) एंटेने छुरिका
(*c*) मत्स्यभाला (*d*) चपटे पुराकुठार

कूटः

A. (*a*), (*b*) और (*c*) B. (*b*), (*c*) और (*d*)
C. (*a*), (*c*) और (*d*) D. (*a*), (*b*), (*c*) और (*d*)

5. निम्नलिखित किस पुरातत्त्व स्थल से हड़प्पा संस्कृति के लोगों की जलसंसाधन व्यवस्था के लिए जागरूकता एवं तकनीकी कौशल का प्रमाण मिलता है?

(*a*) धौलावीरा (*b*) मोहनजोदड़ो
(*c*) हड़प्पा (*d*) कालीबंगा

नीचें दिए गए कूट से **सही** उत्तर का चयन कीजिएः

A. (*a*) एवं (*b*) B. (*b*) एवं (*c*)
C. (*c*) एवं (*d*) D. (*a*) एचं (*c*)

** परीक्षा 08 जुलाई, 2018 को सम्पन्न हुई।*

6. ऋग्वेद में निम्नलिखित में से किन जनों का उल्लेख मिलता है?

(*a*) यदु (*b*) पुरु
(*c*) चेदि (*d*) मत्स्य

नीचे दिए गए कूट से **सही** उत्तर का चयन कीजिए:

A. (*a*) एवं (*b*) B. (*b*) एवं (*c*)
C. (*c*) एवं (*d*) D. (*a*), (*b*), (*c*) एवं (*d*)

7. वैदिक युग में राजा के पश्चात् महत्त्वपूर्ण अधिकारी था:

A. गोविकर्तन B. पुरोहित
C. रानी D. सेनानी

8. निम्नलिखित में से कौन-सा युग्म सही सुमेलित **नहीं** है?

(उपनिषद् कालीन राजा)		**(राज्य)**
A. अजातशत्रु	-	मगध
B. अश्वपति	-	कैकेय
C. जनक	-	विदेह
D. प्रवाहण जैवलि	-	पंचाल

9. दिगम्बर और श्वेताम्बर सम्प्रदायों के मध्य मुख्य विवाद निम्न पर जोर देने के कारण था:

A. अनुशासन और कठोर जीवन
B. अहिंसा
C. पवित्र जीवन
D. सत्य

10. निम्नलिखित में से कौन-सा एक सही सुमेलित **नहीं** है?

(अशोक के स्तम्भ)		**(शीर्ष पर पशु)**
A. लौरिया नन्दनगढ़	—	वृषभ
B. रामपुरवा	—	सिंह
C. सांची	—	सिंह
D. संकीसा	—	गज

11. नीचे दो वक्तव्य दिए गए हैं, एक को कथन (A) और दूसरे को कारण (R) कहा गया है।

कथन (A) : चन्द्रगुप्त मौर्य के समय में कौटिल्य का अस्तित्व ही सन्देहास्पद माना जाता है।

कारण (R) : पतंजलि कौटिल्य का उल्लेख नहीं करते यद्यपि वे चन्द्रगुप्त की सभा तथा मौर्यों का उल्लेख करते हैं। चन्द्रगुप्त की राज-सभा में सेल्युकस के राजदूत मेगस्थनीज ने कौटिल्य का संज्ञान नहीं लिया है।

उपर्युक्त दोनों कथनों के संदर्भ में निम्न में से कौन-सा **सही** है?

A. (A) और (R) दोनों सही हैं और (A) की सही व्याख्या (R) है।
B. (A) और (R) दोनों सही हैं, किन्तु (A) की सही व्याख्या (R) नहीं है।
C. (A) सही है, किन्तु (R) गलत है।
D. (A) गलत है, किन्तु (R) सही है।

12. निम्न संस्कारों में से कौन बच्चे के जन्म के पूर्व सम्पादित होते थे?

(*a*) गर्भाधान
(*b*) पुंसवन
(*c*) सीमन्तोन्नयन
(*d*) सहधर्म - चारिणी - संयोग

कूटः

A. (*a*) और (*b*) B. (*a*) और (*d*)
C. (*a*), (*b*) और (*c*) D. (*a*), (*b*), (*c*) और (*d*)

13. निम्नलिखित में से किस धर्मसूत्र में समुद्रसंयान को पतनीय कर्म कहा है?

A. आपस्तम्ब B. बौधायन
C. गौतम D. वसिष्ठ

14. शुंग कला में बुद्ध को निम्न में से किससे चिह्नांकित किया जाता था?

(*a*) छत्र (*b*) चरण-चिह्न
(*c*) धर्मचक्र (*d*) बोधिवृक्ष

कूटः

A. केवल (*a*) B. (*b*) और (*c*)
C. (*a*), (*b*) और (*c*) D. (*a*), (*b*), (*c*) और (*d*)

15. सातवाहन अभिलेखों में भूमिदान के प्रतिग्रहीता को मिलनेवाले परिहारों में निम्नलिखित में से किसका उल्लेख **नहीं** है?

A. सेना के प्रवेश पर प्रतिबन्ध
B. राजा के प्रशासनिक नियंत्रण पर प्रतिबन्ध
C. राजकर्मचारियों द्वारा लवण के खनन पर प्रतिबन्ध
D. विष्टि पर प्रतिबन्ध

16. निम्न में से किन्होंने अपने सिक्कों पर शिव को अंकित करवाया?

(*a*) हर्ष (*b*) शशांक
(*c*) वासुदेव (*d*) विम कैडफिसेस

कूटः

A. (*a*) और (*b*) B. (*a*) और (*d*)

C. (*a*), (*b*) और (*c*) D. (*a*), (*b*), (*c*) और (*d*)

17. नीचे दिये गये कूट का प्रयोग करते हुए सूची-I को सूची-II से सुमेलित करें:

सूची–I (अभिलेख का स्थान)	**सूची–II (अभिलेख प्रचलनकर्ता)**
(*a*) जूनागढ़	(*i*) कुमारगुप्त
(*b*) मंदसौर	(*ii*) अशोक
(*c*) जौगड़	(*iii*) रुद्रदामन्
(*d*) मेहरौली	(*iv*) चंद्र

कूटः

	(*a*)	(*b*)	(*c*)	(*d*)
A.	(*i*)	(*ii*)	(*iii*)	(*iv*)
B.	(*ii*)	(*iv*)	(*i*)	(*iii*)
C.	(*iii*)	(*i*)	(*ii*)	(*iv*)
D.	(*iv*)	(*iii*)	(*i*)	(*ii*)

18. नीचे दो वक्तव्य दिए गए हैं, एक को कथन (A) और दूसरे को कारण (R) कहा गया है।

कथन (A) : पाँचवी शताब्दी में फाह्यान ने अपनी भारत यात्रा के क्रम में यह विवरण दिया है कि इस देश में कोई भी संभ्रांत व्यक्ति मांसाहार नहीं करता था।

कारण (R) : अशोक ने, जो स्वयं जीव-जन्तुओं के प्रति अहिंसा के सिद्धान्त को कठोरता से मानता था, पशुओं की बलि पर प्रतिबन्ध लगा दिया था और भोजन के लिए पशु-वध को नियन्त्रित कर दिया था।

उपर्युक्त कथनों के संदर्भ में निम्न में से कौन **सही** है?

A. (A) और (R) दोनों सही हैं और (A) की सही व्याख्या (R) है।

B. (A) और (R) दोनों सही हैं, किन्तु (A) की सही व्याख्या (R) नहीं है।

C. (A) सही है, किन्तु (R) गलत है।

D. (A) गलत है, किन्तु (R) सही है।

19. निम्नलिखित गुप्त एवं गुप्तोत्तर काल के बंगाल के भूमि-मापों के नाम हैं। नीचे दिए गए कूट से सबसे बड़े से सबसे छोटे के अनुसार उनके अनुक्रम को इंगित करते हुए उत्तर का चयन कीजिएः

(*a*) कुल्यावाप (*b*) द्रोणवाप

(*c*) पाटक

कूटः

A. (*c*), (*a*) एवं (*b*) B. (*a*), (*b*) एवं (*c*)

C. (*c*), (*b*) एवं (*a*) D. (*b*), (*c*) एवं (*a*)

20. किनके अभिलेखों में जलकर का साक्ष्य मिलता है?

A. पाल B. सेन

C. प्रतीहार D. गहडवाल

21. निम्नलिखित में से किसने पहली बार व्याख्या की थी कि पृथ्वी के अपनी धुरी पर घूमने के कारण प्रतिदिन सूर्योदय एवं सूर्यास्त होते हैं?

A. आर्यभट्ट B. भास्कर

C. ब्रह्मगुप्त D. वराहमिहिर

22. निम्नलिखित में से कौन बड़े तमिल सन्त थे? नीचे दिये गये कूट के प्रयोग से उत्तर का चयन कीजिएः

(*a*) अप्पर (*b*) सुन्दरमूर्ति

(*c*) माणिक्कवासगर (*d*) मल्लिकार्जुन पण्डित

कूटः

A. (*a*), (*b*) और (*c*) B. (*b*) और (*d*)

C. (*a*) और (*c*) D. (*b*), (*c*) और (*d*)

23. राष्ट्रकूटों के विषय में निम्नलिखित में से कौन-सा वक्तव्य **गलत** है?

A. इन्द्र III ने प्रतीहार राजा महीपाल I को पराजित किया।

B. कृष्ण III ने तक्कोलम के युद्ध में चोलों को पराजित किया।

C. एलोरा में कृष्ण II के आदेश से कैलास मन्दिर काट कर बनाया गया था।

D. *कविराजमार्ग* का लेखक नृपतुंग था।

24. चोल शासन में लगान वसूली का माध्यम थाः

A. राज कर्मचारी B. ग्राम सभा

C. सामन्त D. कोषाध्यक्ष

25. कश्मीर के निम्नलिखित राजाओं को कालानुक्रम में रखिएः

(*a*) अवन्तिवर्मन् (*b*) चन्द्रापीड

(*c*) दुर्लभवर्धन (*d*) ललितादित्य

नीचे के कूट से **सही** उत्तर का चयन कीजिएः

A. (*a*), (*d*), (*b*), (*c*) B. (*b*), (*a*), (*c*), (*d*)

C. (*c*), (*b*), (*d*), (*a*) D. (*d*), (*c*), (*a*), (*b*)

26. निम्नलिखित को उनके लिखे जाने के क्रम में कालानुसार व्यवस्थित कीजिएः

(*a*) *मिताक्षरा* (*b*) *मानसोल्लास*

(*c*) *विक्रमार्जुनविजय* (*d*) *चतुर्वर्गचिन्तामणि*

कूटः

A. (*a*), (*b*), (*d*), (*c*) B. (*b*), (*a*), (*c*), (*d*)

C. (*c*), (*a*), (*b*), (*d*) D. (*d*), (*c*), (*a*), (*b*)

27. किनके अभिलेखों में अधिकारियों के विशेषीकरण की एक नयी प्रवृत्ति लक्षित होती है, तथा लाटसान्धिविग्रहिक?

A. कल्याण चालुक्य B. चोल

C. कलचुरि D. राष्ट्रकूट

28. निम्नलिखित राजाओं को कालक्रमानुसार रखियेः

(*a*) चंदेल परमर्दि (*b*) गहडवाल गोविन्दचन्द्र

(*c*) कलचुरि कर्ण (*d*) प्रतीहार भोज

नीचे दिए गए कूट से **सही** उत्तर का चयन कीजिएः

A. (*a*), (*b*), (*c*), (*d*) B. (*b*), (*a*), (*d*), (*c*)

C. (*c*), (*b*), (*a*), (*d*) D. (*d*), (*c*), (*b*), (*a*)

29. सूची-I को सूची-II से सुमेलित कीजिए तथा सूचियों के नीचे दिए गए कूट से **सही** उत्तर का चयन कीजिएः

सूची–I (मंदिर)	**सूची–II (निर्माणकर्त्री रानी)**
(*a*) ब्रह्मेश्वर मंदिर, भुवनेश्वर	(*i*) कोलादेवी
(*b*) लक्ष्मण मंदिर, सीरपुर	(*ii*) लोकमहादेवी
(*c*) मल्लिकार्जुन मंदिर, पट्टदकल	(*iii*) त्रैलोक्यमहादेवी
(*d*) विरुपाक्ष मंदिर, पट्टदकल	(*iv*) वसता

कूटः

	(*a*)	(*b*)	(*c*)	(*d*)
A.	(*i*)	(*iv*)	(*iii*)	(*ii*)
B.	(*ii*)	(*iii*)	(*iv*)	(*i*)
C.	(*iii*)	(*ii*)	(*i*)	(*iv*)
D.	(*iv*)	(*i*)	(*iii*)	(*ii*)

30. सूची-I को सूची-II से सुमेलित कीजिए तथा सूचियों के नीचे दिए गए कूट से **सही** उत्तर का चयन कीजिएः

सूची–I (जैन ग्रंथ)	**सूची–II (लेखक)**
(*a*) कुवलयमाला	(*i*) धनपाल
(*b*) समराइच्छकहा	(*ii*) हरिभद्र
(*c*) तिलकमंजरी	(*iii*) सोमदेव
(*d*) यशस्तिलक-चंपू	(*iv*) उद्योतनसूरि

कूटः

	(*a*)	(*b*)	(*c*)	(*d*)
A.	(*i*)	(*iii*)	(*ii*)	(*iv*)
B.	(*ii*)	(*iv*)	(*iii*)	(*i*)
C.	(*iii*)	(*i*)	(*iv*)	(*ii*)
D.	(*iv*)	(*ii*)	(*i*)	(*iii*)

31. गोलकी मठ के विषय में निम्नलिखित में से कौन-से कथन **सही** हैं?

(*a*) यह डाहल-मंडल में स्थित था।

(*b*) यह एक शैव मठ था।

(*c*) इसके रख-रखाव के लिए कलचुरि युवराज I ने ग्रामों का दान दिया था।

(*d*) सद्भाव शंभु मठ के महत्त्व थे।

कूटः

A. (*a*), (*b*) और (*c*) B. (*b*), (*c*) और (*d*)

C. (*a*), (*b*) और (*d*) D. (*a*), (*b*), (*c*) और (*d*)

32. पूर्वमध्यकालीन भारत में घटीयंत्र का उपयोग होता थाः

A. तांत्रिक अनुष्ठान हेतु

B. कूपों द्वारा सिंचाई हेतु

C. धातु पात्रों के निर्माण हेतु

D. यज्ञ-अनुष्ठानों में जलविसर्जन हेतु

33. निम्नलिखित वक्तव्यों पर विचार कीजिएः

कथन (A) : जयवर्मन II ने कम्बुज में देवराज सम्प्रदाय की स्थापना की।

कारण (R) : इसके द्वारा वह कंबुज को स्वतंत्र रखना चाहता था।

उपर्युक्त दो वक्तव्यों के संदर्भ में, निम्नलिखित में से कौन-सा **सही** है?

A. (A) और (R) दोनों सही हैं तथा (A) की सही व्याख्या (R) है।

B. (A) और (R) दोनों सही हैं, किन्तु (A) की सही व्याख्या (R) नहीं है।

C. (A) सही है, किन्तु (R) गलत है।

D. (A) गलत है, किन्तु (R) सही है।

34. अरब यात्री इस्तखरी के बारे में क्या सही नहीं है?

A. वह खुरासान में कार्ख का निवासी था।

B. उसने 951 में भारत यात्रा की।

C. उसने *किताब अल-अकलीम* और *मसालिक वल ममालिक* लिखा।

D. कहा जाता है कि उसने विश्व का एक मानचित्र बनाया।

35. निम्नलिखित में से कौन से वक्तव्य **सही** हैं?

(*a*) सुल्तान इल्तुतमिश सूफी संतों जैसे– शेख कुतबुद्दीन बख्तियार काकी, काजी हमीदुद्दीन नागोरी, शेख बहाउद्दीन जकरिया आदि के प्रति गहरा सम्मान व्यक्त करता था।

(*b*) वह अपने दरबार में नियमित धार्मिक वार्तालापों के आयोजन द्वारा उलेमाओं को भी संतुष्ट रखता था, और उसकी नीतियाँ रूढ़िवादी धर्मशास्त्रियों के मतों से प्रभावित थीं।

(*c*) रजिया को अपना उत्तराधिकारी नामांकित करते समय उसने उलेमाओं की राय जानने की परवाह नहीं की।

(*d*) पवित्र व्यक्तिगत जीवन बिताने के कारण उसे सूफियों का सौहार्द हासिल था जिसका उसने पूरा फायदा उठाया।

नीचे दिये गये कूट में से **सही** उत्तर चुनेंः

कूटः

A. केवल (*a*) और (*d*)

B. केवल (*b*), (*c*) और (*d*)

C. केवल (*a*), (*c*) और (*d*)

D. केवल (*b*) और (*c*)

36. निम्नलिखित में से कौन-सी पुस्तक अमीर खुसरो की रचना **नहीं** है?

A. *इजाज़-ए खुसरवी* B. *गुनयात अल मुनयाह*

C. *नुह-सिपहर* D. *क़िरान-उस सदैन*

37. *महाभारत* के फारसी में अनुवाद के लिए मुल्ला अहमद को कश्मीर के निम्नलिखित सुल्तानों में से किसने अधिकृत किया?

A. सुल्तान कुतबुद्दीन B. सुल्तान सिकन्दर

C. सुल्तान ज़ैनुल आबिदीन D. सुल्तान शिहाबुद्दीन

38. जैन *कल्पसूत्र* की सबसे प्राचीन चित्रकारी निम्नलिखित में से किन क्षेत्रों से संबंधित थी?

A. मालवा और गुजरात B. मालवा और जौनपुर

C. गुजरात और मेवाड़ D. जौनपुर और गुजरात

39. नीचे दो वक्तव्य दिए गए हैं, एक को कथन (A) और दूसरे को कारण (R) कहा गया है।

कथन (A) : बर्नी लिखता है, "सुलतान मुहम्मद तुगलक इस प्रकार कहता था जैसे कि मैं निम्न कुल से उत्पन्न लोगों से मूर्तियों से भी अधिक घृणा करता हूँ, फिर भी मैंने (बर्नी) उसे निम्न कुल में उत्पन्न एक संगीतकार के पुत्र नजबा को इस हद तक बढ़ावा देते हुए देखा है कि वह बहुत सारे मलिकों से ज्यादा ऊँचे पदों पर पहुँचा। गुजरात, मुल्तान और बदायूँ उसके नियंत्रण में दिये गये ... यह आश्चर्यजनक है कि उसने निम्न कुल में उत्पन्न हुए व्यक्ति को ऊँचे पद, व्यापक भू-भाग और बड़े सूबों का प्रशासन किस प्रकार दिया।"

कारण (R) : सुल्तान का यह मानना था कि योग्यता के आधार पर पदों पर नियुक्ति हो। प्रशासन में जन्म को लेकर जो भी विचार प्रचलित हों उन्हें उसने खत्म किया और निम्न कुल में उत्पन्न लोगों को प्रशासन में ऊँचे पदों पर नियुक्त किया।

उपर्युक्त दो वक्तव्यों के संदर्भ में निम्नलिखित में से कौन-सा **सही** है?

कूटः

A. (A) और (R) दोनों सही हैं और (R), (A) की सही व्याख्या है।

B. (A) और (R) दोनों सही हैं, लेकिन (R), (A) की सही व्याख्या नहीं है।

C. (A) सही है, लेकिन (R) गलत है।

D. (A) गलत है, लेकिन (R) सही है।

40. 'सुल्तान ने फारसी राजतंत्रीय परंपरा को आत्मसात किया और उन्हें भारतीय परिवेश के अनुसार ढाला। *आदाब उस सलातीन* और *मआसिर उस सलातीन* जैसी पुस्तकें, जिन्हें उसने पुत्रों की शिक्षा के लिए बगदाद से मंगवाई थीं, ईरानी राजतंत्र के सिद्धान्तों के संबंध में थी जिन्हें वह पूरी तरह से दिल्ली में अनुकरण के लिए लालायित था।' सुल्तान की पहचान कीजिए।

A. कुतबुद्दीन ऐबक B. इल्तुतमिश

C. बलबन D. जलालुद्दीन खलजी

41. निम्नलिखित में से किन सुल्तानों ने आदेश दिया कि मुस्लिम महिलाएँ अपने घरों से बाहर अथवा दिल्ली शहर के बाहर मकबरों पर **नहीं** जाएंगी?

(*a*) बलबन (*b*) फिरोज तुगलक
(*c*) बहलोल लोदी (*d*) सिकन्दर लोदी

कूटः

A. (*a*), (*b*) और (*d*) B. (*b*) और (*d*)
C. (*b*), (*c*) और (*d*) D. (*a*), (*b*), (*c*), (*d*)

42. नीचे दो वक्तव्य दिए गए हैं, एक को कथन (A) और दूसरे को कारण (R) कहा गया है।

कथन (A) : बलबन ने महत्वपूर्ण *इक्ताओं* में 'ख्वाजा' की नियुक्ति की, जिसका चयन 'मुतसर्रफों' में से किया गया। वह एक दीवानी अधिकारी था और उसका कार्य लेखा और रिकॉर्ड से संबंधित था।

कारण (R) : वजीर की अनुशंसा पर सुल्तान द्वारा ऐसे अधिकारी की नियुक्ति राजस्व बँटवारे पर पैनी दृष्टि और 'मुक्ताओं' की गतिविधियों पर नियंत्रण को दर्शाती है।

उपर्युक्त दो वक्तव्यों के संदर्भ में निम्नलिखित में से कौन-सा **सही** है?

कूटः

A. (A) और (R) दोनों सही हैं और (R), (A) की सही व्याख्या है।
B. (A) और (R) दोनों सही हैं, लेकिन (R), (A) की सही व्याख्या नहीं है।
C. (A) सही है, लेकिन (R) गलत है।
D. (A) गलत है, लेकिन (R) सही है।

43. अकबर के अमीरों से संबंधित निम्नलिखित में से कौन-सा वक्तव्य सही **नहीं** है?

A. अकबर के शासन के प्रारंभिक वर्षों में उसके अमीरों में मुख्यतः तूरानी और खुरासानी अमीर थे।
B. 1561 से उसने राजपूत राजकुमारों की भर्ती शुरू की जिन्हें अपने पैतृक स्थानों को *मनसब* की एवज में रखने का अधिकार था।
C. साथ ही वह शेखजादा (भारतीय मुसलमानों) अमीरों के साथ भेद-भाव कर रहा था।
D. अमीरों पर पूर्ण नियंत्रण के लिए उसने उनकी *जागीरें* वापस लीं और उन्हें नकदी भुगतान किया, साथ ही घुड़सवार सेना के नियमित रख-रखाव को सुनिश्चित करने के लिए उसने दाग और उपस्थिति संबंधी नियम सख्ती से लागू किये।

44. कबीर की रचनाओं के संबंध में निम्नलिखित में से कौन-से वक्तव्य **सही** हैं?

(*a*) कबीर पंथियों द्वारा रचित कबीर के पदों के सर्वाधिक श्रद्धेय संग्रहों में *बीजक* है, जो *आदि ग्रंथ* में संगृहीत है।
(*b*) पंजाबी परंपरा के बजाय दादू पंथियों द्वारा *पंचवानी* में रचित कबीर के पद अपेक्षाकृत कम प्रामाणिक हैं।
(*c*) शार्लट वॉडविल का तर्क है कि *आदि ग्रंथ* में संगृहीत कबीर संग्रह 'कबीर पंथियों के सांप्रदायिक आग्रहों से मुक्त' है।
(*d*) डेविड लॉरेन्ज़न का मानना है कि कबीर के सभी तीनों प्रमुख संग्रहों में अन्य स्रोतों से ली गई सामग्री के प्रक्षेप हैं।

नीचे दिये गये कूट में से **सही** उत्तर चुनियेः

A. केवल (*a*) और (*b*) B. केवल (*a*) और (*d*)
C. केवल (*c*) और (*d*) D. (*a*), (*b*), (*c*), (*d*)

45. सूची-I में दी गई विभिन्न तकनीकों के आरंभिक संदर्भों को सूची-II में दिये गये उनके स्रोतों से सुमेलित कीजिए और नीचे दिये गये कूट में से **सही** उत्तर चुनें:

सूची–I (तकनीक)	**सूची–II (स्रोत)**
(*a*) भारत में चरखे का प्रथम उल्लेख	(*i*) *सीरत-ए फिरोजशाही*
(*b*) साबुन निर्माण	(*ii*) थीवनो
(*c*) सिलेण्डर और पिस्टन सिरिंज	(*iii*) इसामी
(*d*) धातु पर लगाये गये चूड़ीदार पेंच	(*iv*) मॉन्सरेट

कूटः

	(*a*)	(*b*)	(*c*)	(*d*)
A.	(*ii*)	(*i*)	(*iv*)	(*iii*)
B.	(*iii*)	(*iv*)	(*i*)	(*ii*)
C.	(*iv*)	(*iii*)	(*ii*)	(*i*)
D.	(*iii*)	(*i*)	(*iv*)	(*ii*)

46. नीचे दो वक्तव्य दिए गए हैं, एक को कथन (A) और दूसरे को कारण (R) कहा गया है:

कथन (A) : मध्यकाल में *दाम* ताँबे के मूल्य को जानने का उतना ही सूचक था, जितना रुपया चाँदी के मूल्य का। रोचक बात यह है कि ताँबे की धातु के संबंध में क्षेत्रीय कीमतों की विविधता सोने और चाँदी से बहुत अधिक महत्त्व रखती थी।

कारण (R) : ताँबे की आपूर्ति मुख्यतः अरावली और विन्ध्य शृंखला के उत्तरी और पूर्वी ढलानों की खदानों से होती थी। इनके साथ इसकी समीपता विभिन्न बाजारों में मूल्य के अंतरों के प्रसार को तय करने में बड़ी भूमिका निभा सकती थी।

उपरोक्त दो कथनों के संदर्भ में निम्नलिखित में से कौन-सा **सही** है?

A. (A) और (R) दोनों सही हैं और (R), (A) की सही व्याख्या है।
B. (A) और (R) दोनों सही हैं, लेकिन (R), (A) की सही व्याख्या नहीं है।
C. (A) सही है, लेकिन (R) गलत है।
D. (A) गलत है, लेकिन (R) सही है।

47. एक शाही *फरमान* द्वारा निम्नलिखित में से आमेर के किस राजा को अपनी *वतन जागीर* में ही मकराना संगमरमर के प्रयोग से रोका गया था?

A. राम सिंह I B. राजा बिशन सिंह
C. मिर्जा राजा जय सिंह D. सवाई जय सिंह

48. निम्नलिखित में से कौन-सा युग्म सही सुमेलित **नहीं** है?

	(यात्री)		**(मूल-देश)**
A.	निकोली डी कॉन्टी	–	इटली
B.	अथानासियस निकितिन	–	रूस
C.	इब्न बतूता	–	मोरक्को
D.	अब्दुर्रज़्ज़ाक	–	सीरिया

49. उसके परदादा ने बहुत सारे पशुओं, पौधों और लोगों के बारे में लिखा था, लेकिन "अपने चित्रकारों को उनकी तस्वीरें बनाने का आदेश नहीं दिया था।"

इस शाही परदादा-प्रपौत्र की जोड़ी को चिन्हित करें:

A.	बाबर	–	जहाँगीर
B.	हुमायूँ	–	शाहजहाँ
C.	अकबर	–	औरंगजेब
D.	जहाँगीर	–	बहादुर शाह I

50. निम्नलिखित में से किसने अपने पुस्तकालय का एक भाग *हरम* में रखा था, जहाँ हरम की महिलायें उसके सोने से पहले उसे पुस्तकें पढ़कर सुनाती थीं।

A. बाबर B. हुमायूँ
C. अकबर D. जहाँगीर

51. एक मुगल बादशाह ने रूढ़िवादी और धार्मिक प्रकृति के लोगों को दिखाया कि भाषा एक प्राकृतिक (ज़ुबान-ए कुदरत) नहीं है, अपितु यह एक सीखने का सांसारिक तरीका है। अपने तर्क को सिद्ध करने के लिए उसने व्यावहारिक प्रयोग द्वारा नवजात शिशुओं को सर्वथा एकांत स्थान, जो गूंग महल के नाम से जाना जाता था, में रखा। वह मुगल बादशाह कौन था?

A. बाबर B. अकबर
C. जहाँगीर D. औरंगजेब

52. *अकबर-नामा* में चित्रित पाडुंलिपि की विशेषताएँ निम्नलिखित में से कौन-सी हैं?

(*a*) *अकबरनामा* की मुगल चित्रकारी में अक्सर एक चित्र के साथ दो चित्रकार संबद्ध थे।
(*b*) रेखांकन और रंगाई अक्सर एक चित्रकार द्वारा की जाती थी।
(*c*) सहयोगी केवल पोर्ट्रेट को पूरा करते थे।
(*d*) कुछ खास चित्रों में रेखांकन, रंगाई और पोर्ट्रेट तीन भिन्न चित्रकारों द्वारा किया गया है।

नीचे दिये गये कूट में से **सही** उत्तर चुनिये:

A. केवल (*a*) और (*d*)
B. केवल (*a*) और (*c*)
C. केवल (*a*), (*b*) और (*c*)
D. (*a*), (*b*), (*c*), (*d*)

53. निम्नलिखित चित्रकारों में से कौन-से जहाँगीर के दरबार में थे?

(*a*) अब्दुस समद (*b*) अबुल हसन
(*c*) उस्ताद मंसूर (*d*) मीर सैय्यद अली

नीचे दिये गये कूट में से **सही** उत्तर चुनें:

कूट:

A. (*a*), (*b*) और (*d*) B. (*b*), (*c*) और (*d*)
C. (*b*) और (*c*) D. (*a*) और (*d*)

54. निम्नलिखित में से कौन-से वक्तव्य **सही** हैं?

(*a*) अपने साम्राज्य *(स्वराज्य)* में शिवाजी ने दक्कनी सल्तनतों के प्रारूप पर नियमित प्रशासन स्थापित करने का प्रयत्न किया। इसमें कर बहुत कम था।

(*b*) शिवाजी की मृत्यु से उनके द्वारा स्थापित नीति को क्षणिक धक्का लगा क्योंकि उनके पुत्र शम्भाजी को औरंगजेब ने कैद करके मरवा दिया।

(*c*) मराठा सरदारों ने सख्ती से हासिल *चौथ* द्वारा अपने संसाधनों को बढ़ाया, इसे न दे पाने की स्थिति में विद्रोही क्षेत्रों को लूट-पाट का शिकार होना पड़ता था।

(*d*) शिवाजी के पुत्र की विधवा ताराबाई ने मुगल आधिपत्य स्वीकार कर लिया।

नीचे दिये गये कूट में से **सही** उत्तर चुनें:

कूट:

A. केवल (*b*), (*c*) और (*d*)

B. केवल (*a*), (*b*) और (*c*)

C. (*a*), (*b*), (*c*) और (*d*)

D. केवल (*b*) और (*c*)

55. कश्मीर और उसके बागों की खूबसूरती से प्रभावित होने के बावजूद, निम्नलिखित में से किस बादशाह ने अपने शासन के छठे वर्ष में आदेश दिया कि कोई भी बादशाह सैन्य और प्रशासनिक कार्यों के सिवाय कश्मीर की यात्रा नहीं करेगा क्योंकि उसका मानना था कि आमोद-प्रमोद के शौक को पूरा करने के लिए कश्मीर जाना उपयुक्त कारण नहीं है?

A. जहाँगीर B. शाहजहाँ

C. औरंगजेब D. बहादुर शाह I

56. निम्नलिखित स्मारकों को कालानुक्रम में व्यवस्थित करें:

(*a*) चारमीनार – हैदराबाद

(*b*) हुमायूँ का मकबरा – दिल्ली

(*c*) शेरशाह सूरी का मकबरा – सासाराम

(*d*) गोल गुम्बज – बीजापुर

नीचे दिये गये कूट में से **सही** उत्तर चुनें:

कूट:

A. (*b*), (*c*), (*d*), (*a*) B. (*d*), (*a*), (*c*), (*b*)

C. (*c*), (*b*), (*a*), (*d*) D. (*a*), (*d*), (*b*), (*c*)

57. सूची-I को सूची-II के साथ सुमेलित करें और सूचियों के नीचे दिये गये कूट से **सही** उत्तर चुनें:

सूची–I (जैन शब्दावली)	**सूची–II (अर्थ)**
(*a*) *भद्रक*	(*i*) जैन उपासक
(*b*) *क्षुल्लक*	(*ii*) दिगंबर मंदिर प्रबंधक
(*c*) *श्रावक*	(*iii*) श्वेताम्बर भिक्षु जो धार्मिक दिनचर्याओं का अच्छी तरह से पालन करते हैं
(*d*) *यति*	(*iv*) दिगंबर जैन मुनि के दीक्षा संस्कार की आरंभिक अवस्था

कूट:

	(*a*)	(*b*)	(*c*)	(*d*)
A.	(*ii*)	(*iv*)	(*i*)	(*iii*)
B.	(*iii*)	(*iv*)	(*ii*)	(*i*)
C.	(*iv*)	(*iii*)	(*ii*)	(*i*)
D.	(*ii*)	(*i*)	(*iv*)	(*iii*)

58. नीचे दो वक्तव्य दिये गये हैं, एक को कथन (A) और दूसरे को कारण (R) कहा गया है:

कथन (A) : गुरु अमरदास ने अपने उत्तराधिकारी की नियुक्ति में पुरानी प्रथा को अपनाया।

कारण (R) : उन्होंने अपने उत्तराधिकारी के रूप में गुरु का पद अपने दामाद रामदास और उनके वंशजों को प्रदान करने का निश्चय किया, इस प्रकार गुरु के पद को वंशानुगत बनाया।

उपरोक्त दो कथनों के संदर्भ में निम्नलिखित में से कौन-सा **सही** है?

A. (A) और (R) दोनों सही हैं और (R), (A) की सही व्याख्या है।

B. (A) और (R) दोनों सही हैं, लेकिन (R), (A) की सही व्याख्या नहीं है।

C. (A) सही है, लेकिन (R) गलत है।

D. (A) गलत है, लेकिन (R) सही है।

59. सरहिन्द आक्रमण के बाद, बंदा बहादुर ने पादशाह की उपाधि धारण की, एक नया कैलेण्डर आरंभ किया और किन गुरुओं के नाम वाले सिक्के जारी किये?

A. गुरुनानक और गुरु हरगोबिन्द

B. गुरुनानक और गुरु गोबिन्द सिंह

C. गुरु हरगोबिंद और गुरु अर्जन
D. गुरु गोबिंद सिंह और गुरु तेग बहादुर

60. निम्नलिखित *लेखकों* और *रचनाओं* में से कौन-सा युग्म सही सुमेलित **नहीं** है?

(लेखक)		(रचना)
A. निज़ामुद्दीन अहमद	–	*तबकात-ए अकबरी*
B. ख़ाफ़ी ख़ान	–	*मआसिर-ए आलमगीरी*
C. अब्दुल हमीद लाहौरी	–	*पादशाहनामा*
D. मुहम्मद काज़िम	–	*आलमगीर-नामा*

61. नीचे दो वक्तव्य दिये गये हैं, एक को कथन (A) और दूसरे को कारण (R) कहा गया है:

कथन (A) : अकबर भूमि की पैमाइश और भू-राजस्व की नकद उगाही के विस्तार का इच्छुक था। इस क्षेत्र में वह किसी भी प्रकार का समझौता करने के लिए तैयार नहीं था तथा उसने इसका क्रियान्वयन कठोरता से किया।

कारण (R) : अकबर के इन सुधारों को शाह मंसूर और टोडरमल के नेतृत्व में लागू किया गया, लेकिन बिहार तथा बंगाल में विद्रोह भड़क उठा।

उपर्युक्त दो कथनों के संदर्भ में निम्नलिखित में से कौन-सा **सही** है?

A. (A) और (R) दोनों सही हैं और (R), (A) की सही व्याख्या है।
B. (A) और (R) दोनों सही हैं, लेकिन (R), (A) की सही व्याख्या नहीं है।
C. (A) सही है, लेकिन (R) गलत है।
D. (A) गलत है, लेकिन (R) सही है।

62. *हुंडी* के निमित्त नकद भुगतान पर छूट की दर मध्यकाल में जानी जाती थी:

A. *आंठ* B. *फोता*
C. *दो-दामी* D. *सतारही*

63. सूची-I में दिये गये भवन निर्माण क्रियाकलापों में संलग्न कारीगारों को सूची-II में दिये गये इसके आधुनिक अभिधानों के साथ सुमेलित करें और सूचियों के नीचे दिये गये कूट में से **सही** उत्तर चुनें:

सूची–I (कारीगर)	सूची–II (आधुनिक अभिधान)
(*a*) *आहकपूजान*	(*i*) राजगीर
(*b*) *खिश्तमालान*	(*ii*) नक्क़ाश
(*c*) *पर्चीनकार*	(*iii*) ईंट तोड़नेवाला
(*d*) *सुर्खीकोब*	(*iv*) चूनगर

कूट:

	(*a*)	(*b*)	(*c*)	(*d*)
A.	(*iv*)	(*iii*)	(*ii*)	(*i*)
B.	(*ii*)	(*iii*)	(*iv*)	(*i*)
C.	(*iii*)	(*iv*)	(*i*)	(*ii*)
D.	(*iv*)	(*i*)	(*ii*)	(*iii*)

64. "तैमूर के घराने के समस्त संप्रभु शासकों यहाँ तक कि सिकन्दर लोदी के काल से अब तक दिल्ली के समस्त शासकों में से कोई भी निष्ठा, आत्मसंयम और न्याय में उसके बराबर नहीं था।"

उपर्युक्त अवतरण में खाफी खान निम्नलिखित में से किस मुगल सम्राट की न्यायप्रियता की सराहना कर रहा है?

A. अकबर B. जहाँगीर
C. शाहजहाँ D. औरंगजेब

65. उन इतिहासकारों का नाम बताएँ जिन्होंने मध्यकालीन भारतीय राज्य की केन्द्रीकृत प्रवृत्ति पर प्रत्यक्षतः प्रश्न चिन्ह लगाया?

(*a*) बर्टन स्टाइन (*b*) डगल्स स्ट्रॉसैंड
(*c*) जे.एफ. रिचर्ड (*d*) फ्रैंक पर्लिन

नीचे दिये गये कूट में से सही **उत्तर** चुनें:

A. (*a*) और (*b*) B. (*b*) और (*c*)
C. (*a*) और (*c*) D. (*a*) और (*d*)

66. सूची-I को सूची-II से सुमेलित करें और सूचियों के नीचे दिये गये कूट में से **सही** उत्तर दें:

सूची–I (लेखक)	सूची–II (पुस्तक)
(*a*) इब्ने हसन	(*i*) द *प्रॉविन्शियल गवर्नमेंट ऑफ द मुगल्स*
(*b*) पी. सरन	(*ii*) *इंडिया एट द डेथ ऑफ अकबर*
(*c*) मोरलैण्ड	(*iii*) द *मुगल नोबिलिटी अंडर औरंगजेब*
(*d*) एम. अतहर अली	(*iv*) द *सेंट्रल स्ट्रक्चर ऑफ द मुगल एम्पायर*

कूटः

	(a)	(b)	(c)	(d)
A.	(i)	(ii)	(iii)	(iv)
B.	(iv)	(iii)	(ii)	(i)
C.	(ii)	(i)	(iv)	(iii)
D.	(iv)	(i)	(ii)	(iii)

67. डूप्ले की अवज्ञा कर ला बार्दूनो द्वारा अंग्रेज ईस्ट इंडिया कम्पनी को पुनः मद्रास लौटा दिए जाने के पीछे निम्नलिखित में से कौन-सा कारक **नहीं** था?

A. डूप्ले की सत्ता के समक्ष समर्पण न कर अपनी स्वतंत्रता को जताना।

B. संभवतः ब्रिटिश ईस्ट इंडिया कम्पनी से स्वयं के लिए उसे कोई उपहार प्राप्त हुआ था।

C. ला बार्दूनो ने पहले ही अंग्रेजों को फिरौती के बदले मद्रास लौटा देने के लिए वचन दे दिया था।

D. फ्रांस की घरेलू सरकार ने ला बार्दूनो को बंदरगाह छोड़कर वापस मारीशस लौट जाने का आदेश दिया था।

68. किस विधान में सर्वप्रथम 'अनुसूचित जातियां' शब्द प्रयुक्त हुआ?

A. 1909 का इन्डिया कॉंसिल्स एक्ट

B. 1919 का गवर्नमेंट ऑफ इन्डिया एक्ट

C. 1935 का गवर्नमेंट ऑफ इंडिया एक्ट

D. भारतीय गणतंत्र का संविधान

69. किस ब्रिटिश अधिकारी ने उत्तर भारत में व्याप्त अनिश्चित भू-सम्पत्ति की स्थितियों के बारे में यह लिखा कि, "इस क्षेत्र की भू-धारक सम्पत्ति एक अत्यधिक व्यापक एवं दुःखद क्रांति" से ग्रस्त हो चुकी है।

A. जी. विंगेट B. राबर्ट मर्टिन्स बर्ड

C. जॉन डिकिन्सन D. होल्ट मैकेन्जी

70. नीचे दो वक्तव्य दिए गए हैं। एक को कथन (A) तथा दूसरे को कारण (R) कहा गया है।

कथन (A) : 1857 के पहले हुए किसानों के कुछ विद्रोहों में पूरी तरह से सिर्फ आदिवासियों ने शिरकत की थी, क्योंकि ब्रिटिश शासन की नीतियों के कारण उनकी राजनीतिक स्वायत्तता और स्थानीय संसाधनों पर उनका नियंत्रण खतरे में पड़ने लगा था।

कारण (R) : अठारहवीं शताब्दी के अंत और उन्नीसवीं शताब्दी के पूर्वार्ध में कंपनी की सरकार ने राजस्व में जो सुधार किया था, उसने भारतीय ग्रामीण समाज को बुनियादी रूप से प्रभावित किया और बदला।

उपर्युक्त कथनों के संदर्भ में निम्न में से कौन-सा **सही** है?

कूटः

A. (A) और (R) दोनों सही हैं और (R), (A) की सही व्याख्या है।

B. (A) और (R) दोनों सही हैं, पर (R), (A) की सही व्याख्या नहीं है।

C. (A) सही है, लेकिन (R) गलत है।

D. (A) गलत है, लेकिन (R) सही है।

71. सूची-I को सूची-II के साथ सुमेलित करें और नीचे दिये गये कूट की सहायता से **सही** उत्तर चुनियेः

सूची–I (लेखक)	**सूची–II (पुस्तक)**
(a) जॉन विलियम केय	(i) *द इंडियन म्यूटिनी इन पर्सपेक्टिव*
(b) जी.बी. मालेसन	(ii) *द अदर साइड ऑफ द मेडल*
(c) एडवर्ड जे. थॉम्पसन	(iii) *ए हिस्ट्री ऑफ द सिपाय वार इन इंडिया*
(d) सर जार्ज मैकमून	(iv) *इंडियन म्यूटिनी इन 1857*

कूटः

	(a)	(b)	(c)	(d)
A.	(iii)	(iv)	(ii)	(i)
B.	(iv)	(iii)	(i)	(ii)
C.	(ii)	(i)	(iv)	(iii)
D.	(iii)	(i)	(ii)	(iv)

72. निम्नलिखित में से कौन प्रसिद्ध प्राच्यविद **नहीं** था?

A. एच.टी. कोलब्रुक B. एच.एच. विल्सन

C. एडविन अर्नाल्ड D. चार्ल्स ट्रेवेल्यन

73. निम्नलिखित में से किस मुसलमान विचारक ने भारत में उलेमाओं को स्वतंत्रता के संघर्ष के लिए भारतीय राष्ट्रीय कांग्रेस के साथ सहयोग करने के लिए तैयार किया?

A. जमाल-अल-दीन अफगानी

B. मुहम्मद इकबाल

C. सैयद अहमद खाँ

D. गुलाम महमूद

74. ज्योतिबा फुले द्वारा प्रसारित विचारों के सम्बन्ध में निम्नलिखित में से कौन-सा कथन सही नहीं है?

A. उनके शब्द और कार्यकलाप सार्वभौमिक मानवतावाद के एक रूप को प्रस्तुत करते हैं।

B. फुले ने समानता और तर्क संगतता पर निर्मित एक नये सामाजिक ढाँचे के लिए कार्य किया।

C. फूले ने अपने आपको न केवल ब्राह्मणवादी संस्कृति प्रणाली से बाहर रखा, बल्कि हिन्दु समाज के भी बाहर रखा।

D. फुले ने उस सभी हिन्दु धर्मग्रंथों को अस्वीकार किया जो ब्राह्मण वर्ग के आधिपत्य को वैधता प्रदान करते थे।

75. निम्नलिखित गवर्नर जनरलों में से किसको 'दयालु' (क्लीमेन्सी) विशेषण से संबोधित किया गया?

A. लार्ड केनिंग B. लार्ड मेयो

C. लार्ड रिपन D. लार्ड लैन्सडाउन

76. किसके द्वारा लार्ड कर्जन को लिखे गए भारतीय अर्थव्यवस्था पर 'खुले पत्रों' ने ब्रिटिश भारतीय सरकार को एक आधिकारिक खंडन प्रकाशित करना पड़ा और साथ ही सुधारवादी आर्थिक कदम भी उठाने पड़े?

A. एम.जी. रानाडे B. जी.वी. जोशी

C. आर.सी. दत्त D. लाला लाजपत राय

77. राष्ट्रवादी प्रतिमा विज्ञान में *भारत माता* अथवा 'मदर इंडिया' (c. 1904-5) का किसका प्रसिद्ध चित्र भारत की नई छवि के प्रतीक रूप में आया?

A. राजा रवि वर्मा B. अबनीन्द्रनाथ टैगोर

C. गगनेन्द्रनाथ टैगोर D. नन्दलाल बोस

78. नीचे दो वक्तव्य दिए गए हैं, एक को कथन (A) और दूसरे को कारण (R) कहा गया है।

कथन (A) : महात्मा गांधी ने लिखाः "स्वदेशी भी अन्य किसी अच्छी बात की तरह मृत्यु का आलिंगन बन सकती है यदि इसे अन्ध श्रद्धा की तरह अपनाया जाए।"

कारण (R) : महात्मा गांधी का विचार थाः स्वदेशी ऐसा सिद्धान्त है जिसकी जड़ें शुद्धतम अहिंसा यानी प्रेम में निहित हैं।

उपर्युक्त कथनों के संदर्भ में निम्नलिखित में से कौन-सा **सही** है?

A. (A) और (R) दोनों सही हैं और (A) की सही व्याख्या (R) है।

B. (A) और (R) दोनों सही हैं, किन्तु (A) की सही व्याख्या (R) नहीं है।

C. (A) सही है, किन्तु (R) गलत है।

D. (A) गलत है, किन्तु (R) सही है।

79. सूची-I को सूची-II के साथ सुमेलित करें और नीचे दिये गये कूट में से **सही** उत्तर चुनियेः

सूची–I (राष्ट्रवादी महिला)	**सूची–II (उनके कार्यकलाप)**
(*a*) सरोजिनी नायडू	(*i*) भूमिगत आंदोलन की एक नेता
(*b*) उषा मेहता	(*ii*) आज़ाद हिन्द फौज में शामिल हुईं
(*c*) अरुणा आसफ अली	(*iii*) धर्साना में नमक सत्याग्रह का नेतृत्व किया
(*d*) डॉ. लक्ष्मी स्वामीनाथन	(*iv*) भारत छोड़ो आंदोलन के दौरान गुप्त रेडियो संचालित किया

कूटः

	(*a*)	(*b*)	(*c*)	(*d*)
A.	(*iv*)	(*ii*)	(*i*)	(*iii*)
B.	(*iii*)	(*iv*)	(*i*)	(*ii*)
C.	(*iv*)	(*iii*)	(*ii*)	(*i*)
D.	(*iii*)	(*ii*)	(*iv*)	(*i*)

80. मार्च, 1914 में *कोमागाटू मारु* जहाज द्वारा ले जाये गये भारतीय प्रवासियों के उतरने पर किस देश ने कठोर प्रतिबंध लगाये?

A. यू.एस.ए. B. इंग्लैण्ड

C. जापान D. कनाडा

81. मुस्लिम लीग द्वारा अपनाए गए रास्ते में नरमी का रुख लाए जाने के उद्देश्य से निम्नलिखित उच्च स्तरीय समझौता-वार्ताओं को कालक्रमानुसार व्यवस्थित करेंः

(*a*) भूलाभाई देसाई-लियाकत अली समझौता

(*b*) शिमला कान्फ्रेंस

(*c*) गांधी-जिन्ना वार्ता

(*d*) राजाजी (राजगोपालाचारी) फॉर्मूला

नीचे दिए गए कूट से **सही** उत्तर का चयन करेंः

A. (*c*), (*a*), (*d*), (*b*) B. (*b*), (*d*), (*c*), (*a*)

C. (*a*), (*c*), (*b*), (*d*) D. (*d*), (*c*), (*a*), (*b*)

82. ब्रिटिश शासन से स्वतंत्रता प्राप्त करने के पश्चात्, जवाहर लाल नेहरू को याद दिलाते हुए कि 'स्वतंत्रता भारत को मिली है न कि कांग्रेस को' यह आग्रह किसने किया कि कैबिनेट निर्माण में दलीय सम्बन्ध को ध्यान में रखे बिना योग्यतम व्यक्तियों को सम्मिलित किया जाना चाहिये?

A. सी. राजगोपालाचारी B. डॉ. राजेन्द्र प्रसाद

C. महात्मा गांधी D. वल्लभभाई पटेल

83. द्वितीय पंचवर्षीय योजना, जिसका लक्ष्य राज्य की प्रमुख भूमिका के अन्तर्गत त्वरित आर्थिक विकास था, इस नाम से भी जाना जाता था:

A. बाम्बे योजना

B. सी.एन. वकील योजना

C. जॉन मथाईस योजना

D. पी.सी. महालनोबिस योजना

84. नीचे दो वक्तव्य दिए गए हैं। एक को कथन (A) तथा दूसरे को कारण (R) कहा गया है।

कथन (A) : आखिर में प्रबोधन, यूरोपीय जगत को आधुनिक युग में ले आया।

कारण (R) : 17वीं शताब्दी की वैज्ञानिक क्रांति ने वह बुनियादी बौद्धिक वातावरण तैयार कर दिया था, जिसमें प्रबोधन का जन्म हुआ।

उपर्युक्त कथनों के संदर्भ में निम्न में से कौन-सा **सही** है?

A. (A) तथा (R) दोनों सही हैं और (R), (A) की सही व्याख्या है।

B. (A) तथा (R) दोनों सही हैं, किन्तु (R), (A) की सही व्याख्या नहीं है।

C. (A) सही है, किन्तु (R) गलत है।

D. (A) गलत है, किन्तु (R) सही है।

85. सूची-I को सूची-II के साथ सुमेलित कीजिए तथा नीचे दिए गए कूट की सहायता से **सही** उत्तर का चयन कीजिए।

सूची–I (लेखक)	**सूची–II (पुस्तक का शीर्षक)**
(*a*) के.आर. कानूनगो	(*i*) *हिस्ट्री आफ द सिख्स*
(*b*) रघुबीर सिंह	(*ii*) *हिस्ट्री आफ द जाट्स*
(*c*) जे.डी. कनिंघम	(*iii*) *हिस्ट्री आफ द मराठास*
(*d*) जेम्स ग्रान्ट डफ	(*iv*) *मालवा इन ट्रान्जीशन*

कूटः

	(*a*)	(*b*)	(*c*)	(*d*)
A.	(*i*)	(*iii*)	(*ii*)	(*iv*)
B.	(*iii*)	(*iv*)	(*i*)	(*ii*)
C.	(*iv*)	(*ii*)	(*iii*)	(*i*)
D.	(*ii*)	(*iv*)	(*i*)	(*iii*)

86. निम्नलिखित वक्तव्यों में से कौन-सा सही **नहीं** है?

A. 'प्रबोधन' शब्द 18वीं सदी के उस विशाल बौद्धिक एवं सांस्कृतिक आंदोलन को व्यक्त करता है, जो अस्तित्व की बुनियादी समस्याओं को हल करने की मानव बुद्धि की क्षमता में गहरा विश्वास रखता है।

B. प्रबोधनकालीन लेखकों का उद्देश्य पुराने ढाँचे की बुनियाद पर नए मानव समाज, संस्थाओं और ज्ञान का निर्माण करना था।

C. प्रबोधनकालीन बुद्धिजीवियों ने यूरोप की उस दौर की हर परंपरा को आलोचना और अन्वेषण की नजर से देखा।

D. प्रबोधन काल, तर्क, प्रगति और मानवतावादी मूल्यों में विश्वास की धारणा से भरा हुआ था।

87. भारतीय राष्ट्रीय कांग्रेस के किस अधिवेशन में, कांग्रेस अध्यक्ष, मोतीलाल नेहरू एवं मुस्लिम लीग अध्यक्ष, हकीम अजमल खां ने संयुक्त रूप से जुलूस का नेतृत्व किया?

A. लखनऊ अधिवेशन, 1916

B. अमृतसर अधिवेशन, 1919

C. कलकत्ता अधिवेशन, 1920

D. अहमदाबाद अधिवेशन, 1921

88. अपने विचारों को संचारित करने के लिए महात्मा गांधी निम्नलिखित में से किस समाचारपत्र से सम्बद्ध **नहीं** थे?

A. हरिजन B. इंडियन ओपीनियन

C. यंग इंडिया D. द लीडर

89. नीचे दो वक्तव्य दिये गये हैं, एक को कथन (A) तथा दूसरे को कारण (R) कहा गया है।

कथन (A) : अपने नाम के बावजूद, हिन्दु कोड बिल हिन्दु जातियों और मतों के साथ-साथ सिक्खों, बौद्धों और जैनों पर भी लागू किया जाना था।

कारण (R) : स्वतंत्रता के पश्चात्, समान नागरिक संहिता का समर्थन करने वालों में प्रधानमंत्री जवाहरलाल नेहरू और कानून मंत्री डॉ. बी.आर. आंबेडकर थे।

इन वक्तव्यों के संदर्भ में निम्नलिखित में से कौन-सा **सही** है?

कूटः

A. (A) और (R) दोनों सही हैं और (R), (A) की सही व्याख्या है।

B. (A) और (R) दोनों सही हैं, लेकिन (R), (A) की सही व्याख्या नहीं है।

C. (A) सही है, लेकिन (R) गलत है।

D. (A) गलत है, लेकिन (R) सही है।

90. सूची-I को सूची-II के साथ सुमेलित करें और नीचे दिये गये कूट की सहायता से **सही** उत्तर चुनें:

सूची–I (समाज सुधारक)	**सूची–II (उनकी संस्था)**
(*a*) पंडिता रमाबाई	(*i*) सेवा सदन
(*b*) महर्षि डी.के. कर्वे	(*ii*) शारदा सदन
(*c*) जी.के. देवधर और श्रीमती रमाबाई रानाडे	(*iii*) राजमेहन्द्री सोशल रिफार्म एसोसिएशन
(*d*) वीरेशलिंगम पंतुलु	(*iv*) अनाथ बालिका आश्रम

कूटः

	(*a*)	(*b*)	(*c*)	(*d*)
A.	(*ii*)	(*iv*)	(*iii*)	(*i*)
B.	(*i*)	(*iv*)	(*ii*)	(*iii*)
C.	(*iv*)	(*ii*)	(*i*)	(*iii*)
D.	(*ii*)	(*iv*)	(*i*)	(*iii*)

91. नीचे दो वक्तव्य दिए गए हैं, एक को कथन (A) तथा दूसरे को कारण (R) कहा गया है।

कथन (A) : पुनर्जागरण काल के मानवतावादियों का मानना था कि क्लासिकी पुरासामग्री में साहित्यिक, बौद्धिक, कलात्मक और नैतिक श्रेष्ठता का भंडार है।

कारण (R) : पुनर्जागरण के समय धर्म ग्रंथों के देशी भाषाओं में अनुवाद से समाज में धर्मनिरपेक्षीकरण की प्रक्रिया में तेजी आई।

उपर्युक्त कथनों के संदर्भ में निम्न में से कौन-सा **सही** है?

A. (A) तथा (R) दोनों सही हैं और (R), (A) की सही व्याख्या है।

B. (A) तथा (R) दोनों सही हैं, किन्तु (R), (A) की सही व्याख्या नहीं है।

C. (A) सही है, किन्तु (R) गलत है।

D. (A) गलत है, किन्तु (R) सही है।

92. राष्ट्रवादी गायक पंडित विष्णु दिगम्बर पलुस्कर ने 1901 में अपना पहला गंधर्व महाविद्यालय कहाँ स्थापित किया?

A. कराची

B. मुम्बई

C. बड़ौदा

D. लाहौर

93. उत्तर-आधुनिकतावाद के बारे में निम्नलिखित में से कौन-सा कथन सही **नहीं** है?

A. उत्तर-आधुनिकतावाद में मानवता की एकता, समाज की रचनात्मक शक्ति के रूप में व्यक्ति और इतिहास की अवधारणाओं को आलोचनात्मक दृष्टि से देखा गया है।

B. उत्तर-आधुनिकतावाद में विज्ञान को सत्य का पर्याय मानने और पश्चिम को श्रेष्ठ मानने वाली अवधारणाओं को अंतिम और निरपेक्ष तथ्य समझा जाने लगा।

C. उत्तर-आधुनिकतावाद में अध्ययन की शास्त्रीय सीमाएं धूमिल पड़ने लगी हैं और मानवीय अध्ययन के केंद्र में नारीवाद, नृविज्ञान, नगरीय एवं सांस्कृतिक अध्ययन जैसे विषय आ गए हैं।

D. उत्तर-आधुनिकतावादी आलोचना ने असातत्य बाधा, विच्छिन्नता, और क्रम भंगता जैसे विचार प्रस्तुत किए हैं, जो रेखीय और अनुक्रमिक ऐतिहासिक लय की अवधारणा से बिल्कुल अलग है।

94. उन्नीसवीं शताब्दी के साठ के दशक के प्रारंभिक वर्षों में किस प्रान्त ने निजी कम्पनियों को निवेश पर निश्चित लाभ उपलब्ध कराए जाने के आधार पर सिंचाई नहरों को बनाए जाने का कदम उठाया?

A. मद्रास B. बॉम्बे

C. बंगाल D. पंजाब

95. भारत में उपाश्रयी अध्ययन परियोजना का सदस्य निम्नलिखित में से कौन **नहीं** है?

A. गायत्री चक्रवर्ती स्पीवाक

B. दीपेश चक्रवर्ती

C. शाहिद अमीन

D. रामचन्द्र गुहा

96. सूची-I को सूची-II के साथ सुमेलित करें और नीचे दिए गए कूट की सहायता से **सही** उत्तर चुनें:

सूची–I (लेखक)	**सूची–II (पुस्तक)**
(*a*) बेनेडिक्ट एंडरसन	(*i*) *नेशनलिज्म* (1960)
(*b*) अर्नेस्ट गेलनर	(*ii*) *नेशन्स एंड नेशनलिज्म इन* 1870 (1990)
(*c*) एरिक जे. हॉब्सबाम	(*iii*) *इमैजिन्ड् कम्यूनिटीज* (1983)
(*d*) ई. केडूरी	(*iv*) *नेशन एंड नेशनलिज्म* (1983)

कूट:

	(*a*)	(*b*)	(*c*)	(*d*)
A.	(*ii*)	(*iii*)	(*i*)	(*iv*)
B.	(*iv*)	(*iii*)	(*ii*)	(*i*)
C.	(*iii*)	(*iv*)	(*ii*)	(*i*)
D.	(*i*)	(*iii*)	(*iv*)	(*ii*)

97. नीचे दो वक्तव्य दिए गए हैं। एक को कथन (A) तथा दूसरे को कारण (R) कहा गया है।

कथन (A) : ऐसा माना जा सकता है कि ऐतिहासिक पद्धति एक ऐसा विज्ञान है, जो मनुष्य के उन विचारों तथा परिस्थितियों का अध्ययन करता है, जो उसके सत्य या औचित्य का अनुकूलन करते हैं।

कारण (R) : ज्ञान का शास्त्र होने के कारण यह प्राकृतिक विज्ञान से पूरी तरह से अलग है, क्योंकि इसका कोई सार्वभौमिक नियम नहीं होता।

उपर्युक्त कथनों के संदर्भ में निम्न में से कौन-सा **सही** है?

कूट:

A. (A) तथा (R) दोनों सही हैं और (R), (A) की सही व्याख्या करता है।

B. (A) तथा (R) दोनों सही हैं, किन्तु (R), (A) की सही व्याख्या नहीं करता।

C. (A) सही है, किन्तु (R) गलत है।

D. (A) गलत है, किन्तु (R) सही है।

98. नीचे लिखे शब्द किस इतिहासकार के हैं?

''किसी भी देश के इतिहास में कालों का बंटवारा और उन्हें परिभाषित करना समस्यापूर्ण मुद्दा है। भारत के विषय में तो यह विशेषकर ऐसा ही है, क्योंकि हमारे इतिहासकारों, जिनमें आरंभ में सभी ब्रिटिश थे, उन्होंने अपने यूरोपीय अनुभव से प्राचीन, मध्य और आधुनिक काल के विभाजन का प्रतिमान लिया, जो यहाँ के लिए कतई सटीक नहीं था। इसके बाद उन्होंने हिंदू, मुस्लिम और ब्रिटिश युग के नाम से एक नया विभाजन तैयार किया और मुद्दे को और जटिल बना दिया।''

A. आर.सी. मजूमदार B. सुमित सरकार

C. तपन रायचौधुरी D. बिपिन चंद्र

99. लियोपोल्ड वान रांके के इतिहास लेखन के बारे में निम्नलिखित में से कौन-सा वक्तव्य सही **नहीं** है?

A. रांके ने इतिहास की इस प्रबोधनकालीन धारणा को तोड़ा कि इसका अध्यापन शिक्षण के उद्देश्यों के लिए है।

B. रांके ने इतिहासकारों को यह सलाह दी कि वे ऐतिहासिक तथ्यों को यांत्रिक कार्य-कारण प्रभाव के रूप में व्याख्यायित करने और ऐतिहासिक 'नियम' की तरह पेश करने से बचें।

C. रांके का मानना था कि यदि दस्तावेज उपलब्ध नहीं हों, तो इतिहास लेखन के लिए ऐतिहासिक कल्पना का सहारा लिया जा सकता है।

D. इतिहास और इतिहास लेखन की पद्धति के संबंध में रांके की अवधारणा वस्तुनिष्ठ थी और मूल्य निर्णय से मुक्त थी।

100. निम्नलिखित पुस्तकों में से कौन-सी थॉमस पैने द्वारा **नहीं** लिखी गई थी?

A. *कॉमन सेंस*

B. *रिफ्लेक्शन्स ऑन द रिवोल्यूशन इन फ्रांस*

C. *द राइट्स ऑफ मैन*

D. *द ऐज ऑफ रीजन*

उत्तरमाला

1	2	3	4	5	6	7	8	9	10
D	D	B	D	A	D	B	A	A	A
11	12	13	14	15	16	17	18	19	20
A	C	B	D	D	D	C	B	A	D
21	22	23	24	25	26	27	28	29	30
A	A	C	B	C	C	A	D	A	D
31	32	33	34	35	36	37	38	39	40
D	B	A	A	C	B	C	A	A	B
41	42	43	44	45	46	47	48	49	50
B	A	C	D	D	C	C	D	A	C
51	52	53	54	55	56	57	58	59	60
B	D	C	D	C	C	A	D	B	B
61	62	63	64	65	66	67	68	69	70
D	A	D	D	D	D	D	C	D	A
71	72	73	74	75	76	77	78	79	80
A	D	A	C	A	C	B	B	B	D
81	82	83	84	85	86	87	88	89	90
D	C	D	A	D	B	B	D	B	D
91	92	93	94	95	96	97	98	99	100
B	D	B	A	D	C	B	C	C	B

व्याख्यात्मक उत्तर

2. टी.वी. महालिंगम की रचनाएँ—

- ए टोपोग्राफिकल लिस्ट ऑफ इन्सक्रिप्शन्स इन द तमिलनाडु एंड केरल स्टेट्स
- अर्ली साउथ इंडियन पेलोग्राफी
- द वंश इन साउथ इंडियन हिस्टोरी
- इन्सक्रिप्शन ऑफ पल्लव
- एडमिनिस्ट्रेशन एंड सोशल लाइफ अंडर विजयनगर
- साउथ इंडियन पोलिटी
- रीडिंग इन साउथ इंडियन हिस्ट्री

जबकि 'द पाण्ड्यन किंगडम' के. नीलकंठ शास्त्री द्वारा रचित इतिहास ग्रंथ है।

प्रो. राधाकमल मुकेर्जी ने कई पुस्तकें लिखीं जिसमें 'हिस्ट्री ऑफ शिपिंग' महत्वपूर्ण है। 'हिन्दू कालोनीस इन द फार ईस्ट' आर.सी. मजूमदार तथा एस.के. मैती की रचना 'द इकोनॉमिक लाइफ इन नॉर्दर्न इंडिया इन द गुप्त पीरियड' है।

3. मध्य पाषाणकाल के उपकरण आकार में अत्यन्त छोटे हैं। वे लगभग आधे इंच से लेकर पौन इंच के बराबर हैं। इनमें कुंठित तथा टेढ़े ब्लेड, छिद्रक, स्क्रेपर, ब्यूरिन, बेधक, चान्द्रिक आदि प्रमुख हैं। कुछ स्थानों से हड्डी तथा सींग के बने हुए उपकरण भी मिलते हैं। पाषाण उपकरण चर्ट, चाल्सेडनी, जैस्पर, एगट, क्वार्टजाइट, फ्लिन्ट जैसे कीमती पत्थरों के हैं। कुछ उपकरण त्रिभुज तथा समलम्ब चतुर्भुज के आकार के हैं। मध्य पाषाणकाल के जिन स्थानों की खुदाइयाँ हुई हैं उनमें कब्रिस्तानों की संख्या ही अधिक है। यह एक उल्लेखनीय बात है कि भारत में मानव अस्थिपंजर, मध्य पाषाणकाल से ही सर्वप्रथम प्राप्त होने लगता है। भारत में मध्य पाषाणकाल के पुरास्थल राजस्थान, गुजरात, महाराष्ट्र, आन्ध्र प्रदेश,

कर्नाटक, तमिलनाडु, केरल, मध्य प्रदेश, बिहार, पश्चिम बंगाल तथा उत्तर प्रदेश के विभिन्न भागों में स्थित हैं जहाँ से पुरातत्ववेत्ताओं ने उत्खनन के बाद लघुपाषाणोपकरण प्राप्त किए हैं। राजस्थान का सबसे प्रमुख स्थल भीलवाड़ा जिले में स्थित बागोर है। यहाँ 1968 से 1970 तक वी.एन. मिश्र ने उत्खनन कार्य करवाया था। यहाँ से मध्य पाषाणकालीन उपकरणों के अतिरिक्त लौहकाल के उपकरण भी प्रकाश में आए। पाषाणोपकरणों के साथ-साथ बागोर से मानव कंकाल भी मिला है। गुजरात प्रान्त में स्थित लघनाज सबसे महत्वपूर्ण पुरास्थल है जहाँ एच.डी. संकालिया, बी. सुब्बाराव, ए.आर. कनेडी आदि पुराविदों द्वारा व्यापक उत्खनन करवाया गया था। यहाँ से लघुपाषाणोपकरणों के अतिरिक्त पशुओं की हड्डियाँ, कब्रिस्तान तथा कुछ मिट्टी के बर्तन भी प्राप्त हुए हैं। पाषाणोपकरणों में फ्लेक ही अधिक है। यहाँ से 14 मानव कंकाल भी मिलते हैं। आंध्र प्रदेश में नागार्जुनकोंड, गिद्दलूर तथा रेनिगुन्टा प्रमुख स्थल है जहाँ से मध्य पाषाणिक उपकरण प्रकाश में लाए गए हैं। कर्नाटक में बेल्लारी जिले में स्थित संगनकल्लू नामक स्थान पर सुब्बाराव तथा संकालिया द्वारा क्रमशः 1946 तथा 1969 में खुदाइयाँ करवाई गईं जिसके फलस्वरूप अनेक उपकरण प्राप्त हुए। तमिलनाडु के तिरुनेल्वेलि जिले में स्थित टेरी पुरास्थलों से भी बहुसंख्यक लघुपाषाणोपकरण मिलते हैं। लघु पाषाण उपकरण का उत्पादन भारी मात्रा में बागोर में माना जाता है।

6. आर्य कई जनों में विभक्त थे। इनमें पाँच जनों के नाम अक्सर मिलते हैं—अनु, द्रुह्य, यदु, पुरु, तुर्वस। इन्हें 'पञ्चजन' कहा गया है। जन के अधिपति को राजा कहा जाता था। राजनीतिक संगठन की सबसे छोटी इकाई कुल अथवा परिवार होता था। परिवार का स्वामी पिता अथवा बड़ा भाई होता था जिसे 'कुलप' कहा जाता था। कई कुलों को मिलाकर ग्राम बनता था। ग्राम वस्तुतः आत्म-निर्भर होते थे। ग्राम की सुरक्षा के लिए ऊँचे टीले पर एक पुर (दुर्ग) बना होता था। ग्राम का मुखिया 'ग्रामणी' कहा जाता था। 'ग्रामणी' सम्भवतः नागरिक तथा सैनिक दोनों ही प्रकार के कार्य करता था। ग्राम से बड़ी संख्या 'विश्' होती थी जिसका स्वामी 'विशपति' कहलाता था। अनेक विशों का समूह 'जन' होता था। जन के अधिपति को जनपति या राजा कहा जाता था। देश या राज्य के लिए 'राष्ट्र' शब्द आया है। किन्तु यह प्रभुत्तासम्पन्न राज्य का सूचक नहीं है। एक स्थान पर कई राष्ट्रों के राजा का उल्लेख है। आर्यों के ये विभिन्न जन परस्पर लड़ा करते थे। ऋग्वेद में एक स्थान पर दस राजाओं के युद्ध का उल्लेख हुआ है जो भरतों के राजा सुदास के साथ हुआ था। सुदास के पुरोहित वशिष्ठ थे। इनके विरुद्ध दस राजाओं का एक संघ था जिसमें उपर्युक्त पाँच जनों के अतिरिक्त पाँच लघु जनजातियों—अनिल, पक्थ, भलानस, शिव तथा विषाणिन—के राजा सम्मिलित थे। ऋषि विश्वामित्र इस संघ के पुरोहित थे। यह युद्ध पश्चिमोत्तर प्रदेश में बसे हुए पूर्वकालीन जन तथा ब्रह्मावर्त के उत्तरकालीन आर्यों के बीच उत्तराधिकार के प्रश्न पर लड़ा गया था।

7. ऋग्वेद में पुरोहित, सेनानी तथा ग्रामणी, इन तीनों अधिकारियों का उल्लेख मिलता है। युद्ध के समय पुरोहित राजा के साथ जाता था तथा उसकी विजय के लिए देवताओं से प्रार्थना करता था। शिक्षक, पथ-प्रदर्शक तथा मित्र के रूप में पुरोहित राजा का मुख्य साथी होता था। राजा पुरोहितों का बड़ा सम्मान करते थे। उनका प्रभाव शासन पर भी था। ऋग्वेद में वशिष्ठ, विश्वामित्र आदि पुरोहितों के नाम मिलते हैं जिनकी बहुत अधिक प्रतिष्ठा थी। सेनानी, राजा के आदेशानुसार युद्ध में कार्य करता था। शान्तिकाल में सम्भवतः उसे नागरिक कार्यों को भी करना पड़ता था। ग्रामणी, प्रशासनिक और सैनिक कार्यों के लिए ग्राम का नेता होता था। वह ग्रामीण जनता के हितों का प्रतिनिधित्व करता था। स्पश (गुप्तचर) तथा दूत नामक कर्मचारियों का भी उल्लेख मिलता है जिनका उपयोग राजा करता था। इसके अतिरिक्त और भी राजकर्मचारी रहे होंगे परन्तु उनका उल्लेख ऋग्वेद में नहीं मिलता। इनमें पुरोहित राजा के पश्चात महत्वपूर्ण अधिकारी माना जाता था।

8. ऋग्वैदिककाल में आर्य सभ्यता केवल पंजाब तथा सिंध क्षेत्र में ही सीमित थी जहाँ पञ्चजनों का निवास था। किन्तु उत्तर-वैदिककाल के आर्यों का प्रसार एक व्यापक क्षेत्र में हो गया। अनेक छोटे जन बड़े जनों में मिला लिए गए तथा बड़े-बड़े राज्यों की स्थापना हुई। उत्तर-वैदिक काल की समाप्ति के पूर्व ही आर्यों ने यमुना, गंगा एवं

सदानीरा (सप्ती या गण्डक) नदियों द्वारा सिंचित उपजाऊ मैदानों को पूर्णतया जीत लिया था। आर्य-सभ्यता का केन्द्र मध्य प्रदेश था जो सरस्वती से लेकर गंगा के दोआब तक विस्तृत था। इसमें कुरु, पंचाल जैसे विशाल राज्य थे। यहीं से आर्य सभ्यता पूर्व की ओर कोशल, काशी, विदेह (उत्तरी बिहार) तक फैली। क्रमशः कोशल, काशी, विदेह, मगध, अंग आदि राज्यों का महत्व बढ़ता गया तथा कुरु, पंचाल आदि महत्वहीन होते गए। मगध तथा अंग अभी आर्य संस्कृति के प्रभाव से बाहर थे। अथर्ववेद में मगध के लोगों को 'व्रात्य' कहा गया है जो प्राकृत भाषा बोलते थे। उनके प्रति तिरस्कार पूर्ण भाव प्रकट किए गए हैं। यहाँ तक कि यह इच्छा व्यक्त की गई है कि पूर्व दिशा में स्थित अंग तथा मगंध के लोग ज्वर द्वारा ग्रसित किए जाएँ। आर्य सभ्यता का प्रसार अभी विन्ध्य पर्वत के दक्षिण में नहीं हो पाया था। किसी भी वैदिक ग्रंथ में हम दक्षिण के राज्यों का नामोल्लेख नहीं पाते हैं।

उत्तर-वैदिक काल तक आते-आते अनु, द्रुह्य, तुर्वश, क्रिवि, पुरु तथा भरत आदि जनों का लोप हो गया तथा उनके स्थान पर विशाल राज्यों की स्थापना हुई। इनमें कुरु तथा पंचाल सबसे अधिक प्रसिद्ध थे। शतपथ ब्राह्मण में इन्हें वैदिक सभ्यता का सर्वश्रेष्ठ प्रतिनिधि बताया गया है। यहाँ के निवासी शिष्टाचार में अग्रणी, विधिपूर्वक यज्ञों का अनुष्ठान करने वाले तथा अच्छी संस्कृत बोलने वाले बताए गए हैं। इनके शासक सर्वश्रेष्ठ थे तथा इनकी परिषदें सर्वोत्तम थीं। ये संयुक्त राज्य थे जिनकी राजधानी आसदीवत् तथा काम्पिल्य थी। आसदीवत् के अन्तर्गत कुरुक्षेत्र (सरस्वती और दृश्द्वती के बीच की भूमि) सम्मिलित था, जबकि काम्पिल्य के अन्तर्गत बरेली, बदायूँ और फर्रुखाबाद के जिले थे। परीक्षित तथा जन्मेजय के समय कुरु राज्य उन्नति की चरम सीमा पर था। अथर्ववेद में उसकी समृद्धि का चित्रण है। तदनुसार यहाँ के नागरिक सुखी तथा समृद्धिशाली थे। छान्दोग्योपनिषद में एक स्थान पर बताया गया है कि कुरु जनपद में कभी भी ओले नहीं पड़े और न ही टिड्डियों के उपद्रव के कारण अकाल ही पड़ा। पंचाल के राजाओं में प्रवाहन, जैबालि, अरुणि एवं श्वेतकेतु के नाम मिलते हैं। ये उच्चकोटि के चिंतक एवं दार्शनिक थे। उपनिषद् काल में विदेह ने पंचाल का स्थान ग्रहण कर लिया। विदेह के राजा जनक प्रसिद्ध दार्शनिक थे। इस प्रकार उत्तर-वैदिक काल में कुरु, पंचाल, कोशल, काशी तथा विदेह प्रमुख राज्य थे।

9. भद्रबाहुकृत जैनकल्पसूत्र से पता चलता है कि महावीर के 20 वर्षों बाद सुधर्मन् की मृत्यु हुई तथा उसके बाद जम्बू 44 वर्षों तक संघ का अध्यक्ष रहा। अन्तिम नन्द राजा के समय में सम्भूतविजय तथा भद्रबाहु संघ के अध्यक्ष थे। ये दोनों महावीर द्वारा प्रदत्त 14 'पूव्वो' (प्राचीनतम जैन ग्रन्थों) के विषय में जानने वाले अन्तिम व्यक्ति थे। सम्भूतविजय की मृत्यु चन्द्रगुप्त मौर्य के राज्यारोहण के समय ही हुई। उनके शिष्य स्थूलभद्र हुए। इसी समय मगध में 12 वर्षों का भीषण अकाल पड़ा जिसके फलस्वरूप भद्रबाहु अपने शिष्यों सहित कर्नाटक में चले गए। किन्तु कुछ अनुयायी स्थूलभद्र के साथ मगध में ही रूक गये। भद्रबाहु के वापस लौटने पर मगध के साधुओं से उनका गहरा मतभेद हो गया जिसके परिणामस्वरूप जैन मत इस समय (लगभग 300 ईसा पूर्व) श्वेताम्बर तथा दिगम्बर नामक दो सम्प्रदायों में बँट गया। जो लोग मगध में रह गए थे, श्वेताम्बर कहलाए। वे श्वेत वस्त्र धारण करते थे। भद्रबाहु और उनके समर्थक, जो नग्न रहने में विश्वास करते थे, दिगम्बर कहे गए। उनके अनुसार प्राचीन जैन-शास्त्रों का पूर्ण ज्ञान केवल भद्रबाहु को ही था। प्राचीन जैन शास्त्र चूँकि नष्ट हो गए थे अतः उन्हें पुनः एकत्र करने तथा उनका स्वरूप निर्धारित करने के लिए चतुर्थ शताब्दी ईसा पूर्व में पाटलिपुत्र में जैन धर्म की प्रथम महासभा आयोजित की गई। किन्तु भद्रबाहु के अनुयायियों ने इसमें भाग नहीं लिया। परिणामस्वरूप दोनों सम्प्रदायों में मतभेद बढ़ता गया। पाटलिपुत्र की सभा में जो सिद्धान्त निधारित किए गए वे श्वेताम्बर सम्प्रदाय के मूल सिद्धान्त बन गए।

जैन धर्म के दोनों सम्प्रदायों का मुख्य अन्तर इस प्रकार है—

1. श्वेताम्बर सम्प्रदाय के लोग श्वेत वस्त्र धारण करते हैं तथा वस्त्र धारण को वे मोक्ष की प्राप्ति में बाधक नहीं मानते। इसके विपरीत दिगम्बर मतानुयायी पूर्णतया नग्न रहकर तपस्या करते हैं तथा वस्त्र धारण को मोक्ष के मार्ग में बाधक मानते हैं।

2. श्वेताम्बर मत के अनुसार स्त्री के लिए मोक्ष की प्राप्ति सम्भव है, किन्तु दिगम्बर मत इसके विरुद्ध है।
3. श्वेताम्बर मत ज्ञान-प्राप्ति के बाद भोजन ग्रहण करने में विश्वास करता है, किन्तु दिगम्बरों के अनुसार आदर्श साधु भोजन नहीं ग्रहण करता।
4. श्वेताम्बर सम्प्रदाय के लोग प्राचीन जैन ग्रन्थों—अंग, उपांग, प्रकीर्णक, वेदसूत्र, मूलसूत्र आदि को प्रामाणिक मानकर उनमें विश्वास करते हैं। किन्तु दिगम्बर इन्हें मान्यता नहीं देते थे।

10. अशोक का इतिहास हमें मुख्यतः उसके अभिलेखों से ही ज्ञात होता है। उसके अभी तक 40 से भी अधिक अभिलेख प्राप्त हो चुके हैं जो देश के एक कोने से दूसरे कोने तक बिखरे पड़े हैं। जहाँ एक ओर ये अभिलेख उसके साम्राज्य सीमा के निर्धारण में हमारी मदद करते हैं, वहीं दूसरी ओर इनसे उसके धर्म एवं प्रशासन सम्बन्धी अनेक महत्वपूर्ण बातों की सूचना मिलती है। इन अभिलेखों का इतना अधिक महत्व है कि डी.आर. भण्डारकर जैसे एक चोटी के विद्वान ने केवल अभिलेखों के आधार पर ही अशोक का इतिहास लिखने का प्रयास किया है। कहा जा सकता है कि यदि ये अभिलेख प्राप्त नहीं होते तो अशोक जैसे महान सम्राट के विषय में हमारा ज्ञान सर्वथा अपूर्ण ही रहता। सर्वप्रथम 1837 ई. में जेम्स प्रिंसेप नामक विद्वान ने अशोक के लेखों का अध्ययन किया। किंतु उन्होंने लेखों में 'देवानांपिय' की पहचान सिंहल के राजा विस्स से कर डाली। कालान्तर में यह तथ्य प्रकाश में आया कि सिंहली अनुश्रुतियों—दीपवंश तथा महावंश में यह उपाधि अशोक के लिए प्रयुक्त की गई है। अन्ततः 1915 ई. में मास्की से प्राप्त अभिलेख में 'अशोक' नामक भी पढ़ लिया गया।

अशोक के अभिलेखों का विभाजन 3 वर्गों में किया जा सकता है—1. शिलालेख, 2. स्तम्भ लेख और 3. गुहालेख।

शिलालेख 14 विभिन्न लेखों का एक समूह है जो आठ भिन्न-भिन्न स्थानों से प्राप्त किए गए हैं—शाहबाजगढ़ी, मानसेहरा, कालसी, गिरनार, धौली, जौगढ़, एर्रगुडि तथा सोपारा।

धौली एवं जौगढ़ के शिलालेखों पर 11वें, 12वें तथा 13वें शिलालेख उत्कीर्ण नहीं किए गए हैं। उनके स्थान पर दो अन्य लेख खुदे हुए हैं जिन्हें 'पृथक कलिंग पज्ञापन' कहा गया है। भास्की, गुर्जरा नेत्तुर एवं उदेगुलम के लेखों में अशोक का व्यक्तिगत नाम भी मिलता है।

स्तम्भ लेखों की संख्या सात है जो छह भिन्न-भिन्न स्थानों में पाषाण स्तम्भों पर उत्कीर्ण किए गए हैं। ये हैं—दिल्ली-टोपरा, दिल्ली-मेरठ, लौरिया नन्दन गढ़, रामपुरवा और प्रयाग।

गुहालेख—दक्षिणी बिहार के गया जिले में स्थित 'बराबर' नामक पहाड़ी की तीन गुफाओं की दीवारों पर अशोक के लेख उत्कीर्ण मिले हैं। इनमें अशोक द्वारा आजीवक सम्प्रदाय के साधुओं के निवास के लिए गुहा-दान में दिए जाने का विवरण सुरक्षित है।

उसके स्तम्भ लेखों पर पशुओं की आकृतियाँ हैं जो निम्न प्रकार से हैं—

रमपुरवा—यहाँ दो खंडित स्तम्भ प्राप्त हुए हैं जिसके शीर्ष पर सिंह एवं वृषभ की आकृति है।

संकिसा—हाथी

सारनाथ—चार सिंह

वैशाली—सिंह

साँची—चार सिंह

लौरिया नन्दनगढ़—सिंह

ये सभी अभिलेख प्राकृत भाषा में तथा ब्राह्मी लिपि में लिखे गए हैं। केवल दो अभिलेख शाहबाजगढ़ी तथा मानसेहरा की लिपि ब्राह्मी न होकर खरोष्टी है। यह दाईं से बाईं ओर लिखी जाती थी। इसके अतिरिक्त तक्षशिला से अरमाईक तथा कन्धार के पास 'शरे-कुना' से यूनानी अरमाईक लिपियों में लिखा गया द्विभाषिक अभिलेख प्राप्त हुआ है।

11. यद्यपि कौटिल्य के जीवन के संबंध में प्रामाणिक तथ्यों का अभाव है। उनके जन्मस्थान के संबंध में भी मतभेद पाया जाता है। कुछ विद्वानों के अनुसार कौटिल्य का जन्म पंजाब के 'चणक' क्षेत्र में हुआ था, जबकि कुछ विद्वान मानते हैं कि उसका जन्म दक्षिण भारत में हुआ था। कई विद्वानों का यह मत है कि वह कांचीपुरम का रहने वाला द्रविड़ ब्राह्मण था। वह जीविकोपार्जन की खोज में उत्तर भारत आया था। कुछ विद्वानों के मतानुसार केरल भी उसका जन्म स्थान बताया जाता है। इस संबंध

में उसके द्वारा चरणी नदी का उल्लेख इस बात के प्रमाण के रूप में दिया जाता है। कुछ सन्दर्भों में यह उल्लेख मिलता है कि केरल निवासी विष्णुगुप्त तीर्थाटन के लिए वाराणसी आया था, जहाँ उसकी पुत्री खो गई। वह फिर केरल वापस नहीं लौटा और मगध में आकर बस गया।

कई विद्वानों ने यह कहा है कि कौटिल्य ने कहीं भी अपनी रचना में मौर्यवंश या अपने मंत्रित्व के संबंध में कुछ नहीं कहा है, परंतु अधिकांश स्रोतों ने इस तथ्य की संपुष्टि की है। 'अर्थशास्त्र' में कौटिल्य ने जिस विजिगीषु राजा का चित्रण प्रस्तुत किया है, निश्चित रूप से वह चन्द्रगुप्त मौर्य के लिए ही संबोधित किया गया है।

भारत पर सिकन्दर के आक्रमण के कारण छोटे-छोटे राज्यों की पराजय से अभिभूत होकर कौटिल्य ने व्यावहारिक राजनीतिक में प्रवेश करने का संकल्प किया। उसकी सर्वोपरि इच्छा थी भारत को एक गौरवशाली और विशाल राज्य के रूप में देखना। निश्चित रूप से चन्द्रगुप्त मौर्य उसकी इच्छा का केन्द्र बिन्दु था। आचार्य कौटिल्य को एक ओर पारंगत और दूरदर्शी राजनीतिज्ञ के रूप में मौर्य साम्राज्य का संस्थापक और संरक्षक माना जाता है, तो दूसरी ओर उसे संस्कृति साहित्य के इतिहास में अपनी अतुलनीय एवं अद्भुत कृति के कारण अपने विषय का एकमात्र विद्वान होने का गौरव प्राप्त है। कौटिल्य की विद्वता, निपुणता और दूरदर्शिता का बखान भारत के शास्त्रों, काव्यों तथा अन्य ग्रंथों में परिव्याप्त है। कौटिल्य द्वारा नंदवंश का विनाश और मौर्यवंश की स्थापना से संबंधित कथा विष्णु पुराण में आती है।

एक प्रकांड विद्वान तथा एक गंभीर चिंतक के रूप में कौटिल्य तो विख्यात हैं ही, एक व्यावहारिक एवं चतुर राजनीतिज्ञ के रूप में भी उसे ख्याति मिली है। नंदवंश के विनाश तथा मगध साम्राज्य की स्थापना एवं विस्तार में उसका ऐतिहासिक योगदान है। सालाटोर के कथनानुसार प्राचीन भारतीय राजनीतिक चिंतन में कौटिल्य का सर्वोपरि स्थान है। मैकियावेली की भाँति कौटिल्य ने भी राजनीति को नैतिकता से पृथक कर एक स्वतंत्र शास्त्र के रूप में अध्ययन करने का प्रयास किया है।

कौटिल्य के विवरण से मौर्य युगीन राजनैतिक, आर्थिक एवं सामाजिक इतिहास पर भरपूर प्रकाश पड़ता है परंतु कई विद्वान इन्हें मौर्ययुगीन नहीं मानते। उनका तर्क है कि पतंजली जो शुंग काल में थे तथा मेगास्थनीज इनकी चर्चा नहीं करता।

12. प्राचीनकाल में प्रत्येक कार्य संस्कार से आरंभ होता था। उस समय संस्कारों की संख्या भी लगभग चालीस थी। जैसे-जैसे समय बदलता गया तथा व्यस्तता बढ़ती गई तो कुछ संस्कार स्वतः विलुप्त हो गए। इस प्रकार समयानुसार संशोधित होकर संस्कारों की संख्या निर्धारित होती गई। गौतम स्मृति में चालीस प्रकार के संस्कारों का उल्लेख है। महर्षि अंगिरा ने इनका अंतर्भाव पच्चीस संस्कारों में किया। व्यास स्मृति में सोलह संस्कारों का वर्णन हुआ है। हमारे धर्मशास्त्रों में भी मुख्य रूप से सोलह संस्कारों की व्याख्या की गई है। इनमें पहला गर्भाधान संस्कार और मृत्यु के उपरांत अंत्येष्टि अंतिम संस्कार है। गर्भाधान के बाद पुंसवन, सीमन्तोन्नयन, जातकर्म, नामकरण ये सभी संस्कार नवजात का दैवी जगत् से संबंध स्थापना के लिए किए जाते हैं।

नामकरण के बाद चूड़ाकर्म और यज्ञोपवीत संस्कार होता है। इसके बाद विवाह संस्कार होता है। यह गृहस्थ जीवन का सर्वाधिक महत्वपूर्ण संस्कार है। हिन्दू धर्म में स्त्री और पुरुष दोनों के लिए यह सबसे बड़ा संस्कार है, जो जन्म-जन्मान्तर का होता है।

विभिन्न धर्मग्रन्थों में संस्कारों के क्रम में थोड़ा-बहुत अन्तर है, लेकिन प्रचलित संस्कारों के क्रम में गर्भाधान, पुंसवन, सीमन्तोन्नयन, जातकर्म, नामकरण, निष्क्रमण, अन्नप्राशन, चूड़ाकर्म, विद्यारंभ, कर्णवेध, यज्ञोपवीत, वेदारम्भ, केशान्त, समावर्तन, विवाह तथा अन्त्येष्टि ही मान्य हैं।

गर्भाधान से विद्यारंभ तक के संस्कारों को गर्भ संस्कार भी कहते हैं। इनमें पहले तीन (गर्भाधान, पुंसवन, सीमन्तोन्नयन) को अन्तर्गर्भ संस्कार तथा इसके बाद के छह संस्कारों को बहिर्गर्भ संस्कार कहते हैं। गर्भ संस्कार को दोष मार्जन अथवा शोधक संस्कार भी कहा जाता है। दोष मार्जन संस्कार का तात्पर्य यह है कि शिशु के पूर्व जन्मों से आए धर्म एवं कर्म से सम्बन्धित दोषों तथा गर्भ में आई विकृतियों के मार्जन के लिए संस्कार किए जाते हैं। बाद वाले छह संस्कारों को गुणाधान संस्कार कहा जाता है।

13. आपस्तम्ब ने धर्मसूत्र में निम्नलिखित कई बातों की चर्चा की है एवं सनातन धर्म हेतु कई नियम भी बनाए हैं–

- आपस्तम्ब धर्मसूत्र की सामाजिक अवस्था अत्यन्त सरल तथा पश्चात् कालीन क्लिष्टताओं से रहित थी।
- आपस्तम्ब धर्मसूत्र में सूद लेने पर प्रायश्चित कृत्य का विधान किया गया है।
- कुसीदक के यहाँ भोजन करने का प्रतिषेध किया गया है।
- इस सूत्र में पैशाच एवं प्रजापत्य विवाहों को उचित नहीं माना गया है।
- झूठी सौगंध खाने वाले के लिए निमित्त कठोर दंड का विधान किया गया है।
- इसमें अपराधों के लिए अर्थदंड की चर्चा नहीं की गई है, अपितु नरक तथा नारकीय प्रताड़नाओं पर अधिक बल दिया गया है।
- समुद्रपार गमन को 'बौधायन' ने पतनीय कर्म कहा है।

16. थानेश्वर के शासक हर्षवर्धन, गौड़ नरेश शशांक, कुषाण राजा विम कैडफिसेस तथा कण्व वंशीय वसुदेव ने अपने सिक्कों पर शिव की आकृति को अंकित करवाया। हर्षचरित एवं ह्वेनसांग के विवरण से पता चलता है कि हर्ष शिव का अनन्य भक्त था (प्रारम्भ में)। गौड़ नरेश शशांक पर आक्रमण करने से पहले उसने शिव की पूजा की। अपनी शिव भक्ति के कारण हर्ष ने अपने सिक्कों पर शिव को अंकित करवाया। शशांक एक कट्टर शैव था। उसके सिक्कों के ऊपर शिव एवं नन्दी की आकृति मिलती है। आर्यमंजुश्री मूलकल्प एवं ह्वेनसांग का विवरण शशांक को बौद्धद्रोही के रूप में देखता है। विम कैडफिसेस ने स्वर्ण तथा ताँबे के सिक्के खुदवाए थे। उन पर यूनानी तथा खरोष्टी दोनों लिपियों में लेख मिलते हैं। सिक्कों का विस्तार पश्चिम में आक्सस-काबुल घाटी से लेकर पूर्व में सम्पूर्ण सिन्ध क्षेत्र तक है। कुछ सिक्के भीटा, कौशाम्बी, बक्सर तथा बसाढ़ से मिले हैं। सिक्कों के पृष्ठभाग पर खरोष्टी लिपि में 'विम कैडफिसेस' उत्कीर्ण मिलता है। इससे स्पष्ट होता है कि वह एक शक्तिशाली राजा था। उसके सिक्कों पर शिव, नन्दी एवं त्रिशंकु की आकृतियाँ मिलती हैं। इससे उसका शैव मतानुयायी होना भी सूचित होता है। उसने महेश्वर की उपाधि धारण की थी। कण्व वासुदेव ने भी अपने सिक्कों पर शिव की आकृति को अंकित करवाया था।

17. रुद्रदामन 'कार्दमक वंश' चष्टन का पौत्र था। वह इस वंश का सर्वाधिक योग्य शासक था, जिसका शासनकाल 130-150 ई. माना जाता है। रुद्रदामन के बारे में विस्तृत जानकारी उसके जूनागढ़ (गिरनार) से शक संवत् 72 के अभिलेख से मिलती है। इसी अभिलेख में रुद्रदामन द्वारा सातवाहन नरेश दक्षिण पथस्वामी में ही उसे 'भ्रष्ट राज प्रतिष्ठापक' कहा गया है। रुद्रदामन ने सबसे पहले विशुद्ध संस्कृत में लम्बा अभिलेख (जूनागढ़ अभिलेख) जारी किया। इस अभिलेख से पता चलता है कि रुद्रदामन ने सुदर्शन झील के पुनर्निर्माण में भारी व्यय किया था। गुप्त सम्राट कुमारगुप्त II के शासनकाल का एक प्रसिद्ध अभिलेख मंदसौर से प्राप्त हुआ है, जिसमें लाट देश के रेशम व्यापारियों का दशपुर में आकर बसने का विवरण है। इन व्यापारियों ने दशपुर में एक सूर्य मन्दिर का निर्माण करवाया जिसका बाद में जीर्णोद्धार हुआ तथा यह अभिलेख उसी समय सुंदर साहित्यिक संस्कृत भाषा में उत्कृण करवाया गया। इसकी रचना वत्सभट्टी ने की थी। लौह स्तम्भ दिल्ली में कुतुब मीनार के निकट स्थित एक विशाल स्तम्भ है। यह अपने आप में प्राचीन धातुकर्म की पराकाष्ठा है। यह गुप्त शासक चन्द्रगुप्त विक्रमादित्य (375 ई.–475 ई.) द्वारा निर्मित किया गया। लौह स्तम्भ में लोहे की मात्रा 98% है तथा अभी तक इसमें जंग नहीं लगा है। मेहरौली अभिलेखानुसार चन्द्र ने बंग देश के राजा को हराया था तथ सप्तसिंधु नदियों के मुहाने पर वह्लिकों को हराया। जौगढ़ अभिलेख का निर्माण महान मौर्य सम्राट् अशोक ने करवाया था।

18. फाह्यान एक चीनी बौद्ध भिक्षु, यात्री, लेखक एवं अनुवादक था जो 399 ई. से 412 ई. तक श्रीलंका, भारत और नेपाल स्थित गौतम बुद्ध से जुड़े स्थल की यात्रा करने आया। उसका ध्येय यहाँ से बौद्ध ग्रन्थ एकत्रित कर उन्हें वापस चीन ले जाना था। उसकी यात्रा के समय भारत में गुप्तवंश के चन्द्रगुप्त विक्रमादित्य का काल था। यात्रा के क्रम में उसने यहाँ जो कुछ देखा अपने नजरिये से उसका वर्णन किया। फाह्यान का विवरण

प्राचीन इतिहास पर प्रकाश डालने वाला अमूल्य स्रोत है। उसके विवरणों में भारत की सामाजिक, आर्थिक एवं राजनैतिक स्थिति पर प्रकाश पड़ता है।

सामाजिक स्थिति की चर्चा करते हुए वह लिखता है कि लोग अतिथि परायण होते हैं। भोजन में लहसुन, मदिरा, प्याज, मांस, मछली का प्रयोग नहीं करते थे। फाह्यान ने चाण्डाल जैसी अस्पृश्य जाति का भी उल्लेख किया है, जिनका एक तरह सामाजिक बहिष्कार किया जाता था। वैश्य, जाति की प्रशंसा फाह्यान ने इसलिए की क्योंकि इस जाति ने बौद्ध धर्म के प्रचार-प्रसार एवं भिक्षुओं के विश्राम हेतु मठों के निर्माण में काफी धन व्यय किया था।

आर्थिक स्थिति पर चर्चा करते हुए वह कहता है कि, इस समय साधारण क्रय-विक्रय में कौड़ियों का प्रयोग होता था। इस समय भारत का व्यापार उन्नत था। वह उस समय बड़े-बड़े जहाजों के चलने की बात भी कहता है। वह कहता है कि स्वदेश वापस जाते समय एक बड़े जहाज में बैठकर ताम्रलिप्ति बंदरगाह से प्रस्थान किया था।

अशोक बौद्ध धर्म अपनाने के उपरांत शांतिवादी नीति का प्रतिपालक हो गया था। वह अपने प्रथम अभिलेख में पशुबलि की निन्दा करता है। हालाँकि राय चौधरी उसकी शांतिवादी नीति को मौर्य साम्राज्य के पतन का कारण मानते हैं। देखा जाए तो अशोक शांतिवादी नीति के तहत अहिंसा की बात करता है परन्तु वह यह कहीं नहीं कहता कि सैनिक-व्यवस्था को उसने भंग कर दिया हो। हरप्रसाद शास्त्री, ब्राह्मणीय प्रतिक्रिया को पतन के कारण मानते हैं। लेकिन अशोक ने यज्ञबलि के तहत मारे जाने वाले जीवों की संख्या में कमी कर दी थी परन्तु उसकी राजकीय पाकशाला में तब भी मोर मारे ही जाते थे।

इस तरह यदि अशोक का काल एवं फाह्यान के यात्रा काल पर भी गौर किया जाए तो कहीं से संगति नहीं बैठती। फाह्यान गुप्तों के समाज का वर्णन करता है। यह सच है कि खान-पान में गुप्त समाज अशोक कालीन समाज से साम्य रखता है। दोनों ही कथन सत्य है परंतु दोनों के कालक्रम में संगति एवं जिस समाज की चर्चा की जा रही है उसमें साम्यता नहीं रख पाने के कारण कारण (R), कथन (A) का व्याख्या नहीं करता।

19. गुप्तकाल में कई प्रकार के कर प्रचलित थे। सामान्य भूराजस्व 'भाग' कहा जाता था। राजा भूमि का स्वामी माना जाता था तथा ऐसी भूमि से उत्पादन के 1/6 भाग का अधिकारी था। गुप्तकाल में भूमि सम्बन्धी करों की संख्या तो बढ़ गई, किंतु वाणिज्य करों की संख्या घटी (सम्भवतः 1/4 से 1/6)। 'भोग' राजा को प्रतिदिन दी जाने वाली फल-फूल सम्बन्धी आदि की भेंट थी। 'उदंग' एक प्रकार का भूमि कर था। 'उपरिकर' भी एक तरह का भूमिकर ही था। 'भूतावात प्रत्याय' विदेशी वस्तुओं के आयात पर लगने वाला कर जबकि 'शुल्क' सीमा, बिक्री की वस्तुओं आदि पर लगने वाला कर था। करों की अदायगी दोनों ही रूपों हिरण्य (नकद) तथा मेय (अन्न) में की जाती थी। इसके अतिरिक्त वणिकों एवं शिल्पियों पर 'राजकर' लगाया जाता था। इन्हें कर के रूप में बेगार (बिष्टि) देना पड़ता था। भूमिकर संग्रह करने के लिए 'ध्रुवाधिकरण' तथा 'भूमि आलेखों' को सुरक्षित करने के लिए 'महाक्षपटलिक' तथा 'करणिक' नामक पदाधिकारी थे। गुप्तकाल के आरम्भिक दिनों में गुप्त साम्राज्य के केन्द्रीय प्रांतों में किसी भी सामंत को सम्राट की अनुमति के बिना स्वयं भूमिदान देने का अधिकार नहीं था। परंतु छठी सदी तक हमें ऐसे प्रमाण मिलने शुरू हो जाते हैं। इस काल में 'कुल्यवाप', 'द्रोणवाप' तथा 'पाटक' भूमि माप की एक इकाई थी और मापने में नल प्रयुक्त होते थे। पहाड़पुर अभिलेख में एक कुल्यवाप 8 द्रोणवाप के बराबर बताया गया है। पाटक एक कुल्यवाप का पाँच गुना था। इस काल के साक्ष्यों में मरू, केदार एवं उर्वरा भूमियों का उल्लेख है। सिद्धर्षि सूरि के अनुसार रेगिस्तानी जमीन में कृषक का सम्पूर्ण परिश्रम एवं लागत व्यर्थ जाते हैं जबकि उपजाऊ भूमि में बोया गया बीज सैंकड़ों गुना फल देता है।

20.
- चन्द्रदेव नामक व्यक्ति ने 1085 ई. में गोपाल नामक व्यक्ति को हराकर कन्नौज पर अधिकार कर गहड़वाल वंश की नींव रखी।
- चन्द्रदेव की 1100 ई. में मृत्योपरान्त उसका पुत्र मदनपाल जो एक निर्बल शासक था, उसने 1114 ई. तक शासन किया।
- इस वंश का तीसरा शासक गोविन्दचन्द्र (1114-1155) सर्वाधिक शक्तिशाली राजा हुआ।

- गोविन्दचन्द्र का चोल, चन्देल, कलचुरि, चालुक्य तथा कश्मीर के शासकों के साथ मैत्री सम्बन्ध था।
- गोविन्दचन्द्र के पश्चात् उसका पुत्र विजयचन्द्र (1155-1169 ई.) शासक हुआ।
- गोविन्दचनद्र को उसके लेखों में 'विविध विद्याविचार वाचस्पति' कहा गया है।
- विजयचन्द्र के समय में दिल्ली का प्रदेश गहड़वालों के हाथों से निकलकर चौहान नरेशों के हाथों में चला गया था।
- विजयचन्द्र का पुत्र जयचन्द (1170-1194 ई.) इस वंश का अन्तिम शासक था।
- जयचन्द का समकालीन दिल्ली तथा अजमेर का शासक पृथ्वीराज तृतीय था।
- मोहम्मद गोरी ने पृथ्वीराज पर आक्रमण किया तब जयचन्द तटस्थ था।
- कुछ विद्वानों के अनुसार जयचन्द ने ही गोरी को पृथ्वीराज के राज्य पर आक्रमण करने के लिए आमंत्रित किया था।
- 1194 ई. में मुहम्मद गोरी ने जयचन्द्र के राज्य पर आक्रमण किया तथा चन्द्रावर के मैदान में जयचन्द की सेना पराजित हुई।

गहड़वालों को जानने के स्रोत—

1. चन्द्रदेव का चन्द्रावती (वाराणसी) अभिलेख।
2. मदनपाल के राहन एवं बसही अभिलेख।
3. गोविन्द चन्द्र के वाराणसी तथा कमौली का ताम्र पत्राभिलेख।
4. गोविन्द चन्द्र का लार (देवरिया) से प्राप्त लेख।
5. कुमारदेवी का सारनाथ अभिलेख।
6. लक्ष्मीधर का कृत्यकल्पतरु ग्रन्थ।
7. हसन निजाम द्वारा प्रस्तुत विवरण (जयचन्द-मुहम्मद गोरी के संघर्ष)

- इनके लेखों में वाणिज्य पर लगने वाला एक कर 'जतकर' का उल्लेख है।

21. भारत के इतिहास में जिसे 'गुप्तकाल' या 'स्वर्णयुग' के नाम से जाना जाता है, उस समय भारत ने साहित्य, कला और विज्ञान के क्षेत्रों में अभूतपूर्व प्रगति की। उस समय मगध स्थित नालन्दा विश्वविद्यालय ज्ञानदान का प्रमुख और प्रसिद्ध केंद्र था। देश-विदेश से विद्यार्थी ज्ञानार्जन के लिए यहाँ आते थे। वहाँ खगोलशास्त्र के अध्ययन के लिए एक विशेष विभाग था। एक प्राचीन श्लोक के अनुसार आर्यभट्ट नालंदा विश्वविद्यालय के कुलपति भी थे।

आर्यभट्ट का भारत और विश्व के ज्योतिष सिद्धान्त पर बहुत प्रभाव रहा है। भारत में सबसे अधिक प्रभाव केरल प्रदेश की ज्योतिष परम्परा पर रहा। आर्यभट्ट भारतीय गणितज्ञों में सबसे महत्वपूर्ण स्थान रखते हैं। इन्होंने 120 आर्याछंदों में ज्योतिष शास्त्र के सिद्धांत और उससे संबंधित गणित को सूत्ररूप में अपने आर्यभट्टीयग्रंथ में लिखा है।

उन्होंने एक ओर गणित में पूर्ववर्ती आर्किमिडीज से भी अधिक सही तथा सुनिश्चित पाई के मान को निरूपित किया तो दूसरी ओर खगोलविज्ञान में सबसे पहली बार उदाहरण के साथ यह घोषित किया गया कि स्वयं पृथ्वी अपनी धुरी पर घूमती है।

22. उत्तरी भारत के साथ ही साथ दक्षिणी भारत में भी शिव-पूजा का व्यापक प्रचार-प्रसार था। दक्षिण में शासन करने वाले चालुक्य, राष्ट्रकूट, पल्लव, चोल आदि राजवंशों के समय में शैव धर्म की उन्नति हुई तथा शिव के अनेक मन्दिर तथा मूर्तियाँ बनवाई गईं। राष्ट्रकूटों के समय में एलोरा का प्रसिद्ध कैलाश मन्दिर निर्मित किया गया था। पल्लव काल में शैव धर्म का प्रचार-प्रसार नायनारों द्वारा किया गया। नायनार सन्तों की संख्या 63 बताई गई है जिनमें अप्पार, तिरुज्ञान, सम्बन्दर, सुन्दर मूर्ति, मणिक्कवाचगर आदि के नाम उल्लेखनीय हैं। इनके भक्तिगीतों को एक साथ 'देवारम' में संकलित किया गया है। इनमें अप्पर जिसका दूसरा नाम तिरुनाबुक्करशु भी मिलता है, पल्लवनरेश महेन्द्रवर्मन प्रथम का समकालीन था। उसका जन्म तिरुगमूर के बेल्लाल परिवार में हुआ था। बताया जाता है कि पहले वह एक जैन मठ में रहते हुए भिक्षु जीवन व्यतीत करता था। बाद में शिव की कृपा से उसका एक असाध्य रोग ठीक हो गया जिसके फलस्वरूप जैन मत का परित्यागकर वह निष्ठावान शैव बन गया। अप्पर ने दास भाव से शिव की भक्ति की तथा उसका प्रचार जनसाधारण में

किया। तिरुज्ञान सम्बन्दर, शियाली (तन्जोर जिला) के एक ब्राह्मण परिवार में उत्पन्न हुआ था। उसके विषय में एक कथा में बताया गया है कि तीन वर्ष की आयु में ही पार्वती की कृपा से उसे दैवीज्ञान प्राप्त हो गया था। उसके पिता ने उसे सभी तीर्थों का भ्रमण कराया। कहा जाता है कि पाण्ड्य देश की यात्रा कर उसने वहाँ के राजा तथा प्रजा को जैन धर्म से शैवधर्म में दीक्षित किया था। सम्बन्दर का बौद्ध आचार्यों के साथ भी वाद-विवाद हुआ तथा सभी को उसने शास्त्रार्थ में पराजित किया। उसने कई भक्ति गीत गाये तथा इस प्रकार उसकी मान्यता सबसे पवित्र सन्त के रूप में हो गई। आज भी तमिल देश के अधिकांश शैव मन्दिरों में उसकी पूजा की जाती है। सुन्दरमूर्ति का जन्म नावलूर के एक निर्धन ब्राह्मण परिवार में हुआ था। उसका पालन-पोषण नरसिंह मुवैयदरेयन नामक सेनापति ने किया। यद्यपि उसका जीवनकाल मात्र अठारह वर्षों का रहा फिर भी वह अपने समय का अनन्य शैवभक्त बन गया। उसने लगभग एक सहस्त्र भक्तिगीत लिखे। सुन्दरमूर्ति को 'ईश्वरमिश्र' की उपाधि से सम्बोधित किया गया। इसी प्रकार मणिक्कवाचगर, मदुरा के समीप एक गाँव के ब्राह्मण परिवार में उत्पन्न हुआ था। चिदम्बरम् में उसने लंका के बौद्धों को वाद-विवाद में परास्त कर ख्याति प्राप्त किया। उसने भी अनेक भक्तिगीत लिखे जिन्हें 'तिरुवाशगम्' में संग्रहीत किया गया है। इन सभी शैव सन्तों ने भजनकीर्तन, शास्त्रार्थ एवं उपदेश के माध्यम से तमिल समाज में शिव भक्ति का जोरदार प्रचार किया। इन्होंने भक्ति को ईश्वर-प्राप्ति का एकमात्र साधन बताया।

24. ग्रामसभा को राज्य के प्रायः सभी अधिकार मिले हुए थे। उसके पास सामूहिक सम्पत्ति होती थी जिसे वह जनहित में बेच सकती अथवा बंधक रख सकती थी। यह न्याय का भी काम करती तथा ग्रामवासियों के सामान्य झगड़ों का फैसला करती थी। ग्रामसभा के पास बैंक भी होते थे तथा वह धन, भूमि तथा धान्य के रूप में जमा राशि प्राप्त करती तथा फिर ब्याज पर उन्हें वापस लौटा देती थी। गाँव की सभी अक्षयनिधियाँ ग्रामसभा के अधीन होती थीं। सभा को ग्रामवासियों पर कर लगाने, वसूलने तथा उनसे बेगार लेने का भी अधिकार था। पीने के पानी, उपवनों, सिंचाई तथा आवागमन के साधनों की व्यवस्था करना ग्रामसभा के मुख्य कार्य थे। अकाल अथवा संकट के समय यह ग्रामवासियों की उदारतापूर्वक मदद करती थी। ग्रामसभा मन्दिरों, शिक्षण-संस्थाओं एवं दान-गृहों का भी प्रबन्ध चलाती थी तथा राजस्व संग्रह कर सरकारी कोष में जमा करती थी। ग्रामवासियों के स्वास्थ्य, जीवन एवं सम्पत्ति की रक्षा करना भी ग्रामसभा का कर्तव्य था। इस प्रकार ग्रामसभा के अधिकार विस्तृत एवं व्यापक थे। केन्द्रीय सरकार को वार्षिक कर देना उसकी प्रमुख जिम्मेदारी थी। जब तक ग्रामसभा अपने कर्तव्यों का पालन करती रहती तथा राज्य को नियमित कर पहुँचाती रहती, राज्य उसके शासन में हस्तक्षेप नहीं करता था।

25. कश्मीर का प्राचीन विस्तृत लिखित इतिहास है राजतरंगिणी, जो कल्हण द्वारा 12वीं शताब्दी ई. में लिखा गया था। तब तक यहाँ पूर्ण हिन्दू राज्य रहा था। यह अशोक महान के साम्राज्य का हिस्सा भी रहा। लगभग तीसरी शताब्दी में अशोक का शासन रहा था। तभी यहाँ बौद्ध धर्म का आगमन हुआ, जो आगे चलकर कुषाणों के अधीन समृद्ध हुआ था। उज्जैन के महाराज विक्रमादित्य के अधीन छठी शताब्दी में एक बार फिर से हिन्दू धर्म की वापसी हुई। उनके बाद ललितादित्य हिन्दू शासक रहा, जिसका काल 697 ई. से 738 ई. तक था। अवन्तिवर्मन ललितादित्य का उत्तराधिकारी बना। उसने श्रीनगर के निकट अवंतिपुर बसाया तथा उसे अपनी राजधानी बनाया, जो एक समृद्ध क्षेत्र रहा।

राज-वंशावली :

- प्रवरसेन
- गोपतृ
- मेघवाहन
- प्रवरसेन 2
- विक्रमादित्य-कश्मीर
- चन्द्रापीड
- तारापीड
- ललितादित्य
- जयपीड
- अवन्तिवर्मन–855/6-883
- शंकरवर्मन राजा–883-902

- गोपालवर्मन–902-904
- सुगन्धा–904-906
- पार्थ राजा–906-921 + 931-935
- चक्रवर्मन–932-933 + 935-937

27. चालुक्य राजवंश–इनके राजचिह्नों में मयूरध्वज भी था। इनका पूर्ण विरुद था–समस्त भुवनाश्रय श्रीपृथिवीवल्लभ महाराजाधिराज परमेश्वर परमभट्टारक सत्याश्रयकुलतिलक चालुक्याभरण श्रीमत्–जिसके अंत में मल्ल अंतवाली राजा की विशिष्ट उपाधि होती थी। राजवंश के व्यक्तियों को विभिन्न प्रदेशों के करों का भाग भुक्ति के रूप में मिलता था। युवराज को राज्य के दो प्रमुख प्रांतों का शासन दिया जाता था। सामंतों के अभिलेखों में उनके अधिपति के वंशावली के बाद 'तत्पाद पद्मोपजीवि' के साथ उनका स्वयं का उल्लेख होता था। उनके अभिलेख में राज्य की उत्तरोत्तर अभिवृद्धि और आचंद्रार्क-स्थायित्व सूचक शब्दों का अभाव होता था। स्त्रियों को भी प्रांत और दूसरे प्रादेशिक विभाजनों का शासन दे दिया जाता था। चालुक्यों के अभिलेखों में कई राजगुरुओं के उल्लेख हैं। राज्य के वैभव के प्रदर्शन की भावना बढ़ रही थी। इसी के साथ शासनव्यवस्था की जटिलता बढ़ रही थी। उदाहरणार्थ, सांधिविग्रहिक के साथ ही हमें कन्नड़-सांधिविग्रहिक, लाटसांधिविग्रहिक और हेरिसांधिविग्रहिक के उल्लेख मिलते हैं। राजभवन में सेवकों और अधिकारियों में कई रंग दिखलाई पड़ते हैं। चालुक्य अभिलेखों में अनेक योग्य मंत्रियों तथा अधिकारियों के नाम मिलते हैं जिन्होंने चालुक्यों के गौरव को बढ़ाने में विशेष योग दिया था। ऐसे अधिकारी प्रायः एक से अधिक पदों पर रहते थे। विशिष्ट गौरवप्राप्त अधिकारियों और विशिष्ट सैनिकों का एक वर्ग था जो सहवासि कहलाता था। वह सदैव सम्राट् के साथ रहता था और उसकी सेवा में प्राण तक त्यागने के लिए प्रस्तुत रहता था। पद प्रायः वंशगत होते थे और वेतन के स्थान पर भुक्ति अथवा कर का भाग देने का प्रचलन था। विशिष्ट सेवा के लिए विशेष उपाधियों और विशेष चिह्नों के उपयोग का अधिकार दिया जाता था। सैनिक अधिकारियों में सेनाधिपति, महादंडनायक और कतितुरगसाहिनि के उल्लेख मिलते हैं। सेना में सभी जाति और वर्ग के लोग सम्मिलित होते थे। राज्य राष्ट्र, विषय, नाड्ड, कंपण और ठाण में विभक्त था। किंतु इन प्रादेशिक विभाजनों के साथ अभिलेखों में जो संख्याएँ प्रयुक्त हुई हैं उनका निश्चित महत्व अभी तक नहीं स्पष्ट हो पाया है। शासन में स्थानीय स्वायत्त संस्थाओं का विशेष स्थान था। इनमें से कुछ का स्वरूप सामाजिक और धार्मिक भी था।

28. परमर्दिदेव (1165 ई–1203 ई.) सल्तनतकालीन भारत में कालिंजर तथा महोबा के शासक थे। इन्हें राजा परमाल भी कहा जाता है। 'जगनिक' इन्हीं के दरबारी कवि थे जिन्होंने 'परमाल रासो' की रचना की थी। परमाल रासो में राजा परमाल के यश और वीरता का वर्णन है। इसमें परमाल की पुत्री चंद्रावती का भी उल्लेख मिलता है। इनके दो प्रतिद्वन्द्वी थे, एक तो काशी और कन्नौज के राजा जयचन्द गहड़वाल और दूसरा दिल्ली तथा अजमेर का शासक पृथ्वीराज चौहान। परमर्दिदेव ने चौहान से मित्रता की और पृथ्वीराज से संघर्ष। माना जाता है कि चौहान पृथ्वीराज से पराजय के बाद परमर्दिदेव ने शर्म के मारे आत्महत्या कर ली।

गोविन्दचन्द्र ने 1114 ई.–1154 ई. तक शासन किया। यह गहड़वाल वंश का सर्वाधिक शक्तिशाली शासक था। 'कृत्यकल्पतरु' का लेखक लक्ष्मीधर इसका मंत्री था। इसके शासनकाल में कन्नौज को उसकी पुरानी प्रतिष्ठा प्राप्त हुई। एक विद्वान के रूप में भी गोविन्दचन्द्र बड़ा प्रसिद्ध था। उसे उसके लेखों में 'विविध विद्याविचार वाचस्पति' कहा गया है। गोविन्दचन्द्र की रानी कुमार देवी के सारनाथ अभिलेखों में गोविन्दचन्द्र को बनारस की तुर्कों से रक्षा के लिए 'हरि का अवतार' कहा गया है।

भोज प्रथम गुर्जर प्रतिहार वंश का प्रतापी शासक था। उसने पचास वर्ष (850 ई.–900 ई.) तक शासन किया। उसका मूल नाम 'मिहिर' था और भोज कुल नाम अथवा उपनाम था। वह भगवान विष्णु के वराह अवतार का उपासक था। अतः उसने अपने सिक्कों पर आदि वराह को उत्कीर्ण कराया था। भोज प्रथम ने अपनी राजधानी धार को विधा एवं कला के महत्वपूर्ण केन्द्र के रूप में स्थापित किया था।

लक्ष्मीकर्ण अथवा कर्ण कलचुरि वंश का सबसे शक्तिशाली शासक था, उसकी गणना प्राचीन भारतीय इतिहास के महान विजेताओं में होती है। कुंतल नरेश सोमेश्वर प्रथम

को पराजित करने के उपरांत 1051 ई. में उसने कीर्तिवर्मन चंदेल को पराजित किया किंतु बुंदेलखंड पर उसका अधिकार अधिक समय तक नहीं रह सका। उसने मालव के उत्तर-पश्चिम में स्थित हूणमण्डल पर भी आक्रमण किया था।

29. सिरपुर का लक्ष्मण मन्दिर गुप्तोत्तर कालीन कला का भव्य उदाहरण है। इसका निर्माण वासटा ने करवाया था। इसका तोरण 6' × 6' है, जिस पर अनेक प्रकार की नक्काशी की गई है। इसके ऊपर शेषशायी विष्णु की सुन्दर प्रतिमा अवस्थित है। विष्णु की नाभि से उद्भूत कमल पर ब्रह्मा आसीन हैं और विष्णु के चरणों में लक्ष्मी स्थित हैं। पास ही वाद्य ग्रहण किए हुए गंधर्व प्रदर्शित हैं। तोरण लाल पत्थर का बना हुआ है। मन्दिर के गर्भगृह में लक्ष्मण की मूर्ति है। यह 26" × 16" है। इसकी कटि में मेखला, गले में यज्ञोपवीत, कानों में कुंडल और मस्तक पर जटाजूट शोभित है। यह मूर्ति एक पाँच फनों वाले सर्प पर आसीन है, जो शेषनाग का प्रतीक है। मन्दिर मुख्यतः ईंटों से निर्मित है किन्तु उस पर जो बारीक काम है वह भारतीय शिल्पकला का अद्भुत उदाहरण है। गुप्तकालीन भित्ति गवाक्ष इस मन्दिर की विशेषता है। मन्दिर की ईंटें 18" × 18" है। इन पर जो सुकुमार तथा सूक्ष्म नक्काशी है वह भारत भर में बेजोड़ है। ईंटों के मन्दिर गुप्तकाल के वास्तु में बहुत सामान्य थे। लक्ष्मण देवालय के निकट ही राम मन्दिर है। किंतु यह खंडहर हो चुका है।

वातापी के चालुक्य वंशीय विक्रमादित्य द्वितीय महान शक्तिशाली सम्राट सिद्ध हुए। विजयों के अतिरिक्त निर्माण कार्यों में भी उसकी रुचि थी। उसकी दो महारानियाँ थीं—लोकमहादेवी तथा त्रिलोक्य महादेवी। ये दोनों ही सगी बहनें और हैहय वंश की कन्याएँ थीं। इन्होंने भी मन्दिरों का निर्माण करवाया। लोकमहादेवी जो अग्रमहिषी थी, ने लोकेश्वर के विशाल पाषाण मन्दिर का निर्माण करवाया था। इसी को 'विरुपाक्ष' कहा जाता है। त्रैलोक्य महादेवी ने त्रैलोकेश्वर नाम से विशाल पाषाण मन्दिर बनवाया था। इसे मल्लिकार्जुन मंदिर भी कहा जाता है।

ब्रह्मेश्वर मंदिर : ओडिशा स्थित ब्रह्मेश्वर मंदिर एक प्रसिद्ध हिंदू मंदिर है। यह खोरदा जिले के भुवनेश्वर शहर में है। 9वीं शताब्दी के अंत में बनाया गया, यह प्राचीन मंदिर भगवान शिव को समर्पित है। यह मंदिर किसी समय ध्वस्त हो गया था जिसका पुनर्निर्माण 18वीं शताब्दी के दौरान सोमवाम्सी राजा उदयोतकेसरी ने राजमाता रानी कोलावती देवी की सहायता से करवाया था। इस मंदिर का निर्माण पत्थर का इस्तेमाल कर पारंपरिक वास्तुकला शैली में करवाया गया था। यह मंदिर पिरामिड आकार में है। जिसके अंदर कई प्रतिमाएँ मौजूद हैं।

30. सोमदेव सूरि 10वीं शताब्दी के एक जैन संत थे। उनका जन्म सम्भवतः बंगाल में हुआ था किंतु कार्य क्षेत्र दक्षिण भारत रहा। उनके द्वारा रचित ग्रन्थ 'नीतिवाक्यामृतम' नीति का प्रसिद्ध ग्रन्थ है। इसके अलावा उन्होंने 'उपासकाद्‌ययन' तथा 'यशस्तिलक–चंपू' नामक ग्रन्थ लिखा जो दिगम्बर जैन समुदाय का प्रमुख ग्रंथ है।

'कुवलयमाला' एक प्राकृत जैन ग्रंथ है। जिसकी रचना उद्योतन सूरि ने जालौर में रहकर 778 ई. के आसपास की थी जो तत्कालीन राजस्थान के सांस्कृतिक जीवन की अच्छी झांकी प्रस्तुत करता है।

स्वयंभू तथा पुष्पदंत की भाँति अपभ्रंश के कवियों में धनपाल का नाम आदर के साथ लिया जाता है। धनपाल धक्कड़ वंशी जैन थे। उनकी भाषा बोलचाल की अपभ्रंश के अधिक निकट मानी जाती है। इनकी रचना 'भविष्यतकहा' 22 संधियों का काव्य है। इसमें गजपुर के नगरसेठ धनपति के पुत्र भविष्यदत्त की कथा है। 'तिलकमंजरी' धनपाल की अन्य ग्रंथ है।

31. बुंदेलखंड के कलचुरियों के समाज में नीति, मर्यादा, धर्मनिष्ठा के साथ युद्धों की अधिकता थी अतः अनिश्चय का वातावरण था। शैवोपासना का प्रसार युवराज देव के समय में हुआ। इस समय शोण नदी के तट पर मत्तमयूर शैवों का बहुत बड़ा मठ बनाया गया। इतिहासकारों के विचार से युवराजदेव के राज में शैव सिद्धांत, शैवागम, शैवाचार्य, शैवमठ मन्दिरों की बाढ़ सी आ गई थी। बुंदेलखंड में ज्ञान साधना के केन्द्रों के रूप में अनेक मठों का निर्माण किया गया। गुर्गी और बिलहारी के मठ और मंदिर इस समय में साहित्य और अन्य विद्याओं की अभूतपूर्व उन्नति के केन्द्र थे। शैवों के साथ सिद्ध भी जुड़े हुए हैं। कदम्ब गुहा शैव-सिद्धों का महत्वपूर्ण स्थान

रहा है तथा गोलकी मठ के साथ तो अनेक ग्रामों की आय भी जुड़ी थी। युवराज देव के समय में साहित्य के क्षेत्र में कवि 'राजशेखर' का बुंदेलखंड में आना और 'विद्वशाल भंजिका' नाटक, कर्पूरमंजरी तथा बालरामायण की रचना तत्कालीन साहित्यिक वातावरण को प्रस्तुत करती है। ग्यारहवीं शताब्दी में कर्ण ने काशी में 'कर्णमेह' नाम से शिव का प्रसिद्ध प्रासाद बनवाया था। ऐसा ही अमरकंटक में चित्रकूट देवालय के नाम से निर्माण किया गया। स्थापत्य और वास्तुकला की दृष्टि से यह उत्कृष्ट कलाकृति है। बारहवीं शताब्दी में चंदेलों की बढ़ती हुई शक्ति के समक्ष कलचुरियों का पराभव हुआ। कलचुरिवंश लगभग तीन सौ वर्ष तक दक्षिण बुंदेलखंड का शासक रहा। इनके मंदिरों में शिव मंदिर अधिक हैं साथ ही सामान्यतर त्रिदेवों की पूजा भी होती थी। मूर्तियों में अलंकरण का प्रावधान और प्राधान्य था। समाज में विभिन्न वर्गों में उपजातियों का निर्माण इसी काल में हुआ था। क्षत्रिय युद्धों में, वैश्य व्यापार में और ब्राह्मण अपनी जीविका के साधनों के लिए सामंतों के आश्रित होने के साथ ही आचार-विचार और रीति-रिवाजों के कठोर समर्थक रहे थे। कलचुरियों के बाद चंदेलकाल में इसका विस्तार ही हुआ। कलचुरियों ने शैव धर्म को प्रश्रय दिया। उन्होंने इसके लिए 'गोलकी मठ' का निर्माण करवाया जो डाहल मंडल में स्थित है। इस मठ के रखाव के लिए कलचुरि युवराज I ने ग्रामों का दान दिया था।

32. मध्ययुगीन भारत का आर्थिक जीवन मुख्यतः कृषि पर आधारित था। कृषि के साथ-साथ छोटे स्तर पर भी अन्य आर्थिक गतिविधियों के संकेत मिलते हैं। इनसे वाणिज्य व्यापार और शहरी-जीवन की रफ्तार धीरे-धीरे बढ़ने लगी। इसमें विज्ञान तथा प्रौद्योगिकी के विकास की भूमिका महत्वपूर्ण थी। उत्पादन के क्षेत्र में आए तकनीकी परिवर्तनों के फलस्वरूप नगरों के विकास एवं उनकी संख्या में वृद्धि हो रही थी। लोगों के रहन-सहन और विचारधारा में परिवर्तन के कारण भारत के साथ-साथ पूरी दुनिया की प्रौद्योगिकी में बदलाव हो रहे थे।

प्राचीन समय से ही खेती लोगों की आय का प्रमुख साधन रहा है। पहले खेतों की कोड़ाई के लिए कुदाल या फावड़ा का इस्तेमाल होता था। बाद में हल का इस्तेमाल होने लगा। खेतों की सिंचाई हेतु जल प्राप्त करने के कई साधन थे। वर्षा के जल को भी तालाबों और कुण्डों में इकट्ठा कर सिंचाई की जाती थी। कुँओं से भी सिंचाई होती थी। कुँओं से पानी को बाहर निकालने के लिए कई तकनीक/यंत्र प्रचलित थे। पानी को बाहर निकालने के लिए अरघट्ट या घटी यंत्र का इस्तेमाल प्राचीन समय से ही होता था। बाद में रहट का इस्तेमाल होने लगा। रहट में जंजीर लगी होती है जो पानी को गहराई से निकाल पाना संभव बनाती है। वहीं दाँतेदार पहिये इसे पशु-शक्ति के उपयोग और जंजीर की गति को ठीक तरह से नियंत्रित करने में सक्षम बनाते हैं।

33. जयवर्मन द्वितीय (802-854 ई.) कंबोडिया का प्रसिद्ध हिन्दू राजा था, जिसने 'अंगकोर वंश' की नींव डाली थी। जयवर्मन द्वितीय को अपने समय में 'कंबुजराजेंद्र' और उसकी महारानी को 'कंबुजराजलक्ष्मी' नाम से अभिहित किया जाता था। इसी के समय से कंबोडिया के प्राचीन नाम 'कंबुज' या 'कंबोज' का विदेशी लेखकों ने भी प्रयोग करना प्रारंभ कर दिया था।

- संभवतः जयवर्मन द्वितीय ने भारत से 'हिरण्यदास' नामक ब्राह्मण को बुलवाकर अपने राज्य की सुरक्षा के लिए तांत्रिक क्रियाएँ करवाई थीं। इस विद्वान ब्राह्मण ने 'देवराज' नामक संप्रदाय की स्थापना की, जो शीघ्र ही कंबोज का राजधर्म बन गया।
- जयवर्मन द्वितीय ने अपनी राजधानी क्रमशः कुटी, हरिहरालय और अमरेंद्रपुर नामक नगरों में बनाई थी, जिससे स्पष्ट है कि वर्तमान कंबोडिया का प्रायः समस्त क्षेत्र उसके अधीन था।
- राज्य की शक्ति का केंद्र बढ़ाकर जयवर्मन द्वितीय ने धीरे-धीरे पूर्व से पश्चिम की ओर बढ़ाया, जिससे यह अंततः अंगकोर के प्रदेश तक में स्थापित हो गया था।

34. अरब से आने वाले यात्रियों में अब्बूजैद हसन सैराफी, अब्बूदल्फ, मसूदी मुसहर बुर्जुग बिन शहर था, इस्तखरी, बुशरी, विशेष रूप से उल्लेखनीय हैं। इनके अलावा ईरान, तुर्किस्तान आदि से भी यात्री यहाँ आए, जिनमें अब्दुर्रजाक (1443 ई.) विशेष रूप से उल्लेखनीय है। वह तैमूरलंग के पुत्र का राजदूत बनकर आया था। उसने विजय नगर साम्राज्य का आँखों देखा हाल लिखा

है। अरब वाले कहते हैं कि उन्होंने एक से नौ तक के अंक लिखने का ढंग हिन्दुओं से सीखा (इसलिए अरब वाले अंकों को 'हिन्दसा' कहते हैं) यह प्रणाली अरबों से यूरोप तक पहुँची।

इस्तखरी ईरान के उत्तर में इस्तखर नगर का रहने वाला था। उसने 951 ई. में भारत की यात्रा की। इस्तखरी ने विश्व का एक मानचित्र भी बनाया। अल-अकलीम और 'मसालिक बल ममालिक' उसकी प्रसिद्ध कृति है।

35. इल्तुतमिश का अर्थ है 'साम्राज्य का रक्षक'। इल्तुतमिश तुर्किस्तान की इल्बरी कबीले का था। प्रारंभ से ही उसमें बुद्धिमत्ता एवं चतुराई के लक्षण दिखलाई देते थे। इससे उसके भाइयों को बड़ी ईर्ष्या हो गई तथा उन्होंने उसे पैतृक घर एवं संरक्षण से वंचित कर दिया। परन्तु विपरीत परिस्थितियों ने उसके गुण नष्ट नहीं किए और शीघ्र ही उसके जीवन में एक नया द्वार खोल दिया। उसके गुणों ने दिल्ली के तत्कालीन राजप्रतिनिधि कुतुबुद्दीन का ध्यान आकृष्ट किया, जिसने अधिक मूल्य पर उसे खरीद लिया। अपनी योग्यता के बल से इल्तुतमिश धीरे-धीरे अपना दर्जा बढ़ाता गया। वह बदायूँ का शासक बना दिया गया और कुतुबुद्दीन की एक कन्या से उसका विवाह हो गया। खोकरों के विरुद्ध मुहम्मद गोरी का आक्रमण उसके समय हुआ, उसकी सेवाओं के उपलक्ष्य में सुल्तान के आदेश द्वारा वह दासत्व से मुक्त कर दिया गया और उसे अमीरुल-उमरा का ऊँचा पद मिला।

1210 या 1211 ई. में सिंहासन पर बैठने के पश्चात् इल्तुतमिश ने अपने को संकट पूर्ण परिस्थिति में पाया। नासिरुद्दीन कुबाचा ने सिंध में स्वतंत्रता स्थापित कर ली और ऐसा प्रतीत होने लगा कि वह पंजाब पर भी अपना आधिपत्य जमाना चाहता है। ताजुद्दीन यल्दूज जो गजनी पर अधिकार किए था, अब भी मुहम्मद के भारतीय प्रदेशों पर प्रभुता का अपना पुराना दावा किए बैठा था। प्रशासन में मदद के लिए तुर्कान-ए-चिहलगानी नामक दल का गठन किया गया। सल्तनत काल में वंशानुगत व्यवस्था चलाने का श्रेय एवं उत्तराधिकारी घोषित करने की परम्परा इल्तुतमिश ने चालू की। वास्तव में इस काल में उत्तराधिकार की कोई निश्चित परम्परा नहीं थी। इल्तुतमिश न अपने प्रिय पुत्र नसिरुद्दीन महमूद की मृत्यु के पश्चात् अपनी पुत्री रजिया को अपना उत्तराधिकारी ग्वालियर अभियान से लौटने के बाद घोषित किया।

सूफियों के साथ सम्बन्ध—सुल्तान इल्तुतमिश अनेक सूफी संतों जैसे—शेख कुतुबुद्दीन बख्तियार काकी, काजी हमीदुद्दीन नागोरी, शेख बहाउद्दीन जकरिया आदि के प्रति गहरा सम्मान व्यक्त करता था।

36. इतिहास लिखना अमीर खुसरो की मूल चिंता नहीं थी। इसलिए सच पूछा जाए तो एक इतिहासकार के रूप में उनका मूल्यांकन नहीं किया जा सकता। परन्तु अपनी कविताओं में उन्होंने प्रायः ऐतिहासिक विषयों को लिया है। इस प्रकार की सभी कृतियाँ, सन् 1289-1325 ई. के बीच रची गई थीं। इनमें से कुछ की रचना के लिए उनसे खास तौर पर कहा गया था जबकि कुछ अन्य उन्होंने अपने शाही रक्षकों को खुश करने के लिए लिखी थीं। वह निष्पक्ष इतिहासकार नहीं थे।

अमीर खुसरो की किताबें

किरान-उस-सादेन—ऐतिहासिक विषय को लेकर उसकी पहली रचना है—'किरान-उस-सादेन' जो उन्होंने 1289 ई. में लिखी थी, इसमें बुगरा खाँ और उसके बेटे कैकुबाद के मिलन का वर्णन है। इसमें दिल्ली, उसकी इमारतों, शाही दरबार, अमीरों और अफसरों के सामाजिक जीवन के विषय में दिलचस्प विवरण दिए गए हैं। इस रचना द्वारा उन्होंने मंगोलों के प्रति अपनी घृणा भी प्रकट की है।

मिफता-उल-फुतूह—मिफता-उल-फुतूह की रचना उन्होंने 1291 ई. में की। इस रचना में उन्होंने जलालुद्दीन खिलजी के सैन्य अभियानों, मालिक छज्जू का विद्रोह व उसका दमन, रणथम्बौर पर सुल्तान की चढ़ाई और अन्य स्थानों पर विजय पर विचार किया है।

खजाइन-उल-फुतूह—खजाइन-उल-फुतूह में, जिसे तारीख-ए-अलाई के नाम से भी जाना जाता है, अलाउद्दीन खिलजी के शासनकाल के पहले 15 वर्षों का चाटुकारितापूर्ण विवरण है। यद्यपि यह रचना मूलतः साहित्यिक है परन्तु फिर भी इसका अपना महत्व है क्योंकि अलाउद्दीन खिलजी का समसामयिक विवरण केवल इसी पुस्तक में मिलता है। इसमें उन्होंने अलाउद्दीन खिलजी द्वारा गुजरात, चित्तौड़, मालवा और वारंगल की विजय के विषय में लिखा है।

आशिका–अमीर खुसरो की एक अन्य रचना 'आशिका' का सम्बन्ध गुजरा के राजकरन की पुत्री देवलरानी और अलाउद्दीन के पुत्र खिज्रखाँ की प्रेमकथा से है। इसमें अलाउद्दीन की गुजरात व मालवा विजय के बारे में चर्चा की गई है।

नूह सिपिहर–एक अन्य पुस्तक जहाँ हिन्दुस्तान और उसके लोगों का अच्छा चित्रण हुआ है वह नूह सिपिहर (Nuh Sipihr) है। इसमें मुबारक खिलजी का बड़ा ही चाटुकारतापूर्ण विवरण है। उन्होंने मुबारकशाह के भवनों के विजयों के साथ-साथ जलवायु, सब्जियों, फलों, भाषाओं और दर्शन जैसे विषयों पर विचार किया है। इसमें तत्कालीन सामाजिक स्थिति का बड़ा ही जीवंत चित्रण देखने को मिलता है।

तुगलकनामा–खुसरो की अंतिम ऐतिहासिक मसनवी है तुगलकनामा। इसमें खुसरोशाह के विरुद्ध गयासुद्दीन तुगलक के विजय का चित्रण है। पूरी कहानी को धार्मिक रंग में प्रस्तुत किया गया है। इसमें गयासुद्दीन सत् तत्वों का प्रतीक है और उसे असत् तत्वों के अमीर खुसरोशाह के साथ संघर्ष करते दिखाया गया है।

37. सुल्तान गियास-उद्-दीन जैन-उल-अबिदीन मध्यकालीन कश्मीर में 1423 ई.–1474 ई. काल में राज करने वाले एक सुल्तान थे जिनका राज्य आधुनिक भारत के जम्मू व कश्मीर राज्य पर विस्तृत था। वे मध्यकालीन कश्मीर के सबसे महान शासकों में से एक गिने जाते हैं जिन्होंने सार्वधार्मिक उदारता और प्रशासनिक निपुणता के साथ राज्य किया। हिन्दू व मुस्लिम कश्मीरी लोग इज्जत से बड़शाह (बड़े शाह या महान शाह) के नाम से उन्हें याद करते हैं। उनके देहांत के बाद कश्मीर में शाह मीर वंश का पतन होना शुरू हो गया। उनके शासनकाल के पहले 35 वर्ष उनके समकालीन कश्मीरी इतिहासकार 'जोनराघ' की 'द्वितीय राजतरंगिणी' में और शेष राजकाल जोनराघ के शिष्य 'श्रीवर' की 'तृतीय राजतरंगिणी' नामक इतिहास ग्रंथ में वर्णित है।

शाह मीरों वंश के अन्तिम उल्लेखनीय सुल्तान जैन-उल-अबिदीन के राज्यकाल में कश्मीरी भाषा और साहित्य का सर्वांगीण विकास हुआ। इस काल में कश्मीरी भाषा और साहित्य ने अपना एक स्थिर तथा व्यवस्थित रूप स्थापित कर लिया। कश्मीरी भाषा को पहली बार राजकीय संरक्षण मिला। कश्मीरी भाषा में लिखी गई पुस्तकों का फारसी अनुवाद हुआ तथा संस्कृत व फारसी की कुछ पुस्तकों का कश्मीरी अनुवाद हुआ। कश्मीरी कवि 'नुरुद्दीन वली' के 'सम्पूर्ण कलाम' का अनुवाद स्वयं सुल्तान ने उस समय के प्रसिद्ध मुल्ला अहमद से करवाया। मुल्ला अहमद फारसी, संस्कृत तथा कश्मीरी भाषा के ज्ञाता थे। इसके अतिरिक्त 'सोम पंडित' ने 'जैन चरित', 'योधभट्ट' ने 'जैनप्रकाश' तथा 'भट्टावतार' ने 'बाणासुर वध' व 'जैव विकास' आदि की रचना कश्मीरी भाषा में की। 'बड़शाह' के राज्यकाल में पहली बार लिखाई आदि विधिवत कागज पर होने लगी। कागजसाधी को बढ़ावा देने के लिए इस विद्याप्रेमी सुल्तान ने विदेशों से अनेक कुशल कागजसाध बुलवाये और उन्हें अपनी राजधानी नोशहारा में बसाया। इससे पूर्व पुस्तकें भोजपत्र पर लिखी जाती थीं। कागजसाधी की उस सुविधा से कश्मीरवासियों में साहित्यिक रुचि का यथेष्ट विकास हुआ। शाहमीरियों के पश्चात् कश्मीर पर चकों का आधिपत्य रहा। यह शासन राजनैतिक अस्थिरता के कारण कश्मीरी साहित्य पर कोई विशेष प्रभाव न डाल सका।

38. चित्रकला की पश्चिम भारतीय शैली गुजरात, राजस्थान और मालवा क्षेत्र में प्रचलित थी। पश्चिम भारत में कलात्मक क्रियाकलापों का प्रेरक बल जैनवाद था। अजन्ता और पाल कलाओं के मामले में बौद्धवाद की भांति, जैनवाद को चालुक्य वंश के राजाओं का संरक्षण प्राप्त था जिन्होंने 961 ईसवी सन् से लेकर तेरहवीं शताब्दी के अन्त तक गुजरात और राजस्थान के कुछ भागों तथा मालवा पर शासन किया। राजकुमारों, उनके मंत्रियों और समृद्ध जैन व्यापारियों ने धार्मिक पुण्यफल प्राप्त करने के लिए बारहवीं से सोलहवीं शताब्दी तक जैन धर्म की पांडुलिपियों को भारी संख्या में बनवाया था। ऐसी कई पांडुलिपियाँ ऐसे जैन पुस्तकालयों (भंडार) में उपलब्ध हैं जो पश्चिमी भारत के कई स्थानों पर पाए जाते हैं।

इन पांडुलिपियों के सचित्र उदाहरण अत्यधिक विकृति की स्थिति में हैं। इस शैली में शरीर की कतिपय विशेषताओं, नेत्रों, वक्षस्थलों और नितम्बों की एक अतिशयोक्ति के विस्तार को देख पाते हैं। नाक-नक्शे की कोणीयता सहित आकृतियाँ सपाट हैं और नेत्र

आकाश की ओर बाहर निकले हुए हैं। यह आदिम जीवन-शक्ति, सशक्त रेखा और प्रभावशाली वर्णों की एक कला है। लगभग 1100 से 1400 ईसवी सन् तक पांडुलिपियों के लिए ताड़-पत्ते का प्रयोग किया गया था और बाद में इसके प्रयोजनार्थ कागज को लाया गया था। जैन ग्रंथों के दो अति लोकप्रिय ग्रंथ, यथा—कल्पसूत्र और कालकाचार्य-कथा को बार-बार लिखा गया था और चित्रकलाओं के माध्यम से सचित्र किया गया था। कल्पसूत्र की पांडुलिपियों के कुछ उल्लेखनीय उदाहरण अहमदाबाद के देवासनो पादो भंडार में हैं। तकरीबन 1400 ईसवी के कल्पसूत्र व कालकाचार्य कथा प्रिंस ऑफ वेल्स संग्रहालय, मुंबई में है। मांडू में 1439 ईसवी सन् में निष्पादित कल्पसूत्र अब नई दिल्ली के राष्ट्रीय संग्रहालय में है। कल्पसूत्र को 1465 ईसवी सन् में जौनपुर में लिखा तथा रंगा गया था।

41. फिरोजशाह तुगलक संभवतः दिल्ली का पहला सुल्तान था, जिसने इस्लामी नियमों का कड़ाई से पालन करके उलेमा वर्ग को प्रशासनिक कार्यों में महत्व दिया। न्याय व्यवस्था पर पुनः धर्म गुरुओं का प्रभाव स्थापित हो गया। मुफ्ती कानूनों की व्याख्या करते थे। मुसलमान अपराधियों को मृत्युदंड देना बन्द कर दिया गया। फिरोज कट्टर सुन्नी मुसलमान था। उसने हिंदू जनता को 'जिम्मी' (इस्लाम धर्म न स्वीकार करने वाला) कहा और हिंदू ब्राह्मणों पर जजिया कर लगाया। डॉ. आर.सी. मजूमदार ने कहा है कि "फिरोज उस युग का सबसे धर्मान्ध एवं इस क्षेत्र में सिकंदर लोदी एवं औरंगजेब का अग्रगामी था।" इस लिहाज से उसने मुस्लिम महिलाओं को मकबरे पर जाने को निषिद्ध किया था। दिल्ली सल्तनत में प्रथम बार फिरोज ने ब्राह्मणों से जजिया लिया। हालाँकि इसके अलावा उसने कई उल्लेखनीय कार्य भी किए। नगर एवं सार्वजनिक निर्माण के अन्तर्गत सुल्तान ने लगभग 300 नए नगर बसाए। उनमें से हिसार, फिरोजाबाद, फतेहाबाद, जौनपुर, फिरोजपुर आदि प्रमुख थे। जौनपुर नगर की नींव उसने अपने चचेरे भाई जौना खाँ की स्मृति में रखी। उसने एक 'रोजगार दफ्तर' एवं मुस्लिम अनाथ स्त्रियों, विधवाओं एवं लड़कियों की सहायता हेतु एक नए 'दीवान-ए-खैरात' नामक विभाग की स्थापना की, 'दारूल-शफा' नामक एक राजकीय अस्पताल का निर्माण करवाया जसमें गरीबों का इलाज मुफ्त में होता था। दासों के लिए एक विभाग 'दीवान-ए-बन्दगान' में तो उसके समय से ही माने जाने लगा था कि उसमें भ्रष्टाचार भी बढ़ा है। उसके दरबार में कई विद्वानों को संरक्षण प्राप्त था, जैसे—जियाउद्दीन बरनी, शम्स-ए-सिराज अफीफ।

लोदी वंश में सिकन्दर लोदी सर्वाधिक योग्य शासक था। उसने अपने राज्य को ग्वालियर एवं बिहार तक बढ़ाया। उसने अलाउद्दीन हुसैन शाह एवं उसके बंगाल राज्य से संधि की। वह देशी अफगान शासकों को नियंत्रण में रखने में सफल हुआ। सन् 1503 ई. में उसने आगरा शहर की नींव रखी।

उसके अनुदार कार्य—

- उसने मुसलमान स्त्रियों को पीरों एवं मजारों पर जाने पर प्रतिबंध लगा दिया।
- मुसलमानों को 'तजिया' निकालने पर प्रतिबंध लगा दिया।
- अपने व्यक्तित्व की सुन्दरता बनाए रखने के लिए वह दाढ़ी नहीं रखता था।
- एक इतिहासकार के अनुसार, सिकन्दर ने नगरकोट के ज्वालामुखी मन्दिर की मूर्ति को तोड़कर उसके टुकड़ों को कसाइयों को माँस तौलने के लिए दे दिया था।

उदार व्यक्ति के रूप में—

- सिकन्दर लोदी सल्तनत काल का एकमात्र सुल्तान था जिसमें खम्स (लूट से मिली रकम) में कोई हिस्सा नहीं लिया। जबकि अलाउद्दीन खिलजी ने अपने काल में 3/4 भाग लेना शुरू कर दिया था।
- उसने निर्धनों के लिए मुफ्त भोजन की व्यवस्था की।
- निष्पक्ष न्याय के लिए मिया भुआं को नियुक्त किया।

42. बलबन सल्तनतकालीन सुल्तानों में से ऐसा था जिसने पूर्व के सुल्तानों के साथ षडयंत्र को देखा था। ऐसे में पद की प्रतिष्ठा भी गिरी थी। बलबन गद्दीनशीं होने के उपरान्त सुल्तान के पद की प्रतिष्ठा के लिए 'रक्त एवं लौह' की नीति को प्रतिपादित किया। वह इतना सशंकित रहता था कि सभी अधिकारियों पर पैनी निगाह रखने के लिए सुदृढ़ गुप्तचर-व्यवस्था को भी स्थापित किया था। उसने अपने क्रियाकलापों को ऐसे बना रखा था

जैसे राजा कोई दैवी शक्ति हो एवं लोग उससे भयभीत रहते थे। सुल्तान का एक ही आदर्श वाक्य था–सुदृढ़ीकरण। ऐसे ही परिवेश में उसने सेना के रख-रखाव हेतु राजस्व व्यवस्था को नियमित रखने हेतु अपने महत्वपूर्ण इक्ताओं में 'ख्वाजा' की नियुक्ति की थी। इन ख्वाजाओं का चयन मुतसरिफों में से हुआ करती थी। इनकी नियुक्ति की अनुशंसा बलबन के वजीर ने की थी। ठीक उसी प्रकार जैसे युद्धमंत्री इमादुल-मुल्क की अनुशंसा पर सैन्य-व्यवस्था को सुदृढ़ किया गया था। इन ख्वाजाओं की नियुक्ति का कारण मुक्ताओं की गतिविधियों को नियंत्रित करना था। उसके दो कारण थे एक तो मुक्ता अपनी स्थिति सुदृढ़ कर बलबन का विरोध कर सकते थे जैसे तुगरिल खाँ का विद्रोह था। ऐसी स्थिति से निपटने एवं राजस्व का उचित बँटवारा बलबन की निगाह में उसकी स्थिति को सुदृढ़ कर सकता था। स्थिति की सुदृढ़ता हेतु बलबन ने शासन का नियंत्रण पूर्णतया अपने हाथ में रखा था। उसके समय में अन्य पदाधिकारियों का ही नहीं बल्कि वजीर के पद का भी महत्व घट गया था। वह प्रत्येक अधिकारी की नियुक्ति की स्वयं देखभाल करता था। उसके शासन की एक विशेषता यह थी कि वह केवल उच्च वंश के व्यक्तियों को ही अधिकारियों के पद पर नियुक्त करता था।

ऐसी पृष्ठभूमि में बलबन ने मुक्ताओं की गतिविधियों पर नियंत्रण स्थापित रखने हेतु 'ख्वाजा' की नियुक्ति की जो राजस्व को नियमित कर उसके शासन को सुदृढ़ता प्रदान कर सके।

अतः कारण (R), कथन (A) की सही व्याख्या करता है एवं दोनों ही सत्य हैं।

43. अकबर के राज्यकाल में उमरा वर्ग की स्थिति में अत्यधिक परिवर्तन हुआ। यह परिवर्तन सल्तनतकालीन अमीर वर्ग की स्थिति से विपरीत था, क्योंकि उस समय उमरा वर्ग के सदस्य स्वयं को सम्राट बनने का स्वप्न देखता था। यद्यपि अकबर कालीन उमरा वर्ग ने भी सम्राट तथा प्रशासन में अपना पूर्ण सहयोग नहीं प्रदान किया फिर भी उनका कार्य एक परिधि के अन्तर्गत ही सीमित रहा।

अकबर तथा जहाँगीरकालीन निरंकुश राजतंत्र में प्रत्यक्ष या अप्रत्यक्ष रूप से समस्त कर्मचारियों का भाग्य सम्राट के अनुमोदन पर ही निर्भर करता था। इस प्रकार दरबार ही प्रमुख रूप से केन्द्र बिन्दु था जिससे अमीर वर्ग सदैव प्रभावित होता था। सिद्धान्ततः सम्राट के अधिकार असीमित थे, परन्तु सम्राट को अमीरों (मनसबदारों) के सहयोग से ही अपने विशाल साम्राज्य पर शासन करना पड़ता था और उसे प्रत्येक क्षण यह देखना पड़ता था कि कहीं वे (अमीर) उसके आदेशों का पालन करने के स्थान पर अवहेलना तो नहीं कर रहे हैं क्योंकि सम्राट की नीतियाँ इन्हीं के माध्यम से ही कार्यान्वित की जा सकती थीं। अतः अमीरों के विचार एवं हित उन नीतियों के निर्माण में प्रत्यक्ष या अप्रत्यक्ष रूप से प्रभाव डालते थे। अमीरों के विचार एवं हित सदैव एक समान नहीं हो सकते थे। नीति के महत्वपूर्ण मामलों में कभी-कभी अमीर आपस में वर्गों एवं गुटों के रूप में मतभेद रखते थे चूँकि मुगल अमीर वर्ग के अन्तर्गत विभिन्न जातीय एवं धार्मिक तत्व विद्यमान थे इसलिए अमीर वर्ग में गुटबन्दी उत्पन्न होने के लिए सदैव ही उर्वर भूमि विद्यमान रहती थी।

प्रशासन का अत्यधिक केन्द्रीयकरण, मनसबदारी प्रथा, जागीरों का निरन्तर हस्तान्तरण आदि उपाय गुटबन्दी या दलबन्दी को अथवा किसी जागीरदार, मनसबदार (अमीर) को अति महत्वाकांक्षी बनने से रोकने के लिए किए गए थे, किन्तु विभिन्न जातियों, धर्मों एवं राजनीतिक स्वार्थवश निर्मित गुटों के कारण अमीर वर्ग प्रशासन के प्रत्येक क्षेत्र को प्रभावित करते थे।

अकबर को जो उमरा वर्ग विरासत के रूप में प्राप्त हुआ वह विभिन्न जातीय वर्ग के विकास के लिए सहायक सिद्ध हुआ। इस उमरा वर्ग में तूरानी, ईरानी, शेखजादा, अफगान एवं हिन्दू आदि थे। अकबर ने अपने उमरा वर्ग में विभिन्न जातीय तत्वों को अधिकाधिक संख्या में सम्मिलित करके अमीरों के मध्य सन्तुलन करने का प्रयास किया ताकि उमरा वर्ग का स्वरूप व्यापक बना रहे।

अकबर की मृत्यु के उपरान्त अकबर शाही अमीर वर्ग के कुछ प्रमुख सदस्यों द्वारा उत्तराधिकार के प्रश्न पर जहाँगीर के विरुद्ध किए गए षडयंत्र के कारण उनका पुनर्गठन करना नए सम्राट के लिए अति आवश्यक था। सम्राट जहाँगीर ने अकबरशाही अमीरों को सन्तुलित करने का प्रयास किया।

44. गुप्तधन को बतानेवाले सांकेतिक लेख को 'बीजक' कहते हैं। कबीर साहब की वाणियों को पुस्तक के रूप में भागोदास ने संकलित किया जो बीजक के नाम से विख्यात है। बीजक की भाषा ठेठ प्राचीन पूर्वी है। बीजक के सांकेतिक शब्द 'राम' का तात्पर्य अवतारी राम से और अधिकतर शुद्ध स्वरूप चैतन्य से है। इसी प्रकार हरि, जादवराम, गोविंद, गोपाल आदि का भी उसी अर्थ में प्रयोग किया गया है। मन के लिए मच्छ, मांछ, मीत, जुलाहा, साउज, सियार, रोझ, हस्ती, मतंग, निरंजन आदि का प्रयोग किया गया है। पुत्र, पारथ, जुलाहा, सिंह, मूलस, भँवरा, योगी आदि शब्द जीवात्मा को सूचित करते हैं। माया के बोधक शब्द माता, नारी, छेरी, गैया, बिलैया आदि और संसार के बोधक शब्द सायर, बन, सीकस आदि हैं। बीजक ग्रंथ को स्पष्ट रूप से ग्यारह प्रकरणों में विभक्त किया गया है। प्रथम प्रकरण 'रमैनी' के नाम से प्रसिद्ध है, जिसका वर्णन ऊपर किया जा चुका है।

बीजक का दूसरा प्रकरण 'शब्द' कहलाता है। इसमें कबीर के 115 शब्दों का मार्मिक विवेचन है। कबीर ने क्रमशः सद्गुरुभक्ति, सदैव जाग्रत रहने का बोध, घर का झगड़ा, यह 'भ्रमभूत सकल जग खाया', माया की प्रबलता, चेतन की सत्ता, व्यापकता और प्रकाशता का वर्णन, मायिक अवतारों का वर्णन, जीवों की मूढ़ता, हिंदू और मुसलमानों के मतों की आलोचना, पुरोहित की समालोचना, प्रेमप्रथा और आत्मतुष्टि, माया की प्रबलता और उससे छूटने के उपाय का चित्रण किया है।

बीजक का तीसरा प्रकरण 'ज्ञान चौंतीसा' के नाम से प्रसिद्ध है। इन चौंतीस पदों में कबीर ने हठयोग की समीक्षा की है। बीजक का चौथा प्रकरण 'विप्रमतीसी' के नाम से विख्यात है। इसमें विप्रकर्म मीमांसा का विशुद्ध वर्णन किया गया है। बीजक का पाँचवाँ प्रकरण 'कहरा प्रकरण' कहलाता है। इसमें सहजावस्था विषयासक्ति से आत्मप्रतीति का अभाव, आत्मपूजा, रामनाम के व्यवसायी, संसार की असारता का विचार, आत्मपरिचय की आवश्यकता का उल्लेख, संसार की असारता और विनाशिता, शरीर की हीनता और अनित्यता, राम राजा का आत्मपरिचय और राम कहानी, ननद और भावज का प्रपंच, गाली शब्द और माया के आखेट खेल का निरूपण किया गया है। बीजक का छठा और सातवाँ प्रकरण बसंत के नाम से विदित है। इनमें नित्य वसंत और अनित्य के साथ-साथ मायिक वसंत, कर्मी और उपासकों की सम्मिलित प्रार्थना, झीनी माया की कठपुतली का खेल, माया का विद्युद्विलास, 'अनित्यता', अहंकार की प्रबलता का विचार, काशी-सेवन विधि एवं प्रबोधन का स्पष्ट वर्णन किया गया है।

बीजक के आठवें प्रकरण 'चाचर' में माया के फगुवा खेल एवं धोखे की टट्टी का विशद वर्णन है। बीजक के नवें प्रकरण 'बेली' में हंसोद्बोधन चेतावनी एवं जीवोद्बोधन चेतावनी का खरा विवरण है। बीजक का दसवाँ प्रकरण 'विरहुली' कहलाता है। इसमें कबीर ने तत्वोपदेश दिया है। बीजक का अंतिम 11वाँ प्रकरण 'हिंडोला' के नाम से विख्यात है। इसमें भ्रम का झूला, लोक लोकांतरों का झूला, मनमोहन झूले की रसीली पेंगे, प्रातिस्विक झूलों का वर्णन एवं साखी का विवरण है। कबीर पंथियों द्वारा रचित कबीर के पदों के सर्वाधिक श्रद्धेय संग्रहों में 'बीजक' है, जो 'आदि ग्रंथ' में संगृहीत है। डेविड कॉरेन्धन का मानना है कि कबीर के सभी तीनों प्रमुख संग्रहों में अन्य स्रोतों से ली गई सामग्री के प्रक्षेप हैं।

45. इतिहासकार ख्वाजा अब्दुल्ला मलिक इसामी की कृति 'फुतुहात-ए-सलातिन' सल्तनतकालीन इतिहास जानने का उल्लेखनीय स्रोत है। गुलाम वंश के शासकों यथा रजिया एवं नसिरुद्दीन महमूद के समय की जानकारी इसामी बखूबी देता है। रजिया के सिंहासनरूढ़ की घटना से लेकर अश्वशाला का प्रधान जमालुद्दीन याकूत पर इसामी की पैनी नजर है। हालाँकि आधुनिक इतिहासकार याकूत एवं रजिया के संबंधों को लेकर इसामी के तर्क को खारिज कर उनके कुँवारे होने तथा ऐसे समय में ऐसी पूर्वाग्रह पूर्ण विवरण देना इसामी की निजी कल्पना मानते हैं। इसामी ने लिखा है कि रजिया फटेहाल अवस्था में जुमे के नमाज के समय एकत्रित लोगों को अपनी पीड़ा सुनाती है। रजिया का कहना है कि उसकी माँ शाह तुर्कान अपने बेटे रुकनुद्दीन फिरोज के ताज के बहाने राज करती है। रजिया ने यहाँ भीड़ से सौतेली माँ

के खिलाफ मदद माँगी एवं कालान्तर में सल्तनत युग की पहली महिला शासक बनी। रजिया का विश्वासपात्र जमालुद्दीन याकूत अश्वशाला का प्रधान था जो रजिया को घोड़े पर बैठने में मदद करता था। रजिया के इस अनुराग को इसामी प्रेम-सम्बन्धों का नाम दे देते हैं। इसामी की कृति कई दृष्टि से भी महत्वपूर्ण हैं। इसमें तकनीकी का भी वर्णन है। भारत में चरखे का प्रथम प्रयोग का उल्लेख इसामी ही करते हैं।

फिरोज तुगलक के काल में कई इतिहास ग्रन्थ लिखे गए। फिरोज ने स्वयं की आत्मकथा 'फुतूहात-ए-फिरोजशाही' की रचना की जबकि अन्य ग्रंथ 'सीरत-ए-फिरोजशाही' के रचनाकार की अभी तक स्पष्ट जानकारी नहीं है। इसी में 'साबुन-निर्माण' के तकनीक की चर्चा है। फिरोज ने ज्वालामुखी मंदिर के पुस्तकालय से लूटे गए 1300 ग्रंथों में से कुछ का कजुद्दीन द्वारा 'दलायते-फिरोजशाही' नाम से अनुवाद कराया। 'वलायते-फिरोजशाही' आयुर्वेद से संबंधित ग्रंथ है। 'सिलिण्डर और पिस्टन की सिरिंज' की चर्चा 'मांसरेत' करता है।

47. जयसिंह अथवा 'मिर्जा राजा जयसिंह' अथवा 'जयसिंह प्रथम', (जन्म–15 जुलाई, 1611 ई., आमेर; मृत्यु–28 अगस्त, 1667 ई.) आमेर के राजा तथा मुगल साम्राज्य के वरिष्ठ सेनापति (मिर्जा राजा) थे। वे राजा भाऊ सिंह के पुत्र थे, जिन्होंने 1614 ई. से 1621 ई. तक शासन किया। शाहजहाँ ने अप्रैल, 1639 ई. में जयसिंह को रावलपिंडी बुलाकर 'मिर्जा राजा' की पदवी दी थी। यह पदवी उनके दादा मानसिंह को भी अकबर से मिली थी।

- जयसिंह मुगल दरबार का सर्वाधिक प्रभावशाली सामंत था। बादशाह औरंगजेब के लिए वह सबसे बड़ा आँख का काँटा था। औरंगजेब ने मराठा प्रमुख छत्रपति शिवाजी को दबाने के लिए जयसिंह को भेजा था।
- जिस समय दक्षिण में शिवाजी के विजय-अभियानों की धूम थी, और उनसे युद्ध करने में अफजल खाँ एवं शाइस्ता खाँ की हार हुई तथा राजा यशवंत सिंह को भी असफलता मिली; तब औरंगजेब ने मिर्जा राजा जयसिंह को शिवाजी को दबाने के लिए भेजा। इस प्रकार वह एक तीर से दो शिकार करना चाहता था।
- जयसिंह ने बड़ी बुद्धिमत्ता, वीरता और कूटनीति से शिवाजी को औरंगजेब से संधि करने के लिए राजी किया। उसने बादशाह की इच्छानुसार शिवाजी को आगरा दरबार में उपस्थित होने के लिए भी भेज दिया, किंतु वहाँ शिवाजी के साथ बड़ा अनुचित व्यवहार हुआ और औरंगजेब की आज्ञा से उन्हें नजरबंद कर दिया गया।
- बाद में शिवाजी किसी प्रकार औरंगजेब के चंगुल में से निकल गए, जिससे औरंगजेब बड़ा दुखी हुआ। उसने उन सभी लोगों को कड़ा दंड दिया, जिनकी असावधानी से शिवाजी को निकल भागने का अवसर मिल गया था।
- मिर्जा राजा जयसिंह और उसका पुत्र कुँवर रामसिंह भी उसके लिए दोषी समझे गए, क्योंकि वे ही शिवाजी की आगरा में सुरक्षा के लिए अधिक चिंतित थे।
- औरंगजेब ने रामसिंह का मनसब और जागीर छीन ली तथा जयसिंह को तत्काल दरबार में उपस्थित होने का हुक्मनामा भेजा।
- जयसिंह को इस बात का बड़ा खेद था कि शिवाजी को आगरा भेजने में उसने जिस कूटनीतिज्ञता और सूझ-बूझ का परिचय दिया था, उसके बदले में उसे वृद्धावस्था में अपमान एवं लांछन सहना पड़ा। इस दुख में वह अपनी यात्रा भी पूरी नहीं कर सका और मार्ग में बुरहानपुर नामक स्थान पर सन् 1667 में उसकी मृत्यु हो गई।
- जयसिंह वीर सेनानायक और कुशल राजनीतिज्ञ होने के साथ ही साथ साहित्य और कला का भी बड़ा प्रेमी था। उसी के आश्रय में कविवर बिहारी लाल ने अपनी सुप्रसिद्ध 'बिहारी सतसई' की रचना सन् 1662 में की थी।
- एक शाही फरमान द्वारा मिर्जा राजा को अपनी वतन जागीर में मकराना संगमरमर के प्रयोग को रोक दिया था।

48. भारत आने वाले विदेशी यात्री

विदेशी यात्री	देश	किसके समय	यात्रा का वर्ष
इब्नबतूता (यात्री)	मोरक्को	मुहम्मद तुगलक	1333 से 1342 ई.
निकोली कोण्टी (यात्री)	इटली	देवराज प्रथम (विजय नगर)	1420 से 1422 ई.
अब्दुर्रज्जाक (राजदूत)	ईरान	देवराज द्वितीय (विजय नगर)	1442 से 1443 ई.
अथनासियस निकेतिन (यात्री)	रूस	मुहम्मद तृतीय (बहमनी राज्य)	1470 से 1474 ई.

49. बाबरनामा या तुज्क-ए-बाबरी मुगल साम्राज्य के पहले सम्राट बाबर की आत्मलिखित जीवनी है। यह उन्होंने अपनी मातृभाषा चगताई तुर्की में लिखी थी। इसमें उन्होंने अपना उज्बेकिस्तान की फरगना वादी में गुजारा हुआ बचपन और यौवन, बाद में अफगानिस्तान और भारतीय उपमहाद्वीप पर आक्रमण और कब्जा और अन्य घटनाओं का विवरण दिया है। उन्होंने हर क्षेत्र की भूमि, राजनीति, अर्थव्यवस्था, प्राकृतिक वातावरण, शहरों-इमारतों, फलों, जानवरों, इत्यादि का बखान किया है।

बाबरनामा को मुख्यतः तीन हिस्सों में बाँटा जा सकता है। पहला दौर 1494 में फरगाना के राजा बनने से लेकर 1503 तक का है। इस दौरान उसे अपना पैत्रिक राज्य गंवाना पड़ा। दूसरा दौर 1504 में काबुल का शासक बनने से लेकर 1525 तक का दौर है। अप्रैल, 1526 में दिल्ली का बादशाह बनने के बाद से लेकर सितंबर, 1529 तक भारत के पूर्वी हिस्सों में सत्ता का विस्तार आत्मकथा का अंतिम दौर है। बाबरनामा की पांडुलिपि में 1508 ई. से लेकर 1519 तक का विवरण उपलब्ध नहीं है। बाबरनामा में दर्शाए गए प्रत्येक चित्र की खासियत यह है कि हरेक चित्र के बीच में, कभी ऊपर, कभी नीचे या कहें कैनवस के खाली पड़े हिस्सों में जहाँ जगह खाली बच रही हो, वहाँ फारसी में तस्वीर के बारे में जानकारी लिखी है। बाबर ने अपनी किताब में कहा है कि सन् 1504 ई. में बर्फीले तूफान के बीच अपने तीन सौ साथियों के साथ मातृभूमि फरगना से चलकर हिन्दूकुश पर्वत को पार करते हुए उसने काबुल में प्रवेश किया और खुद को वहाँ का शासक घोषित कर दिया। सन् 1511 ई. तक उसके राज्य की सीमाएँ ताशकंद से काबुल और गजनी तक फैल गई थीं जिसके तहत समरकंद, गोखारा, हिसार, कुंदुज और फरगना शामिल थे। चारों तरफ पहाड़ों से घिरे काबुल के फलों की उसने बड़ी तारीफ की है जिसमें अंगूर, अनार, खुमानी, सेब, नाशपाती, बेर, आलूबुखारा, अंजीर और अखरोट जैसे फलों का विवरण है। बाबर ने अपनी किताब में अफगानिस्तान की गर्म घाटी में पैदा होने वाले गन्ने, संतरे और गलगल के बारे में भी लिखा है। संस्मरण में हिन्दुस्तान की ओर से लाए जाने वाले पशुओं, गुलामों और वस्त्रों के अलावा तरह-तरह के मसालों और शक्कर का भी जिक्र किया गया है।

बाबरनामा में बाबर बहुत सारे पशुओं, पौधों की चर्चा करता है लेकिन उसने कभी चित्रकारों को उसका चित्र बनाने का आदेश नहीं देता है।

50. गुरदासपुर के कलानौर नामक स्थान पर 14 वर्ष की आयु में अकबर का राजतिलक हुआ। अकबर का संरक्षक बैरम खान को नियुक्त किया गया जिसका प्रभाव उस पर 1560 तक रहा। तत्कालीन मुगल राज्य केवल काबुल से दिल्ली तक ही फैला हुआ था।

अकबर का हरम—उसकी एक बहुत बड़ी हरम थी जिसमें बहुत-सी स्त्रियाँ थीं। इनमें अधिकांश स्त्रियों को बलपूर्वक अपहृत करवाकर वहाँ रखा हुआ था। उस समय में सती प्रथा भी जोरों पर थी। तब कहा जाता है कि अकबर के कुछ लोग जिस सुन्दर स्त्री को सती होते देखते थे, बलपूर्वक जाकर सती होने से रोक देते व उसे सम्राट की आज्ञा बताते तथा उस स्त्री को हरम में डाल दिया जाता था। हालांकि इस प्रकरण को दरबारी इतिहासकारों ने कुछ इस ढंग से कहा है कि इस प्रकार बादशाह सलामत ने सती प्रथा का विरोध किया व उन अबला स्त्रियों को संरक्षण दिया। अपनी जीवनी में अकबर ने स्वयं लिखा है—*यदि मुझे पहले ही यह बुद्धिमत्ता जागृत हो जाती तो मैं अपनी सल्तनत की किसी भी स्त्री का अपहरण कर अपने हरम में नहीं लाता।* इस बात से यह तो स्पष्ट ही हो जाता है कि वह सुन्दरियों का अपहरण

करवाता था। इसके अलावा अपहरण न करवाने वाली बात की निरर्थकता भी इस तथ्य से ज्ञात होती है कि न तो अकबर के समय में और न ही उसके उत्तराधिकारियों के समय में हरम बंद हुई थी। उसने अपने पुस्तकालय का एक भाग हरम में रखा था। हरम की महिलाएँ उसको सोने से पहले उसे पुस्तक पढ़कर सुनाती थी।

51. अकबर भाषा एवं उसके एकान्तिक प्रयोग पर जिज्ञासु था। वह जानना चाहता था कि समाज से परे बालक किस तरह का व्यवहार करता है। इस लिहाज से उसने 'गूंग महल' बनवाया जिसमें बच्चे एवं आयाओं पर प्रयोग किया गया। ऐसा वह मुल्ला-पंडित के झगड़े से निजात पाने के लिए भी करता है। इसके लिए हिंदू-मुस्लिमों के कुछ बच्चों को आयाओं के भरोसे एक ऐसे महल में छोड़ता है जहाँ कोई आ-जा नहीं सकता। आयाओं को हुक्म है कि वे बिल्कुल चुप रहें। बादशाह जानना चाहता है कि जबान सबसे पहले अरबी में आई या संस्कृत में। अड़तालीस माह बाद चुप्पी तोड़ने के लिए जब आयाएँ और बच्चे लाए गए तो आयाओं की गलें की नसें तब तक जड़ हो चुकी थीं। बच्चे दहशत से गुगियाने, कुत्ते और भेड़ियों की आवाज निकालने लगे। बादशाह ने जाना भाषा समूह में जन्म लेने वाली इंसान की इंसान को सौगात है। इसके जरिए बादशाह ने रूढ़िवादी और धार्मिक प्रकृति के लोगों को दिखाया कि भाषा एक प्राकृतिक प्रक्रिया (जुबान-ए-कुदरत) नहीं है; अपितु यह एक सीखने का सांसारिक तरीका है। उसी तर्क को सिद्ध करने के लिए उसने व्यावहारिक प्रयोग द्वारा नवजात शिशुओं को सर्वथा एकांत स्थान, जो गूंग महल के नाम से जाना जाता था, में रखा।

52. मीर सैयद अली और ख्वाजा समद अकबर के दरबार में थे। अबुल फजल के अनुसार अकबर ने उन्हें सीरीन-ए-कलम की उपाधि दी। अकबर के समय सबसे बड़ी योजना हम्जानामा का चित्रण 1562 ई. में प्रारंभ हुआ। इसे ही दास्तान-ए-अमीर-हम्जा कहा जाता है। इसमें अकबर के यौवन काल का सजीव चित्रण है। इस काल में चित्रकारी सामूहिक प्रयास था। एक से अधिक कलाकार मिलकर किसी चित्र का निर्माण करते थे। कलाकार नकद वेतन प्राप्त कर्मचारी थे। अकबर के समय चित्रकला के मुख्य रूप से दो विषय थे– 1. दरबार की प्रतिदिन की घटनाओं का चित्रण। 2. छवि चित्रण।

अकबर के समय में ही मुगल चित्रकला पर भारतीय प्रभाव गहरा हो गया। 1562 ई. में जब मुगल दरबार में तानसेन के आगमन का प्रसिद्ध चित्र बनाया गया, हिन्दू एवं फारसी पद्धति का सहयोग दिखने लगा। फतेहपुर सीकरी के दीवारों पर हिन्दू एवं मुसलमान दोनों कलाकारों के संयुक्त परिश्रम से चित्रकारी की गई। अकबर के दरबार में अब्दुसमद, फरुख बेग, खुसरो कुली एवं जमशेद विदेशी कलाकार थे। अकबर कहा करता था कि मुझे प्रतीत होता है कि मानो चित्रकार ईश्वर को पहचानने का एकदम विचित्र साधन होता है। अकबर के समय दसवंत अपने समय का पहला अग्रणी चित्रकार था। वह एक कहार का बेटा था। उसने रज्मनामा का चित्रण किया। बाद में वह विक्षिप्त हो गया और 1584 ई. में उसने आत्महत्या कर ली। अब्दुस समद का दरबारी पुत्र मुहम्मद शरीफ ने रज्मनामा का पर्यवेक्षण किया। अकबर के समय कुछ महत्वपूर्ण कृतियों की पांडुलिपि तैयार की गई जो निम्नलिखित है–रामायण, अकबरनामा, अनबर सुहाय, बाबरनामा, खम्सा, तारीख-ए-अल्फी, कालियादमन। इस काल में विशेष कर राजपूत चित्रकला ने मुगल चित्रशैली को प्रभावित किया। इसकी विशेषता चौड़े ब्रश की जगह गोल ब्रश का प्रयोग थी। इसके साथ गहरे नीले रंग एवं गहरे लाल रंग का अधिक प्रयोग होने लगा। अकबर के शासनकाल में यूरोपीय चित्रकला का प्रभाव भी मुगल चित्रकला शैली पर पड़ा था। यूरोपीय चित्रकला के कुछ नमूने पुर्तगालियों के माध्यम से अकबर के दरबार में पहुँचे। इससे मुगल चित्रकारों ने दो विशेषताएँ ग्रहण कीं–1. व्यक्ति विशेष का चित्रण, 2. दृश्य में आगे दिखने वाली वस्तुओं को छोटे आकार में बनाना।

53. जहाँगीर का शासनकाल मुगल चित्रकला के चरमोत्कर्ष का युग था। जहाँगीर के काल में चित्रकला की दो महत्वपूर्ण विशेषताएँ थीं–1. मोरक्का के रूप में, 2. डेकोरेटेड मार्जिन।

जहाँगीर के समय छवि-चित्रण की तुलना में पांडुलिपि के चित्रण का महत्व कम हो गया। जहाँगीर की चित्रकला में दो नए तत्व जुड़ गए–1. इसकी चित्रकला शैली में

रूपवादी शैली की प्रधानता है। 2. इसने चित्रकला को यथार्थवादी बनाने और चित्रण करने का प्रयास किया। इस काल के चित्रों में चौड़े हासिये का प्रयोग हुआ। जिन्हें फूल-पत्तियों, पेड़-पौधों और मनुष्यों की आकृतियों से अलंकृत किया जाता था। शिकार, युद्ध तथा राजदरबार के दृश्यों को चित्रित करने के अतिरिक्त जहाँगीर के काल में जानवरों के चित्र बनाने की कला अधिक विकसित हुई। इस क्षेत्र में उस्ताद मंसूर का बहुत नाम था। तुजुक-ए-जहाँगीरी ही एकमात्र पांडुलिपि चित्र का उदाहरण है। जहाँगीर के काल से ही राजा के दैवी अधिकार के सिद्धांतों को चित्रकला का विषय बनाया गया। शाहजहाँ के काल में यह और भी महत्वपूर्ण हो गया। जहाँगीर के दरबार में फारसी चित्रकार आगा रेजा, अबुल हसन, मुहम्मद नादिर, मुहम्मद मुराद और उस्ताद मंसूर थे। हिन्दू चित्रकारों में बिशनदास और गोवर्द्धन प्रमुख थे। जहाँगीर के दरबार में चित्रकार दौलत था जिसने बादशाह के आदेश पर अपने साथी चित्रकारों का चित्र तैयार किया। जहाँगीर ने बिशनदास को ईरान के दरबार में भेजा था और उससे कहा गया था कि वह फारस के शाह और उसके महत्वपूर्ण अमीर और संबंधियों के चित्र उतार कर लाएँ। उस्ताद मंसूर तथा अबुल हसन की विशेषता की तारीफ करते हुए दोनों को क्रमशः नादिर-उल-असर और नादिर-उज-जमाँ की उपाधि दी गई। आरंभ में मनोहर, नन्हा तथा फारुख बेग को छवि चित्र तैयार करने का काम सौंपा गया। मनोहर, बिशनदास और मंसूर ये सभी अकबर के शासनकाल के अंतिम वर्षों में आ चुके थे। मनोहर, बसाबन का पुत्र था। जहाँगीर के समय यूरोपीय चित्रकला का प्रभाव और भी गहरा हो गया।

54. शिवाजी के बीजापुर तथा मुगल दोनों शत्रु थे। उस समय शहजादा औरंगजेब दक्कन का सूबेदार था। इसी समय 1 नवम्बर, 1656 को बीजापुर के सुल्तान आदिलशाह की मृत्यु हो गई जिसके बाद बीजापुर में अराजकता का माहौल पैदा हो गया। इस स्थिति का लाभ उठाकर औरंगजेब ने बीजापुर पर आक्रमण कर दिया और शिवाजी ने औरंगजेब का साथ देने की बजाय उस पर धावा बोल दिया। उनकी सेना ने जुन्नार नगर पर आक्रमण कर ढेर सारी सम्पत्ति के साथ 200 घोड़े लूट लिए। अहमदनगर से 700 घोड़े, चार हाथी के अलावा उन्होंने गुण्डा तथा रेसिन के दुर्ग पर भी लूटपाट मचाई। इसके परिणामस्वरूप औरंगजेब शिवाजी से खफा हो गया और मैत्री वार्ता समाप्त हो गई।

शिवाजी की मृत्यु 3 अप्रैल, 1680 में हुई। उस समय शिवाजी के उत्तराधिकार संभाजी को मिले। शिवाजी के ज्येष्ठ पुत्र संभाजी थे और दूसरी पत्नी से राजाराम नामक एक दूसरा पुत्र था। उस समय राजाराम की उम्र मात्र 10 वर्ष थी। अतः मराठों ने शम्भाजी को राजा मान लिया। उस समय औरंगजेब राजा शिवाजी का देहान्त देखकर अपनी पूरे भारत पर राज्य करने की अभिलाषा से अपनी 5,00,000 सेना लेकर दक्षिण भारत जीतने निकला। औरंगजेब ने दक्षिण में आते ही आदिलशाही 2 दिनों में और कुतुबशाही 1 ही दिनों में खत्म कर दी। पर राजा संभाजी के नेतृत्व में मराठों ने 1 साल युद्ध करते हुए अपनी स्वतन्त्रता बरकरार रखी। औरंगजेब के पुत्र शहजादा अकबर ने औरंगजेब के खिलाफ विद्रोह कर दिया। संभाजी ने उसको अपने यहाँ शरण दी। औरंगजेब ने अब फिर जोरदार तरीके से संभाजी के खिलाफ आक्रमण करना शुरू किया। उसने अन्ततः 1689 में संभाजी के बीवी के सगे भाई यानी गणोजी शिर्के की मुखबरी से संभाजी को मुकरब खाँ द्वारा बंदी बना लिया। औरंगजेब ने राजा संभाजी से बदसलूकी की और बुरा हाल करके मार दिया। अपने राजा को औरंगजेब से बदसलूकी और बुरी हाल मारा हुआ देखकर पूरा मराठा स्वराज्य क्रोधित हुआ। उन्होंने अपनी पूरी ताकत से राजाराम के नेतृत्व में मुगलों से संघर्ष जारी रखा। 1700 ई. में राजाराम की मृत्यु हो गई। उसके बाद राजाराम की पत्नी ताराबाई 4 वर्षीय पुत्र शिवाजी द्वितीय की संरक्षिका बनकर राज करती रही।

55. औरंगजेब पवित्र जीवन व्यतीत करता था। अपने व्यक्तिगत जीवन में वह एक आदर्श व्यक्ति था। वह उन सब दुर्गुणों से सर्वत्र मुक्त था, जो एशिया के राजाओं में सामान्यतः थे। वह यति-जीवन जीता था। खाने-पीने, वेशभूषा और जीवन की अन्य सभी सुविधाओं में वह संयम बरतता था। प्रशासन के भारी काम में व्यस्त रहते हुए भी वह अपनी जरूरतों को पूरा करने के लिए कुरान

की नकल करके और टोपियाँ सीकर कुछ पैसा कमाने का समय निकाल लेता था।

सम्राट औरंगजेब ने इस्लाम धर्म के महत्व को स्वीकारते हुए 'कुरान' को अपने शासन का आधार बनाया। उसने सिक्कों पर कलमा खुदवाना, नौरोज का त्योहार मनाना, भांग की खेती करना, गाना-बजाना आदि पर रोक लगा दी। 1663 ई. में सती प्रथा पर प्रतिबन्ध लगाया। तीर्थ कर पुनः लगाया। अपने शासन-काल के 11 वर्ष में 'झरोखा दर्शन', 12वें वर्ष में 'तुलादान प्रथा' पर प्रतिबन्ध लगा दिया। 1668 ई. में हिन्दू त्योहारों पर प्रतिबन्ध लगा दिया। 1669 ई. में उसने हिंदू मंदिरों को तोड़ने का आदेश दिया। बड़े-बड़े नगरों में औरंगजेब द्वारा 'मुहतसिब' (सार्वजनिक सदाचारा निरीक्षक) को नियुक्त किया गया। 1669 ई. में औरंगजेब ने बनारस के 'विश्वनाथ मंदिर' एवं मथुरा के 'केशव राय मंदिर' को तुड़वा दिया। उसने शरीयत के विरुद्ध लिए जाने वाले लगभग 80 करों को समाप्त करवा दिया। इन्हीं में 'आबवाब' नाम से जाना जाने वाला 'रायदारी' (परिवहन कर) और 'पानडारी' (चुंगी कर) नामक स्थानीय कर भी शामिल थे। औरंगजेब 'दारुल हर्ब' (काफिरों का देश भारत) को 'दारुल इस्लाम' (इस्लाम का देश) में परिवर्तित करने को अपना महत्वपूर्ण लक्ष्य मानता था। वह सदा ही सादा जीवन व्यतीत करता था, उसने किसी प्रकार के नृत्य, संगीत पर पाबंदी लगा दिया था। नियमित रूप से नमाज पढ़ना उसके कर्मों में से था। वह अपने सादा जीवन के लिए इतना उत्सुक था कि लोग उसे जिन्दा पीर समझते थे। इसी लिहाज से कश्मीर अभियान में भी आमोद-प्रमोद के साधन उपलब्ध होने पर भी निषेधाज्ञा जारी की थी।

56. गोल गुम्बज बीजापुर के सुल्तान मुहम्मद आदिलशाह का मकबरा है। यह बीजापुर (कर्नाटक) में स्थित है। इसको फारसी वास्तुकार दाबुल के याकूत ने 1656 ई. में निर्मित करवाया था। हालाँकि मूल रूप में साधारण निर्माण होने पर भी अपनी स्थापत्य विशेषताओं के कारण दक्खिन वस्तुकला का विजय स्तम्भ माना जाता है।

सासाराम में शेरशाह सूरी का मकबरा स्थित है। इस मकबरे को भारतीय-अफगान वास्तुशिल्प के भव्य नमूनों में से एक समझा जाता है। अफगानी स्थापत्य कला का बेजोड़ नमूना शेरशाह का मकबरा अपने ऐतिहासिक महत्व के साथ खूबसूरती के लिए प्रसिद्ध है। अपने शासनकाल (वर्ष 1540-1545 ई.) में शेरशाह सूरी को समूचे भारतीय मध्ययुग के सबसे महत्वपूर्ण शासकों में गिना जाता है। महाराजा शेरशाह सूरी की याद में 15वीं सदी में सासाराम में एक तालाब के बीच मकबरा बनवाया गया था। शेरशाह सूरी को 'शेर खान' के नाम से भी जाना जाता है।

यह मकबरा ईंटों से बनी एक शानदार इमारत है जिसमें अंशतः पत्थर लगे हैं और जो लगभग 305 मीटर माप वाले एक भव्य वर्गाकार तालाब के मध्य में पत्थर के एक बड़े चबूतरे पर खड़ी है। 9.15 मीटर ऊँचा चबूतरा, प्राकार-दीवार से घिरा है जिसके चार कोनों पर अष्टकोणीय गुम्बदनुमा मंडप हैं।

हुमायूँ का मकबरा मुगल वास्तुकला से प्रेरित मकबरा स्मारक है। यह नई दिल्ली के दीनापनाह अर्थात् पुराने किले के निकट निजामुद्दीन पूर्व क्षेत्र में मथुरा मार्ग के निकट स्थित है। गुलाम वंश के समय में यह भूमि किलोकरी किले में हुआ करती थी और नसीरुद्दीन (1268-1287) के पुत्र तत्कालीन सुल्तान कैकुबाद की राजधानी हुआ करती थी। यहाँ मुख्य इमारत मुगल सम्राट हुमायूँ का मकबरा है और इसमें हुमायूँ की कब्र सहित कई अन्य राजसी लोगों की भी कब्रें हैं। यह समूह विश्व धरोहर घोषित है, एवं भारत में मुगल वास्तुकला का प्रथम उदाहरण है। इस मकबरे में वही चारबाग शैली है, जिसने भविष्य में ताजमहल को जन्म दिया। यह मकबरा हुमायूँ की विधवा बेगम हमीदा बानो बेगम के आदेशानुसार 1562 में बना था। इस भवन के वास्तुकार सैयद मुबारक इब्न मिराक घियाथुद्दीन एवं उसके पिता मिराक घुइयाथुद्दीन थे जिन्हें अफगानिस्तान के हेरात शहर से विशेष रूप से बुलवाया गया था। मुख्य इमारत लगभग आठ वर्षों में बनकर तैयार हुई और भारतीय उपमहाद्वीप में चारबाग शैली का प्रथम उदाहरण बनी। यहाँ सर्वप्रथम लाल बलुआ पत्थर का इतने बड़े स्तर पर प्रयोग हुआ था। 1993 में इस इमारत समूह को यूनेस्को द्वारा विश्व धरोहर स्थल घोषित किया गया।

सुल्तान मुहम्मद कुली कुतुब शाह, कुतुब शाही राजवंश के पाँचवें शासक ने 1591 ई. में चारमीनार का निर्माण करवाया।

57. जैन शब्दावली–

- भद्रक : दिगम्बर मंदिर प्रबंधक।
- क्षुल्लक : दिगम्बर जैन मुनि के दीक्षा संस्कार की आरंभिक अवस्था।
- श्रावक : जैन उपासक।
- यति : श्वेताम्बर भिक्षु जो धार्मिक दिनचर्याओं का अच्छी तरह से पालन करते हैं।
- आस्रव : कर्म का जीवन की ओर प्रवाह।
- संवर : जब कर्म का प्रवाह जीव की ओर रूक जाए।
- निर्जरा : अवशिष्ट कर्म का जल जाना या पहले से विद्यमान कर्मों का क्षय हो जाना।
- बंधन : कर्म का जीव के संयुक्त हो जाना।
- सल्लेखना : उपवास द्वारा प्राण त्याग करना।

58. गुरु अमरदास जी सिखों के तीसरे गुरु थे। गुरु अमरदास जी का जन्म 1479 ई. को बासरके गाँव में हुआ था। इनके पिता का नाम तेजभान और माता का नाम रूपकौर था। इनका विवाह बीबी मनसा देवी के साथ हुआ था। मनसा देवी की कोखों से दो सुपुत्रियाँ बीबी दानी और बीबी भानी जी और दो सुपुत्र बाबा मोहन जी और बाबा मोहरी जी ने जन्म लिया। इनके पिताजी एक छोटे से दुकानदार थे। इन्होंने भी जीवन निर्वाह के लिए यही काम किया और इनकी याद में लगभग 12 गुरुघर बने हुए हैं।

गुरु अमरदास जी ने लंगर स्थानों पर विशेष ध्यान दिया। गुरु अमरदास जी ने जाति भेदभाव को खत्म किया और लोगों के मन में प्यार की भावना उत्पन्न की। महिलाओं की शिक्षा पर गुरु अमरदास जी ने विशेष ध्यान दिया। गुरु अमरदास जी ने बादशाह अकबर द्वारा सिखों पर लगने वाले कर से मुक्ति दिलाई।

सिखों के दूसरे गुरु अंगद देव जी ने उनकी सेवा से प्रसन्न होकर गुरु अमरदास जी को गद्दी सौंप दी। इस प्रकार वह सिखों के तीसरे गुरु बन गए। अमरदास जी ने उत्तराधिकारी के रूप में गुरु का पद अपने दामाद रामदास और उनके वंशजों को प्रदान करने का निश्चय किया। यहीं से गुरु का पद वंशानुगत हो गया।

60. मुगलकालीन रचना एवं रचनाकार

बाबरनामा (तुजुके बाबरी)

तारीख-ए-अकबरी–9 भागों में विभाजित यह पुस्तक 'निजामुद्दीन अहमद' द्वारा रचित है। इसके प्रथम दो भाग मुगलों के इतिहास का उल्लेख करते हैं तथा शेष भाग दक्कन, मालवा, गुजरात, बंगाल, जौनपुर, कश्मीर, सिंध एवं मुल्तान की स्थिति का आभास कराते हैं।

पादशाहनामा–पादशाहनामा नाम से कई पुस्तकों की रचना हुई है, जिन रचनाकारों ने इन पुस्तकों की रचना की है, वे निम्नलिखित हैं–

- शाहजहाँ के शासनकाल में प्रारम्भिक 10 वर्षों का उल्लेख करने वाली 'पादशाहनामा' नामक पुस्तक को शाहजहाँ के समय के प्रथम इतिहासकार 'मोहम्मद अमीन कजवीनी' ने शाहजहाँ के शासनकाल के 8वें वर्ष प्रारम्भ कर 20वें वर्ष में लिखकर पूर्ण की।
- 'अब्दुल हमीद लाहौरी' द्वारा रचित 'पादशाहनामा' कृति में शाहजहाँ के शासन के 20 वर्षों के इतिहास का उल्लेख मिलता है, साथ ही यह कृति शाहजहाँ के शासनकाल की सामाजिक, आर्थिक एवं राजनीतिक स्थिति पर भी प्रकाश डालती है।
- 'मोहम्मद वारिस' ने अपनी 'पादशाहनामा' पुस्तक को शाहजहाँ के शासन के 21वें वर्ष में आरम्भ कर 30वें वर्ष में खत्म किया।

शाहजहाँनामा, आलमगीरनामा–ये दोनों ही कृतियाँ औरंगजेब के शासन काल के प्रथम 10 वर्षों के इतिहास को बताने वाली एकमात्र कृति मानी जाती है। 'शाहजहाँनामा' के रचयिता 'इनायत खाँ' एवं 'आलमगीरनामा' के रचयिता 'काजिम शीराजी' हैं। इन कृतियों में कीमतें बढ़ने, खेती की हालत बिगड़ने आदि का भी उल्लेख है। काजिम शिराजी, औरंगजेब का सरकारी इतिहासकार था।

मासिर-ए-आलमगीरी–'साकी मुस्तैद खाँ' द्वारा रचित यह कृति औरंगजेब के शासनकाल के 11वें वर्ष से लेकर 20वें वर्ष तक की स्थिति पर प्रकाश डालती है। 'जदुनाथ सरकार' ने इस कृति को 'मुगल राज्य का गजेटियर' कहा है।

61. अकबर के प्रशासन में, हमें मध्ययुगीन इतिहास में पहली बार इतने सारे क्षेत्रीय विभाजन और उप-विभाजन मिलते

हैं। राजनीतिक और राजकोषीय उद्देश्यों के लिए अकबर ने अपने साम्राज्य को 15 सुबाहों में विभाजित कर दिया था। (मूल रूप से वहाँ 12 सुबाह थे, लेकिन जब तक अकबर की मृत्यु हो गई, तब तक संख्या 15 थी), 187 सरकार और 3367 महल। उन्होंने माप इकाई के मानकीकरण का आदेश दिया और तथाकथित इलाही गज को भूमि माप की निश्चित इकाई बना दिया गया। यह इलाही गज कुल 41 उंगलियों (29-32 इंच) के बराबर था, और शेरशाह द्वारा उपयोग किए जाने वाले सिकंदरी गज (लगभग 39 इंच) से छोटा था। भूमि के माप के रूप में गज सिकंदर लोदी के समय के दौरान अपनी उत्पत्ति पाता है। जमीन की सीमा को परिभाषित करने और अधिकारियों द्वारा विरूपण/भ्रष्टाचार को कम करने के लिए सभी प्रकार की अस्पष्टता को दूर करने के लिए भूमि माप का मानकीकरण अपनाया गया था।

अकबर द्वारा किए गए एक और बदलाव जमीन के बीघा का निश्चित माप तय करना था। एक बीघा 3600 इलाही गज से बना था, जो आधुनिक एकड़ का लगभग आधा है। कई बीघा ने महल बनाया। कई महल को दस्तर्स में बाँटा गया था। किसानों को या तो नकद या दयालु भुगतान करने का विकल्प दिया गया था, जो भी उनके लिए सुविधाजनक था।

62. मुगल काल में भारतीय व्यापार अच्छी स्थिति में था। शक्तिशाली मुगलों ने शांति की व्यवस्था की और व्यापार पनपने का अवसर दिया था। मुगल बादशाहों ने सड़कों, सरायों और यातायात की सुरक्षा का प्रबन्ध किया था जिससे व्यापार में सुविधा होती थी। उत्तरकालीन दुर्बल मुगल बादशाहों के समय में ही इन परिस्थितियों में अन्तर हुआ अन्यथा राज्य की परिस्थितियाँ व्यापार के अनुकूल थीं। मुगल बादशाह व्यापारिक-कर भी कम लेते थे। विदेश जाने वाली और विदेशों से आने वाली अधिकांश वस्तुओं पर 3-1/2% से अधिक व्यापारिक कर नहीं लिया जाता था। व्यापार सड़कों और नदियों दोनों से होता था। विदेशों से व्यापार जल-मार्ग और स्थल-मार्ग दोनों से होता था। स्थल-मार्ग उत्तर-पश्चिम की ओर था। इसके लिए एक सड़क लाहौर से काबुल तक और दूसरी सड़क मुल्तान से कन्धार तक जाती थी।

मुगल-काल में व्यापारी वर्ग मध्यम वर्ग का सबसे अधिक शक्तिशाली वर्ग था। मुगलकालीन भारत की अर्थव्यवस्था के कृषि-क्षेत्र से अलग क्षेत्र पर इसी वर्ग का प्रभुत्व रहा। इसमें छोटे और बड़े, आन्तरिक तथा विदेशी, और स्थानीय आधार पर ही व्यापार करने वाले सभी व्यापारी सम्मिलित थे। सूरत का एक व्यापारी, विरजी बोहरा अपने समय का सबसे अधिक धनवान व्यक्ति माना जाता था। इसी प्रकार सूरत के अब्दुल गफूर और अहमद चैलाबी, गोलकुण्डा का मीरजुमला और दक्षिण कोरोमण्डल के मलय चेट्टी, कासी वरिन्ना और सुनकाराम चेट्टी अपने समय के बहुत धनवान व्यापारियों में स्थान रखते थे। बर्नियर ने ऐसे कई व्यापारियों का उल्लेख किया है जिनका अकेले-अकेले का व्यापार अंग्रेजों की ईस्ट इंडिया कम्पनी से कम नहीं था। भारतीय व्यापारियों ने विभिन्न कार्यों में विशेषज्ञता भी प्राप्त कर ली थी। थोक-व्यापारियों, सर्राफों, साहूकारों, गुमाश्तों, दलालों आदि ने अपने-अपने क्षेत्र में न केवल दक्षता ही प्राप्त कर ली थी अपितु पृथक्-पृथक् व्यावसायिक समूहों के रूप में भी संगठित हो गए थे। उस काल में व्यापारिक क्षेत्र में बंजारों की भी एक विशेष भूमिका थी जो एक स्थान से दूसरे स्थान तक वस्तुओं को ले जाने में दक्ष हो गए थे। वे न केवल वस्तुओं को एक स्थान से दूसरे स्थान पर पहुँचाते थे अपितु ऐसा करते हुए अपना भी व्यापार कर लेते थे। सर्राफों ने धन के लेन-देन, धन को अमानत के रूप में रखने, धन उधार देने और धन को हुण्डी के रूप में एक स्थान से दूसरे स्थान को भेजने में दक्षता प्राप्त कर ली थी। हुण्डी एक प्रकार का कर्ज लेने या देने अथवा धन देने या पाने का लिखित पत्र था। व्यापारी-वर्ग हुण्डी के माध्यम से ही लेन-देन कर लिया करते थे जिससे धन को एक स्थान से दूसरे स्थान पर ले जाने की आवश्यकता नहीं होती थी। इस समय हुण्डी के निमित्त भुगतान पर छूट की दर 'आठ' मानी जाती थी।

63. पीट्रा ड्यूरे (या पर्चिनकारी, दक्षिण एशिया में, या पच्चीकारी हिन्दी में), एक ऐतिहासिक कला है। इसमें उत्कृष्ट पद्धति से कटे, व जड़े हुए, तराशे हुए एवं चमकाए हुए रंगीन पत्थरों के टुकड़ों से पत्थर में चित्रकारी की जाती है। यह सजावटी कला है। इस कार्य को बनने के बाद एकत्र किया जाता है एवं अधःस्तर पर चिपकाया जाता

है। यह सब इतनी बारीकी से किया जाता है कि पत्थरों के बीच का महीनतम खाली स्थान भी अदृश्य हो जाता है। इस पत्थरों के समूह में स्थिरता लाने हेतु इसे जिग सॉ पहेली जैसा बनाया जाता है, जिससे कि प्रत्येक टुकड़ा अपने स्थान पर मजबूती से ठहरा रहे। कई भिन्न रंगीन पत्थर, खासकर संगमरमर एवं बहुमूल्य पत्थरों का प्रयोग किया जाता है। यह सर्वप्रथम रोम में प्रयोग की गई दिखाई देती है 1500 के आसपास। जो कि अपने चरमोत्कर्ष पर फ्लोरेंस में पहुँची।

आहक पूजान का सम्बन्ध चूनगर, खिश्तमालान का राजगीर एवं सुर्खीकोब का ईंट तोड़ने वाला से है।

64. मुन्ताखाब-उल-लुबाब या तारीख-ए-खाफी खान : इसे हाशिम खाफी खान ने लिखा था। इसने बाबर के भारत पर आक्रमण से प्रारंभ कर, बाद के मुगल शासक मुहम्मद शाह के पंद्रह वर्ष के शासन का वर्णन लिखा है। खाफी खाँ ने औरंगजेब के शासन के बारे में विस्तार से लिखा है। उसने शिवाजी पर, अफजल खाँ की हत्या का आरोप लगाया है। हैदराबाद के निजाम-उल-मुल्क आसफ जाह के संरक्षण में होने के कारण उसने निजाम की सराहना भी की है। खाफी खाँ औरंगजेब के बारे में लिखता है कि "तैमूर घराने के समस्त सम्प्रभु शासकों यहाँ तक कि सिकन्दर लोदी के काल से अब तक दिल्ली के समस्त शासकों में से कोई भी निष्ठा, आत्मसंयम और न्याय में उसके बराबर नहीं था।"

67. कर्नाटक का प्रथम युद्ध (1746-48 ई.) : यह युद्ध ऑस्ट्रिया के उत्तराधिकार युद्ध का विस्तार मात्र था। गृह सरकारों की आज्ञा के विरुद्ध ही दोनों दलों ने 1746 ई. में युद्ध प्रारम्भ कर दिया। युद्ध की पहल अंग्रेजों की तरफ से हुई। बारनैट के नेतृत्व में अंग्रेजी नौसेना ने कुछ फ्रांसीसी जलपोत पकड़ लिए। डूप्ले ने कर्नाटक के नवाब से अपने जहाजों की सुरक्षा की प्रार्थना की, लेकिन अंग्रेजों ने नवाब की किसी बात पर गौर नहीं किया। परिणामस्वरूप डूप्ले ने मॉरीशस के फ्रांसीसी गवर्नर ला बूर्डोने से सहायता माँगी। 'ला बूर्डोने' अपने 3000 सैनिकों के बेड़े के साथ कोरोमण्डल तट पर पहुँच गया और मद्रास पर अधिकार कर लिया। फ्रांसीसियों ने भूमि और समुद्र दोनों में घेरा डाल दिया। ला बूर्डोने का विचार अंग्रेजों से फिरौती लेने का था। उसने 40 हजार पौण्ड लेकर मद्रास अंग्रेजों को लौटा दिया, लेकिन डूप्ले ने नगर को पुनः जीत लिया। फ्रांसीसियों द्वारा मद्रास को घेर लिए जाने के बाद अंग्रेजों ने नवाब का संरक्षण चाहा। नवाब ने फ्रांसीसियों को मद्रास का घेरा उठा लेने को कहा, लेकिन डूप्ले ने कूटनीति का प्रयोग करते हुए कहा कि वह मद्रास से अंग्रेजों को हटाकर नवाब को सौंप देगा। नवाब को डूप्ले के कथन में शंका दिखाई दी, जिसके कारण युद्ध अवश्यंभावी हो गया।

सेंटथोमे का युद्ध (1748 ई.) : कर्नाटक के युद्ध में यह सर्वप्रथम युद्ध है। यह युद्ध फ्रांसीसी सेना एवं नवाब अनवरुद्दीन की सेना के बीच लड़ा गया। कैप्टन पैराडाइज के अधीन एक छोटी-सी फ्रांसीसी सेना ने, जिसमें 230 फ्रांसीसी तथा 700 भारतीय सैनिक थे, महफूज खाँ के नेतृत्व वाली नवाब की 10 हजार की भारतीय सेना को पराजित कर दिया। इस युद्ध से यह स्पष्ट हो गया कि घुड़सवार सेना की अपेक्षा तोपखाना श्रेष्ठ है तथा एक छोटी अनुशासित फौज मध्यकालीन बड़ी फौज पर भारी पड़ती है। इस युद्ध का महत्व इस बात में भी है कि इससे नौसैनिक शक्ति की महत्ता स्थापित हुई। यूरोपीय अनुशासित सेना की उत्कृष्टता सामने आई और भारतीय राजनीति का खोखलापन स्पष्ट हो गया। यूरोप में ए ला शापेल की संधि (1748 ई.) से ऑस्ट्रिया के उत्तराधिकार का युद्ध समाप्त हो गया, जिसके कारण कर्नाटक का प्रथम युद्ध भी समाप्त हो गया। इस संधि से मद्रास अंग्रेजों का तथा अमेरिका में लुईवर्ग फ्रांसीसियों को वापस मिल गए। इस तरह युद्ध के प्रथम दौर में दोनों दल बराबर रहे।

कर्नाटक का द्वितीय युद्ध (1749-54 ई.) : निजामुलमुल्क आसफजाह की मृत्यु 1748 ई. में हो गई, जिससे उत्तराधिकार के लिए संघर्ष प्रारम्भ हुआ। इसी समय चन्दा साहब को मराठों द्वारा रिहा कर दिया गया। निजाम का पुत्र नासिरजंग उसका उत्तराधिकारी बना, परन्तु उसके भांजे मुजफ्फरजंग ने उसके इस दावे को चुनौती दी। दूसरी ओर कर्नाटक के नवाब अनवरुद्दीन तथा उनके बहनोई चन्दा साहब के बीच विवाद प्रारम्भ हुआ। डूप्ले ने इस अनिश्चित अवस्था से राजनैतिक लाभ उठाने की सोची तथा मुजफ्फरजंग को हैदराबाद

का निजाम तथा चन्दा साहब को कर्नाटक का नवाब बनाने के लिए अपनी सेनाओं द्वारा सहायता देने का वचन दिया।

कर्नाटक का तृतीय युद्ध (1756-63 ई.) : यह सप्तवर्षीय युद्ध का परिणाम था। फोर्ट सेंट डेविड जीतने के बावजूद फ्रांसीसियों को घेरा उठाना पड़ा। बाण्डिवाश के युद्ध में (1760) फ्रांसीसियों का सूरज अस्त हुआ। पेरिस की संधि से फ्रांसीसी भारत में मात्र व्यापार तक ही सीमित रहे।

68. भारत सरकार अधिनियम-1935 के पारित होने से पूर्व इसमें 'साइमन आयोग रिपोर्ट', 'नेहरू समिति की रिपोर्ट', ब्रिटेन में सम्पन्न तीन गोलमेज सम्मेलनों में हुए कुछ विचार-विमर्शों से सहायता ली गई। तीसरे गोलमेज सम्मेलन के सम्पन्न होने के बाद कुछ प्रस्ताव 'श्वेत पत्र' नाम से प्रकाशित हुए, जिन पर बहस के लिए ब्रिटेन के दोनों सदनों एवं कुछ भारतीय प्रतिनिधियों ने रिपोर्ट प्रस्तुत की। अन्ततः इस रिपोर्ट के आधार पर 1935 ई. का अधिनियम पारित हुआ। 1935 ई. का अधिनियम काफी लम्बा एवं जटिल था। इसे 3 जुलाई, 1936 को आंशिक रूप से लागू किया गया, किन्तु पूर्णरूप से चुनावों के बाद अप्रैल, 1937 में यह लागू हो पाया।

अधिनियम की विशेषताएँ—

इस अधिनियम में कुल 321 धाराएँ एवं 10 सूचियों का समावेश था, अधिनियम की मुख्य विशेषताएँ इस प्रकार थीं—

1. केंद्र में द्वैध शासन की व्यवस्था की गई। संघीय विषयों को दो भागों में संरक्षित एवं हस्तान्तरित में विभाजित किया गया। संरक्षित विषय का प्रशासन गवर्नर-जनरल कुछ पार्षदों की सहायता से करता था, जो संघीय व्यवस्थापिका के प्रति उत्तरदायी नहीं थे। हस्तान्तरित विषयों का प्रशासन गवर्नर-जनरल व मंत्रियों को सौंपा गया। मंत्री विधानमंडल के सदस्यों में से चुने जाते थे तथा उसके प्रति उत्तरदायी होते थे।
2. इस अधिनियम में एक 'अखिल भारतीय संघ' की व्यवस्था की गई। इस संघ का निर्माण ब्रिटिश भारत के प्रान्तों, चीफ कमिश्नर प्रान्तों व देशी रियासतों से मिलाकर होना था, किन्तु यह व्यवस्था लागू न हो सकी, क्योंकि प्रस्तावित संघ में भारतीय प्रान्तों का सम्मिलित होना अनिवार्य था, परन्तु भारतीय रियासतों का सम्मिलित होना वैकल्पिक था।
3. प्रान्तों में द्वैध शासन समाप्त कर प्रान्तीय स्वायत्ता की व्यवस्था की गई।
4. प्रान्तीय विधानमंडलों का विस्तार किया गया, प्रान्तों में 11 में से 6 विधानमंडलों में दो सदनों की व्यवस्था की गई। केन्द्रीय विधानमंडल के सदस्यों की संख्या में वृद्धि की गई।
5. प्रान्तों में मताधिकार का विस्तार किया गया। साम्प्रदायिक निर्वाचन को और बढ़ाकर इसे हरिजनों तक विस्तृत किया गया।
6. विवादों के निपटारे के लिए संघीय न्यायालय अंतिम न्यायालय नहीं था। अन्तिम न्यायालय 'प्रिवी कौंसिल' थी।
7. बर्मा (वर्तमान म्यांमार) को भारत से अलग कर दिया गया।
8. गृह सरकार में महत्वपूर्ण परिवर्तन हुए, जिन विषयों पर गवर्नर अपने मंत्रियों के सहयोग से कार्य करता था, उस पर उन्होंने भारतमंत्री के अधिकार को समाप्त कर दिया और साथ ही 'इंडियन कौंसिल' को समाप्त कर दिया गया।
9. अधिनियम के तहत एक संघीय न्यायालय एवं 'रिजर्व बैंक ऑफ इंडिया' की स्थापना की गई।
10. इसी अधिनियम में सर्वप्रथम 'अनुसूचित जातियाँ' शब्द प्रयुक्त किया गया।

पंडित जवाहरलाल नेहरू ने इसे 'अनेक ब्रेकों वाली परन्तु इंजन रहित मशीन' की संज्ञा दी। मदनमोहन मालवीय ने इसे 'बाह्य रूप से जनतंत्रवादी एवं अन्दर से खोखला' कहा। चक्रवर्ती राजगोपालाचारी ने इसे 'द्वैध शासन पद्धति से भी बुरा एवं बिल्कुल अस्वीकृत' बताया। नेहरू जी ने इसे 'दासता का नया चार्टर' कहा।

69. महालवाड़ी व्यवस्था का प्रस्ताव सर्वप्रथम 'हॉल्ट मैकेंजी' द्वारा लाया गया था। इस व्यवस्था के अंतर्गत भूमि पर ग्राम समुदाय का सामूहिक अधिकार होता था।

- इस समुदाय के सदस्य अलग-अलग या फिर संयुक्त रूप से लगान की अदायगी कर सकते थे।
- सरकारी लगान को एकत्र करने के प्रति पूरा 'महाल' या 'क्षेत्र' सामूहिक रूप से जिम्मेदार होता था।
- महाल के अंतर्गत छोटे व बड़े सभी स्तर के जमींदार आते थे।
- इस प्रस्ताव को 1822 ई. के रेग्यूलेशन-7 द्वारा कानूनी रूप प्रदान किया गया।
- यह व्यवस्था उत्तर-प्रदेश, मध्य प्रदेश तथा पंजाब में सर्वप्रथम लागू की गई।
- महालवाड़ी व्यवस्था के अंतर्गत ब्रिटिश भारत की भूमि का लगभग 30% भाग सम्मिलित था।
- इस व्यवस्था में प्रारम्भ में लगान की दर कुल उपज का 80% निश्चित की गई थी।
- कालान्तर में लॉर्ड विलियम बैंटिक ने मार्टिन बर्ड, जिन्हें उत्तरी भारत में भूमि कर व्यवस्था का प्रवर्तक माना जाता है, के सहयोग से 1833 ई. का रेग्यूलेशन-9 पारित करवाया।
- इसके अनुसार इस दर को कम करके 66% कर दिया गया।
- 1855 ई. में पुनः सहारनपुर नियम के अनुसार लॉर्ड डलहौजी ने लगान की दर को 50% निश्चित किया।
- इस व्यवस्था का परिणाम भी कृषकों के प्रतिकूल रहा, परिणामतः 1857 ई. के विद्रोह में इस व्यचस्था से प्रभावित बहुत से लोगों ने हिस्सा लिया।

हॉल्ट मैकेन्जी ने उत्तर भारत में अनिश्चित भू सम्पत्ति की स्थितियों के बारे में लिखा है कि, "इस क्षेत्र की भू-धारक सम्पत्ति एक अत्यधिक व्यापक एवं दुखद क्रांति" से ग्रस्त हो चुकी है।

70. 1857 के विद्रोह के पूर्व में जितने भी आदिवासी विद्रोह हुए सभी अंग्रेजी नीतियों के परिणाम थे। संथाल, चुआर, हो तथा कोल विद्रोह आदि की पृष्ठभूमि को देखा जाए तो ये विद्रोह अंग्रेजी राजस्व नीति के परिणाम थे जिसके कारण उनका सभी स्तरों पर शोषण होता रहा। लगान की अनियंत्रित नीति जिसके कारण ये ऋण के कुचक्र में फँसते चले गए। रही-सही स्थिति को सूदखोर महाजनों ने पूरा कर दिया जिनके फलस्वरूप उन्हें विद्रोह का बीड़ा उठाना पड़ा।

अंग्रेजी राजस्व की नीतियों यथा जमींदारी प्रथा के अन्तर्गत रैयतों का खूब शोषण हुआ। ये किसान-मजदूर ऊँची लगान दर पर खेती करते थे। चूँकि सभी जमीन के मालिक जमींदार हुआ करते थे। उन्हें एक नियमित लगान सरकार के खजाने में जमा करने के बाद शेष अपने पास रखना होता था। ऐसी स्थिति में ये जमींदार मनमाना दर पर किसानों से खेती करवाते थे। लगान की दर ऊँची होने के कारण किसानों के पास ले-देकर कुछ नहीं बचता था। इन्हें जमीन गिरवी रखकर साहूकारों से ऊँची ब्याज पर कर्ज लेना पड़ता था। बाद में कर्ज न चुका पाने के कारण इनके जमीन की नीलामी करनी पड़ती थी जिनके कारण इन किसानों को मजदूर एवं अन्ततोगत्वा बेघर होना पड़ता था। ऐसी स्थिति से निपटने के लिए इन आदिवासियों ने एक सामूहिक प्रयास कर जमींदारों, साहूकारों के अलावा अंग्रेजी शासन का विरोध किया।

महलवाड़ी एवं रैयतवाड़ी व्यवस्था इन आदिवासी, किसानों के पक्ष में नहीं थी। दोनों में ही लगान की दर काफी ऊँचे रखे गए थे। इसके अलावा शासन की तरफ से कृषि हेतु कोई रियायत अथवा खाद, बीज एवं सिंचाई की व्यवस्था नहीं थी। वर्षा पर आधारित कृषि होने के कारण इन्हें सिंचाई की अनुपलब्धता ही थी। इन्हें हमेशा अकाल का भी सामना करना पड़ता था। ऐसे में उन आदिवासियों ने विरोध का ही रास्ता चुना, जिन्हें बलपूर्वक दबाया गया। लेकिन कुछ जगहों पर इन्हें विद्रोह के बाद रियायत दी गई जैसे संथालों के लिए संथाल टिनेन्सी एक्ट आदि। अतः यह कहना कि 19वीं शताब्दी के पूर्वार्ध में कम्पनी की सरकार ने राजस्व में जो सुधार किया था, उसने समाज को बुनियादी रूप से बदला एवं प्रभावित किया। इस तरह कथन (A) तथा कारण (R) दोनों सही हैं और (R), (A) की सही व्याख्या है।

72. **प्राच्य-पाश्चात्य विवाद (Orientalist-Anglicist Controversy):** लोक शिक्षा के लिए स्थापित सामान्य समिति के 10 सदस्यों में दो दल बन गए थे। एक पाश्चात्य या आंग्ल-विद्या का समर्थक था, तो दूसरा प्राच्य। प्राच्य विद्या के समर्थकों का नेतृत्व लोक शिक्षा

समिति के सचिव एच.टी. प्रिंसेप ने किया। इनका समर्थन समिति के मंत्री एच.एच. विल्सन ने किया। प्राच्य विद्या के समर्थकों ने वारेन हेस्टिंग्स और मिन्टो की शिक्षा की नीति का समर्थन किया। इन्होंने हिन्दुओं एवं मुस्लिमों के पुराने साहित्य के पुनरुत्थान को अधिक महत्व दिया। प्राच्य दल के लोग विज्ञान के अध्ययन को महत्व देते थे, परन्तु वे इसका अध्ययन ऐसी भाषा में करना चाहते थे जो आम भारतीय के लिए सहज हो। ये देशी उच्च शिक्षण संस्थाओं की सुरक्षा से माँग करते थे। दूसरी ओर पाश्चात्य या आंग्ल शिक्षा के समर्थकों का नेतृत्व मुनरो एवं एल्फिस्टन ने किया, जिसका समर्थन मैकाले ने भी किया। मैकाले भारतीयों में पाश्चात्य शिक्षा के प्रचार के साथ एक ऐसे समूह का निर्माण करना चाहता था जो रंग एवं रक्त से तो भारतीय हों पर विचारों, रुचि एवं बुद्धि से अंग्रेज हों। मैकाले का मानना था कि "यूरोप के एक अच्छे पुस्तकालय, की एक अलमारी का तख्ता भारत एवं अरब के समस्त साहित्य से अधिक मूल्यवान है।" कार्यकारिणी के सदस्य की हैसियत से 2 फरवरी, 1835 ई. को मैकाले ने महत्वपूर्ण स्मरणार्थ लेख परिषद् के समक्ष प्रस्तुत किया, जिसे तत्कालीन गवर्नर जनरल लॉर्ड विलियम बैंटिंग ने 7 मार्च, 1835 ई. को स्वीकार कर लिया। प्रस्ताव के अनुसार कम्पनी सरकार को यूरोप के साहित्य का विकास अंग्रेजी भाषा के द्वारा करना था। साथ ही भविष्य में धन का व्यय इसी पर किया जाना था। मैकाले ने भारतीय संस्कृति की उपेक्षा करते हुए उसे 'अंधविश्वासों का भंडार' बताया।

'अधोमुखी निस्यंदन सिद्धान्त' जिसका अर्थ था, शिक्षा समाज के उच्च वर्ग को दी जाए, इस वर्ग से छन-छनकर ही शिक्षा का असर जन सामान्य तक पहुँचे। इस सिद्धान्त को सर्वप्रथम सरकारी नीति के रूप में ऑकलैंड ने लागू किया। 'वुड डिस्पैच' के पहले तक इस सिद्धान्त के तहत भारतीयों को शिक्षित किया गया। कोलब्रुक, विल्सन एवं एडविन अर्नाल्ड प्राच्यवादियों में से थे।

73. अल-अफगानी की विचारधारा को पश्चिमी साम्राज्यवाद की आधुनिक आलोचना और इस्लाम की एकता के लिए अपील के लिए गैर-मुस्लिमों के प्रति 'पारंपरिक' धार्मिक प्रतिरक्षा के वेल्डिंग के रूप में वर्णित किया गया है, जो इस्लाम को मजबूत करने वाले पश्चिमी विज्ञान और संस्थानों को अपनाने का आग्रह करता है। यद्यपि समकालीन अंग्रेजी प्रशंसक, विल्फ्रिड स्वेन ब्लंट द्वारा उदार कहा जाता है। जमाल-अल-दीन ने संवैधानिक सरकार की वकालत नहीं की थी। अखबारों की मात्रा में उन्होंने पेरिस में प्रकाशित किया, "उनके जीवनी लेखक के अनुसार, "राजनीतिक लोकतंत्र या संसदवाद के पक्ष में पेपर के सैद्धांतिक लेखों में कोई शब्द नहीं है।" जमाल-अल-दीन ने बस "व्यक्तिगत शासकों को उखाड़ फेंक दिया जो विदेशियों के लिए लापरवाही या अधीनस्थ थे, और मजबूत और देशभक्त पुरुषों द्वारा उनके प्रतिस्थापन।"

उनका मानना था कि इस्लाम और इसका खुलासा कानून तर्कसंगतता के साथ संगत था और इस प्रकार, मुस्लिम राजनीतिक रूप से एकीकृत हो सकते थे, जबकि धार्मिक नैतिकता के आधार पर अपने विश्वास को बनाए रखते थे। इन मान्यताओं का मुहम्मद अब्दुह पर गहरा असर पड़ा, जिन्होंने इस्लाम के मानवीय पहलू (मुममाल) में तर्कसंगतता का उपयोग करने की धारणा पर विचार किया।

1881 में उन्होंने पश्चिमी साम्राज्यवाद के खिलाफ पैन इस्लामी एकता के लिए आंदोलन करते हुए अल-रद्द'अल-दहरियायी (भौतिकवादियों का खंडन) नामक पोलमिक्स का संग्रह प्रकाशित किया। भारतीय स्वतंत्रता संघर्ष में जमाल-अल-दीन अफगानी ने उलेमाओं को भारतीय राष्ट्रीय संघर्ष के साथ सहयोग देने पर बल दिया था।

74. ज्योतिराव फूले तथा सत्यशोधक समाज—पश्चिमी भारत में ज्योतिराव गोविन्दराव फूले (1827-90) ने निम्न जातियों के लिए संघर्ष किया। ज्योतिराव ने पुणे में माली कुल में जन्म लिया। उसके पूर्वज पेशवाओं को पुष्प, मालाएँ इत्यादि उपलब्ध कराया करते थे इसलिए इन्हें फूले कहा जाने लगा था।

ब्राह्मणों के डर की कुछ घटनाओं ने ज्योतिबा का समस्त दृष्टिकोण बदल दिया। एक ब्राह्मण ने उन्हें इसलिए फटकारा तथा उनका इसलिए अपमान किया क्योंकि उन्होंने अपने एक ब्राह्मण मित्र की बारात में सम्मिलित होने की धृष्टता की थी। ब्राह्मणों ने ज्योतिबा का इसलिए भी विरोध किया क्योंकि वह स्त्रियों तथा निम्न जातियों

के लिए एक पाठशाला चला रहे थे। ब्राह्मणों के दबाव के कारण ज्योतिबा को पाठशाला बन्द करनी पड़ी। ऊँची जाति के दबाव के कारण उनके पिता गोविन्दराव ने ज्योतिबा तथा उनकी पत्नी को वंशानुगत गृह से बाहर निकाल दिया।

ज्योतिबा अब यह समझने लगे कि ब्राह्मण लोग धर्म की आड़ लेकर अन्य वर्णों पर अत्याचार करते हैं तथा उन्हें अपना दास बना लेते हैं। ज्योतिबा ने भी भारतीय राष्ट्रीय कांग्रेस के नेताओं की, कमजोर वर्गों के लोगों के हितों की अनदेखी करने के लिए उनकी आलोचना की। उनका कथन था कि कांग्रेस उस समय तक वास्तविक रूप में राष्ट्रीय कहलाने की अधिकारी नहीं है जब तक वह निम्न तथा पिछड़ी हुई जातियों के हितों की ओर ध्यान नहीं देती।

1873 में ज्योतिबा ने सत्यशोधक सभा (सत्य को खोजने वाला समाज) बनाई जिसका उद्देश्य था कि समाज के कमजोर वर्ग को सामाजिक न्याय मिल सके। उन्होंने सभी वर्णों के अनाथों तथा स्त्रियों के लिए अनेक पाठशालाएँ तथा अनाथालय खोले। उन्हें 1876 में पुणे नगर पालिका का सदस्य चुन लिया गया।

ज्योतिबा के प्रकाशनों में धर्म तृतीय रत्न (पुराणों का भण्डाफोड़), इशारा (एक चेतावनी), शिवाजी की जीवनी इत्यादि सम्मिलित हैं। 1888 में लोग उन्हें महात्मा कहने लगे।

75. लॉर्ड कैनिंग (1856–1862 ई.)

- यह भारत में कम्पनी द्वारा नियुक्त अन्तिम गवर्नर-जनरल तथा ब्रिटिश सम्राट् के अधीन नियुक्त भारत का प्रथम वायसराय था।
- इसके समय की सबसे महत्वपूर्ण घटना थी सन् 1857 ई. का ऐतिहासिक विद्रोह। इसी विद्रोह के बाद प्रशासनिक सुधार के अन्तर्गत भारत का शासन कम्पनी के हाथों से सीधे ब्रिटिश सरकार के नियंत्रण में ले लिया गया।
- कैनिंग के समय 1861 में उच्च न्यायालय अधिनियम बनाया गया जिसके अनुसार पुरानी सुप्रीम कोर्ट और सदर अदालतों को समाप्त कर दिया गया तथा कलकत्ता, मद्रास तथा मुम्बई में एक-एक उच्च न्यायालय की स्थापना की गई।

नोटः 1866 में आगरा में एक उच्च न्यायालय की स्थापना की गई जिसे 1875 में इलाहाबाद स्थानान्तरित कर दिया गया।

- कैनिंग के समय से ही 1856 ई. में विधवा पुनर्विवाह अधिनियम स्वतंत्र रूप से लागू हुआ। भारत में पहला कानूनी विधवा विवाह कलकत्ता में 7 दिसम्बर, 1856 ई. को ईश्वरचन्द्र विद्यासागर की प्रेरणा और देखरेख में सम्पन्न हुआ।
- 1856 में पैतृक सम्पत्ति से संबंधित जो कानून बनाया गया उसके अनुसार यह निश्चित किया गया कि धर्म परिवर्तन करने पर किसी व्यक्ति को उसकी पैतृक सम्पत्ति से वंचित नहीं किया जाएगा।
- 1857 ई. में कैनिंग के समय ही महालेखा परीक्षक पद का सृजन किया गया जो स्वतंत्रता के बाद नियंत्रक एवं महालेखा परीक्षक कहलाया।
- भारत शासन अधिनियम 1858 ई. के तहत मुगल सम्राट के पद को समाप्त कर दिया गया।
- मैकाले द्वारा प्रारूपित दंड-संहिता को 1858 ई. में कानून बना दिया गया तथा सन् 1859 ई. में अपराध विधान संहिता लागू की गई।
- व्यपगत सिद्धांत (Doctrine of Lapse) यानी राज्य-विलय की नीति को समाप्त कर दिया गया।
- 1861 ई. में इंडियन कौंसिल एक्ट पारित हुआ तथा पोर्टफोलियो प्रणली लागू की गई।
- कैनिंग को क्लीमेंसी (दयालु) कहा जाता है।

77. अवनीन्द्रनाथ टैगोर 'इंडियन सोसायटी ऑफ ओरिण्टल ऑर्ट' के मुख्य चित्रकार और संस्थापक थे। भारतीय कला में स्वदेशी मूल्यों के वे पहले सबसे बड़े समर्थक थे। इस प्रकार उन्होंने 'बंगाल स्कूल ऑफ ऑर्ट' की स्थापना में अति प्रभावशाली भूमिका निभाई, जिससे आधुनिक भारतीय चित्रकारी का विकास हुआ। एक चित्रकार के साथ-साथ वे बंगाली बाल साहित्य के प्रख्यात लेखक भी थे। वे 'अबन ठाकुर' के नाम से प्रसिद्ध थे और उनकी पुस्तकें जैसे राजकहानी, बूड़ो अंगलां, नलक, खिरेर पुतुल बांग्ला बाल-साहित्य में महत्वपूर्ण स्थान रखती हैं।

ब्रिटिश शासन के दौरान आर्ट स्कूलों में पढ़ाये जाने वाले पश्चिमी चित्रकला शैली के प्रभाव को रोकने के लिए उन्होंने मुगल और राजपूत शैली की पेंटिंग्स में आधुनिकता लाने का प्रयास किया, जिसके परिणामस्वरूप एक भारतीय शैली की कला का अभ्युदय हुआ जिसे हम 'बंगाल स्कूल ऑफ आर्ट' के नाम से जानते हैं। अवनीन्द्र की कला इतनी सफल हुई कि 'ब्रिटिश कला संस्थानों' में उसे 'राष्ट्रवादी भारतीय कला' के नाम से प्रोत्साहित किया गया। इन्होंने राष्ट्रवादी प्रतिभा विज्ञान में 'भारत माता' का चित्र बनाया जो भारत की नई छवि के प्रतीक के रूप में आया।

उनकी शैली ने बाद के कई चित्रकारों को प्रभावित किया जिनमें प्रमुख हैं—नंदलाल बोस, असित कुमार हलधर, क्षितिन्द्रनाथ मजुमदार, मुकुल डे, मनीषी डे और जामिनी रॉय।

78. महात्मा गाँधी जी अहिंसा के सच्चे पुजारी थे। उनके विचार और क्रियाकलाप दोनों एक-दूसरे से साम्य रखते थे। उनकी अवधारणा उनके प्राण से भी प्यारी थी। बंगाल विभाजन (1905) के उपरांत इसकी तीव्र प्रतिक्रिया हुई। हरेक जगह विरोध होना शुरू हो गया। ऐसी पृष्ठभूमि में 'स्वदेशी आंदोलन' भी चलाया गया। इसमें विदेशी वस्तुओं की होली जलाई गई, उनका बहिष्कार किया गया। लोगों को स्वदेशी अपनाने पर बल दिया गया। घर-घर चरखे की मधुर आवाज सुनाई देने लगी। अन्य विनिर्मित उद्योगों में 'टिस्को' की स्थापना भी हुई। इस आंदोलन में स्वदेशी का नारा इतना जोरों पर था कि लोगों ने हरेक समूह की विदेशी वस्तुओं का बहिष्कार करना शुरू कर दिया। हिन्दुस्तान के आर्थिक पक्ष में यह एक सकारात्मक पक्ष था कि नए-नए स्वदेशी उद्योग खुलने शुरू हो गए। सरकारी कार्यालयों, अंग्रेजी-सरकारी स्कूलों की जगह स्वदेशी हिन्दुस्तानी पाठशालाओं को प्राथमिकता दी जाने लगी।

इस आंदोलन का ध्येय रचनात्मकता का था। परंतु 'स्वदेशी' शब्द ही इतना अर्थपूर्णता को लेकर है कि इसके साथ उग्रता का आना भी स्वाभाविक है। ऐसे में अगर बहिष्कार रचनात्मकता को छोड़ उग्रता को धारण करने लगे जैसा कि राष्ट्रवाद के उदय के फलस्वरूप होता है, हिंसा का होना गाँधीवादी मूल्यों के विपरीत था। उनका मानना था कि उसकी जड़ें अन्तिम रूप से प्रेम पर जाकर रूकती हैं, यह लोगों को काटती-छाँटती नहीं। परंतु यदि इसके प्रति अंध श्रद्धा-सी हो जाए तो यह मृत्यु को आलिंगन करने जैसा है।

यहाँ कथन एवं कारण दोनों सत्य हैं परंतु कारण कथन की सही व्याख्या नहीं कर पाता। दोनों की अर्थव्यंजना भिन्न-भिन्न दिशा में है।

80. **कामागाटामारू प्रकरण (1914 ई.)**—कामागाटामारू एक जापानी जहाज था, जिसे पंजाब के गुरुदत्त सिंह ने मार्च, 1914 ई. में हांगकांग के एक जर्मन शिपिंग एजेंट मिस्टर बूने के जरिए किराये पर लिया था। ये 1911 ई. में हांगकांग पहुँचे। हांगकांग में उस समय 150 सिख थे जो कनाडा जाना चाहते थे लेकिन कनाडा सरकार ने उन भारतीयों पर कनाडा में घुसने पर प्रतिबंध लगा दिया जो भारत से सीधे कनाडा न आए हों। 1913 ई. में कनाडा के उच्चतम न्यायालय ने अपने एक निर्णय के अन्तर्गत ऐसे 35 भारतीयों को देश के भीतर घुसने का आदेश दे दिया जो सीधे भारत से नहीं आए थे। इस निर्णय से उत्साहित होकर गुरुदत्त सिंह ने कामागाटामारू नामक जहाज किराये पर लेकर उस पर 376 यात्रियों को बिठाकर; जिसमें 25 मुसलमान तथा शेष सिख थे; हांगकांग से बैंकूवर (कनाडा) के लिए रवाना हुए। दो भारतीय क्रान्तिकारियों भगवान सिंह एवं बरकतुल्ला ने जहाज में जोशीला भाषण देकर यात्रियों को भारत में ब्रिटिश सरकार के खिलाफ बगावत करने को कहा। 23 मई, 1914 ई. को जहाज बैंकूवर पहुँचा, लेकिन कनाडा के अधिकारियों ने जहाज उतरने की इजाजत नहीं दी। कनाडा में यात्रियों के अधिकारों के लिए लड़ने हेतु हुसैन रहीम, सोहनलाल पाठक और बलवंत सिंह के नेतृत्व में एक शोर कमेटी या तटीय कमेटी गठित की गई। अमरीका में भगवान सिंह, बरकतुल्ला, रामचंद्र एवं सोहन सिंह के नेतृत्व में यह आन्दोलन चलाया गया। कनाडा सरकार ने इस जहाज को अपनी सीमा से बाहर कर दिया। भारत की ब्रिटिश सरकार ने जेहाज को सीधे कलकत्ता लाने का आदेश दिया। जहाज के 'बजबज' में पहुँचने पर यात्रियों एवं पुलिस के मध्य झड़पें हुईं, जिसमें 18 यात्री मारे गए और शेष 202 को जेल में डाल दिया गया।

81. मुस्लिम लीग का मूल नाम 'अखिल भारतीय मुस्लिम लीग' था। यह एक राजनीतिक समूह था, जिसने ब्रिटिश भारत के विभाजन (1947 ई.) से निर्मित एक अलग मुस्लिम राष्ट्र के लिए आन्दोलन चलाया। मुस्लिम नेताओं, विशेषकर मुहम्मद अली जिन्ना ने इस बात का भय जताया कि स्वतंत्र होने पर भारत में सिर्फ हिन्दुओं का ही वर्चस्व रहेगा। इसीलिए उन्होंने मुस्लिमों के लिए अलग से एक राष्ट्र की माँग को बार-बार दुहराया।

1 अक्टूबर, 1906 को एच.एच. आगा खाँ के नेतृत्व में मुस्लिमों का एक दल वायसराय लॉर्ड मिंटो से शिमला में मिला। अलीगढ़ कॉलेज के प्रिंसिपल आर्चबोल्ड इस प्रतिनिधिमंडल के जनक थे। इस प्रतिनिधिमंडल ने वायसराय से अनुरोध किया कि प्रान्तीय, केन्द्रीय व स्थानीय निर्वाचन हेतु मुस्लिमों के लिए पृथक् साम्प्रदायिक निर्वाचन की व्यवस्था की जाए। इस शिष्टमंडल को भेजने के पीछे अंग्रेज उच्च अधिकारियों का हाथ था। मिंटो ने इनकी माँगों का पूर्ण समर्थन किया। जिसके फलस्वरूप मुस्लिम नेताओं ने ढाका के नवाब सलीमुल्ला के नेतृत्व में 30 दिसम्बर, 1906 ई. को ढाका में 'मुस्लिम लीग' की स्थापना की।

सलीमुल्ला खाँ 'मुस्लिम लीग' के संस्थापक व अध्यक्ष थे, जबकि प्रथम अधिवेशन की अध्यक्षता मुश्ताक हुसैन ने की। इस संस्था का प्रमुख उद्देश्य था–'भारतीय मुस्लिमों में ब्रिटिश सरकार के प्रति भक्ति उत्पन्न करना व भारतीय मुस्लिमों के राजनीतिक व अन्य अधिकारों की रक्षा करना।' 'मुस्लिम लीग' ने अपने अमृतसर के अधिवेशन में मुस्लिमों के पृथक् निर्वाचक मंडल की माँग की, जो 1909 ई. में मार्ले-मिंटो सुधारों के द्वारा प्रदान कर दिया गया। लीग ने 1916 ई. के 'लखनऊ समझौते' के आधार पर भारतीय राष्ट्रीय कांग्रेस का समर्थन करने के अतिरिक्त कभी भी भारतीयों के राजनीतिक अधिकारों की माँग नहीं की। मुस्लिम लीग द्वारा अपनाए गए रास्ते में नरमी का रूख लाने के उद्देश्य से भूलाभाई देसाई–लियाकत अली समझौता (1945 ई.), राजाजी (गोपालाचारी) फार्मूला (1944) तथा शिमला समझौता जून 1945 में सम्पादित हुआ।

83. द्वितीय पंचवर्षीय योजना का कार्यकाल 1956 से 1961 तक रहा। प्रो. पी.सी. महालनोबिस के मॉडल पर आधारित इस योजना का लक्ष्य 'तीव्र औद्योगिकीकरण' था। द्वितीय पंचवर्षीय योजना के लिए भारी तथा मूल उद्योगों पर विशेष बल दिया गया। इन मूल महत्व के उद्योगों अर्थात् लौहे एवं इस्पात, अलौह धातुओं, भारी रसायन, भारी इंजीनियरिंग और मशीन निर्माण उद्योगों को बढ़ावा देने का दृढ़ निश्चय किया गया।

विशेष बिंदु–

- विशेष रूप से भारी उद्योग, जो मुख्य रूप से कृषि पर ध्यान केंद्रित के विपरीत था, औद्योगिक उत्पादों के घरेलू उत्पादन को द्वितीय योजना में प्रोत्साहित किया गया था।
- योजना के उत्पादक क्षेत्रों के बीच निवेश के इष्टतम आबंटन निर्धारित क्रम में करने के लिए लंबे समय से चलाने के आर्थिक विकास को अधिकतम करने का प्रयास किया। इस ऑपरेशन में अनुसंधान और अनुकूलन के कला तकनीकों के प्रचलित राज्य के रूप में अच्छी तरह से भारतीय सांख्यिकी संस्थान में विकसित सांख्यिकीय मॉडल के उपन्यास अनुप्रयोगों का इस्तेमाल किया गया।
- भारत में दूसरी पंचवर्षीय योजना के तहत आवंटित कुल राशि 4800 करोड़ रुपये थी। यह राशि विभिन्न क्षेत्रों के बीच आवंटित किया गया।

84. यूरोप में 17वीं-18वीं शताब्दी में हुए क्रांतिकारी परिवर्तनों के कारण इस काल को प्रबोधन, ज्ञानोदय अथवा विवेक का युग कहा गया और इसका आधार पुनर्जागरण, धर्मसुधार आंदोलन व वाणिज्यिक क्रांति ने तैयार कर दिया था। पुनर्जागरण काल में विकसित हुई वैज्ञानिक चेतना ने, तर्क और अन्वेषण की प्रवृत्ति ने 18वीं शताब्दी में परिपक्वता प्राप्त कर ली। वैज्ञानिक चिंतन की इस परिपक्व अवस्था को 'प्रबोधन' के नाम से जाना जाता है। प्रबोधनकालीन चिंतकों ने इस बात पर बल दिया कि इस भौतिक दुनिया और प्रकृति में होने वाली घटनाओं के पीछे किसी न किसी व्यवस्थित अपरिवर्तनशील और प्राकृतिक नियम का हाथ है। फ्रांसिस बेकन ने बताया कि विश्वास मजबूत करने के तीन साधन हैं–अनुभव, तर्क और प्रमाण; और इनमें सबसे अधिक शक्तिशाली प्रमाण है तर्क क्योंकि तर्क/अनुभव पर आधारित विश्वास स्थिर नहीं रहता।

87. भारतीय राष्ट्रीय कांग्रेस के अमृतसर अधिवेशन (1919) में, कांग्रेस अध्यक्ष, मोतीलाल नेहरू एवं मुस्लिम लीग अध्यक्ष, हकीम अजमल खां ने संयुक्त रूप से जुलूस का नेतृत्व किया।

खिलाफत की पृष्ठभूमि–प्रथम विश्वयुद्ध के बाद ब्रिटेन एवं तुर्की के बीच होने वाली 'सीवर्स की संधि' से तुर्की के सुल्तान के समस्त अधिकार छिन गए और एक तरह से तुर्की राज्य छिन्न-भिन्न हो गया। संसार भर के मुस्लिम तुर्की सुल्तान को अपना 'खलीफा' (धर्म गुरु) मानते थे। इस प्रकार ब्रिटिश सरकार पर तुर्की के साथ की जाने वाली संधियों में न्यायोचित व्यवहार सुनिश्चित करने के लिए पर्याप्त दबाव डालने के उद्देश्य से भारतीय मुस्लिमों के एक बहुसंख्यक वर्ग ने राष्ट्रीय स्तर पर जिस आंदोलन का सूत्रपात किया, वह 'खिलाफत आंदोलन' के नाम से जाना गया। ऐसे मौके को हिन्दू-मुस्लिम एकता के लिए उपयुक्त समझकर गाँधीजी ने मुस्लिमों के साथ सहानुभूति व्यक्त की।

23 नवम्बर, 1919 ई. को दिल्ली में 'अखिल भारतीय खिलाफत कमेटी' का अधिवेशन हुआ और गाँधी जी ने इस अधिवेशन की अध्यक्षता की। उनके सुझाव पर असहयोग एवं स्वदेशी की नीति अपनायी गई। 1918-1919 ई. के मध्य भारत में 'खिलाफत आन्दोलन' मौलाना मुहम्मद अली, शौकत अली एवं अबुल कलाम आजाद के सहयोग से जोर पकड़ता चला गया। सितम्बर, 1919 ई. में 'खिलाफत समिति' का गठन हुआ। दिल्ली में 25 नवम्बर, 1919 ई. को होने वाले 'खिलाफत समिति' के सम्मेलन की अध्यक्षता महात्मा गाँधी ने की। गाँधी जी के कहने पर एक शिष्टमंडल, जिसके नेता डॉक्टर अन्सारी थे, वायसराय से मिलने इंग्लैंड गए। मार्च, 1920 ई. को इलाहाबाद में हिन्दुओं और मुस्लिमों की संयुक्त बैठक में 'असहयोग' के अस्त्र को अपनाए जाने का निर्णय किया गया।

88. लीडर एक अंग्रेजी पत्र है जिसका प्रारंभ मदनमोहन मालवीय जी ने 'अभ्युदय' के पश्चात् 24 अक्टूबर, 1910 को किया था। 'लीडर' के हिन्दी संस्करण 'भारत' का आरम्भ सन् 1921 में हुआ। मालवीय जी 'लीडर' के प्रति सदा संवेदनशील रहे, डेढ़ वर्ष बीतते-बीतते 'लीडर' घाटे की स्थिति में जा पहुँचा। महामना उस दौरान काशी हिंदू विश्वविद्यालय के लिए धन एकत्र करने में लगे हुए थे, जब 'लीडर' के संचालकों ने मालवीय जी को घाटे की स्थिति से अवगत कराया तो वे विचलित हो उठे। उन्होंने कहा कि, "मैं लीडर को मरने नहीं दूँगा।" काशी विश्वविद्यालय की स्थापना का कार्य बीच में ही रोककर मालवीय जी 'लीडर' के लिए आर्थिक व्यवस्था के कार्य में जुट गए। पहली झोली उन्होंने अपनी पत्नी के आगे यह कहते हुए फैलाई कि 'यह मत समझो कि तुम्हारे चार ही पुत्र हैं। दैनिक लीडर तुम्हारा पाँचवाँ पुत्र है। अर्थहीनता के कारण यह संकट में पड़ गया है। तो क्या मैं पिता के नाते उसे मरते हुए देख सकता हूँ।" मालवीय जी के अथक प्रयासों से 'लीडर' बच गया।

'हरिजन', 'इंडियन ओपिनियन' तथा 'यंग इंडिया' महात्मा गाँधी जी के समाचार पत्र थे।

89. बाबा साहेब अंबेडकर एक काबिल वकील थे, उन्हें कानून बनाने की प्रक्रिया के बारे में कोई गलतफहमी नहीं थी। स्वतंत्र भारत के कानून मंत्री के रूप में उन्होंने 'हिंदू कोड बिल' पर महीनों काम किया। उनका मानना था कि जाति व्यवस्था में महिलाओं को दबाकर रखा जाता है और इसलिए उनकी सबसे बड़ी चिंता यही थी कि हिंदू कोड बिल को ऐसा बनाया जाए जिसमें महिलाओं को बराबर का अधिकार हो। उन्होंने अपने बिल में महिलाओं को तलाक देने के प्रस्ताव के अलावा विधवा और बेटी को संपत्ति में अधिकार देने का प्रस्ताव रखा था। संविधान सभा ने इसमें अड़ंगा डाल दिया (1947 से 1951 तक) और बाद में तो इसे रोक ही दिया गया।

राष्ट्रपति राजेन्द्र प्रसाद ने धमकी दी कि वह इस बिल को कानून नहीं बनने देंगे। हिंदू साधुओं ने संसद पर धरना दे दिया। उद्योगपतियों और जमींदारों ने धमकी दी कि वे अगले चुनाव में सरकार से समर्थन वापस ले लेंगे। परिणामस्वरूप अंबेडकर ने कानून मंत्री के पद से इस्तीफा दे दिया और हिंदुओं ने 'हिन्दू कोड बिल' को पास नहीं होने दिया।

स्वतंत्रता के पश्चात समान नागरिक संहिता के समर्थन करने वालों में जवाहरलाल नेहरू और डॉ. अम्बेडकर दोनों ही थे परन्तु दोनों के विचार में भिन्नता थी। कोड

बिल बौद्धों, जैनों एवं सिखों पर लागू किया जाना था। अतः कारण, कथन दोनों ही सत्य है, परंतु कारण, कथन की सही व्याख्या नहीं करता।

91. पुनर्जागरण से तात्पर्य है–पुराने क्लासिकी युग का पुनरुत्थान। इसके जरिए अपनी संस्कृति-बोध के साथ-साथ हताश मन में स्वाभिमान के मान को भरना। भारतीय परिप्रेक्ष्य में देखा जाए तो 19वीं सदी का पूर्वार्द्ध पुनर्जागरण का काल माना जाएगा। इस काल में नवीन धार्मिक-सामाजिक आन्दोलन हुए जिसके जरिए साहित्यिक, बौद्धिकता एवं कला के साथ ज्ञान-विज्ञान एवं नैतिकता का पुर्नपाठ पढ़ाया गया।

ब्रह्म समाज, आर्य समाज जैसे बड़े आन्दोलन हुए। मध्यकाल के उपरांत देशवासियों में कई संस्कृतियाँ घुसपैठ कर चुकी थीं इसमें वे नैतिकता का पाठ भी भूल चुके थे। सामाजिक स्तर पर विखंडन का भी सामना करना पड़ रहा था। जातिवाद, ऊँच-नीच, अस्पृश्यता एवं कई तरह की कुरीतियाँ घुसपैठ कर चुकी थीं। ऐसे में इस आंदोलन के प्रणेताओं ने पुरातन दर्शन को जनमानस के सामने प्रेम एवं एकता के पाठ को रखने की कोशिश की। धर्म के वास्तविक मूल्यों को पुर्नस्थापित करने का प्रयत्न किया गया जिनसे धर्म की प्रतिष्ठा भी बढ़े एवं पश्चिमी लोगों को भारतीय ज्ञान-विज्ञान एवं दर्शन से भी अवगत करवाए कि यह यूरोप में रखे एक अलमीरा के बराबर नहीं है। स्वामी दयानन्द सरस्वती ने 'वेदों की ओर लौटो' का नारा दिया। इसका उद्देश्य समय को पीछे करने के लिए नहीं बल्कि भारतीय दर्शन की वास्तविकता को रखकर लोगों में मानवता के पाठ पढ़ाना था ताकि समाज कई स्तरों पर विखंडन से बचकर एकता के सूत्र में बँधे।

कालान्तर में पश्चिमी ज्ञान विज्ञान से अवगत इन प्रणेताओं ने पश्चिमी ज्ञान-विज्ञान एवं दर्शन का देशी भाषा में अनुवाद करवाया। इससे पश्चिमी दर्शन की मूल बातें लोगों को समझ में आईं। बाइबिल, कुरान में वही बात कही गई है जो वेद, उपनिषद एवं गीता में भी है। इससे धर्म के मामले में कट्टरता को छोड़ धर्मनिरपेक्षीकरण की ओर लोगों को झुकना पड़ा। यह पुनर्जागरण का ही नतीजा था कि लोगों में मानवता आई एवं प्राचीन संस्कृतियों को पुर्नस्थापित किया जा सका।

इस प्रकार कथन एवं कारण दोनों ही सही है, परंतु कारण (R), कथन (A) की व्याख्या नहीं कर पाता।

92. विष्णु दिगम्बर पलुस्कर का जन्म 18 अगस्त, 1872 को अंग्रेजी शासन वाले बंबई प्रेसीडेंसी के कुरुंदवाड़ (बेलगाँव) में हुआ था। पलुस्कर को घर में संगीत का माहौल मिला था। क्योंकि उनके पिता दिगम्बर गोपाल पलुस्कर धार्मिक भजन और कीर्तन गाते थे। ग्वालियर घराने में शिक्षित पं. बालकृष्ण बुवा इचलकरंजीकर से संगीत की शिक्षा आरंभ की। बारह वर्ष तक संगीत की विधिवत तालीम हासिल करने के बाद पलुस्कर के अपने गुरु से संबंध खराब हो गए। बारह वर्ष कठोर तपःसाधना से संगीत शिक्षाक्रम पूर्ण करके सन् 1896 में समाज की कुरीतियाँ और अवहेलना एवं संगीत गुरुओं की संकीर्णता से भारतीय संगीत के उद्धार के लिए दृढ़ संकल्प सहित यात्रा आरंभ की। इस दौरान उन्होंने बड़ौदा और ग्वालियर की यात्रा की। गिरनार में दत्तशिखर पर एक अलौकिक पुरुष के संकेतानुसार लाहौर को सर्वप्रथम कार्यक्षेत्र चुना। धनार्जन के लिए उन्होंने संगीत के सार्वजनिक क्रार्यक्रम भी किए। पलुस्कर संभवतः पहले ऐसे शास्त्रीय गायक हैं, जिन्होंने संगीत के सार्वजनिक कार्यक्रम आयोजित किए। बाद में विष्णु दिगम्बर पलुस्कर मथुरा आए और उन्होंने शास्त्रीय संगीत की बंदिशें समझने के लिए ब्रज भाषा सीखी। बंदिशें अधिकतर ब्रजभाषा में ही लिखी गई हैं। इसके अलावा उन्होंने मथुरा में ध्रुपद शैली का गायन भी सीखा।

विष्णु दिगम्बर पलुस्कर मथुरा के बाद पंजाब घूमते हुए लाहौर पहुँचे और 1901 में उन्होंने गंधर्व महाविद्यालय की स्थापना की। इस स्कूल के जरिए उन्होंने कई संगीत विभूतियों को तैयार किया। हालाँकि स्कूल चलाने के लिए उन्हें बाजार से कर्ज लेना पड़ा। बाद में उन्होंने मुंबई में अपना स्कूल स्थापित किया। कुछ वर्ष बाद आर्थिक कारणों से यह स्कूल नहीं चल पाया और इसके कारण विष्णु दिगम्बर पलुस्कर की संपत्ति भी जब्त हो गई। विष्णु दिगम्बर पलुस्कर के शिष्यों में पंडित ओंकारनाथ ठाकुर, पंडित विनायकराव पटवर्धन, पंडित नारायण राव और उनके पुत्र डी.वी. पलुस्कर जैसे दिग्गज गायक शामिल थे।

95. सबाल्टर्न अध्ययन : पिछली सदी के आखिरी दशकों में सबाल्टर्न स्डटीज नामक पत्रिका के साथ जुड़े विद्वानों को ख्याति प्राप्त हुई क्योंकि वे भारतीय इतिहास लेखन के सभी अन्य रूपों की तीखी आलोचना कर रहे थे। उन्होंने समूचे आधुनिक भारतीय इतिहास खासकर भारतीय राष्ट्रवाद की अपनी व्याख्या प्रस्तुत की। 1980 के पूर्वार्ध में सबाल्टर्न स्टडीज के पहले ग्रंथ (1982 में) के प्रकाशन के बाद से भारतीय राष्ट्रीय राष्ट्रवाद की व्याख्या की यह प्रवृत्ति भारतीय इतिहासकारों के कुछ हिस्सों में काफी प्रभावी रही है। इसे आधुनिक इतिहास लेखन में ऐसी क्रांतिकारी शुरूआत घोषित किया गया जो भारतीय राष्ट्रीय आंदोलन के बारे में सभी पूर्ववर्ती दृष्टिकोणों से अलग होने का दावा करता है। इस परियोजना का जिसे घोषणापत्र कहा जा सकता है, सबाल्टर्न स्टडीज के पहले ही ग्रंथ में रणजीत गुहा ने घोषित किया कि 'भारतीय राष्ट्रवाद का इतिहास लेखन लंबे समय से कुलीनता के दबदबे में रहा है—औपनिवेशिक कुलीनता और बुर्जुआ—राष्ट्रवादी कुलीनता।' गुहा के मुताबिक सभी किस्म के कुलीन इतिहासों में एक चीज साझा होती है और वह है उनके विवरण में राजनीति से जनता की अनुपस्थिति। भारतीय इतिहास लेखन की तीन प्रमुख प्रवृत्तियों की उन्होंने आलोचना की—औपनिवेशिक प्रवृत्ति जो औपनिवेशिक शासन को अज्ञानी जनता को ज्ञानदान के मिशन की सफलता के रूप में देखती थी; राष्ट्रवादी प्रवृत्ति जो प्रतिरोध की सभी कार्यवाहियों को राष्ट्र-राज्य के निर्माण के अंग के बतौर समझती थी; और मार्क्सवादी प्रवृत्ति जो जनता के संघर्षों को क्रांति और समाजवादी राज्य की ओर प्रगति के रूप में पेश करती थी। उनके अनुसार इनकी किताबों में निम्नवर्गीय समूह जिस तरह दुनिया को देखते थे और राजनीतिक आचरण करते थे उसे समझने और उसे दर्ज करने की कोई कोशिश नहीं दिखाई पड़ती।

100. थॉमस पेन (जन्मः 9 फरवरी, 1737, देहांतः 8 जून, 1809)—एक लेखक, आविष्कारक, बुद्धिजीवी, क्रांतिकारी और संयुक्त राज्य अमेरिका के राष्ट्रपिताओं में से एक थे। उनका जन्म इंग्लैंड के नॉर्फक काउंटी (जिले) के थॅटफर्ड शहर में हुआ था और सन् 1774 में वे इंग्लैंड छोड़ अमेरिका में जा बसे। उन्होंने सन् 1776 की अमेरिकी क्रांति में अहम भूमिका निभाई। उन्होंने अमेरिका में क्रांति की उठती लहर को अपनी लेखनी के जरिये अपनी राजनैतिक सोच का ढाँचा दिया। उनकी दो सबसे प्रभावशाली रचनाएँ थीं—

- 'आम सूझबूझ' (Common Sense, कॉमन सेन्स) नाम की पुस्तिका जिसमें अमेरिका की ब्रिटेन से आजादी की दलील दी गई।
- 'अमेरिकी बवंडर' (The American Crisis, द अमेरिकन क्राइसिस) नाम की पत्रिकाएँ जो 1776-1783 तक चलीं और जिनमें अमेरिका की क्रांति की भारी हिमायत की गई।

'कॉमन सेन्स' अमेरिका में स्वतंत्रता के लिए जागरूकता लाने में इतनी कामयाब हुई कि जॉन एडम्स (अमेरिका के दूसरे राष्ट्रपति) ने कहा कि "कॉमन सेन्स के लेखक की कलम के बिना वाशिंगटन का तलवार उठाना बेकार जाता।"

इनकी अन्य रचनाएँ हैं—द ऐज ऑफ रीजन, द राइट्स ऑफ मैन।

पिछले प्रश्न-पत्र (हल सहित)

UGC-NET जूनियर रिसर्च फैलोशिप तथा सहायक प्राध्यापक परीक्षा

इतिहास, नवम्बर–2017*

प्रश्न–पत्र-II

नोट : *इस प्रश्नपत्र में* **पचास (50)** *बहु-विकल्पीय प्रश्न हैं। प्रत्येक प्रश्न के* **दो (2)** *अंक हैं।* **सभी** *प्रश्न अनिवार्य हैं।*

1. निम्नलिखित में से कौन-सा हड़प्पा सभ्यता का स्थल बलूचिस्तान में स्थित है?

(*i*) डाबरकोट (*ii*) सोत्काकोह

(*iii*) सुतकागेंडोर (*iv*) शोर्तुगई

दिए गए निम्न कूट से सही उत्तर का चयन करिए :

कूट :

A. (*i*) एवं (*iv*) B. (*ii*) एवं (*iv*)

C. (*i*), (*ii*) एवं (*iii*) D. (*ii*), (*iii*) एवं (*iv*)

2. सूची–I को सूची–II से मिलान कर दिए गए कूट से सही उत्तर का चयन करें :

सूची–I (वैदिक नदियाँ)	सूची–II (आधुनिक नाम)
(*a*) कुभा	1. गण्डक
(*b*) परुष्णि	2. काबुल
(*c*) सदानीरा	3. रावी
(*d*) शुतुद्रि	4. सतलज

कूट :

	(*a*)	(*b*)	(*c*)	(*d*)
A.	1	2	4	3
B.	2	3	1	4
C.	3	4	2	1
D.	4	1	3	2

3. गौतम बुद्ध के शारीरिक अवशेषों पर निम्न स्थान पर शाक्यों ने स्तूप बनवाया था, जिसका समर्थन पुरातात्विक साक्ष्य करते हैं।

A. लुम्बिनी B. निग्लिवा

C. पिपरहवा D. सहेत-महेत

4. निम्नलिखित में से कौन-सा युग्म सही सुमेलित **नहीं** है?

प्राचीन नगर		**स्थिति**
A. पुष्कलावती	–	चरसद्दा
B. शाकल	–	सियालकोट
C. ताम्रलिप्ति	–	तामलुक
D. विजयपुरी	–	धरणीकोट

5. निम्नलिखित अभिलेखों में से कौन-सा अभिलेख अशोक की 'धर्मविजय' की जानकारी देता है?

A. सातवाँ स्तम्भ लेख B. दूसरा शिलालेख

C. बारहवाँ शिलालेख D. तेरहवाँ शिलालेख

6. शक एवं विक्रम संवत् के आरम्भ के बीच कितने वर्षों का अंतर है?

A. 21 वर्ष B. 78 वर्ष

C. 135 वर्ष D. 248 वर्ष

7. निम्नलिखित में से कौन यौधेयों के टकसाल केन्द्र थे?

A. बयाना, सुनेत B. बयाना, रोहतक

C. रोहतक, सुनेत D. सुनेत, अगरोहा

8. निम्नलिखित स्मारकों में हीनयान कालक्रम का सबसे विस्तृत एवं विकसित चैत्य गृह कौन-सा है?

A. बेडसा B. भाजा

C. कार्ले D. कोंडाणे

9. निम्नलिखित में से किस स्थान पर कुषाण देवकुल प्राप्त होता है, जहाँ राजकीय पुरुषों की प्रतिमाएँ रखी जाती थीं?

A. अहिच्छत्र B. माट

C. संघोल D. शहबाजगढ़ी

* *परीक्षा 05 नवम्बर 2017 को सम्पन्न हुई।*

10. 'हल' किसकी प्रतिमा का विशिष्ट लक्षण है?

A. बलराम B. कृष्ण
C. सूर्य D. त्रिविक्रम

11. महाराष्ट्र में नहपाण के काल में सुवर्ण एवं कार्षापण के बीच क्या विनिमय दर थी?

A. 1 : 10 B. 1 : 15
C. 1 : 25 D. 1 : 35

12. नीचे दो वक्तव्य दिए गए हैं, एक को कथन (A) और दूसरे को कारण (R) कहा गया है :

कथन (A) : समुद्रगुप्त एवं कुमारगुप्त दोनों ने अश्वमेध भाँत के सिक्के चलाए थे।

कारण (R) : दोनों ने ही अपने अभिलेखों में अश्वमेध यज्ञ के सम्पादन का उल्लेख नहीं किया था।

उपर्युक्त दोनों कथनों के संदर्भ में निम्नलिखित में से कौन-सा सही है?

A. (A) और (R) दोनों सही हैं तथा (A) की सही व्याख्या (R) है।
B. (A) और (R) दोनों सही हैं, किन्तु (A) की सही व्याख्या (R) नहीं है।
C. (A) सही है, किन्तु (R) गलत है।
D. (A) गलत है, किन्तु (R) सही है।

13. निम्नलिखित में से दक्षिण में शैव आचार्य कौन थे?

A. भूतयोगी B. भ्रान्तयोगी
C. कुलशेखर D. सुन्दरमूर्ति

14. निम्नलिखित खजुराहो मंदिरों में से कौन-से मंदिर संधार शैली के हैं?

(*i*) चित्रगुप्त मंदिर (*ii*) लक्ष्मण मंदिर
(*iii*) पार्श्वनाथ मंदिर (*iv*) वामन मंदिर

नीचे दिए गए कूट में से सही उत्तर का चयन कीजिए :

कूट :

A. (*i*) और (*ii*) B. (*ii*) और (*iii*)
C. (*iii*) और (*iv*) D. (*i*) और (*iii*)

15. निम्नलिखित युग्म में से कौन-सा युग्म सही सुमेलित **नहीं** है?

	रचना		**विषय**
A.	अपराजितपृच्छा	–	स्थापत्य
B.	अष्टांक हृदय	–	चिकित्सा
C.	लीलावती	–	नाटक
D.	वैजयन्ती	–	शब्दकोश

16. वह चोल राजा जिसने कटुता मिटाने के लिए श्रीलंका के विजयबाहु के साथ शांति स्थापित कर ली और अपनी पुत्री का विवाह एक सिंहली राजकुमार से कर दिया, कौन था?

A. कुलोत्तुंग I B. विक्रमचोल
C. राजराज II D. राजाधिराज II

17. रामायण विषय संबंधित उत्कीर्णन निम्न गुफा में प्राप्त होते हैं।

A. तमिलनाडु में सित्तनवसल
B. कर्नाटक में बादामी
C. आसाम में रंगमहल
D. आन्ध्र प्रदेश में उन्डवल्लि

18. 'दरअसल, उसने दिल्ली को भारत में तुर्की साम्राज्य का न केवल राजनीतिक एवं प्रशासनिक केन्द्र बनाया, बल्कि अपनी सांस्कृतिक गतिविधियों का केन्द्र भी बनाया था। यह उल्लेखनीय है कि दिल्ली को सल्तनत काल के साहित्य में कभी भी सिर्फ उसके नाम से उल्लेखित नहीं किया गया। इसे 'हजरत-ए दिल्ली' (राजसी दिल्ली) या *शहर* कहा गया।' यह सुल्तान कौन है?

A. इल्तुतमिश B. बलबन
C. अल्लाउद्दीन खलजी D. मुहम्मद तुगलक

19. निम्नलिखित में से कौन-सा सूफियों के संवादों का संकलन **नहीं** है?

A. *फवाएद-उल फुआद* B. *खैर-उल मजालिस*
C. *मतला-उल अनवर* D. *सरूर-उस सुदूर*

20. निम्नलिखित में से कौन-सा सुल्तान अलाउद्दीन खलजी के अनाज मूल्यों के नियंत्रण की नीति का अधिनियम *(जवाबित)* नहीं है?

A. सुल्तान द्वारा अनाज के मूल्यों का निर्धारण
B. राजसी अनाज का अनेक भंडार गृहों में भंडारण करना
C. *शाहना* की पूर्व अनुमति के बिना अनाज नहीं बेचना
D. सूखे के समय अनाज के सस्ते मूल्य को बरकरार रखने के लिए, बिना आवश्यकता सिद्ध किए किसी भी व्यक्ति को न्यूनतम अनाज भी खरीदने की इजाजत नहीं होनी चाहिए

21. निम्नलिखित में से किस पुस्तक/पुस्तकों में भारी वजन को उठाने के लिए चर्खी का प्रयोग (capstan) पहली बार मिलता है?

(*a*) इसामी की *फुतुह-उस सलातीन*

(*b*) बरनी की *तारीख-ए फिरोजशाही*

(*c*) अफीक की *तारीख-ए फिरोजशाही*

(*d*) *सीरत-ए फिरोजशाही*

नीचे दिये गये कूट में से सही उत्तर चुनें :

कूट :

A. (*a*) और (*b*) B. (*c*) और (*d*)

C. (*a*), (*b*), (*c*) D. (*b*), (*c*), (*d*)

22. सूची–I को सूची–II के साथ सुमेलित करें और सूचियों के नीचे दिये गये कूट में से सही उत्तर चुनें :

सूची–I (शब्द)	सूची–II (अर्थ)
(*a*) *सर खेल*	1. रात्रि लेखक
(*b*) *शब-नवीस*	2. अस्पताल
(*c*) *शिफाखाना*	3. सशस्त्र सैनिक
(*d*) *सिलहदार*	4. कनिष्ट सैन्य अधिकारी

कूट :

	(*a*)	(*b*)	(*c*)	(*d*)
A.	3	1	4	2
B.	2	3	1	4
C.	1	2	3	4
D.	4	1	2	3

23. 'सुल्तान गहरी धार्मिक प्रकृतिवाला था। वह अपने धार्मिक कर्तव्यों का निर्वाह बड़ी पाबन्दी से करता था। दिन में पाँच बार नमाज अता करता था और रमजान में उपवास रखता था, उस दौरान वह मांस नहीं खाता था। वह सूफियों, विद्वानों और ब्राह्मण पंडितों का बड़ा आदर करता था और उन्हें भूमि दान देता था। वह राज्य के मामलों में शैखुल इस्लाम की राय लेता था और उलेमा से उसके संबंध सामान्यतः मैत्रीपूर्ण थे।'

ऊपर इंगित कश्मीर के शासक को चिह्नित करें :

A. हैदर शाह B. जैनुल आबिदीन

C. हसन शाह D. यूसुफ शाह

24. मेवाड़ के शासकों को कालक्रमानुसार व्यवस्थित कीजिए :

(*a*) राणा रायमल (*b*) राणा सांगा

(*c*) राणा उदा (*d*) राणा कुम्भा

नीचे दिये गये कूट में से सही उत्तर चुनें :

कूट :

A. (*a*), (*d*), (*b*), (*c*) B. (*d*), (*c*), (*a*), (*b*)

C. (*d*), (*b*), (*c*), (*a*) D. (*a*), (*b*), (*c*), (*d*)

25. निम्नलिखित में से किस सूफी संत ने अपने *रूश्दनामा* में 'श्री गोरख' 'अलख निरंजन' और 'ओंकार' का जिक्र किया है?

A. शेख मोइनुद्दीन चिश्ती

B. शेख हमीदुद्दीन नागौरी

C. शेख अब्दुल कुद्दुस गंगोही

D. शेख निजामुद्दीन औलिया

26. नीचे दो वक्तव्य दिए गए हैं, जिनमें से एक को कथन (A) और दूसरे को कारण (R) कहा गया है :

कथन (A) : मध्यकाल में यूनानी पुस्तकों को अरबी अनुवाद के माध्यम से समझा गया। टॉलमी और गैलेन खगोल विज्ञान और औषध विज्ञान के प्रमुख विशेषज्ञ बने रहे।

कारण (R) : टोमस रो ने लिखा है कि 'मुगल दरबार के "मुस्लिम मौलाओं" को दर्शनशास्त्र और गणित का ज्ञान था और वे महान् ज्योतिषी हैं तथा अरस्तू, यूक्लिड और एवेरोस के बारे में बात कर सकते हैं।'

उपर्युक्त दो वक्तव्यों के संदर्भ में निम्नलिखित में से कौन-सा सही है?

A. (A) और (R) दोनों सही हैं तथा (R), (A) की सही व्याख्या है।

B. (A) और (R) दोनों सही हैं, परन्तु (R), (A) की सही व्याख्या नहीं है।

C. (A) सही है, परन्तु (R) गलत है।

D. (A) गलत है, परन्तु (R) सही है।

27. नीचे दो वक्तव्य दिए गए हैं, जिनमें से एक को कथन (A) और दूसरे को कारण (R) कहा गया है :

कथन (A) : मध्यकाल में *मदरसे* मुख्य रूप से मुस्लिम धर्मशास्त्र और इसके विशाल साहित्य से संबंधित रहे।

कारण (R) : अधिकांश उच्च शिक्षा *मदरसे* के बाहर शिक्षकों द्वारा वैयक्तिक रूप से दी जाती थी जो प्रायः अपने व्यक्तिगत प्रमाण-पत्र देते थे।

उपर्युक्त दो वक्तव्यों के संदर्भ में निम्नलिखित में से कौन-सा सही है?

A. (A) और (R) दोनों सही हैं और (R), (A) की सही व्याख्या है।

B. (A) और (R) दोनों सही हैं, परन्तु (R), (A) की सही व्याख्या नहीं है।

C. (A) सही है, परन्तु (R) गलत है।

D. (A) गलत है, परन्तु (R) सही है।

28. भारत और उज्बेकिस्तान के कौन-से दो शासक मक्का और मदीना के पवित्र क्षेत्रों की ओर जाने वाले रास्तों को विजित करने हेतु सहमत हुए। निम्नलिखित में से उन शासकों को चिह्नित करें :

A. हुमायूँ और अब्दुल्ला खान उजबेक

B. अकबर और अब्दुल्ला खान उजबेक

C. जहाँगीर और अब्दुल्ला खान उजबेक

D. शाहजहाँ और इमाम कुली

29. नीचे दो वक्तव्य दिए गए हैं, जिनमें से एक को कथन (A) और दूसरे को कारण (R) कहा गया है :

कथन (A) : सिख *धर्मशाला* वह स्थान था जहाँ सिख बैठते थे और अपने आपको ईश्वर की उपासना में लगाते थे।

कारण (R) : जब ठग सज्जन ने गुरू अर्जन के सामने समर्पण किया तो एक *धर्मशाला* बनवाई गई।

उपर्युक्त दो वक्तव्यों के संदर्भ में निम्नलिखित में से कौन-सा सही है?

A. (A) और (R) दोनों सही हैं और (R), (A) की सही व्याख्या है।

B. (A) और (R) दोनों सही हैं, लेकिन (R), (A) की सही व्याख्या नहीं है।

C. (A) सही है, लेकिन (R) गलत है।

D. (A) गलत है, लेकिन (R) सही है।

30. ''यह आदेश दिया गया कि हरम में निवास करने वालों के नामों का उल्लेख सार्वजनिक रूप से नहीं किया जाना चाहिए बल्कि उनके जन्म स्थान, देश या शहर पर आधारित किसी विशेषण के आधार पर उनका नामोल्लेख किया जाना चाहिए''।

उस बादशाह की पहचान कीजिए जिसने बेगमों के नामों को सार्वजनिक करने की प्रथा को समाप्त कर दिया?

A. अकबर B. जहाँगीर

C. शाहजहाँ D. औरंगजेब

31. महाराष्ट्र के रामदासी *पंथ* के बारे में क्या सही **नहीं** है?

A. रामदासियों का पारंपरिक लक्षण उनकी गैर-राजनीतिक अभिवृत्ति थी।

B. रामदासी पंथ पूरी तरह से ब्राह्मणों से मिलकर बना था।

C. रामदासी मराठों से प्रत्यक्ष रूप से ज्यादा जुड़े थे।

D. रामदासी खुले तौर पर शिवाजी का समर्थन करते थे।

32. नीचे दी गई सूचियों में से विभिन्न श्रेणी के दस्तावेजों और उसकी प्रकृति को सुमेलित करें।

सूची–I	**सूची–II**
(*a*) *याददाश्त*	1. अपने राजस्व संबंधी जिम्मेदारी के बारे में किसानों द्वारा स्वीकार किए जाने संबंधी प्रलेख
(*b*) *तालिका*	2. हक (भू-संपत्ति अधिकार संबंधी) प्रलेख
(*c*) *पट्टा*	3. ज्ञापन
(*d*) *कबूलियत*	4. संक्षिप्त दस्तावेज

नीचे दिए गए कूट में से सही उत्तर का चयन कीजिए :

कूट :

	(*a*)	(*b*)	(*c*)	(*d*)
A.	3	4	2	1
B.	4	1	2	3
C.	2	3	4	1
D.	4	3	2	1

33. ''नियम है कि कृपापात्र नौकर अपने दाहिने हाथ के पश्च भाग को जमीन पर रखकर और तब इसे धीरे-धीरे उठाता है, व्यक्ति के सीधे खड़े होने पर वह अपने हाथ की हथेली को अपने सिर के मध्यभाग पर रखता है।''

उपरोक्त कथन में अबुल फजल निम्नलिखित में से दंडवत प्रणाम की किस विधि की ओर इंगित करता है?

A. *तसलीम* B. *पैबोस*

C. *सिजदा* D. *जमीनबोस*

34. निम्नलिखित मुगल चित्रकारों में से कौन-से चित्रकार खुद की तस्वीर बनाने के लिए जाने जाते हैं?

(*a*) मनोहर (*b*) दौलत

(*c*) केशवदास (*d*) बसावन

नीचे दिये गये कूट में से सही उत्तर चुनें :

कूट :

A. (*a*) और (*d*) B. (*b*) और (*d*)
C. (*c*) और (*d*) D. (*a*), (*b*), (*c*)

35. निम्नलिखित घटनाओं को कालानुसार व्यवस्थित करें और नीचे दिये गये सही कूट का चयन कीजिए।
(*a*) द डेक्कन एसोसिएशन
(*b*) ईस्ट इंडिया एसोसिएशन
(*c*) भारतीय राष्ट्रीय काँग्रेस
(*d*) भारत लीग

कूट :

A. (*b*), (*a*), (*d*), (*c*) B. (*b*), (*d*), (*c*), (*a*)
C. (*a*), (*c*), (*b*), (*d*) D. (*a*), (*b*), (*d*), (*c*)

36. हिन्दू और मुस्लिम दोनों सदस्यों वाले 'द यूनाइटेड इंडियन पैट्रिओटिक एसोसिएशन' को 1888 में किसने स्थापित किया?

A. सर अब्दुर रहीम B. दादाभाई नौरोजी
C. सर सैयद अहमद D. सर विलियम वेडरबर्न

37. प्राचीन स्मारक परिरक्षण अधिनियम किस वायसराय के काल में पारित हुआ था?

A. लार्ड हार्डिंग्स B. लार्ड नार्थब्रुक
C. लार्ड लिटन D. लार्ड कर्जन

38. निम्नलिखित अधिनियमों में से किसने महिला मतदाताओं के अनुपात को बढ़ा दिया और विधान सभा में उन्हें आरक्षित सीट दी?

A. 1909 का अधिनियम B. 1919 का अधिनियम
C. 1930 का अधिनियम D. 1935 का अधिनियम

39. निम्नलिखित में से सर्वप्रथम भारतीय महिला विश्वविद्यालय के प्रथम कुलाधिपति कौन थे?

A. सर आर.जी. भांडारकर
B. सर शंकरन नायर
C. सर तेजबहादुर सप्रू
D. सर आशुतोष मुखर्जी

40. निम्नलिखित उद्योगपतियों में से 1936 के 'बाम्बे घोषणापत्र' के हस्ताक्षरकर्ता कौन थे?

(*a*) पुरुषोत्तम ठाकुरदास (*b*) ए.डी. श्रॉफ
(*c*) अम्बालाल साराभाई (*d*) वालचंद हीराचंद

कूट :

A. (*a*) और (*b*) B. (*b*) और (*c*)
C. (*a*) और (*d*) D. (*b*) और (*d*)

41. असहयोग आंदोलन के दौरान आंध्र प्रदेश के गुंटूर जिले में निम्नलिखित में से कौन-सा सशक्त आदिवासी आंदोलन आरंभ हुआ था?

A. नाईकाड़ा आंदोलन B. ताना भगत आंदोलन
C. चेंचू आंदोलन D. मीनॉर आंदोलन

42. 'अंकल टॉम्स केबिन' की तरह उसी प्रकार के बंगाली पुस्तक 'कुली काहिनी' का लेखक कौन है?

A. पंडित राम कुमार विद्यारत्न
B. द्वारका नाथ गांगुली
C. शिव नाथ शास्त्री
D. बाबू केदार नाथ घोष

43. निम्नलिखित में से किसने मुस्लिम लीग और भारतीय राष्ट्रीय कांग्रेस को 1916 में एक साथ लाने में महत्वपूर्ण भूमिका अदा की?

A. लोकमान्य तिलक B. एनी बेसेन्ट
C. थियोडोर बेक D. वकार-उल-मुल्क

44. सूची–I को सूची–II के साथ सुमेलित करें और नीचे दिये गये कूट में से सही उत्तर चुनें :

सूची–I (राजनीतिक संगठन)	सूची–II (स्थापना का वर्ष)
(*a*) इंडियन एसोसिएशन	1. 1852
(*b*) महाजन सभा	2. 1867
(*c*) द बॉम्बे एसोशिएशन	3. 1876
(*d*) पूना सार्वजनिक सभा	4. 1884

कूट :

	(*a*)	(*b*)	(*c*)	(*d*)
A.	4	2	3	1
B.	3	4	1	2
C.	1	4	2	3
D.	2	3	1	4

45. नीचे दो कथन दिए गए हैं, जिनमें से एक अभिकथन (A) और दूसरा तर्क (R) है :

अभिकथन (A) : भारत ने सार्वजनिक मामलों में महिलाओं के प्रवेश में वृद्धि करने के बाद अपने राजनीतिक रूढ़िवाद के एक बड़े हिस्से को उखाड़ फेंका।

तर्क (R) : यदि शक्ति का अर्थ पाशविक शक्ति है तो पुरुषों की तुलना में महिलाएँ वास्तव में कम पाशविक हैं। यदि शक्ति का अर्थ नैतिक शक्ति है तो महिलाएँ अमापनीय रूप से पुरुषों से श्रेष्ठतर हैं।

उपरोक्त दो कथनों के संदर्भ में निम्नलिखित में से कौन-सा सही है?

A. (A) एवं (R) दोनों सही हैं और (R), (A) की सही व्याख्या है।

B. (A) एवं (R) दोनों सही हैं, लेकिन (R), (A) की सही व्याख्या नहीं है।

C. (A) सही है, लेकिन (R) गलत है।

D. (A) गलत है, लेकिन (R) सही है।

46. 1880 में आरंभ हुई 'स्टेट्युटरी सिविल सर्विस' के बारे में क्या सही **नहीं** था?

A. नियुक्तियाँ सामान्यतः अच्छे एवं सामाजिक स्थिति के परिवारों के युवाओं के लिए सीमित थीं।

B. इस सेवा का अनुपात एक वर्ष में नियुक्त प्रसंविदा सिविल सेवकों की कुल संख्या के 1/6 से अधिक नहीं हो।

C. इस सेवा के लिए नियुक्तियाँ मनोनयन द्वारा होती थीं।

D. यह सेवा पूर्णता का घटक प्रदान करती थी और भारतीयों के उच्च पदों पर नियोजन के दावों के साथ न्याय करती थी।

47. निम्नलिखित में से कौन-सा जवाहरलाल नेहरू द्वारा स्थापित गुटनिरपेक्षता का उद्देश्य **नहीं** था?

A. यह शीतयुद्ध और उससे संबद्ध सैन्य समझौतों के संबंध में था।

B. यह उपनिवेशवाद की दुष्ट शक्तियों, नस्लवाद और दमन के विरुद्ध था।

C. यह विश्व शांति के प्रोत्साहन और निःशस्त्रीकरण को बढ़ावा देने की दिशा में था।

D. इसका उद्देश्य यू.एस.ए. और यू.एस.एस.आर. का सामना करने के लिए तीसरी शक्ति के निर्माण का था।

48. सूची–I को सूची–II के साथ सुमेलित करें और दिये गये कूट में से सही उत्तर चुनें :

सूची–I (लेखक)	**सूची–II (पुस्तक का शीर्षक)**
(*a*) ई.एच. कार	1. एन इन्ट्रोडक्शन टू द फिलॉसफी ऑफ हिस्ट्री
(*b*) मार्क ब्लाख	2. व्हाट इज हिस्ट्री
(*c*) डब्ल्यू.एच. वाल्श	3. व्हिग इंटरप्रेटेशन ऑफ हिस्ट्री
(*d*) हरबर्ट बटरफील्ड	4. हिस्टोरियन क्राफ्ट

कूट :

	(*a*)	(*b*)	(*c*)	(*d*)
A.	4	3	1	2
B.	2	3	1	4
C.	3	1	2	4
D.	2	4	1	3

49. निम्नलिखित में से किस वर्ष वारसा समझौता के देशों और नाटो के बीच यह घोषित करते हुए कि 'वह अब शत्रु नहीं रहे' शीत युद्ध की समाप्ति को प्रकट करती संधि की गई?

A. 1988 B. 1989
C. 1990 D. 1991

50. सूची–I को सूची–II के साथ सुमेलित करें और नीचे दिये गये कूट में से सही उत्तर चुनें :

सूची–I (लेखक)	**सूची–II (पुस्तक का शीर्षक)**
(*a*) जी.पी. गूच	1. दि डेक्लाइन ऑफ दि बेस्ट
(*b*) एडवर्ड गिबन	2. हिस्ट्री एंड हिस्टोरियन्स ऑफ दि नाइनटीन्थ सेंचुरी
(*c*) ओसवाल्ड स्पेंग्लर	3. दि आइडिया ऑफ हिस्ट्री
(*d*) आर.जी. कॉलिंगवुड	4. डिक्लाइन एंड फाल ऑफ दि रोमन एम्पायर

कूट :

	(*a*)	(*b*)	(*c*)	(*d*)
A.	4	2	3	1
B.	1	4	3	2
C.	3	2	4	1
D.	2	4	1	3

उत्तरमाला

1	2	3	4	5	6	7	8	9	10
C	B	C	D	D	C	C	C	B	A
11	**12**	**13**	**14**	**15**	**16**	**17**	**18**	**19**	**20**
D	B	D	B	C	A	D	A	C	C
21	**22**	**23**	**24**	**25**	**26**	**27**	**28**	**29**	**30**
B	D	B	B	C	A	B	B	C	A
31	**32**	**33**	**34**	**35**	**36**	**37**	**38**	**39**	**40**
A	A	A	D	D	C	D	D	A	C
41	**42**	**43**	**44**	**45**	**46**	**47**	**48**	**49**	**50**
C	A	*	B	B	D	D	D	C	D

* Error in Question.

व्याख्यात्मक उत्तर

1. हड़प्पा सभ्यता के अवशेष अब तक पाकिस्तान और भारत के पंजाब, सिंध, बलूचिस्तान, गुजरात, राजस्थान, हरियाणा, पश्चिमी उत्तर प्रदेश, जम्मू-कश्मीर के भागों में पाये जा चुके हैं। इस सभ्यता का फैलाव उत्तर में 'जम्मू' के 'मांदा' से लेकर दक्षिण में नर्मदा के मुहाने 'भगतराव' तक और पश्चिम में 'मकरान' समुद्र तट पर 'सुत्कागेनडोर' से लेकर पूर्व में पश्चिमी उत्तर प्रदेश में मेरठ तक है। इस सभ्यता का सर्वाधिक पश्चिमी पुरास्थल 'सुत्कागेनडोर', पूर्वी पुरास्थल 'आलमगीर', उत्तरी पुरास्थल 'मांडा' तथा दक्षिणी पुरास्थल 'दायमाबाद' है। लगभग त्रिभुजाकार वाला यह भाग करीब 12,99,600 वर्ग किलोमीटर के क्षेत्र में फैला हुआ है। सिन्धु सभ्यता का विस्तार का पूर्व से पश्चिमी तक 1600 किलोमीटर तथा उत्तर से दक्षिण तक 1400 किलोमीटर था। इस प्रकार सिंधु सभ्यता समकालीन मिस्र या 'सुमेरियन सभ्यता' से अधिक विस्तृत क्षेत्र में फैली थी।

उत्तरी बलूचिस्तान में स्थित 'क्वेटा' तथा 'जांब' की धारियों में सैंधव सभ्यता से संबंधित कोई भी स्थल नहीं है। किन्तु दक्षिणी बलूचिस्तान में सैंधव सभ्यता के कई पुरास्थल स्थित हैं जिसमें अति महत्वपूर्ण है 'मकरान तट'। मकरान तट प्रदेश पर मिलने वाले अनेक स्थलों में से पुरातात्विक दृष्टि से महत्वपूर्ण निम्न स्थल हैं :

- सुत्कागेनडोर (दश्क नदी के मुहाने पर)
- सोत्काकोह (शादीकौर के मुहाने पर)
- बालाकोट (विंदार नदी के मुहाने पर)
- डाबरकोट (सोन मियानी खाड़ी के पूर्व में विदर नदी के मुहाने पर)

2. ऋग्वैदिक कालीन नदियाँ

प्राचीन नाम	आधुनिक नाम
कुभ्र	कुरम
कुभा	काबुल
वितस्ता	झेलम
अस्किनी	चिनाब
परुष्णी	रावी
शुतुद्रि	सतलज
विपाशा	व्यास
सदानीरा	गण्डक
दृषद्वती	घग्घर
गोमती	गोमल
सुवस्तु	स्वात्
सुषोमा	सोहन

5. अशोक के शिलालेख निम्नलिखित हैं :

शिलालेख	संबंधित तथ्य
पहला	पशुबलि की निन्दा
दूसरा	मनुष्यों एवं पशुओं दोनों की चिकित्सा व्यवस्था का उल्लेख। चोल, पाण्ड्य, सत्तियपुत्त एवं केरलपुत्त की चर्चा
तीसरा	राजकीय अधिकारियों (युक्त, रज्जुक और प्रादेशिक) को हर पाँचवें वर्ष दौरा करने का आदेश
चौथा	भेरीघोष की जगह धम्मघोष की घोषणा
पाँचवाँ	धम्म महामात्रों की नियुक्ति के विषय में जानकारी
छठा	धम्म महामात्र किसी भी समय राजा के पास सूचना ला सकता है, प्रतिवेदक की चर्चा
सातवाँ	सभी-सम्प्रदायों के लिए सहिष्णुता की बात
आठवाँ	सम्राट की धर्मयात्राओं का उल्लेख। बोधिवृक्ष के भ्रमण का उल्लेख
नौवाँ	विभिन्न प्रकार के समारोहों की निन्दा
दसवाँ	ख्याति एवं गौरव की निन्दा तथा धम्म नीति के श्रेष्ठता पर बल
ग्यारहवाँ	धम्म नीति की व्याख्या
बारहवाँ	सर्वधर्म समभाव एवं स्त्री महामात्र की चर्चा
तेरहवाँ	कलिंग युद्ध का वर्णन, पड़ोसी राज्यों का वर्णन, अपराध करने वाली आटविक जातियों का उल्लेख
चौदहवाँ	यह लेख कहीं संक्षेप में, कहीं मध्यम रूप में और कहीं विस्तृत रूप में है।

अशोक के तेरहवें अभिलेख में कलिंग युद्ध का वर्णन है इसके अनुसार अशोक ने कलिंग पर अपने शासन काल में 9वें वर्ष में जीत हासिल की। कलिंग वर्तमान ओड़िशा था। अशोक ने कलिंग पर उसके युद्ध कौशल क्षेत्र की वजह से आक्रमण किया। कलिंग युद्ध एक भयावह घटना थी जिसका उल्लेख शिलाराजाज्ञा में किया गया है। लगभग 1.5 लाख लोग घायल हुए जबकि कई हज़ार लोग युद्ध के दौरान मारे गए।

इस भयावह घटना ने अशोक पर गहरा प्रभाव डाला और उसके हृदय को परिवर्तित कर दिया। उसने कभी युद्ध ना करने की शपथ ली। उसने अब दिग्विजय के ऊपर धर्मविजय को वरीयता दी।

6. विक्रमादित्य द्वारा शकों पर विजय की स्मृति में 57 ई.पू. में विक्रम संवत चलाया गया। कनिष्क ने 78 ई. में शक संवत् का प्रतिपादन किया। वर्तमान में भी भारत सरकार द्वारा इसे ही प्रयोग में लाया जाता है। इस प्रकार शक एवं विक्रम संवत् के आरम्भ के बीच 135 वर्षों का अंतर है।

8. हीनयान कालक्रम का सबसे विस्तृत एवं विकसित चैत्य गृह कार्ले है। यह कला की दृष्टि से अन्य चैत्यों की तुलना में सर्वाधिक सुन्दर एवं श्रेष्ठ है। इसके मण्डप में 37 स्तम्भों की पंक्ति है। इनमें सात खम्भे स्तूप के पिछले हिस्से में हैं स्तम्भ का मध्य भाग अष्टकोणीय है। चैत्य का निर्माण सम्भवतः सम्राट अशोक के काल में हुआ था।

9. माट (मथुरा) से कुषाण देवकुल प्राप्त हुआ है, जहाँ राजकीय पुरुषों की प्रतिमाएँ रखी जाती थीं। लेकिन देवकुल शब्द पर विद्वानों में पर्याप्त मतभेद है। यह देवकुल हुविष्क पितामह वीम की मूर्ति पर प्रतिष्ठापित है। अवलोकनीय है कुषाण-शासक अपने को देवपुत्र कहते थे। अतः देवकुल से उनका अभिप्राय मन्दिर के समान उस स्थान से रहा होगा जहाँ मृत कुषाण-शासकों की स्मृति में मूर्तियाँ स्थापित कराई गईं। इस प्रकार उन्होंने मानव में देवत्व की कल्पना की थी। वास्तव में उस समय मानव-मात्र लौकिक-सुख-वैभव में इतना लिप्त था कि उसकी प्रतिक्रियास्वरूप अन्तिम कुषाण-काल में आते-आते उसके अन्दर आध्यात्मिक-परमतत्त्व को जानने (पाने) की इच्छा प्रबल हो गई थी जो गुप्तकालीन कला में स्पष्ट परिलक्षित होती है। हुविष्क के अभिलेख 26 से 62 वर्ष तक के प्राप्त हुए हैं पर क्योंकि उसके उत्तराधिकारी वासुदेव का प्रथम अभिलेख 67 वर्ष का है अतः अनुमान है कि हुविष्क ने 62 वर्ष के उपरान्त भी राज्य किया।

10. बलराम श्रीकृष्ण के बड़े भाई थे, जिन्हें शेषनाग का अवतार माना जाता है। इनका जन्म वसुदेव की दूसरी पत्नी रोहिणी के गर्भ से हुआ था। जैनों के मत में बलराम का संबंध तीर्थंकर नेमिनाथ से माना गया है। भारत में बलराम का पूजन काफी प्राचीन समय से ही चला आ रहा है। इनकी सर्वप्राचीन मूर्तियाँ मथुरा और ग्वालियर के क्षेत्र से प्राप्त हुई हैं, जो शुंग काल की हैं। कुषाणकालीन बलराम की मूर्तियों में कुछ व्यूह मूर्तियाँ अर्थात् विष्णु के समान चतुर्भुज प्रतिमाएँ हैं और कुछ उनके शेष से संबंधित होने की पृष्ठिभूमि पर बनाई गई हैं। ऐसी मूर्तियों में वे द्विभुज हैं और उनका मस्तक मांगलिक चिह्नों से शोभित सर्पफणों से अलंकृत है। इनकी प्रतिमा का "हल" विशिष्ट लक्षण है।

14. लक्ष्मण मंदिर, पंचायतन शैली का संधार मंदिर है। इस मंदिर को 930 से 950 ई. के बीच, चंदेल शासक यशोवर्मन ने बनवाया था। स्थापत्य तथा वास्तुकला के आधार पर, बलुआ पत्थरों से बने मंदिरों में लक्ष्मण मंदिर सर्वोत्तम है। ऊँची जगत् पर स्थित इस मंदिर के गर्भगृह में 1.3 मीटर ऊँची विष्णु की मूर्ति अलंकृत तोरण के बीच स्थित है।

खजुराहो में जितने भी प्राचीन जैन मंदिर हैं, उनमें से पार्श्वनाथ मंदिर सबसे सुंदर, विशाल व भव्य है। यह अपने भू विन्यास में विशिष्ट है। यह मंदिर भी संधार शैली से निर्मित है। इसकी अन्य विशेषता यह है कि इसके गर्भगृह के पीछे एक और छोटा मंदिर भी जुड़ा है। दूसरे अर्थों में यह कहा जा सकता है कि यह विकसित खजुराहो (चंदेल) शैली का एक मंदिर है जिसमें अद्भुत अलंकरण तथा प्रतिमाओं की सौम्यता दृष्टव्य होती है। इस मंदिर का निर्माण दसवीं शताब्दी के मध्य हुआ था। मूलरूप से यह मंदिर प्रथम तीर्थंकर को समर्पित किया गया था।

15. लीलावती, भारतीय गणितज्ञ भास्कर द्वितीय द्वारा सन् 1150 ई. में संस्कृत में रचित, गणित और खगोल शास्त्र का एक प्राचीन ग्रंथ है, साथ ही यह सिद्धांत शिरोमणि का एक अंग भी है। लीलावती में अंकगणित का विवेचन किया गया है।

'लीलावती', भास्कराचार्य की पुत्री का नाम था। इस ग्रंथ में अंकगणित, बीजगणित और ज्यामिति के प्रश्न एवं उनके उत्तर हैं। प्रश्न प्रायः लीलावती को संबोधित करके पूछे गये हैं। किसी गणितीय विषय (प्रकरण) की चर्चा करने के बाद लीलावती से एक प्रश्न पूछते हैं।

16. कुलोत्तुंग प्रथम (1070-1122 ई.) के समय से चोल-चालुक्य वंश का शासन आरम्भ होता है। इसने कटुता मिटाने के लिए श्रीलंका के विजयबाहु के साथ शांति स्थापित की और अपनी पुत्री का विवाह सिंहली राजकुमार से कर दिया। इसने 1077 ई. में 72 व्यापारियों का दूतमण्डल चीन भेजा। वैष्णव संत रामानुज उसके समकालीन थे, जिन्हें उसने राज्य से निकाल दिया था। करों को हटाने के कारण कुलोत्तुंग प्रथम को शुंगम तर्वित कहा जाता था।

17. विजयवाड़ा आंध्र प्रदेश प्रान्त का एक शहर है। विजयवाड़ा आंध्र प्रदेश के पूर्व-मध्य में कृष्णा नदी के तट पर स्थित है। दो हजार वर्ष पुराना यह शहर बैजवाड़ा के नाम से भी जाना जाता है। यह नाम देवी कनकदुर्गा के नाम पर है, जिन्हें स्थानीय लोग विजया कहते हैं। यहाँ की गुफाओं में उन्डवल्लि की प्रमुख गुफा है, जो सातवीं सदी में बनाई गई थी। यह गुफा रामायण विषय से संबंधित उत्कीर्णन गुफा है। शयन करते विष्णु की एक शिला से निर्मित मूर्ति यहाँ ही कला का श्रेष्ठ नमूना है। विजयवाड़ा के दक्षिण में 12 किलोमीटर दूर मंगलगिरि की पहाड़ी पर विष्णु के अवतार भगवान नरसिंह का विख्यात मंदिर है।

19. अमीर खुसरो का मूल नाम मुहम्मद हसन था। उनका जन्म पटियाली (पश्चिमी उत्तर प्रदेश में बदायूँ के पास) में 1253 ई. में हुआ था। खुसरो प्रसिद्ध सूफी संत शेख निजामुद्दीन औलिया के शिष्य थे। वह बलबन से लेकर मुहम्मद तुगलक तक दिल्ली सुल्तानों के दरबार में रहे। इन्हें तुतिए हिन्द (भारत का तोता) के नाम से जाना जाता है। सितार एवं तबले के आविष्कार का श्रेय अमीर खुसरो को ही दिया जाता है। उन्होंने 1298 से 1301 ई. की अवधि में पाँच प्रेम प्रसंगयुक्त मसनवियाँ लिखीं जो इस प्रकार हैं—मतला-उल अनवर, शिरीन खुसरो, मजनू लैला, आईने-ए-सिकन्दरी तथा हश्त विहिश्त। अतः मतला-उल अनवर सूफियों के संवादो का संकलन नहीं है।

20. अलाउद्दीन खिलजी (1296-1316 ई.) दिल्ली का सुल्तान था। अलाउद्दीन के बाजार नियंत्रण की पूरी व्यवस्था का संचालन 'दीवान-ए-रियासत' नाम का अधिकारी करता था। उसके नीचे काम करने वाले कर्मचारी वस्तुओं के क्रय-विक्रय एवं व्यवस्था का निरीक्षण करते थे। प्रत्येक बाजार का अधीक्षक जिसे 'शहना-ए-मंडी' कहा जाता था, बाजार का उच्च अधिकारी होता था। उसके अधीन 'बरीद' होते थे, जो बाजार के अन्दर घूमकर बाजार का निरीक्षण करते थे। बरीद के नीचे 'मुनहियान' या गुप्तचर कार्य करते थे। अधिकारियों का क्रम इस प्रकार था–दीवान-ए-रियासत, शहना-ए-मंडी, बरीद और मुनहियान। अलाउद्दीन ने मलिक याकूब को 'दीवान-ए-रियासत' नियुक्त किया था। इस प्रकार प्रश्न में दिया गया विकल्प शाहना की पूर्व अनुमति के बिना अनाज नहीं बेचना असत्य है।

21. तारीख-ए फिरोजशाही एवं सीरत-ए फिरोजशाही पुस्तक में भारी वजन को उठाने के लिए चर्खी का प्रयोग (Capstan) पहली बार मिलता है। तारीख-ए-फिरोजशाही पुस्तक की रचना, शम्स-ए-सिराज अफीक ने की थी। इस पुस्तक में फिरोजशाह तुगलक के शासनकाल का विस्तृत वर्णन किया गया है। फिरोजशाह द्वारा प्रचलित जागीर प्रथा का भी इसमें वर्णन है। इसी प्रकार सीरत-ए फिरोजशाही पुस्तक के लेखक की कोई जानकारी उपलब्ध नहीं है। इस पुस्तक में भी फिरोज तुगलक के बारे में वर्णन मिलता है।

24. **राणा कुम्भा (शासनकाल 1433-1468 ई.):** मेवाड़ के एक महान् योद्धा व सफल शासक थे। 1418 ई. में लक्खासिंह की मृत्यु के बाद उसका पुत्र मोकल मेवाड़ का राजा हुआ, किन्तु 1431 ई. में उसकी मृत्यु हो गई और उसका उत्तराधिकारी 'राणा कुम्भा' हुआ। राणा कुम्भा स्थापत्य का बहुत अधिक शौकीन था।

राणा उदा (शासनकाल 1468-1473 ई.): यह महाराणा कुम्भा का पुत्र था। इसने अपने पिता की हत्या कर स्वयं को मेवाड़ का शासक घोषित किया। उदा सिंह की 1473 ई. में इसके भाई रायमल के द्वारा हत्या कर दी गई।

राणा रायमल (शासनकाल 1473-1509 ई.): मेवाड़ के राजा और राणा साँगा के पिता थे। महाराणा रायमल ने माडु के सुल्तान गयासुद्दीन को पराजित किया और पानगढ़, चित्तौड़गढ़ और कुम्भलगढ़ किलों पर पुनः अधिकार कर लिया तथा पूरे मेवाड़ को पुनर्स्थापित कर लिया।

राणा साँगा (शासनकाल 1509-1528 ई.): को 'संग्राम सिंह' के नाम से भी जाना जाता है। वह राणा रायमल का पुत्र और उत्तराधिकारी था। इतिहास में संग्राम सिंह मेवाड़ का राजा साँगा के नाम से प्रसिद्ध था। उसने अपने शासन काल में दिल्ली, मालवा और गुजरात के विरुद्ध अभियान किया।

30. अकबर का जन्म 15 अक्टूबर, 1542 ई. को 'हमीदा बानू' के गर्भ से अमरकोट के राणा वीरसाल के महल में हुआ था। अकबर का राज्याभिषेक 14 फरवरी, 1556 ई. को पंजाब के कलानौर नामक स्थान पर हुआ था।

अकबर के शासन के अंत तक 1605 ई. में मुगल साम्राज्य में उत्तरी और मध्य भारत के अधिकांश भाग सम्मिलित थे और उस समय के सर्वाधिक शक्तिशाली साम्राज्यों में से यह एक था। बादशाहों में अकबर ही एक ऐसा बादशाह था, जिसे हिन्दू-मुस्लिम दोनों वर्गों का बराबर प्यार और सम्मान मिला। उसने हिन्दू-मुस्लिम संप्रदायों के बीच की दूरियां कम करने के लिए 'दीन-ए-इलाही' नामक धर्म की स्थापना की। उसका दरबार सबके लिए हर समय खुला रहता था। उसके दरबार में मुस्लिम सरदारों की अपेक्षा हिन्दू सरदार अधिक थे। अकबर ने हिन्दुओं पर लगने वाला 'जजिया कर' ही नहीं समाप्त किया, बल्कि ऐसे अनेक कार्य किए, जिनके कारण हिन्दू और मुस्लिम दोनों उसके प्रशंसक बने। उसने चित्रकारी आदि ललित कलाओं में काफी रुचि दिखाई और उसके प्रासाद की भित्तियाँ सुंदर चित्रों व नमूनों से भरी पड़ी थीं। मुगल चित्रकारी का विकास करने के साथ-साथ ही उसने यूरोपीय शैली का भी स्वागत किया। उसे साहित्य में भी रुचि थी और उसने अनेक संस्कृत पाण्डुलिपियों व ग्रंथों का फारसी में तथा फारसी ग्रंथों का संस्कृत व हिन्दी में अनुवाद करवाया था। इसके साथ ही साथ अकबर ने 'हरम' में निवास करने वालों के नामों का उल्लेख सार्वजनिक रूप से करने पर प्रतिबन्ध लगा दिया।

33. शासक को किए जाने वाले अभिवादन का तरीका पदानुक्रम में उस व्यक्ति की हैसियत का परिचायक था। उदाहरण के लिए, जिस व्यक्ति के सामने जितना अधिक झुककर अभिवादन किया जाता था, उस व्यक्ति की हैसियत को उतना ही अधिक ऊँचा माना जाता था। सिजदा अथवा दंडवत् लेटना आत्मनिवेदन का उच्चतम रूप था। शाहजहाँ के शासनकाल में अभिवादन के इन तरीकों के स्थान पर चार तसलीम एवं जमींबोसी (जमीन चूमना) के तरीकों को अपनाया गया था।

तसलीम का शाब्दिक अर्थ है, आत्मनिवेदन। अभिवादन के चार तसलीम तरीके के अनुसार, अभिवादन करने वाला दाएँ हाथ (हाथ की तलहथी ऊपर की ओर उठी हुई) को जमीन पर रखता है। फिर हाथ को धीरे-धीरे उठाते हुए व्यक्ति खड़ा होता है और तलहथी को सिर के ऊपर रखता है। ऐसी तसलीम को चार बार किया जाता है।

34. चित्रकला के क्षेत्र में मुगलों का विशिष्ट योगदान रहा है। उन्होंने राजदरबार, शिकार तथा युद्ध के दृश्यों से संबंधित नए विषयों को आरंभ किया तथा नए रंगों और आकारों की शुरुआत की।

अकबर के काल में पुर्तगाली पादरियों द्वारा राजदरबार में यूरोपीय चित्रकला भी आरंभ हुई। उससे प्रभावित होकर वह विशेष शैली अपनाई गई, जिससे चित्रों में करीब तथा दूरी का स्पष्ट बोध होता था।

'मीर सैय्यद' एवं 'अब्दुस्समद' के अतिरिक्त 'आईने अकबरी' में अबुल फजल ने लगभग 15 चित्रकारों का उल्लेख किया है, जिनका संबंध अकबर के राजदरबार से था। ये चित्रकार हैं—दसवंत, बसावन, केशव लाल, मतुकुंद, फारुक कलमक, मिशकिन, माधों, जगन, महेश, शेमकरण, तारा, सावंल, हरिवंश एवं राम। अकबर ने अपने शासन काल में एक अदने से कलाकार दसवंत को साम्राज्य का प्रथम अग्रणी कलाकार घोषित किया था। इसकी दो अन्य कृतियाँ हैं—खानदाने-तैमूरिया एवं तूतीनामा।

'रज्मनामा' पाण्डुलिपि को मुगल चित्रकला के इतिहास में एक मील का पत्थर माना जाता है। 'बसावन' को चित्रकला के सभी क्षेत्रों—रेखांकन, रंगों के प्रयोग, छवि-चित्रकारी, भू-दृश्यों के चित्रण में महारत प्राप्त थी। इसलिए इसे अकबर के समय का सर्वोत्कृष्ट चित्रकार माना जाता है। बसावन की सर्वोत्कृष्ट कृति एक दुबले-पतले घोड़े के साथ मजनू का निर्जन एवं उजाड़ क्षेत्र में भटकता हुआ चित्र था। जहाँगीर के समय के प्रमुख चित्रकारों में फारूख बेग, दौलत, मनोहर, बिसनदास, मंसूर एवं अबुल हसन थे। मुगलकालीन चित्रकारों में मनोहर, दौलत तथा केशवदास खुद की तस्वीर बनाने के लिए जाने जाते हैं।

36. 'द यूनाइटेड इंडियन पैट्रिओटिक एसोसिएशन' एक राजनीतिक संगठन है, जिसकी स्थापना 1888 में श्री सर सैयद अहमद (अलीगढ़ मुस्लिम विश्वविद्यालय के संस्थापक) तथा बनारस के राजा शिव प्रसाद सिंह द्वारा की थी। इस संगठन का उद्देश्य मुस्लिम समुदाय और अंग्रेजों के बीच घनिष्ठ संबंधों को विकसित करना तथा भारतीय राष्ट्रीय कांग्रेस का विरोध करना था।

37. लॉर्ड एलगिन द्वितीय के बाद 1899 ई. में लॉर्ड कर्जन भारत का वायसराय बनकर आया। भारत का वायसराय बनने के पूर्व भी कर्जन चार बार भारत आ चुका था। भारत में वायसराय के रूप में उसका कार्यकाल काफी उथल-पुथल का रहा है। 'प्राचीन स्मारक संरक्षण अधिनियम', 1904 ई. द्वारा लार्ड कर्जन ने भारत में पहली बार ऐतिहासिक इमारतों की सुरक्षा एवं मरम्मत की ओर ध्यान देते हुए 50,000 पौण्ड की धनराशि का आवंटन किया। इस कार्य के लिए लॉर्ड कर्जन ने 'भारतीय पुरातत्व विभाग' की स्थापना की।

38. **भारत सरकार अधिनियम-1935 :** इस अधिनियम में कुल 321 धारायें एवं 10 सूचियों का समावेश था, अधिनियम की मुख्य विशेषताएँ इस प्रकार थीं—

- केन्द्र में द्वैध शासन की व्यवस्था की गयी। संघीय विषयों को दो भागों में संरक्षित एवं हस्तांतरित में विभाजित किया गया। संरक्षित विषय का प्रशासन गर्वनर-जनरल कुछ पार्षदों की सहायता से करता था, जो संघीय व्यवस्थापिका के प्रति उत्तरदायी नहीं थे। हस्तांतरित विषयों का प्रकाशन गवर्नर-जनरल व मंत्रियों को सौंपा गया। मंत्री विधान मण्डल के सदस्यों में से चुने जाते थे तथा उसके प्रति उत्तरदायी होते थे।
- इस अधिनियम में एक 'अखिल भारतीय संघ' की व्यवस्था की गयी। इस संघ का निर्माण ब्रिटिश

भारत के प्रान्तों, चीफ कमिश्नर प्रान्तों व देशी रियासतों से मिलाकर होना था, किन्तु यह व्यवस्था लागू न हो सकी, क्योंकि प्रस्तावित संघ में भारतीय प्रान्तों का सम्मिलित होना अनिवार्य था, परन्तु भारतीय रियासतों का सम्मिलित होना वैकल्पिक था।

- प्रान्तों में द्वैध शासन समाप्त कर प्रान्तीय स्वायत्तता की व्यवस्था की गयी।
- प्रान्तीय विधान मण्डलों का विस्तार किया गया, प्रान्तों में 11 में से 6 विधान मण्डलों में दो सदनों की व्यवस्था की गयी। केन्द्रीय विधान मण्डल के सदस्यों की संख्या में वृद्धि की गयी।
- प्रान्तों में मताधिकार का विस्तार किया गया। साम्प्रदायिक निर्वाचन को और बढ़ाकर इसे हरिजनों तक विस्तृत किया गया।
- विवादों के निपटारे के लिए संघीय न्यायालय अंतिम न्यायालय नहीं था। अन्तिम न्यायालय 'प्रिवी कौंसिल' थी।
- बर्मा (वर्तमान म्यांमार) को भारत से अलग कर दिया गया।
- गृह सरकार में महत्वपूर्ण परिवर्तन हुए, जिन विषयों पर गवर्नर अपने मंत्रियों के सहयोग से कार्य करता था, उस पर उन्होंने भारतमंत्री के अधिकार को समाप्त कर दिया और साथ ही 'इण्डियन कौंसिल' को समाप्त कर दिया गया।
- अधिनियम के तहत एक संघीय न्यायालय एवं 'रिजर्व बैंक ऑफ इण्डिया' की स्थापना की गयी।

40. वर्ष 1936 में हस्ताक्षरित 'बम्बई मैनिफेस्टो' प्रत्यक्ष रूप से समाजवादी आदर्शों के प्रतिपादन का विरोधी था। इसको सर्वप्रथम वर्ष 1936 में बम्बई के 21 व्यापारियों द्वारा इस पर हस्ताक्षर कर बनाया गया था। 'बम्बई मैनिफेस्टो' पर हस्ताक्षर करने वाले प्रमुख व्यक्ति—पुरुषोत्तम ठाकुरदास, वालचंद हीरानंद, चिमनलाल सितलवाड़, कावासाजी जहांगीर तथा एन. सकलावाला आदि थे। यह जवाहरलाल नेहरू की समाजवादी विचारधारा का विरोधी था। भारतीय राष्ट्रीय कांग्रेस के वर्ष 1936 में आयोजित लखनऊ अधिवेशन में नेहरू जी की समाजवादी विचारधारा को रखा गया था, उसी के उपरान्त 'बम्बई मैनिफेस्टो' के विरोध में इस पर हस्ताक्षर हुए थे। 'बम्बई मैनिफेस्टो' को समस्त भारत में वृहत व्यापारिक सहयोग नहीं मिला।

44. सुरेन्द्रनाथ बनर्जी : ये प्रसिद्ध स्वाधीनता सेनानी थे, जो कांग्रेस के दो बार अध्यक्ष चुने गए। उन्हें 1905 का 'बंगाल का निर्माता' भी कहा जाता है। उन्होंने भारतीय राष्ट्रीय समिति की स्थापना की, जो प्रारंभिक दौर के भारतीय राजनीतिक संगठनों में से एक था और बाद में वह भारतीय राष्ट्रीय कांग्रेस के एक वरिष्ठ नेता बन गए। इन्होंने 1876 में इण्डियन एसोसिएशन की स्थापना तथा 1883 में कलकत्ता में प्रथम अखिल भारतीय राष्ट्रीय सम्मेलन आयोजित करने में प्रमुख योगदान दिया।

मद्रास नेटिव एसोसियेशन तथा महाजन सभा : ब्रिटिश संसद को पिटीशन भेजने के उद्देश्य से 1832 में गाजुलु लक्ष्मीनृसिंहलु और पी. सोम सुन्दरम चेती द्वारा मद्रास नेटिव एसोसियेशन की स्थापना की गई। 1868 में चेती की मृत्यु के पश्चात एसोसियेशन सक्रिय भूमिका नहीं निभा सका। सन् 1884 में मद्रास महाजन सभा की स्थापना हुई। सभा का उद्देश्य मद्रास प्रेसीडेन्सी में उत्पन्न अनेक स्थानीय संगठनों के क्रियाकलापों में समन्वय स्थापित करना था।

बोम्बे एसोसियेशन : इसकी स्थापना 1852 में हुई। वह बम्बई का प्रथम धर्म निरपेक्ष संगठन था। मुख्य संस्थापकों में स्नातक और शेट्टियों का उदार संगठन सम्मिलित थे। शीघ्र ही बोम्बे एसोसियेशन शेट्टी व्यापारिक समुदाय के हितों की आवाज उठाने वाला संगठन हो गया।

पूना सार्वजनिक सभा : सन् 1867 में जस्टिस महादेव गोविन्द रानाडे द्वारा एक महत्वपूर्ण राजनीतिक संगठन पूना सार्वजनिक सभा की स्थापना की गई। गणेश वासुदेव जोशी ने इसके विकास में महत्वपूर्ण योगदान दिया। रानाडे के अनुसार, भारत की समृद्धि औद्योगिक क्रांति के अभाव में असम्भव थी।

प्रश्न-पत्र-III

नोट : *इस प्रश्नपत्र में* ***पचहत्तर (75)*** *बहु-विकल्पीय प्रश्न हैं। प्रत्येक प्रश्न के* ***दो (2)*** *अंक हैं।* ***सभी*** *प्रश्न अनिवार्य हैं।*

1. इतिहास के तात्पर्य के संबंध में किसने कहा है?

'यदि इतिहासकार तथ्य के विषय में सावधान है, तो ईश्वर इतिहास के अर्थ के लिए सावधान रहेगा'।

A. कॉलिंगवुड B. क्रोचे
C. रांके D. रेनियर

2. किस प्रागैतिहासिक स्थल से भारत की प्राचीनतम झोपड़ियों के प्रमाण मिले हैं?

A. चिरकी-नेवासा B. डीडवाना
C. हुंसगी D. पैसरा

3. निम्न में से कौन एक सही **नहीं** है?

A. व्यापार हड़प्पा की अर्थव्यवस्था का एक मुख्य भाग था।
B. हड़प्पीय लोग अन्तर्देशीय व सामुद्रिक दोनों व्यापार करते थे।
C. उनका नील नदी घाटी सभ्यता के साथ घनिष्ट व्यापारिक संबंध था।
D. उत्खननों से काँसे और पकी मिट्टी के बैलगाड़ी के नमूने तथा साथ ही नाव के चित्रण से युक्त मुहरें प्राप्त हुई हैं।

4. हड़प्पा सभ्यता के बाद में उत्खनित, किस स्थल में हमें जल-संचयन तथा प्रबन्धन का विशिष्ट साक्ष्य प्राप्त हुआ है?

A. भिर्ड़ाना B. धौलावीरा
C. कुनाल D. राखीगढ़ी

5. निम्न वक्तव्यों पर विचार कीजिए :

कथन (A) : सिन्धु तथा हिन्दुकुश के मध्य पड़ने वाले भूभाग को सांस्कृतिक दृष्टि से लगभग पूरे हिन्दू काल में भारत का हिस्सा कहा जा सकता है।

कारण (R) : ऋग्वेद में कुभा, क्रुमु और गोमल नदियों के उल्लेख से कोई सन्देह नहीं रहता कि इण्डो-आर्यों का अफगानिस्तान से गहरा संबंध था।

उपर्युक्त दोनों के प्रकाश में निम्न में से कौन-सा **सही** है?

A. (A) और (R) दोनों सही हैं तथा (A) की सही व्याख्या (R) है।
B. (A) और (R) दोनों सही हैं, किन्तु (A) की सही व्याख्या (R) नहीं है।
C. (A) सही है, किन्तु (R) गलत है।
D. (A) गलत है, किन्तु (R) सही है।

6. निम्न अभिलेखों को कालानुक्रम में व्यवस्थित कीजिए :

(*a*) डेरियस का बेहिस्तून अभिलेख
(*b*) बोगज कुई अभिलेख
(*c*) डेरियस का नक्शेरुस्तम अभिलेख
(*d*) डेरियस का पर्सिपोलिस अभिलेख

A. (*a*), (*b*), (*c*), (*d*) B. (*b*), (*a*), (*d*), (*c*)
C. (*d*), (*c*), (*a*), (*b*) D. (*b*), (*d*), (*c*), (*a*)

7. दर्शक, जो पुराणों की वंशावली के अनुसार अजातशत्रु के बाद मगध के सिंहासन पर बैठा था, की ऐतिहासिकता प्रमाणित होती है :

A. अर्थशास्त्र द्वारा B. देवी-चन्द्रगुप्तम् द्वारा
C. मुद्राराक्षस द्वारा D. स्वप्नवासवदत्ता द्वारा

8. निम्न घटनाओं को कालानुक्रम में व्यवस्थित कीजिए :

(*a*) ऊपरी सिन्ध घाटी में सिकन्दर के गवर्नर (सत्रप) फिलिप्पस की हत्या
(*b*) सिकन्दर द्वारा पर्सिपोलिस को जलाना
(*c*) सिकन्दर और पोरस का युद्ध
(*d*) त्रिपैरेदिसस की संधि

A. (*a*), (*c*), (*d*), (*b*) B. (*b*), (*a*), (*c*), (*d*)
C. (*b*), (*d*), (*a*), (*c*) D. (*b*), (*c*), (*a*), (*d*)

9. वे, लगभग 20,000 नागरिक, निम्न किस भारतीय गण के थे, जिन्होंने शौर्यपूर्वक सिकन्दर का प्रतिरोध करने के बाद अपनी पत्नियों और बच्चों के साथ आत्मदाह कर लिया, जैसे परवर्ती कालीन राजपूत जौहर प्रथा का पूर्वानुमान कर रहे हों?

A. अगलस्सोई B. मल्लोइ
C. आक्सीड्रेकाइ D. जाथ्री

10. किस क्लासिकल (ग्रीको-रोमन) लेखक ने कहा था : "प्रायः वे लोग, जिन्होंने भारत के बारे में लिखा है वह झूठे लोगों की जमात हैं–डीमेकस का उस सूची में पहला स्थान है, मेगस्थनीज दूसरे नम्बर पर आता है, जबकि ओनेसिक्रिटस तथा नियार्कस, उसी प्रकार के अन्य लोग, हकलाते हुए कुछ (सही) शब्द बोल देते हैं।"

A. एरियन B. जस्टिन
C. प्लूटार्क D. स्ट्रैबो

11. अशोक के चौदह शिलालेखों की श्रृंखला के अन्यत्र प्राप्त संस्करणों में से किन शिलालेखों को स्थान न देकर उनके स्थान पर धौली और जौगड़ से प्राप्त कलिंग के पृथक शिलालेखों को उत्कीर्ण किया गया है?

(*a*) XI (*b*) XII
(*c*) XIII (*iv*) XIV

कूट :

A. केवल XI और XII
B. केवल XI, XII और XIII
C. केवल XII और XIII
D. केवल XII, XIII और XIV

12. साँची के सबसे बड़े स्तूप, जिसे स्तूप सं. 1 अथवा महास्तूप कहा गया है, का आन्तरिक ईंटों का निर्मित भाग किसके काल में बना था?

A. अशोक B. कनिष्क
C. मेनेण्डर D. अग्निमित्र शुंग

13. निम्न में से किस नरेश ने वर्णसंकरता की प्रथा को समाप्त करने का दावा किया है?

A. गौतमीपुत्र शातकर्णि B. खारवेल
C. पुष्यमित्र शुंग D. प्रवरसेन I

14. कुषाण नरेश कनिष्क के लिए 'महरजस रजतिरजसदेवपुत्रस कैसरस' का उपयोग निम्न में से किस अभिलेख में हुआ है?

A. कनिष्क II का आरा पाषाण लेख, वर्ष 41
B. कनिष्क I का मथुरा मूर्ति पीठिका अभिलेख, वर्ष 11
C. कनिष्क I का मथुरा मूर्ति पीठिका अभिलेख, वर्ष 23
D. वासुदेव का मथुरा मूर्ति पीठिका अभिलेख, वर्ष 80

15. देवी उमा का नाम निम्न में से किनके सिक्कों पर अंकित है?

A. गुप्त B. हिन्द-यवन
C. कुषाण D. शक

16. सूची–I को सूची–II से सुमेलित कीजिए तथा सूचियों के नीचे दिए गए कूट से सही उत्तर चुनिए :

सूची–I (नरेश)	**सूची–II (विरुद्)**
(*a*) गोण्डोफेरेस	1. देवपुत्र
(*b*) कनिष्क	2. देवव्रत
(*c*) प्रवरसेन-I	3. धर्म-महाराज
(*d*) समुद्रगुप्त	4. धर्मप्राचीरबन्ध

कूट :

	(*a*)	(*b*)	(*c*)	(*d*)
A.	2	1	3	4
B.	4	2	1	3
C.	1	2	3	4
D.	4	1	2	3

17. कार्ली शैलोत्खात गुहा खोदी गई थी :

A. द्वितीय शताब्दी ई.पू. B. तृतीय शताब्दी ई.पू.
C. प्रथम शताब्दी ई. D. द्वितीय शताब्दी ई.

18. गुप्त वंश का पहला शासक कौन था जिसने अपने को महाराजाधिराज कहा है?

A. चन्द्रगुप्त I B. चन्द्रगुप्त II
C. घटोत्कचगुप्त D. रामगुप्त

19. सूची–I को सूची–II से सुमेलित कीजिए तथा सूचियों के नीचे दिए गए कूट से सही उत्तर चुनिए :

सूची–I (दक्षिण भारत के समुद्रगुप्त के समकालीन नरेश)	**सूची–II (उनके राज्य)**
(*a*) धनंजय	1. अवमुक्त
(*b*) नीलराज	2. कांची
(*c*) उग्रसेन	3. कुस्थलपुर
(*d*) विष्णुगोप	4. पालक्क

कूट :

	(*a*)	(*b*)	(*c*)	(*d*)
A.	2	1	4	3
B.	3	1	4	2
C.	4	3	2	1
D.	1	2	3	4

20. सम्राट की आज्ञा न मिलने पर भी कौन चीनी यात्री भारत यात्रा के लिए आया और जिसका चीन वापस जाने पर न केवल गुप्त रूप से देश से निकलने की बात क्षमा कर दी गई, वरनू उसका सम्मानपूर्वक स्वागत किया गया?

A. फाह्यान
B. ह्वेनसांग
C. इत्सिंग
D. त्सी-किउ किंग शेंग

21. सूची–I को सूची–II से सुमेलित कीजिए तथा सूचियों के नीचे दिए गए कूट से सही उत्तर चुनिए :

सूची–I (प्रशासक)	**सूची–II (विभाग)**
(*a*) भाण्डगाराधिकृत	1. अभिलेखागार
(*b*) दशापराधिक	2. न्याय
(*c*) महाक्षपटलिक	3. राजस्व
(*d*) शौल्किक	4. कोष

कूट :

	(*a*)	(*b*)	(*c*)	(*d*)
A.	1	2	3	4
B.	3	4	1	2
C.	4	2	1	3
D.	4	3	2	1

22. आलवार थे :

A. शैव पुरोहित
B. शाक्त अनुयाई
C. वैष्णव संत
D. तांत्रिक पुरोहित

23. शिक्षा के प्रसिद्ध केन्द्र, सोमपुर महाविहार की स्थापना किसने की थी?

A. देवपाल
B. धर्मपाल
C. हर्ष
D. विजयसेन

24. निम्न मन्दिरों को कालानुक्रम में व्यवस्थित कीजिए :

(*a*) ऐरावतेश्वर मन्दिर
(*b*) गंगैकोण्डचोलपुरम मन्दिर
(*c*) महाबलिपुरम का तटीय मन्दिर
(*d*) वैकुंठ पेरमाल मन्दिर

A. (*a*), (*b*), (*d*), (*c*)
B. (*b*), (*c*), (*a*), (*d*)
C. (*c*), (*d*), (*b*), (*a*)
D. (*d*), (*a*), (*c*), (*b*)

25. ईस्ट इण्डीज के शैलेन्द्र वंशीय शासकों के किन निम्न भारतीय राजवंशों के साथ गहरे संबंध थे?

(*a*) वेंगी के चालुक्य
(*b*) चोल
(*c*) पाल
(*d*) पाण्ड्य

कूट :

A. केवल (*a*)
B. केवल (*a*) और (*b*)
C. केवल (*b*) और (*c*)
D. केवल (*c*) और (*d*)

26. निम्नलिखित में से कौन-सा कथन *लेख पद्धति* में वर्णित विक्रय दस्तावेज *दासी पत्र विधि* (1230 ई.) के अनुसार **सही नहीं** हैं?

A. दास हासिल करने का महत्वपूर्ण स्रोत युद्धबंदी थे
B. दास खुले बाजार में बेचे जाते थे
C. यदि दास आत्महत्या करे तो मालिक को उत्तरदायी होना चाहिए और उसे दंड मिलना चाहिए
D. दस्तावेज के कार्यान्वयन के लिए *रक्षपाल* और शहर के निवासियों का गवाह के रूप में चुना जाना

27. निम्नलिखित में से कौन-सी पांडुलिपि कागज पर सर्वप्रथम लिखी गई पाण्डुलिपि है। यह कब और कहाँ लिखी गई?

A. *शतपथ ब्राह्मण,* 1089, काश्मीर
B. *चचनामा,* 11वीं सदी, सिंध
C. कल्हण की *राजतरंगिणी,* 1149, काश्मीर
D. नारायण का *हितोपदेश,* 11-12वीं सदी, बंगाल

28. *बरीदों* के सफल अनुरक्षण के मुद्दे पर किस सुल्तान ने अपने बेटे को सलाह दी थी : 'मुखबिरों और जासूसों को दरबार के इर्द-गिर्द फटकने की इजाजत नहीं होनी चाहिए, शासक से उनकी नजदीकी आज्ञाकारी और विश्वासपात्र मित्रों में भय पैदा करती है और राजा में उनके विश्वास–जो अच्छे शासन का आधार है–को नष्ट करती है।'

A. इल्तुतमिश
B. बलबन
C. अलाउद्दीन खलजी
D. सिकन्दर लोदी

29. *इक्ता* के बारे में निम्नलिखित कथनों पर विचार करें :

(*a*) *इक्ता-ए तमलीक* वंशानुगत थे जिसमें *इक्ता* पाने वाले की लगभग निजी संपत्ति समझी जाती थी।

(*b*) *इक्ता-ए मुस्तगल* वंशानुगत नहीं थे और आरंभ में उनकी प्रकृति प्रशासनिक और सैन्य दोनों थी।

(*c*) *इक्ता-ए वजही* व्यक्तिगत अनुदान थे जिसमें न तो प्रशासनिक और न ही सैन्य पहलू पर बल था।

नीचे दिए कूट में से सही उत्तर का चयन करें :

कूट :

A. (*a*) और (*b*) B. (*a*) और (*c*)
C. (*b*) और (*c*) D. केवल (*c*)

30. इस्लाम धर्म को स्वीकार करने वाले कमाल माहियार को जब अमरोहा के *मुतसर्रिफ* के पद के लिए चुना गया और जब उसे सुल्तान के समक्ष प्रस्तुत किया गया तब सुल्तान की प्रतिक्रिया थी : 'जब मैं निचले तबके में पैदा व्यक्ति को देखता हूँ, तो मेरे शरीर में प्रत्येक धमनी और नस क्रोध से खिंचना शुरू हो जाती है।'

सुल्तान को चिह्नित करें :

A. इल्तुतमिश B. बलबन
C. जलालुद्दीन खलजी D. बहलोल लोदी

31. निम्नलिखित में से कौन-सा कथन **सही नहीं** है?

A. सैय्यद मुहम्मद, नूरबख्शिया संप्रदाय का संस्थापक था।

B. नूरबख्शिया संप्रदाय के विचार *फिक-ए* अहवाल नामक पुस्तक में निहित हैं।

C. नूरबख्शिया मुहर्रम नहीं मनाते।

D. नूरबख्शियों को मिर्जा हैदर दुगलत के काल में परेशानियों का सामना करना पड़ा, जिसने उन पर अत्याचार किये।

32. नीचे दो वक्तव्य दिए गए हैं। एक को कथन (A) तथा दूसरे को कारण (R) कहा गया है।

कथन (A) : तुगलक काल के मशहूर फारसी कवि बद्र चच, जो अमीर खुसरो के कुछ ही समय बाद आए थे, उन्होंने संगीत के संबंध में कहा, 'बुनियादी तरीके *(पर्दा)* दस और दो के अलावा और नहीं हैं', और वे उनमें से प्रत्येक को दिन और रात के निश्चित हिस्सों के साथ जोड़ते हैं।

कारण (R) : अमीर खुसरो सिर्फ दस *पर्दों* (तरीकों) की बात करते हैं। इन दोनों कवियों द्वारा दी गई सूची तथा पुराने शब्दकोशों और संगीत की किताबों में मिलने वाली जानकारियों में साम्य दिखता है।

उपर्युक्त दोनों वक्तव्यों के संदर्भ में निम्न में से कौन-सा विकल्प **सही** है?

A. (A) तथा (R) दोनों सही हैं और (R), (A) की सही व्याख्या करता है।

B. (A) तथा (R) दोनों सही हैं, किंतु (R), (A) की सही व्याख्या नहीं करता है।

C. (A) सही है, किन्तु (R) गलत है।

D. (A) गलत है, किन्तु (R) सही है।

33. *बारबोसा* लिखता है, 'राजा ऐसी स्वतंत्रता प्रदान करता है जिससे प्रत्येक व्यक्ति बिना किसी कष्ट के अपनी इच्छानुसार आ और जा सकता है तथा अपने पंथ के अनुसार बिना किसी पूछताछ के कि वह ईसाई, यहूदी, मुसलमान अथवा हिन्दू है, रह सकता है। समता और न्याय सिर्फ शासक द्वारा ही नहीं बल्कि एक-दूसरे के प्रति लोगों द्वारा भी इसका पालन किया जाता है।'

उस शासक को चिह्नित करें जिसके शासनकाल में राज्य सहिष्णु हुआ :

A. अच्युत राय B. कृष्णदेव राय
C. राम राय D. सदाशिव राय

34. निम्नलिखित में से किस मुगल शासक ने बयाना और धौलपुर के मध्य चंबल घाटी में ग्रामीणों को खजूर-ताड़ की शराब इकट्ठा करते देखा और इसको तथा ताड़ी को निकालने की विधि का वर्णन किया है?

A. बाबर B. अकबर
C. जहाँगीर D. औरंगजेब

35. किसने कहा : 'जो कोई भी सराय में आए उसे सरकारी खजाने से उसके पद के हिसाब से भोजन परोसा जाए तथा उसके टट्टू को अनाज और पानी दिया जाये' :

A. मुहम्मद तुगलक B. सिकन्दर लोदी
C. शेरशाह सूरी D. औरंगजेब

36. अकबर के दरबार के प्रसिद्ध ज्योतिर्विद का नाम बताएँ जिसने एक ज्योतिष संबंधी ग्रंथ *ताजिकनीलकण्ठी* लिखा?

A. नीलकंठ B. कल्याणमल्ल

C. जगन्नाथ पंडित D. वेदांगराय

37. निम्नलिखित में से कौन-सा शासक दीवाली के उत्सव के दौरान जुए की पारी में हिस्सा लेता था, जो तीन रातों तक जारी रहती थी?

A. मुहम्मद तुगलक B. अकबर

C. जहाँगीर D. फर्रूखसियर

38. शाहजहाँ अपने अमीरों द्वारा वास्तुकला संबंधी संरक्षण देने के लिए उनको पुरस्कृत करता था। कश्मीर में एक भव्य उद्यान के निर्माण के अलावा उपद्रवी जनता के साथ उसके कूटनीतिक व्यवहार के लिए किस अमीर को पदोन्नत किया गया था?

A. जैन खान B. जकरिया खान

C. जाहिद खान D. जफर खान

39. 'कर्नाटक के रास्ते में उन्होंने कृष्णा नदी के तट पर श्री शैल के शिव मंदिर की तीर्थ यात्रा की। चलते समय उन्होंने नदी पर स्नान घाट, मठ और तीर्थ यात्रियों के लिए विश्राम स्थल बनाने के लिए भी पर्याप्त धन दिया।'

यह उक्ति किस मराठा शासक के बारे में है?

A. शिवाजी B. शंभाजी

C. राजाराम D. बालाजी बाजीराव I

40. नीचे दो वक्तव्य दिए गए हैं। जिनमें से एक को कथन (A) और दूसरे को कारण (R) कहा गया है।

कथन (A) : *जब्ती-ए हरसाला* के विकल्प के रूप में *नसकी* को शुरू किया गया था।

कारण (R) : *दीवान-ए खालिसा* मुजफ्फर खान ने *जब्ती-ए हरसाला* को खत्म करके *नसक* को स्थापित किया।

उपरोक्त दो वक्तव्यों के संदर्भ में निम्नलिखित में से कौन-सा **सही** है?

A. (A) और (R) दोनों सही हैं और (R), (A) की सही व्याख्या है।

B. (A) और (R) दोनों सही हैं, लेकिन (R), (A) की सही व्याख्या नहीं है।

C. (A) सही है, लेकिन (R) गलत है।

D. (A) गलत है, लेकिन (R) सही है।

41. नीचे दो वक्तव्य दिए गए हैं। जिनमें से एक को कथन (A) और दूसरे को कारण (R) कहा गया है।

कथन (A) : *झरोखा दर्शन* अकबर द्वारा शुरू की गई एक नई प्रथा थी और इसका उद्देश्य शासक और उसकी प्रजा के बीच व्यक्तिगत संबंध स्थापित करना था।

कारण (R) : जैसे-जैसे अकबर की प्रतिष्ठा बढ़ी कुछ लोगों ने यह नियम बना लिया कि जब तक बादशाह का *दर्शन* न हो जाए वे कुछ भी न तो खाएंगे या पिएंगे।

उपरोक्त दो वक्तव्यों के संदर्भ में निम्नलिखित में से कौन-सा **सही** है?

A. (A) और (R) दोनों सही हैं तथा (R), (A) की सही व्याख्या है।

B. (A) और (R) दोनों सही हैं, लेकिन (R), (A) की सही व्याख्या नहीं है।

C. (A) सही है, लेकिन (R) गलत है।

D. (A) गलत है, लेकिन (R) सही है।

42. मुगल शासकों की संगीत में रुचि के संबंध में निम्नलिखित में से कौन-सा कथन **सही नहीं** है?

A. अकबर की संगीत में रुचि के संबंध में अबुल फजल लिखता है कि 'बादशाह सलामत को संगीत के विज्ञान का ज्ञान इतना था कि जितना कुशल संगीतकार को भी नहीं था।'

B. शाहजहाँ ने अपने दरबार में संगीत को संरक्षण दिया और कहा जाता है कि वह खुद इस कला में महत्वपूर्ण दक्षता रखता था।

C. औरंगजेब के शासनकाल में संगीत पर ढेर सारी किताबें लिखी गईं। इनमें से सवाधिक प्रसिद्ध औरंगजेब के पोते जहांदार शाह के लिए लिखी गई *तुहफतुल हिन्द* थी।

D. मुहम्मद शाह के शासनकाल के दौरान सर्वाधिक प्रसिद्ध गायक नियामत खान सदरंग और फिरोज खान अदरंग थे। वे भैरवी के उर्स्ताद थे।

43. नीचे दो वक्तव्य दिए गए हैं, जिनमें से एक को कथन (A) और दूसरे को कारण (R) कहा गया है।

कथन (A) : रामचंद्र पंत अमात्य ने अपने *आज्ञापत्र* में इस आधार पर भू-राजस्व के वंशानुगत अनुदानों *(वृत्ति)* को नापसंद किया है कि इससे सरकार की आय में निरंतर कमी होती जाती है।

कारण (R) : रामचंद्र पंत कहते हैं कि छोटे से छोटे वंशानुगत अनुदान *(वृत्ति)* भी पाप हैं। न तो इसे दूसरों को हस्तांतरित किया जाना चाहिए और न ही दोबारा आवंटित किया जाना चाहिए।

उपरोक्त दो वक्तव्यों के संदर्भ में निम्नलिखित में से कौन-सा **सही** है?

A. (A) और (R) दोनों सही हैं और (R), (A) की सही व्याख्या है।

B. (A) और (R) दोनों सही हैं, परंतु (R), (A) की सही व्याख्या नहीं है।

C. (A) सही है, परंतु (R) गलत है।

D. (A) गलत है, परंतु (R) सही है।

44. नीचे दो वक्तव्य दिए गए हैं जिनमें से एक को कथन (A) और दूसरे को कारण (R) कहा गया है :

कथन (A) : अकबर के शासनकाल के 11वें वर्ष (1567) में मुजफ्फर खान और राजा टोडरमल ने एक महत्वपूर्ण परिवर्तन किया। *कानूनगो* से खेती की जाने वाली और खेती न की जाने वाली जमीन के कुल क्षेत्र के बारे में जानकारी देने के लिए कहा गया।

कारण (R) : *कानूनगो* द्वारा दी गई जानकारी के आधार पर पूरे साम्राज्य के लिए एकल मूल्य सूची के बजाय, भिन्न-भिन्न क्षेत्रों में प्रचलित मूल्यों के आधार पर फसल की दर को नकद रूप से परिवर्तित किया जाने लगा।

उपर्युक्त दो वक्तव्यों के संदर्भ में निम्नलिखित में से कौन-सा **सही** है?

A. (A) और (R) दोनों सही हैं और (R), (A) की सही व्याख्या है।

B. (A) और (R) दोनों सही हैं, परंतु (R), (A) की सही व्याख्या नहीं है।

C. (A) सही है, परन्तु (R) गलत है।

D. (A) गलत है, परन्तु (R) सही है।

45. *मनसब* के दावों के संदर्भ में सूची–I को सूची–II के साथ सुमेलित करें और नीचे दिये गये कूट में से सही उत्तर चुनें :

सूची–I	**सूची–II**
(*a*) *मुहासिबा*	1. स्वीकृत दावे
(*b*) *मुतालिबा*	2. *मनसबदार* के दावे के लिए नवीनीकृत प्रमाण-पत्र
(*c*) *मुकर्रा तलब*	3. खातों का निबटारा
(*d*) *तशीहा*	4. शाही खजाने से मृत व्यक्ति द्वारा उधार ली गई रकम पर शाही खजाने का दावा

कूट :

	(*a*)	(*b*)	(*c*)	(*d*)
A.	4	3	2	1
B.	3	4	1	2
C.	2	3	4	1
D.	4	1	2	3

46. मुगल *जमींदारों* के बारे में क्या **सही नहीं** है?

A. सम्राट को छोड़कर कोई भी *जमींदार* को उसके अधिकार से हटा अथवा नियुक्त नहीं कर सकता था।

B. एक अधिकारी अथवा *जागीरदार* केवल *जमींदारी* अधिकारों की जब्ती के लिए दरबार को अपनी सिफारिश भेज सकता था।

C. सूबे का *सूबेदार* कभी-कभी विद्रोही *जमींदार* को हटाकर उसी पुराने परिवार के सदस्य को नियुक्त कर सकता था।

D. एक मुगल *जमींदार* की आय इसके स्वामित्व संबंधी दावे *(मालिकाना)* का 10 प्रतिशत था (गुजरात में 25 प्रतिशत) जिसमें 5-10 प्रतिशत *नानकार* जोड़ा जाता था जो लगान एकत्रित करने के एवज में लगान अधिकारियों से वह प्राप्त करता था।

47. निम्नलिखित वक्तव्यों में से रेत घड़ी के संबंध में कौन-से वक्तव्य **सही** हैं?

(*a*) रेत घड़ी का पहला संदर्भ अफगानिस्तान में मीर ख्वान्द की *रौजत-उस सफा* में मिलता है।

(*b*) 16वीं सदी में भारत में रेत घड़ी इस प्रकार बनाई जाने लगी कि वे भारतीय समय *(घड़ी)* को दर्शित करने लगे।

(*c*) रेत घड़ी अकबर के समय से मुगल लघुचित्रों में प्रदर्शित होने लगी।

(*d*) रामचंद्र का *यंत्र प्रकाश* और ज्ञानराज का *सुंदर सिद्धांत* रेत घड़ी का वर्णन करते हैं।

नीचे दिए कूट में से सही उत्तर का चयन करें :

कूट :

A. (*a*), (*b*), (*c*)
B. (*b*), (*c*), (*d*)
C. (*a*), (*c*), (*d*)
D. (*a*), (*b*), (*d*)

48. निम्नलिखित में से कौन-सा वक्तव्य **सत्य नहीं** है?

A. मुगल लघुचित्रों में बाबर का चित्रण उसके दरबार में दोस्तों के अनौपचारिक समूह का प्रतिनिधित्व करता प्रतीत होता है।

B. बहुत से मुगलकालीन चित्रों में हुमायूँ के दरबार का ऐसा चित्रण मिलता है जिसमें उसके दरबार में प्रमुख रूप से शानों-शौकत, व्यवस्था और अपरिवर्तनीयता परिलक्षित होती है।

C. अकबर ने अपने दरबार में राजकुमारों और सामंतों के लिए अनुशासित ढंग से अलग-अलग स्थानों का निर्धारण किया था।

D. जब बैरम खाँ अकबर के समक्ष घोड़े पर सवार होकर आया और उसका हाथ पकड़ लिया तो इसे शिष्टाचार का इतना गंभीर उल्लंघन माना गया कि अकबर ने इसे बैरम खाँ का अत्यंत गंभीर अपराध माना।

49. शाही घरानों की स्त्रियों के लिए प्रयुक्त पदों की विभिन्न श्रेणियों से संबंधित सूची–I को सूची–II के साथ सुमेलित करें और नीचे दिये गये कूट में से सही उत्तर चुनें :

	सूची–I		**सूची–II**
(*a*)	*बेगम*	1.	उपपत्नी
(*b*)	*अगाचा/आगा*	2.	रखैल
(*c*)	*घुन्वाची*	3.	शाही स्त्रियाँ
(*d*)	*सरारी*	4.	निम्न मूल और स्तर की शाही स्त्रियाँ

कूट :

	(*a*)	(*b*)	(*c*)	(*d*)
A.	4	1	2	3
B.	2	1	4	3
C.	4	3	2	1
D.	3	4	1	2

50. निम्नलिखित में से कौन-सा वक्तव्य **सही नहीं** है?

A. अरबी शब्द *खिलअत* का फारसी समानार्थी शब्द *सर-ओ-पा* है।

B. *खिलअत* और *सर-ओ-पा* में *सरपेच* और पगड़ी शामिल थे।

C. *सर-ओ-पा* में पूर्णता का भाव था जो राजा के व्यक्तित्व में समाहित था, जो अब प्राप्तकर्ता को दिया जाता था।

D. चूँकि राजा का व्यक्तित्व समस्त साम्राज्य पर समाहित था इसलिए *खिलअत* को प्राप्त करने वाला भी सांकेतिक रूप से राजकीय मौजूदगी में शामिल कर लिया जाता था और वह इसका हिस्सा और विस्तार बन जाता था।

51. हैदर अली और टीपू सुल्तान के बारे में निम्नलिखित मूल्यांकन किसका है?

"हैदर एक सुधारशील राजा था और उसने कुछ नवप्रवर्तन प्रदर्शित किए। टीपू एक नवप्रवर्तनशील राजा था और उसने कोई सुधार नहीं किए।"

A. एन.के. सिन्हा
B. बी. शेख अली
C. मार्क्स विल्क्स
D. एच.एच. विल्सन

52. निम्नलिखित कथन किसका है?

"हमने अपने शत्रु को पूर्णतः पंगु बना दिया है और अपने मित्रों की शक्ति को भी दुर्जेय **नहीं** बनने दिया।"

A. चार्ल्स मेटकॉफ
B. कॉर्नवालिस
C. लॉर्ड वेलेजली
D. जॉन लॉरेन्स

53. सूची–I को सूची–II के साथ सुमेलित करें और नीचे दिये गये कूट में से सही उत्तर को चुनें :

सूची–I (राज्य, जिनका ब्रिटेन ने विलय किया)	**सूची–II (वर्ष)**
(*a*) सतारा	1. 1853
(*b*) नागपुर	2. 1848
(*c*) झांसी	3. 1849
(*d*) सम्बलपुर	4. 1854

कूट :

	(*a*)	(*b*)	(*c*)	(*d*)
A.	4	2	1	3
B.	3	1	4	2
C.	2	1	4	3
D.	1	4	2	3

54. निम्नलिखित रियासती शासकों में से एने महोदय द्वारा किसे अंग्रेजों के प्रति सर्वाधिक वफादारी रखनेवाला कहा गया क्योंकि उन्होंने खुलकर यह घोषणा की कि 'अंग्रेजों के लिए भारत को सुरक्षित रखें।'

A. भोपाल की बेगम B. सर सालार जंग
C. सिंधिया D. गुलाब सिंह

55. हाउस ऑफ कॉमन्स में निम्नलिखित में से किसका कथन था कि ''हमारा भारतीय साम्राज्य घने अंधेरे से घिरा हुआ है। यह हो सकता है कि... यूरोपीय ज्ञान में शिक्षित होने से वे किसी भावी युग में यूरोपीय संस्थाओं की मांग कर सकते हैं... क्या कभी ऐसा दिन आएगा, मुझे नहीं पता... जब कभी यह दिन आएगा, वह ब्रिटिश इतिहास में सर्वाधिक गौरवशाली दिन होगा।''

A. विल्बरफोर्स B. टी.बी. मैकाले
C. चार्ल्स वुड D. ग्लेडस्टोन

56. जब एक शोध प्रपत्र पढ़ा जा रहा था तो निम्नलिखित में से किस कॉलेज में उसके प्राचार्य (प्रिन्सीपल) डी.एल. रिचर्डसन और ''सोसायटी फॉर द एक्विजीशन ऑफ जनरल नॉलेज'' के छात्र-प्रेसीडेन्ट के बीच टकराव हुआ था?

A. एल्फिन्स्टन कॉलेज, बॉम्बे
B. डेली कॉलेज, इंदौर
C. हिन्दू कॉलेज, कलकत्ता
D. मेयो कॉलेज, अजमेर

57. सूची–I को सूची–II के साथ सुमेलित करें और नीचे दिये गये कूट में से सही उत्तर चुनें :

सूची–I (इंजीनियरिंग कॉलेज/ साइंस इन्स्टीट्यूट)	**सूची–II (वर्ष में स्थापित)**
(*a*) इंडियन इन्स्टीट्यूट ऑफ साइंस, बैंगलोर	1. 1917
(*b*) थॉमसन कॉलेज ऑफ सिविल इंजीनियरिंग, रूड़की	2. 1911
(*c*) बोस रिसर्च इन्स्टीट्यूट, कलकत्ता	3. 1921
(*d*) दी हरकोर्ट बटलर टेक्नोलॉजिकल इन्स्टीट्यूट, कानपुर	4. 1847

कूट :

	(*a*)	(*b*)	(*c*)	(*d*)
A.	4	2	3	1
B.	1	4	2	3
C.	3	1	4	2
D.	2	4	1	3

58. निम्नलिखित में कौन प्रसिद्ध महिला क्रांतिकारी थी जिसे चिटगाँव शस्त्रागार हमला मामले में आजीवन निर्वासन की सजा हुई थी। 1939 में उनके छूटने के बाद वे भारत की कम्युनिस्ट पार्टी में शामिल हुई?

A. बीना दास B. कल्पना दत्ता
C. प्रीतिलता वड्डेदार D. लीला नाग

59. निम्नलिखित में से कौन-सा क्रांतिकारी संगठन अपने संस्थापक के नाम के साथ सही सुमेलित **नहीं** है?

	संगठन	**संस्थापक**
A.	बंगाल वालंटियर्स	हेमचंद्र घोष
B.	आनंद मठ	सत्येन्द्रनाथ बोस
C.	श्री संघ	रोशन लाल
D.	हिन्दुस्तान सोशलिस्ट रिपब्लिकन एसोसियेशन	शचीन्द्रनाथ सान्याल

60. उस अधिनियम का नाम क्या है जिसके अन्तर्गत किसी भी देशी भाषा के पत्र के मुद्रक एवं प्रकाशक को सरकार के विरुद्ध असन्तोष की भावना फैलाने वाली सामग्री न प्रकाशित करने का प्रतिज्ञा-पत्र देना होता था?

A. प्रेस एक्ट, 1910
B. प्रेस इमरजेन्सी पावर एक्ट, 1937
C. प्रेस सेंसर एक्ट ऑफ 1868
D. वर्नाकुलर प्रेस एक्ट, 1878

61. निम्नलिखित में से किसने 1901 में अवयस्क विवाह संरक्षण अधिनियम पारित किया जिसने राज्य में विवाह योग्य उम्र लड़कियों के लिए 12 और लड़कों के लिए 16 निर्धारित किया?

A. इन्दौर के होल्कर B. नागपुर के भोंसले
C. कोल्हापुर के भोंसले D. बड़ौदा के गायकवाड़

62. किस वर्ष कामगार क्षतिपूरक अधिनियम पारित हुआ?

A. 1911 B. 1919
C. 1923 D. 1934

63. निम्नलिखित में से किसके बारे में कैप्टन सिडेन्हम ने लिखा, '...वे लूट-मार के लिए आते हैं, लड़ने के लिए नहीं...?

A. रमोशी B. पिण्डारी
C. मराठा D. अफगानी

64. जन्म नियंत्रण लीग बम्बई में किस वर्ष स्थापित हुई?

A. 1920 B. 1924
C. 1947 D. 1950

65. क्रिप्स प्रस्तावों को निम्नलिखित में से किसने 'दिवालिया होते बैंक के पोस्ट डेटेड चेक' के रूप में बताया है?

A. जवाहरलाल नेहरू B. महात्मा गांधी
C. सी. राजगोपालाचारी D. जे.बी. कृपलानी

66. निम्नलिखित में से फख्र-ए-अफगान की उपाधि किसे मिली थी?

A. सैयद हसन इमाम B. खान सैयद अहमद
C. अबुल कलाम आजाद D. खान अब्दुल गफ्फार खान

67. सूची–I को सूची–II के साथ सुमेलित करें और नीचे दिये गये कूट में से सही उत्तर चुनें :

सूची–I (अनुवाद)	सूची–II (मराठी अनुवादक)
(*a*) अरेबियन नाइट्स	1. महादेव शास्त्री कोल्हटकर
(*b*) रॉबिन्सन क्रूसो	2. रावजी शास्त्री गोडबोले
(*c*) लैम्ब्स टेल्स	3. कृष्णा शास्त्री चिपलूणकर
(*d*) ऑथेलो	4. सखाराम पी. पंडित

कूट :

	(*a*)	(*b*)	(*c*)	(*d*)
A.	3	2	4	1
B.	1	2	3	4
C.	3	2	1	4
D.	2	1	3	4

68. 'नील विद्रोह' के दौरान किसानों के हित का समर्थन एवं नील खेल-मालिकों की कड़ी निंदा निम्नलिखित में से किस समाचार-पत्र ने की?

A. फ्रेंड ऑफ इंडिया B. हिन्दू पैट्रिअट
C. हरकारू D. हिन्दुस्तान

69. निम्नलिखित में से कौन-सा युग्म सही ढंग से सुमेलित **नहीं** है?

A. चटगाँव शस्त्रागार हमला – सूर्य सेन
B. काकोरी षड्यंत्र केस – अशफाकउल्ला
C. लाहौर षड्यंत्र केस – जतिन दास
D. मेरठ षड्यंत्र केस – मिर्जा अब्बास

70. निम्नलिखित चार विश्वविद्यालयों में से कौन-से दो विश्वविद्यालय एक ही वर्ष में स्थापित हुए थे? नीचे दिये कूट में से सही उत्तर चुनें :

(*a*) अलीगढ़ मुस्लिम विश्वविद्यालय
(*b*) एस.एन.डी.टी. महिला विश्वविद्यालय, बॉम्बे
(*c*) बनारस हिन्दू विश्वविद्यालय
(*d*) विश्वभारती विश्वविद्यालय

कूट :

A. (*a*) और (*b*) B. (*a*) और (*c*)
C. (*b*) और (*c*) D. (*b*) और (*d*)

71. ईश्वर चंद विद्यासागर निम्नलिखित में से किस संस्थान से संबद्ध थे, जिसने महिलाओं की शिक्षा के मसले का समर्थन किया?

A. बेथ्यून कॉलेज, कलकत्ता
B. हिन्दू कॉलेज, कलकत्ता
C. गर्ल्स स्कूल, बरासात
D. संस्कृत कॉलेज, कलकत्ता

72. सूची–I को सूची–II के साथ सुमेलित करें और नीचे दिये गये कूट में से सही उत्तर चुनें :

सूची–I (साहित्यिक लेखक)	सूची–II (उनके लेखन की भाषा)
(*a*) राधानाथ रे	1. पंजाबी
(*b*) सुब्रमण्य भारती	2. मलयालम

(*c*) भाई वीर सिंह		3. उड़िया	
(*d*) केरल वर्मा		4. तमिल	

कूट :

	(*a*)	(*b*)	(*c*)	(*d*)
A.	3	4	1	2
B.	4	2	1	3
C.	2	1	4	3
D.	1	4	3	2

73. निम्नलिखित पुस्तकों को कालानुक्रम में व्यवस्थित कीजिए, जिसमें वे प्रकाशित हुई थीं। नीचे दिए गए कूट की सहायता से उत्तर दीजिए :

लेखक	पुस्तक का शीर्षक
(*a*) महात्मा गांधी	माई एक्सपेरीमेंट्स विथ ट्रूथ
(*b*) जवाहर लाल नेहरू	एन आटोबॉयोग्राफी
(*c*) आर. पाम दत्त	इंडिया टुडे
(*d*) आर.सी. दत्त	इकोनॉमिक हिस्ट्री ऑफ इंडिया

कूट :

A. (*a*), (*b*), (*c*), (*d*)
B. (*c*), (*d*), (*b*), (*a*)
C. (*b*), (*c*), (*d*), (*a*)
D. (*d*), (*a*), (*b*), (*c*)

74. संयुक्त राजस्थान राज्य के पुनर्गठन की प्रसंविदा में निम्नलिखित में से किस रियासती शासक को उनके जीवन भर के लिए महाराज प्रमुख बनाया गया था?

A. जोधपुर B. बीकानेर
C. मेवाड़ D. जयपुर

75. नीचे दो वक्तव्य दिए गए हैं जिसमें से एक को कथन (A) और दूसरे को कारण (R) कहा गया है :

कथन (A) : सामाजिक डार्विनवाद का सिद्धांत यह तर्क देता है कि समाज, अन्य प्रजातियों की तरह, प्राकृतिक चयन के नियम के अन्तर्गत आते हैं।

कारण (R) : विश्व भर में समाज जैसे-जैसे प्रगति करते रहे हैं, उसके अनुरूप अपने को परिस्थितियों के अनुसार ढालने में असमर्थ रहे।

उपरोक्त दो कथनों के संदर्भ में निम्नलिखित में से कौन-सा **सही** है?

A. (A) और (R) दोनों सही हैं और (R), (A) की सही व्याख्या है।
B. (A) और (R) दोनों सही हैं, लेकिन (R), (A) की सही व्याख्या नहीं है।
C. (A) सही है, लेकिन (R) गलत है।
D. (A) गलत है, लेकिन (R) सही है।

उत्तरमाला

1	2	3	4	5	6	7	8	9	10
C	D	C	B	A	B	D	D	A	D
11	**12**	**13**	**14**	**15**	**16**	**17**	**18**	**19**	**20**
B	A	A	A	C	A	C	A	B	B
21	**22**	**23**	**24**	**25**	**26**	**27**	**28**	**29**	**30**
C	C	B	C	C	C	A	B	A	B
31	**32**	**33**	**34**	**35**	**36**	**37**	**38**	**39**	**40**
C	C	B	A	C	A	C	D	A	C
41	**42**	**43**	**44**	**45**	**46**	**47**	**48**	**49**	**50**
A	D	B	A	B	C	C	B	D	B
51	**52**	**53**	**54**	**55**	**56**	**57**	**58**	**59**	**60**
C	B	C	C	B	C	D	B	*	D
61	**62**	**63**	**64**	**65**	**66**	**67**	**68**	**69**	**70**
D	C	B	B	B	D	A	B	D	C
71	**72**	**73**	**74**	**75**					
A	A	D	C	C					

* Error in Question.

पिछले प्रश्न-पत्र (हल सहित)

UGC-NET जूनियर रिसर्च फैलोशिप तथा सहायक प्राध्यापक परीक्षा

इतिहास, जनवरी-2017*

प्रश्न-पत्र-II

नोट : *इस प्रश्नपत्र में* ***पचास (50)*** *बहु-विकल्पीय प्रश्न हैं। प्रत्येक प्रश्न के* ***दो (2)*** *अंक हैं।* ***सभी*** *प्रश्न अनिवार्य हैं।*

1. मध्य पाषाण युग के बारे में निम्नलिखित में से क्या सही है?

नीचे दिए गए कूट में से उत्तर का चयन करें :

(*i*) सामान्यतः लघु पाषाणिक औजार पाए गये हैं।

(*ii*) बागोर, लंघनाज तथा भीमबेटका कुछ महत्वपूर्ण स्थल हैं।

(*iii*) जंगली तथा पालतू पशुओं की हड्डियां पाई गई हैं।

(*iv*) इस काल के शैल चित्र उपलब्ध हैं।

कूट :

A. (*i*), (*ii*), (*iii*) तथा (*iv*)

B. (*i*), (*ii*) तथा (*iii*)

C. (*ii*), (*iii*) तथा (*iv*)

D. (*i*), (*ii*) तथा (*iv*)

2. निम्नलिखित में से कौन-सा नवपाषाण कालीन पुरातात्विक स्थल राख के टीलों के लिए नहीं जाना जाता?

A. उतनूर B. पालवाय

C. कुपगल D. बुर्जहोम

3. निम्नलिखित में से किस स्थल से हड़प्पा लिपि में बहुत बड़े-बड़े अक्षरों में लिखा हुआ एक लघु अभिलेख प्राप्त हुआ है?

A. बणावली B. धौलावीरा

C. कालीबंगा D. मोहनजोदड़ो

4. निम्नलिखित युग्मों में से कौन-सा युग्म सुमेलित नहीं है?

	सूची-I (महाजनपद)		सूची-II (राजधानी)
A.	पंचाल	–	मथुरा
B.	मत्स्य	–	बैराट
C.	कोशल	–	श्रावस्ती
D.	मगध	–	गिरिव्रज

5. सूची-I को सूची-II के साथ सुमेलित कीजिए तथा नीचे दिए गए कूट की सहायता से सही उत्तर का चयन कीजिए :

सूची-I (दर्शनशास्त्र)	सूची-II (समर्थक)
(*a*) योग	1. कपिल
(*b*) मीमांसा	2. पतंजलि
(*c*) सांख्य	3. कुमारिल
(*d*) वैशेषिक	4. कणाद

कूट :

	(*a*)	(*b*)	(*c*)	(*d*)
A.	1	2	3	4
B.	2	3	1	4
C.	2	4	3	1
D.	4	1	2	3

6. निम्नलिखित में से कौन-सा विभाग कण्टकशोधन से संबंधित था?

A. कराधान

B. उद्योग

C. पथ कर

D. न्यायपालिका

* *परीक्षा 22 जनवरी 2017 को सम्पन्न हुई।*

7. निम्नलिखित में से कौन-सा युग्म सुमेलित नहीं है?

करवाचक शब्द		**अभिप्राय**
A. विष्टि	–	बेगार
B. भाग	–	स्थानीय कर
C. कर	–	महसूल
D. प्रणय	–	आपात कर

8. निम्नलिखित में से कौन बौद्ध स्थापत्य कला का भाग नहीं है?

A. अंड B. मेधि

C. छत्र D. अंतराल

9. कुषाण काल के बारे में निम्नलिखित में से कौन-सा कथन सही है?

A. बड़े पैमाने पर चाँदी के सिक्कों का जारी किया जाना

B. गंधार कला का फलना-फूलना

C. अमरसिंह का संरक्षण

D. बंगाल तक साम्राज्य का विस्तार

10. निम्नलिखित में से किस कथन के बारे में खारवेल के हाथीगुम्फा अभिलेख से पता चला है?

नीचे दिए गए कूट में से सही उत्तर का चयन करें :

(*i*) वह कलिंग का शासक था।

(*ii*) वह स्वयं को महामेघवाहन कहता था।

(*iii*) उसने जैन आचार्यों के सम्मेलन का आयोजन किया।

(*iv*) उसने मूल रूप से एक नन्द राजा द्वारा खुदवाई गई नहर को नगर तक आगे बढ़ाया।

कूट :

A. (*i*), (*ii*), (*iii*) तथा (*iv*)

B. (*i*), (*ii*) तथा (*iii*)

C. (*ii*), (*iii*) तथा (*iv*)

D. (*i*), (*ii*) तथा (*iv*)

11. *पेरीप्लस ऑफ द एरीथिरियन सी* में निम्नलिखित में से कौन-सा वक्तव्य दिया गया है?

नीचे दिए कूट में से सही उत्तर का चयन करें :

(*i*) कोलचि, कमर तथा पोदुक दक्षिण भारतीय पत्तन थे।

(*ii*) हाथी दाँत का उत्पादन दोसारने में किया जाता था।

(*iii*) कोलंदिया नामक बड़े पोत गंगा तथा क्रैस की ओर रवाना होते थे।

(*iv*) मसालिया, मुजिरिस के दक्षिण में था।

कूट :

A. (*i*), (*ii*) तथा (*iii*)

B. (*iii*) तथा (*iv*)

C. (*ii*), (*iii*) तथा (*iv*)

D. (*i*), (*ii*) तथा (*iv*)

12. सूची–I को सूची–II के साथ सुमेलित कीजिए तथा नीचे दिए गए कूट में से सही उत्तर का चयन करें :

सूची–I (लेखक)	**सूची–II (पुस्तक का शीर्षक)**
(*a*) दण्डिन	1. प्रतिमा नाटक
(*b*) भास	2. चतुर्वर्गचिन्तामणि
(*c*) हेमाद्रि	3. दशकुमारचरित
(*d*) भवभूति	4. उत्तररामचरित

कूट :

	(*a*)	(*b*)	(*c*)	(*d*)
A.	1	4	3	2
B.	2	3	4	1
C.	3	1	2	4
D.	4	2	1	3

13. नीचे दो वक्तव्य दिए गए हैं। एक को कथन (A) और दूसरे को कारण (R) कहा गया है :

कथन (A) : फाह्यान चन्द्रगुप्त II के समय भारत आया था।

कारण (R) : उसने चन्द्रगुप्त II का अपनी राजधानी पाटलिपुत्र से शासन करते हुए वर्णन किया है।

उपर्युक्त दोनों वक्तव्यों के संदर्भ में निम्नलिखित में से कौन सही है?

A. (A) और (R) दोनों सही हैं तथा (A) की सही व्याख्या (R) है।

B. (A) और (R) दोनों सही हैं, किन्तु (A) की सही व्याख्या (R) नहीं है।

C. (A) सही है, किन्तु (R) गलत है।

D. (A) गलत है, किन्तु (R) सही है।

14. निम्नलिखित खगोलविदों को सही कालानुक्रम में रखिए :

(*i*) आर्यभट्ट (*ii*) ब्रह्मगुप्त

(*iii*) लगध (*iv*) वराहमिहिर

नीचे दिए गए कूट से सही उत्तर का चयन कीजिए :

कूट :

A. (*i*), (*iii*), (*ii*), (*iv*)
B. (*ii*), (*iv*), (*iii*), (*i*)
C. (*iii*), (*i*), (*iv*), (*ii*)
D. (*iv*), (*ii*), (*iii*), (*i*)

15. सूची-I को सूची-II के साथ सुमेलित कीजिए तथा नीचे दिए गए कूट में से सही उत्तर का चयन करें :

सूची-I (राजा का नाम)	सूची-II (बिरुद)
(*a*) नरसिंह वर्मन I	1. तेल्लारेरिन्द
(*b*) कुलोतुंग I	2. वातापीकोण्ड
(*c*) नन्दिवर्मन III	3. सत्याश्रय
(*d*) पुलकेशिन II	4. शुंगमतविर्त्त

कूट :

	(*a*)	(*b*)	(*c*)	(*d*)
A.	4	2	3	1
B.	2	4	1	3
C.	3	1	4	2
D.	1	3	2	4

16. निम्नलिखित में से कौन एक दक्षिण भारतीय वाणिज्यीय/समुद्रीय संगठन नहीं था?

A. अञ्जुवण्णम B. मणिग्रामम्

C. ऐन्नुरुवर D. महाजन

17. श्रीविजय राज्य के बारे में निम्नलिखित में से कौन-सा कथन सही है?

नीचे दिए गए कूट में से सही उत्तर का चयन करें :

(*i*) पाल वंश के देवपाल ने बालपुत्रदेव द्वारा निर्मित बौद्ध मठ के निर्वाह के लिए गाँव दान में दिए।

(*ii*) चोल वंश के राजराज प्रथम के श्रीविजय राज्य के साथ सौहार्दपूर्ण संबंध थे।

(*iii*) श्रीविजय के साथ राजेन्द्र प्रथम के संबंध प्रारंभ में मित्रतापूर्ण थे, परन्तु बाद में उनमें शत्रुता हो गई।

(*iv*) मारविजयोत्तुंगवर्मन ने नागपाट्टिणम में एक बौद्ध मठ का निर्माण किया था।

कूट :

A. (*i*), (*ii*), (*iii*) तथा (*iv*)
B. (*i*), (*ii*) तथा (*iii*)
C. (*ii*), (*iii*) तथा (*iv*)
D. (*i*), (*iii*) तथा (*iv*)

18. सूची-I में दिए गए फारसी/अरबी के ग्रंथों को सूची-II में दिए उनके लेखकों से सुमेलित करें और कूट की सहायता से सही उत्तर दर्शाएँ।

सूची-I (ग्रंथ)	सूची-II (लेखक)
(*a*) *ताज-उल मआसिर*	1. अल-कशकंदी
(*b*) *तारीख-ए मुबारक शाही*	2. हसन निजामी
(*c*) *मसालिक-उल अबसार फी मुमालिक उल-अमसार*	3. याहया बिन अहमद सरहिंदी
(*d*) *सुभ-उल अ'शा*	4. शिहाबुद्दीन अल-उमरी

कूट :

	(*a*)	(*b*)	(*c*)	(*d*)
A.	2	1	4	3
B.	3	4	2	1
C.	2	3	4	1
D.	4	1	2	3

19. "अपनी लगभग 40 वर्षों की *खानी* और बादशाहियत के दौरान उसने कभी बाजार के लोगों, निम्न तबके के लोगों, संगीतकारों और विदूषकों से बातचीत नहीं की।" यह कथन जियाउद्दीन बरनी ने निम्नलिखित में से किस सुल्तान के संदर्भ में कहा है?

A. नसीरुद्दीन महमूद B. बलबन

C. अलाउद्दीन खलजी D. मुहम्मद बिन तुगलक

20. निम्नलिखित में से किस शहर का नाम अलाउद्दीन खलजी ने अपने बेटे खिज्र खान के नाम पर खिज्राबाद रखा था?

A. लखनौती B. रणथंभौर

C. चित्तौड़ D. मांडू

21. चौदहवीं सदी की संत कवयित्री लल्ला डेड की रचनाओं को किस नाम से जानते हैं?

A. *वर* B. *वाख*

C. *लालकाव्य* D. *स्पंद*

22. जियाउद्दीन बरनी उल्लेख करता है कि शराब पर प्रतिबंध के बावजूद "नशेड़ी, व्यभिचारी और अय्याश लोग अपने घरों के भीतर भट्ठियाँ बनाकर शराब तैयार करते थे... उसे पीते थे और गुप्त रूप से उसे ऊँचे दामों पर बेचते भी थे।"

उपर्युक्त कथन में जियाउद्दीन बरनी ने निम्नलिखित में से किस सुल्तान का जिक्र किया है, जिसने अपने राज्य में शराब पीने और उसे बेचने पर पाबंदी लगाई थी?

A. बलबन B. अलाउद्दीन खलजी

C. मुहम्मद बिन तुगलक D. फिरोज शाह तुगलक

23. कश्मीर के निम्नलिखित चक शासकों को सही कालक्रम में व्यवस्थित करें :

(*i*) सुल्तान मुहम्मद शाह I

(*ii*) सुल्तान हसन शाह

(*iii*) सुल्तान फतेह शाह

(*iv*) सुल्तान हैदर शाह

नीचे दिए गए कूट से सही उत्तर का चयन करें :

कूट :

A. (*i*), (*ii*), (*iii*), (*iv*)

B. (*ii*), (*i*), (*iv*), (*iii*)

C. (*iv*), (*ii*), (*i*), (*iii*)

D. (*iii*), (*iv*), (*ii*), (*i*)

24. "यह उनका रिवाज है कि जिस व्यक्ति को यह ('पान' की थाली) दी जाती थी, वह अपने हाथ में थाली लेकर उसे अपने कंधे पर रखता था और उसके बाद अपने दूसरे हाथ से धरती को छूकर अभिनंदन (कोर्निश) करता था।"

सुल्तान मुहम्मद तुगलक द्वारा अपने अमीरों तथा विदेशी मेहमानों के लिए दावतों का उल्लेख करते हुए निम्नलिखित में से किसने उपरोक्त विवरण लिखा था?

A. अब्दुर्रज्जाक B. इब्न बतूता

C. मिर्जा नाथन D. शम्स सिराज अफीफ

25. किसने अपनी रचना *मदनुश-शिफा-ए सिकंदरशाही* को समझने के लिए निम्नलिखित तर्क प्रस्तुत किया?

"पहली बात तो यह कि यूनानी दवाएँ भारत की जलवायु के अनुरूप नहीं थीं और दूसरी बात यह कि उस प्रणाली में उल्लिखित औषधीय पौधों की भारत में पहचान करना अथवा उन्हें प्राप्त करना संभव नहीं था।"

A. अली मुहम्मद खान B. मिल्हण

C. मीर मासूम D. मियां भूवाह

26. काजियों के मार्गदर्शन के लिए प्रामाणिक कृति हनफी *फीक्ह* से महत्वपूर्ण उद्धरणों को निकालकर उन्हें संकलित करने का जो काम औरंगजेब ने कराया था, उस ग्रंथ का क्या नाम है?

A. *सियासतनामा*

B. *नसीहत-उल मुलूक*

C. *अहकाम-ए आलमगीरी*

D. *फतवा अल-आलमगीरी*

27. अबुल फजल ने किसे 'सादा लहू' (एक सरल व्यक्ति) बताया है, क्योंकि उसने उस मूर्ति के खो जाने पर शोक मनाया था, जिसकी वह पूजा करता था और अबुल फजल ने उसे 'रिवाजों का अंध भक्त' भी कहा है?

A. टोडर मल B. मान सिंह

C. तानसेन D. बीरबल

28. सूची-I को सूची-II के साथ सुमेलित कीजिए तथा नीचे दिए गए कूट में से सही उत्तर का चयन करें :

सूची-I (लेखक)	सूची-II (कार्य)
(*a*) बल्लालसेन	1. रसगंगाधर
(*b*) जगन्नाथ पंडित	2. राजावलीपताका
(*c*) कृष्णदेव	3. भोजप्रबंध
(*d*) शुक	4. पारसीप्रकाश

कूट :

	(*a*)	(*b*)	(*c*)	(*d*)
A.	1	2	3	4
B.	2	3	1	4
C.	4	1	2	3
D.	3	1	4	2

29. निम्नलिखित में से कौन-सा/से हुन्डी का प्रकार (रूप) नहीं है/हैं?

(*i*) जब्ती हुन्डी

(*ii*) दर्शनी हुन्डी

(*iii*) मियादी हुन्डी

(*iv*) फसलाना हुन्डी

नीचे दिए गए कूट से सही उत्तर का चयन कीजिए :

कूट :

A. केवल (*i*) तथा (*ii*)

B. केवल (*i*) तथा (*iv*)

C. केवल (*ii*) तथा (*iii*)

D. केवल (*iii*) तथा (*iv*)

30. निम्न ऐतिहासिक भवनों को उनके निर्माण के समय के अनुसार दर्शाएँ :

(*i*) हुमायूँ का मकबरा – दिल्ली

(*ii*) अटाला मस्जिद – जौनपुर

(*iii*) राबिया दौरानी का मकबरा – औरंगाबाद

(*iv*) शेरशाह का मकबरा – सासाराम

नीचे दिए गए कूट से सही उत्तर का चयन कीजिए :

कूट :

A. (*i*), (*iii*), (*ii*), (*iv*) B. (*ii*), (*iv*), (*i*), (*iii*)

C. (*ii*), (*iii*), (*iv*), (*i*) D. (*ii*), (*i*), (*iii*), (*iv*)

31. मुगल शाही घराने की निम्नलिखित में से किस महिला ने गायों की चराई के लिए अपनी *जागीर* से जमीन दी?

A. हमीदा बानो बेगम B. माहम अन्गा

C. नूरजहाँ D. मुमताज महल

32. निम्नलिखित में से कौन-सा कथन सही नहीं है?

A. सूबे के प्रादेशिक प्रभाग सरकार में कई अधिकारियों की नियुक्ति की जाती थी।

B. सरकार के शीर्षस्थ अधिकारी को फौजदार कहा जाता था।

C. अधिकारियों में से एक को सरकार का प्रधान कहा जाता था।

D. फौजदार का कर्तव्य अपनी सरकार में कानून और व्यवस्था बनाए रखना होता था।

33. औरंगजेब से अपनी बातचीत के दौरान मिर्जा मुकर्रम सफवी ने उससे संगीत के बारे में अपने विचार प्रकट करने को कहा। संगीत के बारे में औरंगजेब के विचारों के संदर्भ में निम्नलिखित में से कौन-सा/से कथन सही है/हैं?

(*i*) संगीत 'मुब्बाह' है, न वह अच्छा है, न बुरा।

(*ii*) मैं गायन और वाद्य संगीत नापसंद करता हूँ।

(*iii*) मैं बिना बाँसुरी, खासकर पखावज, के संगीत नहीं सुन सकता।

(*iv*) बाँसुरी एकमत से प्रतिबंधित (हराम) है, इसलिए मैंने संगीत छोड़ दिया।

नीचे दिए गए कूट से सही उत्तर चुनें :

कूट :

A. (*i*) तथा (*ii*)

B. (*ii*) तथा (*iii*)

C. (*ii*) तथा (*iv*)

D. (*i*), (*iii*) तथा (*iv*)

34. शाहजहाँ द्वारा बनवाए गए निम्नलिखित भवनों को उनके निर्माण के ऐतिहासिक क्रम में दर्शाएँ :

(*i*) आगरा के किले में दीवान-ए आम

(*ii*) आगरा के किले में मोती मस्जिद

(*iii*) ताजमहल, आगरा

(*iv*) जामा मस्जिद, शाहजहाँनाबाद

कूट की सहायता से सही उत्तर दर्शाएँ :

कूट :

A. (*i*), (*iii*), (*ii*), (*iv*) B. (*ii*), (*iii*), (*i*), (*iv*)

C. (*iii*), (*ii*), (*iv*), (*i*) D. (*iii*), (*iv*), (*ii*), (*i*)

35. 1843 के इंडिया एक्ट V द्वारा भारत में किस प्रथा को अवैध (गैर-कानूनी) घोषित किया गया?

A. सती B. शिशुहत्या

C. दासता D. दहेज

36. नीचे दो वक्तव्य दिए गए हैं। एक को कथन (A) और दूसरे को कारण (R) कहा गया है :

कथन (A) : भारत के अभिजातवर्गीय एवं राज परिवारों को शिक्षा प्रदान करने के लिए भारत में चीफ्स कॉलेज की स्थापना की गई थी।

कारण (R) : मूल निवासी अपनी भाषाओं में नहीं बल्कि अंग्रेजी में शिक्षा प्राप्त करने के इच्छुक थे।

उपर्युक्त दोनों वक्तव्यों के संदर्भ में निम्नलिखित में से कौन-सा सही है?

कूट :

A. (A) और (R) दोनों सही हैं तथा (A) की सही व्याख्या (R) है।

B. (A) और (R) दोनों सही हैं, किन्तु (A) की सही व्याख्या (R) नहीं है।

C. (A) सही है, किन्तु (R) गलत है।

D. (A) गलत है, किन्तु (R) सही है।

37. निम्नलिखित में से किसने इस मत का समर्थन नहीं किया कि भारत में संरक्षण प्राप्त नरेश मात्र ब्रिटिश ताज के 'सामन्त' थे?

A. सर लुइस टप्पर

B. व्हीटन

C. ड्यूक ऑफ अर्गिल

D. सर विलियम ली वार्नर

38. निम्नलिखित अकाल आयोगों को कालक्रमानुसार व्यवस्थित कीजिए :

(*a*) मैकडोनल (*b*) स्ट्रेची

(*c*) लायल (*d*) कैम्पबैल

नीचे दिए गए कूट से सही उत्तर का चयन कीजिए :

कूट :

A. (*c*), (*a*), (*d*), (*b*) B. (*b*), (*c*), (*a*), (*d*)

C. (*d*), (*b*), (*c*), (*a*) D. (*a*), (*c*), (*d*), (*b*)

39. ब्रिटिश औपनिवेशिक सरकार द्वारा प्रथम फैक्ट्री अधिनियम कब पारित किया गया?

A. 1867 B. 1876

C. 1881 D. 1884

40. निम्नलिखित में से कौन-सा घोषित उद्देश्य अखिल भारतीय मुस्लिम लीग की स्थापना का नहीं था?

A. भारतीय मुसलमानों में सर्व-इस्लामवाद की विचारधारा को प्रचारित करना।

B. भारतीय मुसलमानों के राजनीतिक अधिकारों एवं हितों की ब्रिटिश सरकार के समक्ष पैरवी करना।

C. भारतीय मुसलमानों में ब्रिटिश सरकार के प्रति वफादारी की भावना को प्रोत्साहित करना।

D. अन्य समुदायों के प्रति भारतीय मुसलमानों में किसी भी प्रकार के विद्वेष की भावना को रोकना।

41. निम्नलिखित में से कौन खिलाफत कमेटी के सदस्य थे?

(*a*) शौकत अली (*b*) हकीम अजमल खान

(*c*) हसरत मोहानी (*d*) मुस्तफा नसरुद्दीन

नीचे दिए गए कूट से सही उत्तर का चयन कीजिए :

कूट :

A. (*a*), (*b*) तथा (*d*) B. (*a*), (*c*) तथा (*d*)

C. (*a*), (*b*) तथा (*c*) D. (*b*), (*c*) तथा (*d*)

42. सूची-I का सूची-II से मिलान करें और नीचे दिए गए कूट की सहायता से सही उत्तर का चयन करें :

सूची-I (नेता)	**सूची-II (संगठन)**
(*a*) एम.सी. राजा	1. ऑल इंडिया डिप्रेस्ड क्लासैज लीग
(*b*) जगजीवन राम	2. ऑल इंडिया डिप्रेस्ड क्लासैज कांग्रेस
(*c*) बी.आर. आम्बेडकर	3. ऑल इंडिया डिप्रेस्ड क्लासैज ऐसोसियेशन
(*d*) महात्मा गांधी	4. ऑल इंडिया हरिजन संघ

कूट :

	(*a*)	(*b*)	(*c*)	(*d*)
A.	3	2	4	1
B.	3	1	2	4
C.	1	3	2	4
D.	4	2	1	3

43. निम्नलिखित में से किस अधिनियम को जवाहरलाल नेहरू ने 'गुलामी का नया चार्टर' बताया था?

A. इंडियन क्रिमिनल लॉ अमेंडमेंट एक्ट, 1913

B. रॉलैट एक्ट, 1919

C. गवेर्न्मेंट ऑफ इंडिया एक्ट, 1919

D. गवेर्न्मेंट ऑफ इंडिया एक्ट, 1935

44. निम्नलिखित में से किसने 1932 के ओटावा व्यापार समझौते की यह कहकर निंदा की थी कि : 'इससे भारत के अधिक विस्तृत हितों की हत्या हुई'?

A. जी.डी. बिडला B. जे.आर.डी. टाटा

C. जवाहरलाल नेहरू D. जे.बी. कृपलानी

45. निम्नलिखित में से कौन 'लिबरल पार्टी' का सदस्य नहीं था?

A. दिनशा पेतित अली इमान

B. पुरषोत्तमदास ठाकुर

C. एस.एम. परांजपे

D. वी.एस. श्रीनिवास शास्त्री

46. निम्नलिखित में से 'राष्ट्र-राज्य' होने के लिए कौन-सी अनिवार्य शर्त नहीं है?

A. एक राष्ट्र अथवा करीबी संबंधित राष्ट्रों के लिए एक सरकार का राज्य के रूप में गठन।

B. एक राज्य जिसका क्षेत्र राष्ट्रीय सीमाओं से निर्धारित होता है।

C. एक राज्य जिसका कानून राष्ट्रीय रीति-रिवाज एवं आकांक्षा से निर्धारित होता है।

D. एक राष्ट्र, राज्य की अभिव्यक्ति होता है।

47. भारतीय संविधान के निम्नलिखित अनुच्छेदों में से कौन से पुरुष एवं स्त्रियों को पूर्ण समानता की गारंटी देते हैं?

A. 12 एवं 13

B. 14 एवं 15

C. 18 एवं 19

D. 49 एवं 50

48. निम्नलिखित में से कौन राजनीति में एक महान नवप्रवर्तक था। पूरी तरह से और सजग रूप से धर्मनिरपेक्ष होने के कारण वह राष्ट्र के समक्ष सांप्रदायिकता के खतरे को साफ-साफ समझ रहा था। जो अकसर कहा करता था कि सांप्रदायिकता उतना ही बड़ा शत्रु है, जितना बड़ा उपनिवेशवाद।

A. चंद्रशेखर आजाद

B. भगवती चरण वोहरा

C. यशपाल

D. भगत सिंह

49. निम्नलिखित में से कौन राज्य पुनर्गठन आयोग का सदस्य नहीं था?

A. न्यायमूर्ति सैय्यद फजल अली

B. डॉ. हृदयनाथ कुंजरू

C. के.एम. पणिक्कर

D. शशिपाद बैनर्जी

50. किसने 'प्रत्यक्षवाद' शब्द को गढ़ा तथा प्रत्यक्षवादी दर्शन की संस्थापना की?

A. नीबुअर

B. रांके

C. ऑगस्त काम्ते

D. थॉमस बकल

उत्तरमाला

1	2	3	4	5	6	7	8	9	10
A	D	B	A	B	D	B	D	B	D
11	**12**	**13**	**14**	**15**	**16**	**17**	**18**	**19**	**20**
A	C	C	C	B	D	A	C	B	C
21	**22**	**23**	**24**	**25**	**26**	**27**	**28**	**29**	**30**
B	B	*	B	D	D	A	*	B	B
31	**32**	**33**	**34**	**35**	**36**	**37**	**38**	**39**	**40**
A	C	D	A	C	C	D	C	C	A
41	**42**	**43**	**44**	**45**	**46**	**47**	**48**	**49**	**50**
C	B	D	C	C	D	B	D	D	C

व्याख्यात्मक उत्तरमाला

1. भारत में मध्यपाषाण काल के विषय में जानकारी सर्वप्रथम 1867 ई. में हुई। इस काल के औजार छोटे पत्थरों से बने हुए हैं, जिन्हें माइक्रोलिथिक या सूक्ष्म पाषाण कहा गया है। भारत में मानव अस्थि-पंजर सर्वप्रथम मध्यपाषाण काल से ही प्राप्त होने लगता है। मध्यपाषाण युगीन औजार बनाने की तकनीक को फ्लूटिंग कहा जाता है। मध्यपाषाण काल के लोग शिकार, मछली पकड़ने तथा खाद्य-संग्रहण पर निर्भर करते थे। बागोर, लंघनाज तथा भीमबेटका इस काल के महत्वपूर्ण स्थल थे। भीमबेटका से शैल चित्रकारी के प्राचीनतम साक्ष्य मिले हैं। राजस्थान में स्थित साम्भर झील निक्षेप के कई मध्यपाषाणिक स्थल प्राप्त हुए हैं, जिनमें नरवा, गोविन्दगढ़ तथा लेखवा प्रमुख हैं। यहाँ से विश्व के सबसे पुराने वृक्षारोपण का साक्ष्य मिला है।

2. पाकिस्तान के बलूचिस्तान में अवस्थित मेहरगढ़ तथा भारत के कश्मीर मे स्थित बुर्जहोम एवं गुफ्कराल महत्वपूर्ण नवपाषाण कालीन स्थल हैं। बुर्जहोम में गर्त निवास का साक्ष्य मिलता है, जहाँ कब्रों में पालतू कुत्ते भी मालिकों के शवों के साथ दफनाए जाते थे। जबकि उतनूर, पालवाय, कुपगल, संगनकल्लू (मैसूर) तथा पिकलीहल से राख के टीले प्राप्त हुए हैं।

3. धौलावीरा में एक बड़ा उत्कीर्ण लेख सम्भवतः गिरा हुआ साइनबोर्ड, मुख्य द्वार के पास मिला है, जो हडप्पाई नगरों से प्राप्त अब तक लिखावट के सबसे बड़े नमूने हैं। यह लिखावट एक काठ की तख्ती पर खुदाई करके उसमें सफेद चूना (जिप्सम) भरकर तैयार की गई है, जिसमें दस संकेताक्षर हैं।

4. **कौसल**–अंगुतर निकाय में कोसल जनपद का उल्लेख है। इसकी पहली राजधानी अयोध्या या साकेत थी जो बाद में बदलकर 'श्रावस्ती' हो गयी।

मगध–इस जनपद का उल्लेख पालि साहित्य में मिलता है। इसकी राजधानी गिरिव्रज थी। आधुनिक पटना एवं गया जिला इसमें सम्मिलित थे।

मत्स्य–इस जनपद की राजधानी विराटनगर थी। आधुनिक जयपुर तथा अलवर का क्षेत्र इसमें सम्मिलित था। विराट नामक राजा इसके संस्थापक थे। इसी के नाम पर इसकी राजधानी का नाम विराटनगर पड़ा।

पांचाल–यह आधुनिक रुहेलखंड तथा गंगा-यमुना दोआब में स्थित। इस राज्य की दो शाखाएँ थीं–पहली उत्तरी पांचाल जिसकी राजधानी अहिच्छत्र थी तथा दूसरी दक्षिणी पांचाल जिसकी राजधानी काम्पिल्य थी। यह एक राजतंत्र था। अतः पांचाल की राजधानी मथुरा नहीं है।

5. **योग**–योग के प्रणेता पतंजलि को माना जाता है। इनकी कृति का नाम 'योगसूत्र' है। योगसूत्र पर व्यास ने भाष्य लिखा जिस पर नौवीं शताब्दी में वाचस्पति मिस्र ने तत्व वैशारदी नामक टीका लिखी। योग दर्शन के अनुसार, अष्टांग योग हैं–यम, नियम, आसन, प्राणायाम, प्रत्याहार, धारणा, ध्यान और समाधि। योग दर्शन में ईश्वर की सत्ता को स्वीकार किया गया है।

मीमांसा–कुमारिल भट्ट मीमांसा दर्शन के दो प्रधान संप्रदायों में से एक भट्ट संप्रदाय के संस्थापक थे। कुमारिल के दर्शनों का अध्ययन मुख्यतः तीन भागों में किया जा सकता है–ज्ञानमीमांसा, तत्वमीमांसा तथा आचारमीमांसा। भट्ट संप्रदाय का मुख्य उद्देश्य बौद्ध धर्म को भारत से समूल नाश करना था।

सांख्य–सांख्य दर्शन का प्रर्वतक महर्षि कपिल मुनि को माना जाता है। इसका सबसे प्राचीन तथा प्रमाणिक ग्रंथ सांख्यकारिका है, जिसकी रचना ईश्वर कृष्ण ने की थी।

वैशेषिक–प्राचीनतम दर्शनों में से एक वैशेषिक दर्शन के प्रणेता कणाद मुनि माने जाते हैं। इस दर्शन में बौद्धों की विशिष्ट आस्था थी। इसके मुख्य सिद्धांत, न्यायदर्शन के समान ही हैं, इसीलिए इस दर्शन को 'समान तंत्र' भी कहा जाता है। इस दर्शन का मुख्य उद्देश्य 'बाह्य जगत' की विस्तृत समीक्षा करना है। इस दर्शन की मुख्य विशेषता–'परमाणुवाद' है।

6. मौर्यकाल में दीवानी न्यायालय धर्मस्थीय तथा फौजदारी न्यायालय कण्टशोधन कहलाता था। दीवानी न्यायालय का न्यायाधीश धर्मस्थ/व्यवहारिक एवं फौजदारी न्यायालय का न्यायाधीश प्रदेष्टा कहलाता था।

8. बौद्ध स्थापत्य कला के महत्वपूर्ण भाग निम्नलिखित हैं–

वेदिका (रेलिंग) का निर्माण स्तूप की सुरक्षा के लिए होता था।

मेधि (कुर्सी) वह चबूतरा जिस पर स्तूप का मुख्य हिस्सा आधारित होता था।

अण्ड स्तूप का अर्द्ध गोलाकार हिस्सा होता था।

हर्मिका स्पूत के शिखर पर अस्थि की रक्षा के लिए।

छत्र धार्मिक चिह्न का प्रतीक।

यष्टि छत्र को सहारा देने के लिए होता था।

सोपान मेधि पर चढ़ने-उतरने हेतु सीढ़ी।

अतः **अंतराल**, बौद्ध स्थापत्य कला का भाग नहीं है।

9. कुषाण काल में कला के क्षेत्र में दो स्वतंत्र शैलियों गान्धार कला एवं मथुरा कला का विकास हुआ। गान्धार शैली को ग्रीक-बौद्ध शैली भी कहा जाता है। गान्धार शैली में बुद्ध की प्रतिमाएँ यूनान और रोम की मिश्रित शैली से बनाई गईं। मथुरा शैली मूलतः देशी कला थी, जिसमें बुद्ध की विलक्षण प्रतिमाएँ बनीं, परंतु इस जगह की ख्याति कनिष्क की सिरविहीन खड़ी मूर्ति को लेकर है। यहाँ महावीर की भी कई प्रस्तर मूर्तियाँ बनाई गईं हैं।

10. कलिंग के चेदि वंश से संबंधित जानकारी का मुख्य स्रोत खारवेल का हाथीगुम्फा अभिलेख (प्रथम शताब्दी ई.पू.) है। इस अभिलेख से पता चलता है कि इस वंश की स्थापना महामेघवाहन नामक व्यक्ति ने की थी। खारवेल इस वंश का महानतम शासक था, वह जैन तीर्थंकर शीतलनाथ की मूर्ति मगध से लाने में सफल हुआ, जिसको तीन शताब्दी पूर्व मगध के शासक महापद्मनन्द द्वारा कलिंग से ले गया था। इस अभिलेख से यह भी पता चलता है कि उसने मूल रूप से एक नन्द राजा द्वारा खुदवाई गई नहर को नगर तक आगे बढ़ाया।

11. प्रथम शताब्दी में यूनानी नाविक ने अपनी *पेरीप्लस ऑफ द एरिथ्रियन सी* नाम पुस्तक में भारत द्वारा रोमन साम्राज्य को निर्यात की जाने वाली वस्तुओं का विवरण दिया है। प्लिनी ने प्रतिवर्ष रोम से भारत में जाने वाले सोने की भारी मात्रा के लिए दुःख प्रकट किया है। अरिकामेडु को *पेरिप्लस ऑफ द एरिथ्रियन सी* में पेडोक नाम से संबोधित किया गया है। इस पुस्तक में कोलचि, कमर तथा पोदुक दक्षिण भारतीय पत्तन थे। हाथी दाँत का उत्पादन दोसारने में किया जाता था। कोलंदिया नामक बड़े पोत गंगा तथा क्रैस की ओर रवाना होते थे। इसके साथ ही इस पुस्तक में मिनांडर के सिक्के भड़ौंच के बाजारों में खूब प्रचलित थे।

12. **भास :** ये संस्कृत साहित्य के प्रसिद्ध नाटककार थे। इनके द्वारा लिखित पुस्तकें–स्वप्नवासवदता, प्रमिमा नाटक, प्रतिज्ञा यौगंधरायण, अभिषेक, दूतवाक्य तथा कर्णभार इत्यादि है।

दण्डिन : दशकुमारचरित दण्डिन द्वारा प्रणीत संस्कृत गद्यकाव्य हैं। इसमें दस कुमारों के चरित्रों का वर्णन होने के कारण इसका नाम दशकुमारचरित है।

हेमाद्रि : ये देवगिरि के यादव राजा महादेव एवं राजा रामचंद्र के प्रधानमंत्री थे। ये एक कुशल प्रशासक, वास्तुकार, कवि और आध्यात्मविद् थे। इनके द्वारा रचित प्रमुख पुस्तक चतुर्वर्गचिन्तामणि है।

भवभूति : ये संस्कृत के महान कवि एवं सर्वश्रेष्ठ नाटककार थे। इनके नाटक कालिदास के नाटकों के समतुल्य माने जाते हैं। इनके द्वारा रचित तीन नाटक महावीरचरितम्, उत्तररामचरितम् तथा मालतीमाधव है।

13. चन्द्रगुप्त द्वितीय (375-415 ई.) के समय में प्रसिद्ध चीनी यात्री फाह्यान (399-414 ई.) भारत आया था। उसके समय में पाटलिपुत्र एवं उज्जयिनी शिक्षा के प्रमुख केन्द्र थे। फाह्यान के द्वारा तत्कालीन सामाजिक एवं धार्मिक स्थितियों का उल्लेख किया गया है जिसमें चन्द्रगुप्त द्वितीय को अपनी राजधानी पाटलिपुत्र से शासन करते हुए वर्णन नहीं किया गया है। इस प्रकार कथन (A) सत्य है जबकि कारण (R) असत्य है।

15. **नरसिंह वर्मन I** ने बादामी के चालुक्यों (पुलकेशिन II) पर अधिकार करने के बाद अपना विजय स्तम्भ स्थापित किया था। इस विजय के बाद वातापीकोण्ड की उपाधि धारण की थी।

कुलोत्तुंग I इनके समय से चोल-चालुक्य वंश का शासन आरम्भ होता है। उसने 1077 ई. में 72 व्यापारियों का दूतमण्डल चीन भेजा। वैष्णव संत रामानुज उसके समकालीन थे, जिन्हें उसने राज्य से निकाल दिया था। करों को हटाने के कारण कुलोत्तुंग I को शुंगम तर्वित कहा जाता था।

नन्दिवर्मन III शैव मतानुयायी था। उसकी राजसभा में तमिल भाषा का प्रसिद्ध कवि संत पेरून्देवनार निवास करता था, जिसने भरतवेणवा नामक ग्रंथ की रचना की थी। इसने तेल्लारेरिन्द की उपाधि धारण की थी।

पुलकेशिन II चालुक्य वंश का महान शासक था, जिसने 'सत्याश्रय श्री पृथ्वी बल्लभ महाराज' तथा 'दक्षिणापथेश्वर' की उपाधि धारण की। इसने पश्चिमी गंग, कदम्ब एवं हर्षवर्द्धन को पराजित किया तथा परमेश्वर की उपाधि ली। इसकी जानकारी रविकीर्ति लिखित ऐहोल अभिलेख में मिलती है।

18. **शिहाबुद्दीन अल उमरी :** दमिश्क से भारत यात्रा पर आए इस अरब यात्री ने अपने ग्रंथ 'मसालिक-उल आबसार मुमालिक उल-अमसार में तत्कालीन हिन्दू समाज की सामाजिक एवं आर्थिक अवस्था का महत्वपूर्ण वर्णन किया है।

याहया बिन अहमद सरहिंदी : ये दिल्ली के सैयद सुल्तानों के समकालीन थे। इन्होंने अपनी पुस्तक 'तारीख-ए मुबारकशाही' लिखने के लिए कई पुस्तकों को आधार बनाया। इस पुस्तक में इन्होंने मुख्यतः सुल्तान मुबारक शाह के शासनकाल के विषय में लिखा है।

हसन निजामी : ताज-उल मआसिर इनकी प्रमुख कृति है। कुतुबुद्दीन ऐबक ने इन्हें संरक्षण प्रदान किया। इस पुस्तक से गौरी के भारत आक्रमणों की जानकारी प्राप्त होती है।

अल-कशकंदी : ये मध्ययुगीन मिस्र के लेखक एवं गणितज्ञ थे। शुभ-उल अ'शा इनके द्वारा लिखित पुस्तक है।

20. 1303 ई. में चित्तौड़ विजय अलाउद्दीन की एक नवीन विजय थी। इसके पूर्व इसे किसी सुल्तान ने नहीं जीता था। उसने चित्तौड़ का नाम अपने पुत्र खिज्र खाँ के नाम पर खिज्राबाद रखा। इस अभियान में अमीर खुसरो ने भी हिस्सा लिया। चित्तौड़ का राजा रतन सिंह थे। गोरा एवं बादल की कहानी इसी अभियान से जुड़ी है।

21. **लल्लेश्वरी (लल्ला डेड) :** चौदहवीं सदी की संत कवयित्री लल्ला डेड कश्मीर की विख्यात शैव संत थीं। इन्होंने कश्मीरी भाषा में कविताएँ लिखीं, जिन्हें *वाख* के नाम से जाना जाता है। इन्हें लाल देद, लालदैय्यद आदि नामों से भी जाना जाता है।

26. **फतवा अल-आलमगीरी** एक ऐतिहासिक कृति है, जो मुगल बादशाह औरंगजेब के शासनकाल में विधिवेत्ताओं के एक दल द्वारा तैयार की गई थी। यह कृति मुस्लिम कानूनों का अत्यंत प्रामाणिक एवं विस्तृत सार संग्रह माना गया है। इस कृति में स्पष्ट रूप से लिखा गया है कि मुसलमानों के लिए जिहाद सबसे पवित्र कार्य है। इसलिए राजा और सैन्य प्रमुखों का प्रयास रहता था कि प्रत्येक युद्ध को जिहाद घोषित किया जाए।

29. **हुंडी :** ऋण-व्यवस्था में हुंडी का प्रयोग महत्वपूर्ण था। इसके बारे में अबुल फजल ने लिखा है—इस देश में जब किसी को दूर कहीं धन ले जाना होता था तो बिना यात्रा एवं वाहन पर खर्च किए वह अपना धन साहूकार को दे देता था जो उसे उस धन के बदले लिखा हुआ कागज का टुकड़ा देता था जिसे दिखाकर वह गंतव्य स्थान पर जाकर पूरा धन वसूल कर सकता था। कागज़ का वह टुकड़ा ही हुंडी कहलाता था। मियादी तथा दर्शनी हुंडी के दो प्रकार हैं।

अतः जब्ती हुंडी तथा दर्शनी हुंडी इसके प्रकार नहीं हैं।

30. **अटाला मस्जिद (जौनपुर) :** प्रसिद्ध अटाला मस्जिद का निर्माण 1408 ई. में इब्राहीम शाह शर्की के काल में पूरा हुआ।

शेरशाह का मकबरा : सासाराम (बिहार) में शेरशाह के द्वारा 1540-1545 ई. में निर्माण करवाया गया।

हुमायूँ का मकबरा : हुमायूँ की पत्नी हमीदाबानु बेगम की देखरेख में 1571 में यह मकबरा दिल्ली में बनवाया गया था। यह मकबरा भारत में चारबाग शैली का प्रथम उदाहरण है।

राबिया दौरानी का मकबरा (औरंगाबाद) : इसे बीबी का मकबरा के नाम से भी जाना जाता है। इस मकबरे को 1660 ई. में मुगल सम्राट औरंगजेब ने अपने पहली

पत्नी दिलरास बानू बेगम (मृत्युपरंत राबिया दुर्रानी) की याद में बनवाया।

34. **दीवान-ए-आम :** अकबर द्वारा आगरा के किले में बनवाए गए दीवान-ए-आम को शाहजहाँ ने तुड़वाकर 1631-40 ई. में पुनः निर्माण करवाया था। यह आगरा के किले में संगमरमर निर्मित पहला भवन है।

ताजमहल : शाहजहाँ ने अपनी प्रिय पत्नी मुमताज महल (अर्जुमन्द बानो बेगम) की स्मृति में आगरा में बनवाया। इसका निर्माण 1633 ई. में प्रारम्भ हुआ तथा 1655 ई. में पूर्ण हुआ। इसका मुख्य स्थापत्यकार उस्ताद अहमद लाहौरी था, जिसे नादिर-उल-असरार की उपाधि दी गई थी। इसका मुख्य मिस्री फारस का निवासी मुहम्मद ईसा खाँ था।

जामा मस्जिद : जामा मस्जिद शाहजहाँनाबाद (दिल्ली) का निर्माण मुगल सम्राट शाहजहाँ के द्वारा 1644 से 1656 ई. में करवाया गया था।

35. भारतीय समाज में प्रचलित दास प्रथा को बन्द करने के लिए 1823 ई. में लिस्टर स्टैनहोप ने इंग्लैण्ड के ड्यूक ऑफ ग्लोस्टर से अनुरोध किया था। फलस्वरूप 1789 ई. में दासों के निर्यात को बन्द कर दिया गया। 1833 ई. के चार्टर एक्ट द्वारा ब्रिटिश सरकार ने दासता पर पूर्ण प्रतिबन्ध लगाया था। 1843 के इंडिया एक्ट V द्वारा दास प्रथा को अवैध (गैर कानूनी) घोषित किया गया। 1860 ई. में दासता को भारतीय दण्ड संहिता के द्वारा अपराध घोषित कर दिया गया।

38. **कैम्पवेल आयोग** (1866-67) उड़ीसा में आए अकाल की जाँच के लिए इस आयोग की स्थापना की गई। इस आयोग ने माना कि केवल स्वयंसेवी संस्थाएँ ही राहत कार्यों के लिए उत्तरदायी नहीं है।

स्ट्रेची आयोग (1878-80) इस आयोग ने सिफारिश की, कि जरूरतमंद लोगों को सहायता पहुँचाना राज्य का कर्तव्य है। सक्षम लोगों को काम दिया जाए और अशक्त लोगों को भोजन दिया जाए तथा प्रत्येक प्रांत में अकाल कोष होना चाहिए।

लायल आयोग (1897) इस आयोग ने स्ट्रेची आयोग की सिफारिशों से सहमति प्रकट की तथा लचीलापन लाने की दृष्टि से कुछ परिवर्तन करने की अनुशंसा की।

मैकडोनाल्ड आयोग (1900) इस आयोग ने सिफारिश की, कि अकाल सहायता तथा अनुदान में दी गई सहायता पर आवश्यकता से अधिक बल दिया गया है। इस आयोग ने नैतिक नीति तथा ग्राम स्तर के कार्यों को प्राथमिकता दी।

39. प्रथम फैक्ट्री अधिनियम लॉर्ड रिपन के समय में 1881 ई. में पारित किया गया। इस अधिनियम के तहत सात वर्ष से कम उम्र के बच्चों के काम कराने पर प्रतिबन्ध, महीने में 4 दिन का अवकाश तथा स्त्री श्रमिक के मुद्दे को छोड़ दिया गया।

40. अखिल भारतीय मुस्लिम लीग की स्थापना का मुख्य उद्देश्य ब्रिटिश सरकार के प्रति मुसलमानों में निष्ठा बढ़ाना था और मुसलमानों के राजनीतिक अधिकारों की रक्षा करना तथा कांग्रेस के प्रति मुसलमानों में घृणा फैलाना था। इन गतिविधियों की पृष्ठभूमि में 30 दिसम्बर, 1906 को ढाका में एक बैठक आयोजित की गई, जिसकी अध्यक्षता नवाब सलीमुल्लाह ने की इसमें मोहिसिन-उल-मुल्क, आगा खाँ तथा नवाब बाकर-उल-मुल्क उपस्थित थे, जिसमें अखिल भारतीय मुस्लिम लीग नामक राजनीतिक संगठन की स्थापना करने का निर्णय लिया गया।

41. गांधीजी ने खिलाफत आंदोलन को हिन्दू-मुस्लिम एकता का सुनहरा अवसर माना। 17 अक्टूबर, 1919 को अखिल भारतीय स्तर पर खिलाफत दिवस मनाया गया। सितम्बर, 1919 में अखिल भारतीय खिलाफत कमेटी का गठन अली भाइयों (मुहम्मद अली और शौकत अली), मौलाना आजाद, हकीम अजमल खान और हसरत मोहानी के नेतृत्व में किया गया। 23 नवम्बर को इसका पहला सम्मेलन दिल्ली में हुआ तथा गाँधी जी को इसका अध्यक्ष चुना गया।

42. गांधी जी अस्पृश्यता को मानवता के लिए अपराध मानते थे। इन्होंने वर्ष 1932 में 'हरिजन सेवक संघ' की स्थापना की। इन्होंने एक पत्रिका 'हरिजन' भी निकाली। गांधीजी ने हरिजनोद्धार के लिए पूरे देश का भ्रमण भी किया।

वर्ष 1920 में डॉ. बी.आर. अम्बेडकर ने द ऑल इण्डिया डिप्रेस्ड क्लास फेडरेशन की स्थापना की। इन्होंने

वर्ष 1924 में बम्बई में बहिष्कृत हितकारिणी सभा की स्थापना की।

जगजीवन राम भारत के प्रथम दलित उप-प्रधानमंत्री एवं राजनेता थे। इन्होंने ऑल इंडिया डिप्रेस्ड क्लासैज लीग की स्थापना में महत्वपूर्ण भूमिका निभाई।

थाम्बी पिल्लई राजा एक तमिल राजनीतिज्ञ, सामाजिक और राजनीतिक कार्यकर्ता थे। 1928 में ऑल इंडिया डिप्रेस्ड क्लासैज ऐसोसिएशन के अध्यक्ष बने।

43. ब्रिटिश संसद द्वारा पारित 1935 का अधिनियम संवैधानिक क्षेत्र में एक महत्वपूर्ण कदम था। प्रांतीय स्वराज्य की स्थापना इस अधिनियम का क्रांतिकारी एवं सराहनीय कदम था लेकिन इस अधिनियम की आलोचना भी की गई। यह अधिनियम अविश्वास पर आधारित था, क्योंकि इसमें आरक्षण एवं संरक्षण की व्यवस्था कर समस्त शक्तियाँ गवर्नर जनरल एवं गवर्नरों को दे दी गई थी। ये लोग निरंकुश थे। इस अधिनियम के विषय में जवाहरलाल नेहरू ने भी कहा था कि "यह अधिनियम उस मोटर के समान है, जिसमें केवल ब्रेक है, इंजन तो है ही नहीं" उन्होंने इस अधिनियम को दासता का नया चार्टर भी कहा।

47. भारतीय संविधान के अनुच्छेद 14 एवं 15 पुरुष एवं स्त्रियों को पूर्ण समानता की गारंटी देते हैं।

अनुच्छेद 14—विधि के समक्ष समता—इसका अर्थ यह है कि राज्य सभी व्यक्तियों के लिए एकसमान कानून बनायेगा तथा उन पर एकसमान लागू करेगा।

अनुच्छेद 15—धर्म, नस्ल, जाति, लिंग या जन्म स्थान के आधार पर भेदभाव का निषेध—राज्य के द्वारा धर्म, मूलवंश, जाति, लिंग एवं जन्म-स्थान आदि के आधार पर नागरिकों के प्रति जीवन के किसी भी क्षेत्र में भेदभाव नहीं किया जायेगा।

48. भगत सिंह पूरी तरह और चेतन रूप से धर्मनिरपेक्ष भी थे। वे अक्सर अपने साथियों से कहते थे कि सांप्रदायिकता भी उतना ही बड़ा शत्रु है जितना कि उपनिवेशवाद और इसका सख्ती से मुकाबला करना होगा। 1926 में उन्होंने पंजाब में नौजवान भारत सभा की स्थापना में भाग लिया था और इसके प्रथम सचिव बने थे। भगत सिंह ने सभा के जो नियम तैयार किए थे उनमें दो नियम इस प्रकार थे—सांप्रदायिक विचार फैलाने वाले सांप्रदायिक संगठनों या अन्य पार्टियों से कोई संबंध न रखना और लोगों को यह समझाना कि धर्म व्यक्तिगत आस्था का विषय है तथा इस प्रकार उनमें सामान्य सहिष्णुता की भावना जगाना तथा इसी विचार के अनुसार कार्य करना।

49. 1953 ई. फजल अली की अध्यक्षता में एक राज्य पुनर्गठन आयोग का गठन किया गया। इस आयोग में अध्यक्ष के अलावा दो सदस्य हृदय नाथ कुंजरू एवं के.एम. पाणिकर भी थे। 22 दिसम्बर, 1953 को गठित फजल अली आयोग ने 30 सितम्बर, 1955 को केन्द्र सरकार को रिपोर्ट प्रस्तुत किया, जिसमें राज्यों के पुनर्गठन के संबंध में सिफारिशें थी।

50. ऑगस्त काम्ते एक फ्रांसीसी विचारक थे। वे समाजशास्त्र के संस्थापको में से एक थे। इसी कारण इन्हें 'समाजशास्त्र के पिता' रूप में जाना जाता है। इन्होंने 'प्रत्यक्षवाद' (Positivism) के विचार को प्रतिपादित किया। इनका दार्शनिक विचार तत्कालीन आधुनिक समाज के लिए उचित राजनीतिक और सामाजिक व्यवस्था को सही करने का प्रयास था।

प्रश्न-पत्र-III

नोट : *इस प्रश्नपत्र में* ***पचहत्तर (75)*** *बहु-विकल्पीय प्रश्न हैं। प्रत्येक प्रश्न के* ***दो (2)*** *अंक हैं।* ***सभी*** *प्रश्न अनिवार्य हैं।*

1. सूची–I को सूची–II से सुमेलित कीजिए और नीचे दिए गए कूट की सहायता से सही उत्तर का चयन कीजिए :

सूची–I (लेखक)	**सूची–II (इतिहास की परिभाषा)**
(*a*) ई.एच. कार	1. सम्पूर्ण इतिहास विचारों का इतिहास है।
(*b*) जी.आर. एल्टन	2. इतिहास विज्ञान है, न कम न अधिक।
(*c*) जे.बी. ब्यूरी	3. इतिहासकार जिसे लिखता है वही इतिहास है।
(*d*) आर.जी. कालिंगवुड	4. इतिहास, इतिहासकार और उसके तथ्यों के बीच चलने वाला अन्तहीन संवाद है।

कूट :

	(*a*)	(*b*)	(*c*)	(*d*)
A.	1	3	2	4
B.	2	1	4	3
C.	4	3	2	1
D.	4	2	3	1

2. सूची–I को सूची–II से सुमेलित कीजिए और नीचे दिए गए कूट की सहायता से सही उत्तर का चयन कीजिए :

सूची–I (मध्य पाषाणकालीन स्थल)	**सूची–II (स्थान)**
(*a*) बीरभानपुर	1. बिहार
(*b*) लोटेश्वर	2. गुजरात
(*c*) पैसरा	3. उत्तर प्रदेश
(*d*) सरायनाहरराय	4. पश्चिम बंगाल

कूट :

	(*a*)	(*b*)	(*c*)	(*d*)
A.	2	1	4	3
B.	4	2	3	1
C.	1	2	3	4
D.	4	2	1	3

3. भारतीय उपमहाद्वीप में आखेट एवं भोजन-संग्रह की अवस्था से पशुपालन एवं कृषि की अवस्था में परिवर्तन के प्राचीनतम साक्ष्य प्राप्त हुए हैं :

A. अंजिरा से

B. दम्ब सदात से

C. किले गुल मोहम्मद से

D. मेहरगढ़ से

4. नीचे दो वक्तव्य दिए गए हैं, एक को कथन (A) और दूसरे को कारण (R) कहा गया है :

कथन (A) : हड़प्पा सभ्यता का दक्षिण तुर्कमेनिस्तान के साथ गहरा व्यापारिक संबंध था।

कारण (R) : हड़प्पीय सामग्री अथवा हड़प्पा के प्रभाव से उत्पादित सामग्री किश, उर, निप्पुर आदि से प्राप्त हुई हैं।

उपर्युक्त दोनों वक्तव्यों के संदर्भ में निम्नलिखित में से कौन-सा सही है?

A. (A) और (R) दोनों सही हैं और (A) की सही व्याख्या (R) है।

B. (A) और (R) दोनों सही हैं, किन्तु (A) की सही व्याख्या (R) नहीं है।

C. (A) सही है, किन्तु (R) गलत है।

D. (A) गलत है, किन्तु (R) सही है।

5. धातु की खोज मानवीय इतिहास की एक क्रांतिकारी घटना थी। सर्वाधिक ताँबा देने वाली खानें भारत के किस भाग में स्थित थीं?

(*i*) बिहार (*ii*) गुजरात

(*iii*) राजस्थान (*iv*) तमिलनाडु

A. केवल (*i*) B. केवल (*ii*) और (*iii*)

C. (*i*), (*ii*) और (*iii*) D. (*ii*), (*iii*) और (*iv*)

6. ऋग्वेद के अत्यन्त उपयोगी और साथ ही अत्यन्त भयावह देवता के रूप में किसका अधिक बार आह्वान किया गया है?

A. अग्नि　　B. द्यौस्
C. इन्द्र　　D. मरुत

7. किस ग्रंथ से यह स्पष्ट हो जाता है कि वैदिक सभा और समिति दो भिन्न संस्थाएँ थीं?

A. ऐतरेय ब्राह्मण　　B. अथर्ववेद
C. शतपथ ब्राह्मण　　D. यजुर्वेद

8. आजीविक सम्प्रदाय के अनुयायियों को किन अन्य नामों से भी जाना जाता था?

(*i*) हत्थापलेखण　　(*ii*) एकदण्डिक
(*iii*) मागन्दिक　　(*iv*) तेदण्डिक

कूट :

A. केवल (*i*) और (*ii*)
B. केवल (*i*) और (*iii*)
C. (*i*), (*ii*) और (*iii*)
D. (*ii*), (*iii*) और (*iv*)

9. सूची–I को सूची–II से सुमेलित कीजिए और नीचे दिए गए कूट की सहायता से सही उत्तर का चयन कीजिए :

सूची–I (महाजनपद)	**सूची–II (राजधानी)**
(*a*) अस्मक	1. हाटक
(*b*) अवन्ति	2. महिष्मती
(*c*) चेदि	3. पोतली
(*d*) कम्बोज	4. सुक्तिमती

कूट :

	(*a*)	(*b*)	(*c*)	(*d*)
A.	3	2	4	1
B.	2	3	1	4
C.	1	4	3	2
D.	1	2	4	3

10. मेगस्थनीज द्वारा लिखित 'इण्डिका' लुप्त हो चुकी है, किन्तु उसके अंश किन यूनान एवं रोम (ग्रीको-रोमन) के लेखकों की कृतियों में बचे हुए हैं?

(*i*) टेसियस　　(*ii*) प्लिनी द एल्डर
(*iii*) डायोडोरस सिकुलस　　(*iv*) स्ट्रैबो

कूट :

A. (*i*) और (*ii*)
B. (*i*), (*ii*) और (*iii*)
C. (*ii*), (*iii*) और (*iv*)
D. (*i*) और (*iv*)

11. निम्नलिखित में से कौन अशोक के रुम्मिनदेई स्तम्भलेख के विषय में सही नहीं है?

A. यह लुम्बिनी में स्थित है, जिसकी अशोक ने स्वयं यात्रा की थी
B. अशोक के द्वारा बुद्ध कोणाकमन को श्रद्धा-सुमन अर्पित करने की यात्रा की स्मृति इसमें संयोजित है
C. अशोक ने लुम्बिनी ग्राम को बलि-भुगतान के भार से मुक्त कर दिया
D. उसने वहाँ के भू-राजस्व को घटाकर उपज का 1/8 भाग कर दिया

12. सीरिया के सम्राट के दूत के रूप में बिन्दुसार की राजसभा में कौन आया था?

A. क्लाडियस　　B. डाइमेकस
C. डायोडोरस　　D. डायोनिसस

13. सूची–I को सूची–II से सुमेलित कीजिए और नीचे दिए गए कूट की सहायता से सही उत्तर का चयन कीजिए :

सूची–I (तीसरी बौद्ध संगीति में नियुक्त धर्मप्रचारक)	**सूची–II (उनके क्षेत्र)**
(*a*) मज्झन्तिक	1. कश्मीर और गन्धार
(*b*) महारक्षित	2. महाराष्ट्र
(*c*) महाधर्मरक्षित	3. सुवर्णभूमि
(*d*) सोण व उत्तर	4. योन

कूट :

	(*a*)	(*b*)	(*c*)	(*d*)
A.	1	4	3	2
B.	1	4	2	3
C.	4	3	1	2
D.	2	1	3	4

14. मौर्य सेना में सम्मिलित थे :

(*i*) पदाति　　(*ii*) अश्वारोही
(*iii*) रथ　　(*iv*) गज

कूट :

A. केवल (*i*) और (*ii*)

B. केवल (*i*) और (*iii*)

C. केवल (*i*), (*ii*) और (*iii*)

D. (*i*), (*ii*), (*iii*) और (*iv*)

15. निम्नलिखित में से कौन-से तमिल कवि काञ्ची से संबंधित थे?

(*i*) अप्पर (*ii*) परणर

(*iii*) मामूलनार (*iv*) सुन्दरमूर्ति

कूट :

A. केवल (*i*) और (*ii*)

B. केवल (*i*) और (*iii*)

C. केवल (*i*) और (*iv*)

D. केवल (*iii*) और (*iv*)

16. प्रयाग प्रशस्ति का लेखक हरिषेण निम्नलिखित में से किन पदों पर आसीन था?

(*i*) खाद्यटपाकिक (*ii*) कुमारामात्य

(*iii*) महादण्डनायक (*iv*) सान्धिविग्रहिक

कूट :

A. (*i*) और (*ii*)

B. (*i*) और (*iii*)

C. (*ii*), (*iii*) और (*iv*)

D. (*i*), (*ii*), (*iii*) और (*iv*)

17. निम्नलिखित में से कौन सबसे विशालकाय जैन प्रतिमा है?

A. श्रवणबेलगोला की गोम्मट की एकाश्मक प्रतिमा

B. ग्वालियर की पार्श्वनाथ प्रतिमा

C. उदयगिरि गुहा की जैन प्रतिमा

D. भोजपुर की पार्श्वनाथ की प्रतिमा

18. समुद्रगुप्त के निम्नलिखित किन अभिलेखों में उसे 'परम-भागवत' कहा गया है?

(*i*) गया ताम्र-पत्र (*ii*) नालन्दा ताम्र-पत्र

(*iii*) एरण स्तम्भ लेख (*iv*) इलाहाबाद स्तम्भ लेख

कूट :

A. केवल (*iv*)

B. केवल (*i*) और (*ii*)

C. केवल (*iii*) और (*iv*)

D. केवल (*i*), (*ii*) और (*iv*)

19. कुमारगुप्त प्रथम द्वारा कौन-से नये प्रकार के स्वर्ण सिक्के प्रचलित किए गए?

(*i*) अप्रतिघ प्रकार

(*ii*) गजारुढ़ प्रकार

(*iii*) खड्ग-निहन्ता प्रकार

(*iv*) खड्ग प्रकार

कूट :

A. केवल (*i*)

B. केवल (*i*) और (*ii*)

C. केवल (*i*), (*ii*) और (*iii*)

D. (*i*), (*ii*), (*iii*) और (*iv*)

20. सूची–I को सूची–II से सुमेलित कीजिए और नीचे दिए गए कूट की सहायता से सही उत्तर का चयन कीजिए :

सूची–I (राजवंश)	**सूची–II (संस्थापक)**
(*a*) उत्तर गुप्त	1. कृष्णगुप्त
(*b*) मौखरि	2. अश्वपति
(*c*) पुष्यभूति	3. नरवर्द्धन
(*d*) वर्मन्	4. पुष्यवर्मन्

कूट :

	(*a*)	(*b*)	(*c*)	(*d*)
A.	2	3	1	4
B.	1	4	3	2
C.	1	2	3	4
D.	4	1	2	3

21. हर्ष के अतिरिक्त चीनी यात्री युवान च्वांग को किन अन्य समकालीन शासकों से मिलने का अवसर मिला था?

(*i*) गौड़ नरेश (*ii*) कश्मीर नरेश

(*iii*) काञ्ची नरेश (*iv*) वलभी नरेश

कूट :

A. (*i*), (*ii*) और (*iii*)

B. (*i*), (*iii*) और (*iv*)

C. (*i*), (*ii*) और (*iv*)

D. (*ii*), (*iii*) और (*iv*)

22. नीचे दो वक्तव्य दिए गए हैं, एक को कथन (A) और दूसरे को कारण (R) कहा गया है :

कथन (A) : पल्लव नरेश महेन्द्रवर्मा I, जिसे विचित्र-चित्त भी कहा जाता था, एक अस्थिर मस्तिष्क का व्यक्ति था।

कारण (R) : किसी समय वह जैन धर्म का अनुयायी था, किन्तु उसको छोड़कर वह शैव धर्म में चला गया।

उपर्युक्त दोनों वक्तव्यों के संदर्भ में निम्नलिखित में से कौन-सा सही है?

A. (A) और (R) दोनों सही हैं और (A) की सही व्याख्या (R) है।

B. (A) और (R) दोनों सही हैं, किन्तु (A) की सही व्याख्या (R) नहीं है।

C. (A) सही है, किन्तु (R) गलत है।

D. (A) गलत है, किन्तु (R) सही है।

23. निम्नलिखित में से किस मन्दिर का शिखर द्रविड़ शैली का है?

A. भुवनेश्वर का अनन्त वासुदेव मन्दिर

B. खजुराहो का कन्दारिया महादेव मन्दिर

C. सिरपुर का लक्ष्मण मन्दिर

D. ग्वालियर का तेली का मन्दिर

24. दक्षिण भारत के किस राजवंश का यह दावा था कि उसने पूर्वजों ने अयोध्या पर शासन किया था?

A. कल्याणी के चालुक्य

B. चोल

C. पल्लव

D. मान्यखेट के राष्ट्रकूट

25. भृगु वंश के श्री जय इन्द्रवर्मन् महाराजाधिराज ने किस पर शासन किया था?

A. चम्पा

B. जावा

C. कम्बुज

D. इरावडी पर स्थित पगान

26. नीचे दो वक्तव्य दिए गए हैं, एक को कथन (A) और दूसरे को कारण (R) कहा गया है :

कथन (A) : भंडारकर वीर शैवों को लिंगायत संप्रदाय के समकक्ष रखते हैं और उनका प्रादुर्भाव शैवों के आराध्य स्कूल से जोड़ते हैं।

कारण (R) : ब्राह्मणी कर्मकांडों तथा जाति व्यवस्था के प्रभुत्व की स्वीकृति लिंगायत आंदोलन का मूल तत्व है।

उपर्युक्त दो कथनों के संदर्भ में निम्नलिखित में से कौन-सा सही है?

A. (A) और (R) दोनों सही हैं और (R), (A) की सही व्याख्या है।

B. (A) और (R) दोनों सही हैं, लेकिन (R), (A) की सही व्याख्या नहीं है।

C. (A) सही है, लेकिन (R) गलत है।

D. (A) गलत है, लेकिन (R) सही है।

27. फख्र-ए मुदब्बिर और उनकी *आदाब-उल हर्ब वा शुजात* के संदर्भ में निम्नलिखित कथनों पर विचार करें :

(*i*) यह इल्तुतमिश के शासनकाल के आरंभिक दिनों में युद्ध की कला पर लिखी गई किताब है।

(*ii*) फख्र-ए मुदब्बिर ने भारत में बनी तलवारों की काफी तारीफ की है।

(*iii*) मुदब्बिर ने लिखा है कि राजस्थान के खेतड़ी में लोहे के अयस्कों को गलाने का काम होता था।

(*iv*) वह दमिश्की स्टील बनाने की सबसे पुरानी ज्ञात तकनीक का वर्णन करता है।

निम्नलिखित कूटों में से सही उत्तर का चयन करें :

कूट :

A. (*i*) और (*iii*)　　B. (*iii*) और (*iv*)

C. (*i*), (*ii*) और (*iii*)　　D. (*i*), (*ii*) और (*iv*)

28. नीचे दो वक्तव्य दिए गए हैं, एक को कथन (A) और दूसरे को कारण (R) कहा गया है :

कथन (A) : सुल्तान जैनुल आबिदीन ज्ञान के बहुत बड़े संरक्षक थे और वे ज्ञानी लोगों से घिरे रहते थे, जिनके साथ चर्चा करना उन्हें पसंद था।

कारण (R) : उनके शासनकाल के दौरान सैय्यद मुहम्मद रुमी, काजी सैय्यद अली शिराजी, काजी जमाल तथा सैय्यद मुहम्मद सीस्तानी अपने-अपने देशों को छोड़कर कश्मीर में उत्प्रवास कर गए।

उपर्युक्त दोनों वक्तव्यों के संदर्भ में निम्नलिखित में से कौन-सा सही है?

A. (A) और (R) दोनों सही हैं तथा (R), (A) की सही व्याख्या है।

B. (A) और (R) दोनों सही हैं, लेकिन (R), (A) की सही व्याख्या नहीं है।

C. (A) सही है, लेकिन (R) गलत है।

D. (A) गलत है, लेकिन (R) सही है।

29. अफगानों के साथ उलुग खान (बलबन) के संबंधों के संदर्भ में निम्नलिखित कथनों पर विचार करें :

(*i*) उलुग खान ने अपनी सेना में लगभग 3000 अफगानी भर्ती किए थे।

(*ii*) जब उलुग खान सुल्तान बना, उसने दिल्ली के निकट पटयाली, कांपिल और भोजपुर में अपनी नई सैन्य चौकियाँ बनाईं और उन्हें अफगानों के नियंत्रण में रखा।

(*iii*) सुल्तान बलबन ने अफगान अमीर इख्तियारुद्दीन को अपना वजीर नियुक्त किया।

(*iv*) सुल्तान बलबन ने अनेक अफगानों को अपना गवर्नर नियुक्त किया।

नीचे दिए कूट से सही उत्तर का चयन करें :

कूट :

A. (*i*) और (*ii*) B. (*ii*) और (*iii*)

C. (*iii*) और (*iv*) D. (*i*), (*ii*) और (*iv*)

30. सुल्तान ने आदेश दिया, "वह जो भी पैदा करते हैं... उसकी नपाई प्रति *बिसवा* पैदा हुई फसल के हिसाब से की जानी चाहिए, और सबको बिना किसी भेदभाव के उसका आधा जमा करना चाहिए।"

उपरोक्त कथन में किस सुल्तान ने जमीन की नपाई को फसल के मूल्यांकन का आधार बनाया?

A. इल्तुतमिश B. अलाउद्दीन खलजी

C. मुहम्मद तुगलक D. फिरोज तुगलक

31. अमीर खुसरो तथा उनके संगीत के बारे में निम्नलिखित में से कौन-से कथन सही हैं?

(*i*) अमीर खुसरो ने कर्नाटक स्कूल के दक्कनी संगीत का अध्ययन किया था।

(*ii*) दक्कनी/कर्नाटक संगीत के महान-प्रवर्तक नायक गोपाल अमीर खुसरो के समकालीन थे।

(*iii*) अमीर खुसरो ने सितार की अपनी खोज की प्रशंसा अपनी पुस्तक *गुर्रत अल-कमाल* में की है।

(*iv*) बाद के ग्रंथों में अमीर खुसरो को गायिकी के लगभग उन्नीस मधुर रूपों, खासकर *खयाल, तराना* तथा *कौल* की खोज का श्रेय दिया गया है।

नीचे दिए कूट से सही उत्तर का चयन करें।

कूट :

A. (*i*) और (*iii*)

B. (*ii*) और (*iii*)

C. (*ii*), (*iii*) और (*iv*)

D. (*i*), (*ii*) और (*iv*)

32. नीचे दो वक्तव्यों में से एक कथन (A) तथा दूसरा कारण (R) है :

कथन (A) : राज्य व्यवस्था की भारतीय परंपरा तुर्कों के आने से पूरी तरह से धूमिल नहीं हुई, वह अनेक सीमांत क्षेत्रों में जारी रही।

कारण (R) : विजयनगर के शासक कृष्णदेव राय की रचनाओं, राजस्थानी *विगत* तथा *ख्यात* साहित्य और रामचंद्र अमात्य के *आज्ञापत्र* भारतीय राज्य व्यवस्था पद्धति पर उपयोगी सूचनाएँ प्रदान करते हैं।

उपर्युक्त कथनों के संदर्भ में निम्नलिखित में से कौन-सा उत्तर सही है?

A. (A) और (R) दोनों सही हैं तथा (R), (A) की सही व्याख्या है।

B. (A) और (R) दोनों सही हैं, लेकिन (R), (A) की सही व्याख्या नहीं है।

C. (A) सही है, लेकिन (R) गलत है।

D. (A) गलत है, लेकिन (R) सही है।

33. नाफ्था और मैंगोनेल्स का प्रयोग भारत में सर्वप्रथम निम्नलिखित में से किस स्थान/क्षेत्र में किया गया?

A. सिंध, 712

B. खजुराहो मंदिर, 950

C. दक्खन, 1130

D. पानीपत, 1526

34. निम्नलिखित में से उस स्थान की पहचान कीजिए जहाँ सुल्तान अलाउद्दीन खलजी ने स्वयं को सुल्तान घोषित किया अथवा सिंहासन पर स्वयं को आसीन किया :

A. अवध
B. दिल्ली
C. इलाहाबाद
D. कड़ा

35. शब्दों तथा उनके अर्थ से संबंधित, सूची–I को सूची–II के साथ सुमेलित करें :

सूची–I (शब्द)	**सूची–II (अर्थ)**
(*a*) *बक्काल*	1. किसानों का निम्नतम वर्ग
(*b*) *बलाहार*	2. एक सशस्त्र व्यक्ति
(*c*) *सिलहदार*	3. दस हजार सैनिकों का एक समूह
(*d*) *तूमान*	4. अनाज व्यापारी

नीचे दिए कूट से सही उत्तर का चयन करें :

कूट :

	(*a*)	(*b*)	(*c*)	(*d*)
A.	4	1	3	2
B.	1	3	4	2
C.	2	1	3	4
D.	4	1	2	3

36. निम्नलिखित में से किन सूफी संतों ने कादिरी सिलसिले को पंजाब तथा सिंध में लोकप्रिय बनाया?

A. शेख मुहम्मद अल-हुसैनी तथा शेख अब्दुल कादिर
B. शेख वजहउद्दीन अहमद तथा शेख मुहम्मद गौस
C. शेख अब्दुल्लाह तथा शेख काजिन
D. शेख फूल तथा शेख बुरहानुद्दीन

37. नीचे दो वक्तव्यों में से एक कथन (A) तथा दूसरा कारण (R) है :

कथन (A) : मुस्लिम राजनीतिक चिंतन को *आदाब* साहित्य ने भी स्वरूप प्रदान किया।

कारण (R) : *आदाब* साहित्य कुछ हद तक *पंचतंत्र* से प्रभावित था, जिससे इब्न अल-मुकफ्फा के अनुवाद *'कलीला वा दिम्ना'* से अरबी साहित्य का परिचय हो चुका था।

उपर्युक्त कथनों के संदर्भ में निम्नांकित में से सही उत्तर चुनें :

A. (A) और (R) दोनों सही हैं तथा (R), (A) की सही व्याख्या है।
B. (A) और (R) दोनों सही हैं, लेकिन (R), (A) की सही व्याख्या नहीं है।
C. (A) सही है, लेकिन (R) गलत है।
D. (A) गलत है, लेकिन (R) सही है।

38. निम्नलिखित में लेखक और स्रोत का कौन-सा जोड़ा सही नहीं है?

	लेखक		**स्रोत**
A.	निजामुद्दीन अहमद	–	*तबकात-ए अकबरी*
B.	मुहम्मद काजिम	–	*मुंतखब-उल लुबाब*
C.	अब्दुल हमीद लाहौरी	–	*पादशाहनामा*
D.	केवल राम	–	*तजकीरत-उल उमरा*

39. निम्नलिखित में से क्या सही नहीं है?

A. अकबर ने अपने साम्राज्य को बारह प्रादेशिक इकाइयों में विभाजित कर दिया था। इन्हें *सूबा* कहा जाता था।
B. एक *सूबा* कई *सरकारों* में विभाजित होता था।
C. एक *सरकार* को *परगनों* में विभाजित किया जाता था।
D. एक *परगने* को *शिक* में विभाजित किया जाता था।

40. निम्नलिखित में से कौन-से कथन सही हैं?

(*i*) महान् साहित्यकार खान-ए खानां अब्दुल रहीम तथा प्रमुख धर्मशास्त्री शेख अब्दुल नबी जैसे अग्रणी अमीर तथा विद्वानों को शहजादे सलीम की शिक्षा का दायित्व सौंपा गया।

(*ii*) शहजादे सलीम को फारसी, हिन्दी तथा कुछ हद तक तुर्की भाषा का अच्छा ज्ञान था, और साथ ही उन्हें इतिहास, प्राकृतिक विज्ञान, भूगोल, युद्ध कौशल तथा धर्मशास्त्र की अच्छी जानकारी थी, जिसे कि एक शहजादे के लिए उपयुक्त माना जाता था।

(*iii*) शहजादा शाहजहाँ युद्ध कला में निपुण था। वह सैन्य कौशल में माहिर था।

(*iv*) अहमदाबाद में जन्मे शहजादे शाहजहाँ ने मुगल काल तथा मुगल काल से पूर्व की इमारतों की मरम्मत का आदेश देकर पुराने स्मारकों की देखभाल में अपनी रुचि दिखाई।

नीचे दिए गए कूट में से सही उत्तर चुनें :

कूट :

A. केवल (*i*) और (*iii*)

B. केवल (*i*), (*ii*) और (*iv*)

C. केवल (*ii*) और (*iv*)

D. केवल (*i*), (*ii*) और (*iii*)

41. पुस्तकों तथा लेखकों से संबंधित सूची–I को सूची–II से सुमेलित कीजिए :

सूची–I (लेखक)	**सूची–II (पुस्तक)**
(*a*) कैथरीन बी. ऐशर	1. मुगल आर्किटेक्चर : एन आउटलाइन ऑफ इट्स हिस्ट्री एण्ड डेवलपमेंट
(*b*) आर. नाथ	2. आर्किटेक्चर ऑफ मुगल इंडिया
(*c*) ए.जे. कैसर	3. हिस्ट्री ऑफ मुगल आर्किटेक्चर
(*d*) एब्बा कोच	4. बिल्डिंग कंस्ट्रक्शन इन मुगल इंडिया : द इविडेंस फ्रॉम पेंटिंग

नीचे दिए गए कूट में से सही उत्तर का चयन करें :

कूट :

	(*a*)	(*b*)	(*c*)	(*d*)
A.	2	1	3	4
B.	2	3	4	1
C.	1	2	3	4
D.	4	3	2	1

42. मुगलों के समय में भवन निर्माण की तकनीक में एक जो नवीनता आई वह थी पूर्व-निर्मित लड़की के ढाँचों का इस्तेमाल। इन एक जगह से दूसरी जगह तक ले जाने योग्य घरों को सत्रहवीं सदी में बंगला कहा जाता था, जिससे बाद में आंग्ल-भारतीय भाषाओं में 'बंगलो' नाम चलन में आया। इस नई तकनीक का श्रेय किस मुगल बादशाह को जाता है?

A. अकबर B. जहाँगीर

C. शाहजहाँ D. औरंगजेब

43. मुगल काल में गज के विभिन्न प्रयोगों के संदर्भ में निम्न कथनों पर विचार करें :

(*i*) अबुल फजल ने लिखा है कि हुमायूँ का *गज-ए सिकंदरी* 32 अंगुष्ठ था।

(*ii*) अबुल फजल बताता है कि *गज-ए इलाही* की लम्बाई 41 अंगुष्ठ के बराबर थी।

(*iii*) *दीरा (गज)-ए शहजहांनी* 33.5 अंगुष्ठ से थोड़ा कम था।

(*iv*) *तुजुक-ए जहांगीरी* में वर्णित है कि *गज-ए शरई* की लम्बाई 26 अंगुष्ठ है।

नीचे दिए कूट की सहायता से सही उत्तर का चयन करें :

कूट :

A. (*i*), (*ii*) और (*iii*)

B. (*i*) और (*iv*)

C. (*ii*) और (*iv*)

D. (*ii*), (*iii*) और (*iv*)

44. नीचे दो वक्तव्य दिए गए हैं, एक को कथन (A) और दूसरे को कारण (R) कहा गया है :

कथन (A) : सत्रहवीं शताब्दी के पूर्वार्द्ध में नील का यूरोपीय व्यापार काफी महत्वपूर्ण बन गया था और इसके पश्चात् इसमें तेज गिरावट आई।

कारण (R) : आगरा के नील के मूल्य में वृद्धि हुई तथा वेस्टइंडीज में स्थित बागानों, जहाँ दास काम करते थे, से प्रतिस्पर्धा स्थापित हो गई।

उपर्युक्त दोनों वक्तव्यों के संदर्भ में निम्नलिखित में से कौन-सा सही है?

A. (A) और (R) दोनों सही हैं, किन्तु (A) की सही व्याख्या (R) है।

B. (A) और (R) दोनों सही हैं तथा (A) की सही व्याख्या (R) नहीं है।

C. (A) सही है, किन्तु (R) गलत है।

D. (A) गलत है, किन्तु (R) सही है।

45. निम्नलिखित में से कौन-सा कथन सही नहीं है?

A. भेजी हुई रकम के भुगतान के लिए *सर्राफों* (मनी चेंजरों) को हुंडी जारी करने में विशेषज्ञता प्राप्त थी।

B. हुंडी एक विक्रेय दस्तावेज था जिसका सामान्यतः थोड़ी छूट देकर हस्तांतरण हो जाता था।

C. एक स्थान से दूसरे स्थान के लिए बनाए गए बिलों के लिए भेजी गई रकम के भुगतान अथवा ऋण हेतु विनिमय की 'एक' ही दर निर्धारित की जाती थी।

D. *हुंडी* में यह स्वतः ही स्पष्ट होता था कि वह तत्काल ही देय है अथवा *हुंडी* ग्राहक को प्रस्तुत करने के पश्चात् एक निश्चित अवधि की समाप्ति पर देय है।

46. निम्न कथनों में से कौन-कौन-से सही हैं?

(*i*) 'सरबत खालसा' के वार्षिक आयोजन की परंपरा चक गुरु (अमृतसर) में थी, लेकिन धीरे-धीरे आपसी मतभेद बढ़ने लगे और हर प्रमुख अपने-अपने लिए अलग इलाका बनाने की कोशिश करने लगा।

(*ii*) *दशम ग्रंथ* में गुरु गोबिंद सिंह की रचनाएँ हैं।

(*iii*) सभी सिख गुरु खत्री थे और उनके प्रमुख सहायक मसंद भी खत्री थे।

(*iv*) गुरुओं की सेना दसवें तथा अंतिम गुरु गोबिंद सिंह के समय में सबसे ज्यादा शक्तिशाली हुई।

नीचे दिए कूट की सहायता से सही उत्तर का चयन करें :

कूट :

A. केवल (*i*), (*ii*) और (*iv*)

B. केवल (*ii*) और (*iii*)

C. केवल (*i*), (*iii*) और (*iv*)

D. केवल (*i*) और (*iii*)

47. निम्नलिखित में से कौन-सा कथन सही नहीं है?

A. फारसी सिर्फ मुगल साम्राज्य तथा दिल्ली सल्तनत में ही उच्च प्रशासन की भाषा नहीं थी, बल्कि वह राजपूत राज्यों के दरबारों तक भी फैली हुई थी।

B. सिराजुद्दीन अली आरजू ने यह विचार प्रतिस्थापित किया कि फारसी और हिंदी में कुछ बुनियादी समानताएँ थीं।

C. 1639-40 में लिखित अपनी किताब *बहार-ए अजम* में टेकचंद बहार ने ऐसे कवियों और गद्यात्मक रचनाओं के उद्धरण दिए हैं।

D. फारसी के हिंदी की स्थानीय बोलियों के संपर्क में आने से एक नई भाषा उर्दू अस्तित्व में आई।

48. नीचे दो वक्तव्य दिए गए हैं, एक को कथन (A) और दूसरे को कारण (R) कहा गया है :

कथन (A) : फ्रांसीसी यात्री ज्यां डी थीवनों ने लिखा है कि सूरत में लोग आमतौर पर ताप्ती नदी का पानी नहीं पीते।

कारण (R) : नदी का पानी खारा था।

उपर्युक्त दोनों वक्तव्यों के संदर्भ में निम्नलिखित में से कौन-सा सही है?

A. (A) और (R) दोनों सही हैं, किंतु (A) की सही व्याख्या (R) है।

B. (A) और (R) दोनों सही हैं तथा (A) की सही व्याख्या (R) नहीं है।

C. (A) सही है, किन्तु (R) गलत है।

D. (A) गलत है, किन्तु (R) सही है।

49. मुगल साम्राज्य में प्रचलित सीमा शुल्क के संबंध में निम्न कथनों पर विचार कीजिए :

(*i*) अबुल फजल लिखता है कि अकबर के काल में अधिकतम सीमा शुल्क $2\frac{1}{4}$ प्रतिशत था।

(*ii*) जहाँगीर के समय हर प्रकार के आयात-निर्यात पर $3\frac{1}{2}$ प्रतिशत सीमा शुल्क था।

(*iii*) शाहजहाँ के समय धन पर 2 प्रतिशत का सीमा शुल्क था, चाहे वह सोना हो या चाँदी।

(*iv*) औरंगजेब ने गैर-मुस्लिमों के लिए सीमा शुल्क की दर ऊँची रखी। इसलिए मुस्लिम व्यापारी हिन्दुओं को ऊँची शुल्क दर से बचाने के लिए उन का सामान छुपाकर ले आते थे।

नीचे दिए कूट से सही उत्तर का चयन करें :

कूट :

A. केवल (*i*)

B. (*ii*) और (*iii*)

C. (*iii*) और (*iv*)

D. (*i*), (*ii*) और (*iv*)

50. नीचे दो वक्तव्य दिए गए हैं, एक को कथन (A) और दूसरे को कारण (R) कहा गया है :

कथन (A) : जब 1714 में निजाम-उल-मुल्क वायसराय के रूप में दक्कन पहुँचा तो उसने शाहू को दक्कन के *चौथ* तथा *सरदेशमुखी* के भुगतान संबंधी दाऊद खान के समझौते को मानने से इंकार कर दिया।

कारण (R) : निजाम-उल-मुल्क ने उन्हें कई बार पराजित किया तथा उनके द्वारा प्रत्येक जिले में बनाए गए मिट्टी के छोटे किलों को ध्वस्त कर दिया जिनका इस्तेमाल वे हमले के संचालन केन्द्र तथा मराठा सैनिकों की टुकड़ी की शरणस्थली के रूप में किया करते थे।

उपर्युक्त दोनों वक्तव्यों के संदर्भ में निम्नलिखित में से कौन-सा सही है?

A. (A) और (R) दोनों सही हैं तथा (A) की सही व्याख्या (R) है।

B. (A) और (R) दोनों सही हैं, किंतु (A) की सही व्याख्या (R) नहीं है।

C. (A) सही है, किन्तु (R) गलत है।

D. (A) गलत है, किन्तु (R) सही है।

51. 'सोसायटी फॉर ट्रांसलेटिंग यूरोपीयन साईंस' की स्थापना कब और कहाँ हुई?

A. 1825 में बॉम्बे में

B. 1830 में पुणे में

C. 1825 में कलकत्ता में

D. 1824 में लाहौर में

52. सूची–I को सूची–II से सुमेलित करें। कूट की सहायता से सही उत्तर दर्शाएँ।

सूची–I	सूची–II
(*a*) बख्त खान	1. बरेली
(*b*) मौलवी अहमदुल्ला	2. जगदीशपुर
(*c*) कुँवर सिंह	3. लखनऊ
(*d*) हजरत महल	4. फैजाबाद

कूट :

	(*a*)	(*b*)	(*c*)	(*d*)
A.	1	4	2	3
B.	2	4	1	3
C.	3	1	2	4
D.	4	2	1	3

53. नीचे दिए दो कथनों में एक कथन (A) तथा दूसरा कारण (R) है :

कथन (A) : पारंपरिक दस्तकारी कुटीर उद्योग का ह्रास ब्रिटिश व्यापारिक नीति का परिणाम था।

कारण (R) : साम्राज्यवादी विजयों ने ब्रिटिश को असीम संसाधन उपलब्ध कराए थे।

उपर्युक्त दोनों कथनों के संदर्भ में निम्न में से कौन-सा सही है?

A. (A) और (R) दोनों सही हैं और (R), (A) की सही व्याख्या है।

B. (A) और (R) दोनों सही हैं, किंतु (R), (A) की सही व्याख्या नहीं है।

C. (A) सही है, लेकिन (R) गलत है।

D. (A) गलत है, लेकिन (R) सही है।

54. नीचे दिए दो कथनों में एक कथन (A) तथा दूसरा कारण (R) है :

कथन (A) : उदारवादी वास्तव में विश्वास रखते थे कि भारत के स्वशासन का एक संविधानिक मार्ग था।

कारण (R) : उनकी ब्रिटिश न्यायप्रियता के प्रति दृढ़ आस्था थी।

उपर्युक्त दोनों कथनों के संदर्भ में निम्न में से कौन-सा सही है?

A. (A) और (R) दोनों सही हैं और (R), (A) की सही व्याख्या है।

B. (A) और (R) दोनों सही हैं, किंतु (R), (A) की सही व्याख्या नहीं है।

C. (A) सही है, लेकिन (R) गलत है।

D. (A) गलत है, लेकिन (R) सही है।

55. नीचे दो वक्तव्य दिए गए है, एक को कथन (A) और दूसरे को कारण (R) कहा गया है :

कथन (A) : विवेकानंद के अनुसार जाति व्यवस्था वेदांत के धर्म के विरुद्ध है।

कारण (R) : सभी बुराइयाँ मतभेदों पर विश्वास करने से आती हैं। सभी अच्छाई समानता पर आस्था से निहित एकत्व एवं एकरूपता की समझ से आती हैं।

उपर्युक्त दोनों वक्तव्यों के संदर्भ में निम्नलिखित में से कौन-सा सही है?

A. (A) और (R) दोनों सही हैं तथा (R), (A) की सही व्याख्या है।

B. (A) और (R) दोनों सही हैं, लेकिन (R), (A) की सही व्याख्या नहीं है।

C. (A) सही है, लेकिन (R) गलत है।

D. (A) गलत है, लेकिन (R) सही है।

56. बंगाल के स्थायी बंदोबस्त का विचार आगे बढ़ाने में निम्नलिखित में से कौन एक शामिल नहीं था?

A. एलेक्जेंडर डो B. थॉमस लॉ

C. मोंटगोमरी मार्टिन D. फिलिप फ्रांसिस

57. निम्नलिखित जनजातीय विद्रोहों को कालक्रमानुसार व्यवस्थित कीजिए :

(*a*) रम्पा (*b*) संथाल

(*c*) कोल (*d*) बिरसा के नेतृत्व में मुंडा

नीचे दिए गए कूट में से सही उत्तर चुनें :

कूट :

A. (*b*), (*c*), (*a*), (*d*) B. (*c*), (*b*), (*a*) (*d*)

C. (*d*), (*a*), (*c*), (*b*) D. (*b*), (*d*), (*c*), (*a*)

58. निम्नलिखित में से कौन-कौन क्रांतिकारी नेता थे?

(*a*) बरकतुल्ला (*b*) खीजर हयात खान

(*c*) ओबेदुल्ला सिंधी (*d*) महमूद हसन

नीचे दिए गए कूट में से सही उत्तर चुनें :

कूट :

A. (*a*), (*b*) और (*c*) B. (*a*), (*b*) और (*d*)

C. (*b*), (*c*) और (*d*) D. (*a*), (*c*) और (*d*)

59. इंडियन नेशनल कांग्रेस के किस अधिवेशन में देसी रियासतों के बारे में पहली बार किसी नीति का प्रतिपादन किया गया?

A. नागपुर, 1920 B. त्रिपुरा, 1939

C. हरिपुरा, 1938 D. कराची, 1931

60. कांग्रेस ने किस अधिवेशन में 'पूर्ण स्वराज' का प्रस्ताव पारित किया था?

A. लाहौर अधिवेशन B. कलकत्ता अधिवेशन

C. मद्रास अधिवेशन D. लखनऊ अधिवेशन

61. बंगाल की वामपंथी महिला नेताओं ने 1942 में निम्न में से किस संगठन की स्थापना की थी?

A. महिला सुधारणा समिति

B. महिला समाजवादी समिति

C. महिला सुरक्षा समिति

D. महिला आत्मरक्षण समिति

62. निम्नलिखित में से कौन इंडियन नेशनल कांग्रेस की पहली भारतीय महिला अध्यक्ष थीं?

A. अरुणा आसफ अली

B. सुचेता कृपलानी

C. सरोजिनी नायडू

D. लतिका घोष

63. सूची–I को सूची–II से सुमेलित करें। नीचे दिए गए कूटों की सहायता से सही उत्तर दर्शाएँ।

सूची–I	**सूची–II**
(*a*) बामाबोधिनी	1. द्विजेन्द्रनाथ टैगोर द्वारा प्रारंभ
(*b*) महिला	2. उमेश चन्द्र दत्ता द्वारा संपादित
(*c*) भारती	3. गिरीश चन्द्र सेन द्वारा संपादित
(*d*) सुप्रभात	4. कुमुदिनी तथा बसंती मित्रा द्वारा प्रारंभ

कूट :

	(*a*)	(*b*)	(*c*)	(*d*)
A.	4	1	3	2
B.	2	3	1	4
C.	1	3	2	4
D.	3	4	2	1

64. खुदाई खिदमतगारों को आम लोग किस नाम से जानते थे?

A. हरी कुर्ती वाले B. लाल कुर्ती वाले

C. काली कुर्ती वाले D. सफेद कुर्ती वाले

65. आर्य समाजी नेता श्री हरविलास शारदा का संबंध भारत के किस भाग से था?

A. राजस्थान B. महाराष्ट्र

C. गुजरात D. पंजाब

66. किस क्षेत्र के साम्यवादियों ने इस नारे के साथ अपना भारी अभियान शुरू किया था कि 'अमेरिकी मॉडल को अरब सागर में फेंको।'?

A. नागपुर स्टेट के क्षेत्र

B. निजाम स्टेट के क्षेत्र

C. उत्तर पश्चिम त्रावनकोर स्टेट के क्षेत्र

D. भागलपुर के क्षेत्र

67. बंगाल के बटाईदार किसानों (शेयर-क्रॉपर) का तेभागा संघर्ष सबसे जोरदार था, जिसमें किसानों ने घोषणा की थी कि वे जमींदारों को फसल का .... भाग अदा नहीं करेंगे।

A. $\frac{1}{3}$ B. $\frac{1}{4}$

C. $\frac{1}{6}$ D. $\frac{1}{2}$

68. 'जापानी वस्तुओं का इस्तेमाल छोड़ने' का प्रस्ताव राष्ट्रीय कांग्रेस ने किस वर्ष पारित किया था, जिसमें इसके लिए भारतीयों से अपील की गई थी।

A. 1936 B. 1937
C. 1938 D. 1939

69. निम्नलिखित घटनाओं को कालक्रमानुसार व्यवस्थित कीजिए :

(*a*) सुभाषचन्द्र बोस की श्री तोजो के साथ बैठक।
(*b*) सुभाषचन्द्र बोस का ताइपेई में आगमन।
(*c*) आई.एन.ए. ने स्वतंत्र भारत की धरती पर राष्ट्रीय ध्वज फहराया।
(*d*) इंडियन नेशनल आर्मी की स्थापना।

नीचे दिए गए कूट से सही उत्तर का चयन कीजिए :

कूट :

A. (*d*), (*a*), (*c*), (*b*)
B. (*d*), (*c*), (*a*), (*b*)
C. (*d*), (*a*), (*b*), (*c*)
D. (*d*), (*b*), (*c*), (*a*)

70. 'वे चाहे खुद को मुसलमान, हिंदू या कुछ भी और बताते हों, जब वे बर्बर होकर निर्मम हत्याएँ करते हैं, तो उसे असहाय भाव से देखने की जगह मैं सर्वशक्तिमान से प्रार्थना करूँगा कि वह मुझे इस दुःखभरी दुनिया से ले जाए।' ये पंक्तियाँ निम्नलिखित में से किसकी हैं?

A. एम.के. गाँधी
B. अब्दुल गफ्फार खां
C. विनोबा भावे
D. मौलाना अबुल कलाम आजाद

71. निम्नलिखित में से किसने भाषायी आधार पर प्रांतों के पुनः वितरण को 'राष्ट्रीयता की हत्या' के समान बताया?

A. के.एम. मुंशी
B. सरदार वल्लभभाई पटेल
C. जवाहरलाल नेहरू
D. जमनालाल बजाज

72. निम्नलिखित में से कौन रंगभेद की नीति का घोषित अंग नहीं था?

A. नस्ली पृथक्करण
B. अफ्रीकियों का अलग पर समान विकास
C. अंतर्वणीय विवाहों पर प्रतिबंध के लिए कानून
D. अफ्रीकियों की मूल संस्कृति का संरक्षण

73. सूची–I को सूची–II से सुमेलित करें तथा कूट की सहायता से सही उत्तर दर्शाएँ :

सूची–I (लेखक)	सूची–II (पुस्तक)
(*a*) जे.ए. हाब्सन	1. नियो कोलोनियलिज्म, द लास्ट स्टेज ऑफ इंपीरियलिज्म
(*b*) लेनिन	2. इंपीरियलिज्म : ए स्टडी
(*c*) के. एनक्रुमाह	3. इंपीरियलिज्म एज द हाइएस्ट स्टेट ऑफ कैपिटलिज्म
(*d*) आर.एच. टावनी	4. रीलिजन एंड द राइज ऑफ कैपिटलिज्म

कूट :

	(*a*)	(*b*)	(*c*)	(*d*)
A.	3	2	1	4
B.	1	3	4	2
C.	2	3	1	4
D.	4	2	3	1

74. निम्नलिखित में किसने रांके के 'वस्तुपरक' एवं 'निष्पक्ष' इतिहास के ऊँचे दावे के संबंध में गंभीर संशय व्यक्त किया?

A. जॉर्ज वैट्ज B. ई.एच. कार
C. हेनरिक वान साइबेल D. डोव

75. 'नॉन-प्रोलीफरेशन' संधि पर किस वर्ष हस्ताक्षर किए गए?

A. 1956 B. 1963
C. 1982 D. 1990

उत्तरमाला

1	2	3	4	5	6	7	8	9	10
C	D	D	B	C	C	B	A	A	C
11	**12**	**13**	**14**	**15**	**16**	**17**	**18**	**19**	**20**
B	B	B	D	C	C	A	B	D	C
21	**22**	**23**	**24**	**25**	**26**	**27**	**28**	**29**	**30**
D	D	D	A	A	C	D	A	A	B
31	**32**	**33**	**34**	**35**	**36**	**37**	**38**	**39**	**40**
D	A	A	D	D	A	A	B	D	D
41	**42**	**43**	**44**	**45**	**46**	**47**	**48**	**49**	**50**
B	A	A	A	C	A	C	A	D	C
51	**52**	**53**	**54**	**55**	**56**	**57**	**58**	**59**	**60**
C	A	B	A	A	C	B	D	A	A
61	**62**	**63**	**64**	**65**	**66**	**67**	**68**	**69**	**70**
D	C	B	B	A	C	D	B	A	A
71	**72**	**73**	**74**	**75**					
B	D	C	B	B					

व्याख्यात्मक उत्तरमाला

1. इस प्रकार, इतिहास के यथार्थवादी दार्शनिक माइकल स्टैनफोर्ड और पुनर्निर्माणवादी इतिहासकार आर्थर मरविक दोनों ने कार के निर्णय पर जोर दिया कि प्रश्न 'इतिहास क्या है?' का उत्तर है कि यह इतिहासकार और उसके तथ्यों के बीच का पारस्परिक विचार-विमर्श है, वर्तमान और भूत के बीच का संवाद है। यह एक तथ्य है जो इस संग्रह के अनेक सहयोगियों द्वारा ध्यान में रखा गया है। 'द प्रैक्टिस ऑफ हिस्ट्री' इतिहासकार जेफ्री एल्टन द्वारा वर्ष 1967 में लिखित एक पुस्तक है। यह एल्टन के विचारों का परीक्षण है कि इतिहास कैसा है, और किस प्रकार होना चाहिए तथा लिखा जाना चाहिए।

2. भारत में मध्यपाषाण काल के विषय में जानकारी सर्वप्रथम 1867 ई. में हुई, जब सी.एल. कार्लाइल ने विध्य क्षेत्र में लघु पाषाण उपकरण खोज निकाले। इस काल के औजार छोटे पत्थरों से बने हुए हैं, जिन्हें माइक्रोलिथिक या सूक्ष्म पाषाण कहा गया है। भारत में अनेक स्थलों से इस संस्कृति के प्रमाण मिलते हैं। कुछ प्रमुख मध्य पाषाणकालीन स्थल निम्नलिखित हैं :

- बीरभानपुर (पश्चिम बंगाल)
- बलसाना, लंघनाज, लोटेश्वर (गुजरात)
- टेरी समूह (तमिलनाडु)
- आदमगढ़ (मध्य प्रदेश)
- बागौर, तिलवार (राजस्थान)
- पैसरा (बिहार)
- सराय नाहर राय, माहदहा (उत्तर प्रदेश)

3. मेहरगढ़ एक नवपाषाण स्थल (7000 ई.पू. से 2500/2000 ई.पू.) है। यह बलुचिस्तान, पाकिस्तान के कच्छ मैदानी भाग में बोलन दर्रे के पास सिंधु घाटी के पश्चिम में स्थित है। मेहरगढ़ में 495 एकड़ स्थल का प्रारंभिक अवस्थापन हुआ, जो एक छोटा कृषि गांव था, जिसकी स्थापना लगभग 6500 ई.पू. में हुई थी। यह दक्षिण एशिया के सबसे पुराने स्थलों में से एक है, जहाँ से खेती और पशुपालन के साक्ष्य प्राप्त हुए हैं। इस स्थल

की खोज वर्ष 1974 में एक पुरातत्वविदों की समूह द्वारा हुई, जिसका नेतृत्व फ्रांसीसी पुरातत्ववेत्ता–जीन-फ्रांकोज जर्गेज और कथरीन जर्गेज ने किया था। इस स्थल की खुदाई 1974 और 1986 के मध्य की गई, और पुनः 1997 से 2000 तक। पुरातत्व सामग्री छः टीलों से मिली है, और लगभग 32,000 कलाकृतियां एकत्र की गई हैं। मेहरगढ़ को अब सिंधु घाटी सभ्यता के लिए एक अग्रदूत के रूप में देखा जाता है जो आरंभिक अवस्थापन से समूचे तारतम्य को प्रदर्शित करता है और परिपक्व हड़प्पा सभ्यता के लिए कृषि की शुरुआत है।

4. इतिहासकारों ने सभ्यताओं में कलाकृतियों के बीच समानता के आधार पर तंत्रों के आदान-प्रदान के बारे में भी जानकारी दी है। 4300 ई.पू. और 3200 ई.पू. के बीच के भाग को ताम्र युग कहा जाता है–सिंधु घाटी सभ्यता क्षेत्र से मिट्टी के पात्र दक्षिणी तुर्कमेनिस्तान और उत्तरी ईरान से समानता दिखाता है। हड़प्पा के आरंभिक काल में लगभग 3200 से लेकर 2600 ई.पू. मिट्टी के बर्तनों, मुहरों, मूर्तियों और गहने में सांस्कृतिक समानताएं हैं जिसकी पुष्टि मध्य एशिया और ईरानी पठार के साथ व्यापार करने वाले कारवां का दस्तावेज करता है। यह मेसोपोटामिया का सुदूर दक्षिण भाग था। वे देश के पहले शहरी थे। सुमेर का शाब्दिक अर्थ 'लॉर्ड ऑफ ब्राइटनेस' की भूमि है। यह विश्व की सबसे पुरानी सभ्यता थी और इसमें कई शहरी राज्य शामिल थे, जिनमें प्रमुख थे–निपपुर, कीश, उर, लगाश, उरूक आदि थे। पहला अवस्थापन एरिदु था, और तब उबैद काल, इस काल में निचले टिग्रिस और यूफरेट्स के मैदानों पर आधिपत्य जमा लिया।

6. ऋग्वेद में इन्द्र का वर्णन सर्वाधिक प्रतापी एवं लोकप्रिय देवता के रूप में किया जाता है, जिसे 250 सूक्त समर्पित हैं। इन्द्र को आर्यों का युद्ध नेता तथा वर्षा, आँधी, तूफान का देवता माना जाता है। ऋग्वेद के 5वें मण्डल में अग्नि की स्तुति में 200 सूक्त मिलते हैं। ये दूसरे सबसे महत्वपूर्ण देवता हैं। इस काल में अग्नि देवताओं तथा मनुष्य के बीच मध्यस्थ था। इसके माध्यम से देवताओं को आहुतियाँ दी जाती थीं।

7. ऋग्वेद में सभा (आठ बार), समिति (नौ बार), विदथ (122 बार) तथा गण जैसी संस्थाओं का उल्लेख मिलता है। ऋग्वेद की सबसे प्राचीन संस्था विदथ थी। सभा मुख्य रूप से वृद्ध जनों एवं कुलीन व्यक्तियों की संस्था थी। इसके सदस्यों को सुजान कहा जाता था। समिति कबीलों की आम सभा थी, जिसके प्रमुख को ईशान कहा जाता था। स्त्रियाँ केवल सभा में ही भाग ले सकती थीं। विदथ में लूटी गई वस्तुओं का बँटवारा होता था। अथर्ववेद में स्पष्ट होता है कि सभा और समिति दो भिन्न संस्थाएँ थीं।

8. आजीवक साम्राज्य की स्थापना मक्खलि गोशाल ने की थी, जो गौतम बुद्ध के समकालीन थे। उनके विचार 'सामंज फल सुत्त' तथा 'भगवतीसूत्र' में मिलते हैं। आजीवक संप्रदाय के अनुयायियों को हत्थापलेखण तथा एकदण्डिक के नाम से जाना जाता है। आजीवक पुरुषार्थ में विश्वास नहीं करते थे। वे नियति को मनुष्य की सभी अवस्थाओं के लिए उत्तरदायी ठहराते थे। उनके नियतिवाद में पुरुष के बल या वीर्य (पराक्रम) का कोई स्थान नहीं था। वे पाप या पुण्य का कोई हेतु या कारण नहीं मानते थे। आजीवकों का सम्प्रदाय कभी इतना विशाल नहीं हुआ कि राजनीति पर उसका कोई प्रभाव पड़ता, हालाँकि अशोक के काल में उनका समुदाय महत्वपूर्ण माना जाता था। अशोक के पोते ने गया के निकट बराबर पहाड़ियों में निर्मित तीन गुफा मंदिर आजीवकों को दान कर दिये थे।

9. **कम्बोज :** यह उत्तरा पथ में स्थित था। आधुनिक काल के *राजौरी और हजारा* जिले में यह महाजनपद था, इसकी राजधानी **हाटक** अथवा **राजपुर** थी। कम्बोज अपने श्रेष्ठ घोड़ों के लिए विख्यात था।

अस्मक : इसकी राजधानी **पोतना** अथवा **पोटिल** थी। यह नगर आन्ध्र प्रदेश में गोदावरी नदी के तट पर स्थित था। केवल यही महाजनपद *दक्षिण भारत* में था।

चेदि : इस महाजनपद की राजधानी **सुक्तिमती** थी। जिसकी पहचान महाभारत के शक्तिमती से की जाती है। महाभारत काल में यहाँ का शासक शिशुपाल था जिसका वध कृष्ण ने किया था।

अवन्ति : पश्चिमी भारत में अवन्ति जनपद प्रमुख था। इसके दो भाग थे। उत्तरी अवन्ति की राजधानी उज्जैन

थी और दक्षिणी अवन्ति की राजधानी महिष्मती थी। बुद्धकालीन अवन्ति का राजा चण्डप्रद्योत था। जिसका पीलिया नामक बीमारी का इलाज बिम्बिसार के वैद्य जीवक ने किया था। बौद्ध पुरोहित महाकत्यायन के प्रभाव से चण्डप्रद्योत बौद्ध बन गया था।

10. मेगस्थनीज सेल्यूकस का राजदूत था तथा चन्द्रगुप्त मौर्य के दरबार में 304 ई.पू. से 299 ई.पू. के मध्य रहा। इण्डिका की मूल प्रति का अभाव है। इसके उद्धरण अनेक यूनानी लेखकों एरियन, स्ट्रेबो, प्लूटार्क, प्लिनी, जस्टिन एवं डायोडोरस के विवरण से प्राप्त होते हैं।

11. **लुम्बिनी स्तम्भ :** यह स्तम्भ महात्मा बुद्ध की जन्मस्थली लुम्बिनी में स्थापित है। स्तम्भ पर अश्व की सुन्दर आकृति बनी हुई है। अशोक ने राज्याभिषेक के 20वें वर्ष लुम्बिनी की यात्रा की थी। लुम्बिनी में भूमिकर घटाकर 1/8 भाग कर दिया। रूम्मिनदेई अभिलेख में इस बात की चर्चा की गई है। इसके साथ-ही-साथ अशोक ने लुम्बिनी ग्राम को बलि-भुगतान के भार से मुक्त कर दिया।

12. चन्द्रगुप्त मौर्य के पश्चात् उसका पुत्र बिन्दुसार गद्दी पर बैठा। यूनानी लेखों में इसे अमित्रोचेट्स (संस्कृत रूपान्तरण अमित्रघात) वायुपुराण में भद्रसार तथा जैन ग्रंथों में सिंहसेन कहा गया है। सीरिया के शासक एण्टियोकस ने डायमेकस को तथा मिस्र के शासक टॉलेमी द्वितीय ने डायनोसियस नामक राजदूत मौर्य दरबार में भेजा था। बिन्दुसार आजीवक सम्प्रदाय का अनुयायी था।

13. तीसरी बौद्ध संगीति अशोक के शासनकाल में पाटलिपुत्र में संपन्न हुई थी। इस बौद्ध संगीति में नियुक्त धर्मप्रचारक एवं उनके क्षेत्र निम्नलिखित हैं—

धर्मप्रचारक	**स्थान/देश**
मज्झन्तिक	कश्मीर तथा गंधार
महारक्षित	यवन देश
मज्झिम	हिमालयवर्ती देश
महादेव	महिषमण्डल (मैसूर)
महाधर्मरक्षित	महाराष्ट्र
धर्मरक्षित	अपरान्तक
महेन्द्र तथा संघमित्रा	श्रीलंका
सोण तथा उत्तर	सुवर्ण भूमि

14. मौर्यों के पास एक विशाल सेना थी। सेनापति इसका प्रधान अधिकारी होता था। कौटिल्य ने विभिन्न सैनिकों का उल्लेख किया है जैसे—पारंपरिक सैनिक, भाड़े के सैनिक, वन्य जनजातियों के सैनिक इत्यादि। मेगस्थनीज ने सेना के रख-रखाव के लिए छह समितियों का उल्लेख किया है जिसमें प्रत्येक समिति में पांच सदस्य होते हैं। 1. नौ सेना समिति 2. पैदल सेना से संबंधित समिति 3. सैनिक यातायात से संबंधित समिति 4. हस्त सेना से संबंधित समिति, 5. रथ सेना से संबंधित समिति 6. अश्व सेना से संबंधित समिति।

15. तमिल कवि अप्पर एवं सुन्दरमूर्ति काञ्ची से संबंधित थे।

सुन्दरमूर्ति—ये आठवीं सदी के तमिलनाडु के एक नायनमार संत थे। वे भगवान शिव के भक्त थे और चार तमिल साम्य आचार्यों में से एक थे।

अप्पर नायनार—700 ई.पू. अप्पर नायनार एक शिव भक्त थे। ये नयनार संघ के संत थे। तमिलनाडु में वे कुरवार या गुरु के नाम से जाने जाते थे। इन्होंने भगवान शंकर के लिए अनेकों भजन लिखे।

16. समुद्रगुप्त के इतिहास का सर्वप्रमुख स्रोत उसी का अभिलेख है, जिसे 'प्रयाग-प्रशस्ति' कहा जाता है। इसकी रचना 'हरिषेण' ने की थी। यह मूलतः कौशाम्बी में खुदवाया गया था। यह ब्राह्मी लिपि में तथा विशुद्ध संस्कृत भाषा में लिखा हुआ है। यह संस्कृत की चम्पू शैली का सुन्दर उदाहरण है। इस अभिलेख में हरिषेण कुमारामात्य, महादण्डनायक तथा सान्धिविग्रहिक नामक पदों पर आसीन था।

17. पूर्व मध्यकाल में राष्ट्रकूट, गंग, गुजरात के चालुक्य एवं चन्देल शासकों ने जैन धर्म को प्रश्रय दिया। राष्ट्रकूट शासक अमोघवर्ष जैन धर्म का अनुयायी था। गंग वंश के राजा राजमल चतुर्थ का मंत्री एवं सेनापति चामुण्ड राय ने 974 ई. में श्रवणबेलगोला के पास एक बाहुबली की अति विशाल मूर्ति का निर्माण करवाया, जो गोमतेश्वर (गोम्मट) की एकाश्मक प्रतिमा कहलाती है। यहाँ पर प्रत्येक 12 वर्ष में महामस्तकाभिषेक किया जाता है।

19. कुमारगुप्त I द्वारा विभिन्न प्रकार के सोने के सिक्के की शुरुआत की गई।

- **गजारूढ़ प्रकार :** हाथी पर बायीं ओर से बैठता राजा, दाएं हाथ में शूल लिए, परिचारक पीछे बैठा, छत्र को पकड़े हुए, परिपत्र के चारों ओर ब्राह्मी कथा/लक्ष्मी एक कमल पर खड़े हुए, दाएं हाथ में कमल पकड़े, और बाएं हाथ में अक्षय पात्र लिए, बाएं तरफ अतिरिक्त कमल और दाएं तरफ शंख, दायीं ओर ब्राह्मी कथा : श्री महेंद्रगजह।

- **खड्ग प्रकार :** राजा खड़े होकर, बाएं हाथ से तलवार की मूठ पकड़े हुए, दाएं हाथ से चढ़ावा देते हुए, बाएं तरफ गरुड़ मानक, परिपथ के चारों ओर ब्राह्मी कथा/लक्ष्मी कमल पर आरूढ़, मुकुट और कमल धारण किए और दायीं ओर ब्राह्मी कथा : श्री कुमारगुप्त।

- **अप्रतिघ प्रकार :** राजा खड़ा होकर, बाएं और दाएं तरफ चित्रों के समीप, राजा के बगल में ब्राह्मी कथा : कुमारगुप्त, बायीं ओर खड़ा गरुड़, दाएं तरफ नवचन्द्र, परिपथ के चारों ओर ब्राह्मी कथा/लक्ष्मी कमल पर आसीन, दाएं हाथ से कमल पकड़े, बायीं ओर घूंघर युक्त नवचन्द्र, दायीं ओर ब्राह्मी कथा : अप्रथीघा।

- **खड्ग-निहन्ता प्रकार :** दायीं ओर से राजा घोड़े की पीठ पर, दाएं हाथ में तलवार पकड़े हुए, दायीं ओर गैंडों पर हमला लेकिन सिर को घुमाते हुए वापस, परिपथ के चारों ओर ब्राह्मी कथा/मकर के बायीं ओर खड़ी देवी गंगा, दाएं हाथ में कमल पकड़े, दायी ओर पकड़े छत्र पकड़े परिचारक, बायीं ओर ऊपर ब्राह्मी कथा : श्री महेद्रखड़ा।

20. **पुष्यभूति वंश**–पुष्यभूति वंश के संस्थापक नरवर्द्धन थे। इनकी राजधानी थानेश्वर (हरियाणा प्रांत के कुरुक्षेत्र जिले में स्थित वर्तमान थानेसर नाम स्थान) था।

मौखरि वंश–मौखरि वंश की स्थापना उत्तर गुप्तकाल के पतन के बाद हुई थी। इस वंश की स्थापना अश्वपति के द्वारा की गई थी।

उत्तर गुप्त वंश–कृष्ण गुप्त उत्तर गुप्त वंश के प्रथम शासक थे। अभिलेख के अनुसार कृष्ण गुप्त का मूल स्थान मगध था, जबकि विद्वानों के अनुसार इनका मूल स्थान मालवा था।

वर्मन राजवंश–इस वंश का प्रथम महत्वपूर्ण शासक पुष्यवर्मन था। यह समुद्रगुप्त के समकालीन था।

21. **ह्वेनसाँग (युवान च्वांग) :** यह हर्षवर्धन के शासनकाल में भारत आया था। ह्वेनसाँग ने 629 ई. में चीन से भारतवर्ष के लिए प्रस्थान किया और लगभग एक वर्ष की यात्रा के बाद सर्वप्रथम वह भारतीय राज्य कपिशा पहुँचा। भारत में 15 वर्षों तक ठहरकर 645 ई. में चीन लौट गया। वह बिहार के नालंदा जिला स्थित नालंदा विश्वविद्यालय में अध्ययन करने तथा भारत से बौद्ध ग्रंथों को एकत्र कर ले जाने के लिए आया था। इसका भ्रमण वृतांत सि-यू-की नाम से प्रसिद्ध है, जिसमें 138 देशों का विवरण मिलता है। इसने हर्षकालीन समाज, धर्म तथा राजनीति के बारे में वर्णन किया है। ह्वेनसाँग ने अन्य समकालीन शासकों कश्मीर नरेश, काञ्ची नरेश तथा बालभी नरेश से मिलने का अवसर मिला।

22. पल्लव वंश का संस्थापक सिंहविष्णु (565-600 ई.) को माना जाता है। वह वैष्णव धर्म का अनुयायी था। उसकी राजसभा में महाकवि भारवि निवास करता था। उसके समय में मामल्लपुर में बराह मंदिरों का निर्माण हुआ। सिंहविष्णु का पुत्र तथा उत्तराधिकारी महेन्द्रवर्मन प्रथम था। उसने मत्तविलास, विचित्रचित, गुणभर आदि उपाधियाँ ग्रहण की थीं। उसने 'मत्तविलास प्रहसन' नामक हास्य ग्रंथ की रचना की। यह प्रारंभ में जैन-मतावलंबी था, परंतु बाद में तमिल संत अप्पर के प्रभाव में आकर शैव बन गया था। इस प्रकार स्पष्ट होता है कि कथन (A) असत्य है जबकि कारण (R) सत्य है।

23. तेली का मंदिर मध्यप्रदेश के ग्वालियर जिला में अवस्थित है। इस मंदिर की ऊँचाई 100 फीट है। इस मंदिर की शिखर द्रविड़ीयन शैली से बनी है जबकि नक्काशियाँ और मूर्तियाँ उत्तर भारतीय शैली की हैं। इसकी वस्तुशैली हिन्दू और बौद्ध वास्तुकला का सम्मिश्रण है।

24. 10वीं सदी के अंतिम चरण में कल्याणी के चालुक्य वंश की स्थापना तैलप द्वितीय (993-997 ई.) ने की, जो आरंभ में राष्ट्रकूटों का सामन्त था। इस राजवंश ने यह दावा किया था कि हमारे पूर्वजों ने अयोध्या पर शासन किया था। सत्याश्रय (997-1008 ई.) ने चोल शासक राजराज प्रथम को पराजित किया। कन्नड़ कवि गदायुद्ध को संरक्षण दिया।

25. जय इंद्रवर्मन या पो क्लोंग गारई चंपा का राजा था, जो आधुनिक वियतनाम का पूर्व क्षेत्र था। उसका शासनकाल 1167–1192 था। जय इंद्रवर्मन ने अपने आप को हड़पने वाला कहा और उसने बताया कि वह प्रसिद्ध स्थान ग्रामपुरविजया से आया। वह ''ऊर्जा, साहस और गर्व से भरा था।

27. कबुसनामा (1082) और सियासतनामा (1092) के रूप में इल्तुतमिश राजनीतिक सिद्धांत पर मानक फारसी कार्यों से अधिकांशतः परिचित थे। अपने शासन के दौरान राजकौशल पर दो कृतियां (अबब-उस-सालातिन और मासिर-उस-सालातिन) बगदाद से उन्होंने मंगवाया। फक्र-उल-मुलुक सरकार पर और पहला भारत-मुस्लिम क्लासिक युद्ध था, जो फारसी तत्वों को दर्शाता है। कबुसनामाह और मसालिक-उल-अबसार ने सलाह दी कि सेना में किसी भी दौड़ से पूर्व प्रभुत्व से बचना चाहिए। वह क्वालक्वाशिंदी (सुभ उल अ'शा) से प्रकट होता है। बलबन के शासन के दौरान, प्रसिद्ध अरबी कानूनी पुस्तक हिदाय, मुसलमान कानून को आधार बनाकर बल्ख से मौलाना बुरहानुद्दीन द्वारा लाया गया था। फिरोज तुगलक के अधीन न केवल फारसी में इस्लामी कानून के सारांश और सार लिखे गए थे बल्कि इससे संबंधित किताबें फारसी और अरबी में भी संकलित हुईं। तातर खान के नाम पर एक कानूनी संग्रह फतवा-ए-तातरखानी 30 अंकों में संकलित हुआ, जिसे शेख इब्राहिम, इस्तांबुल में मुहम्मद की मस्जिद का इमाम, ने संक्षेप में प्रस्तुत किया था। जियाउद्दीन बरानी ने फतवा-ए-जहाँदारी लिखा था।

29. बलबन इल्तुतमिश का दास था। वह इल्वरी तुर्क था। यद्यपि बचपन में ही मंगोलों ने उसे दास के रूप में उसे बेच दिया था। बलबन का मूल नाम बहाऊद्दीन था। नासिरुद्दीन महमूद ने बलबन को उलुग खाँ की उपाधि से विभूषित किया एवं सल्तनत का नाइब-ए-ममलिकात (प्रधानमंत्री) नियुक्त कर शासन की वास्तविक शक्ति उसके हाथों में सौंप दी। इसने दिल्ली के निकट पटयाली, कांपिल और भोजपुर में अपनी नई सैन्य चौकियाँ बनाईं और उन्हें अफगानों के नियंत्रण में रखा। इसने अपनी सेना में अलग 3000 अफगानी लोगों को भर्ती किया था। बलबन ने दीवान-ए-आरज (केन्द्रीय सैन्य विभाग) एवं दीवान-ए-बरीद (केन्द्रीय गुप्तचर विभाग) का गठन किया।

30. आरंभिक मुस्लिम शासकों की रुचि भौतिक समृद्धि और उन लोगों पर जिन्हें उन्होंने जीता था, के बजाय जीत और लूट में थी। आर्थिक विकास के लिए उपयुक्त सुविधाओं को पेश करने वाला पहला सुल्तान बलबन था। दिल्ली सल्तनत के इतिहास के पूर्व वृतान्त में, अलाउद्दीन खलजी एक साहसी राजनीतिक अर्थशास्त्री के रूप में उभरता है, जिसने राजस्व व्यवस्था को संगठित किया और अपने प्रसिद्ध बाजार नियमन नीतियों के माध्यम से वस्तुओं की कीमतों को नीचे रखा। हालांकि अनाज सहित सभी वस्तुओं की कीमतों को तय करके बाजार नियंत्रण तंत्र प्रभावित कृषिवादियों को प्रतिकूल रूप से प्रभावित करते थे लेकिन इस पूरे कदम से राज्य को लाभ हुआ। अलाउद्दीन खलजी की मृत्यु के उपरांत उनके बाजार नियमों के लागू होने में कोई निरंतरता नहीं रही। मुहम्मद बिन तुगलक एक ओर राजा थे, जिनके प्रशासनिक प्रयोग ने लोगों को बहुत ही असुविधा में डाल दिया था। फिरोज शाह के शासनकाल के दौरान वसूली हुई थी, जिसमें सल्तनत के पिछले नियमों में सामान्य रूप से सुधार हुआ। नई प्रशासनिक प्रणाली का विकास हुआ। यद्यपि दिल्ली के सुल्तानों को गजनवीयों से विरासत में मिली इस्लामी परंपराओं से प्रभावित किया गया था फिर भी यह स्थानीय आवश्यकताओं और प्रथाओं के अनुरूप था। इस समय की कृषि प्रणाली अलग नहीं थी। इब्न बतूता के अनुसार, मिट्टी उपजाऊ थी और एक वर्ष में धान की तीन बार फसल उगायी जाती थी। तिल, गन्ना, काली मिर्च, अदरक, नील और कपास अन्य फसलें हैं जो ग्रामीण उद्योगों के लिए कच्चे माल का निर्माण करते थे, जैसे कि ऑयल

प्रेसिंग, गुड़ बनाने, बुनाई इत्यादि। राजस्व उत्पादन के महत्वपूर्ण अवयव के रूप में राज्य कृषि पर आश्रित था। आमतौर पर भूमि राजस्व निर्धारण की तीन विधियां प्रचलन में थीं—साझेदारी, मूल्यांकन और माप। पहली विधि में, एक सामान्य फसल विभाजन प्राप्त किया गया था। दूसरे में, जमीन पर संभावित फसल की पैदावार के मूल्य पर राज्य के मांग की मात्रा का आकलन किया गया। जबकि तीसरी विधि में भूमि की वास्तविक माप के आधार पर मांग की गणना शामिल थी। चाहे जो भी विधि अपनाई गई हो, राज्य का हिस्सा आमतौर पर कुल उत्पादन का एक तिहाई था। दोआब जैसे उपजाऊ क्षेत्रों में अलाउद्दीन खलजी और मुहम्मद बिन तुगलक ने भूमि राजस्व के रूप में उत्पादन का लगभग आधा बढ़े हुए कर के रूप में करारोपित किया। किसानों द्वारा दिए गए लेवी में आवास कर, चराई पर, तालाबों पर कर, वस्तुओं की बिक्री और व्यवसाय कर शामिल हैं।

31. अमीर खुसरो का मूल नाम मुहम्मद हसन था। उसका जन्म पटियाली (पश्चिमी उत्तर प्रदेश में बदायूँ के पास) में 1253 ई. में हुआ था। खुसरो प्रसिद्ध सूफी संत शेख निजामुद्दीन औलिया के शिष्य थे। इन्होंने कर्नाटक स्कूल के दक्कनी संगीत का अध्ययन किया था। यह दक्कनी/कर्नाटक संगीत के महान प्रवर्तक नायक गोपाल अमीर खुसरो के समकालीन थे। यह बलबन से लेकर मुहम्मद तुगलक तक दिल्ली सुल्तानों के दरबार में रहे। इन्हें तुतिए हिन्द (भारत के तोता) के नाम से भी जाना जाता है। ख्याल, तराना तथा कव्वाली के आविष्कार का श्रेय अमीर खुसरो को ही दिया जाता है।

34. जलालुद्दीन फिरोज खलजी का गद्दार भतीजा, जिसका नाम अलाउद्दीन खलजी था वास्तविक नाम अली गुरुशप था सन् 1296 से 1316 के दौरान भारत में 20 वर्षों तक सख्ती से शासन किया। उसने अपने आपको दिल्ली सल्तनत का सबसे शक्तिशाली शासक के रूप में स्थापित किया। सुल्तान बनने से पूर्व, वह एक योद्धा के रूप में प्रतिष्ठापित था। उसने अपने चाचा की इलाहाबाद के निकट कारा में हत्या कर दी, जहाँ वह अपने चाचा द्वारा प्रतिनियुक्त किया गया था। इससे पहले कि वह सुल्तान बना, उसकी चाची (जलालुउद्दीन की विधवा) मलिका जहाँ ने अपने पुत्र रुकुद्दीन खलजी को गद्दी पर बैठाया। अलाउद्दीन कड़ा से दिल्ली अपने चाचा के सिर को लेकर आया जो भाले में फँसा था और अपने आपको दिल्ली का सुल्तान घोषित कर दिया।

35. **बलाहर :** खेतिहर किसान का न्यूनतम स्तर

बंजारा : एक अनाज व्यापारी

बारिद : सूचना एकत्रित करने के लिए राज्य द्वारा नियुक्त खुफिया अधिकारी

बक्काल : व्यापारी, अनाज व्यापारी

चरई : मवेशी कर

दात्र : शाही छत्र

खलिसा : आय जो सीधे राजा के पास गई थी

खानकाह : रहस्यवादियों का घर लेकिन जमात खाना की तुलना में अधिक मूल्यवान

सिलहदार : हथियार

तूमान (इकाई) : एक मंगोल साम्राज्य की सैन्य इकाई

38. मोहम्मद काजिम को औरंगजेब ने मुंशी नियुक्त किया था। इसकी पुस्तक महसिर-ए-आलमगीरी में औरंगजेब के इतिहास का वर्णन है।

39. मुगल वंश के महानतम शासक जलालुद्दीन मोहम्मद अकबर का जन्म अमरकोट (सिन्ध के थार जिले में) के राणा वीरसाल के महल में 15 अक्टूबर, 1542 को हुआ। सबसे पहले प्रांतों का निर्माण अकबर के काल में हुआ था। 1580 ई. में अपने साम्राज्य का विभाजन 12 प्रांतों में किया, जो अंत तक 15 हो गई थी। मुगलों का प्रांतीय शासन केन्द्रीय शासन का ही प्रतिरूप था। प्रशासन की दृष्टि से मुगल साम्राज्य को सूबों (प्रांतों), सूबों को सरकारों (जिलों) में, सरकारों को परगनों (महालों) में तथा परगनों को गाँवों में बाँटा गया था।

40. सलीम (जहाँगीर) का जन्म 30 अगस्त, 1569 को फतेहपुर सीकरी में हुआ था। इसका नाम सूफी संत शेख सलीम चिश्ती के नाम पर आधारित था। अकबर प्यार से इसे शेखूबाबा के नाम से पुकारता था। शहजादे सलीम की शिक्षा का दायित्व महान् साहित्यकार खान-ए-खानां अब्दुल रहीम तथा प्रमुख धर्मशास्त्री शेख अब्दुल नबी जैसे अग्रणी अमीर तथा विद्वानों को सौंपा गया

था। शहजादे सलीम को अनेक भाषा जैसे—फारसी, हिन्दी, तुर्की का ज्ञान था। इसके साथ ही साथ इसे अन्य विषयों को जैसे—इतिहास, प्राकृतिक विज्ञान, भूगोल, युद्ध कौशल तथा धर्मशास्त्र की भी अच्छी जानकारी थी।

शाहजहाँ का जन्म लाहौर में 5 जनवरी, 1592 को मारवाड़ के मोटा राजा उदयसिंह की पुत्री जगत गोसाई के गर्भ से हुआ था। यह युद्ध कला एवं सैन्य कौशल में निपुण था। शाहजहाँ के काल में मुगल स्थापत्य कला पराकाष्ठा पर पहुँच गई, जिसमें संगमरमर का बड़े पैमाने पर प्रयोग किया गया। उसने आगरा तथा दिल्ली में अनेक भवनों का निर्माण कराया। आगरा में दीवान-ए-खास, रंग महल, शीश महल, खास महल, मच्छी महल, नगीना मस्जिद, मुसम्मन बुर्ज, मोती मस्जिद तथा ताजमहल हैं।

43. 1586-87 ई. में अकबर ने एक नई माप गज-ए-इलाही (33.5 इंच) का प्रयोग प्रारंभ करवाया जिसने गज-ए-सिकन्दरी (32 इंच) का स्थान लिया। दीरा (गज)-ए-शाहजहांनी 33.5 इंच से थोड़ा कम था। क्षेत्रफल की इकाई बीघा को माना गया। 1576 ई. में हिन्दुस्तान (लाहौर से इलाहाबाद तक का क्षेत्र) को खालसा (केन्द्र के प्रत्यक्ष नियंत्रण में आने वाली भूमि) में शामिल किया गया ताकि कृषि की वास्तविक जानकारी मिल सके।

45. हुंडी एक साख-पत्र थी, जिसका भुगतान एक खास अवधि के बाद बट्टा काटकर किया जाता था। हुंडी में अक्सर बीमे का भी समावेश होता था, जिसकी दरें माल की कीमत, गंतव्य, परिवहन की किस्म (थल, जल या समुद्र) आदि के अनुसार अलग-अलग होती थी। द्रव्य-विनिमय के काम में माहिर सर्राफ हुंडियों के कारोबार के भी विशेषज्ञ होते थे। इस प्रक्रिया में वे निजी बैंकों का भी कार्य करते थे। हुंडियों के द्वारा वे साख की सृष्टि करते थे। इसके जरिए चलन में मौजूद मुद्रा की कमी पूरी होती थी, और वाणिज्य के लिए, खासतौर से दूरवर्ती क्षेत्रों के साथ चलनेवाले और अंतर्राष्ट्रीय व्यापार के लिए धन सुलभ होता था। चूँकि व्यापारी अपना माल बेचने के बाद अपने गंतव्य पर हुंडी को भुना सकता था, इसलिए पैसा साथ लेकर चलने की आवश्यकता नहीं होती थी।

46. सरबत खालसा एक पंजाबी शब्द है जिसका अर्थ सर्व या सबकुछ है। 18वीं शताब्दी में पंजाब के अमृतसर में सरबत खालसा आयोजन किया गया था। यह एक वार्षिक आयोजन की परंपरा चक गुरु (अमृतसर) में थी, लेकिन धीरे-धीरे आपसी मतभेद बढ़ने लगे और हर प्रमुख अपने-अपने लिए अलग इलाका बनाने की कोशिश करने लगे। पहले सरबत खालसा का आयोजन सिखों के दसवें गुरु, गुरु गोबिन्द सिंह के द्वारा किया गया।

दशम ग्रंथ सिखों का पवित्र धर्मग्रंथ है। इस धर्मग्रंथ में गुरु गोबिंद सिंह जी की पवित्र वाणी एवं रचनाओं का संग्रह है। सिखों के दसवें गुरु, गुरु गोबिंद सिंह के समय गुरुओं की सेना सबसे ज्यादा शक्तिशाली हुई।

52. **बरेली** में 1857 ई. के विद्रोह को **बख्त खान** ने अपना नेतृत्व प्रदान किया। विद्रोह को कुचलने वाला सैन्य अधिकारी विसेन्ट आयर था।

फैजाबाद में 1857 ई. के विद्रोह को **मौलवी अहमदुल्ला** ने अपना नेतृत्व प्रदान किया। अहमदुल्ला के बारे में अंग्रेजों ने कहा कि *"अदम्य साहस के गुणों से परिपूर्ण दृढ़-संकल्प वाले व्यक्ति तथा विद्रोहियों में सर्वोत्तम सैनिक हैं।"* अहमदुल्ला की गतिविधियों से अंग्रेज इतने चिन्तित थे कि उन्होंने इन्हें पकड़ने के लिए ₹ 50,000 का नकद इनाम घोषित किया। 5 जून, 1858 के रुहेलखण्ड की सीमा पर पोवायाँ में इनकी गोली मारकर हत्या कर दी गई।

बिहार के **जगदीशपुर** (आरा) में वहाँ के प्रमुख जमींदार **कुँवर सिंह** ने 1857 ई. के विद्रोह के समय, विद्रोह का झण्डा फहराया। युद्ध में जख्मी हो जाने के कारण 26 अप्रैल, 1858 को मृत्यु को प्राप्त हो गए।

लखनऊ में 30 मई, 1857 को विद्रोह की शुरुआत हुई। **बेगम हजरत महल** ने अपने अल्पायु पुत्र *बिरजिस कादिर* को नवाब घोषित किया तथा लखनऊ स्थित ब्रिटिश रेजीडेन्सी पर आक्रमण किया। लखनऊ के बाद बेगम हजरत महल ने मौलवी अहमदुल्ला के साथ शाहजहाँपुर में भी विद्रोह को नेतृत्व प्रदान किया। वे शीघ्र पराजित हो गईं और भागकर नेपाल चली गईं, जहाँ उनकी गुमनाम मौत हो गई।

54. भारतीय राष्ट्रीय कांग्रेस पर 1885 ई. से लेकर 1904-05 ई. तक उदारवादियों का वर्चस्व था। उदारवादी वास्तव में विश्वास रखते थे कि भारत के स्वशासन का एक संविधानिक मार्ग था। क्योंकि इनका लक्ष्य ब्रिटिश सरकार के प्रति निष्ठा व्यक्त करना तथा अपनी मांगों को प्रतिवेदनों, भाषणों और लेखों के माध्यम से सरकार के सम्मुख प्रस्तुत करना था। उदारवादी कहे जाने वाले प्रमुख नेताओं में दादा भाई नौरोजी, सुरेन्द्रनाथ बनर्जी, गोपाल कृष्ण गोखले, फिरोजशाह मेहता, मदनमोहन मालवीय, दिनशॉ वाचा आदि का नाम उल्लेखनीय है। इस प्रकार कथन (A) और कारण (R) दोनों सही हैं तथा (R), (A) की सही व्याख्या है।

55. स्वामी विवेकानन्द ने 1897 ई. में वेलूर (कलकत्ता) में रामकृष्ण मिशन की स्थापना की थी। मिशन के दो मठ बारानगर (कलकत्ता) एवं मायावती (अल्मोड़ा) में स्थापित किए गए थे। स्वामी विवेकानंद ने फरवरी 1896 ई. में न्यूयॉर्क में वेदान्त सोसायटी का गठन भारतीय धर्म एवं दर्शन के प्रचार के लिए किया था। स्वामी विवेकानंद के अनुसार जाति-व्यवस्था वेदान्त धर्म के विरुद्ध है। इसके साथ-ही-साथ इन्होंने मूर्तिपूजा, बहुदेववाद आदि का समर्थन किया, क्योंकि इनका मानना था कि ईश्वर साकार एवं निराकार दोनों है और उसकी अनुभूति प्रतीकों के रूप में की जा सकती है। इनके अनुसार सभी बुराइयाँ मतभेदों पर विश्वास करने से आती हैं। सभी अच्छाई समानता पर आस्था से निहित एकत्व एवं एकरूपता की समझ से आती है। इस प्रकार कथन (A) और कारण (R) दोनों सही हैं तथा (R), (A) की सही व्याख्या है।

57. **कोल विद्रोह :** कोल विद्रोह 1831 ई. में छोटानागपुर क्षेत्र में हुआ था। इस विद्रोह का प्रमुख कारण कोल आदिवासियों की जमीन छीनकर मुस्लिम एवं सिख कृषकों को देना था। इस विद्रोह में सुर्गा एव सिंगराय ने महत्वपूर्ण भूमिका अदा की थी।

संथाल विद्रोह : भागलपुर एवं राजमहल के संथाल आदिवासियों ने 1855 ई. में सिद्धू एवं कान्हू के नेतृत्व में जमीदारों, साहूकारों के अत्याचार एवं अधिकारियों के विरुद्ध विद्रोह किया था।

रम्पा विद्रोह : यह विद्रोह आन्ध्र प्रदेश के गोदावरी जिले के उत्तर में स्थित रम्पा क्षेत्र में 1879 ई. को हुआ था। आदिवासियों का यह विद्रोह साहूकारों के शोषण एवं वन कानूनों के विरुद्ध हुआ।

मुण्डा विद्रोह : मुण्डा विद्रोह 1874 ई. से प्रारंभ हुआ तथा 1895 ई. में बिरसा मुण्डा द्वारा नेतृत्व सम्भाले जाने पर यह प्रबल रूप से सामने आया, इन्होंने 1899 ई. में क्रिसमस की पूर्व संध्या पर विद्रोह की घोषणा की जो वर्ष 1900 में पूरे मुण्डा क्षेत्र में फैल गया।

59. कांग्रेस के अधिवेशन

1920	नागपुर	कांग्रेस के संविधान में संशोधन तथा देशी रियासतों के संदर्भ में पहली बार नीति का प्रतिपादन।
1931	कराची	मौलिक अधिकारों पर प्रस्ताव, आर्थिक कार्यक्रम को स्वीकृति।
1938	हरिपुरा (गुजरात)	राष्ट्रीय नियोजन समिति का गठन।
1939	त्रिपुरी (मध्य प्रदेश)	—

60. दिसम्बर, 1929 में कांग्रेस का लाहौर अधिवेशन आयोजित हुआ, जिसकी अध्यक्षता जवाहरलाल नेहरू ने की थी। *लाहौर अधिवेशन में प्रमुख पारित प्रस्ताव निम्नलिखित हैं :*

- इस अधिवेशन में नेहरू रिपोर्ट से घोषित, औपनिवेशिक स्वराज के लक्ष्य को रद्द कर दिया गया और यह ऐलान किया गया कि अब कांग्रेस का लक्ष्य पूर्ण स्वराज होगा।
- गांधीजी को स्वाधीनता आन्दोलन का नेतृत्व ग्रहण करने के लिए कहा गया।
- कांग्रेस जनों को आदेश दिया गया कि वे भविष्य में काउन्सिल चुनावों में भाग न लें और काउन्सिल के मौजूदा सदस्य अपने पदों से त्याग-पत्र दे दें।
- अखिल भारतीय कांग्रेस कमेटी को यह अधिकार दिया गया कि वह जब और जहाँ चाहे, आवश्यक प्रतिबन्धों के साथ सविनय अवज्ञा तथा कर बन्दी कार्यक्रम प्रारंभ कर दे।

- 26 जनवरी, 1930 को पूरे राष्ट्र में प्रथम स्वतंत्रता दिवस मनाने का निश्चय किया गया।

62. **सरोजनी नायडू**–इनका जन्म 1 फरवरी, 1879 में हुआ। ये बाल्यावस्था से ही मेघावी, भावुक एवं कल्पनापूर्ण थी। 13 वर्ष की अल्पायु में सरोजनी चट्टोपाध्याय ने 'लेडी ऑफ द लेक' शीर्षक से एक कविता लिखी। हैदराबाद के निजाम द्वारा दी गई छात्रवृत्ति पर सरोजनी लंदन पढ़ने गई। खराब स्वास्थ्य के कारण 1898 में भारत वापस आ गई।

1898 में इनका विवाह डॉ॰ गोविन्द राजुलू नायडू से हुआ। 1902 में सरोजनी नायडू गोपाल कृष्ण गोखले के सम्पर्क में आईं तथा भारतीय राष्ट्रीय आंदोलन में हिस्सा लिया। 1925 में इन्हें कांग्रेस के कानपुर अधिवेशन का अध्यक्ष चुना गया। इस प्रकार वे भारत की पहली महिला अध्यक्ष बनीं। 1930 में गांधी जी के दांडी मार्च के समय जेल गईं। इन्हें 'एशियन रिलेशन्स कांफ्रेंस' का अध्यक्ष नियुक्त किया गया। भारत के स्वतंत्र होने पर इन्हें उत्तर प्रदेश (संयुक्त प्रांत) का पहला गर्वनर बनाया गया।

साँग ऑफ द इंडिया, द गोल्डेन थ्रेसोल्ड, द फादर ऑफ डान, द बर्ड ऑफ टाइम, द ब्रोकेन विंग उनकी प्रसिद्ध रचनाएँ हैं।

64. 'सीमांत गांधी' के नाम से प्रख्यात खान अब्दुल गफ्फार खाँ के नेतृत्व में पठानों के द्वारा खुदाई खिदमतगार (ईश्वर के सेवक) नामक संगठन बनाया गया जिसे आम लोगों के बीच 'लाल कुर्ती वाले' के रूप में जाना जाता था। ये अहिंसा और स्वाधीनता संघर्ष के लिए समर्पित थे।

65. हरविलास शारदा का जन्म 3 जून, 1867 अजमेर (राजस्थान) में हुआ था। यह भारत के प्रसिद्ध शिक्षाविद्, समाज सुधारक, न्यायविद्, राजनेता तथा लेखक थे। इन्होंने स्वामी दयानन्द सरस्वती द्वारा स्थापित 'परोपकारिणी सभा' के सचिव के रूप में कार्य किया था।

67. तेभागा आंदोलन एक भारतीय स्वतंत्रता अभियान था जिसकी शुरुआत किसान सभा (भारतीय कम्युनिस्ट पार्टी के किसानों का मोर्चा) द्वारा सन 1946-47 में बंगाल में हुई थी। उस समय बटाईदारों ने अपनी फसल का आधा हिस्सा जमींदारों को देने का अनुबंध किया था। तेभागा (तिहाई भाग साझा) आंदोलन की मांग जमींदारों की हिस्सेदारी को एक तिहाई हिस्से में घटाना था। कई क्षेत्रों में आंदोलन नें हिंसक रूप ले लिया, और जमींदार किसान सभा के हाथों में ग्रामीण इलाकों के हिस्सों को छोड़कर भाग खड़े हुए। वर्ष 1946 में बटाईदारों ने दावा किया कि वे केवल एक-तिहाई का भुगतान करेंगे और इससे पहले कि फसलों का विभाजन हो, उन्हें गोदाम में रखना होगा न कि जोतेदारों के पास।

68. 1937 में जब जापान ने चीन पर हमला किया तो कांग्रेस ने एक प्रस्ताव के द्वारा भारतीय जनता से आग्रह किया कि वे 'चीन की जनता के प्रति अपनी सहानुभूति जताने के लिए जापानी वस्तुओं के प्रयोग से बचें।' 1938 में कांग्रेस ने डा. एम. अटल के नेतृत्व में डाक्टरों का एक दल भी चीनी सेनाओं के साथ काम करने के लिए भेजा।

72. दक्षिण अफ्रीका में वर्णभेद एक राजनीतिक और सामाजिक व्यवस्था थी, जबकि यह गोरे अल्पसंख्यक शासन के अधीन था। इसका प्रचलन 20वीं सदी वर्ष 1948 से 1994 तक रहा। कई सदियों से नस्लीय अलगाव को व्यवहार में लाया गया, लेकिन 1948 में आरंभ की गई नई नीति कठोर और अत्यंत व्यवस्थित थी। संयुक्त रज्य के संवैधानिक कानून में एक अलग लेकिन समान कानूनी सिद्धांत था, जिसके अनुसार नस्लीय अलगाव संयुक्त राज्य के संविधान का चौदहवाँ संशोधन का उल्लंघन नहीं करता था जिसमें सभी नागरिकों को कानून के अधीन ''समान संरक्षण'' की गारंटी दी गई थी। संयुक्त राज्य का संविधान 1868 में अपनाया गया था।

UGC-NET जूनियर रिसर्च फैलोशिप तथा सहायक प्राध्यापक परीक्षा

इतिहास, जुलाई-2016*

प्रश्न-पत्र-II

नोट : *इस प्रश्नपत्र में **पचास (50)** बहु-विकल्पीय प्रश्न हैं। प्रत्येक प्रश्न के **दो (2)** अंक हैं। **सभी** प्रश्न अनिवार्य हैं।*

1. निम्नलिखित में से कौन नवपाषाणकालीन स्थल *नहीं* है?

A. ब्रह्मगिरि B. संगनकल्लु
C. अरिकमेडु D. पिक्लिहाल

2. सूची-I (हड़प्पाकालीन स्थल) का सूची-II (पुरातात्त्विक अवशेष) से मिलान करें और नीचे दिए गए कूट से सही उत्तर का चयन करें :

सूची-I	**सूची-II**
(*a*) मोहनजोदड़ो	1. नगर दुर्ग और निचली बस्ती
(*b*) लोथल	2. बड़ा अन्नागार
(*c*) कालीबंगा	3. ईंटों से बनी गोदी
(*d*) सुत्काजेन दोर	4. नगर दुर्ग और किलेबंद निचली बस्ती

कूट :

	(*a*)	(*b*)	(*c*)	(*d*)
A.	1	2	4	3
B.	2	3	1	4
C.	4	2	1	3
D.	3	1	2	4

3. निम्नलिखित में से कौन-सी पुस्तक पहली है, जो अधिकारियों को वेतन के रूप में नकद देने का सुझाव देती है?

A. कामंदक नीतिसार B. अर्थशास्त्र
C. मनुस्मृति D. नीतिवाक्यामृत

4. सामान्य रूप से किसके सिक्कों के पृष्ठ भाग पर अंकित चिह्न अग्रभाग पर दिए राजा के नाम से मेल खाते हैं?

A. अर्जुनायन B. मघ
C. मालव D. पंचाल

5. निम्नलिखित में से कौन-सा ग्रंथ तमिल व्याकरण से संबंधित है?

A. अहनानूरू B. कुरल
C. तोलूकाप्पियम D. पदिरुंप्पत्तु

6. अशोक के रूम्मिनदेई स्तंभ अभिलेख के संबंध में निम्न में से कौन-सा कथन सही है?

A. राजा के *धर्म* के संबंध में उल्लेख
B. कलिंग विजय के संबंध में उल्लेख
C. ग्राम से प्राप्य कर में कमी लाने के संबंध में
D. राजकीय भोजनशाला में पशु वध निषेध के संबंध में

7. खारवेल के हाथीगुंफा अभिलेख में निम्न में से किनका उल्लेख है? नीचे दिए कूट का प्रयोग करें :

(*i*) शातकर्णि
(*ii*) बहसतिमित
(*iii*) शक
(*iv*) रठिक

कूट :

A. (*i*) और (*ii*) B. (*i*), (*iii*) और (*iv*)
C. (*ii*), (*iii*) और (*iv*) D. (*i*), (*ii*) और (*iv*)

8. निम्न में से कौन मुद्रा से संबंधित शब्द है?

A. निवर्तन B. मर्तुर
C. द्रम्म D. गोचर्म

9. निम्न में से कौन-सा मंदिर ईंटों से निर्मित है?

A. खजुराहो का लक्ष्मण मंदिर
B. सिरपुर का लक्ष्मण मंदिर
C. भुवनेश्वर का लिंगराज मंदिर
D. कश्मीर का मार्त्तण्ड मंदिर

* *परीक्षा 10 जुलाई 2016 को सम्पन्न हुई थी।*

10. निम्न में से किसने अजमेर में 'सरस्वती मंदिर' नामक शिक्षण संस्था की स्थापना की?

A. वाक्पतिराज

B. दुर्लभराज

C. विग्रहराज

D. पृथ्वीराज

11. शैलेंद्रों द्वारा निर्मित *स्तूप* किस जगह स्थित है?

A. अनुराधापुर B. बोरोबुदुर

C. अंगकोरवाट D. अंगकोर थोम

12. निम्न में से किसे 'परम सौगात' की उपाधि प्राप्त थी?

A. भास्करवर्मन् B. हर्ष

C. राज्यवर्द्धन D. शशांक

13. निम्नलिखित मूर्तियों में से कौन पल्लव काल की विशेषता है?

A. सोमस्कंद B. गणेश

C. नटराज D. अनंतशयन

14. समुद्रगुप्त के संबंध में निम्नलिखित में से कौन-से कथन सही हैं? कूट का प्रयोग करें :

(*i*) वह एक विजेता, एक कवि और एक संगीतकार था।

(*ii*) उसे लिच्छवि-दौहित्र कहा जाता था।

(*iii*) उसने पश्चिमी क्षत्रपों के सिक्कों की नकल की।

(*iv*) इलाहाबाद के स्तंभ अभिलेख में उसके अश्वमेध का उल्लेख नहीं है।

कूट :

A. (*i*), (*ii*), (*iii*) और (*iv*)

B. (*ii*), (*iii*) और (*iv*)

C. (*i*), (*ii*) और (*iv*)

D. (*i*), (*ii*) और (*iii*)

15. सूची-I का सूची-II से मिलान करें और नीचे के कूट की सहायता से सही उत्तर का चयन करें :

सूची-I (लेखक)	**सूची-II (पुस्तक)**
(*a*) बिल्हण	1. मिताक्षरा
(*b*) वाण	2. हर्षचरित
(*c*) सोमेश्वर III	3. अभिलषितार्थ चिंतामणि
(*d*) विज्ञानेश्वर	4. विक्रमांकदेवचरित

कूट :

	(*a*)	(*b*)	(*c*)	(*d*)
A.	1	3	4	2
B.	4	2	3	1
C.	3	4	1	2
D.	2	4	1	3

16. चोल काल के उत्तरमेरूर सभा के निर्वाचन के संदर्भ में निम्न में से कौन-सा कथन *सही नहीं* है?

A. ग्राम 30 उपखंडों (वार्ड) में बंटा हुआ था।

B. प्रत्येक उपखंड से दो प्रतिनिधि चुने जाते थे।

C. उम्मीदवारों की उम्र 35 से 70 वर्ष के बीच होती थी।

D. उनके पास कुछ शैक्षिक योग्यता और अचल संपत्ति का होना अनिवार्य था।

17. नीचे दो कथन दिए गए हैं, एक को अभिकथन (A) तथा दूसरा तर्क (R) है :

अभिकथन (A) : ख्रिस्तीय ईस्वी की आरंभिक शताब्दियों में भारत का रोमन साम्राज्य के साथ समुद्री व्यापार होता था।

तर्क (R) : अरिकमेडु की खुदाई से बड़े पैमाने पर रोमन सिक्के प्राप्त हुए हैं।

उपर्युक्त दोनों कथनों के संदर्भ में निम्न में से कौन-सा उत्तर सही है?

A. (A) और (R) दोनों सही हैं और (R), (A) की सही व्याख्या है।

B. (A) और (R) दोनों सही हैं, लेकिन (R), (A) की सही व्याख्या नहीं है।

C. (A) सही है, पर (R) गलत है।

D. (A) गलत है, पर (R) सही है।

18. निम्नलिखित मंदिरों में से कौन-से मंदिर भारत के पूर्वी भाग में स्थित हैं?

(*a*) सूर्यमंदिर – कोणार्क

(*b*) मीनाक्षी मंदिर – मदुरै

(*c*) पद्मनाभस्वामी मंदिर – तिरुवनंतपुरम

(*d*) जगन्नाथ मंदिर – पुरी

नीचे दिए गए कूट से सही उत्तर का चयन करें :

कूट :

A. (*a*) और (*d*) B. (*b*) और (*c*)

C. (*a*), (*b*) और (*c*) D. (*b*), (*c*) और (*d*)

19. *चचनामा* और *बाबरनामा* क्रमशः किस भाषा में लिखे गए थे?

A. अरबी और फारसी B. फारसी और तुर्की
C. अरबी और तुर्की D. फारसी और पश्तो

20. निम्नलिखित में से किस *सूफी* ने लल्ल देद को अपना आध्यात्मिक गुरु स्वीकार किया था?

A. शेख नूर-अल दीन
B. सैयद शैफ-अल दीन
C. मीर सैयद अली हमदानी
D. मीर सैयद मुहम्मद हमदानी

21. शेख बहाउद्दीन जकरिया किस संप्रदाय से संबंधित थे?

A. सुहरावर्दी *सिलसिला* B. ऋषि *सिलसिला*
C. चिश्ती *सिलसिला* D. फिरदौसी *सिलसिला*

22. निम्न में से कौन *तुर्कान-ए-चिहलगानी* के साथ जुड़ा हुआ नहीं था?

A. बहाउद्दीन तुगरिल B. कुतलग खान
C. इमादुद्दीन रेहान D. बलबन

23. मैसूर की कवयित्री, जिसने अपनी किताब *हदीबदेया धर्म* (पवित्र और पतिव्रता स्त्रियों का धर्म) में महिलाओं को पुरुषों से कमतर समझे जाने का विरोध किया :

A. तिरुमलम्मा B. सांची होनम्मा
C. लाल देद D. जना बाई

24. मुगलों के प्रसिद्ध गोलाकार गुंबदों के पूर्वगामी को वास्तुशिल्प की किस शैली के रूप में पहचाना जाता है?

A. बीदर B. गुलबर्गा
C. गोलकुंडा D. मांडू

25. निम्नलिखित में से कौन-से जोड़े *सुमेलित नहीं* हैं?

(*a*) *मिफ्ताह-उल-फुतुह* – अमीर खुसरो
(*b*) *तारीख-ए-सलातीन-ए-अफगाना* – ख्वाजा नियामतुल्लाह हरावी
(*c*) *सियासत नामा* – निजामुल मुल्क तूसी
(*d*) *जफर नामा* – याह्या सरहिंदी

नीचे दिए कूट से सही उत्तर चुनें :

कूट :

A. (*b*) और (*d*) B. (*a*) और (*c*)
C. (*b*) और (*c*) D. (*a*) और (*b*)

26. सूची-I का सूची-II से मिलान करें और कूट की मदद से सही उत्तर की पहचान करें :

सूची-I	सूची-II
(*a*) *आमिल*	1. अनावासी खेतिहर
(*b*) *बक्काल*	2. ग्रामीण लेखाकार
(*c*) *पाही*	3. राजस्व संग्राहक
(*d*) *कुलकर्णी*	4. व्यापारी

कूट :

	(*a*)	(*b*)	(*c*)	(*d*)
A.	2	4	3	1
B.	3	4	1	2
C.	1	2	3	4
D.	4	3	2	1

27. सूची-I का सूची-II से मिलान करें और नीचे दिए कूट की मदद से सही उत्तर की पहचान करें :

सूची-I	सूची-II
(*a*) *मलिक-उत-तुज्जार*	1. एक रिहायशी किला
(*b*) *बिस्वा*	2. एक किलेबंद गांव
(*c*) *कुशक*	3. जमीन की पैमाइश की एक छोटी इकाई
(*d*) *मावास*	4. व्यापारियों का मुखिया

कूट :

	(*a*)	(*b*)	(*c*)	(*d*)
A.	1	2	3	4
B.	3	1	4	2
C.	4	3	1	2
D.	2	4	3	1

28. निम्न मकबरों को उनके कालक्रम के अनुसार व्यवस्थित करें :

(*a*) शेख सलीम चिश्ती का मकबरा – फतेहपुर सीकरी
(*b*) आसफ खान का मकबरा – लाहौर
(*c*) अतगा खान का मकबरा – दिल्ली
(*d*) अकबर का मकबरा – सिकंदरा

नीचे दिए कूट से सही उत्तर का चयन करें :

कूट :

A. (*a*), (*b*), (*c*), (*d*)
B. (*b*), (*d*), (*a*), (*c*)
C. (*c*), (*a*), (*d*), (*b*)
D. (*d*), (*c*), (*b*), (*a*)

29. निम्न में से किस ऐतिहासिक स्थल पर इबादतखाना, बीरबल भवन, तानसेन की बारादरी और खान-ए-खाना का आवास स्थित है?

A. फतेहपुर सीकरी

B. आगरा

C. दिल्ली

D. लाहौर

30. निम्नलिखित कथनों में से कौन-सा सही *नहीं* है?

A. अकबर के शासन में *दाम* ने धीरे-धीरे तांबे के *टंके* का स्थान ले लिया।

B. *दाम* को *पैसा* के नाम से भी जाना जाता था।

C. आधे *दाम* को *अधेला* कहा जाता था।

D. अकबर ने एक रुपए के लिए 40 *दामों* का अनुपात तय किया जो वास्तविक भुगतानों के उद्देश्य के लिए मानक बन गया।

31. निम्नलिखित में से किस यूरोपीय यात्री ने यह टिप्पणी की कि नूरजहाँ ने अपनी छवि और प्रतिष्ठा बढ़ाने के लिए पूरे राज्य में जगह-जगह विहार-उद्यान, महल और सरायें बनवाईं?

A. एफ. पेलसर्ट

B. सर थॉमस रो

C. करेरी

D. मानुक्की

32. नीचे दो कथन दिए गए हैं, एक अभिकथन (A) तथा दूसरा तर्क (R) है :

अभिकथन (A) : नूरजहाँ से शादी की वजह से जहाँगीर प्रशासन की तरफ से उदासीन हो गया।

तर्क (R) : 1611-22 के दौरान नूरजहाँ ने अपना एक अलग दल (जुंटा) बना लिया था, और वह काफी ताकतवर हो गई थी।

उपर्युक्त दोनों कथनों के संदर्भ में निम्नलिखित में से कौन सही है?

A. (A) और (R) दोनों सही हैं और (R), (A) की सही व्याख्या है।

B. (A) और (R) दोनों सही हैं, लेकिन (R), (A) की सही व्याख्या नहीं है।

C. (A) सही है, पर (R) गलत है।

D. (A) गलत है, पर (R) सही है।

33. निम्नलिखित में से किस शहर को जहाँगीर ने *गर्दाबाद* (धूल-गर्द वाला शहर) और *जहन्नुमाबाद* (नारकीय शहर) बताकर तिरस्कृत किया था?

A. अहमदाबाद

B. मांडू

C. जौनपुर

D. गौड़

34. मुगल बादशाह अमीरों को कई प्रकार की दंड पताकायें प्रदान किया करते थे। शाहजहाँ ने निम्नलिखित में से किस दंड पताका को इस सूची में शामिल किया?

A. *अलम*

B. *छत्रतोक*

C. *तूमानतोक*

D. *माही-मरात्तिब*

35. अंग्रेजों द्वारा देसी रियासतों के साथ की गई निम्न संधियों को काल क्रमानुसार सजाएँ और सही उत्तर कूट का चयन करें :

(*a*) सालबाई की संधि

(*b*) बसीन (वसई) की संधि

(*c*) श्रीरंगपट्टनम की संधि

(*d*) इलाहाबाद और करा की संधि

कूट :

A. (*d*), (*a*), (*c*), (*b*)

B. (*b*), (*d*), (*a*), (*c*)

C. (*a*), (*c*), (*d*), (*b*)

D. (*c*), (*b*), (*a*), (*d*)

36. नीचे दिए कूट से सही उत्तर बताएँ :

यूनिवर्सिटी ऑफ कलकत्ता जिस एक्ट द्वारा अस्तित्व में आया, वह .... को पारित हुआ, यूनिवर्सिटी ऑफ बांबे एक्ट .... को पारित हुआ और यूनिवर्सिटी ऑफ मद्रास एक्ट .... को पारित हुआ।

A. 24 जनवरी 1857, 5 सितम्बर 1857 और 18 जुलाई 1857

B. 18 जुलाई 1857, 24 जनवरी 1857 और 5 सितम्बर 1857

C. 24 जनवरी 1857, 18 जुलाई 1857 और 5 सितम्बर 1857

D. 5 सितम्बर 1857, 18 जुलाई 1857 और 24 जनवरी 1857

37. निम्नलिखित शब्द किसके हैं?

''जब तक लाखों लोग भूख और अज्ञान में जी रहे हैं, मैं हर उस आदमी को विश्वासघाती मानता हूँ, जिसने उनकी कीमत पर शिक्षा प्राप्त की, लेकिन उनकी दशा पर तनिक भी ध्यान नहीं दिया है।''

A. केशव चंद्र सेन
B. अरबिन्दो घोष
C. स्वामी विवेकानंद
D. बाल गंगाधर तिलक

38. ऑल इंडिया ट्रेड यूनियन कांग्रेस की स्थापना कब हुई थी?

A. 1918 B. 1920
C. 1924 D. 1926

39. भारतीय प्रेस से संबंधित निम्नलिखित कानूनों को काल-क्रमानुसार व्यवस्थित करें :

(*a*) ऑफिशियल सीक्रेट्स एक्ट
(*b*) द इंडियन प्रेस एक्ट
(*c*) रजिस्ट्रेशन ऑफ द प्रेस एक्ट XI
(*d*) द इंडियन प्रेस (इमर्जेंसी पावर्स) एक्ट

नीचे दिए कूट से सही उत्तर का चयन करें :

कूट :

A. (*a*), (*c*), (*d*), (*b*)
B. (*b*), (*d*), (*c*), (*a*)
C. (*d*), (*c*), (*a*), (*b*)
D. (*c*), (*a*), (*b*), (*d*)

40. महायुद्ध में भारत का सहयोग सुनिश्चित करने के लिए निम्न में से किस वायसराय ने 'ऑगस्ट ऑफर' प्रस्तुत किया था?

A. लॉर्ड वेवल B. लॉर्ड हार्डिंग्स
C. लॉर्ड लिनलिथगो D. लॉर्ड माउंटबेटन

41. भारत ने किस राष्ट्र से कृषि क्षेत्र में विकास के लिए हरित क्रांति की प्रौद्योगिकी प्राप्त की?

A. जी.डी.आर. B. यू.एस.एस.आर.
C. यू.के. D. यू.एस.ए.

42. 'भूमिपुत्रवाद' का सिद्धांत किससे संबंधित है?

A. राष्ट्रवाद B. क्षेत्रवाद
C. पर्यटन D. उद्योगवाद

43. नीचे दो कथन दिए गए हैं, एक अभिकथन (A) तथा दूसरा तर्क (R) है :

अभिकथन (A) : ब्रिटेन के प्रधानमंत्री विंसटन चर्चिल ने क्रिप्स मिशन की रवानगी की घोषणा की।

तर्क (R) : रंगून के पतन के तुरन्त बाद दक्षिण पूर्व एशिया में ब्रिटिश सेना की हिम्मत पस्त हो गई।

उपर्युक्त दोनों कथनों के संदर्भ में निम्नलिखित में से कौन सही है?

A. (A) और (R) दोनों सही हैं और (R), (A) की सही व्याख्या है।
B. (A) और (R) दोनों सही हैं, लेकिन (R), (A) की सही व्याख्या नहीं है।
C. (A) सही है, लेकिन (R) गलत है।
D. (A) गलत है, लेकिन (R) सही है।

44. 1791-92 में *'राइट्स ऑफ मैन'* नामक पुस्तक किसने लिखी?

A. बर्नार्ड शॉ
B. जॉन रस्किन
C. थॉमस पेन
D. सिडनी वेब

45. निम्न कथनों में से कौन पुनर्जागरण की विशेषता *नहीं* है?

A. एक साहित्यिक विधा के रूप में धर्म निरपेक्ष आत्मकथा लेखन का आरंभ।
B. देसी भाषाओं में धर्मग्रंथों के अनुवाद ने समाज में धर्म निरपेक्षता की प्रक्रिया तेज की।
C. पुनर्जागरण ने मानवीय विषयों में चर्च के प्रभुत्व को बढ़ाया।
D. इसका टिकाऊ पाठ यह था कि ज्ञान की तलाश मनुष्य के लिए है और वह सिर्फ अधिकार नहीं, कर्तव्य भी है।

46. निम्न में से कौन प्रबोधन काल का दार्शनिक *नहीं* है?

A. डेनिस दिदरो
B. रूसो
C. डेविड ह्यूम
D. हर्बर्ट स्पेन्सर

47. 'इतिहास वर्तमान और अतीत के बीच होने वाला अंतहीन संवाद है'—यह उक्ति किसकी है?

A. लॉर्ड एक्टन
B. लियोपोल्ड वॉन रांके
C. इ.एच. कार
D. जी.आर. एल्टन

48. इतिहास लेखन के समय इतिहासकार की जवाबदेही के संदर्भ में निम्न में से कौन-सा कथन सही *नहीं* है?

A. इतिहासकार की मूल नैतिक जिम्मेदारी होती है कि वह वस्तुनिष्ठ सत्य बताए।
B. इतिहासकार की निष्ठा उस प्रयोजन के प्रति होनी चाहिए, जिसकी वह वकालत कर रहा है।
C. ऐतिहासिक तथ्यों के लिए इतिहासकार न सिर्फ जीवित लोगों के प्रति जवाबदेह है, बल्कि मृत लोगों के प्रति भी है।
D. इतिहासकार को ऐतिहासिक तथ्यों में तोड़-मरोड़ नहीं करनी चाहिए।

49. नीचे दो कथन दिए गए हैं, एक अभिकथन (A) तथा दूसरा तर्क (R) है :

अभिकथन (A) : ऐतिहासिक पद्धति एक जटिल प्रक्रिया है, जिसमें सूचना के स्रोत की खोज, उसका आलोचनात्मक मूल्यांकन, संश्लेषण और व्याख्या शामिल है।

तर्क (R) : ज्ञान के शास्त्र के रूप में इतिहास प्राकृतिक विज्ञानों से बिल्कुल अलग है, क्योंकि इसका कोई सार्वभौम नियम नहीं है।

उपर्युक्त दोनों कथनों के संदर्भ में निम्नलिखित में से कौन सही है?

A. (A) और (R) दोनों सही हैं और (R), (A) की सही व्याख्या है।
B. (A) और (R) दोनों सही हैं, लेकिन (R), (A) की सही व्याख्या नहीं है।
C. (A) सही है, लेकिन (R) गलत है।
D. (A) गलत है, लेकिन (R) सही है।

50. सूची-I के तथ्यों का सूची-II से मिलान करें। सही कूट का चयन करें :

सूची-I (लेखक)	**सूची-II (कार्य)**
(*a*) विल्हम डिल्थी	1. *हिस्टोरिकल रिप्रेजेंटेशन*
(*b*) जी.आर. एल्टन	2. *द स्ट्रक्चर ऑफ साइंटिफिक रिवोल्यूशन*
(*c*) फ्रेंक एंकरस्मिट	3. *हर्मेन्यूटिक्स एंड द स्टडी ऑफ हिस्ट्री*
(*d*) थॉमस कून	4. *द प्रैक्टिस ऑफ हिस्ट्री*

कूट :

	(*a*)	(*b*)	(*c*)	(*d*)
A.	4	3	1	2
B.	3	2	1	4
C.	1	3	2	4
D.	3	4	1	2

उत्तरमाला

1	2	3	4	5	6	7	8	9	10
C	B	B	D	C	C	D	C	B	C
11	**12**	**13**	**14**	**15**	**16**	**17**	**18**	**19**	**20**
B	C	A	C	B	B	C	A	C	A
21	**22**	**23**	**24**	**25**	**26**	**27**	**28**	**29**	**30**
A	C	B	A	A	B	C	C	A	D
31	**32**	**33**	**34**	**35**	**36**	**37**	**38**	**39**	**40**
A	D	A	D	A	C	C	B	D	C
41	**42**	**43**	**44**	**45**	**46**	**47**	**48**	**49**	**50**
D	B	A	C	C	D	C	B	B	D

व्याख्यात्मक उत्तरमाला

1. नवपाषाण युग (Neolithic site) मानव प्रौद्योगिकी के विकास की एक अवधि थी जिसकी शुरुआत मध्यपूर्व में 9500 ई. पू. के आसपास हुई थी, जिसे पारंपरिक रूप से पाषाण युग का अंतिम हिस्सा माना जाता था। ब्रह्मगिरि, संगनकल्लु तथा पिक्किदाल नवपाषाणकालीन स्थल हैं।

   अरिकमेडु पांडिचेरी से 3 कि.मी. दक्षिण में अवस्थित एक पुरास्थल है।

3. 'अर्थशास्त्र' कौटिल्य के द्वारा (चौथी सदी ई.पू.) संस्कृत भाषा में लिखा गया ग्रंथ है। इसमें राजव्यवस्था, कृषि, न्याय एवं राजनीति आदि विभिन्न पहलुओं पर विचार किया गया है।

   'अर्थशास्त्र' की रचना 'शासन-विधि' के रूप में प्रथम मौर्य सम्राट चन्द्रगुप्त मौर्य के लिए की गई। यह प्रथम साक्ष्य पुस्तक है जिसमें अधिकारियों को वेतन के रूप में नकद देने का सुझाव दिया गया है।

5. 'तोल्काप्पियम' सूत्र शैली में रचा गया तमिल भाषा का प्राचीनतम व्याकरण ग्रंथ है। यह 'द्वितीय संगम' का एकमात्र शेष ग्रंथ है। यह ग्रंथ अगस्त्य ऋषि के बारह योग्य शिष्यों में से एक 'तोल्काप्पियर' द्वारा लिखा गया है। इस ग्रंथ में संगमकालीन आठों प्रकार के विवाह का उल्लेख मिलता है।

7. भुवनेश्वर के निकट उदयगिरि पहाड़ी के गुफा में एक शिलालेख है जो 'हाथीगुम्फा अभिलेख' के नाम से जाना जाता है। इस शिलालेख को कलिंगराज खारवेल ने उत्कीर्ण कराया था। यह लेख प्राकृत भाषा में उत्कीर्ण है। इसके अनुसार कलिंग के स्वतंत्र राज्य के राजा प्राचीन 'ऐल वंश' के चेति या चेदि क्षत्रिय थे।

   हाथीगुम्फा अभिलेख में शातकर्णि, बहसतिमित, रठिक आदि राजाओं का वर्णन है। इस अभिलेख में वर्णित शातकर्णि सातवाहन राजा था और आंध्र प्रदेश में उसका स्वतंत्र राज्य विद्यमान था। मौर्यों की अधीनता से मुक्त होकर जो प्रदेश स्वतंत्र हो गए थे, आंध्र भी उनमें से एक था।

   इस अभिलेख के अनुसार अपने शासनकाल के चौथे वर्ष में खारवेल ने पश्चिम की ओर आक्रमण किया और भोजकों तथा रठिकों (राष्ट्रिकों) को अपने अधीन किया। भोजकों की स्थिति बरार के क्षेत्र में थी और रठिकों की पूर्वी खानदेश व अहमदनगर थी। रठिक-भोजक संभवतः क्षत्रिय कुल थे। इस अभिलेख के अनुसार मगध के जिस राजा को खारवेल ने अपने चरणों पर गिरने के लिए विवश किया था, अनेक इतिहासकारों के अनुसार उसका नाम बहसतिमित (बृहस्पति मित्र) था। उन्होंने हाथीगुम्फा शिलालेख में इस राजा के नाम को पढ़ने का प्रयत्न भी किया है।

11. बोरोबुदुर इंडोनेशिया के जावा प्रान्त में स्थित महायान बौद्ध विहार है। यह दुनिया का सबसे बड़ा बौद्ध विहार मंदिर है। इसका निर्माण 8वीं सदी में शैलेन्द्र राजवंश के कार्यकाल में हुआ। मंदिर में गुप्त कला का प्रभाव दिखाई देता है जो इसमें भारत के क्षेत्रीय प्रभाव को दर्शाता है।

13. कांची के पल्लव वंश की प्रथम जानकारी हरिषेण की 'प्रयाग प्रशस्ति' एवं ह्वेनसांग के 'यात्रा विवरण' से मिलती है।

    पल्लव शासकों के काल में कला तथा स्थापत्य की उन्नति हुई। वस्तुतः उनकी वास्तु एवं तक्षण कला दक्षिण भारतीय कला के इतिहास में सर्वाधिक महत्वपूर्ण है। पल्लव वास्तुकला ही दक्षिण की द्रविड़ शैली का आधार बनी। दक्षिण भारतीय स्थापत्य के तीन अंग थे—मंडप, रथ तथा विशाल मंदिर।

    सोमस्कंद की मूर्तियाँ पल्लवकाल की विशेषता हैं। सोमस्कंद की मूर्तियों में शिव, उमा और स्कंद को (बालक रूप में) दर्शाया गया है।

14. गुप्त साम्राज्य का उदय तीसरी शताब्दी के अंत में प्रयाग के निकट कौशाम्बी में हुआ। चन्द्रगुप्त का उत्तराधिकारी समुद्रगुप्त 320 ई. में राजगद्दी पर बैठा। इसने आर्यावर्त के 9 शासकों और दक्षिणावर्त के 12 शासकों को पराजित किया। इन्हीं विजयों के कारण इसे भारत का नेपोलियन कहा जाता है।

समुद्रगुप्त संगीत-प्रेमी था। ऐसा अनुमान उसके सिक्कों पर उसे वीणावादन करते हुए दिखाया जाने से लगाया गया है। समुद्रगुप्त ने विक्रमांक की उपाधि धारण की थी। इसे कविराज भी कहा जाता था और ये संगीतज्ञ भी थे। समुद्रगुप्त ने एक विशाल साम्राज्य का निर्माण किया जो उत्तर में हिमालय से लेकर दक्षिण में विन्ध्य पर्वत तक तथा पूर्व में बंगाल की खाड़ी से पश्चिम में मालवा तक विस्तृत था। समुद्रगुप्त के शासन का इतिहास इलाहाबाद स्तंभ अभिलेख में वर्णित है।

15. **कवि बिल्हण** 11वीं सदी के कश्मीरी कवि थे। बिल्हण चालुक्य शासक विक्रमादित्य VI की जीवनी 'विक्रमांकदेवचरित' की रचना के लिए जानी जाती हैं। **बाणभट्ट** 7वीं सदी के संस्कृत के प्रसिद्ध कवि थे। वे हर्षवर्धन के दरबारी कवि थे। बाणभट्ट की शासन व्यवस्था को उन्होंने अपनी पुस्तक 'हर्षचरित' में दर्शाया है। 'कादिंबरी' उनकी अन्य प्रसिद्ध रचना है।

सोमेश्वर III, 'अभिलाषितार्थ चिंतामणि' की रचना के लिए जाने जाते हैं। वे 12वीं सदी के प्रसिद्ध कवि थे। **विज्ञानेश्वर,** 12वीं सदी के प्रसिद्ध कवि थे। 'मिताक्षरा' उनकी प्रसिद्ध कृति है।

19. 'चचनामा' अली अहमद द्वारा अरबी भाषा में लिखित महत्वपूर्ण ग्रंथ है। इस ग्रंथ में अरबों द्वारा सिंध विजय का वर्णन किया गया है।

'बाबरनामा' मुगल साम्राज्य के पहले सम्राट बाबर की आत्मकथा है। यह उन्होंने अपनी मातृभाषा चगताई तुर्की में लिखी थी। 'बाबरनामा' के माध्यम से बाबर द्वारा भारत में किए गए युद्धों की जानकारी मिलती है। बाबर ने अपने आक्रमण के समय भारत की राजनीतिक दशा का भी विवरण दिया है।

21. शेख बहाउद्दीन जकरिया उत्तर-पश्चिम भारत के प्रसिद्ध सूफी संत थे। वे सुहरावर्दी सिलसिला से ताल्लुक रखते थे। इन्होंने बगदाद में इस सिलसिला की शुरुआत की।

29. 'फतेहपुर सीकरी' आगरा के निकट अकबर के द्वारा बसाया गया शहर है। 'फतेहपुर सीकरी' हिंदू और मुस्लिम वास्तुशिल्प के मिश्रण का बेहतर उदाहरण है। दीवान-ए-खास, बुलंद दरवाजा, पाँच महल, ख्वाबगाह, अनूप तालाब, शेख सलीम चिश्ती का मकबरा, बीरबल भवन, तानसेन की बारादरी, खान-ए-खाना आदि प्रसिद्ध दर्शनीय स्थल 'फतेहपुर सीकरी' में हैं।

30. मुगल काल में मुख्य रूप से तीन प्रकार के धातु के सिक्के–'सोने की मुहर', 'चाँदी का रुपया' एवं 'ताँबे का दाम', प्रचलन में थे। अकबर ने 1577 ई. में दिल्ली में एक टकसाल स्थापित किया तथा ख्वाजा अब्दुस्समद को उसका प्रमुख बनाया। अपने शासनकाल के प्रारंभ में अकबर ने 'मुहर' नामक सिक्का चलाया। सोने के सिक्के में शहंशाह, आत्मा बिसात, चुगुल और जलाली महत्वपूर्ण है। 'चाँदी का रुपया' एवं ताँबे के दाम प्रचलन में थे। 'चाँदी का रुपया' मुगलकालीन अर्थव्यवस्था का आधार था।

अकबर के शासनकाल में 'तांबे के टंके' का स्थान 'दाम' ने ले लिया। 'दाम' को 'पैसा' के नाम से भी जाना जाता था। आधे दाम को 'अधेला' कहा जाता था। औरंगजेब के समय में रुपये का वजन 180 ग्रेन होता था। एक रुपये में 40 'दाम' होते थे।

32. जहाँगीर ने नूरजहाँ को पहली बार नौरोज त्यौहार पर देखा और उसके सौन्दर्य पर मुग्ध होकर 1611 ई. में उससे विवाह कर लिया। नूरजहाँ का असली नाम मेहरुनिसा था। विवाह के पश्चात् जहाँगीर ने उसे 'नूरमहल' एवं 'नूरजहाँ की उपाधि प्रदान की। 1613 ई. में नूरजहाँ को 'पट्टमहिषी' या 'बादशाह बेगम' बनाया गया। नूरजहाँ असाधारण व्यक्तित्व और बुद्धिमत्ता वाली स्त्री थी। जहाँगीर ने शासन का समस्त भार उसी पर छोड़ रखा था।

विवाह के बाद नूरजहाँ ने 'नूरजहाँ गुट' या 'जुंटा गुट' का निर्माण किया। यह गुट मुगल दरबार में जहाँगीर के विवाह के तुरंत बाद ही सक्रिय हो गया। नूरजहाँ का इतना प्रभाव था कि उसकी अनुमति के बिना शासन का कोई भी कार्य नहीं हो सकता था।

35. **इलाहाबाद और करा की संधि** 12 अगस्त, 1765 को मुगल सम्राट शाह आलम द्वितीय, आलमगीर द्वितीय तथा ईस्ट इंडिया कंपनी के रॉबर्ट लॉर्ड क्लाइव के मध्य हुई।

सालबाई की संधि मराठा तथा ईस्ट इंडिया कंपनी के मध्य 17 मई, 1782 को हुई।

श्रीरंगपट्टनम की संधि, तीसरे आंग्ल-मैसूर युद्ध (1790-92) के बाद ईस्ट इंडिया कंपनी के लॉर्ड कॉर्नवालिस तथा टीपू सुल्तान के मध्य 18 मार्च, 1792 में हुई।

बसीन (वसई) की संधि ईस्ट इंडिया कंपनी तथा बाजीराव द्वितीय के मध्य पूना में 31 दिसंबर, 1802 को हुई।

38. अखिल भारतीय मजदूर संघ कांग्रेस (All India Trade Union Congress) की स्थापना 1920 में की गई थी। लाला लाजपत राय इसके प्रथम अध्यक्ष थे। यह संगठन एन.एम. जोशी, लाल लाजपत राय एवं जोसेफ बैपिस्टा के प्रयत्नों से स्थापित किया गया।

40. द्वितीय विश्वयुद्ध में हिटलर की असाधारण सफलता तथा बेल्जियम, हालैंड एवं फ्रांस के पतन के पश्चात् ब्रिटेन की स्थिति अत्यंत नाजुक हो गई, फलतः ब्रिटेन ने समझौतावादी दृष्टिकोण की नीति अपनायी। युद्ध में भारतीयों का समर्थन प्राप्त करने के उद्देश्य से 8 अगस्त, 1940 को वायसराय लॉर्ड लिनलिथगो ने एक घोषणा की, जिसे अगस्त प्रस्ताव के नाम से जाना जाता है। इस प्रस्ताव में निम्न प्रावधान थे–

- भारत को डोमिनियन स्टेट्स (Dominion States) का दर्जा।
- भारतीयों को सम्मिलित कर युद्ध सलाहकार परिषद् की स्थापना।
- वायसराय की कार्यकारी परिषद् का विस्तार।
- युद्ध के पश्चात् संविधान सभा का गठन, जिसमें मुख्यतया भारतीय अपने सामाजिक, आर्थिक एवं राजनीतिक धारणाओं के अनुरूप संविधान के निर्माण की रूपरेखा सुनिश्चित करेंगे।
- अल्पसंख्यकों को यह आश्वासन दिया गया कि ब्रिटिश सरकार, शासन के किसी ऐसे तंत्र को सत्ता नहीं सौंपेगी जिसके प्राधिकार को भारतीय राष्ट्रीय जीवन के किसी बड़े और शक्तिशाली तबके द्वारा स्वीकार न किया गया हो।

अगस्त, 1990 के उपर्युक्त प्रस्तावों से अल्पसंख्यकों को वह सब चीजें प्राप्त हुईं, जिनकी वे अपेक्षा भी नहीं करते थे।

45. पुनर्जागरण (Renaissance) यूरोप में मध्यकाल में आए एक सांस्कृतिक आंदोलन को कहते हैं। यह आंदोलन इटली से आरंभ होकर पूरे यूरोप में फैल गया। पुनर्जागरण का काल 14वीं से 17वीं शताब्दी माना जाता है।

इस सांस्कृतिक आंदोलन ने परम्परागत स्रोतों से ज्ञानार्जन से जोर पकड़ा। शिक्षा में सर्वव्यापी सुधार हुआ जिससे लोगों की संसार के चीजों की समझ में आमूल परिवर्तन हुआ।

इस काल में साहित्यिक विधा के रूप में धर्म निरपेक्ष आत्मकथा लेखन का आरंभ हुआ। देसी भाषाओं में धर्मग्रंथों के अनुवाद ने समाज में धर्म निरपेक्षता की प्रक्रिया तेज की। साथ-ही ज्ञान की तलाश मनुष्य के लिए अधिकार के अलावा कर्तव्य भी समझा गया।

46. यूरोप में 1650 के दशक से लेकर 1780 के दशक के काल को प्रबोधन काल (Age of Enlightenment) कहते हैं। इस अवधि में पश्चिमी यूरोप के सांस्कृतिक एवं बौद्धिक वर्ग ने परम्परा से हटकर तर्क, विश्लेषण तथा वैयक्तिक स्वातंत्र्य पर जोर दिया। पुनर्जागरण काल में विकसित हुई वैज्ञानिक चेतना ने, तर्क और अन्वेषण की प्रवृत्ति में 18वीं शताब्दी में परिपक्वता प्राप्त कर ली। वैज्ञानिक चिंतन की इस परिपक्व अवस्था को प्रबोधन के नाम से जाना जाता है। जॉन लॉक, मांटेस्क्यू, वाल्टेयर, इमैनुएल कांट, रूसो, डेविड ह्यूम, डेनिस दिदरो आदि इस युग के प्रमुख विचारक थे।

हर्बर्ट स्पेंसर 19वीं सदी के दार्शनिक थे। इन्हें 'सर्वश्रेष्ठ की उत्तरजीविता' (Survival of the Fittest) की अवधारणा प्रस्तुत करने के लिए जाना जाता है।

47. ई.एच. कार एक प्रसिद्ध ब्रिटिश इतिहासकार, पत्रकार और अंतर्राष्ट्रीय संबंधों के विचारक और इतिहास के भीतर अनुभववाद के एक प्रतिद्वंद्वी के रूप में जाने जाते हैं। कार ने इतिहास को वर्तमान और अतीत के बीच होने वाला अंतहीन संवाद बताया हैं।

प्रश्न-पत्र-III

नोट : *इस प्रश्नपत्र में* ***पचहत्तर (75)*** *बहु-विकल्पीय प्रश्न हैं। प्रत्येक प्रश्न के* ***दो (2)*** *अंक हैं।* ***सभी*** *प्रश्न अनिवार्य हैं।*

1. अभी पिछले कुछ समय पहले कहाँ पर एक अश्मीकृत शिशु-कपाल प्राप्त हुआ है?

A. बोरी　　B. हथनोरा
C. लखनिया　　D. ओदै

2. निम्नलिखित में से किन स्थलों पर मध्यपाषाण काल में पशु-पालन के प्रमाण मिले हैं?

(*i*) आदमगढ़　　(*ii*) बागोर
(*iii*) लोटेश्वर　　(*iv*) रतनपुर

कूट :

A. (*i*) और (*ii*)　　B. (*ii*) और (*iii*)
C. (*i*), (*ii*) और (*iii*)　　D. (*ii*), (*iii*) और (*iv*)

3. सूची-I के विषयों को सूची-II से सुमेलित कीजिए :

सूची-I (पुरावशेष)	**सूची-II (प्राप्ति स्थान)**
(*a*) राख का टीला	1. कन्हेरी
(*b*) आयगपट्ट	2. मथुरा
(*c*) एकादशमुखी बोधिसत्त्व	3. साँची
(*d*) प्रस्तर धातु-मञ्जूषाएँ	4. उल्लूर

कूट :

	(*a*)	(*b*)	(*c*)	(*d*)
A.	1	3	2	4
B.	4	2	1	3
C.	1	4	3	2
D.	4	1	2	3

4. हड़प्पा सभ्यता की अधिकांश मुहरें निम्नलिखित से बनी हुई हैं :

A. चर्ट　　B. तांबा
C. काचली मिट्टी　　D. सेलखड़ी

5. सूची-I के विषयों को सूची-II से सुमेलित कीजिए :

सूची-I (नरेश)	**सूची-II (राज्य)**
(*a*) अश्वपति	1. अवन्ति
(*b*) परीक्षित	2. केकय
(*c*) निचक्षु	3. कुरु
(*d*) प्रद्योत महासेन	4. वत्सभूमि

कूट :

	(*a*)	(*b*)	(*c*)	(*d*)
A.	2	3	4	1
B.	1	2	3	4
C.	3	4	1	2
D.	2	4	3	1

6. निम्नलिखित स्थलों में से कहाँ पर सबसे पहले चित्रित धूसर मृद्भाण्ड (पी.जी. डब्ल्यू.) का प्रमाण मिला था?

A. अहिच्छत्र　　B. अतरंजीखेड़ा
C. हस्तिनापुर　　D. श्रावस्ती

7. निम्नलिखित को कालानुक्रम में व्यवस्थित कीजिए :

(*i*) डेरियस का बेहिस्तून अभिलेख
(*ii*) डेरियस का नक्शेरुस्तम अभिलेख
(*iii*) डेरियस का पर्सिपोलिस अभिलेख
(*iv*) हखमनी राजधानी पर्सिपोलिस का जलना

कूट :

A. (*i*), (*iii*), (*ii*), (*iv*)　　B. (*i*), (*ii*), (*iii*), (*iv*)
C. (*ii*), (*i*), (*iv*), (*iii*)　　D. (*iii*), (*i*), (*ii*), (*iv*)

8. निम्नलिखित प्राचीन भारतीय व्याकरणाचार्यों को कालानुक्रम में व्यवस्थित कीजिए :

(*i*) कात्यायन
(*ii*) पाणिनि
(*iii*) वामन
(*iv*) यास्क

कूट :

A. (*ii*), (*i*), (*iii*), (*iv*)　　B. (*iv*), (*ii*), (*i*), (*iii*)
C. (*ii*), (*iv*), (*i*), (*iii*)　　D. (*iv*), (*ii*), (*iii*), (*i*)

9. निम्नलिखित वक्तव्यों पर विचार कीजिए :

अभिकथन (A) : भारत का मौर्य राजवंश वर्तमान नेपाल के क्षेत्र से निकट रूप से सम्बन्धित था।

तर्क (R) : अशोक महान् की एक पुत्री ने वहाँ के अभिजात वर्गीय एक व्यक्ति से विवाह किया था।

उपर्युक्त वक्तव्यों के सन्दर्भ में निम्नलिखित में से कौन सही है?

A. (A) और (R) दोनों सही हैं तथा (A) की सही व्याख्या (R) है।

B. (A) और (R) दोनों सही हैं, किन्तु (A) की सही व्याख्या (R) नहीं है।

C. (A) सही है, किन्तु (R) गलत है।

D. (A) गलत है, किन्तु (R) सही है।

10. निम्नलिखित क्लासिकी लेखकों को कालानुक्रम में व्यवस्थित कीजिए :

(*i*) एरियन (*ii*) प्लिनी

(*iii*) टालमी (*iv*) स्ट्रैबो

कूट :

A. (*i*), (*ii*), (*iii*), (*iv*) B. (*i*), (*iv*), (*ii*), (*iii*)

C. (*ii*), (*iii*), (*iv*), (*i*) D. (*i*), (*iv*), (*iii*), (*ii*)

11. उत्खनित स्थल हस्तिनापुर का सांस्कृतिक क्रम नीचे से ऊपर की ओर निम्नानुसार है :

(*i*) कुषाण काल

(*ii*) एन.बी.पी. मृद्भाण्ड काल

(*iii*) ओ.सी.पी. काल

(*iv*) पी.जी. डब्ल्यू. काल

कूट :

A. (*ii*), (*iv*), (*i*), (*iii*) B. (*iii*), (*ii*), (*iv*), (*i*)

C. (*iii*), (*iv*), (*ii*), (*i*) D. (*i*), (*ii*), (*iii*), (*iv*)

12. अभिलेखों के निम्नलिखित लेखकों को कालानुक्रम में व्यवस्थित कीजिए :

(*i*) हरिषेण (*ii*) रविकीर्ति

(*iii*) वत्सभट्टि (*iv*) वीरसेन

कूट :

A. (*iv*), (*i*), (*ii*), (*iii*) B. (*i*), (*iv*), (*iii*), (*ii*)

C. (*i*), (*ii*), (*iii*), (*iv*) D. (*i*), (*iii*), (*iv*), (*ii*)

13. निम्नलिखित में से कौन पांड्यों के प्रमुख पत्तन थे? नीचे दिए गए कूट से सही उत्तर का चयन कीजिए :

(*i*) कोरकै (*ii*) मदुरै

(*iii*) मुशिरि (*iv*) पुहार

कूट :

A. (*i*) और (*ii*) B. (*ii*) और (*iii*)

C. (*i*), (*ii*) और (*iii*) D. (*ii*), (*iii*) और (*iv*)

14. अभिलेखिक कथनों के अनुसार निम्नलिखित में से कौन-से शासक सभी सम्प्रदायों का आदर करते थे?

(*i*) अशोक

(*ii*) कनिष्क

(*iii*) खारवेल

(*iv*) पुष्यमित्र शुंग

कूट :

A. केवल (*i*)

B. (*i*) और (*iii*)

C. (*i*), (*ii*) और (*iii*)

D. (*i*), (*ii*), (*iii*) और (*iv*)

15. निम्नलिखित वक्तव्यों पर विचार कीजिए :

अभिकथन (A) : अपने राज्यारोहण के तुरन्त बाद महाराज खारवेल दिग्विजय के अभियान पर निकल पड़ा।

तर्क (R) : खारवेल की उपलब्धियों के बारे में जानकारी होने पर पूर्वी पंजाब का इण्डो-यूनानी शासक दिमित मथुरा खिसक गया जहाँ से खारवेल को चुनौती देने की उसकी योजना थी।

उपर्युक्त वक्तव्यों के सन्दर्भ में निम्नलिखित में से कौन सही है?

A. (A) तथा (R) दोनों सही हैं और (A) की सही व्याख्या (R) है।

B. (A) तथा (R) दोनों सही हैं, किन्तु (A) की सही व्याख्या (R) नहीं है।

C. (A) सही है, किन्तु (R) गलत है।

D. (A) गलत है, किन्तु (R) सही है।

16. निम्नलिखित में से किन नरेशों ने वाजपेय यज्ञ का सम्पादन किया था?

(*i*) प्रवरसेन I

(*ii*) पुष्यमित्र शुंग

(*iii*) शांतमूल I

(*iv*) शातकर्णी गौतमीपुत्र

कूट :

A. केवल (*i*) B. (*i*) और (*ii*)

C. (*i*) और (*iii*) D. (*i*) और (*iv*)

17. आन्ध्र प्रदेश के प्राचीन ऐतिहासिक स्थल अमरावती को निम्न नाम से जाना जाता था :

A. चन्दवरम　　B. धरणीकोट
C. धुलीकट्टा　　D. एलेश्वरम्

18. निम्नलिखित वक्तव्यों पर विचार कीजिए :

अभिकथन (A) : गुजरात के शक-क्षत्रप राजवंश पर विजय गुप्त सम्राट चन्द्रगुप्त II की सबसे बड़ी सफलता थी।

तर्क (R) : इससे भूमध्यसागर के भारतीय व्यापार में गुप्तों को प्रवेश का मार्ग मिल गया होगा।

उपर्युक्त वक्तव्यों के सन्दर्भ में निम्नलिखित में से कौन सही है?

A. (A) और (R) दोनों सही हैं तथा (A) की सही व्याख्या (R) है।
B. (A) और (R) दोनों सही हैं, किन्तु (A) की सही व्याख्या (R) नहीं है।
C. (A) सही है, किन्तु (R) गलत है।
D. (A) गलत है, किन्तु (R) सही है।

19. हूणों ने केवल निम्न सिक्के प्रचलित किए :

(*i*) स्वर्ण　　(*ii*) रजत
(*iii*) ताम्र　　(*iv*) पोटिन

कूट :

A. केवल (*i*)　　B. केवल (*iv*)
C. केवल (*ii*) और (*iii*)　　D. केवल (*iii*) और (*iv*)

20. निम्नलिखित खगोलविदों को कालानुक्रम में व्यवस्थित कीजिए :

(*i*) आर्यभट्ट II
(*ii*) भास्कराचार्य
(*iii*) भट्टोत्पल
(*iv*) ब्रह्मगुप्त

कूट :

A. (*iv*), (*iii*), (*ii*), (*i*)　　B. (*ii*), (*i*), (*iv*), (*iii*)
C. (*iv*), (*ii*), (*i*), (*iii*)　　D. (*iv*), (*i*), (*ii*), (*iii*)

21. निम्नलिखित में से कौन इष्टिका मन्दिर हैं?

(*i*) दीनाजपुर का बेग्राम मन्दिर
(*ii*) बर्दवान (पश्चिम बंगाल) का सत देउलिया
(*iii*) बहुलारा, बाँकुरा (पश्चिम बंगाल) का सिद्धेश्वर
(*iv*) भुवनेश्वर का वैताल देउल

कूट :

A. (*i*) और (*ii*)　　B. (*ii*) और (*iii*)
C. (*i*), (*ii*) और (*iii*)　　D. (*ii*), (*iii*) और (*iv*)

22. देलवाड़ा का विमल मन्दिर निम्नलिखित में एक को समर्पित है :

A. आदिनाथ　　B. बाहुबली
C. नेमिनाथ　　D. पार्श्वनाथ

23. गांगेयदेव कलचुरि के लक्ष्मी प्रकार के सिक्कों का निम्न में से किन शासकों ने अनुकरण किया?

(*i*) भोज II प्रतिहार
(*ii*) गोविन्दचन्द्र गहड़वाल
(*iii*) परमार्दिदेव चन्देल
(*iv*) उदयादित्य परमार

कूट :

A. (*i*) और (*ii*)　　B. (*i*), (*iii*) और (*iv*)
C. (*i*), (*ii*) और (*iv*)　　D. (*ii*), (*iii*) और (*iv*)

24. कश्मीर के निम्नलिखित शासकों में से किसने अपने राज्य को प्रलयंकारी बाढ़ से बचाने के लिए वितस्ता नदी पर बाँध बनवाया था?

A. अवन्तिवर्मन्　　B. दिद्दा
C. हर्ष　　D. ललितादित्य मुक्तापीड़

25. निम्नलिखित वक्तव्यों पर विचार कीजिए :

कथन (A) : हेमचन्द्र रचित बारहवीं शती की विलक्षण रचना कुमारपालचरित एक लम्बा काव्य है जिसमें गुजरात के चालुक्य राजाओं का विवरण है।

तर्क (R) : इसमें संस्कृत और प्राकृत व्याकरण के नियमों के उदाहरण भी मिलते हैं।

उपर्युक्त वक्तव्यों के सन्दर्भ में निम्नलिखित में से कौन सही है?

A. (A) और (R) दोनों सही हैं तथा (A) की सही व्याख्या (R) है।
B. (A) और (R) दोनों सही हैं, किन्तु (A) की सही व्याख्या (R) नहीं है।
C. (A) सही है, किन्तु (R) गलत है।
D. (A) गलत है, किन्तु (R) सही है।

26. निम्न में से कौन-सा युग्म सही सुमेलित *नहीं* है?

A. शिहाबुद्दीन सुहरावर्दी – *अवारिफ उल मआरिफ*

B. अल-हुजवेरी – *कश्फ-उल महजूब*

C. इब्न अल-अरबी – *फुसुस-अल हिकाम*

D. अल गजाली – *तहजीब-अल अखलाक*

27. "मैं और अन्य कोई नहीं।" "आप क्या हैं जो मैं नहीं हूँ और आप क्या नहीं थे जो मैं नहीं रहा।"

उपर्युक्त कथन निम्नलिखित में से किस समूह/सुल्तान के द्वारा व्यक्त किया गया था?

A. तुर्कान-ए चिहलगानी

B. रुक्नुद्दीन फिरोज

C. सुल्तान रजिया

D. आरामशाह

28. संगीत के संबंध में निम्न में से कौन-से कथन सही *नहीं* हैं?

(*a*) बरनी लिखता है कि तेरहवीं शताब्दी के उत्तरार्द्ध में दिल्ली दरबार के लिए युवतियों को भारतीय नर्तकियों द्वारा फारसी और हिंदुस्तानी संगीत में प्रशिक्षित किया जाता था।

(*b*) अमीर खुसरो ने 1318 में दावा किया कि भारतीय संगीत को दूसरे देशों के संगीत पर श्रेष्ठता हासिल है।

(*c*) *आइने अकबरी* में अबुल फजल ने संगीतकारों के नाम शामिल नहीं किए हैं।

(*d*) नायक बख्शू *खयाल* गायकी के जाने माने उस्ताद थे।

नीचे दिए कूट से सही उत्तर का चयन करें :

कूट :

A. (*a*), (*b*) और (*c*)

B. (*c*) और (*d*)

C. (*b*) और (*c*)

D. (*a*), (*b*), (*c*) और (*d*)

29. आयुर्वेद के सभी प्रमुख संस्कृत ग्रंथों के संकलन के आधार पर लिखी अपनी किताब *मदनुश शिफा-ए-सिकंदरशाही* के बारे में मियां भुवा ने क्या स्पष्टीकरण दिया था?

(*a*) हिंदुस्तानी आबो हवा में यूनानी दवाएँ मुफीद नहीं आतीं।

(*b*) यूनानी पद्धति में जिन जड़ी-बूटियों का जिक्र है, उनकी या तो यहाँ पहचान नहीं हो पाती या वे मिल नहीं पातीं।

(*c*) दिल्ली दरबार में यूनानी पद्धति की दवाओं का वर्चस्व था।

(*d*) यूनानी-अरबी परंपराएँ व्यवहार में एकसमान थीं।

नीचे दिए कूट से सही उत्तर की पहचान करें।

कूट :

A. (*a*) और (*b*)

B. (*a*), (*b*) और (*c*)

C. (*b*) और (*d*)

D. (*c*) और (*d*)

30. सैयद और लोदी वास्तु-शिल्प के संबंध में निम्न में से कौन-सा कथन सही *नहीं* है?

A. खाने जहां मकबूल के मकबरे ने सैयद और लोदी शासकों को अष्टभुजीय मकबरों के निर्माण के लिए प्रेरित किया।

B. सिकंदर के मकबरे में, भीतरी और बाहरी कवच के बीच छोड़ी गई जगह, दोहरे मकबरों के निर्माण की शैली के आरंभ की सूचक है।

C. सैयद और लोदी शासकों ने वर्गाकार योजना वाला कोई मकबरा नहीं बनवाया।

D. सासाराम स्थित सूर परिवार के सभी मकबरे अष्टभुजीय हैं।

31. सूची-I का सूची-II से मिलान करें और नीचे दिए कूट की सहायता से सही उत्तर का चयन करें :

सूची-I	सूची-II
(*a*) *कल्ब*	1. घुड़सवार सैनिक
(*b*) *हश्म*	2. इक्ता की अनुमानित आय में बढ़ोत्तरी
(*c*) *फवाजिल*	3. सेना
(*d*) *तौफीर*	4. निर्धारित राजस्व के अतिरिक्त प्राप्त होने वाली राजस्व आय

कूट :

	(*a*)	(*b*)	(*c*)	(*d*)
A.	2	1	4	3
B.	3	1	4	2
C.	4	3	2	1
D.	2	4	1	3

32. "जैसे तेज हवाएँ पेड़ों को बर्बाद कर देती हैं और टिड्डियों के दल शाली की फसल को तहस-नहस कर देते हैं, उसी तरह यवनों ने कश्मीरी परंपराओं को नष्ट कर दिया ..... कश्मीर राज्य मलेच्छों के दुष्टतापूर्ण व्यवहार से ग्रस्त है।"
कश्मीर के बारे में उपर्युक्त कथन किस कश्मीरी इतिहासकार का है?

A. कल्हण
B. जोनराज
C. श्रीवर
D. भट्टावतार

33. निम्नलिखित में से कौन-सा कथन सही *नहीं* है?

A. उदयपुर के पिछोला झील का उत्खनन मेवाड़ पर लाखा के शासनकाल (1382-1421) के दौरान किया गया।
B. मोकल (1421-33) ने चित्तौड़ में समिधेश्वर मंदिर की मरम्मत कराई।
C. राणा कुंभा (1433-68) ने सिंचाई के उद्देश्य से अनेक झीलें बनवाईं तथा जल संग्रह के लिए कुंड तथा बावड़ियाँ खुदवाईं।
D. राणा उदा (1468-73) ने उदयपुर में उदयसागर झील का निर्माण कराया।

34. "सूहा भट्ट ने सुल्तान पर इतना दबाव बनाया कि उसकी सलाह पर सुल्तान ने सभी ब्राह्मणों और शिक्षित हिंदुओं को आदेश दिया कि उन्हें मुसलमान बन जाना चाहिए और जो इस्लाम नहीं कबूल करना चाहते उन्हें देश छोड़कर चले जाना चाहिए।"
उपर्युक्त कथन में फरिश्ता ने किस सुल्तान के बारे में यह जिक्र किया है?

A. कश्मीर का सुल्तान सिकंदर
B. जैनुल आबिदीन
C. फीरोजशाह तुगलक
D. सुल्तान हुसैन शाह शर्की

35. नीचे दो कथनों में से एक अभिकथन (A) तथा दूसरा तर्क (R) है :

अभिकथन (A) : बंगाल के सुल्तान रुकनुद्दीन बरबक शाह I बंगाली साहित्य के महान संरक्षक थे।

तर्क (R) : बंगाली साहित्य के क्षेत्र में मालाधर बसु की महान उपलब्धियों को स्वीकार करते हुए बरबक शाह I ने उन्हें गुणराज खान की उपाधि प्रदान की।

उपर्युक्त कथनों के संदर्भ में निम्नलिखित में से कौन-सा उत्तर सही है?

कूट :

A. (A) और (R) दोनों सही हैं तथा (R), (A) की सही व्याख्या है।
B. (A) और (R) दोनों सही हैं, लेकिन (R), (A) की सही व्याख्या नहीं है।
C. (A) सही है, लेकिन (R) गलत है।
D. (A) गलत है, लेकिन (R) सही है।

36. सिख समुदाय के संगठन के संबंध में सूची-I का सूची-II से मिलान करें और नीचे दिए कूट से सही उत्तर का चयन करें :

सूची-I	**सूची-II**
(*a*) *मसंद*	1. जिन्हें गुरु ने स्वयं दीक्षा दी
(*b*) *खालसा*	2. गुरु के प्रतिनिधि
(*c*) *मेली*	3. *मसंद* द्वारा दीक्षित व्यक्ति
(*d*) *सहलांग*	4. *मसंद* के सहायक

कूट :

	(*a*)	(*b*)	(*c*)	(*d*)
A.	2	4	3	1
B.	3	2	4	1
C.	4	3	1	2
D.	2	1	4	3

37. नीचे दो कथन दिए गए हैं, इनमें एक को अभिकथन (A) और दूसरे को तर्क (R) की संज्ञा दी गई है :

अभिकथन (A) : एकनाथ ने *भारूड* शैली में अपनी रचना *हिन्दू-तुर्क संवाद* का लेखन किया है।

तर्क (R) : *भारूड* विशेष रूप से जनमानस पर प्रभाव डालने और उन लोगों में रुचि जगाने के लिए लिखे गए थे जो *भक्ति* संदेश सुनने के प्रति उदासीन थे।

उपर्युक्त कथनों के सन्दर्भ में निम्नलिखित में से कौन-सा सही है?

A. (A) तथा (R) दोनों सही हैं और (R), (A) की सही व्याख्या है।
B. (A) तथा (R) दोनों सही हैं लेकिन (R), (A) की सही व्याख्या नहीं है।
C. (A) सही है, लेकिन (R) गलत है।
D. (A) गलत है, लेकिन (R) सही है।

38. महादवियों ने नवाचारों (बिदा) से ऐतिहासिक इस्लाम की शुद्धि पर जोर दिया। निम्नलिखित में से विद्वानों का कौन-सा विचार सही *नहीं* है?

A. मोहम्मद यासीन ने इसे 'सरल हृदय वालों का निम्नवर्गीय विद्रोह' कहा है।

B. के.ए. निजामी ने माहदवी आंदोलन को 'निचले समुदाय के संकट और हुल्लड़' के रूप में देखा।

C. डैरी मैक्लीन का तर्क था कि शुरुआती माहदवी शांति और नम्रता बनाए रखना चाहते थे, लेकिन बाद वालों ने लगभग हठधर्मिता वाला रुख अख्तियार कर लिया।

D. ए.एस.बी. अंसारी ने माहदवियों की तुलना 'तलवार धर्म वालों' और 'इस्माइली हत्यारों' से की।

39. मुगल *जमींदारों* के संबंध में निम्न कथनों पर विचार करें :

(*a*) पूरे परगना के लिए अधिकृत जमींदार को कुछ निश्चित टुकड़ियों के साथ सैन्य सेवा देनी होती थी।

(*b*) परगना के कुछ ही गाँवों के हिस्से (तरफ) के धारक जमींदार को *सलामी* देनी होती थी।

(*c*) जमींदारी के आधे हिस्से के राजस्व को, जो उसे राजकोष में जमा कराना होता था *तलपड़* कहते थे।

नीचे दिए कूट की सहायता से सही उत्तर का चयन करें :

कूट :

A. सिर्फ (*a*)

B. सिर्फ (*b*)

C. (*a*) और (*b*)

D. (*a*) और (*c*)

40. मध्यकालीन स्मारकों के निर्माण में प्रयुक्त लगभग हर पत्थर पर बड़े पैमाने पर चिह्न, प्रतीक और यहाँ तक कि व्यक्तियों के नाम तक उत्कीर्णित हैं।

इन चिह्नों और प्रतीकों के पीछे कुछ उद्देश्य थे। उन उत्कीर्ण अभिलेखों के उद्देश्य के संबंध में निम्न में से कौन-सा उद्देश्य सही नहीं है?

A. निर्माणकर्ता की पहचान बताना

B. उत्कीर्णित चिह्न निर्माणकर्ता के लिए विशिष्ट होना चाहिए।

C. वे चिह्न पत्थरों के आपूर्तिकर्ता और कारीगर डालते थे।

D. किसी भवन तथा भवन निर्माता की पहचान के लिए वे चिह्न डाले जाते थे।

41. निम्नलिखित में से किस यूरोपीय यात्री ने यह टिप्पणी की थी कि ''भारत में शिक्षा की कोई व्यवस्था (धार्मिक शिक्षा के लिए मदरसों को छोड़कर) नहीं है, जहाँ पश्चिम के विज्ञान के अध्ययन को व्यवस्थित ढंग से पढ़ा जा सके। इसलिए यहाँ पश्चिमी विज्ञान तथा दर्शन में अभिरुचि किसी व्यक्ति विशेष के साथ ही पैदा होती है, और उसी के साथ समाप्त हो जाती है।''?

A. फादर मांसरेट

B. बर्नियर

C. टेवर्नियर

D. मानुक्की

42. चित्रकला के संबंध में निम्नलिखित में से कौन-सा एक कथन सही *नहीं* है?

A. मुगल सम्राट हुमायूँ 1555 में ईरान से प्रमुख चित्रकारों—अब्दुस समद और मीर सैयद अली को लाया।

B. अकबर ने एक विशाल चित्रशाला की स्थापना की जिसमें 1560 के दशक में *हमजानामा* को चित्रित किया गया।

C. जहाँगीर के काल में चित्रकला में यूरोप के प्रभाव को अस्वीकार किया गया।

D. 18वीं शताब्दी में, विशेषकर *कृष्ण लीलाओं* को प्रदर्शित करने वाली क्षेत्रीय चित्रकलाएँ अस्तित्व में आयीं।

43. नीचे दिए दो कथनों में से एक अभिकथन (A) तथा दूसरा तर्क (R) है :

अभिकथन (A) : कोस मीनार वास्तु-शिल्प की एक श्रेणी है, जो स्पष्ट रूप से सड़कों के नेटवर्क के संबंध में विकसित हुई।

तर्क (R) : मीनारों का प्रमुख कार्य लोगों को उनके गंतव्य तक पहुँचाने के लिए सही मार्ग बताने वाले संकेत निशान का था।

उपर्युक्त दोनों कथनों के सन्दर्भ में निम्न में से कौन-सा सही है?

A. (A) तथा (R) दोनों सही हैं तथा (R), (A) की सही व्याख्या है।

B. (A) तथा (R) दोनों सही हैं, किन्तु (R), (A) की सही व्याख्या नहीं है।

C. (A) सही है, किन्तु (R) गलत है।

D. (A) गलत है, किन्तु (R) सही है।

44. निम्नलिखित में से कौन-सा जोड़ा सुमेलित *नहीं* है?

मुद्रा		प्रकार
A. *सिक्का*	–	ताजा मुद्रित रुपया
B. *चलनी*	–	पिछले वर्षों में मुद्रित सिक्के
C. *खजाना*	–	पूर्व शासकों के समय से प्रचलित सिक्के
D. *पेठ*	–	वह सिक्का जिसके प्रत्यक्ष मूल्य से उसका वास्तविक वजन कम हो

45. ग्राम समुदाय के बारे में निम्न में से कौन-सा कथन सही *नहीं* है?

A. दक्षिण भारत का बुकानन का सर्वेक्षण 'भारतीय ग्राम समुदाय' से संबंधित सिद्धांतों का आधार बना।

B. बी.एच. बेडेन-पावेल ने 'ग्राम समुदाय' को एक मूल स्वामी के उत्तराधिकारियों द्वारा अपनी संपत्ति के संचालन की अभिव्यक्ति के रूप में देखा।

C. डब्ल्यू.एच. वाइजर का विचार था कि ग्राम सेवक और कारीगर गाँवों से जुड़े थे।

D. हिरोशी फुकाजावा ने पाया कि ग्रामीण कारीगर और सेवक व्यक्तियों की अपेक्षा पूरे गाँव से बंधे हुए थे।

46. रसिकदास और मोहम्मद हाशिम को जारी किए गए औरंगजेब के फरमान किस तथ्य पर प्रकाश डालते हैं?

(*a*) कृषि पैदावार में आ रही कमी और दमनकारी कराधान

(*b*) भूमि से खेतिहरों के पलायन की समस्या

(*c*) कृषकों, विशेषकर सतनामियों और जाटों का विद्रोह

नीचे दिए कूट से सही उत्तर की पहचान करें :

कूट :

A. केवल (*a*)

B. (*a*) और (*b*)

C. (*a*) और (*c*)

D. (*b*) और (*c*)

47. 1679 में औरंगजेब द्वारा जजिया पुनः लागू किया गया। औरंगजेब द्वारा दुबारा *जजिया* लागू करने के बारे में सतीश चंद्र का क्या तर्क है?

A. हिंदुओं के विरोध और शासकों के लालच की वजह से *जजिया* लगाया गया

B. औरंगजेब ने *जजिया* इसलिए लगाया था ताकि गैर-मुसलमानों को इस्लाम कबूल करने के लिए बाध्य किया जा सके

C. *जजिया* का आरोपण गहराते हुए राजनीतिक संकट का सूचक था, विशेषकर दक्कन में बिगड़ते हुए हालात की वजह से

D. *जजिया* राजकोष पर बढ़ते हुए दबाव को कम करने का एक उपाय था

48. औरंगजेब के पोते शाहजादा मोइज्जुद्दीन जहांदार शाह के लिए मिर्जा मुहम्मद द्वारा लिखित पुस्तक *तुहफुतुल हिंद* की विषय-वस्तु क्या है?

A. संगीत

B. एक सूफी रचना

C. पाक शास्त्र

D. पेड़-पौधों और जीव जगत

49. नादिरशाह के आक्रमण के विरुद्ध मुगल बादशाह की सहायता करने के पीछे मराठों की रुचि के विषय में निम्नलिखित कारणों में कौन सही हैं?

(*a*) मराठा नादिरशाह के आक्रमण को बाहरी हमलावर द्वारा किया गया आक्रमण मानते थे।

(*b*) अगर नादिरशाह हिन्दुस्तान में रह जाता और एक नए राजवंश की स्थापना करता तो वह मराठा महत्वाकांक्षा को पहुँचने वाला गहरा आघात होता।

(*c*) शाहू ने बाजीराव को बादशाह की मदद के लिए जल्दी पहुँचने को कहा जो औरंगजेब से एक समझौते के मुताबिक तय किया गया था कि जब भी साम्राज्य परेशानी में होगा मराठा मदद करेंगे।

(*d*) बाजीराव फौरन मुगल सेना की मदद के लिए पहुँचा।

नीचे दिए गए कूट से सही उत्तर का चुनाव कीजिए :

कूट :

A. (*a*), (*b*) और (*c*) B. (*b*), (*c*) और (*d*)

C. (*a*), (*b*), (*c*) और (*d*) D. (*c*) और (*d*)

50. ऐतिहासिक विकास की बेहतर समझ के लिए क्षेत्रीय इतिहास की जानकारी महत्वपूर्ण है। नीचे क्षेत्रीय इतिहास की कुछ पुस्तकों और उनके लेखकों के नाम दिए गए हैं। इनमें से कौन-सा जोड़ा सही *नहीं* है?

	लेखक		**पुस्तक**
A.	जी.डी. शर्मा	–	*राजपूत पॉलिटी : अ स्टडी ऑफ पॉलिटिक्स एंड एडमिनिस्ट्रेशन ऑफ द स्टेट ऑफ मारवाड़, 1638-1749*
B.	हिरोशी फुकाजावा	–	*मीडिएवल महाराष्ट्र*
C.	सुशील चौधरी	–	*फ्रॉम प्रॉसपेरिटी टु डिक्लाइन-एटींथ सेंचुरी बंगाल*
D.	मोहिबुल हसन	–	*कश्मीर अंडर द सुल्तान्स*

51. अंग्रेजों द्वारा देसी रियासतों के साथ की गई निम्न संधियों को सही कालक्रम में व्यवस्थित करें और कूट की सहायता से सही उत्तर का चयन करें :

(*a*) असाय की संधि

(*b*) लाहौर की संधि

(*c*) राजघाट की संधि

(*d*) हैदराबाद के निजाम के साथ सहायक संधि

कूट :

A. (*a*), (*b*), (*c*), (*d*) B. (*d*), (*a*), (*c*), (*b*)

C. (*c*), (*d*), (*a*), (*b*) D. (*d*), (*c*), (*b*), (*a*)

52. ''हमारी समझ से राजा (राजा राममोहन राय) के कार्यों का सबसे महत्वपूर्ण मूल्य भारत में मध्यकालीन शक्तियों के विरुद्ध उनके संघर्ष में निहित था और यही कारण है कि हम उनके लिए वर्तमान भारत के पुनर्जागरण का जनक होने के सम्मान का दावा करते हैं।''—ये पंक्तियाँ किसने लिखी हैं?

A. सुरेंद्रनाथ बनर्जी B. द्वारकानाथ टैगोर

C. अरबिंदो घोष D. बिपिन चंद्र पाल

53. 1835 में एलफिंस्टन इंस्टीट्यूट, बम्बई में नियुक्त होने वाला भारत का पहला प्रोफेसर निम्न में से कौन था?

A. दादोबा पांडुरंग तरखड़कर

B. बाल गंगाधर जांभेकर

C. परशुराम बलवंत गोडबोले

D. सदाशिव काशीनाथ छत्तरे

54. रावलपिंडी में महिलाओं के लिए पहले विद्यालय की स्थापना कब हुई थी?

A. फरवरी 1856 B. जून 1856

C. दिसम्बर 1856 D. अगस्त 1856

55. 1878 का दक्षिण वर्नाकुलर प्रेस एक्ट IX 14 मार्च को पारित हुआ और मद्रास को छोड़कर बाकी सभी प्रांतों में लागू हो गया क्योंकि

A. मद्रास के स्थानीय बाशिंदे ब्रिटिश समर्थक थे।

B. उस समय मद्रास से सिर्फ अंग्रेजी अखबार प्रकाशित हो रहे थे।

C. अभी वहाँ भारतीय भाषाओं का प्रेस मजबूत नहीं हुआ था।

D. मद्रास में अधिकतर भाषाई छापाखानों की मिल्कियत अंग्रेजों के पास थी।

56. 1884-88 में एक बाईस वर्षीय हिंदू महिला को उसका पति बंबई हाई कोर्ट में ले गया। उस केस का नाम क्या था?

A. रुक्मिणी—माधवजी केस

B. रुक्माबाई—दादाजी केस

C. रूक्माबाई—बाबाजी केस

D. रमाबाई—केशवजी केस

57. ताराबाई शिंदे की प्रसिद्ध पुस्तक 'स्त्री-पुरुष तुलना' किस वर्ष प्रकाशित हुई थी?

A. 1880 B. 1883

C. 1882 D. 1885

58. इंडियन नेशनल सोशल कांफ्रेंस और इंडियन नेशनल कांग्रेस ने किस वर्ष अपना अधिवेशन अलग-अलग किया?

A. 1894 B. 1895

C. 1896 D. 1901

59. उन्नीसवीं सदी के उत्तरार्ध में हुए निम्न कृषक विद्रोहों को सही कालक्रम में सजाएँ :

(*a*) पंजाब का कूका विद्रोह

(*b*) पबना जिले का कृषक विद्रोह

(*c*) बंगाल का नील विद्रोह

(*d*) दक्कन का कृषक आंदोलन

कूट की सहायता से सही उत्तर का चयन करें :

कूट :

A. (*d*), (*b*), (*c*), (*a*)   B. (*c*), (*d*), (*b*), (*a*)
C. (*a*), (*d*), (*b*), (*c*)   D. (*c*), (*a*), (*b*), (*d*)

60. सूची-I तथा सूची-II के तथ्यों को मिलाएं और कूट की सहायता से इंडियन नेशनल कांग्रेस के निम्न अध्यक्षों तथा उनके पदासीन रहने के वर्षों के सही जोड़े का चयन करें :

सूची-I	सूची-II
(*a*) दादाभाई नौरोजी	1. 1895 और 1902
(*b*) सुरेंद्रनाथ बनर्जी	2. 1911 और 1917
(*c*) विलियम वेडरबर्न	3. 1889 और 1910
(*d*) डॉ. एनी बेसेंट	4. 1886 और 1893

कूट :

	(*a*)	(*b*)	(*c*)	(*d*)
A.	4	1	3	2
B.	2	3	4	1
C.	3	4	2	1
D.	3	1	4	2

61. स्वामी विवेकानंद ने 1899 में अपनी अमेरिका यात्रा के दौरान निम्न में से किन स्थलों पर वेदांत केंद्र स्थापित किए?

(*a*) शिकागो   (*b*) न्यूयार्क
(*c*) सान फ्रैंसिस्को   (*d*) लॉस एंजिल्स

कूट :

A. (*a*) और (*b*)   B. (*b*) और (*c*)
C. (*b*) और (*d*)   D. (*c*) और (*d*)

62. निम्नलिखित में से किसने 'द लेक ऑफ पाम्स' नामक उपन्यास लिखा था और अंग्रेजी में रचित जिनके रामायण और महाभारत ने इंडो-एंग्लियन साहित्य में उन्हें स्थायी जगह दिलाई?

A. रोमेश चंद्र दत्त   B. माइकेल मधुसूदन दत्त
C. अरू दत्त   D. रजनी पाम दत्त

63. निम्न में से किसने इंडियन नेशनल कांग्रेस के आविर्भाव के संबंध में 'सेफ्टी वॉल्व का सिद्धांत' स्वीकार किया था?

A. लाला लाजपत राय
B. सी.एफ. एंड्र्यूज और गिरिजा मुखर्जी
C. आर. पाम दत्त
D. एम.एस. गोलवलकर

64. स्वामी श्रद्धानंद ने हरिद्वार में गुरुकुल कांगड़ी की स्थापना कब की थी?

A. 1902   B. 1904
C. 1906   D. 1908

65. लाला लाजपत राय और अजित सिंह को किस वर्ष देश निकाला दिया गया था?

A. 1907   B. 1908
C. 1909   D. 1910

66. निम्नलिखित में से किसने 1908 में अमेरिका में पहला नियमित प्रचार पत्र 'द फ्री हिंदुस्तान' निकालना शुरू किया?

A. सरदार सिंह राणा   B. श्यामजी कृष्ण वर्मा
C. तारकनाथ दास   D. मैडम कामा

67. "कोई सरकार तब तक सेवा का उपकरण है, जब तक वह लोगों की इच्छा और सहमति पर आधारित है। जब वह जनता को जबर्दस्ती झुकाने का प्रयास करती है, तब वह दमन का औजार बन जाती है। इसलिए जिस समय जनता में उस आतंक का भय समाप्त हो जाता है—चाहे वह कानून का हो या अस्त्र-शस्त्रों का, तब वह दमन भी समाप्त हो जाता है।"

यह कथन किसका है?

A. बी.जी. तिलक   B. डॉ. एनी बेसेंट
C. महात्मा गाँधी   D. एम.एन. राय

68. निम्न में से 'बांबे क्रॉनिकल' का संपादक कौन था, जिसे देश निकाला दिया गया?

A. स्टेनली रीड फ्रेजर
B. बेंजामिन गाय होर्निमैन
C. एस.के. रेडक्लिफ
D. सी.एफ. एंड्रयूज

69. निम्नलिखित में से किसने महात्मा गाँधी के आरंभिक काल में उन पर कोई प्रभाव *नहीं* डाला?

A. रायचंद्र मेहता   B. जॉन स्टुअर्ट मिल
C. जॉन रस्किन   D. लियो टॉलस्टॉय

70. 1922 में मुल्शी डैम सत्याग्रह का नेतृत्व किसने किया था?

A. एम.के. गाँधी   B. एन.सी. केलकर
C. पी.एम. बापट   D. विनोबा भावे

71. सूची-I का सूची-II से मिलान करें और कूट की सहायता से सही उत्तर का चयन करें :

सूची-I	**सूची-II**
(*a*) गोलमुरी टिनप्लेट स्ट्राइक	1. 1929
(*b*) ग्रेट इंडियन पेनिनसुलर रेलवेज स्ट्राइक	2. 1930
(*c*) असम-बंगाल रेलवेज स्ट्राइक	3. 1921
(*d*) अहमदाबाद टेक्सटाइल स्ट्राइक	4. 1918

कूट :

	(*a*)	(*b*)	(*c*)	(*d*)
A.	2	3	4	1
B.	1	2	3	4
C.	1	2	4	3
D.	4	2	3	1

72. किस राष्ट्रीय नेता ने 1929 में कहा था कि कांग्रेस कोई 'श्रमिक संगठन नहीं' बल्कि 'हर तरह के लोगों का एक बड़ा समूह है'?

A. एन.एम. जोशी B. एम.एन. राय
C. जवाहरलाल नेहरू D. सुभाषचंद्र बोस

73. किस भारतीय क्रांतिकारी ने 1943 में विदेश में आई. एन.ए. की कमान सुभाषचंद्र बोस को सौंपी?

A. कैप्टन मोहन सिंह
B. सरदार प्रीतम सिंह
C. कैप्टन शाहनवाज खान
D. रासबिहारी बोस

74. प्रधानमंत्री नेहरू द्वारा राज्य पुनर्गठन आयोग की स्थापना कब की गई थी?

A. 1948
B. 1951
C. 1953
D. 1955

75. किस संवैधानिक सुधार द्वारा प्रांतीय स्तर पर द्वैध शासन की शुरुआत हुई?

A. मार्ले-मिंटो सुधार (1909)
B. मांटेस्क्यू-चेम्सफोर्ड सुधार (1919)
C. साइमन कमीशन की रिपोर्ट (1927)
D. गवर्नमेंट ऑफ इंडिया एक्ट (1935)

उत्तरमाला

1	2	3	4	5	6	7	8	9	10
D	C	B	D	A	A	A	B	A	B
11	**12**	**13**	**14**	**15**	**16**	**17**	**18**	**19**	**20**
C	B	A	B	C	C	B	A	C	D
21	**22**	**23**	**24**	**25**	**26**	**27**	**28**	**29**	**30**
C	A	D	A	A	D	A	B	A	C
31	**32**	**33**	**34**	**35**	**36**	**37**	**38**	**39**	**40**
B	B	D	A	A	D	A	C	C	D
41	**42**	**43**	**44**	**45**	**46**	**47**	**48**	**49**	**50**
B	C	A	D	C	B	C	A	A	B
51	**52**	**53**	**54**	**55**	**56**	**57**	**58**	**59**	**60**
B	D	B	C	C	B	C	B	D	A
61	**62**	**63**	**64**	**65**	**66**	**67**	**68**	**69**	**70**
D	A	B	A	A	C	C	B	B	C
71	**72**	**73**	**74**	**75**					
B	C	D	C	B					

व्याख्यात्मक उत्तरमाला

4. 1927 में 'हड़प्पा' नामक स्थल पर उत्खनन होने के कारण सिन्धु सभ्यता का नाम 'हड़प्पा सभ्यता' पड़ा। हड़प्पा सभ्यता का समय 2350 ई.पू. से 1750 ई.पू. तक माना जाता है।

हड़प्पावासियों का समाज मातृसत्तात्मक था। सैंधवकालीन मुहरों से इस सभ्यता के लिपि और धर्म की जानकारी मिलती है। इस सभ्यता की अधिकांश मुहरें सेलखड़ी (Steatite) के बने होते थे। ये मुहरें बेलनाकार, वर्गाकार, आयताकार एवं वृत्ताकार रूप में भी पाए गए हैं। कुछ मुहरें काचल मिट्टी, गोमेद, चर्ट और मिट्टी की बनी हुई भी पाए गए हैं। अधिकांश मुहरों पर संक्षिप्त लेख, एक शृंगी साँड, भैंस, बाघ, गैंडा, हिरन, बकरी एवं हाथी के चित्र उकेरे गए हैं। इनमें से सर्वाधिक आकृतियाँ एक शृंगी सांड की मिली हैं। लोथल और देशलपुर से ताँबे की मुहरें मिली हैं। इस सभ्यता की अधिकतर मुहरें मोहनजोदड़ो से प्राप्त हुई हैं।

8. यास्क ई.पू. छठी या 5वीं सदी के संस्कृत के व्याकरणाचार्य थे। यास्क वैदिक संज्ञाओं के एक प्रसिद्ध व्युत्पत्तिकार थे। 'निरूक्त' इनकी प्रसिद्ध रचना रही है, जिसे तीसरा वेदांग माना जाता है।

पाणिनी (500 ई.पू.) संस्कृत के व्याकरणाचार्य थे। इनके व्याकरण का नाम अष्टाध्यायी है।

पाणिनी के परवर्ती वैयाकरणों में कात्यायन, पतंजलि, वामन और जयादित्य आदि रहे हैं।

कात्यायन (ई.पू. लगभग 300) ने पाणिनि के सूत्रों पर लगभग 4295 वार्तिक लिखे। उन्होंने लोकजीवन के अनेक शब्दों का संस्कृत में समावेश किया और न्यायों तथा परिभाषाओं द्वारा विचारक्षेत्र विस्तृत किया। कात्यायन के वार्तिकों पर पतंजलि (ई.पू. 150) ने महाभाष्य की रचना की।

वामन (छठी सदी) के वैयाकरण थे। वामन और जयादित्य ने मिलकर 600 ई. के लगभग काशिकावृत्ति की स्थापना की। यह अष्टाध्यायी की सर्वश्रेष्ठ व्याख्या मानी जाती है।

13. 'पांड्य वंश' दक्षिण भारत के तमिल प्रदेश के तीन राजवंशों में से एक जिसका शासन रहा। दो अन्य राजवंश चोल और चेर हैं। पांड्य राजवंश का अधिकार इस प्रदेश के दक्षिणी पूर्वी छोर पर था। पांड्यों की राजधानी 'कोरकै' तथा 'मदुरै' थे, ये दोनों इस समय के प्रमुख पत्तन केन्द्र भी थे।

14. मौर्यकाल के शिलाओं तथा स्तंभों पर उत्कीर्ण लेखों के अनुशीलन से पता चलता है कि अशोक का धम्म व्यावहारिक फलमूलक और अत्यधिक मानवीय था। इस धर्म के प्रचार से अशोक अपने साम्राज्य के लोगों में तथा बाहर अच्छे जीवन के आदर्श को चरितार्थ करना चाहता था। इसके लिए उसने जहाँ कुछ बातें लाकर बौद्ध धर्म में सुधार किया वहाँ लोगों को धर्म परिवर्तन के लिए विवश नहीं किया। वस्तुतः उसने अपने शासनकाल में निरंतर यह प्रयास किया कि प्रजा के सभी वर्गों और सम्प्रदायों के बीच सहमति का आधार ढूँढा जाए और सामान्य आधार के अनुसार नीति अपनाई जाए।

सातवें शिलालेख में अशोक ने कहा–''सभी सम्प्रदाय सभी स्थानों में रह सकते हैं, क्योंकि सभी आत्मसंयम और भावशुद्धि चाहते हैं।''

बारहवें शिलालेख में उसने घोषणा की कि अशोक सभी सम्प्रदायों के गृहस्थ और श्रवणों का दान आदि के द्वारा सम्मान करता है। किन्तु महाराज दान और मान को इतना महत्व नहीं देते जितना इस बात को देते हैं कि सभी सम्प्रदाय के लोगों में सारवृद्धि हो। सारवृद्धि के लिए मूलमंत्र है वाकसंयम। लोगों को अपने सम्प्रदाय की प्रशंसा और दूसरे सम्प्रदाय की निंदा नहीं करनी चाहिए।

कलिंगराज खारवेल के बारे में महत्वपूर्ण जानकारी हाथीगुम्फा अभिलेख से प्राप्त होती है। इस अभिलेख के अनुसार खारवेल जैन धर्म का अनुयायी था। खारवेल ने जैन भिक्षुओं के लिए आवास और गुफाओं का निर्माण कराया, किंतु वह धर्म के विषय में संकुचित दृष्टिकोण नहीं रखता था। उसने अन्य सभी देवताओं के मंदिरों

का पुनर्निर्माण कराया। हाथीगुम्फा अभिलेख के अनुसार वह सभी धर्मों और सम्प्रदायों का समान आदर करता था।

15. हाथीगुम्फा के शिलालेख के अनुसार खारवेल के जीवन में पहले पन्द्रह वर्ष विद्या के अध्ययन में व्यतीत हुए। इस काल में उसने धर्म, अर्थ, शासन, कानून आदि की शिक्षा प्राप्त की। पन्द्रह वर्ष की आयु में वह युवराज के पद पर नियुक्त हुआ और नौ वर्ष तक वह इस पद पर रहने के उपरांत 24 वर्ष की आयु में कलिंग के राजसिंहासन पर आरूढ़ हुआ। राजा बनने पर उसने 'कलिंगाधिपति' और 'कलिंग चक्रवर्ती' की उपाधियाँ धारण कीं।

खारवेल ने अपने राज्यारोहण के पश्चात् दूसरे वर्ष में पश्चिम में शातकर्णी तथा कश्यप क्षत्रियों को नियंत्रित किया था। शासन के 8वें वर्ष में मगध पर आक्रमण किया था। 10वें वर्ष में उसने सैन्य अभियान किया था तथा शासन के 12वें वर्ष में उत्तरापथ पर आक्रमण किया था। हाथीगुम्फा अभिलेख में खारवेल द्वारा परास्त किए गए तमिल देश संघात (राज्य संघ) का उल्लेख है। मगध के उस समय राजा बहसतिमित को भी पराजित किया था।

16. वाकाटक वंश के प्रवरसेन I ने सम्राट की उपाधि धारण की थी। प्रवरसेन I ने अग्निश्तोमा, अतिरात्रा, वाजपेय, ब्रिहास्पतिस्वा तथा चार अश्वमेघ यज्ञ के अलावा अन्य यज्ञ भी अपने शासनकाल में कराए थे। प्रवरसेन I वाजपेय यज्ञ में ब्राह्मणों को दान भी करता था।

शांतमूल I इक्ष्वाकु वंश का सम्राट था। इन्होंने भी अश्वमेघ, अग्निहोत्र, अग्निश्तोमा तथा वाजपेय यज्ञ कराए थे।

18. चन्द्रगुप्त द्वितीय विक्रमादित्य के नाम से भी जाना जाता है। चन्द्रगुप्त द्वितीय के तिथि का निर्धारण उनके अभिलेखों आदि के आधार पर किया जाता है। अभिलेखों एवं मुद्रालेखों से उनकी विभिन्न उपाधियों—महाराजाधिराज, परमभागवत, श्रीविक्रम, नरेन्द्रसिंह, विक्रमांक एवं विक्रमादित्य आदि का ज्ञात होता है।

उनका सर्वप्रथम सैनिक अभियान सौराष्ट्र के शक क्षत्रपों के विरुद्ध हुआ। चंद्रगुप्त के सांधिविग्रहिक वीरसेन शाब के उदयगिरि गुहालेख से, उनका समस्त पृथ्वी जीतने के उद्देश्य से वहाँ तक आना स्पष्ट है। चंद्रगुप्त की शक विजय का अनुमान उनकी रजतमुद्राओं से भी होता है। सौराष्ट्र की शक मुद्रा परंपरा के अनुकरण में प्रचलित इन मुद्राओं पर चन्द्रगुप्त द्वितीय का चित्र, नाम आदि लिखित हैं।

शक उस समय गुजरात तथा मालवा के प्रदेशों पर राज़ कर रहे थे। शकों पर विजय के बाद उसका साम्राज्य न केवल मजबूत बना बल्कि उसका पश्चिमी समुद्र पत्तनों पर आधिपत्य भी स्थापित हुआ। गुजरात और काठियावाड़ की विजय के कारण अब गुप्त साम्राज्य की सीमा पश्चिम में अरब सागर तक विस्तृत हो गई थी। इस विजय के पश्चात् उज्जैन गुप्त साम्राज्य की राजधानी बना।

20. ब्रह्मगुप्त प्राचीन भारत के प्रसिद्ध गणितज्ञ और खगोलविद् थे। इन्होंने वेधों के अनुकूल भगणों की कल्पना की है। ब्रह्मगुप्त 7वीं सदी (598-665 ई.) के गणितज्ञ और खगोलविद् हैं। ब्रह्मगुप्त का सबसे महत्वपूर्ण योगदान चक्रीय चतुर्भुज पर है। उन्होंने बताया कि चक्रीय चतुर्भुज के विकर्ण लंबवत् होते हैं।

आर्यभट्ट II (920-1000 ई.) एक महान गणितज्ञ और खगोलविद् थे। इनका बनाया हुआ महासिद्धांत (Maha-Siddhanta) ज्योतिष सिद्धांत का प्रसिद्ध ग्रंथ है।

भास्कराचार्य (1114-1185 ई.) प्राचीन भारत के प्रसिद्ध गणितज्ञ तथा खगोलविद्, जिन्होंने 'सिद्धांत शिरोमणि' नामक ग्रंथ की रचना की। इसमें लीलावती, बीजगणित, ग्रहगणित तथा गोलाध्याय नामक चार भाग हैं। भास्कराचार्य ने अपने 'सिद्धांत शिरोमणि' में न्यूटन से सदियों पहले पृथ्वी के गुरुत्वाकर्षण के बारे में लिखा है।

भट्टोत्पल 10वीं सदी के खगोलविद् थे। उन्होंने वराहमिहिर द्वारा रचित बृहतसंहिता की टीका लिखी है।

22. दिलवाड़ा का विमल मंदिर का निर्माण गुजरात के सोलंकी शासक के मंत्री विमल शाह ने 1031 ई. में बनवाया था। यह मंदिर जैनधर्म के प्रथम तीर्थंकर आदिनाथ को समर्पित है। 'लूनवासाही मंदिर' बाइसवें तीर्थंकर नेमिनाथ को समर्पित है।

24. 'अवन्तिवर्मन्' (855-883 ई.) उत्पल वंश का कश्मीर का एक प्रमुख शासक था। अवन्तिवर्मन ने वितस्ता (झेलम) नदी के प्रलयंकारी बाढ़ से क्षति के कारण उस पर एक बाँध का निर्माण कराया। अवन्तिवर्मन ने अपने शासन में सुय्या नामक एक वास्तुशिल्प और इंजीनियर को प्रधानमंत्री बनाया था। सुय्या के निर्देशन में ही वितस्ता नदी पर बाँध का निर्माण किया गया था। अवंतिवर्मन कला के संरक्षक भी थे। अवंतिवर्मन ने अवन्तिपुर नामक नगर की भी स्थापना की थी।

26. 'तहजीब-अल अखलाक' मुस्लिम धर्मसुधारक सर सैयद अहमद खान द्वारा लिखा गया जर्नल है। तहजीब-अल अखलाक में सामाजिक और धार्मिक सुधार को साधारण भाषा में बताया गया है।

32. 'जोनराज' संस्कृत के विद्वान, टीकाकार तथा इतिहासकार थे। वे कश्मीर के सुल्तान जैनुल आबिदीन के राजदरबारी पंडित थे। किरातार्जुनीयम् और मंखविचरचित 'श्रीकंठचरितम्' पर ललित टीकाएँ के अलावा महाकवि जयानक कृत ऐतिहासिक ग्रंथ 'पृथ्वीराज-विजय महाकाव्यम्' की विद्वतापूर्ण टीका लिखी।

33. उदयपुर में उदयसागर झील का निर्माण महाराणा उदय सिंह के द्वारा 1565 ई. में किया गया। यह झील बनास की सहायक नदी बेराच नदी पर बनाया गया है। यह झील लगभग 10 कि.मी. के क्षेत्रफल में फैला है।

35. रुकनुद्दीन बरबक शाह I बंगाल का एक प्रमुख शासक था। वह पड़ोसी राज्यों असम और उड़ीसा को अपने क्षेत्र में मिलाने में सफल रहा। वह बंगाली साहित्य के महान संरक्षक के रूप में भी जाना जाता है।

रुकनुद्दीन बरबक शाह ने बंगाली साहित्य के क्षेत्र में मालाधार बसु की उपलब्धियों के कारण उन्हें गुणराज खान की उपाधि प्रदान की थी। मालाधार बसु बंगाली भाषा के प्रमुख एवं महान कवि माने जाते हैं। 'श्रीकृष्णाविजय' उनकी प्रमुख कृति है।

41. बर्नियर फ्रांस का एक चिकित्सक, राजनीतिक दार्शनिक तथा इतिहासकार था। वह मुगल सम्राट शाहजहाँ के पुत्र दाराशिकोह के चिकित्सक के रूप में भारत आया था। उसने 12 साल तक मुगल शासन के समय में भारत में अपना समय व्यतीत किया। भारत में शिक्षा के संबंध में उसने टिप्पणी की थी कि भारत में शिक्षा की कोई व्यवस्था (धार्मिक शिक्षा के लिए मदरसों को छोड़कर) नहीं है, जहाँ पश्चिम के विज्ञान के अध्ययन को व्यवस्थित ढंग से पढ़ा जा सके। इसलिए यहाँ पश्चिमी विज्ञान तथा दर्शन में अभिरुचि किसी व्यक्ति विशेष के साथ ही पैदा होती है, और उसी के साथ समाप्त हो जाती है।

51.

संधि	–	**वर्ष**
हैदराबाद के निजाम के साथ सहायक संधि	–	1798 तथा 1800
असाय की संधि	–	1803
राजघाट की संधि	–	1806
लाहौर की संधि	–	1846

53. बाल गंगाधर जांभेकर मराठी पत्रकारिता के जनक थे। उन्होंने 'दर्पण' नामक मराठी पत्रिका आरंभ की। साथ ही इतिहास और गणित से संबंधित विषयों पर अनेक पुस्तकें लिखीं। रॉयल एशियाटिक सोसायटी तथा जियोग्रॉफिकल सोसायटी में पढ़े गए शिलालेखों तथा ताम्रपत्रों से संबंधित उनके महत्वपूर्ण लेख हैं। ये महाराष्ट्र के प्रमुख समाज-सुधारकों में से एक थे।

1835 में एलफिंस्टन इंस्टीट्यूट, बंबई में नियुक्त होने वाले पहले भारतीय प्रोफेसर थे। वे अनेक भाषाओं के ज्ञाता थे।

57. ताराबाई शिंदे पितृसत्ता तथा जाति प्रथा के खिलाफ कार्य और आवाज बुलंद करने वाली एक नारीवाद कार्यकर्ता थीं।

1883 में 'स्त्री-पुरुष तुलना' उनके द्वारा लिखी गई प्रसिद्ध पुस्तक है। इस पुस्तक में स्त्री-पुरुष के बीच आपसी संबंधों के अलावा 'पितृसत्ता' की बुराईयों को दर्शाया है।

59.

विद्रोह/आंदोलन		**वर्ष**
बंगाल का नील विद्रोह	–	1859-60
पंजाब का कूका विद्रोह	–	1872
पबना जिले का कृषक विद्रोह	–	1872-76
दक्कन का कृषक आंदोलन	–	1875

60. **अध्यक्ष (भारतीय राष्ट्रीय कांग्रेस)** — **वर्ष/स्थान**

अध्यक्ष (भारतीय राष्ट्रीय कांग्रेस)	वर्ष/स्थान
दादाभाई नौरोजी	– 1886 (कलकत्ता), 1893 (लाहौर)
सुरेन्द्रनाथ बनर्जी	– 1895 (पूना), 1902 (अहमदाबाद)
विलियम वेडरबर्न	– 1889 (बंबई), 1910 (इलाहाबाद)
डॉ. एनी बेसेंट	– 1911 (कलकत्ता)
मिशन नारायण धर	– 1917 (कलकत्ता)

61. स्वामी विवेकानंद का जन्म 12 जनवरी, 1863 को कलकत्ता में हुआ। विवेकानंद वेदान्त के विख्यात तथा प्रभावशाली आध्यात्मिक गुरु थे। उन्होंने 1893 में अमेरिका के शिकागो में विश्व धर्म महासभा में भारत की ओर से सनातन धर्म का प्रतिनिधित्व किया था। विवेकानंद ने अपनी अमेरिका यात्रा के दौरान सैन फ्रांसिस्को तथा लॉस एंजिल्स में वेदांत केन्द्र स्थापित किए।

62. रोमेशचंद्र दत्त लेखक, आर्थिक इतिहासज्ञ थे। वे रामायण तथा महाभारत के अंग्रेजी में अनुवादक भी थे। भारतीय राष्ट्रवाद के पुरोधाओं में से एक रोमेशचंद्र दत्त का आर्थिक विचारों के इतिहास में प्रमुख स्थान है।

1885 में इन्होंने 'लेक ऑफ पाम्स' नामक उपन्यास लिखा। इसके अलावा 'ए हिस्ट्री ऑफ सिविलाइजेशन इन एंशेंट इंडिया', 'इकॉनामिक हिस्ट्री ऑफ ब्रिटिश इंडिया', 'इंडियंस इन दि विक्टोरियन एज', 'दि स्लेव गर्ल ऑफ आगरा' आदि इनकी प्रमुख रचना है।

64. गुरुकुल कांगड़ी की स्थापना 4 मार्च, 1902 को स्वामी श्रद्धानंद के द्वारा हरिद्वार में किया गया था। स्वामी श्रद्धानंद आर्य समाज के संस्थापक दयानन्द सरस्वती के अनुयायी थे।

65. पंजाब में 1906 के प्रारंभ में क्रान्तिकारी आंदोलन फैल गया था। पंजाब सरकार के एक 'उपनिवेशीकरण विधेयक' के कारण किसानों में व्यापक असंतोष व्याप्त था। इसका उद्देश्य चिनाब नदी के क्षेत्र में भूमि की चकबंदी को हतोत्साहित करना तथा सम्पत्ति के विभाजन के अधिकारों में हस्तक्षेप करना था। इसी समय सरकार ने जल कर में वृद्धि करने का फैसला किया, जिससे जनता में असंतोष फैल गया। इस तूफान को उठता देखकर सरकार बेचैन हो गई।

ब्रिटिश सरकार ने रावलपिंडी में आंदोलन को कुचलने की दृष्टि से सार्वजनिक सभाओं पर रोक लगा दी तथा लाला लाजपतराय व अजित सिंह को गिरफ्तार कर 1907 में देश निकाला दिया गया था तथा माण्डले जेल भेज दिया गया।

66. तारकनाथ दास एक ब्रिटिश-विरोधी बंगाली क्रांतिकारी और अंतर्राष्ट्रीय विद्वान थे। उन्होंने 1908 में पहला नियमित प्रचार पत्र 'द फ्री हिन्दुस्तान' की शुरुआत की।

68. बेंजामिन गाय होर्निमैन एक ब्रिटिश पत्रकार थे जिन्होंने 'बॉम्बे क्रॉनिकल' का सम्पादन किया था। वे भारतीय स्वतंत्रता के पक्षधर थे। होर्निमैन ने पत्रकारिता की शुरुआत 1894 में किया था। 1913 में वे बॉम्बे क्रॉनिकल के संपादक बने थे।

70. पांडुरंग महादेव बापट भारत के स्वतंत्रता संग्राम के महान सेनानी थे। वे 'सेनापति बापट' के नाम से भी जाने जाते थे। महाराष्ट्र में सह्याद्रि पर्वत की विभिन्न चोटियों पर बाँध बाँधने की योजना टाटा कंपनी ने की थी।

मुलशी के निकट मुला व निला नदियों के संगम पर प्रस्तावित बाँध से 54 गाँव और खेती डूब रही थी। विनायक राव भुस्कुटे ने इसके विरोध में सत्याग्रह चला रखा था। इस सत्याग्रह का नेतृत्व बापट भी कर रहे थे। दूसरे सत्याग्रह की शुरुआत होते ही बापट को गिरफ्तार कर यरवदा जेल भेज दिया गया। छूटने के बाद बापट मुलशी के विषय में घूम-घूमकर कविता पाठ करते, प्रचार करते तथा फेरियाँ निकलवाते थे।

73. रासबिहारी बोस ने जापानियों के प्रभाव और सहायता से दक्षिण-पूर्वी एशिया से जापान द्वारा एकत्रित करीब 40,000 भारतीय स्त्री-पुरुषों की प्रशिक्षित सेना का गठन शुरू

किया और इस संगठन का नाम आजाद हिंद फौज रखा। बाद में उन्होंने नेताजी सुभाषचंद्र बोस को आजाद हिंद फौज का सर्वोच्च कमांडर नियुक्त कर इसकी कमान उनके हाथों में सौंप दी।

आजाद हिंद फौज का गठन द्वितीय विश्व युद्ध के दौरान 1942 में भारत को अंग्रेजों के कब्जे से स्वतंत्र कराने के लिए रासबिहारी बोस ने जापान के सहयोग से टोकियो में किया था।

74. प्रधानमंत्री नेहरू द्वारा राज्य पुनर्गठन आयोग की स्थापना 22 दिसंबर, 1953 को फजल अली की अध्यक्षता में गठित की गई। इस आयोग ने 1955 में केन्द्र सरकार को अपनी रिपोर्ट प्रस्तुत की। इस आयोग की निम्न सिफारिशें थीं—

1. राज्यों का पुनर्गठन भाषा और संस्कृति के आधार पर अनुचित है।
2. राज्यों का पुनर्गठन राष्ट्रीय सुरक्षा, वित्तीय एवं प्रशासनिक आवश्यकता तथा पंचबर्षीय योजनाओं की सफलता को ध्यान में रखते हुए किया जाना चाहिए।
3. ए,बी.सी. और डी. वर्गों में विभाजित राज्यों को समाप्त कर दिया जाए तथा इनकी जगह पर सोलह राज्यों तथा तीन केन्द्रशासित प्रदेशों का निर्माण किया जाए।

75. 1919 ई. के भारत शासन अधिनियम को 'मांटेस्क्यू-चेम्सफोर्ड सुधार' नाम से भी जाना जाता है।

(*i*) इस अधिनियम के अनुसार, केन्द्र में द्विसदनात्मक विधायिका की स्थापना की गई—प्रथम राज्यपरिषद् तथा दूसरी केन्द्रीय विधानसभा।

(*ii*) प्रांतों में द्वैध शासन प्रणाली का प्रवर्तन किया गया। इस योजना के अनुसार प्रान्तीय विषयों को दो उपवर्गों में विभाजित किया गया—आरक्षित तथा हस्तांतरित।

पिछले प्रश्न-पत्र (हल सहित)

UGC-NET, इतिहास

जूनियर रिसर्च फैलोशिप तथा सहायक प्राध्यापक परीक्षा, दिसम्बर-2015

प्रश्न-पत्र-II

नोटः *इस प्रश्न-पत्र में* ***पचास (50)*** *बहु-विकल्पीय प्रश्न हैं। प्रत्येक प्रश्न के* ***दो (2)*** *अंक हैं।* ***सभी प्रश्न अनिवार्य*** *हैं।*

1. भारत में प्राचीनतम चूल्हे का पुरातात्त्विक अवशेष मिला हैः

A. बिला सुरगाम से　　B. हुंस्गी से

C. भीमबेटका से　　D. महगरा से

2. दक्षिण एशिया में कहाँ पर सबसे प्राचीनतम गेहूँ-जौ की खेती का प्रमाण मिला है?

A. पंजाब　　B. बलुचिस्तान

C. सिन्ध　　D. राजस्थान

3. निम्नलिखित में से कौन सही सुमेलित **नहीं** है?

A. राखी गढ़ी - मध्य शहर

B. हड़प्पा - शवाधान - एच

C. मोहनजोदड़ो - शवाधान आर - 37

D. कालीबंगा - पुरुष और स्त्री का युग्म शवाधान

4. सूची-I (हड़प्पीय स्थल) को सूची-II (पुरातात्विक अवशेष) से सुमेलित कीजिए और दिए गए कूट का उपयोग करते हुए सही उत्तर का चयन कीजियेः

सूची–I (हड़प्पीय स्थल)	सूची–II (पुरातात्विक अवशेष)
(*a*) मोहनजोदड़ो	(*i*) कांस्य रथ
(*b*) हड़प्पा	(*ii*) उत्कीर्ण कांस्य कुल्हाड़ी
(*c*) लोथल	(*iii*) पकी मिट्टी का हल
(*d*) बनावली	(*iv*) हाथी दाँत का स्केल

कूटः

	(*a*)	(*b*)	(*c*)	(*d*)
A.	(*i*)	(*ii*)	(*iv*)	(*iii*)
B.	(*iii*)	(*i*)	(*ii*)	(*iv*)
C.	(*ii*)	(*i*)	(*iv*)	(*iii*)
D.	(*iv*)	(*iii*)	(*ii*)	(*i*)

5. निम्नलिखित में से किस वैदिक देवता का आवाहन एशिया माइनर के बोगजकुई अभिलेख में है?

A. अग्नि, रुद्र, सोम　　B. इंद्र, सूर्य, विष्णु

C. रुद्र, मरुत् पूषन्, भग　　D. इंद्र, नासत्य, मित्र, वरुण

6. भारत में कहाँ पर भोजपत्र (भारत की बहु प्रचलित लेखन सामग्री) का प्राचीनतम साक्ष्य पाया गया है?

A. कौशाम्बी　　B. हस्तिनापुर

C. अतरंजीखेड़ा　　D. शृंगवेरपुर

7. निम्नलिखित में से शुक्लयजुर्वेद की कौन संहिता है?

A. काठक　　B. मैत्रायणीय

C. तैत्तिरीय　　D. वाजसनेयी

8. निम्नलिखित में से किस दक्षिण-भारत के राज्य का उल्लेख मेगस्थनीज की इंडिका में है?

A. चेर　　B. पाण्ड्य

C. सतियपुत　　D. चोल

9. कहाँ पर भारतीय उपमहाद्वीप का सबसे बड़ा अर्धवृत्ताकार पूजास्थल खोजा गया है?

A. सिरसुख　　B. सिरकप

C. कौशाम्बी　　D. अनुराधापुर

10. निम्नलिखित में से कौन तृतीय संगम का अध्यक्ष था?

A. इरुण्डयार　　B. तिरिपुरमेरिठ्

C. नक्कीरर　　D. मुदिनगरयर

11. निम्नलिखित में से किस राजवंश ने भारत में सर्वप्रथम अपने सिक्कों पर तिथि का अंकन प्रारम्भ किया?

A. हिन्द-यवन　　B. हिन्द-सीथियन

C. कुषाण　　D. कर्दमक शक

12. बयाना निधि में समावेशित गुप्त शासकों के सिक्केः

A. चंद्रगुप्त I से बुद्धगुप्त तक

B. चंद्रगुप्त I से स्कंदगुप्त तक

C. चंद्रगुप्त II से विष्णुगुप्त तक

D. चंद्रगुप्त II से कुमारगुप्त III तक

13. निम्न में से किस अभिलेख में सूर्य मंदिर के प्रमाण का उल्लेख है?

A. ऐहोल B. मंदसौर

C. एरण D. बांसखेड़ा

14. निम्नलिखित में से भारत के किस राजवंश ने अपने सिक्के जारी **नहीं** किये?

A. चालुक्य B. पल्लव

C. राष्ट्रकूट D. चोल

15. निम्नलिखित में से काँची का कौन-सा शासक समुद्रगुप्त का समकालीन था?

A. महेन्द्र B. नीलराज

C. विष्णुगोप D. उग्रसेन

16. निम्नलिखित में से चोल देश में कौन स्थल सूती कपड़े के लिये प्रसिद्ध था?

A. कावेरीपत्तनम B. नन्दीपुर

C. उरैयूर D. तंजौर

17. निम्नलिखित में से कौन लेखक अपने समकालीन समाज की बुराइयों पर व्यंग्य करने के लिये जाना जाता है?

A. भास B. भवभूति

C. क्षेमेंद्र D. श्रीहर्ष

18. पैगम्बर मुहम्मद साहब की जीवनी *नाट-ए मुहम्मदी* को किसने संकलित किया?

A. अमीर खुर्द B. मिनहाज सिराज

C. शम्स-ए सिराज अफीफ D. जिया-उद्दीन बर्नी

19. सूची-I को सूची-II से सुमेलित कीजिए और नीचे दिए गए कूट में से **सही** उत्तर का चयन कीजिए:

सूची–I	सूची–II
(*a*) *बरबक*	(*i*) खौमा ढोने वाला
(*b*) *वकील-ए दर*	(*ii*) अंगरक्षकों का मुखिया
(*c*) *सर-ए जानदार*	(*iii*) शाही महल का प्रमुख प्रभारी
(*d*) *केवानी*	(*iv*) प्रबन्धक

कूट :

	(*a*)	(*b*)	(*c*)	(*d*)
A.	(*i*)	(*ii*)	(*iii*)	(*iv*)
B.	(*iv*)	(*iii*)	(*ii*)	(*i*)
C.	(*ii*)	(*iv*)	(*iii*)	(*i*)
D.	(*iii*)	(*i*)	(*iv*)	(*ii*)

20. निम्नलिखित में से कौन-सा कथन **सही नहीं** है?

A. सल्तनत की स्थापना के साथ पुरानी प्रणाली या प्रणालियाँ तुरंत ही समाप्त नहीं हो गईं, बल्कि वे कायम रहीं, हालांकि उनके ऊपर एक नए शासक वर्ग का प्रभुत्व स्थापित हो गया।

B. उपद्रवी क्षेत्रों को *मावास* कहा जाता था।

C. भू-राजस्व के निर्धारण और उसकी वसूली की अलाउद्दीन की प्रणाली उस प्रणाली से काफी कुछ मिलती-जुलती थी जिसे बाद में *कनकूत* कहा गया।

D. दो इतिहासकार, बर्नी और याह्या, मुहम्मद तुगलक के कृषि कर में वृद्धि के पैमानों के विभिन्न तरीकों की जानकारी देते हैं। याह्या कहता है कि कृषकों पर नया अतिरिक्त कर (*अबवाब*) लगाया जाता था और बर्नी कहता है कि तीन बड़े कर ज्यादा गंभीरता से निर्धारित किए जाते थे और सख्ती से वसूले जाते थे।

21. निम्नलिखित उद्धरण का लेखक कौन है?

''यह हो सकता है कि भारतीय राज्यों में विजयनगर का राज्य 'सामंतवाद' के कुछ रूपों के नजदीक रहा हो, लेकिन इस 'युद्ध राज्य' तथा यूरोप एवं जापान के दूसरे राज्यों– जिनके लिए 'सामंतवाद' शब्द इस्तेमाल किया गया है– इन दोनों के बीच का फर्क इतना बुनियादी रहा है कि यह अवधारणा उस समय की सामाजिक व्यवस्था के विमर्श के लिए कोई उपयोगी ढांचा नहीं दे पाती।''

A. डी.सी. सरकार B. नीलकंठ शास्त्री

C. ए. कृष्णास्वामी D. बर्टन स्टाइन

22. नीचे लिखे अंश को पढ़ें:

''मैंने मान सिंह और बिक्रमजीत के भवनों का गहराई से निरीक्षण किया, वे अद्भुत हैं, पूरी तरह से पत्थरों के भारी असममित टुकड़ों को तराश कर बनाए गए हैं। सभी राजाओं के भवनों में मान सिंह के भवन सबसे उदात्त और श्रेष्ठ हैं।''

ग्वालियर के राजभवन को देखने के बाद ये विचार किसने व्यक्त किए थे?

A. बाबर B. अकबर

C. जहांगीर D. शाहजहां

23. निम्नलिखित में से कौन-सा स्रोत अब्दुल्ला कुतुब शाह (1626-72) के शासन के आरंभिक उन्नीस वर्षों के इतिहास का बयान करता है, जो कुतुब शाही दरबार के रोजनामचे की तरह है और उस समय के सामाजिक जीवन तथा प्रशासन पर प्रकाश डालता है?

A. मीर रफी उद-दीन का *तजकीरात उल मूलूक*

B. मिर्जा निजामुद्दीन अहमद का *हकीकत-उ-सलातीन*

C. मनसा राम का *मासिर-ए निजामी*

D. तबतबाई का *बुरहान-ए मासिर*

24. मुगलों के जमाने के बादशाह को तोहफे देने के लिए दो तरीके प्रचलित थे– *पेशकश* और *नज्र*। औरंगजेब ने इस शब्दावली को नए सिरे से पारिभाषित किया।

निम्नलिखित में से कौन-सा कथन इस संदर्भ में **सही नहीं** है?

A. नकद के रूप में दी जाने वाली हर *पेशकश* को *नज्र* कहा जाए।

B. राजकुमारों द्वारा दिए जाने वाले तोहफों को *नियाज* कहा जाए।

C. अमीरों द्वारा दिए जाने वाले तोहफे को *निसार* कहा जाए।

D. कम महत्वपूर्ण अवसरों पर धन्यवाद देने और सम्मान व्यक्त करने के लिए दिए जाने वाले तोहफे को *नज्र* कहा जाए।

25. मुगलों के जमाने में विकसित हुई तकनीक के संबंध में निम्न में से कौन-सा कथन **सही नहीं** है?

A. वे वस्त्र जो सारी दुनिया में मशहूर थे, वह बिना बहुचक्रीय करघों की सहायता के तैयार किये जाते थे।

B. समुद्री यात्राओं पर जाने वाली नौकाओं में एस्ट्रोलेब के अलावा और कोई आधुनिक समुद्री उपकरण नहीं होता था।

C. मुगलों के महान् स्मारकों तक का निर्माण एक पहिया ठेला गाड़ियों जैसे प्रारंभिक उपकरणों की मदद से किया गया था।

D. यहाँ तक कि मशीनी काम के लिए सही खांचों वाले पेच भी नहीं बनाए जाते थे।

26. मध्यकालीन भारत के ऐतिहासिक स्रोतों में '*चकला*' शब्द का प्रयोग किन अर्थों में हुआ है?

A. *परगना* के समानार्थी

B. *सरकार* के समानार्थी

C. *टप्पा* के समानार्थी

D. *सूबा* और *परगना* के बीच की क्षेत्रीय इकाई, लेकिन अनिवार्यतः *सरकार* के समानार्थी नहीं।

27. निम्नलिखित में से कौन-सा कथन **सही नहीं** है?

A. *खालिसा शरीफा* के अंतर्गत साम्राज्य के खजाने के लिए कर संग्रह किया जाता था।

B. *जागीरों* की लगातार अदला-बदली होती रहती थी। ऐसा संभव था कि एक समय जो क्षेत्र *खालिसा* के अधीन हो, उसे बाद में *जागीर* में स्थानांतरित कर दिया जाए।

C. *जागीरों* के आबंटन में *जमादामी* की कोई भूमिका नहीं होती थी।

D. *मनसबदारों* को नकद वेतन के बदले *जागीरें* दी जाती थी।

28. निम्नलिखित में से कौन-सी वस्तु, जो अंग्रेजों द्वारा जहांगीर के दरबार में पेश की गई थी, को 'मुगलों के लिए आश्चर्य' के रूप में माना गया?

A. समुद्री-कोयला (सी-कोल)

B. चश्मे

C. यांत्रिक घड़ी

D. अरबी तथा फारसी में मुद्रित किताबें

29. मानुकी ने निम्नलिखित भावपूर्ण टिप्पणी किसके बारे में की है?

"जब कोई भूख से बेजार आदमी अपने दिमाग में राज्य को नष्ट करने की बात ठान लेता है, तो वह बादशाह के पास जाता है और कहता है, महाशय! आगर आप मुझे धन उगाहने और कुछ हथियारबंद सिपाहियों की भर्ती की इजाजत दे दें, तो मैं आपको इतने लाख दूंगा।"

A. *जागीरदारी* B. *इजारादारी*

C. *जमींदारी* D. *दीवानी*

30. विद्वानों ने विभिन्न चरों का प्रयोग कर मुगलकालीन भारत की जनसंख्या का अनुमान लगाया है। इस संदर्भ में निम्न में से कौन-सा कथन **सही नहीं** है?

A. मोरलैंड ने मुगलकालीन भारत की जनसंख्या का अनुमान कृषि क्षेत्र के विस्तार (*अराजी*) के आधार पर लगाया है।

B. मोरलैंड ने दक्खन और दक्षिण भारत की जनसंख्या का अनुमान नागरिकः सैनिक अनुपात के आधार पर लगाया है।

C. अशोक वी. देसाई ने मुगलकालीन भारत की आबादी का अनुमान सकल तथा प्रति व्यक्ति भू-राजस्व के आधार पर लगाया है।

D. किंग्स्ले डेविस ने भारत की जनसंख्या के मोरलैंड के आंकड़े को सुधार कर 100 मिलियन से 145 मिलियन कर दिया।

31. ''मुगल प्रशासन की गोलकुंडा, बीजापुर और कर्नाटक तक फैलाने की कोशिशों ने उसे टूट के कगार पर ला दिया .... शायद औरंगजेब को यह बेहतर सलाह दी जाती कि वह अपने सबसे बड़े बेटे शाह आलम की यह सलाह मान लेता कि बीजापुर और गोलकुंडा के कुछ हिस्सों को अपने साथ मिला कर उनसे समझौता कर लिया जाए और उन्हें कर्नाटक पर हुकूमत करने दी जाए, जो काफी दूर था और जिसका प्रबंधन मुश्किल था।''

ये विचार किसके हैं?

A. जदु नाथ सरकार　　B. अतहर अली

C. सतीश चंद्र　　D. जे.एफ. रिचर्ड्स

32. मुगल दरबार की तहजीब के बारे में निम्नलिखित में से कौन-सा कथन सत्य **नहीं** है?

A. दरबार की कार्यवाही के दौरान अमीरों को बैठने की इजाजत नहीं होती थी।

B. औरंगजेब ने 1683 में यह आदेश जारी किया था कि 2000 से नीचे स्तर के *मनसबदारों* को बादशाह से छुट्टी लेने के लिए *फातिहा* के पढ़े जाने का इंतजार करना जरूरी नहीं होगा।

C. औरंगजेब ने 1693 में यह आदेश जारी किया था कि अमीरों की पोशाक का रंग लाल नहीं होना चाहिए।

D. बादशाह के सामने अमीरों को *नीम* आस्तीन पहन कर और कंधों पर शाल लपेट कर ही उपस्थित होना होता था।

33. कहाँ पर ऐसा स्कूल विकसित हुआ जहाँ *मिफ्ताह-उल फुजाला* जैसे शब्दकोश के साथ अन्य पांडुलिपियों का प्रचुर मात्रा में चित्रांकन किया गया?

A. बंगाल　　B. मालवा

C. गुजरात　　D. दक्कन

34. भारत में यूरोपीय व्यापारिक कम्पनियों के आगमन को कालक्रमानुसार क्रमबद्ध कीजिये।

(*a*) पुर्तगाली　　(*b*) ब्रिटिश

(*c*) डच　　(*d*) फ्रांसीसी

दिए गए कूट में से **सही** उत्तर का चयन कीजियेः

A. (*d*), (*b*), (*a*), (*c*)　　B. (*c*), (*a*), (*d*), (*b*)

C. (*b*), (*d*), (*a*), (*c*)　　D. (*a*), (*c*), (*b*), (*d*)

35. कर्नाटिक में काउंट द लैली के सैन्य अभियानों से संबंधित निम्नलिखित वक्तव्यों पर विचार कीजिए:

(*a*) घरेलू सरकार ने लैली की धीरे-धीरे अंदरूनी क्षेत्रों पर कब्जा जमाने का निर्देश दिया।

(*b*) भारत में फ्रांसीसियों को सर्वश्रेष्ठ लाभ दिलाने के लिए भारतीय रियासतों के आपसी झगड़ों में शामिल होना।

(*c*) भारतीय तटों पर अंग्रेजों के किलाबन्द स्थलों पर कब्जा जमाने के प्रयासों पर ध्यान देना।

(*d*) कंपनी के प्रशासन के लिए आवश्यक माने गए सुधारों को प्रस्तुत किया।

नीचे दिए गए कूट की सहायता से **सही** उत्तर का चयन कीजिए:

A. (*a*), (*b*) और (*c*) सही हैं　B. (*b*), (*c*) और (*d*) सही हैं

C. (*a*) और (*b*) सही हैं　　D. (*c*) और (*d*) सही हैं

36. निम्नलिखित में से किसके बीच 1802 में बेसिन की संधि पर हस्ताक्षर किए गए?

A. बड़ौदा के गायकवाड़ और मॉरक्विस ऑफ वैलसली

B. मल्हारराव होलकर और माउंटस्टूअर्ट एल्फिनस्टोन

C. पेशवा बाजीराव II (द्वितीय) और मॉरक्विस ऑफ वैलसली

D. सातारा के राजा प्रताप सिंह और माउंटस्टूअर्ट एल्फिनस्टोन

37. 1832-33 के कोल जनजाति विद्रोह में कौन-सी जनजाति सम्मिलित नहीं थी?

A. चुआर　　B. होज

C. भील　　D. मुन्डा

38. निम्नलिखित में से कौन बैप्टिस्ट मिशनरी समुदाय से संबंधित नहीं था?

A. विलियम कैर　　B. मौन्तलाम्बर्ट

C. जोशुआ मार्शमैन　　D. विलियम वार्ड

39. दयानन्द सरस्वती निम्नलिखित किस धार्मिक विचार के विरोधी नहीं थे?

A. मूर्तिपूजा B. बहुदेववाद
C. सर्वेश्वरवाद D. गाय के प्रति पूज्यभाव

40. निम्नलिखित में से कौन एक प्राच्यविद् (ऑरियेंटेलिस्ट) नहीं था?

A. एच.टी. कोलब्रूक B. चार्ल्स ग्रांट
C. विलियम कैरी D. जेम्स प्रिंसैप्स

41. दादा भाई नौरोजी द्वारा प्रचारित धन-निष्क्रमण सिद्धान्त का मूल तत्त्व किसमें निहित था?

A. शासक जाति के व्यापारियों द्वारा व्यापारिक गतिविधियों का दुरुपयोग।
B. रियासती राजाओं से अनुचित तरीके से प्राप्त धन और उसे इंग्लैण्ड भेजना।
C. भारत से एकतरफा निर्यात।
D. ब्रिटिश उत्पादित वस्तुओं को भारतीय बाजारों में भर देना।

42. **सूची-I** में उल्लेखित सामाजिक आंदोलनों को **सूची-II** में उल्लेखित क्षेत्रों के साथ सुमेलित कीजिए, ये किन क्षेत्रों में हुए। सही कूट का चयन कर उत्तर दीजिए:

सूची–I	**सूची–II**
(*a*) परमहंस मंडली	(*i*) पंजाब
(*b*) कायस्थ सभा	(*ii*) महाराष्ट्र
(*c*) सरीन सभा	(*iii*) केरल
(*d*) श्री नारायण धर्म परिपालन सभा	(*iv*) उत्तर प्रदेश

कूटः

	(*a*)	(*b*)	(*c*)	(*d*)
A.	(*ii*)	(*iv*)	(*i*)	(*iii*)
B.	(*i*)	(*ii*)	(*iii*)	(*iv*)
C.	(*iv*)	(*iii*)	(*ii*)	(*i*)
D.	(*iii*)	(*i*)	(*iv*)	(*ii*)

43. नीचे दो वक्तव्य दिए गए हैं। एक को **कथन (A)** और दूसरे को **कारण (R)** कहा गया है:

कथन (A): कुछ लोगों का विचार था कि एक समाजवादी सरकार के अंतर्गत उपनिवेशवाद ने एक सकारात्मक सभ्यतापरक भूमिका निभाई।

कारण (R): समाजवादी आंदोलन के कुछ वर्गों के द्वारा अपनी-अपनी सरकारों की औपनिवेशिक नीतियों का समर्थन करने के लिए ऐसे विचारों का अक्सर उपयोग किया।

उपर्युक्त दोनों वक्तव्यों के संदर्भ में निम्नलिखित में से कौन-सा **सही** है?

A. (A) और (R) दोनों सही हैं और (R), (A) की सही व्याख्या है।
B. (A) और (R) दोनों सही हैं, किन्तु (R), (A) की सही व्याख्या नहीं है।
C. (A) सही है, किन्तु (R) गलत है।
D. (A) गलत है, किन्तु (R) सही है।

44. **सूची-I** को **सूची-II** से सुमेलित कीजिये एवं नीचे दिए गए कूट में से **सही** उत्तर का चयन कीजिए:

सूची–I (भारतीय राष्ट्रीय कांग्रेस के अध्यक्ष)	**सूची–II (वर्ष)**
(*a*) रहीमतुल्लाह सयानी	(*i*) 1887
(*b*) बदरुद्दीन तैयबजी	(*ii*) 1896
(*c*) मौलाना अबुल कलाम आजाद	(*iii*) 1913
(*d*) नवाब सैयद मोहम्मद	(*iv*) 1945

कूटः

	(*a*)	(*b*)	(*c*)	(*d*)
A.	(*ii*)	(*iii*)	(*i*)	(*iv*)
B.	(*iv*)	(*ii*)	(*i*)	(*iii*)
C.	(*ii*)	(*i*)	(*iv*)	(*iii*)
D.	(*iv*)	(*i*)	(*iii*)	(*ii*)

45. निम्नलिखित में से कौन - *द इंडियन स्ट्रॅगल 1935-1942* पुस्तक का लेखक है?

A. लाला लाजपत राय B. मोतीलाल नेहरू
C. पट्टाभि सीतारामैया D. सुभाष चंद्र बोस

46. निम्नलिखित में से किस तिथि को मुस्लिम लीग द्वारा "सीधी कार्यवाही का दिवस" (डायरेक्ट एक्शन डे) मनाया गया था?

A. 16 जून, 1946 B. 16 जुलाई, 1946
C. 16 अगस्त, 1946 D. 16 सितम्बर, 1946

47. निम्नलिखित में से कौन-से बड़े राज्यों ने जून 1947 में ही स्वतंत्र बने रहने की इच्छा व्यक्त की थी?

A. ट्रावनकोर एवं भोपाल B. जोधपुर एवं जूनागढ़
C. जयपुर एवं उदयपुर D. मैसूर एवं बड़ोदा

48. सबाल्टर्न स्कूल का एक विशिष्ट कथन "प्रोज ऑफ काउंटर-इनसरजैन्सी" निम्नलिखित में से किसके द्वारा लिखा गया था?

A. डेविड आर्नाल्ड

B. गायत्री चक्रवर्ती-स्पीवॉक

C. रणजीत गुहा

D. दिपेश चक्रवर्ती

49. निम्नलिखित में से किसने माना कि: "जैसे कि डार्विन ने जैविक प्रकृति के विकास के नियम की खोज की थी, इसी प्रकार मार्क्स ने मानव इतिहास के विकास के नियम की खोज की थी"?

A. फ्रैडरिक एंजिल्स B. ए.जे.पी. टेलर

C. चार्ल्स ए. बीयर्ड D. ए. मार्विक

50. भारतीय राष्ट्रीय इतिहास लेखन से संबंधित निम्नलिखित वक्तव्यों पर विचार कीजिए:

(*a*) इसमें व्यग्रता के साथ राष्ट्रीय पहचान की खोज की गई।

(*b*) तर्क का स्थान भावनात्मक दृष्टिकोण ने नहीं लिया।

(*c*) वस्तुनिष्ठता के आदर्श का राष्ट्रवादी इतिहासकारों के हाथों से हनन नहीं हुआ।

(*d*) प्राचीन भारतीय अतीत का महिमा मंडन किया गया।

नीचे दिए गए कूटों में से **सही** उत्तर का चयन करें:

A. (*a*), (*b*) और (*d*) सही हैं

B. (*b*) और (*c*) सही हैं

C. (*b*), (*c*) और (*d*) सही हैं

D. (*a*) और (*d*) सही हैं

उत्तरमाला

1	2	3	4	5	6	7	8	9	10
A	B	C	C	D	D	D	B	B	C
11	**12**	**13**	**14**	**15**	**16**	**17**	**18**	**19**	**20**
D	B	B	B	C	C	C	D	B	D
21	**22**	**23**	**24**	**25**	**26**	**27**	**28**	**29**	**30**
D	A	B	D	C	D	C	A	B	D
31	**32**	**33**	**34**	**35**	**36**	**37**	**38**	**39**	**40**
C	D	B	D	D	C	C	B	D	B
41	**42**	**43**	**44**	**45**	**46**	**47**	**48**	**49**	**50**
C	A	A	C	D	C	A	C	A	D

कुछ चुने हुए प्रश्नों के व्याख्यात्मक उत्तर

3. हड़प्पा : अन्नागार, श्रमिक आवास, प्रसाधन मंजूषा, ठोस पहियों वाली गाड़ी के अवशेष, आर-37 (R-37) कब्रिस्तान, तांबे का पैमाना, तांबे का दर्पण, कांसे की बनी एक नर्तकी की मूर्ति, लाल बालू पत्थर का नग्न पुरुष का धड़ (जैन या यक्ष की मूर्ति के समान) आदि।

मोहनजोदड़ो : सीप निर्मित पैमाना, सूती एवं ऊनी कपड़े के अवशेष, महास्नानागार, विशाल जलाशय, ईंट के भट्ठे, फियांस की बनी एक गिलहरी, मशहूर कांस्य नर्तकी की प्रतिमा, पुजारी का सिर, मातृदेवी की मृण्मूर्ति, विशाल अन्नागार, पशुपति की मुहर, लिंगीय प्रस्तर, एक सभागार 16 मकानों का बैरक, दाढ़ी वाले साधु की मूर्ति आदि।

कालीबंगा : हल से जुते खेत के साक्ष्य, मिट्टी की काले रंग की चूड़ियाँ, पकी मिट्टी का पैमाना, हल का चिह्न, बेलनाकार मुहरें, जौ, चना, सरसों, लकड़ी की पाइप, अलंकृत ईंट, कब्रिस्तान, कच्चे ईंट का प्रयोग आदि।

लोथल : युगल शवाधान, बंदरगाह (गोदी बाड़ा), हाथी के पैर की हड्डी, घोड़े की मृण्मूर्ति, बैल, खरगोश और कुत्ते की आकृति, मिट्टी की बनी नाव आदि।

बनावली : हल की आकृति के खिलौने, सड़कें और जल निकासी के अवशेष, जौ, तिल और सरसों का ढेर, मिट्टी की चूड़ियाँ, मातृदेवी की मूर्ति, पीपल की पत्ती के आकार के कुण्डले।

राखीगढ़ी : मिट्टी का बना हल, मुद्रा जिस पर सिन्धु लिपि का एक लेख अंकित है।

5. चौदहवीं सदी ईसा पूर्व के बोगाजकोई के अभिलेखों में छिट्टयात राजा शुस्बिलूलिउमा और मितानी राजा मतिउअजा के मध्य हुई संधि के संदर्भ में वैदिक देवताओं 'इन्द्र, मित्र, वरुण, नासत्य' का उल्लेख है।

7. यजुर्वेद : 'युजुष' शब्द का अर्थ यज्ञ है। इस वेद में यज्ञों को संपन्न कराने वाले सहायक मंत्रों का संकलन है। इस वेद के मंत्रों का उच्चारण 'उध्वर्यु' नामक पुरोहित करता था। यह पाँच शाखाओं में विभक्त है–काष्ठक, कपिष्ठल, मैत्रायणी, तैतरीय तथा वाजसनेयी। इस वेद के दो भाग हैं–शुक्ल यजुर्वेद तथा कृष्ण यजुर्वेद। शुक्ल यजुर्वेद की संहिता वाजसनेयी है।

8. पांड्यों का सर्वप्रथम उल्लेख मेगास्थनीज ने किया है। उसके अनुसार यह राज्य मोतियों के लिए प्रसिद्ध था। मेगास्थनीज के अनुसार इस राज्य पर एक औरत का शासन था। इसमें पांड्य राज्य के प्रारंभ में मातृसत्तात्मक होने का संकेत मिलता है।

- पांड्य राज्यों में आधुनिक विन्नेवेल्ली, रामनद और मदुरा जिले सम्मिलित थे।
- पांड्य की राजधानी मदुरा थी। पांड्य शासकों को तीन संगमों के संरक्षण का श्रेय प्राप्त है।
- पांड्य राजा के रोमन शासक आगस्टस के दरबार में अपने राजदूत भेजे थे।
- पांड्यों का प्रथम शासक नेडियोन था। इसने पहरूली नामक नदी को अस्तित्व प्रदान किया तथा समुद्र की पूजा भी इसी ने प्रारंभ कराई थी।
- नेडियोन के पश्चात् मुदुकुडुमी शासक बना। इसने अनेक यज्ञ करवाये तथा पलशाले की उपाधि धारण की।
- तीसरा शासक नेडुंजेलियन था। इसने पाँच राजाओं के संघ को तलेयालेगानम नामक युद्ध में परास्त किया था।

10. इरैयनार अगप्पोरूल की भाष्य की भूमिका में तीन संगमों का विवरण प्राप्त होता है।

प्रथम संगम (प्राचीन मदुरा में आयोजित)–इस संगम के अध्यक्ष ऋषि अगस्त्य थे। इसे 89 पांड्य शासकों द्वारा संरक्षण प्रदान किया गया था। इसमें 4499 कवियों की रचनाएँ सम्मिलित हुई थीं तथा यह 4400 वर्ष तक चला था, ऐसा विवरण प्राप्त होता है, परंतु यह अतिरंजनापूर्ण वर्णन है।

द्वितीय संगम (कपातपुरम में आयोजित)–इस संगम की अध्यक्षता अगस्त्य तथा तोलकप्पियम ने किया था। ऐसा साहित्यिक उल्लेख प्राप्त होता है जिसके अतिरंजनापूर्ण विवरण के अनुसार इसे 59 पांड्य राजाओं का संरक्षण प्राप्त हुआ तथा इसमें 49 सदस्य सम्मिलित हुए थे।

तृतीय संगम (मदुरा में आयोजित)–इस संगम के अध्यक्ष नक्कीरर नामक कवि थे। यह संगम 1850 वर्ष तक चला बताया गया है तथा तमिल विवरण के अनुसार इसमें 449 कवियों ने भाग लिया। तीसरे संगम के तीन ग्रंथ अब उपलब्ध हैं–1. पत्थुप्पस्तु, 2. एतुत्थोकई, 3. पादिने नकील कनवकु।

11. उत्तरी क्षत्रप का भारत का संभवतः प्रथम शक शासक 'माउस या मग' था जिन्होंने अधिकांश ताँबे और कुछ मात्रा में चाँदी के सिक्के चलाये। नासिक के शक (पश्चिमी क्षत्रप) में क्षहरात वंश का शासन था। इसका पहला शासक 'भूमक' था।

उज्जैन की शक शाखा में कदमंक वंश का शासन था। इस वंश का संस्थापक 'चष्टण' था। चष्टण ने अपने अभिलेखों में 'शक संवत' का प्रयोग किया था। यह अपने कुल का एकमात्र शासक था जिसने अपने सिक्कों पर यूनानी, खरोष्ठी और ब्राह्मी तीनों लिपियों का प्रयोग किया।

13. मंदसौर अभिलेख : मंदसौर प्राचीन मालवा में स्थित था, जिसका एक नाम दशपुर भी मिलता है। यह लेख प्रशस्ति के रूप में है जिसकी रचना वत्स भट्ट ने की थी। इसमें कुमार गुप्त के राज्यपाल वन्तुवर्मा तथा सूर्यमंदिर के निर्माण का उल्लेख है।

14. पल्लव वंश का संस्थापक सिंहविष्णु था। इसकी राजधानी कांची (तमिलनाडु में काँचीपुरम) थी। सिंहविष्णु वैष्णव धर्म का अनुयायी था। इस वंश का अंतिम शासक अपराजित था। महाबलीपुरम के एकाश्मक रथों का निर्माण पल्लव राजा नरसिंह वर्मन प्रथम के द्वारा करवाया गया था। वातपीकोंड की उपाधि नरसिंहवर्मन प्रथम ने धारण की थी। काँची के कैलाशनाथ मंदिर का निर्माण नरसिंहवर्मन द्वितीय ने करवाया था। इसे राजसिद्धेश्वर मंदिर भी कहा जाता है। पल्लव राजवंश ने अपने सिक्के जारी नहीं किए थे।

15. समुद्रगुप्त गुप्त साम्राज्य का सर्वाधिक विस्तारवादी शासक था। उसने 335 ई. से 375 ई. तक शासन किया। क्रूर विस्तारवादी नीति के कारण समुद्रगुप्त को 'भारत का

नेपोलियन' कहा जाता है। हरिषेण, उसका दरबारी कवि और मंत्री था, जिसने प्रयाग-प्रशस्ति की रचना की थी। सिक्कों पर समुद्रगुप्त की उपाधि 'अश्वमेध पराक्रम' मिलती है और उसे वीणा-वादक के रूप में दर्शाया गया है। काँची का शासक विष्णुगोप समुद्रगुप्त का समकालीन था।

16. चोल संगमकालीन राज्यों में सर्वाधिक शक्तिशाली राज्य था। यह पेन्नार तथा दक्षिणी वेल्लार नदियों के मध्य स्थित था। इसे चोलमण्डलम या कोरोमण्डल भी कहा जाता था। चोलों की सत्ता का प्रमुख केंद्र उरैयुर था जो राज्य की राजधानी भी थी। उरैयुर सूती कपड़े के लिए प्रसिद्ध था। प्रारंभिक चोल राजाओं में सर्वाधिक महत्वपूर्ण शासक करिकल था। इसने 100 ई. के आस-पास शासन किया। इसने पुहार की स्थापना की तथा कावेरी नदी पर 100 किमी. लंबा बाँध बनवाया। चोल शासकों की स्मृति का मुख्य कारण था सूती कपड़े का व्यापार।

18. जियाउद्दीन बरनी रचित 'तारीख-ए-फिरोजशाही' द्वारा बलबन के राज्याभिषेक से फिरोजशाह तुगलक के शासनकाल के छठे वर्ष तक के इतिहास की जानकारी मिलती है। इनके द्वारा रचित 'फतवा-ए-जहाँदारी' से मुहम्मद बिन तुगलक के विषय में जानकारी प्राप्त होती है। इसके साथ-साथ बरनी के द्वारा पैगम्बर मुहम्मद साहब की जीवनी 'नाट-ए-मुहम्मदी' का संकलन भी किया गया।

19. **सल्तनतकालीन प्रशासनिक अधिकारी**

- वजीर (प्रधानमंत्री)–राजस्व विभाग का प्रमुख।
- मुशरिफ-ए-ममालिक (महालेखाकार)–आय-व्यय का लेखा रखना।
- मुस्तौफी-ए-ममालिक (महालेखा परीक्षक)–लेखों की जांच करना तथा आय-व्यय का निरीक्षण करना।
- केवानी–खौमा ढोने वाला।
- मजमुआदार–उधार दिए गए धन का हिसाब रखना।
- आरिज-ए-ममालिक–सैन्य विभाग का प्रधान।
- सद्र-उस-सुदूर–धर्म एवं दान विभाग का प्रमुख।
- काजी-उल-कजात–सुल्तान के बाद न्याय का सर्वोच्च अधिकारी।
- बरीद-ए-मुमालिक–गुप्तचर विभाग का प्रधान।
- बरबक–दरबार की कार्यवाही का संचालक।
- अमीर-ए-बहर–जलमार्गों की देख-रेख करने वाला।
- अमीर-ए-शिकार–शाही शिकार का प्रबन्धक।
- वकील-ए-दर–यह शाही महल एवं सुल्तान की व्यक्तिगत सेवाओं की देखभाल करता था।
- अमीर-ए-मजलिस–शाही उत्सवों एवं दावतों का प्रबन्ध करता था।
- सर-ए-जांदर–सुल्तान के अंगरक्षकों का अधिकारी होता था।
- अमीर-ए-पील–हस्तिशाला का अध्यक्ष।
- अमीर-ए-आखूर–अश्वशाला का अध्यक्ष।

22. "मैंने मानसिंह और विक्रमजीत के भवनों का गहराई से निरीक्षण किया, वे अद्‌भुत हैं, पूरी तरह से पत्थरों के भारी असममित टुकड़ों को तराश कर बनाए गए हैं। सभी राजाओं के भवनों में मानसिंह के भवन सबसे उदात्त और श्रेष्ठ हैं।" यह कथन बाबर के द्वारा व्यक्त किया गया था। बाबर ने ही भारत में मुगल साम्राज्य की नींव डाली। मुगल भी तुर्क मुसलमान थे। बाबर का जन्म 24 फरवरी, 1483 ई. में हुआ था। बाबर ने अपने पिता की मृत्यु के बाद फरगाना की, गद्‌दी पर 1514 ई. में बैठा। बाबर ने 1507 में 'बादशाह' की उपाधि धारण की, जिसे अब तक किसी तैमूर शासक ने धारण नहीं किया था।

23. मिर्जा निजामुद्दीन अहमद के द्वारा रचित 'हकीकत-उ-सलातीन' के माध्यम से अब्दुल्ला कुतुबशाह (1626-72) के शासन के आरंभिक 29 वर्षों के इतिहास का बयान करता है, जो कुतुबशाही दरबार के रोजनामचे की तरह है और उस समय के सामाजिक जीवन तथा प्रशासन पर प्रकाश डालता है। इसी प्रकार 'तबकात-ए-अकबरी' से दिल्ली सल्तनत के उत्तरार्द्ध एवं मुगलकालीन भारत की जानकारी प्राप्त होती है।

25. मुगल काल में विकसित हुए विज्ञान और प्रौद्योगिकी

- तुर्कों के आगमन के बाद भारत के साथ इस्लामी या अरबी कहलाने वाले विज्ञान का अधिकाधिक संपर्क हुआ था। फलतः यहाँ कई नई प्रौद्योगिकियों का समावेश हुआ–जैसे कागज, चरखे, सुधरे हुए अधिक उपयोगी रहट आदि।
- खड़िया मिट्टी और चूने को मिलाकर मजबूत गारा बना जिसके कारण भव्य और विशाल इमारतों का निर्माण।
- अकबर के अधीन विकसित अनेक बंदूकों की नलियों को एक साथ साफ करने की विधि तथा चलती गाड़ी से अनाज पीसने की तकनीक का विकास।

- समुद्री यात्राओं पर जाने वाली नौकाओं में एस्ट्रोलेब के अलावा और कोई आधुनिक समुद्री उपकरण नहीं होता था।
- इस समय मामूली-सी पेंच और स्प्रिंग की अनुपस्थिति के कारण भारत में मशीनों का निर्माण कठिन था।

26. मुगलकालीन प्रशासन की दृष्टि से प्रत्येक सूबे को अनेक इकाइयों में बाँटा गया था। इन इकाइयों को सरकार कहा जाता था। प्रत्येक सरकार को पुनः परगना या महल में विभाजित किया गया था। इन परगनों में जिले या दस्तूर बनाए गए थे। ये प्रशासन की सबसे छोटी इकाई थी। परगनों के अंतर्गत गाँव होते थे जिन्हें मावदा या डीह कहा जाता था। मावदा के अंतर्गत बहुत छोटी-छोटी बस्तियाँ होती थीं जिन्हें नागला कहा जाता था। शाहजहाँ के समय में परगना और सरकार के बीच एक और इकाई का निर्माण किया गया जिसे चकला कहते थे और जिनके अंतर्गत कुछ परगने आते थे। सरकार की संख्या को भी बनाए रखा गया। अकबर के समय में सूबे के प्रमुख को सिपहसालार (सूबेदार) भी कहा जाता था। बाद में उन्हें निजाम कहा जाने लगा।

27. **मुहतसिब**–जनता के सदाचार-निरीक्षण करने वाले विभाग का प्रधान। वह मुसलमानों से कुरान के नियमों का पालन करवाता तथा जनता को शरियत के विरुद्ध कार्य करने से रोकता था।

दीवान–यह महलों में राजस्व एकत्रित करता था। लेखा-जोखा करना तथा दान की भूमि की देखभाल करना इसका प्रमुख उद्देश्य था।

खालसा–प्रत्यक्ष रूप से बादशाह के अधीन भूमि खालसा भूमि कहलाती थी। यह भूमि संपूर्ण साम्राज्य का 20वाँ हिस्सा होती थी।

जागीर–वेतन के बदले दी जाने वाली भूमि को 'जागीर भूमि' कहा गया है।

सयूरगल (मदद-ए-माश)–अनुदान में दी गई लगानहीन भूमि। इसे मिल्क भी कहा जाता था।

28. अकबर का उत्तराधिकारी जहाँगीर था जो 24 अक्टूबर, 1605 ई. को शासक बना। जहाँगीर को न्याय की जंजीर के लिए जाना जाता है। जहाँगीर ने सिखों के पाँचवें गुरु, गुरु अर्जुनदेव को शाहजादा खुसरो की सहायता करने के कारण मृत्युदंड दिया। जहाँगीर ने फारसी में अपनी आत्मकथा तुजुक-ए-जहाँगीरी की रचना की। जहाँगीर के शासनकाल में प्रथम अंग्रेज मिशन कैप्टन हॉकिंगस के नेतृत्व में मुगल दरबार में आया जिसे व्यापारिक अनुमति नहीं मिली। सर टॉमस रो के नेतृत्व में दूसरा व्यापारिक मिशन भारत आया जिसे व्यापारिक अनुमति मिली। अंग्रेजों द्वारा जहाँगीर को समुद्री-कोयला (सी-कोल) पेश की गई थी जो 'मुगलों के लिए आश्चर्य' था। जहाँगीर के शासनकाल में 1613 ई. में अंग्रेजों द्वारा सूरत में प्रथम व्यापार केन्द्र की स्थापना की गई।

32. मुहीउद्दीन मुहम्मद औरंगजेब का जन्म नवंबर 1618 ई. को उज्जैन के निकट दोहद में हुआ। प्रारंभ में इसे 1634 ई. में दस हजार जात व चार हजार सवार का मनसब दिया गया। पुरंदर की संधि जून, 1665 ई. में शिवाजी व राजा जयसिंह के बीच हुई। शिवाजी ने अपने तेईस किले राजा जयसिंह को दिए। शिवाजी 1660 ई. में औरंगजेब के आगरा दरबार में पहुँचे, परंतु कैद कर लिए जाने पर गुप्त रूप से भागकर महाराष्ट्र पहुँच गए। इनके समय में हिन्दू मनसबदारों की संख्या में बढ़ोत्तरी हुई। 1665 ई. में हिन्दू-व्यापारियों के माल पर कर 5 प्रतिशत बढ़ा दिया। 1669 ई. में मंदिरों को ध्वस्त करने का आदेश दिया। 1679 ई. में औरंगजेब ने हिंदुओं पर पुनः जजिया कर लगा दिया। औरंगजेब ने धर्म को एक हथियार के रूप में प्रयोग किया। इसके साथ ही साथ औरंगजेब ने 1683 में यह आदेश जारी किया था कि 2000 से नीचे स्तर के मनसबदारों को बादशाह से छुट्टी लेने के लिए फातिहा के पढ़े जाने का इंतजार करना जरूरी नहीं है। इन्होंने 1693 में यह भी आदेश जारी किया था कि अमीरों की पोशाक का रंग लाल नहीं होना चाहिए।

34. भारत में यूरोपीय शक्तियों का प्रवेश–

यूरोपीय शक्ति	वर्ष
पुर्तगाली	1498 ई.
डच	1605 ई.
अंग्रेज	1608 ई.
डेनिस	1616 ई.
फ्रांसीसी	1664 ई.

35. **कर्नाटिक युद्ध-III (1758-63 ई.)**–यह युद्ध भी यूरोपीय संघर्ष का ही एक विस्तार था। 1756 ई. में सप्तवर्षीय युद्ध के आरंभ होते ही भारत में दोनों कंपनियों के बीच शांति की स्थिति समाप्त हो गई। फ्रांसीसी सरकार ने

काउंट लाली को अप्रैल 1758 में भारतीय प्रदेशों का गवर्नर बनाकर भेजा जो कि एक उग्र स्वभाव का व्यक्ति था। काउंट लाली ने 1758 ई. में फोर्ट सेंट डेविड पर अधिकार कर लिया तथा तंजौर पर बकाया 56 लाख रुपये हासिल करने के लिए आक्रमण कर दिया। उधर अंग्रेजों ने सिराजुद्दौला को हराकर बंगाल पर अधिकार कर लिया। 1758 ई. में काउंट लाली ने मद्रास का घेरा डाला तथा हैदराबाद से बुस्सी को भी बुला लिया। 'बुस्सी' को वापस बुलाना 'लाली की एक बड़ी रणनीतिक भूल थी, इस अवसर पर गवर्नर क्लाइव ने बंगाल से अंग्रेजों की एक सेना हैदराबाद के लिए भेज दी। सालारजंग एक डरपोक व्यक्ति था तथा उसने अंग्रेजों से संधि कर ली। इसके साथ ही हैदराबाद से फ्रांसीसी प्रभुत्व समाप्त हो गया। 1760 ई. में सर आयर कूट की अंग्रेज सेना ने वान्डिवाश-युद्ध में फ्रांसीसी सेना को बुरी तरह परास्त कर दिया। वान्डिवाश युद्ध के पश्चात फ्रांसीसियों का प्रतिरोध समाप्त हो गया तथा अब वे मात्र पांडिचेरी (जो कि अंग्रेजों ने जीत लेने के बावजूद उन्हें लौटा दिया) तक सीमित रह गए।

36. 1801 में लॉर्ड वेलेजली ने कर्नाटक के पिट्ठू नवाब पर एक नई संधि लाद दी और उसे मजबूर किया कि वह पेंशन लेकर अपना राज्य कंपनी को सौंप दे। अब मैसूर से मालाबार समेत जो क्षेत्र छीने गए थे, उनमें कर्नाटक को मिलाकर मद्रास प्रेसिडेंसी बनाई गई जो 1947 तक जारी रही। इसी तरह तंजौर और सूरत राज्य भी हड़प लिए गए और उनके शासकों को पेंशन देकर किनारे कर दिया गया। इस समय मराठा साम्राज्य पाँच बड़े सरदारों का एक महासंघ था। ये थे पूना का पेशवा, बड़ौदा का गायकवाड़, ग्वालियर का सिंधिया, इंदौर का होल्कर और नागपुर का भोंसले। पेशवा इस महासंघ का नाममात्र का प्रमुख था। लेकिन ये सभी सरदार आपसी झगड़ों में कट-मर रहे थे और बढ़ते हुए विदेशियों के खतरे की ओर से बेखबर थे। वेलेजली ने बार-बार पेशवा और सिंधिया के आगे सहायक संधि का प्रस्ताव रखा था। मगर दूरदर्शी नाना फड़नवीस ने इस जाल में फंसने से इंकार कर दिया था। मगर 25 अक्टूबर, 1802 को जब दीवाली के दिन होल्कर ने पेशवा और सिंधिया की मिली-जुली सेना को हरा दिया तो कायर पेशवा बाजीराव द्वितीय भागकर अंग्रेजों की शरण में जा पहुँचा और वर्ष 1802 के अंतिम दिन उसने बसाई में एक सहायक संधि पर हस्ताक्षर कर दिए।

37. **कोल विद्रोह (1820-36)**–छोटा नागपुर के कोलों ने अपना क्रोध उस समय प्रकट किया, जब उनकी भूमि उनके मुखिया मुण्डों से छीनकर मुस्लिम कृषकों तथा सिक्खों को दे दी गई।

1831 के अंत से पहले कोल विद्रोह ने संपूर्ण इलाके को थर्रा दिया। यह विद्रोह काफी व्यापक था। 1832 के शुरुआत में युद्ध के तीर संपूर्ण झारखंडी इलाकों में घुमाये गए और जनवरी महीने के मध्य तक उरांव, हो, चुआर, मुण्डा और अन्य मुण्डारी समुदाय के लोग संघर्ष में कूद पड़े।

38. अनेक ईसाई संस्थाओं ने भारत को अपना कार्य क्षेत्र बनाया। सबसे पहले जेसुइट सोसाइटी के सदस्य आए। दक्षिण आर्कोट के कुलाडोर नामक स्थान में पहला लोकहितैषी प्रोटेस्टेंट मिशन की स्थापना करने का श्रेय किरनेंडर को है। प्रारम्भिक मिशनरियों में कैरी, वार्ड तथा मार्शमैन भी प्रमुख थे। 1799 ई. में सिरामपुर मिशन की स्थापना हुई। इसके बाद बैपटिस्ट मिशनरी सोसायटी और स्कॉट मिशनरी सोसायटी जैसी संस्था खुली। विलियम कैर, जोशुआ मार्शमैन, विलियम वार्ड बैप्टिस्ट मिशनरी समुदाय से सम्बन्धित थे। भारत में ईसाई मिशनरियों ने शिक्षा तथा सामाजिक सुधार के क्षेत्र में काफी योगदान दिया। ईसाई मिशनरियों ने अंग्रेजी और स्थानीय भाषाओं में शिक्षा संस्थाएँ खोलीं। 1830 ई. में अलेक्जेंडर डफ ने कलकत्ता में एक अंग्रेजी विद्यालय स्थापित किया। मिशनरियों के इन कार्यों से प्रेरित होकर मैकाले ने 1833 ई. में अंग्रेजी को शिक्षा का माध्यम बनाया। ईसाई मिशनरियाँ स्त्री-शिक्षा के प्रसार में भी सक्रिय रहीं। 1849 में बेथुन द्वारा कलकत्ता में बालिकाओं के लिए अंग्रेजी स्कूल खोला गया।

39. **दयानन्द सरस्वती :** स्वामी दयानन्द सरस्वती का जन्म सन् 1824 ई. में काठियावाड़ में हुआ था। इनके बचपन का नाम मूलशंकर था। इनके द्वारा सर्वप्रथम 'स्वराज्य' शब्द का प्रयोग किया। 1863 में उन्होंने झूठे धर्मों का खंडन करने के लिए 'पाखंड खंडिनी पताका' लहराई। 1875 में उन्होंने बम्बई में 'आर्य समाज' की स्थापना की। धार्मिक क्षेत्र में उन्होंने मूर्तिपूजा, बहुदेववाद, अवतारवाद, पशु-बलि, श्राद्ध, जंत्र, तंत्र, मंत्र तथा झूठे कर्मकांड को स्वीकार नहीं किया। उन्होंने कर्म के सिद्धांत पर अधिक बल दिया। 'पुनः वेद की ओर चलो' उनका प्रसिद्ध नारा था। 1886 में उनकी मृत्यु के पश्चात् लाला हंसराज और लाला

लाजपतराय के नेतृत्व में पाश्चात्य शिक्षा पर आधारित 'दयानन्द एंग्लो-वैदिक संस्थान' की स्थापना हुई।

41. राष्ट्रवाद की अभिव्यक्ति के दूसरे महत्वपूर्ण रूप का मर्म कम अस्पष्ट था। यह था–विदेशी शासन की आर्थिक समीक्षा जिनको 'संपत्ति का दोहन' कहना अधिक सुविधाजनक रहेगा। भारत में सर्वप्रथम दादाभाई नौरोजी ने 1868 ई. में भारतीय धन की निकासी की अपनी पुस्तक India Poverty & Un-British Rule in India में व्याख्या की। इस पुस्तक में उस काल में भारत की प्रति व्यक्ति आय मात्र ₹ 20 आंकलित की गई थी। इनके एक अन्य अनुमान के अनुसार 1883-92 ई. की अवधि में £ 35 करोड़ 90 लाख की निकासी हुई।

45.

पत्र-पत्रिकाएँ एवं पुस्तकें	**लेखक/संपादक**
इंडियन मिरर	केशवचंद्र सेन
संवाद कौमुदी	राजा राममोहन राय
रस्ट गुफ्तूर, पॉवर्टी एंड अन-ब्रिटिश रूल इन इंडिया	दादाभाई नौरोजी
इंडिया डिवाइडेड	डॉ. राजेन्द्र प्रसाद
अनहैप्पी इंडिया	लाला लाजपत राय
इंडिया विन्स फ्रीडम, गुबारे खातिर	अबुल कलाम आजाद
डिस्कवरी ऑफ इंडिया, ग्लिम्पसेज ऑफ वर्ल्ड हिस्ट्री मेरी कहानी	जवाहरलाल नेहरू
हिन्ट्स फॉर सेल्फ कल्चर	लाला हरदयाल
ए नेशन इन मेकिंग	सुरेंद्रनाथ बनर्जी
गीता रहस्य	बाल गंगाधर तिलक
होम एंड द वर्ल्ड	रवींद्रनाथ ठाकुर
सत्यार्थ प्रकाश	दयानंद सरस्वती
न्यू इंडिया	एनी बेसेन्ट
इंडियन स्ट्रगल	सुभाषचंद्र बोस
गीतांजलि	रवीन्द्रनाथ ठाकुर
सावित्री	अरविंद घोष

46. मार्च, 1946 ई. में कैबिनेट मिशन भारत आया और मई में उसने अपनी योजना लीग और कांग्रेस के समक्ष रखी। इस योजना के अंतर्गत एक दुर्बल केन्द्रीय सरकार, शक्तिशाली प्रांतीय सरकारों तथा उनके आपस में मिलने की संभावना एक संविधान-सभा का निर्माण और अंतरिम सरकार का निर्माण की व्यवस्था की गई थी। प्रारंभ में लीग ने इसे स्वीकार कर लिया परंतु कांग्रेस ने केवल इसके एक भाग अर्थात् संविधान-सभा के निर्माण को ही स्वीकार किया। बाद में कांग्रेस ने अंतरिम सरकार के गठन में योग देना स्वीकार कर लिया परंतु लीग ने अस्वीकार कर दिया। लीग ने इसके विरोध में 16 अगस्त, 1946 ई. को प्रत्यक्ष कार्यवाही दिवस मनाया और बंगाल, बिहार और पंजाब में भयंकर हिन्दू-मुस्लिम दंगे हुए। सितंबर में पं. जवाहरलाल नेहरू के नेतृत्व में अंतरिम सरकार का गठन हुआ और लीग ने भी शामिल होना स्वीकार कर लिया और उसके पाँच सदस्य सरकार में शामिल थे। संविधान सभा की प्रथम बैठक में लीग ने शामिल होने से इंकार कर दिया जबकि कांग्रेस इसे संविधान निर्माण करने हेतु पूर्ण शक्तिशाली सभा माना।

47. भारत और पाकिस्तान के स्वाधीन होने की घोषणा 3 जून, 1947 को की गई। रजवाड़ों को यह छूट दी गई कि इनमें से किसी भी राज्य में वे शामिल हो जाएँ। रजवाड़ों की जनता के व्यापक आंदोलनों के दबाव में और गृहमंत्री सरदार पटेल की सफल कूटनीति के कारण, अधिकांश रजवाड़ों ने भारत में शामिल होने का फैसला किया। जूनागढ़ के नवाब, हैदराबाद के निजाम तथा जम्मू-कश्मीर के महाराजा कुछ समय तक अगर-मगर करते रहे। काठियावाड़ के समुद्र तट पर स्थित छोटे-से रजवाड़े, जूनागढ़ की जनता ने भारत में शामिल होने की घोषणा की मगर वहाँ के नवाब ने पाकिस्तान में शामिल होने का फैसला किया। अंततः भारतीय सेना ने राज्य पर कब्जा कर लिया और वहाँ एक जनमत-संग्रह कराया गया जिसका परिणाम भारत में शामिल होने के पक्ष में निकला। हैदराबाद के निजाम ने स्वतंत्र राज्य घोषित करने की कोशिश की, मगर वहाँ तेलंगाना क्षेत्र में हुए एक आंतरिक विद्रोह तथा वहाँ भारतीय सेनाओं के पहुँचने के बाद उसे भी 1948 में भारत में शामिल होना पड़ा। कश्मीर के महाराजा ने भी भारत या पाकिस्तान में शामिल होने में देर की मगर वहाँ की जनता, जिसका नेतृत्व नेशनल कांग्रेस कर रही थी, भारत में शामिल होना चाहती थी। मगर कश्मीर पर पाकिस्तानों के पठानों तथा अनियमित फौजी दस्तों के हमलों के बाद उसे भी अक्टूबर, 1947 में भारत में शामिल होना पड़ा।

प्रश्न-पत्र-III

नोट: *इस प्रश्न-पत्र में* **पचहत्तर (75)** *बहु-विकल्पीय प्रश्न हैं। प्रत्येक प्रश्न के* **दो (2)** *अंक हैं।* ***सभी प्रश्न अनिवार्य*** *हैं।*

1. किस स्थान से मानव जीवाश्म के अवशेष स्वस्थाने पुरापाषाणीय उपकरणों के साथ मिले हैं?
A. अत्तिरम्पक्कम
B. भीमबेटका
C. डीड़वाना
D. हथनोरा

2. निम्न में से कौन-सा एक कथन हड़प्पा सभ्यता के विषय में सही **नहीं** है?
A. यह दक्षिण एशिया की पहली नागरीय सभ्यता थी।
B. हड़प्पा सभ्यता के लोगों ने ही पहली बार परिवहन के लिए पहिये का प्रयोग किया।
C. हड़प्पा सभ्यता के लोगों का नील नदी घाटी के लोगों के साथ घनिष्ट व्यापारिक सम्बन्ध था।
D. हड़प्पा में निर्मित वस्तुएँ दक्षिणी तुर्कमेनिस्तान में पाई गई हैं।

3. निम्न वैदिक यज्ञों में से किनका राजत्व के साथ सीधा सम्बन्ध था?
A. अश्वमेध तथा राजसूय
B. अश्वमेध तथा वाजपेय
C. अश्वमेध, राजसूय तथा वाजपेय
D. राजसूय तथा वाजपेय

4. महाभारत युद्ध के लिए 3101 ई.पू. तिथि का उल्लेख निम्न में से किस अभिलेख में हुआ है?
A. पुलकेशिं II का ऐहोल अभिलेख
B. रुद्रदामन का जूनागढ़ अभिलेख
C. 238 ई. का बड़वा अभिलेख
D. 226 ई. का नन्दसा अभिलेख

5. बुद्ध ने अपने सर्वाधिक उपदेश कहाँ पर दिए थे?
A. कुशीनगर B. सारनाथ
C. स्रावस्ती D. वैशाली

6. स्वामी महावीर के भिक्षुणी संघ की प्रधान कौन थी?
A. चन्दना B. खेमा
C. सुजाता D. त्रिशला

7. क्षत्रिय वंशज होने के आधार पर किसने बुद्ध के अस्थि-अवशेषों में हिस्सेदारी का दावा किया था?
A. अजातशत्रु B. चेटक
C. प्रसेनजित D. विडूडाभ

8. निम्नलिखित विदेशी लेखकों पर विचार कीजिए:
(*a*) टेसियस
(*b*) मेगस्थनीज
(*c*) प्लिनी
(*d*) टॉलमी

उपरोक्त लेखकों का **सही** कालानुक्रम है:
A. (*a*), (*d*), (*c*), (*b*)
B. (*a*), (*b*), (*c*), (*d*)
C. (*c*), (*a*), (*d*), (*b*)
D. (*b*), (*d*), (*a*), (*c*)

9. निम्न में से किस संगम लेखक ने नन्द शासकों के संचित धन का उल्लेख किया है?
A. अव्वैयार B. मामूलनार
C. परनार D. सत्तनार

10. कौटिल्य अर्थशास्त्र के अनुसार निम्न में से कौन सिक्के के प्रचलन के लिए उत्तरदायी था?
A. अक्षपटलाध्यक्ष B. लक्षणाध्यक्ष
C. पण्याध्यक्ष D. सौवर्णिक

11. अशोक के किस अभिलेख में राजा के कर्त्तव्य सम्बन्धी उसके पितृवत विचार का उल्लेख मिलता है?
A. द्वितीय लघु शिलालेख
B. सप्तम स्तम्भलेख
C. द्वादश शिलालेख
D. प्रथम पृथक कलिङ्ग अभिलेख

12. 'स्नान' किस प्राचीन भारतीय संस्कार का दूसरा नाम है?
A. चूड़ाकर्म B. केशान्त
C. मौञ्जीबन्धन D. समावर्तन

13. संगम कालीन लेखक प्राचीन बन्दरगाह कावेरीपत्तनम् को निम्न नाम से जानते थे:
A. कोण्डुंगलूर B. नेलकिण्डा
C. पोदुके D. पुहार

14. **सूची-I** को **सूची-II** से सुमेलित कीजिए तथा नीचे दिए गए कूट से **सही** उत्तर का चयन कीजिए:

सूची–I (ग्रन्थ)	**सूची–II (लेखक)**
(*a*) कुरल	(*i*) इलंगो अडिगल
(*b*) तिरुमुरै	(*ii*) तिरुवल्लुवर
(*c*) शिलप्पदिकारम	(*iii*) सत्तनार
(*d*) मणिमेकलै	(*iv*) नम्बि आण्डार नम्बि

कूटः

	(*a*)	(*b*)	(*c*)	(*d*)
A.	(*iv*)	(*ii*)	(*i*)	(*iii*)
B.	(*ii*)	(*iv*)	(*i*)	(*iii*)
C.	(*i*)	(*iii*)	(*iv*)	(*ii*)
D.	(*iii*)	(*ii*)	(*iv*)	(*i*)

15. एलिफेन्टा की गुफाओं में बनी हुई हैं:

A. शैव मूर्तियाँ B. वैष्णव मूर्तियाँ
C. बौद्ध मूर्तियाँ D. उपरोक्त सभी

16. निम्न में से किस नरेश का जन्म उसके पिता के अभियानों के क्रम में एक सैनिक छावनी में हुआ था?

A. पाल नरेश धर्मपाल
B. प्रतिहार नरेश नागभट्ट II
C. परमार नरेश भोज
D. राष्ट्रकूट नरेश अमोघवर्ष I

17. किस अरब यात्री के बारे में कहा जाता है कि वह प्रतिहार नरेश मिहिर भोज के शासनकाल में भारत आया था?

A. अल्बरुनी B. अल-मसूदी
C. इब्न-बतूता D. सुलेमान

18. कलचुरि नरेश गांगेयदेव का मुद्राओं पर अंकित विशिष्ट चिह्न है:

A. बैल B. हाथी
C. लक्ष्मी D. विष्णु

19. चालुक्यकालीन प्रसिद्ध गुहा-मन्दिर निम्न में कहाँ स्थित है?

A. बादामी B. काञ्चीपुरम
C. मान्यखेट D. पत्तदकल

20. निम्न खगोलशास्त्रियों को कालानुक्रम में व्यवस्थित कीजिए:

(*a*) भास्कराचार्य (*b*) भोज
(*c*) ब्रह्मगुप्त (*d*) वराहमिहिर

नीचे दिए गए कूट से **सही** उत्तर का चयन कीजिए:

A. (*a*), (*c*), (*b*), (*d*) B. (*b*), (*d*), (*c*), (*a*)
C. (*d*), (*c*), (*a*), (*b*) D. (*b*), (*c*), (*b*), (*a*)

21. नाटककार भवभूति को निम्न में से किन रचनाओं को लिखने का श्रेय दिया जाता है?

(*a*) महावीरचरित (*b*) मालती माधव
(*c*) रामचरित (*d*) उत्तर रामचरित

नीचे दिए गए कूट से **सही** उत्तर का चयन कीजिए:

A. केवल (*b*) B. (*b*) तथा (*c*)
C. (*a*), (*b*) तथा (*d*) D. (*a*), (*b*) तथा (*c*)

22. नाट्यशास्त्र में वर्णित नाट्य मुद्राएँ (करण) निम्न में से किस मन्दिर में प्रदर्शित हैं?

A. चिदम्बरम मन्दिर
B. बृहदीश्वर मन्दिर
C. तञ्जावुर का कैलाशनाथ मन्दिर
D. नर्त्तमलाई मन्दिर

23. निम्न में से कौन सा युग्म सही सुमेलित **नहीं** है?

(दार्शनिक सम्प्रदाय)		**(संस्थापक)**
A. न्याय	-	गौतम
B. पूर्व मीमांसा	-	जैमिनी
C. उत्तर मीमांसा	-	बादरायण
D. वैशेषिक	-	कणाद

24. मन्दिर की पाण्ड्य शैली का चरमोत्कर्ष निम्न के मन्दिर - संकुल में है?

A. काञ्ची B. श्रीरंगम्
C. तञ्जावुर D. वेल्लोर

25. नीचे दो वक्तव्य दिए गए हैं। एक को **कथन (A)** और दूसरे को **कारण (R)** कहा गया है।

कथन (A): वीरशैव सम्प्रदाय जाति - प्रथा तथा ब्राह्मण पुरातन पंथ के विरुद्ध एक क्रान्तिकारी आन्दोलन बन गया था।

कारण (R): इसके संस्थापक बसवेश्वर स्वयं ब्राह्मणेतर वर्ण के थे।

उपर्युक्त दोनों वक्तव्यों के सन्दर्भ में निम्नलिखित में से कौन **सही** है?

A. (A) और (R) दोनों सही हैं और (A) की सही व्याख्या (R) है।

B. (A) और (R) दोनों सही, किन्तु (A) की सही व्याख्या (R) नहीं है।

C. (A) सही है, किन्तु (R) गलत है।

D. (A) गलत है, किन्तु (R) सही है।

26. **सूची-I** को **सूची-II** से सुमेलित कीजिए और नीचे दिए गए कूट की सहायता से **सही** उत्तर का चयन कीजिए:

सूची–I (लेखक)	**सूची–II (स्रोत)**
(*a*) वाचस्पति	(*i*) *निर्णयसिंधु*
(*b*) रघुनंदन	(*ii*) *वीरमित्रोदय*
(*c*) कमलाकर भट्ट	(*iii*) *विवादचिंतामणि*
(*d*) मित्र मिश्र	(*iv*) *स्मृतितत्व*

कूटः

	(*a*)	(*b*)	(*c*)	(*d*)
A.	(*ii*)	(*i*)	(*iv*)	(*iii*)
B.	(*i*)	(*ii*)	(*iii*)	(*iv*)
C.	(*iv*)	(*iii*)	(*ii*)	(*i*)
D.	(*iii*)	(*iv*)	(*i*)	(*ii*)

27. 'खिज्र खान और मलका-ए-जहाँ दावतें उड़ाने और रंगरेलियाँ मनाने में लगे रहते थे और सुल्तान के इलाज और तिमारदारी पर कतई ध्यान नहीं दे रहे थे। सुल्तान को लगा कि उसकी बीमारी की वजह उनके द्वारा की जा रही उपेक्षा ही है और उसका दिल टूट गया। उसने खुद को उनसे बिलकुल अलग-थलग कर लिया।'

यह कथन किस सुल्तान के बारे में है और इसका स्रोत क्या है?

	स्रोत		**सुल्तान का नाम**
A.	*तारीख - ए - फिरोजशाही*	-	बलबन
B.	*तारीख - ए - फरिश्ता*	-	अलाउद्दीन खिलजी
C.	*तारीख - ए - मुबारकशाही*	-	मुबारक खिलजी
D.	*तुगलकनामा*	-	गियासुद्दीन तुगलक

28. निम्नलिखित में से कौन-सा जोड़ा सही **नहीं** है?

	लेखक		**स्रोत**
A.	फख्र-ए-मुदब्बिर	-	*आदाब उल हर्ब वा शुजात*
B.	मुहम्मद कबीर	-	*अफसाना-ए-शाहान*
C.	जिया-उद दीन बरनी	-	*फतवा-ए-जहांदारी*
D.	सदीदुद्दीन मुहम्मद औफी	-	*खजाएन-उल-फुतूह*

29. "ये शरारती लोग अपने खजाने से कभी पैसे नहीं खर्च करते ...... वे अपने अधीन रहने वाले कमजोर और गरीब किसानों से बलपूर्वक धन ले लेते हैं"।

अपने इस कथन के लिए कौन मशहूर है?

A. अलाउद्दीन खिलजी

B. फरीद (बाद में शेर शाह)

C. मुहम्मद तुगलक

D. फिरोज तुगलक

30. **सूची-I** को **सूची-II** से सुमेलित कीजिये और नीचे दिए गए कूटों की सहायता से **सही** उत्तर का चयन कीजिए:

सूची–I	**सूची–II**
(*a*) *अमीर-ए-हाजिब*	(*i*) लेखाकार
(*b*) *मीर-ए-अर्ज*	(*ii*) गुप्तचर अधिकारी
(*c*) *मुशरिफ*	(*iii*) मुख्य प्रबंधक
(*d*) *बरीद*	(*iv*) केन्द्र में सेना का प्रमुख

कूटः

	(*a*)	(*b*)	(*c*)	(*d*)
A.	(*ii*)	(*iv*)	(*iii*)	(*i*)
B.	(*iv*)	(*iii*)	(*ii*)	(*i*)
C.	(*iii*)	(*iv*)	(*i*)	(*ii*)
D.	(*i*)	(*ii*)	(*iii*)	(*iv*)

31. "विजयनगर राज्य इस्लाम के विरुद्ध हिंदू *वर्णाश्रमधर्म* के रक्षक के रूप में गौरवान्वित था, लेकिन उसके प्राथमिक शत्रु हिंदू राजे - महाराजे ही थे, और शहर के भीतर एक 'तुरुष्क' आवास, एक मस्जिद तथा मुस्लिम मकबरा बना हुआ था। अपने भव्य वास्तुशिल्प, सैन्य संगठन और शहरी मिजाज में वह कई अर्थों में हिंदू के बदले किसी मुस्लिम राजधानी की तरह लगता था।"

यह उद्धरण किसका है?

A. के.ए. नीलकंठ शास्त्री

B. बर्टन स्टाइन

C. ए. कृष्णास्वामी

D. इरफान हबीब

32. नीचे दिए गए कथनों में एक **अभिकथन (A)** तथा दूसरा **तर्क** (R) है:

अभिकथन (A): किलों के निर्माण और जनजातियों को दंडित कर तैमूर को यह सुनिश्चित करना था कि अफगान सीमाओं से हो कर काबूल तक की उसकी आवाजाही सुरक्षित रहे।

तर्क (R): तैमूर के क्रूर तथा आक्रामक तरीकों से किए गए पुरनियान तथा कलातियान नामक दो अफगान जनजातियों के विनाश और नरसंहार ने उन मार्गों की सुरक्षा के लिए भय और आतंक का वातावरण पैदा कर दिया था।

इन दो कथनों के संदर्भ में निम्नलिखित में से कौन-सा **सही** है?

A. (A) और (R) दोनों सही हैं तथा (R), (A) की सही व्याख्या करता है।

B. (A) और (R) दोनों सही हैं, लेकिन (R), (A) की सही व्याख्या नहीं करता।

C. (A) सही है और (R) गलत है।

D. (A) गलत है लेकिन (R) सही है।

33. निम्नलिखित कथनों में से कौन-सा **सही नहीं** है?

A. चैतन्य के अनुसार, पूजा में प्रेम और भक्ति, तथा गीत और नृत्य सम्मिलित हैं, जो हर्षोन्माद की अवस्था प्रदान करते हैं, जिसमें भगवान (हरि) की उपस्थिति को महसूस किया जा सकता है।

B. अब्दुल वाहिद बिलग्रामी का *हकायक - एक हिंदी* वैष्णव संतों के भक्ति गीतों का सूफियों पर प्रभाव दर्शाता है।

C. कर्नाटक की महादेवी अक्का, कश्मीर की लल्लेश्वरी और राजस्थान की मीराबाई संभवतः यह प्रदर्शित करती हैं कि भगवान को प्रेम करने की उनके भीतर अंतर्निहित आकांक्षा का दुनियायी शादी से मेल बिठाना संभव नहीं था।

D. कश्मीर के शेख नूरुद्दीन ऋषि ने स्थानीय परिवर्तनों को अस्वीकार कर एक शुद्धतावादी आंदोलन की शुरुआत की।

34. 1568 में अकबर ने चित्तौड़ का *फतेहनामा* जारी किया था। निम्नलिखित में से किस फारसी ग्रन्थ में *फतहनामा* का पूरा उद्धरण दिया गया है?

A. *तबकात-ए अकबरी*

B. *अकबर नामा*

C. *मुन्तखब-उत तवारीख*

D. *मुन्शात-ए-नमकीन*

35. **सूची-I** को **सूची-II** से सुमेलित कीजिए और नीचे दिए गए कूटों की सहायता से **सही** उत्तर का चयन कीजिए। **सूची-I** में प्रांतीय राज्य हैं और **सूची-II** में उनकी सत्ता के चरमोत्कर्ष का काल है।

सूची–I	**सूची–II**
(*a*) निजामशाही राज्य	(*i*) सत्रहवीं शताब्दी के मध्य से
(*b*) कुतुबशाही राज्य	(*ii*) 1489 - 1686
(*c*) आदिलशाही राज्य	(*iii*) 1489 - 1636
(*d*) मराठा राज्य	(*iv*) 1512 - 1687

कूटः

	(*a*)	(*b*)	(*c*)	(*d*)
A.	(*ii*)	(*i*)	(*iii*)	(*iv*)
B.	(*iii*)	(*iv*)	(*ii*)	(*i*)
C.	(*i*)	(*ii*)	(*iii*)	(*iv*)
D.	(*iv*)	(*iii*)	(*ii*)	(*i*)

36. मुख्य काजी जब शाही कैम्प के साथ चलता था, तो कहलाता थाः

A. *काजी - उल कुज्जात* B. *काजी असकर*

C. *सद्र - उस सुदूर* D. *वकील-ए-शरई*

37. ग्राम्य समुदाय के संदर्भ में निम्नलिखित में से कौन-सा वक्तव्य **सही नहीं** है?

A. बर्नियर के अनुसार भारतीय किसान स्तरीकृत नहीं थे।

B. ग्राम्य समुदाय आंतरिक विरोधाभास और 'अन्तः-शोषण' से भरा हुआ था।

C. उच्च वर्गीय किसान उत्तर भारत में *खुद-काश्त,* राजस्थान में *घरुहला,* और महाराष्ट्र में *मीरासदार* के नाम से जाने जाते थे।

D. निम्न वर्गीय जनसंख्या फसल के समय खेतों में काम करने के लिए 'सुरक्षित' थी। उनसे *बेगार* भी करवाई जाती थी।

38. नीचे दिए गए दो कथनो में से एक **अभिकथन (A)** है और दूसरा **तर्क (R):**

अभिकथन (A): 1574 में अकबर ने अमीरों, नौकरशाहों और सैन्य अधिकारियों को *मनसब* आबंटित कर उन्हें एकल सेवा तंत्र में बदल दिया। यह *मनसब* किसी अधिकारी

के पद, वेतन और सैन्य दल के आकार को इंगित करता था।

तर्क (R): व्यावहारिक स्तर पर कुछ बहुत छोटे या धर्म अधिकारियों को छोड़ कर सरकार के सभी शेष अधिकारी *मनसबदार* थे और किसी अधिकारी की पदोन्नति या पदावनति इस तथ्य से निर्धारित होती थी कि उसके अधीन कितने *मनसब* बढ़ाए या घटाए गए हैं।

ऊपर दिए गए दोनों कथनों के संदर्भ में नीचे दिया गया कौन-सा जवाब **सही** है?

A. (A) और (R) दोनों सही हैं तथा (R), (A) की सही व्याख्या करता है।

B. (A) और (R) दोनों सही हैं, लेकिन (R), (A) की सही व्याख्या नहीं करता।

C. (A) सही है, पर (R) गलत है।

D. (A) गलत है, पर (R) सही है।

39. निम्नलिखित में से कौन-सा कथन **सही नहीं** है?

A. फतेहपुर सीकरी मेहराबदार और धरणी - स्तम्भदार शैलियों का कौशलपूर्ण सम्मिश्रण है।

B. आगरा के किले और फतेहपुर सीकरी शहर के निर्माण में लाल बलुआ पत्थर प्रमुख सामग्री थी।

C. फतेहपुर सीकरी की योजना अकबर की धार्मिक नीतियों के अंतिम प्रारूप के बाद बनी थी।

D. अकबर का अपना स्वयं का मकबरा सिकंदरा में उसके बेटे जहांगीर द्वारा बनवाया गया।

40. निम्नलिखित में से कौन-सी इमारत प्रेरणा में ईरानी और क्रियान्वयन में भारतीय है?

A. शेर शाह का मकबरा

B. हुमायूं का मकबरा

C. इस्लाम शाह का मकबरा

D. पुराना किला

41. नीचे दो वक्तव्य दिए गए हैं। एक को **अभिकथन (A)** और दूसरा को **तर्क (R)** कहा गया है :

अभिकथन (A) : *झरोखा दर्शन,* बादशाह के दर्शन से दिन की शुरुआत करना, दैवीय आशीष को हस्तान्तरित करने का प्रतीक है।

तर्क (R) : *दर्शनिया* सम्प्रदाय इस नाम से इसलिए जाना जाता है क्योंकि वे बादशाह के *दर्शन* से अपने दिन की शुरुआत करते हैं।

उपर्युक्त दोनों वक्तव्यों के संदर्भ में निम्नलिखित में से कौन-सा उत्तर **सही** है?

A. (A) और (R) दोनों सही हैं तथा (A) की सही व्याख्या (R) है।

B. (A) और (R) दोनों सही हैं किन्तु (A) की सही व्याख्या (R) नहीं है।

C. (A) सही है, किन्तु (R) गलत है।

D. (A) गलत है, किन्तु (R) सही है।

42. चित्रकला के संबंध में निम्नलिखित में से कौन-सा कथन **सही नहीं** है?

A. मूर्तिकला की तुलना में चित्रकला को लेकर मुसलमानों का रुख अपेक्षाकृत कम सख्त था।

B. हिंदुस्तान से बाहर के मुसलमानों के बीच, विशेषकर निजी भवनों की दीवारों पर, चित्रकारी करने की प्रथा पहले से मौजूद थी।

C. मुगल बादशाहों ने लघुचित्रों की जिस कला को संरक्षण और बढ़ावा दिया, वह असल में आरंभ में ईरानी चित्रकला की एक शाखा थी, जिसमें रेखाओं पर जोर रहता था, ब्यौरे की बारीकी पर काफी ध्यान दिया जाता था और संदर्भ के प्रति सुचिंतित निरपेक्षता होती थी।

D. मशहूर चित्रकार अब्दुस समद और मीर सैय्यद अली काबुल से अकबर के साथ भारत आए थे।

43. तैमूर के आक्रमण के बारे में निम्न में से कौन-सा कथन **सही नहीं** है?

A. तैमूर के कुशल कारीगरों ने सिंधु नदी पर एक पीपों का पुल बनाया, जिसे 21 सितंबर 1398 को पार किया गया।

B. तालमी शहर, जो मुल्तान से पैंतीस *फरसाख* की दूरी पर स्थित था, वहाँ हिंदू और मुसलमान दोनों ने तैमूर का विरोध किया था।

C. साल्ट रेंज (कोह-ए-जूडी) के *मुकद्दमों* और *रायों* ने तैमूर को अपना इलाका पार करने में मदद की और उसका अनुग्रह प्राप्त किया।

D. शर्फुद्दीन अली यजदी ने भारत पर तैमूर के आक्रमण का औचित्य साबित करने के लिए यह तर्क दिया है कि दिल्ली की केंद्रीय सत्ता हालांकि मुसलमानों के हाथ में थी, वह कमजोर थी।

44. *वतन-जागीर* एक आम शब्दावली है। इसका भू-राजस्व किसका हिस्सा था?

A. *खालिसा* भूमि का

B. *पैबाकी* भूमि का राजस्व

C. *वतन जागीरदारों* की आय का भाग

D. *वतन जागीरदारों* की अतिरिक्त आय का भाग

45. इरफान हबीब ने किंग्स्ले डेविस के अनुमान, कि मुगल भारत की जनसंख्या 1600 से 1750 तक 125 मिलियन पर स्थिर रही, को यह तर्क देते हुए अस्वीकार किया है किः

A. किंग्स्ले शायद ब्रिटिश शासन के लाभ के लिए अति उत्साह में बह गया।

B. उसने अकबर के काल की प्रति एकड़ उपज को अतिशयोक्तिपूर्ण रूप में वर्णित किया है।

C. उसने *जब्ती* प्रान्तों एवं दूसरे इलाकों में फर्क नहीं किया।

D. उपर्युक्त सभी

46. निम्नलिखित में से कौन-सा कथन **सही नहीं** है?

A. अकबर के दरबार में जो पहला साहित्यिक कार्य हुआ, वह उसके दादा द्वारा रचित *बाबरनामा* का फारसी में अनुवाद था।

B. *बाबरनामा* का अनुवाद अब्दुल रहीम खान, खान-ए-खाना ने किया था, जो बैरम खान के पुत्र तथा तुर्की भाषा के कवि थे।

C. हिंदवी को सूर सुल्तानों (1540-55) द्वारा अर्ध-सरकारी भाषा का दर्जा दिया गया। बताया जाता है कि यह प्रथा लोदी सुल्तानों ने शुरु की थी। बाबर कहता है कि ज्यादातर अफगान फारसी नहीं बोल पाते थे।

D. अकबर के दरबार में शेख याकूब सरफी फारसी के उन महान् विद्वानों में से एक था जो ईरान से आकर भारत में बस गया था।

47. अठारहवीं सदी प्रादेशिक इतिहासों की प्रस्तुति में अत्यंत समृद्ध रहा है। निम्नलिखित फारसी किताबों का मिलान उस क्षेत्र से करें जिन पर वह किताब केंद्रित है।

फारसी किताब	**क्षेत्र**
(*a*) *खुलासत-अल तवारीख*	(*i*) सिंध
(*b*) *मिरात-उल हकीकत*	(*ii*) बंगाल, बिहार, ओड़िसा
(*c*) *रियासत-अल सलातीन*	(*iii*) गुजरात, दिल्ली, आगरा
(*d*) *तुहफात-अल किराम*	(*iv*) बंगाल, ओड़िसा

कूटः

	(*a*)	(*b*)	(*c*)	(*d*)
A.	(*iv*)	(*iii*)	(*ii*)	(*i*)
B.	(*iii*)	(*ii*)	(*iv*)	(*i*)
C.	(*ii*)	(*iv*)	(*i*)	(*iii*)
D.	(*i*)	(*iii*)	(*iv*)	(*ii*)

48. गुलबदन बेगम ने मक्का जाने वाले एक *हज* शिष्टमंडल का नेतृत्व किया था और 1582 में वापस लौटने से पूर्व वहाँ ढाई वर्षों तक रहीं। निम्नलिखित में से कौन-सी शाही महिला इस शिष्टमंडल का हिस्सा नहीं थी?

A. हमीदा बानो बेगम

B. सलीमा सुल्तान बेगम

C. गुलनार आगा

D. उम्म-कुल्सून खानम

49. *भक्ति* आंदोलन के बारे में निम्न कथनों पर विचार करेंः

(*a*) रामानंद ने अपनी पुस्तक *आनंद भाष्य* में शूद्रों के *वेद* पढ़ने के अधिकार को स्वीकार नहीं किया है।

(*b*) ज्ञानेश्वर की *भावार्थ दीपिका/ज्ञानेश्वरी भगवद्गीता* की मराठी में की गई व्याख्या/टीका है।

(*c*) चैतन्य के शिष्य चंडीदास ने अपनी पुस्तक *चैतन्य भागवत* में बताया है कि चैतन्य किस तरह से निम्न जाति के लोगों से मिलते-जुलते थे।

(*d*) 17वीं सदी के एक सूफी ग्रंथ *मिरात-अल-असरार* में कबीर को एक फिरदौसी सूफी बताया गया है।

नीचे दिए कूट में से **सही** जवाब बताएँः

A. (*a*), (*b*), (*c*) B. (*b*), (*c*), (*d*)

C. (*a*), (*b*), (*d*) D. (*a*), (*c*), (*d*)

50. नीचे दो कथन दिए गए हैं, जिसमें से एक **अभिकथन (A)** तथा दूसरा **तर्क (R)** हैः

अभिकथन (A) : मध्यकालीन भारत में यहाँ के उत्पादकों द्वारा तकनीकों के विकास तथा मशीनीकरण की उपेक्षा के अनेक कारण थे।

तर्क (R) : किसी भी सुधार में जोखिम था और उसके लिए पूंजी की जरूरत भी थी। हिंदुस्तानी कारीगरों का मुनाफा इतना मामूली था कि वे ऐसी किसी कोशिश में हाथ नहीं डालना चाहते थे। ऐसी स्थिति में तकनीकी सुधार का दायरा वहीं तक सीमित रहता जो राज्य या कुछ धनी व्यापारियों द्वारा शुरू किया जाता।

कूटः

A. (A) सही है, लेकिन (R), (A) की आंशिक व्याख्या ही करता है।
B. (A) सही है, और (R) पूरी तरह से (A) की व्याख्या करता है।
C. (R) सही है, पर (A) गलत है।
D. (A) सही है, पर (R) गलत है।

51. किस बैप्टिस्ट मिशनरी ने राजा राम मोहन राय के एकेश्वरवादी सिद्धान्तों में आस्था व्यक्ति की तथा उनके साथ 'यूनीटेरियन मिशन' की स्थापना की?
A. जॉन विल्सन B. विलियम एडम
C. विलियम विल्बरफोर्स D. चार्ल्स ग्रान्ट

52. साम्राज्यवादी इतिहासकार, जेम्स मिल के संबंध में निम्नलिखित में से कौन-सा वक्तव्य **सही नहीं** है?
A. मिल अपने समय का एक प्रमुख उपयोगितावादी था।
B. *हिस्ट्री ऑफ ब्रिटिश इंडिया* लिखते समय, वह यात्रियों की जानकारियों पर अधिक निर्भर था।
C. उसने माना कि भारतीय संस्कृति गतिहीन थी और इसका रूपान्तरण पश्चिमी विचारों से ओत-प्रोत था।
D. उसने प्राचीन भारतीय संस्कृति पर विलियम जोन्स और अन्य प्राच्यविदों के द्वारा व्यक्त किए गए विचारों को स्वीकार किया।

53. निम्नलिखित मुस्लिम विद्वानों एवं सुधारकों में से कौन रूढ़िवादिता का समर्थक नहीं था?
A. शाह वली - उल्लाह
B. हाजी शरियतुल्लाह
C. जमालुद्दीन अल - अफगानी
D. विकार - उल - मुल्क

54. निम्नलिखित में से कौन-सा यूरोपियन भारतीय राष्ट्रीय कांग्रेस का अध्यक्ष **नहीं** बना?
A. ए.ओ. ह्यूम B. जॉर्ज यूल
C. विलियम वैड्रबर्न D. हैनरी कॉटन

55. निम्नलिखित में से उस संगठन की पहचान कीजिए जिसने सामाजिक-आर्थिक सुधारों को कार्यान्वित किया जिनमें महिला उत्थान पर ध्यान नहीं दिया गया था।
A. देव समाज
B. मद्रास हिन्दू एसोसिएशन
C. पूना सेवा सदन
D. इंडियन रिफॉर्म एसोसिएशन

56. निम्नलिखित में से किसने उर्दू में *तहजीबुल अखलाक* नामक पत्रिका प्रारंभ की थी?
A. बदरुद्दीन तैयबजी
B. रहीमतुल्ला मौहम्मद सयानी
C. सर सैयद अहमद खान
D. सर मौहम्मद इकबाल

57. 1909 में इंग्लैंड में इंडिया कॉंसिल के निम्नलिखित में से कौन सदस्य नियुक्त किए गए?
A. एस.पी. सिन्हा एवं सुरेन्द्र नाथ बनर्जी
B. के.जीं. गुप्ता एवं सैय्यद हुसैन बेलग्रामी
C. सर गंगा सिंह एवं आगा खाँ
D. सी.पी. रामस्वामी अय्यर एवं अली इमाम

58. निम्नलिखित युग्मों में दी गई रियासतों में किन्होंने अपने राज्य में विश्वविद्यालयों की स्थापना सर्वप्रथम की?
A. ट्रावनकोर एवं बड़ोदा B. जयपुर एवं पटियाला
C. मैसूर एवं हैदराबाद D. भोपाल एवं कश्मीर

59. निम्नलिखित में से कौन राष्ट्रवादी चित्रकार **नहीं** था?
A. माइकल मधुसूदन दत्त B. राजा रवि वर्मा
C. अबिनिन्द्रनाथ टैगोर D. नंदलाल बोस

60. बंगाल विभाजन के निर्णय को निम्नलिखित में से किस तारीख को लागू किया गया?
A. 18 अगस्त, 1905 B. 16 अक्तूबर, 1905
C. 10 नवम्बर, 1905 D. 5 दिसम्बर, 1905

61. विधान परिषद में स्वराजवादियों के प्रवेश से संबंधित निम्नलिखित में से कौन-सा कथन **सही** है?
A. भारतीय समाज के क्रमिक बदलाव के लिए इसका उपयोग किया।

B. भारतीयों के लिए प्रशिक्षण संस्थान के तौर पर इसका उपयोग किया।
C. औपनिवेशिक राज्य को समाप्त करने के लिए संघर्ष के तौर पर इसका उपयुक्त मंच के रूप में उपयोग किया गया।
D. औपनिवेशिक राज्य के साथ सहयोग के लिए।

62. मोती लाल नेहरू की अध्यक्षता में बुलाए गए सर्वदलीय सम्मेलन में निम्नलिखित में से किसने भाग नहीं लिया?
A. एम.आर. जायकर B. सरदार मंगल सिंह
C. सर अली इमाम D. मौहम्मद शफी

63. निम्नलिखित में से किस तिथि को एडविन मोन्टेग्यू ने प्रशासन के प्रत्येक भाग में भारतीयों के साथ सहयोग बढ़ाने की ब्रिटिश नीति की ऐतिहासिक घोषणा की थी?
A. 17 जुलाई, 1917 B. 20 अगस्त, 1917
C. 25 अगस्त, 1917 D. 29 अगस्त, 1917

64. निम्नलिखित में से कौन-सा कथन इरविन-गांधी संधि के संबंध में **सही नहीं** है?
A. हिंसा के लिए दोषी सिद्ध व्यक्तियों सहित सभी राजनीतिक कैदियों को रिहा करना।
B. सरकार अभी तक जमा नहीं हुए सभी जुर्मानों की माफी पर सहमत हो गई।
C. इस्तीफा दे चुके सरकारी कर्मचारियों के प्रति उदार व्यवहार किया जाए।
D. सरकार ने समुद्र तट के किनारे रहने वाले ग्रामीणों के उपभोग के लिए नमक बनाने के अधिकार को स्वीकृति दी।

65. नीचे दो कथन दिए गए हैं, एक को **कथन (A)** और दूसरे को **कारण (R)** कहा गया है।
कथन (A) : भारतीय राष्ट्रीय कांग्रेस के प्रमुख नेताओं को रियासती राज्यों को स्वतंत्र दर्जा दिए जाने का विचार पसंद नहीं आया।
कारण (R) : ऐसा माना गया था कि उनके स्वतंत्र राज्यों के रूप में अस्तित्व से भारत के एक प्रगतिशील राष्ट्र बनने पर कोई प्रभाव नहीं पड़ेगा।
उपर्युक्त दोनों कथनों के संदर्भ में निम्नलिखित में से कौन-सा **सही** है?
A. (A) और (R) दोनों सही हैं, और (A) की सही व्याख्या (R) है।
B. (A) और (R) दोनों सही हैं, किन्तु (A) की सही व्याख्या (R) नहीं है।
C. (A) सही है, लेकिन (R) गलत है।
D. (A) गलत है किन्तु (R) सही है।

66. सविनय अवज्ञा आन्दोलन के दौरान, सरोजिनी नायडू ने कहाँ पर नमक डिपो पर धावा बोलने के लिए सत्याग्रहियों का नेतृत्व किया था?
A. दांडी B. वडाला
C. सानिकट्टा D. धरसाना

67. भारतीय संघ में विलय के लिए 'इन्स्ट्रमेंट ऑफ एक्सैशन' पर हस्ताक्षर करने वाला कौन-सा रियासती राज्य था?
A. पटियाला B. बड़ोदा
C. बीकानेर D. उदयपुर

68. द्वैध शासन (डायर्की) के बारे में निम्नलिखित में से कौन-सी आलोचना तर्क संगत **नहीं** थी?
A. प्रान्तीय स्तर पर विषयों का दोषपूर्ण विभाजन
B. मंत्रिमंडलीय सामूहिक उत्तरदायित्व का अभाव
C. हस्तान्तरित विषयों के लिए वित्त का अभाव
D. नव नियुक्त मंत्री अनुभवहीन एवं अयोग्य थे

69. "आर्थिक इतिहासकार की रिएक्टर सारणी पर मापा गया अब तक का सबसे व्यापक भूचाल" निम्नलिखित में से किससे संबंधित है?
A. द ओपन डोर B. द न्यू डील
C. द ग्रेट डिप्रैशन D. उपरोक्त में से कोई नहीं

70. **सूची-I** में उल्लिखित इतिहासकारों को **सूची-II** में दिये गए इतिहास लेखन की विचारशाखा से सुमेलित कीजिये। दिये गए कूट में से **सही** उत्तर का चयन कीजिये।

सूची–I (इतिहासकार)	**सूची–II (इतिहास लेखन की विचारशाखा)**
(*a*) आर. पामे दत्त	(*i*) राष्ट्रवादी
(*b*) रणजीत गुहा	(*ii*) साम्राज्यवादी
(*c*) डब्लू.डब्लू. हन्टर	(*iii*) मार्क्सवादी
(*d*) बी.डी. बसू	(*iv*) उपाश्रयी

कूटः

	(a)	(b)	(c)	(d)
A.	(iii)	(iv)	(ii)	(i)
B.	(iv)	(ii)	(iii)	(i)
C.	(i)	(iii)	(iv)	(ii)
D.	(iii)	(i)	(iv)	(ii)

71. किस संदर्भ में 'सर्वोच्चता' (पैरामाउंसी) शब्द का उपयोग किया गया था?

A. ब्रिटिश ताज और भारतीय रियासती राजाओं के बीच संबंध का वर्णन करने के लिए।

B. भारतीय रियासती राजाओं के संघ के स्वरूप का वर्णन के लिए।

C. ब्रिटिश साम्राज्य द्वारा नये विजयी क्षेत्र का वर्णन करने के लिए।

D. भारतीय राजसी रियासतों की स्वतंत्र स्थिति को मान्यता प्रदान करने के लिए।

72. भारतीय संविधान में "राष्ट्र नीति के निदेशात्मक सिद्धांत" की अवधारणा कहाँ से ली गई है?

A. आयरलैण्ड संविधान B. फ्रांस संविधान

C. ब्रिटेन संविधान D. अमरीकी संविधान

73. जैक्स डेरीडा की विनिर्माण की पद्धति का (मैथड ऑफ डिकन्सट्रक्शन) मुख्य रूप से निम्नलिखित में से किसमें सिद्धान्त प्रस्तुत किया गया है?

A. *ऑफ ग्रामोटोलॉजी* B. *स्पीच एंड फिनोमिना*

C. *राइटिंग एंड डिफरेंस* D. उपर्युक्त में से कोई नहीं

74. निम्नलिखित में से कौन एक उत्तर आधुनिकतावादी समालोचन **नहीं** है?

A. जैक लकान B. हेडन व्हाईट

C. मिशेल फुको D. जैक्स डेरीडा

75. इतिहास लेखन के संदर्भ में डी.डी. कोसंबी से संबंधित निम्नलिखित में से कौन-सा वक्तव्य **सही नहीं** है?

A. उनका लेखन एक पद्धति को प्रतिबिंबित करता है जो समाज विज्ञान, मानव विज्ञान, पुरातत्व के साथ ऐतिहासिक अन्वेषण को जोड़ता है।

B. उन्होंने भातरीय इतिहास के अतिसूक्ष्म और भ्रामक काल विभाजन को स्वीकार किया।

C. उन्होंने राजवंशी तालिकाओं और विजयों के अभिलेखों को अस्वीकार कर दिया।

D. वह उत्पादन की पद्धतियों एवं सामाजिक संगठन के प्रकारों में अधिक रुचि रखता था।

उत्तरमाला

1	2	3	4	5	6	7	8	9	10
D	C	C	A	C	A	A	B	B	B
11	**12**	**13**	**14**	**15**	**16**	**17**	**18**	**19**	**20**
D	D	D	B	A	D	D	C	A	D
21	**22**	**23**	**24**	**25**	**26**	**27**	**28**	**29**	**30**
C	B	C	B	C	D	B	D	B	C
31	**32**	**33**	**34**	**35**	**36**	**37**	**38**	**39**	**40**
B	A	D	D	B	B	A	A	C	B
41	**42**	**43**	**44**	**45**	**46**	**47**	**48**	**49**	**50**
B	D	B	C	A	D	A	A	C	A
51	**52**	**53**	**54**	**55**	**56**	**57**	**58**	**59**	**60**
B	D	D	A	A	C	B	C	A	B
61	**62**	**63**	**64**	**65**	**66**	**67**	**68**	**69**	**70**
C	D	B	A	C	D	C	D	C	A
71	**72**	**73**	**74**	**75**					
A	A	A	B	B					

कुछ चुने हुए प्रश्नों के व्याख्यात्मक उत्तर

2. सिन्धु सभ्यता भारत की प्रथम नगरीय सभ्यता थी। यह दक्षिण एशिया की पहली नगरीय सभ्यता थी। सिन्धु सभ्यता मिस्र एवं मेसोपोटामिया जैसे विश्व की प्राचीनतम सभ्यताओं के समकालीन थी। इस सभ्यता की खोज 1921 ई. में दयाराम साहनी द्वारा हुई। सिन्धु सभ्यता में सर्वप्रथम हड़प्पा नामक स्थल की खोज हुई। अतः सिंधु सभ्यता को हड़प्पा सभ्यता भी कहते हैं। हड़प्पा के पश्चात् 1922 ई. में राखाल दास बनर्जी ने मोहनजोदड़ो की खोज की। सिंधु सभ्यता का सबसे छोटा स्थल अल्लादीनोह था। सभ्यता का तकनीकी रूप से सर्वाधिक विकसित स्थल धौलावीरा था। इस सभ्यता का सबसे बाद में (1974 ई.) में खोजा गया स्थल बनवाली है। सिंधु सभ्यता के लोग परिवहन के लिए बैलगाड़ियों एवं इक्के गाड़ियों का प्रयोग करते थे।

3. राजत्व से जुड़े कुछ संस्कार–

राज्याभिषेक–ऐतरेय ब्राह्मण के अनुसार अनुष्ठान का उद्देश्य परम शक्ति की प्राप्ति थी।

अश्वमेध यज्ञ–उद्देश्य–साम्राज्य विस्तार, घोड़े की बलि।

राजसूय यज्ञ–ऐच्छिक धार्मिक अनुष्ठान (शतपथ ब्राह्मण), रत्निन नामक अधिकारियों के घर जाकर देवताओं को बलि दी जाती थी एवं इनके घर (हवि देना) खाते थे। यह यज्ञ राज्याभिषेक के समय संपन्न कराया जाता था।

वाजपेय यज्ञ–उद्देश्य–राजा को नवयौवन प्रदान करना। रथ दौड़ में राजा का रथ सबसे आगे।

पुरुषमेध यज्ञ–अश्वमेध सदृश यज्ञ, परन्तु घोड़े की जगह मनुष्य छोड़ा जाता था। मनुष्य की बलि दी जाती थी। पंचमहायज्ञ के अतिरिक्त सात हविर्यज्ञ एवं सात सोमयज्ञ का उल्लेख मिलता है।

4. बसखेड़ा का लेख : यह 1894 ई. में उ.प्र. के घोसी तहसील में स्थित है। इसमें हर्ष द्वारा श्रावस्ती भुक्ति के शोमकुण्डा नामक ग्राम को दान में देने का विवरण है।

एहोल का लेख : यह चालुक्य नरेश पुलकेशिन द्वितीय का है जिनकी तिथि 633-34 ई. है। इसमें हर्ष तथा पुलकेशिन के बीच होने वाले युद्ध का वर्णन है। इस लेख की रचना पुलकेशिन के दरबारी कवि रविकीर्ति ने की थी। एहोल अभिलेख में बताया गया है कि भारत युद्ध को हुए 3735 वर्ष बीत गए हैं, इस दृष्टि से महाभारत का युद्ध 3100 ई.पू. लड़ा गया होगा।

5. बुद्ध का जन्म 563 ई.पू. शाक्य गणराज्य की राजधानी कपिलवस्तु के समीप लुम्बिनी में वैशाख पूर्णिमा के दिन हुआ। इनके पिता शुद्धोधन शाक्य गणराज्य के शासक थे। इनकी माता का नाम माया था। गौतम बुद्ध का विवाह यशोधरा से हुआ। कुछ समय बाद जब उन्होंने एक वृद्ध, रुग्ण व्यक्ति व मृत व्यक्ति को देखा तो उनका हृदय उनके दुःखों को देखकर द्रवित हो गया। पुनः एक संन्यासी को देखकर उसके जीवन से प्रभावित होकर 29 वर्ष की युवा आयु में वे शांति की खोज में संन्यासी बन गए। 35 वर्ष की आयु में वैशाख पूर्णिमा के ही दिन उन्हें बोधगया में शालवृक्ष (पीपल वृक्ष) के नीचे आत्मज्ञान की प्राप्ति हुई। ज्ञान प्राप्ति के उपरान्त उन्होंने अपना पहला धर्मोपदेश सारनाथ में तथा सर्वाधिक उपदेश श्रावस्ती में दिए।

6. महावीर स्वामी जैन धर्म के 24वें एवं अंतिम तीर्थंकर हुए। महावीर का जन्म 540 ई.पू. में कुण्डग्राम (वैशाली) में हुआ था। इनके पिता सिद्धार्थ 'ज्ञात्रंक कुल' के सरदार थे और माता त्रिशला लिच्छवी राजा चेटक की बहन थीं। महावीर की पत्नी का नाम यशोदा एवं पुत्री का नाम अनोज्जा प्रियदर्शनी था। महावीर के बचपन का नाम वर्द्धमान था। महावीर ने 30 वर्ष की उम्र में माता-पिता की मृत्यु के पश्चात अपने बड़े भाई नंदिवर्धन से अनुमति लेकर संन्यास-जीवन को स्वीकारा था। 12 वर्षों की कठिन तपस्या के बाद महावीर को जृम्भिक के समीप ऋजुपालिका नदी के तट पर साल वृक्ष के नीचे तपस्या करते हुए सम्पूर्ण ज्ञान का बोध हुआ। इसी समय से महावीर जिन (विजेता), अर्हत (पूज्य) और निर्ग्रन्थ (बंधनहीन) कहलाए। महावीर के प्रथम अनुयायी उनके दामाद (प्रियदर्शिनी के पति) जामिल बने। प्रथम जैन भिक्षुणी नरेश दधिवाहन की पुत्री चम्पा थी।

7. बौद्ध साहित्य के अनुसार 493 ई.पू. में बिम्बिसार की हत्या उसके पुत्र अजातशत्रु ने की परंतु जैन साहित्य इस बात को नहीं मानता। अजातशत्रु के बचपन का नाम कुणिक था। बौद्ध साहित्य में अजातशत्रु को पितृहंता कहा

गया है तथा उसने अपनी पिता की हत्या के कुकृत्य के लिए महात्मा बुद्ध से माफी माँगी। इन्होंने क्षत्रिय वंशज होने के आधार पर बुद्ध के अस्थि-अवशेषों में हिस्सेदारी का दावा किया था। अजातशत्रु ने गंगा के किनारे सामरिक उद्देश्य से एक दुर्ग का निर्माण किया। उसने युद्धों में रथमूसल एवं महाशिलाकण्टक नामक नवीन अस्त्रों का प्रयोग किया। कथाकोष एवं परिशिष्टपर्वन के अनुसार अजातशत्रु के पुत्र उदायिन ने एक षड्यंत्र रचकर अपने पिता की हत्या 461 ई.पू. में कर दी।

8. टेसियस–यह ईरान का राजवैद्य था। भारत के संबंध में इसका विवरण आश्चर्यजनक कहानियों से परिपूर्ण होने के कारण अविश्वसनीय है।

मेगास्थनीज–यह सेल्युकस निकेटर का राजदूत था, जो चन्द्रगुप्त मौर्य के राजदरबार में आया था। इसने अपनी पुस्तक इण्डिका में मौर्य-युगीन समाज एवं संस्कृति के विषय में लिखा है।

टॉलमी–इसने दूसरी शताब्दी में 'भारत का भूगोल' नामक पुस्तक लिखी।

प्लिनी–इसने प्रथम शताब्दी में 'नेचुरल हिस्ट्री' नामक पुस्तक लिखी। इसमें भारतीय पशुओं, पेड़-पौधों, खनिज पदार्थों आदि के बारे में विवरण मिलता है।

10. मौर्यकाल से संबंधित अध्यक्ष

1. पौतवाध्यक्ष–माप एवं तौल, 2. शुल्काध्यक्ष–सीमा-शुल्क, 3. पण्याध्यक्ष–वाणिज्य, 4. सामस्थाध्यक्ष–बाजार, 5. सीताध्यक्ष– राजकीय भूमि, 6. आकाराध्यक्ष–खान, 7. लोहाध्यक्ष–लोहा, 8. नवाध्यक्ष–राजकीय नावों का प्रमुख, 9. राथाध्यक्ष–रथ, 10. हस्ताध्यक्ष–हस्तिबल, 11. मुद्राध्यक्ष–पास पोर्ट, 12. कृप्याध्यक्ष–जंगली उत्पादन, 13. कोषाध्यक्ष–कोषागार, 14. सूत्राध्यक्ष–कृषि विभाग, 15. अक्षपातालाध्यक्ष–लेखा-जोखा, 16. मन अध्यक्ष–माप, 17. सुराध्यक्ष–शराब, 18. विवीताध्यक्ष–चारागाहों का अध्यक्ष, 19. पतनाध्यक्ष–पतन, 20. गणिकाध्यक्ष–गणिका, 21. देवताध्यक्ष–धार्मिक संस्थान, 22. लक्षणाध्यक्ष–टकसाल, 23. गोडध्यक्ष–मवेशियों की देख-रेख, 24. वंधनगराध्यक्ष–कारागार, 25. आयुधगाराध्यक्ष–हथियार एवं रख-रखाव का अध्यक्ष।

11. अशोक के 14 शिलालेख हैं जो आठ अलग-अलग स्थानों से मिले हैं। इन्हें वृहद् शिलालेख भी कहा जाता है। सर्वप्रथम जेम्स प्रिंसेप को 1837 ई॰ में इन्हें पढ़ने में सफलता प्राप्त हुई थी। ये इस प्रकार हैं:

शिलालेख	खोज का वर्ष	लिपि
1. शहबाजगढ़ी (पाकिस्तान)	1836	खरोष्ठी
2. मानसेहरा (पाकिस्तान)	1889	खरोष्ठी
3. गिरनार (गुजरात)	1822	ब्राह्मी
4. धौली (उड़ीसा)	1837	ब्राह्मी
5. कालसी (उत्तरांचल)	1837	ब्राह्मी
6. जौगढ़ (उड़ीसा)	1850	ब्राह्मी
7. सोपारा (महाराष्ट्र)	1882	ब्राह्मी
8. एर्रगुडी (आ॰ प्रदेश)	1916	ब्राह्मी

धौली एवं जौगढ़ के शिलालेखों को ''पृथक कलिंग शिलालेख'' कहते हैं। इस अभिलेख में कलिंग राज्य के प्रति अशोक की शासन नीति के विषय में उल्लेख है।

13. संगमकालीन लेखक प्राचीन बंदरगाह कवेरीपत्तनम् को पुहार के नाम से जानते थे। इस समय यह बंदरगाह काफी विकसित था तथा विदेशी जहाज बिना पाला उतारे ही तट पर आ जाते थे। संगम साहित्य के अनुसार पांड्य राज्य में शालियूर तथा चेर राज्य में बंदरगाह काफी महत्वपूर्ण थे। दक्षिण भारत एवं पश्चिमी देशों के व्यापार की पर्याप्त जानकारी एक अज्ञात ग्रीक नाविक द्वारा प्रथम शती में रचित ग्रंथ 'पेरिप्लस ऑफ दि एरिथ्रियन सी' से प्राप्त होती है।

14. संगम साहित्य–संगम-कालीन प्रमुख साहित्य :

संगम साहित्य	रचनाकार
तोलकाभिषण	तोलकाप्पिकार
शिलप्पादिकरम्	इलांगो आदिगल
मणिमेकलै	सीतलै सतनार
जीवकचिन्तामणि	तिरूत्तक्कदेवर
कुरल	तिरुवल्लुवर
ऐंगुरुनुरू	गुदातुर किलर
एत्तुतोकै	(अष्ट संग्रह) आठ गीतों के संग्रह को एत्तुकै कहते थे।

15. ऐलोरा एवं एलिफेंटा (महाराष्ट्र) गुहामंदिरों का निर्माण राष्ट्रकूटों के समय ही हुआ। ऐलोरा में 34 शैलयुक्त गुफाएँ हैं। इसमें 1 से 12 तक बौद्धों तथा 13 से 29 तक हिन्दुओं और 30 से 34 तक जैनों की गुफाएँ हैं।

16. **अमोघवर्ष (814-878 ई॰)**–राष्ट्रकूट नरेश अमोघवर्ष-I का जन्म उसके पिता के अभियानों के क्रम में एक सैनिक छावनी में हुआ था। इस वंश का छठा शासक अमोघवर्ष धर्मभीरु और शांतिप्रिय राजा था, जिसने लगभग 64 वर्षों तक राज्य किया। उसी ने 'मान्यखेत' को राष्ट्रकूटों की राजधानी बनाया। अरब यात्री सुलेमान ने अमोघवर्ष की गणना विश्व के तत्कालीन चार महान् शासकों में की। अमोघवर्ष ने चालुक्य शासक को पराजित कर 'वीर नारायण' की उपाधि धारण की। इनकी अभिरुचि सैनिक कार्यों की अपेक्षा साहित्यिक एवं धार्मिक कार्यों में अधिक थी। इस राजा ने 'कविराजमार्ग' नामक एक कन्नड़ भाषा का सर्वप्रथम काव्यशास्त्र लिखा था। इसके दरबार में 'जितसेन' (आदिपुराण), महावीराचार्य (गणितसार संग्रह) शाकटायन (अमोघवर्षी) नामक विद्वान् रहते थे। कृष्ण द्वितीय तथा इंद्र तृतीय ने कन्नौज के तत्कालीन शासक महिपाल को पराजित करके उसे भागने पर मजबूर कर दिया।

18. **सिक्कों के बारे में तथ्य**–

- भारत में सिक्कों का प्रारंभ 500 ईसा पूर्व से हुआ।
- प्रारम्भिक सिक्के 'आहत सिक्के' कहलाते थे जिन पर केवल विभिन्न प्रकार के चिह्न अंकित होते थे।
- सोने के सिक्के का प्रचलन सर्वप्रथम इण्डो-ग्रीक ने प्रारंभ किया। उन्होंने द्वि-भाषीय सिक्कों को भी प्रचलन में लाया। उन्होंने ऐसे सिक्कों का प्रयोग प्रारंभ किया जिसका संबंध निश्चित रूप से किसी राजा से जोड़ा जा सकता था।
- कुषाणों के द्वारा सबसे अधिक संख्या में ताम्र सिक्के जारी किये गए। तस्वीर वाले सिक्कों का प्रारंभ इण्डो-ग्रीक के द्वारा हुआ। कुषाण राजाओं ने दीनार की तरह के स्वर्ण सिक्के जारी किए।
- कलचुरि नरेश गांगेयदेव की मुद्राओं पर अंकित विशिष्ट चिह्न लक्ष्मी का है।
- कैडफीसेज प्रथम ने ताम्र सिक्के जारी किए जिस पर हेराइक्लस (कृष्ण) की आकृति अंकित थी।
- चंद्रगुप्त द्वितीय ने चाँदी और सोने के शेर और घुड़सवार सिक्के जारी किए। मौर्य काल में कर्सपण (आहत-चाँदी और ताम्र) मानक सिक्का थे।
- गुप्तों ने सबसे अधिक संख्या में सिक्के जारी किए।

20. **वाराहमिहिरः** प्राचीन भारत के खगोलशास्त्रियों में वाराहमिहिर का नाम अग्रगण्य है। वाराहमिहिर का समय 507 ई॰ से 587 ई॰ के बीच निर्धारित किया जाता है। कहा जाता है कि वाराहमिहिर उज्जैन के राजा विक्रमादित्य का दरबारी था। वाराहमिहिर ने अपने ग्रंथ में यूनानी खगोलविदों का विवरण दिया है, जिससे पता चलता है कि वह यूनानी खगोल-शास्त्र से परिचित था।

ब्रह्मगुप्तः (598-665 ई.) प्रसिद्ध भारतीय गणितज्ञ थे। वे तत्कालीन गुर्जर प्रदेश के अन्तर्गत आने वाले प्रख्यात शहर उज्जैन की अंतरिक्ष प्रयोगशाला के प्रमुख थे। ब्रह्मगुप्त का सबसे महत्वपूर्ण योगदान चक्रीय चतुर्भुज पर है।

भोजः गुर्जर सम्राट मिहिर भोज का शासनकाल 836-885 ई. तक था। ये एक अच्छे दार्शनिक कवि तथा ज्योतिषी भी थे। सरस्वतीकंठाभरण, तत्वप्रकाश, राजमर्ताण्ड, व्यवहारसमुच्चय उनके द्वारा लिखित प्रमुख ग्रंथ हैं।

भास्कराचार्यः (1114-1185) एक प्रसिद्ध गणितज्ञ तथा ज्योतिषी थे। इनके द्वारा रचित मुख्य ग्रंथ सिद्धांत शिरोमणि है जिसमें लीलावती, बीजगणित, ग्रहगणित तथा गोलाध्याय नामक चार भाग हैं।

21. भवभूति संस्कृत के महान कवि एवं सर्वश्रेष्ठ नाटककार थे। भवभूति द्वारा रचित तीन नाटक प्राप्त होते हैं– महावीरचरितम, मालती माधव तथा उत्तर रामचरित।

महावीरचरित में रामविवाह से लेकर राज्याभिषेक तक की निबद्ध की गयी है।

उत्तररामचरित में करूण रस की मार्मिक अभिव्यंजना हुई है।

मालतीमाधवः यह 10 अंकों का प्रकरण है जिसमें मालती और माधव की कल्पनाप्रसूत प्रेमकथा है।

22. नाट्यशास्त्र में वर्णित नाट्य मुद्राएँ (करण) वृहदेश्वर या राजराजेश्वर मंदिर को प्रदर्शित करती हैं। यह द्रविड़ वास्तुकला शैली के अंतर्गत विश्व प्रसिद्ध मंदिर है। इसका निर्माण राजराज प्रथम के द्वारा किया गया था।

23. **प्रमुख दर्शन एवं उसके प्रवर्तक**

दर्शन	**प्रवर्तक**
चार्वाक	चार्वाक
योग	पतंजलि
सांख्य	कपिल
न्याय	गौतम
पूर्वमीमांसा	जैमिनी
उत्तरमीमांसा	बादरायण
वैशेषिक	कणाद या उलूक

28.

लेखक	स्रोत
जियाउद्दीन बरनी	फतवा-ए-जहाँदारी, तारीखे फिरोजशाही
फिरोज तुगलक	फुतुहात-ए-फिरोजशाही
याह्या-बिन-अहमद-सरहिन्दी	तारीख-ए-मुबारकशाही
निजाम-उल-मुल्क तुसी	सियासतनामा
मिर्जा हैदर दोगलत	तारीख-ए-रशीदी
अब्दुल कादिर बदायूँनी	मुन्तख-उत-तवारीख
फख्र-ए-मुदब्बिर	आदाब उल हर्ब वा शुजात
मुहम्मद कबीर	अफसाना-ए-शाहान
खफी खाँ	मुन्तखाब-उल-लुबाब

29. शेरशाह का जन्म 1472 ई. में बजवाड़ा (होशियारपुर) में हुआ था। उसके बचपन का नाम फरीद खाँ था। वह सूरवंश में पैदा हुआ था। फरीद खाँ के पिता हसन खाँ जौनपुर राज्य के अंतर्गत सासाराम के जमींदार थे। एक बार एक शेर को तलवार के एक ही वार से मार देने के कारण मुहम्मद बहार खाँ लोहानी ने फरीद खाँ को शेर खाँ की उपाधि से विभूषित किया। शेर खाँ 1529 ई. में बिहार एवं 17 मई, 1540 ई. को हुए बिलग्राम-युद्ध में हुमायूँ को पराजित कर दिल्ली का शासक बना। इन्होंने पूर्व में सोनार गाँव (बंगाल) से पश्चिम में सिंधु नदी (पंजाब) तक 3000 मील लंबी ग्रैंड ट्रंक रोड (तत्कालीन नाम–सड़क-ए-आजम) का निर्माण कराया। इनका प्रसिद्ध कथन है–"ये शरारती लोग अपने खजाने से कभी पैसा नहीं खर्च करते....वे अपने अधीन रहने वाले कमजोर और गरीब किसानों से बलपूर्वक धन लेते हैं।"

30.

मीर-ए-आतिस	शस्त्रागार का प्रभारी अधिकारी।
वाकीयानवीस	समाचार लेखक।
मुशरीफ-ए-ममालिक	अधिकारी जो राजस्व की वसूली का निरीक्षण करता था तथा स्थानीय लेखा का लेखा परीक्षण करता था।
अमीर-ए-हाजिब	मुख्य प्रबंधक।
मीर-ए-अर्ज	केन्द्र में सेना का प्रमुख।
मुशरिफ	लेखाकार।
बरीद	गुप्तचर अधिकारी
शाहबंदर	बंदरगाह का प्रशासनिक अधिकारी।

38. मनसबदारी भारत में मुगलों द्वारा आविष्कृत एक विलक्षण पद्धति थी। मोटे तौर पर देखें तो किसी व्यक्ति को दिए गए मनसब या दर्जे से सरकारी सोपान-व्यवस्था में उसका स्थान और वेतन दोनों निर्धारित होते थे। उससे यह भी तय होता था कि किस मनसबदार को राज्य की सेवा के लिए कितने सशस्त्र परिचर (ताबीनान) रखने थे। मनसबदार को किसी भी प्रशासनिक या सैनिक पद पर नियुक्त किया जा सकता था या बादशाह की सेवा में दरबार में रखा जा सकता था।

40. अकबर के शासनकाल में स्थापत्य की दो परंपराएँ साथ-साथ काम कर रही थीं। एक थी ईरानी परंपरा, जिससे हुमायूँ शाह तहमास्प के दरबार में अपने प्रवास के दिनों में अवगत हुआ था। ईरानी परंपरा हुमायूँ के मकबरे में अभिव्यक्त हुई है, जिसका निर्माण उनकी विधवा हाजी बेगम ने शायद 1564 में आरंभ करवाया था और जो आठ साल में पूरा हुआ था। लाल बलुई पत्थरों से बनी यह समकोण इमारत एक ऊँचे चबूतरे पर अवस्थित है और उसके शीर्ष पर सफेद संगमरमर के चित्ताकर्षक आकार का एक गुंबद स्थापित कर दिया गया है। गुंबद की ग्रीवा किंचित संकुचित है, और वह आसमान से बात-सा करता दिखाई देता है।

पर्सी ब्राउन की दृष्टि में, 'वह ईरानी कल्पना की भारतीय व्याख्या है।' ईरानी विशेषता दोहरा गुंबद है, जो सिकंदर लोदी के मकबरे में इस्तेमाल किया गया है लेकिन जिसने अभी तक परिपक्वता नहीं प्राप्त की थी। यह स्थापत्य कला पश्चिम एशिया में दीर्घकाल से सुपरिचित थी। दोहरा गुंबद बाहर से मनोहारी छवि प्रस्तुत करता है और अंदरूनी छत को अंदर के अहाते से मेल खाता रूप देता है।

41. अकबर ने राज-काज के लिए प्रतिदिन तीन बार उपस्थित होने का नियम बना लिया था। पहली उपस्थिति सुबह सूर्योदय के बाद होती थी, जिसके बाद आम दरबार लगता था। प्रातः उपस्थिति, जिसे झरोखा दर्शन कहते थे, अकबर की नई सूझ थी, जिसका उद्देश्य बादशाह और रिआया के बीच व्यक्तिगत संबंध स्थापित करना था। इस अवसर पर लोग बिना किसी बाधा के अपनी अर्जियाँ पेश कर सकते थे और अपनी शिकायतें सामने रख सकते थे। फैसला मौके पर ही कर दिया जा सकता था। झरोखा दर्शन का उपयोग कभी-कभी जानवरों की लड़ाई देखने या अमीरों के दलों की सलामी लेने के लिए भी किया जाता था। कालांतर में जब अकबर की प्रतिष्ठा बहुत बढ़ गई तब कुछ लोगों ने बादशाह का दर्शन किए बिना अन्न-जल ग्रहण न करने का नियम बना लिया। राजपद में देवत्व के आधान की पुरानी भारतीय परंपरा का यह व्यावहारिक प्रदर्शन था।

42. अकबर के दरबार के तस्वीर खाना में 17 कलाकार थे जिसमें अधिकतर हिन्दू थे। दसावन, बसावन, केशवलाल, मुकुंद, मिसिकन, फारूख, कल्मक, माधू, जगन, महेश, हेमकरण, तारा, सावंल तथा हरिवंशराम इत्यादि प्रमुख कलाकार थे।

अकबर के समय चित्रकारी सामूहिक प्रयास था। कलाकार नकद वेतन प्राप्त कर्मचारी थे। 1562 ई. में मुगल दरबार में तानसेन के आगमन पर बनाये गये चित्र में हिन्दू एवं फारसी पद्धतियों का संयोग दिखने लगा है। **विदेशी कलाकार :** अब्दुल सम्मद, फारुख शेख, खुसरो कुली, जमशेद इत्यादि। ''रज्मनामा'' का प्रणेता दसवन्त अकबर के दरबार का अग्रणी चित्रकार था, जिसने विक्षिप्त होकर आत्महत्या कर ली। अब्दुस सम्मद के दरबारी पुत्र मुहम्मद शरीफ ने रज्मनामा के चित्रण के कार्य का पर्यवेक्षण किया।

49. **रामानंद**–रामानंद का जन्म 1299 ई. में प्रयाग में हुआ था। इनकी शिक्षा प्रयाग तथा वाराणसी में हुई। इन्होंने अपना संप्रदाय सभी जातियों के लिए खोल दिया। इन्होंने मर्यादा पुरुषोत्तम राम एवं सीता की आराधना को समाज के समक्ष रखा। इनकी अपनी पुस्तक आनंद भाष्य में शूद्रों के वेद पढ़ने के अधिकार को स्वीकार नहीं किया।

चैतन्य स्वामी–चैतन्य का जन्म 1486 ई. में नदिया (बंगाल) के मायापुर गाँव में हुआ था। इनके पिता का नाम जगन्नाथ मिश्र एवं माता का नाम शची देवी था। इन्होंने गोसाई संघ की स्थापना की और साथ ही संकीर्तन प्रथा को जन्म दिया। इनके दार्शनिक सिद्धांत को अचिंत्य भेदाभेदवाद के नाम से जाना जाता है।

ज्ञानेश्वर–महाराष्ट्र के जनजीवन पर संत ज्ञानेश्वर का भी अपरिमित प्रभाव पड़ा। उन्होंने मराठी भाषा में अपने उपदेश दिए। वे ब्राह्मणों के कठोर विरोधी थे। उन्होंने भी भक्ति को मोक्ष-प्राप्ति का साधन माना।

सूफी आन्दोलन–सूफीवाद का आरंभ हिजरी संवत् की दूसरी एवं '8वीं' शताब्दी के बीच खुरासन (मध्य एशिया) में हुआ। सूफीवाद के तहत भारत में चिश्ती एवं सुहरावर्दी सिलसिलों ने काफी जड़ जमाया। चिश्ती परंपरा की शुरूआत 1192 ई. में मुहम्मद गोरी के साथ भारत आए ख्वाजा मोइनुद्दीन चिश्ती द्वारा की गई। अजमेर चिश्ती परम्परा का प्रमुख केन्द्र था तथा निजामुद्दीन औलिया, बाबा फरीद, बख्तियार काकी एवं शेख बुरहानुद्दीन गरीब इस परंपरा के अन्य प्रमुख संत थे।

54. कांग्रेस अधिवेशन : कब और कहाँ

अधिवेशन	वर्ष	स्थान	अध्यक्ष	विशेष
तीसरा	1887	मद्रास	बदरूद्दीन तैय्यबजी	प्रथम मुस्लिम अध्यक्ष
चौथा	1888	इलाहाबाद	जॉर्ज यूल	प्रथम ब्रिटिश अध्यक्ष
दसवां	1894	मद्रास	अल्फ्रेड वेब	कांग्रेस संविधान का निर्माण
बीसवां	1904	बंबई	सर हैनरी काटन	
बाईसवां	1906	कलकत्ता	दादाभाई नौरोजी	पहली बार स्वराज शब्द का प्रयोग
तेईसवां	1907	सूरत	डॉ. रासबिहारी घोष	कांग्रेस का प्रथम विभाजन
तैंतीसवां	1917	कलकत्ता	श्रीमती एनी बेसेंट	पहली महिला अध्यक्ष
चौंतीसवां	1918	दिल्ली	पं. मदनमोहन मालवीय	
छत्तीसवां	1920	नागपुर	सी.वि. राधवाचारियर	कांग्रेस संविधान में परिवर्तन
विशेष अधिवेशन	1923	काकीनाडा	मौलाना मोहम्मद अली	
इकतालीसवां	1925	कानपुर	श्रीमती सरोजिनी नायडू	पहली भारतीय महिला अध्यक्ष
तैंतालीसवां	1927	मद्रास	डॉ. एम.ए. अंसारी	पूर्ण स्वाधीनता की माँग
पैंतालीसवां	1929	लाहौर	पं. जवाहरलाल नेहरू	पूर्ण स्वराज की माँग
छियालीसवाँ	1931	कराची	सरदार वल्लभभाई पटेल	मौलिक अधिकारों की माँग
पचपनवाँ	1946	मेरठ	आचार्य जे.बी. कृपलानी	आजादी के समय अध्यक्ष

56. सर सैयद अहमद खाँ (1817-98) मुस्लिम सुधारकों में विशेष स्थान रखते थे और इन्होंने ही 'अलीगढ़ आन्दोलन' को चलाया। इन्होंने ''पीरी मुरादी प्रथा'' को समाप्त करने का प्रयत्न किया। सैयद अहमद खाँ ने अपने विचारों के प्रचार के लिए एक पत्रिका 'तहजीब-उल-अखलाक' (सभ्यता और नैतिकता) निकाली। उनका सबसे महत्वपूर्ण कार्य 'कुरान का टीका' थी। 1875 ई॰ में उन्होंने अलीगढ़ में एक 'मुस्लिम एंग्लो ओरिएंटल स्कूल' प्रारम्भ किया। यह स्कूल आगे चलकर 1920 में 'अलीगढ़ मुस्लिम विश्व-विद्यालय' के रूप में परिणत हो गया। 1864– 'साइंटिफिक सोसायटी' (विज्ञान समिति) की स्थापना की। 1886 में उन्होंने 'मुहम्मडन एजूकेशनल कान्फ्रेंस' की स्थापना की।

57. 1909 के अधिनियम को मार्ले-मिंटो सुधार भी कहा जाता है क्योंकि इस समय लॉर्ड मार्ले इंग्लैंड में भारत के राज्य सचिव थे और लॉर्ड मिंटो भारत में वायसराय।

- इसने केन्द्रीय और प्रांतीय विधानपरिषदों के आकार में काफी वृद्धि की। केन्द्रीय परिषद में इसकी संख्या 16 से 60 हो गई, जबकि प्रांतीय विधानपरिषदों में इनकी संख्या एक समान नहीं थी।
- इसने केंद्रीय परिषद में सरकारी बहुमत को बनाए रखा लेकिन प्रांतीय परिषदों में गैर-सरकारी सदस्यों के बहुमत की अनुमति थी। इस अधिनियम के अंतर्गत पहली बार किसी भारतीय को वायस्राय और गवर्नर की कार्यपरिषद के साथ एसोसिएशन बनाने का प्रावधान किया गया। सत्येन्द्र प्रसाद सिन्हा को वायसराय की कार्यपालिका परिषद् के प्रथम भारतीय सदस्य बने। उन्हें विधि सदस्य बनाया गया था।
- इस अधिनियम ने पृथक निर्वाचन के आधार पर मुस्लिमों के लिए सांप्रदायिक प्रतिनिधित्व का प्रावधान किया। लॉर्ड मिंटो को सांप्रदायिक निर्वाचन के जनक के रूप में जाना जाता है।

59. मधुसूदन दत्त का जन्म बंगाल के जेस्सोर जिले के सागादरी नामक गाँव में हुआ था। वर्तमान में यह बांग्लादेश में है। कॉलेज जीवन में ही इन्होंने काव्य रचना आरम्भ कर दी थी। 19वीं सदी के उत्तरार्ध में इन्हें बाँग्ला साहित्य में प्रायः मधुसूदन बंकिम युग कहा गया। इन्होंने अपने काव्य में सदैव भारतीय आख्यानों को चुना किंतु निर्वाह में यूरोपीय जामा पहनाया। इनकी प्रसिद्ध रचना मेघनाद वध, वीरांगना काव्य, ब्रजांगना काव्य इत्यादि है।

60. **बंग-भंग विरोधी आंदोलन :** बंग-भंग विरोधी आंदोलन या स्वदेशी और बहिष्कार आंदोलन बंगाल के पूरे राष्ट्रीय नेतृत्व के प्रयासों के कारण था, न कि आंदोलन के किसी एक भाग के आरंभ में इसके प्रमुखतम नेता सुरेंद्रनाथ बनर्जी और कृष्ण कुमार मित्र जैसे नरमपंथी नेता थे, मगर बाद में इसका नेतृत्व उग्र और क्रांतिकारी राष्ट्रवादियों ने संभाल लिया। वास्तव में आंदोलन के दौरान नरमपंथी और उग्र राष्ट्रवादियों दोनों ने एक-दूसरे से सहयोग किया। विभाजन-विरोधी आंदोलन 7 अगस्त, 1905 को आरंभ हुआ। उस दिन कलकत्ता के टाउनहॉल में विभाजन के खिलाफ एक बहुत बड़ा प्रदर्शन हुआ। इस सभा के बाद प्रतिनिधि आंदोलन को फैलाने के लिए पूरे प्रांत में फैल गए। विभाजन 16 अक्टूबर, 1905 को लागू किया गया। आंदोलन के नेताओं ने इस दिन को पूरे बंगाल में शोक दिवस के रूप में मनाने की घोषणा की। उस दिन लोगों ने उपवास रखे। कलकत्ता में हड़ताल हुई। बहुत लोग तड़के ही नंगे पैर चलकर गंगा में स्नान करने पहुँचे। इस अवसर के लिए रवींद्रनाथ ठाकुर ने अपना प्रसिद्ध गीत 'आमार सोनार बंगला' लिखा जिसे सड़कों पर चलने वाली भीड़ गाती। बाद में इस गीत को बांग्लादेश ने 1971 में अपनी मुक्ति के बाद अपने राष्ट्रीय गीत के रूप में अपनाया। कलकत्ता की सड़कें 'वंदे मातरम' की आवाज से गूंज उठीं और यह गीत रातोंरात बंगाल का राष्ट्रीय गान बन गया (बाद में यही पूरे राष्ट्रीय आंदोलन का राष्ट्रगान बन गया)। रक्षाबंधन के उत्सव का एक नए ढंग से उपयोग किया गया। बंगालियों और बंगाल के दो टुकड़ों की अटूट एकता के प्रतीक के रूप में हिंदू-मुसलमानों ने एक-दूसरे की कलाइयों पर राखियाँ बांधी।

62. 10 मई, 1928 ई. को बंबई में हुई एक सर्वदलीय बैठक में 8 सदस्यों की एक समिति का गठन भावी संविधान की रूपरेखा तैयार करने हेतु किया गया। मोतीलाल नेहरू को इस समिति का अध्यक्ष बनाया गया। इस सर्वदलीय बैठक में मोहम्मद शफी ने भाग नहीं लिया था। जुलाई, 1928 में समिति ने अपनी रिपोर्ट सौंपी। कांग्रेस के अधिवेशन में 10 अगस्त, 1928 ई. को समिति की अनुशंसा रिपोर्ट जो नेहरू रिपोर्ट के नाम से प्रसिद्ध है, प्रस्तुत हुई। नेहरू रिपोर्ट की अनुशंसाएँ निम्नलिखित हैं–

- प्रादेशिक स्वायत्तता।
- केन्द्र में पूर्ण उत्तरदायी शासन।

- केन्द्र एवं प्रांत में शक्तियों का बँटवारा।
- सांप्रदायिक चुनाव पद्धति की समाप्ति।
- मौलिक अधिकारों का प्रावधान।
- उच्चतम न्यायालय एवं प्रतिरक्षा समिति का गठन।

63. युद्ध एवं युद्ध के तुरंत पश्चात् का समय ऐसा समय था जब भारतीय जीवन में सचमुच नाटकीय परिवर्तन हुए। इस काल के तीन सर्वस्वीकृत और महत्वपूर्ण तत्व थे–सवैधानिक सुधार (20 अगस्त, 1917 को भारत-सचिव मांटेग्यू की घोषणा, जिसकी परिणति 1918 की मांटेग्यू-चेम्सफोर्ड रिपोर्ट और 1919 के गवर्नमेंट ऑफ इंडिया एक्ट में हुई); गुणात्मक रूप से एक नए अखिल-भारतीय जन राष्ट्रवाद के नेता के रूप में गाँधीजी का उदय; और भारत की औपनिवेशिक अर्थव्यवस्था में महत्वपूर्ण बदलाव। तथापि इन नए लक्षणों के ठीक स्वरूप एवं महत्व और उनकी अंतःक्रियाओं के संबंध में पर्याप्त मतभेद पाए जाते हैं।

उदार-साम्राज्यवादी विचारक कभी-कभी मोन्टेग्यू चेम्सफोर्ड सुधारों को लेकर अत्यंत उत्साहित हो उठते हैं। उनकी धारणा है कि ये सुधार मूलतः अंग्रेजों की नेकनीयती के प्रत्यक्ष प्रमाण हैं। 20 अगस्त को हाउस ऑफ कॉमंस में मांटेग्यू ने यह घोषणा की कि अब से भारत में ब्रिटिश नीति का संपूर्ण लक्ष्य ''स्वशासी संस्थाओं का क्रमशः विकास होगा ताकि ब्रिटिश साम्राज्य के अभिन्न अंग के रूप में भारत में क्रमशः उत्तरदायी सरकार की स्थापना हो सके।'' निश्चय ही यह घोषणा उस पुरानी ब्रिटिश नीति से स्पष्टतः अलग थी जो अधिक से अधिक 'प्रतिनिधि' सरकार की बात करती थीं (चुने हुए विधायक, यहाँ तक कि चुना हुआ बहुमत भी किंतु जिनका कार्यकारिणी पर कतई कोई नियंत्रण नहीं हो)।

64. गोल-मेज सम्मेलन (Round Table Conference) 1930-32 ई.—

- 12 नवंबर, 1930 ई. को कांग्रेस के बहिष्कार के कारण लंदन में आयोजित पहला गोलमेज सम्मेलन असफल हो गया।
- 26 जनवरी, 1931 ई. को वार्ता के लिए वातावरण तैयार करने के उद्देश्य से कांग्रेस पर से प्रतिबंध हटा लिया गया।
- 8 मार्च, 1931 को गाँधी-इरविन समझौता हुआ जिसमें गांधी ने हिंसात्मक कार्यों को छोड़कर सविनय अवज्ञा के शेष कैदियों की रिहाई के बदले दूसरे गोलमेज सम्मेलन में भाग लेना स्वीकार कर लिया।
- 7 सितम्बर, 1931 को आयोजित दूसरा गोलमेज सम्मेलन स्वतंत्रता प्राप्ति एवं साम्प्रदायिकता के सवाल पर कोई समझौता न हो पाने के कारण असफल रहा।
- तीसरे गोलमेज सम्मेलन का आयोजन 17 नवंबर, 1932 ई. को हुआ जो कांग्रेस के बहिष्कार के कारण असफल रहा।
- तीनों गोलमेज सम्मेलनों में दलितों के प्रतिनिधि के रूप में डॉ. बी.आर. अम्बेडकर ने भाग लिया।

65. भारतीय राज्यों का एकीकरण : कश्मीर का प्रश्न

- आजादी के बाद भारत के सामने सबसे महत्वपूर्ण समस्या, 'देशी रियासतों का विलय' थी, क्योंकि अंग्रेजों ने उन्हें भारत में या पाकिस्तान में अथवा स्वतंत्र रहने की छूट दे रखी थी।
- उस समय देश में कुल 562 देशी रियासतें थीं, जिनके कारण गृहयुद्ध भड़क उठने का अंदेशा था। ऐसे में भारत के तत्कालीन गृहमंत्री सरदार पटेल ने असाधारण धैर्य एवं साहस का परिचय दिया।
- सरदार पटेल के सुझाव पर एक 'रियासती मंत्रालय' बनाया गया और इस मंत्रालय का मंत्री सरदार पटेल को बनाया गया।
- पटेल ने देशी राजाओं को यह आश्वासन दिया कि कांग्रेस उनकी दुश्मन नहीं है और यह प्रजा के हितों की रक्षक है। साथ-ही-साथ उन्होंने यह भी अपील की–हम मिल-जुलकर देश को महान् बना सकते हैं, अलग-अलग रहने से नई मुसीबतों का खतरा होगा।
- पटेल के इन सुझावों का देशी राजाओं पर काफी प्रभाव पड़ा। 15 अगस्त, 1947 को जूनागढ़, हैदराबाद और कश्मीर को छोड़कर 556 रियासतों ने भारत संघ में सम्मिलित होने की घोषणा कर दी और ये रियासतें भारतीय संघ में विलीन हो गई। जूनागढ़ का नबाव पाकिस्तान में मिलने का इच्छुक था, परन्तु जन असंतोष के चलते उसे पाकिस्तान भाग जाना पड़ा। फलतः नवम्बर 1949 ई॰ को भारत संघ में इसका विलय हुआ।
- हैदराबाद का शासक स्वतंत्र रहना चाहता था, परन्तु वहाँ की जनता भारत में रहना चाहती थी। फलतः भारत ने सैन्य कार्यवाही कर 1949 ई॰ को भारत में मिला लिया।

- जम्मू-कश्मीर रियासत के शासक हरीसिंह ने अक्टूबर 1947 ई. को विलय पत्र पर हस्ताक्षर कर अपनी रियासत का भारत में विलय किया।

66. सरोजिनी नायडू का जन्म 1 फरवरी, 1879 में हुआ। इन्होंने 13 वर्ष की अल्पायु में 'लेडी ऑफ द लेक' शीर्षक से एक कविता लिखी। हैदराबाद के निजाम द्वारा दी गई छात्रवृत्ति पर सरोजिनी लंदन पढ़ने गई। खराब स्वास्थ्य के कारण 1898 में भारत वापस आ गई। 1902 ई. में सरोजिनी नायडू गोपाल कृष्ण गोखले के संपर्क में आई तथा भारतीय राष्ट्रीय आंदोलन में हिस्सा लिया। 1925 ई. में इन्हें कांग्रेस के कानपुर अधिवेशन का अध्यक्ष चुना गया। 1930 में गाँधी जी के दांडी मार्च में महत्वपूर्ण भूमिका निभाई तथा घरसाना (महाराष्ट्र) नामक डिपो पर धावा बोलने के लिए सत्याग्रहियों का नेतृत्व किया। इन्हें एशियन रिलेशन्स कांफ्रेंस का अध्यक्ष नियुक्त किया गया। भारत के स्वतंत्र होने पर इन्हें उत्तर प्रदेश (संयुक्त प्रांत) का पहला गवर्नर बनाया गया। भारत की कोकिला की उपाधि से सम्मानित सरोजिनी नायडू की 2 मार्च, 1949 को मृत्यु हो गई। 'सांग ऑफ द इंडिया', 'द इंडिया', 'द गोल्डेन थ्रेसोल्ड', 'द फादर ऑफ डान', 'द वर्ड ऑफ टाइम', 'द ब्रोकेन विंग' इनकी प्रसिद्ध रचनाएँ हैं।

68. भारत शासन अधिनियम-1919 ई.

- इसे मॉन्टेग्यू-चेम्सफोर्ड सुधार भी कहा जाता है। इस अधिनियम के अंतर्गत प्रांतों में द्वैध शासन (Dyarchy) की व्यवस्था की गई जिसके तहत प्रांतीय विषयों को आरक्षित एवं हस्तांतरित दो वर्गों में विभाजित कर दिया गया। उत्तरदायी सरकार (Responsible Govt.) की नींव हस्तांतरित विषयों के संकीर्ण क्षेत्र में डाली गई।
- प्रांतीय गवर्नर एवं उसकी कार्यकारी परिषद द्वारा आरक्षित विषयों का प्रशासन होना निश्चित हुआ। जिसमें कोई भी विधान मंडल के प्रति उत्तरदायी नहीं था।
- प्रशासन के समस्त विषयों को केन्द्रीय एवं प्रांतीय विषयों में विभाजित किया गया। स्थूल रूप से राष्ट्रीय महत्व के विषयों को केंद्रीय एवं प्रांतीय महत्व के विषयों को प्रांतीय विषय के तहत रखा गया।
- प्रांतों का राजस्व केंद्रीय राजस्व से अलग कर दिया गया।
- केंद्रीय विधान परिषद को द्विसदनीय पहली बार बनाया गया। इसके उच्चतर सदन को राज्य-परिषद कहा गया जिसका गठन 60 सदस्यों से हुआ।
- निचले सदन, जिसका नाम विधान सभा था में 144 सदस्य थे। इनमें से 104 सदस्य निर्वाचित सदस्य थे।
- दो सदनों की शक्तियाँ प्रायः समान थी। परंतु, बजट पर मतदान करने का अधिकार निचले सदन को ही था।
- गवर्नर जनरल को भारतीय विधानमंडल द्वारा पारित किसी विधेयक पर वीटो करने अथवा सम्राट के विचारार्थ प्रेषित करने का अधिकार दिया गया।
- गवर्नर जनरल को यह भी अधिकार दिया गया कि विधान मंडल द्वारा नामंजूर किए गए किसी विधेयक या अनुदान को प्रमाणित (enforce) कर दे।
- वह आपात की दशा में अध्यादेश (Ordinance) जारी कर सकता था।

72. भारतीय संविधान के भाग 4 में राज्य के नीति-निर्देशक सिद्धांत शामिल किए गए हैं। ये सिद्धांत शासन व्यवस्था के मूल कारक हैं। जिनका वर्णन संविधान के भाग 4 में अनुच्छेदों (36 से 51 तक) में किया गया है। इनमें राज्य के आर्थिक, सामाजिक, वैधानिक, शिक्षा संबंधी और अंतर्राष्ट्रीय कार्यक्षेत्रों पर विस्तृत रूप से विचार किया गया है। राज्यों का यह मूल कर्तव्य है कि विधि निर्माण के समय इन सिद्धांतों का अनुसरण करें। इसी प्रकार देश के प्रशासकों के लिए यह एक आचार संहिता है। उनके लिए आवश्यक है कि राष्ट्र की प्रभुसत्ता के प्रतिनिधियों के रूप में कार्य करते समय इन नीति-निर्देशक सिद्धांतों का ध्यान रखें, क्योंकि यह उन आदर्शों को प्रतिष्ठित करते हैं जो भारत के राज्य का आधार हैं। संविधान निर्माता चाहते थे कि राज्य एक ऐसी व्यवस्था को जन्म दे जिसमें नागरिकों को सामाजिक, आर्थिक और राजनीतिक न्याय प्राप्त हो सके। इन निर्देशक सिद्धांतों पर आयरलैंड के संविधान का स्पष्ट प्रभाव देखने को मिलता है जो कल्याणकारी राज्य की भावना का पोषण करती है।

पिछले प्रश्न-पत्र
(हल सहित)

UGC-NET, इतिहास, जून-2015

प्रश्न-पत्र-II

निर्देशः *इस प्रश्न-पत्र में* ***पचास (50)*** *बहु-विकल्पीय प्रश्न हैं। प्रत्येक प्रश्न के* ***दो (2)*** *अंक हैं।* ***सभी*** *प्रश्नों के उत्तर दीजिए।*

1. हथनोरा का मानवसय जीवाश्म :
A. होमो इरेक्टस है
B. होमो हैबिलिस है
C. होमो सैपियन्स है
D. उपरोक्त में से कोई नहीं है

2. शवाधान प्रचलन शुरू किया गया :
A. होमो सैपियन द्वारा B. होमो इरेक्टस द्वारा
C. होमो निअंडरथल द्वारा D. होमो हैबिलिस द्वारा

3. कहाँ पर सबसे ज्यादा संख्या में ताम्र संचय मिला है?
A. जोधपुरा B. बहादराबाद
C. सईपई D. गुनगेरिया

4. सूची-I (हड़प्पीय स्थल) को सूची-II (पुरातात्विक अवशेष) से सुमेलित कीजिए और दिए गए कूट का उपयोग करते हुए सही उत्तर का चयन कीजिएः

सूची–I (हड़प्पीय स्थल)	सूची–II (पुरातात्विक अवशेष)
(*a*) मोहनजो-दाड़ो	(*i*) घोड़े की मृ.मूर्ति
(*b*) लोथल	(*ii*) मृ. अरा पहिया
(*c*) हड़प्पा	(*iii*) घोड़े का जीवाश्म
(*d*) पिराक	(*iv*) यज्ञ वेदी

कूट :

	(*a*)	(*b*)	(*c*)	(*d*)
A.	(*ii*)	(*iii*)	(*iv*)	(*i*)
B.	(*i*)	(*iv*)	(*ii*)	(*iii*)
C.	(*iv*)	(*iii*)	(*ii*)	(*i*)
D.	(*iii*)	(*ii*)	(*iv*)	(*i*)

5. निम्नलिखित में से सर्वप्रथम किसने प्रतिपादित किया कि हड़प्पीय संस्कृति का विकास सिंधु क्षेत्र में स्वतः हुआ और इसमें पश्चिम का अंतर्वेध नहीं था?
A. दया राम साहनी B. राखाल दास बनर्जी
C. जॉन मार्शल D. माधो सरूप वत्स

6. भारोपीय भाषा का प्राचीनतम अभिलेखीय प्रमाण मिलता है :
A. बैकट्रिया से B. इराक से
C. ईरान से D. सीरिया से

7. निम्नलिखित में से किस पुरोहित ने गायत्री मंत्र का संकलन किया?
A. वसिष्ठ B. विश्वामित्र
C. अत्रि D. भारद्वाज

8. निम्नलिखित में से कौन-सा वेदांग पद्यरचना से जुड़ा है?
A. शिक्षा B. कल्प
C. निरुक्त D. छंद

9. यूनानी अधिवास बुकेफला स्थित था :
A. रावी पर B. चेनाब पर
C. झेलम पर D. सिन्धु पर

10. निम्नलिखित में से किस राजवंश ने भारत में सर्वाधिक तांबे के सिक्के जारी किए?
A. इंडो-यूनानी B. सातवाहन
C. कुषाण D. गुप्त

11. सूची-I को सूची-II से सुमेलित कीजिए और दिए गए कूट का उपयोग करते हुए सही उत्तर का चयन कीजिएः

सूची–I (चालुक्य मंदिर)	सूची–II (उनके निर्माता)
(*a*) ब्रह्म मंदिर	(*i*) त्रैलोक्यमादेवी
(*b*) हुच्चीमल मंदिर	(*ii*) लोकमहादेवी
(*c*) विरुपाक्षा मंदिर	(*iii*) विनयादित्य
(*d*) मल्लिकार्जुन मंदिर	(*iv*) विजयादित्य

कूट :

	(a)	(b)	(c)	(d)
A.	(i)	(ii)	(iii)	(iv)
B.	(iii)	(iv)	(ii)	(i)
C.	(ii)	(i)	(iii)	(iv)
D.	(iv)	(ii)	(i)	(iii)

12. निम्नलिखित में से किसने सर्वप्रथम भारतीय नाटक में एक नई युक्ति नाटक में नाटक (गर्भ-नाटक) प्रारम्भ किया?

A. हर्ष
B. बांण
C. मयूर
D. दिवाकर

13. निम्नलिखित में से किसने कांची के कैलाशनाथ मंदिर का निर्माण किया?

A. नरसिंहवर्मन् I
B. नरसिंहवर्मन् II और परमेश्वरवर्मन् II
C. नरसिंहवर्मन् I और II
D. नरसिंहवर्मन् II और महेन्द्रवर्मन् III

14. निम्नलिखित में से कौन सही सुमेलित नहीं है?

A. पंचसिद्धान्तिका = वराहमिहिर
B. ब्रह्मसूत्र = आर्यभट्ट
C. अष्टांग संग्रह = वागभट्ट
D. निघण्टु = धनवंतरी

15. निम्नलिखित में सें कौन-सा मंदिर ईंटों द्वारा निर्मित है?

A. नचना कुठार का पार्वती मंदिर
B. ऐहोल का लाडखाँ मंदिर
C. दीनाजपुर का बैग्राम मंदिर
D. भूमरा का शिव मंदिर

16. अजंता के संदर्भ में निम्नलिखित में से कौन-सा **सही नहीं** है?

A. 28 गुफाओं में से 5 गुप्त काल के पहले की हैं।
B. गुफा सं. XIX और XXVI चैत्य हैं, और बाकी विहार हैं।
C. गुफा सं. XX और XXI चैत्य हैं, और बाकी विहार हैं।
D. इसके चित्र धर्मनिरपेक्ष संदेश भी देते हैं।

17. निम्नलिखित में से कौन-सा कथन कलभ्र-विद्रोह के संदर्भ में **सही नहीं** है?

A. यह विद्रोह चोलों के विरुद्ध था
B. यह ब्राह्मण जमींदारों के विरुद्ध किसानों का प्रबल विरोध था
C. इन्होंने पचहत्तर वर्ष तक शासन किया
D. इन्होंने बौद्ध संघ को संरक्षण नहीं दिया

18. फारसी भाषा में लिखा गया मध्यकालीन भारतीय इतिहास फारसी इतिहास लेखन विधा के रूप में जाना जाता है। इसका केंद्र बिन्दु होता है :

A. जनसाधारण की गतिविधियाँ
B. उलेमा
C. शासक वर्ग
D. सूफी सिलसिले

19. निम्नलिखित युग्मों में से कौन-सा युग्म सही-सुमेलित **नहीं** है?

	(स्रोत)	**(लेखक)**
A.	अब्बास खान सारवानी	फुतुहात-ए-शेरशाही
B.	जौहर आफताबची	तज़किरात उल वाकिआत
C.	अब्दुल कादिर बदायूँनी	मुन्तख़ब उल तवारीख़
D.	फरिश्ता	तारीख ए फरिश्ता

20. तक्सीम दस्तावेज़ वैसे ही हैं जैसे :

A. अड़सट्टा
B. मुवाज़ना ए दहसाला
C. अखबारात
D. मल्फूज़ात

21. जौनपुर में अटाला मस्जिद का निर्माण करवाया था :

A. बहमनी सुल्तानों ने
B. खिलजी सुल्तानों ने
C. शर्क़ी सुल्तानों ने
D. लोदी सुल्तानों ने

22. निम्नलिखित में से कौन सुहरावर्दी **सिलसिले** के सूफी थे?

A. शेख बहाऊद्दीन जकरिया
B. शेख याह्या मनेरी
C. शेख अहमद सरहिन्दी
D. शेख कुतबुद्दीन बख्तियार काकी

23. निम्नलिखित में से कौन-सा शहर मुगल भारत में एक टकसाली शहर **नहीं** था?

A. आगरा
B. बाँसवाड़ा
C. अहमदाबाद
D. अजमेर

24. सरखेज एवं बयाना मुगल काल में किस फसल के बाहुल्य के लिए प्रसिद्ध थे?

A. कपास B. पान के पत्ते
C. पोस्त D. नील

25. वह कौन था जिसने पहली बार भारत के विभिन्न क्षेत्रों की भाषाओं का विवरण दिया था और हमें ध्यान दिलाया था कि हिंदवी देश की संपर्क-भाषा है तथा संस्कृत शास्त्रीय भाषा है?

A. अलबेरुनी B. इब्न बतूता
C. बर्नी D. अमीर खुसरो

26. मराठी शब्दावली **'देशमुख'** के समानार्थी उत्तर भारत में है :

A. करोड़ी B. चौधरी
C. पटेल D. अमीन

27. निम्न में से किस मुगल शासक ने उल्लेख किया है कि 'नमक कश्मीर में उपलब्ध **नहीं** है, अतः हिन्दुस्तान से मंगवाया जाता है।'?

A. बाबर B. अकबर
C. जहाँगीर D. शाहजहाँ

28. बरनी ने दिल्ली के एक सुल्तान के बारे में वर्णन किया है कि जब वह गद्दी पर बैठा तो "हिंदुओं तथा मुसलमानों के दिलों को राहत मिली" तथा उसने यह भी लिखा है कि वर्ष 1357 तक **खोत** और **मुक्कद्दम** अमीर हो गए और उनके पास अनगिनत घोड़े और मवेशी हो गए थे। वह सुल्तान कौन था?

A. अलाउद्दीन खिलजी B. गयासुद्दीन तुगलक
C. फिरोज तुगलक D. मोहम्मद तुगलक

29. अलाउद्दीन खिलजी के सन्दर्भ में निम्नलिखित में से कौन-सा (कथन) सही **नहीं** है?

A. वह सार्वजनिक बाजार तथा अमीरों के घरों में सम्पन्न होने वाली प्रायः प्रत्येक घटना के साथ जुड़ा हुआ था।

B. बरनी के अनुसार, सुल्तान ने आज्ञा जारी की कि, शाही लोग एक-दूसरे के घर नहीं जाएँगे, तथा उनके बीच तब तक अन्तर्विवाह सम्पन्न नहीं होंगे, जब तक सुल्तान से, इसके लिए विधिवत अनुमति नहीं प्राप्त हुई हो।

C. उसने स्वयं भी शराब पीना छोड़ दिया।

D. सभी समकालीन स्रोतों में पद्मिनी के आख्यान का उल्लेख किया गया है।

30. किसके समय में पहली बार बड़ी संख्या में सरदारों को पट्टे दिए गए?

A. आमेर के राजा मानसिंह
B. जोधपुर के राव मालदेव
C. बीकानेर के राजा जैतसिंह
D. मेवाड़ के राणा कुम्भा

31. गुरु ग्रंथ साहिब में किसकी रचनाएँ शामिल हैं?

A. गुरु नानक तथा उनके उत्तराधिकारी
B. शेख फरीद
C. नामदेव, कबीर तथा रविदास
D. उपरोक्त सभी

32. मध्यकालीन भारत में अमीर की पदवी राजनीतिक संस्कृति का एक हिस्सा थी। इस पदवी से मुगलकालीन भारत में अमीर की सामाजिक-राजनैतिक प्रतिष्ठा स्पष्ट होती थी। उपर्युक्त के अनुसार निम्नलिखित में से किसको 'फरजंद' (पुत्र) की पदवी से प्रतिष्ठित किया गया था?

A. राजा भारमल
B. राजा मानसिंह
C. राजा बासो
D. राजा बीर सिंह देव बुंदेला

33. वह कौन-सी मुगल राजसी महिला थी जिसकी मृत्यु के पश्चात् बहुत से राजपूत अमीरों ने अकबर के साथ अपने सिरों को मुँडवा लिया था?

A. गुलबदन बेगम B. हमीदा बानो बेगम
C. माहम अनगा D. मानमती बाई

34. सूची-I को सूची-II से सुमेलित कीजिए और दिए गए कूट में से **सही** उत्तर का चयन कीजिए:

सूची–I (यात्री)	**सूची–II (शासन काल)**
(*a*) राल्फ फिच	(*i*) हुमायूँ
(*b*) बर्नियर	(*ii*) अकबर
(*c*) सिद्दी अली रईस	(*iii*) जहाँगीर
(*d*) थॉमस रो	(*iv*) औरंगजेब

कूट :

	(a)	(b)	(c)	(d)
A.	(i)	(ii)	(iii)	(iv)
B.	(ii)	(iv)	(i)	(iii)
C.	(iii)	(iv)	(ii)	(i)
D.	(ii)	(iii)	(iv)	(i)

35. सूची-I को सूची-II के साथ सुमेलित कीजिए :

सूची–I (लेखक)		सूची–II (पुस्तक)
(a) माइकेल एच. फिशर	(i)	द ग्रेट ट्रांसफॉर्मेशन : द पॉलिटिकल एंड इकोनॉमिक ऑरिजिन्स ऑफ अवर टाइम्स
(b) ए. ब्रेवर	(ii)	इकोनॉमिक डेवलपमेंट इन एशियन पर्स्पेक्टिव
(c) शिगेरू इशिकावा	(iii)	मार्क्सिस्ट थ्योरीज ऑफ इम्पीरियलिज्म
(d) कार्ल पोलान्जी	(iv)	द पॉलिटिक्स ऑफ ब्रिटिश अनेक्सेशन ऑफ इंडिया : 1757 - 1857

कूट :

	(a)	(b)	(c)	(d)
A.	(iv)	(ii)	(i)	(iii)
B.	(ii)	(iii)	(i)	(iv)
C.	(iii)	(i)	(iv)	(ii)
D.	(iv)	(iii)	(ii)	(i)

36. ब्रिटिश ईस्ट इंडिया कम्पनी के शासन के द्वौरान निम्नलिखित में से किसने पहली बार व्यवस्थित प्रेस नियम प्रतिपादित किया?

A. लार्ड वारेन हेस्टिंग्स B. लार्ड कार्नवालिस
C. सर जॉन शार D. लार्ड वेलेजली

37. 1886 से 1919 के मध्य उच्च न्यायालय कहाँ स्थापित हुए?

A. बम्बई, मद्रास और कलकत्ता
B. इलाहाबाद, पटना और लाहौर
C. मद्रास, कलकत्ता और इलाहाबाद
D. बम्बई, पटना और लाहौर

38. निम्नलिखित में से कौन, चम्पारण सत्याग्रह के दौरान महात्मा गांधी के साथ **नहीं** था?

A. अनुरुद्ध नारायण सिन्हा B. बृज किशोर प्रसाद
C. राजेन्द्र प्रसाद D. रवि शंकर व्यास

39. किस अधिनियम के अन्तर्गत भारत में आई.सी.एस. भर्ती परीक्षा का प्रावधान था :

A. इंडियन काउंसिल्स एक्ट, 1861
B. इंडियन काउंसिल्स एक्ट, 1893
C. मॉर्ले-मिन्टो रिफॉर्म्स, 1909
D. गवर्नमैंट ऑफ इण्डिया एक्ट, 1919

40. निम्नलिखित में से कौन-सी महिला, क्रांतिकारी आन्दोलन से संबद्ध **नहीं** थी?

A. बीणा दास B. कल्पना दत्त
C. मैडम भीकाजी कामा D. तोरू दत्त

41. भारतीय राष्ट्रीय कांग्रेस के किस अधिवेशन में, सरोजिनी नायडू इसके अध्यक्ष के रूप में चुनी गईं?

A. दिल्ली अधिवेशन, 1918
B. गया अधिवेशन, 1922
C. कानपुर अधिवेशन, 1925
D. मद्रास अधिवेशन, 1927

42. निम्नलिखित में से किसने 8 अप्रैल 1929 को विधान सभा पर बम फेंका?

A. भगतसिंह और राजगुरु
B. सुखदेव और राजगुरु
C. भगतसिंह और बी.के. दत्त
D. राजगुरु और बी.के. दत्त

43. पूना पैक्ट के परिणामस्वरूप, कुल निर्वाचन क्षेत्र की सीटों में से दलित वर्ग के लिए आरक्षित सीटों की संख्या :

A. घटाई गई
B. उसी स्तर पर रखी गई
C. समाप्त कर दी गई
D. बढ़ाई गई

44. निम्नलिखित में से कौन सविनय अवज्ञा आन्दोलन से संबद्ध **नहीं** था?

A. सी. राजगोपालाचारी B. अब्बास तैयबजी
C. सरोजिनी नायडू D. लाला हरदयाल

45. 1961 में सम्पन्न हुए प्रथम गुट-निरपेक्ष आन्दोलन की शिखर बैठक में कितने देश सम्मिलित हुए थे?

A. 22 B. 24
C. 27 D. 30

46. सूची-I को सूची-II से सुमेलित कीजिए और दिए गए कूट में से **सही** उत्तर का चयन कीजिए :

सूची–I (**लेखक**)	**सूची–II** (**पुस्तक**)
(*a*) मार्क ब्लोख	(*i*) ऑफ ग्रामेटॉलोजी
(*b*) जे.एच. रोबिन्सन	(*ii*) द हिस्टोरियन्स क्राफ्ट
(*c*) एन्टॉनियो ग्रामशी	(*iii*) प्रिजन नोटबुक्स
(*d*) जैक्स दरीदा	(*iv*) द न्यू हिस्ट्री

कूट :

	(*a*)	(*b*)	(*c*)	(*d*)
A.	(*ii*)	(*iii*)	(*iv*)	(*i*)
B.	(*iv*)	(*iii*)	(*i*)	(*ii*)
C.	(*iv*)	(*i*)	(*ii*)	(*iii*)
D.	(*ii*)	(*iv*)	(*iii*)	(*i*)

47. सदस्य देशों के लिए प्रथम नाम (NAM) सम्मेलन की तैयारी समिति द्वारा निम्नलिखित में से किसे **नहीं** रखा गया था?

A. स्वतंत्र नीति को अपनाना

B. बहुपक्षीय गठजोड़ का सदस्य न होना

C. सभी मौजूदा गठजोड़ों को तोड़ना

D. सैन्य अड्डों को स्वीकार करते हैं तो महाशक्ति विवाद हेतु उसका अभिप्राय नहीं है

48. निम्नलिखित में से भारत के किस प्रधानमंत्री ने एक पत्रकार से कहा कि 'कांग्रेस मरणासन्न हो गई है', और जोड़ा कि 'कभी-कभी मुझे महसूस होता है कि संसदीय प्रणाली भी मरणासन्न हो गई है।'

A. वी.पी. सिंह

B. इन्दिरा गांधी

C. लाल बहादुर शास्त्री

D. एच.डी. देवेगौड़ा

49. निम्नलिखित वक्तव्यों पर विचार कीजिए :

कथन (A) : 18वीं सदी के दौरान भारतीय विद्वान पश्चिमी साहित्य के समृद्ध भंडार के निकट संपर्क में आए।

कारण (R) : स्थानीय भाषा के विकास के संबंध में भारतीय विद्वानों ने नवीन विचार, नवीन साहित्यिक विधाएँ, नई विधियाँ तथा तकनीक ग्रहण कीं।

उपर्युक्त दोनों वक्तव्यों के संदर्भ में निम्नलिखित में से कौन **सही** है?

A. (A) और (R) दोनों सही हैं तथा (R), (A) की सही व्याख्या है।

B. (A) और (R) दोनों सही हैं, परंतु (R), (A) की सही व्याख्या नहीं है।

C. (A) सही है, परंतु (R) गलत है।

D. (A) गलत है, परंतु (R) सही है।

50. किसके लेखन में विकास के सिद्धांत को आधार मिला?

A. मध्यकालीन चर्च इतिहासकार

B. 18वीं सदी के प्रबुद्ध इतिहासकार

C. 19वीं सदी के राष्ट्रवादी इतिहासकार

D. उपरोक्त में से कोई नहीं

उत्तरमाला

1	2	3	4	5	6	7	8	9	10
A	C	D	B	C	B	B	D	C	C
11	**12**	**13**	**14**	**15**	**16**	**17**	**18**	**19**	**20**
B	A	D	B	C	C	D	C	A	B
21	**22**	**23**	**24**	**25**	**26**	**27**	**28**	**29**	**30**
C	A	B	D	D	B	C	C	D	B
31	**32**	**33**	**34**	**35**	**36**	**37**	**38**	**39**	**40**
D	B	B	B	D	D	B	D	D	D
41	**42**	**43**	**44**	**45**	**46**	**47**	**48**	**49**	**50**
C	C	D	D	A	D	C	B	A	B

कुछ चुने हुए प्रश्नों के व्याख्यात्मक उत्तर

1. हथनोरा मध्य प्रदेश की नर्मदा घाटी में स्थित है। यहाँ से आरंभिक मानवसय जीवाश्य प्राप्त हुए हैं। ये जीवाश्य होमो इरेक्टस प्रज़ाति के हैं।

2. आज से करीब 50,000 वर्ष पहले निअंडरथल प्रजाति के मानवों में शवाधान प्रणाली प्रचलित थी। दक्षिण-पश्चिम फ्रांस में इस प्रजाति के मानव कंकाल मिले हैं। इससे आरंभिक शवाधान की पुष्टि होती है।

3. भारत में पश्चिम बंगाल, ओडिशा, गुजरात, हरियाणा, आंध्र प्रदेश एवं मध्य प्रदेश के कई स्थलों से ताम्र संचय प्राप्त हुए हैं। इनमें सबसे बड़ा ताम्र संचय मध्य प्रदेश के गुनेरिया नामक स्थल से प्राप्त हुआ है। यहाँ से तांबे के 424 उपकरण एवं हथियार प्राप्त हुए हैं।

4. पिराक (बलूचिस्तान) के ऊपरी स्तरों पर, जिनका काल दूसरी सहस्राब्दी ई.पू. का पूर्वार्ध निश्चित किया गया है, कुछ ऐसी अस्थियां मिली हैं जो घोड़े की बताई गई हैं। इनके अलावा छोटी-छोटी मृन्मूर्तियां भी मिली हैं।

लोथल और कालीबंगा से अग्निवेदिकाएँ प्राप्त हुई हैं जिससे अनुमान लगाया जाता है कि हड़प्पा सभ्यता में अग्निपूजा काफी प्रचलन में थी।

7. गायत्री मंत्र वेदों में वर्णित सर्वाधिक पवित्र मंत्र है। इसका उल्लेख ऋग्वेद में मिलता है। ऋग्वेद में सवितुर नामक स्त्री देवता का उल्लेख है। यह मंत्र उसे ही समर्पित है। इस कारण इसे सावित्री मंत्र भी कहा जाता है। इस मंत्र का संकलन पुरोहित विश्वामित्र ने किया।

9. भारत पर सिकंदर के आक्रमण का कोई स्थायी राजनीतिक प्रभाव नहीं पड़ा। पर इसने सामाजिक आर्थिक जीवन पर गहरे प्रभाव छोड़े। सिकंदर ने अपने आक्रमण के दौरान जीते गए क्षेत्रों में कई नगरों की स्थापना की, जैसे—झेलम के तट पर बुकेफला एवं सिंध में अलेव जेंड्रिया नामक शहर।

10. भारत में प्राचीनतम सिक्कों का प्रचलन 500 ई.पू. के लगभग हुआ। अनेक प्रकार के चिह्न वाले इन सिक्कों को आहत सिक्का कहा जाता था जो अधिकांशतः चांदी से निर्मित होते थे। आहत मुद्राओं की सबसे पुरानी निधियाँ पूर्वी उत्तर प्रदेश और मगध में प्राप्त हुई हैं। आरंभिक सिक्के अधिकांशतः चाँदी के हैं, ये सिक्के पंच मार्क कहलाते थे। इन सिक्कों पर पेड़, मछली, सांड, हाथी, अर्द्धचन्द्र आदि आकृतियाँ उत्कीर्ण हैं। सर्वाधिक सिक्के मौर्योत्तर काल के प्राप्त हुए हैं। सोने के सिक्के का प्रचलन सर्वप्रथम इण्डो-ग्रीक ने प्रारम्भ किया। उन्होंने द्वि-भाषीय सिक्कों को भी प्रचलन में लिया। उन्होंने ऐसे सिक्कों का प्रयोग प्रारम्भ किया जिसका संबंध निश्चित रूप से किसी राजा से जोड़ा जा सकता था। कुषाणों के द्वारा सबसे अधिक संख्या में ताम्र सिक्के जारी किए गए। तस्वीर वाले सिक्कों का प्रारम्भ इण्डो-ग्रीक द्वारा हुआ।

13. द्वितीय नरसिंह-वर्मन् ने, जिसे बहुधा राजसिंह कहा जाता है, महाबलीपुरम् का सुंदर तटवर्ती मंदिर बनवाया और कांचीपुरम् में उस मंदिर का निर्माण करवाया जिसे आज कैलाशनाथ मंदिर कहते हैं। ये दोनों मंदिर उसकी प्रमुख उपलब्धियों में गिने जाते हैं। कैलाशनाथ मंदिर एक नए मोड़ का सूचक है, क्योंकि कांचीपुरम् अब तक ऐसा धार्मिक केन्द्र था जहां बौद्धों का बोलबाला था। बड़े-बड़े सैनिक अभियानों का एक आनुषंगिक परिणाम यह था कि कभी-कभी पराजित राजा के मंदिरों से प्रतिमाओं को उठाकर विजयी राजा विजय-प्रतीक के रूप में अपने यहां ले जाता था।

14. बादरायण का नाम सूत्रकारों में प्रमुख है। वैदिक साहित्य में ब्राह्मण ग्रंथों के रचनाकाल के बाद सूत्रकाल आता है। बादरायण ने 'ब्रह्मसूत्र' की रचना की, जिसमें ईश्वर के स्वरूप का वर्णन है। आदिगुरु शंकराचार्य ने बाद में जिस अद्वैतवादी वेदान्त दर्शन की स्थापना की, उसका आधार बादरायण का 'ब्रह्मसूत्र' ही है।

21.

भवन	निर्माणकर्ता	शैली
अटाला देवी मस्जिद	इब्राहीम शाह शर्की	जौनपुर शैली
जामी मस्जिद	हुसैन शाह शर्की	जौनपुर शैली
झंझरी मस्जिद	इब्राहीन शाह शर्की	जौनपुर शैली

पाण्डुआ की अदीना मस्जिद	सिकन्दर शाह	बंगाल शैली
मांडू का किला	हुशंग शाह	मालवा शैली

22. **सुहरावर्दी सिलसिला :** भारत में संस्थापक–शेख बहाउद्दीन जकारिया। शेख बहाउद्दीन जकारिया ने मुल्तान एवं सिन्ध को अपना केन्द्र बनाया। जकारिया सुहारावर्दी के आदेश पर भारत आए। कुबाचा-इल्तुतमिश संघर्ष में इल्तुतमिश का पक्ष लिया। इल्तुतमिश ने जकारिया को शेख-उल-इस्लाम (इस्लाम प्रमुख) का खिताब दिया और अनुदान की व्यवस्था की। उन्होंने राज्य का संरक्षण स्वीकार किया तथा काफी धन इकट्ठा किया।

24. मुगल काल में गन्ना, कपास, नील, रेशम आदि फसलों का उत्पादन होता था। इन्हें तिजारती अथवा नकदी तथा उत्तम फसलें कहा जाता था। सल्तनत काल में सिंचाई व्यवस्था के लिए 'रहट' प्रणाली प्रचलन में आई। फिरोज तुगलक ने नहरों का निर्माण करवाया। भारत में तंबाकू का प्रचलन 1604 ई. के लगभग पुर्तगालियों द्वारा हुआ। सल्तनतकालीन कृषिजन्य में बिचौलिए छाए हुए थे जिनमें मुकद्दम, मुखिया, चौधरी आदि थे जिसे अलाउद्दीन ने नियंत्रित किया था। आगरा (बयाना) तथा गुजरात (सरखेज) में नील पैदा होता था।

25. अमीर खुसरो एक महत्वपूर्ण विकास यानी भारत में आधुनिक क्षेत्रीय भाषाओं के उदय का उल्लेख तो करते ही हैं। इनमें से कई भाषाओं के परिपक्व होने और साहित्यिक रचनाओं के माध्यम के रूप में उनके प्रयोग को मध्यकाल की एक उल्लेखनीय विशेषता माना जा सकता है। इसके कई कारण थे। ब्राह्मणों की प्रतिष्ठा कम होने से सम्भवतः संस्कृत भाषा की प्रतिष्ठा में भी कुछ कमी आई। भक्ति संतों द्वारा जनसाधारण की भाषाओं का प्रयोग निश्चय ही इन भाषाओं के उदय में एक महत्वपूर्ण कारक था। वस्तुतः देश के कई भागों में संतों ने ही साहित्यिक प्रयोजनों से इन भाषाओं को परिमार्जित किया। ऐसा प्रतीत होता है कि पूर्व-तुर्क काल के कई क्षेत्रीय राज्यों में संस्कृत के अलावा क्षेत्रीय भाषाओं, जैसे तमिल, कन्नड़, मराठी आदि का प्रशासनिक कार्यों के लिए प्रयोग होता था।

29. अलाउद्दीन खिलजी ने जलालुद्दीन के परोपकारिता और मानवतावाद के सिद्धांतों को यह मानते हुए अस्वीकार कर दिया कि वे तत्कालीन संदर्भ में अनुपयुक्त हैं एवं दुर्बल शासन को निर्दिष्ट करते हैं। उसने आतंक के सिद्धांत को अपने शासन का आधार बनाना अधिक उपयुक्त समझा। इस सिद्धांत को उसने अमीरों के साथ-साथ जनसाधारण पर भी लागू किया। इस प्रकार उसके शासन काल के आरंभ में ही हुए दो विद्रोहों (जिसमें से एक का नेतृत्व उसके भतीजे अकत खान ने किया था) के बाद उसने अमीरों पर नियंत्रण रखने के लिए कठोर उपाय अपनाने का निर्णय लिया। उसने बलबन के खुफिया तंत्र को पुनः चालू किया जो उसे सभी घटनाओं, यहाँ तक कि अमीरों के घरों के भीतर की बातों, की सूचना देते रहते थे। अमीरों पर एक-दूसरे से मिलने अथवा शराब की गोष्ठियां करने पर पाबंदी लगा दी गई। आपस में वस्तुतः वैवाहिक सम्बन्ध स्थापित करने के लिए भी उन्हें सुल्तान की अनुमति लेनी पड़ती थी। मदिरापान पर भी पाबंदी लगा दी गयी और इन आदेशों का उल्लंघन करने वालों को कठोर दण्ड दिए गये।

31. गुरु ग्रंथ साहिब सिक्खों का प्रसिद्ध धार्मिक ग्रंथ है। इसमें सिक्खों के आदि गुरु नानक देव एवं अन्य गुरुओं के उपदेश एवं उनकी रचनाएं शामिल हैं। इसे सिक्खों के अंतिम गुरु के रूप में मान्यता प्राप्त है। सिक्ख गुरु ग्रंथ साहिब की हर बात को ईश्वरीय वाणी एवं आदेश मानकर उसका अनुपालन करते हैं। गुरु ग्रंथ साहिब में सिक्ख गुरुओं के अतिरिक्त नामदेव, कबीर, रविदास, पीपा, रामानंद, जयदेव, सूरदास एवं शेख फरीद आदि जैसे भक्त कवि एवं सूफी संतों की रचनाएं भी शामिल की गई हैं।

33. हमीदा बानो बेगम शेख अली अकबर जामी की बेटी थीं। उनका जन्म 1524 ई. में हुआ था। हुमायूँ के साथ उनका विवाह 1541 ई. में हुआ। उन्हें मरियम मक्कानी के नाम से भी जाना जाता है। वह अकबर की मां थीं और अकबर उन्हें काफी सम्मान देता था। कहा जाता है कि अकबर ने अपने जीवन में सिर्फ दो बार अपने सिर एवं दाढ़ी मुंडवाए थे–पहली बार अपनी धात्री मां जीजी अनगा की मौत पर और दूसरी बार अपनी मां हमीदा बानो बेगम की मौत पर। हमीदा बानो बेगम की मौत पर सम्मानवश बहुत से राजपूत अमीरों ने भी अपने सिर मुंडवा लिए थे।

34. **राल्फ फिच :** फिच 1588 में भारत आया और 1591 तक रहा। उसने खंभात, आगरा, फतेहपुर सीकरी, बनारस, पटना और बुरहानपुर आदि के संबंध में रोचक विवरण प्रस्तुत किया है। फिच प्रथम अंगरेज-यात्री था जिसने भारतीय जनता के संबंध में—उनकी वेश-भूषा और रीति-रिवाज के संबंध में लिखा है। फिच का कहना है कि जब वह भारत आया, उस समय भारत में बाल-विवाह की प्रथा बहुप्रचलित थी। उसने बुरहानपुर में एक बाल-विवाह देखा था।

सर थामस रो : सर थामस रो मुगल दरबार में 1616 ई. में आया। उसे मुगल सम्राट जहाँगीर के साथ मांडू, अहमदाबाद और अजमेर जैसे अनेक स्थलों पर भ्रमण करने का अवसर मिला। इसके बाद वह आगरा में लगभग एक वर्ष तक रहा। वह 1619 ई. में बादशाह के इस आशय का फरमान लेकर ही इंगलैंड लौटा कि मुगल दरबार में अंगरेजों का इसी भाँति स्वागत किया जाता रहेगा।

बर्नियर : बर्नियर एक विद्वान् फ्रांसीसी डॉक्टर था, जो भारत में 1656 ई. में 1668 ई. तक रहा। उसने शाहजहाँ तथा औरंगजेब के मध्यवर्ती शासनकाल का बड़ा ही रोचक विवरण प्रस्तुत किया है। बर्नियर ने मुगल दरबार के प्रमुख दरबारी दानिशमंद की नौकरी भी की थी। उसने शाहजहाँ तथा औरंगजेब का रेखाचित्र भी प्रस्तुत किया था। बंगाल की समृद्धि देखकर तो वह बहुत प्रभावित हुआ था।

36. **1799 का समाचार-पत्रों का पत्रेक्षण अधिनियम :** लार्ड वेलेजली ने सभी समाचार-पत्रों पर सेंसर बिठा दिया। इसके अनुसार—

- समाचार पत्र को सम्पादक, मुद्रक और स्वामी का नाम स्पष्ट छापना पड़ता था।
- प्रकाशित किए जाने वाले सभी तत्त्वों को सरकार के सचिव के सम्मुख पूर्व-पत्रेक्षण के लिए भेजना होता था।
- हेस्टिंग्स ने इन नियमों में ढील दी तथा 1818 में समाचार-पत्रों का पूर्व-पत्रेक्षण बंद कर दिया गया।

38. **चम्पारण सत्याग्रह (1917) :** बिहार के चंपारण जिले के किसानों से गोरे बगान मालिकों ने एक अनुबंध कराया, जिसके अनुसार किसानों को अपनी जमीन के 3/20वें हिस्से पर नील की खेती करना अनिवार्य थी। इसे 'तिनकठिया' पद्धति कहते थे। 19वीं सदी के आखिर तक रासायनिक रंगों के आने से यूरोपीय नील की खेती बन्द करने के लिए मजबूर हुए। परन्तु किसानों को तिनकठिया से मुक्त करने के लिए उन्होंने अतिरिक्त कर लगाए। किसानों ने नील उत्पादन एवं कर देने से मना किया। राजकुमार शुक्ल के निमंत्रण पर गांधीजी 1917 में चंपारण पहुँचे। उनके सहयोगियों में राजेंद्र प्रसाद, जे. बी. कृपलानी, महादेव देसाई, नरहरि पारेज आदि थे। गांधी ने समस्या का विश्लेषण किया। सरकार ने एक आयोग बनाया, जिसमें गांधीजी भी सदस्य थे। सरकार ने इस कमेटी की सिफारिशें स्वीकार कीं। बगान मालिकों ने अतिरिक्त वसूली का 25% वापस किया था।

40. **मैडम भीकाजी कामा :** श्रीमती कामा मुम्बई की रहने वाली अमीर घराने की पारसी महिला थी। 1902 में लन्दन गई। वहाँ इनका सम्पर्क 'इंडिया हाऊस' के क्रान्तिकारियों से हुआ। इसके बाद कामा पेरिस में क्रान्तिकारी गतिविधियों का संचालन करने लगीं। इन्होंने पेरिस में 'इंडियन सोसायटी' की स्थापना की। भीका जी कामा भारतीय इतिहास की ऐसी प्रथम महिला थी, जिन्होंने भारतीय तिरंगे को फहराया। इन्होंने 'वंदेमातरम्' अखबार का प्रकाशन किया। इन्हें 'मदर ऑफ रिवोल्यूशन' कहा गया।

कल्पना दत्त : चटगाँव कांड से जुड़ी कल्पना दत्त को सूर्यसेन के साथ गिरफ्तार किया गया था।

41. **सरोजनी नायडू :** इनका जन्म 1 फरवरी 1879 में हुआ। ये बाल्यवस्था से ही मेधावी, भावुक एवं कल्पनापूर्ण थी। 13 वर्ष की अल्पायु में सरोजनी चट्टोपाध्याय ने 'लेडी ऑफ द लेक' शीर्षक से एक कविता लिखी। हैदराबाद के निजाम द्वारा दी गई छात्रवृत्ति पर सरोजनी लंदन पढ़ने गई। खराब स्वास्थ्य के कारण 1898 में भारत वापस आ गई। 1898 में इनका विवाह डॉ. गोविन्द राजुलू नायडू से हुआ। 1902 में नायडू गोपाल कृष्ण गोखले के सम्पर्क में आईं तथा भारतीय राष्ट्रीय आंदोलन में हिस्सा लिया। 1925 में इन्हें कांग्रेस के कानपुर अधिवेशन का अध्यक्ष चुना गया। 1930 में गांधी जी के दांडी मार्च के समय जेल गईं।

42. 30 अक्तूबर 1928 को साइमन कमीशन विरोधी एक प्रदर्शन पर पुलिस के बर्बर लाठी चार्ज के कारण एक आकस्मिक परिवर्तन आया। इसमें लाठियों की चोट

खाकर पंजाब के महान नेता लाला लाजपतराय शहीद हो गए। युवक इससे कुद्ध हो उठे और 17 दिसंबर 1928 को भगतसिंह, चंद्रशेखर आजाद और राजगुरु ने लाठी चार्ज का नेतृत्व करने वाले ब्रिटिश पुलिस अधिकारी, सांडर्स को गोलियों से भून दिया। हिंसप्रस के नेताओं ने यह भी निर्णय किया कि अपने बदले हुए राजनीतिक उद्देश्य तथा जन-क्रांति की आवश्यकता के बारे में जनता को बतलाएं। परिणामस्वरूप 8 अप्रैल 1929 को भगतसिंह और बटुकेश्वर दत्त ने केंद्रीय धारा-सभा में एक बम फेंका। बम से किसी को नुकसान नहीं पहुंचा; उसे जान-बूझकर ऐसा बनाया गया था कि किसी को चोट न आए। इस काम का उद्देश्य किसी की हत्या करना नहीं था, बल्कि आतंकवादियों के एक पर्चे के अनुसार, "बहरों को सुनाना" था। भगतसिंह और बटुकेश्वर दत्त चाहते तो बम फेंकने के बाद आसानी से भाग निकलते, मगर उन्होंने जान-बूझकर अपने को गिरफ्तार कराया क्योंकि वे क्रांतिकारी प्रचार के लिए अदालत का एक मंच के रूप में उपयोग करना चाहते थे।

43. 20 सितंबर, 1932 को गांधी जी ने जेल में आमरण अनशन किया। गांधी जी एवं भीम राव अम्बेडकर ने पूना समझौता संपन्न किया। इसकी मुख्य बातें थीं–

- दलित वर्गों के लिए पृथक् निर्वाचन का विचार छोड़ दिया गया।
- लेकिन प्रांतीय विधान मंडलों में दलितों के लिए सुरक्षित सीटों की संख्या 71 से बढ़कर 147 कर दी गई।
- केंद्रीय विधान मंडल में कुल सीटों का 18% इनके लिए सुरक्षित किया गया।
- दलित वर्गों को योग्यतानुसार स्थानीय संस्थाओं और सार्वजनिक संस्थाओं में प्रतिनिधित्व।
- दलितों के शैक्षणिक विकास के लिए उचित वित्तीय प्रावधान।

44. गदर आंदोलन : मई 1913 में काशीराम के घर में हिंदी एसोसिएशन की पहली बैठक में भाई परमानंद, सोहन सिंह भाकना, लाला हरदयाल व हरनाम सिंह तुंडिलाट ने मिलकर एक साप्ताहिक अखबार गदर निकालने का निर्णय लिया। 1 नवम्बर 1913 ई. में गदर नामक उर्दू साप्ताहिक (बाद में मासिक) पत्र का प्रकाशन प्रारंभ तथा बाद में हिंदी, गुरुमुखी, उर्दू एवं गुजराती भाषा में भी निकलने लगा। गुरुदीप सिंह द्वारा 376 यात्रियों को जल मार्ग द्वारा बैंकवूर ले जाने पर कामागाटामारू घटना घटित हुई। जहाज के वापस कलकत्ता आने पर गठित हुई शोर समिति के सदस्य हुसैन रहीम, सोहन लाल पाठक तथा बलवंत सिंह थे। इसने राष्ट्रवादी भावनाओं को भारतीय आप्रवासियों के बीच फैलाया।

45. द्वितीय विश्वयुद्ध के बाद दुनिया दो प्रमुख गुटों में बँट गया। एक गुट का नेतृत्व अमेरिका कर रहा था तथा दूसरे गुट का नेतृत्व सोवियत संघ। पर कई ऐसे राष्ट्र भी थे जो इन दोनों गुटों से अलग अपनी स्वतंत्र आर्थिक एवं विदेश नीति के हिमायती थे। इनमें अधिकांश एशिया एवं अफ्रीका के नव-स्वाधीन राष्ट्र थे। इन राष्ट्रों को गुट निरपेक्ष राष्ट्र की संज्ञा दी गई। गुट निरपेक्ष राष्ट्रों का पहला सम्मेलन 1961 में बेलग्रेड में संपन्न हुआ। भारत के प्रधानमंत्री जवाहर लाल नेहरू, इंडोनेशिया के राष्ट्रपति सुकर्णो, मिस्र के राष्ट्रपति अब्दुल नासीर और युगोस्लाविया के राष्ट्रपति मार्शल टीटो ने इसके आयोजन में मुख्य भूमिका निभाई। इसमें 25 देशों के राष्ट्राध्यक्षों/प्रतिनिधियों ने भाग लिया।

47. गुट निरपेक्ष आंदोलन के सदस्य राष्ट्रों की बैठक के लिए मसौदे तैयार करने के लिए एक तैयारी समिति गठित की गई। तैयारी समिति की बैठक जून 1961 में कैरो में हुई। इस बैठक में गुट निरपेक्ष आंदोलन के लक्ष्य, उद्देश्य एवं नीतियों पर गंभीर चर्चा हुई। इस बैठक में निम्न बातों पर सहमति बनी–

- सभी सदस्य राष्ट्र स्वतंत्र नीति का अवलंबन करेंगे।
- सदस्य राष्ट्र विभिन्न देशों में चल रहे स्वतंत्रता आंदोलनों का समर्थन करेंगे।
- सदस्य राष्ट्र बहुपक्षीय गठजोड़ में शामिल नहीं होंगे।
- अगर सदस्य राष्ट्र अपनी सीमा में सैन्य अड्डों को स्वीकार करते हैं तो इसका अभिप्राय महाशक्ति विवाद में शामिल होना नहीं है।
- अगर सदस्य राष्ट्र का किसी महाशक्ति के साथ द्विपक्षीय सैनिक समझौता है तो इसे भी महाशक्ति विवाद में शामिल होने के रूप में नहीं देखा जाएगा।

प्रश्न–पत्र–III

नोट : *इस प्रश्न-पत्र में* **पचहत्तर (75)** *बहु-विकल्पीय प्रश्न हैं। प्रत्येक प्रश्न के* **दो (2)** *अंक हैं।* **सभी** *प्रश्न अनिवार्य हैं।*

1. होमो-इरेक्टस के जीवाश्मीय साक्ष्य निम्न में से किस स्थान से मिले हैं?

A. अल्तामीरा B. चाउकुतियान
C. फय्यूम झील D. सन्त अशूल

2. झूकर संस्कृति निम्न में से किस स्थल पर प्राप्त हुई है?

A. अंजीरा B. चन्हुदड़ो
C. कुल्ली D. राना घुण्डई

3. सूची-I को सूची-II से सुमेलित कीजिए और दिए गए कूट से सही उत्तर का चयन कीजिए:

सूची–I (हड़प्पा सभ्यता के विनाश का सिद्धांत)	**सूची–II (समर्थक)**
(*a*) आर्य आक्रमण	(*i*) एच.टी. लैम्ब्रिक
(*b*) सिन्धु नदी के प्रवाह क्रम में परिवर्तन	(*ii*) एम.आर. मुगल
(*c*) क्रमशः शुष्कीकरण	(*iii*) राबर्ट एल. रेक्स व जार्ज एफ. डेल्स
(*d*) निरन्तर बाढ़	(*iv*) आर.पी. चन्दा व मार्टिमर व्हीलर

कूट :

	(*a*)	(*b*)	(*c*)	(*d*)
A.	(*iv*)	(*i*)	(*ii*)	(*iii*)
B.	(*ii*)	(*iii*)	(*iv*)	(*i*)
C.	(*iv*)	(*ii*)	(*iii*)	(*i*)
D.	(*iii*)	(*iv*)	(*i*)	(*ii*)

4. ऋग्वेद में निम्न में से किन नदियों का उल्लेख अफगानिस्तान के साथ आर्यों के सम्बन्ध का संकेत करता है?

A. असिक्नी, परुष्णी B. सिन्धु, शुतुद्री
C. सुवास्तु, गोमती D. विपाश्, वितस्ता

5. उपनिषदों के समय में वह विद्वान महिला कौन थी जो दार्शनिकों की सभा में उच्च ज्ञान पर संभाषण कर सकती थी?

A. अपाला B. घोषा
C. गार्गी D. विश्ववारा

6. निम्न में से किसने यह आदेश निकाला था कि बुद्ध का स्वागत करने वाले को 500 कहापण का दण्ड देना पड़ेगा?

A. मल्लों ने
B. शाक्यों ने
C. मगध नरेश अजातशत्रु ने
D. वत्स नरेश उदयन ने

7. ओडीशा की उदयगिरि खण्डगिरि की पहाड़ियों की विभिन्न गुफाएँ प्रमाणित करती हैं कि :

A. ओडीशा में दीर्घ-काल तक जैन धर्म का अस्तित्व था
B. ओडीशा में बौद्ध धर्म लोकप्रिय था
C. ओडीशा में बौद्ध और जैन दोनों धर्मों का अस्तित्व था
D. ओडीशा की प्राचीन कला में अशोक का विशेष योगदान था

8. वैशाली के शासक चेतक के विरुद्ध अजातशत्रु के युद्ध के क्रम में अजातशत्रु के मंत्री वस्सकार ने बुद्ध से निम्न में से कहाँ भेंट की थी?

A. राजगृह B. सारनाथ
C. श्रावस्ती D. वैशाली

9. सूची-I को सूची-II से सुमेलित कीजिए और नीचे दिए गए कूट की सहायता से सही उत्तर का चयन कीजिए:

सूची–I (यूनानी और लैटिन लेखक)	**सूची–II (पुस्तकें)**
(*a*) एरियन	(*i*) हिस्टोरिका
(*b*) हेरोडोटस	(*ii*) इण्डिका
(*c*) प्लिनी	(*iii*) नेचुरलिस हिस्टोरिया
(*d*) स्ट्रैबो	(*iv*) ज्योग्राफिका

कूट :

	(*a*)	(*b*)	(*c*)	(*d*)
A.	(*i*)	(*iii*)	(*ii*)	(*iv*)
B.	(*ii*)	(*iv*)	(*iii*)	(*i*)
C.	(*ii*)	(*i*)	(*iii*)	(*iv*)
D.	(*iv*)	(*i*)	(*ii*)	(*iii*)

10. निम्न में से अशोक के किस अभिलेख से यह संकेत मिलता है कि उसने मृत्यु-दण्ड समाप्त नहीं किया था?

A. चतुर्थ स्तम्भ लेख B. प्रथम लघु शिलालेख
C. त्रयोदश शिलालेख D. पृथक कलिंग अभिलेख

11. निम्न में से कौन एक मौर्यकालीन शैलकृत मूर्ति है?

A. धौली गज B. परखम यक्ष

C. रामपुरवा वृषभ D. साँची से प्राप्त सिंह

12. सूची-I को सूची-II से सुमेलित कीजिए और नीचे दिए गए कूट की सहायता से सही उत्तर का चयन कीजिए:

सूची–I (अधिकारी)	सूची–II (विभाग)
(*a*) कुप्याध्यक्ष	(*i*) माप-तौल विभाग का अध्यक्ष
(*b*) सन्निधाता	(*ii*) व्यापार एवं वाणिज्य विभाग का अध्यक्ष
(*c*) पण्याध्यक्ष	(*iii*) वन-सम्पदा का अध्यक्ष
(*d*) पौतवाध्यक्ष	(*iv*) कोषागार का अध्यक्ष

कूट :

	(*a*)	(*b*)	(*c*)	(*d*)
A.	(*iv*)	(*ii*)	(*iii*)	(*i*)
B.	(*iii*)	(*iv*)	(*ii*)	(*i*)
C.	(*ii*)	(*iii*)	(*i*)	(*iv*)
D.	(*iii*)	(*iv*)	(*i*)	(*ii*)

13. निम्न में से कौन-सा तमिल काव्य-संग्रह चेर शासकों की प्रशंसा करता है?

A. ऐंगुरुनूरु B. कुरुन्दोहै

C. पदिर्रुपट्टु D. नर्रिनै

14. निम्नलिखित बौद्ध स्तूपों को कालानुक्रम में व्यवस्थित कीजिए एवं नीचे दिए गए कूट की सहायता से सही उत्तर का चयन कीजिए :

1. अमरावती 2. सारनाथ
3. साँची 4. नालन्दा

कूट :

A. 3, 1, 2, 4 B. 2, 4, 3, 1

C. 1, 2, 4, 3 D. 3, 2, 4, 1

15. दुहरे मस्तूल वाले पोत के चित्रण से युक्त सातवाहन सिक्के निम्न में से किस क्षेत्र में मिले हैं?

A. कोरोमण्डल तट B. कृष्णा-गोदावरी क्षेत्र

C. नाणेघाट व जुन्नर क्षेत्र D. दक्षिण-पश्चिम महाराष्ट्र

16. दक्षिण के एक प्रारम्भिक बौद्ध केन्द्र के स्तम्भ पर जेतवन महाविहार के दान का अंकन है :

A. अमरावती B. नागार्जुनीकोण्ड

C. सन्नति D. सतनिकोट

17. समुद्रगुप्त के विषय में निम्न तथ्यों में से किस एक की पुष्टि उसके इलाहाबाद स्तम्भ अभिलेख से **नहीं** होती?

A. शासकत्व के लिए उसके पिता ने उसको नामांकित किया था

B. वह कवि था

C. उसकी माता कुमारदेवी थी

D. उसने अश्वमेध यज्ञ का सम्पादन किया था

18. नीचे दो वक्तव्य दिए गए हैं, एक को **कथन (A)** और दूसरे को **कारण (R)** कहा गया है:

कथन (A) : चन्द्रगुप्त II के शासनकाल में शक पूर्णतः पराजित हो गए और उनका राज्य गुप्त साम्राज्य में विलीन हो गया।

कारण (R) : इससे गुप्तों को भूमध्यसागर के भारतीय व्यापार में प्रवेश मिल गया।

उपर्युक्त दोनों वक्तव्यों के सन्दर्भ में निम्नलिखित में से कौन सही है?

A. (A) और (R) दोनों सही हैं तथा (A) की सही व्याख्या (R) है।

B. (A) और (R) दोनों सही हैं, किन्तु (A) की सही व्याख्या (R) नहीं है।

C. (A) सही है, किन्तु (R) गलत है।

D. (A) गलत है, किन्तु (R) सही है।

19. निम्न में से किस ग्रन्थ में रामगुप्त की कथा का उल्लेख नहीं है?

A. हर्षचरित B. मुद्राराक्षस

C. नाट्यदर्पण D. मजमत-उल-तवारीख

20. हूण नरेश मिहिरकुल निम्न में से किसके द्वारा पराजित हुआ था?

A. बुद्धगुप्त B. इशानवर्मन

C. राज्यवर्धन D. यशोवर्धन

21. निम्न युग्मों में से कौन सही सुमेलित **नहीं** है?

	शासक	विरुद
A.	कुमारगुप्त I	महेन्द्रदित्य
B.	स्कन्दगुप्त	सक्रादित्य
C.	सिन्धुराज	नवसाहसांक
D.	वल्लालसेन	निहशंक-शंकर

22. नीचे दो वक्तव्य दिए गए हैं, एक को **कथन (A)** और दूसरे को **कारण (R)** कहा गया है:

कथन (A) : महाबलिपुरम के शैलोत्कीर्ण रथों का नामकरण धर्मराज, भीम, अर्जुन, द्रौपदी, नकुल तथा सहदेव के रूप में किया गया है।

कारण (R) : इस समूह में रथों की कुल संख्या आठ है।

उपर्युक्त दोनों वक्तव्यों के सन्दर्भ में निम्नलिखित में से कौन सही हैं?

A. (A) और (R) दोनों सही हैं तथा (A) की सही व्याख्या (R) है।

B. (A) और (R) दोनों सही हैं, किन्तु (A) की सही व्याख्या (R) नहीं है।

C. (A) सही है, किन्तु (R) गलत है।

D. (A) गलत है, किन्तु (R) सही है।

23. राष्ट्रकूट नरेश दन्तिदुर्ग द्वारा उज्जयिनी में निम्न में से कौन-सा दान-समारोह सम्पादित किया गया था?

A. हिरण्यगर्भ B. रत्नधेनु

C. सप्तसागर D. तुलापुरुष

24. कश्मीर के निम्न शासकों में से किसे राजतरंगिणी में तुरुष्क और मूर्तिभञ्जक बताया गया है?

A. अवन्तिवर्मन् B. दिद्दा

C. ललितादित्य D. हर्ष

24. शैलेन्द्र नरेश बालपुत्रदेव द्वारा भारत में एक बौद्ध विहार कहाँ बनवाया गया था?

A. नागार्जुनीकोण्ड B. नागिपटनम्

C. नालन्दा D. विक्रमशिला

26. निम्न में से कौन-सा सही नहीं है?

A. कश्मीर के राजनीतिक जीवन में डामार (Damaras) सबसे ज्यादा परेशानी का कारक थे

B. अलबरुनी कहता है कि केवल शूद्र ही वेदों का अध्ययन नहीं कर सकते थे।

C. इब्न-ए-असीर के अनुसार महमूद बिन सुबुक्तगीन के समय से ही मुसलमान बनारस में रहते थे।

D. मुईज्जुद्दीन के भारतीय आक्रमणों के उद्देश्यों की जानकारी के लिए अता मलिक जुवैनी एक महत्वपूर्ण स्रोत है।

27. निम्न में से कौन-सा सही नहीं है?

A. फखरे मुद्दबिर ने युद्धकला पर अपनी पुस्तक को इल्तुतमिश को समर्पित किया।

B. इसामी मिनहाज-उस-सिराज के इस कथन से सहमत नहीं है कि विश्व के विभिन्न स्थानों के लोगों ने नव-स्थापित शहर दिल्ली की ओर एक कतार-सी लगा ली।

C. मिनहाज कहता है कि ''रजिया में शासक बनने के सभी प्रशंसनीय गुण एवं आवश्यक योग्यताएं थी।''

D. रजिया द्वारा गैर-तुर्कों की महत्वपूर्ण पदों पर नियुक्ति ने तुर्की अमीरों को नाराज कर दिया, जिसकी वजह से उन्होंने रजिया को अपदस्थ करने की योजना बनाई।

28. मदन-ए शिफा-ए सिकन्दर शाही किससे सम्बन्धित है?

A. युनानी औषधि B. आयुर्वेद

C. शल्य चिकित्सा D. औषधीय पौधें

29. निम्नलिखित उद्दरण किसका है?

''हम भारतीय विदेशी भाषाओं को बोलने में सक्षम हैं किन्तु चीनी, मंगोल, तुर्क तथा अरब 'हमारी हिंदी जुबान' बोलने में असमर्थ हैं...भारतीय दूसरे देशों में ज्ञान-प्राप्ति के लिए नहीं जाते, दूसरों को यहाँ आना पड़ता है...भारत ने दुनिया को गिनती, *पंचतंत्र* की कहानियाँ तथा शतरंज दिया है... ।''

A. अबुल फजल B. अमीर खुसरो

C. जहाँगीर D. दारा शिकोह

30. सल्तनत काल में गया में बनाए गए सूर्य मन्दिर के एक शिलालेख में एक सुल्तान का नाम दो बार आया है।

A. अलाऊद्दीन खिलजी

B. कुतुबुद्दीन मुबारक खिलजी

C. मुहम्मद तुगलक

D. फिरोज तुगलक

31. हिन्दुस्तान के लिए मनोरम उदात्त भावनाओं की एक कविता किसने लिखी :

''हिन्दुस्तान की समृद्धि शानदार है,
स्वर्ग स्वयं भी इस बाग से ईर्ष्या रखता है
इसका भू-भाग पृथ्वी का उसी प्रकार से
प्रमुख गहना है;

जैसे कि एक आकर्षक युवती के मुख पर सौन्दर्य-चिन्ह होता है।''

A. इसामी B. हसन निजामी
C. अमीर खुसरो D. इनमें से कोई नहीं

32. निम्नलिखित में से कौन यह बताता है कि तेरहवीं सदी के उत्तरार्ध में युवतियों को गणिकाओं द्वारा दरबार के लिए फारसी (पारसी) तथा भारतीय (हिंदी) संगीत का प्रशिक्षण दिया जाता था?

A. अमीर खुसरो B. मिनहाज-उस सिराज
C. जियाउद्दीन बर्नी D. शम्स-ए शिराज अफीफ

33. निम्न में से सबसे पहले किसने यह स्पष्टीकरण किया कि इसका कोई आधार नहीं है कि समस्त मुकद्दम और खोत हिन्दू थे :

A. इलियट और डाउसन B. मोहम्मद हबीब
C. डब्ल्यू.एच. मोरलैण्ड D. ईश्वरी प्रसाद

34. नीचे दो कथन दिए गए हैं। एक **अभिकथन (A)** और दूसरा **कारण (R)** है:

अभिकथन (A) : विजयनगर साम्राज्य का राजनैतिक इतिहास विभिन्न राजवंशों के बदलाव एवं आन्तरिक युद्धों का इतिहास है।

कारण (R) : बहमनी सल्तनत एवं उसके उत्तराधिकारी राज्य विजयनगर साम्राज्य के लिए गम्भीर खतरा बने रहे।

उपरोक्त कथनों को पढ़िए और नीचे दिए गए कूट में से सही उत्तर का चयन कीजिए।

A. (A) और (R) दोनों सही हैं, और (R), (A) की सही व्याख्या है।
B. (A) और (R) दोनों सही हैं, लेकिन (R), (A) की सही व्याख्या नहीं है।
C. (A) सही है, लेकिन (R) गलत है।
D. (A) गलत है, लेकिन (R) सही है।

35. पन्द्रहवीं-सोलहवीं शताब्दी के लोकप्रिय एकेश्वरवादी आन्दोलन की लोकप्रिय विशेषता थी :

A. यह अधीनस्थ वर्ग का आन्दोलन था, इसके नेता मध्यम वर्ग से आए थे और जन-सामान्य को उनकी भाषा में संबोधित किया।
B. यह अभिजात्य-वर्ग द्वारा उनके लाभ के लिए शोषित हो रहे, सामान्य जन का आन्दोलन था।
C. यह अधीनस्थ वर्ग का आन्दोलन था, इसके नेता भी अधीनस्थ वर्ग से थे, तथा उन्होंने लोगों को जन भाषा में संबोधित किया।
D. यह एक ऐसा आन्दोलन था, जिसमें धर्मग्रन्थों से उद्धरण देकर ऐकेश्वरवाद की शिक्षा दी जाती है।

36. सूची-I को सूची-II से सुमेलित कीजिए एवं नीचे दिए गए कूट में से सही उत्तर का चयन कीजिए:

सूची-I	**सूची-II**
(*a*) किला राय पिथौरा	(*i*) यहाँ सुल्तान जलालुद्दीन खलजी ने नया शहर, शहर-ए-नो बनवाया।
(*b*) किलोकड़ी	(*ii*) इल्तुतमिश की दिल्ली का केन्द्र, जो 14वीं शताब्दी में दिल्ल-ए-कुहना (पुरानी दिल्ली) के नाम से जानी जाने लगी।
(*c*) हौज-ए खास और ग्यासुद्दीन तुगलक	(*iii*) अलाउद्दीन खिलजी और तुगलकाबाद क्रमशः
(*d*) आदिलाबाद और जहांपनाह	(*iv*) मुहम्मद तुगलक

कूटः

	(*a*)	(*b*)	(*c*)	(*d*)
A.	(*i*)	(*ii*)	(*iii*)	(*iv*)
B.	(*ii*)	(*i*)	(*iv*)	(*iii*)
C.	(*ii*)	(*i*)	(*iii*)	(*iv*)
D.	(*iv*)	(*iii*)	(*ii*)	(*i*)

37. किसके राज्यकाल में दरबारी कवि अलासानी पेद्दना ने 'मनु चरित' की रचना की जिसमें रोमांस और उमंगों का रोचक वर्णन है, एवं इसमें मुक्तभाव से अरबी और फारसी शब्दों का इस्तेमाल किया गया है?

A. सदाशिव राय B. कृष्ण देव राय
C. राम राजा D. इनमें से कोई नहीं

38. निम्नलिखित में से कौन सही नहीं है?

A. इब्राहिम आदिल शाह II को ''अबला बाबा'' (गरीबों का दोस्त) के नाम से जाना जाता था; और उन्हें उनके उदार-दृष्टिकोण के कारण ''जगद् गुरु'' के नाम से भी पुकारा जाता था।

B. मुहम्मद कुली कुतुब शाह ने दक्खिनी उर्दू, फारसी तथा तेलुगु में रचनाएं की और अपने पीछे एक विशाल दीवान छोड़ गए।

C. अली आदिल शाह ने कैथोलिक मिशनरियों को अपने दरबार में अकबर से भी पहले आमंत्रित किया था।

D. इब्राहिम कुतुब शाह ने ''किताबे नौरस'' नामक पुस्तक की रचना की जिसमें उन्होंने गीतों को विभिन्न रागों को आधार बनाकर तैयार किया था।

39. निम्नलिखित में से किसने अपाहिज लोगों के संबंध में जानकारी एकत्र की तथा उन्हें गुजारा भत्ता दिया :

A. शेरशाह B. अकबर

C. जहाँगीर D. शाहजहाँ

40. सम्राट अकबर ने अनेक भारतीय सामाजिक-सांस्कृतिक रिवाजों को अपनाया था। इसमें से एक था मुगल शाही परिवार के किसी सदस्य की मृत्यु के पश्चात सिर-मुड़ाना। वह कौन महिला थी जिसकी मृत्यु के पश्चात अकबर ने 1604 ई. में अपना सिर और मूछें मुड़वा ली थी?

A. गुलबदन बेगम B. सलीमा बेगम

C. हमीदा बानो बेगम D. माहम अंगा

41. नीचे दिए गए कथनों में एक **अभिकथन (A)** तथा दूसरा **कारण (R)** है :

अभिकथन (A) : अब्दुर्रहमान का पुत्र बर्खुरदार बिन बुलाए दरबार में आया था, अतः जहांगीर ने उसे वापस अपनी जागीर जाने का आदेश दिया।

कारण (R) : बिन बुलाए दरबार में जाना शिष्टाचार के अनुकूल नहीं है, नहीं तो इच्छाओं का कोई ओर-छोर नहीं होता।

उपर्युक्त दोनों कथनों के संदर्भ में निम्नलिखित में से कौन सही है?

A. (A) और (R) दोनों सही हैं, और (R), (A) की सही व्याख्या है।

B. (A) और (R) दोनों सही हैं, लेकिन (R), (A) की सही व्याख्या नहीं है।

C. (A) सही है, लेकिन (R) गलत है।

D. (A) गलत है, लेकिन (R) सही है।

42. निम्नलिखित में से कौन-सा कथन सही **नहीं** है?

A. तारा चन्द ''राजनीतिक इकाईयों के पुराना बहुलता'' को आगे बढ़ाने का श्रेय मुगलों को देते हैं।

B. आर.सी. मजूमदार ताज महल के ''हिन्दू'' स्मारक होने के बारे में पी.एन. ओक की कल्पनाओं के समर्थन से इंकार करते हैं।

C. तारीख-ए-अलफी औरंगजेब के कहने पर लिखी गई थी।

D. इबन अल अरबी के समर्थक शेख ताजुद्दीन ने फतेहपुर सीकरी में अकबर के दरबार में अपनी प्रमुख संकल्पनाएँ प्रस्तुत कीं।

43. वतन-जागीर संस्था के संदर्भ में कौन-सा सही नहीं है?

A. वतन-जागीर की अवधारणा की शुरुआत सुल्तान अलाउद्दीन खिलजी के काल (1296-1316 A.D) के दौरान हुई थी।

B. वतन-जागीर की अवधारणा की शुरुआत अकबर के शासन के अंतिम वर्षों के दौरान हुई।

C. वतन-जागीर की अवधारणा की उत्पत्ति तथा संकल्पना के संदर्भ में जानकारी का प्राथमिक स्रोत बीकानेर के राजा राय सिंह के लिए अकबर का फरमान है।

D. वतन-जागीर का लगान, वतन-जागीर धारक के वेतन का हिस्सा था।

44. एच.बी.डब्ल्यू. गारिक 1883-84 में की गई अपनी खोज से आश्चर्यचकित थे जिसे उन्होंने निम्न प्रकार से लिखा है :

''यह खोज एक समस्या पैदा करती है, जिसका केवल एकमात्र समाधान है जो स्वयं मुझे इस प्रकार दिखाई देता है कि तीन-चार सदी पहले हिन्दूओं मुस्लिमों को बांटने वाला अवरोध मौजूदा समय के अवरोध की अपेक्षा बहुत कम अगम्य था।''

किसकी खोज के बाद एच.बी.डब्ल्यू. गारिक ने यह टिप्पणी की थी?

A. मोहम्मद तुगलक का होली खेलना; योगियों के साथ उनकी बातचीत और जैनियों के हित के प्रति चिंता।

B. हिन्दू शासक के संरक्षण में मस्जिद के निर्माण के बारे में बताना वारावल, गुजरात में 1246 का संस्कृत शिलालेख।

C. राणा कुम्भा के प्रसिद्ध विजय स्तंभ पर उत्कृष्ट कारीगरी में अरबी में 'अल्लाह' शब्द कई बार लिखा गया है।

D. अकबर की सभी के साथ शांति की नीति।

45. किस शासक के अन्तिम शासन काल में दीवारों पर फूलों की सजावट (डिजाइन) कीमती पत्थरों (सेमी प्रेसियश स्टोन्स) से बनानी आरम्भ की गई, जिसे *'पित्रा-ड्यूरा'* कहा जाता था?

A. मुहम्ममद कुली कुतुब शाह
B. अकबर
C. जहांगीर
D. शाहजहाँ

46. मराठों के सम्बन्ध में निम्नलिखित में से कौन-सा कथन सही ***नहीं*** है?

A. स्वयं के राज्य (स्वराज्य) के अंतर्गत शिवाजी ने दक्खनी सल्तनतों के मॉडल पर अपना प्रशासन तैयार करने का प्रयास किया। इसमें कर बहुत हल्के (कम) थे।
B. शिवाजी की मृत्यु से उसके द्वारा स्थापित की गई राजनीति में क्षणिक पतन हुआ क्योंकि उसके पुत्र शम्भाजी को औरंगजेब ने कैद कर वध करवा दिया।
C. मराठों ने सख्ती से चौथ एकत्रित कर अपने आर्थिक संसाधनों को विस्तृत कर लिया।
D. 1681 से औरंगजेब बराबर दक्खन में रहा।

निर्देश (प्र.सं. 47 से 50 तक) : *निम्न परिच्छेद को पढ़कर दिए हुए प्रश्नों के उत्तर दीजिए।*

शराब पीने का निषेध करने का एक दिलचस्प मामला है। सुल्तान ने स्वयं भी पीना छोड़ दिया। शराब-पान के शीशे और चीनी मिट्टी के शाही बर्तन बदायूँ गेट के सामने तोड़ दिए गए और शाही जारों से शराब को गिरा दिया गया, बरसात के मौसम जैसा कीचड़ और दलदल बन गया। तत्पश्चात् अधिकारियों ने हाथियों पर सवार होकर दिल्ली की सड़कों और गलियों में घोषणा की कि कोई भी न तो शराब पीएगा और न बेचेगा अथवा इसके निकट भी जाएगा। शराब की फैक्ट्रियों और परमिट धारकों को दिल्ली से खदेड़ दिया गया और उनसे प्राप्त होने वाला राजस्व समाप्त कर दिया गया। आत्म-सम्मान वाले व्यक्तियों ने प्रथम चेतावनी पर ही शराब पीना छोड़ दिया। लेकिन औरों ने अपने घरों में चीनी से शराब बनाना शुरू कर दिया और महँगी कीमत पर उसे बेचने लगे। उन्होंने शहर के बाहर से भी छकड़ों में लकड़ी और घास के अन्दर शराब छुपाकर लाने का प्रयास किया। सुल्तान अलाउद्दीन ने बदायूँ गेट के पास सूखे कुएँ खोदने का आदेश दिया और जो लोग उसके आदेश की अवहेलना कर रहे थे, उन्हें कुएँ में फिकवा दिया। उनमें से अधिकांश मर गए और जो जीवित बचे, वो लंबे इलाज के पश्चात् ही पुनः स्वस्थ हो सके। यह संभवतः खराब समय था जब दिल्ली से बाहर 10 या 12 कोस अच्छी शराब पीने के लिए जाना पड़ता था। लेकिन दिल्ली के आस-पास जैसे—गियासपुर, इन्द्रपत और कैलूगढ़ी के भीतर 4 या 5 कोस में शराब उपलब्ध नहीं थी। आखिरकार, सुल्तान झुका और एक आदेश पारित किया कि यदि कोई व्यक्ति अपने इस्तेमाल के लिए अपने घर में शराब बनाता है लेकिन इसे बेचने अथवा मदिरा पीने के पार्टी के आयोजन का दोषी नहीं था, उसे सताया नहीं जाएगा और उसके घर में गुप्तचर नहीं प्रवेश करेंगे।

47. सुल्तान का नाम बताएं जिसने शराब पीने और इसकी बिक्री पर रोक लगाई थी :

A. बलबन
B. अलाउद्दीन खिलजी
C. फिरोज तुगलक
D. सिकन्दर लोदी

48. जनता के बीच मद्य-निषेध की घोषणा कौन करता था?

A. सुल्तान के अधिकारी
B. सुल्तान की कारकुन
C. सुल्तान-स्वयं
D. सुल्तान के सुरक्षाकर्मी

49. बदायूँ गेट कहाँ स्थित है?

A. बदायूँ
B. दिल्ली
C. शाहजहानाबाद
D. आगरा

50. निम्न में से कौन-सा स्थान दिल्ली से चार या पाँच कोस के अंदर आता था?

A. बहादुरगढ़
B. गियासपुर
C. इंद्रपत
D. कैलूगढ़ी

51. स्वतंत्रता की चाह में टीपू द्वारा किए गए परिवर्तनों में से कौन-सा इसमें शामिल **नहीं** था?

A. उसने खुतबा में अपना नाम शामिल करवाया
B. अपने शासन की वैधता के लिए खलीफा से सनद का अनुरोध किया
C. उसने अपनी स्वतंत्र-मुद्रा जारी की
D. उसने सभी यूरोपीय कंपनियों को दक्षिण भारत से बाहर निकालने की धमकी दी

52. रैयतवाड़ी व्यवस्था के बारे में निम्नलिखित पर विचार करें :

1. यह सीधे किसानों के साथ बनी थी
2. किसान अपनी भूमि बेच सकते थे

3. भूमि राजस्व समय-समय पर परिवर्तित किया जाना था

4. समस्त भूमि का विस्तृत सर्वेक्षण तुरंत किया गया था

नीचे दिए गए कूट में से सही उत्तर चुनें :

A. 1, 2, 3 B. 2, 3, 4
C. 3, 4, 1 D. 4, 3, 1

53. निम्नलिखित में से किसने यह कहा है कि भारत में ब्रिटानियों को "मानव प्रजाति के ऐसे लोगों से निपटना होता है जिनको बदलने में काफी समय लगता है, जो धार्मिक पूर्वाग्रहों तथा पुरानी परम्पराओं से जकड़े हुए हैं?"

A. लार्ड मैकाले B. सर चार्ल्स वुड
C. लार्ड स्टेन्ले D. सर विलियम हन्टर

54. मंदसौर में 1857 के विद्रोह का नेतृत्व किसने किया?

A. शहजादा फिरोज शाह B. शहादत खान
C. मौलवी अहमदुल्ला D. बिरजिस कादर

55. इंग्लिश ईस्ट इंडिया कम्पनी द्वारा निम्नलिखित भारतीय क्षेत्रों पर कब्जा करने को कालक्रमानुसार व्यवस्थित करें :

1. पंजाब 2. सिंध
3. नागपुर 4. सतारा

नीचे दिए गए कूटों से सही जवाब का चयन करें :

A. 1, 2, 3, 4 B. 1, 3, 2, 4
C. 2, 4, 1, 3 D. 4, 3, 2, 1

56. सूची-I में दिए गए किसान आंदोलन को सूची-II में दिए गए उनके नेताओं के साथ सुमेलित करें और नीचे दिए गए कूटों में से सही उत्तर चुनें :

सूची-I (किसान आंदोलन)	सूची-II (नेता)
(a) फकीर	(i) स्वामी सहजानंद सरस्वती
(b) रामोसी	(ii) कर्म शाह
(c) पागल पन्थी	(iii) मंजू शाह
(d) बिहार किसान सभा	(iv) चित्तूर सिंह

कूटः

	(a)	(b)	(c)	(d)
A.	(i)	(iii)	(iv)	(ii)
B.	(iii)	(iv)	(i)	(ii)
C.	(iv)	(ii)	(iii)	(i)
D.	(iii)	(iv)	(ii)	(i)

57. निम्नलिखित में से कौन-से दो विश्वविद्यालय एक ही वर्ष में स्थापित हुए थे? सही कूट का चयन कर उत्तर दीजिए।

1. बनारस हिन्दू विश्वविद्यालय
2. अलीगढ़ मुस्लिम विश्वविद्यालय
3. श्रीमती नाथीबाई दामोदर ठाकरसी भारतीय महिला विश्वविद्यालय
4. विश्वभारती अन्तर्राष्ट्रीय विश्वविद्यालय

कूटः

A. 1 और 3 B. 2 और 3
C. 3 और 4 D. 1 और 3

58. निम्नलिखित में से कौन-सा विनियमन भारत में प्रेस पर नियंत्रण के लिए लार्ड वेलेजली द्वारा जारी विनियमनों के अन्तर्गत शामिल **नहीं** है?

A. समाचार पत्रों के मालिकों तथा सम्पादकों को अपने प्रकाशन पर अपने नाम का उल्लेख करने के लिए कहा गया
B. उन्हें यूरोप में हो रहे तत्कालीन युद्ध के विषय में समाचार प्रकाशित करने के लिए कहा गया
C. विनियमनों का किसी भी प्रकार के उल्लंघन किए जाने पर उन्हें तत्काल यूरोप भेज दिया जाता था
D. विनियमनों के अंतर्गत सभी समाचार पत्रों पर सुनिश्चित सेंसर लगाया गया

59. निम्नलिखित पर विचार कीजिए :

1. गुरुद्वारा सुधार अधिनियम
2. लाला लाजपतराय की मृत्यु
3. विधान परिषदों में स्वराज दल का प्रवेश
4. रॉलेट एक्ट

नीचे दिए गए कूट में से सही कालानुक्रम बताएँ :

A. 2, 4, 3, 1 B. 2, 1, 3, 4
C. 4, 2, 1, 3 D. 4, 3, 1, 2

60. निम्नलिखित में से दादाभाई नौरोजी के लगभग साथ-साथ किन दो अन्य नेताओं ने धन बहिर्गमन की बुराई की ओर संकेत किया?

1. बी.आर. अंबेडकर 2. आर.आर. बोस
3. एम. जी. रानाडे 4. रोमेश चन्द्र दत्त

सही कूट का चयन करें जो उन नेताओं के नाम का प्रतिनिधित्व करता है :

A. 1 और 4 B. 2 और 4
C. 3 और 4 D. 2 और 3

61. निम्नलिखित समाचार-पत्रों में से कौन-सा 1932 में 'हरिजन बन्धु' में परिवर्तित हो गया?

A. गुजराती
B. युगान्तर
C. नवजीबन
D. आनंद बाजार पत्रिका

62. निम्न अकालों में से वह कौन-सा था, जिसे 'विपत्ति के समुद्र' के रूप में वर्णित किया गया?

A. मद्रास प्रेसीडेन्सी 1866-67
B. राजपुताना 1868-69
C. बंगाल 1860-61
D. उड़ीसा 1866-67

63. निम्नलिखित में से कौन-सी पुस्तक विजय लक्ष्मी पंडित द्वारा **नहीं** लिखी गई है?

A. रोल ऑफ वोमेन इन द मॉडर्न वर्ल्ड
B. द इवोल्यूशन ऑफ इंडिया
C. वॉयस ऑफ द सिटी
D. प्रिजन डेज

64. पंजाब और बंगाल की सीमाओं की चिह्नित रिपोर्ट प्रस्तुत करने के लिए सर सी. रैडक्लिफ को कितना समय दिया गया था?

A. चार सप्ताह
B. छः सप्ताह
C. दो माह
D. तीन माह

65. समाज सुधारकों के निम्नलिखित युग्मों में से कौन-सा विधवा शिक्षा के मुद्दे पर अग्रणी था?

A. बी.एम. मालाबारी और के. श्रीधालु नायडू
B. ईश्वर चंद्र विद्यासागर और केशव चंद्र सेन
C. एम.जी. रानाडे और आर.जी. भंडारकर
D. डी.के. कर्वे और रमा बाई

66. निम्नलिखित वक्तव्यों पर विचार करें :

कथन (A) : 1781 में, वारेन हेस्टिंग्स ने कलकत्ता मदरसा की स्थापना की थी और 1791 में जोनाथन डंकन ने वाराणसी में संस्कृत महाविद्यालय की शुरुआत की थी।

तर्क (R) : ये दोनों संस्थान कम्पनी के न्यायालयों में कानून के प्रशासन की सहायता करने के लिए योग्य भारतीयों की नियमित आपूर्ति उपलब्ध करवाने के लिए डिजाइन किए गए थे।

उपर्युक्त दो वक्तव्यों के संदर्भ में निम्नलिखित में से कौन एक सही है?

A. (A) और (R) दोनों सही हैं, और (R), (A) की सही व्याख्या है।
B. (A) और (R) दोनों सही हैं, लेकिन (R), (A) की सही व्याख्या नहीं है।
C. (A) सही है, लेकिन (R) गलत है।
D. (A) गलत है, लेकिन (R) सही है।

67. निम्नलिखित वक्तव्यों पर विचार करें :

कथन (A) : आदिवासी समुदायों ने गांधीजी के नेतृत्व में राष्ट्रीय स्वाधीनता आंदोलन की मुख्य धारा में सम्मिलित होते समय अपनी स्थिति की मांग की परवाह नहीं की थी।

तर्क (R) : उनके लिए स्वराज का आशय ब्रिटिश शासन से स्वतंत्रता और महाजनों, जमींदारों और सामंती अधिपतियों से स्वतंत्रता से था।

दोनों वक्तव्यों के संदर्भ में, निम्नलिखित में से कौन-सा सही है?

A. (A) और (R) दोनों सही हैं, और (R), (A) की सही व्याख्या है।
B. (A) और (R) दोनों सही हैं, लेकिन (R), (A) की सही व्याख्या नहीं है।
C. (A) सही है, लेकिन (R) गलत है।
D. (A) गलत है, लेकिन (R) सही है।

68. निम्नलिखित वक्तव्यों पर विचार करें :

कथन (A) : भारत के प्रारंभिक ब्रिटिश प्रशासकों ने 18वीं सदी को अस्थिरता और असुरक्षा की कालावधि के रूप में देखा था।

कारण (R) : इस कालावधि के दौरान भारत में ब्रिटिश सत्ता का उदय मुगल सत्ता के ह्रास होने की वजह से हुआ था और परिणामस्वरूप राजनीतिक, सैन्य और आर्थिक अव्यवस्था फैल गई थी।

उपर्युक्त दो वक्तव्यों के संदर्भ में, निम्नलिखित में से कौन-सा एक सही है?

A. (A) और (R) दोनों सही हैं, और (R), (A) की सही व्याख्या है।
B. (A) और (R) दोनों सही हैं, लेकिन (R), (A) की सही व्याख्या नहीं है।
C. (A) सही है, लेकिन (R) गलत है।
D. (A) गलत है, लेकिन (R) सही है।

69. प्रसिद्ध विद्वानों के निम्न युग्मों में से किस एक ने तमिल भाषा में गद्य लेखन में योगदान दिया?
A. राजन अय्यर तथा कुप्पुस्वामी
B. सी. राजगोपालाचारी तथा वैयापुरी पिल्लै
C. वी.पी.पी. मुदलिआर तथा श्रीनिवास अय्यंगर
D. श्रीनिवास शास्त्री तथा सूर्यनारायण शास्त्री

70. 1962 में संपन्न अफ्रीकी-एशियाई देशों द्वारा निर्मित कोलम्बो प्रस्ताव किसके लिए बने थे?
A. श्रीलंका की नस्लीय समस्या के समाधान हेतु सुझाव बने थे
B. तिब्बत के भविष्य के लिए प्रस्ताव बने थे
C. भारत और श्रीलंका के मध्य विवादित द्वीपों की समस्या के समाधान की संभावनाओं की तलाश के लिए
D. भारत और चीन की सीमाओं की समस्या के निराकरण के लिए सुझाव बने थे

71. विचार के प्रत्यक्षवादी संप्रदाय के संबंध में उस कथन को चिह्नित करें जो सही **नहीं** है?
A. प्रत्यक्षवादी संप्रदाय के इतिहासकार जाँच की वैज्ञानिक तकनीकि प्रयुक्त करते थे
B. वे वास्तविक, परम एवं विश्वसनीय ज्ञान के हिमायती थे
C. उन्होंने व्यक्तिवाद को स्वीकार किया और ऐतिहासिक ग्रंथों को अधिक कल्पनाशील बनाया
D. उन्होंने दावा किया कि प्रत्यक्षवाद ने इतिहास को प्राकृतिक विज्ञान बनाया

72. राष्ट्रीय इतिहास लेखन से संबंधित निम्नलिखित कथनों पर विचार करें :
1. भारतीय राष्ट्रीय इतिहास लेखन पूर्वाग्रहपूर्ण औपनिवेशिक लेखन की प्रतिक्रिया थी
2. इतिहास लेखन के अन्तर्गत, विभिन्न स्वरूपों में वृहत्तर विषयों को शामिल करते हुए एक भारतीय पहचान की खोज की गई
3. भारतीय इतिहास का महिमामंडण, मुख्य उद्देश्य नहीं था
4. यूरोपीयन लेखकों द्वारा भारतीय संस्कृति पर लगाए गए बेबुनियाद आरोपों से बचाव करने के दौरान वे अपने चरित्र में आवश्यक रूप से प्रचारात्मक थे

नीचे दिए गए कूटों में से सही उत्तर का चुनाव करें।
A. 1 तथा 2 सही हैं B. 1, 2 तथा 3 सही हैं
C. 2, 3 तथा 4 सही हैं D. 3 तथा 4 सही हैं

73. निम्नलिखित कथनों पर विचार करें :
अभिकथन (A) : वैचारिक तर्क और राष्ट्रीय सरगर्मी प्रायः इतिहास और इसकी वस्तुनिष्ठता को विकृत करते हैं।
कारण (R) : इतिहासकार द्वारा निष्पक्ष और वैज्ञानिक दृष्टिकोण में घटनाओं को प्रस्तुत करने से इतिहास में वस्तुनिष्ठता साध्य होती है।

उपरोक्त कथनों के संदर्भ में निम्नलिखित कूटों में से कौन-सा सही है?
A. (A) और (R) दोनों सही हैं, और (R), (A) की सही व्याख्या है।
B. (A) और (R) दोनों सही हैं, लेकिन (R), (A) की सही व्याख्या नहीं है।
C. (A) सही है, लेकिन (R) गलत है।
D. (A) गलत है, लेकिन (R) सही है।

74. निम्नलिखित में से कौन-सा युग्म सही सुमेलित **नहीं** है?

	लेखक का नाम		**पुस्तक का शीर्षक**
A.	आर.सी. दत्त	–	इकॉनॉमिक हिस्ट्री ऑफ इंडिया
B.	दादाभाई नौरोजी	–	द ड्रेन ऑफ वेल्थ एंड इंडियन नेशनलिज्म एट द टर्न ऑफ द सेंच्यूरी
C.	डब्ल्यू. डिग्ली	–	प्रोस्पेरस ब्रिटिश इंडिया
D.	वी. ऐन्सटे	–	इकॉनॉमिक डेवलपमेंट ऑफ इंडिया

75. किस संविधान संशोधन के बाद, मूलभूत कर्तव्यों को भारतीय संविधान में जोड़ा गया?
A. 40वां संशोधन B. 41वां संशोधन
C. 42वां संशोधन D. 43वां संशोधन

उत्तरमाला

1	2	3	4	5	6	7	8	9	10
B	B	A	C	C	A	A	A	C	A
11	**12**	**13**	**14**	**15**	**16**	**17**	**18**	**19**	**20**
A	B	C	A	A	A	D	A	B	D
21	**22**	**23**	**24**	**25**	**26**	**27**	**28**	**29**	**30**
B	B	A	D	C	B	B	B	B	D
31	**32**	**33**	**34**	**35**	**36**	**37**	**38**	**39**	**40**
A	C	C	B	C	C	B	D	A	C
41	**42**	**43**	**44**	**45**	**46**	**47**	**48**	**49**	**50**
A	C	A	C	C	A	B	A	B	A
51	**52**	**53**	**54**	**55**	**56**	**57**	**58**	**59**	**60**
D	A	B	A	C	D	D	B	D	C
61	**62**	**63**	**64**	**65**	**66**	**67**	**68**	**69**	**70**
C	D	C	B	B	A	D	B	B	D
71	**72**	**73**	**74**	**75**					
C	A	A	B	C					

कुछ चुने हुए प्रश्नों के व्याख्यात्मक उत्तर

1. होमो इरेक्टस मानव के आदिम पूर्वज हैं। इनका आरंभिक निवास स्थल अफ्रीका माना जाता है। वहीं से ये दुनिया के अन्य क्षेत्रों में फैले। आज से 20 लाख वर्ष पूर्व धरती पर इनके अस्तित्व की सूचना मिलती है। 1891 में एक डच सर्जन ड्यूबिस ने सोलो नदी की घाटी में ट्रिनिल नामक स्थान पर खुदाई से होमो इरेक्टस प्रजाति की एक सुरक्षित खोपड़ी प्राप्त की। चीन के चाउकुतियान नामक स्थान से भी होमो इरेक्टस के जीवाश्मीय साक्ष्य मिले हैं।

2. पाकिस्तान के सिंध प्रांत के उत्तर-नगरीय अवस्था को झूकर संस्कृति के नाम से जाना जाता है। इसके साक्ष्य चन्हुदड़ो एवं अन्य स्थलों से प्राप्त होते हैं। इनके तांबे एवं कांसे के उपकरण एवं कुछ हथियारों पर विदेशी प्रभाव खासकर ईरान एवं मध्य एशिया का प्रभाव परिलक्षित होता है। पिराक नामक स्थल से भी ऐसे ही साक्ष्य मिले हैं।

4. ऋग्वैदिककालीन नदियाँ

प्राचीन नाम	**आधुनिक नाम**
वितस्ता	झेलम
आस्किनी	चिनाव
परुषणी	रावी
शतुद्रि	सतलज
विपाशा	व्यास
दृसद्धती	घग्घर
गोमती	गोमल
सुवस्तु	स्वात्

5. वृहदराण्यक उपनिषद् जनक की सभा में गार्गी और याज्ञवल्क्य के बीच वाद-विवाद का उल्लेख करता है। याज्ञवल्क्य के पत्नी मैत्रेयी परम विदुषी थी। इसने अपनी सौत कात्यायनी के पक्ष में अपने साम्पत्तिक अधिकार का विसर्जन करके याज्ञवल्क्य से एकमात्र ज्ञान देने की प्रार्थना की थी।

7. उदयगिरि एवं खण्डगिरि की गुफाएं ओडिशा के भुवनेश्वर के निकट स्थित हैं। इन गुफाओं का ऐतिहासिक एवं धार्मिक महत्व है। यहां की कुछ गुफाएं प्राकृतिक हैं जबकि कुछ का निर्माण कृत्रिम रूप से किया गया है। विश्वास किया जाता है कि इनमें से अधिकांश गुफाएं राजा खारवेल द्वारा जैन भिक्षुओं के निवास के लिए बनवाई गई थीं। उदयगिरि में 18 एवं खण्डगिरि में 15 गुफाएं स्थित हैं।

8. कोशल के राजा विदुदाभ ने शाक्य कुल के विरुद्ध हिंसक अभियान चलाया। उसने अपनी सेना को यह आदेश दिया कि कपिलवस्तु के सभी नागरिकों की हत्या कर दी जाए। बुद्ध ने इस हिंसक घटना को रोकने की कोशिश की, पर वे सफल नहीं हुए। फलतः उन्होंने मगध की राजधानी राजगृह की ओर प्रस्थान किया। वे वैशाली होते हुए राजगृह पहुँचे। यहीं उनसे अजातशत्रु का मंत्री वत्सकार मिला एवं अजातशत्रु की वैशाली विजय की योजना के बारे में बताया।

9. **हेरोडोटस :** हेरोडोटस जिसे 'इतिहास का पिता' कहा जाता है। इन्होंने 5वीं शताब्दी ई.पू. में 'हिस्टोरिका' नामक पुस्तक की रचना की जिसमें भारत और फारस के बीच संबंधों का वर्णन किया गया है।

प्लिनी : लैटिन भाषा में प्लिनी द्वारा लिखी गई 'नेचुरल हिस्टोरिका' जिसकी रचना पहली सदी में की गई थी, से भारत और रोम के मध्य होने वाले व्यापार का उल्लेख मिलता है। इस पुस्तक के विवरण में प्लिनी ने रोम के साथ भारत के व्यापार पर दुःख व्यक्त करते हुए कहा है कि "भारत के साथ व्यापार करके रोम अपना स्वर्ण भंडार लुटाता जा रहा है।"

10. अशोक अपने चतुर्थ स्तंभ लेख में कहता है—उसने न्याय प्रशासन को लागू करने के लिए अनेक राजुकों की नियुक्ति की है। राजुकों का मुख्य कर्तव्य अपराधियों के आवेदन पर सुनवाई करना तथा उन्हें न्याय देना था। उसने राजुकों को यह भी आदेश दिया कि मृत्युदंड की सजा पाए लोगों की सजा में तीन दिन की छूट दी जाए ताकि उनके रिश्तेदार इस अवधि में उनकी सजा को कम करने की अपील कर सकें। इससे स्पष्ट है कि अशोक ने मृत्युदंड को पूरी तरह समाप्त नहीं किया था।

11. मौर्य काल में साम्राज्य के विस्तार एवं प्रशासन के केंद्रीकरण के कारण आर्थिक गतिविधियों में अधिक तेज़ी आई। साम्राज्य के बढ़ते राजस्व संसाधनों ने स्थापत्य एवं कलात्मक निर्माण को बढ़ावा दिया। इस काल में पाटिलपुत्र का राजा प्रासाद, बड़ी संख्या में स्तूप, गुहा मंदिर एवं शैलकृत मूर्तियां बनाई गईं। इस काल की कला पर परसियन एवं हेलेनिस्टिक कला का प्रभाव स्पष्ट दृष्टिगत होता है। इस काल की शैलकृत मूर्तियों में सर्वाधिक प्रसिद्ध है—गज (हाथी) की प्रतिमा। यह धौली नामक स्थान से प्राप्त हुई है।

12. **मौर्यकाल से संबंधित अध्यक्ष**

1. पौतवाध्यक्ष—माप एवं तौल, 2. शुल्काध्यक्ष—सीमा-शुल्क, 3. पण्याध्यक्ष—वाणिज्य, 4. सामस्थाध्यक्ष—बाजार, 5. सीताध्यक्ष—राजकीय भूमि, 6. आकाराध्यक्ष—खान, 7. लोहाध्यक्ष—लोहा, 8. नवाध्यक्ष—राजकीय नावों का प्रमुख, 9. राथाध्यक्ष—रथ, 10. हस्ताध्यक्ष—हस्तिबल, 11. मुद्राध्यक्ष—पासपोर्ट, 12. कृप्याध्यक्ष—जंगली उत्पादन, 13. कोषाध्यक्ष—कोषागार, 14. सूत्राध्यक्ष—कृषि विभाग, 15. अक्षपातालाध्यक्ष—लेखा-जोखा, 16. मन अध्यक्ष—माप, 17. सुराध्यक्ष—शराब, 18. विवीताध्यक्ष—चारागाहों का अध्यक्ष, 19. पतनाध्यक्ष—पतन, 20. गणिकाध्यक्ष—गणिका, 21. देवताध्यक्ष—धार्मिक संस्थान, 22. लक्षणाध्यक्ष—टकसाल, 23. गोडध्यक्ष—मवेशियों की देख-रेख, 24. वंधनगराध्यक्ष—कारागार, 25. आयुधगाराध्यक्ष—हथियार एवं रख-रखाव का अध्यक्ष।

13. **पदिर्रुपट्टु :** इसमें चेर शासकों के शौर्य का विवरण है। इसके माध्यम से चेर-कालीन इतिहास एवं संस्कृति पर व्यापक प्रकाश पड़ता है।

17. समुद्रगुप्त के इतिहास का सर्वप्रमुख स्रोत उसी का अभिलेख है, जिसे 'प्रयाग-प्रशस्ति' कहा जाता है। इसकी रचना 'हरिषेण' ने की थी। यह लेख मूलतः कौशाम्बी में खुदवाया गया था। यह ब्राह्मी लिपि में तथा विशुद्ध संस्कृत भाषा में लिखा हुआ है। यह संस्कृत की चम्पू-शैली का सुन्दर उदाहरण है। समुद्रगुप्त को 'कविराज' भी कहा जाता है। वह संगीत कला में भी निपुण था। उसने अश्वमेध यज्ञ भी किया, क्योंकि उसके सिक्कों पर 'अवशमेध पराक्रम' लिखा मिलता है। भद्रपीठ पर बैठी वीणा बजाती हुई उसकी आकृति उसके एक सिक्के पर मिलती है। वह विष्णु का भक्त था।

18. चंद्रगुप्त द्वितीय ने पश्चिमी भारत के शकों का उन्मूलन किया। शक उन दिनों गुजरात और काठियावाड़ में शासन करते थे। चंद्रगुप्त द्वितीय का शक प्रतिद्वन्द्वी, रुद्रसिंह तृतीय मार डाला गया। शक विजय के पश्चात्, उसने शक की मुद्राओं के अनुकरण पर, अपनी चाँदी की मुद्राएँ चलाईं। शक विजय के पश्चात्, पश्चिमी समुद्र तट के प्रसिद्ध बन्दरगाह भृगुकच्छ (भड़ौच) के ऊपर उसका नियंत्रण हो गया।

19. समुद्रगुप्त के बाद रामगुप्त अन्य काल के लिए गुप्त वंश का शासक बना। शक राज खारवेल के साथ उसकी

प्रतिद्वन्द्विता थी। कई इतिहासकार समुद्रगुप्त के बाद चंद्रगुप्त द्वितीय को ही गुप्तवंश का शासक स्वीकार करते हैं। दरअसल शासक के रूप में राजगुप्त का उल्लेख कुछ प्राचीन ग्रंथों में ही मिलता है। 1923 ई. में सुलविन लेवी ने देवी चंद्रगुप्तय नाटक के आधार पर रामगुप्त को गुप्त वंश का शासक स्वीकार किया। अन्य कई ग्रंथों में भी उसके शासक होने का उल्लेख मिलता है। इनमें प्रमुख हैं—नाट्यदर्पण, शृंगार प्रकाश, सरस्वती कंठामरण, हर्षचरित एवं मजमत-उल-तवारिख्व।

20. **मिहिरकुल :** मिहिरकुल हूणों का राजा था, जो तोरमाण का पुत्र और उत्तराधिकारी था। मिहिरकुल बड़ा अत्याचारी था और उसने बौद्धों का क्रूरतापूर्वक दमन किया। मिहिरकुल ने अपनी राजधानी पंजाब में साकल अथवा सियालकोट में स्थापित की थी। मिहिरकुल ने भारत पर लगातार आक्रमण किया और तब तक आक्रमण किया, जब तक कि 528 ई. में मगध के राजा बालादित्य और मंदसौर के राजा यशोवर्मन ने मिलकर उसे पराजित कर भगा नहीं दिया।

21. कुमारगुप्त प्रथम का पुत्र स्कंदगुप्त गुप्तवंश का अंतिम महान शासक माना जाता है। उसका संघर्ष पुष्यमित्र एवं हूण शासकों के साथ हुआ। उसने हूणों को पराजित किया। उसने विक्रमादित्य की उपाधि धारण की।

22. पल्लव शासकों की समृद्धि एवं कलाप्रियता का सर्वोत्कृष्ट उदाहरण महाबलिपुरम में देखने को मिलता है। पल्लव शासकों ने यहां पर कई मंदिरों का निर्माण करवाया। ये मंदिर पत्थर तराशकर बनाए गए हैं। इनमें प्रमुख हैं—पंच रथ या पांडव रथ। इन्हें इस ढंग से बनाया गया है कि ये पत्थर के बने रथ के ऊपर विराजमान प्रतीत होते हैं। इनकी संख्या पांच है।

23. दंतिदुर्ग पहले वातापी के चालुक्यों के आधीन सामंत था। उसने अंतिम चालुक्य शासक कीर्ति वर्मन द्वितीय को पराजित करके दक्षिण में चालुक्यों की सत्ता समाप्त कर दी। अरबों के आक्रमण को विफल बनाने के कारण चालुक्य शासक विक्रमादित्य-II ने दंतिदुर्ग को 'पृथ्वी वल्लभ' तथा 'खंडवालोक' की उपाधि दी। उज्जैन पर अधिकार करने के पश्चात् उसने 'हिरण्य गर्भदान' नामक एक यज्ञ किया।

24. हर्ष कश्मीर का एक महत्वपूर्ण शासक था। उसने 1089-1111 ई. तक शासन किया। कल्हण ने उसका उल्लेख अत्यंत प्रतिभाशाली एवं योग्य शासक के रूप में किया है। अति खर्चीला होने के कारण उसे आर्थिक संकट का सामना करना पड़ा। स्वर्ण एवं संपदा प्राप्त करने के लिए उसने मंदिरों पर हमले किए एवं मूर्तियों को विनष्ट कर दिया। इसी कारण उसे मूर्तिभंजक भी कहा जाता है।

25. देवपाल की राजसभा में सुमात्रा के राजा बालपुत्र देव का दूत आया था। इस राजा के अनुरोध पर देवपाल ने नालंदा में बौद्ध विहार बनाने के लिए पांच गांव दान में दिए। इसने नगरहार के विद्वान 'वीरदेव' को नालंदा विहार का अध्यक्ष बनाया।

28. मुगल काल में फारसी राज-काज की प्रमुख भाषा बन गई। राजकीय पद पाने की आकांक्षा में हिंदुओं ने भी फारसी भाषा का अध्ययन शुरू कर दिया। इनमें कायस्थ एवं खत्री जैसी जातियाँ प्रमुख थीं। इनमें से कई ने फारसी में रचनाएं भी की। आनन्द राम मुखलिस ने 17वीं शताब्दी में राहत-अल-फरास की रचना की। यह घोड़ों की चिकित्सा पर लिखा गया ग्रंथ है। 18वीं शताब्दी में मदन-ए-शिफा-ए-सिकन्दरशाही नामक ग्रंथ का संकलन हिंदू विद्वानों की मदद से हुआ।

35. 15वीं - 16वीं शताब्दी में भारत में एकेश्वरवादी आंदोलन अधिक लोकप्रिय हुआ। इस आंदोलन से जुड़े भक्त कवियों ने ईश्वर की एकता पर बल दिया एवं एक ही ईश्वर की कल्पना की। दरअसल ये भक्त कवि ईश्वर की एकता के आधार पर मानव मन के बीच एकता स्थापित करने का प्रयास कर रहे थे। इनका मुख्य उद्देश्य समाज में विद्यमान भेदभाव को खत्म करना था। इस आंदोलन से जुड़े भक्त निम्न वर्ग के थे और इनका उपदेश भी निम्न वर्ग के लिए ही था। यही कारण है कि अपनी बात को आम जन तक पहुँचाने के लिए इन्होंने आम जन की भाषा का प्रयोग किया।

37. **कृष्णदेव राय :** तुलुव वंश का महानतम व्यक्ति। कतिपय इतिहासकार उसे विजयनगर साम्राज्य का महानतम शासक मानते हैं। इसके दरबार में तेलुगु साहित्य के 8 कवि रहते थे, जिन्हें अष्टग्गिज कहा जाता था।

अष्टदिग्गज

(*a*) **अलसीन पेड्डना :** तेलुगु कविता का पितामह। मुख्य कृति—स्वारोचितसंभव था मनुचरित्र तथा हरिकथा सरनसमू।

(*b*) **नन्दी निम्मन :** 'पारिजात हरण' की रचना की।
(*c*) **भट्टमूर्ति :** 'नरमभूयालियम' (अलंकार शास्त्र से संबंधित पुस्तक)।
(*d*) **धूर्जटि :** 'कलहस्तिमहात्म्य'।
(*e*) **भादय्यगीर मल्लन :** 'राजशेखर चरित्र'।
(*f*) **अच्चुलराजु रामचंद्र :** 'सकलकथा सारसंग्रह' एवं 'रामाभ्युदय'।
(*g*) **जिंगलीसूत्र :** 'राघव पाण्डवीय'।
(*h*) **तेनालीराम रामकृष्ण :** 'पांडुरंग महात्म्य' (इसकी गणना पांच महाकाव्यों में की जाती है।)

38. इब्राहिम आदिलशाह II बीजापुर का एक महत्वपूर्ण शासक था। उसने 1556 से 1627 ई. तक शासन किया। वह एक योग्य प्रशासक, कवि और कला का संरक्षक था। उसे जगद् गुरु के नाम से भी जाना जाता है। उसने दक्कनी में किताब-ए-नौरल की रचना की। यह उसकी कविताओं एवं गीतों का संग्रह है। इसमें गीतों को विभिन्न रागों के आधार पर तैयार किया गया है।

42. तारीख-ए-अलफी (हजार वर्ष का इतिहास) की रचना अकबर के काल में हुई। अकबर ने अपने दरबार में इतिहास लेखन को बढ़ावा देने के लिए इतिहासकारों का एक दल तैयार किया। उसने इसका नेतृत्व मौलाना अहमद को सौंपा। उन्हीं के मार्गदर्शन में तारीख-ए-अलफी का संकलन तैयार किया गया। इसका उद्देश्य इस्लाम के एक हजार वर्ष के इतिहास पर प्रकाश डालना था।

43. जागीरदारी व्यवस्था का सारतत्व यह है कि यह व्यवस्था भू-राजस्व आवंटन के द्वारा वेतन-भुगतान का एक तरीका थी। जागीरदारों को अपना निजी खर्च चलाने और पादशाह की सेवा के लिए रखी फौजी टुकड़ियों के रख-रखाव पर खर्चा करने का अधिकार था। वेतन-भुगतान के एक प्रकार के रूप में जागीर मिलने का आशय था कि उसका दावा केवल "महाल" से प्राप्त राजस्व तक ही सीमित था। नियतन-आदेश में यह बात साफ तौर पर लिखी जाती थी। जागीरदार को नियत-भूमि पर स्थायी अधिकार प्राप्त नहीं थे। फिर भी यह देखा गया है कि मुगल शासन में कुछ जागीरें वंशानुगत आधार पर भी प्राप्त थीं। जागीरों की इस कोटि में "वतन जागीर" और "अलतमगा जागीर" सम्मिलित थीं। वतन-जागीर कुछ राजाओं और जमींदारों को मिली हुई थी। इन जागीरों में "वतन" (वह भूमि जो मूल रूप से उनके शासन में थी) एवं अन्य प्रकार के राजस्व-नियतन आते थे और ये दोनों प्रकृति से वंशानुगत होते थे। राजाओं के पुश्तैनी इलाकों को वतन-जागीर की कोटि में लाने का एक लाभ यह हुआ कि इससे वे इलाके भी उन्हीं शाही नियमों-विनियमों से नियंत्रित होने लगे, जिनसे जागीर-भूमि नियंत्रित होती थी। जहाँगीर द्वारा प्रवर्तित "अलतमगा जागीर" पुश्तैनी जागीर की दूसरी कोटि में आती है। पर जागीर का यह प्रकार बहुप्रचलित नहीं था। पादशाह की जिन परिवारों पर कृपादृष्टि हो जाती, केवल उन्हीं को ये जागीरें मिलती थीं।

45. आगरा में एतमादउद्दौला का मकबरा अकबर और जहांगीर की शैलियों के बीच की कड़ी है। नूरजहाँ के पिता एतमादउद्दौला के इस छोटे से मकबरे में उत्कृष्टता का ही प्रयत्न किया गया है। इसका आयोजन चतुर्भुजाकार है। बहिश्त की कल्पना के आधार पर बने उद्यान के बीच इसकी रचना की गई है। मकबरा बेदाग सफेद संगमरमर का बना है। इसमें, पहली बार इतने बड़े पैमाने पर संगमरमर का प्रयोग किया गया है। इसके अतिरिक्त इसके अंदरूनी भाग में पत्थरों की जड़ावट है और यह जड़ावट शाहजहाँ की उस शैली का पूर्वाभास कराती है जिसके अंतर्गत उसने बाद में सोने और बहुमूल्य रत्नों से जड़ावट करवाई। यह तकनीक पहले राजस्थान के मंदिरों में प्रयोग की जा चुकी थी। टाइलों से बने ईरानी शैली के इस भारतीय मकबरे में इस शैली ने पूर्णता प्राप्त की है।

46. सेनानायक के रूप में शिवाजी की महानता निर्विवाद रही है किंतु नागरिक प्रशासक के रूप में उनकी क्षमता आज भी स्पष्ट रूप से स्वीकार नहीं की जाती। यूरोपीय इतिहासकारों की दृष्टि में मराठा प्रभुत्व, जो लूट पर आधारित था, को किसी भी प्रकार का कर लेने का अधिकार नहीं था। कुछ अन्य इतिहासकारों की मान्यता है कि शिवाजी के प्रशासन के पीछे कोई आधारभूत सिद्धांत नहीं थे और इसी कारण प्रशासन के क्षेत्र में उनका कोई स्थायी योगदान नहीं रहा।

52. दक्षिणी और दक्षिणी-पश्चिमी भारत में ब्रिटिश शासन की स्थापना से जमीन के बंदोबस्त की नई समस्याएं उठ खड़ी हुईं। अधिकारियों का मत था कि इन क्षेत्रों में बड़ी जागीरों वाले ऐसे जमींदार नहीं हैं जिनके साथ मालगुजारी के बंदोबस्त किए जा सकें और इसलिए वहां जमींदार प्रथा लागू करने से स्थिति उलट-पुलट जाएगी। रीड और मुनरो के नेतृत्व में मद्रास के अनेक अधिकारियों ने यह सिफारिश

की कि सीधे वास्तविक काश्तकारों के साथ बंदोबस्त किया जाए। उन्होंने (मद्रास के अधिकारियों ने) जिस व्यवस्था का प्रस्ताव रखा उसे रैयतवारी बंदोबस्त कहा जाता है। इस प्रथा में काश्तकार जमीन के जिस टुकड़े को जोतता-बोता था उसका मालिक मान लिया जाता था, शर्त यह थी कि वह उस जमीन की मालगुजारी देता रहे। रैयतवारी प्रथा के समर्थकों का दावा था कि यह पहले से ही मौजूद व्यवस्था को ही जारी रखती थी। मुनरो का कहना था : 'यह वह प्रथा है जो भारत में हमेशा ही रही है।' अंततः 19वीं सदी के आरंभ में मद्रास और बंबई प्रेसिडेंसियों के कुछ भागों में रैयतवारी बंदोबस्त लागू क्यिा गया। इस प्रथा के अंतर्गत कोई स्थायी बंदोबस्त नहीं किया गया। प्रत्येक बीस-तीस वर्ष पर इसका पुनर्निर्धारण किया जाता था और तब आमतौर पर मालगुजारी बढ़ा दी जाती थी।

56. **रमोसी विद्रोह :** पश्चिम घाट के निवासी रमोसी जाति के लोगों ने अंग्रेजी प्रशासन पद्धति तथा शासन से अप्रसन्न होकर 1822, 1825-26 और 1829 में विद्रोह किया तथा सतारा के आस-पास लूट-पाट की।

पागलपंथी विद्रोह : यह, एक अद्धधार्मिक संप्रदाय था, जिसको उत्तर बंगाल के करमशाह और उसके बाद उसके पुत्र टीपू ने आगे बढ़ाया। ये राजनीतिक तथा धार्मिक विचारों से प्रभावित थे।

बिहार किसान सभा : 1929 में स्वामी सहजानंद द्वारा बिहार प्रादेशिक किसान सभा का गठन कार्यानन्द शर्मा ने मुंगेर के बड़हियाताल में बकाश्त भूमि की वापसी के लिए आंदोलन चलाया। गया में यदुनंदन शर्मा ने आंदोलन चलाया। जमुना कार्यो ने सारन तथा राहुल सांस्कृत्यायन ने अन्नवारी में आंदोलन किया। 1938-39 तक सरकार द्वारा सुधारों की औरकार्यकर्ताओं की गिरफ्तारी से आंदोलन थम सा गया।

57. बनारस हिंदू विश्वविद्यालय उत्तर प्रदेश के वाराणसी में स्थित एक केंद्रीय विश्वविद्यालय है। इसकी स्थापना 1916 में पंडित मदनमोहन मालवीय ने की। यह एशिया के प्रमुख आवासीय विश्वविद्यालयों में से एक है। यहां लगभग 20,000 छात्र पढ़ते हैं।

1875 में सर सैयद अहमद खां ने मोहम्मऊ एंग्लो ओरियंटल कॉलेज की स्थापना अलीगढ़ में की। यही कॉलेज 1920 में अलीगढ़ मुस्लिम विश्वविद्यालय बना। इस विश्वविद्यालय की स्थापना का मुख्य उद्देश्य सरकारी सेवा के लिए मुसलमानों को शिक्षित करना था।

श्रीमती नाथीबाई दामोदर ठाकरसी भारतीय महिला विश्वविद्यालय की स्थापना 1916 में मुम्बई में हुई। इसका मुख्य उद्देश्य महिला शिक्षा को बढ़ावा देना था। इसके कैंपस मुम्बई एवं पुणे में स्थित हैं।

विश्व भारती अंतर्राष्ट्रीय विश्वविद्यालय केंद्र सरकार से वित्तीय सहायता प्राप्त एक स्वायत्त विश्वविद्यालय है। इसकी स्थापना 1921 में रविंद्रनाथ टैगोर ने पश्चिम बंगाल में की। अर्थशास्त्र में नोबेल पुरस्कार विजेता अमर्त्य सेन इस विश्वविद्यालय के छात्र रहे हैं।

58. **1799 का समाचार-पत्रों का प्रत्रेक्षण अधिनियम :** लार्ड वेलेजली ने सभी समाचार पत्रों पर सेंसर बिठा दिया। इसके अनुसार—

- समाचार पत्र को सम्पादक, मुद्रक और स्वामी का नाम स्पष्ट छापना पड़ता था।
- प्रकाशित किए जाने वाले सभी तत्वों को सरकार के सचिव के सम्मुख पूर्व-पत्रेक्षण के लिए भेजना होता था।
- हेस्टिंग्स ने इन नियमों में ढील दी तथा 1818 में समाचार-पत्रों का पूर्व-पत्रेक्षण बंद कर दिया गया।

60. आर.सी. दत्त का अनुमान है कि 1757-65 के बीच कम्पनी के उत्तराधिकारियों ने 60 लाख पौंड (जो बंगाल की वार्षिक आय का चार गुना था) केवल बंगाल से उपहारों के रूप में प्राप्त किया। एडम स्मिथ ने इस एकपक्षीय वस्तुओं के अधिगम्न को तथा भारत से इस धन की प्राप्ति को 'लूट' की संज्ञा दी और स्वामियों के अधिकरण को भारत में लुटेरों की नियुक्ति करने वाले अधिकरण की संज्ञा दी।

इस आर्थिक लूट का अनुमान अंग्रेज लेखकों में 1859 में जार्ज विग्नेट ने लगभग 42 लाख पौंड प्रतिवर्ष, 1901 में विलियम डिग्बी ने तथा 1948 में अमेरिकन विद्वान होल्डन करबर ने लगाया। भारतीय नेताओं और लेखकों में दादाभाई नौरोजी ने अंग्रेजी राज के आरम्भ से 1865-66 तक डेढ़ सौ करोड़ पौंड पुनः 1897 में 35 करोड़ 90 लाख पौंड, 1901 में दिनशा वाचा, प्रो. सी.एन. वकील तथा आर.सी. दत्त ने अनुमान लगाया।

ग्राण्ड ओल्ड मैन ऑफ इंडिया दादाभाई नौरोजी ने धन के निकास को अनिष्टों की संज्ञा दी तथा धन निष्कासन को 'ऋण कुचक्र' कहा। आर.सी. दत्त ने कहा, ''सूरज पानी भारत से ग्रहण करता है वर्षा केवल इंग्लैंड को देता है।''

62. 1866 ई. का उड़ीसा अकाल भारतीय अकालों के इतिहास में निर्णायक सिद्ध हुआ। इसे विपत्ति के समुद्र के रूप में वर्णित किया गया है। इसके पश्चात् सर जार्ज केम्बेल की अध्यक्षता में एक समिति नियुक्त की गई जिसके रिपोर्ट में 1880 के राजकीय आयोग की कुछ सिफारिशों को प्रकाशित किया गया था।

63. वॉयसेज इन द सिटी अनिता देसाई की प्रमुख रचना है। इसमें कलकत्ता के मध्य वर्गीय बुद्धिजीवी वर्ग के जीवन का वर्णन है।

64. भारतीय स्वतंत्रता अधिनियम 1947 के अनुसार भारत को दो भागों में बांटने का प्रावधान किया गया था। एक भाग हिंदुस्तान कहलाता एवं दूसरा भाग पाकिस्तान। बंटवारे के इस प्रस्ताव के साथ दोनों देशों के बीच सीमा निर्धारण का प्रश्न उठ खड़ा हुआ। ब्रिटिश सरकार ने एक सीमा आयोग (Border Commission) का गठन किया, जिसका अध्यक्ष सर सी रैडक्लिफ को नियुक्त किया गया। रैडक्लिफ 8 जुलाई 1947 को भारत पहुंचे। उन्हें 15 अगस्त 1947 तक सीमा निर्धारण के काम को पूरा कर लेने को कहा गया। इस प्रकार उन्हें मुश्किल से छः सप्ताह का समय मिला। रैडक्लिफ ने समय सीमा के भीतर अपना काम पूरा कर लिया। 17 अगस्त 1947 को रैडक्लिफ रिपोर्ट प्रकाशित कर दी गई और दोनों देशों के बीच सीमा का निर्धारण अस्तित्व में आ गया।

66. अपने शासन के पहले 60 वर्षों के दौरान ईस्ट इंडिया कंपनी ने अपनी प्रजा की शिक्षा में नाममात्र दिलचस्पी ली। वह मुनाफा कमाने वाली एक व्यापारिक संस्था रही। परंतु इसके दो बहुत ही छोटे अपवाद रहे। वारेन हेस्टिंग्स ने 1781 में मुस्लिम कानून और संबद्ध विषयों के अध्ययन और पढ़ाई के लिए कलकत्ता मदरसा स्थापित किया। जोनाथन डंकन ने 1791 में हिंदू कानून और दर्शन के अध्ययन के लिए वाराणसी में संस्कृत कालेज स्थापित किया। वह वाराणसी में रेजीडेंट था। दोनों संस्थाओं की स्थापना इस उद्देश्य से की गई थी कि उनसे कंपनी की अदालतों में न्याय-प्रशासन के लिए योग्य भारतीय नियमित रूप से मिल सकें।

68. मुगल साम्राज्य के कमजोर होने के साथ-साथ स्थानीय राजनीतिक और आर्थिक शक्तियाँ सिर उठाने लगीं और अपना दबाव बढ़ाने लगीं। 17वीं सदी के अंत और उसके बाद की राजनीति में व्यापक परिवर्तन हुआ। 18वीं सदी के दौरान बिखरते मुगल साम्राज्य और उसकी खंडित राजनीतिक व्यवस्था पर बड़ी संख्या में स्वतंत्र और अर्ध-स्वतंत्र शक्तियाँ उठ खड़ी हुईं, जैसे बंगाल, अवध, हैदराबाद, मैसूर और मराठा राजशाही। अंग्रेजों को भारत पर अपना प्रभुत्व स्थापित करने के लिए इन्हीं ताकतों पर विजय प्राप्त करनी पड़ी।

75. **42वां संशोधन (1976 ई.) :** इसके द्वारा संविधान में व्यापक परिवर्तन लाए गए, जिनमें से मुख्य निम्नलिखित थे—(क) संविधान की प्रस्तावना में 'समाजवादी', 'धर्मनिरपेक्ष' एवं 'एकता और अखण्डता' आदि शब्द जोड़े गए।

(ख) सभी नीति-निर्देशक सिद्धांतों के मूल अधिकारों पर सर्वोच्चता सुनिश्चित की गई।

(ग) इसके अंतर्गत संविधान में दस मौलिक कर्त्तव्यों को अनुच्छेद 51(क), (भाग-IV क) के अंतर्गत जोड़ा गया।

(घ) इसके द्वारा संविधान को न्यायिक परीक्षण से मुक्त किया गया।

(ङ) सभी विधानसभाओं एवं लोकसभा की सीटों की संख्या को इस शताब्दी के अंत तक स्थिर कर दिया गया।

(च) लोकसभा एवं विधानसभाओं की अवधि को पांच से छह वर्ष कर दिया गया।

(छ) इसके द्वारा यह निर्धारित किया गया कि किसी केन्द्रीय कानून की वैधता पर सर्वोत्तम न्यायालय एवं राज्य के कानून की वैधता का उच्च न्यायालय ही परीक्षण करेगा। साथ ही, यह भी निर्धारित किया गया कि किसी सवैधानिक वैधता के प्रश्न पर पांच से अधिक न्यायाधीशों की बेंच द्वारा दो-तिहाई बहुमत से निर्णय दिया जाना चाहिए और यदि न्यायाधीशों की संख्या पांच तक हो तो निर्णय सर्वसम्मति से होना चाहिए।

(ज) इसके द्वारा वन संपदा, शिक्षा, जनसंख्या नियंत्रण आदि विषयों को राज्य सूची से समवर्ती सूची के अंतर्गत कर दिया गया।

(झ) इसके अंतर्गत निर्धारित किया गया कि राष्ट्रपति मंत्रिपरिषद् एवं उसके प्रमुख प्रधानमंत्री की सलाह के अनुसार कार्य करेगा।

(ट) इसने संसद को राष्ट्रविरोधी गतिविधियों से निपटने के लिए कानून बनाने के अधिकार दिए एवं सर्वोच्चता स्थापित की।

पिछले प्रश्न-पत्र (हल सहित)

CBSE UGC–NET इतिहास, दिसम्बर–2014

प्रश्न-पत्र–II

निर्देश : *इस प्रश्न-पत्र में* ***पचास (50)*** *बहु-विकल्पीय प्रश्न हैं। प्रत्येक प्रश्न के* ***दो (2)*** *अंक हैं।* ***सभी*** *प्रश्न अनिवार्य हैं।*

1. निम्नांकितों में से कौन-सा हड़प्पायुगीन **नहीं** है?

A. पाद्री B. कुन्तसी
C. भिर्राना D. जखेड़ा

2. निम्नलिखित में से कौन-सा एक युग्म सही सुमेलित **नहीं** है?

(वेद)		**(उनके ब्राह्मण)**
A. ऋग्वेद	–	ऐतरेय ब्राह्मण
B. सामवेद	–	तैत्तिरीय ब्राह्मण
C. यजुर्वेद	–	शतपथ ब्राह्मण
D. अथर्ववेद	–	गोपथ ब्राह्मण

3. उपनिषद्‌कालीन अश्वपति कहाँ का राजा था?

A. कैकेय B. मद्र
C. पांचाल D. उशीनर

4. सूची-I को सूची-II से सुमेलित कीजिए तथा नीचे दिए गए कूट में से सही उत्तर चुनिए:

सूची-I (राज्य)	**सूची-II (राजधानी)**
(*a*) मत्स्य	(*i*) वैशाली
(*b*) वत्स	(*ii*) इन्द्रप्रस्थ
(*c*) वृजि	(*iii*) विराटनगर
(*d*) कुरु	(*iv*) कौशाम्बी

कूट:

	(*a*)	(*b*)	(*c*)	(*d*)
A.	(*i*)	(*ii*)	(*iv*)	(*iii*)
B.	(*ii*)	(*iii*)	(*i*)	(*iv*)
C.	(*iii*)	(*iv*)	(*i*)	(*ii*)
D.	(*iv*)	(*i*)	(*iii*)	(*ii*)

5. निम्नलिखित में से किस समकालीन सम्प्रदाय की नन्द वंश के विनाश में भूमिका बताई जाती है?

A. आजीवक B. बौद्ध
C. चारवाक D. जैन

6. निम्नलिखित में कौन-सा अशोक के साम्राज्य के दक्षिणी भाग का एक प्रशासकीय केन्द्र था?

A. तोसली B. समापा
C. सुवर्णगिरि D. उज्जयिनी

7. निम्नलिखित प्राचीन भारतीय विवाह पद्धतियों में किस एक में वधु-शुल्क देने का नियम था?

A. आर्ष B. असुर
C. दैव D. प्रजापत्य

8. पदिद्रुप्पत्तु कहाँ के राजाओं की प्रशंसा में लिखी गई कविताओं का संग्रह है?

A. चेर B. पांड्य
C. चोल D. तोंडैमान

9. कायारोहण, जिसे लकुलीश-पाशुपत सम्प्रदाय के संस्थापक लकुलीश का निवास स्थान माना जाता है, निम्नांकित में कहाँ था?

A. बंगाल B. उत्तर प्रदेश
C. राजस्थान D. गुजरात

10. सूची-I को सूची-II से सुमेलित कीजिए तथा नीचे दिए गए कूट से सही उत्तर का चयन कीजिए।

सूची-I (राजवंश)	**सूची-II (संस्थापक)**
(*a*) सातवाहन	(*i*) विन्ध्यशक्ति
(*b*) वाकाटक	(*ii*) इन्द्रवर्मन-I
(*c*) पूर्वी गंग	(*iii*) श्रीगुप्त
(*d*) गुप्त	(*iv*) सिमुक

कूट:

	(*a*)	(*b*)	(*c*)	(*d*)
A.	(*iv*)	(*i*)	(*ii*)	(*iii*)
B.	(*iii*)	(*ii*)	(*i*)	(*iv*)
C.	(*i*)	(*iii*)	(*ii*)	(*iv*)
D.	(*ii*)	(*i*)	(*iv*)	(*iii*)

11. निम्नलिखित में से किस गुप्त अभिलेख में चन्द्रगुप्त द्वितीय 'राजाधिराजर्षि' के रूप में वर्णित हैं?

A. चन्द्रगुप्त द्वितीय का उदयगिरि गुहा अभिलेख

B. चन्द्रगुप्त द्वितीय का मथुरा प्रस्तर अभिलेख
C. प्रभावतीगुप्ता का पूना ताम्रपत्र
D. कुमारगुप्त प्रथम का बिलसद प्रस्तर अभिलेख

12. छठी सदी के खगोलज्ञ वराहमिहिर देश के किस भाग से सम्बन्धित थे?

A. पश्चिम मालवा
B. उत्तर गुजरात
C. दक्षिण राजस्थान
D. दक्षिण मगध

13. पुलकेशिन के ऐहोल अभिलेख के लेखक रविकीर्ति ने स्वयं को निम्नांकित लेखकों के बराबर माना है:

1. बाणभट्ट
2. कालिदास
3. भास
4. भारवि

अपने उत्तर का चयन निम्नांकित कूट में से कीजिए:

कूट:

A. 1 और 3
B. 2 और 4
C. 2 और 3
D. केवल 4

14. नीचे दो वक्तव्य दिए गए हैं। इनमें एक कथन (A) और दूसरा कारण (R) है:

कथन (A): विन्ध्य के दक्षिण में, राष्ट्रकूटों के अतिरिक्त कोई ऐसी शक्ति नहीं थी जिसने उत्तर भारत के पूर्वकालीन इतिहास में प्रभावशाली भूमिका निभाई हो।

कारण (R): मध्य भारत के कलचुरियों ने, जिनका राष्ट्रकूटों से सम्बन्ध था, उनकी सक्रिय रूप से सहायता की।

उपर्युक्त दोनों वक्तव्यों के संदर्भ में निम्नलिखित में से कौन-सा सही है?

A. (A) और (R) दोनों सही हैं और (R), (A) की सही व्याख्या है।
B. (A) और (R) दोनों सही हैं परन्तु (R), (A) की सही व्याख्या नहीं है।
C. (A) सही है, लेकिन (R) गलत है।
D. (A) गलत है, लेकिन (R) सही है।

15. निम्नांकितों को कालक्रमानुसार व्यवस्थित कर सही उत्तर का चयन कूट में से कीजिए:

(*i*) विक्रम चोल
(*ii*) वीरराजेन्द्र-I
(*iii*) राजराज-II
(*iv*) कुलोतुंग-III

कूट:

A.	(*i*)	(*ii*)	(*iv*)	(*iii*)
B.	(*ii*)	(*i*)	(*iii*)	(*iv*)
C.	(*iii*)	(*iv*)	(*ii*)	(*i*)
D.	(*iv*)	(*iii*)	(*i*)	(*ii*)

16. निम्नलिखित में से कौन शिवभक्त के रूप में ज्ञात हैं?

1. कन्नौज का हर्ष
2. बंगाल का विजयसेन
3. भोज परमार
4. गोविन्दचन्द्र गहड़वाल

नीचे के कूट से सही उत्तर का चयन कीजिए:

कूट:

A. 1 और 2
B. 2 और 3
C. 3 और 4
D. 1, 2, 3 एवं 4

17. कम्बोडिया का भव्यतम स्मारक अंगकोर वाट मूलतः किसे समर्पित था?

A. बुद्ध
B. शिव
C. सूर्य
D. विष्णु

18. निम्नलिखित में से कौन सुमेलित ***नहीं*** है?

A. *तबकात-ए-अकबरी* – निजामुद्दीन अहमद
B. *शाहजहाँनामा* – इनायत खान
C. *बहारिस्तान-ए-गैबी* – मिर्जा हैदर दोगलात
D. *नुस्खा-ए-दिलकुशा* – भीमसेन

19. सूची-I को सूची-II से सुमेलित कीजिए तथा नीचे दिए गए कूटों से सही उत्तर का चयन कीजिए:

सूची-I (लेखक)	**सूची-II (पुस्तक)**
(*a*) इरफान हबीब	(*i*) *मिलिटरी टेक्नोलोजी इन होवसल स्कल्पचर (ट्वेल्फ्थ एण्ड थर्टीन्थ सेंचुरी)*
(*b*) जोसफ नीधम	(*ii*) *गनपाउडर एण्ड फायरआर्म्स : वारफेयर इन मिडिवल इंडिया*
(*c*) इक्तिदार आलम खान	(*iii*) *साइंस एंड सिविलाइजेशन इन चाइना*
(*d*) जीन डिलोश	(*iv*) *मिडिवल टेक्नोलोजी : एक्सचेंजेज बिटवीन इंडिया एंड द इस्लामिक वर्ल्ड*

कूट:

	(*a*)	(*b*)	(*c*)	(*d*)
A.	(*iv*)	(*ii*)	(*iii*)	(*i*)
B.	(*ii*)	(*iv*)	(*i*)	(*iii*)
C.	(*ii*)	(*i*)	(*iii*)	(*iv*)
D.	(*iv*)	(*iii*)	(*ii*)	(*i*)

20. मध्यकालीन चित्रकला के सम्बन्ध में निम्नलिखित में से कौन-सा कथन **सही** है?

A. 'मध्यकालीन' कला की प्रारम्भिक अवस्था, जो एलोरा में अजंता के अवशेषों के साथ मिली हुई है, की

विशेषताएँ हैं: पैनी रेखाएँ, पैने कोण, रंगीन मॉडलिंग का अभाव तथा रंग-बिरंगी सजावट की तरफ झुकाव।

B. यह 'मध्यकालीन' तत्व तंजावुर और तिरुमलाई के दक्षिण भारतीय मंदिरों के भित्तिचित्रों में नहीं मिलते हैं।

C. पूर्वी भारत एवं नेपाल में पाल शासन काल से अभित्तिचित्र ताड़पत्र पर बचे नहीं रहे।

D. उपर्युक्त सभी सही हैं।

21. दिल्ली-सल्तनत के उत्तराधिकारी निम्नलिखित गुलाम सुल्तानों का सही काल-क्रम क्या है?

A. रुकनुद्दीन फिरोजशाह—अलाउद्दीन मसूदशाह—मुईज्जुद्दीन बहरामशाह—नासिरुद्दीन महमूद

B. मुईज्जुद्दीन बहरामशाह—नासिरुद्दीन महमूद—रुकनुद्दीन फिरोजशाह—अलाउद्दीन मसूदशाह

C. रुकनुद्दीन फिरोजशाह—मुईज्जुद्दीन बहरामशाह—अलाउद्दीन मसूदशाह—नासिरुद्दीन महमूद

D. अलाउद्दीन मसूदशाह—रुकनुद्दीन फिरोजशाह—मुईज्जुद्दीन बहरामशाह—नासिरुद्दीन महमूद

22. अलाउद्दीन खिलजी कालीन प्रशासन में राजसी खुफिया विभाग का मुखिया क्या कहलाता था?

A. *दीवान-ए-रियासत* B. *बरीद-ए-ममलिक*

C. *शाहना-ए-मंडी* D. *आरीज-ए-ममलिक*

23. विजयनगर साम्राज्य की *नायंकार* व्यवस्था निम्न में से किस पर आधारित थी?

A. सल्तनतकालीन इक़्ता व्यवस्था

B. सुल्तानों की युद्ध प्रणाली

C. सुल्तानों की विधि प्रणाली

D. उपर्युक्त में से कोई नहीं

24. "लोग उसके शासनकाल में प्रसन्न और संतुष्ट थे, अतः जवान और बूढ़े, गुलाम और आजाद सभी ने काले कपड़े पहनकर उसके निधन का शोक मनाया।" किस सैयद सुल्तान के विषय में फरिश्ता अपनी *तारीख-ए-फरिश्ता* में यह लिखता है?

A. खिज़्र ख़ान B. मुबारक शाह

C. मुहम्मद शाह D. अलाउद्दीन शाह

25. निम्नलिखित में से किसने यह राय व्यक्त की कि महिलाओं को घर की चाहरदीवारी में रहना चाहिए और चरखा कातना चाहिए?

A. मिन्हाज सिराज और हसन निजामी

B. अमीर खुसरो और इसामी

C. याह्या बिन अहमद और जियाउद्दीन बरनी

D. शम्स-ए-सिराज अफीफ और महमूद शादियाबादी

26. अतग़ा ख़ान के मकबरे, जिसे उसके पुत्र मिर्जा अजीज कोका ने 1566-67 में बनवाया था, से संबद्ध वास्तुविद् और सुलेखकार (खुशनवीस) के युग्म को चिह्नित कीजिए।

A. उस्ताद ख़ुदा कुली और बाक़ी मुहम्मद

B. मीरक सैयद ग़ियास और मीरक मिर्ज़ा ग़ियास

C. अहमद-उल चिश्ती और रियाज बुखारी

D. उस्ताद बिलाल और उस्ताद क़यामत हुसैन

27. सूची-I को सूची-II से सुमेलित कीजिए तथा नीचे दिए गए कूट में से सही उत्तर का चयन कीजिए:

सूची-I (शब्दावली)	**सूची-II (अर्थ)**
(*a*) *बिटीकची*	(*i*) दरबारी इतिहासकार
(*b*) *मीर अदल*	(*ii*) क़बीला
(*c*) *उलूस*	(*iii*) मुख्य न्यायाधीश
(*d*) *वाक़या नवीस*	(*iv*) सैन्य लिपिकार अथवा सचिव

कूट:

	(*a*)	(*b*)	(*c*)	(*d*)
A.	(*i*)	(*ii*)	(*iii*)	(*iv*)
B.	(*i*)	(*iii*)	(*iv*)	(*ii*)
C.	(*iv*)	(*iii*)	(*i*)	(*ii*)
D.	(*iv*)	(*iii*)	(*ii*)	(*i*)

28. मध्यकालीन भारत में व्यापार के लिए आए यूरोपीय देशों के सम्बन्ध में कौन-सा सही कालक्रम है?

A. डच—पुर्तगाली—अंग्रेज—फ्रांसीसी

B. पुर्तगाली—अंग्रेज—फ्रांसीसी—डच

C. पुर्तगाली—डच—अंग्रेज—फ्रांसीसी

D. अंग्रेज—पुर्तगाली—फ्रांसीसी—डच

29. निम्नलिखित मुगल शासकों में से किसने यह दावा किया था कि वह यह अंतर कर सकता है कि किस चित्रकार ने रेखाचित्र बनाया है और किसने उसमें रंग भरा है या उसका चेहरा तैयार किया है?

A. हुमायूँ B. अकबर

C. जहाँगीर D. औरंगजेब

30. निम्नलिखित में से कौन-सा युग्म सुमेलित ***नहीं*** है?

A. *मआसिर-ए-आलमगिरी* – साकी मुस्तईद खान

B. *मआसिर-उल-उमरा* – अबुल क़ासिम नमकीन

C. *मुन्तख़ब-उत-तवारीख* – अब्दुल क़ादिर बदायूंनी

D. *अख़बार-उल-अख़ियार* – अब्दुल हक

31. मुग़लकालीन भारत में मुख्य रूप से थी
A. एक वर्ष में एक फसलीय अर्थव्यवस्था
B. एक वर्ष में दो फसलीय अर्थव्यवस्था
C. एक वर्ष में तीन फसलीय अर्थव्यवस्था
D. एक वर्ष में चार फसलीय अर्थव्यवस्था

32. ख़िलअत जो कि मुग़ल शासकों द्वारा अमीरों को दी जाती थी, वह थी एक
A. यमनी तलवार
B. वस्त्र
C. सैफ-ए-हिन्दी
D. बर्क़-अँदाज़

33. मराठों के सम्बन्ध में निम्नलिखित में से कौन-सा कथन सही ***नहीं*** है?
A. शिवाजी ने जुन्नार और अहमदनगर परगनों की **देशमुखी** की माँग की थी, जिसके सम्बन्ध में शहज़ादे मुराद ने जो दक्खन का गवर्नर था, सम्राट के समक्ष उपस्थित होने के बाद कोशिश करने और सुनिश्चित करने का वायदा किया।
B. 1644 के एक **फरमान** में कहा गया है कि शाहजी को कोंडाने में उनके प्रतिनिधि (एजेंट) दादाजी कोंडदेव की विद्रोही गतिविधियों के कारण दरबार से हटा दिया गया था।
C. मवाली पैदल सैनिक दक्खन में शहजादे मुराद की सेना का सशक्त अंग बन गए थे।
D. शिवाजी ने 1656 में मराठा प्रमुख चन्द्र राव मोरे से जावली जीत लिया था।

34. नीचे दो कथन दिए गए हैं, जिनमें से एक अभिकथन (A) और दूसरा तर्क (R) है:
अभिकथन (A): उत्तर मध्यकाल के दौरान भारतवासियों और यूरोपवासियों के सम्बन्ध पारस्परिक व्यापारिक हितों पर आधारित थे।
तर्क (R): भारत में यूरोपीय व्यापारियों के बसने के बाद उनके परिवारों और धर्मगुरुओं, चिकित्सकों और कलाकारों जैसे अन्य सामाजिक समूहों का आगमन हुआ।
उपर्युक्त दो कथनों के प्रसंग में निम्नलिखित में से कौन सही है? नीचे दिए गए कूटों से सही उत्तर का चयन कीजिए।
कूटः
A. (A) और (R) दोनों सही हैं और (R), (A) की सही व्याख्या है।
B. (A) और (R) दोनों सही हैं लेकिन (R), (A) की सही व्याख्या नहीं है।
C. (A) सही है, लेकिन (R) गलत है।
D. (A) गलत है, लेकिन (R) सही है।

35. परमोच्च शक्ति वह स्थिति है जिसका उपयोग ब्रिटिश सरकार परम उच्च शक्ति के रूप में करती है
A. भारतीय प्रान्तों के सम्बन्ध में
B. प्रेसीडेन्सी टाउनों के सम्बन्ध में
C. ज़मींदारों के सम्बन्ध में
D. राजा रजवाड़ों के राज्यों के सम्बन्ध में

36. एज ऑफ कन्सेंट एक्ट, 1860 ई. ने लड़कियों के विवाह की आयु कितनी निर्धारित की?
A. 10 वर्ष
B. 12 वर्ष
C. 14 वर्ष
D. 15 वर्ष

37. भारत का कौन-सा शासक जैकोबिन क्लब का सदस्य बन गया?
A. हैदर अली
B. रंजीत सिंह
C. टीपू सुल्तान
D. निज़ाम ऑफ हैदराबाद

38. उन राज्यों को क्रमानुसार दीजिए, जिनका विलय लॉर्ड डलहौजी ने लैप्स की नीति के अधीन किया:
(*i*) झाँसी (*ii*) उदयपुर
(*iii*) सतारा (*iv*) संभलपुर
नीचे दिए गए कूट से सही उत्तर का चयन कीजिए:
कूटः
A. (*ii*) (*iv*) (*iii*) (*i*)
B. (*iii*) (*i*) (*iv*) (*ii*)
C. (*iii*) (*iv*) (*ii*) (*i*)
D. (*iv*) (*iii*) (*i*) (*ii*)

39. 'पुराने गारन्टी व्यवस्था' के अधीन रेलवे में निवेश करने वाली ब्रिटिश कम्पनियों को गारन्टित लाभांश का आश्वासन था
A. 10%
B. 8%
C. 5%
D. 3%

40. ग्राम्सची के युद्ध स्थिति की तरह भारतीय राष्ट्रीय काँग्रेस की तुलना किसने की है?
A. अनिल सील
B. बिपन चन्द्र
C. सी.ए. बेली
D. सुमित सरकार

41. 'दी इमरजेन्स ऑफ इण्डियन नेशनलिज्म' एक पुस्तक का नाम है, जिसका लेखक है
A. अनिल सील
B. बिपन चन्द्र
C. गेल मिनोल्ट
D. फ्रांसिस रॉबिन्सन

42. कांग्रेस में 1922-23 में स्वराज ग्रुप में कौन शामिल ***नहीं*** था?

A. मोतीलाल नेहरू B. सी.आर.दास

C. हकीम अजमल खान D. राजेन्द्र प्रसाद

43. रेशमी रुमाल षड्यन्त्र को संगठित किया था

A. मौलाना अब्दुल बारी ने

B. मौलाना महमूद हसन ने

C. उबैदउल्ला सिन्धी और बरक़तउल्ला ने

D. मुज़फ्फर अहमद और मुहम्मद अली ने

44. काँग्रेस ने मूल अधिकारों का प्रस्ताव कहाँ अपनाया था?

A. गौहाटी सेशन (1926) में

B. मद्रास सेशन (1927) में

C. लाहौर सेशन (1929) में

D. कराची सेशन (1931) में

45. निम्नलिखित घटनाओं पर विचार करें:

1. कैबिनेट मिशन 2. बॉम्बे प्लान

3. साइमन कमीशन 4. माउंटबैटेन प्लान

इन घटनाओं का सही कालानुक्रम है:

A. 2, 1, 3, 4 B. 3, 2, 1, 4

C. 1, 2, 3, 4 D. 1, 2, 4, 3

46. 'जनरल विल' सिद्धान्त का प्रवर्तक था

A. एबे सिये B. मॉन्टेस्क्यू

C. रूसो D. वाल्टेयर

47. किस दार्शनिक ने पवित्र रोमन साम्राज्य के बारे में कहा कि यह न तो पवित्र न रोमन न साम्राज्य है?

A. रूसो B. मॉन्टेस्क्यू

C. दिदेरो D. वाल्टेयर

48. उत्तर-आधुनिकतावाद (Postmodernism) के बारे में क्या सही ***नहीं*** है?

A. यह परम्परागत इतिहास की भर्त्सना नहीं करता है।

B. इसके इतिहास-लेखन ने कम जानने वाले व्यक्तियों को पुनः जानने की उत्सुकता शुरू की है।

C. इसका मुख्य सैद्धान्तिक योगदान इसका प्रत्यक्षवाद (Positivism) पर सम्मुख आक्रमण है।

D. इतिहास की कृतियाँ जिन पर इसका प्रभाव सुस्पष्ट है, वह न केवल ऐतिहासिक ज्ञान तक ही पहुँचता है, परन्तु पुराने विषयों में भी नवजीवन डालता है।

49. अखिल भारतीय ट्रेड यूनियन कांग्रेस (ए.आई.टी.यू.सी.) अक्टूबर 31, 1920 का प्रथम अध्यक्ष किसे चुना गया?

A. वी.वी. गिरि

B. सुभाष चन्द्र बोस

C. लाजपत राय

D. सी.आर. दास

50. निम्नलिखित वक्तव्यों पर विचार कीजिए:

कथन (A): सिराजुद्दौला को एक बहुत छोटी इंग्लिश ईस्ट इंडिया कम्पनी की सेना की टुकड़ी ने परास्त किया।

कारण (R): वह हिन्दुओं की सहायता प्राप्त न कर सका।

उपर्युक्त दो वक्तव्यों के संदर्भ में निम्नलिखित में से कौन-सा एक सही है?

A. (A) और (R) दोनों सही हैं और (A) की सही व्याख्या (R) है।

B. (A) और (R) दोनों सही हैं परन्तु (A) की सही व्याख्या (R) **नहीं** है।

C. (A) सही है, परन्तु (R) गलत है।

D. (A) गलत है, परन्तु (R) सही है।

उत्तरमाला

1	2	3	4	5	6	7	8	9	10
D	B	A	C	D	C	B	A	D	A
11	**12**	**13**	**14**	**15**	**16**	**17**	**18**	**19**	**20**
A	A	B	C	B	D	D	C	D	A
21	**22**	**23**	**24**	**25**	**26**	**27**	**28**	**29**	**30**
C	B	A	A	B	A	D	C	C	B
31	**32**	**33**	**34**	**35**	**36**	**37**	**38**	**39**	**40**
B	B	C	B	D	A	C	C	C	B
41	**42**	**43**	**44**	**45**	**46**	**47**	**48**	**49**	**50**
A	D	C	D	B	C	D	A	C	C

कुछ चुने हुए प्रश्नों के व्याख्यात्मक उत्तर

2. ब्राह्मण–इसमें धार्मिक कर्मकाण्डों, याज्ञिक रीतियों, उपासना पद्धतियों तथा संहिता की व्याख्या से संबंधित मंत्र हैं। इन ग्रंथों की रचना यज्ञकर्ता को यज्ञ की विधि-विधान, औचित्य तथा महत्व से अवगत कराने के लिए की गई थी। इसी कारण से इसमें यज्ञों की उपयोगिता और क्रमबद्ध विकास का वर्णन किया गया है। यह मुख्यतः गद्य शैली में लिखित है। यह किसी न किसी संहिता से संबंधित है, जो इस प्रकार हैः

(*i*) ऐतरेय, कौषीतकी – ऋग्वेद

(*ii*) पंचविश, षड्विश, जैमनीय – सामवेद

(*iii*) तैत्तिरीय, सतपथ – यजुर्वेद

(*iv*) गोपथ – अथर्ववेद

ऐतरेय ब्राह्मण में राज्याभिषेक के नियम तथा राज्याभिषेक करवाने वाले राजाओं के नामों का उल्लेख मिलता है।

4. वत्स–राजधानी–कौशांबी। यहाँ राजतंत्रीय प्रणाली लागू थी। उदयन, जो बुद्ध के समकालीन था, यहाँ का प्रसिद्ध शासक था। अवंति जनपद के साथ इसका संघर्ष रहता था।

मत्स्य–राजधानी–विराटनगर। आधुनिक जयपुर तथा अलवर का क्षेत्र इसमें सम्मिलित था। विराट नामक राजा इसका संस्थापक था। इसी के नाम पर इसकी राजधानी का नाम विराट नगर पड़ा। यह पहले चेदि राज्य के अधीन था बाद में मगध के अधीन हो गया।

वज्जि संघ–राजधानी–वैशाली। यह संघ आठ कुलों के संयोग से बना जिसमें तीन प्रमुख थे–विदेह, वज्जि तथा लिच्छवि। आधुनिक बिहार के उत्तरी भाग में स्थित। महावस्तु के अनुसार गौतम बुद्ध लिच्छवियों के निमंत्रण पर वैशाली गए। पहले स्वतंत्र राज्य लेकिन अजातशत्रु ने इसे मगध में मिलाया।

6.

मौर्य प्रांत		**राजधानी**
उत्तरापथ	–	तक्षशिला
अवन्ति राष्ट्र	–	उज्जयिनी
कलिंग	–	तोसली
दक्षिणापथ	–	सुवर्णागिरी
प्राशी (पूर्वी प्रांत)	–	पाटलिपुत्र

7. विवाह के प्रकार (मनुस्मृति के अनुसार)

1. ब्रह्म विवाह–समान वर्ण में विवाह (कन्या का मूल्य देकर)।
2. दैव विवाह–यज्ञ कर्म करने वाले के साथ कन्या का विवाह (दक्षिणा सहित)।
3. आर्ष विवाह–कन्या के पिता को वर एक जोड़ी (एक गाय और एक बैल) देता था।
4. प्रजापत्य विवाह–बिना लेन-देन के योग्यवर से विवाह।
5. गन्धर्व विवाह–प्रेम संबंधों के आधार पर विवाह।
6. असुर विवाह–कन्या को उसके माता-पिता से खरीद लिया जाता है। यह निकृष्ट माना जाता है।
7. राक्षस विवाह–पराजित राजा की पुत्री, बहन या पत्नी से उसकी इच्छा के विरुद्ध विवाह।
8. पैशाच विवाह–कन्या को भगाकर विवाह जब वह अपने चेतना में न हो (सोई हुई अवस्था में, नशे में, मानसिक विक्षिप्तता)

स्मृतियों में प्रथम चार विवाह ही मान्यता प्राप्त हैं।

8. पदिट्टुपत्तु–इसमें चेर शासकों के शौर्य का विवरण है। इसके माध्यम से चेरकालीन इतिहास एवं संस्कृति पर व्यापक प्रकाश पड़ता है।

10.

राजवंश	**संस्थापक**
सातवाहन	सिमुक
वाकाटक	विन्ध्यशक्ति
पूर्वी गंग	इन्द्रवर्मन्-I
गुप्त	श्रीगुप्त
नंद वंश	महापद्मनंद
शुंग वंश	पुष्यमित्र शुंग
हूण वंश	तोरमाण

18. मिर्जा हैदर दोगलात–तारीख-ए-रसीदी–इससे मध्य एशिया की राजनीति पर प्रकाश पड़ता है।

गुलबदन बेगम–हुमायूँनामा–गुलबदन बेगम हुमायूँ की बहन थी।

खोन्दामीर–खुलासत-उल-अखबार, कानून-ए-हुमायूँनी-अब्बास खाँ शेरवानी : तारीखी-ए-शेरशाही उर्फ तोहका-ए-अकबरी।

निजामुद्दीन अहमद–तबकात-ए-अकबरी।

अबुल फजल–आइन-ए-अकबरी और अकबरनामा।

फैजी सरहिन्दी–अकबरनामा।

बदायूँनी–मुन्तखाब-उत-तवारिख।

जहाँगीर–तुजक-ए-जहाँगीरी (आत्मकथा)।

मुतमिद खाँ–इकबालनामा-ए-जहाँगीरी।

अब्दुल हमीद लाहौरी–बदशाहनामा।

अमीरी कजवीनी–बादशाहनामा।

21. रुकनुद्दीन — अप्रैल 1236–नवंबर 1236
बहराम शाह —1240–42 ई.
अलाउद्दीन मसूदशाह — 1242 ई.–1246 ई.
नासिरुद्दीन महमूद — 1246–1266 ई.

22. **दीवान-ए-विजारत**–वजीर का पद इल्तुतमिश के समय अधिक स्पष्ट हुआ। भूराजस्व एवं आय-व्यय के आकलन से जुड़ा विभाग। बलबन के समय इसकी मर्यादा कम हो गई थी। गयासुद्दीन तुगलक विशेष बातों के परामर्श के लिए कुछ भूतपूर्व वजीरों को भी बुलाता था। वजीर की सहायता के लिए–

1. मुश्तरिफ (महालेखाकार)
2. मुस्तौफी (महालेखा परीक्षक) होता था।

दीवान-ए-कंजा–न्यास से संबंधित काजी का विभाग।

दीवान-ए-इंशा–पत्राचारों एवं राजकीय फरमानों से संबंधित।

दीवान-ए-रिसालत–विदेश विभाग (कुरैशी इबीबुल्ला)

दीवान-ए-आरिज–सैन्य विभाग (बलबन)

बैरीद-ए-मुमलिक–गुप्तचर विभाग।

दीवान-ए-वक्फ–राजकीय व्यय से संबंधित।

23. **नायंकर व्यवस्था**–इस व्यवस्था के अंतर्गत विजयनगर नरेश सैनिक एवं असैनिक अधिकारियों को उनकी विशेष सेवाओं के बदले भूमि प्रदान करते थे। इस प्रकार की भूमि अमरम् कहलाती थी। अमरम् के ग्रहणकर्त्ता अमर नायक कहलाते थे। इन्हें इस भूमि की आय का अंश राज्य को भी देना पड़ता था। यह व्यवस्था इक्ता व्ययस्था की तरह थी।

28. **भारत में यूरोपीय शक्तियों का प्रवेश**–

यूरोपीय शक्ति	**वर्ष**
पुर्तगाली	1498 ई.
अंग्रेज	1600 ई.
डच	1602 ई.
डेनिस	1616 ई.
फ्रांसीसी	1664 ई.

29. मुगल चित्रकला अपने चरमोत्कर्ष पर जहाँगीर के शासनकाल में पहुँची। जहाँगीर के दरबार के प्रमुख चित्रकार थे–आगा रजा, अबुल हसन, मुहम्मद नासिर, मुहम्मद मुराद, उस्ताद मंसूर, विशनदास, मनोहर एवं गोवर्धन, फारुख बेग, दौलत। जहाँगीर ने आगा रजा के नेतृत्व में आगरा में एक चित्रणशाला की स्थापना की। उस्ताद मंसूर एवं अबुल हसन को जहाँगीर ने क्रमशः नादिर-अल-उस एवं नादिरुज्जमा की उपाधि प्रदान की। जहाँगीर ने अपनी आत्मकथा में लिखा कि कोई भी चित्र चाहे वह किसी मृतक व्यक्ति या जीवित व्यक्ति द्वारा बनाया गया हो, मैं देखते ही तुरन्त बता सकता हूँ कि यह किस चित्रकार की कृति है। यदि किसी चेहरे पर आँख एक चित्रकार ने, भौंह किसी और ने बनाई हो, तो भी यह जान लेता हूँ कि आँख किसने और भौंह किसने बनाई है।

31. इब्न बतूता ने, जिन्होंने समूचे भारत का भ्रमण किया था, देश में उपजाए जाने वाले जिन अनाजों एवं अन्य विभिन्न फसलों, फलों और फूलों का विस्तृत विवरण दिया है उनमें से अधिकांश से हम परिचित हैं–चावल और गन्ना पूर्वी व दक्षिणी भारत में उपजाए जाते थे, जबकि गेहूं, तिलहन आदि का उत्पादन उत्तरी भारत में होता था। कपास, जौ, राई एवं अन्य निम्न स्तर की फसलें व्यापक स्तर पर लगाई जाती थीं। इब्न बतूता बताते हैं कि मिट्टी इतनी अधिक उपजाऊ थी कि इसमें साल में दो फसलें–रबी (शरदकालीन) एवं खरीफ (वर्षाकालीन) फसलें–उगाई जाती थीं। साल में तीन बार चावल उपजाया जाता था। कुछ फसलें तेल-पिराई, गुड़ निर्माण, नील, कताई, बुनाई आदि जैसे ग्रामीण उद्योगों का आधार थीं। आलू, मकई, लाल मिर्च एवं तम्बाकू की शुरूआत भारत में 16वीं सदी या बाद में हुई थीं; अतः इब्न बतूता ने उनका उल्लेख नहीं किया है।

32. एक उद्यमशील योद्धा के रूप में बख़्तियार ख़िलजी की ख्याति दूर-दूर तक फैल गई थी और हिन्दुस्तान के विभिन्न भागों से बहुत से खिलजी उससे आ मिले। यहां तक कि मुईज्जुद्दीन ने भी उसे 'खिलअत' (विशिष्टता सूचक एक विशेष वस्त्र) भेजी और उसका सम्मान किया, जबकि वह मुईज्जुद्दीन का न तो दास था और न ही कर्मचारी। इससे प्रोत्साहित होकर बख्तियार खिलजी ने जब 200 घुड़सवारों के साथ बिहार के किले पर आक्रमण कर दिया जिसके बारे में बाद में उसे ज्ञात हुआ कि वह एक बौद्ध विहार था। यह सम्भवतः सुप्रसिद्ध नालंदा विश्वविद्यालय था। उसके बाद उसने एक अन्य नगर, जहां विक्रमशिला विश्वविद्यालय स्थित था, पर कब्जा कर लिया और वहां काफी तबाही मचाई। उसने राजधानी उदंतपुर पर भी कब्जा कर लिया एवं वहां एक किला बनवाया। ये सारी घटनाएं 1202 ई. में मानी जाती हैं।

37. हैदरअली का उत्तराधिकारी उसका पुत्र टीपू सुल्तान हुआ। 1787 ई. में टीपू ने अपनी राजधानी श्री रंगपत्तनम में 'पादशाह' की उपाधि धारण की।

टीपू ने अपनी राजधानी श्रीरंगपत्तनम में स्वतंत्रता का वृक्ष लगवाया और साथ ही जैकोबिन क्लब का सदस्य बना। टीपू की मृत्यु चतुर्थ आँग्ल मैसूर युद्ध के दौरान 1799 ई. में हो गई।

38. **व्यपगत का सिद्धान्त (Doctrine of Lapse)**

सतारा (1848)–इस सिद्धान्त के द्वारा विलय किया गया प्रथम राज्य था। डलहौजी ने इसे आश्रित राज्य घोषित करके इसका विलय कर लिया।

सभलपुर (1849)–उत्तराधिकारी के अभाव में इस राज्य का विलय कर लिया गया।

झाँसी (1853)–दत्तक पुत्र को मान्यता नहीं दी गई और राज्य का विलय कर लिया गया।

नागपुर (1854)–राजा के स्वर्गवास के बाद रानी के द्वारा गोल लिया गया दत्तक पुत्र को मान्यता नहीं दी गई और राज्य का विलय कर लिया गया।

बघाट (1850)–राज्य विलय।

उदयपुर (1850)–राज्य विलय।

42. असहयोग आंदोलन को वापस लेने के बाद कांग्रेस दो दलों में बँट गई। जब असहयोग आंदोलन शुरू हुआ था, तब विधान परिषद का बहिष्कार करने का निर्णय लिया गया था। एक दल, जिसका नेतृत्व चितरंजन दास, मोतीलाल नेहरू और विट्ठलभाई पटेल कर रहे थे, चाहते थे कि कांग्रेस को चुनावों में भाग लेना चाहिए और परिषदों को उनके भीतर पहुँचकर तोड़ना चाहिए। दूसरा दल, जिसका नेतृत्व बल्लभभाई पटेल, चक्रवर्ती राजगोपालाचारी और राजेन्द्र प्रसाद कर रहे थे, इस प्रस्ताव का विरोधी था। वे चाहते थे कि कांग्रेस रचनात्मक कार्य में लगी रहे।

44. कराची अधिवेशन में मौलिक अधिकारों एवं आर्थिक नीति से संबंधित एक प्रस्ताव पारित किया गया जिसके संबंध में प्रायः कहा जाता है कि यह वामपंथियों को प्रसन्न करने की दिशा में एक बड़ी रियायत थी। यह सत्य है कि कुछ अधिकारियों को इसमें एम.एन.राय का हाथ होने का संदेह था, और कुछ माह पश्चात् अंबालाल साराभाई ने फिक्की के सदस्यों के बीच परचे बांटे जिनमें इस प्रस्ताव के कुछ अंशों की आलोचना करते हुए कहा गया था कि इससे 'रूसी नमूनेवाली सरकार के आने का खतरा है।'

45. कैबिनेट मिशन — 1946
बॉम्बे प्लान — 1944
साइमन कमीशन — 1927
माउंटबैटन प्लान — 1947

49. 1920 में एम.एन. जोशी ने अखिल भारतीय ट्रेड यूनियन कांग्रेस की स्थापना की। इसके प्रथम अध्यक्ष लाला लाजपत राय थे।

50. प्लासी के युद्ध में अंग्रेज सेना (1100 यूरोपीय तथा 200 बन्दूकची) का नेतृत्व क्लाइन ने किया था तथा नवाब की सेना (4500 सैनिक) का नेतृत्व तीन राजद्रोही (मीर जाफर, यारलतीफ खाँ, रायदुर्लभ) कर रहे थे। 23 जून, 1757 को प्लासी नामक स्थान पर दोनों पक्षों के बीच संघर्ष हुआ। षड्यंत्र के कारण नवाब की हार हुई। नवाब की तरफ से मीर मदन तथा मोहनलाल ने बहादुरी से लड़ाई लड़ी। भयभीत नवाब सिराजुद्दौला महल की ओर भागे अन्ततः उसकी हत्या कर दी गई। 28 जून, 1757 ई. को मीर जाफर को बंगाल का नवाब बनाया गया।

प्रश्न-पत्र-III

*निर्देश : इस प्रश्न-पत्र में **पचहत्तर (75)** बहु-विकल्पीय प्रश्न हैं। प्रत्येक प्रश्न के **दो (2)** अंक हैं। **सभी** प्रश्नों के उत्तर दीजिए।*

1. 2001 में कहाँ पर एक पूरा अश्मीकृत मानव शिशु-कपाल प्राप्त हुआ था?

A. भीमबेटका B. दमदमा
C. हथनोरा D. ओदै

2. निम्नलिखित किस स्थल से लघुपाषाणिक संदर्भ में एक हाथीदाँत का लटकन प्राप्त हुआ था?

A. बागौर B. दमदमा
C. महदहा D. सराय नाहर राय

3. निम्नलिखित वक्तव्यों पर विचार कीजिए:

कथन (A): हड़प्पा संस्कृति के लोगों को हल आधारित कृषि का ज्ञान था।

कारण (R): बणावली में प्रौढ़ हड़प्पा स्तर से हल का पकी मिट्टी का एक नमूना प्राप्त हुआ था।

उपर्युक्त दो वक्तव्यों के संदर्भ में निम्नलिखित में से कौन-सा एक सही है?

A. (A) और (R) दोनों सही हैं और (A) की सही व्याख्या (R) है।
B. (A) और (R) दोनों सही हैं परन्तु (A) की सही व्याख्या (R) नहीं है।
C. (A) सही है, किन्तु (R) गलत है।
D. (A) गलत है, किन्तु (R) सही है।

4. जैसा कि प्राप्त साक्ष्य (उदाहरणार्थ, मुहरें काटने के लिए धातु के उपकरण) से प्रकट होता है, निम्नलिखित एक स्थल हड़प्पीय मुहरों के निर्माण का प्रमुख केन्द्र था

A. बालाकोट B. चन्हूदड़ो
C. कोटदीजी D. लोथल

5. निम्नलिखित में से किन वैदिक नदियों के स्थान अफगानिस्तान में निर्धारित किए गए हैं?

1. आस्किनी 2. कुभा
3. क्रमु 4. शुतुद्री

नीचे के कूट से सही उत्तर का चयन कीजिए:

कूट:

A. 1 एवं 2 B. 2 एवं 3
C. 3 एवं 4 D. 1, 2, 3 एवं 4

6. जैसा कि गौतम एवं बौधायन ने उल्लेख किया है, वैदिकोत्तर काल में वार्षिक ब्याज की दर थी

A. 10% B. 12%
C. 15% D. 20%

7. निम्नलिखित वक्तव्यों पर विचार कीजिए:

कथन (A): गौतम बुद्ध ने अधिक संख्या में वर्षावास श्रावस्ती में बिताए जो कोशल का एक प्रमुख नगर था।

कारण (R): गौतम बुद्ध और कोशल के राजा प्रसेनजित एक आयु के थे।

उपर्युक्त दो कथनों के संदर्भ में निम्नलिखित में से कौन-सा एक सही है?

A. (A) और (R) दोनों सही हैं और (A) की सही व्याख्या (R) है।
B. (A) और (R) दोनों सही हैं परन्तु (A) की सही व्याख्या (R) नहीं है।
C. (A) सही है, परन्तु (R) गलत है।
D. (A) गलत है, परन्तु (R) सही है।

8. सूची-I को सूची-II से सुमेलित कीजिए तथा सूचियों के नीचे दिए गए कूट में से सही उत्तर चुनिए:

सूची-I	**सूची-II**
(*a*) महावीर	1. मृग
(*b*) मल्लिनाथ	2. सिंह
(*c*) पार्श्वनाथ	3. सर्प
(*d*) शान्तिनाथ	4. जल-कलश

कूट:

	(*a*)	(*b*)	(*c*)	(*d*)
A.	1	3	2	4
B.	2	4	3	1
C.	3	1	4	2
D.	2	4	1	3

9. मेगस्थनीज का मूल ग्रंथ लुप्त हो गया है और उसके विवरणों की जानकारी हमें कुछ परवर्ती यूनानी लेखकों द्वारा दिए गए उद्धरणों से मिलती है, यथा

1. एरियन 2. डायडोरस
3. जस्टिन 4. प्लूटार्क
5. स्ट्रेबो

नीचे के कूट से सही उत्तर का चयन कीजिए:

कूट:

A. 1 एवं 3

B. 1, 2 एवं 4

C. 3, 4 एवं 5

D. 1, 2, 3, 4 एवं 5

10. निम्नलिखित में से कौन-सा एक युग्म सही सुमेलित नहीं है?

A. चरसदा — पुष्कलावती

B. सिरकप — तक्षशिला

C. नागार्जुनकोंड — धान्यकटक

D. तामलुक — ताम्रलिप्ति

11. निम्नलिखित में से कौन संगमकालीन पांड्यों के प्रमुख नगर एवं पत्तन थे?

1. कोरकै 2. मदुरै

3. पुहार 4. उरैयूर

नीचे के कूट से सही उत्तर का चयन कीजिए:

कूट:

A. 1 एवं 2 B. 2 एवं 3

C. 1, 2 एवं 3 D. 2, 3 एवं 4

12. पूर्व भाग पर दिए गए राजा के नाम के अनुरूप देवता का पृष्ठ भाग पर अंकन कहाँ के सिक्कों का विशेष लक्षण था?

A. अयोध्या B. कौशाम्बी

C. पद्मावती D. पांचाल

13. कुषाण वंश के देवकुल, जहाँ कुषाण राजाओं की मूर्तियाँ प्रतिष्ठापित की गई थीं, कहाँ प्राप्त हुए हैं?

1. माट 2. जालंधर

3. करा-तेपे 4. सुर्ख-कोटल

नीचे के कूट से सही उत्तर का चयन कीजिए:

कूट:

A. 1 एवं 2 B. 2 एवं 3

C. 1 एवं 4 D. 3 एवं 4

14. निम्नलिखित में से कौन-सा युग्म सही सुमेलित नहीं है?

(समुद्रगुप्त द्वारा पराजित राजा) — **(राज्य)**

A. महेन्द्रगिरि — पिष्टपुर

B. मंटराज — एरण्डपल्ल

C. विष्णुगोप — कांची

D. व्याघ्रराज — महाकान्तार

15. महाराजाधिराज रामगुप्त ने निम्नलिखित में से किन तीर्थंकरों की प्रतिमायें बनवाई थीं?

1. महावीर 2. पार्श्वनाथ

3. चन्द्रप्रभ 4. पुष्पदन्त

नीचे के कूट से सही उत्तर का चयन कीजिए:

कूट:

A. 1 एवं 2 B. 3 एवं 4

C. 1, 2 एवं 3 D. 2, 3 एवं 4

16. सारनाथ से प्राप्त कुमारगुप्त के लेख की तिथि वर्ष 154 है। निम्नलिखित में से कौन इसका समान वर्ष है?

A. 211 ई. B. 232 ई.

C. 394 ई. D. 473 ई.

17. भीनमाल किस खगोलविद् के जन्म स्थान के रूप में जाना जाता है?

A. आर्यभट्ट B. भास्कराचार्य

C. ब्रह्मगुप्त D. वराहमिहिर

18. सूची-I को सूची-II से सुमेलित कीजिए तथा सूचियों के नीचे दिए गए कूट से सही उत्तर का चयन कीजिए:

सूची-I (ग्रंथ)	**सूची-II (विषय)**
(*a*) बृहज्जातक	1. वास्तुशिल्प
(*b*) दशरूपक	2. ज्योतिष
(*c*) लीलावती	3. नाट्य शास्त्र
(*d*) मानसार	4. गणित

कूट:

	(*a*)	(*b*)	(*c*)	(*d*)
A.	1	2	3	4
B.	2	3	4	1
C.	3	4	1	2
D.	4	1	2	3

19. निम्नलिखित में से कौन-सा शैलकृत्त मन्दिर स्थापत्य का एक उदाहरण है?

A. कांची का कैलासनाथ मन्दिर

B. तंजावुर का राजराज मन्दिर

C. एलोरा का कैलास मन्दिर

D. पुरी का जगन्नाथ मन्दिर

20. पूर्वतम से आरम्भ करके निम्नलिखित धर्मशास्त्र लेखकों को कालक्रमानुसार व्यवस्थित कीजिए:

1. चंडेश्वर 2. हेमाद्रि

3. लक्ष्मीधर 4. मित्रमिश्र

नीचे के कूट से सही उत्तर का चयन कीजिए:

कूटः

A. 1, 4, 3, 2 B. 2, 1, 4, 3
C. 3, 2, 1, 4 D. 4, 3, 2, 1

21. विक्रमादित्य II की बड़ी रानी लोकमहादेवी ने कांची के पल्लवों पर राजा की तीन विजयों की स्मृति में किस मन्दिर का निर्माण करवाया था?

A. कांची का कैलासनाथ मन्दिर
B. ऐहोल का कोन्त गुडी मन्दिर
C. पट्टदकल का संगमेश्वर मन्दिर
D. पट्टदकल का विरूपाक्ष मन्दिर

22. निम्नलिखित चोल शासकों में से किसने राजकीय अभिलेखों के आरम्भ में 'ऐतिहासिक भूमिका' देने की प्रथा चलाई?

A. सुन्दर चोल B. उत्तम चोल
C. राजराज D. राजेन्द्र

23. निम्नलिखित वक्तव्यों पर विचार कीजिए:

कथन (A): नानादेशी समुदाय, जो एक बड़ा व्यापारिक संघ था, विभिन्न देशों में भ्रमण करने का दावा करता था।

कारण (R): पगान से प्राप्त एक अभिलेख से विदित होता है कि नानादेशी समुदाय ने उत्तर बर्मा के उस दूरस्थ नगर में एक विष्णु मन्दिर की स्थापना की थी।

उपर्युक्त दो वक्तव्यों के संदर्भ में निम्नलिखित में से कौन-सा एक सही है?

A. (A) और (R) दोनों सही हैं और (A) की सही व्याख्या (R) है।
B. (A) और (R) दोनों सही हैं परन्तु (A) की सही व्याख्या (R) नहीं है।
C. (A) सही है, परन्तु (R) गलत है।
D. (A) गलत है, परन्तु (R) सही है।

24. सुगन्धादेवी, जिसने आसीन लक्ष्मी की आकृति से युक्त सिक्के चलाए, कहाँ की रानी थी?

A. कर्नाटक B. सौराष्ट्र
C. गौड D. कश्मीर

25. सुवर्णभूमि का वह राजा कौन था जिसने नालन्दा में एक बौद्ध विहार की स्थापना की तथा उसके रखरखाव हेतु अपने दूत द्वारा देवपाल से पाँच गाँव दान में देने के लिए प्रार्थना की?

A. धरणीन्द्र B. संग्रामधनंजय
C. बालपुत्रदेव D. चूड़ामणिवर्मन्

26. निम्नलिखित में से कौन-सा सही सुमेलित नहीं है?

	लेखक		रचना
A.	शारंगदेव	–	संगीत रत्नाकर
B.	दामोदर	–	संगीत दर्पण
C.	अज्ञात	–	गुनियात उल मुन्या
D.	बनारसीदास	–	हितोपदेश

27. *शाहनामा* का लेखक फिरदौसी निम्नलिखित में से किसके दरबार का राजकवि था?

A. महमूद गजनवी B. मुहम्मद गोरी
C. कुतुबुद्दीन ऐबक D. इल्तुतमिश

28. विजयनगर साम्राज्य के शासक कृष्णदेव राय की *अमुक्तमाल्यद* का शाब्दिक अर्थ है:

A. सोने की माला B. चाँदी की माला
C. मोतियों की माला D. फूलों की माला

29. *कूर* खाना का अभिप्राय है:

A. शाही शस्त्रागार B. शाही घुड़साल
C. शाही रसोईघर D. शिकार गाह

30. खेती में सुधार के लिए *दीवान-ए-अमीर-ए कोही* नामक एक अलग विभाग की स्थापना निम्नलिखित में से किसने की थी?

A. गयासुद्दीन खिलजी B. अलाउद्दीन खिलजी
C. मुहम्मद बिन तुग़लक D. फिरोज़शाह तुग़लक

31. नीचे दो कथन दिए गए हैं, जिनमें से एक अभिकथन (A) तथा दूसरा तर्क (R) है:

अभिकथन (A): अलाउद्दीन खिलजी के उत्तराधिकारियों के अन्तर्गत विस्तार एवं केन्द्रीकरण की नीति जारी रही।

तर्क (R): बंगाल को 1324 में पुनर्विजित किया गया तथा गयासुद्दीन तुगलक एवं मुहम्मद बिन तुगलक के काल में भारतीय प्रायद्वीप के लगभग सुदूर दक्षिणी बिंदु तक प्रत्यक्ष नियंत्रण हो चुका था।

उपर्युक्त दोनों कथनों के संदर्भ में निम्नलिखित में से कौन-सा कथन सही है?

A. (A) और (R) दोनों सही हैं और (R), (A) की सही व्याख्या है।
B. (A) और (R) दोनों सही हैं लेकिन (R), (A) की सही व्याख्या नहीं है।

C. (A) सही है, किन्तु (R) गलत है।
D. (A) गलत है, किन्तु (R) सही है।

32. दिल्ली की गद्दी पर सैयद सुल्तानों के उत्तराधिकार के निम्नलिखित सही कालक्रम को चिह्नित कीजिए।
A. ख़िज्र ख़ान–मुहम्मद शाह–मुबारक शाह–अलाउद्दीन शाह
B. ख़िज्र ख़ान–मुबारक शाह–मुहम्मद शाह–अलाउद्दीन शाह
C. मुबारक शाह–ख़िज्र ख़ान–अलाउद्दीन शाह–मुहम्मद शाह
D. अलाउद्दीन शाह–मुहम्मद शाह–ख़िज्र ख़ान–मुबारक शाह

33. सुल्तान फिरोजशाह तुगलक के पास सम्भवतः 1,80,000 दास थे। इनमें से कितने दास शिल्पियों के रूप में कार्य करते थे?
A. 11,000 B. 12,000
C. 13,000 D. 14,000

34. नानकर एक भत्ते अथवा अतिरिक्त लाभ के रूप में किसे दिया जाता था?
A. *जागीरदार* B. *अमीन*
C. *जमींदार* D. *पटवारी*

35. बहलोल लोधी के संदर्भ में निम्नलिखित में से कौन-सा कथन सही **नहीं** है?
A. उसने जौनपुर के शर्की सुल्तानों की ताकत को पूरी तरह से नष्ट कर दिया।
B. अपने अड़तीस साल के लम्बे शासन काल में उसने नागरिक प्रशासन के क्षेत्र में कई प्रयोग किए।
C. सैयद सुल्तानों से विरासत में पाई गई दिल्ली सल्तनत की प्रशासनिक संस्थाओं को बनाए रखा।
D. *बहलोली* सिक्के का चलन दिल्ली सल्तनत के मुद्रा शास्त्रीय इतिहास में एक महत्वपूर्ण उपक्रम माना जाता है।

36. निम्नलिखित में से कौन सुमेलित नहीं है?
A. *कस्बा* – छोटा नगर
B. *इजारा* – खेती रहित भूमि
C. *श्रॉफ* – मुद्रा विनिमय कर्ता
D. *जिम्मी* – संरक्षित गैर-मुसलमान

37. निम्नलिखित में से कौन सुमेलित नहीं है?
A. एस. अरसरत्नम – *मेरिटाइम इण्डिया इन दी सेवेन्टीन्थ सेन्चुरी*
B. ओम प्रकाश – *दी डच ईस्ट इण्डिया कम्पनी एण्ड दी इकोनोमी ऑफ बंगाल*
C. के.एन. चौधुरी – *इण्डियन मर्चेन्ट्स एण्ड यूरेशियन ट्रेड*
D. के.एस. मैथ्यू – *पोर्तुगीज़ ट्रेड विद इण्डिया इन दी सिक्सटीन्थ सेन्चुरी*

38. बाबर की नानी जो युनूस खान मुग़ल की पत्नी थी और जिन्होंने बाबर के पिता की मृत्यु के पश्चात् अपने पोते के लिए हर तरह का प्रबन्ध किया और षड़यन्त्रकारियों को दबाया, उनका नाम बताइए।
A. क़ुतलुग निग़ार बेगम B. इसान दौलत बेगम
C. दिलदार बेगम D. मुबारिका बेगम

39. नीचे दो कथन दिए गए हैं, जिनमें से एक अभिकथन (A) और दूसरा तर्क (R) है:
अभिकथन (A): इस्लाम शाह की मृत्यु के बाद शेरशाह द्वारा स्थापित शासन व्यवस्था अव्यवस्थित हो गई थी।
तर्क (R): अकबर ने शेरशाह द्वारा स्थापित भू-राजस्व व्यवस्था को कुछ संशोधनों सहित अपनाया।
उपर्युक्त दो कथनों के प्रसंग में निम्नलिखित में से कौन सही है? नीचे दिए गए कूटों से सही उत्तर का चयन कीजिए।
कूटः
A. (A) और (R) दोनों सही हैं और (R), (A) की सही व्याख्या है।
B. (A) और (R) दोनों सही हैं लेकिन (R), (A) की सही व्याख्या नहीं है।
C. (A) सही है, किन्तु (R) गलत है।
D. (A) गलत है, किन्तु (R) सही है।

40. निम्नलिखित में से कौन-सा कथन मुग़ल चित्रकारी के सम्बन्ध में सही ***नहीं*** है?
A. अकबर ने एक बड़ी चित्रशाला स्थापित करके एक नए और जीवंत स्कूल का निर्माण किया, जिसने 1560 के दशक में *हम्ज़ानामा* का चित्रनिरूपण किया।
B. अकबर के पूरे शासनकाल के दौरान कई पुस्तकों के चित्रनिरूपण के लिए भारत के विभिन्न भागों से चित्रकारों की भर्ती की जाती थी।

C. ऐसा प्रतीत होता है कि अकबर का शासन काल आरम्भ होते ही चित्रण में यथार्थवाद पर बल दिया जाने लगा।

D. पुनर्जागरण कालीन चित्रकला की विशेषताओं ने अकबर के शासन काल में मुगल कला को बिल्कुल भी प्रभावित नहीं किया।

41. निम्नलिखित में से किस यूरोपीय ने अकबर काल में मुगल शाहजादों और शाहजादियों की शिक्षा की स्थिति के बारे में लिखा है?

A. एडवर्ड टेरी
B. थेवनोट
C. कोरियट
D. फादर मोनसरेट

42. निम्नलिखित मुगल शासकों में से किसने बीमारी से ठीक हो जाने के पश्चात् सूफी संत ख़्वाजा मुईनुद्दीन चिश्ती को धन्यवाद देने स्वरूप अपने कान में बुंदा पहना?

A. हुमायूँ
B. अकबर
C. जहाँगीर
D. शाहजहाँ

43. निम्नलिखित में से किसने अपने पिता के शासन के बारे में कहा, "ईरान सिर्फ शियाओं के लिए और तुर्की एवं तुरान सिर्फ सुन्नियों के लिए है, जबकि भारत में सुन्नी और शिया एक मस्जिद में तथा ईसाई एवं यहूदी एक चर्च में इकट्ठे होकर पूजा करते हैं।"?

A. हुमायूँ
B. जहाँगीर
C. शाहजहाँ
D. औरंगजेब

44. जहाँगीर द्वारा शुरू की गई *अल्तमगा जागीर* के अभिलक्षण किससे मिलते-जुलते थे?

A. *वतन जागीर*
B. *तनख्वाह जागीर*
C. *मशरूत जागीर*
D. *पैबाकी भूमि*

45. पुराने किले के सामने दिल्ली में *ख़ैरूल मंजिल* नाम की मस्जिद का निर्माण किसने करवाया था?

A. हमीदा बानो बेगम
B. सलीमा बेगम
C. जीजी अंगा
D. माहम अंगा

46. दस्तूर सर्किल निम्नलिखित में से किसके निर्धारण के लिए तैयार किया गया था?

A. कीमतों के
B. ओहदा के
C. राजस्व के
D. उपर्युक्त में से कोई नहीं

47. मध्यकाल में प्रचलित सिक्का *हूण* किस धातु से बनाया गया था?

A. ताँबा
B. पीतल
C. चाँदी
D. सोना

48. *खालसा,* 'दी सोसायटी ऑफ दी प्योर' की स्थापना की गई थी

A. 1605 में
B. 1627 में
C. 1699 में
D. 1707 में

49. सुरक्षा के लिए मराठों के राजस्व के दावे को कहते हैं

A. सरदेशमुखी
B. चौथ
C. अबवाब
D. जमा

50. 'मुजन्नस', 'तुर्की', 'ताजी' तथा 'जांगला' किसकी नस्ले हैं?

A. हाथी
B. ऊँट
C. घोड़े
D. उपर्युक्त में से कोई नहीं

51. सूची-I को सूची-II से सुमेलित कीजिए तथा नीचे दिए गए कूट में से सही उत्तर चुनिए:

सूची-I (घटना)	**सूची-II (व्यक्ति)**
(*a*) हिन्दू विडोज़ रिमैरिज एक्ट	(*i*) डॉक्टर आत्माराम
(*b*) दासता की समाप्ति	(*ii*) लॉर्ड डलहौजी
(*c*) प्रार्थना समाज	(*iii*) लॉर्ड एलिनबरो
(*d*) सत्यशोधक समाज	(*iv*) ज्योतिबा फूले

कूट:

	(*a*)	(*b*)	(*c*)	(*d*)
A.	(*iii*)	(*i*)	(*iv*)	(*ii*)
B.	(*iv*)	(*ii*)	(*i*)	(*iii*)
C.	(*ii*)	(*iii*)	(*i*)	(*iv*)
D.	(*i*)	(*iii*)	(*ii*)	(*iv*)

52. निम्नलिखित में 1857 ई. के भारतीय विद्रोह का कारण क्या ***नहीं*** था?

A. भारतीय सैनिकों को भारत तथा विदेश में काम करना था।

B. एनफील्ड राइफलों का आरम्भ करना।

C. भारतीय तथा अंग्रेजी सैनिकों में बहुत असमानता।

D. सभी भारतीयों की औपनिवेशिक युग से छुटकारा पाने की इच्छा।

53. निम्नलिखित स्तम्भों को सुमेलित कीजिए:

सूची-I (संस्थायें)	**सूची-II (संस्थापक)**
(*a*) हिन्दू कॉलेज	1. सर सैय्यद अहमद खान
(*b*) एम.ए.ओ. कॉलेज	2. जोनेथन डंकन
(*c*) संस्कृत कॉलेज	3. ज्योतिबा फूले
(*d*) बेथ्यून कॉलेज	4. डेविड हेयर

कूटः

	(*a*)	(*b*)	(*c*)	(*d*)
A.	4	1	2	3
B.	3	4	1	2
C.	2	3	1	4
D.	1	2	4	3

54. इनमें से क्या भारत से ब्रिटेन को जाने वाली आर्थिक (धन सम्पदा) निकासी का एक घटक ***नहीं*** था?

A. घरेलू व्यय
B. ईस्ट इण्डिया कम्पनी के शेयरधारकों को दिया जाने वाला लाभांश
C. नागरिक और सैनिक व्यय
D. बाँटों और शासन करो

55. एका आन्दोलन का प्रारम्भ किया था

A. हरदोई, बाराबंकी आदि के किसानों ने
B. अवध के ज़मीनदारों ने
C. बंगाल के क्रांतिकारियों ने
D. महाराष्ट्र के किसानों ने

56. गाँधी के राजनैतिक संगठन में 'उप-ठेकेदारों' का उपयोग करने की व्याख्या का सिद्धान्त किसने प्रतिपादित किया है?

A. अनिल सील B. मॉरिस डी मॉरिस
C. ज्यूडिथ ब्राउन D. रंजीत गुहा

57. निम्नलिखित घटनाओं पर विचार करें:

1. क्रिप्स मिशन 2. भारत छोड़ो आन्दोलन
3. नेहरू रिपोर्ट 4. वैवेल प्लान

इन घटनाओं का सही क्रम है:

कूटः

A. 3, 1, 2, 4 B. 4, 2, 1, 3
C. 3, 4, 2, 1 D. 2, 3, 4, 1

58. 1937-39 में मद्रास में कांग्रेस मंत्रिमण्डल का नेतृत्व किया था

A. सुब्रामनियम भारती B. टी. प्रकाशम
C. सी. राजगोपालाचारी D. सी.पी. रामास्वामी अय्यर

59. मौलाना अब्दुल बारी का सम्बन्ध था

A. अलीगढ़ स्कूल B. देवबन्द स्कूल
C. नदवतुल उलेमा D. फिरंगी महल

60. 'सर्वाधिक संख्याओं का सर्वाधिक ताभ' का सिद्धांत किस ग्रुप के विचारकों का था?

A. उपयोगितावादी B. तमाजवादी
C. उदारवादी D. रूढ़िवादी

61. महात्मा गांधी के हस्तक्षेप के कारण 1917 की अहमदाबाद मिल की हड़ताल में मज़दूरों की मज़दूरी में वृद्धि हो गई

A. 25% B. 35%
C. 45% D. 55%

62. किसने कार्यवाही इस 'सिद्धान्त पर की कि सिन्ध का सहमेलन एक बहुत लाभकारी शैतानी....एक सम्भावित डकैती अमल में होगी?'

A. लॉर्ड ऑकलैण्ड B. सर चार्ल्स नेपियर
C. सर जॉन कीन D. मेजर जेम्स आउट्रम

63. किसने कहा कि शिमला शिष्टमण्डल (1907) ब्रिटिश द्वारा संचालित और किसी भी प्रकार से 'फरमाइशी (आदेशित) प्रदर्शन' से अधिक नहीं था?

A. अबुल कलाम आजाद B. मुहम्मद अली
C. हसरत मोहानी D. सैय्यद अमीर अली

64. माउंटबेटन योजना का हिस्सा क्या ***नहीं*** था?

A. इसने भारतीय राज्यों को अपना भविष्य चुनने का अधिकार दिया।
B. इसने भारत के विभाजन का सुझाव दिया।
C. यह भारत के विभाजन की तिथि के बारे में सुस्पष्ट नहीं था।
D. इसे कांग्रेस तथा मुस्लिम लीग ने स्वीकार कर लिया।

65. किसने लिखा कि 'मनुष्य स्वतन्त्र पैदा हुआ किन्तु हर जगह वह जंजीरों में बँधा हुआ है?'

A. मॉन्टेस्क्यू B. वाल्टेयर
C. दिदेरो D. रूसो

66. उस नीति का नाम लिखें जो संयुक्त राज्य अमेरिका ने 1929 के ग्रेट डिप्रेशन द्वारा उत्पन्न आर्थिक संकट का सामना करने के लिए अपनाई।

A. खुला द्वार B. मार्शल प्लान
C. संरक्षणवाद D. न्यू डील

67. उपयोगितावाद का मान्य अग्रणी नेता कौन था?

A. एडम स्मिथ B. जेरेमी बेन्थम

C. फ्रेडरिक ऐंगेल्स D. एडमण्ड बर्क

68. सूची-I को सूची-II से सुमेलित कीजिए तथा नीचे दिए गए कूट से सही उत्तर का चयन कीजिए:

सूची-I (व्यक्ति)	**सूची-II (घटनाएँ)**
(*a*) ईश्वर चन्द्र विद्यासागर	1. शिकागो में 1893 की धर्मों की संसद
(*b*) मालाबारी	2. 1891 का एज ऑफ कन्सेन्ट बिल
(*c*) स्वामी विवेकानन्द	3. 1856 के हिन्दू विधवा पुनर्विवाह को कानूनी आधार प्रदान कराना।
(*d*) रानाडे	4. 1884 में डेकेन एजुकेशनल सोसायटी की स्थापना को प्रोत्साहित किया।

कूट:

	(*a*)	(*b*)	(*c*)	(*d*)
A.	3	2	1	4
B.	1	4	3	2
C.	2	3	4	1
D.	4	1	2	3

69. किस वायसराय की एक अभियुक्त ने अण्डमान द्वीपों में छुरा मारकर हत्या कर दी थी?

A. एल्गिन B. लिटन

C. मेयो D. रिपन

70. निम्नलिखित में कौन भारत सरकार के 1935 ई. के अधिनियम (गवर्नमेन्ट ऑफ इंडिया एक्ट, 1935) का अंग **नहीं** था?

A. प्रान्तीय स्वाधीनता

B. एक भारतीय को गवर्नर नियुक्त करना

C. अखिल भारतीय संघ

D. भारतीय रिजर्व बैंक

71. *'रिव्यू ऑफ हिस्टोरिकल सिंथेसिस'* नामक पत्रिका, जो मनुष्य की समाज में समस्त गतिविधियों के संकलन पर केन्द्रित है, की 1900 ई. में किसने स्थापना की थी?

A. लूसियन फाबरे B. मार्क ब्लॉक

C. हेनरी बैर D. फरनेन्ड ब्राडेल

72. किसने तर्क दिया कि औपनिवेशिक काल में भारतीय उद्योगों का विकेन्द्रीकरण **नहीं** हुआ था?

A. अमियो बाग़ची

B. बिपन चन्द्र

C. मॉरिस डी मॉरिस

D. जवाहरलाल नेहरू

73. किसानों के चम्पारन सत्याग्रह में प्रमुख शिकायत किसके बारे में थी?

A. गैरकानूनी करों और अबवाबों के विरुद्ध

B. भूराजस्व की माँग

C. तिनकठिया व्यवस्था

D. उधार पर धन देने वालों द्वारा शोषण

74. निम्नलिखित कथनों पर विचार कीजिए:

कथन (A): अन्त में कांग्रेस के नेताओं ने भारत के विभाजन का प्रस्ताव स्वीकार कर लिया।

कारण (R): वे आश्वस्त हो गए कि यही एकमात्र उपयुक्त समाधान बचा था।

उपर्युक्त दो वक्तव्यों के संदर्भ में निम्नलिखित में से कौन-सा एक सही है?

A. (A) और (R) दोनों सही हैं और (A) की सही व्याख्या (R) है।

B. (A) और (R) दोनों सही हैं परन्तु (A) की सही व्याख्या (R) नहीं है।

C. (A) सही है, परन्तु (R) गलत है।

D. (A) गलत है, परन्तु (R) सही है।

75. निम्नलिखित कथनों पर विचार कीजिए:

कथन (A): भारत में सिविल सर्विसिज परीक्षाएँ शुरू होने के बीस वर्षों में भारतीय, यूरोपियनों से संख्या में बढ़ गए।

कारण (R): भारतीयों ने यह दिखा दिया कि यूरोपियन उनके बराबर नहीं हैं।

उपर्युक्त दो वक्तव्यों के संदर्भ में निम्नलिखित में से कौन-सा एक सही है?

A. (A) और (R) दोनों सही हैं और (A) की सही व्याख्या (R) है।

B. (A) और (R) दोनों सही हैं परन्तु (A) की सही व्याख्या (R) नहीं है।

C. (A) सही है, परन्तु (R) गलत है।

D. (A) गलत है, परन्तु (R) सही है।

उत्तरमाला

1	2	3	4	5	6	7	8	9	10
D	B	A	B	B	C	B	B	D	C
11	**12**	**13**	**14**	**15**	**16**	**17**	**18**	**19**	**20**
A	D	C	B	B	D	C	B	C	C
21	**22**	**23**	**24**	**25**	**26**	**27**	**28**	**29**	**30**
D	C	A	D	C	D	A	C	A	C
31	**32**	**33**	**34**	**35**	**36**	**37**	**38**	**39**	**40**
A	B	B	C	B	B	C	B	B	D
41	**42**	**43**	**44**	**45**	**46**	**47**	**48**	**49**	**50**
D	C	B	A	D	C	D	C	B	C
51	**52**	**53**	**54**	**55**	**56**	**57**	**58**	**59**	**60**
C	D	A	D	A	C	A	C	D	A
61	**62**	**63**	**64**	**65**	**66**	**67**	**68**	**69**	**70**
B	B	B	C	D	D	B	A	C	B
71	**72**	**73**	**74**	**75**					
C	C	C	A	C					

कुछ चुने हुए प्रश्नों के व्याख्यात्मक उत्तर

11. पांड्यों का सर्वप्रथम उल्लेख मेगस्थनीज ने किया है। उसके अनुसार यह राज्य मोतियों के लिए प्रसिद्ध था। मेगस्थनीज के अनुसार इस राज्य पर एक औरत का शासन था। इसमें पांड्य राज्य के प्रारंभ में मातृसत्तात्मक होने का संकेत मिलता है। पांड्य राज्यों में आधुनिक विन्नेवेल्ली, रामनंद और मदुरै जिले सम्मिलित थे। पांड्य की राजधानी मदुरै थी। प्लिनी तथा पेरिप्लस के उल्लेख के अनुसार मोती के सीप पांड्य देश के कोरकै से प्राप्त होते थे।

19. ऐलोरा एवं ऐलिफेंटा (महाराष्ट्र) गुहामंदिरों का निर्माण राष्ट्रकूटों के समय ही हुआ। ऐलोरा में 34 शैलकृत गुफाएँ हैं। इनमें से 1 से 12 तक बौद्धों तथा 13 से 29 तक हिन्दुओं और 30 से 34 तक जैनों की गुफाएँ हैं।

21. विक्रमादित्य-II के शासनकाल में ही दक्कन में अरबों ने आक्रमण किया। इस आक्रमण का मुकाबला विक्रमादित्य के भतीजे पुलकेशी ने किया। इस अभियान की सफलता पर विक्रमादित्य-II ने इसे अवनिजनाश्रय की उपाधि प्रदान की। विक्रमादित्य-II की प्रथम पत्नी लोकमहादेवी ने पट्टदकल में विरूपाक्षमहादेव मंदिर का निर्माण करवाया। विक्रमादित्य-II की दूसरी पत्नी त्रैलोक्य देवी ने त्रैलोकेश्वर मंदिर का निर्माण करवाया।

22. राजराज प्रथम ने अपने शासन के दौरान चोल अभिलेखों का प्रारंभ 'ऐतिहासिक प्रशस्ति' के साथ करवाने की प्रथा की शुरूआत की। इन्होंने अपने धर्मसहिष्णु होने का परिचय राजराजेश्वर मंदिर की दीवारों पर बौद्ध प्रतिमाओं का निर्माण करवा कर दिया।

25. देवपाल की राजसभा में सुमात्रा के राजा बालपुत्र देव का दूत आया था। इस राजा के अनुरोध पर देवपाल ने नालंदा में बौद्ध विहार बनाने के लिए पाँच गाँव दान में दिए। इसने नगरहार के विद्वान् 'वीरदेव' को नालंदा विहार का अध्यक्ष बनाया।

27. महमूद के साथ अलबरूनी, उतवी, तारीख-ए-सुबुक्तगीन का लेखक 'वैहाकी', 'शाहनामा' का लेखक 'फिरदौसी' भारत आए। अलबरूनी प्रसिद्ध इतिहासविद्, गणितज्ञ, भूगोलवेत्ता, खगोल एवं दर्शनशास्त्र का ज्ञाता तथा 'किताब-उल-हिन्द' का लेखक था। 'वैहाकी' को इतिहासकार लेनपूल ने 'पूर्वीपेप्स' की उपाधि प्रदान की।

30. मुहम्मद बिन तुगलक ने दोआब क्षेत्र का कर 50 प्रतिशत कर दिया परन्तु उसी वर्ष अकाल पड़ गया। जबरन कर वसूलने पर क्षेत्र में विद्रोह हो गया जिससे योजना असफल हो गई। कृषि के विकास के लिए 'अमीर-ए-कोही' नाम के नवीन विभाग का गठन किया।

32. खिज्र खाँ — 1414-21
मुवारक शाह — 1421-1434
मुहम्मदशाह — 1434-1445
अलाउद्दीन आलमशाह — 1445-50

33. अपने शासन काल के उत्तरार्ध में फ़िरोज़ ने यह महसूस किया कि उदारता और दया के प्रति अपने गलत दृष्टिकोण के कारण उसने केन्द्रीय सेना की कुशलता और प्रभावनीयता को घटा दिया है। अतः उसने बड़े-बड़े इक्तादारों और अधिकारियों को आदेश दिया कि वे युद्ध के दौरान दासों को पकड़ें एवं उनमें जो सर्वोत्तम हों उन्हें दरबार में सेवा के लिए भेज दें। यह आदेश उन सरदारों और शासकों को भी दिया गया, जो प्रथा के अनुसार, सुल्तान को वार्षिक उपहार भेजा करते थे। इस प्रकार, 1,80,000 दास एकत्र किए गए। उनमें से कुछ दास अपना समय पढ़ने में और धार्मिक अध्ययन में बिताने लगे, 12,000 दास विभिन्न प्रकार के शिल्पकार बन गए और विभिन्न परगनों में भेज दिए गए। दासों के एक बहुत बड़े दल को सशस्त्र सैनिक बल के रूप में गठित किया गया। यह दल 80,000 घुड़सवारों की केन्द्रीय सेना के अतिरिक्त था।

34. कभी-कभी जमींदारों को उन इलाकों का भी भू-राजस्व वसूल करने दिया जाता था जो उनकी जमींदारी के बाहर होते थे। इस इलाके को आमतौर पर *ताल्लुका* कहते थे। ऐसे इलाकों के लिए जमींदार केवल लगान इकड्ढा करने वाला होता था, और इसकी अदायगी उसे *नानकार* के रूप में की जाती थी।

36. अठारहवीं सदी का पूर्वार्ध विशहरीकरण का काल तो नहीं ही था, उल्टे वह ऐसा काल था जब नकदी व्यवहार गांवों में और भी व्यापक रूप से फैला। एक हद तक इसका कारण कपास, नील और तंबाकू जैसी नगदी फसलों का विकास और साथ ही यूरोप की कपड़े की और कुछ पड़ोसी देशों की तंबाकू की बढ़ती हुई मांग पूरी करने के लिए निर्यात की अभिवृद्धि थी। लड़ाइयों के लिए नकद राशियों की जरूरत थी, जो या तो साहूकारों (व्यापारी-सह-बैंकरों) से कर्ज लेकर या जमीन को *इजारे,* अर्थात् राजस्व ठेकेदारी पर देकर जुटाई जाती थी। इस काल में इजारे की प्रथा का विकास ग्रामीण क्षेत्रों पर केंद्रीकृत नियंत्रण की बढ़ती हुई शिथिलता और साथ ही शासक की नकद राशि की आवश्यकता का द्योतक था।

40. अकबर के अधीन पुर्तगाली पादरियों ने दरबार में यूरोपीय चित्रकला दाखिल की। अबुल फजल ने यूरोपीय चित्रकला शैली की प्रशंसा की है। उसके प्रभाव के अधीन पृष्ठ भाग को लघुतर रूप में दर्शाने के सिद्धांत को अपनाया गया, ताकि दूर और पास के लोग और वस्तुएं सही परिप्रेक्ष्य में दिखें। तथापि भारतीय चित्रकार परिप्रेक्षण कला में कभी भी पूरी सिद्धहस्तता प्राप्त नहीं कर पाए। दूरस्थ वस्तुओं को अग्रभाग से लघुतर रूप में दर्शाने की पद्धति की अपेक्षा बहुधा समतल दर्शाया गया है। जहां पहले विहंगम परिप्रेक्ष्य का उपयोग किया जाता था, जिससे विभिन्न स्तरों की क्रियाएं एक ही स्तर पर दिखाई जाती थीं वहीं अब वृत्तीय या गोल वृत्त में घूमने वाले प्रभाव का उपयोग किया जाने लगा।

41. फादर मोंसेरात फादर एक्वाविवा (Father Acquaviva) के साथ 1578 में अकबर के दरबार में आया था। उसने अपना यात्रा-विवरण प्रस्तुत किया है। उसने अकबर के चरित्र और व्यक्तित्व का विशद वर्णन किया है, जिसमें अकबर की शक्ल-सूरत, उसकी पोशाक, उसकी धार्मिक मान्यताओं आदि का विवरण मिलता है। उसने अकबर के भोज-प्रबंध, निराश्रितों की शिक्षा के लिए की गई उदार व्यवस्थाओं, शाहजादों और शाहजादियों की शिक्षा आदि के बारे में विस्तार से लिखा है। फादर मोंसेरात को शाहजादा मुरादा का शिक्षक नियुक्त किया गया था। उसके अनुसार शाहजादों और शाहजादियों की शिक्षा पर बहुत ध्यान दिया जाता था।

43. अकबर की *सुलह-ए-कुल* और सभी धर्मों को सम्मान तथा स्वतंत्रता देने के संबंध में जहांगीर का दृष्टिकोण उसके संस्मरणों में उभर कर सामने आता है। अकबर की प्रशंसा करते हुए वह कहता हैः 'उनके अनन्त प्रभुत्व की व्यापकता में सभी धर्मों के माननेवालों के लिए स्थान था। यह अन्य राज्यों की रीतियों से भिन्न था, क्योंकि फारस में केवल शियों के लिए स्थान है, और तुर्की, हिंदुस्तान तथा तूरान में सिर्फ सुन्नियों के लिए जगह है।

44. जागीरदारी व्यवस्था का सारतत्व यह है कि यह व्यवस्था भू-राजस्व आवंटन के द्वारा वेतन-भुगतान का एक तरीका थी। जागीरदारों को अपना निजी खर्च चलाने और पादशाह की सेवा के लिए रखी फौजी टुकड़ियों के रख-रखाव पर खर्चा करने का अधिकार था। वेतन-भुगतान के एक प्रकार के रूप में जागीर मिलने का आशय था कि उसका दावा केवल 'महल' से प्राप्त राजस्व तक ही सीमित था। नियतन-आदेश में यह बात साफ तौर पर लिखी जाती थी। जागीरदार को नियत-भूमि पर स्थायी अधिकार प्राप्त नहीं थे। फिर भी यह देखा गया है कि मुगल शासन में कुछ जागीरें वंशानुगत आधार पर भी प्राप्त थीं। जागीरों की इस कोटि में 'वतन जागीर' और 'अलतमगा जागीर' सम्मिलित थीं। वतन-जागीर कुछ राजाओं और जमींदारों को मिली हुई थी। इन जागीरों में 'वतन' (वह भूमि जो मूल रूप से उनके शासन में थी) एवं अन्य प्रकार के राजस्व-नियतन आते थे और ये दोनों प्रकृति से वंशानुगत होते थे। राजाओं के पुश्तैनी इलाकों को वतन-जागीर की कोटि में लाने का एक लाभ यह हुआ कि इससे वे इलाके भी उन्हीं शाही नियमों-विनियमों से नियंत्रित होने लगे, जिनसे जागीर-भूमि नियंत्रित होती थी। जहाँगीर द्वारा प्रवर्तित 'अलतमगा जागीर' पुश्तैनी जागीर की दूसरी कोटि में आती है। पर जागीर का यह प्रकार बहुप्रचलित नहीं था। पादशाह की जिन परिवारों पर कृपादृष्टि हो जाती, केवल उन्हीं को ये जागीरें मिलती थीं।

45. शेरशाह का बनवाया 'पुराना किला', जो शायद हुमायूं के जहांपनाह का एक हिस्सा रहा होगा, एक विशालकाय संरचना है, जिसकी दीवारें धूसर पत्थरों की हैं और प्रभावोत्पादक द्वार लाल बलुई पत्थरों का बना हुआ है। इसमें सफेद संगमरमर खचित किए हुए हैं और कहीं-कहीं नीले रंग के घुटे हुए चमकते पत्थर जड़े हुए हैं। शेरशाह का कोई भी प्रासाद या सार्वजनिक इमारत अवशिष्ट नहीं है। किले के बाहर खैर-उल-मजलिस नामक मसजिद-सह-मदरसा 1561 में माहम अनगा ने बनवाया। किले के अंदर की जो एकमात्र इमारत बच रही है वह है शाही मसजिद, जिसे किला-ए-कुहना मसजिद कहते हैं।

49. **चौथ**–किसी भी क्षेत्र से प्राप्त कुल भूमि आय का एक चौथाई (1/4) भाग होता था। चौथ उस क्षेत्र से वसूला जाता था, जिस क्षेत्र पर मराठा आक्रमण की पूर्ण संभावना होती थी। चौथ का भुगतान करते रहने से यह निश्चित हो जाता था कि मराठा उस क्षेत्र पर आक्रमण नहीं करेंगे और यदि उस क्षेत्र पर किसी अन्य बाह्य शक्ति द्वारा आक्रमण किया जाता है तो चौथ देने वाले क्षेत्र की रक्षा मराठा सैनिक करेंगे।

51. **लॉर्ड एलिनबरो (1842-44 ई.)**–प्रथम आंग्ल-अफगान युद्ध समाप्त हुआ। सिन्ध को अगस्त, 1843 ई. में पूर्ण रूप से ब्रिटिश साम्राज्य में मिला लिया गया। दास-प्रथा का उन्मूलन इसी के समय में हुआ।

लॉर्ड डलहौजी (1848-56 ई.)–द्वितीय आँग्ल सिक्ख युद्ध (1848-49 ई.) तथा पंजाब का ब्रिटिश शासन में विलय (1849 ई.)। द्वितीय आंग्ल-बर्मा युद्ध और सन् 1852 ई. में लोअर बर्मा एवं पीगू को अंग्रेजी राज्य में मिला लिया गया। डलहौजी ने सिक्किम पर दो अंग्रेज डॉक्टरों के साथ दुर्व्यवहार का आरोप लगाकर सन् 1850 ई. में उस पर अधिकार कर लिया। 1852 ई. में एक इनाम कमीशन की स्थापना की गई। इसका उद्देश्य भूमिकर रहित जागीरों का पता करके उन्हें छीनना था। सन् 1856 ई. में अवध को कुशासन का आरोप लगाकर अंग्रेजी राज्य में मिला लिया गया। उस समय अवध का नवाब वाजिद अली शाह था। 1856 में हिंदू विडोज रिमैरिज एक्ट पारित हुआ।

सत्यशोधक समाज (1873)–ज्योतिबा फूले।

52. वस्तुतः 1857 का विद्रोह ब्रिटिश नीतियों के विरुद्ध जनता की संचित, शिकायतों और सिपाहियों के असंतोष की उपज था। सिपाहियों के साथ उनके अंग्रेज अफसर तिरस्कारपूर्ण व्यवहार करते थे। कोई भी भारतीय सूबेदार के ओहदे से ऊपर नहीं जा सकता था। सिपाहियों को सिंध या पंजाब में काम करने पर विदेशी सेवा भत्ता नहीं दिया जाता था। साथ ही एक अधिनियम बनाकर सिपाहियों को जाति एवं पंथ संबंधी चिह्न रखने से रोका गया एवं उन्हें समुद्र पार जाकर काम करने को कहा गया। इसे सिपाहियों ने अपने धर्म में हस्तक्षेप माना। सिपाहियों को यह विश्वास हुआ कि सरकार जानबूझकर उनके धर्म को नष्ट करना चाह रही है। इसका कारण था सिपाहियों को नई एनफील्ड राइफल दिया जाना जिसके चिकनाई लगे कारतूसों को दाँत से काटना पड़ता था। कतिपय परिस्थितियों में इन चिकनाइयों में गाय और सूअर की चर्बी लगी होती थी।

54. 1813 के पश्चात् धन निष्कासन निम्न रूपों में हुआ–

- गृह व्यय के रूप में भारत सचिव तथा कार्यालय पर।
- ईस्ट इंडिया कम्पनी के भागीदारों को लाभांश।
- विदेश में लिए गए सार्वजनिक ऋण पर ब्याज।
- सैनिक तथा असैनिक व्यय।
- इंग्लैंड में भंडार वस्तुओं की खरीद।
- विदेशी पूँजी निवेश पर दिया जाने वाला ब्याज।
- विदेशी बैंक, इश्योरेंस, नौवहन कम्पनियाँ आदि।

55. असहयोग आंदोलन से अनजाने ही अनेक क्षेत्रों में निम्न वर्गों का जो स्वतःस्फूर्त विद्रोह उठ खड़ा हुआ था, वह बारदोली आंदोलन वापस ले लेने के साथ ही शांत नहीं हुआ। उदाहरण के लिए, बाराबंकी का 'एका' आंदोलन मार्च 1922 तक भी संयुक्त प्रांत के अधिकारियों के लिए परेशानी खड़ी कर रहा था, और बंगाल के टिपरा एवं चटगांव जिलों में जुलाई तक शांति-व्यवस्था पूर्णतः स्थापित नहीं की जा सकी थी।

58. कांग्रेस मंत्रिमंडलों ने आते ही 1932 से चली आ रही आपातकालीन शक्तियों को निरस्त कर दिया। फिर भी, अक्टूबर 1937 तक मद्रास में राजगोपालाचारी राजद्रोहमूलक भाषणों के लए मुकदमे चला रहे थे और कांग्रेस मंत्रिमंडल वाले सभी प्रांतों में सांप्रदायिक दंगों एवं वामपंथी नेतृत्ववाले श्रमिक एवं किसान आंदोलनों के विरुद्ध समान रूप से अधिकाधिक दमनकारी उपायों का प्रयोग किया जा रहा था। सितंबर 1938 में अखिल भारतीय कांग्रेस कमेटी ने उन उपायों का वस्तुतः खुला समर्थन किया जो "कांग्रेस सरकार द्वारा जन-धन की रक्षा के लिए प्रयुक्त किए जाएं" और "कांग्रेसियों सहित उन सब लोगों की निंदा की जो...नागरिक स्वाधीनता के नाम पर हत्या, आगजनी, लूटपाट और हिंसक तरीकों से वर्ग-संघर्ष की हिमायत करते हैं...।"

61. सन् 1918 में गांधीजी ने अहमदाबाद में मजदूरों और मिल मालिकों के एक विवाद में हस्तक्षेप किया। उन्होंने मजदूरों को मजदूरी में 35 प्रतिशत वृद्धि की मांग करने तथा तथा इसके लिए हड़ताल पर जाने की राय दी। लेकिन उन्होंने ज़ोर देकर कहा कि हड़ताल के दौरान मजदूर मालिकों के खिलाफ हिंसा का प्रयोग न करें। मजदूरों के हड़ताल जारी रखने के संकल्प को बल देने के लिए उन्होंने आमरण अनशन किया। उनके अनशन ने मिल मालिकों पर दबाव डाला और वे नरम पड़कर मजदूरी 35 प्रतिशत बढ़ाने पर सहमत हो गए।

64. 24 मार्च और 6 मई के बीच भारतीय नेताओं के साथ 133 साक्षात्कारों की तीव्र श्रृंखला के बाद माउंटबेटन ने तय किया कि कैबिनेट मिशन की रूपरेखा अव्यावहारिक हो चुकी है। तब उन्होंने एक वैकल्पिक योजना बनाई जिसे 'प्लान बाल्कन' का गुप्त नाम दिया गया जो कि उचित ही था। इसमें विभिन्न प्रांतों को (या यदि हस्तांतरण से पूर्व संघ बन जाएं तो संघों को) सत्ता का हस्तांतरण करने की बात थी जिसमें पंजाब और बंगाल की विधायिकाओं को यह अधिकार होता कि वे चाहें तो अपने प्रांतों में विभाजन कर लें; इस प्रकार बननेवाली विभिन्न इकाइयां और रजवाड़े सर्वोच्चता समाप्त होने से स्वतंत्र हो जाएंगे और उनको यह स्वतंत्रता होगी कि वे चाहें तो भारत या पाकिस्तान में मिलें या स्वतंत्र रहें। लेकिन यह योजना तब शीघ्र ही त्याग दी गई जब 10 मई को शिमला में माउंटबेटन ने व्यक्तिगत रूप से नेहरू को इसकी सूचना दी और नेहरू ने इस पर अत्यंत तीखी प्रतिक्रिया प्रकट की। इसके स्थान पर वी. पी. मेनन-पटेल की वह योजना उठाई गई जिसमें डोमिनियन स्टेट्स के आधार पर भारत और पाकिस्तान की दो केंद्रीय सरकारों को सत्ता हस्तांतरित किए जाने का सुझाव था। 2 जून को इस योजना को कांग्रेसी, लीगी और सिख नेताओं ने स्वीकार कर लिया और अगले दिन इसकी घोषणा कर दी गई। यही योजना इंडिया इंडिपेंडेंस एक्ट का आधार बनी जिसकी पुष्टि 18 जुलाई को ब्रिटिश संसद और सम्राट ने कर दी और 15 अगस्त को लागू हो गई।

69. लॉर्ड मेयो (1869-72)–1870 में वित्त का विकेन्द्रीकरण किया गया और प्रथम बार प्रांतीय व्यवस्था की गई। 1872 में भारत में प्रथम बार जनगणना की गई। भारतीय राजाओं की शिक्षा और राजनीतिक शिक्षण के लिए दो विद्यालयों, काठियावाड़ में 'राजकोट विद्यालय' और राजस्थान के अजमेर में 'मेयो विद्यालय' की स्थापना। भारत की सांख्यिकी सर्वेक्षण के लिए परिषद् गठित की। कृषि और वाणिज्य के लिए एक अलग विभाग की स्थापना। राज्य रेल प्रणाली की शुरूआत करवाई। अंडमान में एक पठान द्वारा चाकू मारकर उसकी हत्या कर दी गई।

70. भारत का शासन अधिनियम, 1935

1. इस अधिनियम के अनुसार एक अखिल-भारतीय संघ के निर्माण का प्रावधान रखा गया, जिसमें ब्रिटिश सरकार द्वारा शासित सभी प्रांत तथा देशी राज्यों को शामिल किया जाना था। यह संघीय प्रणाली अंग्रेजों के शासन काल में अस्तित्व ग्रहण नहीं कर सकी क्योंकि देशी राज्यों ने इस संघ में शामिल होना स्वीकार नहीं किया।
2. सत्ता को केन्द्रीय, प्रांतीय तथा सीमावर्ती नामक तीन सूचियों में विभाजित किया गया। अवशिष्ट शक्तियाँ गवर्नर जनरल में निहित थीं।
3. प्रांतों में द्वैध शासन प्रणाली को समाप्त कर दिया गया तथा वहाँ उत्तरदायी सरकार की स्थापना की गई।
4. दिल्ली में एक संघीय न्यायालय की स्थापना की गई जिसमें सर्वोच्च न्यायाधीश के अतिरिक्त 6 अन्य न्यायधीशों की नियुक्ति का प्रावधान था।
5. नियंत्रक एवं महालेखाकार के पद का सृजन किया गया।
6. केन्द्रीय स्तर पर द्वैध शासनप्रणाली की व्यवस्था की गई तथा सम्पूर्ण प्रशासनिक विषयों को हस्तांतरित तथा सुरक्षित नामक दो श्रेणियों में विभाजित कर दिया गया। हस्तांतरित विषय जनता के प्रति उत्तरदायी मंत्रियों के हाथों में सौंप दिया गया जबकि सुरक्षित विषयों का शासन गवर्नर जनरल अपनी कार्यकारिणी परिषद् के सदस्यों के सहयोग से चलाता था।

73. चंपारण सत्याग्रह (1917)–बिहार के चंपारण जिले के किसानों से गोरे बागान मालिकों ने एक अनुबंध कराया, जिसके अनुसार किसानों को अपनी जमीन के 3/20वें हिस्से पर नील की खेती करना अनिवार्य था। इसे 'तिनकठिया' पद्धति कहते थे। 19वीं सदी के आखिर तक रासायनिक रंगों के आने से यूरोपीय नील की खेती बन्द करने के लिए मजबूर हुए। परन्तु किसानों को तिनकठिया से मुक्त करने के लिए उन्होंने अतिरिक्त कर लगाए। किसानों ने नील उत्पादन एवं कर देने से मना किया। राजकुमार शुक्ल के निमंत्रण पर गांधीजी 1917 में चंपारण पहुँचे। उनके सहयोगियों में राजेन्द्र प्रसाद, जे.बी. कृपलानी, महादेव देसाई, नरहरि पारेज आदि थे। गांधी ने समस्या का विश्लेषण किया। सरकार ने एक आयोग बनाया, जिसमें गांधीजी भी सदस्य थे। सरकार ने इस कमेटी की सिफारिशें स्वीकार कीं। बागान मालिकों ने अतिरिक्त वसूली का 25% वापस किया था।

74. मार्च 1947 में वायसरॉय बनकर भारत आए लॉर्ड लुई माउंटबेटन ने कांग्रेस और मुस्लिम लीग के नेताओं से लंबी-लंबी बातचीतों के बाद समझौते का एक रास्ता निकाला–देश स्वाधीन तो होगा मगर एक नहीं रहेगा; भारत का विभाजन होगा और भारत के साथ पाकिस्तान नामक एक नया राज्य भी स्थापित होगा। बड़े पैमाने पर खून-खराबा और सांप्रदायिक दंगों का अंदेशा सामने था, इसलिए राष्ट्रवादी नेताओं ने मजबूर होकर भारत का विभाजन स्वीकार कर लिया। लेकिन उन्होंने दो राष्ट्रों का सिद्धांत नहीं माना। उन्होंने यह नहीं माना कि देश का एक-तिहाई भाग दे दिया जाए जिसकी मांग भारत की जनसंख्या में मुसलमानों के भाग के आधार पर मुस्लिम लीग कर रही थी। वे केवल वही क्षेत्र देने पर राजी हुए जहां मुस्लिम लीग का व्यापक प्रभाव था। इस तरह पंजाब, बंगाल और असम का भी विभाजन आवश्यक हो गया। मुस्लिम लीग को एक 'घुन-लगा' पाकिस्तान ही मिला। पश्चिमोत्तर सीमा प्रांत तथा असम के सिलहट जिले में लीग का प्रभाव संदिग्ध था, इसलिए वहां जनमत-संग्रह कराने का निश्चय हुआ। दूसरे शब्दों में, देश का विभाजन तो हुआ, मगर हिंदू धर्म और इस्लाम के आधार पर नहीं।

पिछले प्रश्न-पत्र (हल सहित)

UGC-NET, इतिहास, जून-2014

प्रश्न-पत्र-II

*निर्देशः इस प्रश्न-पत्र में **पचास (50)** बहु-विकल्पीय प्रश्न हैं। प्रत्येक प्रश्न के **दो (2)** अंक हैं। **सभी** प्रश्नों के उत्तर दीजिए।*

1. सूची-I को सूची-II से सुमेलित कीजिए और दिए गए कूट में से सही उत्तर का चयन कीजिए:

सूची–I	**सूची–II**
(*a*) जाली प्रकार की उत्खनन पद्धति	(*i*) पिट रीवर्स
(*b*) स्तरविन्यास का सिद्धांत	(*ii*) आर.ई.एम. व्हीलर
(*c*) रेडियोकार्बन तिथिक्रम पद्धति	(*iii*) थॉमस जेफरसन
(*d*) त्रि-आयामी मापन पद्धति	(*iv*) एफ.डब्ल्यू लीबी

कूट :

	(*a*)	(*b*)	(*c*)	(*d*)
A.	(*i*)	(*ii*)	(*iii*)	(*iv*)
B.	(*ii*)	(*iii*)	(*iv*)	(*i*)
C.	(*iii*)	(*i*)	(*ii*)	(*iv*)
D.	(*ii*)	(*iv*)	(*iii*)	(*i*)

2. किस क्षेत्र के उत्खनन से पता चलता है कि वहाँ नवपाषाणकालीन मानव जमीन में गड्ढा खोदकर रहता था?

A. कर्नाटक B. असम

C. कश्मीर D. मध्य प्रदेश

3. सूची-I (हड़प्पीय पुरास्थल से प्राप्त सामग्री) को सूची-II (सम्भावित स्रोत) से सुमेलित कीजिए और दिए गए कूट से सही उत्तर का चयन कीजिए :

सूची–I	**सूची–II**
(*a*) ताँबा	(*i*) दक्कन
(*b*) शंख	(*ii*) राजस्थान
(*c*) लाजवर्द	(*iii*) कच्छ
(*d*) सोना	(*iv*) अफगानिस्तान

कूट :

	(*a*)	(*b*)	(*c*)	(*d*)
A.	(*iii*)	(*iv*)	(*i*)	(*ii*)
B.	(*i*)	(*iii*)	(*ii*)	(*iv*)
C.	(*ii*)	(*iii*)	(*i*)	(*iv*)
D.	(*ii*)	(*iii*)	(*iv*)	(*i*)

4. युद्ध के निम्नलिखित शस्त्रों में से कौन हड़प्पा संस्कृति के अवशेषों में अप्राप्य हैं?

(*i*) धनुष और तीर

(*ii*) तलवार

(*iii*) ढाल

(*iv*) शिरस्त्राण

नीचे दिये गये कूट की सहायता से सही उत्तर का चयन कीजिए:

कूट :

A. केवल (*i*) B. (*i*) और (*ii*)

C. (*ii*) और (*iii*) D. (*ii*), (*iii*) और (*iv*)

5. निम्नलिखित पुरोहितों में से कौन यज्ञ के सम्पादन का निरीक्षण करता था?

A. होता B. ब्रह्मा

C. उद्‌गाता D. अध्वर्यु

6. सूची-I को सूची-II से सुमेलित कीजिए तथा दिए गए कूट में से सही उत्तर चुनिए:

सूची–I	**सूची–II**
(*a*) श्रौत सूत्र	(*i*) यज्ञवेदी को मापना
(*b*) गृह्य सूत्र	(*ii*) बलि सम्बन्धी नियम
(*c*) धर्म सूत्र	(*iii*) घरेलू अधिकार
(*d*) सुलुव सूत्र	(*iv*) धर्म अथवा विधि

कूट :

	(*a*)	(*b*)	(*c*)	(*d*)
A.	(*ii*)	(*iii*)	(*iv*)	(*i*)
B.	(*i*)	(*ii*)	(*iii*)	(*iv*)
C.	(*iii*)	(*iv*)	(*ii*)	(*i*)
D.	(*iv*)	(*i*)	(*ii*)	(*iii*)

7. सूची-I को सूची-II से सुमेलित कीजिए और दिए गए कूट से सही उत्तर का चयन कीजिए:

सूची–I	**सूची–II**
(*a*) सूर्य सिद्धांत	(*i*) रोम
(*b*) पुद्गल	(*ii*) यूनानी
(*c*) होराशास्त्र	(*iii*) आर्यभट्ट
(*d*) ऐरिताइन मृद्भाण्ड	(*iv*) जैन

कूट :

	(*a*)	(*b*)	(*c*)	(*d*)
A.	(*iii*)	(*iv*)	(*ii*)	(*i*)
B.	(*iii*)	(*ii*)	(*i*)	(*iv*)
C.	(*ii*)	(*iii*)	(*iv*)	(*i*)
D.	(*i*)	(*ii*)	(*iv*)	(*iii*)

8. सूची-I (अधिकारी) को सूची-II (विभाग) से सुमेलित कीजिए तथा दिए गए कूट की सहायता से सही उत्तर का चयन कीजिए:

सूची–I (अधिकारी)	**सूची–II (विभाग)**
(*a*) लक्षणाध्यक्ष	(*i*) टकसाल विभाग का अध्यक्ष
(*b*) सीताध्यक्ष	(*ii*) वाणिज्य विभाग का अध्यक्ष
(*c*) पौतवाध्यक्ष	(*iii*) कृषि विभाग का अध्यक्ष
(*d*) पण्याध्यक्ष	(*iv*) माप-तौल विभाग का अध्यक्ष

कूट :

	(*a*)	(*b*)	(*c*)	(*d*)
A.	(*iv*)	(*i*)	(*ii*)	(*iii*)
B.	(*i*)	(*iii*)	(*iv*)	(*ii*)
C.	(*iii*)	(*ii*)	(*i*)	(*iv*)
D.	(*i*)	(*iii*)	(*ii*)	(*iv*)

9. अशोक ने अपने किस अभिलेख में कलिंग युद्ध का उल्लेख किया है?

A. जौगड़ शिलालेख

B. धौली शिलालेख

C. रुम्मिनदेई स्तम्भ लेख

D. शाहबाजगढ़ी शिल्प राजाज्ञा

10. निम्नलिखित शासकों में से कौन-सा सातवाहन वंश का अन्तिम शासक था?

A. सिरी यज्ञ B. सिरी शातकर्णी

C. पुलुमावि IV D. शिव सिरी पुलुमावि

11. किस गणितज्ञ ने सर्वप्रथम पाई (π) के मूल्य की सही गणना की थी?

A. आर्यभट्ट-I B. आर्यभट्ट-II

C. वराहमिहिर D. ब्रह्मगुप्त

12. निम्नलिखित क्षेत्रों में से किस क्षेत्र पर चन्द्रगुप्त-I का शासन **नहीं** रहा?

A. प्रयाग B. साकेत

C. वैशाली D. मगध

13. भारत में किसके शासनकाल में ईसाई धर्म के प्रचार हेतु संत थॉमस आया था?

A. अकबर B. गोण्डोफरनीस

C. कडफिसिस D. जहाँगीर

14. निम्नलिखित बौद्ध पुरास्थलों का सही कालानुक्रम क्या है?

A. नालंदा, नागार्जुनीकोण्ड, अमरावती, सांची

B. नागार्जुनीकोण्ड, सांची, अमरावती, नालंदा

C. सांची, अमरावती, नागार्जुनीकोण्ड, नालंदा

D. सांची, नागार्जुनीकोण्ड, अमरावती, नालंदा

15. निम्नलिखित अधिकारियों में से कौन-सा अधिकारी मौर्यकाल के प्रशासन में नहीं था?

A. प्रादेशिक B. राजुक

C. युक्त D. नायक

16. नीचे दो कथन दिए गए हैं, जिनमें से एक अभिकथन (A) और दूसरा तर्क (R) है:

अभिकथन (A) : भारत में तुर्क साम्राज्य की स्थापना के साथ ही इतिहास लेखन कला दृढ़ता से स्थापित हो गई थी।

तर्क (R) : सल्तनत काल में भारत में कागज़ उद्योग विकसित हुआ।

उपर्युक्त कथनों को पढ़िए और नीचे दिए गए कूट से सही उत्तर का चयन कीजिए:

कूटः

A. (A) और (R) दोनों सही हैं और (R), (A) की सही व्याख्या है।

B. (A) और (R) दोनों सही हैं, लेकिन (R), (A) की सही व्याख्या नहीं है।

C. (A) सही है, लेकिन (R) गलत है।

D. (A) गलत है, लेकिन (R) सही है।

17. यह किसका कथन है कि दिल्ली के राजगीर एवम् संगतराश समस्त मुसलमान जगत में पाये जाने वाले उन शिल्पकारों से अधिक उत्तम हैं?

A. अमीर खुसरो B. मिन्हाज-उस-सिराज
C. इब्न बतूता D. इसामी

18. सल्तनत काल में सेना की प्रशासनिक देखभाल निम्नांकित में से कौन करता था?

A. नायब B. वज़ीर
C. काजी D. आरिज़-ए ममालिक

19. 'देश में अधिकांशतः अच्छी कृषि जोत है एवं भूमि बहुत उपजाऊ है, सैन्य संख्या लगभग ग्यारह लाख है।' विजयनगर राज्य से सम्बन्धित उपरोक्त कथन किसका है?

A. नूनिज B. अब्दुर्रज्जाक
C. निकोलो कोन्टी D. डी. बारबोसा

20. निम्नलिखित में से किसका यह मत है कि "एक महिला एक शासक के रूप में अपने दायित्व का भलीभाँतिपूर्वक निर्वाह नहीं कर सकती क्योंकि मूलभूत रूप में उसमें बुद्धि सम्पन्नता की कमी है"?

A. मिन्हाज-उस सिराज B. ज़ियाउद्दीन बर्नी
C. इसामी D. याह्या बिन अहमद

21. शेरशाह सूरी के बारे में निम्नलिखित कथनों पर विचार कीजिए:

1. शेरशाह ने अफगानिस्तान से लेकर उड़ीसा तक फैले हुए साम्राज्य की स्थापना की।
2. प्रशासन में हिन्दवी भाषा का प्रयोग करना शेरशाह के व्यावहारिक ज्ञान का द्योतक है।
3. उसने कठोरता से कानून व व्यवस्था को लागू किया।
4. शेरशाह ने सोने के सिक्कों का चलन समाप्त कर दिया।

उपरोक्त कथनों में से कौन-से सही हैं? नीचे दिए गए कूट में से **सही** उत्तर चुनिए:

कूट :

A. 1, 3 B. 2, 3
C. 1, 4 D. 2, 4

22. निम्नलिखित को सही कालक्रम में रखकर कूट में दिए गए उत्तरों में से कौन-सा सही उत्तर है, चिह्नित करें?

(*i*) खानवा का युद्ध (*ii*) पालखेड का युद्ध
(*iii*) चौसा का युद्ध (*iv*) धरमत का युद्ध

कूट :

A. (*i*), (*iii*), (*iv*), (*ii*) B. (*iii*), (*i*), (*ii*), (*iv*)
C. (*ii*), (*i*), (*iv*), (*iii*) D. (*iv*), (*ii*), (*iii*), (*i*)

23. निम्नलिखित में से किस ऐतिहासिक ग्रंथ की रचना अकबर के शासन काल में ***नहीं*** की गई थी?

A. तारीख-ए-फरिश्ता B. हुमायूँनामा
C. तारीख-ए-शेरशाही D. तबकात-ए-अकबरी

24. निम्नलिखित में से किस इतिहासकार ने लिखा है कि "नूरजहाँ के सम्बन्धियों एवं जानकारों को हर प्रकार के अनुग्रह से बढ़ावा दिया गया"?

A. मुत्तमिद खान B. इनायत खान
C. ख़्वाजा कामगार ख़ान D. अब्दुल हमीद लाहोरी

25. निम्नलिखित में से कौन-सा कथन ***सही*** है?

A. मुगलकालीन भारत में अमीर वर्ग यूरोप की तरह एक विधि सम्मत वर्ग था।

B. मुगल अमीरों को उच्च स्तरीय प्रशासन में शामिल नहीं किया गया था।

C. ईरानी, तूरानी एवं शेख़ज़ादा अमीरों के बीच सामाजिक विभेद लुप्त हो गया था।

D. वह अमीर जिनके पूर्वज एक पीढ़ी से अधिक मुगल शासकीय सेवा में रहे थे उन्हें ख़ानाज़ाद कहा गया।

26. सूची-I को सूची-II से सुमेलित कीजिए और नीचे दिए गए कूट से सही उत्तर का चयन कीजिए:

सूची–I	सूची–II
(*a*) फ्रैंको बर्नियर	(*i*) एक डच यात्री जो जहाँगीर के शासनकाल में भारत आया।
(*b*) टेवर्नियर	(*ii*) एक फ्रांसीसी यात्री जो व्यवसाय से जौहरी था और शाहजहाँ एवं औरंगज़ेब के शासन काल में भारत आया।
(*c*) पेलसार्ट	(*iii*) एक अंग्रेज यात्री जो अकबर के शासन काल में भारत आया।
(*d*) राल्फ फिच	(*iv*) एक फ्रांसीसी चिकित्सक जो औरंगजेब के शासन काल में

भारत आया तथा जिसकी यह मान्यता थी कि भारत में शासक ही समस्त भूमि का स्वामी है।

कूट :

	(*a*)	(*b*)	(*c*)	(*d*)
A.	(*iv*)	(*ii*)	(*i*)	(*iii*)
B.	(*iv*)	(*ii*)	(*iii*)	(*i*)
C.	(*ii*)	(*iv*)	(*i*)	(*iii*)
D.	(*ii*)	(*iv*)	(*iii*)	(*i*)

27. सूची-I को सूची-II से सुमेलित कीजिए और निम्न कूट से सही उत्तर का चयन कीजिए :

सूची–I	**सूची–II**
(*a*) इजारा	(*i*) भूमि लगान निर्धारण एवं एकत्रण का मुग़लों के अन्तर्गत एक तरीका
(*b*) हासिल	(*ii*) लगान को ठेके पर देने की प्रथा
(*c*) गल्ला बख़्शी	(*iii*) वह क्षेत्र जहाँ फसल खराब हो गई हो
(*d*) नाबूद	(*iv*) मुग़लों के अन्तर्गत भूमि लगान की वास्तविक वसूली

कूट :

	(*a*)	(*b*)	(*c*)	(*d*)
A.	(*iv*)	(*ii*)	(*i*)	(*iii*)
B.	(*ii*)	(*iv*)	(*i*)	(*iii*)
C.	(*ii*)	(*i*)	(*iv*)	(*iii*)
D.	(*iii*)	(*i*)	(*iv*)	(*ii*)

28. नीचे दो वक्तव्य दिए गए हैं, एक को कथन (A) कहा गया है एवं दूसरे को कारण (R):

कथन (A) : सैन्य दृष्टि के सन्दर्भ में औरंगजेब का शासन अलंकृत नहीं था।

तर्क (R) : वह मराठों को नियंत्रण में नहीं ला सका था।

उपरोक्त दो वक्तव्यों के सन्दर्भ में निम्नलिखित में से कौन-सा सही है?

कूट :

A. (A) और (R) दोनों सही हैं, एवं (R), (A) की सही व्याख्या है।

B. (A) और (R) दोनों सही हैं, परन्तु (R), (A) की सही व्याख्या नहीं है।

C. (A) सही है, किन्तु (R) गलत है।

D. (A) सही नहीं है, किन्तु (R) सही है।

29. ''मुगल केन्द्रीकृत सत्ता की वास्तविकता एक बात है, वह अच्छी थी अथवा बुरी थी यह दूसरी बात है।'' उपरोक्त कथन किसका है?

A. जे.एफ. रिचर्ड्स B. इरफान हबीब
C. सतीश चन्द्र D. जदुनाथ सरकार

30. सूची-I को सूची-II से सुमेलित कोजिए तथा नीचे दिए गए कूट की सहायता से सही उत्तर का चयन कीजिए:

सूची–I (शिवाजी के अन्तर्गत केन्द्रीय शासन के विभागों के नाम)	**सूची–II (विभाग के अध्यक्ष का पद)**
(*a*) राज परिवार एवं दरबारी मामलों से सम्बन्धित विभाग	(*i*) अमात्य
(*b*) विदेशी मामलों से सम्बन्धित विभाग	(*ii*) मंत्री
(*c*) शाही पत्र-व्यवहार सम्बन्धी विभाग	(*iii*) सुमन्त
(*d*) वित्त विभाग	(*iv*) सचिव

कूट :

	(*a*)	(*b*)	(*c*)	(*d*)
A.	(*ii*)	(*iii*)	(*i*)	(*iv*)
B.	(*ii*)	(*iii*)	(*iv*)	(*i*)
C.	(*iii*)	(*ii*)	(*iv*)	(*i*)
D.	(*iii*)	(*ii*)	(*i*)	(*iv*)

31. नीचे दो कथन दिए गए हैं, उनमें से एक अभिकथन (A) और दूसरा तर्क (R) है:

अभिकथन (A) : अठारहवीं शताब्दी के पूर्वार्द्ध में मुगल साम्राज्य के तीव्र विघटन के लिए निर्बल राजनीतिज्ञ एवं अयोग्य सेनानायक उत्तरदायी थे।

तर्क (R) : इस काल के मुगल राजनीतिज्ञ और अमीर अपने स्वार्थों की पूर्ति में व्यस्त थे। उन्हें साम्राज्य की नियति में कोई रुचि नहीं थी।

उपर्युक्त दो कथनों के प्रसंग में निम्नलिखित में से कौन-सा कथन सही है? नीचे दिये गये कूट से सही उत्तर का चयन कीजिए:

कूटः

A. (A) और (R) दोनों सही हैं और (R), (A) का सही स्पष्टीकरण है।

B. (A) और (R) दोनों सही हैं, लेकिन (R), (A) का सही स्पष्टीकरण नहीं है।

C. (A) सही है, लेकिन (R) गलत है।

D. (A) गलत है, लेकिन (R) सही है।

32. 19वीं शताब्दी के उत्तरार्ध में भारतीय पूँजीवादियों के हाथ में मात्र कौन-सा प्रमुख उद्योग था?

A. कपास से निर्मित कपड़ा उद्योग

B. पटसन उद्योग

C. लोहा एवं स्टील उद्योग

D. उपरोक्त में से कोई नहीं

33. महाराष्ट्र के एक युवा जिसने पंजाब के क्रांतिकारी आन्दोलन में भाग लिया?

A. सुखदेव B. राजगुरु

C. नामदेव D. वासुदेव

34. निम्नलिखित में से किसने कहा था कि "राजनीतिक डकैतियों का लक्ष्य सरकारी धन को प्राप्त करना है"?

A. रामप्रसाद बिस्मिल B. सूर्य सेन

C. प्रीतिलता वड्डेदार D. सुखदेव

35. निम्नलिखित को कालक्रमानुसार क्रमबद्ध कीजिए तथा नीचे दिये गए कूट की सहायता से सही उत्तर का चयन कीजिए:

(*i*) मिण्टो (*ii*) जॉह्न शोर

(*iii*) कार्नवालिस (*iv*) वारेन हेस्टिंगज

कूटः

A. (*iv*), (*ii*), (*i*), (*iii*) B. (*iii*), (*ii*), (*iv*), (*i*)

C. (*i*), (*ii*), (*iii*), (*iv*) D. (*iv*), (*iii*), (*ii*), (*i*)

36. 'पूर्वी ज्ञान यूरोपीय ज्ञान से घटिया है।' यह टिप्पणी किसकी है?

A. चार्ल्स वुड B. विलियम कैरे

C. लॉर्ड मैकाले D. विलियम हण्टर

37. 'नव-राष्ट्रवादी' किन्हें कहा जाता था?

A. नरम दल B. स्वराजवादी

C. गर्मदल D. क्रांतिकारी

38. पूसा में कृषि अनुसंधान संस्थान किसने स्थापित किया?

A. लिटन B. रिपन

C. कर्ज़न D. मिंटो

39. सूची-I को सूची-II से सुमेलित कीजिए तथा दिए गए कूट में से सही उत्तर चुनिए:

सूची–I (आयोग)	सूची–II (अध्यक्ष)
(*a*) अकाल आयोग 1899	(*i*) थॉमस राबर्टसन
(*b*) रेलवे आयोग 1901	(*ii*) थॉमस रैले
(*c*) सिंचाई आयोग 1901	(*iii*) एंथनी मेक्डोनाल्ड
(*d*) विश्वविद्यालय आयोग 1902	(*iv*) सर कालिन स्कॉट मानक्रिफ

कूट :

	(*a*)	(*b*)	(*c*)	(*d*)
A.	(*iii*)	(*i*)	(*iv*)	(*ii*)
B.	(*i*)	(*iv*)	(*ii*)	(*iii*)
C.	(*iv*)	(*ii*)	(*iii*)	(*i*)
D.	(*i*)	(*iii*)	(*ii*)	(*iv*)

40. निम्नलिखित कवियों में से किसने रूसी क्रांति 1917 के अभिनन्दन में कविता लिखी थी?

A. सुब्रह्मण्यम भारती B. मोहम्मद इकबाल

C. सरोजिनी नायडू D. रवीन्द्रनाथ टैगोर

41. ढाका अनुशीलन समिति की स्थापना किस वर्ष में हुई?

A. 1902 B. 1903

C. 1904 D. 1905

42. "मेरा प्रत्येक लघुतम कार्यकलाप उसके द्वारा निर्देशित होता है, जिसे मैं धर्म समझता हूँ।" निम्नलिखित में से यह किसका कथन है?

A. स्वामी विवेकानन्द B. वी.डी. सावरकर

C. महात्मा गाँधी D. सुभाषचन्द्र बोस

43. 1927 में अखिल भारतीय महिला कॉफ्रेंस का प्रारम्भ किस लक्ष्य को लेकर हुआ?

A. महिला शिक्षा में वृद्धि करना।

B. विधान सभाओं में महिलाओं की भागीदारी को बढ़ाना।

C. महिलाओं के रोजगार को बढ़ाना।

D. महिलाओं के मताधिकार के लिए अभियान चलाना।

44. निम्नलिखित में से महिला मताधिकार की माँग के लिए लन्दन जाने वाले शिष्टमण्डल का नेतृत्व किसने किया?

A. एनी बेसेंट B. सुचेता कृपलानी

C. सरला देवी D. सरोजिनी नायडू

45. निम्नलिखित में से केबिनेट मिशन प्लान के सम्बन्ध में सही **नहीं** है?

A. इसने स्वतंत्र पाकिस्तान के निर्माण की माँग को रद्द किया।

B. इसने भारत के कॉमनवेल्थ से नाता तोड़ने के अधिकार को मान्यता दी।

C. भारतीय मंत्रिमण्डल के सभी सदस्य भारतीय होंगे।

D. इसने साम्प्रदायिक प्रतिनिधित्व की गुंजाइश जताई।

46. भारत और पाकिस्तान के बीच नेहरू लियाकत समझौते पर किस समस्या को हल करने के लिए 1950 में हस्ताक्षर किये गए?

A. अल्पसंख्यकों की सुरक्षा के लिए

B. रियासतों के विलय के लिए

C. सीमा झगड़ों को निपटाने के लिए

D. विदेशी सम्बन्धों के लिए

47. किस राज्य में पंचायती राज को सर्वप्रथम लागू किया गया?

A. तमिलनाडु

B. राजस्थान

C. महाराष्ट्र

D. आंध्र प्रदेश

48. ''ब्लैक डेथ'' के सम्बन्ध में निम्न में से कौन-सा कथन सही **नहीं** है?

A. खून चूसने वाले पिस्सू, जो काले चूहों पर रहते थे, ब्लैक डेथ के फैलने के लिए जिम्मेदार थे।

B. प्लेग को 'ब्लैक डेथ' कहा जाता है, क्योंकि इससे जानलेवा काली सूजन हो जाती है।

C. यह भयानक रोग 15वीं शताब्दी में एशिया से यूरोप में फैला।

D. लोगों का विचार था कि ईश्वर ने उनके पापों की सजा देने के लिए उस ब्लैक डेथ को भेजा है।

49. नीचे दो कथन दिये जा रहे हैं, जिनमें से प्रथम को अभिकथन (A) और द्वितीय को तर्क (R) कहा गया है :

अभिकथन (A): सभ्यता अपने सभी विविध पक्षों से इतिहास की विषय वस्तु बनती है।

तर्क (R) : इतिहास के प्रति ऐसा सांस्कृतिक दृष्टिकोण इसे सभ्यता की जीवनी बना देगा।

उपरोक्त दो कथनों से प्रदत्त कूट से सही उत्तर का चयन कीजिए:

कूट :

A. (A) और (R) दोनों सही हैं तथा (R), (A) की सही व्याख्या है।

B. (A) और (R) दोनों सही हैं, लेकिन (R), (A) की सही व्याख्या नहीं है।

C. (A) सत्य है, लेकिन (R) असत्य है।

D. (A) असत्य है, लेकिन (R) सत्य है।

50. ''पूर्वाग्रह और पक्षपात आलोचनात्मक दृष्टि को धुंधला करते हैं और आलोचनात्मक अन्वेषण को बाधित करते हैं।'' यह कथन किस मध्ययुगीन इतिहासकार का है?

A. अलबरूनी

B. मिनहाज़-उस-सिराज़

C. इब्न खलदून

D. जियाउद्दीन बर्नी

उत्तरमाला

1	2	3	4	5	6	7	8	9	10
B	C	D	D	B	A	A	B	D	C
11	**12**	**13**	**14**	**15**	**16**	**17**	**18**	**19**	**20**
A	C	B	C	D	B	A	D	B	C
21	**22**	**23**	**24**	**25**	**26**	**27**	**28**	**29**	**30**
B	A	A	A	D	B	B	D	A	B
31	**32**	**33**	**34**	**35**	**36**	**37**	**38**	**39**	**40**
D	A	B	A	D	C	C	C	A	A
41	**42**	**43**	**44**	**45**	**46**	**47**	**48**	**49**	**50**
*	C	A	D	D	A	B	C	A	C

कुछ चुने हुए प्रश्नों के व्याख्यात्मक उत्तर

2. दूसरी-पहली सहस्राब्दी ई.पू. के ताम्रपाषाण समाजों का उदय उपमहाद्वीप के अनेक भागों में हुआ, जिन्होंने कुछ प्रसंगों में पूर्ववर्ती नवपाषाण समाजों को अपने अंदर समाविष्ट कर लिया। बुर्जहोम और गुफकराल (कश्मीर) के ठिकानों का काल तीसरी-दूसरी सहस्राब्दी ई.पू. में पड़ता है। इनमें गर्त्त आवास देखने को मिलते हैं, जो पठार की नरम, भूरी मिट्टी को काटकर बनाए जाते थे।

8. मौर्यकालीन प्रशासन से संबंधित अध्यक्ष–

1. **पौतवाध्यक्ष**–माप एवं तौल, 2. **शुल्काध्यक्ष**–सीमा-शुल्क, 3. **पण्याध्यक्ष**–वाणिज्य, 4. **सामस्थाध्यक्ष**–बाजार, 5. **सीताध्यक्ष**–राजकीय भूमि, 6. **आकाराध्यक्ष**–खान, 7. **लोहाध्यक्ष**–लोहा, 8. **नवाध्यक्ष**–राजकीय नावों का प्रमुख, 9. **राथाध्यक्ष**–रथ, 10. **हस्ताध्यक्ष**–हस्तिबल, 11. **मुद्राध्यक्ष**–पासपोर्ट, 12. **कृप्याध्यक्ष**–जंगली उत्पादन, 13. **कोषाध्यक्ष**–कोषागार, 14. **सूत्राध्यक्ष**–कृषि विभाग, 15. **अक्षपातालाध्यक्ष**–लेखा-जोखा, 16. **मन अध्यक्ष**–माप, 17. **सुराध्यक्ष**–शराब, 18. **विवीताध्यक्ष**–चारागाहों का अध्यक्ष, 19. **पत्तनाध्यक्ष**–पत्तन, 20. **गणिकाध्यक्ष**–गणिका, 21. **देवताध्यक्ष**–धार्मिक संस्थान, 22. **लक्षणाध्यक्ष**–टकसाल, 23. **गोडध्यक्ष**–मवेशियों की देख-रेख, 24. **वंधनगराध्यक्ष**–कारागार, 25. **आयुधगाराध्यक्ष**–हथियार एवं रख-रखाव का अध्यक्ष।

13. पहली सदी ई.पू. में ही द्वितीय मिथ्रेदेतस ने भारत में पहलव शक्ति की स्थापना की और कुछ समय बाद पहलवों ने बोनोनिस के नेतृत्व में इस देश में अपने पैर जमाने आरम्भ किए। आगे चलकर हमारा परिचय गोंडोफेरिस या गुंडोफर्निस से होता है, जिसे इस कारण से विशेष प्रसिद्धि प्राप्त हुई कि उसके नाम के साथ ईसामसीह के शिष्य सेंट थॉमस–शंकालु थॉमस–का नाम जुड़ गया। परंपरा के अनुसार, थॉमस पूर्वी भूमध्य सागरीय प्रदेश से चलकर गोंडोफेरिस के दरबार में पहुँचे, और अंत में धर्म-प्रचार के उद्देश्य से दक्षिण भारत चले गए। इस प्रकार गोंडोफेरिस का काल पहली सदी ई.पू. का पूर्वार्ध होना चाहिए।

15. मौर्यकालीन प्रशासन में प्रत्येक जिला तीन अधिकारियों द्वारा शासित होता था। ये तीन अधिकारी–प्रादेशिक, राजुक और युक्त थे। प्रशासनिक अधिकारियों में प्रादेशिक वरिष्ठ थे जबकि राजुक उनके अधीनस्थ अधिकारी थे। युक्त उन दोनों के अधीन कार्य करने वाले अधिकारी थे। प्रादेशिक प्रत्येक पाँच वर्षों में राज्य का भ्रमण करते थे और प्रशासन संबंधी जानकारियाँ एकत्र करते थे। जबकि नायक मूल रूप से सैनिक अधिकारी थे जो विजयनगर साम्राज्य के अधीन कार्य करते थे।

18. सल्तनत में सैनिक तथा असैनिक प्रबन्ध में विशेष अन्तर नहीं था। राज्य कर्मचारी सैनिक अफसर भी होते थे। मुख्य अधिकारी थे–1. वजीर (प्रधानमंत्री), 2. नायब, 3. सदर (प्रधान काजी), 4. आरिज-ए-ममालिक (प्रधान सेनापति), 5. कोतवाल, 6. अमीर आखुफ (अश्वारोहियों का अध्यक्ष), 7. अमीर-कोह (कृषि अध्यक्ष) तथा 8. दरबारी। छोटे कर्मचारियों में शाहना मण्डी (बाजारों के निरीक्षक) और मोहित्सव अर्थात् आचरण की देखभाल करने वाले मुख्य थे।

21. ऐसा नहीं लगता कि शेरशाह ने देश की शासन-व्यवस्था में कोई परिवर्तन किया। सबसे छोटी इकाई परगना थी, जिसमें कुछ गाँव शामिल होते थे। प्रत्येक गाँव में एक मुकद्दम होता था, जो कानून और व्यवस्था की देखभाल करता था। इसी तरह हर गाँव में एक पटवारी होता था, जो जमीन का हिसाब-किताब रखता था। दो में से कोई भी सरकारी नौकर नहीं था, लेकिन उन्हें हर खेत की उपज में बाहक एक हिस्सा मिलता था। परगना *शिकदार* के जिम्मे होता था, जो कानून और व्यवस्था तथा सामान्य प्रशासन की देखरेख करता था। उसके अलावा, एक मुन्सिफ या आमिल भी होता था, जिसका काम भूराजस्व के लिए जमीन की पैमाइश करना होता था। ये दोनों अधिकारी भू-राजस्व की वसूली के लिए जिम्मेदार होते थे। उनकी सहायता के लिए दो मुंशी होते थे, जो फारसी और स्थानीय भाषा (हिंदवी) दोनों में हिसाब रखते थे।

22. *(i)* **खानवा का युद्ध :** यह युद्ध आगरा से 60 कि.मी. पश्चिम खानवा गाँव में राणा सांगा और बाबर के बीच 1527 ई. में लड़ा गया। महाराणा संग्राम सिंह जो राणा सांगा के नाम से लोकप्रिय था, मेवाड़ का

राजपूत शासक था जिसने सन् 1509 से 1527 तक शासन किया। खानवा युद्ध में बाबर ने विजय पाई।

(*ii*) **चौसा का युद्ध :** यह युद्ध मुगल शासक हुमायूँ और शेरशाह सूरी के बीच सन् 1539 ई. में चौसा में लड़ा गया जिसमें शेरशाह सूरी ने हुमायूँ को पराजित कर दिया।

(*iii*) **धरमत का युद्ध :** सन् 1658 में उत्तराधिकारी बनने की होड़ में शाहजहाँ के दो पुत्रों दारा शिकोह और औरंगजेब के बीच युद्ध हुआ जिसमें औरंगजेब विजयी हुआ। यह युद्ध उज्जैन के निकट धरमत गाँव के बाहर सम्पन्न हुआ।

(*iv*) **पालखेड का युद्ध :** मराठा पेशवा, बाजीराव I और हैदराबाद के निजाम-उल-मुल्क के बीच सन् 1728 ई. में नासिक, महाराष्ट्र के पालखेड़ गाँव में लड़ा गया। मराठों ने निजाम को पराजित कर दिया।

27. ये सभी शब्द मुगलकाल में प्रचलित थे–

इजारा : यह एक प्रकार से भूराजस्व के लगान को ठेके पर देने की प्रथा थी।

हासिल : अनुमानित आय के विपरीत वास्तविक आय को कहा जाता था। मुगलों के अन्तर्गत यह भूमि लगान की वास्तविक वसूली थी।

गल्ला बख्शी : यह भूमि लगान के निर्धारण एवं एकत्रण का एक तरीका था।

नाबूद : जिस क्षेत्र में फसल खराब हो जाती थी या सूखा पड़ने पर रियायतें दी जाती थीं, इसके लिए क्षेत्र के एक हिस्से को 'अनबोया' (नाबूद) घोषित कर दिया जाता था।

30. शिवाजी के केन्द्रीय प्रशासन में मुख्य पदाधिकारियों की एक परिषद् थी, जिसे अष्टप्रधान कहा जाता था, और जिसमें निम्नलिखित आठ पदाधिकारी होते थे–

1. **पेशवा (प्रधानमंत्री) :** जो राज्य के हितों का ध्यान रखता था।
2. **मजमुआदार या अमात्य :** वित्त विभाग का प्रधान।
3. **सर-ए-नौबत :** सैनिक कार्य।
4. **दबीर या सुमंत :** वैदेशिक मामले।
5. **सरनवीस या सचिव :** राजकीय पत्र-व्यवहार का अधीक्षक।
6. **सेनापति :** सेना का प्रधान।
7. **पंडितराव या दानाध्यक्ष :** राजा का पुरोहित, जो दान आदि की व्यवस्था करता था।
8. **न्यायाधीश या शास्त्री :** जो हिन्दू न्याय की व्याख्या करता था।

33. **सुखदेव :** लुधियाना, पंजाब में जन्म लेने वाले सुखदेव जिन्होंने भारत की स्वतंत्रता संग्राम में अविस्मरणीय भूमिका निभाई, का पूरा नाम सुखदेव थापर था। सुखदेव को लाहौर षड्यंत्र मामले में 24 मार्च, 1931 को राजगुरु और भगत सिंह के साथ फांसी की सज़ा हुई।

राजगुरु : शिवराज राजगुरु का जन्म हिन्दू ब्राह्मण के मध्यवर्गीय परिवार में पुणे, महाराष्ट्र के खेड़ जिला में 1908 ई. में हुआ था। वह शिवाजी और उनके गोरिल्ला तकनीक से बहुत प्रभावित थे। उन्होंने कई क्रांतिकारी गतिविधियों में भाग लिया जिनमें सांडर्स की हत्या प्रमुख थी। 17 दिसम्बर, 1928 को जब सांडर्स अपने कार्यालय से निकलकर मोटरसाइकिल स्टार्ट कर रहा था तो राजगुरु ने लाहौर के पुलिस मुख्यालय के समीप उसे गोली मार दी। 23 वर्ष की आयु में राजगुरु को सुखदेव और भगतसिंह के साथ फाँसी दे दी गई।

नामदेव : एक साधु और कवि थे जो हिन्दू धर्म के बरकारी संप्रदाय से सम्बद्ध थे। उन्हें सिख धर्म में भी पूजा जाता है। उन्होंने अपने आध्यात्मिक संदेशों में एक गृहस्थ जीवन में रहकर भी, विवाहित होकर भी कोई व्यक्ति मोक्ष की प्राप्ति कर सकता है, पर बल दिया। नामदेव की साहित्यिक कृतियां वैष्णव दर्शन और बिठोबा से प्रभावित हैं।

वासुदेव : स्वतंत्रता सेनानी जिनका पूरा नाम वासुदेव बलवंत फड़के था, ब्रिटिश शासन के दौरान किसानों की समस्याओं को लेकर भी संघर्ष किया। महाराष्ट्र में कोली, भील और ढंगर समुदायों को लेकर उन्होंने एक क्रांतिकारी संगठन की स्थापना की जिसका नाम 'रामोशी' रखा।

35. भारत में आए ब्रिटिश गवर्नर जनरलों का कालक्रम निम्नानुसार है–

1. वारेन हेस्टिंग्स (1772-85)
2. लार्ड कार्नवालिस (1786-93)
3. जॉन शोर (1793-98)
4. लार्ड मिन्टो (1807-13)

36. **लॉर्ड मैकाले :** लॉर्ड ग्रे के अधीन सन् 1832 ई. तक वे बोर्ड ऑफ कंट्रोल के सचिव थे। भारत अधिनियम 1833

के क्रियान्वित होने पर उन्हें गवर्नर जनरल की परिषद् का पहला लॉ मेम्बर नियुक्त किया गया। भारत में अंग्रेजी माध्यम की शिक्षा की शुरुआत उन्होंने ही की थी।

38. **कृषि अनुसंधान संस्थान, पूसा :** यह संस्थान मूल रूप से सन् 1905 में पूसा, बिहार में स्थापित किया गया और इसका नाम कृषि अनुसंधान संस्थान (ए.आर.आई.) रखा गया। भारत के वायसराय लॉर्ड कर्जन के कार्यकाल में इसकी स्थापना हुई।

39. वायसराय लार्ड कर्जन के काल में प्रश्न में उल्लेखित आयोगों की नियुक्ति की गई जो निम्नानुसार हैं–

1. **अकाल आयोग 1899**–सर एंथनी मेक्डोनाल की अध्यक्षता में इसका गठन हुआ।
2. **रेलवे आयोग 1901**–मिस्टर थॉमस राबर्टसन की अध्यक्षता में इसका गठन हुआ।
3. **सिंचाई आयोग 1901**–सर कालिन स्कॉट मानक्रिफ की अध्यक्षता में इसका गठन हुआ।
4. **विश्वविद्यालय आयोग 1902**–सर थॉमस रैले की अध्यक्षता में इसका गठन हुआ।

41. **ढाका अनुशीलन समिति :** यह अनुशीलन समिति की एक शाखा थी जिसकी स्थापना सन् 1905 में ढाका में की गई। प्रारंभ में पुलिन बिहारीदास के नेतृत्व में पूर्वी बंगाल प्रांत में चारों ओर इसकी शाखाएँ जंगल की आग की तरह फैल गईं। इसकी 500 से अधिक शाखाएँ खोली गई थीं।

45. **कैबिनट मिशन (1946)**

- ब्रिटेन में लार्ड एटली के नेतृत्व में लेबर पार्टी की सरकार सत्ता में आयी।
- एटली ने भारत के संवैधानिक गतिरोध को दूर करने के लिए तीन सदस्यीय कैबिनेट मिशन भारत भेजा।
- पैथिक लारेंस, स्ट्रेप्फोर्ड क्रिप्स तथा ए.वी. अलेक्जेंडर इसके सदस्य थे।
- इसने दो स्तरीय संघीय योजना सामने रखी जिसमें अधिकतम क्षेत्रीय स्वायत्तता बनाए रखने का प्रयास किया गया।

इसकी योजना के अनुसार–

1. प्रांतों एवं देशी राज्यों को मिलाकर एक संघ का निर्माण जिसमें संघ के पास केवल प्रतिरक्षा, विदेशी मामले तथा संचार पर नियंत्रण रहेगा।
2. प्रांत तीन क्षेत्रीय समूह बना सकते थे।
   (अ) मद्रास, बम्बई, यू.पी., बिहार, मध्य प्रदेश, उड़ीसा।
   (ब) पंजाब, पश्चिमोत्तर सीमा प्रांत, सिंध।
   (स) बंगाल और असम।
3. प्रथम आम चुनाव के बाद प्रांत समूह के संबंध में पुनर्विचार की मांग कर सकते हैं।
4. सत्ता हस्तांतरण के पश्चात् देशी राज्यों पर ब्रिटिश सर्वोच्चता समाप्त हो जाएगी।
5. सभी प्रमुख राजनीतिक दलों के समर्थन से एक अंतरिम सरकार की स्थापना अविलंब की जाएगी।
6. यह अंतरिम सरकार भारतीय संविधान का निर्माण करने के लिए संविधान सभा की बैठक बुलाएगी।

कांग्रेस और लीग दोनों ने इस योजना को स्वीकार कर लिया, परंतु प्रांतों के समूह निर्माण संबंधी प्रावधान पर समस्या उत्पन्न हो गई।

46. 1950 के लियाकत-नेहरू अनुबन्ध हुआ जिसमें यह बात निहित थी कि पाकिस्तान में रह रहे हिन्दुओं की व भारत में रह रहे मुस्लिमों की अर्थात् अल्पमतों की देखभाल व सुरक्षा दोनों ही देश अपना नैतिक उत्तरदायित्व मानें और दोनों ही देश इन अल्पसंख्यक नागरिकों के साथ समानता का व्यवहार करें एवं उन्हें बहुमत के समान ही मौलिक अधिकार प्रदान करें। परन्तु यह समझौता वास्तविक रूप में लागू न हो सका।

पश्चिमी पंजाब (पाकिस्तान) से आये ढेरों शरणार्थियों को पंजाब, उत्तर प्रदेश, उत्तरांचल, हिमाचल प्रदेश, राजस्थान, दिल्ली, हरियाणा इत्यादि राज्यों में बसाया गया वहीं पूर्वी बंगाल से आये शरणार्थियों को सिर्फ पश्चिमी बंगाल या कुछ हद तक असम और त्रिपुरा में बसाया गया।

48. **ब्लैक डेथ :** ब्लैक डेथ अर्थात् काली मौत की शुरुआत मध्य एशिया के समतल भाग से शुरू हुई और सिल्क रोड होते हुए भूमध्य सागरीय प्रदेशों और यूरोप में फैल गई। इस भयावह संहार का कारण बना चूहे का पिस्सू। यूरोपीय आबादी का 30 से 60 प्रतिशत भाग इसकी चपेट में आ गया था।

50. **इब्न खलदून :** आधुनिक समाजशास्त्र, इतिहास लेखन और अर्थशास्त्र के संस्थापक पिताओं में से एक हैं। उनकी श्रेष्ठ कृति 'मुकद्दीमाह' थी जो काफी चर्चित रही।

प्रश्न-पत्र–III

नोट : *इस प्रश्न-पत्र में* ***पचहत्तर (75)*** *बहु-विकल्पीय प्रश्न हैं। प्रत्येक प्रश्न के* ***दो*** *(2) अंक हैं।* ***सभी*** *प्रश्न अनिवार्य हैं।*

निम्नलिखित अवतरण को सावधानीपूर्वक पढ़िए और उसके नीचे दिए गए प्रश्नों के लिए सही उत्तर का चयन कीजिए (प्र. सं. 1 से 5):

ईस्वी सन् की चतुर्थ शताब्दी के मध्य में मानव प्रजाति के इतिहास में एक ज्वालामुखी के विस्फोट जैसी घटना घटित हुई। कैस्पियन सागर के उत्तरी तट के क्षेत्रों में स्थित अपने देश से एक भयानक अग्नि की धारा के रूप में हूण निकले और समस्त यूरोप और एशिया में फैल गए। बेघर और अनियन्त्रित वे सोते-जागते अपने घोड़ों पर सवार रहते थे। उनकी भीषण हुंकार जहाँ कहीं सुनाई पड़ती लोग भयाक्रान्त हो जाते थे। विश्व के सारे सभ्य समाज से उन्होंने विनाशकारी युद्ध किया और जहाँ कहीं भी उनसे बन पड़ा उन्होंने लोगों का नरसंहार किया, विनाश किया, भस्म किया और सारा कुछ दानवी क्रूरता के साथ विध्वंस कर दिया। यूरोप में तो हूण एट्टिला ने शक्तिशाली रोमन साम्राज्य को ही पतन के गर्त में डाल दिया।

455 ई. के लगभग हूण भारत में प्रविष्ट होने लगें। अपने महती प्रयास से सम्राट स्कन्दगुप्त ने उन्हें खदेड़ दिया। बारह वर्ष बाद ही उसकी मृत्यु हो गई। साम्राज्य की सीमा-चौकियाँ, जो पहले से ही निर्बल थीं, आगे उनका प्रतिरोध नहीं कर सकीं। बर्बर हूण फारस को लाँघते हुए और उत्तर-पश्चिम के कुषाण शासकों को विनष्ट करते हुए तेजी से भारत में घुसने लगे। स्कन्दगुप्त की मृत्यु के पश्चात् कदाचित् उत्तराधिकार का युद्ध छिड़ गया, जिससे उक्त संकट की स्थिति में साम्राज्य कमजोर हो गया। ई.स. 500 से 570 के बीच अगले पाँच सम्राट, जिनमें नरसिंहगुप्त, बालादित्य सम्मिलित था, पतनोन्मुख किन्तु नाममात्र के साम्राज्य के कतिपय भागों में अपनी डावाँडोल सत्ता बनाए रखने में सफल रहे। साम्राज्य के सुसम्बद्ध केन्द्रीय भाग की सीमाओं के बाहर बहुत से भू-भाग स्वतन्त्र हो गए। साम्राज्य के ही प्रान्त सौराष्ट्र में मैत्रक सेनानायक ने स्कन्दगुप्त की मृत्यु के बाद वस्तुतः अपनी साम्राज्यनिष्ठा का विच्छेद कर दिया। 512 ई. तक हुणों ने तोरमाण के नेतृत्व में उत्तर भारत को, मध्य प्रदेश के सागर जिले में स्थित एरण तक, रौंद डाला। तोरमाण का पुत्र मिहिरकुल, जो एक भयानक आतंक का पर्याय था, उसने पंजाब से ग्वालियर तक आग और लूट की आँधी फैला दी और 525 ई. तक एक विशाल भू-भाग का स्वामी बन गया। कुछ ही समय में उत्तर भारत मिहिरकुल के बर्बर आघात से उबरने और मिहिरकुल का प्रतिरोध करने में सक्षम हुआ।

1. चौथी शताब्दी ई. के मध्य में भारत का साम्राज्यिक शासक कौन था?

A. चन्द्रगुप्त I B. चन्द्रगुप्त II
C. समुद्रगुप्त D. कोई नहीं

2. हूणों के साथ भारत आने वाली मध्य एशिया की अन्य प्रजाति कौन-सी थी?

A. कुषाण B. गुर्जर
C. शक D. पल्लव

3. मालवा से हूण सत्ता को किसने उखाड़ फेंका?

A. स्कन्दगुप्त B. शकारि विक्रमादित्य
C. यशोधर्मन D. पुष्यभूति

4. गंगा घाटी से मिहिरकुल को किसने अपदस्थ किया था?

A. नरसिंहगुप्त
B. बुद्धगुप्त
C. स्कन्दगुप्त
D. उपरोक्त में से कोई नहीं

5. निम्नलिखित में से कौन-सा सही **नहीं** है?

A. स्कन्दगुप्त की मृत्यु के साथ ही गुप्त साम्राज्य का अन्त हो गया।
B. स्कन्दगुप्त की मृत्यु के बाद साम्राज्य चलता रहा, किन्तु केन्द्रीय नियन्त्रण कमजोर हो गया।
C. स्कन्दगुप्त की मृत्यु के बाद स्थानीय शासक स्वतन्त्र हो गए।
D. स्कन्दगुप्त की मृत्यु के बाद काशी के पश्चिम में गुप्त सम्राटों का केवल नाममात्र का नियन्त्रण शेष रहा।

6. रामकृष्ण गोपाल भण्डारकर जो भारत में आधुनिक इतिहास लेखन के जनक थे, उनका सम्बन्ध किससे था?

A. मार्क्सवादी विचारधारा
B. राँके विचारधारा
C. हेगेल विचारधारा
D. टायनबी विचारधारा

7. सूची-I को सूची-II से सुमेलित कीजिए और दिए गए कूट से सही उत्तर का चयन कीजिए:

सूची–I	**सूची–II**
(*a*) सोन संस्कृति	(*i*) मध्य पुरापाषाण संस्कृति
(*b*) नेवासा संस्कृति	(*ii*) निम्न पुरापाषाण संस्कृति
(*c*) बागौर संस्कृति	(*iii*) नवपाषाण संस्कृति
(*d*) कोल्डिहवा संस्कृति	(*iv*) उच्च पुरापाषाण संस्कृति

कूट :

	(*a*)	(*b*)	(*c*)	(*d*)
A.	(*i*)	(*ii*)	(*iii*)	(*iv*)
B.	(*ii*)	(*i*)	(*iii*)	(*iv*)
C.	(*iii*)	(*ii*)	(*i*)	(*iv*)
D.	(*ii*)	(*i*)	(*iv*)	(*iii*)

8. हड़प्पीय तौल का क्या अनुपात है?

A. 1 : 2 : 3 : 4 B. 1 : 2 : 4 : 6
C. 1 : 3 : 6 : 9 D. 1 : 4 : 8 : 10

9. निम्नलिखित में से किस ताम्राश्मकालीन स्थल से ताँबे के प्रयोग का साक्ष्य प्राप्त हुआ है, किन्तु प्रस्तर उपकरण प्राप्त नहीं हुए?

A. आहड़
B. गिलुन्द
C. कायथा
D. नावदाटोली

10. सुदास के विरुद्ध ऋग्वेद में उल्लिखित, दस राजाओं का युद्ध किसके नेतृत्व में लड़ा गया था?

A. वसिष्ठ
B. विश्वामित्र
C. कुरु
D. पुरु

11. निम्नलिखित में से कौन-सा कथन ऋग्वेद कालीन सभा और समिति के संदर्भ में सही है?

A. सभा सामान्य वर्ग का प्रतिनिधित्व करती थी जबकि समिति विशिष्ट वर्ग का प्रतिनिधित्व करती थी।
B. सभा विशिष्ट वर्ग का प्रतिनिधित्व करती थी जबकि समिति सामान्य वर्ग का प्रतिनिधित्व करती थी।
C. सभा और समिति में सदस्यों की संख्या समान अनुपात में होती थी।
D. समिति में सदस्यों की संख्या सभा के सदस्यों की संख्या से ज्यादा होती थी।

12. नीचे दो वक्तव्य दिए गए हैं, एक को कथन (A) कहा गया है और दूसरे को कारण (R):

कथन (A) : भारतीय नरेशों में बिम्बिसार ने ही सर्वप्रथम योग्य प्रशासन की आवश्यकता पर बल दिया।

कारण (R) : मन्त्रियों का चयन बिम्बिसार स्वयं करता था और उनकी सम्मति की उपेक्षा न करने की उसकी ख्याति थी।

उपरोक्त दो वक्तव्यों के सन्दर्भ में निम्नलिखित में से कौन-सा सही है?

A. (A) और (R) दोनों सही हैं, तथा (A) की सही व्याख्या (R) है।
B. (A) और (R) दोनों सही हैं, किन्तु (A) की सही व्याख्या (R) नहीं है।
C. (A) सही है, किन्तु (R) गलत है।
D. (A) गलत है, किन्तु (R) सही है।

13. अर्थशास्त्र के अनुसार शासकीय कर्मचारियों के अधिकतम और न्यूनतम वेतन का अनुपात था

A. 60,00 : 6 B. 48,00 : 6
C. 48,00 : 60 D. 60,00 : 60

14. नीचे दो कथन दिये जा रहे हैं। प्रथम कथन को अभिकथन (A) और द्वितीय को कारण (R) कहा गया है।

अभिकथन (A) : व्यापारिक अर्थव्यवस्था बुद्ध के समय में फलने-फूलने लगी।

कारण (R) : जैनियों ने बड़ी संख्या में कृषि को छोड़ व्यापार को अपनाया।

उपरोक्त कथनों को पढ़िये और प्रदत्त कूट से सही उत्तर का चयन कीजिए।

कूटः

A. (A) और (R) दोनों सही हैं, तथा (R), (A) की सही व्याख्या है।
B. (A) और (R) दोनों सही हैं, लेकिन (R), (A) की सही व्याख्या नहीं है।
C. (A) सत्य है, लेकिन (R) असत्य है।
D. (A) असत्य है, लेकिन (R) सत्य है।

15. निम्नलिखित में से किस शासक को वर्ण-संकर प्रथा को रोकने का श्रेय दिया गया है?

A. पुष्यमित्र शुंग B. वासुदेव कण्व
C. गौतमीपुत्र शातकर्णि D. प्रवरसेन I

16. सूची-I (राज्य) को सूची-II (राजधानी) से सुमेलित कीजिए तथा नीचे दिये गए कूट की सहायता से सही उत्तर का चयन कीजिए:

सूची-I (राज्य)	सूची-II (राजधानी)
(*a*) कलिंग	(*i*) रौरुक
(*b*) अवन्ति	(*ii*) पोटन
(*c*) अस्सक	(*iii*) महिष्मती
(*d*) सौवीर	(*iv*) दन्तपुर

कूटः

	(*a*)	(*b*)	(*c*)	(*d*)
A.	(*i*)	(*iv*)	(*ii*)	(*iii*)
B.	(*iii*)	(*ii*)	(*i*)	(*iv*)
C.	(*ii*)	(*iii*)	(*iv*)	(*i*)
D.	(*iv*)	(*iii*)	(*ii*)	(*i*)

17. सूची-I (पाषाण का प्रकार) को सूची-II (स्थान) से सुमेलित कीजिए और नीचे दिए गए कूट से सही उत्तर का चयन कीजिए:

सूची-I	सूची-II
(*a*) ग्रेनाइट	(*i*) मथुरा कला
(*b*) लाल बलुआ पत्थर	(*ii*) सारनाथ कला
(*c*) शिष्ट्	(*iii*) महाबलीपुरम कला
(*d*) बलुआ पत्थर	(*iv*) बामियान कला

कूटः

	(*a*)	(*b*)	(*c*)	(*d*)
A.	(*i*)	(*iii*)	(*iv*)	(*ii*)
B.	(*ii*)	(*i*)	(*iii*)	(*iv*)
C.	(*iv*)	(*ii*)	(*i*)	(*iii*)
D.	(*iii*)	(*i*)	(*iv*)	(*ii*)

18. निम्नलिखित में से किस ग्रन्थ में कापालिकों, पाशुपतों और बौद्धों के भ्रष्ट आचरण का वर्णन है?

A. महावीरचरित

B. मत्तविलास

C. मृच्छकटिक

D. उत्तररामचरित

19. पदिरुप्पत्तु निम्नलिखित में से किसकी प्रशंसा का पद्य-संग्रह है?

A. चेर B. चोल

C. कदम्ब D. पाण्ड्य

20. नीचे दो वक्तव्य दिए गए हैं, एक को कथन (A) और दूसरे को कारण (R) कहा गया है:

कथन (A) : शकों के भारतीयकरण की प्रक्रिया को उनके वैवाहिक सम्बन्धों से गति प्राप्त हुई।

कारण (R) : सातवाहन नरेश शातकर्णि शक-क्षत्रप रुद्रदामन का दामाद था।

उपरोक्त दो वक्तव्यों के सन्दर्भ में निम्नलिखित में से कौन-सा सही है?

A. (A) और (R) दोनों सही हैं तथा (A) की सही व्याख्या (R) है।

B. (A) और (R) दोनों सही हैं, किन्तु (A) की सही व्याख्या (R) नहीं है।

C. (A) सही है, किन्तु (R) गलत है।

D. (A) गलत है, किन्तु (R) सही है।

21. सूची-I (शासक) को सूची-II (विरुद) से सुमेलित कीजिए तथा नीचे दिए गए कूट की सहायता से सही उत्तर का चयन कीजिए:

सूची-I (शासक)	सूची-II (विरुद)
(*a*) समुद्रगुप्त	(*i*) सत्याश्रय
(*b*) महेन्द्रवर्मन I	(*ii*) पराक्रमांक
(*c*) पुलकेशिन II	(*iii*) नवसाहसांक
(*d*) सिन्धुराज	(*iv*) विचित्रचित्त

कूटः

	(*a*)	(*b*)	(*c*)	(*d*)
A.	(*ii*)	(*iv*)	(*i*)	(*iii*)
B.	(*iii*)	(*iv*)	(*ii*)	(*i*)
C.	(*i*)	(*ii*)	(*iv*)	(*iii*)
D.	(*ii*)	(*i*)	(*iii*)	(*iv*)

22. निम्नलिखित में से कौन सही सुमेलित **नहीं** है?

	ग्रन्थ		लेखक
A.	उपमितभवप्रपञ्चकथा	–	उद्योतन सूरि
B.	पद्मपुराण	–	रविषेण
C.	द्रव्यपरीक्षा	–	ठक्कुर फेरु
D.	यशश्तिलकचम्पू	–	सोमदेव

23. सूची-I को सूची-II से सुमेलित कीजिए और दिए गए कूट से सही उत्तर का चयन कीजिए:

सूची-I	**सूची-II**
(*a*) वृत्ताकार मन्दिर योजना	(*i*) साँची का मंदिर संख्या-17
(*b*) तारा मंदिर योजना	(*ii*) जयपुर का बैरट
(*c*) आयताकार मंदिर योजना	(*iii*) दक्षिण कोशल मंदिर
(*d*) बहुकोणीय मंदिर योजना	(*iv*) होयसल मंदिर

कूटः

	(*a*)	(*b*)	(*c*)	(*d*)
A.	(*iv*)	(*ii*)	(*iii*)	(*i*)
B.	(*i*)	(*iii*)	(*ii*)	(*iv*)
C.	(*iii*)	(*ii*)	(*iv*)	(*i*)
D.	(*ii*)	(*iii*)	(*i*)	(*iv*)

24. दक्कन के किस राजवंश को अरब लेखकों ने संसार के चार सार्वभौम राजवंशों में से एक बताया है?

A. मान्यखेट के राष्ट्रकूट B. वातापी के चालुक्य
C. कल्याणी के चालुक्य D. कोंकण के मौर्य

25. सूची-I (ग्रन्थ) को सूची-II (वर्णित-विषय) से सुमेलित कीजिए और नीचे दिए गए कूट की सहायता से सही उत्तर का चयन कीजिए:

सूची-I (ग्रन्थ)	**सूची-II (वर्णित विषय)**
(*a*) गौड़वहो	(*i*) 400 प्रणय-गीत
(*b*) नागानन्द	(*ii*) कान्यकुब्ज नरेश यशोवर्मा के अभियान
(*c*) पुरनानूरु	(*iii*) राजाओं की प्रशंसा के 400 पद्य
(*d*) अगनानूरु	(*iv*) बोधिसत्व जीमूतवाहन की कथा

कूटः

	(*a*)	(*b*)	(*c*)	(*d*)
A.	(*i*)	(*iv*)	(*iii*)	(*ii*)
B.	(*ii*)	(*iii*)	(*i*)	(*iv*)
C.	(*ii*)	(*iv*)	(*iii*)	(*i*)
D.	(*iv*)	(*ii*)	(*i*)	(*iii*)

26. निम्नलिखित में से कौन से कथन **सही** हैं?

1. अपने भवनों के निर्माण में तुर्क सुल्तानों ने मेहराब एवं गुम्बद का भरपूर प्रयोग किया।
2. न तो मेहराब ना ही गुम्बद का आविष्कार तुर्कों या मुसलमानों ने किया था।
3. तुर्कों ने अपने भवनों में उच्च कोटि के चूने के गारे का प्रयोग किया।
4. तुर्क शासकों ने अपने भवनों में पट्टी एवं शहतीर प्रणाली का प्रयोग नहीं किया।

नीचे दिए गए कूटों में से **सही** उत्तर का चयन कीजिए:

कूटः

A. 1, 3 B. 2, 3, 4
C. 1, 2, 3 D. 1, 3, 4

27. दिल्ली सल्तनत एवं मुग़ल कालीन कृषि व्यवस्था से सम्बन्धित निम्न कथनों पर विचार कीजिए:

(*i*) अलाउद्दीन खिलजी ने **चराई** एवं घरी नामक करों को लगाया।
(*ii*) मुहम्मद बिन तुगलक ने **अबवाब** नामक अतिरिक्त करों को थोपा।
(*iii*) अकबर के शासन काल में भूमि लगान निर्धारण की जब्त व्यवस्था को और विकसित किया गया एवं इसे **दहसाला** व्यवस्था का नाम दिया।
(*iv*) जहाँगीर ने लगान निर्धारण की **नस्क** व्यवस्था को जारी किया।

उपरोक्त में से कौन से कथन सही हैं? नीचे लिखे कूट से सही उत्तर का चयन कीजिए:

कूटः

A. (*i*), (*ii*), (*iii*), (*iv*) B. (*i*), (*ii*), (*iii*)
C. (*ii*), (*iii*) D. (*i*), (*iv*)

28. **तारीख-ए फिरोजशाही** किनके द्वारा लिखी गई हैं?

1. ज़ियाउद्दीन बर्नी तथा अमीर खुसरो
2. ज़ियाउद्दीन बर्नी तथा शम्स-ए सिराज अफीफ
3. शम्स-ए सिराज अफीफ तथा इसामी
4. शम्स-ए सिराज अफीफ तथा मिन्हाज सिराज

29. "**दीवान, शार्गिद** एवं **मुहर्रिर** के पद केवल **अहल-ए-कलम** और उन व्यक्तियों को देने चाहिए जिनके पूर्वज शासकों तथा अमीरों की सेवा में रहे हैं।" उपरोक्त विचार किसने प्रकट किया?

A. मिन्हाज उस सिराज
B. ज़ियाऊद्दीन बर्नी
C. फख्र-ए-मुद्दबिर
D. सुल्तान फिरोज़ तुगलक

30. सूची-I को सूची-II से सुमेलित कीजिए और निम्न कूट से सही उत्तर का चयन कीजिए:

सूची-I (सूफी संत)	**सूची-II** (कार्यक्षेत्र)
(*a*) शेख मुईनुद्दीन चिश्ती	(*i*) दिल्ली
(*b*) शेख बहाऊद्दीन जकरिया	(*ii*) अजोधन
(*c*) शेख फरीदुद्दीन मसूद गँज-ए शकर	(*iii*) मुल्तान
(*d*) शेख निज़ामुद्दीन औलिया	(*iv*) अजमेर

कूट:

	(*a*)	(*b*)	(*c*)	(*d*)
A.	(*iii*)	(*iv*)	(*ii*)	(*i*)
B.	(*iii*)	(*ii*)	(*iv*)	(*i*)
C.	(*iv*)	(*iii*)	(*ii*)	(*i*)
D.	(*iv*)	(*ii*)	(*iii*)	(*i*)

31. **कागज-ए-खाम** क्या है?

A. द्विभाषीय राजस्व अभिलेख
B. **मनसबदारों** से संबंधित अभिलेख
C. **जागीर** अभिलेख
D. **रोज़ीनादार** सैनिकों से संबंधित अभिलेख

32. निम्नलिखित में से किस मध्यकालीन भारत के शासक ने आगरा शहर की नींव रखी?

A. फिरोज़ शाह तुगलक B. सिकन्दर लोदी
C. शेरशाह सूरी D. अकबर

33. निम्नलिखित में से कौन-सा कथन ***सही*** है?

A. बहमनी शासक फिरोज़शाह को उसके सूफी संत गेसू दराज़ से सहचर्य के कारण वली कहा जाता था।
B. फिरोज़ शाह बहमनी को विजयनगर के शासक देवराय I ने पराजित किया था।
C. अहमद शाह बहमनी I ने अपनी राजधानी का गुलबर्गा से वारंगल स्थानांतरण किया।
D. अहमद शाह बहमनी I ने खगोल शास्त्र के अध्ययन को प्रोत्साहन दिया और दौलताबाद के समीप एक वेधशाला का निर्माण किया।

34. निम्नलिखित में से कौन-सा कथन ***सही*** नहीं है?

A. गुरु नानक अफगानों द्वारा स्थापित राजनैतिक व प्रशासनिक व्यवस्था से, विशेषतः पंजाब में, पूर्णतः परिचित थे।
B. उन्होंने बाबर की आक्रमणकारी सेना को "पाप की बारात" के रूप में देखा।
C. उनका विश्वास था कि ईश्वर की कोई जाति नहीं है, न ही ईश्वर ने जाति को कोई महत्त्व दिया है।
D. ब्राह्मण और खत्री शोषणकारी व्यवस्था के भाग नहीं हैं।

35. निम्नलिखित में से कौन-सा कथन ***सही*** नहीं है?

1. शेरशाह ने लाहौर से मुल्तान तक एक नई सड़क का निर्माण करवाया।
2. उसने मिर्ज़ा हैदर दोगलत को कश्मीर से निष्कासित कर दिया।
3. मारवाड़ विजय के उपरान्त उसने गुजरात पर आक्रमण किया।
4. उसने **दाग** और **चेहरा** प्रथा को आरम्भ किया।

नीचे दिए गए कूटों से सही उत्तर का चयन कीजिए:

कूट:

A. 1, 3 B. 2, 3
C. 3, 4 D. 1, 2, 4

36. अकबर के बारे में निम्न कथनों पर विचार कीजिए:

A. **आईन-ए-अकबरी** के अन्तिम भाग में भारत की विचारधाराओं एवं रीति-रिवाजों का विस्तृत वर्णन किया गया है।
B. अकबर ने शेख़ फैजी को उपनिषदों का फारसी में अनुवाद करने का आदेश दिया।
C. अकबर ने एक विवाह के पक्ष में अपनी वरीयता को पहली बार 1578 में शेख़ इब्राहीम सरहिन्दी से वार्तालाप में अभिव्यक्त किया।
D. अकबर ने 1562-63 में आदेश जारी किया कि विद्रोहियों एवं उद्धत गावों के विरुद्ध सैन्य अभियान में स्त्रियों एवं बच्चों को दास न बनाया जाए।

उपरोक्त में से कौन से कथन ***सही*** हैं? नीचे दिए गए कूटों में से सही उत्तर का चयन कीजिए:

कूट:

A. 1, 2, 4 B. 1, 4
C. 2, 3 D. 1, 3, 4

37. निम्नलिखित में से किस धार्मिक समुदाय ने 1557 में भारत में छापेखाने की शुरुआत की?

A. फ्रॉंसिसकान्स B. डोमिनिकान्स
C. जेसुइट्स D. प्रोटेस्टेन्ट मिशनरीज

38. निम्नलिखित में से कौन-सा चित्रकार पशुओं का चित्रण करने में बेजोड़ था?

A. मीर सैयद अली B. बसावन
C. उस्ताद मंसूर D. अबुल हसन

39. नीचे दो कथन दिए गए हैं। जिनमें से एक अभिकथन (A) और दूसरा कारण (R) है:

अभिकथन (A) : ईस्ट इण्डिया कम्पनी ने सत्रहवीं शताब्दी के अन्त तक अपने पुर्तगाली एवं डच व्यापारिक प्रतिद्वन्द्वियों को रास्ते से हटा दिया था।

कारण (R) : अंग्रेज व्यापारी उच्च कोटि की वस्तुओं को सस्ते दामों पर बेचते थे।

उपरोक्त दो कथनों के प्रसंग में, निम्नलिखित में से कौन-सा कथन सही है? नीचे लिखे कूट से सही उत्तर का चयन कीजिए:

कूटः

A. (A) और (R) दोनों सही हैं, और (R), (A) की सही व्याख्या है।
B. (A) और (R) दोनों सही हैं, लेकिन (R), (A) की सही व्याख्या नहीं है।
C. (A) सही है, लेकिन (R) गलत है।
D. (A) गलत है, लेकिन (R) सही है।

40. अंग्रेजों द्वारा हस्तगत बम्बई पर पूर्वाधिकार किसका था?

A. पुर्तगाली B. डच
C. डेन D. फ्राँसीसी

41. सूची-I को सूची-II के साथ सुमेलित कीजिए और नीचे दिए गए कूट में से सही उत्तर का चयन कीजिए:

सूची-I (ऐतिहासिक ग्रंथ)	**सूची-II (लेखक)**
(*a*) शाहजहाँनामा	(*i*) अब्दुल हमीद लाहौरी
(*b*) नुस्खा-ए-दिलकुशा	(*ii*) इनायत ख़ान
(*c*) पादशाहनामा	(*iii*) मुहम्मद काज़िम
(*d*) आलमगीरनामा	(*iv*) भीमसेन

कूटः

	(*a*)	(*b*)	(*c*)	(*d*)
A.	(*ii*)	(*iv*)	(*i*)	(*iii*)
B.	(*i*)	(*ii*)	(*iv*)	(*iii*)
C.	(*i*)	(*iv*)	(*ii*)	(*iii*)
D.	(*ii*)	(*i*)	(*iv*)	(*iii*)

42. निम्नलिखित में से कौन-सा कथन सही ***नहीं*** है?

A. औरंगज़ेब ने सभी प्रान्तों में **मुहतसिब** नियुक्त किये।
B. औरंगज़ेब ने **नौरोज** के उत्सव को मनाना जारी रखा।
C. भारतीय शास्त्रीय संगीत पर फारसी में सबसे अधिक ग्रन्थों की रचना औरंगज़ेब के शासनकाल में की गई।
D. औरंगज़ेब स्वयं सितार बजाने में निपुण था।

43. निम्नलिखित कथनों पर विचार कीजियेः

(*i*) डब्ल्यू.सी. स्मिथ उन इतिहासकारों में से हैं जिन्होंने सर्वप्रथम मुगल साम्राज्य के विरुद्ध किसानों के विद्रोहों की बात की थी।
(*ii*) उन्होंने यह भी तर्क दिया कि मुगल साम्राज्य की वाणिज्य को प्रोत्साहन देने की नीति के परिणाम-स्वरूप मध्यम वर्ग का पर्याप्त विकास हुआ।
(*iii*) सी.ए. बेली ने मुगल साम्राज्य के पतन की व्याख्या के लिए "ग्रेट फर्म" सिद्धान्त को विकसित किया।
(*iv*) जे.एफ. रिचर्ड्स ने तर्क दिया है कि किसानों के प्रतिरोध स्वरूप एक गम्भीर कृषि संकट पैदा हुआ।

उपरोक्त में से कौन से कथन सही ***नहीं*** हैं? नीचे दिए गए कूट में से अपने उत्तर का चयन कीजिएः

कूटः

A. (*i*) एवं (*ii*) B. (*ii*) एवं (*iii*)
C. (*iii*) एवं (*iv*) D. (*iv*) एवं (*i*)

44. यह किसका दावा है कि शिवाजी का स्वराज्य केवल-मात्र *वतन* की प्रतिकृति थी?

A. आन्द्रे विंक B. वी.ए. स्मिथ
C. ए.आर. कुलकर्णी D. जदुनाथ सरकार

45. निम्नलिखित में से कौन-सा कथन ***सही*** है?

A. मुगलकालीन भारत में जमींदारी अधिकार वंशानुगत और बिकाऊ थे।
B. सभी गाँव जमींदारों के नियन्त्रण में थे।
C. कृषि अधिशेष में जमींदारों का भाग समस्त मुगल साम्राज्य में एकसमान था।
D. सभी ज़मींदार मालिक-ए-जमीन थे।

46. "व्यय न कि बचत करना, अमीर वर्ग की जीवन-शैली की प्रमुख विशेषता थी।" उपरोक्त कथन किसका है?

A. के.एम. अशरफ B. मोरलैण्ड
C. एम. अतहर अली D. आर.पी. त्रिपाठी

47. निम्नलिखित घटनाओं को उनके काल क्रमानुसार व्यवस्थित कीजिये तथा नीचे दिये गये कूट की सहायता से सही उत्तर का चयन कीजिए:

(*i*) रामानंद द्वारा वैष्णव भक्ति का प्रचार

(*ii*) आदि ग्रंथ का संकलन

(*iii*) इबादतख़ाने का बंद होना

(*iv*) दक्कन में चिश्ती सूफी सिलसिले की नींव

कूट:

A. (*i*), (*iv*), (*iii*), (*ii*) B. (*iv*), (*i*), (*iii*), (*ii*)

C. (*iii*), (*i*), (*iv*), (*ii*) D. (*i*), (*iii*), (*ii*), (*iv*)

48. निम्नलिखित में से कौन-सा युग्म सही सुमेलित **नहीं** है?

A. **करोड़ी** : मुगल प्रशासन में एक राजस्व अधिकारी

B. **खालिसा** : वह भूमि क्षेत्र जिसका राजस्व सीधे शाही खजाने में जमा किया जाता था

C. **तरफदार** : बहमनी सल्तनत में प्रान्तीय सूबेदार

D. **पैबाकी** : राजस्व का जागीर में आवंटन

49. निम्नलिखित में से किस विद्वान का तर्क है कि पूर्व-उपनिवेशिक भारतीय अर्थव्यवस्था पूँजीवाद की ओर बढ़ रही थी?

A. ए.आई. चिचरव B. ए. जान कैसर

C. इरफान हबीब D. डब्ल्यू.एच. मोरलैंड

50. नीचे दो कथन दिए गए हैं जिनमें से एक अभिकथन (A) और दूसरे को कारण (R) कहा गया है:

अभिकथन (A) : अंग्रेजों ने प्लासी की लड़ाई को किसी वास्तविक लड़ाई के बिना ही जीत लिया।

कारण (R) : प्लासी की लड़ाई ने अंग्रेजों को बंगाल, बिहार और उड़ीसा में राजनीतिक पैर रखने का अवसर दिया।

उक्त कथनों को पढ़िए और प्रदत्त कूट के आधार पर सही उत्तर चुनिए:

कूट:

A. (A) और (R) दोनों सही हैं, और (R), (A) की सही व्याख्या है।

B. (A) और (R) दोनों सही हैं, लेकिन (R), (A) की सही व्याख्या नहीं है।

C. (A) सत्य है, लेकिन (R) असत्य है।

D. (A) असत्य है, लेकिन (R) सत्य है।

51. कम्पनी काल के दौरान निरउद्योगीकरण का मुख्य कारण क्या था?

A. भारतीय हस्तशिल्प दबाव का सामना न कर पाये।

B. भारतीय बाजार इंग्लैण्ड से मशीन निर्मित कम मूल्यों की वस्तुओं से सटा पड़ा था।

C. भारतीय शासक देशीय हस्तशिल्पों को संरक्षण प्रदान नहीं कर सके।

D. स्थानीय जागीरदार और जमींदार लुप्त हो चुके थे।

52. 'वाणिज्यवादी, मुक्त व्यापार वाणिज्यवादी पूँजीवाद और वित्तीय साम्राज्यवाद – ब्रिटिश साम्राज्यवाद के तीन पड़ाव हैं।' इस सिद्धान्त का सर्वप्रथम प्रतिपादन किसने किया?

A. कार्ल मार्क्स B. दादाभाई नौरोजी

C. आर.सी. दत्त D. आर.पी. दत्त

53. 'एशियाटिक सोसाइटी ऑफ बंगाल' की स्थाना किसकी अभिवृद्धि के लिये की गई थी?

A. भारतीय धर्मों के लिए

B. भारतीय भाषाओं और शास्त्रों के अध्ययन के लिए

C. भारतीय शिक्षा के लिए

D. भारतीय रीति-रिवाजों के लिए

54. निम्नलिखित में से कौन-सा विद्रोह गडकरी विद्रोह के नाम से लोकप्रिय है?

A. पिण्डारियों की गतिविधियाँ

B. किलों के पुश्तैनी सेवक जिन्हें उनकी सेवाएँ भंग किये जाने की धमकी दी जा रही थी।

C. महाराष्ट्र में किसानों एवं पहाड़ी आदिवासियों का विद्रोह

D. ओखा मण्डल के वघेरों का विद्रोह

55. अलीगढ़ विश्वविद्यालय की प्रकृति की विशेषताओं को स्पष्ट करने के लिए निम्नलिखित में से कौन-सा सही है?

(*i*) ब्रिटिश विरोधी

(*ii*) ब्रिटिश समर्थक

(*iii*) कांग्रेस विरोधी

(*iv*) कांग्रेस समर्थक

कूट:

A. (*i*) और (*iv*)

B. (*ii*) और (*iii*)

C. (*ii*) और (*iv*)

D. (*i*) और (*iii*)

56. निम्नलिखित में से ब्रिटिश भारत में कौन-सा रोपन उद्यम नहीं था?

A. नील B. गेहूँ
C. चाय D. कॉफी

57. ईस्ट इण्डिया कम्पनी के भारत के साथ व्यापारिक एकाधिकार को समाप्त करने वाला अधिनियम था

A. 1813 का चार्टर अधिनियम
B. 1833 का चार्टर अधिनियम
C. 1853 का चार्टर अधिनियम
D. 1873 का चार्टर अधिनियम

58. सूची-I को सूची-II से सुमेलित कीजिए तथा दिए गए कूट में से सही उत्तर का चयन कीजिए:

सूची-I (स्थान)	**सूची-II (ब्रिटिश राज्य में मिलाने का वर्ष)**
(*a*) झाँसी	(*i*) 1849
(*b*) सम्भलपुर	(*ii*) 1853
(*c*) अवध	(*iii*) 1854
(*d*) नागपुर	(*iv*) 1856

कूटः

	(*a*)	(*b*)	(*c*)	(*d*)
A.	(*ii*)	(*iv*)	(*iii*)	(*i*)
B.	(*iii*)	(*ii*)	(*i*)	(*iv*)
C.	(*i*)	(*iv*)	(*ii*)	(*iii*)
D.	(*ii*)	(*i*)	(*iv*)	(*iii*)

59. नीचे दो कथन दिये जा रहे हैं जिनमें से प्रथम को अभिकथन (A) और दूसरे को कारण (R) कहा गया है:

अभिकथन (A) : लॉर्ड रिपन ने इल्बर्ट बिल पारित कर दिया।

कारण (R) : इसने देशी प्रेस को अंग्रेजी प्रेस की बराबरी पर ला दिया।

उक्त कथनों को पढ़िए और प्रदत्त कूट के आधार पर सही उत्तर चुनिए:

कूटः

A. (A) और (R) दोनों सही हैं तथा (R), (A) की सही व्याख्या है।
B. (A) और (R) दोनों सही हैं, लेकिन (R), (A) की सही व्याख्या नहीं है।
C. (A) सत्य है, लेकिन (R) असत्य है।
D. (A) असत्य है, लेकिन (R) सत्य है।

60. भारत के अनेक व्यक्तियों में से तीन भारतीयों ने 1870-1905 के दौरान भारत पर ब्रिटिश राज्य का ज्वलन्त आर्थिक विश्लेषण किया। वे कौन थे?

A. नौरोजी, रानाडे, आर.सी. दत्त
B. आर.सी. दत्त, तिलक, नेहरू
C. रानाडे, गोखले, आर.सी. दत्त
D. नौरोजी, तैयबजी, गोखले

61. निम्नलिखित में से कौन-सा युग्म सही रूप से सुमेलित है?

A. न्याय आन्दोलन – बिहार
B. कायस्थ आन्दोलन – कर्नाटक
C. लिंगायत आन्दोलन – महाराष्ट्र
D. नामशुद्र आन्दोलन – बंगाल

62. 20 नवम्बर, 1916 को उनकी संयुक्त घोषणा, जो बाद में गैर-ब्राह्मणों के घोषणा-पत्र के नाम से जानी जाने लगी, द्वारा सरकारी नौकरियों में गैर-ब्राह्मणों के लिए आरक्षण की माँग की गई। यह दक्षिण भारत में आरक्षण के लिए उठने वाली पहली सामूहिक माँग थी। निम्नलिखित में से सही उत्तर का चयन कीजिए।

A. ई.वी. रामास्वामी नायकर और तनिकचलम चेट्टी
B. डॉ. टी.एम. नायर और धेगाराजा चेट्टी
C. पंगल के राजा और शुभरायन
D. बोबिली के राजा और के.वी. रेड्डी नायडू

63. निम्नलिखित में से भारत की प्रथम आधुनिक ट्रेड यूनियन कौन-सी थी?

A. बॉम्बे ट्रेड यूनियन, 1919
B. कलकत्ता श्रमिक संघ, 1914
C. मद्रास श्रमिक संघ, 1918
D. अहमदाबाद ट्रेड यनियन, 1919

64. सूची-I को सूची-II से सुमेलित कीजिए तथा दिए गए कूट से सही उत्तर का चयन कीजिए:

सूची–I (संगठन)	**सूची–II (स्थान)**
(*a*) रहनुमाई मज़्दयान सभा	(*i*) देवबन्द
(*b*) दार-उल-उलूम	(*ii*) बम्बई
(*c*) नदवा-उल-उलेमा	(*iii*) अलीगढ़
(*d*) मोहम्मदन एजुकेशनल कॉफ्रेंस	(*iv*) लखनऊ

कूट :

	(*a*)	(*b*)	(*c*)	(*d*)
A.	(*i*)	(*ii*)	(*iii*)	(*iv*)
B.	(*ii*)	(*i*)	(*iv*)	(*iii*)
C.	(*iii*)	(*iv*)	(*ii*)	(*i*)
D.	(*iv*)	(*iii*)	(*i*)	(*ii*)

65. वह महिला, जिसने डिग्री प्राप्त करने के समय बंगाल के गवर्नर पर गोली चलाई थी

A. कल्पना दत्त
B. बीना दास
C. प्रीतिलता वड्डेदार
D. शांति घोष

66. किसको 26 वर्षों तक केन्द्रीय विधान सभा का सदस्य रहने के कारण 'विधान सभा का जनक' कहा जाता था?

A. नारायण मल्हार जोशी
B. मदन मोहन मालवीय
C. एम.आर. जयकार
D. तेज बहादुर सप्रू

67. तिलक के साथ 'केसरी' और 'मराठा' का अन्य सम्पादक कौन था?

A. शिवरामपंत परांजपे
B. जी.जी. अगरकर
C. बाल शास्त्री झम्बेकर
D. रघुनाथ कर्वे

68. किस अधिनियम को 'गलघोट्टू अधिनियम' का नाम दिया गया?

A. भारतीय परिषद् अधिनियम, 1909
B. अधिकार हस्तांतरण अधिनियम, 1947
C. विनियामक अधिनियम, 1773
D. देशीय भाषाई प्रेस अधिनियम, 1878

69. निम्नलिखित में से किस समस्या पर 1938 में हुए कांग्रेस के हरिपुरा अधिवेशन में बहस के उपरान्त प्रस्ताव पारित किया गया?

A. लोगों के मूल अधिकारों के लिए कार्य करना।
B. रियासतों में जन आन्दोलनों का समर्थन करना।
C. जर्मनी के विरुद्ध ब्रिटिश सरकार का समर्थन करना।
D. साम्प्रदायिक सोहार्द्र के लिए कार्य करना।

70. निम्न में से उस इतिहासकार के नाम का चयन कीजिए जिसके प्रति अरविंद घोष ने कहा था कि उसने बहिष्कार आन्दोलन के लिए प्रजा के मन को बनाया:

A. दादाभाई नौरोजी
B. आर.जी. भण्डारकर
C. आर.सी. मजुमदार
D. रोमेशचन्द्र दत्त

71. निम्नलिखित में से 'दक्षिणी भारत' की ज्वालामुखी (फायरब्राण्ड) के नाम से कौन प्रसिद्ध था?

A. राधाकृष्णन
B. ई.वी. रामास्वामी नायकर
C. कस्तूरी रंगा आयंगर
D. एस. सत्यमूर्ति

72. निम्नलिखित दार्शनिकों में से किसने सामाजिक संविदा सिद्धांत में योगदान दिया?

A. टी. हाब्स और जे. लौके
B. जे. लौके और जे.जे. रूसो
C. टी हाब्स, जे. लौके और जे.जे. रूसो
D. जे.जे. रूसो

73. निम्नलिखित में से किसे आधुनिकोत्तरवाद के सिद्धांत का प्रतिपादक माना जाता है?

A. माइकेल फूको
B. जैक दरीदा
C. मार्टिन हेडग्गर
D. जे.एफ. लियोटार्ड

74. निम्नलिखित कथनों में से कौन-सा प्रबुद्धता के अर्थ को परिभाषित करने में लागू नहीं होता?

A. इसका भाव है एक ऐसी विजय जो अंधकार पर प्रकाश की शक्ति से प्राप्त हो।
B. इसका क्षेत्र ज्ञान की परिसीमा में नहीं आता, जो कभी गिरजाघरों के क्षेत्र में पड़ता था।
C. यह ''तर्क युग'' के समकक्ष जानी जाती है।
D. यह मानव की स्वःआरोपित लघुता से स्वतन्त्र होना है।

75. निम्नलिखित में से 'एन्नलज़ स्कूल ऑफ हिस्ट्रियोग्राफी' अपूर्ण रचना है?

A. दि अर्थ एण्ड सोशल एवोल्यूशन
B. दि मेडिटेरेनियन एण्ड दि मेडिटेरेनियन वर्ल्ड इन दि एज ऑफ फिलिप II
C. दि रॉयल टच
D. दि हिस्टोरियन'ज क्राफ्ट

उत्तरमाला

1	2	3	4	5	6	7	8	9	10
C	B	C	A	A	B	D	B	A	B
11	**12**	**13**	**14**	**15**	**16**	**17**	**18**	**19**	**20**
B	A	B	A	C	D	D	B	A	A
21	**22**	**23**	**24**	**25**	**26**	**27**	**28**	**29**	**30**
A	A	D	A	C	C	B	B	C	C
31	**32**	**33**	**34**	**35**	**36**	**37**	**38**	**39**	**40**
A	B	B	D	B	B	C	C	*	A
41	**42**	**43**	**44**	**45**	**46**	**47**	**48**	**49**	**50**
A	B	C	A	A	B	A	D	A	C
51	**52**	**53**	**54**	**55**	**56**	**57**	**58**	**59**	**60**
B	A	B	B	B	B	A	D	C	A
61	**62**	**63**	**64**	**65**	**66**	**67**	**68**	**69**	**70**
D	B	C	B	B	A	B	D	B	D
71	**72**	**73**	**74**	**75**					
D	C	C	B	D					

कुछ चुने हुए प्रश्नों के व्याख्यात्मक उत्तर

2. **गुर्जर :** 700 से 1100 AD के मध्य तीन सबसे ताकतवर साम्राज्यों में से एक गुर्जर प्रतिहार था। इस साम्राज्य ने लगभग 400 वर्षों तक उत्तरी भारत में शासन किया और अपनी राजधानी कन्नौज रखा। गुर्जर प्रतिहार साम्राज्य की स्थापना राजा हरिचन्द्र ने की। गुर्जर प्रतिहार के समयकाल में कला के प्रति विशेष अनुराग व्यक्त किया गया। साथ ही वास्तुकला के वे महान संरक्षक भी थे। मिहिर भोज इस वंश के प्रमुख शासक थे।

4. **नरसिंह गुप्त :** नरसिंह गुप्त बालादित्य उत्तरी भारत के गुप्तवंश के शासक थे। वे पुरुगुप्त के पुत्र और संभवतः बुद्धगुप्त के उत्तराधिकारी थे।

5. स्कन्दगुप्त की मृत्यु के पश्चात् कदाचित् उत्ताधिकार का युद्ध छिड़ गया, जिससे उक्त संकट की स्थिति में साम्राज्य कमजोर हो गया। ई.स. 500 से 570 के बीच अगले पाँच सम्राट, जिनमें नरसिंहगुप्त, बालादित्य सम्मिलित था, पतनोन्मुख किन्तु नाममात्र के साम्राज्य के कतिपय भागों में अपनी डाँवाडोल सत्ता बनाए रखने में सफल रहे। साम्राज्य के सुसम्बद्ध केन्द्रीय भाग की सीमाओं के बाहर बहुत से भू-भाग स्वतन्त्र हो गए। साम्राज्य के ही प्रान्त सौराष्ट्र में मैत्रक सेनानायक ने स्कन्दगुप्त की मृत्यु के बाद वस्तुतः अपनी साम्राज्यनिष्ठा का विच्छेद कर दिया। 512 ई. तक हुणों ने तोरमाण के नेतृत्व में उत्तर भारत को, मध्य प्रदेश के सागर जिले में स्थित एरण तक, रौंद डाला। तोरमाण का पुत्र मिहिरकुल, जो एक भयानक आतंक का पर्याय था, उसने पंजाब से ग्वालियर तक आग और लूट की आँधी फैला दी और 525 ई. तक एक विशाल भू-भाग का स्वामी बन गया।

7. **निम्न पुरापाषाण काल**

- निम्न पुरापाषाण युग के अधिसंख्य स्थल सिंधु नदी की सहायक 'सोहन नदी की घाटी' (सम्प्रति पाकिस्तान के पंजाब प्रांत तथा कश्मीर थार के मरुस्थल) में मिले हैं। इसके अलावा इस काल का हथियार मिर्जापुर जिले की बेलनघाटी (उ॰प्र॰), भीमबेटका की गुफाओं (भोपाल, म॰प्र॰) में भी मिले हैं।

- इस युग के प्राप्त उपकरण द्वितीय हिमयुग के हैं।

मध्य-पुरापाषाण काल

- यद्यपि मानव अब भी भोजन-संग्राहक ही था, तथापि अब वह गुफाओं और कंदराओं में वास करने लगा।
- इस समय अग्नि का व्यवहार बड़े पैमाने पर होने लगा एवं मृतक-संस्कार की परिपाटी भी प्रचलित हुई।
- इस संस्कृति के प्रमुख स्थल बेलन घाटी (उत्तर प्रदेश), उड़ीसा, कृष्णा घाटी (कर्नाटक), आंध्रप्रदेश, धसान तथा बेतवा घाटी (मध्य प्रदेश), सोन घाटी (मध्य प्रदेश) नेवासा (महाराष्ट्र) इत्यादि हैं।
- सिंध, राजस्थान, गुजरात, उड़ीसा इत्यादि क्षेत्रों में भी इस संस्कृति के प्रमाण मिलते हैं।
- भारत में इस संस्कृत के अवशेष उत्तर-पश्चिमी क्षेत्र की अपेक्षा प्रायद्वीपीय क्षेत्र से ज्यादा प्राप्त हुए हैं।

उच्च या उत्तर पाषाण काल

- इस काल में तिकोने धार वाले हथियार, नुकीले औजार प्रयोग किए जाने लगे थे।
- भारत में अनेक स्थलों से इस संस्कृति के प्रमाण मिलते हैं। कुछ प्रमुख उच्च पाषाणकालीन स्थल निम्नलिखित हैं—

  वीरभानपुर (पश्चिम बंगाल)
  बलसाना, लंघनाज (गुजरात)
  टेरी समूह (तमिलनाडु)
  आदमगढ़ (मध्य प्रदेश)
  बागोर, तिलवार (राजस्थान)
  मोरहना पहाड़, सराय नाहर राय, माहदहा (उत्तर प्रदेश) इत्यादि।

  अर्थात् इस काल का स्थल राजस्थान से मेघालय तक व उत्तर प्रदेश से लेकर सुदूर दक्षिण तक प्राप्त हुए हैं।
- दक्षिण में संगनकल, रेणीगुंटा, तिन्नेवेली से मध्य पाषाण-युगीन अवशेष प्राप्त हुए हैं।

नवपाषाण युग

- भारत में नवपाषाणयुगीन सभ्यता के तीन प्रमुख क्षेत्र रहे—
  (*i*) उत्तर-पश्चिम क्षेत्र (लगभग 6000 ई॰पू॰)
  (*ii*) उत्तर-पूर्वी क्षेत्र (लगभग 5000 ई॰पू॰)
  (*iii*) दक्षिणी क्षेत्र (लगभग 2500 ई॰पू॰)
- सबसे पहला और स्पष्ट प्रमाण मेहरगढ़ (सिंध और बलूचिस्तान) से मिलता है। संभवतः, इस जगह 7000 वर्ष ई॰पू॰ में ही कृषि उत्पादन आरंभ हो चुका था। यहाँ से 5000 ई॰पू॰ में ही गेहूँ और जौ की विभिन्न प्रजातियों के उगाये जाने का प्रमाण मिलता है।
- इसी प्रकार भारत में निम्नलिखित स्थल से नवपाषाणिक बस्तियों के अवशेष मिले हैं—

  बुर्जहोम (कश्मीर)
  किले गुल मोहम्मद (क्वेटा घाटी, पाकिस्तान)
  रानी घुडई (ब्लूचिस्तान-पाकिस्तान)
  सराय खोला (रावलपिंडी, पाकिस्तान)
  चिराँद (बिहार)
  मास्की, ब्रह्मगिरि, हल्लूर, कोडिकल, संगनकल्लू (कर्नाटक)
  पिक्कीहल, उटनूर (आंध्र प्रदेश)
  पैय्यमपल्ली (तमिलनाडु)
  कोलडीहवा (उत्तर प्रदेश)
  कालीबंगा (राजस्थान)
- उत्तर-पश्चिम क्षेत्र में नवपाषाणयुगीन सभ्यता की प्रमुख विशेषता गेहूँ और जौ का उत्पादन, कच्ची ईंटों के आयताकार मकान, बड़े पैमाने पर पशुपालन आदि हैं।

9. आहड़ : आहड़ एक गाँव है जो उत्तर प्रदेश राज्य के बुलंदशहर जिले में स्थित है। यह क्षेत्र पांडव, इन्द्रप्रस्थ और हस्तिनापुर की राजधानी के निकट है।

11.
- अथर्ववेद में सभा एवं समिति को 'प्रजापति की दो पुत्रियाँ' की संज्ञा दी गई है।
- अथर्ववेद में एक स्थान पर सभा को 'नरिष्ट' कहा गया है।
- ऋग्वेद में सभा का आठ बार, समिति का नौ बार तथा विदथ का 122 बार उल्लेख है, जबकि अथर्ववेद में विदथ का 22 बार, सभा का 17 तथा समिति का 13 बार उल्लेख है।
- सभा के सदस्य 'श्रेष्ठ जन' होते थे जो 'सभेय' (सुजात) कहलाते थे।
- सभा में केवल सभी ब्राह्मण एवं मधवन (धर्म संरक्षक) होते थे।

समिति

- समिति में सभी व्यक्ति सम्मिलित थे।
- पति/ ईशान – समिति प्रमुख।
- समिति संभवतः राजा का चुनाव करती थी।
- ऋग्वेद तथा अथर्ववेद से ज्ञात होता है कि समिति में राजकीय विषयों की चर्चा तथा उन पर सहमति से निर्णय होता था।
- निष्ठावान राजा के लिए समिति में उपस्थित होना आवश्यक था। 'छान्दोग्य उपनिषद्' में भी 'श्वेतकेतु की घटना' के संदर्भ में राजा प्रवहन जैवलि को पंचाल समिति में उपस्थित दिखाया गया है।

15. वासिष्ठीपुत्र के अनुसार गौतमीपुत्र ने शकों का मूलोच्छेद कर दिया और क्षत्रियों के अभिमान को चूर-चूर कर दिया; उसने वर्णसंकर को रोक दिया; और द्विजों का हित-साधन किया। ब्राह्मण सामाजिक संहिता में शकों को निम्न जाति का दर्जा दिया जाता था और यवनों को अधम क्षत्रिय कहा जाता था। सातवाहनों के राज-अभिलेखों में शकों, यवनों तथा पहलवों के लिए उन्हीं शब्दों का प्रयोग किया गया जिनका प्रयोग ब्राह्मणों की सामाजिक नियमों की संहिता में किया जाता था।

18. **मत्तविलास :** मत्तविलास प्रहसन राजा महेन्द्र वर्मन I द्वारा संस्कृत में लिखी गई एक छोटी वन-एक्ट प्ले है। इसकी रचना सातवीं सदी के आरंभ में की गई। यह एक व्यंग्य लेखन है जो कपालिकों, पाशुपतों, बौद्धों और जैनियों के भ्रष्ट आचरण को उद्धृत करता है।

20. सातवाहनों और शकों के संबंध में कुछ मधुरता लाने के लिए दोनों राजवंशों के बीच वैवाहिक संबंध स्थापित किया गया और रुद्रदमन की पुत्री का सातवाहन राजा से परिणय हुआ। दिलचस्प बात है कि जिन सातवाहनों को वर्णसंकर को समाप्त करने पर गर्व था वही शक परिवार की कन्या प्राप्त करने के लिए उत्सुक थे। राजनीतिक प्रयोजन सिद्ध करने के लिए सिद्धांत और व्यवहार के बीच की ऐसी असंगति की अनदेखी आम बात थी। मित्रता का यह प्रयत्न सफल नहीं हुआ, इसका प्रमाण रुद्रदमन का यह कथन है कि उसने सातवाहन राजा को युद्ध-भूमि में दो बार परास्त किया, लेकिन उसका पूर्ण नाश इसलिए नहीं किया कि दोनों के बीच कौटुंबिक संबंध थे।

26. दिल्ली सल्तनत की स्थापत्य कला हिंदू पद्धति तथा मुसलमानी पद्धति के मिश्रण से विकसित हुई है। हिंदू पद्धति शहतीरी शिल्प कला (त्रावियत शैली) पर तथा मुस्लिम पद्धति अरकुष्ट शैली पर आधारित है।

त्रावियत शैली (हिन्दू शैली) : स्तंभ एवं बल्ली का प्रयोग, भरपूर अलंकरण तथा आड़ी एवं खड़ी रेखाओं का प्रयोग किया जाता था।

अरकुष्ट शैली (मुस्लिम शैली) : मेहराव एवं गुंबद का प्रयोग, अलंकरण पर जोर, मानव आकृति एवं पशु आकृति से परहेज, सुलेखन, घंटे का चित्र स्वास्तिक इत्यादि, ज्यामिति डिजाइनों का प्रचलन। मेहराब व गुंबद इस्लाम की देन नहीं है बल्कि यह रोम में विकसित हुई। मुस्लिमों ने इसे वेजेंटाइन साम्रांज्य से सीखा।

भारत में भी मेहराब एवं गुंबद की जानकारी थी किन्तु इसका प्रयोग नहीं के बराबर होता था तथा इसे वैज्ञानिक ढंग से निर्मित नहीं किया जाता था। इस्लामी एवं हिंदू स्थापत्य में दो समानता–खुले आँगन का होना तथा अलंकरण तथा सजावट पर ज्यादा बल दिया जाना–इन समानताओं के कारण मंदिरों को मस्जिद में परिवर्तित करना संभव हुआ।

28. **तारीख-ए-फिरोजशाही :** जियाउद्दीन बर्नी एवं शम्स-ए-सिराज अफीफ द्वारा यह पुस्तक लिखी गई है। जियाउद्दीन बर्नी एक मुस्लिम इतिहासकार और राजनीतिक विचारक थे जो दिल्ली सल्तनत में मुहम्मद बिन तुगलक और फिरोजशाह के शासनकाल में थे। इस पुस्तक में तत्कालीन इतिहास की व्याख्या की गई है।

30. *(a)* **शेख मुईनुद्दीन चिश्ती :** ये 1192 ई. में मुहम्मद गोरी के साथ भारत आये और 1206 में उन्होंने अजमेर में अपनी खानकाह स्थापित की। इन्हें 'चिश्ती' सिलसिला का संस्थापक माना जाता है।

(b) **शेख बहाऊद्दीन जकरिया :** ये भारत में सुहरावर्दी सिलसिले के संस्थापक माने जाते हैं। इन्होंने मुल्तान एवं सिन्ध को अपना केन्द्र बनाया।

(c) **शेख फरीदुद्दीन मसूद गंज-ए-शकर :** ये भी चिश्ती सिलसिला के प्रमुख संत थे। इन्हें बाबा फरीद के नाम से भी जाना जाता है। इन्होंने दिल्ली छोड़कर पंजाब में अजोधन में अपना खानकाह स्थापित किया।

(*d*) **शेख निजामुद्दीन औलिया :** ये बाबा फरीद के शिष्य थे तथा योग में दक्ष थे। अमीर खुसरो इनका प्रिय शिष्य था। दिल्ली के निजामुद्दीन इलाके में इनका खानकाह था।

32. **सिकन्दर लोदी :** सन् 1489 से 1517 के मध्य सिकन्दर लोदी दिल्ली का सुल्तान था। पिता बहलोल खान की मृत्यु के पश्चात् वह लोदी वंश का शासक बना। वह अत्यंत सामर्थ्यवान शासक था। उसने अपनी सीमा विस्तार भी की। लोगों की भलाई के लिए उसने कृषि पर ध्यान दिया। न्याय के प्रति वह हमेशा सजग रहता था। आगरा शहर की नींव सिकन्दर लोदी ने रखी थी।

38.
- रूपवादी शैली की प्रधानता तथा यथार्थ का हूबहू चित्रण।
- इस काल में जानवरों और मनुष्यों की कला अधिक विकसित हुई।
- इस क्षेत्र में 'उस्ताद मंसूर' का बहुत नाम था।
- एकमात्र पांडुलिपि चित्र—''तुजुक-ए-जहाँगिरी''।
- इस काल में राजा के दैवी अधिकार के सिद्धांत को चित्रकला का विषय बनाया और शाहजहाँ के काल में इसे व्यापकता मिली।

फारसी कलाकार आगा रेजा, अबुल हसन, मु. नादिर, मु. मुराद, उस्ताद मंसूर।

41. प्रश्न में उल्लेखित सभी ग्रंथ मुगलकाल में लिखे गए और ये सभी फारसी भाषा में लिखित हैं—

(*a*) **शाहजहाँनामा :** इसे इनायत खान ने लिखा है।

(*b*) **नुस्खा-ए-दिलकुशा :** इसे भीमसेन ने लिखा है।

(*c*) **पादशाहनामा :** इसे अब्दुल हमीद लाहौरी ने लिखा है और यह शाहजहाँ के शासनकाल से संबंधित है।

(*d*) **आलमगीरनामा :** इसे मुहम्मद काजिम शिराजी ने लिखा है और यह औरंगजेब के शासनकाल से संबंधित है।

48. प्रश्न में उल्लेखित शब्दों का सम्बन्ध सल्तनत काल एवं मुगलकाल से है—

(*a*) **करोड़ी :** यह अकबर द्वारा नियुक्त राजस्व एकत्र करने वाला अधिकारी था। इसे 'आलमगुजर' भी कहा जाता था।

(*b*) **खालिसा :** सल्तनत काल में आमतौर पर इसे सुल्तान की भूमि कहा जाता था। यह केन्द्र के सीधे नियंत्रण वाली भूमि थी जो किसी जमींदार, इक्तादार या अधिकारी को नहीं दी गई हो।

(*c*) **तरफदार :** यह बहमनी सल्तनत में प्रान्तीय सूबेदार हुआ करता था।

(*d*) **पैबाकी :** यह मुगलकाल में हस्तांतरण हेतु सुरक्षित भूमि हुआ करती थी।

53. सन् 1784 में सर विलियम जोंस ने एशियाटिक सोसाइटी ऑफ बंगाल की स्थापना की। इसका उद्देश्य भारतीय भाषाओं एवं शास्त्रों का अध्ययन करना था जिससे भारतीय समाज में अनुकूलता पैदा हो और उनके ज्ञान को समझा जा सके।

54. यह विद्रोह 1844 के आसपास महाराष्ट्र में फैला। इसका नेतृत्व वे विस्थापित सैनिक कर रहे थे जिन्हें उनकी सेवाएं भंग किए जाने की धमकी दी जा रही थी। इसका मुख्य कारण प्रशासनिक पुनर्गठन तथा बेरोजगारी था जो गडकरी (Gadkari) विद्रोह के नाम से लोकप्रिय हुआ। इस विद्रोह का परिणाम यह हुआ कि समनगढ़ तथा मूदरगढ़ के किले जीत लिए गए।

59.
- 2 फरवरी, 1883 को विधान परिषद में प्रस्तुत।
- विधेयक का उद्देश्य यह था कि जाति भेद पर आधारित सभी न्यायिक अयोग्यताएँ तुरन्त समाप्त कर दी जाएँ।
- इस बिल के विरोध में यूरोपीय समुदाय ने एक 'प्रतिरक्षण संघ' की स्थापना की।
- 26 फरवरी, 1884 को संशोधित तथा विधेयक पारित।

68. देशीय भाषाई प्रेस अधिनियम, 1878
- इस अधिनियम से सरकार ने भारतीय भाषा के समाचार-पत्रों को अधिक नियंत्रण में लाने का प्रयत्न किया।
- जिला दंडनायकों को आज्ञा दी गई कि समाचार-पत्र के प्रकाशक से बंध पत्र पर हस्ताक्षर करवायें कि वे कोई ऐसी सामग्री प्रकाशित नहीं करेंगे जिससे सरकार विरोधी भावना भड़के।
- दंडनायक का निर्णय, अंतिम निर्णय होगा, उसमें अपील की अनुमति नहीं होगी।

- इस अधिनियम को 'मुँह बंद करने वाला अधिनियम' कहा गया।
- इस अधिनियम का सबसे घिनौना पक्ष यह था कि इसमें देशी भाषा और अंग्रेजी भाषा के अनुसार पत्रों के साथ भेदभाव किया गया।
- यदि कोई देशी भाषा का समाचार-पत्र इस अधिनियम से बचना चाहे तो उसे अपने पत्र की एक प्रति सरकारी पत्रेक्षण को पहले से देनी होगी।

69. 1937 और 1939 के बीच राष्ट्रीय आंदोलन की सबसे महत्वपूर्ण प्रगति रजवाड़ों में हुई। ये रियासतें निरंकुशता और सामंतवादी शोषण के गढ़ थीं और अंग्रेजों की फेडरेशन संबंधी योजनाओं से उनकी असलियत अधिकाधिक जाहिर हुई कि भारत को विभाजित एवं पराधीन रखने के साम्राज्यवादी प्रयास की मुख्य समर्थक यही थीं। राष्ट्रीय आंदोलन के अन्य कई चरणों की भांति वास्तविक पहल यहाँ भी चोटी के नेताओं अथवा संयोजकों की अपेक्षा निचले स्तर से ही हुई थी। अपने सचिव बलवंतराय मेहता के नेतृत्व में आल इंडिया स्टेट्स पीपुल्स कांफ्रेंस कुछ अधिक सक्रिय हुई थी, किंतु यह अनिवार्यतः मध्यवर्गीय राजनीतिज्ञों की कभी-कभार होनेवाली सभाओं और मुख्यतः नागरिक अधिकारों एवं उत्तरदायी सरकार के प्रश्नों तक ही सीमित रहती थी; इसमें किसानों या आदिवासियों के विशिष्ट मुद्दे कदाचित् ही उठाए गए हों। न ही इसने अभी तक बड़े पैमाने पर रजवाड़ों के एकीकरण की मांग उठाई थी; केवल इतना सुझाव अवश्य दिया था (जैसाकि 1939 में अपने लुधियाना अधिवेशन में, जिसकी अध्यक्षता नेहरू ने की थी) कि अत्यंत छोटी, अपना अस्तित्व कायम रखने में अक्षम रियासतों को पड़ोसी राज्यों में मिलाया जा सकता है।

कांग्रेस के दक्षिणपंथ ने अपनी ओर से इस बात का भारी प्रयास किया कि पार्टी अहस्तक्षेप की पुरानी नीति से ही चिपकी रहे। पहले तो गांधीजी ने भी इस बात पर अस्वाभाविक रूप से कठोर रुख अपनाया और अक्टूबर 1937 के अखिल भारतीय कांग्रेस कमेटी के उस प्रस्ताव पर खुलेआम अप्रसन्नता प्रकट की जिसमें 'भारतीय रजवाड़ों एवं ब्रिटिश भारत के सभी लोगों' से अपील की गई थी कि वे मैसूर में हो रहे जन-आंदोलन को अपना 'पूरा समर्थन एवं प्रोत्साहन दें'। कांग्रेस के हरिपुरा अधिवेशन (फरवरी 1938) के एक समझौता-प्रस्ताव में पहली बार घोषित किया गया कि पूर्ण स्वराज के अंतर्गत रजवाड़े और ब्रिटिश भारत, दोनों ही आते हैं, किंतु इस बात पर बल दिया गया कि 'फिलहाल' कांग्रेस रजवाड़ों में हो रहे जन-आंदोलन को केवल 'नैतिक समर्थन और सहानुभूति' ही दे सकती है, और यह कि इनको कांग्रेस के नाम पर नहीं चलाया जाना चाहिए। कुछ महीनों के पश्चात् गांधीजी ने संकेत दिया कि यदि देशी नरेश कुछ सीमा तक नागरिक अधिकार प्रदान करें, स्वतंत्र न्यायालयों की स्थापना करें और अपने प्रिवीपर्सों में कटौती करें तो वे संतुष्ट हो जाएंगे। एकीकरण की बात तो दूर, उत्तरदायी सरकार तक की मांग नहीं की गई थी।

70. रोमेशचन्द्र दत्त का जन्म बंगाली कायस्थ परिवार में हुआ था। उनके पिता का नाम इसामचन्द्र दत्त और माता का नाम थाकामानी था। उनके पिता इसाम दत्त बंगाल के डिप्टी कलक्टर थे। उनके कार्यालय संबंधी कार्य में रोमेश सहयोग देते थे। पूर्वी बंगाल में एक नाव दुर्घटना में अपने पिता की असामयिक मृत्यु के बाद रोमेश अपने चाचा शोशी चन्द्र दत्त जो एक स्थापित लेखक थे, के संग रहने लगे। प्रेसीडेन्सी कॉलेज, कलकत्ता विश्वविद्यालय से फाइन आर्ट्स परीक्षा पास करने के बाद अपने दो मित्रों—बिहारीलाल गुप्ता और सुरेन्द्रनाथ बनर्जी के साथ इंग्लैंड चले गए। भारतीय सिविल परीक्षा (आईसीएस) पास कर वे सन् 1871 में अलीपुर के सहायक दंडाधिकारी नियुक्त हुए। सरकारी सेवा में रहते हुए सन् 1897 ई. में उड़ीसा के कमिश्नर पद से उन्होंने अवकाश प्राप्त किया।

अवकाश प्राप्ति के बाद उन्होंने राजनीति में अपनी सक्रियता दिखाई और सक्रिय कांग्रेसमैन बन गए। बाद में सन् 1899 ई. में भारतीय राष्ट्रीय कांग्रेस के अध्यक्ष भी बने। बंगाली साहित्य में अभिरुचि दिखाते हुए बंगीय साहित्य परिषद् (बंगाली भाषा) के पहले अध्यक्ष भी रहे। वे एक इतिहासकार, अर्थशास्त्री, भाषाविद्, राजनीतिज्ञ इत्यादि के रूप में भी प्रतिष्ठित थे। उनका विवाह मनोमोहिनी दत्त (नी बोस) से हुआ था। 61 वर्ष की आयु में उनका देहावसान सन् 1909 ई. में हो गया।

71. सत्यमूर्ति भारतीय राष्ट्रीय कांग्रेस के एक प्रमुख नेता थे जिन्होंने विधि में स्नातक किया था। उन्होंने दक्षिण में राष्ट्रवादी विचारों को प्रचारित किया। वे तमिलनाडु कांग्रेस कमेटी के सचिव बन गए और कालांतर में अध्यक्ष का पदभार ग्रहण किया। उनकी गतिविधियों के कारण ही उनकी दक्षिण भारत का 'फायर ब्रांड' के रूप में पहचान बनी।

सन् 1923 से 1930 ई. तक, वे मद्रास विधान परिषद् के सदस्य थे जहाँ उन्हें सचिव बनाया गया और बाद में उपनेता निर्वाचित हुए। नमक सत्याग्रह और सविनय अवज्ञा आंदोलन में भाग लेने के लिए उन्होंने परिषद् के पद को त्याग दिया। इस क्रियाकलाप के कारण उन्हें जेल भी जाना पड़ा था। सन् 1933 से 1942 ई. तक वे केन्द्रीय विधानसभा के सदस्य रहे।

सन् 1939 में वे मद्रास निगम के मेयर बने। पूंदी बांध परियोजना जिसका बाद में सत्यमूर्ति सागर नाम रखा गया, का मसौदा तैयार किया। उन्होंने दक्षिण भारत फिल्म चैंबर के अध्यक्ष का भी पद ग्रहण किया और इंडियन मोशन पिक्चर कांग्रेस के अध्यक्ष भी रहे। 1942 में भारत छोड़ो आंदोलन में योगदान के लिए उन्हें जेल में डाल दिया गया। सन् 1943 में हिरासत में ही उनकी मृत्यु हो गई।

पिछले प्रश्न-पत्र (हल सहित)

यू.जी.सी. NET परीक्षा, दिसम्बर-2013

इतिहास

प्रश्न-पत्र-II

निर्देशः *इस प्रश्न-पत्र में* ***पचास (50)*** *बहु-विकल्पीय प्रश्न हैं। प्रत्येक प्रश्न के* ***दो (2)*** *अंक हैं।* ***सभी*** *प्रश्न अनिवार्य हैं।*

1. लेवालेवा तकनीक द्वारा बनाये गये फलक उपकरण निम्नांकित किस भूगर्भीय युग की विशेषता है?

A. निम्न प्लीस्टोसीन

B. होलोसीन

C. उच्च प्लीस्टोसीन

D. मध्य प्लीस्टोसीन

2. सूची-I को सूची-II से सुमेलित कीजिये और निम्न कूट से सही उत्तर का चयन कीजिएः

सूची-I	**सूची-II**
(*a*) सोहागीघाट	1. कश्मीर नवपाषाणात्र
(*b*) बालाथल	2. वी.एस. वाकणकर
(*c*) भीमबेटका	3. अहाड़ संस्कृति स्थल
(*d*) बुर्जहोम	4. ए.सी.एल. कार्लाइल

कूटः

	(*a*)	(*b*)	(*c*)	(*d*)
A.	3	4	1	2
B.	4	3	2	1
C.	1	2	4	3
D.	2	1	3	4

3. उत्तर-पूर्व अफगानिस्तान स्थित निम्नांकित कौन-सा नगर एक हड़प्पीय व्यापारिक बन्दरगाह था?

A. सुक्तजेन डोर B. मुण्डिगक

C. शोतुर्गई D. नौशारो

4. निम्नलिखित कौन-सा बौद्ध ग्रंथ बिम्बिसार के पाँच सौ पत्नियों का उल्लेख करता है?

A. महावंश B. महावग्ग

C. दीपवंश D. महावस्तु

5. निम्नांकित किस हिन्दू-युनानी शासक ने सिक्के जारी किये जिन पर कृष्ण एवं बलराम की आकृतियाँ बनी थीं?

A. मिनान्डर B. अगाथोक्लिस

C. हेलियोक्लिस D. आर्कैबियस

6. नागों से संबंधित निम्नांकित किस स्थल पर नागराज दधिकर्ण का मंदिर स्थित था?

A. पद्मावती B. कान्तिपुरी

C. मथुरा D. राजगृह

7. निम्नांकित पुराणों में से किसमें विष्णु के अवतारों की सूची में बुद्ध के स्थान पर कृष्ण को स्थानान्तरित किया है?

A. मत्स्य पुराण B. भागवत पुराण

C. वायु पुराण D. कूर्म पुराण

8. निम्नांकित किस स्थल से शिव की सर्वप्राचीन लिंगोद्भवमूर्ति प्राप्त हुई है?

A. कांची B. भोजपुर

C. गुडिमल्लम D. खोह

9. निम्नलिखित किस दक्षिण भारतीय मंदिर में भित्ति-चित्र उपलब्ध हैं?

A. कांचीपुरम का कैलाशनाथ मंदिर

B. पट्टकल का विरूपाक्ष मंदिर

C. नर्तमलाई का विजयालय चोलीश्वर मंदिर

D. श्रीनिवासनल्लूर का कोरंगनाथ मंदिर

10. निम्नलिखित पाल राजाओं को तिथिक्रमानुसार लिखें एवं दिये गये कूट में से सही उत्तर चुनेंः

सूचीः

(*i*) राज्यपाल

(*ii*) नारायणपाल

(*iii*) देवपाल

(*iv*) गोपाल

कूटः

A.	(*ii*)	(*i*)	(*iv*)	(*iii*)
B.	(*iii*)	(*ii*)	(*i*)	(*iv*)
C.	(*iv*)	(*iii*)	(*ii*)	(*i*)
D.	(*i*)	(*iv*)	(*iii*)	(*ii*)

11. सूची-I को सूची-II से सुमेलित कीजिये और निम्न कूट से सही उत्तर का चयन कीजिएः

सूची-I (चिकित्साशास्त्रीय ग्रंथ)	सूची-II (लेखक)
(*a*) भानुमति	1. चक्रपाणिदत्त
(*b*) शालिहोत्र	2. वंगसेन
(*c*) वृक्षायुर्वेद	3. भोज
(*d*) चिकित्सासारसंग्रह	4. सुरेश्वर

कूटः

	(*a*)	(*b*)	(*c*)	(*d*)
A.	4	1	2	3
B.	3	2	1	4
C.	2	4	3	1
D.	1	3	4	2

12. सूची-I को सूची-II से सुमेलित कीजिये और निम्न कूट से सही उत्तर का चयन कीजिएः

सूची-I (राजा)	सूची-II (राजवंश)
(*a*) उदयनजेराल	1. पाण्ड्य
(*b*) करिकाल	2. चोल
(*c*) नेदियोन	3. पल्लव
(*d*) सिंहविष्णु	4. चेर

कूटः

	(*a*)	(*b*)	(*c*)	(*d*)
A.	4	2	1	3
B.	3	4	2	1
C.	1	3	4	2
D.	2	1	3	4

13. सूची-I को सूची-II से सुमेलित कीजिये और निम्न कूट से सही उत्तर का चयन कीजिएः

सूची-I (लेखक)	सूची-II (विधि संबंधित ग्रंथ)
(*a*) जीमूतवाहन	1. मनुटीका
(*b*) गोविन्दराज	2. स्मृति चन्द्रिका
(*c*) विज्ञानेश्वर	3. दायभाग
(*d*) देवण्णभट्ट	4. मिताक्षरा

कूटः

	(*a*)	(*b*)	(*c*)	(*d*)
A.	4	2	1	3
B.	1	3	2	4
C.	3	1	4	2
D.	2	4	3	1

14. सूची-I को सूची-II से सुमेलित कीजिये और निम्न कूट से सही उत्तर का चयन कीजिएः

सूची-I (मंदिर शैली)	सूची-II (मंदिर का नाम)
(*a*) नागर	1. पहाड़पुर स्थित मंदिर
(*b*) द्राविड़	2. लक्कुडी स्थित जैन मंदिर
(*c*) चालुक्य	3. शौनक का नीलकण्ठ महादेव मंदिर
(*d*) विजातीय	4. एलोरा का कैलाशनाथ मंदिर

कूटः

	(*a*)	(*b*)	(*c*)	(*d*)
A.	2	3	1	4
B.	3	4	2	1
C.	4	1	3	2
D.	1	2	4	3

15. नीचे दो वक्तव्य दिये गये हैं, एक को कथन (A) कहा जाता है और दूसरे को कारण (R):

अभिकथन (A): गुप्तोत्तर कालीन प्राचीन भारतीय कला शैलियों का नामकरण क्षेत्र-विशेष में राज्य कर रहे राजवंशों के नामों पर आधारित हैं।

कारण (R): गुप्तोत्तर कालीन राजवंशों के शासक ही कला के एकमात्र संरक्षक थे।

उपरोक्त दो वक्तव्यों के संदर्भ में निम्नलिखित में से कौन-सा सही है?

A. (A) और (R) दोनों सही हैं तथा (A) की सही व्याख्या (R) है।
B. (A) और (R) दोनों सही हैं, किन्तु (A) की सही व्याख्या (R) नहीं है।
C. (A) सही है, किन्तु (R) गलत है।
D. (A) गलत है, किन्तु (R) सही है।

16. अल-बरूनी के अनुसार, अन्तयज थे–

A. हादी, डोम और चण्डाल जाति के लोग
B. वेश्याएँ
C. शूद्रों से भी निम्न लोगों के आठ शिल्पी संघ
D. विदेशी

17. इल्बरी शासक जिसने दिल्ली सल्तनत में सिज़दा, पाबोस और नौरोज प्रारम्भ करवाए, वह था–

A. कुतुबुद्दीन ऐबक
B. इल्तुतमिश
C. बलबन
D. बहरामशाह

18. नीचे दो वक्तव्य दिये गये हैं, एक को कथन (A) कहा जाता है और दूसरे को कारण (R):

अभिकथन (A): तुर्कों ने भवनों पर हिंदू शैली के अनुसार मानवीय एवं पशु आकृतियों को अंकित करने की परम्परा का अनुसरण नहीं किया।

कारण (R): उन्होंने ज्यामितिक एवं फूल-पत्तियों की आकृतियों और फलक (पैनलों) पर कुरान की आयतों को अंकित किया।

उपरोक्त दो वक्तव्यों के संदर्भ में निम्नलिखित कूट में से कौन-सा सही है?

कूटः

A. (A) और (R) दोनों सही हैं तथा (A) की सही व्याख्या (R) है।
B. (A) और (R) दोनों सही हैं, किन्तु (A) की सही व्याख्या (R) नहीं है।
C. (A) सही है, किन्तु (R) गलत है।
D. (A) गलत है, किन्तु (R) सही है।

19. सूची-I को सूची-II से सुमेलित कीजिये और निम्न कूट से सही उत्तर का चयन कीजिएः

सूची-I (साहित्यिक रचना)	**सूची-II (लेखक)**
(*a*) आदाब उल हर्ब वा अल शुजात	1. अता मलिक जुवैनी
(*b*) तबकात-ए-नासिरी	2. ज़ियाउद्दीन बरनी
(*c*) तारीख़-ए जहाँगुशा	3. मिन्हाज सिराज
(*d*) तारीख़-ए फिरोज़शाही	4. फख़्-ए मुद्दबिर

कूटः

	(*a*)	(*b*)	(*c*)	(*d*)
A.	3	4	2	1
B.	4	3	1	2
C.	4	2	1	3
D.	2	1	4	3

20. सूची-I को सूची-II से सुमेलित कीजिये और प्रदत्त कूट से सही उत्तर का चयन कीजिएः

सूची-I	**सूची-II**
(*a*) इक्ता-ए-तमलीक	1. राजा और उच्च अधिकारियों के बीच गुप्त बैठक
(*b*) मजलिस-ए-खलवत	2. लघुकालिक फौजदारी
(*c*) महसूल	3. प्रान्त की कुल आय
(*d*) इक्ता-ए-इस्तीग़ाल	4. वंशीय इक्ता

कूटः

	(*a*)	(*b*)	(*c*)	(*d*)
A.	2	4	3	1
B.	4	1	3	2
C.	4	1	2	3
D.	2	3	4	1

21. शिक्कदार था–

A. ग्राम पटवारियों का मुखिया
B. परगना स्तर का सैन्य अधिकारी
C. परगना का खजाँची
D. व्यापारिक गतिविधियों की देखभाल करने वाला

22. नीचे दो वाक्य दिये गये हैं, एक को कथन (A) और दूसरे को कारण (R) कहा गया हैः

अभिकथन (A): मध्यकालीन भक्ति आन्दोलन बौद्ध और जैनमत के मानने वालों को हिन्दू धर्म से जोड़ने में सफल रहा।

कारण (R): सांस्कृतिक समायोजन की प्रक्रिया में जनजाति के अनेक लोग हिंदू जाति-प्रथा में सम्मिलित हो गए।

उपरोक्त कथनों के संदर्भ में निम्नांकित में से कौन-सा सही है? अपना उत्तर नीचे दिए गए कूट में से चुनियेः

कूटः

A. (A) और (R) दोनों सत्य हैं और (R), (A) की सही व्याख्या है।
B. (A) और (R) दोनों सत्य हैं, किन्तु (R), (A) की सही व्याख्या नहीं है।
C. (A) सत्य है, किन्तु (R) असत्य है।
D. (A) असत्य है, किन्तु (R) सत्य है।

23. शैख नूरुद्दीन ने स्थापना की थीः

A. कश्मीर में सूफियों के ऋषि सिलसिले की।

B. अजमेर में सूफियों के चिश्ती सिलसिले की।
C. बिहार में सूफियों के फिरदौसी सिलसिले की।
D. मुलतान में सूफियों के सुहरावर्दी सिलसिले की।

24. सल्तनत काल में उलेमा और सुलतान के बीच सम्बन्धों के संदर्भ में निम्नलिखित में से कौन-सा कथन सही है?
A. उलेमा को शरियत से अधिकारों की प्राप्ति होती थी।
B. उलेमा ने सुलतान को दैवीय शब्दों की व्याख्या करने की आज्ञा नहीं दी।
C. उलेमा को सुलतान अपनी इच्छानुसार छोड़ नहीं सकता था।
D. उपर्युक्त में से कोई नहीं।

25. उस विदेशी यात्री की पहचान कीजिए जिसने बहमनी साम्राज्य का वृतान्त दिया है:
A. राल्फ फिच   B. निकोलो कोन्टी
C. ए. निकितिन   D. एफ. नूनीज़

26. मध्य एशिया का कौन-सा क्षेत्र अरबी भाषा में 'मावरून नहर' कहलाता था?
A. फरगना   B. खुरासान
C. ख्वारिज़्म   D. ट्रॉंसओक्सियाना

27. निम्नलिखित में से हुमायूँ के सम्बन्ध में कौन-सा कथन सही है?
A. हुमायूँ को खगोल शास्त्र एवं भूगोल में गहरी दिलचस्पी थी।
B. हुमायूँ ने शाही पुस्तकालय के लिए पुस्तकों का भारी संग्रह किया।
C. हुमायूँ अपने सैन्य अभियानों के दौरान पढ़ने के लिए कुछ चुनी हुई पुस्तकें ले जाया करता था।
D. उपरोक्त सभी।

28. दीन-ए-इलाही प्राथमिक रूप से था—
A. राज्य का राजकीय धर्म
B. हिंदू धर्म तथा इस्लाम का सम्मिश्रण
C. विश्व समरसता के सिद्धान्त को दोहराना
D. लोगों को एक उत्कृष्ट धर्म देना

29. सामान्य आकलन के अनुसार 16वीं तथा 17वीं शताब्दी में भारत की ग्रामीण जनसंख्या का क्या प्रतिशत था?
A. लगभग 55%   B. लगभग 65%
C. लगभग 75%   D. लगभग 85%

30. राठौर विद्रोह से सम्बन्धित निम्नलिखित कथनों पर विचार कीजियेः
(*i*) जसवन्त सिंह के पुत्र पृथ्वीसिंह के निधन के फलस्वरूप राठौर विद्रोह हुआ।
(*ii*) औरंगज़ेब ने इन्द्रसिंह को मारवाड़ का शासक बना दिया।
(*iii*) राठौर विद्रोह औरंगज़ेब की जोधपुर को मुगल साम्राज्य का हिस्सा बनाने की योजना के फलस्वरूप हुआ।
(*iv*) रानी हाड़ी को विद्रोह में राठौरों एवं मेवाड़ के राणा राजसिंह ने समर्थन दिया था।
उपरोक्त कथनों में से कौन-सा सही है?
A. केवल (*i*)   B. (*ii*) और (*iii*)
C. (*iii*) और (*iv*)   D. (*ii*) और (*iv*)

31. निम्नलिखित को कालक्रम में लगाइए और नीचे दिए गए कूटों से सही उत्तर का चयन कीजिएः
(*i*) रिंग फेंस नीति
(*ii*) समान संघ नीति
(*iii*) अधीनस्थ संघ नीति
(*iv*) अधीनस्थ पार्थक्य नीति

कूटः

A.	(*i*)	(*iv*)	(*iii*)	(*ii*)
B.	(*i*)	(*iii*)	(*ii*)	(*iv*)
C.	(*iii*)	(*ii*)	(*iv*)	(*i*)
D.	(*iv*)	(*ii*)	(*i*)	(*iii*)

32. अंग्रेज ईस्ट इंडिया कंपनी ने निम्नलिखित में से किस अधिनियम के जरिए चीन के व्यापार पर एकाधिकार खो दिया?
A. 1813 का चार्टर अधिनियम
B. 1833 का चार्टर अधिनियम
C. 1853 का चार्टर अधिनियम
D. 1893 का चार्टर अधिनियम

33. निम्नलिखित में से कौन-सा कथन गलत है?
A. अमृत बाज़ार पत्रिका मूलतः एक बंगाली समाचार-पत्र था।
B. जनभाषा का समाचार-पत्र 'समाचार दर्पण' वॉरेन हेस्टिंग्स के कार्यकाल के दौरान शुरू किया गया था।
C. बंबई टाइम्स का नाम ही टाइम्स ऑफ इंडिया हो गया।

D. साप्ताहिक समाचार-पत्र, बंगाल गजट, जेम्स अगस्टस हिकी ने शुरू किया था।

34. सूची-I को सूची-II के साथ सुमेलित कीजिये और नीचे दिए गए कूटों से सही उत्तर का चयन कीजिए:

सूची-I	**सूची-II**
(*a*) इलाहाबाद की संधि	1. 1769
(*b*) मद्रास की संधि	2. 1765
(*c*) पुरन्दर की संधि	3. 1776
(*d*) मंगलौर की संधि	4. 1784

कूट:

	(*a*)	(*b*)	(*c*)	(*d*)
A.	2	3	4	1
B.	3	4	1	2
C.	2	1	3	4
D.	1	2	4	3

35. नीचे दो कथन दिये जा रहे हैं, प्रथम को अभिकथन (A) और दूसरे को तर्क (R) कहा गया है:

अभिकथन (A): उपनिवेशवाद की संक्रमण प्रक्रिया 1757-1856, लगभग एक शताब्दी से चल रही थी।

कारण (R): इंगलिश ईस्ट इंडिया कम्पनी ने उन तमाम क्षेत्रों पर कब्जा कर लिया जो प्रत्यक्षतया उनके नियन्त्रण में थी।

उपर्युक्त कथनों को पढ़िए और प्रदत्त कूट से सही उत्तर का चयन कीजिए।

कूट:

A. (A) सही है, परन्तु (R) गलत है।
B. (A) गलत है, परन्तु (R) सही है।
C. (A) और (R) दोनों सही हैं, और (A) की सही व्याख्या (R) है।
D. (A) और (R) दोनों सही हैं, परन्तु (A) की सही व्याख्या (R) नहीं है।

36. 1857 के विद्रोह में कृषकों के भाग लेने का मुख्य कारण था–

A. असाधारण रूप से उच्च राजस्व की माँग।
B. राजस्व नीति ने कृषकों को ही नहीं अपितु देश के कुलीन लोगों का भी विनाश कर दिया।
C. नई राजस्व नीति के लाभार्थी भी सन्तुष्ट नहीं थे।
D. उपर्युक्त सभी।

37. सूची-I को सूची-II के साथ सुमेलित कीजिये और नीचे दिए गए कूटों से सही उत्तर का चयन कीजिए:

सूची-I	**सूची-II**
(*a*) सर सैयद अहमद खां की मृत्यु	1. 1897
(*b*) मदनलाल ढींगरा ने लंदन में कर्ज़न विली की गोली मारकर हत्या की	2. 1898
(*c*) चापेकर बंधुओं ने क्रूर प्लेग आयुक्त रांड और ले आयेर्स्ट की हत्यां की	3. 1909
(*d*) जार्ज V के सम्मान में दिल्ली में राजसिंहासन दरबार आयोजित किया गया	4. 1911

कूट:

	(*a*)	(*b*)	(*c*)	(*d*)
A.	2	3	1	4
B.	3	2	4	1
C.	1	4	3	2
D.	4	1	2	3

38. नीचे दो कथन दिये जा रहे हैं प्रथम को अभिकथन (A) और दूसरे को तर्क (R) कहा गया है।

अभिकथन (A): मैकाले का विधि आयोग जो 1860 में गठित हुआ, उसने भारत के 'पूर्वीय निरंकुशतावाद' की धरती के विचार को मिटा दिया।

कारण (R): समता और न्याय को निरंकुश शासकों के 'अंध और कठोर' न्याय के विकल्प के रूप में देखा जाने लगा।

उपर्युक्त कथनों को पढ़िए और प्रदत्त कूट से सही उत्तर का चयन कीजिए।

A. (A) सही है, परन्तु (R) गलत है।
B. (A) गलत है, परन्तु (R) सही है।
C. (A) और (R) दोनों सही हैं, और (A) की सही व्याख्या (R) है।
D. (A) और (R) दोनों सही हैं, परन्तु (A) की सही व्याख्या (R) नहीं है।

39. सूची-I को सूची-II के साथ सुमेलित कीजिये और प्रदत्त कूट से सही उत्तर का चयन कीजिएः

सूची-I	सूची-II
(*a*) बहरामजी एम. मालाबरी	1. नारी मुक्ति
(*b*) डांडो केशव कार्वे	2. कन्याशुल्कम्
(*c*) कण्डूकरी वीरेशलिंगम्	3. पारसी समाज सुधारक
(*d*) गुरज़ादा अप्पाराव	4. विधवा पुनर्विवाह अभियान

कूटः

	(*a*)	(*b*)	(*c*)	(*d*)
A.	3	1	4	2
B.	1	4	2	3
C.	4	2	3	1
D.	2	3	1	4

40. निम्नलिखित में कौन जस्टिस पार्टी से संबंधित नहीं थे?

A. के.एम. पात्रो B. रामास्वामी नायकर
C. तनगुटूरी प्रकाशम् D. राजा राम रैनीनगर

41. नाभा और जींद के शासकों ने रणजीत सिंह की अधीनता स्वीकार किए जाने के प्रतीक के रूप में उन्हें क्या भेंट दी थी?

A. अपने किले B. अपने भूभाग
C. कीमती उपहार D. अपने घोड़े

42. उस पत्रिका के नाम का चयन कीजिए जिससे गांधीजी सम्बंधित नहीं थे?

A. इंडियन ओपीनियन B. इंडियन मिरर
C. हरिजन D. यंग इंडिया

43. सूची-I को सूची-II से सुमेलित कीजिएः

सूची-I (देसी रियासतें)	सूची-II (तोपों की सलामी का अधिकार)
(*a*) सांगली	1. 17
(*b*) ग्वालियर	2. 9
(*c*) धौलपुर	3. 15
(*d*) कच्छ	4. 21

कूटः

	(*a*)	(*b*)	(*c*)	(*d*)
A.	3	4	2	1
B.	4	2	1	3
C.	1	3	4	2
D.	2	4	3	1

44. सूची-I को सूची-II से सुमेलित कीजिये और प्रदत्त कूट से सही उत्तर का चयन कीजिएः

सूची-I	सूची-II
(*a*) क्लेमेंट एटली	1. औगस्ट ऑफर
(*b*) माउंट बेटन	2. ब्रेकडाउन प्लान
(*c*) लार्ड लिनल्थिगो	3. केबिनेट मिशन
(*d*) वावेल	4. प्लान बल्कन

कूटः

	(*a*)	(*b*)	(*c*)	(*d*)
A.	3	4	2	1
B.	4	3	1	2
C.	3	4	1	2
D.	1	2	4	3

45. निम्नलिखित में से वह कौन-सी आसन्न समस्या थी जिसका सामना भारत को स्वतन्त्रता प्राप्ति के तुरन्त बाद करना पड़ा?

A. विभाजन के पश्चात सीमाओं का व्यवस्थापन
B. सिविल सेवा कार्मिकों का विभाजन
C. सैन्य परिसम्पत्ति का विभाजन
D. साम्प्रदायिक एवं शरणार्थी समस्या

46. सूची-I (लेखकों) को सूची-II (पुस्तकों) से सुमेलित कीजिये और नीचे दिए गए कूटों से सही उत्तर का चयन कीजिएः

सूची-I	सूची-II
(*a*) लुसियन फेबवरे	1. द पीजेंट ऑफ द लैंग्युडोक
(*b*) मैक्स ब्लोक	2. द हिस्टोरियन्स क्राफ्ट
(*c*) एमानूयल एल.आर. लडूरी	3. द मेडिटेरनीन
(*d*) फर्नान्ड ब्रॉडल	4. द रीजन्स ऑफ फ्रांस : फ्रेके काम्टे

कूटः

	(*a*)	(*b*)	(*c*)	(*d*)
A.	3	2	4	1
B.	4	1	2	3
C.	4	2	1	3
D.	1	4	3	2

47. इतिहास-लेखन में "प्रगति का विचार" निम्नलिखित में से किससे संबंधित है?

A. रूमानीवाद B. प्रबोध

C. उत्तर आधुनिकतावाद D. द्वंद्वात्मक भौतिकवाद

48. 'समग्र इतिहास' की संकल्पना निम्नलिखित इतिहास लेखन विचारधारा में से किससे संबंधित है?

A. मार्क्सवादी विचारधारा

B. प्रत्यक्षवादी विचारधारा

C. कालवृत्त विचारधारा

D. मध्यवर्ती (सबअल्टन) विचारधारा

49. गुटनिरपेक्ष की नीति का/के प्रमुख निर्धारक था/थेः

A. नस्लवाद का विरोध

B. राजतंत्र का विरोध

C. A और B दोनों

D. उपर्युक्त में से कोई नहीं

50. 'द कोल्ड वार एण्ड इट्स ओरिजिन' नामक पुस्तक का लेखक निम्नलिखित में से कौन-सा है?

A. डेनियल सिंगर B. ए.एफ.के. आर्गन्स्की

C. डी.एफ. फ्लेमिंग D. जी. आईओनेस्यु

उत्तरमाला

1	2	3	4	5	6	7	8	9	10
D	B	C	B	B	C	C	C	C	C
11	12	13	14	15	16	17	18	19	20
D	A	C	B	C	C	C	A	B	B
21	22	23	24	25	26	27	28	29	30
B	B	A	D	C	D	D	C	D	D
31	32	33	34	35	36	37	38	39	40
A	B	B	C	A	D	A	C	A	C
41	42	43	44	45	46	47	48	49	50
C	B	D	C	D	C	B	C	C	C

कुछ चुने हुए प्रश्नों के व्याख्यात्मक उत्तर

12. चेर या केरल राज्य पांड्यों के देश के पश्चिम और उत्तर में स्थित था। इसमें आधुनिक काल-राज्यों का कुछ भाग ही सम्मिलित था। चेरों का प्रथम राजा उदियन जेरल था। इसका पुत्र नेदुलजेरल आदन था। इसकी राजधानी मरुदै थी। इसने चोल राजा कारिकाल से युद्ध किया जिसमें दोनों राजा मारे गए। प्रारंभिक चोल राजाओं में सर्वाधिक महत्वपूर्ण शासक कारिकल था। इसने 100 ई. के आसपास शासन किया। इसने पुहार की स्थापना की तथा कावेरी नदी पर 100 कि.मी. लंबा बाँध बनवाया। कारिकल ने अपने समकालीन अनेक राजाओं से युद्ध किया। इसने वेणी (तंजौर) के समीप ग्यारह सामंत राजाओं के संघ को परास्त किया था। तत्पश्चात् इसने वाहैप्परण्डलें के युद्ध में नौ राजाओं के एक संघ को परास्त किया। पांड्यों का प्रथम शासक नेडियोन था। इसने पहरूली नामक नदी को अस्तित्व प्रदान किया तथा समुद्र की पूजा भी इसी ने प्रारंभ कराई थी। नेडियोन के पश्चात् मुंदुकुडुमी शासक बना। इसने अनेक यज्ञ करवाये तथा पलशाले की उपाधि धारण की।

17. बलबन का प्रारंभिक नाम 'बहाउद्दीन' था। 1246 में मंगोलों का सपफलतापूर्वक सामना किया जिससे उसे 'महान खान' की उपाधि मिली। वह पहला सुल्तान था जिसने 'राजत्व के सिद्धांत' का प्रतिपादन किया। उसके अनुसार राजा 'जिल्ले-इलाही (भगवान की छाया) है। उसका राजत्व 'नियाबते-खुदाई' (ईश्वर प्रदत्त) है। उसने 'राजत्व के दैवीय सिद्धांत' को स्वीकार किया। अपने को आफरासियाब का वंशज घोषित किया। मद्यपान का निषेध तथा 'सिजदा-पाबोस' (ईरानी परंपरा) का प्रचलन किया। फारसी रीति पर आधारित 'नवरोज उत्सव' को प्रारंभ

किया। 'लौह एवं रक्त' की रीति अपनाया। इस नीति में विद्रोही की हत्या कर उसकी स्त्री एवं बच्चों को दास बना लिया जाता था।

18. दिल्ली सल्तनत की स्थापत्य कला हिंदू पद्धति तथा मुसलमानी पद्धति के मिश्रण से विकसित हुई है। हिंदू पद्धति शहतीरी शिल्प कला (त्रावियत शैली) पर तथा मुस्लिम पद्धति अरकुष्ट शैली पर आधारित है।

त्रावियत शैली (हिन्दू शैली) : स्तंभ एवं बल्ली का प्रयोग, भरपूर अलंकरण तथा आड़ी एवं खड़ी रेखाओं का प्रयोग किया जाता था।

अरकुष्ट शैली (मुस्लिम शैली) : मेहराव एवं गुंबद का प्रयोग, अलंकरण पर जोर, मानव, आकृति एवं पशु आकृति से परहेज, सुलेखन, घंटे का चित्र, स्वास्तिक इत्यादि, ज्यामिति डिजाइनों का प्रचलन। मेहराब व गुंबद इस्लाम की देन नहीं है बल्कि यह रोम में विकसित हुई। मुस्लिमों ने इसे वेजेंटाइन साम्राज्य से सीखा। भारत में भी मेहराब एवं गुंबद की जानकारी थी किन्तु इसका प्रयोग नहीं के बराबर होता था तथा इसे वैज्ञानिक ढंग से निर्मित नहीं किया जाता था।

22. नयनारों और आलवारों का मुख्य आक्रमण बौद्ध धर्म एवं जैन धर्म के विरुद्ध था जो उन दिनों दक्षिण भारत में प्रभावशाली थे। ये संत लोगों को अपने पक्ष में लाने में सफल हुए क्योंकि कालांतर में बौद्ध धर्म एवं जैन धर्म दकियानूस एवं पुराणपंथी हो चुके थे और निरर्थक अनुष्ठानवाद में लिप्त हो गए थे जिसमें शरीर को कष्ट देने के उद्देश्य से अत्यधिक संयम और तप पर बल दिया जाता था। इस प्रकार, वे अब लोगों की भावनात्मक आवश्यकताओं की पूर्ति कर पाने में समर्थ नहीं रह गए थे। नयनारों और आलवारों ने स्थानीय दन्तकथाओं एवं गाथाओं को प्रयुक्त अथवा सम्मिलित करते हुए आम लोगों की भाषा तमिल में एक सरल और सहज धर्म का प्रचार-प्रसार किया। इस प्रकार, लोगों पर उनका सशक्त संवेदनात्मक प्रभाव पड़ा।

23. शेख नूरुद्दीन वली ने कश्मीर में ऋषि संप्रदाय की स्थापना की। ऋषि सम्प्रदाय ने कश्मीर में लोकप्रिय शैव भक्ति परंपरा से प्रेरणा ली तथा ग्रामीण परिवेश में फला-फूला। ऋषि सम्प्रदाय से पूर्व इस्लाम-धर्म के प्रचार के लिए मीर सैय्यद हमादानी, हमादान से अपने शिष्यों सहित कश्मीर आए परन्तु कश्मीर की जनता पर इसका थोड़ा ही प्रभाव पड़ा।

25. निकितिन एक रूसी व्यापारी एवं पर्यटक था जिसने 1470 से 1474 ई. तक दक्षिण के बहमनी राज्य की यात्रा की। उसने दक्षिण भारत की तत्कालीन व्यवस्था का वर्णन किया है। निकितिन के अनुसार दक्षिण भारत में अमीरों और गरीबों के बीच बहुत बड़ी खाई थी। गरीब जहाँ कष्टपूर्ण जीवन व्यतीत करते थे, वहीं अमीर विलासितापूर्ण।

26. पंद्रहवीं सदी के उत्तरार्ध में तैमूरी साम्राज्य के विघटन के बाद मध्य तथा पश्चिम एशिया में तीन शक्तिशाली साम्राज्य उदित हुए। उज्बेक साम्राज्य का प्रभुत्व मावरा-उन्-नहर (ट्रांसआक्सियाना) पर था। सफवी साम्राज्य में ईरान शामिल था और उस्मानली (ऑटोमन) साम्राज्य का आधार अनातोलिया (आधुनिक तुर्की) तथा सीरिया में था, यद्यपि वह पूर्वी यूरोप तक फैला हुआ था और भूमध्य सागर क्षेत्र पर उसका दबदबा था। उस्मानली साम्राज्य अकेली एशियाई शक्ति था जिसके पास एक बड़ी नौसेना थी। बगदाद, दक्षिणी-पश्चिमी ईरान और अज़रबैजान पर प्रभुत्व के लिए सफ़वियों से उसका टकराव होता रहता था।

28. दीन-ए-इलाही का अर्थ था मुरीद बनाना और हजारों की संख्या में लोग बादशाह के मुरीद बन गए। मुरीद बनाने में अकबर के कुछ राजनीतिक हित भी निहित थे। वह ऐसे लोगों का एक दल चाहता था जो इसके प्रति वफादार हो ओर एक नए प्रकार का राज्य, जो धार्मिक सहिष्णुता अर्थात् सुलह कुल पर आधारित हो, बनाने में उसके साथ कंधे से कंधा मिलाकर खड़े हों।

29. सांख्यिकी के अभाव में देश की कुल आबादी का ठीक-ठीक अंदाजा लगा पाना कठिन है, तथापि कृषि-क्षेत्र, पैदावारों, राजस्व-दरों और जमा से संबंधित सांख्यिकी का उपयोग करके आधुनिक विद्वानों ने सोलहवीं सदी के अंत में देश की आबादी का तखमीना 14 से 15 करोड़ के बीच रखा है, जो अठारहवीं सदी के अंत तक धीरे-धीरे बढ़कर 19.8 या 20.7 करोड़ पहुंच गई—अर्थात् आबादी की औसत वृद्धि दर सालाना 0.21 प्रतिशत रही जो उस काल में पाश्चात्य देशों की आबादी की वृद्धि दर के समान थी। सोलहवीं और सत्रहवीं सदियों के दौरान

भारत की आबादी का 85 प्रतिशत हिस्सा गांवों में निवास करता था।

36. जन-असंतोष का संभवतः सबसे महत्त्वपूर्ण कारण अंग्रेजों द्वारा देश का आर्थिक शोषण तथा देश के परंपरागत आर्थिक ढांचे का विनाश था। इन दोनों बातों ने बहुत बड़ी संख्या में किसानों, दस्तकारों तथा हस्त-शिल्पियों को और साथ ही बड़ी संख्या में परंपरागत जमींदारों तथा मुखिया लोगों को निर्धनता के मुंह में झोंक दिया। अंग्रेजों की जमीन और राजस्व संबंधी नीतियां तथा कानून और प्रशासन की व्यवस्था इस असंतोष के अन्य सामान्य कारण रहे। खासकर जमीन के बहुत अधिक लगान के कारण जमीन का मालिकाना अधिकार बहुत सारे किसानों के हाथ से निकलकर व्यापारियों तथा सूदखोरों के हाथों में चला गया और वे कर्ज के भारी बोझ तले दबकर रह गए। यह नए जमींदार उन परंपराओं से अपरिचित थे जो पुराने जमींदारों को किसानों से जोड़कर रखती थीं और इसलिए उन्होंने लगान को बेपनाह बढ़ाकर किसानों को तबाह कर दिया। जो किसान लगान अदा नहीं कर सके, उनसे जमीनें छीन ली गईं। किसानों की इस तबाही का नतीजा उन 12 बड़े तथा अनेक छोटे अकालों के रूप में सामने आया जो 1770 और 1857 के बीच में पड़े। इसी तरह अनेक जमींदार भी भू-राजस्व की मांग बढ़ने के कारण परेशान हुए और उन्हें खतरा पैदा हो गया कि उनकी जमींदारी की जमीनें तथा अधिकार जब्त हो जाएंगे तथा गांव में उनकी स्थिति कमजोर हो जाएगी। जब अधिकारियों, व्यापारियों तथा सूदखोरों जैसे शुद्ध रूप से बाहरी लोगों ने उनकी जगह ले ली तब अपनी स्थिति में गिरावट पर उनका असंतोष और बढ़ गया।

45. भारत का दो राष्ट्रों में विभाजन से अनेक तात्कालिक समस्या उत्पन्न हुई। इन सभी समस्याओं में महत्वपूर्ण समस्या थी—विभाजन के साथ भड़कने वाली हिंसा, अपना सबकुछ लुटाकर भारत आए करीब साठ लाख शरणार्थियों की देखभाल और पुनर्वास, सांप्रदायिकता की महामारी का प्रसार और सांप्रदायिक दंगों, शरणार्थियों और कश्मीर को लेकर भारत तथा पाकिस्तान के बीच अमैत्रीपूर्ण संबंध।

प्रश्न-पत्र–III

नोट : *इस प्रश्न-प. में* ***पचहत्तर (75)*** *बहु-विकल्पीय प्रश्न हैं। प्रत्येक प्रश्न के* ***दो (2)*** *अंक हैं।* ***सभी प्रश्न अनिवार्य हैं।***

1. रेडियोकार्बन तिथि निर्धारण की पद्धति का प्रयोग सर्वप्रथम कहाँ हुआ था?

A. डेकन कालेज, पुणे
B. फिजिकल रिसर्च लेबोरेटरी, अहमदाबाद
C. स्कूल ऑफ आर्कलॉजी, नई दिल्ली
D. टाटा इन्स्टीट्यूट ऑफ फण्डामेन्टल रिसर्च, मुम्बई

2. भारत में पुरा-पाषाणिक उपकरण सर्वप्रथम कहाँ मिले थे?

A. हल्लूर B. कुरनूल
C. पल्लवरम् D. टेक्कलकोटा

3. निम्नलिखित पुरातत्त्ववेत्ताओं को उनके कालानुक्रम में व्यवस्थित कीजिए तथा नीचे दिए गए कूट की सहायता से सही उत्तर का चयन कीजिए:

(*i*) जेम्स फर्गूसन
(*ii*) जेम्स प्रिंसेस
(*iii*) एलेक्जेण्डर कनिंघम
(*iv*) एडवर्ड थामस

कूटः

A.	(*ii*)	(*i*)	(*iv*)	(*iii*)
B.	(*iv*)	(*ii*)	(*i*)	(*iii*)
C.	(*iii*)	(*iv*)	(*ii*)	(*i*)
D.	(*i*)	(*iii*)	(*ii*)	(*iv*)

4. हड़प्पा संस्कृति के लोगों ने गेहूँ, यव तथा कपास की खेती का ज्ञान निम्नस्थलीय पूर्वजों से प्राप्त किया:

A. कोटदीजी B. अमरी
C. मेहरगढ़ D. कालीबंगा

5. सूची-I को सूची-II से सुमेलित कीजिये एवं नीचे दिए गए कूट की सहायता से सही उत्तर का चयन कीजिए:

सूची-I (राज्य)	**सूची-II (नरेश)**
(*a*) कुरु	1. निचक्षु

(*b*) केकय 2. परीक्षित
(*c*) काशी 3. अश्वपति
(*d*) वत्सभूमि 4. अजातशत्रु

कूटः

	(*a*)	(*b*)	(*c*)	(*d*)
A.	2	3	4	1
B.	1	4	2	3
C.	3	2	1	4
D.	4	1	3	2

6. हस्तिनापुर के बाढ़ में बह जाने के बाद पाण्डवों ने अपनी राजधानी परिवर्तित की थी:

A. कौशाम्बी में B. कुरुक्षेत्र में
C. अहिच्छत्र में D. इन्द्रप्रस्थ में

7. पाटलिग्राम, जो परवर्ती काल में सुप्रसिद्ध पाटलिपुत्र नगर बन गया, का प्रारम्भ में दुर्गीकरण कराया था:

A. बिम्बिसार ने B. कालाशोक ने
C. अजातशत्रु ने D. उदयभद्र ने

8. 'धर्मराज' भी एक उपाधि थी:

A. अजातशत्रु की B. अशोक की
C. कनिष्क की D. हर्षवर्धन की

9. सिकन्दर के भारत आक्रमण के समय निम्नलिखित में से कहाँ बुजुर्गों की सभा की सहायता से दो वंशानुगत राजा शासन करते थे?

A. अष्टकराज B. अभिसार
C. क्षुद्रक D. पत्तल

10. मौर्य शासन-व्यवस्था में 'पौतवाध्यक्ष' किस विभाग का प्रमुख अधिकारी होता था?

A. माप-तौल B. वन सम्पदा
C. नौसेना D. नौकायन

11. सूची-I को सूची-II से सुमेलित कीजिए एवं नीचे दिए गए कूट की सहायता से सही उत्तर का चयन कीजिए:

सूची-I (प्राचीन स्थल)	**सूची-II (आधुनिक स्थिति)**
(*a*) पुष्कलावती	1. बेग्राम (अफगानिस्तान)
(*b*) कपिशा	2. हलेबिड
(*c*) गंगवाडि	3. चारसड्डा (पेशावर)
(*d*) द्वारसमुद्र	4. मैसूर

कूटः

	(*a*)	(*b*)	(*c*)	(*d*)
A.	3	2	1	4
B.	2	1	3	4
C.	3	1	4	2
D.	1	3	4	2

12. उस तमिल काव्य-संग्रह की पहचान कीजिए जिसमें चेर वंश के शासकों की प्रशंसा की गई है?

A. नट्रिणै B. पदिट्टुपत्तु
C. ऐंगुरुनूरु D. कुरुन्दोहै

13. गौतमीपुत्र शातकर्णि के हाथों नहपान की पराजय निम्नलिखित में से किस मुद्राभाण्ड से प्रमाणित होती है?

A. एरकिण B. नासिक
C. कुन्दुज़ D. उज्जयिनी

14. निम्नलिखित शासकों में से किसने सर्वाधिक अश्वमेघ यज्ञों का सम्पादन किया था?

A. समुद्रगुप्त B. कुमारगुप्त I
C. पुष्यमित्र शुङ्ग D. प्रवरसेन I

15. कालिदास को 'कौन्तलेश्वर दौत्य' नामक नाटक का रचयिता होने का श्रेय किसके द्वारा दिया गया है?

A. कुन्तलेष B. भारवि
C. राजशेखर D. क्षेमेन्द्र

16. नीचे दो वक्तव्य दिए गए हैं, एक को कथन (A) कहा गया है और दूसरे को कारण (R):

अभिकथन (A): चीनी यात्री ह्वेनसांग के अनुसार हर्षवर्द्धन न केवल बौद्ध धर्म का अनुयायी था वरन् ब्राह्मण धर्म का कटु विरोधी भी था।

कारण (R): कुछ मुद्राएँ, जो उसके अग्रज भ्राता को बौद्ध धर्मानुयायी बताती हैं, हर्ष को शैव धर्म के प्रति समर्पित करती हैं।

उपर्युक्त दो वक्तव्यों के संदर्भ में निम्नलिखित में से कौन-सा सही है?

A. (A) और (R) दोनों सही हैं, तथा (A) की सही व्याख्या (R) है।
B. (A) और (R) दोनों सही हैं, किन्तु (A) की सही व्याख्या (R) नहीं है।
C. (A) सही है, किन्तु (R) गलत है।
D. (A) गलत है, किन्तु (R) सही है।

17. सूची-I को सूची-II से सुमेलित कीजिये एवं नीचे दिए गए कूट की सहायता से सही उत्तर का चयन कीजिए:

सूची-I (प्राचीन नगर)	**सूची-II (वर्तमान स्थल)**
(*a*) अन्हिलवाड	1. मन्दसोर
(*b*) ऐहोल	2. अमरावती
(*c*) धान्यकटक	3. बादामी
(*d*) दशपुर	4. पाटन

कूट:

	(*a*)	(*b*)	(*c*)	(*d*)
A.	2	1	4	3
B.	4	3	2	1
C.	3	4	1	2
D.	4	1	2	3

18. राजराजेश्वर मन्दिर समर्पित है:

A. कार्तिकेय को
B. शिव को
C. विष्णु को
D. सूर्य को

19. उस राजवंश की पहचान कीजिए जिसके शासक अपने को ब्रह्म-क्षत्रिय कहते थे

A. प्रतिहार B. चालुक्य
C. सेन D. पाल

20. निम्नलिखित में से किस शासक ने खम्भात में एक क्षतिग्रस्त मस्जिद के पुनरुद्धार के लिए आर्थिक सहायता प्रदान की थी?

A. भोज परमार B. मिहिर भोज
C. कुमारपाल D. चामुण्डराज

21. निम्नलिखित में से किस राजवंश को उसकी शासन-व्यवस्था में स्त्रियों की भागीदारी के लिए जाना जाता है?

A. कलचुरि B. गाहड़वाल
C. चाहमान D. चालुक्य

22. निम्नलिखित घटनाओं को कालक्रम में लगाइए और नीचे दिए गए कूटों से सही उत्तर का चयन कीजिए:

(*i*) कल्याणी के चालुक्य राज्य का पतन
(*ii*) राजेन्द्र चोल द्वारा श्रीलंका पर विजय प्राप्त करना
(*iii*) यादव राज्य देवगिरि का दिल्ली सल्तनत में विलय
(*iv*) वेनिशीयन यात्री मार्को पोलो की दक्षिण भारत की यात्रा

कूट:

A.	(*i*)	(*iii*)	(*ii*)	(*iv*)
B.	(*ii*)	(*i*)	(*iv*)	(*iii*)
C.	(*ii*)	(*i*)	(*iii*)	(*iv*)
D.	(*i*)	(*iv*)	(*iii*)	(*ii*)

23. निम्नलिखित में से किस ग्रन्थ में फिरोज़शाह तुग़लक की नहर योजना का विस्तृत विवरण मिलता है?

A. फुतुहात-ए फिरोज़शाही
B. तारीख़-ए मुबारकशाही
C. तारीख़-ए फिरोजशाही
D. उपरोक्त में से कोई नहीं

24. अलाऊद्दीन खिलजी के सुधारों के सम्बन्ध में निम्नलिखित कथनों पर ध्यान दीजिए:

(*i*) जागीरों में दी गई समस्त राजस्व मुक्त भूमि को जब्त करना।
(*ii*) अपनी सेना में 'दाग' और 'चेहरा' को लागू करना।
(*iii*) बड़े अमीरों और सेनापतियों की 'इक्ता' को समाप्त करना।
(*iv*) शराब की सार्वजनिक बिक्री पर पाबन्दी लगाना।

नीचे दिए गए कूट में से सही उत्तर का चयन कीजिए:

कूट:

A. (*i*), (*ii*) और (*iii*) B. (*ii*), (*iii*) और (*iv*)
C. (*i*), (*ii*) और (*iv*) D. (*i*), (*iii*) और (*iv*)

25. निम्नलिखित में से अलवार संत कौन थे?

A. अप्पार B. कुलासेखरा
C. सम्बन्दार D. वैंकटनाथ

26. मार्को पोलो की पुस्तक मुख्य रूप से वर्णन करती है:

A. दक्षिण भारत का राजनैतिक इतिहास
B. दक्षिण भारत का आर्थिक इतिहास
C. दक्षिण भारत का सांस्कृतिक इतिहास
D. उपरोक्त में से कोई नहीं

27. निम्न विदेशी यात्रियों की दक्षिण भारत की यात्रा को तिथिक्रमानुसार क्रम में लगाते हुए दिए गए कूट में से सही उत्तर का चयन करें:

(*i*) ए. निकितीन
(*ii*) अब्दुर्रज़्ज़ाक
(*iii*) सीज़र फ्रेड्रिक
(*iv*) डोमिन्गो पायस

कूटः

A.	(*i*)	(*iii*)	(*ii*)	(*iv*)
B.	(*ii*)	(*iii*)	(*iv*)	(*i*)
C.	(*i*)	(*ii*)	(*iii*)	(*iv*)
D.	(*ii*)	(*i*)	(*iv*)	(*iii*)

28. सूची-I को सूची-II से सुमेलित कीजिये और प्रदत्त कूट से सही उत्तर का चयन कीजिए:

सूची-I (स्थानों के पुराने नाम)	**सूची-II** (आधुनिक नाम)
(*a*) बरन	1. अन्हिलवाड़ा
(*b*) कराचिल	2. भटिण्डा
(*c*) तबरहिंद	3. कुल्लू
(*d*) पट्टन	4. बुलन्दशहर

कूट :

	(*a*)	(*b*)	(*c*)	(*d*)
A.	2	3	1	4
B.	4	3	2	1
C.	1	2	3	4
D.	3	2	1	4

29. ग्यासुद्दीन तुगलक द्वारा तुगलक वंश की नींव रखने से सम्बन्धित निम्नलिखित कथनों में से कौन-सा कथन सही नहीं है?

A. सिंहासनारूढ़ होते समय, ग्यासुद्दीन के अधिकार को एकमत से स्वीकृत किया गया था।

B. ग्यासुद्दीन के पास भारी गिनती में वफादार सिपाही थे जिन्होंने उसे समर्थन दिया।

C. सल्तनत की स्थिरता के लिए दिल्ली में लोगों ने भारी योगदान दिया।

D. सल्तनत का खजाना जो उसे विरासत में मिला बहुत सुदृढ़ था।

30. नीचे दो कथन हैं, प्रथम को अभिकथन (A) और द्वितीय को तर्क (R) कहा गया है।

अभिकथन (A): दिल्ली के सल्तनत काल में शासकीय अधिकारियों का व्यवहार शरियत द्वारा संचालित होता था।

कारण (R): राज्य का ध्येय सम्पूर्ण देश को दार-उल-हर्ब से दार-उल-इस्लाम में परिवर्तित करना न था।

प्रदत्त कूट से सही उत्तर का चयन कीजिए।

कूट :

A. (A) तथा (R) दोनों सही हैं और (A) की सही व्याख्या (R) है।

B. (A) तथा (R) दोनों सही हैं, परन्तु (A) की सही व्याख्या (R) नहीं है।

C. (A) सही है, परन्तु (R) गलत है।

D. (A) गलत है, परन्तु (R) सही है।

31. शैफ शर्फुद्दीन याहिया मनेरी सूफी सिलसिले से सम्बन्ध रखते थेः

A. फिरदौसी B. चिश्ती

C. सुहरावर्दी D. नक्शबन्दी

32. निम्नलिखित में से बाबर नामाह के सम्बन्ध में कौन-सा कथन सही नहीं है?

A. बाबर के स्मरण अत्यधिक साहित्यिक मूल्य का ऐतिहासिक स्रोत हैं।

B. इसमें वर्णित घटनाएँ कालक्रमानुसार नहीं दी गई हैं।

C. बाबर ने प्रत्येक अच्छी-बुरी घटना का अत्यधिक निष्पक्षता से वर्णन किया है।

D. ऐतिहासिक घटनाएँ बाबर के निजी विचारों, मनोभावों और विवेक से इस प्रकार मिल गई हैं कि उन्हें एक दूसरे से अलग नहीं किया जा सकता।

33. नीचे दो कथन हैं, प्रथम को अभिकथन (A) और द्वितीय को तर्क (R) कहा गया है।

अभिकथन (A): प्रत्येक जागीरदार प्राथमिक रूप से मनसबदार था परन्तु प्रत्येक मनसबदार जागीरदार नहीं था।

कारण (R): कुछ मनसबदारों को नकद अदायगी की जाती थी, जागीरों द्वारा नहीं।

प्रदत्त कूट से सही उत्तर का चयन कीजिए।

A. (A) तथा (R) दोनों सही हैं और (A) की सही व्याख्या (R) है।

B. (A) तथा (R) दोनों सही हैं, परन्तु (A) की सही व्याख्या (R) नहीं है।

C. (A) सही है, परन्तु (R) गलत है।

D. (A) गलत है, परन्तु (R) सही है।

34. मध्य भारत के राजपूत राज्यों से संबंधित निम्नलिखित कथनों पर विचार कीजिए और नीचे दिए कूटों से सही उत्तर का चयन कीजिए:

(*i*) बांधवगढ़ पर बघेलों का शासन था।

(*ii*) इलाहाबाद सूबे में धंदेरा एक राजपूत रियासत थी।

(*iii*) ओरछा उत्तर और दक्खिन के संपर्क मार्ग पर स्थित था।

(*iv*) ओरछा बुंदेला राजपूतों के कब्जे में था।

कूटः

A. (*i*), (*ii*) और (*iii*) B. (*ii*), (*iii*) और (*iv*)

C. (*i*), (*iii*) और (*iv*) D. उपर्युक्त सभी

35. दाग और चेहरा मुगल सैन्य प्रशासन में किसके राज्यकाल में प्रारम्भ हुए?

A. अकबर B. जहाँगीर

C. शाहजहाँ D. औरंगज़ेब

36. हल्दी घाटी के युद्ध में मेवाड़ के अधिपति महाराणा प्रताप को मुगल सेना ने पराजित किया जिसका नेतृत्व कर रहे थे:

A. अब्दुर्रहीम ख़ान-ए ख़ाना

B. राजा मानसिंह

C. राजा भगवान दास

D. सादुल्ला ख़ान

37. इवान का मुगल वास्तुकला शब्दावली में अर्थ है—

A. एक मुख्य प्रवेशद्वार अथवा उच्च प्रवेशद्वार

B. तहखाने का अवतल तत्त्व, जो प्रायः मेहराबदार होता है।

C. कोनों सहित वर्गाकार अथवा आयताकार के रूप में संविन्यास

D. किसी भी आकार और योजना की स्तम्भीय रचना

38. किस मुग़ल बादशाह के काल में मुग़ल चित्रकला में प्राकृतिक दृश्यों का चित्रण अपनी पराकाष्ठा पर पहुँच गया था?

A. हुमायूँ B. अकबर

C. जहाँगीर D. शाहजहाँ

39. निम्नलिखित में से यह कथन किसका है कि 'पूर्व आधुनिक कालीन यूरोपीय राजाओं की भाँति उनके समकालीन मुगल बादशाह अपने रोजमर्रा के व्यय के लिए निजी साहूकारों के ऋणों पर निर्भर नहीं करते थे।'

A. इरफान हबीब

B. संजय सुब्रह्मयम

C. डब्ल्यू.एच. मोरलैण्ड

D. जे.एफ. रिचर्डस

40. सूची-I को सूची-II से सुमेलित कीजिये और प्रदत्त कूट से सही उत्तर का चयन कीजिए:

सूची-I (स्थान)	**सूची-II (संस्थापक)**
(*a*) शहर बीकानेर	1. राणा कुम्भा
(*b*) कीर्ति स्तम्भ (चित्तौड़)	2. राव बीका
(*c*) शहर अहमदाबाद	3. अल्प खाँ
(*d*) शहर होशंगाबाद	4. अहमदशाह I

कूट :

	(*a*)	(*b*)	(*c*)	(*d*)
A.	1	2	3	4
B.	1	2	4	3
C.	2	1	4	3
D.	2	1	3	4

41. निम्नलिखित युग्मों में से कौन-सा युग्म सही प्रकार से सुमेलित **नहीं** है?

संस्था		**स्थान**
A. खुदाबख़्श लाइब्रेरी	–	पटना
B. भण्डारकर ओरियन्टल रिसर्च इंस्टीट्यूट	–	पुणे
C. नेशनल लाइब्रेरी	–	नई दिल्ली
D. सालारजंग म्यूज़ियम	–	हैदराबाद

42. निम्नलिखित पेशवाओं को कालक्रमानुसार सुव्यवस्थित कीजिए:

(*i*) बालाजी बाजीराव (*ii*) बाजीराव II

(*iii*) माधवराव I (*iv*) माधवराय नारायण

प्रदत्त कूट से सही उत्तर का चयन कीजिए:

कूटः

A. (*i*) (*ii*) (*iv*) (*iii*)

B. (*i*) (*iii*) (*iv*) (*ii*)

C. (*ii*) (*iii*) (*i*) (*iv*)

D. (*iii*) (*ii*) (*iv*) (*i*)

43. निम्नलिखित में से कौन-सा कथन सही नहीं है?

A. भारत के उत्तर मध्य काल के फारसी स्रोतों में ग्रामीण समाज के जीवन का विवरण बहुत सीमित है।

B. इस अवधि में भारत की यात्रा करने वाले विदेशी यात्रियों ने ग्रामीण समाज का बहुत कम विवरण दिया है।

C. क्षेत्रीय साहित्यिक स्रोत किसी हद तक ग्रामीण लोगों के जीवन और स्थिति की जानकारी प्राप्त करने में हमारे लिए सहायक होते हैं।

D. भू-राजस्व से संबंधित राजस्व अभिलेखों की बड़ी मात्रा, मध्यकालीन भारत के ग्रामीण समाज के इतिहास के निर्माण में सहायक नहीं है।

44. निम्नलिखित में से कौन-सा ईस्ट इंडिया कम्पनी के स्थायी राजस्व बंदोबस्त का मुख्य प्रतिफल नहीं था?

A. इसने जागीरदारों का एक वफादार वर्ग खड़ा किया।
B. काश्तकारों को जमींदारों की कृपा पर छोड़ दिया।
C. कम्पनी की राजस्व वृद्धि प्रक्रिया में रुकावट आ गई।
D. कृषि उत्पादन को विशेष बढ़ावा मिला।

45. वर्ष 1767 और 1769 के बीच बंगाल का गवर्नर कौन था?

A. राबर्ट क्लाइव B. वर्लेस्ट
C. कार्टियर D. काउंट डी लाली

46. हैदराबाद के निज़ाम राज्य का संस्थापक था–

A. निज़ाम अली खान B. मुजफ्फर जुंग
C. छिन लूलिच खान D. मीर उस्मान अलीखान

47. निम्नलिखित विद्रोहों को कालक्रम में लगाइए और नीचे दिए कूटों से सही उत्तर का चयन कीजिए:

(*i*) कोली (*ii*) संथाल
(*iii*) चुआर (*iv*) वघेरा

कूट :

A.	(*iii*)	(*iv*)	(*i*)	(*ii*)
B.	(*iii*)	(*iv*)	(*ii*)	(*i*)
C.	(*iv*)	(*iii*)	(*i*)	(*ii*)
D.	(*i*)	(*iii*)	(*iv*)	(*ii*)

48. किस चार्टर एक्ट से भारतीय व्यापार का मार्ग अंग्रजों के लिए खुल गया और ईस्ट इंडिया कम्पनी के लिए समाप्त हो गया?

A. 1793 B. 1813
C. 1833 D. 1853

49. नीचे दो कथन दिये जा रहे हैं। प्रथम को अभिकथन (A) और दूसरे को तर्क (R) कहा गया है।

अभिकथन (A): ब्रिटिश शासन के पास देशी रियासतों के लिए अपनी शाही नीति में कोई सुसंगत स्थान नहीं था।

कारण (R): वे देशी राजाओं को एक-दूसरे से अलग रखते थे। इस पारम्परिक शाही ने भारत के स्थायी भेद को प्रगट करने के प्रयोजन को पूरा किया।

उपर्युक्त कथनों को पढ़िए और प्रदत्त कूट से सही उत्तर का चयन कीजिए।

कूट :

A. (A) सही है, परन्तु (R) गलत है।
B. (A) गलत है, परन्तु (R) सही है।
C. (A) और (R) दोनों सही हैं और (A) की (R) सही व्याख्या है।
D. (A) और (R) दोनों सही हैं, परन्तु (A) की (R) सही व्याख्या नहीं है।

50. वर्ष 1661 में निम्नलिखित में से कौन मद्रास का गवर्नर था?

A. फॉक्स क्राफ्ट B. स्ट्रेयंशाम
C. गेराल्ड औंगीर D. चार्ल्स बून

51. निम्नलिखित नीति दस्तावेज़ों में से किसे भारत में पाश्चात्य शिक्षा पद्धति का 'मैग्नाकार्टा' कहा जाता है?

A. मैकाले का 1835 का मिनट
B. भारतीय शिक्षा आयोग की रिपोर्ट, 1882
C. चार्ल्स वुडस का 1854 का डिस्पैच
D. रैले आयोग रिपोर्ट, 1902

52. गेट वे ऑफ इंडिया का निर्माण किसके सम्मान में किया गया था?

A. किंग जार्ज V B. किंग जार्ज VI
C. प्रिंस ऑफ वेल्स D. महारानी विक्टोरिया

53. सूची-I को सूची-II से सुमेलित कीजिये और नीचे दिए गए कूटों से सही उत्तर का चयन कीजिए:

सूची-I	सूची-II
(*a*) दादाभाई नौरोजी	1. इंडियन मिरर
(*b*) द्वारकानाथ विद्याभूषण	2. राष्ट्र गुफ्तार
(*c*) देवेन्द्रनाथ टैगोर	3. स्वदेशमित्रम्
(*d*) जी.एस. अय्यर	4. सोमप्रकाश

कूटः

	(*a*)	(*b*)	(*c*)	(*d*)
A.	3	2	4	1
B.	2	4	3	1
C.	2	1	3	4
D.	2	4	1	3

54. वेद समाज जो केशव सेन की पहल पर 1864 में मद्रास में स्थापित हुआ उसी को दुबारा 1871 में दक्षिण भारत के ब्रह्म समाज के नाम से किसने चलाया?

A. सर आर. वेंकटरत्नम् नायडू
B. राजगोपाला नायडू
C. सुब्बारायला छेत्ती
D. के. श्रीधरलू नायडू

55. निम्नलिखित वायसरायों को कालक्रम में लगाइए और नीचे दिए गए कूटों से सही उत्तर का चयन कीजिए:

(*i*) लार्ड रीडिंग
(*ii*) अर्ल ऑफ विलिंगडन
(*iii*) सर जॉन लारेंस
(*iv*) अर्ल ऑफ डफरिन

कूटः

A.	(*iii*)	(*iv*)	(*i*)	(*ii*)
B.	(*iii*)	(*i*)	(*ii*)	(*iv*)
C.	(*ii*)	(*iii*)	(*iv*)	(*i*)
D.	(*iv*)	(*ii*)	(*i*)	(*iii*)

56. नीचे दो कथन दिये जा रहे हैं। प्रथम को अभिकथन (A) और दूसरे को तर्क (R) कहा गया है।

अभिकथन (A): भारतीय राज्य आयोग ने 'रेखांकित किया कि सर्वोच्चता' को सर्वोच्च ही रहना चाहिए।

कारण (R): अंग्रेजों का नवीन सामूहिक राजाशाही संस्कृति से मोह-भंग हो गया था।

उपर्युक्त कथनों को पढ़िए और प्रदत्त कूट से सही उत्तर का चयन कीजिए।

कूटः

A. (A) सही है, परन्तु (R) गलत है।
B. (A) गलत है, परन्तु (R) सही है।
C. (A) और (R) दोनों सही हैं और (A) की (R) सही व्याख्या है।
D. (A) और (R) दोनों सही हैं, परन्तु (A) की (R) सही व्याख्या नहीं है।

57. निम्नलिखित आयोगों को कालक्रम में लगाइए और नीचे दिए कूटों से सही उत्तर का चयन कीजिए:

(*i*) कोठारी आयोग
(*ii*) राधाकृष्णन आयोग
(*iii*) सैडलर आयोग
(*iv*) विश्वविद्यालय अनुदान आयोग

कूटः

A.	(*iii*)	(*ii*)	(*iv*)	(*i*)
B.	(*ii*)	(*iii*)	(*iv*)	(*i*)
C.	(*iv*)	(*iii*)	(*i*)	(*ii*)
D.	(*iii*)	(*ii*)	(*i*)	(*iv*)

58. श्रीमती एनी बेसेंट किस वर्ष भारतीय राष्ट्रीय कांग्रेस की पहली महिला अध्यक्ष बनी थीं?

A. 1916
B. 1917
C. 1919
D. 1921

59. 1904 में किसने कहा था कि "संयुक्त बंगाल एक शक्ति है, विभाजित बंगाल कई भिन्न रास्तों पर चलेगा"?

A. लार्ड कर्ज़न
B. हर्बर्ट रिसले
C. लार्ड मिंटो
D. सर लांसलोट हारे

60. श्यामजी कृष्ण वर्मा ने निम्नलिखित में से किस वर्ष भारत की स्वतंत्रता के लिए कार्य करने हेतु लंदन में इंडिया हाउस स्थापित किया था?

A. 1902 B. 1905
C. 1907 D. 1909

61. निम्नलिखित में से किसने गोपाल कृष्ण गोखले को "व्यावहारिक, कर्मठ कार्यकर्ता और स्वप्नों का गूढ़ स्वप्नदृष्टा" के गुणों का अनोखा संगम कहा है?

A. श्रीमती सरोजिनी नायडू
B. श्रीमंती एनी बेसेंट
C. गणेश सावरकर
D. वी.डी. सावरकर

62. वैकम सत्याग्रह को गाँधीजी ने केरल में किस लिए प्रारम्भ किया?

A. मंदिरों से देवदासी प्रथा के उन्मूलन के लिए।
B. अस्पृश्यता को दूर करने के लिए।
C. गैर-ब्राह्मणों को पुजारी लगवाने के लिए।
D. मंदिर के द्वार निम्न जातियों अथवा अवर्णों के प्रवेश के लिए खुलवाने हेतु।

63. सूची-I को सूची-II से सुमेलित कीजिये और नीचे दिए गए कूटों से सही उत्तर का चयन कीजिएः

सूची-I	सूची-II
(*a*) कोलिन्स, लारी और लेपीयर	1. सेटानिक वर्सेस
(*b*) जुडिथ ब्राउन	2. द ग्रेट डिवाइन : ब्रिटेन-इंडिया-पाकिस्तान
(*c*) सलमान रुश्दी	3. फ्रीडम ऐट मिडनाइट
(*d*) एच.वी. हडसन	4. गांधीजी राइज टु पॉवर

कूटः

	(*a*)	(*b*)	(*c*)	(*d*)
A.	3	4	1	2
B.	4	2	3	1
C.	1	3	4	2
D.	3	1	4	2

64. यह टिप्पणी किसने की है कि 'इतिहास उपन्यास से अधिक रुचिकर होता है'?

A. डेविड ह्यूम B. टोयन्बी
C. लिवी D. टेसिटस

65. अन्य विषयों के साथ इतिहास के संबंध के बारे में निम्नलिखित में से कौन-सा कथन सही नहीं है?

A. आधुनिक आर्थिक इतिहास का समर्थन काफी हद तक सांख्यिकीय आंकड़ों से किया जाता है।
B. लंबे समय तक इतिहास को साहित्य की शाखा नहीं माना जाता था।
C. सृजनात्मक विचार और समाज पर उनके प्रभाव के कारण बौद्धिक इतिहास का निर्माण हुआ है।
D. समय और स्थान ऐसे कारक हैं, जो इतिहास को सही परिप्रेक्ष्य प्रदान करते हैं।

66. निम्नलिखित में से किसने यह घोषणा की थी कि उत्तर आधुनिकवादी के विचार ऐतिहासिक अध्ययन के लिए एक खतरा है?

A. अर्थर मार्विक B. होल्डन फर्बर
C. रिचर्ड जे. इवान्स D. एच.ई. बर्नीज

67. पुनर्जागरण काल से संबंधित निम्नलिखित टिप्पणियों पर विचार कीजिए और नीचे दिए गए कूटों से सही उत्तर का चयन कीजिएः

(*i*) पुनर्जागरण इस प्रकार की नई सीख को स्पष्ट करता है, जो मानवीय विचार के प्रत्येक पहलू में जिज्ञासा की भावना के महत्त्व को प्रकट करती है।
(*ii*) ईश्वर और आध्यात्मवाद की तुलना में मानव और मानवतावाद पर अधिक बल दिया गया है।
(*iii*) ग्रीक और रोमन के प्राचीन विद्वानों द्वारा रचित ग्रंथों के अध्ययन को महत्त्व नहीं दिया गया।
(*iv*) मानवतावादी आंदोलन से उत्पन्न पुनर्जागरण पश्चिमी विचारों को मध्यकालीन ईसाईमत के बंधनों से मुक्ति नहीं दिला सका।

कूटः

A. (*i*) और (*ii*)
B. (*i*) और (*iii*)
C. (*ii*), (*iii*) और (*iv*)
D. (*i*), (*ii*), (*iii*) और (*iv*)

68. सूची-I को सूची-II से सुमेलित कीजिये और नीचे दिए गए कूटों से सही उत्तर का चयन कीजिएः

सूची-I	सूची-II
(*a*) मान्टेस्क्यु	1. डिवाइन कॉमेडी
(*b*) दांते	2. द स्प्रिट ऑफ लॉज
(*c*) रूसो	3. द सोशल कॉन्ट्रेक्ट
(*d*) मैकियावली	4. द प्रिंस

कूटः

	(*a*)	(*b*)	(*c*)	(*d*)
A.	2	1	3	4
B.	3	4	2	1
C.	4	3	1	2
D.	2	3	4	1

69. सूची-I को सूची-II से सुमेलित कीजिये और नीचे दिए गए कूटों से सही उत्तर का चयन कीजिएः

सूची-I	सूची-II
(*a*) जैकब बरखर्डट	1. द सोसाइटी ऑफ जेसस
(*b*) इग्नेट्स ऑफ लोयोला	2. क्रिटिक ऑफ प्योर रिजन
(*c*) जॉन केल्विन	3. द सिविलाइजेशन ऑफ द रेनाइसेन्स इन इटली
(*d*) इमैनुअल कांट	4. इंस्टीट्यूट ऑफ द क्रिस्चियन रिलीजन

कूटः

	(a)	(b)	(c)	(d)
A.	3	1	4	2
B.	4	3	1	2
C.	3	4	1	2
D.	1	3	2	4

70. दुर्हाम की रिपोर्ट में पूर्ण स्वतंत्र राज्य की दिशा में अंग्रेजों के उपनिवेशों की धीरे-धीरे मुक्ति की आवश्यकता का समर्थन किया गया था, यह सिफारिश निम्नलिखित में से किस पर लागू की गई?

A. अफ्रीका में उपनिवेश
B. एशिया में उपनिवेश
C. यूरोप में उपनिवेश
D. उपर्युक्त सभी

निर्देशः *निम्नलिखित गद्यांश को पढ़िए तथा प्रश्न सं. 71 से 75 का उत्तर दीजिएः*

चन्द्रगुप्त के पौत्र अशोक (273-236 ई.पू.) जिसे देवानांपिय (देवताओं को प्रिय) एवं पियदसि (प्रियदर्शी) कहा गया है। भ्रातृ-युद्ध में विजयी होकर पाटलिपुत्र के सिंहासन पर विराजमान हुए। सिंहासनारूढ़ होने के नौ वर्ष पश्चात कलिंग का युद्ध जीतकर उन्होंने उस राज्य को पूर्णता प्रदान की जिसे उन्होंने अपने पूर्वजों से प्राप्त किया था।

कलिंग युद्ध की सम्राट के ऊपर भयावह प्रतिक्रिया हुई। निस्सन्देह यह प्रतिक्रिया बुद्ध की शिक्षाओं के कारण हुई थी। अशोक को भारी संख्या में मारे गए अथवा बंदी हुए लोगों पर खेद था। उन्हें धर्मपरायण पुरुषों और स्त्रियों की दशा का दुःख था जिन पर व्यक्तिगत हिंसा, मृत्यु अथवा अपने प्रियजनों से बिछुड़ने का आघात पड़ा था, उन्होंने शासन के उपकरण के रूप में युद्ध के उपयोग को हमेशा के लिए तिलांजलि देते हुए कहा कि 'यदि उसे कोई नुकसान पहुँचाता है तो वह वहाँ तक सब कुछ सहन करेगा जो सहनीय होगा।' कलिंग युद्ध के बाद उन्होंने धर्म विजय (अर्थात् धर्म के द्वारा विजय) के पथ का अनुसरण किया। उन्होंने धर्म के प्रचार के लिए धर्म-प्रचारकों का एक वर्ग (नेटवकी) स्थापित किया। उन्होंने घोषणा की कि सभी लोग मेरी सन्तान हैं। उन्होंने यह घोषणा भी की कि और जो छोटा-सा प्रयास मैं करता हूँ – वह किस लिए है? इसलिए कि मैं प्राणियों के ऋण से मुक्त हो सकूँ, मैं कुछेक को इस धरती पर प्रसन्न कर सकूँ और वे इस लोक में स्वर्ग प्राप्त कर सकें। सम्राट ने अपने आपको संसार के नैतिक एवं भौतिक कल्याण के अभिभावक की भूमिका में स्वीकार किया।

71. कुछ अपवादों को छोड़कर अशोक का उल्लेख उसके सभी अभिलेखों में 'देवानांपिय' एवं 'पियदसि' के रूप में हुआ है। वे अपवाद कौन से हैं?

(*i*) मास्की (*ii*) गुजर्रा
(*iii*) नित्तुर (*iv*) उदेगोलम

नीचे दिए गए कूट की सहायता से सही उत्तर का चयन कीजिएः

कूटः

A. केवल (*i*)
B. (*i*) और (*ii*)
C. (*i*), (*iii*) और (*iv*)
D. (*i*), (*ii*), (*iii*) और (*iv*)

72. वह साक्ष्य कौन-सा है जो अशोक के भ्रातृ-युद्ध की परम्परा को झुठलाता है?

A. अशोकावदान
B. दीपवंश
C. अशोक का चौथा शिलालेख
D. अशोक का सातवाँ स्तम्भलेख

73. निम्नलिखित में से कौन अशोक के साम्राज्य में सम्मिलित **नहीं** था?

A. तमिलकम्
B. सौराष्ट्र
C. कन्दहार
D. कश्मीर

74. अपने किस अभिलेख में अशोक कलिंग युद्ध के रक्तचाप की विभीषिका पर अपना पश्चाताप व्यक्त करता है?

A. पृथक कलिंग अभिलेख
B. भाब्रू अभिलेख
C. तेरहवाँ शिलालेख
D. चौथा शिलालेख

75. निम्नलिखित में से अपने किस अभिलेख में अशोक ने यह घोषणा की कि सभी लोग उसकी सन्तान हैं?

A. पहला लघु शिलालेख
B. बारहवाँ शिलालेख
C. पृथक् कलिंग अभिलेख
D. रुम्मिनदेयी स्तम्भलेख

उत्तरमाला

1	2	3	4	5	6	7	8	9	10
D	C	A	C	A	A	C	B	D	A
11	**12**	**13**	**14**	**15**	**16**	**17**	**18**	**19**	**20**
C	B	B	D	D	B	B	B	C	D
21	**22**	**23**	**24**	**25**	**26**	**27**	**28**	**29**	**30**
D	C	B	C	B	B	D	B	D	D
31	**32**	**33**	**34**	**35**	**36**	**37**	**38**	**39**	**40**
A	B	A	C	A	B	D	C	D	C
41	**42**	**43**	**44**	**45**	**46**	**47**	**48**	**49**	**50**
C	B	D	D	B	C	A	B	D	A
51	**52**	**53**	**54**	**55**	**56**	**57**	**58**	**59**	**60**
C	A	D	D	A	C	A	B	B	B
61	**62**	**63**	**64**	**65**	**66**	**67**	**68**	**69**	**70**
A	D	A	A	B	A	A	A	A	C
71	**72**	**73**	**74**	**75**					
D	C	A	C	C					

कुछ चुने हुए प्रश्नों के व्याख्यात्मक उत्तर

10. मौर्यकाल से संबंधित अध्यक्ष–

1. पौतवाध्यक्ष–माप एवं तौल
2. शुल्काध्यक्ष–सीमा-शुल्क
3. पण्याध्यक्ष–वाणिज्य
4. सामस्थाध्यक्ष–बाजार
5. सीताध्यक्ष–राजकीय भूमि
6. आकाराध्यक्ष–खान
7. लोहाध्यक्ष–लोहा
8. नवाध्यक्ष–राजकीय नावों का प्रमुख
9. राथाध्यक्ष–रथ
10. हस्ताध्यक्ष–हस्तिबल
11. मुद्राध्यक्ष–पासपोर्ट
12. कृप्याध्यक्ष–जंगली उत्पादन
13. कोषाध्यक्ष–कोषागार
14. सूत्राध्यक्ष–कृषि विभाग
15. अक्षपाताध्यक्ष–लेखा-जोखा
16. मन अध्यक्ष–माप
17. सुराध्यक्ष–शराब
18. विवीताध्यक्ष–चारागाहों का अध्यक्ष
19. पत्तनाध्यक्ष–पत्तन
20. गणिकाध्यक्ष–गणिका
21. देवताध्यक्ष–धार्मिक संस्थान
22. लक्षणाध्यक्ष–टकसाल
23. गोडध्यक्ष–मवेशियों की देख-रेख
24. वंधनगराध्यक्ष–कारागार
25. आयुधगाराध्यक्ष–हथियार एवं रख-रखाव का अध्यक्ष।

12. परित्रुप्पतु–इसमें चेर शासकों के शौर्य का विवरण है। इसके माध्यम से चेरकालीन इतिहास एवं संस्कृति पर व्यापक प्रकाश पड़ता है।

18. राजराज प्रथम ने श्रीलंका पर आक्रमण किया। वहाँ के राजा महिम-V को भागकर श्रीलंका के दक्षिण जिला रोहण में शरण लेनी पड़ी। राजराज-I श्रीलंका के विजित प्रदेशों को चोल साम्राज्य का एक नया प्रांत मुम्ड़िचोलमंडलम बनाया और पोलन्नरुवा को इसकी राजधानी बनाया। राजराज-I शैव धर्म का अनुयायी था। राजराज-I ने तंजौर में राजराजेश्वर का शिवमंदिर बनाया। चोल साम्राज्य का सर्वाधिक विस्तार राजेन्द्र प्रथम के शासनकाल में हुआ है।

19. **ब्रह्म-क्षत्र :** कुछ शासक वंशों द्वारा (ब्राह्मण एवं क्षत्रिय दोनों वर्णों से संबंधित होने) विशिष्ट स्थिति का दावा। इसके अनुसार, ब्राह्मण एवं क्षत्रिय दोनों वर्णों से वंशोत्पत्ति का दावा किया गया, जैसे कि बंगाल के सेन वंशीय शासकों द्वारा।

24. तुर्क अमीरों के विद्रोह को समाप्त करने के लिए चार अध्यादेश जारी किए :

1. दान, उपहार, पेंशन के रूप में दी गई भूमि जब्त।
2. गुप्तचर विभाग का संगठन। 'बरीद' एवं 'मुनहिस' की नियुक्ति।
3. मद्य, जुआ, भाँग पर प्रतिबंध।
4. अमीरों के आपसी मेलजोल, सार्वजनिक समारोहों, वैवाहिक संबंधों पर प्रतिबंध।

31. **फिरदौसी उपसंप्रदाय :** *संस्थापक*—शेख बदरुद्दीन (14वीं शताब्दी में, राजगीर में), *प्रमुख संत*—शेख शरफुद्दीन याह्या मनेरी, *प्रभाव क्षेत्र*—बिहार एवं बंगाल।

33. मनसबदारी भारत में मुगलों द्वारा आविष्कृत एक विलक्षण पद्धति थी। मोटे तौर पर देखें तो किसी व्यक्ति को दिए गए मनसब या दर्जे से सरकारी सोपान-व्यवस्था में उसका स्थान और वेतन दोनों निर्धारित होते थे। उससे यह भी तय होता था कि किस मनसबदार को राज्य की सेवा के लिए कितने सशस्त्र परिचर (ताबीनान) रखने थे। मनसबदार को किसी भी प्रशासनिक या सैनिक पद पर नियुक्त किया जा सकता था या बादशाह की सेवा में दरबार में रखा जा सकता था। इस प्रकार पूरा मनसबदारी तंत्र एक ही सेवा-संवर्ग था, जिसमें दीवानी और सैनिक दोनों प्रकार के दायित्वों का समावेश था। वेतन नकद दिया जा सकता था, लेकिन आमतौर पर उसके बदले जागीरें बख्शी जाती थीं। जागीर बख्शने का मतलब जागीर क्षेत्र से राज्य को प्राप्त सभी देयों की वसूली का अधिकार था।

36. हल्दीघाटी का युद्ध 18 जून, 1576 ई. को मेवाड़ के शासक महाराणा प्रताप एवं अकबर के बीच हुआ। इस युद्ध में अकबर विजयी हुआ। इस युद्ध में मुगल सेना का नेतृत्व मान सिंह एवं आसफ खाँ ने किया था।

38. पारखी दृष्टि के धनी जहांगीर के अधीन मुगल चित्रकला शिखर पर जा पहुंची। शिकार, युद्ध और दरबार के दृश्यों को चित्रित करने के अलावा उसके शासनकाल में आकृति-चित्रण और पशुओं, फूलों आदि के चित्रांकन में विशेष प्रगति हुई। इस क्षेत्र में मंसूर एक बड़ा नाम था।

42. बाजीराव प्रथम की मृत्यु के बाद बालाजी बाजीराव 1740 ई. में पेशवा बना। 1750 ई. में संगोला संधि के बाद पेशवा के हाथ में सारे अधिकार सुरक्षित हो गए। बालाजी बाजीराव को नाना साहब के नाम से भी जाना जाता था। झलकी की संधि हैदराबाद के निजाम एवं बालाजी बाजीराव के मध्य हुई। बालाजी बाजीराव के समय में ही पानीपत का तृतीय युद्ध (14 जनवरी, 1761 ई.) हुआ, जिसमें मराठों की हार हुई। इस हार को नहीं सह पाने के कारण बालाजी की मृत्यु 1761 ई. में हो गई। माधवराव प्रथम 1761 ई. में पेशवा बना। इसने मराठों की खोई हुई प्रतिष्ठा को पुनः प्राप्त करने का प्रयास किया। माधवराव ने ईस्ट इंडिया कंपनी की पेंशन पर रह रहे मुगल बादशाह शाह आलम-द्वितीय को पुनः दिल्ली की गद्दी पर बैठाया। मुगल बादशाह अब मराठों का पेंशनभोगी बन गया। पेशवा नारायण राव (1772-73) की हत्या उसके चाचा रघुनाथ राव के द्वारा कर दी गई। पेशवा माधवराव नारायण-द्वितीय की अल्पायु के कारण मराठा राज्य की देखरेख बारहभाई सभा नाम की 12 सदस्यों की एक परिषद् करती थी। इस परिषद् के दो महत्वपूर्ण सदस्य थे—महादजी सिंधिया एवं नाना फड़नबीस। अंतिम पेशवा राघोवा का पुत्र बाजीराव-द्वितीय था, जो अंग्रेजों की सहायता से पेशवा बना था। मराठों के पतन में सर्वाधिक योगदान इसी का था। यह सहायक संधि स्वीकारने वाला प्रथम मराठा सरदार था।

44. लॉर्ड कॉर्नवॉलिस ने 1793 में बंगाल और बिहार में इस्तमरारी बंदोबस्त की प्रथा का आरंभ किया। इसकी दो खास विशेषताएं थीं। पहली यह कि जमींदारी और मालगुजारों को भूस्वामी बना दिया गया। उन्हें अब रैयतों से मालगुजारी की वसूली के लिए केवल सरकार के एजेंट का ही काम नहीं करना था, बल्कि अब वे अपनी जमींदारी के इलाके की सारी जमीन के मालिक बन गए। उनके स्वामित्व के अधिकार को वंशगत और हस्तांतरणीय बना दिया गया। दूसरी तरफ काश्तकारों का दर्जा गिर गया और अब वे बंटाईदार होकर रह गए और उन्हें जमीन पर लंबे समय से चले आ रहे अधिकारों तथा पारंपरिक फायदों से वंचित कर दिया गया।

45. राबर्ट क्लाइव 1757-60 ई. एवं पुनः 1765-67 ई. में बंगाल का गवर्नर बना। इसने बंगाल में द्वैध शासन की

व्यवस्था की, जिसके तहत राजस्व वसूलने, सैनिक संरक्षण एवं विदेशी मामले कम्पनी के अधीन थे, जबकि शासन चलाने की जिम्मेवारी नवाब के हाथों में थी। इसने मुगल सम्राट् शाहआलम द्वितीय को इलाहाबाद की द्वितीय संधि (1766 ई.) के द्वारा कंपनी के संरक्षण में ले लिया। राबर्ट क्लाइव ने बंगाल के समस्त क्षेत्र के लिए दो उप-दीवान, बंगाल के लिए मुहम्मद रजा खाँ और बिहार के लिए राजा सिताब राय को नियुक्त किया। अन्य गवर्नर बरेलास्ट (1767-69 ई.), कार्टियर (1769-72 ई.), वारेन हेस्टिंग्स (1772-74 ई.) थे।

46. **चुआर विद्रोह**–बाकुड़ा (बंगाल), दुर्जन सिंह (1798 ई.) **कोल आन्दोलन**–छोटानागपुर (झारखंड), गोमधर कुँवर (1831-32 ई.)

संथाल विद्रोह–बंगाल एवं बिहार, सिद्धू-कान्हू (1855-56 ई.)

48. **चार्टर एक्ट, 1813**–इस अधिनियम के अनुसार चाय तथा चीन के साथ होने वाले व्यापार को छोड़कर कम्पनी के व्यापारिक एकाधिकार को समाप्त कर दिया गया। कम्पनी के अंश पूँजी धारकों को भारतीय राजस्व से 10-12 प्रतिशत लाभांश दिया जाना निश्चित किया गया। कम्पनी को अगले 20 वर्ष के लिए भारतीय प्रदेशों तथा राजस्व पर अधिकार दे दिया गया।

51. 1854 ई. में भारत में सर चार्ल्स वुड की अध्यक्षता में गठित समिति ने भावी शिक्षा के लिए वृहत् योजना तैयार की जिसमें अखिल भारतीय स्तर पर शिक्षा की नियामक पद्धति का गठन किया गया।

53. *इंडियन मिरर*–केशवचंद्र सेन, *रस्ट गुफ्तूर*–दादाभाई नौरोजी, *संवाद कौमुदी*–राजा राममोहन राय, *सोम प्रकाश*–ईश्वरचंद्र विद्यासागर।

55. लॉर्ड लारेंस (1864-69 ई.), लॉर्ड डफरिन (1884-88 ई.), लॉर्ड रीडिंग (1921-26 ई.), लॉर्ड वेलिंगटन (1931-36 ई.)

57. 1917 ई. में ब्रिटिश सरकार ने कलकत्ता विश्वविद्यालय की समस्याओं का अध्ययन करने के लिए सैडलर आयोग की नियुक्ति की जिसमें आशुतोष मुखर्जी और डॉ. जियाउद्दीन अहमद दो भारतीय सदस्य थे। राधाकृष्णन आयोग (1948 ई.) के सुझावों पर भारत सरकार ने 1953 ई. में विश्वविद्यालय अनुदान आयोग की स्थापना की। उच्च शिक्षा के तीन उद्देश्य 1. सामान्य, 2. सरकारी तथा 3. व्यावसायिक शिक्षा का परामर्श। विश्वविद्यालय अनुदान आयोग–राधाकृष्णन आयोग के सुझावों को कार्यान्वित करने के लिए 1953 में स्थापित इसके लिए धन की व्यवस्था केन्द्र सरकार करती है। कोठारी शिक्षा आयोग (1964-66) ने सभी स्तरों पर सामान्य शिक्षा के क्रम में समाज सेवा, कार्य अनुभव तथा उत्पादन अनुभव की शिक्षा शुरू करना, नैतिक शिक्षा तथा सामाजिक उत्तरदायित्व, उन्नत अध्ययन केन्द्रों का सुदृढ़ीकरण, अध्यापकों को प्रशिक्षित कर अधिक योग्य बनाना, शिक्षा पुनर्निर्माण के क्रम में कृषि अनुसंधान तथा इनसे संबंधित विज्ञानों को उच्च प्राथमिकता देने की सिफारिशें की थीं।

58. **1915**–बंबई, सर सत्येन्द्र प्रसन्न सिन्हा, **1916**–लखनऊ, अंबिकाचरण मजूमदार, **1917**–कलकत्ता, श्रीमती एनी बेसेंट, **1918**–बंबई, हसन इमाम, **1919**–अमृतसर, पं. मोतीलाल नेहरू, **1920**–नागपुर, सी. वि. राधवाचारियर, **1920**–कलकत्ता, लाला लाजपतराय, **1921**–अहमदाबाद, हकीम अजमल खाँ।

59. इस समय वस्तुतः महत्वपूर्ण राजनीतिक चाल थी पश्चिमी और पूर्वी बंगाल के मुख्यतः हिंदू राजनीतिज्ञों के बीच दरार डालना। समग्र परिस्थिति का सार गृह-सचिव एच. एच. रिजले ने बड़ी स्पष्टता और साफगोई से अपनी टिप्पणी में प्रस्तुत किया है। "एकजुट बंगाल एक शक्ति है; विभाजित होकर बंगाल विभिन्न दिशाओं में बिखर जाएगा। यह बिलकुल सच है और यही इस योजना की एक विशेषता है।"

60. 1905 में श्यामजी कृष्णवर्मा ने लंदन में भारतीय विद्यार्थियों के लिए एक केंद्र (इंडिया हाउस) खोला, एक पत्रिका (इंडियन सोशियोलॉजिस्ट) निकाली, इंडियन होमरूल सोसायटी की स्थापना की, और कुछ समय पश्चात् एक छात्रवृत्ति योजना के अंतर्गत भारत से जुझारू युवाओं को विदेश लाने की व्यवस्था की।

62. **वायकोम सत्याग्रह (केरल 1924-25) :** टी.के. माधवन तथा केशव मेनन के नेतृत्व में प्रारम्भ हुआ। दलित वर्गों के मंदिर प्रवेश के लिए यह प्रथम संगठित आन्दोलन था। एझवा तथा दूसरे अछूतों को त्रावणकोर मंदिर के निकट सड़क के उपयोग के अधिकार को सुनिश्चित किया गया।

पिछले प्रश्न-पत्र (हल सहित)

यू.जी.सी. NET जून-2013

इतिहास

प्रश्न-पत्र–II

निर्देशः *इस प्रश्न-पत्र में* **पचास (50)** *बहु-विकल्पीय प्रश्न हैं। प्रत्येक प्रश्न के* **दो (2)** *अंक हैं।* **सभी प्रश्नों** *के उत्तर दीजिए।*

1. सूची-I (पुस्तक के नाम) को सूची-II (लेखक के नाम) से सुमेलित कीजिए और दिए गए कूट से सही उत्तर का चयन कीजिए :

सूची–I	सूची–II
(*a*) स्केच ऑफ पॉलिटिकल हिस्ट्री ऑफ इंडिया (1811)	(*i*) वी.ए. स्मिथ
(*b*) द हिस्ट्री ऑफ ब्रिटिश इण्डिया (1881)	(*ii*) जॉन मेलकम
(*c*) द हिस्ट्री ऑफ इण्डिया (1841)	(*iii*) जेम्स मिल
(*d*) द अर्ली हिस्ट्री ऑफ इण्डिया (1904)	(*iv*) एल्फिस्टोन

कूट :

	(*a*)	(*b*)	(*c*)	(*d*)
A.	(*ii*)	(*iii*)	(*iv*)	(*i*)
B.	(*iii*)	(*ii*)	(*i*)	(*iv*)
C.	(*iv*)	(*i*)	(*iii*)	(*ii*)
D.	(*i*)	(*iv*)	(*ii*)	(*iii*)

2. नीचे दो कथन दिए जा रहे हैं जिनमें से प्रथम को अभिकथन (A) और दूसरे को तर्क (R) कहा गया है।

अभिकथन (A) : नवपाषाण युग के पश्चात धातु युग आया।

तर्क (R) : कुछ समय तक पाषाण उपकरणों का प्रयोग भी साथ-साथ चलता रहा।

उपरोक्त कथनों को पढ़िए और प्रदत्त कूट से सही उत्तर चुनिए :

कूट :

A. (A) और (R) दोनों सही हैं तथा (R), (A) की सही व्याख्या है।

B. (A) और (R) दोनों सही हैं, लेकिन (R), (A) की सही व्याख्या नहीं है।

C. (A) सत्य है, लेकिन (R) असत्य है।

D. (A) असत्य है, लेकिन (R) सत्य है।

3. सूची-I को सूची-II से सुमेलित कीजिए और निम्न कूट में से सही उत्तर का चयन कीजिए :

सूची–I	सूची–II
(*a*) घोड़े की मृण मूर्ति	(*i*) वनावली
(*b*) आरायुक्त मृण पहिया	(*ii*) मोहनजोदड़ो
(*c*) यज्ञ वेदी	(*iii*) हड़प्पा
(*d*) शवाधान-एच	(*iv*) कालीबंगा

कूट :

	(*a*)	(*b*)	(*c*)	(*d*)
A.	(*ii*)	(*i*)	(*iv*)	(*iii*)
B.	(*i*)	(*iii*)	(*iv*)	(*ii*)
C.	(*ii*)	(*iv*)	(*iii*)	(*i*)
D.	(*ii*)	(*iii*)	(*iv*)	(*i*)

4. भारतीय इतिहास में 'प्राच्य निरंकुशवाद' के सिद्धान्त को किसने प्रतिपादित किया था?

A. जेम्स मिल
B. लैम्बर्ग-कार्लोवस्की
C. एच.जी. रॉलिंसन
D. सी.एच. फिलिप्स

5. सूची-I को सूची-II से सुमेलित कीजिए और निम्न कूट में से सही उत्तर का चयन कीजिए :

सूची–I	सूची–II
(*a*) विलियम जोन्स	(*i*) सिंधुघाटी सभ्यता
(*b*) जेम्स प्रिंसेप	(*ii*) भारतीय सिक्के
(*c*) कनिंघम	(*iii*) सिंधुघाटी की लिपि का उद्वाचन

(*d*) सर जॉन मार्शल (*iv*) एशियाटिक सोसाइटी ऑफ बंगाल

कूट :

	(*a*)	(*b*)	(*c*)	(*d*)
A.	(*iv*)	(*iii*)	(*ii*)	(*i*)
B.	(*iii*)	(*ii*)	(*i*)	(*iv*)
C.	(*ii*)	(*i*)	(*iv*)	(*iii*)
D.	(*i*)	(*iv*)	(*iii*)	(*ii*)

6. सूची-I (नरेश) को सूची-II (राज्य) से सुमेलित कीजिए और नीचे दिए गए कूट की सहायता से सही उत्तर का चयन कीजिए :

सूची–I (नरेश)	सूची–II (राज्य)
(*a*) ब्रह्मदत्त	(*i*) केकय
(*b*) जरासन्ध	(*ii*) कुरु
(*c*) जनमेजय	(*iii*) काशी
(*d*) अश्वपति	(*iv*) मगध

कूट :

	(*a*)	(*b*)	(*c*)	(*d*)
A.	(*i*)	(*iii*)	(*iv*)	(*ii*)
B.	(*iii*)	(*iv*)	(*ii*)	(*i*)
C.	(*ii*)	(*i*)	(*iii*)	(*iv*)
D.	(*iv*)	(*ii*)	(*i*)	(*iii*)

7. प्राचीनतम उपलब्ध भारतीय सिक्के किस धातु के बने थे?

A. सोना B. चाँदी
C. ताँबा D. ताँबा और चाँदी

8. मौर्य काल में 'सीता कर' लागू होता था :

A. केवल जंगली भूमि
B. व्यक्तिगत स्वामित्व वाली कृषि भूमि
C. राज्य स्वामित्व वाली कृषि भूमि
D. दोनों (B) और (C)

9. निम्नलिखित शासकों को कालक्रमानुसार क्रम दीजिए :

(*i*) अग्निमित्र (*ii*) पुष्यमित्र
(*iii*) सुमित्र (*iv*) सुज्येष्ठ

कूट :

A.	(*i*)	(*ii*)	(*iii*)	(*iv*)
B.	(*ii*)	(*i*)	(*iv*)	(*iii*)
C.	(*iii*)	(*iv*)	(*i*)	(*ii*)
D.	(*iv*)	(*iii*)	(*ii*)	(*i*)

10. भारतीय ज्योतिषशास्त्र में रोमक सिद्धान्त संकेत था

A. रोमन प्रभाव
B. यूनानी प्रभाव
C. ईरानी प्रभाव
D. अरबी प्रभाव

11. सूची-I को सूची-II से सुमेलित कीजिए और दिए गए कूट में से सही उत्तर का चयन कीजिए :

सूची–I	सूची–II
(*a*) विक्रमशिला	(*i*) गुजरात
(*b*) वल्लभी	(*ii*) मध्य प्रदेश
(*c*) बेसनगर	(*iii*) आंध्र प्रदेश
(*d*) नागार्जुनकोंडा	(*iv*) बिहार

कूट :

	(*a*)	(*b*)	(*c*)	(*d*)
A.	(*iv*)	(*i*)	(*ii*)	(*iii*)
B.	(*i*)	(*ii*)	(*iii*)	(*iv*)
C.	(*ii*)	(*iii*)	(*iv*)	(*i*)
D.	(*iii*)	(*iv*)	(*i*)	(*ii*)

12. निम्नलिखित में से किस अभिलेख में प्राचीनतम सती का प्रमाण मिला है?

A. हुविष्क का मथुरा अभिलेख
B. रुद्रदामा का जूनागढ़ अभिलेख
C. भानुगुप्त का एरण स्तम्भ अभिलेख
D. हर्ष का बाँसखेड़ा अभिलेख

13. सूची-I (शासक) को सूची-II (शिलालेख) से सुमेलित कीजिए और दिए गए कूट में से सही उत्तर का चयन कीजिए :

सूची–I (शासक)	सूची–II (शिलालेख)
(*a*) कुमारगुप्त I	(*i*) उत्तिरमेरूर शिलालेख
(*b*) कुमारगुप्त II	(*ii*) बिल्सद शिलालेख
(*c*) बुद्धगुप्त	(*iii*) सारनाथ शिलालेख
(*d*) परान्तक II	(*iv*) एरण शिलालेख

कूट :

	(*a*)	(*b*)	(*c*)	(*d*)
A.	(*ii*)	(*iii*)	(*iv*)	(*i*)
B.	(*iii*)	(*iv*)	(*ii*)	(*i*)
C.	(*iv*)	(*iii*)	(*ii*)	(*i*)
D.	(*i*)	(*ii*)	(*iii*)	(*iv*)

14. निम्नलिखित का आनुक्रमिक क्रम दीजिए और प्रदत्त कूट से सही उत्तर का चयन कीजिए :

(*i*) सिंह विष्णु
(*ii*) परमेश्वर वर्मन-II
(*iii*) नरसिंह वर्मन-I
(*iv*) महेन्द्र वर्मन-I

कूट :

A.	(*i*)	(*iv*)	(*iii*)	(*ii*)
B.	(*ii*)	(*iii*)	(*iv*)	(*i*)
C.	(*iii*)	(*iv*)	(*ii*)	(*i*)
D.	(*iv*)	(*ii*)	(*i*)	(*iii*)

15. दक्षिण भारत के राजाओं के निरन्तर संघर्षरत रहने का कारण था :

A. साम्राज्यवादी महत्वाकांक्षा
B. पुरानी वंशानुगत शत्रुता
C. गोदावरी, कृष्णा नदियों और उनकी घाटियों पर नियंत्रण की इच्छा
D. समुद्री मार्गों पर एकाधिकार की महत्वाकांक्षा

16. अमीर खुसरो से सम्बन्धित निम्नलिखित कथनों पर विचार कीजिए :

(*i*) वह सूफी संत शेख निजामुद्दीन औलिया के शिष्य थे।
(*ii*) यह कहा जाता है कि उन्होंने संगीत पर अनेक पुस्तकें लिखीं।
(*iii*) उनका ग्रंथ खज़ाइन उल फुतूह सुल्तान कैकूबाद के शासनकाल के बारे में जानकारी देता है।
(*iv*) संगीत वाद्य सितार उनका आविष्कार माना जाता है।

उपरोक्त कथनों में से कौन-से सही हैं? सही उत्तर का चयन नीचे दिए गए कूटों से कीजिए :

कूट :

A. (*i*), (*iv*) B. (*i*), (*ii*), (*iii*)
C. (*i*), (*ii*), (*iv*) D. (*i*), (*iii*), (*iv*)

17. दिल्ली के किस सुल्तान ने कुतुब मीनार की मरम्मत करवाई, परित्यक्त हौज खास की सफाई करवाई और उसके किनारे पर एक आकर्षक मदरसे का निर्माण करवाया?

A. इल्तुतमिश
B. अलाऊद्दीन खिलजी
C. फिरोज तुगलक
D. सिकन्दर लोदी

18. सूची-I को सूची-II से सुमेलित कीजिए और नीचे दिए गए कूट में से सही उत्तर का चयन कीजिए :

सूची–I (संत-कवि)	**सूची–II (उनकी रचनाएं)**
(*a*) कबीर	(*i*) विनय पत्रिका
(*b*) सूरदास	(*ii*) बीजक
(*c*) एकनाथ	(*iii*) भ्रमर गीत
(*d*) तुलसीदास	(*iv*) भावार्थ रामायण

कूट :

	(*a*)	(*b*)	(*c*)	(*d*)
A.	(*i*)	(*iii*)	(*ii*)	(*iv*)
B.	(*ii*)	(*iii*)	(*iv*)	(*i*)
C.	(*ii*)	(*iv*)	(*i*)	(*iii*)
D.	(*i*)	(*ii*)	(*iii*)	(*iv*)

19. निम्नलिखित लेखकों में से किसका यह दावा है कि मुहम्मद बिन तुगलक ने फिरोज शाह को अपना उत्तराधिकारी चुना था?

A. जियाऊद्दीन बरनी
B. शम्स-ए-सिराज अफीफ
C. इब्न बतूता
D. याह्या बिन अहमद सरहिन्दी

20. सूची-I को सूची-II से सुमेलित कीजिए और नीचे दिए गए कूट में से सही उत्तर का चयन कीजिए :

सूची–I (सल्तनत कालीन प्रादेशिक राज्य)	**सूची–II (शासक)**
(*a*) गुजरात सल्तनत	(*i*) महमूद खिलजी-I
(*b*) बहमनी सल्तनत	(*ii*) महमूद बेगड़ा
(*c*) कश्मीर सल्तनत	(*iii*) सुल्तान सिकन्दर
(*d*) मालवा सल्तनत	(*iv*) अहमद शाह-I

कूट :

	(*a*)	(*b*)	(*c*)	(*d*)
A.	(*ii*)	(*iii*)	(*iv*)	(*i*)
B.	(*ii*)	(*i*)	(*iii*)	(*iv*)
C.	(*iv*)	(*ii*)	(*iii*)	(*i*)
D.	(*ii*)	(*iv*)	(*iii*)	(*i*)

21. निम्नलिखित शासकों में से किसने अपनी सैन्य टुकड़ियों को पचास, दो सौ, दो सौ पचास एवं पाँच सौ की इकाइयों में विभाजित किया था?

A. सिकंदर लोदी B. शेरशाह
C. इस्लाम शाह D. अकबर

22. निम्नलिखित को सही कालक्रम में व्यवस्थित कीजिए :

(*i*) अकबर की गुजरात विजय

(*ii*) हल्दीघाटी का युद्ध

(*iii*) दाग प्रथा की शुरूआत

(*iv*) इलाही युग का आरम्भ

निम्नलिखित कूट में से सही उत्तर का चयन कीजिए:

कूट :

A. (*ii*) (*i*) (*iv*) (*iii*)
B. (*i*) (*ii*) (*iii*) (*iv*)
C. (*i*) (*iii*) (*ii*) (*iv*)
D. (*ii*) (*iii*) (*i*) (*iv*)

23. रायसिंह पाँच हजारी किस राजवंश से सम्बन्धित थे?

A. राठौर वंश बीकानेर B. राठौर वंश जोधपुर
C. राठौर वंश किशनगढ़ D. राठौर वंश रतलाम

24. निम्नलिखित में से कौन-सा युग्म सही सुमेलित है?

A. पानीपत का द्वितीय युद्ध : अकबर बनाम इब्राहीम लोदी
B. हल्दीघाटी का युद्ध : अकबर बनाम राणा उदयसिंह
C. धरमत का युद्ध : औरंगजेब बनाम दारा
D. सामूगढ़ का युद्ध : औरंगजेब बनाम शुज़ा

25. सूची-I को सूची-II से सुमेलित कीजिए तथा नीचे दिए गए कूट की सहायता से सही उत्तर का चयन कीजिए :

सूची–I	सूची–II
(*a*) खासा-ए-शरीफा	(*i*) विशेष अवसर के लिए नियुक्त सैनिक
(*b*) सहबन्दी	(*ii*) बादशाह का अपना प्रतिष्ठान
(*c*) तलब	(*iii*) मार्ग शुल्क
(*d*) जकात	(*iv*) मनसबदार की वेतन माँग

कूट :

	(*a*)	(*b*)	(*c*)	(*d*)
A.	(*ii*)	(*i*)	(*iv*)	(*iii*)
B.	(*i*)	(*ii*)	(*iii*)	(*iv*)
C.	(*iii*)	(*i*)	(*ii*)	(*iv*)
D.	(*ii*)	(*iii*)	(*i*)	(*iv*)

26. 'शहर दूर से आकर्षक लगते हैं, परन्तु अंदर प्रवेश करते ही सारी भव्यता संकीर्ण गलियों एवं भीड़ की हड़बड़ी में खो जाती है।'

मुगल कालीन भारत के शहरों के बारे में उपरोक्त टिप्पणी किसके द्वारा की गई थी?

A. फादर मॉन्सरेट B. सर थॉमस रो
C. पीटर मुंडी D. टेवर्नियर

27. यह किसका कथन है कि "बीस हजार लोगों ने ताजमहल के निर्माण के लिए अनवरत कार्य किया?"

A. मनूची
B. अब्दुल हमीद लाहौरी
C. टेवर्नियर
D. शाहनवाज खान

28. नीचे दो कथन दिए जा रहे हैं जिनमें से प्रथम को अभिकथन (A) और दूसरे को तर्क (R) कहा गया है।

अभिकथन (A) : अनेक मुगल अमीर अपने नाम से या व्यापारियों की साझेदारी में व्यापार कर रहे थे।

तर्क (R) : बंगाल के गवर्नर की हैसियत से मीर जुमला ने समस्त महत्वपूर्ण वस्तुओं के व्यापार पर अपना एकाधिकार स्थापित करने का प्रयत्न किया।

उपरोक्त दो कथनों के प्रसंग में निम्नलिखित कौन-सा कथन सही है? नीचे लिखे कूट में से सही उत्तर का चयन कीजिए :

कूट :

A. (A) और (R) दोनों सही हैं तथा (R), (A) की सही व्याख्या है।
B. (A) और (R) दोनों सही हैं, लेकिन (R), (A) की सही व्याख्या नहीं है।
C. (A) सत्य है, लेकिन (R) असत्य है।
D. (A) असत्य है, लेकिन (R) सत्य है।

29. किस इतिहासकार ने सामुद्रिक व्यापार में भाग लेने वाले भारतीय व्यापारियों को फेरी वालों की संज्ञा दी है?

A. एन.स्टींसगार्ड B. ओमप्रकाश
C. वान ल्यूर D. अशिन दास गुप्ता

30. निम्नलिखित में से कौन-सा युग्म सुमेलित नहीं है?

लेखक	पुस्तक
A. सुनील कुमार	: दी एमरजेन्स ऑफ दी देहली सल्तनत
B. कैथरीन बी. एशर तथा सिन्थिया बी. तालबोत	: इण्डिया बिफोर यूरोप
C. हरबंस मुखिया	: दी मुगल्स ऑफ इण्डिया
D. फरहत हसन	: राईटिंग दी मुगल वर्ल्ड

31. अठारहवीं शताब्दी के निम्नलिखित मुगल सम्राटों के नाम पर विचार कीजिए :

(*i*) आलमगीर II
(*ii*) अहमद शाह
(*iii*) जहाँदार शाह
(*iv*) मुहम्मद शाह

नीचे दिए गए क्रमांकों में से कौन-सा क्रमांक मुगल सम्राटों के सही कालक्रम को दर्शाता है?
नीचे दिए गए कूटों में से सही उत्तर का चयन कीजिए :

कूट :

A. (*ii*), (*i*), (*iii*), (*iv*) B. (*i*), (*ii*), (*iii*), (*iv*)
C. (*iii*), (*iv*), (*ii*), (*i*) D. (*iii*), (*iv*), (*i*), (*ii*)

32. निम्नलिखित में से जेम्स ऑगस्टस हिक्की के सम्बन्ध में कौन-सा सही **नहीं** है?

A. वह भारतीय पत्रकारिता का अग्रदूत था।
B. वह 'बंगाल क्रोनिकल' का संस्थापक था।
C. उसने सदैव प्रेस की स्वतन्त्रता के लिए कार्य किया।
D. कम्पनी सरकार ने उसे निडर पत्रकार होने के कारण जेल भेजा।

33. निम्नलिखित गवर्नर-जनरलों में किसने भारतीय सिविल सेवाओं को प्रारम्भ किया?

A. विलियम बैंटिंक B. वेलेजली
C. कार्नवालिस D. हेस्टिंग्स

34. भारतीय महिला संघ (वोमेन्स इंडियन एसोसिएशन) की स्थापना किस नगर में हुई?

A. बम्बई B. कलकत्ता
C. मद्रास D. जयपुर

35. 'स्त्री-पुरुष तुलना' (ए कम्पेरिजन बिटविन वोमेन एण्ड मेन) पुस्तक किसने लिखी है?

A. ताराबाई शिंदे B. रमाबाई रानाडे
C. सावित्रीबाई फूले D. आनंदीबाई जोशी

36. सूची-I को सूची-II से सुमेलित कीजिए और निम्न कूट में से सही उत्तर का चयन कीजिए :

सूची–I (आन्दोलन)	सूची–II (क्षेत्र)
(*a*) पावना आन्दोलन	(*i*) महाराष्ट्र
(*b*) मोपला विद्रोह	(*ii*) पूर्वी बंगाल
(*c*) दक्कन दंगे	(*iii*) गुजरात
(*d*) बारदोली आन्दोलन	(*iv*) मालाबार

कूट :

	(*a*)	(*b*)	(*c*)	(*d*)
A.	(*i*)	(*ii*)	(*iv*)	(*iii*)
B.	(*ii*)	(*iv*)	(*i*)	(*iii*)
C.	(*iii*)	(*iv*)	(*ii*)	(*i*)
D.	(*iv*)	(*i*)	(*iii*)	(*ii*)

37. 'हिंद स्वराज' पुस्तक का लेखन किस वर्ष में हुआ?

A. 1907 B. 1908
C. 1909 D. 1910

38. निम्नलिखित में से किसे 'महाराष्ट्र का सुकरात (सोक्रेटिस)' कहा जाता था?

A. एन.एम. जोशी B. एम.जी. रानाडे
C. जी.एच. देशमुख D. जी.के. गोखले

39. पूना समझौते के परिणामस्वरूप सामान्य मतदाताओं की सीटों में से दलित वर्गों के लिए आरक्षित सीटों की गिनती–

A. घटी B. बढ़ी
C. यथावत रही D. समाप्त कर दी गई

40. गांधीजी के नेतृत्व में गुजरात सभा ने मुख्य भूमिका निभाई–

A. अहमदाबाद मिल-वर्करों की हड़ताल में
B. खेड़ा के किसान आन्दोलन में
C. बारदोली आन्दोलन में
D. नमक सत्याग्रह में

41. निम्नलिखित में से किसने महिला शिक्षा में सुधार के लिए महिला आर्य समाज की स्थापना की?

A. पण्डिता रामाबाई B. सिस्टर निवेदिता
C. डी.के. कर्वे D. जी.एस. अगरकर

42. किस वर्ष में शारदा अधिनियम बना?

A. 1927 B. 1928
C. 1929 D. 1930

43. रानी गईनुलू जिसने ब्रिटिश के विरुद्ध लड़ाई लड़ी थी वह थी–

A. त्रिपुरा से B. असम से
C. नागालैण्ड से D. मणिपुर से

44. निम्नलिखित में से कौन आई.एन.ए. (इण्डियन नेशनल आर्मी) से सम्बन्धित नहीं था?

A. रासबिहारी बोस

B. लक्ष्मी सहगल

C. रासबिहारी घोष

D. जनरल मोहनसिंह

45. फरवरी 1947 में प्रधानमंत्री एटली ने घोषणा की थी कि ब्रिटिश भारत छोड़ जाएँगे

A. मई, 1948 में B. जून, 1948 में

C. जुलाई, 1948 में D. अगस्त, 1948 में

46. आई.एन.ए. के जनरल शाहनवाज, गुरदियाल सिंह ढिल्लो और प्रेम सहगल पूर्व में किस सेना में अधिकारी थे?

A. ब्रिटिश भारतीय सेना B. ब्रिटिश सेना

C. कश्मीरी सेना D. पंजाब सेना

47. 26 जनवरी, 1950 को बने भारतीय संविधान में कुछ मूलभूत आदर्श और मूल्य निर्दिष्ट थे।
निम्नलिखित में से कौन सा इस संविधान का हिस्सा **नहीं** था?

A. भारत धर्म निरपेक्ष एवं लोकतान्त्रिक गणराज्य होगा।

B. भारत में बालिग मताधिकार पर आधारित संसदीय प्रणाली होगी।

C. इसने विधि के सम्मुख सभी के समानाधिकार की गारण्टी दी।

D. इसमें लड़कियों के लिए निःशुल्क शिक्षा का प्रावधान है।

48. मोपला दक्षिण मालाबार के निर्धन कृपक एवं कृपि श्रमिक होते थे। किन निम्नलिखित निम्न जातियों से उन्होंने धर्म परिवर्तन करके इस्लाम धर्म को ग्रहण किया था?

A. तिया, चेरूमा B. रामदासिया, मेहतर

C. महर, माँग D. माला, माडिगा

49. शीत युद्ध के प्रसंग में कौन-सा कथन सही **नहीं** है?

A. यू.एस.ए. की योजना यह थी कि अपने न्यूक्लियर हथियारों के प्रमोचन के लिए क्यूबा के द्वीप का प्रयोग किया जाए।

B. यू.एस.ए. और सोवियत यूनियन दोनों ने अन्य देशों की लड़ाई के लिए सेनाएँ और हथियार भेज दिए।

C. रूस ने विराट बर्लिन दीवार का निर्माण किया ताकि पूर्व बर्लिन के वासियों को पश्चिमी बर्लिन में जाने से रोका जा सके।

D. शीत युद्ध की परिस्थितियों के प्रत्युत्तर में नाटो और वारसा समझौते अस्तित्व में आए।

50. 'नया इतिहास' के सम्बन्ध में निम्नलिखित कथनों पर विचार कीजिए और सही उत्तर का चयन कीजिए :

A. इसने अपने ध्यान को समूह लोगों के व्यवहार, रीति-रिवाजों और मान्यताओं पर केंद्रित रखा।

B. इसने ऐतिहासिक ध्यान के केन्द्र से राजनीतिक इतिहास को हटाने का प्रयास किया।

C. इसने समाज विज्ञान एवं अन्य विज्ञानों के ढंगों और अन्तर्दृष्टि को अपनाया।

D. उपरोक्त सभी।

उत्तरमाला

1	2	3	4	5	6	7	8	9	10
A	A	A	C	A	B	D	B	B	B
11	12	13	14	15	16	17	18	19	20
A	C	A	A	C	C	C	B	A	D
21	22	23	24	25	26	27	28	29	30
C	B	A	C	A	A	C	B	C	D
31	32	33	34	35	36	37	38	39	40
C	B	C	C	A	B	C	B	B	B
41	42	43	44	45	46	47	48	49	50
A	C	C	C	B	A	D	A	A	D

कुछ चुने हुए प्रश्नों के व्याख्यात्मक उत्तर

2. नवपाषाण काल में मानव ने सबसे पहली बार कृषि करना सीखा। कृषि कर्म ने अनाज के संग्रह, भोजन की पद्धति हेतु मृदभाण्डों का निर्माण प्रारम्भ किया। कृषि-कर्म की आवश्यकताओं के अनुरूप प्रस्तर उपकरण अधिक धारदार व सुघड़ बनने लगे। उन पर पालिश भी की जाने लगी। नवपाषाण-युग के अंतिम चरण से धातु (ताँबे) का व्यवहार प्रारंभ हुआ। कालांतर में काँसा और लोहे से भी लोग परिचित हुए। अतः पाषाण युग के पश्चात् धातु-युग का प्रारम्भ हुआ।

3. पश्चिम की ओर पड़नेवाली सभ्यताओं में शासकों की कब्रों में जैसा आडंबर दिखाई देता है वैसा कुछ यहां देखने को नहीं मिलता। कब्रें बहुत सादी हैं। कब्रों में दफनाई गई चीजों में मुख्य रूप से रोजमर्रा के इस्तेमाल के बरतन हैं। जाहिर है, उनकी दृष्टि में मृतकों से पारलौकिक जीवन में बहुत अपेक्षाएं नहीं रखी जाती थीं, और न अंतिम क्रिया प्रतिष्ठा के प्रदर्शन का कोई अवसर मानी जाती थी। जिसे कब्रिस्तान 'H' संस्कृति की संज्ञा दी गई है और जो मुख्य रूप से हड़प्पा और पंजाब के मैदानों तक सीमित था उसमें पाई गई दूसरी सहस्त्राब्दी ई.पू. के उत्तरार्ध की हड़प्पोत्तर कब्रों में मिलनेवाले बरतन हड़प्पाई बरतनों से अलग किस्म के हैं।

कालीबंगा–राजस्थान के गंगानगर जिले में स्थित इस स्थल से पूर्व हड़प्पा और हड़प्पा काल के साक्ष्य मिले हैं। पूर्व हड़प्पा चरण में खेत जोते जाते थे जबकि हड़प्पा काल में भी खेत खोदे जाते थे।

प्राप्त साक्ष्य–1. शहर का दोनों भाग दुर्गीकृत, 2. यहाँ हड़प्पा पूर्व काल के लकड़ी के हल के साक्ष्य मिले हैं जिसके आधार पर यह कहा जा सकता है कि राजस्थान के खेतों में हल चलाया जाता था, 3. यहाँ कुछ अग्निकुंड भी मिले हैं जिसे बलि प्रथा व यज्ञ प्रणाली से जोड़ा जाता है। (सात अग्निवेदिकाएँ)। 4. यहाँ पर एक धुरी वाले ठोस पहिये का भी अवशेष मिला है जिसके आधार पर यातायात के लिए किसी प्रकार के वाहन के अस्तित्व का पता चलता है।

6. मगध : आधुनिक बिहार राज्य के पटना और गया जिले की सीमाओं में विस्तृत यह महाजनपद अपने समकालीनों में सर्वाधिक महत्वपूर्ण था। इसकी प्राचीन राजधानी गिरिव्रज (राजगृह या राजगीर) थी। बाद में राजा उदयिन ने पाटलिपुत्र की स्थापना करके उसे अपनी राजधानी बनाया। वृहद्रथ और जरासंध यहाँ के प्रमुख शासक थे। बाद में हर्यकवंशीय शासक बिम्बिसार तथा अजातशत्रु के काल में यही उत्तर भारत का सबसे शक्तिशाली राज्य बन गया।

काशी : इसकी राजधानी वाराणसी थी जो वरुणा और अस्सी नदियों के संगम पर बसी हुई थी। तेइसवें जैन तीर्थंकर पार्श्वनाथ के पिता अश्वसेन काशी के राजा थे। वैभव, शिल्प, बुद्धि और ज्ञान की दृष्टि से यह नगरी प्रसिद्ध थी। इस राज्य का सर्वाधिक शक्तिशाली शासक ब्रह्मदत्त था। कोशल राज्य से लंबे संघर्ष के कारण इसकी शक्ति क्षीण हो गई और कालांतर में कोशल ने इसे अपने राज्य में मिला लिया।

कुरू : वर्तमान दिल्ली और मेरठ के समीपवर्ती प्रदेश कुरू राज्य के अंतर्गत थे। इसकी राजधानी इन्द्रप्रस्थ थी। जैनों के उत्तराध्ययन सूत्र में इक्ष्वाकु नाम के राजा का उल्लेख मिलता है जो इसी महाजनपद का था। महात्मा बुद्ध के समय यह एक गणतंत्र के रूप में विद्यमान था। जनमेजय यहां का प्रसिद्ध राजा था।

7. आहत सिक्के मुख्यतः चाँदी और कुछ ताँबे के होते थे। आहत सिक्कों पर मुख्यतः हाथी, पहाड़ एवं पेड़ की आकृति बनी है।

9. अन्तिम मौर्य सम्राट वृहद्रथ की हत्या करके, उसके सेनापति पुष्यमित्र शुंग ने 184 ई. पू. में शुंग राजवंश की स्थापना की थी। पुष्यमित्र शुंग ने अश्वमेध यज्ञ किया जिसका वर्णन कालिदास तथा पंतजलि ने किया है। पुष्यमित्र शुंग ने 184 ई. पू. से 151 ई. पू. तक राज्य किया। पुष्यमित्र शुंग ने अनेक युद्धों में विजय प्राप्त की और अपने शासन काल में उसने दो अश्वमेध यज्ञों का आयोजन किया था। महान संस्कृत वैयाकरण पतंजलि अश्वमेध यज्ञों में उसके पुरोहित थे। मौर्य सम्राट अशोक के द्वारा बौद्ध धर्म के प्रचार-प्रसार के फलस्वरूप ह्रास को प्राप्त हुए, हिन्दू धर्म का पुष्यमित्र शुंग ने पुनरुत्थान किया। पुष्यमित्र शुंग के पश्चात इस वंश में नौ शासक हुए, जिनके नाम थे–अग्निमित्र,

ज्येष्ठमित्र, वसुमित्र, भद्रक, तीन अज्ञात शासक, भागवत और देवभूति। शुंग काल में ही भागवत धर्म का उदय व विकास हुआ तथा वासुदेव विष्णु की उपासना प्रारम्भ हुई। शुंग वंश के अन्तिम शासक देवभूति की हत्या उसके मंत्री वासुदेव ने 75 ई.पू. में करके कण्व राजवंश की नींव डाली।

12. प्राचीन काल में स्त्रियों की एक नियति यह थी कि कम उम्र में ही, यहाँ तक उनके रजस्वला होने से भी पहले, उनके विवाह की हिमायत की जाती थी। विधवा से सादगी से रहने की अपेक्षा की जाती थी, लेकिन यदि वह क्षत्रिय जाति की हो और विशेषतः अगर उसके पति ने वीरगति प्राप्त की हो तो उससे सती हो जाने की आशा की जाती थी। सती प्रथा का आद्यतम ऐतिहासिक साक्ष्य 510 ई. का है, जब इस घटना की स्मृति को एरन के एक अभिलेख में स्थायित्व प्रदान किया। आगे चलकर सती होने की घटनाओं में वृद्धि हुई।

13. कुमार गुप्त के अब तक 18 अभिलेख प्राप्त हुए हैं। इनमें एक प्रमुख अभिलेख है–भिलसड़ अभिलेख। यह कुमारगुप्त के शासन काल का प्रथम अभिलेख है। जिस पर गुप्त संवत् (96-415 ई.) की तिथि अंकित है। भिलसड़ उत्तर प्रदेश के एटा जिले में स्थित है। इसमें कुमारगुप्त प्रथम तक की वंशावली प्राप्त होती है। इसमें ध्रुव शर्मा नामक एक ब्राह्मण के द्वारा स्वामी (महासेन) कार्तिकेय के मंदिर तथा धर्मसंघ बनवाये जाने का उल्लेख है। इलाहाबाद जिले में स्थित गढ़वा से कुमारगुप्त के दो शिलालेख प्राप्त हुए हैं।

'परान्तक-I' के समय में उत्तर मेरूर अभिलेख से पता चलता है कि सभा एक औपचारिक संस्था थी जो ग्रामीणों की एक गैर-औपचारिक 'उर' के साथ मिलकर काम करती थी।

14. सिंहवर्मन पल्लव वंश का सबसे प्राचीन ज्ञात शासक है। पल्लव वंश के प्रारम्भिक राजाओं में सिंह विष्णु (574 ई. –600 ई.) अत्यन्त प्रतापी शासक था। इसे पल्लव राजवंश का वास्तविक संस्थापक माना जाता है। सिंह विष्णु के पश्चात् उसका पुत्र महेन्द्र वर्मन (600 ई.–630 ई.) पल्लव साम्राज्य का शासक बना। महेन्द्र वर्मन के शासनकाल में संस्कृत के महाकवि भारवि ने अपने प्रसिद्ध ग्रंथ 'किरातार्जुनीयम' की रचना की। महेन्द्रवर्मन एक कुशल लेखक भी था, उसने 'मत्तविलास प्रहसन' नामक ग्रन्थ की रचना की थी। महेन्द्र वर्मन की मृत्यु के पश्चात् उसका पुत्र नरसिंह वर्मन प्रथम (630 ई.–668 ई.) पल्लव साम्राज्य का शासक बना। नरसिंह वर्मन प्रथम, पल्लव वंश का शक्तिशाली शासक था, उसने बादामी के चालुक्य नरेश पुलकेशिन द्वितीय पर विजय प्राप्त करने के उपलक्ष्य में विजय स्तम्भ निर्मित कराया था। वह एक महान निर्माता भी था, महाबलिपुरम के एकात्मक रथों का निर्माण उसी ने कराया था। महाबलिपुरम इस काल का प्रमुख बन्दरगाह भी था। नरसिंह वर्मन प्रथम के शासनकाल में ही प्रसिद्ध चीनी यात्री ह्वेनसांग ने कांची की यात्रा की थी। 668 ई. में नरसिंह वर्मन प्रथम की मृत्यु के उपरान्त उसका पुत्र महेन्द्र वर्मन द्वितीय पल्लव साम्राज्य का शासक बना, इसने केवल दो वर्ष राज्य किया।

15. दक्कन तथा उससे और भी दक्षिण के राजनीतिक इतिहास का केंद्र दो क्षेत्रों के बीच दीर्घ काल तक चलनेवाला संघर्ष था। उनमें से एक था पश्चिमी दक्कन और तमिलहम, अर्थात् सागर-तटों के समानांतर पहाड़ों से आवेष्ठित विस्तृत पठारी क्षेत्र और दूसरा था चेन्नै से दक्षिण पड़नेवाला उपजाऊ मैदान। इस क्षेत्र की अधिकांश नदियाँ पश्चिम से निकलकर बंगाल की खाड़ी में गिरती हैं। प्रायद्वीप के पश्चिम के पठारी राज्यों तथा पूरब के तटवर्ती राज्यों इन दो भागों में विभाजित होने के कारण दोनों में प्रत्येक का संपूर्ण जलमार्ग, विशेषतः गोदावरी तथा कृष्णा के डेल्टों के बीच बसा वेंगी और साथ ही उससे अंदर की ओर पड़नेवाले उपजाऊ रायचूर दोआब को लेकर आए दिन झगड़े होते रहते थे। यह संघर्ष जितना राजनीतिक था उतना ही आर्थिक भी और फलतः खास-खास राजवंशों की भाग्यश्री में समय-समय पर चाहे जो उतार-चढ़ाव आते रहे हों, यह संघर्ष जारी ही रहा।

16. **अमीर खुसरो :** यह बलवन से लेकर गयासुद्दीन तुगलक तक के दरबार को सुशोभित करता रहा। इसका लोकप्रिय नाम तुती-ए-हिंद था। यह प्रथम मुस्लिम कवि था जिसने हिंदी शब्दों का खुलकर प्रयोग किया।

रचना : 1. किरान उल सदायन, 2. मिफताह उल फतुह, 3. खजायन-उल-फुतूह, 4. देवल रानीखिज्र खान, 5. नुह सिपिहर, 6. तुगलकनामा, 7. एजाज-ए-खुसरवी किरान-उल-सदायन में बुगरा खाँ द्वारा अपने पुत्र कैकुबाद

से मिलने की कहानी है। मिफताह उल फुतुह में जलालुद्दीन खिलजी के सैनिक अभियान का वर्णन है। खजायन-उल-फुतूह में जलालुद्दीन खिलजी के दकन अभियान का वर्णन है। इसमें मंगोल आक्रमण की जानकारी मिलती है। देवल रानीखिज्र खाँ में गुजरात के राजा रायकरण की पुत्री देवल रानी और अलाऊद्दीन खिलजी के पुत्र खिज्र खाँ का उल्लेख है। नुह सिपिहर में अलाऊद्दीन के पुत्र मुबारक खिलजी के शासनकाल का वर्णन है। तुगलकनामा में गयासुद्दीन तुगलक की विजयों का उल्लेख है। एजाज-ए-खुसरवी में अमीर खुसरो द्वारा संकलित दस्तावेज आदि हैं- इससे भी शासन के संबंधों की सूचना प्राप्त होती है।

17. फिरोज एक महान भवन-निर्माता था। उसने एक लोक निर्माण विभाग गठित किया जिसने बहुत से पुराने भवनों एवं मकबरों की मरम्मत की। उसने कुतुबमीनार की मरम्मत कराई जिसकी एक मंजिल विद्युतपात के कारण नष्ट हो गई थी, एवं इसके निकट स्थित मस्जिद और इल्तुतमिश एवं अलाऊद्दीन के मकबरों का जीर्णोद्धार किया। उसने कुतुबमीनार के दक्षिण में स्थित हौज-ए-शम्सी (तालाब) एवं हौज-ए-अलाई (वर्तमान हौज खास), जिसकी नाली बंद हो गई थी, की भी मरम्मत कराई।

18. **कबीरदास** (1398-1518) : भक्ति-धारा से जुड़े कबीर ऐसे प्रथम भक्त थे जिन्होंने सन्त होने के बाद भी पूर्णतः गृहस्थ-जीवन का निर्वाह किया। उन्होंने जाति-प्रथा, धार्मिक कर्मकांड, बाह्य आडम्बर, मूर्तिपूजा, जप-तप, अवतारवाद का विरोध किया। वे निराकार ब्रह्म की उपासना करते थे तथा एकेश्वरवाद में आस्था रखते थे। उनके शिष्य 'भागदास' ने 'बीजक' का संकलन किया। कबीर की समाधि–मगहर में स्थित है।

सूरदास (1483-1563) : वे दक्षिण के संत वल्लभाचार्य के शिष्य थे। इनकी प्रमुख रचनाएं हैं–'सूरसागर', 'सूरसरावली', 'साहित्य लहरी' आदि।

तुलसीदास की प्रमुख रचनायें हैं–रामचरितमानस विनयपत्रिका, कवितावली, गीतावली, पार्वतीमंगल, जानकीमंगल आदि।

एकनाथ (15वीं शताब्दी) : ये 'बरकरी संप्रदाय' से सम्बन्धित थे। इन्होंने अनेक अभंगों (गीतात्मक कविताओं) की रचना की। 'भावार्थ रामायण' इनकी प्रमुख रचना है।

22. **गुजरात विजय** (1572-73) : अकबर ने स्वयं अभियान कर गुजरात के शासक मुजफ्फर खाँ-III के विरुद्ध सूरत, अहमदाबाद एवं कम्बे पर अधिकार कर लिया। आगरा लौटने के बाद गुजरात में मुहम्मद हुसैन मिर्जा ने विद्रोह किया। स्मिथ के अनुसार संसार के इतिहास का सर्वाधिक द्रुतगामी आक्रमण कर उसने विद्रोह को कुचल दिया। गुजरात में ही पहली बार अकबर ने समुद्र के दर्शन किये तथा पुर्तगीज उससे मिलने आए।

हल्दीघाटी का युद्ध (18 जून 1576) : 'मानसिंह' एवं 'आसफ खाँ' ने राणा प्रताप को अनिर्णायक युद्ध में पहाड़ियों में शरण लेने के लिए बाध्य किया। मेवाड़ पर पूर्ण विजय के बिना ही अभियान समाप्त हो गया।

1583 ई. 'इलाही संवत्' प्रारंभ।

24. **धरमत का युद्ध** (25 अप्रैल, 1658) : औरंगजेब एवं मुरादबख्श ने दारा की सेना को पराजित किया जिसका नेतृत्व जसवंतसिंह एवं कासिम खाँ कर रहे थे।

25. **जकात :** मुसलमानों के लिए निर्धारित दानराशि। प्रत्येक मुसलमान को, अप्रयुक्त या अनियोजित पूँजी से अर्जित आय समेत कुल आय का ढाई प्रतिशत जकात के रूप में दान करना होता था।

सहबन्दी : ये बेकार लोगों में से भर्ती कर लिए जाते थे और प्रायः मालगुजारी वसूलने में मदद करते थे। ये फौजियों की अपेक्षा नागरिक पुलिस का काम अधिक करते थे।

31.

1. बहादुरशाह प्रथम – 1707 ई. – 1712 ई.
2. जहांदारशाह – 1712 ई. – 1713 ई.
3. फर्रुखसियर – 1713 ई. – 1719 ई.
4. मुहम्मदशाह – 1719 ई. – 1748 ई.
5. अहमदशाह – 1748 ई. – 1754 ई.
6. आलमगीर द्वितीय – 1754 ई. – 1759 ई.
7. शाहआलम द्वितीय – 1759 ई. – 1806 ई.
8. अकबर द्वितीय – 1806 ई. – 1837 ई.
9. बहादुरशाह जफर द्वितीय – 1837 ई. – 1857 ई.

32. यूरोपियनों ने भारत में छापेखाने की शुरुआत की जिससे भारत में आधुनिक प्रेस का विकास प्रारंभ हुआ। 1780 ई. में जेम्स आगस्टस हिक्की ने अंग्रेजी में प्रथम समाचार-पत्र 'द बंगाल गजट' के नाम से प्रकाशित किया। जनमत

शिक्षण एवं निन्दा तथा आलोचना द्वारा सरकारी नीतियों को प्रभावित करने में समाचार-पत्रों की भूमिका को शीघ्र ही शिक्षित भारतीयों ने महसूस किया और समाचार-पत्रों के प्रकाशन में महत्वपूर्ण भूमिका का निर्वाह किया। इन नेताओं में राममोहन राय, सुरेन्द्रनाथ बनर्जी, लोकमान्य तिलक, मदन मोहन मालवीय एवं लाजपत राय प्रमुख थे। देशी भाषाओं के पत्रों ने राजनीतिक संदेश पहुँचाने में महत्वपूर्ण योगदान दिये। देशी भाषा का प्रथम समाचार-पत्र 1818 में 'समाचार दर्पण' एवं इसके बाद 1830 में 'गुजराती भाषा' में 'बाम्बे समाचार' छपा।

33. नागरिक सेवा (सिविल सर्विस) का जन्मदाता लॉर्ड कार्नवॉलिस था। आरंभ से ही पूर्व में ईस्ट इंडिया कंपनी का व्यापार कर्मचारियों के जरिए होता था। कर्मचारियों को बहुत कम मजदूरी दी जाती थी मगर उन्हें अपना निजी व्यापार करने की इजाजत थी। बाद में जब कंपनी एक क्षेत्रीय शक्ति बन गई, तब उन्हीं कर्मचारियों ने प्रशासनिक कार्य करने आरंभ किए। वे तब अत्यन्त भ्रष्ट हो गए। स्थानीय बुनकरों और दस्तकारों, सौदागरों और जमींदारों का उत्पीड़न कर, राजाओं और नवाबों से घूस और नजराना ऐंठकर गैरकानूनी निजी व्यापार के जरिए उन्होंने अकथनीय संपदा इकट्ठी की, और उसे लेकर सेवानिवृत्त हो इंग्लैंड चले गए। क्लाइव और वारेन हेस्टिंग्स ने उनके भ्रष्टाचार को समाप्त करने के प्रयास किए मगर वे इस काम में आंशिक रूप से ही सफल रहे।

36. **मोपला विद्रोह**–मोपला विद्रोह ग्रामीण आतंकवाद के एक विशिष्ट प्रकार थे, जो शायद उन मोपलों के हित में जेनमियों की बढ़ी हुई शक्ति को सीमित करने का सबसे प्रभावकारी साधन थे। 1836-1854 के बीच हुए 22 विद्रोहों ने जेनमियों की सम्पत्ति पर आक्रमण और उनके मन्दिरों को भ्रष्ट करने का स्वरूप धारण कर लिया। ये विद्रोही गरीब किसान अथवा भूमिहीन श्रमिक होते थे। 1921 ई॰ में अली मसलियार के नेतृत्व में पुनः मोपला विद्रोह की चिंगारी फूटी।

पावना विद्रोह–बंगाल में हुआ पावना विद्रोह भी 1873-76 के मध्य जमींदारों के उत्पीड़न के विरोध में किसानों का विद्रोह था, जिसमें किसानों को अपने उद्देश्य में लगभग सफलता मिली।

बारदोली सत्याग्रह (1928)–1927 में भू-राजस्व में 22% की वृद्धि कर दी गयी, इस पर सरदार बल्लभभाई पटेल के नेतृत्व में लगान न देने का अभियान चलाया गया। इस अभियान को दबाने की व्यापक कोशिशें हुईं, पशुधन एवं भूमि के अधिग्रहण के प्रयास हुये। अंततः भू-राजस्व निर्धारण के संबंध में एक कमेटी बनी और उसकी संस्तुतियों के आधार पर भू-राजस्व कम किया गया।

दक्कन उपद्रव (1875)–महाराष्ट्र के पूना व अहमदनगर, शोलापुर व सतारा जिला में यह उपद्रव हुए। रैयतवारी क्षेत्र के किसान कर्ज अदायगी को लेकर महाजनों के शिकंजे में थे तथा अमरीकी गृहयुद्ध का अंत व अकाल के बावजूद लगान की दर में 50 प्रतिशत की वृद्धि इसके प्रमुख कारण थे। इसके परिणामस्वरूप महाजनों का सामाजिक बहिष्कार, किया गया एवं भीगथरी में इकरारनामे जलाए गए। दक्कन-कृषक राहत अधिनियम 1879 में किसानों को महाजनों के विरुद्ध संरक्षण प्रदान किया गया।

39. बाँटो और राज करो की नीति का अनुसरण करते हुए ब्रिटिश प्रधानमंत्री रैम्जे मैकडोनाल्ड ने अगस्त 1932 में सांप्रदायिक निर्णय (अवाड) की घोषणा की। • इस घोषणा के तहत प्रत्येक अल्पसंख्यक समुदाय के लिए विधानमंडल में कुछ सीटें आरक्षित की गई थीं। • इसके लिए सदस्यों का चुनाव पृथक् निर्वाचक मंडलों से होना था। • स्त्रियों के लिए स्थानों का आरक्षण एवं वाणिज्य, उद्योग, चाय, खनन और बागान संघों तथा जमींदारों को प्रतिनिधित्व मिला। • दलित वर्गों को अल्पसंख्यक करार देकर उन्हें पृथक् निर्वाचन में से एक मत देने का अधिकार मिला। • 20 सितंबर, 1932 को गांधी जी ने जेल में आमरण अनशन किया। • गांधी जी एवं भीम राव अम्बेडकर ने पूना समझौता संपन्न किया। इसकी मुख्य बातें थीं–

(क) दलित वर्गों के लिए पृथक् निर्वाचन का विचार छोड़ दिया गया।

(ख) लेकिन प्रांतीय विधान मंडलों में दलितों के लिए सुरक्षित सीटों की संख्या 71 से बढ़ाकर 147 कर दी गई।

(ग) केंद्रीय विधान मंडल में कुल सीटों का 18% इनके लिए सुरक्षित किया गया।

(घ) दलित वर्गों को योग्यतानुसार स्थानीय संस्थाओं और सार्वजनिक संस्थाओं में प्रतिनिधित्व मिला।

(ङ) दलितों के शैक्षणिक विकास के लिए उचित वित्तीय प्रावधान किए गए।

41. रामाबाई ने महिलाओं की शिक्षा व अधिकारों के लिए कार्य किया। उसने आर्य महिला समाज का गठन किया। प्रथम बार उसने विधवाओं को शिक्षित करने का प्रयास किया व बम्बई में 'शारदा सदन' स्थापित किया।

42. राय साहिब शारदा ने लड़के व लड़कियों दोनों की विवाह आयु बढ़ाने के लिए विधेयक पेश किया। 1929 में यह विधेयक पास हुआ जो 'शारदा एक्ट' के नाम से जाना जाता है। अब लड़कों के विवाह की आयु बढ़ाकर 18 वर्ष व लड़की की 14 वर्ष कर दी गई।

45. ब्रिटिश सरकार ने मार्च 1946 में कैबिनेट मिशन भारत भेजा ताकि भारतीय नेताओं से भारतीयों को सत्ता सौंपने की शर्तों के बारे में बातचीत की जाए। कैबिनेट मिशन ने दो स्तरों वाली एक संघीय योजना का प्रस्ताव किया जिससे आशा की गई कि बड़ी मात्रा में क्षेत्रीय स्वायत्तता देकर भी राष्ट्रीय एकता को बनाए रखा जा सकेगा। इस योजना में प्रांतों और रजवाड़ों का एक संघ होता और केंद्र का केवल प्रतिरक्षा, विदेशी मामलों और संचार विषयों पर नियंत्रण होता। साथ ही प्रांत अपने-अपने क्षेत्रीय संगठन भी बना सकते थे। लेकिन दोनों एक ऐसी अंतरिम सरकार की योजना पर सहमत न हो सके जो एक स्वतंत्र और संघीय भारत के लिए एक संविधान बनाने के उद्देश्य से, एक संविधान सभा का गठन करती। कैबिनेट मिशन की जिस योजना पर दोनों पहले सहमत हो चुके थे उसके बारे में भी दोनों ने अलग-अलग व्याख्याएं सामने रखीं। अंततः सितंबर 1946 में कांग्रेस ने जवाहरलाल नेहरू के नेतृत्व में एक अंतरिम मंत्रिमंडल का गठन किया। कुछ हिचक के बाद अक्टूबर में मुस्लिम लीग भी इस मंत्रिमंडल में शामिल हो गई मगर उसने संविधान सभा का बहिष्कार करने का फैसला किया। 20 फरवरी, 1947 को ब्रिटेन के प्रधानमंत्री क्लीमेंट एटली ने घोषणा की कि ब्रिटेन जून 1948 तक भारत का शासन छोड़ देगा।

प्रश्न-पत्र–III

नोट : *इस प्रश्न-पत्र में* ***पचहत्तर (75)*** *बहु-विकल्पीय प्रश्न हैं। प्रत्येक प्रश्न के* ***दो (2)*** *अंक हैं।* ***सभी*** *प्रश्न अनिवार्य हैं।*

1. सूची-I (लेखक) को सूची-II (इतिहास की परिभाषा) से सुमेलित कीजिए और निम्न कूट में से सही उत्तर का चयन कीजिए :

सूची–I (लेखक)	सूची–II (इतिहास की परिभाषा)
(*a*) ओकशाट	(*i*) सम्पूर्ण इतिहास विचारों का इतिहास है।
(*b*) ट्रेवेल्यन	(*ii*) इतिहास स्वतः मात्र एक विज्ञान है, इससे कम नहीं और इससे अधिक नहीं।
(*c*) कालिंगवुड	(*iii*) सच यह है....कि इतिहास में अतीत वर्तमान के साथ बदलता है।
(*d*) ब्यूरी	(*iv*) इतिहास का महत्त्व वैज्ञानिक नहीं है। इसका वास्तविक महत्त्व शैक्षिक है।

कूट :

	(*a*)	(*b*)	(*c*)	(*d*)
A.	(*iii*)	(*iv*)	(*i*)	(*ii*)
B.	(*ii*)	(*iii*)	(*iv*)	(*i*)
C.	(*iv*)	(*ii*)	(*iii*)	(*i*)
D.	(*iv*)	(*iii*)	(*i*)	(*ii*)

2. सूची-I को सूची-II से सुमेलित कीजिए और निम्न कूट में से सही उत्तर का चयन कीजिए :

सूची–I	सूची–II
(*a*) पुरापाषाण	(*i*) घिसे पाषाण उपकरण
(*b*) मध्यपाषाण	(*ii*) शैल चित्र
(*c*) नवपाषाण	(*iii*) चिप्पड पाषाण उपकरण
(*d*) उच्च पुरापाषाण	(*iv*) लघु पाषाण उपकरण

कूट :

	(*a*)	(*b*)	(*c*)	(*d*)
A.	(*i*)	(*iv*)	(*ii*)	(*iii*)
B.	(*iii*)	(*i*)	(*iv*)	(*ii*)
C.	(*iii*)	(*iv*)	(*i*)	(*ii*)
D.	(*ii*)	(*iii*)	(*iv*)	(*i*)

3. सर्वाधिक हड़प्पीय पुरास्थल किस नदी के किनारे पाए गए हैं?

A. सिन्धु B. सतलज
C. सरस्वती D. रावी

4. हड़प्पा सभ्यता की वह कौन-सी विशेषता थी जो समकालीन अन्य सभ्यताओं में ज्ञात नहीं है?

A. सूती कपड़ा
B. विशालकाय भवन
C. घीया पत्थर की मुद्राएँ
D. हकीक के मनके

5. सूची-I (स्थान नाम) को सूची-II (भौगोलिक स्थिति) से सुमेलित कीजिए और निम्न कूट में से सही उत्तर का चयन कीजिए :

सूची–I	सूची–II
(*a*) मेलुहा	(*i*) बहरीन
(*b*) दिलमुन	(*ii*) सिन्धु क्षेत्र
(*c*) माकन	(*iii*) मध्य एशिया
(*d*) कुरगाँव	(*iv*) मकरान तट

कूट :

	(*a*)	(*b*)	(*c*)	(*d*)
A.	(*i*)	(*iii*)	(*iv*)	(*ii*)
B.	(*iv*)	(*i*)	(*ii*)	(*iii*)
C.	(*ii*)	(*i*)	(*iv*)	(*iii*)
D.	(*iii*)	(*i*)	(*iv*)	(*ii*)

6. किसने सर्वप्रथम भारत पर आर्यों के आक्रमण का सिद्धांत प्रतिपादित किया?

A. आर.ई.एम. व्हीलर
B. गार्डन वी. चाइल्ड
C. जे. मार्शल
D. आर.पी. चाँद

7. उत्तर वैदिक कालीन पञ्चाल राज्य का प्रसिद्ध दार्शनिक नरेश था–

A. अजातशत्रु B. परीक्षित
C. प्रवाहण जैवलि D. स्वेतकेतु

8. निम्नलिखित में से कौन धर्म-सूत्रकार नियोग प्रथा को अनुचित बताता है?

A. गौतम B. आपस्तम्ब
C. बौधायन D. वसिष्ठ

9. निम्नलिखित में से किसमें कौटिल्य के कई नामों का उल्लेख है?

A. देवी चन्द्रगुप्तम्
B. दश-कुमार-चरित
C. मुद्राराक्षस
D. अभिधान-चिन्तामणि

10. निम्नलिखित नगरों में से कौन-सा महापाषाणयुगीन संस्कृति से संबंधित नहीं है?

A. चन्द्रगिरि B. ब्रह्मगिरि
C. अदिच्छनल्लूर D. उत्नूर

11. निम्नलिखित ग्रीको-रोमन लेखकों का सही कालानुक्रम क्या है?

(*i*) टेसियस (*ii*) प्लिनी
(*iii*) स्ट्रैबो (*iv*) टालेमी

कूट :

A. (*ii*), (*iii*), (*iv*), (*i*)
B. (*i*), (*iii*), (*ii*), (*iv*)
C. (*iii*), (*iv*), (*i*), (*ii*)
D. (*iv*), (*ii*), (*iii*), (*i*)

12. तमिल लेखकों के तीसरे महान संगम की पीठ स्थित थी–

A. गंगईकोंड चोलपुरम् B. कांची
C. मदुरा D. तंजावूर

13. निम्नलिखित में से कौन-से नगर में पुरातन काल के दौरान बंदरगाह नहीं थी?

A. तूतीकोरिन B. पूमपुहार
C. ताम्रलिप्ति D. नागपटनम्

14. सूची-I को सूची-II से सुमेलित कीजिए और निम्न कूट में से सही उत्तर का चयन कीजिए :

सूची–I	सूची–II
(*a*) रोमक सिद्धान्त	(*i*) अरब प्रभाव
(*b*) राउलेटेड मृद्भाण्ड	(*ii*) यूनानी प्रभाव
(*c*) सुर्खी	(*iii*) रोमी प्रभाव
(*d*) बीजगणित	(*iv*) कुषाण प्रभाव

कूट :

	(*a*)	(*b*)	(*c*)	(*d*)
A.	(*ii*)	(*iii*)	(*iv*)	(*i*)
B.	(*iii*)	(*ii*)	(*iv*)	(*i*)
C.	(*iv*)	(*ii*)	(*iii*)	(*i*)
D.	(*i*)	(*iii*)	(*ii*)	(*iv*)

15. निम्नलिखित में से किस अभिलेख में चन्द्रगुप्त और अशोक दोनों का नाम एक साथ आया है?

A. समुद्रगुप्त का प्रयाग प्रशस्ति अभिलेख
B. रुद्रदामा का जूनागढ़ अभिलेख
C. अशोक का शहबाजगढ़ी अभिलेख
D. खारवेल का हाथीगुम्फा अभिलेख

16. सूची-I को सूची-II से सुमेलित कीजिए और निम्न कूट में से सही उत्तर का चयन कीजिए :

सूची–I	सूची–II
(*a*) न्याय	(*i*) जैमिनी
(*b*) वैशेषिक	(*ii*) कपिल
(*c*) सांख्य	(*iii*) कणाद
(*d*) मीमांसा	(*iv*) गौतम

कूट :

	(*a*)	(*b*)	(*c*)	(*d*)
A.	(*iii*)	(*iv*)	(*ii*)	(*i*)
B.	(*ii*)	(*iii*)	(*i*)	(*iv*)
C.	(*iv*)	(*iii*)	(*ii*)	(*i*)
D.	(*iv*)	(*i*)	(*iii*)	(*ii*)

17. सातवाहन सिक्कों के संदर्भ में निम्नलिखित में से कौन-सा कथन सही **नहीं** है?

A. उन्होंने सोने के सिक्के जारी नहीं किए।
B. उन्होंने सोने के सिक्के जारी किए।
C. उन्होंने सीसा का सिक्का जारी किया।
D. उन्होंने पोटिन का सिक्का जारी किया।

18. सूची-I को सूची-II से सुमेलित कीजिए और निम्न कूट में से सही उत्तर का चयन कीजिए :

सूची–I	सूची–II
(*a*) कोडूमनल	(*i*) पल्लव मंदिर
(*b*) गंगईकोंडन	(*ii*) बंदरगाह-नगर
(*c*) महाबलिपुरम्	(*iii*) व्यापारिक केन्द्र
(*d*) पूमपुहार	(*iv*) चोलों की राजधानी

कूट :

	(*a*)	(*b*)	(*c*)	(*d*)
A.	(*ii*)	(*iv*)	(*i*)	(*iii*)
B.	(*i*)	(*ii*)	(*iii*)	(*iv*)
C.	(*ii*)	(*iii*)	(*iv*)	(*i*)
D.	(*iii*)	(*iv*)	(*i*)	(*ii*)

19. मालव काल गणना निम्नलिखित में से किस संवत् से अभिन्न थी?

A. विक्रम　　B. शक
C. गुप्त　　D. कलि

20. निम्नलिखित में से किसमें तमिलवासियों की व्यापारिक गतिविधियों सम्बन्धी संदर्भ प्राप्य है?

A. मुलायप्पट्टू
B. नेदुनलवडाइ
C. सिलप्पडिगारम्
D. मणिमेखलाई

21. दक्खन के प्रसिद्ध महाकाव्य कुरल का लेखक था :

A. कम्बन　　B. ओत्तकुट्टन
C. पुग्लेन्दि　　D. तिरु-वल्लूवर

22. सूची-I को सूची-II से सुमेलित कीजिए और निम्न कूट में से सही उत्तर का चयन कीजिए :

सूची–I	सूची–II
(*a*) तोलकाप्पियम्	(*i*) जैन दर्शन
(*b*) तिरुक्कुरल	(*ii*) प्रेम कथा
(*c*) सिलप्पदिक्कारम्	(*iii*) तमिल व्याकरण
(*d*) परिपाडल	(*iv*) दर्शन

कूट :

	(*a*)	(*b*)	(*c*)	(*d*)
A.	(*iii*)	(*ii*)	(*i*)	(*iv*)
B.	(*iii*)	(*i*)	(*ii*)	(*iv*)
C.	(*i*)	(*iii*)	(*ii*)	(*iv*)
D.	(*ii*)	(*i*)	(*iii*)	(*iv*)

23. भारत में सर्वप्रथम किस अभिलेख में शून्य का प्रमाण मिला है?

A. आदित्यसेन का अपसढ़ अभिलेख
B. भोजदेव का ग्वालियर अभिलेख
C. गौतमीपुत्र शातकर्णि का नासिक अभिलेख
D. खारवेल का हाथीगुम्फा अभिलेख

24. नीचे दो कथन दिए जा रहे हैं जिनमें से प्रथम को अभिकथन (A) और दूसरे को तर्क (R) कहा गया है।

कथन (A) : पल्लव नरेश महेन्द्र-वर्मन-I ने, महाबलिपुरम सहित, कतिपय उत्कृष्ट शैल-खचित हिन्दू मन्दिरों का निर्माण करवाया था।

कारण (R) : महेन्द्र-वर्मन-I शुरू में जैन था, किन्तु शैव अनुयायी बन गया था।

उपरोक्त दो वक्तव्यों के सन्दर्भ में निम्नलिखित में से कौन सही है?

कूट :

A. (A) और (R) दोनों सही हैं तथा (A) की सही व्याख्या (R) है।

B. (A) और (R) दोनों सही हैं, किन्तु (A) की सही व्याख्या (R) नहीं है।

C. (A) सही है, लेकिन (R) गलत है।

D. (A) गलत है, लेकिन (R) सही है।

25. निम्नलिखित का अनुक्रमिक क्रम दीजिए और प्रदत्त कूट से सही उत्तर का चयन कीजिए :

(*i*) राज राज चोल-I

(*ii*) आदित्य चोल

(*iii*) राजेन्द्र चोल

(*iv*) परान्तक चोल-I

कूट :

A. (*i*), (*ii*), (*iii*), (*iv*) B. (*ii*), (*iv*), (*i*), (*iii*)

C. (*iii*), (*iv*), (*ii*), (*i*) D. (*iv*), (*iii*), (*i*), (*ii*)

26. निम्नलिखित में से कौन-से कथन सही **नहीं** हैं?

1. इल्तुतमिश का मकबरा इस बात का संकेत करता है कि इसके निर्माण में हिन्दू तथा मुस्लिम स्थापत्य कला की परम्पराओं का मिला-जुला प्रयोग किया गया।
2. प्रथम बार असली मेहराब का प्रयोग सुल्तान नसीरूद्दीन महमूद के मकबरे में किया गया।
3. घोड़े की नाल की आकृति की मेहराब का प्रथम बार प्रयोग अलाई दरवाजे के निर्माण में किया गया।
4. दोहरी मेहराब कही जाने वाली वास्तुशिल्पीय युक्ति का प्रयोग सल्तनत काल में निर्मित किसी भी भवन में नहीं किया गया।

नीचे दिए गए कूटों में से सही उत्तर का चयन कीजिए :

कूट :

A. 1, 3, 4 B. 2, 4

C. 1, 3 D. 2, 3, 4

27. 1236 से 1296 तक कितने सुल्तानों ने शासन किया?

A. पाँच सुल्तान B. सात सुल्तान

C. दस सुल्तान D. बारह सुल्तान

28. निम्नलिखित में से कौन-सा कथन सही **नहीं** है?

A. दिल्ली सल्तनत में हस्तशिल्प उत्पादन में दासों के श्रम का उपयोग काफी महत्वपूर्ण था।

B. अकुशल, घरेलू कार्य के लिए भी दासों को काम में लिया जाता था।

C. सुल्तान फिरोज तुगलक के दासों में 12,000 शिल्पकार भी थे।

D. सल्तनत कालीन भवनों, जिनमें मस्जिद और मकबरे भी थे, के निर्माण के लिए अप्रवासी मुसलमान राजगीरों को काम पर लगाया गया।

29. सल्तनत कालीन भारत में किन फसलों की खेती नहीं की जाती थी?

1. आलू 2. जौ
3. तिल 4. मक्का

नीचे दिए गए कूटों में से सही उत्तर का चयन कीजिए :

कूट :

A. 1, 2, 3 B. 1, 2

C. 1, 4 D. 3, 4

30. सूची-I को सूची-II से सुमेलित कीजिए और निम्न कूट में से सही उत्तर का चयन कीजिए :

सूची–I (दिल्ली-सल्तनत के शासक)	सूची–II (कार्य अथवा घटना)
(*a*) जलालुद्दीन खिलजी	(*i*) बंगाल विजय
(*b*) अलाऊद्दीन खिलजी	(*ii*) सार्वजनिक निर्माण विभाग की स्थापना
(*c*) गियासुद्दीन तुगलक	(*iii*) सिद्धी मौला का वध
(*d*) फिरोज शाह तुगलक	(*iv*) मालबा एवं गुजरात की विजय

कूट :

	(*a*)	(*b*)	(*c*)	(*d*)
A.	(*i*)	(*iv*)	(*iii*)	(*ii*)
B.	(*iii*)	(*iv*)	(*i*)	(*ii*)
C.	(*iv*)	(*iii*)	(*i*)	(*ii*)
D.	(*i*)	(*iii*)	(*iv*)	(*ii*)

31. सैयद वंश के संस्थापक खिज्र खाँ के तीन उत्तराधिकारियों के नाम निम्नलिखित हैं :

(*i*) मुबारकशाह

(*ii*) अलाऊद्दीन आलमशाह

(*iii*) मुहम्मदशाह

निम्न क्रमांकों में से कौन-सा क्रमांक सही काल क्रम के अनुसार है?

कूट :

A. (*i*), (*ii*), (*iii*) B. (*i*), (*iii*), (*ii*)
C. (*iii*), (*ii*), (*i*) D. (*ii*), (*iii*), (*i*)

32. सूची-I को सूची-II से सुमेलित कीजिए और निम्न कूट में से सही उत्तर का चयन कीजिए :

सूची–I (सूफी शब्दावली)	**सूची–II (अर्थ)**
(*a*) फुतूह	(*i*) सूफी संगीत समागम
(*b*) समा	(*ii*) सूफी संतों के वार्तालाप
(*c*) बरकत	(*iii*) ऐच्छिक दान
(*d*) मलफूज	(*iv*) सूफी द्वारा अर्जित आध्यात्मिक शोभा

कूट :

	(*a*)	(*b*)	(*c*)	(*d*)
A.	(*i*)	(*iii*)	(*ii*)	(*iv*)
B.	(*iii*)	(*i*)	(*iv*)	(*ii*)
C.	(*iii*)	(*ii*)	(*i*)	(*iv*)
D.	(*iv*)	(*iii*)	(*ii*)	(*i*)

33. निम्नलिखित में से किसने सोलहवीं शताब्दी के विजयनगर शासन की राजकीय अर्थ नीति को सामन्तवादी कहा है?

A. एन. काराशिमा B. बर्टन स्टाइन
C. के.वी. रमेश D. एन. वेंकटरमनैया

34. निम्नलिखित कथनों पर विचार कीजिए :

(*i*) गुरु नानक सभी प्रमुख समकालीन धार्मिक विश्वासों एवं अनुष्ठानों चाहे वह 'हिन्दू' या 'मुस्लिम' थे में रुचि रखते थे।
(*ii*) गुरु नानक जैन मुनियों के प्रति उदार थे।
(*iii*) उनके विचार में धर्म ग्रन्थों का पारम्परिक पठन समय का दुरुपयोग है।
(*iv*) अपने जीवनकाल के अन्तिम पन्द्रह वर्ष गुरु नानक ने कीरतपुर में व्यतीत किए।

उपरोक्त में से कौन-से कथन सही नहीं हैं? नीचे दिए गए कूट से अपने उत्तर का चयन कीजिए :

कूट :

A. (*i*) एवं (*ii*) B. (*i*) एवं (*iv*)
C. (*ii*) एवं (*iii*) D. (*ii*) एवं (*iv*)

35. नीचे दो कथन दिए जा रहे हैं जिनमें से प्रथम को अभिकथन (A) और दूसरे को तर्क (R) कहा गया है।

अभिकथन (A) : अपने पिता एवं सूर शासकों के समान हुमायूँ भी अपने से उच्चतर किसी राजनैतिक सत्ता को मान्यता देने का इच्छुक नहीं था।

तर्क (R) : उसने स्वयं खलीफा की उपाधि धारण कर ली थी।

उपरोक्त दो वक्तव्यों के सन्दर्भ में निम्नलिखित में से कौन-सा सही है?

कूट :

A. (A) और (R) दोनों सही हैं तथा (R), (A) की सही व्याख्या है।
B. (A) और (R) दोनों सही हैं, लेकिन (R), (A) की सही व्याख्या नहीं है।
C. (A) सत्य है, लेकिन (R) असत्य है।
D. (A) असत्य है, लेकिन (R) सत्य है।

36. यह किसका कथन है कि एक स्त्री के लिए सबसे उत्तम स्थान पर्दा या कब्र है?

A. अमीर खुसरो B. इसामी
C. बदायूँनी D. शेख अहमद सिरहिंदी

37. निम्नलिखित में से किसने मालवा पर मुगल आक्रमण को यह कहकर उचित ठहराया कि बाज बहादुर ने अपने आपको 'अनैतिक एवं कुत्सित कार्यों में लिप्त कर रखा था?''

A. निजामुद्दीन अहमद
B. अब्दुल कादिर बदायूँनी
C. आरिफ कंधारी
D. अबुल फजल

38. नीचे दो कथन दिए जा रहे हैं जिनमें से प्रथम को अभिकथन (A) और दूसरे को तर्क (R) कहा गया है।

अभिकथन (A) : जहाँगीर के शासन काल में चित्रकला अपने चर्मोत्कर्ष पर पहुँच गई।

तर्क (R) : वह अन्य कलाओं में रुचि नहीं रखता था।

उपरोक्त कथनों को पढ़िए और नीचे दिए गए कूट से सही उत्तर का चयन कीजिए :

कूट :

A. (A) और (R) दोनों सही हैं तथा (R), (A) की सही व्याख्या है।

B. (A) और (R) दोनों सही हैं, लेकिन (R), (A) की सही व्याख्या नहीं है।

C. (A) सत्य है, लेकिन (R) असत्य है।

D. (A) असत्य है, लेकिन (R) सत्य है।

39. नीचे दो कथन दिए जा रहे हैं जिनमें से प्रथम को अभिकथन (A) और दूसरे को तर्क (R) कहा गया है।

अभिकथन (A) : यूरोपीय व्यापारी कम्पनियों के भारत आगमन से सतरहवीं शताब्दी में भारत के निर्यात व्यापार पर विपरीत प्रभाव पड़ा।

तर्क (R) : सतरहवीं शताब्दी में इंग्लिश ईस्ट इण्डिया कम्पनी की व्यापारिक गतिविधियों के कारण बड़ी मात्रा में चाँदी लाई गई।

उपरोक्त दो कथनों के प्रसंग में निम्नलिखित में से कौन-सा कथन सही है? नीचे लिखे कूट में से सही उत्तर का चयन कीजिए :

कूट :

A. (A) और (R) दोनों सही हैं तथा (R), (A) की सही व्याख्या है।

B. (A) और (R) दोनों सही हैं, लेकिन (R), (A) की सही व्याख्या नहीं है।

C. (A) सत्य है, लेकिन (R) असत्य है।

D. (A) असत्य है, लेकिन (R) सत्य है।

40. निम्नलिखित में से किस अधिकारी का मुगल साम्राज्य के नगरीय प्रशासन से सम्बन्ध **नहीं** था?

A. नाजिम

B. काजी

C. मीर-ए-अदल

D. कोतवाल

41. निम्नलिखित कथनों पर विचार कीजिए :

(*i*) शाहजहाँ ने झरोखा दर्शन एवं तुलादान की प्रथाएँ समाप्त कर दी।

(*ii*) शाहजहाँ ने शान्ति दास, जो कि अहमदाबाद का प्रमुख जौहरी एवं साहूकार था, को जैन मुनियों के विश्राम स्थल का निर्माण करने हेतु भूमि अनुदान देने से इनकार कर दिया।

(*iii*) शाहजहाँ ने कश्मीर में हिन्दुओं और मुसलमानों के मध्य वैवाहिक सम्बन्धों पर रोक लगा दी।

(*iv*) शाहजहाँ ने धर्मवेत्ताओं को सिजदा न करने की छूट दे दी।

उपरोक्त में से कौन-से कथन सही नहीं हैं? नीचे दिए गए कूट से अपने उत्तर का चयन कीजिए :

कूट :

A. (*i*) एवं (*ii*) B. (*ii*) एवं (*iii*)

C. (*ii*) एवं (*iv*) D. (*i*) एवं (*iv*)

42. आसाम के अहोम राज्य का वर्णन किस मुगल दरबारी इतिहास लेखन में किया गया है?

A. पादशाहनामा

B. आलमगीरनामा

C. फुतुहात-ए-आलमगीरी

D. मआसिर-ए-आलमगीरी

43. किस इतिहासकार ने जमींदारों, जागीरदारों एवं किसानों के बीच त्रिपक्षीय सम्बन्धों को मुगल साम्राज्य के संकट एवं पतन का कारण माना है?

A. स्टीफन पी. ब्लेक B. एम. अतहर अली

C. सतीश चन्द्र D. सी.ए. बेली

44. निम्नलिखित कथनों पर विचार कीजिए :

(*i*) शिवाजी ने अपने स्वराज क्षेत्र में दक्कन की शक्तियों की घुसपैठ को नियन्त्रित किया।

(*ii*) उन्होंने 1664 में सूरत को लूटा।

(*iii*) उन्होंने शाइस्ता खान और मिर्जा राजा जयसिंह के आक्रमणों का सफलतापूर्वक सामना किया।

(*iv*) शिवाजी की शक्ति को कमजोर करने के उद्देश्य से मुगलों ने बीजापुर एवं गोलकुंडा का मुगल साम्राज्य में विलय किया।

उपरोक्त में से कौन-से कथन सही **नहीं** हैं? नीचे दिए गए कूट से अपने उत्तर का चयन कीजिए :

कूट :

A. (*i*) एवं (*iii*) B. (*i*) एवं (*iv*)

C. (*ii*) एवं (*iii*) D. (*iii*) एवं (*iv*)

45. निम्नलिखित में कौन-सा युग्म सही सुमेलित **नहीं** है?

A. अहदी — भद्र सैनिक

B. अशरफ — कुलीन वंश का व्यक्ति

C. जामा-ए-कामिल — सामान्य दर पर लगान निर्धारण

D. सिवनाह निगर — समाचार भेजने वाला

46. निम्नलिखित में से कौन-सा कथन सही नहीं है?
   A. स्थल मार्ग द्वारा भारत में आयातित वस्तुओं में घोड़ों का बहुत बड़ा हिस्सा था।
   B. सतरहवीं शताब्दी में सूरत के व्यापारियों में वीरजी वोहरा एक प्रमुख व्यापारी था।
   C. पुर्तगालियों ने सतरहवीं शताब्दी में भारत के सामुद्रिक व्यापार पर अपना प्रभुत्व बनाए रखा।
   D. सतरहवीं शताब्दी में अनेक मुगल अमीरों ने व्यापार एवं वाणिज्य में भाग लिया।

47. निम्नलिखित में कौन-सा कथन सही **नहीं** है?
   A. मुगलों की मौद्रिक व्यवस्था मुख्यतः चाँदी के रुपये पर आधारित थी।
   B. बाबर से शाहजहाँ तक सभी मुगल शासकों की मध्य एशिया में अपना राज्य स्थापित करने की महत्वाकांक्षा रही।
   C. मुगल काल में मध्यम वर्ग नहीं था।
   D. 1605-1658 के काल में मनसब व जागीर व्यवस्था में महत्वपूर्ण परिवर्तन किए गए।

48. नीचे दो कथन दिए जा रहे हैं जिनमें से प्रथम को अभिकथन (A) और दूसरे को तर्क (R) कहा गया है।
   अभिकथन (A) : बंगाल में दीवानी अधिकारों के ग्रहण करने के पश्चात् कम्पनी ने प्रत्यक्षतया स्वयं 'धन निकास' का आयोजन कर लिया।
   तर्क (R) : कम्पनी ने इंग्लैण्ड को बंगाल का राजस्व निवेश के नाम पर भेजना प्रारम्भ कर दिया।
   उपरोक्त दो कथनों के सन्दर्भ में निम्नलिखित में से कौन-सा एक सही है?
   कूट :
   A. (A) और (R) दोनों सही हैं तथा (R), (A) की सही व्याख्या है।
   B. (A) और (R) दोनों सही हैं, लेकिन (R), (A) की सही व्याख्या नहीं है।
   C. (A) सत्य है, लेकिन (R) असत्य है।
   D. (A) असत्य है, लेकिन (R) सत्य है।

49. भारत में सबसे बड़ा ब्रिटिश पूँजी निवेश किसमें किया गया था?
   A. पटसन के कारखानों में
   B. रेलवे, बैंकिंग, बीमा और नौ परिवहन में
   C. चाय एवं कॉफी के बागान में
   D. नील बागान

50. "वाणिज्य के इतिहास में कठिनाई से इस दरिद्रता के समानान्तर कोई अन्य उदाहरण मिलेगा। भारत के मैदानों को जुलाहों की हड्डियाँ विरंजित करती हैं।" निम्नलिखित में से यह कथन किसका है?
   A. विलियम बैंटिंक   B. जी.एम. ट्रैवेलियन
   C. सी. मेटकाफ   D. लॉर्ड ऑकलैण्ड

51. "देशीय लोगों को शिक्षित करना हमारा नैतिक कर्तव्य है।" यह कथन किसका है?
   A. वारेन हेस्टिंग्स   B. वेलेज़ली
   C. विलियम बेंटिंक   D. लॉर्ड मोयरा

52. 1833 के पश्चात् ब्रिटेन के लिए भारतीय धन निकासी का एकल सर्वाधिक स्रोत था–
   A. अफीम का निर्यात
   B. नील का निर्यात
   C. भारत में ब्रिटिश पूँजी का निवेश
   D. कपास का निर्यात

53. निम्नलिखित में से कौन-सा कारण ब्रिटिश भारत में साहूकारों के उत्थान का कारक **नहीं** था?
   A. नव राजस्व नीति   B. नव विधि प्रणाली
   C. नव शिक्षा प्रणाली   D. कृषि का व्यापारीकरण

54. निम्न में से वहाबी एवं कूका आन्दोलनों में कौन-सी समान विशेषता है?
   A. दोनों धार्मिक आन्दोलनों के रूप में प्रारम्भ हुए परन्तु दोनों ही धीरे-धीरे राजनीतिक आन्दोलन हो गए।
   B. दोनों ही राजनीतिक एवं आर्थिक आन्दोलन थे।
   C. दोनों ने ही अहिंसा का पालन किया।
   D. दोनों ही कुछ कमजोरियों, यथा साम्प्रदायिक भावनाओं, कट्टरता और संगठन में गुटबाजी से ग्रस्त नहीं थे।

55. राजा राममोहन राय की जीवनी का लेखक कौन था?
   A. आर्मस्ट्रांग   B. मेरी कारपेंटर
   C. डेविड हवेल   D. लारेंस

56. लेक्सलोकी अधिनियम ने
   A. ऐसे धर्म परिवर्तन करके ईसाई बनने वालों को पैतृक सम्पत्ति में कोई अधिकार नहीं दिया।

B. धर्म-परिवर्तन करने से बने ईसाइयों को पैतृक सम्पत्ति में अधिकार दिया।
C. बौद्ध धर्म से परिवर्तन करने वाले को पैतृक सम्पत्ति का अधिकारी नहीं माना गया।
D. जैन से परिवर्तित होकर नवधर्मियों को पैतृक सम्पत्ति का अधिकार दिया गया।

57. किसके प्रयत्न स्वरूप 'विधवा पुनर्विवाह अधिनियम' बना?
A. राजा राममोहन राय B. ईश्वरचन्द्र विद्यासागर
C. डी.के. कर्वे D. एम.जी. रानाडे

58. किस वर्ष में विज्ञान की शिक्षा के लिए 'इण्डियन एसोसिएशन' की स्थापना हुई?
A. 1874 B. 1875
C. 1876 D. 1877

59. 1891 में बाल-विवाह का निषेधक अधिनियम किनके प्रयास से पारित हुआ?
A. ईश्वरचन्द्र विद्यासागर और ज्योतिबा फूले
B. महादेव गोविन्द रानाडे और ज्योतिबा फूले
C. केशवचन्द्र सेन और बहरामजी मालाबारी
D. केशवचन्द्र सेन और महादेव गोविन्द रानाडे

60. केरल के 'श्री नारायण धर्म परिपालन योगम्' का कार्य-क्षेत्र क्या था?
A. दलित एवं किसानों के उत्थानार्थ
B. महिला शिक्षा
C. बाल श्रम के निवारणार्थ
D. हिंदू विधवा पुनर्विवाह

61. 'इंडियन नेशनल कांग्रेस' का नामकरण किसने किया?
A. दादाभाई नौरोजी B. एम.जी. रानाडे
C. एस.एन. बैनर्जी D. ए.ओ. ह्यूम

62. सूची-I को सूची-II से सुमेलित कीजिए और निम्न कूट में से सही उत्तर का चयन कीजिए :

सूची–I (नाम)	सूची–II (पत्र-पत्रिका)
(*a*) अबुल कलाम आजाद	(*i*) बॉम्बे क्रोनिकल
(*b*) फिरोजशाह मेहता	(*ii*) अल हिलाल
(*c*) मिसेज एनी बेसेंट	(*iii*) यंग इंडिया
(*d*) महात्मा गांधी	(*iv*) न्यू इंडिया

कूट :

	(*a*)	(*b*)	(*c*)	(*d*)
A.	(*ii*)	(*i*)	(*iv*)	(*iii*)
B.	(*i*)	(*ii*)	(*iv*)	(*iii*)
C.	(*ii*)	(*i*)	(*iii*)	(*iv*)
D.	(*iv*)	(*i*)	(*ii*)	(*iii*)

63. नीचे दो कथन दिए जा रहे हैं जिनमें से प्रथम को अभिकथन (A) और दूसरे को तर्क (R) कहा गया है।
अभिकथन (A) : 'अवेस्ता' पारसियों का पुनीत धार्मिक ग्रंथ है।
तर्क (R) : मैडम कामा ने पारसी समाज और पारसी महिलाओं के उत्थान के लिए महत्वपूर्ण योगदान दिया।
उपरोक्त दो कथनों के सन्दर्भ में, निम्नलिखित में से कौन-सा सही है?
कूट :
A. (A) और (R) दोनों सही हैं तथा (R), (A) की सही व्याख्या है।
B. (A) और (R) दोनों सही हैं, लेकिन (R), (A) की सही व्याख्या नहीं है।
C. (A) सत्य है, लेकिन (R) असत्य है।
D. (A) असत्य है, लेकिन (R) सत्य है।

64. 1927 में मद्रास विधानसभा के लिए नामांकित की जाने वाली प्रथम महिला थी–
A. मुथुलक्ष्मी रेड्डी B. सिस्टर शुभालक्ष्मी
C. मेहरीबाई टाटा D. मागरिट कुन्सिनज

65. दि इण्डियन नेशनल कांग्रेस वास्तविक जनाधार वाली राजनीतिक पार्टी किस वार्षिक अधिवेशन के पश्चात बनी?
A. कांग्रेस का नागपुर अधिवेशन, 1891
B. नागपुर में कांग्रेस अधिवेशन, 1920
C. कांग्रेस का कानपुर अधिवेशन, 1928
D. कांग्रेस का फैजपुर अधिवेशन, 1936

66. नीचे दो कथन दिए जा रहे हैं जिनमें से प्रथम को अभिकथन (A) और दूसरे को तर्क (R) कहा गया है।
अभिकथन (A) : 1939 में कांग्रेस द्वारा प्रान्तों के मंत्रिमण्डल से इस्तीफा देने के पश्चात् शीघ्र ही मुस्लिम लीग ने 'मुक्ति दिवस' मनाया।
तर्क (R) : अम्बेडकर ने इसका समर्थन किया।
उपरोक्त दो कथनों के सन्दर्भ में, निम्नलिखित में से कौन-सा सही है?

कूट :

A. (A) और (R) दोनों सही हैं तथा (R), (A) की सही व्याख्या है।

B. (A) और (R) दोनों सही हैं, लेकिन (R), (A) की सही व्याख्या नहीं है।

C. (A) सत्य है, लेकिन (R) असत्य है।

D. (A) असत्य है, लेकिन (R) सत्य है।

67. नीचे दो कथन दिए जा रहे हैं जिनमें से प्रथम को अभिकथन (A) और दूसरे को तर्क (R) कहा गया है।

अभिकथन (A) : यू.एस.ए. में सिविल युद्ध के पश्चात् काले लोगों को मताधिकार सम्बन्धी कठिनाइयों का सामना करना पड़ा।

तर्क (R) : यू.एस.ए. के दक्षिणी राज्यों ने यह आज्ञापक कर दिया कि 1860 की मतदाता सूची में मतदाता होने के लिए पिता अथवा दादा का नाम होना चाहिए।

उपरोक्त दो कथनों के सन्दर्भ में, निम्नलिखित में से कौन-सा सही है?

कूट :

A. (A) और (R) दोनों सही हैं तथा (R), (A) की सही व्याख्या है।

B. (A) और (R) दोनों सही हैं, लेकिन (R), (A) की सही व्याख्या नहीं है।

C. (A) सत्य है, लेकिन (R) असत्य है।

D. (A) असत्य है, लेकिन (R) सत्य है।

68. निम्नलिखित में से यह किसने कहा था कि "आधुनिकोत्तरवाद की परिभाषा मात्र एक पद की परिभाषा नहीं है। यह तो वर्तमान युग का चित्रण है जिसमें यह मूल्यांकन किया जाए कि इसके प्रति हमारी अनुक्रिया क्या है?"

A. जे.एफ. ल्यूटार्ड B. अर्रन गरे

C. जे.जी. मेरक्यूर D. उपरोक्त में से कोई नहीं

69. निम्नलिखित कथनों पर विचार कीजिए और बताइए कि अनुसंधान कार्यप्रणाली के प्रसंग में कौन-सा कथन सही **नहीं** है?

A. इतिहास लेखन में वैयक्तिक दृष्टिकोण अपनाने से अतीत का सही चित्र प्रस्तुत करना संभव हो जाता है।

B. रिकॉर्ड की बाह्य एवं आन्तरिक समीक्षा इतिहासकार को प्रामाणिकता को स्थापित करने में सहायता करती है।

C. अतीत की घटनाओं का आलोचनात्मक विश्लेषण करने के लिए इतिहासकार को उन घटनाओं के घटनाक्रम को जानने की आवश्यकता है।

D. अतीत के ऐतिहासिक रिकार्ड पूर्णतया प्रामाणिक एवं सही नहीं हो सकते जिनसे तथ्यों को जाना जा सके।

70. निम्नलिखित कथन पर विचार कीजिए :

"17वीं शताब्दी की वैज्ञानिक क्रान्ति से पहले पश्चिम में इतिहास लेखन कुछ नियत कमजोरियों से ग्रस्त था।"

निम्न में से कौन-सा कथन इसकी पुष्टि करता है?

A. अधिकतर लेखक समय के गुजरने के साथ आने वाले परिवर्तनों के विचार से अनभिज्ञ थे।

B. इतिहास की विषय-वस्तु को लगभग साहित्य अथवा दर्शनशास्त्र की शाखा समझा गया।

C. (A) और (B) दोनों

D. उपरोक्त में से कोई नहीं

निर्देश (प्र.सं. 71 से 75 तक) : *निम्नलिखित गद्यांश को सावधानी से पढ़िए और नीचे दिए गए प्रश्नों के सही उत्तर चुनिए :*

अठारहवीं शताब्दी में ईस्ट इंडिया कम्पनी की सेना की भर्ती को महज उत्तर भारतीय सैन्य श्रम बाजार की प्रचलित परम्पराओं पर निर्मित नहीं किया जा रहा था। इसे ब्रिटिश साम्राज्य के अधिमानों के अनुसार ढाला जा रहा था। उदाहरणतया, यह भर्ती ब्रिटिशों द्वारा अधिमानित उस परम्परा की प्रौदृता करती है जो कृषकों को सेना में भर्ती के लिए सर्वोत्तम संभाव्य सिपाही मानती है और उपनिवेशीय रूढ़ि के अनुसार वे इस भर्ती के लिए चावल खाने वालों की अपेक्षा गेहूँ खाने वाले भारतीयों को शारीरिक रूप से अधिक उपयुक्त मानते थे। यद्यपि सेना की भर्ती के लिए यह जातीय रूढ़िवादिता 18वीं शती की अपेक्षा 19वीं शती में आकर अधिक महत्वपूर्ण कारक बनी। सेना खड़ी करने के प्रारम्भिक पड़ाव के दौरान हेस्टिंग्स ने सैन्य मामलों में मौजूदा जातीय नियमों से छेड़छाड़ करना नहीं चाहा। इसलिए तब कम्पनी की सेना में मुख्यतया अवध से उच्च वर्ग के ब्राह्मण और जमींदार राजपूत तथा उत्तरी और दक्षिणी बिहार से भूमिहार एवं ब्राह्मण कृषक थे। ये दोनों क्षेत्र ही गेहूँ के खपतकार हैं। ये लोग कम्पनी-सेना में इसलिए भर्ती हुए क्योंकि कम्पनी द्वारा वेतन, भत्ते, पेंशन और पुनर्वास के किए गए प्रावधान क्षेत्रीय राजाओं द्वारा किए गए प्रावधानों की अपेक्षा कहीं बेहतर थे और सबसे महत्वपूर्ण बात यह थी कि कम्पनी में पगार

नियमित रूप से मिलती थी। सिपाहियों की जातीय, खान-पान, यात्रा एवं अन्य धार्मिक मान्यताओं को सम्मान देने की सोची-समझी नीति ने इस सेना को एक उच्च पहचान प्रदान की। इसलिए इस सेना में भर्ती होने से भूमिहार-ब्राह्मण जैसी नई महत्वाकांक्षी जाति के लोग सामाजिक रूप से ऊँचा उठने की अपनी आकांक्षाओं को पूरा कर सकते थे। यद्यपि कार्नवालिस जो सेना के अंग्रेजीकरण को अधिमान देते थे फिर भी उन्होंने सेना के इस संगठन से छेड़छाड़ नहीं की जिसके फलस्वरूप कम्पनी के पास एक उच्च-जातीय सेना हो गई जो 1820 के दशक में अपने सामाजिक विशेषाधिकारों एवं मौद्रिक लाभों को घटाने से विद्रोहोन्मुखी हो उठी थी। कम्पनी के क्षेत्र जब 1770 के वर्षों में पश्चिम दिशा में बंगाल से पहाड़ी जंगल की तराई से आगे तक विस्तृत होने लगे और फिर 1802 में कुछ जिलों को जीता गया और साथ मिलाया गया तो एक बार फिर पहाड़ी आदिवासियों को सेना में भर्ती करने का प्रयास किया गया। कम्पनी ने मैदानी क्षेत्रों में तो भर्ती के लिए स्थायी केंद्र खोल रखे थे मगर पहाड़ी स्थानों पर यह भर्ती स्थानीय सम्माननीय व्यक्तियों के माध्यम से की जाती थी और उन्हें अदायगी मुगलों की घाटवाली प्रणाली सेवा अवधि के आधार पर ही की जाती थी।

भारतीय रियासतों, विशेषतया 18वीं शती के अन्त में मैसूर और 19वीं शताब्दी के प्रारम्भ में मराठों की पराजय ने भर्ती के लिए सशस्त्र मानव शक्ति का एक विस्तृत अधिशेष जलाशय बना छोड़ा। मगर भारतीय राजाओं की सेनाओं से हटे समस्त सिपाहियों को कम्पनी-सेना में नहीं लिया जा सका। 1815 ई. में सेना की भर्ती में नेपालियों में से गोरखा सिपाहियों और सिरमौर के पहाड़ी लोगों को भर्ती करने का नया प्रयोग किया गया। नेपाली सामरिक परम्परा और यूरोपीय प्रशिक्षण एवं अनुशासन के संयोग ने गोरखों को ब्रिटिश सेना के विश्वसनीय सिपाही बना दिया।

71. कम्पनी की सेना में भर्ती का आधार था
A. सैन्य श्रम बाजार की मौजूदा परम्पराएँ
B. सर्वोत्तम संभाव्य सिपाही होने की अपेक्षा किसानों को अधिमान देना
C. उपनिवेशीय रूढ़िवादिता
D. शारीरिक रूप से उपयुक्तता

72. कम्पनी-सेना में निम्न शामिल थे :
A. उच्च जातीय ब्राह्मण और राजपूत
B. बिहार और बंगाल के जमींदार किसान
C. चावल खाने वाले क्षेत्रों के लोग
D. केवल दक्षिणवासी

73. सेना की भर्ती में ब्रिटिश राज्य ने अदायगी की किस प्रणाली को अपनाया?
A. मालगुजारी B. घाटवाली
C. महलवारी D. यादगारी

74. 19वीं शती के प्रारम्भ में भंग की गई सेनाओं के सभी सिपाहियों को कम्पनी सेना में नहीं ले सकी क्योंकि
A. इनके पास अधिशेष सेना थी।
B. कम्पनी आर्थिक रूप से कमजोर थी।
C. कम्पनी को और अधिक भारतीय सेनानी नहीं चाहिए थे।
D. धार्मिक कारणों से।

75. गोरखा कम्पनी के सर्वाधिक विश्वसनीय सिपाही हो गए क्योंकि
A. वे सामरिक कला में निपुण थे।
B. वे पहाड़ों के वासी थे।
C. वे अनुशासित थे।
D. वे गोरिल्ला युद्ध के विशेषज्ञ थे।

उत्तरमाला

1	2	3	4	5	6	7	8	9	10
A	C	C	A	C	D	C	B	D	D
11	**12**	**13**	**14**	**15**	**16**	**17**	**18**	**19**	**20**
B	C	A	A	B	C	B	D	A	C
21	**22**	**23**	**24**	**25**	**26**	**27**	**28**	**29**	**30**
D	B	B	A	B	B	C	D	C	B
31	**32**	**33**	**34**	**35**	**36**	**37**	**38**	**39**	**40**
B	B	A	D	C	C	A	C	D	A

41	42	43	44	45	46	47	48	49	50
A	B	C	D	C	C	C	A	B	A
51	52	53	54	55	56	57	58	59	60
D	C	C	A	B	B	B	C	C	A
61	62	63	64	65	66	67	68	69	70
A	A	B	A	B	B	A	B	A	C
71	72	73	74	75					
A	A	B	A	A					

कुछ चुने हुए प्रश्नों के व्याख्यात्मक उत्तर

2. पुरापाषाण काल (Paleolithic Age) : यूनानी भाषा में Palaios प्राचीन एवं Lithes पाषाण के अर्थ में प्रयुक्त होता था। इन्हीं शब्दों के आधार पर 'पाषाण काल' शब्द बना। यह काल आखेटक एवं खाद्य-संग्राहक काल के रूप में भी जाना जाता है। इस काल में मनुष्य अपना जीवन-यापन मुख्यतया खाद्यान्न संग्रह व पशुओं का शिकार करके करता था। इस काल में–'चापर-चापिंग' (पेबुला) परंपरा के अंतर्गत गोल पत्थरों को तोड़कर हथियार बनाये गये, जिसके अवशेष पंजाब की सोहन नदी घाटी से मिलते हैं। इस काल का मानव पर्वत की कन्दराओं में रहता था, ऐसे शैलाश्रय प्राप्त हुए हैं। इस काल के मानव के औजार और हथियार कुल्हाड़ी, पत्थर, तक्षणी, खुरचनी, छेदनी आदि थे जो परिष्कृत व तीक्ष्ण नहीं थे।

उच्च या उत्तर पाषाण काल : इस अवस्था का विस्तार हिमयुग की उस अंतिम अवस्था के साथ रहा जब जलवायु अपेक्षाकृत गर्म हो गई थी। विश्वव्यापी संदर्भ में इसकी दो विलक्षणतायें हैं–नये चकाचक उद्योग की स्थापना और आधुनिक प्रारूप के मानव (होमोसेपिएन्स) का उदय। इस युग के प्रस्तर फलक और तक्षणियाँ आंध्रप्रदेश, कर्नाटक, महाराष्ट्र, केन्द्रीय मध्य प्रदेश, दक्षिण उत्तर प्रदेश और बिहार के पठारी भाग में पाये जाते हैं। इस काल में मानव विकास की प्रक्रिया और भी अधिक तीव्र हुई। इस समय पत्थर के ब्लेडों के उपकरण बनाए जाने लगे, हालाँकि ब्लेडों (पत्थर के पतले फलकों) से हथियार बनाने की कला मध्य पाषाणकाल में प्रचलित थी, किन्तु इस समय इसका प्रयोग बढ़ गया। पत्थरों के अतिरिक्त, इस युग में हड्डी एवं हाथी दाँत के उपकरण भी तैयार होने लगे। अस्थि से बने हुए अलंकृत छड़, भाले की नोंक, सुइयाँ इत्यादि अनेक प्राचीन स्थलों से मिले हैं। कला एवं धर्म के प्रति भी लोगों की अभिरुचि बढ़ी। नक्काशी एवं चित्रकारी दोनों रूपों में कला व्यापक रूप से देखने को मिलती है। भीमबेटका की गुफाओं से उत्तर पाषाणकालीन गुफा चित्र मिले हैं।

मध्य पाषाण काल : मध्य पाषाण-युग संक्रान्ति काल था। 19वीं शताब्दी के उत्तरार्द्ध में फ्रांस के 'मॉस द अनिल' नामक स्थान से कुछ ऐसे उपकरण प्रकाश में आए, जिन्होंने इस धारणा की पुष्टि की कि पुरापाषाण-युग और नवपाषाण-युग के मध्य अंतराल था। वस्तुतः यह काल नव पाषाण-युग का अग्रगामी था। मध्य पाषाण काल में आखेट के क्षेत्र में भी परिष्कार हुआ, व तीक्ष्ण व परिष्कृत औजारों का प्रयोग करने लगा था। इस काल में तिकोने धार वाले हथियार, नुकीले औजार प्रयोग किए जाने लगे थे।

नवपाषाण युग (Neolithic Age) : प्रागैतिहासिक काल में मानव विकास की सबसे प्रमुख सीढ़ी नवपाषाणकालीन संस्कृति थी। यद्यपि कालक्रम के हिसाब से यह युग काफी छोटा है। तथापि सारे क्रांतिकारी परिवर्तन इसी युग में हुए। सर्वप्रथम 1860 ई. में 'ले मेमुरियर' ने इस काल का प्रथम प्रस्तर उपकरण उत्तर प्रदेश की टोंस नदी की घाटी में प्राप्त किया। इसके बाद 1872 में 'निवलियन फ्रेजर' ने कर्नाटक के 'बेलारी' क्षेत्र को दक्षिण भारत के नव पाषाणकालीन सभ्यता का मुख्य स्थल घोषित किया। इसके अलावा इस सभ्यता का मुख्य केन्द्र-बिन्दु है–कश्मीर, सिंधु प्रदेश, बिहार, बंगाल, उत्तर प्रदेश, आंध्रप्रदेश, असम इत्यादि। नवपाषाण काल में मानव ने सबसे पहली बार कृषि करना सीखा। कृषि कर्म ने अनाज के संग्रह, भोजन की पद्धति हेतु मृदभाण्डों का निर्माण प्रारम्भ किया। कृषि-कर्म

की आवश्यकताओं के अनुरूप प्रस्तर उपकरण अधिक धारदार व सुघड़ बनने लगे। उन पर पालिश भी की जाने लगी।

4. सिंधु सभ्यता के अंतर्गत नौ (9) फसलें पहचानी गई हैं। चावल, जौ की दो किस्में, गेहूँ की तीन किस्में, कपास, खजूर, तरबूज, मटर, बासिका जूँसी, तिल। सर्वप्रथम कपास उत्पन्न करने का श्रेय सिंधु सभ्यता के लोगों को जाता है। यूनानियों ने कपास को 'सिंडोन' कहा है। खेत जोतने के लिए लकड़ी के हल का प्रयोग किया जाता था। कालीबंगा में जुते हुए खेत का साक्ष्य मिला है।

5. मेसोपोटामियाई ठिकानों में कुछ हड़प्पाई मुहरें, मनके और बाट मिले हैं और साथ ही फारस की खाड़ी के ठिकानों में कुछ ऐसी वस्तुएँ मिली हैं जिन्हें हड़प्पाई माना गया है। इससे स्पष्ट है कि मेसोपोटामिया के साथ हड़प्पा का व्यापार चलता था। मेसोपोटामिया में मेलुहा के देश और उसके लोगों के उल्लेख मिलते हैं। वे शायद सैंधव सभ्यता का निर्देश करते हों, क्योंकि उस देश के जिन उत्पादों का जिक्र किया गया है उनमें हाथी के दाँत, कार्नेलियन, लकड़ी, लाजवर्द और सोना शामिल हैं, जिनमें से सभी सैंधव नगरों में मिलनेवाली वस्तुएँ हैं। मेसोपोटामियाई स्रोतों में पूरब दिशा के जिन अन्य स्थानों का उल्लेख हुआ है वे हैं दिलमुन और माकन। उनमें दिलमुन की पहचान बहरीन के रूप में की गई है। माकन संभवतः मकरान तट था। पश्चिमी भारत से निकलकर खाड़ी प्रदेशों के समानांतर चलकर दजला और फरात नदियों के मुहाने तक पहुँचनेवाली तटवर्ती जहाजरानी के माध्यम से भारत तथा खाड़ी क्षेत्रों के बीच व्यापार-विनिमय निरंतर चलता रहा है।

11. सिकन्दर के पूर्व के यूनानी लेखकों में हिकेटिअस मिलेटस, केसिअस, टेसियस, हेरोडोटस इत्यादि हैं। हेरोडोटूस जिसे 'इतिहास का पिता' कहा जाता है, इन्होंने 5वीं शताब्दी ई. पू. में 'हिस्टोरिका' नामक पुस्तक की रचना की। इसमें भारत और फारस के बीच संबंधों का वर्णन किया गया है।

टॉलमी : इसने दूसरी शताब्दी में भारत का भूगोल नामक पुस्तक लिखी।

प्लिनी : इसने प्रथम शताब्दी में 'नेचुरल हिस्ट्री' नामक पुस्तक लिखी। इसमें भारतीय पशुओं, पेड़-पौधों, खनिज पदार्थों आदि के बारे में विवरण मिलता है।

पेरीप्लस ऑफ द इरिथ्रियन-सी : इस पुस्तक के लेखक के बारे में जानकारी नहीं है। यह करीब 80 ई. में हिन्द महासागर की यात्रा पर आया था। इसने उस समय के भारत के बन्दरगाहों तथा व्यापारिक वस्तुओं के बारे में जानकारी दी है।

12. तमिल परम्परा के अनुसार पौराणिक समय से तीन संगम माने जाते हैं। प्रथम संगम का आयोजन वर्तमान में समुद्र में विलीन 'मदुरा' नामक स्थान पर हुआ था। द्वितीय संगम का आयोजन कपाटपुरम अथवा अलैवै में हुआ था यह स्थान अब समुद्र में विलीन हो चुका है। तृतीय संगम 'मदुरा' में हुआ था।

16.

दर्शन	रचयिता/प्रवर्तक
1. चार्वाक (भौतिकवादी)	चार्वाक
2. सांख्य	कपिल
3. योग	पतंजलि
4. न्याय	गौतम
5. वैशेषिक	कणाद
6. पूर्व मीमांसा	जैमिनी
7. उत्तर मीमांसा (वेदांत)	बादरायण

17. सातवाहनों ने सीसा के सिक्के बहुतायत से प्रचलित किए थे तथा पोटीन, ताँबे व काँसे के भी सिक्के जारी किए थे।

21. कुरल (तिरुवल्लुवर)–यह अष्टादश लघु उपदेश गीत (पदिने-किल्कण्वकु) है। यह तमिल साहित्य का आधार ग्रंथ माना जाता है। इसमें धर्मशास्त्र, अर्थशास्त्र तथा कामसूत्र का संयोजन है।

22. तोलकाप्पियम (तोलकाप्पियार)–इसकी विषय वस्तु व्याकरण (grammar) है। इसमें तीन खंड हैं। यह धर्म, अर्थ, काम, मोक्ष की नियमावली भी है।

सिलप्पादिकारम् (इलांगो आदिगल)–यह एक नूपुर की कहानी है। यह कोवलन तथा माधवी के प्रेम-प्रसंगों पर आधारित है। यह एक विख्यात महाकाव्य है, जिसे प्रो. मेहम्डाले ने तमिल काव्य का इलियड कहा है।

कुरल (तिरुवल्लुवर)–यह अष्टादश लघु उपदेश गीत (पदिने-किल्कण्वकु) है। यह तमिल साहित्य का आधार ग्रंथ माना जाता है। इसमें धर्मशास्त्र, अर्थशास्त्र तथा कामसूत्र का संयोजन है।

25. नौवीं शताब्दी में चोल वंश पल्लवों के ध्वंसावशेषों पर स्थापित हुआ। इस वंश के संस्थापक विजयालय (850-87 ई.) थे। इसकी राजधानी तांजाय (तंजौर या तंजावूर) था। विजयालय ने नरकेसरी की उपाधि धारण की और निशुम्भसूदिनी देवी का मंदिर बनवाया। चोलों का स्वतंत्र राज्य आदित्य प्रथम ने स्थापित किया। पल्लवों पर विजय पाने के उपरान्त आदित्य प्रथम ने कोदण्डराम की उपाधि धारण की। चोल वंश के प्रमुख राजा थे–परांतक-I, राजेन्द्र-I, राजेन्द्र-II एवं कुलोत्तुंग।

26. अपने शासन काल के अंत में इल्तुतमिश ने अपने लिए जो मकबरा बनवाया, उसमें वास्तुकला की हिन्दू और मुस्लिम परंपराओं का मिश्रण था। यह मकबरा एक चौकोर भवन था, किन्तु कोनों पर कोण-मेहराब एवं लटकनें डालकर इसे अष्टकोणीय बना दिया गया जिस पर एक गुंबद का निर्माण किया गया। बाद में कई चौकोर भवनों में इस युक्ति का प्रयोग किया गया। इससे भी अधिक उल्लेखनीय दीवारों पर की गई बारीक नक्काशी थी जहाँ सुलेखन के साथ भारतीय वानस्पतिक रूपांकनों का प्रयोग किया गया। अलाऊद्दीन ने कुतुबमीनार की दूनी ऊँचाई की एक मीनार की योजना बनाई थी किन्तु इसका निर्माण आरंभ होने के कुछ समय बाद उसका देहांत हो गया और यह पूरी नहीं हो पाई। उसने कूव्वत-उल-इस्लाम मस्जिद के लिए एक प्रवेश-द्वार बनवाया जिसे अलाई दरवाजा कहा जाता है। इस दरवाजे में कई अनूठी विशेषताएँ थीं। यह पहला ऐसा भवन था जिसमें गुम्बद परस्परछादी पत्थरों की तकनीक (जिसमें भवन जैसे-जैसे ऊपर उठता जाता है वैसे-वैसे उसका आकार छोटा होता जाता है) के आधार पर निर्मित नहीं है अपितु तिकोने डाट पत्थरों के आधार पर बनाया गया था। इस भवन में ही पहली बार घोड़े की नाल की आकृति वाली मेहराब बनाई गई थी जो देखने में सुन्दर और सुहावनी लगती है।

लोदियों ने अपने भवनों में अनगढ़े पत्थरों और चूने के प्लास्टर का प्रयोग करने की तुगलक परंपरा को जारी रखा। किन्तु उस समय तक भारतीय वास्तुकारों एवं राजमिस्त्रियों को नई शैलियों में पूर्ण आत्मविश्वास प्राप्त हो चुका था। अतः उनके द्वारा बनाए गए गुम्बद अधिक ऊँचे होने लगे। भारत में पहली बार दिखाई पड़नेवाली एक नई युक्ति दोहरे गुम्बद की थी। पहले तो इसे प्रयोगात्मक रूप में आजमाया गया। किन्तु यह विकसित रूप में पहली बार सिकंदर लोदी के मकबरे में प्रयुक्त हुई। गुम्बदों की ऊँचाई बढ़ने के कारण यह युक्ति आवश्यक हो गई। गुम्बद के भीतर एक भीतरी छत बनाए जाने से भवन की ऊँचाई भीतरी कक्ष के आकार के अनुपात में रही। बाद में इस युक्ति का प्रयोग सभी भवनों में किया गया।

27. 1. रुकुनुद्दीन फिरोजशाह (1236 ई.)
2. रजिया सुल्तान (1236 ई.–1240 ई.)
3. बहरामशाह (1240 ई.–1242 ई.)
4. अलाउद्दीन मसूदशाह (1242 ई.–1246 ई.)
5. नसिरुद्दीन महमूद (1246 ई.–1265 ई.)
6. ग्यासुद्दीन बलबन (1265 ई.–1287 ई.)
7. कैकूबाद (1287 ई.–1290 ई.)
8. क्यूमर्स (1290 ई.)
9. जलालुद्दीन खिलजी (1290 ई.–1296 ई.)

28. नए शासकों की पहली आवश्यकताओं में से एक रहने के लिए भवन एवं अपने समर्थकों या अनुचरों हेतु पूजा-स्थलों के निर्माण की थी। पूजा-स्थलों के लिए पहले तो उन्होंने मंदिरों एवं अन्य मौजूदा भवनों को ही मस्जिदों में रूपांतरित कर दिया। दिल्ली में कुतुब मीनार के निकट कूव्वत-उल-इस्लाम मस्जिद एवं अजमेर में 'अढ़ाई दिन का झोंपड़ा' नामक इमारतें इसके उदाहरण हैं। कूव्वत-उल-इस्लाम मस्जिद की इमारत सबसे पहले एक जैन मंदिर के रूप में थी। जिसे बाद में विष्णु मंदिर में रूपांतरित कर दिया गया था। अढ़ाई दिन का झोंपड़ा पहले एक मठ या विहार था। दिल्ली में किया गया एकमात्र नया निर्माण गर्भ-गृह के सामने कलात्मक रूप से नक्काशी की हुई मेहराबों का एक मुखौटा था। गर्भ-गृह को ध्वस्त किया जा चुका था। सामने का मेहराबदार प्रांगण उस क्षेत्र के लूटे गए सैंतीस मंदिरों के स्तंभों से ही बना हुआ था। इन मेहराबों पर प्रयुक्त अलंकरण शैली बहुत रोचक है : कोई भी मानव अथवा पशु आकृति को उत्कीर्ण नहीं किया गया क्योंकि ऐसा करना गैर-इस्लामी समझा जाता था। इसके बजाय उन्होंने फूलों की लताओं एवं कुरान की आयतों को इस प्रकार उत्कीर्ण किया कि वे और बड़े कलात्मक ढंग से एक-दूसरे के साथ गूँथ दिए गए थे। शीघ्र ही तुर्कों ने अपने अलग

भवन बनाने शुरू कर दिए। इस प्रयोजन के लिए उन्होंने अधिकांशतः देशी शिल्पकारों, जैसे संगतराशों, राजमिस्त्रियों आदि की नियुक्ति की, जो अपने कौशल के लिए विख्यात थे।

29. इब्न बतूता ने, जिन्होंने समूचे भारत का भ्रमण किया था, देश में उपजाए जाने वाले अनाजों एवं अन्य विभिन्न फसलों, फलों और फूलों का विस्तृत विवरण दिया है। उनमें से अधिकांश से हम परिचित हैं—चावल और गन्ना पूर्वी और दक्षिणी भारत में उपजाए जाते थे, जबकि गेहूँ, तिलहन आदि का उत्पादन उत्तरी भारत में होता था। कपास, जौ, राई एवं अन्य निम्न स्तर की फ़सलें व्यापक तौर पर उगाई जाती थीं। इब्न-बतूता कहते हैं कि मिट्टी इतनी अधिक उपजाऊ थी कि इसमें साल में दो फसलें—रबी (शरदकालीन) एवं खरीफ (वर्षाकालीन) फसलें उगाई जाती थीं। साल में तीन बार चावल उपजाया जाता था। कुछ फसलें तेल-पिराई, गुड़ निर्माण, नील, कताई, बुनाई आदि जैसे ग्रामीण उद्योगों का आधार थीं। आलू, मकई, लाल मिर्च एवं तम्बाकू की शुरूआत भारत में 16वीं सदी या बाद में हुई थी, अतः इब्न-बतूता ने उनका उल्लेख नहीं किया है।

31.

शासक	शासनकाल
खिज़्र ख़ाँ	(1414 ई. –1421 ई.)
मुबारक शाह	(1421 ई. –1434 ई.)
मुहम्मद शाह	(1434 ई. –1445 ई.)
अलाऊद्दीन आलमशाह	(1445 ई. –1450 ई.)

32. समा—संगीत का आयोजन
मलफूज़ात—वार्तालाप
फुतूह—उपहार।

34. गुरु नानक का जन्म 1469 ई. में लाहौर के तलवंडी नामक गाँव में एक खत्री परिवार में हुआ था। वे युवावस्था से ही घुमक्कड़ तथा फक्कड़ किस्म के व्यक्ति थे। ईश्वर की एकता तथा उसके प्रति अनन्य भक्ति उनकी शिक्षाओं का सार था। उन्होंने भी मूर्तिपूजा, कर्मकाण्ड तथा रोज नमाज का विरोध किया। उन्होंने अंगद को अपना उत्तराधिकारी नियुक्त किया। उनके अनुयायी बाद में सिख कहलाए।

38. इतिहास में जहाँगीर का शासनकाल दो महान् युगों—अकबर और उराके पौत्र शाहजहाँ के शासनकाल, के मध्य संक्रान्ति का द्योतक है। उस काल की सर्वाधिक महत्वपूर्ण विशेषता लाल बलुए पत्थर के स्थान पर संगमरमर का प्रयोग था। भवनों को रंगों के प्रयोग से अलंकृत करने के लिए पीत्रादुरा या जड़ाऊ रंगीन पत्थरों को सजावट के लिए अपनाया गया। इस काल में भारतीय स्थापत्य शैलियों और परंपराओं के स्थान पर ईरानी प्रभाव अधिक मिलता है। एतमाद-उद-दौला के आगरा स्थित मकबरे में इस परिवर्तन को देखा जा सकता है। इस मकबरे के निर्माण में पित्रादुरा और श्वेत संगमरमर का प्रयोग किया गया है। लाहौर के निकट शाहदरा में जहाँगीर के मकबरे को भी इसी शैली में निर्मित किया गया है। उसे उद्यान लगाने का भी बहुत शौक था। कश्मीर के प्रसिद्ध शालीमार बाग की स्थापना उसी ने की थी।

जहाँगीर के शासनकाल में मुगल चित्रकला में व्यापक परिवर्तन हुए और यह अपने चरमोत्कर्ष पर पहुँच गई। जहाँगीर के शासनकाल की मुगल चित्रकला शैली की सबसे महत्वपूर्ण विशेषता यह है कि इसमें ईरानी प्रभाव कम होने लगा, जिसके परिणामस्वरुप हिन्द-ईरानी के स्थान पर मुगल-भारतीय चित्रकला शैली का विकास हुआ। इस काल के चित्रों पर यूरोपीय चित्रकला शैली का प्रभाव भी स्पष्टतः दृष्टिगोचर होने लगा। अपने शासन के प्रारंभिक वर्षों में उसने लघुचित्रों के प्रति रुचि प्रदर्शित की, पर बाद में उसने अनेक एकल चित्रों की रचना करवाई। उसके काल के एकल चित्र मुख्यतः खड़ी हुई मुद्रा में हैं। उसके शासन और व्यक्तिगत जीवन की घटनाओं को भी चित्रांकित किया गया।

41. शाहजहाँ ने धर्मतत्वज्ञों को सिजदा या जमींबोस से मुक्त कर दिया। सिजदा का मतलब था सम्राट के सामने दंडवत् लेट जाना और जमींबोस का अर्थ था दोनों हाथ जमीन पर टिका देना और फिर उनसे अपनी ललाट का स्पर्श करना। शाहजहाँ ने कश्मीर में हिंदुओं और मुसलमानों के बीच विवाह पर रोक लगा दी, क्योंकि इसका मतलब यह था कि मुसलमान लड़की अपने हिंदू पति का धर्म अपना लेती थी और हिंदू लड़की अपने मुसलमान पति का। इससे पहले जहाँगीर ने भी इस रिवाज पर पाबंदी लगा दी थी, लेकिन वह इसे रोक नहीं पाया था। नए मंदिरों के निर्माण पर प्रतिबंध की नीति पर शाहजहाँ ने गंभीरता से अमल करने की कोशिश नहीं की। उदाहरणार्थ, 1629 में उसने अहमदाबाद के प्रमुख जैन जौहरी और साहूकार शांतिदास को जैन

यतियों के लिए विश्राम-गृह (पोशाला) बनवाने के लिए भूमिदान दिया। शांतिदास ने अहमदाबाद के निकट एक जैन मंदिर भी बनवाया, जिस पर कोई आपत्ति नहीं की गई।

44. मुगल साम्राज्य की सीमा के इतने निकट एक मराठा शक्ति के उदय को औरंगजेब चिंतित दृष्टि से देख रहा था। उसने दक्कन में नियुक्त नए सर-सूबेदार शाइस्ता खाँ को, जो बादशाह का रिश्तेदार भी था, शिवाजी के प्रदेशों पर आक्रमण करने का निर्देश भेजा। आरंभ में युद्ध का रुख शिवाजी के खिलाफ था। शाइस्ता खाँ ने पुणे पर अधिकार करके (1660) उसे अपना सदर मुकाम बना लिया। उसके बाद उसने शिवाजी से कोंकण छीनने के लिए सैनिक टुकड़ियाँ भेजीं। शिवाजी मुगल सेना को परेशान करने के लिए मौके-बे-मौके हमले करता रहा और मराठों ने अपनी बहादुरी का भी अच्छा परिचय दिया। इसके बावजूद मुगलों ने उत्तर कोंकण पर नियंत्रण स्थापित कर लिया। इस बीच शिवाजी ने एक साहस-भरा कदम उठाया। उसने सूरत पर आक्रमण कर दिया। सूरत मुगलों का प्रमुख बंदरगाह था। उसने नगर को जी भर कर लूटा (1664), और वहाँ से एक करोड़ रुपये मूल्य का लूट का माल लेकर घर वापस लौटा। शाइस्ता खाँ की पराजय और सूरत पर शिवाजी के हमले से औरंगजेब तिलमिला उठा, और उसने शिवाजी के खिलाफ अपनी सैनिक कार्रवाई का जिम्मा अपने एक परम विश्वस्त सरदार मिर्जा राजा जय सिंह को सौंपा।

उसने शिवाजी से वैर रखने वाले कुछ मराठा देशमुखों को भी अपने खेमे में आने के लिए प्रेरित किया। पुणे की ओर कूच करते हुए जय सिंह ने शिवाजी के प्रदेशों के मर्मस्थल पुरंदर पर आक्रमण करने का फैसला किया, जहाँ शिवाजी ने अपने परिवार और खजाने को रख छोड़ा था। जय सिंह ने काफी सख्ती से पुरंदर पर घेरा डाला और किले को बचाने की मराठों की कोई युक्ति काम आती नहीं दिख रही थी। जब किले का पतन आसन्न दिखाई देने लगा और कहीं से कोई सहायता आती नजर नहीं आई तो शिवाजी ने जय सिंह के साथ वार्ता आरंभ की। काफी कड़ी सौदेबाजी के बाद निम्नलिखित शर्तें तय हुईं :

1. शिवाजी जिन 35 किलों पर काबिज था उनमें से 23 किले और उनके आसपास के इलाके, जिनकी सालाना आमदनी चार लाख हूण थी, मुगलों को सुपुर्द कर दिए जाएँगे और एक लाख हूण आमदनी वाले बाकी के 12 किले इस शर्त पर शिवाजी के जिम्मे रहेंगे कि वह 'शाही तख्त की सेवा करेगा और उसके प्रति वफादार रहेगा।'
2. बीजापुरी कोंकण में चार लाख हूण आय का जो प्रदेश शिवाजी के कब्जे में था वह उसे जागीर के तौर पर बख्श दिया गया। इसके अतिरिक्त, शिवाजी का इरादा पठारी क्षेत्र (बालाघाट) में पाँच लाख हूण की सालाना आमदनी वाला प्रदेश जो उसे जीतना था वह भी उसे जागीर के तौर पर दे दिया गया। इसके एवज में शिवाजी को मुगलों को किस्तों में 40 लाख हूण अदा करना था।

47. मुगलकाल में सरदारों के नीचे "ठाटवाट के खर्चों" से बचा हुआ "एक छोटा और मितव्ययी" मध्यम वर्ग था। इसके रहन-सहन का स्तर इसके पदों एवं धंधों के अनुकूल था। व्यापारी आमतौर पर सरल एवं संयमी जीवन व्यतीत करते थे। कुछ यूरोपीय लेखकों के लेखानुसार पश्चिमी समुद्रतट के व्यापारी, अपने विस्तृत व्यापार से बहुत धन इकट्ठा कर लेने के कारण, अपेक्षाकृत सम्पन्न शैली में जीवन व्यतीत करते थे, भोग-विलास में रहते थे।

48. बंगाल से संपदा निष्कासन 1757 से आरंभ हुआ जब कंपनी के कर्मचारियों ने भारतीय शासकों, जमींदारों, सौदागरों तथा आम जनता से उगाहे गये धन को ब्रिटेन ले जाना आरंभ किया। 1758-65 के बीच लगभग 60 लाख पौंड स्वदेश भेजा। निष्कासन की इस रकम में कंपनी के लाभ शामिल नहीं थे जो बहुधा गैर-कानूनी तरीके से प्राप्त किये जाते थे। विनिमय दरों में ब्रिटेन के पक्ष में हेर-फेर ने भी आर्थिक निष्कासन को संभव बनाया। बंगाल में 1765 ई. में दीवानी के अधिकार प्राप्त करने के बाद कंपनी ने यहाँ की राजस्व से भारतीय वस्तुओं को खरीदकर इंग्लैंड भेजा। इस प्रकार की खरीदारियों को निवेश कहा जाता था। 1840 में लार्ड एलेनवेरो ने कहा कि वह इस देश को (ब्रिटेन) थोड़े मूल्य के सैनिक समानों के अलावा बदले में बिना कुछ लिये प्रति वर्ष बीस और तीस लाख पौंड के बीच रकम भेजे। 1860 में बजट की व्यवस्था की गई। भू-राजस्व, आबकारी आदि से प्राप्त आय केंद्रीय तथा प्रांतीय सरकारों में बाँट दी गयी। अफीम एवं नमक के उत्पादन एवं बिक्री पर सरकार का एकाधिकार था। कचहरियों में मुकद्दमा चलाने के लिए मुद्रांक शुल्क और भारत में विदेशी वस्तुओं के

आयात पर चुंगी लगाई गई परंतु ब्रिटिश उद्योगपतियों के दबाव से चुंगी हटा ली गई। 1860 में आयकर लगाया गया। 1894 ई. में फिर चुंगी लगा दी गयी।

49. यह दावा कि ब्रिटिश राज भारत में आधुनिकीकरण का माध्यम था, कुछेक तथ्यों पर आधारित है। ये तथ्य हैं—ब्रिटिश पूँजी से रेलमार्गों का निर्माण, बागानों, खदानों एवं कारखानों का विकास और श्वेतों द्वारा भारत में पूँजीवादी उत्पादन संबंधों की तथा बैंकिंग एवं औद्योगिक प्रबंध की आधुनिक पद्धतियों की स्थापना। यद्यपि रेल भारत में ब्रिटिश पूँजी-निवेश का अकेला सबसे बड़ा स्रोत था, तथापि इसका अधिकांश भार प्रत्याभूत ब्याज द्वारा भारतीय करदाताओं पर ही डाल दिया गया था। प्रत्याभूत ब्याज का तात्पर्य यह था कि रेलों से लाभ न मिलने पर भी सरकार हिस्सेदारों को न्यूनतम लाभांश देने के लिए बाध्य थी। इस कारण 1900 तक 5 करोड़ पाउंड की अदायगी करनी पड़ी थी। 'सार्वजनिक जोखिम पर निजी पूँजी-निवेश' की इस विचित्र व्यवस्था का अपरिहार्य अर्थ था—खर्चीला निर्माण एवं गतिविधियाँ।

बागान और खदानें, पटसन के कारखाने, बैंक व्यवस्था, बीमा, जहाजरानी एवं आयात-निर्यात प्रतिष्ठान परस्पर-संबद्ध ऐसी प्रबंधक फर्मों के कारण फलते-फूलते थे जिनमें प्रायः वित्तीय, वाणिज्यिक एवं औद्योगिक गतिविधियाँ समन्वित रहती थीं, और इन सबमें निस्संदेह महत्वपूर्ण नवीन प्रक्रियाएँ निहित थीं।

50. भारत का लघु एवं कुटीर उद्योग जो सत्रहवीं-अठारहवीं शताब्दी के पूर्वार्ध तक भारत की अर्थव्यवस्था का प्रमुख आधार था, विदेशी मशीनी उत्पादन की प्रतियोगिता एवं राजकीय संरक्षण के अभाव में समाप्त हो गया। अंग्रेजों की शासन नीति से गृह उद्योग, लघु उद्योग, दस्तकारी नष्ट हो गए जिसकी शुरुआत बंगाल, बिहार, उड़ीसा प्रांतों से हुई। बंगाल सूती और रेशमी कपड़ों के लिए प्रसिद्ध था, परन्तु कम्पनी ने बंगाल में राजनीतिक सत्ता प्राप्त करते ही दस्तकारों का शोषण आरम्भ कर दिया। ब्रिटेन ने भारत से आयात होने वाले माल पर भारी कर लगा दिया जिससे ब्रिटेन के उद्योगों को संरक्षण मिला। दूसरी तरफ भारत सरकार ने ब्रिटेन से भारत में आयात होने वाले माल पर कम से कम कर लिया। ब्रिटेन में औद्योगिक क्रान्ति के कारण कच्चे माल की आवश्यकता हुई, जिसे कम मूल्य पर उन्होंने किसानों से प्राप्त किया जबकि तैयार माल के लिए भारतीय बाजार का उपयोग किया। हस्तशिल्प के विनाश से कृषि पर भारतीय जनसंख्या का दबाव बढ़ने लगा। 1756-1812 ई. तक व्यापारिक पूँजी के काल और 1813-1857 ई. तक मुक्त व्यापार एवं पूँजी के साम्राज्यवाद काल में भारतीय हस्तशिल्प उद्योग की दुर्दशा हुई। 1800-1850 ई. के मध्य के समय को औद्योगीकरण के काल के नाम से जाना जाता है। इस काल में भारतीय हस्तशिल्प का मुख्य रूप से पतन हुआ था। बैंटिक की सरकार ने 1834 में कहा था, "इस दुर्दशा का व्यापार के इतिहास में जोड़ नहीं है, भारतीय बुनकरों की हड्डियाँ भारत के मैदानों में बिखरी पड़ी हैं।"

57. ईश्वर चन्द्र विद्यासागर के प्रयत्नों के फलस्वरूप 1856 में हिन्दू विधवा पुनर्विवाह अधिनियम (1856 का अधिनियम 15) से विधवा विवाह को वैध मान लिया गया उनसे उत्पन्न हुए बालक को वैध घोषित किया गया।

59. 1891 में 'बी. एम. मालाबारी' के प्रयत्नों के फलस्वरूप सम्मत्ति आयु अधिनियम पारित किया गया जिसने 12 वर्ष से कम आयु की कन्याओं के विवाह पर प्रतिबंध लगा दिया।

60. श्री नारायण धर्म परिपालन योगम

1. 1902 ई. में केरल में इसकी स्थापना हुई।
2. इसके संस्थापक नानु असन थे जो नारायण गुरु के नाम से प्रसिद्ध थे।
3. इसका उद्देश्य ईझवा जाति के अधिकार को सुनिश्चित करना था।
4. मंदिर प्रवेश इसका मुख्य कार्यक्रम था।
5. इसका मुख्य नारा था—एक जाति, एक धर्म, एक ईश्वर।

62. *यंग इंडिया, हरिजन, नवजीवन, हिन्द स्वराज्य, माई एक्सपेरीमेंट विथ ट्रूथ*—महात्मा गाँधी

कामन वील, न्यू इंडिया—एनी बेसेन्ट

इंडिया विन्स फ्रीडम, गुबारे खातिर, अल हिलाल—अबुल कलाम आजाद

66. अक्तूबर 1937 में वर्धा में आयोजित एक शिक्षा सम्मेलन में देशी भाषा के माध्यम से और उत्पादक श्रम से संबद्ध 'बेसिक शिक्षा' के प्रस्ताव की पुष्टि की गई। कांग्रेसी शासन वाले प्रांतों में इस प्रकार की शिक्षा प्रदान करने के

लिए थोड़ी-सी सरकारी सहायता से विद्यालय स्थापित किए गए। इस पद्धति में सादगी, मानसिक एवं शारीरिक श्रम के बीच के भेद को कम करने और अपने उत्पादों के माध्यम से विद्यालयों के आत्मनिर्भर होने के रोचक आदर्शों का समावेश तो था, किंतु बेसिक शिक्षा कभी पारंपरिक स्कूलों और कॉलेजों का वास्तविक विकल्प नहीं बन सकी और कुटीर उद्योगों को शिक्षा से जोड़ने की बात अनेक लोगों को अव्यावहारिक एवं गांधीवादी सनक प्रतीत हुई। गाँधी जी ने मद्य-निषेध पर भी बल दिया था, यद्यपि चुनाव घोषणापत्र में इसका उल्लेख नहीं किया गया था। भारी वित्तीय घाटे के बावजूद हाईकमान कांग्रेसी मंत्रिमंडलों को पूर्ण मद्य-निषेध की दिशा में शीघ्र कदम उठाने के लिए प्रेरित करता रहा, विशेष रूप से बंबई और मद्रास में। मद्रास में हरिजनों के मंदिर-प्रवेश के संबंध में कानून भी बनाया गया, किंतु ऐसा प्रतीत होता है कि इसके अतिरिक्त हरिजन-कल्याण की दिशा में, जो गांधी जी की एक अन्य बड़ी चिंता थी, कुछ अधिक काम नहीं किया गया। 1930 के दशक के अंत तक अंबेडकर कांग्रेस के लगभग उतने ही कटु आलोचक हो गए थे जितना कि लीग थी, यहाँ तक कि जब अक्टूबर 1939 में कांग्रेस मंत्रिमंडलों ने त्यागपत्र दिया तो वे भी इसे 'मुक्ति-दिवस' के रूप में मनाने के लिए जिन्ना के साथ सम्मिलित हो गए।

पिछले प्रश्न-पत्र (हल सहित)

यू.जी.सी. NET दिसम्बर-2012

इतिहास

प्रश्न-पत्र-II

निर्देशः *इस प्रश्न-पत्र में* ***पचास (50)*** *बहु-विकल्पीय प्रश्न हैं। प्रत्येक प्रश्न के* ***दो (2)*** *अंक हैं।* ***सभी*** *प्रश्नों के उत्तर दीजिए।*

1. सूची-I को सूची-II से सुमेलित कीजिए और निम्न कूट में से सही उत्तर का चयन कीजिए :

सूची–I	सूची–II
(*a*) मध्यपाषाण युगीन स्थल	(*i*) लंघनाज
(*b*) लघुपाषाण उपकरण	(*ii*) बागोर (राजस्थान)
(*c*) नियमित कृषि का आरम्भ	(*iii*) बिरभानपुर
(*d*) कैल्सेडोनी	(*iv*) चोपनी माण्डो

कूट :

	(*a*)	(*b*)	(*c*)	(*d*)
A.	(*ii*)	(*i*)	(*iii*)	(*iv*)
B.	(*i*)	(*ii*)	(*iii*)	(*iv*)
C.	(*iii*)	(*ii*)	(*i*)	(*iv*)
D.	(*ii*)	(*iii*)	(*iv*)	(*i*)

2. निम्न स्थलों में से किस स्थल पर प्रस्तर उपकरण निर्माण का केन्द्र पाया गया?

A. महबूबनगर B. मलप्रभा
C. इसामपुर D. पालघाट

3. सूची-I को सूची-II से सुमेलित कीजिए और निम्न कूट से सही उत्तर का चयन कीजिए :

सूची–I	सूची–II
(*a*) ऋग्वेद	(*i*) काण्व
(*b*) यजुर्वेद	(*ii*) राणायनीय
(*c*) सामवेद	(*iii*) पिप्पलाद
(*d*) अथर्ववेद	(*iv*) शाकल

कूट :

	(*a*)	(*b*)	(*c*)	(*d*)
A.	(*iv*)	(*iii*)	(*ii*)	(*i*)
B.	(*ii*)	(*i*)	(*iii*)	(*iv*)
C.	(*iv*)	(*i*)	(*ii*)	(*iii*)
D.	(*i*)	(*ii*)	(*iii*)	(*iv*)

4. महाभारत में वर्णित स्थलों की पहचान निम्नलिखित में से किस स्थल से की जाती है?

A. उत्तरी कृष्ण मार्जित भाण्ड
B. लाल एवं कृष्ण मार्जित भाण्ड
C. चित्रित धूसर भाण्ड
D. उपरोक्त में से कोई नहीं

5. निम्नलिखित में से कौन-सा स्थल परिपक्व हड़प्पीय स्थल से सम्बद्ध नहीं है?

A. धलेवान B. लखमीरवाला
C. सुरकोटडा D. सराय खोला

6. वर्तमान में राजा अशोक की खण्डित उद्भृत प्रतिमा कहाँ से मिली है?

A. कर्नाटक में कनगनहल्ली
B. उत्तर प्रदेश में महास्थान
C. बिहार में कुम्हरार
D. कर्नाटक में निट्टूर

7. बुद्ध के समकालीन धार्मिक सम्प्रदायों का उल्लेख किस बौद्ध साहित्य में प्राप्त होता है?

A. अम्बट्ठ सुत्त B. महावंश
C. भद्दशाल जातक D. ब्रह्मजाल सुत्त

8. निम्नलिखित में से कौन-सा ग्रंथ संगम साहित्य का 'संग्रह-ग्रंथ' नहीं है?

A. इत्तुतोकै B. तिरुक्कुरल
C. पत्तुपात्तु D. अहिनानुरु

9. सूची-I को सूची-II से सुमेलित कीजिए और दिए गए कूट में से सही उत्तर का चयन कीजिए :

सूची–I	**सूची–II**
(*a*) अल-बरुनी	(*i*) मेक्क्रिडंल
(*b*) मेगस्थनीज़	(*ii*) बील
(*c*) फेक्सियान	(*iii*) लेगे
(*d*) जुआनजांग	(*iv*) सचाऊ

कूट :

	(*a*)	(*b*)	(*c*)	(*d*)
A.	(*iv*)	(*i*)	(*iii*)	(*ii*)
B.	(*i*)	(*ii*)	(*iii*)	(*iv*)
C.	(*ii*)	(*iii*)	(*i*)	(*iv*)
D.	(*iv*)	(*ii*)	(*iii*)	(*i*)

10. नीचे दो वाक्य दिए गए हैं, एक को कथन (A) और दूसरे को कारण (R) कहा गया है :

कथन (A) : 750 ईस्वी से लेकर 1200 ईस्वी के बीच उत्तर भारत में एक नई राजनीतिक-सामाजिक-आर्थिक संरचना का उदय और पूर्ण विकास देखा गया।

कारण (R) : इस नई व्यवस्था को 'सामंतवाद' के रूप में वर्णित करने में सभी इतिहासकार एकमत हैं।

उपरोक्त कथनों का अध्ययन कर निम्न उत्तरों में से सही उत्तर चुनेः

कूट :

A. (A) सही है, किन्तु (R) गलत है।

B. (A) गलत है, किन्तु (R) सही है।

C. (A) और (R) दोनों सही हैं और (R), (A) का सही स्पष्टीकरण है।

D. (A) और (R) दोनों सही हैं और (R), (A) का सही स्पष्टीकरण नहीं है।

11. सूची-I को सूची-II से सुमेलित कीजिए और निम्न कूट में से सही उत्तर का चयन कीजिए :

सूची–I	**सूची–II**
(*a*) अश्वघोष	(*i*) कुमारपाल चरित
(*b*) भास	(*ii*) मुद्राराक्षस
(*c*) विशाखदत्त	(*iii*) बालचरित
(*d*) हेमचन्द्र	(*iv*) बुद्धचरित

कूट :

	(*a*)	(*b*)	(*c*)	(*d*)
A.	(*i*)	(*ii*)	(*iii*)	(*iv*)
B.	(*iv*)	(*iii*)	(*ii*)	(*i*)
C.	(*ii*)	(*iii*)	(*iv*)	(*i*)
D.	(*iii*)	(*ii*)	(*iv*)	(*i*)

12. अर्थशास्त्र का सर्वप्रथम अंग्रेजी अनुवाद कब प्रकाशित हुआ?

A. 1905 B. 1909

C. 1915 D. 1960

13. निम्नलिखित नन्द राजाओं को तिथिक्रमानुसार क्रम से लिखें और निम्न कूट में से सही उत्तर चुनें :

(*a*) गोविशंक (*b*) पण्डुक

(*c*) उग्रसेन (*d*) धन

कूट :

A. (*b*), (*c*), (*a*), (*d*) B. (*c*), (*b*), (*a*), (*d*)

C. (*a*), (*b*), (*c*), (*d*) D. (*b*), (*c*), (*d*), (*a*)

14. निम्नलिखित में से गलत कथन का चयन करिए :

A. कुमारगुप्त के काल में हूण आक्रमण हुआ।

B. प्रथम हूण शासक तोरमाण पश्चिमी भारत और एरण के आसपास का मध्य भारत जीतने में सफल रहा।

C. तोरमाण ने जैन धर्म अपनाया था।

D. मिहिरकुल श्रीलंका जीतने में सफल रहा।

15. निम्न नामों को तिथिक्रमानुसार क्रम में लगाते हुए दिए गए कूट में से सही उत्तर का चयन करें :

(*a*) यशोमति (*b*) पुष्यभूति

(*c*) नरवर्धन (*d*) राज्यश्री

कूट :

A. (*c*), (*b*), (*d*), (*a*) B. (*b*), (*c*), (*a*), (*d*)

C. (*b*), (*a*), (*c*), (*d*) D. (*a*), (*d*), (*c*), (*b*)

16. सूची-I को सूची-II से सुमेलित कीजिए और दिए गए कूट में से सही उत्तर का चयन कीजिए :

सूची–I	**सूची–II**
(*a*) पल्लव वंश	(*i*) लिंगराज मंदिर
(*b*) सोमवंश	(*ii*) वेदनारायण मंदिर
(*c*) चालुक्य वंश	(*iii*) मुक्तेश्वर मंदिर
(*d*) चोल वंश	(*iv*) लाड खाँ मंदिर

कूट :

	(a)	(b)	(c)	(d)
A.	(iii)	(i)	(iv)	(ii)
B.	(i)	(ii)	(iii)	(iv)
C.	(ii)	(iii)	(i)	(iv)
D.	(iv)	(iii)	(ii)	(i)

17. सूची-I को सूची-II से सुमेलित कीजिए और दिए गए कूट में से सही उत्तर का चयन कीजिए :

सूची–I (संस्थापक)	सूची–II (मत)
(a) भण्डारकर	(i) राजपूतों की क्षत्रिय उत्पत्ति
(b) चन्दबरदाई	(ii) राजपूतों की विदेशी उत्पत्ति
(c) कर्नल टॉड	(iii) अग्निकुंड से राजपूत उत्पत्ति
(d) गौरीशंकर ओझा	(iv) राजपूतों की हूण उत्पत्ति

कूट :

	(a)	(b)	(c)	(d)
A.	(iv)	(iii)	(ii)	(i)
B.	(i)	(ii)	(iii)	(iv)
C.	(i)	(iii)	(iv)	(ii)
D.	(i)	(ii)	(iv)	(iii)

18. सुल्तानगढ़ी किसका मकबरा था?

A. कुतुबुद्दीन ऐबक B. रुकनुद्दीन फिरोज़
C. बलबन D. नासिरूद्दीन महमूद

19. सूची-I को सूची-II से सुमेलित कीजिए और निम्न कूट में से सही उत्तर का चयन कीजिए :

सूची–I (सूफी शब्दावली)	सूची–II (अर्थ)
(a) फुतुह	(i) सूफी ख़ानकाह
(b) ख़ानकाह	(ii) सूफी सन्त का वार्तालाप
(c) बरकत	(iii) बिन माँगा दान
(d) मलफूज	(iv) एक सूफी की आध्यात्मिक पवित्रता

कूट :

	(a)	(b)	(c)	(d)
A.	(i)	(iii)	(ii)	(iv)
B.	(iii)	(i)	(iv)	(ii)
C.	(iii)	(ii)	(i)	(iv)
D.	(iv)	(iii)	(ii)	(i)

20. <u>वली</u> और <u>अमीर</u> के पदों को किसने पृथक किया?

A. बलबन B. अलाउद्दीन खिलजी
C. ग़ियासुद्दीन तुगलक D. मुहम्मद तुगलक

21. 'दिल्ली राज्य की धुरी गेहूँ एवम् जौ पर निर्भर करती है जबकि गुजरात सल्तनत की नींव मूँगों और मोतियों पर आधारित है क्योंकि वहाँ के सुल्तान के नियंत्रण में चौरासी बन्दरगाह हैं।' <u>मीरात-ए-सिकन्दरी</u> के लेखक के अनुसार यह टिप्पणी किसके द्वारा की गई?

A. सुल्तान ख़िज्र खान B. सिकन्दर लोदी
C. बाबर D. हुमायूँ

22. सूची-I को सूची-II से सुमेलित कीजिए और निम्न कूट में से सही उत्तर का चयन कीजिए :

सूची–I (सिक्के का नाम)	सूची–II (राज्य जहाँ सिक्के प्रचलित थे)
(a) महमूदी	(i) सूरराज्य
(b) रुपिया	(ii) दिल्ली सल्तनत
(c) पगोड़ा	(iii) विजयनगर
(d) टंका	(iv) गुजरात सल्तनत

कूट :

	(a)	(b)	(c)	(d)
A.	(i)	(ii)	(iii)	(iv)
B.	(ii)	(i)	(iv)	(ii)
C.	(iv)	(i)	(iii)	(ii)
D.	(iv)	(ii)	(iii)	(i)

23. निम्नलिखित में से कौन-सा वक्तव्य सही ***नहीं*** है?

A. सुल्तान ज़ैनुल आबिदीन ने अपने दरबार में सैयदों को कभी भी तानाशाही शक्तियाँ हथियाने की इजाज़त नहीं दी।
B. वह अपने को अमीरूल मोमनिन कहता था।
C. उसने कृषि उत्पादन एवं विस्तार में अत्यधिक रुचि ली।
D. उसने शेखुल इस्लाम के पद को समाप्त कर दिया।

24. 16वीं शताब्दी के पूर्वार्ध में भारत में पुर्तगाली व्यापारियों की गतिविधियों के बारे में निम्नलिखित वक्तव्यों में से कौन-सा सही ***नहीं*** है?

A. लाल सागर मार्ग द्वारा भारत में सर्वप्रथम प्रवेश करने वाले यूरोपवासी पुर्तगाली थे।
B. यूरोप के बाजारों में भारतीय मसालों को बेचकर पुर्तगालियों ने बहुत लाभ प्राप्त किया।
C. पुर्तगालियों ने हिन्द महासागर के अनेक तटीय स्थानों को अधिकृत कर वहाँ पर अपने दुर्गों का निर्माण किया।

D. पुर्तगालियों द्वारा यह उद्घोषणा की गई कि अन्य व्यापारी बिना उनकी अनुमति के अपने जहाज हिन्द महासागर में नहीं ला सकते।

25. विजयनगर राज्य ने 'आद्य अनुवांशिकता' को प्रदर्शित किया। इस विचार को किसने अभिव्यक्त किया?

A. एन. करशीमा
B. बर्टन स्टीन
C. के.एन. नीलकांत शास्त्री
D. बी.ए. सालीतोर

26. सूची-I को सूची-II से सुमेलित कीजिए एवं निम्न कूट से सही उत्तर का चयन कीजिए :

सूची–I (विदेशी यात्री)	सूची–II (शासक)
(*a*) अब्दुर्रज्जाक	(*i*) अकबर
(*b*) इब्न बतूता	(*ii*) मुहम्मद बिन तुगलक
(*c*) सिदी अली रईस	(*iii*) जहाँगीर
(*d*) विलियम फिंच	(*iv*) देवराय II

कूट :

	(*a*)	(*b*)	(*c*)	(*d*)
A.	(*iv*)	(*ii*)	(*iii*)	(*i*)
B.	(*iii*)	(*ii*)	(*iv*)	(*i*)
C.	(*iii*)	(*ii*)	(*i*)	(*iv*)
D.	(*iv*)	(*ii*)	(*i*)	(*iii*)

27. मुगल काल में जज़िया कर से सम्बन्धित निम्नलिखित वक्तव्यों पर विचार कीजिए :

(*i*) अकबर ने 1564 में जजिया समाप्त किया।
(*ii*) अकबर ने 1575 में जजिया को पुनः लागू किया।
(*iii*) अकबर ने 1579-80 में जजिया को पुनः समाप्त किया।
(*iv*) औरंगजेब ने 1679 में जज़िया को पुनः लागू किया।

ऊपर दिये गये वक्तव्यों में से कौन-से सही हैं?

A. (*i*), (*ii*) B. (*i*), (*ii*), (*iii*)
C. (*i*), (*ii*), (*iii*), (*iv*) D. (*i*), (*iv*)

28. निम्नलिखित को सही कालक्रम के अनुसार व्यवस्थित कीजिए और निम्न कूट में से सही उत्तर चुनिए :

(*i*) अकबर द्वारा उड़ीसा की विजय
(*ii*) दाग प्रथा की शुरूआत
(*iii*) बारह सूबों का सृजन
(*iv*) द्वैध पदों की शुरूआत (ज़ात एवं सवार)

कूट :

A. (*iii*), (*i*), (*ii*), (*iv*) B. (*i*), (*iii*), (*iv*), (*ii*)
C. (*ii*), (*iii*), (*i*), (*iv*) D. (*iii*), (*iv*), (*i*), (*ii*)

29. निम्नलिखित में से किन चित्रकारों के बारे में जहाँगीर की मान्यता थी कि अपने विशिष्ट क्षेत्र में उनका कोई प्रतिस्पर्धी नहीं था?

(*i*) अबुल हसन (*ii*) बिशन दास
(*iii*) उस्ताद मँसूर (*iv*) मनोहर

निम्न कूट से सही उत्तर का चयन कीजिए :

कूट :

A. (*i*), (*ii*), (*iv*) B. (*i*), (*iii*)
C. (*ii*), (*iv*) D. (*i*), (*iii*), (*iv*)

30. निम्नलिखित उत्तर-पूर्वी भारत के किन राज्यों पर मुगलों द्वारा आक्रमण किया गया?

(*i*) दिमसा (*ii*) मैती
(*iii*) अहोम (*iv*) कूच

निम्न कूटों में से सही उत्तर का चयन कीजिए :

A. (*i*) एवं (*iii*) B. (*ii*)
C. (*iii*) एवं (*iv*) D. (*i*), (*ii*), (*iii*)

31. सूची-I को सूची-II से सुमेलित कीजिए एवं निम्न कूट से सही उत्तर का चयन कीजिए :

सूची–I (पुस्तक)	सूची–II (लेखक)
(*a*) गुलशन-ए-इब्राहीमी	(*i*) गुलाम मुर्तजा
(*b*) बसातीन उस्सलातीन	(*ii*) फुज़ुनी अस्तराबादी
(*c*) फुतुहात-ए-आदिलशाही	(*iii*) भीमसेन
(*d*) नुस्ख़ा-ए-दिलकुशा	(*iv*) मुहम्मद क़ासिम फरिश्ता

कूट :

	(*a*)	(*b*)	(*c*)	(*d*)
A.	(*i*)	(*iii*)	(*ii*)	(*iv*)
B.	(*ii*)	(*iii*)	(*iv*)	(*i*)
C.	(*iv*)	(*iii*)	(*ii*)	(*i*)
D.	(*iv*)	(*i*)	(*ii*)	(*iii*)

32. सूची-I को सूची-II से सुमेलित कीजिए एवं निम्न कूट से सही उत्तर का चयन कीजिए :

सूची–I (पुस्तक)	सूची–II (लेखक)
(*a*) अर्ली मुगल पेंटिंग	(*i*) सोमप्रकाश वर्मा
(*b*) ए हिस्ट्री ऑफ सल्तनत आर्किटेक्चर	(*ii*) एब्बा कोच

(*c*) मुगल पेन्टर्स एण्ड देयर वर्क्स — (*iii*) मिलो क्लीवलैंड बीच

(*d*) मुगल आर्किटेक्चर : एन आउटलाइन ऑफ इट्स हिस्ट्री एण्ड डेवेलपमेन्ट (1526-1858) — (*iv*) आर. नाथ

कूट :

	(*a*)	(*b*)	(*c*)	(*d*)
A.	(*iii*)	(*iv*)	(*i*)	(*ii*)
B.	(*iv*)	(*ii*)	(*iii*)	(*i*)
C.	(*i*)	(*ii*)	(*iv*)	(*iii*)
D.	(*ii*)	(*i*)	(*iii*)	(*iv*)

33. नीचे दो वक्तव्य दिए गए हैं, एक को कथन (A) और दूसरे को कारण (R) कहा गया है :

कथन (A) : मध्यकाल में संगीत पर संस्कृत में लिखी गई अनेक पुस्तकों का फारसी में अनुवाद किया गया।

कारण (R) : आरम्भिक चिश्ती सूफी संत संगीत सभाओं, जिन्हें <u>समा</u> कहा गया है, के शौकीन थे।

उपरोक्त कथनों पर विचार कीजिए एवं नीचे दिये गये कूटों में से सही उत्तर का चयन कीजिए :

A. (A) और (R) दोनों सही हैं और (R), (A) की सही व्याख्या है।

B. (A) और (R) दोनों सही हैं, किन्तु (R), (A) की सही व्याख्या नहीं है।

C. (A) सही है, लेकिन (R) असत्य है।

D. (A) असत्य है, किन्तु (R) सत्य है।

34. नीचे दो वक्तव्य दिए गए हैं, एक को कथन (A) और दूसरे को कारण (R) कहा गया है :

कथन (A) : शाहजहाँ के शासनकाल में संगीत एवं नृत्यकलाएं अपनी चरमसीमा तक पहुँच गई थीं।

कारण (R) : वह कलाओं एवं साहित्य का संरक्षक था।

उपरोक्त कथनों पर विचार कीजिए एवं नीचे दिये गये कूटों में से सही उत्तर का चयन कीजिये :

A. (A) और (R) दोनों सही हैं और (R), (A) की सही व्याख्या है।

B. (A) और (R) दोनों सही हैं, किन्तु (R), (A) की सही व्याख्या नहीं है।

C. (A) सही है, लेकिन (R) असत्य है।

D. (A) असत्य है, किन्तु (R) सत्य है।

35. सत्रहवीं शताब्दी में निम्नलिखित राज्यों में से कौन-सा राज्य राष्ट्र राज्य नहीं था?

A. फ्रांस B. जर्मनी

C. इंग्लैंड D. स्पेन

36. नीचे दो वक्तव्य दिये गये हैं, एक को कथन (A) और दूसरे को कारण (R) कहा गया है :

कथन (A) : 1793 में बंगाल में लागू किये गये स्थायी बंदोबस्त की मूलभूत बात थी सदैव के लिये कर निर्धारण करना।

कारण (R) : कार्नवालिस का विश्वास था कि जमींदार अपनी भूमि का विकास करेंगे।

उपरोक्त कथनों के संदर्भ में निम्न में से कौन-सा सही है?

कूट :

A. (A) और (R) दोनों सत्य हैं परन्तु (R), (A) की सही व्याख्या नहीं है।

B. (A) और (R) दोनों सत्य हैं, परन्तु (R), (A) की सही व्याख्या है।

C. (A) और (R) दोनों असत्य है।

D. (A) सत्य है, परन्तु (R) असत्य है।

37. कलकत्ता के फोर्ट विलियम का प्रथम सभापति कौन था?

A. चार्ल्स आयर B. जॉन चाइल्ड

C. जार्ज आक्सेन्डन D. जीराल्ड आन्जीअर

38. सूची-I को सूची-II से सुमेलित कीजिए एवं निम्न कूटों से सही उत्तर का चयन कीजिए :

सूची–I	**सूची–II**
(*a*) इंडियन मिरर	(*i*) एम.एन. रॉय
(*b*) ट्रिब्यून	(*ii*) जी.ए. नटेशन
(*c*) मार्डन रिव्यू	(*iii*) देवेन्द्रनाथ टैगोर
(*d*) इन्डिपैन्डेन्ट	(*iv*) दयालसिंह

कूट :

	(a)	(b)	(c)	(d)
A.	(iii)	(iv)	(ii)	(i)
B.	(ii)	(iii)	(i)	(iv)
C.	(iv)	(ii)	(iii)	(i)
D.	(i)	(iii)	(iv)	(ii)

39. सूची-I को सूची-II से सुमेलित कीजिए एवं निम्न कूट से सही उत्तर का चयन कीजिए :

सूची–I	सूची–II
(a) महात्मा गांधी	(i) सूरत अधिवेशन के अध्यक्ष
(b) रासबिहारी घोष	(ii) कलकत्ता अधिवेशन के अध्यक्ष
(c) दादाभाई नौरोजी	(iii) लाहौर अधिवेशन के अध्यक्ष
(d) जवाहरलाल नेहरू	(iv) बेलगाम अधिवेशन के अध्यक्ष

कूट :

	(a)	(b)	(c)	(d)
A.	(ii)	(i)	(iv)	(iii)
B.	(iv)	(i)	(ii)	(iii)
C.	(iii)	(ii)	(iv)	(i)
D.	(i)	(iii)	(ii)	(iv)

40. सूची-I को सूची-II से सुमेलित कीजिए एवं निम्न कूट में से सही उत्तर का चयन कीजिए :

सूची–I	सूची–II
(a) वी.डी. सावरकर	(i) गदर पार्टी
(b) लाला हरदयाल	(ii) कर्जन विली
(c) तारकनाथ दास	(iii) अभिनव भारत
(d) मदनलाल ढींगरा	(iv) फ्री हिन्दुस्तान

कूट :

	(a)	(b)	(c)	(d)
A.	(ii)	(i)	(iv)	(iii)
B.	(iii)	(ii)	(i)	(iv)
C.	(i)	(ii)	(iv)	(iii)
D.	(iii)	(i)	(iv)	(ii)

41. निम्नलिखित में से कौन से जिले मद्रास प्रेसीडेंसी में उत्तरी सरकार (circars) के थे?

A. मुस्तफानगर, एलोर, कोन्डवीडू, राजमुंदरी
B. राजमुंदरी, मुस्तफानगर, मछलीपट्टम, एलोर
C. मुस्तफानगर, एलोर, राजमुंदरी, चिकाकोल
D. चिकाकोल, मुस्तफानगर, एलोर, कोन्डवीडू

42. क्रिप्स मिशन का उद्देश्य था–

A. भारत छोड़ो आन्दोलन को शुरू होने से पहले रोकना।
B. भारतीय नेताओं को ब्रिटेन के युद्ध प्रयासों को समर्थन देने के लिये मनाना।
C. कांग्रेस मंत्रिमंडलों को त्यागपत्र न देने के लिए राजी करना।
D. संविधान बनाने वाली समिति को तुरंत गठित करना।

43. 'प्लान्ड इकानोमी फोर इंडिया (1936)' का लेखक कौन था?

A. आर.सी. दत्त B. एम. विश्वेश्वरैया
C. एन.जी. रंगा D. डी.आर. गाडगिल

44. नीचे दो वक्तव्य दिये गये हैं, एक को कथन (A) और दूसरे को कारण (R) कहा गया है :

कथन (A) : अंग्रेजों ने भारत में पाश्चात्य शिक्षा को आरंभ किया।

कारण (R) : वे भारतीयों को वैज्ञानिक एवं राष्ट्रीय प्रगति के प्रति जागरूक करना चाहते थे।

उपरोक्त कथनों के संदर्भ में निम्न में से कौन-सा सही है?

कूट :

A. (A) असत्य है, किन्तु (R) सत्य है।
B. (A) एवं (R) दोनों असत्य हैं।
C. (A) सत्य है एवं (R), (A) की सही व्याख्या है।
D. (A) एवं (R) दोनों सत्य हैं, किन्तु (R), (A) की सही व्याख्या नहीं है।

45. निम्नलिखित को सही कालक्रम के अनुसार व्यवस्थित कीजिए एवं सही उत्तर का चयन निम्न कूटों में से कीजिए :

(i) द्वितीय अंग्रेज-मराठा युद्ध
(ii) तृतीय अंग्रेज-मैसूर युद्ध
(iii) द्वितीय कर्नाटक युद्ध
(iv) प्रथम अंग्रेज-सिक्ख युद्ध

कूट :

A. (*iii*) (*ii*) (*i*) (*iv*)
B. (*ii*) (*iii*) (*iv*) (*i*)
C. (*i*) (*iv*) (*iii*) (*ii*)
D. (*iv*) (*iii*) (*i*) (*ii*)

46. निम्नलिखित को सही कालक्रम के अनुसार व्यवस्थित कीजिए एवं सही उत्तर का चयन निम्न कूटों में से कीजिए :

(*i*) मुंडा विद्रोह (*ii*) संथाल विद्रोह
(*iii*) मोपला विद्रोह (*iv*) डक्कन दंगे

कूट :

A. (*iv*) (*i*) (*iii*) (*ii*)
B. (*ii*) (*iii*) (*i*) (*iv*)
C. (*i*) (*iv*) (*ii*) (*iii*)
D. (*ii*) (*iv*) (*i*) (*iii*)

47. सूची-I को सूची-II से सुमेलित कीजिए और सही उत्तर का चयन निम्न कूट में से कीजिए :

सूची–I	**सूची–II**
(*a*) गौर रक्षणी सभा	(*i*) विवेकानंद
(*b*) रास्त गोफ्तार	(*ii*) जे.बी. वाचा
(*c*) साधारण ब्रह्म समाज	(*iii*) दयानंद सरस्वती
(*d*) प्रबुद्ध भारत	(*iv*) शिवनाथ शास्त्री

कूट :

	(*a*)	(*b*)	(*c*)	(*d*)
A.	(*iii*)	(*ii*)	(*i*)	(*iv*)
B.	(*ii*)	(*iv*)	(*iii*)	(*i*)
C.	(*iii*)	(*ii*)	(*iv*)	(*i*)
D.	(*i*)	(*iii*)	(*ii*)	(*iv*)

48. निम्नलिखित को सही कालक्रम के अनुसार व्यवस्थित कीजिए एवं सही उत्तर का चयन निम्न कूट में से कीजिए :

(*i*) क्रिप्स मिशन
(*ii*) गांधी-इरविन समझौता
(*iii*) साइमन आयोग
(*iv*) भारत विभाजन

कूट :

A. (*i*) (*ii*) (*iii*) (*iv*)
B. (*ii*) (*i*) (*iv*) (*iii*)
C. (*ii*) (*i*) (*iii*) (*iv*)
D. (*iii*) (*ii*) (*i*) (*iv*)

49. ब्रिटिश शासनकाल में किस कानून के अंतर्गत लोगों को बिना उचित सुनवाई के बंदी बनाने की अनुमति थी?

A. रौलेट एक्ट
B. 1870 का सेडीशन एक्ट
C. हिन्दू कोड बिल
D. इल्बर्ट बिल

50. असाधारण मंदी की शुरूआत का संबंध है–

A. जापान में कीमतों की गिरावट
B. यूरोप में मूल्य सूची में आकस्मिक चढ़ाव
C. वॉल स्ट्रीट में कीमतों का गिरना
D. प्रशांत महासागरीय क्षेत्र में मंदी

उत्तरमाला

1	2	3	4	5	6	7	8	9	10
A	C	C	C	D	A	D	B	A	A
11	**12**	**13**	**14**	**15**	**16**	**17**	**18**	**19**	**20**
B	C	B	A,C,D	B	A	A	D	B	D
21	**22**	**23**	**24**	**25**	**26**	**27**	**28**	**29**	**30**
B	C	D	A	B	D	C	C	B	C
31	**32**	**33**	**34**	**35**	**36**	**37**	**38**	**39**	**40**
D	A	B	D	B	B	A	*	B	D
41	**42**	**43**	**44**	**45**	**46**	**47**	**48**	**49**	**50**
C	*	B	*	A	D	C	D	A	C

* दिए गए विकल्पों में कोई सही नहीं है।

कुछ चुने हुए प्रश्नों के व्याख्यात्मक उत्तर

3. ऋग्वेद की शाखाएं – शाकल, वाष्कल, आश्वलायन, शंखायन तथा मांडूक्य।

यजुर्वेद की शाखाएं – तैत्तिरीय, काठक, कपिष्ठल, मैत्रायणी (कृष्ण यजुर्वेद), माध्यन्दित तथा काण्व (शुक्ल यजुर्वेद)।

सामवेद की शाखाएं – कीथुय, जैमिनीय एवं राणायनीय।

अथर्ववेद की शाखाएं – पिप्पलाद एवं शौनक।

4. भारतीय इतिहास के 1000 से 600 ई.पू. के काल को उत्तर वैदिक काल कहा जाता है। इस काल में ही सामवेद, युजर्वेद, अथर्ववेद, ब्राह्मण ग्रंथों, अरण्यकों, उपनिषद एवं महाकाव्यों (महाभारत एवं रामायण) की रचना हुई। चित्रित धूसर भाण्ड (Painted Grey Ware-PGW) इस काल की विशिष्टता थी। इस काल के लोग मिट्टी के चित्रित और भूरे रंग के कटोरों तथा थालियों का प्रयोग करते थे। वे लोहे के हथियारों का भी प्रयोग करते थे।

11.

रचना	रचनाकार	शासन
मुद्राराक्षस	– विशाखदत्त	– गुप्त काल
बुद्धचरित	– अश्वघोष	– कनिष्क काल
बालचरित	– भास	– गुप्त काल
कुमारपाल चरित	– हेमचंद्र	– गुजरात के चालुक्य (सोलंकी)

17. राजपूतों की उत्पत्ति के संबंध में विभिन्न विद्वानों के विचार

डी.आर. भंडारकर एवं ईश्वरी प्रसाद : इन्होंने भारतीय समाज में विदेशी मूल के लोगों के सम्मिलित होने को राजपूतों की उत्पत्ति का कारण माना है।

अग्निकुंड सिद्धांत : चन्दबरदाई कृत पृथ्वीराज रासो के वर्णन के आधार पर कुछ विद्वान राजपूतों को अग्निकुंड से उत्पन्न बताते हैं।

कर्नल टॉड : राजपूतों की विदेशी उत्पत्ति के समर्थकों में महत्त्वपूर्ण स्थान कर्नल जेम्स टॉड का है। वे राजपूतों को विदेशी सीथियन जाति की संतान मानते हैं। अपने मत के समर्थन में टॉड ने दोनों जातियों (राजपूत एवं सीथियन) की सामाजिक एवं धार्मिक स्थिति की समानता की बात कही है।

गौरीशंकर ओझा : इन्होंने राजपूतों की उत्पत्ति प्राचीन क्षत्रिय जाति से मानी है।

18. सुल्तानगढ़ी का मकबरा तुर्क सुल्तानों द्वारा भारत में निर्मित पहला मकबरा था। इसका निर्माण इल्तुतमिश ने करवाया था। इसलिए इल्तुतमिश को मकबरा निर्माण शैली का जन्मदाता भी कहा जाता है। सुल्तानगढ़ी मकबरे का निर्माण इल्तुतमिश ने अपने ज्येष्ठ पुत्र नासिरूद्दीन महमूद की याद में 1231 ई. में करवाया था। पर्सी ब्राउन के शब्दों में, सुल्तानगढ़ी का शाब्दिक अर्थ है 'गुफा का सुल्तान'। यह मकबरा आकार में दुर्ग के समान प्रतीत होता है।

26. अब्दुर्रज्जाक : यह फारस का राजदूत था। इसने विजय नगर साम्राज्य के शासक देवराय II (1422-46) के समय विजय नगर की यात्रा की।

इब्नबतूता : अफ्रीकी यात्री इब्नबतूता लगभग 1333 में मुहम्मद बिन तुगलक के शासन काल में भारत आया था। सुल्तान ने उसे दिल्ली का काजी नियुक्त किया। 1342 में मुहम्मद तुगलक ने उसे अपने राजदूत के रूप में चीन भेजा। इब्नबतूता ने अपनी पुस्तक 'रेहला' में मुहम्मद तुगलक के समय की घटनाओं का वर्णन किया है।

सिदी अली रईस : यह हिन्द महासागर में ऑटोमन साम्राज्य का नौसैनिक कमांडर था। इसने गोवा के पुर्तगालियों के विरूद्ध अनेक अभियान किये (1554)। भारत से कुस्तुनतुनिया (नया नाम इस्तांबुल) लौटने के विषय में उसका वर्णन उसके प्रसिद्ध पुस्तक मीरात-उल-मेमालिक (Mirror of Countries, 1557) में मिलता है।

विलियम फिंच : यह अंग्रेज व्यापारी था। यह 1608 से 1612 तक भारत में रहा।

28. अकबर द्वारा उड़ीसा विजय – 1592

दाग प्रथा की शुरूआत – 1574 (शासन के 18वें वर्ष)

बारह सूबों का सृजन – 1582

द्वैध पदों की शुरूआत (जात एवं सवार) – 1595

29. जहांगीर काल के प्रमुख चित्रकारों में फारूख बेग, दौलत, मनोहर, बिसनदास, मंसूर एवं अबुल हसन के नाम उल्लेखनीय हैं। इन सभी में उस्ताद मंसूर एवं अबुल हसन जहांगीर काल के सर्वश्रेष्ठ चित्रकारों में से थे।

जहांगीर ने उस्ताद मंसूर को 'नादिर-उल-अस्र' तथा अबुल हसन को 'नादिर-उल-जमा' की उपाधि प्रदान की थी।

उस्ताद मंसूर दुर्लभ पशुओं, बिरले पक्षियों एवं अनोखे पुष्पों का चितेरा था। इसकी महत्त्वपूर्ण कृति में साइबेरिया का बिरला सारस एवं बंगाल का एक पुष्प है। अबुल हसन के प्रमुख चित्रों में से एक वह चित्र है जिसमें कृशकाय घोड़े के साथ मंजनू को निर्जन प्रदेश में भटकते हुए दिखाया गया है। यह एक व्यंग्यात्मक चित्रकारी है।

30. औरंगजेब के समय उत्तर-पूर्वी भारत के अहोम और कूच राज्यों पर 1662 में मुगल सूबेदार मीर जुमला द्वारा आक्रमण किया गया। औरंगजेब के दक्षिण अभियान के दौरान असम (अहोम) 1681 में पुनः स्वाधीन हो गया।

37. ईस्ट इंडिया कंपनी ने 1698 में तीन गांव–सुतानटी, कोलिकत्ता एवं गोविंदपुर की जमींदारी 12000 रु. में मुगलों से प्राप्त की। यहां पर निर्मित कारखाने के अगल-बगल 'फोर्ट विलियम' का निर्माण किया गया और इसका प्रथम सभापति (President) चार्ल्स आयर को बनाया गया। कालांतर में फोर्ट विलियम ही कलकत्ता (अब कोलकाता) नगर कहलाया जिसकी नींव जॉब चार्नाक के प्रयास से पड़ी।

38.

पत्र-पत्रिकाएं	–	**लेखक/संपादक**
इंडियन मिरर	–	केशवचंद्र सेन
ट्रिब्यून	–	सर दयाल सिंह मजीठिया
मार्डन रिव्यू	–	रामानंद चटर्जी
इंडिपेंडेंट	–	मोतीलाल नेहरू

39.

कांग्रेस अधिवेशन	**आयोजन वर्ष**	**अध्यक्ष**
सूरत अधिवेशन	1907	डॉ. रासबिहारी घोष
कलकत्ता अधिवेशन	1886	दादाभाई नौरोजी
लाहौर अधिवेशन	1929	पं. जवाहरलाल नेहरू
बेलगाम/बेलगांव अधिवेशन	1924	महात्मा गांधी

नोट : गांधी जी ने एक मात्र बेलगांव कांग्रेस अधिवेशन (1924) की अध्यक्षता की थी।

40. **वी.डी. सावरकर** – इन्होंने 1904 में नासिक में 'मित्रमेला' नामक संस्था की स्थापना की जो कि मेजिनी के 'तरूण इटली' के नमूने पर अभिनव भारत में परिवर्तित हो गई। यह एक क्रांतिकारी संस्था थी। इस संस्था के लोगों ने न्यायाधीश जैक्शन की गोली मारकर हत्या कर दी थी।

लाला हरदयाल : 1913 में अनेक भारतीय लोगों ने लाला हरदयाल के नेतृत्व में सैनफ्रांसिस्को (अमेरिका) में 'गदर पार्टी' की स्थापना की। इस संगठन ने 'युगांतर प्रेस' की स्थापना कर 1 नवंबर, 1913 से 'गदर' नामक साप्ताहिक (बाद में मासिक) पत्र का संपादन किया। यह समाचार पत्र हिन्दी, गुरूमुखी, उर्दू एवं गुजराती में प्रकाशित होता था। गदर समाचार में छपने वाली कविताओं को 'दर गूंज' शीर्षक से प्रकाशित किया जाता था। इस पार्टी से जुड़े अन्य नेता थे– रामचंद्र, बरकतुल्ला, रासबिहारी बोस, राजा महेंद्र प्रताप, अब्दुल रहमान एवं मैडम कामा।

तारकनाथ दास : इन्होंने बैंकुवर (अमेरिका) में 1907 में इंडिया इंडिपेंडेंस लीग की स्थापना की तथा 'फ्री हिन्दुस्तान' नामक समाचार पत्र निकाला।

मदनलाल ढींगरा : ये लंदन में श्री श्यामजी कृष्ण वर्मा द्वारा फरवरी 1905 में स्थापित संस्था 'इंडिया हाऊस' के सदस्यों में से एक थे। इन्होंने विलियम कर्जन विली की गोली मारकर हत्या कर दी थी। इस संस्था ने 'इंडियन सोशियोलॉजिस्ट' नामक मासिक पत्रिका का संपादन किया।

42. क्रिप्स मिशन (1942 ई.) का निम्न उद्देश्य था–

(*i*) युद्ध के बाद एक ऐसे भारतीय संघ के निर्माण का प्रयत्न किया जाए जिसे पूर्ण उपनिवेश का दर्जा प्राप्त हो। उसे राष्ट्रकुल से भी अलग होने का अधिकार प्राप्त होगा।

(*ii*) युद्ध के बाद प्रांतीय व्यवस्थापिकाओं के निचले सदनों द्वारा आनुपातिक प्रतिनिधित्व के आधार पर एक संविधान निर्मात्री परिषद् का गठन किया जाएगा जो देश के लिए संविधान का निर्माण करेगी। इस संविधान सभा में देशी रियासतों के भी प्रतिनिधि शामिल हो सकते हैं।

(*iii*) संविधान सभा द्वारा निर्मित किए गए संविधान को सरकार दो शर्तों पर लागू कर सकेगी– (*a*) जो प्रांत इससे सहमत नहीं हैं वे इसे अस्वीकार कर पूर्ववत् स्थिति में रह सकते हैं या फिर वे पूर्णतः स्वतंत्र रहना चाहते हैं तब भी ब्रिटिश सरकार को कोई आपत्ति नहीं

और (*b*) भारतीय संविधान सभा तथा ब्रिटिश सरकार के मध्य अल्पसंख्यकों के हितों को लेकर समझौता होगा।

(*iv*) नए भारतीय संविधान के निर्माण होने तक भारत की रक्षा का उत्तरदायित्व ब्रिटिश सरकार पर होगा।

43. भारत में नियोजित आर्थिक विकास का शुभारंभ 1951 में प्रथम पंचवर्षीय योजना के प्रारंभ होने से हुआ, लेकिन आर्थिक नियोजन के लिए सैद्धांतिक प्रयास स्वतंत्रता प्राप्ति से पूर्व ही प्रारंभ हो गए थे। 1936 में सर एम. विश्वेश्वरैया ने 'भारत के नियोजित अर्थव्यवस्था' (Planned Economy for India) नामक पुस्तक लिखी। यह इस दिशा में प्रथम प्रयास था। इस पुस्तक में उन्होंने भारत के नियोजित विकास के लिए एक 10 वर्षीय कार्यक्रम प्रस्तुत किया था।

45.

द्वितीय अंग्रेज-मराठा युद्ध	–	1803-06 ई.
तृतीय अंग्रेज-मैसूर युद्ध	–	1790-92 ई.
द्वितीय कर्नाटक युद्ध	–	1749-54 ई.
प्रथम अंग्रेज-सिक्ख युद्ध	–	1845-46 ई.

46.

विद्रोह		काल	नेता
मुंडा विद्रोह	–	1899-1900 ई.	बिरसा मुंडा
संथाल विद्रोह	–	1855-56 ई.	सिद्धू-कान्हू
मोपला विद्रोह	–	1920-22 ई.	अली मुसलियार
दक्कन दंगे	–	1874-75 ई.	....

47. **गौर रक्षणी सभा :** इसकी स्थापना आर्य समाज के संस्थापक स्वामी दयानंद सरस्वती ने की थी। इनके उपदेशों में पशुबलि की निंदा की गई है। पशुधन की रक्षा को ध्यान में रखते हुए इन्होंने गौर रक्षणी सभा की स्थापना की।

रास्त गोफ्तार : 1851 ई. में नौरोजी फरदोनजी, दादाभाई नौरोजी, आर.के. कामा, एस.एस बंगाली ने मिलकर एक फारसी संस्था 'रहनुमाए माजदायासन सभा' गठित की। इस संस्था का मुख्य उद्देश्य पारसियों की सामाजिक अवस्था में पुनरुद्धार, फारसी धर्म को पुनः प्राचीन शुद्धता प्राप्त कराना तथा स्त्रियों की स्थिति में सुधार लाना था। इस सभा के संदेशों को पारसियों तक पहुंचाने के लिए जे. बी. वाचा ने रास्त गोफ्तार (सत्यवादी) नामक पत्रिका छपवाई।

साधारण ब्रह्म समाज : इस संस्था की स्थापना 1878 में शिवनाथ शास्त्री और आनंद मोहन बोस ने कलकत्ता (अब कोलकाता) में की थी। यह संस्था केशवचंद्र सेन द्वारा स्थापित संस्था 'आदि ब्रह्म समाज' के विभाजन के बाद स्थापित हुई थी।

48.

क्रिप्स मिशन	–	1942
गांधी-इरविन समझौता	–	1931
साइमन आयोग	–	1928
भारत विभाजन	–	1947

प्रश्न-पत्र–III

नोट : इस प्रश्न-पत्र में ***पचहत्तर (75)*** *बहु-विकल्पीय प्रश्न हैं। प्रत्येक प्रश्न के* ***दो (2)*** *अंक हैं।* ***सभी प्रश्न*** *अनिवार्य हैं।*

1. निम्नलिखित में से विन्ध्य क्षेत्र में स्थित नवपाषाण युगीन स्थल कौन-सा है?

A. महगरा B. चिरांद
C. बानगढ़ D. खुन्ती

2. हड़प्पीय स्थलों से नगर योजना के अन्तर्गत गढ़ी, नगर का मध्य भाग एवं बाहरी भाग प्राप्त हुए हैं :

(i) कुनाल (ii) लोथल
(iii) रंगपुर (iv) धोलावीरा

अपने सही उत्तर का चयन निम्नांकित कूट के आधार पर कीजिये :

कूट :

A. (i) और (ii) B. (iii) और (iv)
C. (i), (ii) और (iii) D. केवल (iv)

3. पाकिस्तान में सरस्वती नदी निम्नांकित किस नाम से जानी जाती है?

(i) नाड़ा (ii) रैनी
(iii) हकड़ा (iv) वहिन्दा

निम्नांकित कूट में से सही उत्तर का चयन कीजिए :

कूट :

A. (i) और (iii)
B. (i) और (ii)
C. (i), (ii) और (iii)
D. (i), (ii), (iii) और (iv)

4. दस राजाओं का युद्ध निम्नलिखित किस नदी के तट पर लड़ा गया था?

A. सरस्वती B. सिन्धु
C. परुष्णी D. व्यास

5. नीचे दो कथन दिये गए हैं, एक को कथन (A) और दूसरे को कारण (R) का नाम दिया गया है।

कथन (A) : भारत का रोम से अच्छा संपर्क था।

कारण (R) : रुलेटेड मृदभाण्ड ब्रह्मगिरी, शिशुपालगढ़, तामलुक, अमरावती में प्राप्त हुए हैं।

उपर्युक्त कथनों को पढ़िए और नीचे दिये गये कूट संकेतों में से सही उत्तर का चयन कीजिये।

कूट :

A. (A) और (R) दोनों सही हैं, तथा (A) की पूर्ण व्याख्या (R) है।
B. (A) और (R) दोनों सही हैं, किन्तु (A) की सही व्याख्या (R) नहीं है।
C. (A) सही है, किन्तु (R) गलत है।
D. (A) गलत है, किन्तु (R) सही है।

6. विदेघ माथव का अपने पुरोहित गौतम राहूगण के साथ पूर्व दिशा की ओर जाने का कथानक निम्नांकित किसमें उल्लिखित है?

A. गोपथ ब्राह्मण B. बृहदारण्यक उपनिषद्
C. शतपथ ब्राह्मण D. ऐतरेय ब्राह्मण

7. सूची-I को सूची-II से सुमेलित कीजिए और निम्न कूट से सही उत्तर का चयन कीजिए :

सूची-I (बौद्ध संगीति)	**सूची-II (स्थान जहाँ सम्पन्न हुए)**
(a) प्रथम	(i) पाटलिपुत्र
(b) द्वितीय	(ii) वैशाली
(c) तृतीय	(iii) कश्मीर
(d) चौथी	(iv) राजगृह

कूटः

	(a)	(b)	(c)	(d)
A.	(iii)	(i)	(ii)	(iv)
B.	(iv)	(ii)	(i)	(iii)
C.	(ii)	(iii)	(iv)	(i)
D.	(i)	(iv)	(iii)	(ii)

8. सूची-I को सूची-II से सुमेलित कीजिए और निम्न कूट से सही उत्तर का चयन कीजिए :

सूची-I	**सूची-II**
(a) शाक्य	(i) वैशाली
(b) कोलिय	(ii) पिप्पलीवन
(c) मोरीय	(iii) रामग्राम
(d) लिच्छवी	(iv) कपिलवस्तु

कूटः

	(a)	(b)	(c)	(d)
A.	(iii)	(i)	(iv)	(ii)
B.	(iv)	(iii)	(ii)	(i)
C.	(ii)	(iv)	(i)	(iii)
D.	(i)	(ii)	(iii)	(iv)

9. निम्नलिखित पाली धार्मिक ग्रंथों को कालक्रमानुसार व्यवस्थित कीजिये तथा नीचे दिये गये कूट से सही उत्तर चुनिये :

(i) संयुक्त निकाय (ii) चुल्लवग्ग
(iii) सुत्तनिपात (iv) बुद्धवंश

कूट :

A. (i), (iv), (iii), (ii)
B. (ii). (iii), (iv), (i)
C. (i), (ii), (iii), (iv)
D. (iv), (i), (iii), (ii)

10. निम्नांकित आजीविक सम्प्रदाय के नेता थे :

(i) मक्खलि गोसाल (ii) नन्द वच्छ
(iii) किस संकिच्छ (iv) भद्दु

अपने सही उत्तर का चयन निम्नांकित कूट से कीजिए :

कूट :

A. (i) और (ii) B. (iii) और (iv)
C. (i), (ii) और (iii) D. केवल (iv)

11. निम्नांकित किस स्थल पर स्थित स्तूप अवशेषों से अशोक की प्रस्तर पर उद्भृत प्रतिमा प्राप्त हुई है जिस पर उनका नाम उत्कीर्ण है?

A. साँची B. अमरावती
C. देहर-कुठार D. कनगनहल्ली

12. नीचे दो वक्तव्य दिये गए हैं, एक को अभिकथन (A) और दूसरे को कारण (R) कहा गया है :

अभिकथन (A) : बंगाल से खरोष्ठी के अभिलेख मिले हैं।

कारण (R) : खरोष्ठी बंगाल में बहुप्रचलित थी।

उपरोक्त वक्तव्यों को पढ़िये तथा नीचे दिये गये कूट का सही उत्तर चुनिए :

कूट :

A. (A) और (R) दोनों सही हैं, और (R), (A) की सही व्याख्या है।
B. (A) और (R) दोनों सही हैं, परन्तु (R), (A) की सही व्याख्या नहीं है।
C. (A) सही है, परन्तु (R) गलत है।
D. (A) गलत है, परन्तु (R) सही है।

13. दक्षिण भारत स्थित निम्नांकित स्तूप अवशेषों में दशरथ जातक का शिल्पांकन मिला है।

(i) अमरावती (ii) नागार्जुनकोण्डा
(iii) फनिगिरी (iv) गुम्मिडीडुर्रु

अपने सही उत्तर का चयन निम्नांकित कूट के आधार पर कीजिये :

कूट :

A. (i) और (iii) B. (iii) और (ii)
C. केवल (ii) D. केवल (iv)

14. नीचे दो वाक्य दिये गए हैं, एक को कथन (A) और दूसरे को कारण (R) कहा गया है :

कथन (A) : मिताक्षरा मतानुसार पिता अपने जीवन-काल में अपनी सम्पत्ति अपने पुत्रों में विभाजित कर सकता है।

कारण (R) : मिताक्षरा ने पुत्र को पैतृक सम्पत्ति का आनुवंशिक उत्तराधिकारी स्वीकार किया है।

उपरोक्त कथनों के संदर्भ में निम्नांकित कौन-सा सही है? अपना उत्तर नीचे दिये गये कूट में से दीजिये :

कूट :

A. (A) और (R) दोनों सत्य हैं, और (R), (A) की सही व्याख्या है।
B. (A) और (R) दोनों सत्य हैं, परन्तु (R), (A) की सही व्याख्या नहीं है।
C. (A) सत्य है, परन्तु (R) असत्य है।
D. (A) असत्य है, परन्तु (R) सत्य है।

15. सूची-I को सूची-II से सुमेलित कीजिए और निम्न कूट से सही उत्तर का चयन कीजिये :

सूची-I	सूची-II
(a) चन्द्रगुप्त	(i) तुशाष्फ
(b) स्कन्दगुप्त	(ii) सुविशाख
(c) रुद्रदामन	(iii) पर्णदत्त
(d) अशोक	(iv) पुष्यगुप्त

कूटः

	(a)	(b)	(c)	(d)
A.	(i)	(ii)	(iii)	(iv)
B.	(ii)	(iv)	(i)	(iii)
C.	(iv)	(iii)	(ii)	(i)
D.	(iii)	(i)	(iv)	(ii)

16. भागिलाय के सिक्के निम्नांकित से मिले हैं :

(i) नासिक (ii) कौशाम्बी
(iii) नर्मदा-घाटी (iv) गोदावरी-कृष्णा घाटी

अपने सही उत्तर का चयन निम्नांकित कूट के आधार पर कीजिए :

कूट :

A. (i) और (ii) B. (iii) और (iv)
C. केवल (iii) D. केवल (iv)

17. शंख-लिपि के लेख निम्नांकित स्थलों के स्तूप अवशेषों से प्राप्त हुए हैं :

(i) भरहुत (ii) अमरावती
(iii) देउर-कुठार (iv) साँची

अपने सही उत्तर का चयन निम्नांकित कूट के आधार पर कीजिए :

कूट :

A. (ii) और (iii) B. (i) और (iv)
C. (i) और (iii) D. (ii) केवल (iv)

18. विशाखदत्त लिखित विलुप्त नाटक देवी-चन्द्रगुप्त के अंश निम्नांकित ग्रंथों में उपलब्ध है :

(i) कथासरित्सागर (ii) शृंगार-प्रकाश
(iii) विद्धशालभंजिका (iv) हर्षचरित

अपने सही उत्तर का चयन निम्नांकित कूट के आधार पर कीजिए :

कूट :

A. (i) और (iii) B. (ii) और (iv)
C. केवल (ii) D. (iii) और (iv)

19. मंदिर स्थापत्य की निम्नांकित क्षेत्रीय शैलियों में द्वार-स्तंभों पर नाग-शाखा उत्कीर्ण करना विशेषता है :

(i) चन्देल (ii) प्रतिहार
(iii) सोलंकी (iv) परमार

अपने सही उत्तर का चयन निम्नांकित कूट के आधार पर कीजिए :

कूट :

A. (i) और (iii)
B. केवल (ii)
C. (i) और (iv)
D. (iii) केवल (iv)

20. सूची-I को सूची-II से सुमेलित कीजिए और निम्न कूट से सही उत्तर का चयन कीजिए :

सूची-I	**सूची-II**
(a) नरसिंहवर्मन-I	(i) मामल्लपुरम स्थित शैलकृत्त गुफाएं
(b) शेंबियन महादेवी	(ii) अनंगपुर स्थित अगस्तेश्वर मंदिर
(c) लोकमहादेवी	(iii) पट्टडकल स्थित विरूपाक्ष मंदिर
(d) कुलोत्तुंग-I	(iv) चिदंबरम स्थित शिव मंदिर

कूटः

	(a)	(b)	(c)	(d)
A.	(ii)	(iii)	(iv)	(i)
B.	(iv)	(i)	(ii)	(iii)
C.	(iii)	(iv)	(i)	(ii)
D.	(i)	(ii)	(iii)	(iv)

21. कुछ जैन महाविद्याओं को सर्प-वाहन सहित शिल्पांकित किया जाता है :

(i) काली (ii) गौरी
(iii) वैरोट्या (iv) महाकाली

अपने सही उत्तर का चयन निम्नांकित कूट के आधार पर कीजिए :

कूट :

A. (i) और (iii)
B. (ii) और (iv)
C. (iv) और (iii)
D. केवल (iii)

22. निम्नांकित किस नवग्रह को पशु-मानव-सर्प रूप में शिल्पांकित किया जाता है?

A. शनि B. राहू
C. केतु D. मंगल

23. निम्नलिखित कथनों पर विचार कीजिए :

अभिकथन (A) : बलबन के राजत्व का सिद्धांत "रक्त और लौह" की नीति पर आधारित था।

तर्क (R) : ताज की प्रतिष्ठा इल्तुतमिश के उत्तराधिकारियों के अधीन घटी थी?

निम्नलिखित कूट से इस प्रश्न का उत्तर दीजिए :

कूट :

A. (A) सही है, और (R) गलत है।
B. (A) और (R) दोनों सही हैं, (R), (A) का सही स्पष्टीकरण है।
C. (A) गलत है, (R) सही है, (R), (A) का सही स्पष्टीकरण नहीं है।
D. (A) सही है और (R) गलत है, (R), (A) का सही स्पष्टीकरण है।

24. निम्नलिखित में से किसने भू-राजस्व विभाग में भ्रष्टाचार को वैध कर दिया?
A. फिरोज़ तुगलक
B. शेरशाह
C. मलिक अम्बर
D. उपर्युक्त में से कोई नहीं

25. निम्नलिखित में से किसने 'मनोवैज्ञानिक इतिहास' का उपयोग करते हुए यह सिद्ध किया था कि मुहम्मद बिन-तुगलक 'पागल' नहीं था, जैसा कि पहली बार एल्फिंस्टन ने कहा था?
A. आगा मेहदी हुसैन
B. आर.सी. जौहरी
C. ईश्वरी प्रसाद
D. शफात अहमद खान

26. अबवाब से तात्पर्य है—
A. मुस्लिम प्राधिकारियों द्वारा दावाकृत भू-राजस्व
B. राजस्व को ठेके पर देने की प्रणाली
C. राजस्व अदा करने वाला राज्य
D. सामंतों द्वारा लिए जाने वाले अतिरिक्त कानूनी प्रभार

27. निम्नलिखित सूफी संतों का सही कालक्रम क्या है?
(*i*) ख्वाजा अली हुज्जवीरी
(*ii*) शेख बदरूद्दीन समरकंदी
(*iii*) शाह नयामतुल्लाह कादिरी
(*iv*) ख्वाजा बक़ी बिल्लाह

निम्नलिखित कूट से सही उत्तर का चयन कीजिए :

कूट :
A. (*i*), (*ii*), (*iii*), (*iv*)
B. (*ii*), (*i*), (*iv*), (*iii*)
C. (*iii*), (*ii*), (*i*), (*iv*)
D. (*iv*), (*i*), (*ii*), (*iii*)

28. दिल्ली के निम्नलिखित नगरों के नामों पर विचार कीजिए :
(*i*) जहाँपनाह (*ii*) सीरी
(*iii*) तुगलकाबाद (*iv*) खिज्राराबाद

निम्नलिखित क्रम में से कौन-सा क्रम उनकी स्थापना के सही कालक्रम को दर्शाता है?

कूट :
A. (*ii*), (*i*), (*iii*), (*iv*)
B. (*iii*), (*iv*), (*ii*), (*i*)
C. (*iii*), (*ii*), (*iv*), (*i*)
D. (*ii*), (*iii*), (*i*), (*iv*)

29. निम्नलिखित में से किसे मुगल-पूर्व फारसी इतिहास-लेखन की प्रकृति नहीं समझा जाता है?
A. आध्यात्मिक B. उपदेशात्मक
C. प्रभाववादी D. प्रान्तीय

30. भारत में युद्ध में तोप और बंदूक का प्रयोग प्रथमतया किया था—
A. बलबन ने B. अलाउद्दीन खिलजी ने
C. बाबर ने D. अकबर ने

31. अलाउद्दीन खिलजी, फिरोज तुगलक, अकबर और औरंगजेब के शासनकाल में भू-राजस्व की दर को सही क्रम में चुनिए।

A. $\frac{1}{2}, \frac{1}{2}, \frac{1}{3}, \frac{1}{2}$ B. $\frac{1}{3}, \frac{1}{4}, \frac{1}{4}, \frac{1}{2}$

C. $\frac{1}{4}, \frac{1}{3}, \frac{1}{2}, \frac{1}{2}$ D. $\frac{1}{2}, \frac{1}{4}, \frac{1}{3}, \frac{1}{2}$

32. सूची-I को सूची-II से सुमेलित कीजिए और निम्न कूट से सही उत्तर का चयन कीजिए:

सूची-I	सूची-II
(*a*) जब्त	(*i*) भूमि के माप की मुगल प्रणाली
(*b*) देशमुख	(*ii*) आनुवंशिक भूमि अधिकार
(*c*) वतन	(*iii*) राजस्व अधिकारी
(*d*) इजारदारी	(*iv*) राजस्व ठेके की प्रणाली

कूटः

	(a)	(b)	(c)	(d)
A.	(i)	(ii)	(iii)	(iv)
B.	(i)	(iii)	(ii)	(iv)
C.	(ii)	(i)	(iv)	(iii)
D.	(ii)	(iv)	(iii)	(i)

33. अमीर खुसरो के निम्नलिखित ऐतिहासिक कार्यों में से कौन-सा कार्य गद्य में है?

A. किरान-उस-सादेन B. नूह सिपिहर
C. आशिका D. खजाइन-उल-फुतुह

34. बाबर ने 'गाज़ी' की उपाधि धारण की थी–

A. पानीपत की लड़ाई के बाद
B. खानवा की लड़ाई के बाद
C. घाघरा की लड़ाई के बाद
D. उपर्युक्त में से कोई नहीं

35. निम्नलिखित में से किसने पहली बार टिप्पणी की थी कि कबीर ने अपनी भक्ति में आम लोगों में व्याप्त निराशावाद को कम करने का प्रयास किया है?

A. सावित्री चंद्रा
B. युसूफ हुसैन
C. जे.एन. फरकुहर
D. रोमिला थापर

36. नीचे दो कथन दिए गए हैं, उनमें से एक अभिकथन (A) है और दूसरा तर्क (R) है:

अभिकथन (A) : हुमायूँ के साम्राज्य जिसमें उसके अपने कार्य भी शामिल हैं, से संबंधित घटनाओं का विश्वसनीय कालक्रम नहीं है।

तर्क (R) : घटना-क्रम के उचित अध्ययन से पता चलता है कि हुमायूँ की अकर्मण्यता की तथाकथित अवधि उस अवधि से बहुत कम है, जो बताई गई है।

उपर्युक्त कथनों को पढ़िए और नीचे दिए कूट में से सही उत्तर का चयन कीजिए :

कूट :

A. (A) और (R) दोनों सही हैं और (R), (A) का सही स्पष्टीकरण है।
B. (A) सही है, लेकिन (R) गलत है।
C. (A) और (R) दोनों सही हैं, लेकिन (R), (A) का सही स्पष्टीकरण नहीं है।
D. (A) और (R) दोनों गलत हैं।

37. भारतीय-इस्लामिक वास्तुकला में "दोहरे गुम्बद" का प्रयोग क्यों किया जाता था?

A. भवन की मजबूती के लिए।
B. भवन के अंदर ठंडक बनाए रखने के लिए।
C. भवन की ऊँचाई बनाए रखने के लिए।
D. सौंदर्य बनाए रखने के लिए।

38. भारत में 'तसव्वूफ' का मुख्य योगदान क्या है?

A. इस्लाम की सेवा।
B. मानवता की सेवा।
C. मध्यकालीन भक्ति आंदोलन को प्रभावित करना।
D. 'वहादत-उल-वजूद' के सिद्धांत का प्रचार।

39. मुस्लिम काल में प्रचलित 'शाहरूखी सिक्का' क्या था?

A. सोने के सिक्के
B. चाँदी के सिक्के
C. तांबे के सिक्के
D. उपर्युक्त में से कोई नहीं

40. निम्नलिखित में से कौन-सी मुगल पेंटिंग की विशेषता नहीं है?

A. आध्यात्मिक और रहस्यवादी तत्वों का संयोजन
B. मूलतः इस्लाम के प्रचार के लिए
C. रूपचित्र और लघुचित्र
D. दरबारी और अभिजात-वर्ग

41. निम्नलिखित में से ऐसे कथन को चिन्हित करें जो सही नहीं है :

A. पेशवाओं के काल में मराठा राजत्व एक मजबूत परिसंघ में बदल गई।
B. पेशवा ने स्वराज क्षेत्र में सरदारों का नया वर्ग तैयार किया है।
C. पेशवा का पद आनुवंशिक बन गया।
D. पेशवा मूलतः शाही परिषद् के नहीं थे।

42. मुगल राज्य की सांस्कृतिक और विचारधारात्मक ढाँचे के प्रसंग में निम्नलिखित में से कौन-सा कथन सही नहीं है?

A. पूरे मुगल काल में केंद्रीय शक्ति और क्षेत्रीय विशिष्ट वर्ग के बीच सुलह और समायोजन की सतत प्रक्रिया रही है।

B. 18वीं शताब्दी के दौरान विकेंद्रीकरण के कारण साम्राज्य के संसाधनों पर एकाधिकार करने के लिए 'नव अभिजात्य' वर्ग का अभ्युदय हुआ है।
C. मुगलों की केंद्रीयकरण की प्रक्रिया से संगठन के प्रतिद्वंद्वी सिद्धांतों के अस्तित्व के लिए कोई स्थान नहीं रह गया था।
D. मुगलकालीन भारत में शक्ति के विसरण की संभावना हमेशा रही है।

43. अबुल फज़ल के अकबरनामा के बारे में निम्नलिखित में से कौन-सा कथन सही नहीं है?
A. उसने सामान्यतः अपने स्रोत का उल्लेख नहीं किया है।
B. उसने कुछ अपरिपक्व टिप्पणियाँ की हैं।
C. उसने सामान्यीकरण नहीं किया है।
D. वह कभी भी पंथनिरपेक्ष नहीं रहा है।

44. सुश्री ए.एस. बेवरिज द्वारा अंग्रेजी में अनूदित ब्रिटिश संग्रहालय के बाबरनामा का शीर्षक क्या था?
A. बाबरनामा
B. वाक़यात-ए-बाबरी
C. तुज़ुक-ए-बाबरी
D. उपर्युक्त में से कोई नहीं

45. काल कोठरी ('ब्लैक होल') घटना को किसने सनसनीखेज बना दिया था?
A. रॉबर्ट क्लाइव B. वेरेलेस्ट
C. हॉलवेल D. वाटसन

46. तीसरे मैसूर युद्ध में टीपू सुल्तान के खिलाफ गठित परिसंघ में निम्नलिखित में से कौन शामिल था?
A. ट्रावनकोर का राजा, हैदराबाद का निज़ाम और अंग्रेज
B. अंग्रेज, मराठा और कर्नाटक के नवाब
C. अंग्रेज, मराठा और हैदराबाद का निज़ाम
D. अंग्रेज, कर्नाटक का नवाब और हैदराबाद का निज़ाम

47. स्वाभाविक वारिस के न होने पर भी डॉक्ट्रिन ऑफ लेप्स (Doctrine of Lapse) के अधीन किस रियासती राज्य का विलय नहीं किया गया?
A. सतारा B. करौली
C. पुडुकोट्टाई D. बड़ौदा

48. किस अधिनियम के अधीन प्रान्तों को विधान शक्ति पुनः प्रदान की गई?
A. 1833 B. 1853
C. 1861 D. 1892

49. "ब्रिटिश साम्राज्य का अभिन्न अंग रहते हुए उत्तरदायी शासन की उत्तरोत्तर प्राप्ति" के सम्बन्ध में नीतिगत घोषणा किसने की?
A. लॉर्ड मोर्ले B. लॉर्ड मोन्टेग्यू
C. लॉर्ड रिपन D. लॉर्ड इर्विन

50. ब्रिटिश शासन एवं भारतीय रियासती राज्यों के मध्य सम्बन्धों की परिभाषा "सर्वोच्चता ही सर्वोच्च है", करने वाला कमीशन कौन-सा था?
A. हन्टर कमीशन B. स्ट्रैची कमीशन
C. बटलर कमीशन D. कैम्पबेल कमीशन

51. महालवाड़ी भू-राजस्व व्यवस्था की कार्यप्रणाली की समीक्षा करने के लिए कौन गवर्नर जनरल इलाहाबाद आया था?
A. लॉर्ड विलियम बेंटिंक
B. लॉर्ड ऑकलैंड
C. लॉर्ड डलहौजी
D. लॉर्ड कैनिंग

52. मद्रास में रैयतवाड़ी व्यवस्था के अन्तर्गत भू-राजस्व दर अन्ततः शुद्ध उपज का पचास प्रतिशत निर्धारित करना एवं बन्दोबस्त तीस वर्ष के लिए निर्धारित किस वर्ष किया गया?
A. 1820 B. 1855
C. 1864 D. 1878

53. ब्रिटिश सरकार द्वारा सीमाशुल्क अवकाश (Tariff Holiday) की नीति किस दौरान अपनाई गई?
A. 1858 से 1870
B. 1870 से 1880
C. 1882 से 1894
D. 1898 से 1905

54. दादाभाई नौरोजी के अनुसार उन्नीसवीं शताब्दी उत्तरार्ध में धन-निष्क्रमण का सबसे अधिक चिंताजनक पक्ष था–
A. भारत से संचित सोने का स्थानान्तरण
B. अप्रदत्त नियति

C. शहरी सम्पत्ति का क्षय
D. भारत में ब्रिटिश निवेश

55. स्थानीय वित्त योजना (The Scheme of Local Finance) किसने लागू की?
A. लॉर्ड कैनिंग
B. लॉर्ड मेयो
C. लॉर्ड लिटन
D. लॉर्ड रिपन

56. मजदूरों की कार्यचालन स्थितियों को सुधारने के लिए प्रथम फैक्ट्री अधिनियम कब पारित किया गया?
A. 1880 B. 1881
C. 1884 D. 1893

57. सूची-I को सूची-II से सुमेलित कीजिए और नीचे दी गई सूची में दिए गए कूट से सही उत्तर का चयन कीजिए :

सूची-I	सूची-II
(*a*) बी.पी. वाडिया	(i) ट्रेड यूनियन नेता
(*b*) श्री नारायण गुरु	(*ii*) कृषक नेता
(*c*) एस.एन. हलदर	(*iii*) जमशेदपुर मजदूर नेता
(*d*) कुँवरजी मेहता	(*iv*) दक्षिण भारतीय निम्न जाति नेता

कूटः

	(*a*)	(*b*)	(*c*)	(*d*)
A.	(*ii*)	(*iv*)	(*i*)	(*iii*)
B.	(*iv*)	(*iii*)	(*ii*)	(*i*)
C.	(*i*)	(*iv*)	(*iii*)	(*ii*)
D.	(*iii*)	(*ii*)	(*iv*)	(*i*)

58. सूची-I को सूची-II से सुमेलित कीजिए और नीचे दी गई सूची में दिए गए कूट से सही उत्तर का चयन कीजिए :

सूची-I	सूची-II
(*a*) बिहार प्रोविन्शियल किसान सभा	(*i*) विजयसिंह पथिक
(*b*) रैयतस् एसोसिएशन इन गुन्टूर	(*ii*) सहजानन्द सरस्वती
(*c*) प्रतापगढ़ एवं रायबरेली का किसान नेता	(*iii*) एन.जी. रंगा
(*d*) राजस्थान कृषक नेता	(*iv*) बाबा रामचन्द्र

कूटः

	(*a*)	(*b*)	(*c*)	(*d*)
A.	(*ii*)	(*iii*)	(*iv*)	(*i*)
B.	(*iv*)	(*ii*)	(*iii*)	(*i*)
C.	(*iii*)	(*ii*)	(*iv*)	(*i*)
D.	(*i*)	(*iv*)	(*ii*)	(*iii*)

59. गांधी के नेतृत्व वाले किस आन्दोलन को "स्वस्फूर्त क्रान्ति" कहा गया है?
A. चम्पारन आन्दोलन
B. असहयोग आन्दोलन
C. सविनय अवज्ञा आन्दोलन
D. भारत छोड़ो आन्दोलन

60. ऑल इंडिया वुमैन कॉन्फेरेन्स की स्थापना के पीछे कौन-सी उत्साहवर्धक नेता थी?
A. दुर्गा बाई देशमुख
B. मार्गरेट कुसिन्स
C. मैडम कामा
D. मुत्थुलक्ष्मी रेड्डी

61. भारतीय सिविल सेवा के लिए चुने गए प्रथम भारतीय का नाम बताइए :
A. सुरेंद्रनाथ बनर्जी B. आनन्दमोहन बोस
C. गुरुदास बनर्जी D. सत्येंद्रनाथ टैगोर

62. आर्य समाज आंदोलन विश्वास करता था :
A. मूर्तिपूजा B. बहुदेववाद
C. सर्वेश्वरवाद D. वैदिक कर्मकांड

63. सिविल अवज्ञा आंदोलन के दौरान धरसाना नामक डिपो में शांतिपूर्ण सत्याग्रह के खिलाफ अंग्रेजों की बर्बरतापूर्ण कार्रवाई के बारे में निम्नलिखित में से किस विदेशी पत्रकार ने रिपोर्ट लिखी थी?
A. वेल्स मिल्लर B. सी.एफ. एंड्रूज
C. पाल्मर D. फिशर

64. ऑल इंडिया डिप्रेस्ड क्लास एसोसिएशन (All India Depressed Class Association) के प्रथम अध्यक्ष कौन थे?
A. बी.आर. अंबेडकर
B. शाहू महाराज
C. ई.वी. रामस्वामी नाइकर
D. एम.सी. राजा

65. 1 नवंबर, 1939 को कांग्रेस नेतृत्व वाले मंत्रिमंडल के त्याग-पत्र को मुस्लिम लीग ने किस रूप में मनाया था?

A. फुलफिलमेंट डे
B. इमेंसिपेशन डे
C. डिलिवरेंस डे
D. फ्रीडम डे

66. ऑल इंडिया कांग्रेस सोशलिस्ट पार्टी के प्रथम अध्यक्ष निम्नलिखित में से कौन से थे?

A. अच्युत पटवर्धन
B. राममनोहर लोहिया
C. जयप्रकाश नारायण
D. संपूर्णानन्द

67. 1947 में भारत और पाकिस्तान को विभाजित करने वाले रेखा को चिह्नित करने का दायित्व किस कमीशन को सौंपा गया था?

A. वेवल B. रेडक्लिफ
C. एलेक्जेंडर D. मार्शल

68. प्रथम भारतीय रियासती राज्य, जिसने भारत संघ में विलय के लिए इंस्ट्रुमेंट ऑफ एक्सेशन पर हस्ताक्षर किए थे :

A. जयपुर B. पटियाला
C. बीकानेर D. भोपाल

69. सूची-I को सूची-II से सुमेलित कीजिए और नीचे दी गई सूची में दिए गए कूट से सही उत्तर का चयन कीजिए :

सूची-I	**सूची-II**
(*a*) ईसाई इतिहास-लेखन	(*i*) प्रगतिशील विचारों को प्रकटन
(*b*) अंग्रेजी प्रबुद्धवाद इतिहास-लेखन	(*ii*) बीते समय का आकर्षण और रंगीन पुनर्निर्माण
(*c*) रोमांटिक इतिहास-लेखन	(*iii*) जाँच की वैज्ञानिक विधि का प्रयोग करते हुए ऐतिहासिक ज्ञान उद्भव
(*d*) सकारात्मक इतिहास-लेखन	(*iv*) दैवी विचार का सैद्धांतिकीकरण

कूटः

	(*a*)	(*b*)	(*c*)	(*d*)
A.	(*ii*)	(*iii*)	(*iv*)	(*i*)
B.	(*i*)	(*iii*)	(*ii*)	(*iv*)
C.	(*ii*)	(*iv*)	(*iii*)	(*i*)
D.	(*iv*)	(*i*)	(*ii*)	(*iii*)

70. निम्नलिखित में से कौन-सा इतिहासकार सवल्टर्न अध्ययनों में अपने योगदान के लिए सुप्रसिद्ध है?

A. सुमित सरकार B. बिपिन चन्द्र
C. रणजीत गुहा D. के.एन. पणिकर

निर्देश (प्र.सं. 71 से 75 तक): *निम्नलिखित गद्यांश को सावधानी से पढ़िए और नीचे दिए गए प्रश्नों के सही उत्तर चुनिए :*

जातीय दमन की सबसे दूषित प्रणाली दक्षिण अफ्रीका में स्थापित की गई थी, जातीय पृथक्कन की प्रणाली को रंग-भेद कहा जाता है, जो इस देश में डेनियल मालन के नेतृत्ववाली श्वेत अल्पमत सरकार द्वारा लागू की गई, जो वर्ष 1948 में सत्ता में आई थी और बाद की सरकारों ने भी इसे लागू किया। कुल जनसंख्या के 80 प्रतिशत से अधिक जनसंख्या वाले अश्वेतों को मतदान के अधिकार से वंचित रखा गया, उनकी हड़ताल पर रोक लगाई गई, कुछ विशिष्ट क्षेत्रों से अफ्रीकियों को निर्वासित किया गया, शिक्षा का पृथक्करण किया गया, मिश्रित विवाहों को गैरकानूनी (और अनैतिक) घोषित किया गया और समस्त असहमतियों पर साम्यवाद दमन अधिनियम (सप्रेशन ऑफ कम्यूनिज्म एक्ट) नामक अधिनियम के अधीन रोक लगा दी गई। विश्व साहित्य की कुछ महान कृतियों, जिनमें केवल राजनीतिक लेख ही नहीं थे, पर साम्यवाद दमन अधिनियम (सप्रेशन ऑफ कम्यूनिज्म एक्ट) के अधीन रोक लगा दी गई। अफ्रीकियों के आने-जाने पर सख्त प्रतिबंध लगा दिया गया और उन्हें आने-जाने के लिए अपने साथ पास ले जाना होता था। राष्ट्रमंडल देशों के प्रधानमंत्रियों के सम्मेलन में रंग-भेद की नीति पर आक्षेप लगाए जाने पर दक्षिण अफ्रीका ने राष्ट्रमंडल छोड़ दिया था।

71. दक्षिण अफ्रीका में रंग-भेद विरोधी आंदोलन का नेतृत्व निम्नलिखित में से किसने किया था?

A. अफ्रीकन पीपुल्स पार्टी
B. अफ्रीकन नेशनल कांग्रेस
C. पीपुल्स यूनिटी फ्रंट
D. नेशनल कांग्रेस ऑफ अफ्रीका

72. कांग्रेस ऑफ द पीपुल्स द्वारा "द फ्रीडम चार्टर", निम्नलिखित में से किस वर्ष अंगीकृत किया गया था?
A. 1948 B. 1954
C. 1955 D. 1990

73. दक्षिण अफ्रीका के नस्लवादी राज द्वारा पारित 'सप्रेशन ऑफ कम्यूनिज्म एक्ट' का उद्देश्य निम्नलिखित में से क्या ***नहीं*** था?
A. समस्त असहमतियों पर रोक लगाना।
B. दक्षिण अफ्रीका की रंग-भेद वाले राज का समर्थन करने के लिए पूँजीवादी देशों को तुष्ट करना।
C. 'काली' और 'गोरी' आबादी को अलग-अलग करना।
D. 'काली' आबादी पर सामाजिक प्रतिबंध लगाना।

74. दक्षिण अफ्रीका में पहली बार लोकतांत्रिक चुनाव निम्नलिखित में से किस वर्ष नेल्सन मंडेला ने जीता था?
A. 1989 B. 1991
C. 1994 D. 1996

75. नेल्सन मंडेला के नेतृत्व वाली सरकार को निम्नलिखित में से किस नाम से जाना जाता है?
A. गवर्नमेंट ऑफ द अफ्रीकन पीपुल
B. गवर्नमेंट ऑफ नेशनल यूनिटी
C. गवर्नमेंट ऑफ द ब्लैक पीपुल
D. गवर्नमेंट ऑफ फ्री पीपुल

उत्तरमाला

1	2	3	4	5	6	7	8	9	10
A	D	D	C	B	C	B	B	C	C
11	**12**	**13**	**14**	**15**	**16**	**17**	**18**	**19**	**20**
D	C	C	B	C	C	B	C	B	D
21	**22**	**23**	**24**	**25**	**26**	**27**	**28**	**29**	**30**
D	C	B	D	C	D	A	D	D	C
31	**32**	**33**	**34**	**35**	**36**	**37**	**38**	**39**	**40**
A	B	D	B	D	C	C	B	B	B
41	**42**	**43**	**44**	**45**	**46**	**47**	**48**	**49**	**50**
D	C	D	D	C	C	B	C	B	C
51	**52**	**53**	**54**	**55**	**56**	**57**	**58**	**59**	**60**
A	C	C	B	B	B	C	A	D	B
61	**62**	**63**	**64**	**65**	**66**	**67**	**68**	**69**	**70**
D	D	A	D	C	D	B	C	D	C
71	**72**	**73**	**74**	**75**					
B	C	B	C	B					

कुछ चुने हुए प्रश्नों के व्याख्यात्मक उत्तर

1. नवपाषाण-युग में सभ्यता के मूल तत्व प्राप्त होते हैं जिनका विकास धातु युग में हुआ। कृषि, पशुपालन, शिल्प-व्यवसाय इसी काल में विकसित हुए। ये लगभग सभी तत्व भारत में भी पाए गए हैं। भारत के भिन्न-भिन्न भागों में नवपाषाणिक संस्कृतियों के विभिन्न स्वरूप देखने को मिलते हैं। इस संदर्भ में उत्तर-पश्चिमी सीमाप्रांत – (सिंध-बलूचिस्तान), उत्तरी भारत (कश्मीर), दक्षिण भारत (संगन कल्लू, पिकलीहल) और पूर्वी-भारत (उड़ीसा, बिहार, असम और मेघालय) और विंध्य क्षेत्र का महगरा उल्लेखनीय हैं।

विंध्य क्षेत्र में पाए गए स्थल मुख्यतः गुफाओं एवं शैलाश्रय के रूप में प्राप्त हुए हैं जिनमें शिकार, युद्ध एवं नृत्य के चित्र मिले हैं।

2. हड़प्पा सभ्यता के नगर सामान्यतः दो भागों में विभक्त हैं– गढ़ी (दुर्ग/किला) और निचला शहर (आवास/नगर)। गढ़ी नगर के पश्चिम में ऊंचाई पर स्थित होता था जबकि निचला शहर नगर के पूर्व के तरफ स्थित होता था।

लेकिन नगरीय विशेषता का यह क्रम धौलावीरा नामक स्थल में टूट गया है क्योंकि यह तीन खंडों में विभाजित है। तीन खंडों में से दो खंड मजबूत आयताकार किले के अंदर हैं जबकि तीसरा खंड किले के बाहर स्थित है।

4. ऋग्वेद में वर्णित दस राजाओं का युद्ध (दाशराज्ञ युद्ध) रावी नदी (प्राचीन नाम परुष्णी) के किनारे लड़ा गया। यह युद्ध भरत वंश के राजा सुदास तथा अन्य दस जनों के मध्य लड़ा गया जिसमें सुदास को विजय मिली। कुछ समय पश्चात् पराजित राजा पुरूओं और भरतों के बीच मैत्री संबंध स्थापित होने से एक नवीन 'कुरू वंश' की स्थापना हुई। यह वंश उत्तर-वैदिक काल में प्रसिद्ध हुआ। महाभारत नामक महाकाव्य में कुरुवंश का उल्लेख मिलता है।

6. प्रश्न में दिए गए कथानक का संबंध उत्तर वैदिक काल में आर्यों की भौगोलिक सीमा का विस्तार पूर्वी प्रदेशों में होने से है। यह पूरा कथानक इस प्रकार है– ''विदेघ माथव ने वैश्वानर अग्नि को मुख में धारण किए था। घृत का नाम लेते ही वह अग्नि माथव के मुंह से निकलकर पृथ्वी पर आ पहुंचा। उस समय विदेघ माथव सरस्वती के तट पर निवास करते थे। वह अग्नि सब कुछ जलाता हुआ पूर्व दिशा की ओर आगे बढ़ा और उसके पीछे-पीछे विदेघ माथव तथा उनका पुरोहित गौतम राहुगण चला। वह नदियों को जलाता गया, अकस्मात् वह 'सदानीरा' (बिहार की वर्तमान गंडक नदी) नदी को नहीं जला पाया, जो उत्तर गिरि (हिमालय) से बहती है। अग्नि द्वारा दग्ध न होने के कारण ब्राह्मण लोग प्राचीन समय में उसके पार नहीं जाते थे, परंतु आजकल उसके पूर्व की ओर ब्राह्मणों का निवास है। विदेघ माथव ने अग्नि से पूछा कि अब मैं कहां निवास करूं? अग्नि ने उत्तर दिया– इस नदी के पूर्व की ओर। सदानीरा ही कौशल तथा विदेह देशों की आज भी मर्यादा बनी हुई है।''

शतपथ ब्राह्मण में वर्णित उपर्युक्त कथानक से यह स्पष्ट है कि सप्तसैन्धव प्रदेश से पूर्व की ओर बढ़ते हुए आर्यो ने लगभग संपूर्ण गंगा घाटी पर अपना प्रभुत्व जमा लिया।

7. **बौद्ध संगीतियां**

संगीति	वर्ष	आयोजन स्थल	शासक	अध्यक्ष	कार्य
प्रथम	483BC	राजगृह	अजातशत्रु	महाकस्सप	बुद्ध के उपदेशों का सुतपिटक और विनय पिटक में संकलन
द्वितीय	383BC	वैशाली	कालाशोक	साबकमीर	मतभेद के कारण बौद्ध धर्म स्थाविर एवं महासंधिक में विभाजित
तृतीय	251BC	पाटलिपुत्र	अशोक	मोगगलिपुत्र तिस्स	अभिधम्म पिटक का संकलन
चतुर्थ	प्रथम शताब्दी	कश्मीर	कनिष्क	वसुमित्र (अश्वघोष उपाध्यक्ष)	विभाषा शास्त्र नामक टीका का संकलन तथा बौद्ध धर्म का महायान एवं हिनयान में विभाजन

8. महात्मा बुद्ध के महापरिनिर्वाण के बाद उनके शरीर के भस्मों को आठ भागों में विभाजित कर इन अवशेषों पर आठ स्तूपों का निर्माण करवाया गया। ये स्तूप हैं–

वैशाली : यह वजिसंघ गणराज्य समूह के लिच्छवी कुल की राजधानी थी। वजिसंघ आठ गणराज्यों का समूह था जिसमें लिच्छवी कुल सबसे प्रमुख था।

शाक्य : इस गणराज्य की राजधानी कपिलवस्तु थी। महात्मा बुद्ध का जन्म शाक्य कुल में हुआ था।

कोलिय : इस गणराज्य की राजधानी रामग्राम थी।

वेथदीप (ब्राह्मण) : इस गणराज्य की पहचान बिहार राज्य के पश्चिम चंपारण के बेतिया से की जाती है।

मल्ल : इस गणराज्य के दो भाग थे। इन दोनों की राजधानियां क्रमशः कुशीनारा एवं पावा थी। कुशीनारा महात्मा बुद्ध का निर्वाण स्थल के रूप में विख्यात है।

मोरिय : इस गणराज्य की राजधानी पिप्पलीवन नेपाल की तराई में स्थित थी।

बुलि : यह गणराज्य बिहार के शाहाबद और मुजफ्फरपुर जिले के बीच स्थित था।

मगध : यहां के अजातशत्रु ने बुद्ध के भस्म अवशेषों पर राजगृह में एक स्तूप का निर्माण कराया।

9. **संयुक्त निकाय :** यह सुत्तपिटक का भाग है। गद्य एवं पद्य दोनों शैलियों वाला यह निकाय अनेक 'संयुक्तों' का संकलन है।

चुल्लवग्ग : यह विनय पिटक के भाग खन्धक का अंग है।

सुत्तनिपात : यह सुत्तपिटक के भाग खुद्यक निकाय का अंग है।

बुद्धवंश : इसे महात्मा बुद्ध का इतिवृत्त भी कहा जाता है। बुद्धवंश, महात्मा बुद्ध और उनसे पूर्व 27 बुद्धों का वर्णन करता है।

15. प्राचीन काल के निम्न सम्राटों के समय सौराष्ट्र क्षेत्र के राज्यपालों के नाम निम्नवत् हैं–

चंद्रगुप्त मौर्य	–	पुष्यगुप्त
स्कंदगुप्त	–	पर्णदत्त
रुद्रदामन	–	सुविशाख
अशोक	–	तुशाष्फ

18. विशाखादत्त कृत विलुप्त नाटक देवी-चंद्रगुप्तम् के अंश परमार शासक राजा भोज कृत श्रृंगार-प्रकाश में उपलब्ध है। श्रृंगार प्रकाश में राजा भोज ने अनेक नायक-नायिकाओं का विभिन्न राग-रागनियों के साथ उल्लेख किया है।

20. पल्लव वंशी शासक नरसिंहवर्मन-I ने मामल्लपुरम् (महबलीपुरम्) में शैलकृत गुफा मंदिर का निर्माण कराया। कांची के निकट बंदरगाह नगर महामल्लपुरम् (महाबलिपुरम्) बसाने का श्रेय इसे ही दिया जाता है। उसके शासन काल में ही चीनी यात्री ह्वेनसांग कांची गया था।

बादामी के चालुक्य वंशी शासक विक्रमादित्य II की प्रथम पत्नी लोकमहादेवी ने पट्टकल में एक विशाल शिव मंदिर का निर्माण करवाया था। इस मंदिर को विरूपाक्ष-महादेव मंदिर कहा जाता है।

कुलोतुंग I ने चिदंबरम स्थित शिव मंदिर का निर्माण करवाया था।

26. मध्यकाल में अबवाब व्यापार संबंधी चुंगी एवं अन्य उपकर था। यह सामंतों द्वारा लिए जाने वाला एक प्रकार का अतिरिक्त कानूनी प्रभार था।

27. **ख्वाजा अली हुज्जवीरी :** इनका नाम आरंभिक सूफी संतों में लिया जाता है जो 11वीं शताब्दी के आरंभिक वर्षों में लाहौर में आकर बसे। इन्होंने सूफी मत की पहली प्रसिद्ध रचना भारत में लिखी जो **'कशफुल महजूब'** के नाम से जानी गई।

शेख बदरूद्दीन समरकंदी : मध्य एशिया के निवासी समरकंदी इल्तुतमिश के शासन के प्रारंभिक दिनों में भारत आए। इन्होंने सुहरावर्दी सिलसिला के शाखा के रूप में फिरदौसी सिलसिला की शुरूआत की। फिरदौसी सिलसिला का मुख्य क्षेत्र बिहार था।

शाह नयामतुल्लाह कादिरी : इन्हें भारत में इस सिलसिले को संगठित करने का श्रेय दिया जाता है। इस सिलसिले में रूढ़िवादी और उदार प्रवृत्तियां दोनों देखने को मिलती हैं। शेख अब्दुल हक मोहछिस देहलवी इस परंपरा के सर्वश्रेष्ठ प्रतिनिधि थे। मुल्ला शाह एवं पंजाब के मियां मीर इस सिलसिले से संबद्ध थे। दारा शिकोह इस सिलसिले का ही अनुयायी था।

ख्वाजा बाकी बिल्लाह : इन्होंने नक्शबंदी सिलसिले की स्थापना की। इस परंपरा के सर्वश्रेष्ठ संत शेख अहमद सरहिन्दी थे जो कट्टरपंथी इस्लाम के प्रबल समर्थक थे। औरंगजेब नक्शबंदी परंपरा का समर्थक था।

28. **जहांपनाह :** तुगलक वंश के मुहम्मद बिन तुगलक (1325-51 ई.) ने इस नगर की स्थापना रायपिथौरा

एवं सीरी के मध्य करवाई थी। इस नगर के अवशेष के रूप में सतपुला अर्थात् सात मेहराबों का पुल आज भी मौजूद है।

सीरी : खिलजी वंश के अलाउद्दीन खिलजी (1296-1316 ई.) ने इस नगर की स्थापना की। इस नगर का निर्माण मंगोल आक्रमण के दौरान किया गया।

तुगलकाबाद : तुगलक वंश के गयासुद्दीन तुगलक (1320-25 ई.) ने इस नगर की स्थापना की।

खिज्राबाद : सैय्यद वंश के खिज्र खां (1414-21 ई.) ने इस नगर की स्थापना की।

30. पानीपत के प्रथम युद्ध में ही सर्वप्रथम तोप और बंदूक का प्रयोग किया गया। यह युद्ध मुगल साम्राज्य के संस्थापक बाबर और दिल्ली के अफगान सुल्तान इब्राहिम लोदी के बीच 12 अप्रैल, 1526 को लड़ा गया। इस युद्ध में बाबर की विजय हुई। परिणामस्वरूप भारत में मुगल साम्राज्य की स्थापना हुई। पानीपत के इस युद्ध में बाबर ने दो प्रसिद्ध निशानेबाज तोपची उस्ताद अली एवं मुस्तफा की सेवाएं लीं।

32. जब्त : यह कृषि भूमि के माप पर आधारित राजस्व निर्धारण की प्रणाली थी। यद्यपि इसका व्यापक रूप से प्रचलन मुगल काल में हुआ। किंतु इसकी शुरूआत शेरशाह के समय में ही हो चुकी थी।

देशमुख : मुगल काल में महाराष्ट्र क्षेत्र में नियुक्त राजस्व अधिकारियों को देशमुख कहा जाता था।

वतन : मुगल प्रशासन में वंशानुगत भू-अनुदान जो मुख्यतः राजपूतों को दिया था, वतन कहलाता था।

इजारदारी : यह लगान वसूली की ठेके की प्रणाली थी।

33. किरान-उस-सादेन : अमीर खुसरो द्वारा 1289 में रचित इस पुस्तक में बुगरा खां और उसके बेटे कैकुबाद के मिलन का वर्णन मिलता है।

नूह सिपिहर : अमीर खुसरो की इस कृति में मुबारक खिलजी के समय की सामाजिक स्थिति के विषय में जानकारी मिलती है।

आशिका : खुसरो की इस कृति में गुजरात के राजा करन की पुत्री देवलरानी और अलाउद्दीन के पुत्र खिज्र खां के बीच प्रेम का उल्लेख है। इसके अतिरिक्त यह पुस्तक अलाउद्दीन की गुजरात तथा मालवा पर विजय तथा मंगोलों द्वारा स्वयं अपने कैद किए जाने की जानकारी भी देती है।

खजाइन-उल-फुतुह : इसे तारीखे अलाई के नाम से भी जाना जाता है। अमीर खुसरो द्वारा रचित इस गद्य कृति से अलाउद्दीन खिलजी के शासन काल के पूर्व के 15 वर्षों की घटनाओं का वर्णन मिलता है।

34. बाबर ने खानवा के युद्ध (17 मार्च, 1527) में विजय के बाद 'गाजी' की उपाधि धारण की थी। यह युद्ध मेवाड़ के राणा सांगा और बाबर के मध्य लड़ा गया। इस युद्ध के बाद बाबर के घुमक्कड़ एवं अस्थिर जीवन में स्थिरता आई।

35. भारतीय इस्लामिक वास्तुकला में दोहरे गुम्बद का प्रयोग भवन की ऊंचाई को बनाए रखने के लिए किया जाता था। उभरी हुई दोहरी गुम्बद वाला भारत में बना पहला मकबरा हुमायूं का मकबरा है।

39. यह सिक्का मुगल बादशाह शाहजहां द्वारा चलाया गया चांदी का सिक्का था। इस सिक्के का वजन 4.30 ग्राम था।

46. तीसरे आंग्ल-मैसूर युद्ध (1740-92) में टीपू सुल्तान के खिलाफ गठित परिसंघ में अंग्रेज, मराठा और हैदराबाद के निजाम शामिल थे। इस संधि को 'त्रिगुट' संधि भी कहा जाता है। यह युद्ध दो चरणों (जून, 1790 एवं नवंबर 1791) में लड़ा गया। प्रथम चरण में अंग्रेजों ने युद्ध की शुरूआत मद्रास के गवर्नर मीडोज के नेतृत्व में की। किंतु मीडोज बुरी तरह पराजित हुआ और उसकी पराजय के बाद स्वयं कार्नवालिस ने मद्रास पहुंचकर नेतृत्व संभाला लेकिन कुछ कारणों से अंततः वह भी असफल रहा। द्वितीय चरण में कार्नवालिस ने पूरे उत्साह के साथ टीपू पर आक्रमण किया। अंततः इस युद्ध में टीपू की पराजय हुई। इस युद्ध के परिणामस्वरूप श्रीरंगपट्टम की संधि हुई।

48. 1861 का भारतीय परिषद् अधिनियम पहला ऐसा अधिनियम था जिसमें 'विभागीय प्रणाली' एवं 'मंत्रिमंडलीय प्रणाली' की नींव रखी हुई। पहली बार विधि निर्माण एवं कार्य में भारतीयों का सहयोग लेने का प्रयास किया गया। इस अधिनियम की मुख्य विशेषताएं निम्न थी—

(*i*) वायसराय की परिषद् में एक और सदस्य के शामिल करने से सदस्यों की संख्या पांच हो गई। पांचवा सदस्य विधि विशेषज्ञ होता था।

(*ii*) कानून निर्माण के लिए वायसराय की परिषद् में कम-से-कम 6 एवं अधिकतम 12 अतिरिक्त सदस्यों की नियुक्ति का अधिकार वायसराय को दिया गया। इस परिषद् का कार्य क्षेत्र कानून निर्माण तक ही सीमित था।

(*iii*) इस अधिनियम की व्यवस्था के अनुसार बम्बई एवं मद्रास प्रांतों को विधि निर्माण एवं उनमें संशोधन का अधिकार पुनः प्रदान कर दिया गया, पर इनके द्वारा निर्मित कानून तभी वैद्य माने जाते थे जब उन्हें वायसराय वैद्य ठहराता था।

(*iv*) वायसराय का प्रांतों में विधान परिषद् की स्थापना का अधिकार साथ ही साथ लेफ्टिनेंट-गवर्नर की नियुक्ति का अधिकार प्राप्त हो गया।

इस अधिनियम में भी भारी कमियां थी। फिर भी, इस अधिनियम द्वारा विकेन्द्रीकरण की नीति को प्रोत्साहन मिला। अनेक अच्छाइयों एवं बुराइयों को लिए इस अधिनियम के बारे में इतना कहा जा सकता है कि इसने भावी विकास एवं संवैधानिक प्रगति के मार्ग को प्रशस्त किया।

50. ब्रिटिश शासन एवं भारतीय रियासती राज्यों के मध्य संबंधों की परिभाषा ''सर्वोच्चता ही सर्वोच्च है'', बटलर समिति द्वारा दी गई थी।

51. महालवाड़ी व्यवस्था उत्तर प्रदेश, मध्य प्रांत एवं पंजाब में सर्वप्रथम लागू की गई। इस व्यवस्था में प्रारंभ में लगान की दर कुल उपज का 80% निश्चित की गयी। कालांतर में महालवाड़ी भू-राजस्व व्यवस्था की कार्यप्रणाली की समीक्षा के पश्चात् लार्ड विलियम बैंटिक ने लगान की दर को 66% कर दिया।

55. लार्ड मेयो ने भारत में वित्तीय विकेंद्रीकरण की नीति की शुरूआत की। उसने बजट घाटे को कम किया, आयकर की दर को 1% से बढ़ाकर 2.5% कर दिया। कुछ स्थानों पर जैसे बम्बई व मद्रास में नमक कर में वृद्धि कर दी। काठियावाड़ एवं अलवर को उसने भ्रष्टाचार एवं कुशासन के आधार पर दंडित किया।

56. प्रथम फैक्ट्री अधिनियम 1881 में लार्ड रिपन के समय लाया गया। इस फैक्ट्री अधिनियम में किए गए प्रावधान निम्न प्रकार से थे–

(*i*) इसमें अल्पायु श्रमिकों के संरक्षण एवं उनके लिए स्वास्थ्य सुरक्षा की व्यवस्था की गई।

(*ii*) यह अधिनियम उन कारखानों पर ही लागू हो सकता था, जहां पर श्रमिकों की संख्या कम-से-कम 100 होती थी।

(*iii*) इस अधिनियम में 7 वर्ष से कम आयु के बच्चों को काम करने से प्रतिबंधित किया गया तथा 7 से 12 वर्ष के बच्चों के काम की अवधि को 9 घंटे तय किया गया।

(*iv*) इस अधिनियम में उपरोक्त प्रावधान के अतिरिक्त प्रतिदिन एक घंटे का आराम तथा महीने में 4 दिन की छुट्टी की व्यवस्था की गई।

57. **बी.पी. वाडिया :** इन्हें भारत में आधुनिक श्रमिक संघ की स्थापना का श्रेय दिया जाता है। इनके द्वारा स्थापित श्रमिक संघ का नाम था– 'मद्रास श्रमिक संघ'। इन्हीं के प्रयासों से 1926 में श्रमिक संघ अधिनियम पारित हुआ था।

श्री नारायण गुरू : 1903 में दक्षिण भारत के केरल में मूल रूप से दलित वर्गों अथवा हरिजनों को संगठित कर श्री नारायण धर्म परिपालन योगम (SNDP) की स्थापना करके 'एझवा' समुदाय के सामाजिक उत्थान के लिए प्रबल आंदोलन शुरू किया। केरल में अनेक मंदिरों का निर्माण व पूजा पद्धति को सरल किया।

एस.एन. हलदर : इन्होंने 1925 में जमशेदपुर लेबर एसोसिएशन का गठन किया था।

कुंवरजी मेहता : सूरत के बारदोली तालुका में किसानों ने 1928 में लगान न अदा करने का आंदोलन किया। असहयोग आंदोलन के समय से ही यह तालुका जोरदार गतिविधियों का केंद्र बन गया। इस क्षेत्र के लोगों में असहयोग आंदोलन के प्रति जनमत तैयार करने में यह जिन स्थानीय नेताओं ने महत्त्वपूर्ण भूमिका निभाई उनमें कुंवरजी मेहता का नाम उल्लेखनीय है।

58. बिहार प्रोविन्शियल किसान सभा : बिहार किसान सभा की स्थापना 1930 में स्वामी सहजानंद सरस्वती ने की थी।

रैयतस् एसोसिएशन इन गुन्टूर : इसकी स्थापना एन. जी. रंगा द्वारा 1928 में आंध्र प्रदेश में की गई थी। इस संगठन का पूरा नाम आंध्र प्रांतीय रैयत एसोसिएशन था। इससे आंध्र प्रदेश का तटीय भाग प्रभावित था। एन.जी. रंगा द्वारा गुंटूर जिला के निडोबेलू गांव में 1933 में भारतीय किसान परिषद् का गठन किया गया।

प्रतापगढ़ एवं रायबरेली के किसान नेता : जनवरी-मार्च 1932 में रायबरेली, फैजाबाद, प्रतापगढ़ एवं सुल्तानपुर में व्यापक पैमाने पर किसान आंदोलन हुए। इस आंदोलन के महत्त्वपूर्ण नेता बाबा रामचंद्र थे।

राजस्थान कृषक नेता : राजस्थान में सर्वप्रथम किसान आंदोलन मेवाड़ रियासत के बिजौलिया में हुआ। यह आंदोलन कुल 44 वर्षों (1897-1941) तक चला। इस आंदोलन के मुख्य नेताओं में विजय सिंह पथिक का नाम उल्लेखनीय है। इस आंदोलन में विजय सिंह पथिक ने 1916 में प्रवेश किया और 1927 में अलग हो गए। विजय सिंह पथिक इस आंदोलन में शामिल होने वाले राजस्थान के बाहर के नेता थे।

62. आर्य समाज आंदोलन के संस्थापक स्वामी दयानंद थे। इस संस्था का उद्देश्य था वैदिक धर्म को पुनः स्थापित करना तथा भारत को धार्मिक, सामाजिक व राजनीतिक रूप से एक सूत्र में बांधकर पाश्चात्य प्रभाव को समाप्त करना। स्वामी दयानंदजी ने वेदों को ईश्वरीय ज्ञान मानते हुए 'पुनः वेदों की ओर चलो' (Back to the Vedas) का नारा दिया।

66. ऑल इंडिया कांग्रेस सोशलिस्ट पार्टी के गठन की घोषणा 17 मई, 1934 में आचार्य नरेंद्रदेव ने पटना में की थी। किंतु इस पार्टी का औपचारिक उद्घाटन 21 अक्टूबर, 1934 में बम्बई में हुआ इसके प्रथम अध्यक्ष संपूर्णानंद थे।

67. माउंटबेटन योजना (3 जून, 1947) के तहत भारत का विभाजन और भारत-पाकिस्तान सीमा का निर्धारण सर सीरील रेडक्लिक की अध्यक्षता में गठित बाउंडरी कमीशन की संस्तुतियों के आधार पर किया गया।

पिछले प्रश्न-पत्र (हल सहित)

यू.जी.सी. NET जून-2012

इतिहास

प्रश्न-पत्र–II

निर्देशः *इस प्रश्न-पत्र में* ***पचास (50)*** *बहु-विकल्पीय प्रश्न हैं। प्रत्येक प्रश्न के* ***दो (2)*** *अंक हैं।* ***सभी*** *प्रश्नों के उत्तर दीजिए।*

1. निम्नलिखित युग्मों में से कौन-सा युग्म सही नहीं है?

A. निम्न पुरापाषाण काल : शिकार, खाद्य संग्रहण
B. उच्च पुरापाषाण काल : शिकार, खाद्य संग्रहण
C. मध्यपाषाण काल : शिकार, खाद्य संग्रहण
D. नवपाषाण काल : खाद्य उत्पादन

2. सूची-I को सूची-II से सुमेलित कीजिए और दिए गए कूट में से सही उत्तर का चयन कीजिए :

सूची–I	सूची–II
(a) सराय खोला	(i) हरियाणा
(b) तरखानवाला डेरा	(ii) पाकिस्तान
(c) कुनाल	(iii) राजस्थान
(d) शिकारपुर	(iv) गुजरात

कूट :

	(a)	(b)	(c)	(d)
A.	(ii)	(iii)	(i)	(iv)
B.	(i)	(ii)	(iii)	(iv)
C.	(ii)	(iv)	(iii)	(i)
D.	(i)	(ii)	(iv)	(iii)

3. निम्नलिखित में से कौन-सा युग्म सही हैं?

A. शैलाश्रय : लंघनाज
B. लघु पाषाण : महदहा
C. बूचड़खाने से सम्बन्धित स्थल : लेखकिया
D. प्रस्तर उपकरण बनाने की कार्यशाला : इसमपुर

4. सूची-I को सूची-II से सुमेलित कीजिए और दिए गए कूट में से सही उत्तर का चयन कीजिए :

सूची–I	सूची–II
(a) ऋग्वेद	(i) वाजसनेयी
(b) यजुर्वेद	(ii) शाकल
(c) सामवेद	(iii) शौनक
(d) अथर्ववेद	(iv) कौथुम

कूट :

	(a)	(b)	(c)	(d)
A.	(i)	(iv)	(iii)	(ii)
B.	(ii)	(i)	(iv)	(iii)
C.	(i)	(iii)	(ii)	(iv)
D.	(iii)	(iv)	(i)	(ii)

5. सूची-I को सूची-II से सुमेलित कीजिए और दिए गए कूट में से सही उत्तर का चयन कीजिए :

सूची–I	सूची–II
(a) दीघनिकाय	(i) धम्मपद
(b) खुद्दकनिकाय	(ii) महापरिनिब्बानसुत्त
(c) विनयपिटक	(iii) कथावस्तु
(d) अभिधम्मपिटक	(iv) खंधक

कूट :

	(a)	(b)	(c)	(d)
A.	(ii)	(i)	(iv)	(iii)
B.	(iii)	(ii)	(iv)	(i)
C.	(i)	(ii)	(iii)	(iv)
D.	(iii)	(iv)	(ii)	(i)

6. मेगास्थनीज की 'इण्डिका' परवर्ती ग्रीक यात्रियों के विवरणों में सुरक्षित थी। निम्नलिखित ग्रीक यात्री विवरणों में से किसका विवरण 'इण्डिका' से सम्बद्ध नहीं हैं :

A. टेसियस
B. स्ट्रेबो
C. एरियन
D. प्लीनी

7. निम्नलिखित युग्मों में से कौन-सा युग्म सही नहीं है?

A. शिलालेख : सारनाथ

B. लघु शिलालेख : बहापुर

C. स्तम्भ लेख : रामपुरवा

D. लघुस्तंभ लेख : साँची

8. निम्नलिखित आरोहण क्रम की प्रशासनिक संरचना में से किसका क्रम सही है?

A. द्रोणमुख, स्थानीय, संग्रहण, कर्वतिक

B. स्थानीय, कर्वतिक, द्रोणमुख, संग्रहण

C. स्थानीय, द्रोणमुख, कर्वतिक, संग्रहण

D. स्थानीय, द्रोणमुख, संग्रहण, कर्वतिक

9. निम्नलिखित का सही कालानुक्रम क्या है?

(a) द पेरिप्लस ऑफ द एरिथ्रियन सी

(b) कास्मॉस इण्डिकोप्लेटस

(c) टोलेमी की ज्योग्राफी

(d) मेगास्थनीज की इण्डिका

निम्न कूट में से सही उत्तर चुनिये :

A. (a) (b) (c) (d)

B. (a) (c) (d) (b)

C. (d) (a) (c) (b)

D. (c) (d) (a) (b)

10. सूची-I को सूची-II से सुमेलित कीजिए और दिए गए कूट में से सही उत्तर का चयन कीजिए :

सूची–I	सूची–II
(a) अगादाक्लीज	(i) बुद्ध
(b) कडफिसेस I	(ii) संकर्षण
(c) विमकडफिसेस	(iii) अतश
(d) कनिष्क I	(iv) शिव

कूट :

	(a)	(b)	(c)	(d)
A.	(ii)	(i)	(iv)	(iii)
B.	(i)	(iv)	(iii)	(ii)
C.	(iii)	(i)	(ii)	(iv)
D.	(iv)	(iii)	(ii)	(i)

11. निम्नलिखित साक्ष्यों में से कौन-सा रामगुप्त सम्बन्धी परवर्ती साक्ष्य नहीं है?

A. सोमेश्वर का मानसोल्लास

B. हर्षचरित पर शंकरार्य की टीका

C. अबुल हसन अली का मजमत-उल-तवारीख

D. अमोघवर्ष का संजान ताम्रपत्र

12. नीचे दो वाक्य दिए गए हैं, एक को कथन (A) और दूसरे को कारण (R) कहा गया है :

कथन (A) : उत्तर गुप्तकालीन कृषक मुख्य रूप से शूद्र वर्ण के माने गए।

कारण (R) : गुप्तोत्तर युग में जनजातियों का बड़े पैमाने पर जाति-व्यवस्था में समावेश हुआ।

उपरोक्त कथनों का अध्ययन कर निम्न उत्तरों में से सही उत्तर चुनेः

कूट :

A. (A) एवं (R) दोनों सही हैं, और (R), (A) का सही स्पष्टीकरण है।

B. (A) सही है, किन्तु (R) सही नहीं हैं।

C. (A) सही नहीं है, किन्तु (R) सही है।

D. (A) एवं (R) दोनों गलत हैं।

13. नाथमुनि ने आलवार कविताओं का संग्रह किस ग्रंथ में किया है?

A. पेरियपुराणम् B. तिरुमुरै

C. नलयिर दिव्य प्रबंधन D. तिरुतोण्डल तिरुवन्तति

14. रुद्रमादेवी किस वंश की रानी थी, पहचानिये :

A. बादामी के चालुक्य B. मदुरा के पाण्ड्य

C. वारंगल के काकतीय D. वेंगी के पूर्वी चालुक्य

15. सूची-I को सूची-II से सुमेलित कीजिए और दिए गए कूट में से सही उत्तर का चयन कीजिए :

सूची–I	सूची–II
(a) कीर्तिवर्मन	(i) वातापि
(b) सिंहविष्णु	(ii) तंजौर
(c) दन्तिवर्मन	(iii) कांचिपुरम्
(d) विजयालय	(iv) मान्यखेट

कूट :

	(a)	(b)	(c)	(d)
A.	(iv)	(iii)	(ii)	(i)
B.	(ii)	(iii)	(iv)	(i)
C.	(iii)	(i)	(ii)	(iv)
D.	(i)	(iii)	(iv)	(ii)

16. निम्नांकित प्राचीन साहित्यिक ग्रंथों में से किसमें चित्रकला संबन्धित एक स्वतंत्र अध्याय है?

A. पंचसिद्धान्तिका B. विष्णुधर्मोत्तर पुराण
C. पंचतन्त्र D. नाट्यशास्त्र

17. निम्नलिखित में से चोल वंश का राजस्व अधिकारी कौन था?
A. ऑलनायक B. शेरुन्दरम्
C. वरित्पोत्तगक्क D. पेरुमक्कल

18. निम्नलिखित कथनों में से कौन-से कथन असत्य हैं?
(i) बलबन की मृत्यु के पश्चात् उसके पुत्र बुगरा खान ने लखनौती में सार्वभौम सत्ता धारण की।
(ii) अलाउद्दीन खिलजी ने अपनी सत्ता को बंगाल तक विस्तृत किया।
(iii) सन् 1324 में गियासुद्दीन तुगलक ने बंगाल का दिल्ली सल्तनत में विलय कर लिया।
(iv) शम्सुद्दीन इलियास शाह के शासन काल में फिरोज शाह तुगलक ने बंगाल पर दो बार आक्रमण किया।
निम्न कूटों में से सही कूट का चयन कीजिये :
कूट :
A. (ii), (iii), (iv) B. (ii), (iv)
C. (ii), (iii) D. (iii), (iv)

19. सूची-I को सूची-II से सुमेलित कीजिए और दिए गए कूट में से सही उत्तर का चयन कीजिए :

सूची–I	**सूची–II**
(a) शेख मुईनुद्दीन चिश्ती	(i) दिल्ली
(b) शेख बहाऊद्दीन जकरिया	(ii) अजोधन
(c) शेख फरीदुद्दीन मसूद गज-ए-शंकर	(iii) मुल्तान
(d) शेख निजामुद्दीन औलिया	(iv) अजमेर

कूट :

	(a)	(b)	(c)	(d)
A.	(iii)	(iv)	(ii)	(i)
B.	(iii)	(ii)	(iv)	(i)
C.	(iv)	(iii)	(ii)	(i)
D.	(iv)	(ii)	(iii)	(i)

20. मुहम्मद तुगलक के शासन क्षेत्र के लिये 'हिंद एवं सिंध' शब्द का प्रयोग किसने किया?
कूट :
A. जियाउद्दीन बरनी
B. अब्दल मलिक इसामी
C. इब्नबतूता
D. याहिया बिन अहमद सिरहिंदी

21. महमूद गावाँ ने बहमनी अमीर वर्ग की शक्तियों पर अंकुश लगाने के लिए क्या कदम उठाए?
(i) उनके भूमि अनुदानों के आकार को कम कर दिया।
(ii) उसने राज्य के प्रत्यक्ष अधिकार क्षेत्र में आने वाले भू क्षेत्र को विस्तृत किया।
(iii) उसने गवर्नरों को एक से अधिक किलों पर नियन्त्रण रखने की अनुमति नहीं दी।
(iv) उसने भूमि लगान की दर को बढ़ा दिया।
निम्न कूटों में से सही उत्तर का चयन कीजिये :
कूट :
A. (i), (iv), (iii) B. (i), (ii), (iii)
C. (iii), (iv), (ii) D. (i), (iii), (iv)

22. निम्नलिखित को सही कालक्रमानुसार व्यवस्थित कीजिये :
(i) चैतन्य (ii) एकनाथ
(iii) सूरदास (iv) तुलसीदास
कूट :
A. (ii), (i), (iii), (iv)
B. (i), (ii), (iii), (iv)
C. (i), (ii), (iv) (iii)
D. (i), (iii), (ii) (iv)

23. नीचे दो वक्तव्य दिए गए हैं, एक को कथन (A) और दूसरे को कारण (R) कहा गया है :
कथन (A) : सैन्य दृष्टि से फिरोज शाह तुगलक का शासन अविशिष्ट था।
कारण (R) : वह नगरकोट के शासक को अपने आधीन करने में असफल रहा।
उपरोक्त कथनों के संदर्भ में निम्न में से कौन-सा कथन सही है?
कूट :
A. (A) एवं (R) दोनों सत्य हैं, और (R), (A) की सही व्याख्या है।
B. (A) और (R) दोनों सत्य हैं, लेकिन (R), (A) की सही व्याख्या नहीं है।
C. (A) सत्य है, लेकिन (R) असत्य है।
D. (A) असत्य है, लेकिन (R) सत्य है।

24. किसके कथनानुसार मुगल हरम 'सच्चरित्रता का मंडप' था?

A. निजामुद्दीन अहमद B. अबुल फजल
C. गुलबदन बेगम D. अब्दुल हमीद लाहौरी

25. मुगल प्रशासनिक व्यवस्था में मीरबख्शी का क्या पद था?

A. मुगल सेना का प्रमुख सेनाध्यक्ष
B. शाही टकसाल का प्रभारी
C. खजाने का प्रभारी मंत्री
D. प्रमुख वेतनाधिकारी

26. निम्नलिखित में से कौन-सा सामाजिक सुधार अकबर द्वारा नहीं किया गया?

A. विधवा विवाह को वैधता प्रदान करना
B. विवाह का पंजीकरण
C. सती-प्रथा पर पूर्ण प्रतिबन्ध
D. खतना करने की आयु सीमा बारह वर्ष करना

27. निम्नलिखित में से कौन-सा कथन सत्य है?

A. मुगलकालीन भारत में नील का उत्पादन दिल्ली एवं आगरा प्रान्तों तक सीमित था।
B. मदद-ए-माश अनुदानों को औरंगजेब ने वंशानुगत बना दिया।
C. जहाँगीर ने अलतमगा जागीरों के स्थानान्तरण की प्रथा आरम्भ की।
D. काश्मीर में भू राजस्व निर्धारण की जब्ती प्रणाली को लागू किया गया।

28. सूची-I को सूची-II से सुमेलित कीजिए एवं निम्न कूटों से सही उत्तर का चयन कीजिए :

	सूची–I		सूची–II
(a)	मासीर-ए-जहाँगीरी	(i)	मोतमिदखान
(b)	इकबालनामा-ए-जहाँगीरी	(ii)	साकी मुसतैद खान
(c)	मासीर-ए-आलमगीरी	(iii)	ख्वाजा कामगार गैरतखान
(d)	फुतुहात-ए-आलमगीरी	(iv)	ईसरदास नागर

कूट :

	(a)	(b)	(c)	(d)
A.	(i)	(iii)	(ii)	(iv)
B.	(iii)	(i)	(ii)	(iv)
C.	(ii)	(iii)	(i)	(iv)
D.	(i)	(ii)	(iii)	(iv)

29. निम्न घटनाओं को सही कालक्रम में व्यवस्थित कीजिए :

(i) मुगलों का बल्ख पर अधिकार
(ii) माहवारी समानुपात प्रणाली का प्रारंभ
(iii) निजामशाही का अंत
(iv) बीजापुर एवं गोलकुंडा से मुगलों की संधि

A. (ii), (iii), (iv), (i)
B. (iii), (ii), (i), (iv)
C. (iv), (iii), (ii), (i)
D. (ii), (iv), (i), (iii)

30. निम्नलिखित को सही कालक्रम के अनुसार व्यवस्थित कीजिए :

(i) शहजादे अकबर का दक्कन पलायन
(ii) औरंगजेब द्वारा गोलकुंडा की विजय
(iii) शाइस्ताखाँ का चटगांव पर अधिकार
(iv) गुरु गोविंदसिंह द्वारा खालसा की स्थापना

निम्न कूटों में से सही उत्तर का चयन कीजिये :

कूट :

A. (i), (iii), (ii), (iv)
B. (iii), (i), (ii), (iv)
C. (ii), (iv), (iii), (i)
D. (i), (iii), (iv), (ii)

31. नीचे दो वक्तव्य दिए गए हैं, एक को कथन (A) और दूसरे को कारण (R) कहा गया है :

कथन (A) : सत्तरहवीं शताब्दी के अन्त तक इंगलिश ईस्ट इंडिया कम्पनी ने पुर्तगाली और डच व्यापारिक प्रतिद्वन्द्वियों को अपने मार्ग से हटा दिया।

कारण (R) : इंगलिश व्यापारी उच्च कोटि के माल को सस्ती दरों पर बेचते थे।

उपरोक्त कथन को पढ़िए और नीचे दिए गए कूट में से सही उत्तर का चयन कीजिये :

कूट :

A. (A) एवं (R) दोनों सत्य हैं, और (R), (A) की सही व्याख्या है।
B. (A) और (R) दोनों सत्य हैं, किन्तु (R), (A) की सही व्याख्या नहीं है।
C. (A) सत्य है, लेकिन (R) असत्य है।
D. (A) असत्य है, किन्तु (R) सत्य है।

32. नीचे दो वक्तव्य दिए गए हैं, एक को कथन (A) और दूसरे को कारण (R) कहा गया है :

कथन (A) : औरंगजेब के शासनकाल के उत्तरार्ध में मुगल अमीर वर्ग में राजपूत मनसबदारों की संख्या में कमी आई।

कारण (R) : औरंगजेब ने दक्कन से आए अमीरों को बड़ी संख्या में जागीरें प्रदान की।

उपरोक्त कथनों को पढ़िए और नीचे दिए गए कूट में से सही उत्तर का चयन कीजिये :

A. (A) एवं (R) दोनों सही हैं, और (R), (A) की सही व्याख्या है।
B. (A) और (R) दोनों सही हैं, किन्तु (R), (A) की सही व्याख्या नहीं है।
C. (A) सही हैं, लेकिन (R) असत्य है।
D. (A) असत्य है, किन्तु (R) सत्य है।

33. सूची-I को सूची-II से सुमेलित कीजिए और दिए गए कूट में से सही उत्तर का चयन कीजिए :

सूची–I (पुस्तक)	**सूची–II (लेखक)**
(a) इन्डियन पेन्टिंग अन्डर दी मुगल्स	(i) अशोक कुमार दास
(b) आर्किटेक्चर ऑफ मुगल इंडिया	(ii) मोता चन्द्र
(c) दी टेक्निक ऑफ मुगल पेंटिंग	(iii) पर्सी ब्राऊन
(d) मुगल पेंटिंग ड्यूरिंग जहाँगीरज टाईम	(iv) केथरीन बी. एशर

कूट :

	(a)	(b)	(c)	(d)
A.	(ii)	(i)	(iii)	(iv)
B.	(iii)	(ii)	(iv)	(i)
C.	(iv)	(ii)	(i)	(iii)
D.	(iii)	(iv)	(ii)	(i)

34. अठारहवीं शताब्दी के मुगल सम्राटों के नाम पर विचार कीजिए :

(i) आलमगीर द्वितीय (ii) अहमदशाह
(iii) जहांदारशाह (iv) मुहम्मदशाह

निम्न में से कौन-सा अनुक्रम सही कालक्रम को प्रदर्शित करता है?

A. (ii), (i), (iii), (iv)
B. (i), (ii), (iii), (iv)
C. (iii), (iv), (ii), (i)
D. (iii), (iv), (i), (ii)

35. नीचे दो कथन दिये गये हैं, एक का नाम अभिकथन (A) और दूसरे का कारण (R) दिया गया है :

अभिकथन (A) : 1857 के विद्रोह का ब्रिटिश द्वारा दमन कर दिया गया था।

कारण (R) : कुछ को छोड़ कर जैसे कि झांसी की रानी, बहुत कम भारतीय शासकों ने इस विद्रोह में भाग लिया।

उपरोक्त कथन को पढ़े और नीचे दिये कूटों से सही उत्तर का चयन कीजिये :

कूट :

A. (A) एवं (R) दोनों सत्य हैं और (R), (A) की सही व्याख्या है।
B. (A) और (R) दोनों सत्य हैं, परन्तु (R), (A) की सही व्याख्या नहीं है।
C. (A) और (R) दोनों मिथ्या है।
D. (A) सत्य है, परन्तु (R) मिथ्या है।

36. नीचे दो कथन दिये गये हैं, एक को अभिकथन (A) और दूसरे को कारण (R) का नाम दिया गया है :

अभिकथन (A) : डॉक्टर ऐनी बेसन्ट ने ब्रिटिश शासन के विरुद्ध स्वराज शासन आन्दोलन संगठित किया।

कारण (R) : वह भारत की जनता के सभी वर्गों को धार्मिक चिन्तन से ऊपर एकल राजनीतिक नारे के आधार पर संगठित करना चाहती थी।

उपरोक्त दोनों कथनों को पढ़ें और नीचे दिये कूटों से उत्तर का चयन कीजिये :

कूट :

A. (A) सही है, परन्तु (R) सही नहीं है।
B. (A) सही नही है, परन्तु (R) सही है।
C. (A) और (R) दोनों सही नहीं है।
D. (A) सही है और (R), (A) की सही व्याख्या है।

37. रॉबर्ट क्लाइव ने मुगल शासक से बंगाल, बिहार और उड़ीसा की दीवानी किस वर्ष में स्वीकार की थी?

A. 1761 B. 1765
C. 1778 D. 1781

38. बेसिन सन्धि (1802) किस-किस के बीच हुई थी?

A. इंगलिश और पेशवा बाजीराव II
B. इंगलिश और टीपू सुल्तान

C. इंगलिश और होल्कर

D. इंगलिश और गायकवाड़

39. ऐनी बेसन्ट द्वारा प्रारम्भ किया गया स्वराज शासन आन्दोलन का लक्ष्य क्या था?

A. विदेशी वस्तुओं का बहिष्कार

B. भारतीय जनता को शिक्षित करना

C. भारत के लिये स्वशासन प्राप्त करना

D. प्रशासन में ब्रिटिश एकाधिकार के विरुद्ध आन्दोलन करना

40. ईस्ट इण्डिया कम्पनी द्वारा स्थापित कारखानों के सम्बंध में निम्नलिखित में से कौन-सा ऐतिहासिक क्रम सही है?

(i) सूरत (ii) मसुलिपट्नम

(iii) हुगली (iv) बालासोर

कूट :

A. (i), (ii), (iii), (iv)

B. (ii), (i), (iv), (iii)

C. (iii), (iv), (i), (ii)

D. (iv), (iii), (i), (ii)

41. इंडियन नेशनल (भारतीय राष्ट्रीय) कांग्रेस की प्रथम महिला अध्यक्ष कौन थी?

A. सरोजनी नायडू B. ऐनी बेसन्ट

C. सुचेता कृपलानी D. मैडम कामा

42. 'पॉवर्टी एण्ड अन-ब्रिटिश रूल इन इंडिया' नामक पुस्तक किसने लिखी?

A. दादाभाई नौरोजी B. आर.सी. दत्त

C. चार्ल्स वुड D. एम.एन. रॉय

43. भारतीय इतिहास में अगस्त 8, 1942 का दिन किस लिये महत्त्वपूर्ण हैं?

A. सुभाष चन्द्र बोस द्वारा सिंगापुर में इंडियन नेशनल कांग्रेस की स्थापना

B. औपनिवेशिक राज्य के लिये क्रिप्प के प्रस्ताव

C. महात्मा गांधी द्वारा प्रारम्भ किया गया असहयोग आन्दोलन

D. महात्मा गांधी द्वारा प्रारम्भ किया गया भारत छोड़ो आन्दोलन

44. कौन-सा सही मेलित है?

A. "करो या मरो" – जवाहरलाल नेहरू

B. "स्वराज मेरा जन्मसिद्ध अधिकार है" – महात्मा गाँधी

C. "मुझे रक्त दो, मैं तुम्हें स्वतन्त्रता दूंगा – सुभाषचन्द्र बोस

D. "अहिंसा के जरिये स्वतन्त्रता हमारा लक्ष्य होना चाहिये" – बी.जी. तिलक

45. सूची–I को सूची–II के साथ सुमेलित कीजिए तथा नीचे दिये गये कूटों से सही उत्तर का चयन कीजिए :

सूची–I	सूची–II
(a) फ्रीडम ऐट मिडनाईट	(i) कॉलिन्स एण्ड लेपियर
(b) दी स्टोरी ऑफ दी इंटिग्रेशन ऑफ इंडियन स्टेट्स	(ii) सी.पी. रामास्वामी अय्यर
(c) ट्रावनकोर दीवान	(iii) वी.पी. मेनन
(d) सेक्रेटरी ऑफ स्टेट	(iv) पैथिक लॉरेन्स

कूट :

	(a)	(b)	(c)	(d)
A.	(i)	(iii)	(ii)	(iv)
B.	(iii)	(ii)	(i)	(iv)
C.	(iv)	(iii)	(ii)	(i)
D.	(ii)	(iv)	(iii)	(i)

46. निम्नांकित वाइसरॉयों का सही कालानुक्रमिक क्रम क्या है?

(i) नोर्थ ब्रुक (ii) मिंटो

(iii) लिनलिथगो (iv) मेयो

कूट :

A. (iv), (i), (ii), (iii)

B. (ii), (iii), (i), (iv)

C. (i), (ii), (iii), (iv)

D. (iii), (iv), (ii), (i)

47. निम्नलिखित को क्रमानुसार व्यवस्थित करते हुए दिए गए कूट में से सही उत्तर चुनिए :

(i) सेन्ट थोमे युद्ध

(ii) पिंडारी युद्ध

(iii) बक्सर युद्ध

(iv) चंदुर्थी का युद्ध

कूट :

A. (i), (iv), (iii), (ii)

B. (iv), (iii), (ii), (i)
C. (i), (ii), (iii), (iv)
D. (iv), (ii), (iii), (i)

48. सूची-I को सूची-II के साथ सुमेलित कीजिये और नीचे दिये गये कूटों से सही उत्तर का चयन कीजिए :

सूची–I	सूची–II
(a) कर्नल टॉड	(i) मेमोयर ऑफ सेन्ट्रल इंडिया
(b) जान मॉलकम	(ii) एनाल्स एण्ड एंटिक्विटीस ऑफ राजस्थान
(c) सी.आर. विलसन	(iii) हिस्टोरिकल स्केचिस ऑफ साऊथ इंडिया
(d) एम. विल्कस्	(iv) अर्लि एनाल्स ऑफ दी इंगलिश इन बंगाल

कूट :

	(a)	(b)	(c)	(d)
A.	(ii)	(i)	(iv)	(iii)
B.	(ii)	(iii)	(iv)	(i)
C.	(i)	(iv)	(iii)	(ii)
D.	(iii)	(i)	(ii)	(iv)

49. सूची-I को सूची-II के साथ सुमेलित कीजिए और नीचे दिये गये कूटों से सही उत्तर का चयन कीजिए :

सूची–I	सूची–II
(a) पंजाब टिनेन्सी ऐक्ट	(i) 1883
(b) दी इलबर्ट बिल	(ii) 1868
(c) हंटर आयोग	(iii) 1921
(d) चैम्बर ऑफ प्रिंसेस	(iv) 1882

कूट :

	(a)	(b)	(c)	(d)
A.	(ii)	(iii)	(i)	(iv)
B.	(i)	(ii)	(iv)	(iii)
C.	(iv)	(ii)	(iii)	(i)
D.	(ii)		(iv)	(iii)

50. निम्नलिखित विचारधाराएँ जो अलग-अलग समय में उभर कर आईं उन्हें क्रमानुसार व्यवस्थित कीजिये :
(i) एन्लाईटनमेंट हिस्टोरियोग्राफी
(ii) चर्च हिस्टोरियोग्राफी
(iii) एनाल्स हिस्टोरियोग्राफी
(iv) सबाल्टर्न हिस्टोरियोग्राफी

कूट :
A. (i), (iii), (iv), (ii)
B. (ii), (iii), (i), (iv)
C. (ii), (i), (iii), (iv)
D. (i), (ii), (iv), (iii)

उत्तरमाला

1	2	3	4	5	6	7	8	9	10
C	A	D	B	A	A	A	C	C	A
11	12	13	14	15	16	17	18	19	20
A	A	C	C	D	B	C	B	C	C
21	22	23	24	25	26	27	28	29	30
B	A	C	A	D	C	B	B	A	B
31	32	33	34	35	36	37	38	39	40
C	B	D	C	A	D	B	A	C	B
41	42	43	44	45	46	47	48	49	50
B	A	D	C	A	A	A	A	D	C

कुछ चुने हुए प्रश्नों के व्याख्यात्मक उत्तर

1. निम्न पुरापाषाण काल – आजीविका का मुख्य साधन सामूहिक शिकार एवं भोजन संग्रहण।

उच्च पुरापाषाण काल – होमो सेपियंस का उदय; पत्थर के पतले फलकों (ब्लेडों) से चाकू, ब्यूरिन, छिद्रक एवं स्क्रेपर जैसे उपकरणों का निर्माण; आजीविका का मुख्य साधन शिकार एवं खाद्य संग्रहण; सामुदायिक जीवन में सुदृढ़ता।

मध्यपाषाण काल	– छोटे-छोटे पाषाण उपकरणों (Microliths) का निर्माण; स्थायी निवास की परंपरा का विकास; पशुपालन एवं कृषि का आरंभ।
नवपाषाण काल	– मनुष्य भोजन संग्राहक से भोजन उत्पादक बन गया; प्रमुख हथियार हत्थेदार कुलाड़ी (Celt); व्यावसायिक वर्गों का उदय।

4.

वेद	**प्रमुख शाखाएं**
ऋग्वेद –	शाकल, वाष्कल, अश्वालायन, शंखायन एवं मांडूक्य।
यजुर्वेद –	काठक, कपिष्ठल, मैत्रायणी एवं तैत्तरीय (कृष्ण/श्याम यजुर्वेद), वाजसनेयी (शुक्ल यजुर्वेद)।
सामवेद –	कौथुमीय/कौथुम, जैमिनीय, रणायनीय।
अर्थर्ववेद –	शौनक एवं पिप्पलाद।

5.

बौद्ध ग्रंथ	**मुख्य तथ्य**
दीघ निकाय –	गद्य-पद्य में रचित दीघ निकाय का सर्वाधिक महत्त्वपूर्ण ग्रंथ महापरिनिब्बान सुत्त है।
खुद्यक निकाय –	खुद्यक निकाय बौद्ध धर्म-दर्शन से संबंधित 15 ग्रंथों का संकलन है, जिनमें धम्मपद, थेरीगाथा एवं जातक सर्वाधिक महत्त्वपूर्ण है। बौद्ध धर्म में धम्मपद का वही स्थान है जो हिन्दू धर्म में गीता का है।
विनय पिटक –	विनय पिटक के तीन खंडों में से एक खंधक है। खंधक में मठ या संघ के निवासियों के जीवन के संदर्भ में विधि- निषेधों की विस्तृत व्याख्या की गई है।
अभिधम्म पिटक–	इस पिटक में बौद्ध मतों की दार्शनिक व्याख्या की गई है। इस पिटक के सात ग्रंथ हैं– धम्मसंगणि, विभंग, धातुकथा, पुग्गलपञ्चति, कथावस्तु, यमक एवं पत्थान।

6. मेगास्थनीज की 'इंडिका' मौर्य काल की जानकारी का सबसे विश्वसनीय स्रोत है। 'इंडिका' की मूल पांडुलिपि उपलब्ध नहीं है। वर्तमान में यह स्ट्रेबो, डायोडोरस, एरियन (तीनों यूनानी लेखक) एवं प्लिनी जैसे रोमन लेखकों के उद्धरणों का संग्रह है जो किसी न किसी रूप में इंडिका से संबंधित है एवं 'इंडिका' के रूप में उपलब्ध है।

8. मौर्य काल में न्यायिक व्यवस्था में सर्वोच्च स्तर पर पाटलिपुत्र में स्थित सर्वोच्च न्यायालय (केंद्रीय न्यायालय) था। इसके बाद के न्यायालयों का क्रम इस प्रकार था– जनपद न्यायालय → स्थानीय न्यायालय → द्रोणमुख न्यायालय → कर्वतिक न्यायालय → संग्रहण न्यायालय।

9.

पुस्तक	**लेखक**	**रचना काल**
Indica	मेगास्थनीज	चौथी सदी ई.पू.
The Periplus of the Erythrean Sea	अज्ञात ग्रीक नाविक	लगभग पहली सदी में
Geography of Ptolemy	टॉलमी	190 ई.
Cosmos Indikopleustes	–	छठीं सदी

11. सोमेश्वर तृतीय कृत मानसोल्लास राजनीतिशास्त्र से संबद्ध पुस्तक है। सोमेश्वर तृतीय कल्याणी का चालुक्य वंशी शासक था।

13. दक्षिण भारत में रहने वाले वैष्णव संतों को 'अलवार' कहा जाता था। अलवार संतों की कुल संख्या 12 है। इन्हीं में से एक नाथमुनि ने अलवार संतों की कविताओं का संग्रह 'नलयिर दिव्य प्रबंधन' नामक काव्य में किया है।

14. रुद्रमादेवी दक्षिण भारत के काकतीय वंश की रानी थी। इस शासक वंश की राजधानी वारंगल थी।

15.

शासक	**वंश**	**राजधानी**
कीर्तिवर्मन	पश्चिमी चालुक्य	वातापी/बादामी
सिंहविष्णु	पल्लव	कांचीपुरम्
दंतिवर्मन	राष्ट्रकूट	मान्यखेट
विजयालय	चोल	तंजौर

19.

सूफी संत	**प्रभाव क्षेत्र/केंद्र**
शेख मुईनुद्दीन चिश्ती	अजमेर
शेख बहाऊद्दीन जकारिया	मुल्तान
शेख फरीदुद्दीन मसूद गज-ए-शंकर	अजोधन
शेख निजामुद्दीन औलिया	दिल्ली

20. मुहम्मद तुगलक के काल में मोरक्को निवासी 'इब्नबतूता' उसके दरबार में आया था। उसने उसे दिल्ली का काजी नियुक्त किया था। इब्नबतूता ने ही मुहम्मद तुगलक के शासन क्षेत्र के लिए हिंद एवं सिंध शब्द का प्रयोग किया है।

22.

संत		काल
चैतन्य	–	1486–1533
एकनाथ	–	16वीं सदी
सूरदास	–	1483–1563
तुलसीदास	–	1532–1623

25. मुगल प्रशासनिक व्यवस्था में मीर बख्शी सेना का नियंत्रण करता था और इस बात का ध्यान रखता था कि मनसबदार लोग अपने घोड़ों को ठीक व्यवस्था में रखें। मीरबख्शी द्वारा 'सरखत' नाम के पत्र पर हस्ताक्षर के बाद ही सेना को प्रत्येक महीने वेतन मिल पाता था। इस तरह वह सैन्य विभाग का सर्वोच्च अधिकारी होता था।

28.

रचना	रचना काल	रचनाकार	शासक
मासीर-ए-जहांगीरी	17वीं शताब्दी	ख्वाजा कामगार गैरतखान	जहांगीर
इकबालनामा-ए-जहांगीरी	17वीं शताब्दी	मोतमिद खान	जहांगीर
मासीर-ए-आलमगीरी	17वीं शताब्दी	साकी मुसतैद खान	औरंगजेब
फतुहात-ए-आलमगीरी	17वीं शताब्दी	ईसरदास नागर	औरंगजेब

29.

घटनाएं	वर्ष	शासक
मुगलों का बल्ख पर अधिकार	1646	शाहजहाँ
माहवारी समानुपात प्रणाली का प्रारंभ	1646	शाहजहाँ
निजामशाही का अंत	1633	शाहजहाँ
बीजापुर एवं गोलकुंडा से मुगलों की संधि	1636	शाहजहाँ

30.

घटनाएं	वर्ष
शहजादे अकबर का दक्कन पलायन	1681
औरंगजेब द्वारा गोलकुंडा की विजय	1687
शाइस्ता खां का चटगांव पर अधिकार	1666
गुरु गोविंद सिंह द्वारा खालसा की स्थापना	1699

34.

18वीं शताब्दी के मुगल सम्राट	कार्यकाल
आलमगीर द्वितीय	1754-1759 ई.
अहमदशाह	1748-1754 ई.
जहांदार शाह	1712-1713 ई.
मुहम्मद शाह	1719-1748 ई.

39. स्वराज्य/स्वशासन की प्राप्ति हेतु 1916 में ऐनी-बेसेंट एवं बाल गंगाधर तिलक द्वारा स्वराज शासन आंदोलन/होम रूल लीग आंदोलन प्रारंभ किया गया। बाल गंगाधर तिलक द्वारा 28 अप्रैल, 1916 को बेलगांव (पूना) में होमरूल लीग की स्थापना की गई। तिलक के पांच महीने बाद ऐनी बेसेंट ने सितंबर 1916 में अपनी लीग की स्थापना की। जहाँ तिलक के होमरूल लीग का कार्यक्षेत्र कर्नाटक, महाराष्ट्र (बम्बई को छोड़कर), मध्य प्रांत, बरार था वहीं शेष भारत ऐनी बेसेंट के कार्यक्षेत्र में था।

ऐनी बेसेंट ने अपने पत्र कॉमनवील और न्यू इंडिया के माध्यम से अपने लीग के कार्यक्रमों का प्रचार-प्रसार किया। ऐनी बेसेंट ने अपने लीग का मुख्यालय अडयार (मद्रास) में स्थापित किया। जार्ज अंरूडेल को ऐनी बेसेंट ने इस संगठन का सचिव बनाया। ऐनी बेसेंट के सहयोगियों में वी. पी. वाडिया तथा सी.पी. रामास्वामी का नाम उल्लेखनीय है।

40.

ईस्ट इंडिया द्वारा स्थापित कारखाने	स्थापना वर्ष
सूरत	1613
मसुलीपट्नम	1611
हुगली	1651
बालासोर	1633

41. इंडियन नेशनल कांग्रेस की प्रथम महिला अध्यक्ष ऐनी बेसेंट थी। उन्हें 1917 में कलकत्ता अधिवेशन में कांग्रेस का अध्यक्ष बनाया गया था।

42. दादाभाई नौरोजी ने अपने निबंधात्मक लेख ''पावर्टी एण्ड अनब्रिटिश रूल इन इंडिया'' (Poverty and Un-British Rule in India) में ब्रिटिश शासन काल के दौरान भारत से 'धन के बहिर्गमन' (Drain of Wealth) की व्याख्या की है। यह लेख 1867 में प्रकाशित हुआ। दादाभाई नौरोजी ने धन के इस निष्कासन/बहिर्गमन को 'अनिष्टों का अनिष्ट' Evil of all Evil की संज्ञा दी।

43. अगस्त 8, 1942 को प्रारंभ किया गया भारत छोड़ो आंदोलन भारतीय स्वतंत्रता संघर्ष की अंतिम लड़ाई थी। इस आंदोलन को अगस्त क्रांति के नाम से भी जाना जाता है। इस आंदोलन के दौरान ही गांधीजी ने 'करो या मरो' (Do or Die) का नारा दिया था।

44.

सूक्ति/विचार/कथन		**संबद्ध व्यक्ति**
करो या मरो	–	महात्मा गांधी
स्वराज मेरा जन्मसिद्ध अधिकार है	–	बी.जी. तिलक
मुझे रक्त दो, मैं तुम्हें स्वतंत्रता दूंगा	–	सुभाषचंद्र बोस
अहिंसा के जरिए स्वतंत्रता हमारा लक्ष्य होना चाहिए	–	जवाहरलाल नेहरू

46.

वायसराय		**कार्यकाल**
लॉर्ड नोर्थ ब्रुक	–	1872-76
लॉर्ड मिंटो	–	1905-10
लॉर्ड लिनलिथगो	–	1936-43
लॉर्ड मेयो	–	1869-72

47.

युद्धों के नाम		**वर्ष**
सेंट थोमे का युद्ध	–	1746-48
पिंडारी युद्ध	–	1818
बक्सर युद्ध	–	1764
चंदुर्थी का युद्ध	–	1759

49.

प्रमुख ऐक्ट	**निर्मित होने का वर्ष**	**वायसराय**
पंजाब टिनेन्सी एक्ट	1868	सर जॉन लॉरेंस
दी इलबर्ट बिल	1883	लार्ड रिपन
हंटर आयोग	1882	लार्ड रिपन
चैम्बर ऑफ प्रिंसेस	1921	लार्ड चेम्सफोर्ड

प्रश्न-पत्र–III

नोट : *इस प्रश्न-पत्र में* ***पचहत्तर (75)*** *बहु-विकल्पीय प्रश्न हैं। प्रत्येक प्रश्न के* ***दो (2)*** *अंक हैं।* ***सभी प्रश्न अनिवार्य हैं।***

1. सूची-I (पुरातात्विक स्थल) को सूची-II (पहचान) से सुमेलित कीजिए तथा नीचे दिये गए कूट की सहायता से सही उत्तर का चयन कीजिए:

सूची-I ***(पुरातात्विक स्थल)***	**सूची-II** ***(पहचान)***
(*a*) बागोर	(i) मध्य प्रदेश का ताम्र-पाषाणिक स्थल
(*b*) ब्रह्मगिरि	(ii) कर्नाटक का महापाषणिक स्थल
(*c*) माहेश्वर	(iii) राजस्थान का मध्य-पाषाणिक स्थल
(*d*) टेक्कलकोटा	(iv) कर्नाटक का नव-पाषाणिक स्थल

कूटः

	(*a*)	(*b*)	(*c*)	(*d*)
A.	(i)	(iii)	(iv)	(ii)
B.	(iii)	(ii)	(i)	(iv)
C.	(iv)	(ii)	(iii)	(i)
D.	(ii)	(i)	(iv)	(iii)

2. किस आद्य-ऐतिहासिक स्थल से कच्चे रेशम के धागे का प्रमाण मिला है?

A. आहाड़ B. इनामगाँव
C. नवदाटोली D. नेवासा

3. निम्नलिखित भारतीय विद्याशास्त्रियों को उनके कालक्रमानुसार व्यवस्थित कीजिए तथा नीचे दिये गए कूट की सहायता से सही उत्तर का चयन कीजिए:

(i) विलियम जोन्स (ii) एलेक्जेण्डर कनिंघम
(iii) जेम्स बर्गेस (iv) जेम्स फर्गूसन

कूटः

A.	(i)	(ii)	(iv)	(iii)
B.	(iv)	(i)	(ii)	(iii)
C.	(i)	(iv)	(iii)	(ii)
D.	(ii)	(iv)	(i)	(iii)

4. सूची-I (प्रारम्भकर्ता/लेखक) को सूची-II (पत्रिका/पुस्तक) से सुमेलित कीजिए तथा नीचे दिये गए कूट की सहायता से सही उत्तर का चयन कीजिएः

सूची-I *(प्रारम्भकर्ता/लेखक)*	सूची-II *(पत्रिका/पुस्तक)*
(*a*) विलियम जोन्स	(i) इण्डियन एन्टीक्वैरी
(*b*) जेम्स फर्गूसन	(ii) द स्तूप ऑफ भरहुत
(*c*) एलेक्जेन्डर कनिंघम	(iii) एशियाटिक रिसर्चेज
(*d*) जेम्स बर्गेस	(iv) आर्कियोलॉजी इन इण्डिया

कूटः

	(*a*)	(*b*)	(*c*)	(*d*)
A.	(iii)	(iv)	(ii)	(i)
B.	(ii)	(i)	(iii)	(iv)
C.	(iv)	(ii)	(i)	(iii)
D.	(i)	(iii)	(iv)	(ii)

5. सूची-I (वैदिक नदी) को सूची-II (वर्तमान प्रतिरूप) से सुमेलित कीजिए तथा नीचे दिये गए कूट की सहायता से सही उत्तर का चयन कीजिएः

सूची-I *(वैदिक नदी)*	सूची-II *(वर्तमान प्रतिरूप)*
(*a*) विपाशा	(i) झेलम
(*b*) परुष्णी	(ii) रावी
(*c*) वितस्ता	(iii) व्यास
(*d*) शुतुद्रि	(iv) सतलज

कूटः

	(*a*)	(*b*)	(*c*)	(*d*)
A.	(iii)	(ii)	(i)	(iv)
B.	(ii)	(iv)	(iii)	(i)
C.	(i)	(iii)	(iv)	(ii)
D.	(iii)	(iv)	(ii)	(i)

6. एशिया माइनर के बोगजकोई अभिलेख में निम्नलिखित वैदिक देवताओं का उल्लेख हैः

A. इन्द्र, वरुण, अग्नि एवं सूर्य

B. इन्द्र, वरुण, मित्र एवं अग्नि

C. इन्द्र, मित्र, वरुण एवं नासत्य

D. इन्द्र, मित्र, द्यौस एवं नासत्य

7. राजा सुदास जिसके विषय में ऋग्वेद में वर्णन है कि उसने दस राजाओं को पराजित किया, किस जन से सम्बद्ध था?

A. अनु B. द्रुह्यु
C. त्रित्सु D. यदु

8. नीचे दो वक्तव्य दिये गए हैं, एक को कथन (A) कहा गया है और दूसरे को कारण (R):

कथन (A) : यूनानी इतिहासकार हेरोडोटस सूचित करता है कि भारत पारसीक साम्राज्य का बीसवाँ तथा सबसे समृद्ध सत्रपी (सूबा या प्रान्त) था।

कारण (R) : सिकन्दर के आक्रमण (327-326 ई. पू.) तक भारत में समस्त पारसीक प्रभाव लुप्त हो चुका था।

उपरोक्त दो वक्तव्यों के सन्दर्भ में निम्नलिखित में से कौन सही है?

A. (A) और (R) दोनों सही हैं, तथा (A) की सही व्याख्या (R) है।

B. (A) और (R) दोनों सही हैं, किन्तु (A) की सही व्याख्या (R) नहीं है।

C. (A) सही है, किन्तु (R) गलत है।

D. (A) गलत है, किन्तु (R) सही है।

9. किसने निम्न वक्तव्य दिया था—

'भगवापि खत्रियो अहम्पि खत्रियो' (भगवान् [बुद्ध] भी क्षत्रिय थे मैं भी क्षत्रिय हूँ)?

A. बिम्बिसार B. प्रसेनजित
C. अज्ञातशत्रु D. शिशुनाग

10. निम्नलिखित में से किस संगम कवि न नन्द वंश के शासकों के संचित धन का उल्लेख किया है?

A. अव्वैयार B. मामूलनर
C. परणर D. इलंगो अडिगल

11. सूची-I (अधिकारी) को सूची-II (विभाग) से सुमेलित कीजिए तथा नीचे दिये गए कूट की सहायता से सही उत्तर का चयन कीजिएः

सूची-I (अधिकारी)	सूची-II (विभाग)
(*a*) सन्निधाता	(i) कर-संग्रह विभाग का स्वामी
(*b*) समाहर्ता	(ii) वाणिज्य विभाग का स्वामी
(*c*) पण्याध्यक्ष	(iii) रानीवास के रक्षक-दल का स्वामी
(*d*) अन्तरवंशिक	(iv) कोषागार का स्वामी

कूटः

	(*a*)	(*b*)	(*c*)	(*d*)
A.	(ii)	(i)	(iv)	(iii)
B.	(iv)	(i)	(iii)	(ii)
C.	(iv)	(i)	(ii)	(iii)
D.	(i)	(iii)	(iv)	(ii)

12. सूची-I (शासक) को सूची-II (सम्बन्धित व्यक्ति) से सुमेलित कीजिए तथा नीचे दिये गए कूट की सहायता से सही उत्तर का चयन कीजिएः

सूची-I (शासक)	सूची-II (सम्बन्धित व्यक्ति)
(*a*) बिम्बिसार	(i) डाइमेक्स
(*b*) बिन्दुसार	(ii) सेन्ट थॉमस
(*c*) अजातशत्रु	(iii) जीवक
(*d*) गोण्डोफरनीस	(iv) वस्सकार

कूटः

	(*a*)	(*b*)	(*c*)	(*d*)
A.	(iii)	(i)	(iv)	(ii)
B.	(ii)	(iii)	(i)	(iv)
C.	(iv)	(ii)	(iii)	(i)
D.	(iii)	(ii)	(iv)	(i)

13. 200 ई. पू. से 300 ई. के मध्य की अवधि की एक विशेषता विदेशी व्यापार की वृद्धि को प्रायः स्वीकार किया जाता है। निम्न कारणों में कौन कारण उस वृद्धि में सहायक नहीं हुआ था?

A. भारत राजनीतिक दृष्टि से एक हो गया था।

B. मौर्य शासकों ने विभिन्न सड़कों का निर्माण करके और समान प्रशासकीय व्यवस्था लागू करके व्यापार की उन्नति में सहायता दी थी।

C. इण्डो-यूनानी शासकों ने पश्चिमी एशिया और भूमध्यसागरीय देशों में घनिष्ट सम्पर्क स्थापित करने में सहयोग दिया था।

D. शक पहलव एवं कुषाण शासकों ने मध्य एशिया के देशों से घनिष्ट सम्पर्क स्थापित करने में सहयोग दिया था।

14. सूची-I (प्राचीन स्मारक) को सूची-II (मुख्य विशेषता) से सुमेलित कीजिए तथा नीचे दिये गए कूट की सहायता से सही उत्तर का चयन कीजिएः

सूची-I (प्राचीन स्मारक)	सूची-II (सम्बद्ध मुख्य विशेषता)
(*a*) साँची स्तूप	(i) सबसे ऊँचा बौद्ध स्मारक
(*b*) नालन्दा	(ii) हिन्दू, बौद्ध एवं जैन धर्मों का प्रतिनिधित्व
(*c*) जुन्नर	(iii) सारिपुत्र तथा मौद्गल्यायन के अस्थि अवशेष युक्त
(*d*) एलोरा	(iv) वर्तुल विन्यास वाला चैत्य गृह

कूटः

A.	(iii)	(i)	(iv)	(ii)
B.	(ii)	(iii)	(i)	(iv)
C.	(iii)	(ii)	(iv)	(i)
D.	(i)	(iv)	(iii)	(ii)

15. निम्नलिखित में से कौन सही सुमेलित नहीं है?

(शासक)		(उसके सिक्के पर प्रदर्शित आकृति)
A. कुमारगुप्त प्रथम	–	चक्रपुरुष
B. कनिष्क	–	अरदोक्षो
C. अगथो क्लीज	–	बलराम
D. क्षत्रप राजुवुल	–	पल्लस

16. सूची-I (प्राचीन नगर) को सूची-II (आधुनिक प्रतिनिधि) से सुमेलित कीजिए तथा नीचे दिये गए कूट की सहायता से सही उत्तर का चयन कीजिएः

सूची-I (प्राचीन नगर)	सूची-II (आधुनिक प्रतिनिधि)
(*a*) दशपुर	(i) हलेबिड
(*b*) द्वारसमुद्र	(ii) मन्दसौर
(*c*) मध्यमिका	(iii) नगरी
(*d*) समापा	(iv) जौगड़

कूटः

	(*a*)	(*b*)	(*c*)	(*d*)
A.	(ii)	(i)	(iii)	(iv)
B.	(i)	(iv)	(ii)	(iii)
C.	(iii)	(ii)	(i)	(iv)
D.	(ii)	(iii)	(iv)	(i)

17. निम्नलिखित में से किसने 'धर्ममहाराज' की उपाधि धारण की थी जिसका औचित्य उसके द्वारा अश्वमेध सहित अनेक वैदिक यज्ञों के सम्पादित करने से सिद्ध होता है?

A. पुष्यमित्र B. सर्वतात
C. समुद्रगुप्त D. प्रवरसेन प्रथम

18. तमिल कवियों के तीसरे संगम की पीठ कहाँ थी?

A. उरैयुर B. मदुरा
C. तन्जौर D. कान्ची

19. शैलेन्द्र नरेश श्री बालपुत्र द्वारा नालन्दा में निर्मित एक विहार के लिये निम्नलिखित में से किस भारतीय शासक ने पाँच ग्राम गाँव दान में दिये थे?

A. कुमारगुप्त प्रथम B. हर्ष
C. देवपाल D. भाष्करवर्मन्

20. अरब लेखकों ने दक्षिण के किस राजवंश की गणना संसार के चार सार्वभौम शासकों में की है?

A. वातापी के चालुक्य B. कल्याणी के चालुक्य
C. कोंकण के मौर्य D. मान्यखेट के राष्ट्रकूट

21. निम्नलिखित में से कौन सही सुमेलित नहीं है?

A. राजशेखर — विद्धशालभञ्जिका
B. श्री हर्ष — नैषधीय चरित
C. महेन्द्रवर्मन — कविराजमार्ग
D. शूद्रक — मृच्छकटिकम्

22. नीचे दो वक्तव्य दिये गये हैं। एक को कथन (A) कहा गया है और दूसरे को कारण (R):

कथन (A) : पूर्व मध्यकाल में क्षेत्रीय राजनीति के उदय के साथ-साथ दरबारी कवियों द्वारा राजाओं की जीवनी लिखने का क्रम प्रारम्भ हुआ।

कारण (R) : सन्ध्याकरनन्दी का रामचरित श्लेष शैली में लिखा गया है जिसमें महाकाव्य के नायक राम की कथा के अतिरिक्त पाल नरेश रामपाल का भी विवरण है।

उपरोक्त दो वक्तव्यों के सन्दर्भ में निम्नलिखित में से कौन सही है?

A. (A) और (R) दोनों सही हैं तथा (A) की सही व्याख्या (R) है।
B. (A) और (R) दोनों सही हैं, किन्तु (A) की सही व्याख्या (R) नहीं है।
C. (C) सही है, किन्तु (R) गलत है।
D. (A) गलत है, किन्तु (R) सही है।

23. नीचे दो कथन दिए गए हैं, जिनमें से एक अभिकथन (A) और दूसरा तर्क (R) है:

अभिकथन (A) : दिल्ली के सुल्तानों ने अपनी सैन्य शक्ति से भारत के एक बड़े भाग को समेकित किया।

तर्क (R) : दिल्ली सल्तनत की मुख्य विशेषता यह थी कि उन्होंने इस्लाम और कुछ आदिवासी संबंध स्थापित करके सैनिक अभिजात वर्ग को अपनी सैनिक शक्ति का आधार बनाया।

उपर्युक्त कथनों को पढ़िए और नीचे दिए गए कूट से सही उत्तर का चयन कीजिए:

कूट:

A. (A) और (R) दोनों सही हैं।
B. (A) और (R) दोनों गलत हैं।
C. (A) गलत है, लेकिन (R) सही है।
D. (A) सही है, लेकिन (R) गलत है।

24. 'तुर्कान-ए-चिहलगानी' का उल्लेख किसने सबसे पहले किया?

A. तबकात-ए-नासिरी ने B. फुतुह-अस-सलातिन ने
C. किताबुर रेहला ने D. खजाइन-उल-फुतुह ने

25. किस मंगोल सेनापति ने अलाउद्दीन खिलजी को हराया था?

A. कदर B. कुतलग ख्वाजा
C. तरगी D. इकबालमंद

26. दीवान-ए-खालसा निम्नलिखित में से किस कार्य को देखने के लिए जिम्मेदार था?

A. सतत कृषि भूमि
B. पुरस्कार के रूप में दी गई राजस्व मुक्त भूमि
C. राज्य के सीधे नियंत्रण में आने वाली भूमि
D. ऊसर भूमि

27. सूची-I को सूची-II से सुमेलित कीजिए और निम्न कूट से सही उत्तर का चयन कीजिए:

सूची-I	सूची-II
(*a*) मालगुजार	(i) आनुवंशिक मुस्लिम अभिजात
(*b*) मुफ्ती	(ii) स्थानीय मुस्लिम संस्था
(*c*) अंजुमन	(iii) मुस्लिम विद्वान जो धार्मिक नियमों के विशेषज्ञ होते थे
(*d*) खानजाद	(iv) भूमिधारक प्राथमिक जमींदार

कूटः

	(*a*)	(*b*)	(*c*)	(*d*)
A.	(iv)	(iii)	(ii)	(i)
B.	(iii)	(iv)	(i)	(ii)
C.	(ii)	(iv)	(iii)	(i)
D.	(i)	(iii)	(ii)	(iv)

28. सूची-I को सूची-II से सुमेलित कीजिए और निम्न कूट से सही उत्तर का चयन कीजिएः

सूची-I	**सूची-II**
(*a*) हुंडी	(i) मुगल शाही आदेश
(*b*) दस्तक	(ii) विनिमय पत्र
(*c*) सनद	(iii) प्राथमिक उत्पादकों को अदा किया जाने वाला अग्रिम धन
(*d*) ददनी	(iv) कर की छूट के प्रयोजन के लिए यूरोपीय व्यापारियों को जारी किया जाने वाला आज्ञापत्र

कूटः

	(*a*)	(*b*)	(*c*)	(*d*)
A.	(ii)	(iii)	(i)	(iv)
B.	(iii)	(ii)	(iv)	(i)
C.	(ii)	(iv)	(i)	(iii)
D.	(iii)	(iv)	(i)	(ii)

29. भारत के मुस्लिम वास्तुकला में नौ नोकदार मेहराबों का प्रयोग पहली बार कब किया गया था?

A. सिकन्दर लोदी के भवनों में
B. शेरशाह के भवनों में
C. नूरजहाँ के भवनों में
D. शाहजहां के भवनों में

30. निम्नलिखित में से किसने भारत के प्रथम अफगान साम्राज्य के संबंध में यह टिप्पणी की थी कि "भारत में सांविधिक राजतंत्र स्थापित करने का संयोग था, लेकिन अफगान अभिजात्य वर्ग में व्याप्त असंतोष के कारण यह संयोग टल गया।"

A. के.ए. निजामी B. पीटर जैकसन
C. आर.पी. त्रिपाठी D. जॉन एफ. रिचर्ड्स

31. अलाउद्दीन खिलजी के संबंध में निम्नलिखित में से कौन-सा कथन सही नहीं है?

A. उसने "दीवान-ए-कोही" नामक विभाग की स्थापना की थी।
B. जियाउद्दीन बर्नी ने अलाउद्दीन की कराधान नीति की आलोचना की थी।
C. कोतवाल मलिक फखुरुद्दीन उसका वफादार था।
D. उसके पुत्र कुतुबद्दीन मुबारक खिलजी ने अपने आप को "खलीफा" घोषित कर दिया था।

32. समकालीन इतिहासकारों के द्वारा किस मुगल सम्राट को 'मुजद्दिद' की उपाधि दी गई थी?

A. हुमायूँ B. जहाँगीर
C. शाहजहाँ D. औरंगजेब

33. सूची-I को सूची-II से सुमेलित कीजिए और निम्न कूट से सही उत्तर का चयन कीजिएः

सूची-I	**सूची-II**
(*a*) रामानुज	(i) पुष्टि मार्ग
(*b*) चैतन्य	(ii) निर्गुण भक्ति
(*c*) वल्लभाचार्य	(iii) विशिष्टाद्वैत दर्शन
(*d*) नानक	(iv) गौडीय वैष्णवधर्म

कूटः

	(*a*)	(*b*)	(*c*)	(*d*)
A.	(iii)	(ii)	(iv)	(i)
B.	(ii)	(i)	(iv)	(iii)
C.	(iv)	(ii)	(i)	(iii)
D.	(iii)	(iv)	(i)	(ii)

34. सूची-I को सूची-II से सुमेलित कीजिए और निम्न कूट से सही उत्तर का चयन कीजिएः

सूची-I	**सूची-II**
(*a*) कादिरिया संप्रदाय	(i) शेख बद्रुद्दीन समरकंदी
(*b*) नक्शबंदिया संप्रदाय	(ii) शाह अब्दुल्लाह
(*c*) फिरदौसी संप्रदाय	(iii) ख्वाजा बकी बिल्लाह
(*d*) शत्तारी संप्रदीय	(iv) शाह नयामतुल्लाह

कूटः

	(*a*)	(*b*)	(*c*)	(*d*)
A.	(i)	(ii)	(iii)	(iv)
B.	(iv)	(iii)	(i)	(ii)
C.	(iii)	(ii)	(iv)	(i)
D.	(iv)	(i)	(ii)	(iii)

35. सूची-I को सूची-II से सुमेलित कीजिए और निम्न कूट से सही उत्तर का चयन कीजिएः

सूची-I	सूची-II
(*a*) मसंद	(i) सिक्ख गुरु का सहायक
(*b*) सहजदारी	(ii) गैर-खालसा सिक्ख
(*c*) सरदेशमुखी	(iii) मराठा राजस्व की माँग के लिए प्रयुक्त शब्द
(*d*) दल खालसा	(iv) सिक्ख धार्मिक संगठन

कूट:

	(*a*)	(*b*)	(*c*)	(*d*)
A.	(i)	(ii)	(iii)	(iv)
B.	(ii)	(i)	(iv)	(iii)
C.	(ii)	(iv)	(i)	(iii)
D.	(i)	(iii)	(ii)	(iv)

36. दिल्ली के सुल्तानों के शासनकाल में दिल्ली में बनाए गए खान-ए-जहाँ-तेलंगानी के मकबरे में क्या नई शैलीगत विशेषताएँ पाई जाती हैं?

A. लाल बालू पत्थर पर सफेद संगमरमर का प्रयोग
B. सच्ची मेहराब
C. दोहरे गुम्बद
D. योजना में अष्टभुजीय

37. सल्तनत चित्रकला की किस शैली ने मुगल शैली की चित्रकला की स्थापना के लिए मार्ग प्रशस्त किया है?

A. चौरपंचाशिक, लौर चंदा और इण्डो-पर्शियन
B. पाल, कश्मीरी और लौर चंदा
C. चौरेपंचाशिक, कश्मीरी और इण्डो-पर्शियन
D. इण्डो-पर्शियन, पाल और कश्मीरी

38. निम्नलिखित कथनों पर विचार कीजिए और गलत कथन को चिहिन्त कीजिए:

A. बाबर के जीवनवृत्त में समकालीन कार्यों पर प्रकाश डाला गया है।
B. इसमें प्रकृति के प्रति बाबर की रुचि को प्रदर्शित किया गया है।
C. इसमें फरगना, समरकंद और काबुल के बारे में कोई जानकारी नहीं दी गई है जहां उसने अपना समय बिताया था।
D. उसने अपने एवं समकालीन लोगों, उनकी अच्छी और बुरी बातों पर प्रकाश डाला है।

39. तुलसीदास कौन-सी पुस्तक के रचयिता थे?

A. कवितावली के   B. रामचरितमानस के
C. गीतावली के   D. उपर्युक्त में सभी

40. निम्नलिखित में से किसे 'वरकारी' सम्प्रदाय का संस्थापक माना जाता है?

A. एकनाथ   B. तुकाराम
C. नामदेव   D. ज्ञानेश्वर

41. 17वीं शताब्दी में मुगल शासक वर्ग के संगठन के प्रसंग में निम्नलिखित कथनों पर विचार कीजिए और नीचे दिए गए विकल्पों से सही उत्तर का चयन कीजिए:

A. सामासिक शाही वर्ग का एक पहलू प्रशासनिक सेवाओं के सदस्यों की छोटी सी संख्या का धीरे-धीरे प्रोन्नयन था।
B. ये सदस्य सामान्यतः खत्री और कायस्थ जातियों से लिए गए थे।
C. कुछ ब्राह्मण भी इस शासक वर्ग में शामिल थे।
D. उपर्युक्त सभी।

42. निम्नलिखित में से कौन-सा मुगल चित्रकार व्यंग्य चित्रकार था?

A. बसावन   B. मनोहर
C. मिस्किन   D. अबुल हसन

43. शाहजहाँ ने करतारपुर का युद्ध लड़ा था–

A. गुरु हरगोविन्द सिंह के विरुद्ध
B. गुरु हरकिशन के विरुद्ध
C. गुरु हरराय के विरुद्ध
D. गुरु तेग बहादुर के विरुद्ध

44. नीचे दो कथन दिए गए हैं, उनमें से एक अभिकथन (A) है और दूसरा तर्क (R) है:

अभिकथन (A) : 17वीं शताब्दी के अंत में और 18वीं शताब्दी के शुरू में किसानों के बार-बार विद्रोह के बारे में यह विश्वास किया जाता है कि यह मुगल साम्राज्य के पतन का मुख्य कारण था।

तर्क (R) : केंद्रीकृत मुगल राज्य के खिलाफ क्षेत्रीय भावना नहीं थी।

उपर्युक्त दो कथनों के प्रसंग में, निम्नलिखित में से कौन-सा कथन सही है?

A. (A) और (R) दोनों सही हैं और (R), (A) का सही स्पष्टीकरण है।
B. (A) और (R) दोनों सही हैं, लेकिन (R), (A) का सही स्पष्टीकरण नहीं है।

C. (A) सही है, लेकिन (R) गलत है।

D. (A) गलत है, लेकिन (R) सही है।

45. निम्नलिखित में से कौन-सा केंद्र भारत में डच वाणिज्यिक केंद्र नहीं था?

A. मसुलिपटम B. करीकल

C. हुगली D. बालासोर

46. उस अंग्रेज अधिकारी का नाम बताएँ, जिसने चन्द्रागिरि के शासक से वर्ष 1639 में मद्रास को पट्टे पर लिया था–

A. सर टॉमस रो B. फ्रांसिस डे

C. सर जॉर्ज ऑक्सिडन D. सर जॉन चाइल्ड

47. सूची-I को सूची-II से सुमेलित कीजिए और नीचे दिए गए कूट से सही उत्तर का चयन कीजिए:

सूची-I	सूची-II
(*a*) द्वितीय कर्नाटक युद्ध	(i) पेरिस की संधि
(*b*) तृतीय आंगल-मैसूर युद्ध	(ii) एक्सा शेपल
(*c*) द्वितीय आंग्ल-मराठा युद्ध	(iii) श्रीरंगपटनम की संधि
(*d*) तृतीय कर्नाटक युद्ध	(iv) बेसिन की संधि

कूटः

	(*a*)	(*b*)	(*c*)	(*d*)
A.	(iii)	(ii)	(iv)	(i)
B.	(ii)	(i)	(iii)	(iv)
C.	(i)	(iv)	(ii)	(iii)
D.	(ii)	(iii)	(iv)	(i)

48. निम्नलिखित में से कौन-सा प्रावधान सहायक संधि का भाग नहीं है?

A. राज्यों को अंग्रेज जनरल के कमान में अंग्रेज बल रखना होता था।

B. राज्य को अन्य राज्य के साथ युद्ध करने या शांति करने के लिए कंपनी की पूर्व अनुमति लेनी होगी।

C. राज्य अंग्रेजों की ईस्ट इंडिया कंपनी के सिवाय किसी यूरोपियन शक्ति के साथ संबंध नहीं रखने होंगे।

D. यदि किसी राज्य का स्वाभाविक उत्तराधिकारी नहीं हो, वह दत्तक-ग्रहण कर सकता है।

49. उस गवर्नर जनरल का नाम बताइए, जिसने नौकरशाही का यूरोपीयकरण और ऊँचे पदों पर भारतीयों को शामिल न करने की नीति अपनाई थी।

A. वारेन हेस्टिंग B. कॉर्नवालिस

C. वेल्सली D. डलहौजी

50. नीचे दो कथन दिए गए हैं, उनमें से एक अभिकथन (A) और दूसरा तर्क (R) है:

अभिकथन (A) : अंग्रजों ने भारत के अलग-अलग भागों में भू-राजस्व की अलग-अलग अवधि लागू की थी।

तर्क (R) : इससे भारतीय किसान कंगाल हो गए।

उपर्युक्त दो कथनों की विषय-वस्तु में निम्नलिखित में से कौन सही है?

कूटः

A. (A) और (R) दोनों सही हैं, लेकिन (R), (A) का सही स्पष्टीकरण नहीं है।

B. (A) सही है, लेकिन (R) गलत है।

C. (A) और (R) दोनों गलत हैं।

D. (A) और (R) दोनों सही हैं और (R), (A) का सही स्पष्टीकरण है।

51. कर्जन-किचनर का वर्ष 1904–05 का विवाद निम्नलिखित में से किससे संबंधित है?

A. बंगाल का विभाजन

B. वायसराय की परिषद् में सैनिक सदस्य का पद समाप्त करना

C. पुलिस बल की सीधी भर्ती

D. कलकत्ता विश्वविद्यालय की स्वायत्तता

52. सूची-I को सूची-II से सुमेलित कीजिए और नीचे दी गई सूची में दिए गए कूट से सही उत्तर का चयन कीजिए :

सूची-I	सूची-II
(*a*) पंजाब भूमि एलिनिएशन अधिनियम	(i) 1900
(*b*) केंद्रीय प्रांत भूमि एलिनिएशन अधिनियम	(ii) 1879
(*c*) उत्तर पश्चिम प्रांतीय भूमि एलिनिएशन अधिनियम	(iii) 1904
(*d*) दक्कन कृषि राहत अधिनियम	(iv) 1916

कूटः

	(a)	(b)	(c)	(d)
A.	(i)	(iii)	(iv)	(ii)
B.	(ii)	(i)	(iii)	(iv)
C.	(iii)	(iv)	(ii)	(i)
D.	(iv)	(ii)	(i)	(iii)

53. उस शासक का नाम बताइए, जिसे वर्ष 1875 में 'भारी कुशासन' के आरोप के कारण हटाया गया था।

A. गंगासिंह, बीकानेर
B. भूपेंद्रनाथ सिंह, पटियाला
C. कृष्णा राजा वाडियार, मैसूर
D. मल्हार राव गायकवाड, बड़ौदा

54. मद्रास से प्रकाशित किए गए प्रथम अंग्रेजी सांध्य दैनिक समाचार-पत्र का नाम था–

A. द मद्रास मेल
B. द मद्रास क्रॉनिकल
C. द मद्रास हेराल्ड
D. द मद्रास स्टेंडर्ड

55. "यह न भूलें कि निम्न वर्गों, उपेक्षितों, गरीबों, अशिक्षितों, मोची, सफाईकर्मी में भी आपकी भांति रक्त और मांस है, वे आपके भाई हैं।" ये शब्द किसने कहे थे?

A. ज्योतिबा फुले
B. महात्मा गांधी
C. बी.आर. अंबेडकर
D. स्वामी विवेकानन्द

56. "1857 का विद्रोह एक आंदोलन नहीं था..... ये कई आंदोलन थे।" उपर्युक्त कथन निम्नलिखित में से किसका था?

A. एस.एन. सेन B. आर.सी. मजुमदार
C. सी.ए. बेली D. इरिक स्टोक्स

57. सूची-I को सूची-II से सुमेलित कीजिए और नीचे दी गई सूची में दिए गए कूट से सही उत्तर का चयन कीजिए :

सूची-I	सूची-II
(a) नारायण गुरु	(i) राइजिंग सन
(b) त्रिपुरानैनी रामास्वामी चौधरी	(ii) जाति मीमांसा
(c) वेंकटरायलु नायडू	(iii) शंबूक वेध
(d) श्रीधरूला नायडू	(iv) वेद समाज

कूटः

	(a)	(b)	(c)	(d)
A.	(ii)	(i)	(iv)	(iii)
B.	(ii)	(iii)	(i)	(iv)
C.	(i)	(iv)	(iii)	(ii)
D.	(iii)	(ii)	(i)	(iv)

58. निम्नलिखित आंदोलनों के कालक्रम के बारे में नीचे दिए गए कूट से सही उत्तर का चयन कीजिए :

(i) कूका आंदोलन (ii) वहाबी आंदोलन
(iii) मुंडा विद्रोह (iv) मोपला किसान विद्रोह

कूटः

A. (ii) (i) (iii) (iv)
B. (i) (iii) (ii) (iv)
C. (ii) (i) (iv) (iii)
D. (iii) (ii) (i) (iv)

59. पारित अधिनियमों के कालक्रम के बारे में नीचे दिए गए कूट से सही उत्तर का चयन कीजिएः

(i) ब्रह्मो विवाह अधिनियम
(ii) शारदा अधिनियम
(iii) हिंदू विधवा पुनर्विवाह अधिनियम
(iv) एज ऑफ कंसेंट बिल

कूटः

A. (i) (iii) (iv) (ii)
B. (iii) (i) (ii) (iv)
C. (iv) (i) (iii) (ii)
D. (iii) (i) (iv) (ii)

60. निम्नलिखित में से कौन-सा कांग्रेसी नेता भारतीय राष्ट्रीय कांग्रेस के किसी अधिवेशन का सभापति नहीं था?

A. सुरेंद्रनाथ बनर्जी
B. गोपाल कृष्ण गोखले
C. बाल गंगाधर तिलक
D. महात्मा गांधी

61. निम्नलिखित स्थानों में से वर्ष 1906 में किस स्थान पर प्रथम स्वदेशी डकैती या लूट हुई थी?

A. माणिकतला B. रंगापुर
C. मुजफ्फरपुर D. मिदनापुर

62. धर्म सुधार आंदोलन का 'मॉर्निंग स्टार' किसे कहा जाता है?

A. मार्टिन लूथर B. जॉन कैल्विन
C. जिंग्ली D. जॉन विक्लिफ

63. 'कोल्ड वार' शब्द का प्रयोग सबसे पहले किसने किया था?

A. विन्सटन चर्चिल B. बर्नार्ड बारुच
C. मार्शल D. स्ट्रेशमैन

64. 'शुद्ध रक्त आर्य सिद्धांत' निम्नलिखित में से किससे संबंधित है?

A. फासीवाद B. शून्यवाद
C. सिंडिकेलिज्म D. नाजीवाद

65. 1990 में 26 वर्ष बाद जेल से रिहा होने के समय अफ्रीकन नेशनल कांग्रेस में नेलसन मंडेला किस पद पर थे?

A. प्रेसीडेंट B. वाइस-प्रेसीडेंट
C. सेक्रेटरी D. एडवाइजर

66. मार्शल योजना क्या थी?

A. सैनिक शक्ति द्वारा यूरोपीय शक्ति पर नियंत्रण
B. यूरोप पर अमरीकी तानाशाही का प्रभाव
C. साम्यवाद को नियंत्रित करने के लिए अमरीका का आर्थिक पैकेज
D. अमरीकी महाद्वीप केवल अमरीकियों के लिए है।

67. वेवल योजना का ठोस परिणाम था

A. संविधान सभा का गठन
B. धीरे-धीरें भारत का पूर्ण स्वतंत्रता
C. उत्तर-पश्चिम प्रांत में जनमत-संग्रह
D. अमरीकी महाद्वीप केवल अमरीकियों के लिए है।

68. भर्ती और चयन की विधि के मुद्दे पर विचार करने के लिए वर्ष 1974 में संघ लोक सेवा आयोग द्वारा निम्नलिखित में से कौन-सी समिति नियुक्त की गई थी?

A. भगवती समिति
B. डी.एस. कोठारी समिति
C. ए.डी. गोरवाला समिति
D. संथानम समिति

69. निम्नलिखित में से किसने स्पष्टतया कहा है कि "इतिहास के समस्त निष्कर्ष युक्तिसंगत साक्ष्यों पर आधारित होते हैं?"

A. हेरोडोटस B. थ्यूसिडाइडीज
C. पॉलिबियस D. टैसिटस

70. निम्नलिखित कृतियों में से कौन-सी कृति के लेखक लियोपॉल वोन रांके नहीं थे?

A. हिस्ट्री ऑफ रोम
B. हिस्ट्री ऑफ फ्रांस
C. हिस्ट्री ऑफ पोप्स
D. जर्मन हिस्ट्री एट द टाइम ऑफ रिफारमेशन

निर्देश (प्र.सं. 71 से 75 तक): *निम्नलिखित गद्यांश को सावधानी से पढ़िए और नीचे दिए गए प्रश्नों के सही उत्तर चुनिए:*

ऐतिहासिक समझ के लिए कारणता का सिद्धांत इतना मूलभूत महत्त्व रखता है कि ई.एच. कार ने जी. एम. ट्रेविलयान भाषण में कहा (1961) कि इतिहास का अध्ययन कारणों का अध्ययन है। परंतु उत्तर आधुनिकतावादी विचारक ऐतिहासिक कारणता पर भिन्न विचार रखते हैं। जॉन विन्सेंट का विचार है कि कारणता की खोज बंद होनी चाहिए क्योंकि यह व्यर्थ है और हमें व्याख्या पर ध्यान देना चाहिए। 1976 में लिखते हुए थियोडोर जेल्डिन ने विचार किया है कि कारणता और तिथिक्रम इतिहासकारों के लिए दो उत्पीड़क हैं। हेडेन व्हाइट ने कारणता पर आक्रमण करते हुए लिखा है कि यह वर्तमान में मानव क्रियाकलापों की स्वतंत्रता तथा भविष्य पर नियंत्रण से वंचित करता है और कारणता की चाल में फंसाता है। क्योंकि कारण समय पर निर्भर करता है, अतः कुछ उत्तर आधुनिकतावादी परवर्ती विचारों का विरोध करते हैं। किसी घटना का कारण समयानुसार हमारे समक्ष आना चाहिए। परंतु उत्तर आधुनिकतावादी इतिहासकार और दार्शनिक ऐंकरस्मिट (Ankersmit) कहते हैं "ऐतिहासिक समय आधुनिक पश्चिमी सभ्यता की उपज है," और घोषित करते हैं कि समय के सिद्धांत पर ऐतिहासिक वर्णन को आधारित करना कमजोर नींव पर भवन का निर्माण करना है। उत्तर आधुनिकतावादियों का विचार है कि इतिहास-लेखन में समय के विचार को त्याग देना चाहिए।

रिचर्ड इवान्स ने दिखाया है कि कैसे उत्तर आधुनिक विचार इस मान्यता का विरोधी है कि इतिहास समय-काल का विरोधी है। उत्तर आधुनिकतावादी वक्तव्य का ऐतिहासिक समय अतीत का विषय है, यह स्वयं समय के ऐतिहासिक विचारधारा का प्रयोग करता है। समय की विचार एक शक्तिशाली सिद्धांत और विश्व के समस्त मनुष्यों के लिए

प्रतिदिन के अनुभव का विषय है। समय स्वयं में बिना किसी सीमा के होना चाहिए, परंतु मानव जीवन के परिप्रेक्ष्य में यह व्यतीत होता रहता है और इसकी सीमाएँ हैं।

71. ई.एच. कार का कार्यकारण संबंध के विषय में क्या विचार है?

A. कार्यकारण संबंध के बिना इतिहास को नहीं समझा जा सकता है।

B. इतिहास देश और काल पर निर्भर करता है।

C. यह प्रतिदिन व्यक्तिगत अनुभव का विषय है कि हम किसी घटना के आधार के संबंध में पूछताछ करते हैं।

D. कारणता को संपूर्णता में लेना चाहिए।

72. उत्तर आधुनिकतावादी ऐतिहासिक कारणता के संबंध में क्या विचार रखते हैं?

A. इसकी खोज करना व्यर्थ है।

B. यह इतिहासकार को सीमा में बाँधता है।

C. कार्यकारण संबंधों से अधिक आवश्यक व्याख्या है।

D. इस संबंध में अनेक विचारधाराएँ हैं।

73. उत्तर आधुनिकतावादियों में समय की विचारधारा कौन-सी नहीं है?

A. इतिहास की व्याख्या में इसका अध्ययन नहीं किया जाना चाहिए।

B. यह इस सिद्धांत पर बल देता है कि घटनाओं की व्याख्याओं को महत्त्व दिया जाना चाहिए।

C. समय का संबंध अतीत से है।

D. समय के तथ्य पर विद्वानों ने विचार नहीं किया है।

74. निम्नलिखित में से किसने यह लिखा है कि कार्यकारण संबंध इतिहास के लिए बाधक है?

A. रिचर्ड इवान्स B. ऐंकरस्मिट

C. ई.एच. कार D. थियोडोर जेल्डिन

75. निम्नलिखित में से किसने कहा है कि समय के संबंध में वर्णनात्मक इतिहास-लेखन एक कमजोर नींव पर भवन निर्माण करने के समान है?

A. ऐंकरस्मिट B. थियोडोर जेल्डिन

C. रिचर्ड इवान्स D. ई.एच. कार

उत्तरमाला

1	2	3	4	5	6	7	8	9	10
B	D	C	A	A	C	C	C	C	B
11	**12**	**13**	**14**	**15**	**16**	**17**	**18**	**19**	**20**
C	A	A	A	A	A	D	B	C	D
21	**22**	**23**	**24**	**25**	**26**	**27**	**28**	**29**	**30**
C	A	C	B	C	C	A	C	D	C
31	**32**	**33**	**34**	**35**	**36**	**37**	**38**	**39**	**40**
A	C	D	B	A	D	A	C	D	C
41	**42**	**43**	**44**	**45**	**46**	**47**	**48**	**49**	**50**
D	C	A	B	C	B	D	D	B	D
51	**52**	**53**	**54**	**55**	**56**	**57**	**58**	**59**	**60**
B	A	D	A	D	C	B	A	D	C
61	**62**	**63**	**64**	**65**	**66**	**67**	**68**	**69**	**70**
B	D	A	D	B	C	D	B	B	A
71	**72**	**73**	**74**	**75**					
A	D	D	D	A					

कुछ चुने हुए प्रश्नों के व्याख्यात्मक उत्तर

2.

आद्य-ऐतिहासिक स्थल	अवस्थिति	प्रमुख तथ्य
आहाड़	राजस्थान (बनासघाटी)	पत्थर एवं मिट्टी से मकानों का निर्माण।
इनामगाँव	महाराष्ट्र	चाक निर्मित मृदभांड, सूक्ष्म पाषण उपकरण एवं ताम्र निर्मित उपकरण।
नवदाटोली	मध्य प्रदेश	सुनियोजित बस्ती, लाल-काले रंग के मृदभांड, तांबे का उपकरण, चावल, गेहूं, मटर, चना, मसूर के कृषि का प्रमाण।
नेवासा	महाराष्ट्र	चाक निर्मित मृदभांड, विशिष्ट नमूना टोंटीदार बर्तन, सूक्ष्म पाषण उपकरण एवं ताम्र निर्मित उपकरण।

Note: उपरोक्त सभी आद्य-ऐतिहासिक स्थल ताम्र-पाषण-काल से संबद्ध है।

6. भारतीय इतिहास के विभिन्न स्रोतों में से पुरातात्विक स्रोतों में अभिलेखों का महत्वपूर्ण स्थान है। ऐसे अभिलेख भारत के बाहर भी पाए गए हैं। एशिया माइनर का बोगजकोई अभिलेख इसी प्रकार का अभिलेख है। इस अभिलेख में अनेक वैदिक देवताओं यथा- इंद्र, मित्र, वरूण एवं नासत्य का उल्लेख है।

7. दस राजाओं के इस युद्ध को दासराज्ञ यद्ध कहा जाता है। यह युद्ध परूष्णी (रावी) नदी के किनारे लड़ा गया था। इस युद्ध में सुदास की विजय हुई।

9. बौद्ध विद्वान बुद्धघोष की टीका सुमंगल विलासिनी एवं महापरिनिब्बानसुत्र में ऐसा वर्णन मिलता है कि अजातशत्रु ने अपने आपको महत्मा बुद्ध के समान क्षत्रिय बताया है।

10. संगमकाल के कवियों में मामूलनार एवं परणर (परनर) के नाम उल्लेखनीय हैं। इन दोनों कवियों में से मामूलनार ने नंद वंश के शासकों के संचित धन का उल्लेख किया है।

17. सातवाहनों के पतन से लेकर चालुक्यों के उदय के बीच दक्कन में सबसे शक्तिशाली एवं प्रमुख राजवंश वाकाटकों का था। वाकाटकों ने तीसरी से छठी शताब्दी तक राज्य किया। वाकाटक शासकों में प्रवरसेन सर्वाधिक प्रमुख था। वाकटकों में एकमात्र वही शासक था जिसने धर्ममहाराज की उपाधि धारण की थी। प्रवरसेन ने ब्राहम्ण धर्म की महता स्थापित की तथा चार अश्वमेध यज्ञ किए।

18. संगम तमिल कवियों का संघ अथवा मण्डल था। इन संघों या परिषदों का आयोजन पाण्डय शासकों के संरक्षण में किया गया था। मदुरा में मंडल अथवा सम्मेलन के रूप में तमिल कवियों का एक संगम पर्याप्त समुन्नत स्थिति में था। इस बात का सर्वप्रथम उल्लेख इरैयनार अगप्पोरूल (8वीं सदी ई.) के भाष्य की भूमिका में प्राप्त होता है। संगम साहित्य का रचनाकाल 100 ई. से 250 ई. तक माना जाता है। मदुरा में आयोजित तीनों संगमों का विवरण निम्न प्रकार से है :

संगम	स्थल	अध्यक्ष	संरक्षक
प्रथम	मदुरा	अगस्त्य ऋषि	पाण्ड्य शासक
द्वितीय	कपाटपुरम (अलैव)	तोल्लकाप्पियर (संस्थापक अध्यक्ष अगस्त्य ऋषि)	पाण्ड्य शासक
तृतीय	उत्तरी मदुरा	नक्कीरर	पाण्ड्य शासक

19. देवपाल पाल वंश का महानतम शासक था। सुवर्णद्वीप के शैलेंद्रवंशी शासक बलपुत्रदेव (बालपुत्र) ने उससे आज्ञा लेकर नालंदा में एक बौद्ध विहार का निर्माण करवाया। देवपाल ने इस बौद्ध विहार के देखभाल के लिए पांच गांव दान में दिए थे।

20. अरब लेखक एवं यात्री अलमसूदी राष्ट्रकूट शासक इंद्र तृतीय (914–917) के शासन में भारत आया था।

संभवतः इंद्र तृतीय राष्ट्रकूट शासकों में सर्वश्रेष्ठ था। अरब यात्री अलमसूदी ने राष्ट्रकूट राजाओं को संसार का सर्वश्रेष्ठ शासक बताया है।

21.

लेखक		**पुस्तक**
राजशेखर	—	विद्धशाल भंजिका
श्री हर्ष	—	नैषधीय चरित
महेंद्रवर्मन	—	मत्तविलासप्रहसन
शूद्रक	—	मृच्छाकटिकम्

Note: 'कविराजमार्ग' राष्ट्रकूट शासक अमोघवर्ष द्वारा रचित कन्नड़ भाषा का काव्य ग्रंथ है।

24. इसामी की रचना फुतूह-अस-सलातीन में 'तुर्कान-ए-चिहलगानी' का सर्वप्रथम उल्लेख मिलता है। सुलतान इल्तुतमिश ने अपने विरोधी सरदारों को परास्त कर अपने वफादार गुलाम अमीरों (सरदारों) की एक टुकड़ी रखी जिसे 'तुर्कान-ए-चिहलगानी', या 'चरगान' कहा जाता था। इस संगठन में शामिल अमीरों की संख्या 40 होने के कारण इसे 'चालीसा' भी कहा जाता था।

25. अलाउद्दीन खिलजी के समय में मंगोलों द्वारा किए गए आक्रमण क्रमशः इस प्रकार थे- 1296, 1297, 1299, 1303, 1307, 1308

1303 में हुए मंगोल आक्रमण का नेता तरगी था। तरगी ने दो माह तक सीरी के किले की घेराबंदी के बाद दिल्ली के आसपास के क्षेत्रों को लूटकर वापस चला गया। इस घेराबंदी के कारण कुछ विद्वानों ने कहा है कि मंगोल नेता तरगी ने अलाउद्दीन खिलजी को हराया था।

26. सल्तनत काल में कृषि योग्य भूमि को कर निर्धारण की दृष्टि से दो भागों में बांटा गया था—

(1) **खालसाः** यह भूमि केंद्रीय सरकार के सीधे नियंत्रण में थी जिससे वसूल किए जाने वाले लगान को सीधे केंद्रीय राजकोष में जमा किया जाता था। इस भूमि की देख-रेख दीवान-ए-खालसा नामक अधिकारी करता था।

(2) **इक्ताः** दिल्ली व उसके आसपास के क्षेत्र खालसा के अधीन थे। जिसे राज्य द्वारा नकद वेतन के बदले में सैनिक एवं असैनिक अधिकारियों तथा अमीरों को आवंटित किया जाता था।

29. शाहजहां का काल मुगल 'वस्तुकला का स्वर्ण युग' माना जाता है। इसके साथ ही यह काल संगमरमर के प्रयोग का चरमोतकर्ष काल भी माना जाता है। शाहजहां के काल की मुख्य विशेषताएं- नक्काशीयुक्त या पर्णिल मेहराबें (Foliated Arches) तथा बंगाली शैली में मुड़े हुए कंगूरे तथा जंगले के खम्भे आदि थी। शाहजहां के काल में नौ नोकदार मेहराबों (Nine Cusped Arches) का प्रयोग दिल्ली के लाल किले के (दीवान-ए-खास) में किया गया है।

31. दीवान-ए-कोही अथवा दीवान-ए-अमीर कोही नामक विभाग की स्थापना मुहम्मद बिन तुगलक द्वारा की गई थी। इस विभाग का मुख्य कार्य मालगुजारी व्यवस्था की देखभागल करना एवं भूमि को खेती योग्य बनना था। इस तरह यह विभाग-कृषि विकास से संबद्ध था।

33. **रामानुज** (1017–1137 ई.): भक्ति आंदोलन के प्रारंभिक प्रतिपादक, जन्म तमिलनाडु के पेरम्बदूर में, विशिष्टाद्वैतवाद दर्शन के प्रतिपादक, क्रिया-कलाप का मुख्य केंद्र कांची और श्रीरंगपट्टम, सगुण ईश्वर में विश्वास।

चैतन्य (1486 – 1533 ई.): गोसाई संघ की स्थापना, संकीर्तन प्रथा का जन्म, अचिंत्य भेदभेदवाद नामक दार्शनिक सिद्धांत का प्रतिपादन, गौरांगमहाप्रभु के नाम पूजित।

बल्लभाचार्य (1479–1531 ई.): कृष्णमार्गी संत, श्रीनाथ जी के नाम से कृष्ण की पूजा, शुद्धाद्वैतवाद मत का प्रतिपादन, पुष्टिमार्ग की स्थापना।

गुरु नानक (1469 – 1539 ई.): सिख धर्म के संस्थापक, निराकार ईश्वर की कल्पना, एकेश्वरवाद तथा मानव मात्र की एकता का प्रतिपादन, उपदेश गुरु ग्रंथ साहब में संकलित।

34. **कादिरिया संप्रदायः** यह इस्लाम में प्रथम रहस्यवादी सूफी पंथ था। इसकी स्थापना शेख अब्दुल कादिर जिलानी ने की। इस पंथ/मत के संतों में शाह नयामतुल्लाह का नाम उल्लेखनीय है।

नक्शबंदिया संप्रदायः इस संप्रदाय की स्थापना ख्वाजा बाकी बिल्लाह ने के थी। शेख अहमद सरहिन्दी इस संप्रदाय (सिलसिले) के प्रसिद्ध संत थे जो 'मुजद्दद

आलिफसानी' के नाम से प्रसिद्ध थे। सरहिन्दी 'मुजाहिद' अर्थात् इस्लाम के नवजीवनदाता या सुधारक के रूप में भी प्रसिद्ध थे। यह संप्रदाय सबसे कट्टरवादी संप्रदाय था। अकबर एवं जहांगीर के के समकालीन शेख अहमद सरहिन्दी ने अकबर की उदार नीतियों का विरोध किया।

फिरदौसी संप्रदायः इस संप्रदाय के संस्थापक शेख बदरूद्दीन समरकंदी थे। यह संप्रदाय मुख्यतः बिहार में सक्रिय था।

शत्तारी संप्रदायः लोदी काल में शाह अब्दुल्लाह ने इस संप्रदाय की स्थापना की। गवालियर के मुहम्मद गौस इस संप्रदाय के सबसे प्रसिद्ध संत थे। संगीतकार तानसेन मुहम्मद गौस के शिष्य थे। इस संप्रदाय के संतों ने सुहारावर्दियों की भांति लौकिक सुविधाओं से पूर्ण आरामदायक जिंदगी व्यतीत किया।

35. **मसंदः** गुरु अर्जुन देव (1581 – 1606 ई.) के समय सिख धर्म के प्रचार-प्रसार के लिए स्थायी धर्म प्रचारक नियुक्त किए गए जिन्हें मसंद कहा जाता था। मसंद एक प्रकार से सिख गुरु के सहायक होते थे।

सहजधारीः सिख धार्मिक परंपरा में गुरु गोविंद सिंह द्वारा प्रारंभ की गई पाहुल प्रथा में दीक्षित होने वाले व्यक्ति को खालसा कहा गया तथा नाम के अंत में सिंह की उपाधि दी गई। इस मत में दीक्षित नहीं होने वाले सिखों को सहजधारी कहा गया।

सरदेशमुखीः मराठा कराधन प्रणाली में दो सर्वाधिक महत्वपूर्ण करों में से एक सरदेशमुखी था। शिवाजी के अनुसार देश के वंशानुगत सरदेशमुख (प्रधान मुखिया) होने के नाते और लोगों के हितों की रक्षा करने के बदले उन्हें सरदेशमुखी लेने का अधिकार है। यह आय का 10 प्रतिशत या 1/10 अंश के रूप में होता था।

दल खालसाः फर्रुखसियर के मृत्यु के बाद और मुहम्मदशाह के समय पंजाब पर नादिरशाह के आक्रमण ने सिक्खों को एक बार पुनः अपने को संगठित करने का अवसर प्रदान किया। सिंहपुरिया मिसल के नवाब कपूर सिंह ने अपने नेतृत्व में पंजाब के सिक्ख कृषक जो पृथक-पृथक जत्थों में बंटे थे को संगठित कर एक ऐसे दल के रूप में विकसित किया जो 'दल खालसा' के रूप में अस्तित्व में आया।

36. सुल्तान फिरोजशाह तुगलक के प्रधानमंत्री रहे खानेजहां तेलंगानी की याद में इस मकबरे का निर्माण तेलंगानी के पुत्र खाने जहां जूनाशाह ने करवाया था। यह मकबरा अष्टभुज के आकार में निर्मित है। इस मकबरे में लाल पत्थर एवं सफेद संगमरमर का सुंदर प्रयोग किया गया है। इस मकबरे की तुलना जेरुसलम में निर्मित उमर के मस्जिद से की जाती है।

37. सल्तनत काल में चित्रकाला के विकास के संबंध में रूसी विद्वान एफ रोसेननबर्ग ने कहा है कि 7वीं से 16वीं सदी तक भारतीय चित्रकला का विकास अवरूद्ध रहा। पर्सी ब्राउन के अनुसार 650 ई. के बाद अकबर के शासन काल तक भारत में चित्रकला का विकास नहीं हो सका। लेकिन यह बात पूरी तरह सही नहीं है। 19वीं सदी के बाद के वर्षों में सर्वप्रथम मुहम्मद अब्दुल्ला चगवाई ने यह विचार प्रस्तुत किया कि दिल्ली सल्तनत काल में चित्रकला का अस्तित्व था।

1353 ई. का मुहम्मद तुगलक के समय का एक ऐसा चित्र प्राप्त हुआ है जिसमें एक संगीत गोष्ठी में स्त्रियां सुल्तान के समक्ष वीणा तथा सितार बजा रही हैं उनमें से एक स्त्री शराब का प्याला सुल्तान को पकड़ा रही है। संभवतः यह चित्र ईरान के चित्रकार शाहपुर द्वारा बनाया गया था। इसे इण्डो-पर्शियन चित्रकला का प्रभाव कहा जा सकता है। यह स्थिति आगे भी जारी रही।

चौरपंचाशिक एवं लौर चंदा राजस्थान की चित्रकला शैली है। मुगल काल में निर्मित बहुत से चित्रों पर इस राजस्थानी चित्रकला का प्रभाव सहज देखने को मिलता है।

39. आचार्य शुक्ल के अनुसार तुलसीदास रचित ग्रंथ हैं– रामचरितमानस, कवितावली विनयपत्रिका, दोहावली गीतावली, रामाज्ञाप्रश्नावली, रामलला नहछू, पार्वतीमंगल, जानकीमंगल, बरवै रामायण, वैराग्य संदीपनी एवं कृष्णगीतावली।

40. महाराष्ट्र में भक्ति आंदोलन के मुख्यतः दो संप्रदायों में से एक संप्रदाय 'वरकारी' था। यह रहस्यवादी संप्रदाय था। इस संप्रदाय का मुख्य स्थल भीमा नदी

के किनारे पण्ढरपुर का बिठोवा या विट्ठल का मंदिर है। बिठोवा को कृष्ण का अवतार माना जाता है। इसलिए यह आंदोलन पण्दरपुर आंदोलन के नाम से जाना जाता है। बिठोवा पंथ के तीन महान गुरु— ज्ञानेश्वर/ज्ञानदेव, नामदेव तथा तुकाराम थे।

43. करतारपुर का युद्ध बाज प्रकरण के कारण मुगल सम्राट शाहजहां एवं सिखों के छठे गुरु हरगोविंद सिंह के बीच लड़ा गया जिसमें सिख गुरु की हार हुई। इस युद्ध का मुख्य कारण था मुगल सम्राट के बाज का उड़कर के सिख गुरु के पास चले जाना तथा सिख गुरु द्वारा लौटाने से इंकार करना।

45. डचों (Dutches) द्वारा भारत में स्थापित वाणिज्यिक केंद्र थे— पुलीकट, सूरत, विमलीपट्टम, करिकल, चिनसुरा, कोचीन, कासिम बाजार, पटना, बालासोर, नागपट्टम।

46. 1639 में फ्रांसिस डे नामक अंग्रेज अधिकारी को चंद्रागिरि के शासक से मद्रास पट्टे पर प्राप्त हो गया। यहीं पर अंग्रेजों ने 'फोर्ट सेंट जार्ज' नामक किले की स्थापना की। 1641 में कोरोमंडल तट पर 'फोर्ट सेंट जार्ज' ब्रिटिश इस्ट इंडिया का मुख्यालय बन गया।

47. **द्वितीय कर्नाटक युद्ध (1749-54):** यह युद्ध हैदराबाद तथा कर्नाटक के सिंहासनों के विवादस्पद उत्तराधिकारियों के कारण हुआ। फ्रांसीसी तथा ब्रिटिश व्यापारिक कंपनियों ने एक दूसरे के विरोधी गुट को समर्थन देकर इसे भड़काना शुरू किया। इस युद्ध में फ्रांसीसी गवर्नर डूप्ले को व्यक्तिगत क्षति तो हुई ही साथ ही साथ फ्रांस को भी क्षति हुई। डूप्ले को फ्रांस बुला लिया गया। इस युद्ध में अंग्रेजों की स्थिति मजबूत रही। इस युद्ध की समाप्ति एक्सा शेपल की संधि से हुई।

तृतीय आंग्ल-मैसूर युद्ध (1790-92): यह युद्ध लार्ड कार्नवालिस ने यह आरोप लगाकर शुरु किया कि वह (टिपू) अंग्रेजों के मित्र राज्य ट्रावनकोर पर आक्रमण के लिए दोषी है। अंग्रेजों ने मराठों और निजाम के सहयोग से श्रीरंगपट्टनम पर आक्रमण किया। मिडोज के नेतृत्व में टीपू पराजित हुआ। अंग्रेजों और टिपू के बीच मार्च 1792 में श्रीरंगपट्टनम की संधि संपन्न हुई। संधि की शर्तों के अनुसार टीपू को अपने राज्य का आधा हिस्सा अंग्रेजों और उसके सहयोगियों को देना था साथ ही युद्ध के हर्जाने के रूप में टिपू को तीन करोड़ रुपए अंग्रेजों को देना था।

द्वितीय आंग्ल-मराठा युद्ध (1803-06): यह युद्ध फ्रांसीसी भय से संलग्न था। 1800 में पूना में मुख्यमंत्री नाना फड़नवीस की मृत्यु हो गई, इसकी मृत्यु मराठों के लिए अभिशाप बनकर आई। नाना फड़नवीस से मुक्त होने के बाद वाजीराव द्वितीय ने अपना घिनौना रूप दर्शाया। उन्होंने अपनी स्थिति को बनाए रखने के लिए मराठा सरदारों में झगड़े करवाए तथा षडयंत्र रचे। मराठों के आपसी झगड़ों से छुटकारा पाने के लिए बाजीराव द्वितीय ने भागकर बेसीन में शरण ली और अंग्रजों से एक संधि (बसीन की संधि) की। संधि के अनुसार—

(i) पेशवर ने अंग्रेजी संरक्षण स्वीकार कर भारतीय तथा अंग्रेज पदातियों की सेना को पूना में रखना स्वीकार किया।

(ii) पेशवा ने सूरत नगर कंपनी को दे दिया।

(iii) पेशवा ने निजाम से चौथ प्राप्त करने का अधिकार छोड़ दिया और विदेशी मामले कंपनी के अधीन कर दिए।

तृतीय कर्नाटक युद्ध (1758-63): इस युद्ध का कारण था क्लाइव और वाटसन द्वारा बंगाल स्थित चंद्रनगर पर अधिकार। इस युद्ध के अंतर्गत अंग्रेजों और फ्रांसीसियों के बीच वाण्डिवाश नामक निर्णायक लड़ाई लड़ी गई। 22 जनवरी, 1760 को लड़े गए वाण्डिवाश के युद्ध में अंग्रेजी सेना को आयरकूट ने फ्रांसीसी सेना को लाली ने नेतृत्व प्रदान किया। इस युद्ध में फ्रांसीसी पराजित हुए। यही पराजय भारत में उनके पतन की शुरुआत थी। 1763 में सम्पन्न हुई पेरिस संधि के द्वारा अंग्रेजों ने चंद्रनगर को छोड़कर शेष अन्य प्रदेश, जो फ्रांसीसियों के अधिकार में 1749 तक थे वापस कर दिए। इनके पास ये क्षेत्र भारत के स्वतंत्र होने तक रहे।

48. सहायक संधि का प्रतिपादक ब्रिटिश गवर्नर जनरल लार्ड वेलेजली (1798-1805) था। सहायक संधि निम्न शर्तों पर आधारित होती थी–

(i) भारतीय राजाओं को अपना विदेशी संबंध कंपनी के नियंत्रण में स्थापित करना होता था और जो भी बातें दूसरे राज्यों से करनी थी, कंपनी के माध्यम से ही संभव हो सकती थी।

(ii) सहायक संधि करने वाले बड़े राज्यों के लिए यह आवश्यक था कि वे किसी अंग्रेज सैन्य अधिकारी द्वारा नियंत्रित एक सैन्य टुकड़ी को अपने राज्य में रखें तथा बदले में 'पूर्ण प्रभुसता वाले क्षेत्र' कंपनी को दें। छोटे स्तर के राज्य बदले में नकद धन दिया करते थे।

(iii) सहायक संधि करने वाले प्रत्येक राज्य को अपनी राजधानी में एक अंग्रेज रेज़ीडेंट रखना पड़ता था तथा कंपनी की पूर्व आज्ञा के बिना राजा किसी भी यूरोपीय को अपनी सेवा में नहीं ले सकता था।

(iv) कंपनी सहायक संधि करने वाले राज्यों के आंतरिक मामलों में हस्तक्षेप न करते हुए राज्य की उसके हर प्रकार के शत्रुओं से रक्षा करेगी।

49. कर्नवालिस (1786–93) ने प्रशासनिक व्यवस्था का यूरोपीयकरण किया। भारतीयों के लिए सेना में सूबेदार, जमादार, प्रशासनिक सेवा में मुंसिफ, सदर, अमीन या डिप्टी कलेक्टर से ऊंचे पद नहीं दिए जाते थे।

54. मद्रास से प्रकाशित प्रथम अंग्रेजी सांध्य दैनिक समाचार-पत्र 'द मद्रास मेल' था। इस पत्र के संस्थापक/ संपादक राबर्ट नाइट थे। यह अंग्रेजी भाषा में प्रकाशित होता था।

58.

आंदोलन/विद्रोह	प्रभावित राज्य/क्षेत्र	संस्थापक/नेता
कूका आंदोलन (1860–70)	पंजाब	भगत जवाहरमल
वहाबी आंदोलन (1830–60)	पंजाब	सैय्यद अहमद बरेलवी
मुण्डा विद्रोह (1899–1900)	बिहर (वर्तमान झारखंड)	बिरसा मुण्डा
मोपला विद्रोह (1921)	केरल	अली मुसलियार

59.

विभिन्न अधिनियम		पारित होने का वर्ष
ब्रह्मो विवाह अधिनियम	–	1872
शारदा अधिनियम	–	1930
हिन्दू विधवा पुनर्विवाह अधिनियम	–	1856
एज ऑफ कंसेट बिल (Age of Consent Bill)	–	1891

60.

अध्यक्ष	अधिवेशन	वर्ष	स्थान
सुरेन्द्रनाथ बनर्जी	11वां एवं 18वां	दिसंबर, 1895 एवं दिसंबर 1902	पूना एवं अहमादाबाद
गोपाल कृष्ण गोखले	21वां	दिसंबर, 1905	वाराणसी
महात्मा गांधी	40वां	दिसंबर, 1924	बेलगांव

67. द्वितीय विश्व युद्ध मित्र राष्ट्रों की विजय के साथ ही समाप्त हुआ। तत्कालीन भारतीय वायसराय वेवेल भारत में व्याप्त गतिरोध को दूर करने के लिए मार्च 1945 में इंग्लैण्ड गए। वहां उन्होंने ब्रिटिश प्रधानमंत्री चर्चिल एवं भारत मंत्री एमरी से भारत के बारे में सलाह मशविरा किया। इंग्लैण्ड से लौटकर उन्होंने वेवेल योजना को रखा जिसकी मुख्य मांगे निम्न थी–

(i) वायसराय की कार्यकारिणी परिषद को पुनर्गठित किया जाए तथा उसमें सभी दलों को प्रतिनिधित्व दिया जाए। परिषद् में वायसराय या सैन्य प्रमुख के अतिरिक्त शेष सभी सदस्य भारतीय होंगे तथा प्रतिरक्षा विभाग वायसराय के अधीन होगा।

(ii) कार्याकारिणी में मुसलमान सदस्यों की संख्या सवर्ण हिन्दुओं के बराबर होगी।

(iii) कार्यकारिणी परिषद एक अंतरिम राष्ट्रीय सरकार के समान होगा। गवर्नर जनरल बिना कारण निषेधाधिकार का प्रयोग नहीं करेगा।

(iv) कांग्रेस के नेता रिहा किए जाएंगे तथा शीघ्र ही शिमला में एक सर्वदलीय सम्मेलन बुलाया जाएगा।

(v) युद्ध समाप्त होने के उपरांत भारतीय स्वयं ही अपना संविधान बनाएंगे।

YOUR SPACE